Italia
2009

Sommario

Sommaire
Inhaltsverzeichnis
Contents

MAPS KARTEN CARTES CARTE

Come leggere la guida

INFORMAZIONI TURISTICHE

Distanza dalle città di riferimento,
uffici turismo, siti turistici locali,
mezzi di trasporto, golf
e tempo libero...

ANZOLA DELL'EMILIA – Bologna (BO) – **562** J15 – Vede

AOSTA (AOSTE) Ⓟ – (AO) –**561** E3 – **34 270 ab.** – alt. 583
per Pila (A/R) : a Pila 1 400 / 2 750 m ⛷ 1 ⛷ 7 ⛷ – ⊠ 11100

> Roma 746 – Chambéry 197 – Genève 139 – Ma
> Novara 139 – Torino 113
🛈 Piazza Piramidi, ℰ 057 36 02 31, apt12abetor
🎫 Aosta Arsanieres (giugno-15 ottobre). Local
016 55 60 46
◉ Collegiata di Sant'Orso Y : capitelli★★ del
Sant'Orso Y – Monumenti romani★ : port

GLI ALBERGHI

Da 🏨🏨🏨🏨 a 🏨:
categorie di confort.
🏠: forme alternative
di ospitalità
I più ameni: in rosso.

Marinella
via San Giocondo 33 – ℰ 0165 23 45 45
–info@hotelmarinella.com – Fax 0165 23
– 15 dicembre-15 aprile e 15 giugno-15 se
42 cam 🖵 – †60/95 € ††85/130 € – 17
Rist San Giorgio – ℰ 0165 23 45 85(ch
Rist La Taverna – pizzeria – Menu 20
• In pieno centro storico, confort
stile: bianche colonne, parquet e
Graziosi tavolini nella raffinata sala

I MIGLIORI ESERCIZI A PREZZI CONTENUTI

🖵 Bib Hotel.
😊 Bib Gourmand.

La Villa 🏡
via Ponte Suaz 26 – ℰ 0165 23 2
chiuso dal 2 novembre al 6 dice
36 cam – †60/70 € ††70/85 €
Rist – (solo per alloggiati) Me
• Tipica atmosfera di mont
colo e ospitale albergo ad a
Il legno e i colori ambrati son

LE TAVOLE STELLATE

❀❀❀ Vale il viaggio.
❀❀ Merita una deviazione.
❀ Ottima cucina.

Cavallino
via Torino 12 – ℰ 0165 3
–Fax0165 33 57 59 – c
Rist – (solo la sera) Me
Spec. Gelato al gorg
ripiena all'amarett
• L'ingresso sontuo
con tavoli spaziati

I RISTORANTI

Da 🍴🍴🍴🍴🍴 a 🍴: categorie di confort
I più ameni: in rosso.

Riviera
località Porosso
–Fax 0165 335
Rist – Menu
• Locale rec

4

ALTRE PUBBLICAZIONI MICHELIN

Riferimento alla carta Michelin ed alla Guida Verde
in cui figura la località.

LOCALIZZARE LA CITTÀ

Posizione della località sulla carta regionale
alla fine della guida
(n° della carta e coordinate).

LOCALIZZARE L'ESERCIZIO

Localizzazione sulla pianta di città
(coordinate ed indice).

GLI ALBERGHI TRANQUILLI

🔊 Albergo tranquillo.
🔊 Albergo molto tranquillo.

DESCRIZIONE DELL'ESERCIZIO

Atmosfera, stile,
carattere e specialità.

INSTALLAZIONI E SERVIZI

PREZZI

---

ogna

port invernali : funivia   22 SA

talia

y 72 – Milano 184 –

gilio.it, Fax 0573 60232.

sanieres, ℰ 016 55 60 45 - Fax

tro★ - Finestre★ del Priorato di

loria Y A

← monti e vallate   AU d

ore

170/240 € – ½ P 150 €

unedì) Menu 26 € – Carta 25/50 €

arta 35/65 € (+10%)

albergo con accogliente soggiorno in

di sobria eleganza; camere ben tenute.

nzo con soppalco e grandi vetrate.

                                   – Fax 0165 23 26 85 –
                                                      BF n

avilla@aostehotels.com

unedì e mercoledi sera

€ – ½ P 50 €

/35 € – Carta 56/70 €

e una bella cornice di boschi di faggio, per un pic-

ento familiare a pochi metri dagli impianti di risalita.

ementi predominanti nell'accogliente sala dapranzo.
                                                      CY a

/ - info@ristorantecavallino.com

giugno, dal 2 al 7 novembre, domenica e lunedì.

€ – Carta 65/85 €

a con sedano, aceto balsamico e grissini alle noci. Pesca

salsa di lamponi.

oduce degnamente in un'ampia, luminosa sala di tono elegante

toscana per una cucina ricca di tradizione e d'inventiva.
                                                      BU g

poz 18 – ℰ 0165 35 98 64 – riviera@tiscali.it

– chiuso domenica sera e lunedì a mezzogiorno

Carta 53/72 €

ente ristrutturato nella sua interezza. Calda atmosfera nei romantici

na offre piatti di una certa raffinatezza legati alla tradizione locale.
                                                      CS e

ina

27 65 11 – Fax 0165 7 65 12 – chiuso domenica sera e lunedì

                  diale disponibilità in un piacevole ambiente

                  cana e tipici della casa.

Principi

« Quest'opera nasce col secolo e durerà quanto esso. »

La prefazione della prima Edizione della guida MICHELIN 1900, divenuta famosa nel corso degli anni, si è rivelata profetica. Se la guida viene oggi consultata in tutto il mondo è grazie al suo costante impegno nei confronti dei lettori.

Desideriamo qui ribadirlo.

I principi della guida MICHELIN:

La visita anonima: per poter apprezzare il livello delle prestazioni offerte ad ogni cliente, gli ispettori verificano regolarmente ristoranti ed alberghi mantenendo l'anonimato. Questi pagano il conto e possono presentarsi per ottenere ulteriori informazioni sugli esercizi. La posta dei lettori fornisce peraltro preziosi suggerimenti che permettono di orientare le nostre visite.

L'indipendenza: la selezione degli esercizi viene effettuata in totale indipendenza, nel solo interesse del lettore. Gli ispettori e il caporedattore discutono collegialmente le scelte. Le massime decisioni vengono prese a livello europeo. La segnalazione degli esercizi all'interno della guida è interamente gratuita.

La selezione: la guida offre una selezione dei migliori alberghi e ristoranti per ogni categoria di confort e di prezzo. Tale selezione è il frutto di uno stesso metodo, applicato con rigorosità da tutti gli ispettori.

L'aggiornamento annuale: ogni anno viene riveduto e aggiornato l'insieme dei consigli pratici, delle classifiche e della simbologia al fine di garantire le informazioni più attendibili.

L'omogeneità della selezione: i criteri di valutazione sono gli stessi per tutti i paesi presi in considerazione dalla guida MICHELIN.

... e un unico obiettivo: prodigarsi per aiutare il lettore a fare di ogni spostamento e di ogni uscita un momento di piacere, conformemente alla missione che la Michelin si è prefissata: contribuire ad una miglior mobilità.

Editoriale

Caro lettore,

Abbiamo il piacere di presentarle la nostra 54a edizione della guida MICHELIN Italia.

Questa selezione, che comprende i migliori alberghi e ristoranti per ogni categoria di prezzo, viene effettuata da un'équipe di ispettori professionisti del settore. Ogni anno, percorrono l'intero paese per visitare nuovi esercizi e verificare il livello delle prestazioni di quelli già inseriti nella guida.

All'interno della selezione, vengono inoltre assegnate ogni anno da ✿ a ✿✿✿ alle migliori tavole. Le stelle contraddistinguono gli esercizi che propongono la miglior cucina, in tutti gli stili, tenendo conto della scelta dei prodotti, della creatività, dell'abilità nel raggiungimento della giusta cottura e nell'abbinamento dei sapori, del rapporto qualità/prezzo, ma anche della continuità.

Anche quest'anno, numerose tavole sono state notate per l'evoluzione della loro cucina. Una « **N** » accanto ad ogni esercizio prescelto dell'annata 2009, ne indica l'inserimento fra gli esercizi con una, due o tre stelle.

Desideriamo inoltre segnalare le « *promesse* » per la categoria superiore. Questi esercizi, evidenziati in rosso nella nostra lista, sono i migliori della loro categoria e potranno accedere alla categoria superiore non appena le loro prestazioni avranno raggiunto un livello costante nel tempo, e nelle proposte della carta. Con questa segnalazione speciale, è nostra intenzione farvi conoscere le tavole che costituiscono, dal nostro punto di vista, le principali promesse della gastronomia di domani.

Il vostro parere ci interessa, specialmente riguardo a queste « *promesse* ». Non esitate quindi a scriverci, la vostra partecipazione è importante per orientare le nostre visite e migliorare costantemente la vostra guida. Grazie ancora per la vostra fedeltà e vi auguriamo buon viaggio con la guida MICHELIN 2009.

Consultate la guida MICHELIN su
www.ViaMichelin.com
e scriveteci a :
laguidamichelin-italia@it.michelin.com

Categorie
& simboli distintivi

LE CATEGORIE DI CONFORT

Nella selezione della guida MICHELIN vengono segnalati i migliori indirizzi per ogni categoria di confort e di prezzo. Gli esercizi selezionati sono classificati in base al confort che offrono e vengono citati in ordine di preferenza per ogni categoria.

🏨🏨🏨	𝖃𝖃𝖃𝖃𝖃	Gran lusso e tradizione
🏨🏨🏨	𝖃𝖃𝖃𝖃	Gran confort
🏠🏠🏠	𝖃𝖃𝖃	Molto confortevole
🏠🏠	𝖃𝖃	Di buon confort
🏠	𝖃	Abbastanza confortevole
🏠		Forme Alternative di Ospitalità (b&b, agriturismo)
senza rist		L'albergo non ha ristorante
con cam		Il ristorante dispone di camere

I SIMBOLI DISTINTIVI

Per aiutarvi ad effettuare la scelta migliore, segnaliamo gli esercizi che si distinguono in modo particolare. Questi ristoranti sono evidenziati nel testo con ✿ o 😊 e **Rist**.

LE MIGLIORI TAVOLE

Le stelle distinguono gli esercizi che propongono la miglior qualità in campo gastronomico, indipendentemente dagli stili di cucina. I criteri presi in considerazione sono : la scelta dei prodotti, l'abilità nel raggiungimento della giusta cottura e nell'abbinamento dei sapori, il rapporto qualità/prezzo nonché la costanza.

> ✿✿✿   **Una delle migliori cucine, questa tavola vale il viaggio**
> Vi si mangia sempre molto bene, a volte meravigliosamente.

> ✿✿   **Cucina eccellente, questa tavola merita una deviazione**

> ✿   **Un'ottima cucina nella sua categoria**

I MIGLIORI ESERCIZI A PREZZI CONTENUTI

> 😊   **Bib Gourmand**
> Esercizio che offre una cucina di qualità, spesso a carattere tipicamente regionale, a meno di 30 € (35 € nelle città capoluogo e turistiche importanti). Prezzo di un pasto, bevanda esclusa.

> 😊   **Bib Hotel**
> Esercizio che offre un soggiorno di qualità a meno di 85 € per la maggior parte delle camere. Prezzi per 2 persone, prima colazione esclusa.

GLI ESERCIZI AMENI

Il rosso indica gli esercizi particolarmente ameni. Questo per le caratteristiche dell'edificio, le decorazioni non comuni, la sua posizione ed il servizio offerto.

⛺ a 🏨🏨 **Alberghi ameni**

✗ a ✗✗✗✗✗ **Ristoranti ameni**

LE SEGNALAZIONI PARTICOLARI

Oltre alle distinzioni conferite agli esercizi, gli ispettori Michelin apprezzano altri criteri spesso importanti nella scelta di un esercizio.

POSIZIONE

Cercate un esercizio tranquillo o che offre una vista piacevole ?
Seguite i simboli seguenti :

🐦   **Albergo tranquillo**

🐦   **Albergo molto tranquillo**

≼   **Vista interessante**

≼   **Vista eccezionale**

CARTA DEI VINI

Cercate un ristorante la cui carta dei vini offra una scelta particolarmente interessante ?

Seguite il simbolo seguente:

🍇   **Carta dei vini particolarmente interessante**

          Attenzione a non confrontare la carta presentata da un sommelier in un grande ristorante con quella di una trattoria dove il proprietario ha una grande passione per i vini della regione.

Installazioni & servizi

30 cam	Numero di camere
	Ascensore
AC	Aria condizionata (in tutto o in parte dell'esercizio)
	Esercizio con camere riservate in parte ai non fumatori. In Italia la legge vieta il fumo in tutti i ristoranti e le zone comuni degli alberghi
	Connessione Internet ad alta definizione in camera
	Connessione Internet wifi in camera
	Esercizio accessibile in parte alle persone con difficoltà motorie
	Attrezzatura per accoglienza e ricreazione dei bambini
	Pasti serviti in giardino o in terrazza
Spa	Wellness centre: centro attrezzato per il benessere ed il relax
	Cura termale, Idroterapia
	Sauna - Palestra
	Piscina: all'aperto, coperta
	Giardino – Parco
18	Campo di tennis, golf e numero di buche
	Sale per conferenze
	Saloni particolari
	Garage nell'albergo (gratuito la prima notte per chi presenta la guida dell'anno)
	Garage nell'albergo (generalmente a pagamento)
P	Parcheggio riservato alla clientela
P	Parcheggio chiuso riservato alla clientela
	Accesso vietato ai cani (in tutto o in parte dell'esercizio)
M	Stazione della metropolitana piú vicina a Roma e Milano
20 aprile-5 ottobre	Periodo di apertura (o chiusura), comunicato dal proprietario

I prezzi

I prezzi che indichiamo in questa guida sono stati stabiliti nell'estate 2008 e sono relativi all'alta stagione; potranno subire delle variazioni in relazione ai cambiamenti dei prezzi di beni e servizi. Essi s'intendono comprensivi di tasse e servizio (salvo specifica indicazione es. 15%).

Gli albergatori e i ristoratori si sono impegnati, sotto la propria responsabilità, a praticare questi prezzi ai clienti.

In occasione di alcune manifestazioni (congressi, fiere, saloni, festival, eventi sportivi...) i prezzi richiesti dagli albergatori potrebbero subire un sensibile aumento.

In bassa stagione, chiedete informazioni sulle eventuali promozioni offerte dagli albergatori.

LA CAPARRA

Alcuni albergatori chiedono il versamento di una caparra. Si tratta di un deposito-garanzia che impegna sia l'albergatore che il cliente. Chiedete di fornirvi nella lettera di conferma ogni dettaglio sulla prenotazione e sulle condizioni di soggiorno.

CARTE DI CREDITO

Carte di credito accettate :

VISA **MC** **AE** **①** Visa – Mastercard (Eurocard) – American Express – Diners Club –
S Carta SI

CAMERE

♦50/60€ Prezzo minimo/massimo per una camera singola
♦♦80/100€ Prezzo minimo/massimo per una camera per due persone
cam ☲ - 60/70€ Prezzo della camera compresa la prima colazione
☲ 10€ Prezzo della prima colazione(se non inclusa)
(supplemento eventuale se servita in camera)

MEZZA PENSIONE

½ P 77/120€ Prezzo minimo/massimo della mezza pensione (camera, prima colazione ed un pasto) in alta stagione per persona. Questi prezzi sono validi per la camera doppia occupata da due persone, per un soggiorno minimo di tre giorni; la persona singola potrà talvolta vedersi applicata una maggiorazione. La maggior parte degli alberghi pratica anche la pensione completa.

RISTORANTE

☞ Esercizio che offre un pasto semplice per meno di 22 €
Menu a prezzo fisso:
(pasto composto da: primo, piatto del giorno e dessert)
Rist - Menu15/25€ Minimo 15 €, massimo 25 €
bc Bevanda compresa
Rist - carta 30/46€ **Pasto carta:**
Pasto alla carta bevanda esclusa. Il primo prezzo corrisponde ad un pasto semplice comprendente: primo, piatto del giorno e dessert. Il secondo prezzo corrisponde ad un pasto più completo (con specialità) comprendente: antipasto, due piatti, formaggio o dessert. Talvolta i ristoranti non dispongono di liste scritte ed i piatti sono proposti a voce.

Le città

GENERALITÀ

20100	Codice di avviamento postale
Piacenza	Provincia alla quale la località appartiene
⊠ *28042 Baveno*	Numero di codice e sede dell'Ufficio Postale
℗	Capoluogo di Provincia
561 D9	Numero della carta Michelin e coordinate riferite alla quadrettatura
▮ *Toscana*	Vedere la Guida Verde Michelin Toscana
108 872 ab	Popolazione residente
alt. 175	Altitudine
Stazione termale } *Sport invernali*	Genere della stazione
1500/2000 m	Altitudine della località e altitudine massima raggiungibile con gli impianti di risalita
🚠 *2*	Numero di funivie o cabinovie
🎿 *4*	Numero di sciovie e seggiovie
🎿	Sci di fondo
EX A	Lettere indicanti l'ubicazione sulla pianta
🏌18	Golf e numero di buche
☀ ⪡	Panorama, vista
✈	Aeroporto
⛴	Trasporti marittimi
🛈	Ufficio Informazioni turistiche

INFORMAZIONI TURISTICHE

INTERESSE TURISTICO

★★★	Vale il viaggio
★★	Merita una deviazione
★	Interessante

UBICAZIONE

👁	Nella città
🧭	Nei dintorni della città
Nord, Sud, Est, Ovest	Il luogo si trova a Nord, a Sud, a Est, a Ovest della località
per ① *o* ④	Ci si va dall'uscita ① *o* ④ indicata con lo stesso segno sulla pianta e sulla carta stradale Michelin
6 km	Distanza chilometrica

INFORMAZIONI PER L'AUTOMOBILISTA

C.I.S.	☎ 1518 (informazioni viabilità)
A.C.I.	☎ 803 116 (soccorso stradale)

Le piante

- Alberghi
- Ristoranti

CURIOSITÀ

Edificio interessante
Costruzione religiosa interessante

VIABILITÀ

Autostrada, doppia carreggiata tipo autostrada
❶ Numero dello svincolo
Grande via di circolazione
← ◄ ⋮⋮⋮⋮⋮ Senso unico – Via regolamentata o impraticabile
Zona a traffico limitato
Via pedonale – Tranvia
Pasteur ⟨4·4⟩ Via commerciale – Sottopassaggio-Parcheggio
Porta – Sottopassaggio – Galleria
Stazione e ferrovia
◦┼┼┼┼┼◦ ◦━▪━▪━◦ Funicolare – Funivia, Cabinovia
△ **B** Ponte mobile – Traghetto per auto

SIMBOLI VARI

ℤ Ufficio informazioni turistiche
ŏ ⊠ Moschea – Sinagoga
⊙ ⊙ ∴ ⵣ Torre – Ruderi – Mulino a vento
t t t t Giardino, parco, bosco – Cimitero – Via Crucis
◯ **ī₉** 🐎 Stadio – Golf – Ippodromo
≋ ⤢ ▦ ⊠ Piscina: all'aperto, coperta
⋗ ⧚ Vista – Panorama
■ ⊙ ☼ Monumento – Fontana – Fabbrica
🛒 Centro commerciale
♨ ∡ ⵣ Porto turistico – Faro – Torre per telecomunicazioni
✈ ⊕ 🚌 Aeroporto – Stazione della Metropolitana – Autostazione
Trasporto con traghetto:
🚢 ⇌ ⇌ - passeggeri ed autovetture
③ Simbolo di riferimento comune alle piante ed alle carte
Michelin particolareggiate
▦ ⊗ Ufficio postale centrale
⊞ ⊠ Ospedale – Mercato coperto
▨ ▢ Edificio pubblico indicato con lettera:
P H J Prefettura –Municipio – Palazzo di Giustizia
M T - Museo - Teatro
U - Università
◈ POL - Carabinieri- Polizia (Questura, nelle grandi città)

13

Mode d'emploi

INFORMATIONS TOURISTIQUES

Distances depuis les villes principales, offices
de tourisme, sites touristiques locaux,
moyens de transports,
golfs et loisirs...

ANZOLA DELL'EMILIA – Bologna (BO) – **562** J15 – Vedere

AOSTA (AOSTE) Ⓟ – (AO) – **561** E3 – 34 270 ab. – alt. 583 m
per Pila (A/R) : a Pila 1 400 / 2 750 m ⚷1 ⚷ 7⚷ – ⌕ 11100 –
▸ Roma 746 – Chambéry 197 – Genève 139 – Mart
Novara 139 – Torino 113
🛈 Piazza Piramidi, ℰ 057 36 02 31, apt12abetonec
📅 Aosta Arsanieres (giugno-15 ottobre). Localit
016 55 60 46
👁 Collegiata di Sant'Orso Y : capitelli★★ del ch
Sant'Orso Y - Monumenti romani★ : porta

LES HÔTELS

De 🏨🏨🏨🏨 à 🏨 :
catégorie de confort.
⌂ : chambre d'hôte,
tourisme à la ferme.
Les plus agréables : en rouge.

Marinella
via San Giocondo 33 – ℰ 0165 23 45 45
–info@hotelmarinella.com – Fax 0165 23 4
– 15 dicembre-15 aprile e 15 giugno-15 set
42 cam ⌑ – ⚷60/95 € ⚷⚷85/130 € – 17 s
Rist San Giorgio – ℰ 0165 23 45 85(chiu
Rist La Taverna – pizzeria – Menu 20 €
♦ In pieno centro storico, confortev
stile: bianche colonne, parquet e ar
Graziosi tavolini nella raffinata sala da

LES MEILLEURES ADRESSES À PETITS PRIX

🍽 Bib Hôtel.
😊 Bib Gourmand.

La Villa
via Ponte Suaz 26 – ℰ 0165 23 26 7
chiuso dal 2 novembre al 6 dicem
36 cam – ⚷60/70 € ⚷⚷70/85 €, s
Rist – (solo per alloggiati) Men
♦ Tipica atmosfera di montag
colo e ospitale albergo ad and
I legno e i colori ambrati sono

LES TABLES ÉTOILÉES

😃😃😃 Vaut le voyage.
😃😃 Mérite un détour.
😃 Très bonne cuisine.

Cavallino
via Torino 12 – ℰ 0165 33
–Fax0165 33 57 59 – chi
Rist – (solo la sera) Men
Spec. Gelato al gorgo
ripiena all'amaretto c
♦ L'ingresso sontuoso
con tavoli spaziati; t

LES RESTAURANTS

De 🍴🍴🍴🍴🍴 à 🍴 : catégorie de confort.
Les plus agréables : en rouge.

Riviera
località Porossan
–Fax 0165 335 9
Rist – Menu 2
♦ Locale recer
ienti, e la

14

AUTRES PUBLICATIONS MICHELIN

Références de la carte Michelin et du Guide Vert
où vous retrouverez la localité.

LOCALISER LA VILLE

Repérage de la localité
sur les cartes régionales en fin de guide
(n° de la carte et coordonnées).

**LOCALISER
L'ÉTABLISSEMENT**

Localisation sur le plan de ville
(coordonnées et indice).

**LES HÔTELS
TRANQUILLES**

hôtel tranquille.
hôtel très tranquille.

**DESCRIPTION DE
L'ÉTABLISSEMENT**

Atmosphère, style,
caractère et spécialités.

**ÉQUIPEMENTS
ET SERVICES**

PRIX

Bologna

Sport invernali : funivia
22 S4

Italia

ny 72 – Milano 184 –

virgilio.it, Fax 0573 60232.
Arsanieres, ℰ 016 55 60 45 - Fax

ostro★ - Finestre★ del Priorato di
etoria Y A

monti e vallate
AU d

46
mbre
es 170/240 € – ½ P 150 €
lunedì) Menu 26 € – Carta 25/50 €
Carta 35/65 € (+10%)
e albergo con accogliente soggiorno in
di di sobria eleganza; camere ben tenute.
ranzo con soppalco e grandi vetrate.
Fax 0165 23 26 85 –
BF n

– lavilla@aostehotels.com
e, lunedìe mercoledi sera
7 € – ½ P 50 €
6/35 € – Carta 56/70 €
e una bella cornice di boschi di faggio, per un pic-
e a pochi metri dagli impianti di risalita.
mento familiare nell'accogliente sala dapranzo.
elementi predominanti
CY a

57 – info@ristorantecavallino.com
giugno, dal 2 al 7 novembre, domenica e lunedì. Pesca
32 € – Carta 65/85 €
ola con sedano, aceto balsamico e grissini alle noci.
n salsa di lamponi.
roduce degnamente in un'ampia, luminosa sala di tono elegante
co toscana per una cucina ricca di tradizione e d'inventiva.
BU g

ppoz 18 – ℰ 0165 35 98 64 – riviera@tiscali.it
sera e lunedì a mezzogiorno
65 – chiuso domenica sera e lunedì. Calda atmosfera nei romantici
– Carta 53/72 € ristrutturato nella sua interezza. legati alla tradizione locale.
mente ristrutturato nella sua certa raffinatezza
ucina offre piatti di una certa raffinatezza – chiuso domenica sera e lunedì
CS e

ina
27 65 11 – Fax 0165 7 65 12 – chiuso domenica sera
rdiale disponibilità in un piacevole ambiente
cana e tipici della casa.

Engagements

*« Ce guide est né avec le siècle
et il durera autant que lui. »*

Cet avant-propos de la première édition du guide MICHELIN 1900 est devenu célèbre au fil des années et s'est révélé prémonitoire. Si le guide est aujourd'hui autant lu à travers le monde, c'est notamment grâce à la constance de son engagement vis-à-vis de ses lecteurs.

Nous voulons ici le réaffirmer.

Les engagements du guide MICHELIN :

La visite anonyme : les inspecteurs testent de façon anonyme et régulière les tables et les chambres afin d'apprécier le niveau des prestations offertes à tout client. Ils paient leurs additions et peuvent se présenter pour obtenir des renseignements supplémentaires sur les établissements. Le courrier des lecteurs nous fournit par ailleurs une information précieuse pour orienter nos visites.

L'indépendance : la sélection des établissements s'effectue en toute indépendance, dans le seul intérêt du lecteur. Les décisions sont discutées collégialement par les inspecteurs et le rédacteur en chef. Les plus hautes distinctions sont décidées à un niveau européen. L'inscription des établissements dans le guide est totalement gratuite.

La sélection : le guide offre une sélection des meilleurs hôtels et restaurants dans toutes les catégories de confort et de prix. Celle-ci résulte de l'application rigoureuse d'une même méthode par tous les inspecteurs.

La mise à jour annuelle : chaque année toutes les informations pratiques, les classements et les distinctions sont revus et mis à jour afin d'offrir l'information la plus fiable.

L'homogénéité de la sélection : les critères de classification sont identiques pour tous les pays couverts par le guide MICHELIN.

... et un seul objectif : tout mettre en œuvre pour aider le lecteur à faire de chaque sortie un moment de plaisir, conformément à la mission que s'est donnée Michelin : contribuer à une meilleure mobilité.

Edito

Cher lecteur,

Nous avons le plaisir de vous proposer notre 54ᵉ édition du guide MICHELIN Italia. Cette sélection des meilleurs hôtels et restaurants dans chaque catégorie de prix est effectuée par une équipe d'inspecteurs professionnels, de formation hôtelière. Tous les ans, ils sillonnent le pays pour visiter de nouveaux établissements et vérifier le niveau des prestations de ceux déjà cités dans le guide.

Au sein de la sélection, nous reconnaissons également chaque année les meilleures tables en leur décernant de ❀ a ❀❀❀. Les étoiles distinguent les établissements qui proposent la meilleure qualité de cuisine, dans tous les styles, en tenant compte des choix de produits, de la créativité, de la maîtrise des cuissons et des saveurs, du rapport qualité/prix ainsi que de la régularité.

Cette année encore, de nombreuses tables ont été remarquées pour l'évolution de leur cuisine. Un « N » accompagne les nouveaux promus de ce millésime 2009, annonçant leur arrivée parmi les établissements ayant une, deux ou trois étoiles.

De plus, nous souhaitons indiquer les établissements « *espoirs* » pour la catégorie supérieure. Ces établissements, mentionnés en rouge dans notre liste, sont les meilleurs de leur catégorie. Ils pourront accéder à la distinction supérieure dès lors que la régularité de leurs prestations, dans le temps et sur l'ensemble de la carte, aura progressé. Par cette mention spéciale, nous entendons vous faire connaître les tables qui constituent à nos yeux, les espoirs de la gastronomie de demain.

Votre avis nous intéresse, en particulier sur ces « *espoirs* » ; n'hésitez pas à nous écrire. Votre participation est importante pour orienter nos visites et améliorer sans cesse votre guide. Merci encore de votre fidélité. Nous vous souhaitons de bons voyages avec le guide MICHELIN 2009.

Consultez le guide MICHELIN sur
www.ViaMichelin.com
Et écrivez-nous à :
laguidamichelin-italia@it.michelin.com

Classement
& Distinctions

LES CATÉGORIES DE CONFORT

Le guide MICHELIN retient dans sa sélection les meilleures adresses dans chaque catégorie de confort et de prix. Les établissements sélectionnés sont classés selon leur confort et cités par ordre de préférence dans chaque catégorie.

⛫⛫⛫	XXXXX	Grand luxe et tradition
⛫⛫⛫	XXXX	Grand confort
⛫⛫	XXX	Très confortable
⛫⛫	XX	De bon confort
⛫	X	Assez confortable
⌂		Autres formes d'hébergement conseillées (b&b, agritourisme)
senza rist		L'hôtel n'a pas de restaurant
con cam		Le restaurant possède des chambres

LES DISTINCTIONS

Pour vous aider à faire le meilleur choix, certaines adresses particulièrement remarquables ont reçu une distinction : étoiles ou Bib Gourmand. Elles sont repérables dans la marge par ✿ ou 🏠 et dans le texte par **Rist.**

LES ÉTOILES : LES MEILLEURES TABLES

Les étoiles distinguent les établissements, tous les styles de cuisine confondus, qui proposent la meilleure qualité de cuisine. Les critères retenus sont : le choix des produits, la créativité, la maîtrise des cuissons et des saveurs, le rapport qualité/prix ainsi que la régularité.

✿✿✿	**Cuisine remarquable, cette table vaut le voyage**
	On y mange toujours très bien, parfois merveilleusement.
✿✿	**Cuisine excellente, cette table mérite un détour**
✿	**Une très bonne cuisine dans sa catégorie**

LES BIBS : LES MEILLEURES ADRESSES À PETIT PRIX

🏠	**Bib Gourmand**
	Établissement proposant une cuisine de qualité, souvent de type régional, à moins de 30 € (35 € dans les villes et sites touristiques importants).
	Prix d'un repas hors boisson.
🏠	**Bib Hôtel**
	Établissement offrant une prestation de qualité avec une majorité de chambres à moins de 85 €. Prix pour 2 personnes, hors petit-déjeuner.

LES ADRESSES LES PLUS AGRÉABLES

Le rouge signale les établissements particulièrement agréables. Cela peut tenir au caractère de l'édifice, à l'originalité du décor, au site, à l'accueil ou aux services proposés.

⛩ à 🏨🏨🏨   **Hébergements agréables**

𝄪 à 𝄪𝄪𝄪𝄪   **Restaurants agréables**

LES MENTIONS PARTICULIÈRES

En dehors des distinctions décernées aux établissements, les inspecteurs Michelin apprécient d'autres critères souvent importants dans le choix d'un établissement.

SITUATION

Vous cherchez un établissement tranquille ou offrant une vue attractive ?
Suivez les symboles suivants :

   🕊   **Hébergement tranquille**

   🕊   **Hébergement très tranquille**

   ≼   **Vue intéressante**

   ≼   **Vue exceptionnelle**

CARTE DES VINS

Vous cherchez un restaurant dont la carte des vins offre un choix particulièrement intéressant ?

Suivez le symbole suivant :

   🍇   **Carte des vins particulièrement attractive**
                     Toutefois, ne comparez pas la carte présentée par le sommelier d'un grand restaurant avec celle d'une auberge dont le patron se passionne pour les vins de sa région.

Équipements
& Services

30 cam	Nombre de chambres
⬛	Ascenseur
🄰🄲	Air conditionné (dans tout ou partie de l'établissement)
⚬/	Établissement possédant des chambres réservées aux non-fumeurs. En Italie, la loi interdit de fumer dans tous les restaurants et les parties communes des hôtels.
☏	Connexion Internet à Haut débit dans la chambre
📶	Connexion wifi dans la chambre
♿	Établissement en partie accessible aux personnes à mobilité réduite
👫	Équipements d'accueil pour les enfants
🏕	Repas servi au jardin ou en terrasse
⊛	Wellness centre : bel espace de bien-être et de relaxation
⚕	Cure thermale, hydrothérapie
〰 ᛤ	Sauna - salle de remise en forme
⛱ ▨	Piscine : de plein air ou couverte
⛲ ⚓	Jardin de repos – Parc
⚔ 🄸🄸	Court de tennis, golf et nombre de trous
🏌	Salles de conférences
✥	Salon privé
🚗	Garage gratuit (une nuit) aux porteurs du Guide de l'année
🚘	Garage dans l'hôtel (généralement payant)
🅿	Parking réservé à la clientèle
🅿	Parking clos réservé à la clientèle
🐕̸	Accès interdit au chiens (dans tout ou partie de l'établissement)
Ⓜ	Station de métro la plus proche à Rome et à Milan
20 aprile-5 ottobre	Période d'ouverture (ou fermeture), communiquée par l'hôtelier

Les Prix

Les prix indiqués dans ce guide ont été établis à l'été 2008 et s'appliquent à la haute saison. Ils sont susceptibles de modifications, notamment en cas de variation des prix, des biens et des services. Ils s'entendent taxes et service compris (sauf indication spéciale, ex. 15%).

Les hôteliers et restaurateurs se sont engagés, sous leur propre responsabilité, à appliquer ces prix.

À l'occasion de certaines manifestations : congrès, foires, salons, festivals, vénements sportifs ..., les prix demandés par les hôteliers peuvent être sensiblement majorés. Hors saison, certains établissements proposent des conditions avantageuses, renseignez-vous dès votre réservation.

ARRHES

Certains hôteliers demandent le versement d'arrhes. Il s'agit d'un dépôt-garantie qui engage l'hôtelier comme le client. Bien demander à l'hôtelier de vous fournir dans sa lettre d'accord toutes les précisions utiles sur la réservation et les conditions de séjour.

CARTES DE PAIEMENT

Cartes de paiement acceptées :

VISA ⬤⬤ A⼝ ⓪   Visa – Mastercard (Eurocard) – American Express – Diners Club –
Ś   Carta SI

CHAMBRES

♦ 50/60€	Prix minimum/maximum pour une personne
♦♦ 80/100€	Prix minimum/maximum pour deux personnes
cam ⌑ - 60/70€	Prix de la chambre petit-déjeuner compris
⌑ 10€	Prix du petit-déjeuner si non inclus (supplément éventuel si servi en chambre)

DEMI-PENSION

½ P 77/120 €   Prix minimum et maximum de la demi-pension (chambre, petit-déjeuner et un repas) par personne en haute saison. Ces prix s'entendent pour une chambre double occupée par deux personnes pour un séjour de trois jours minimum. Une personne seule occupant une chambre double se voit souvent appliquer une majoration. La plupart des hôtels de séjour pratiquent également la pension complète.

RESTAURANT

⊜⊜   Restaurant proposant un repas simple à moins de 22 €

Menu à prix fixe :
(repas comprenant une entrée, un plat du jour et un dessert)

Rist - Menu 15/25 € **Prix du menu :** minimum 15 €, maximum 25 €

bc   Boisson comprise

Rist - carta 30/46 € **Repas à la carte hors boisson :**
Le 1er prix correspond à un repas simple comprenant une entrée, un plat du jour et un dessert. Le 2e prix concerne un repas plus complet comprenant une entrée, deux plats, fromage ou dessert. Parfois en l'absence de menu et de carte, les plats sont proposés verbalement.

Villes

GÉNÉRALITÉS

20100	Numéro de code postal
Piacenza	Province à laquelle la localité appartient
⊠ *28042 Baveno*	Numéro de code postal et nom du bureau distributeur du courrier
P	Capitale de Province
561 D9	Numéro de la carte Michelin et carroyage
Toscana	Voir le Guide Vert Michelin Toscana
108 872 ab	Population résidente
alt. 175	Altitude de la localité
Stazione termale	Station thermale
Sport invernali	Sport d'hiver
1500/2000 m	Altitude de la localité et altitude maximum atteinte par les remontées mécaniques
2	Nombre de téléphériques ou télécabines
4	Nombre de remonte-pentes et télésièges
	Ski de fond
EX A	Lettres repérant un emplacement sur le plan
18	Golf et nombre de trous
※ ≤	Panorama, point de vue
✈	Aéroport
	Transports maritimes
i	Information touristique

INFORMATIONS TOURISTIQUES

INTÉRÊT TOURISTIQUE

★★★	Vaut le voyage
★★	Merite un détour
★	Intéressant

SITUATION DU SITE

◉	Dans la ville
⊙	Aux environs de la ville
Nord, Sud, Est, Ovest	La curiosité est située : au Nord, au Sud, à l'Est, à l'Ouest
per ① o ④	On s'y rend par la sortie ① *ou* ④ repérée par le même signe sur le plan du Guide et sur la carte Michelin
6 km	Distance en kilomètres

INFORMATIONS POUR L'AUTOMOBILISTE

C.I.S.	℘ 1518 (informations routières)
A.C.I.	℘ 803 116 (secours routier)

Plans

- Hôtels
- Restaurants

CURIOSITÉS

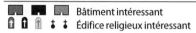

Bâtiment intéressant
Édifice religieux intéressant

VOIRIE

Autoroute, double chaussée de type autoroutier
❶ Numéro d'échangeur
Grande voie de circulation
Sens unique – Rue réglementée ou impraticable
Zone à circulation réglementée
Rue piétonne – Tramway
Pasteur Rue commerçante – Parking sous terrain
Porte – Passage sous voûte – Tunnel
Gare et voie ferrée
Funiculaire – Téléphérique, télécabine
Pont mobile – Bac pour autos

SIGNES DIVERS

Information touristique
Mosquée – Synagogue
Tour – Ruines – Moulin à vent
Jardin, parc, bois – Cimetière – Calvaire
Stade – Golf – Hippodrome
Piscine de plein air, couverte
Vue – Panorama
Monument – Fontaine – Usine
Centre commercial
Port de plaisance – Phare – Tour de télécommunications
Aéroport – Station de métro – Gare routière
Transport par bateau :
- passagers et voitures
③ Repère commun aux plans et aux cartes Michelin détaillées
Bureau principal de poste
Hôpital – Marché couvert
Bâtiment public repéré par une lettre :
P H J Préfecture – Hôtel de ville – Palais de justice
M T - Musée – Théâtre
U - Université
POL - Gendarmerie - Police (Commissariat central)

23

Hinweise zur Benutzung

TOURISTISCHE INFORMATIONEN

Entfernungen zu größeren Städten,
Informationsstellen, Sehenswürdigkeiten,
Golfplätze und lokale
Veranstaltungen...

ANZOLA DELL'EMILIA – Bologna (BO) – **562** J15 – Vedere

AOSTA (AOSTE) P – (AO) –**561** E3 – 34 270 ab. – alt. 583 m –
per Pila (A/R) : a Pila 1 400 / 2 750 m ☀ 1 ≰ 7 ⚡ – ⊠ 11100 –

▶ Roma 746 – Chambéry 197 – Genève 139 – Marti
Novara 139 – Torino 113

🛈 Piazza Piramidi, ☎ 057 36 02 31, apt12abetone@

🔞 Aosta Arsanieres (giugno-15 ottobre). Località
016 55 60 46

◎ Collegiata di Sant'Orso Y : capitelli★★ del chi
Sant'Orso Y - Monumenti romani★ : porta P

DIE HOTELS

Von 🏨🏨🏨 bis 🏠 :
Komfortkategorien.
🏠 : Gästehäuser,
Zimmer auf dem Bauernhof
Besonders angenehme
Häuser: in rot.

Marinella
via San Giocondo 33 – ☎ 0165 23 45 45
–info@hotelmarinella.com– Fax 0165 23 45
– 15 dicembre-15 aprile e 15 giugno-15 sette
42 cam ⚌ – †60/95 € ††85/130 € – 17 su
Rist San Giorgio – ☎ 0165 23 45 85(chius
Rist La Taverna – pizzeria – Menu 20 €
♦ In pieno centro storico, confortev
stile: bianche colonne, parquet e arr
Graziosi tavolini nella raffinata sala da

DIE BESTEN PREISWERTEN ADRESSEN

🍽 Bib Hotel.
😊 Bib Gourmand.

La Villa 🦌
via Ponte Suaz 26 – ☎ 0165 23 26 78
chiuso dal 2 novembre al 6 dicemb
36 cam – †60/70 € ††70/85 €, ⚌
Rist – (solo per alloggiati) Menu
♦ Tipica atmosfera di montagr
colo e ospitale albergo ad anda
legno e i colori ambrati sono

DIE STERNE-RESTAURANTS

❀❀❀ Eine Reise wert.
❀❀ Verdient einen Umweg.
❀ Eine sehr gute Küche.

Cavallino
via Torino 12 – ☎ 0165 33 5
– Fax0165 33 57 59 – chiu
Rist – (solo la sera) Men
Spec. Gelato al gorgon
ripiena all'amaretto c
♦ L'ingresso sontuoso i
con tavoli spaziati; to

DIE RESTAURANTS

Von 🍴🍴🍴🍴🍴 bis 🍴: Komfortkategorien
Besonders angenehme Häuser: in rot.

Riviera
località Porossan
– Fax 0165 335 98
Rist – Menu 21
♦ Locale recen
ambienti, e la

ANDERE MICHELIN-PUBLIKATIONEN

Angabe der Michelin-Karte und des Grünen
Michelin-Reiseführers, auf der der Ort zu finden ist.

Bologna

Sport invernali : funivia

22 S4

Italia

ny 72 – Milano 184 –

virgilio.it, Fax 0573 60232.
Arsanieres, ℰ 016 55 60 45 - Fax

ostro★ - Finestre★ del Priorato di
retoria Y A

≤ monti e vallate

AU d

LAGE DER STADT

Markierung des Ortes auf der Regionalkarte
am Ende des Buchs
(Nr. der Karte und Koordinaten).

LAGE DES HAUSES

Markierung auf dem Stadtplan
(Planquadrat und Koordinate).

RUHIGE HOTELS

⅍ ruhiges Hotel.
⅍ sehr ruhiges Hotel.

46
embre
tes 170/240 € – ½ P 150 €
o lunedi) Menu 26 € – Carta 25/50 €
– Carta 35/65 € (+10%)
ole albergo con accogliente soggiorno in
edi di sobria eleganza; camere ben tenute.
pranzo con soppalco e grandi vetrate.

– Fax 0165 23 26 85 –
BF n

BESCHREIBUNG DES HAUSES

Atmosphäre, Stil,
Charakter und Spezialitäten.

– lavilla@aostehotels.com

– lavilla@aostehotels.com
re, lunedie mercoledi sera
7 € – ½ P 50 €
26/35 € – Carta 56/70 €
na e una bella cornice di boschi di faggio, per un pic-
mento familiare a pochi metri dagli impianti di risalita.
li elementi predominanti nell'accogliente sala dapranzo.

CY a

EINRICHTUNG UND SERVICE

57 – info@ristorantecavallino.com
so giugno, dal 2 al 7 novembre, domenica e lunedi.
32 € – Carta 65/85 €
zola con sedano, aceto balsamico e grissini alle noci. Pesca
on salsa di lamponi.
ntroduce degnamente in un'ampia, luminosa sala di tono elegante
co toscana per una cucina ricca di tradizione e d'inventiva.

BU g

PREISE

oppoz 18 – ℰ 0165 35 98 64 – riviera@tiscali.it
65 – chiuso domenica sera e lunedi a mezzogiorno
– Carta 53/72 €
emente ristrutturato nella sua interezza. Calda atmosfera nei romantici
cucina offre piatti di una certa raffinatezza legati alla tradizione locale.

CS e

Marina
165 37 65 11 – Fax 0165 7 65 12 – chiuso domenica sera e lunedi
45 € cordiale disponibilità in un piacevole ambiente
toscana e tipici della casa.

Grundsätze

*„Dieses Werk hat zugleich mit dem Jahrhundert
das Licht der Welt erblickt, und es wird ihm ein ebenso
langes Leben beschieden sein."*

Das Vorwort der ersten Ausgabe des MICHELIN-Führers von 1900 wurde im Laufe der Jahre berühmt und hat sich inzwischen durch den Erfolg dieses Ratgebers bestätigt. Der MICHELIN-Führer wird heute auf der ganzen Welt gelesen. Den Erfolg verdankt er seiner konstanten Qualität, die einzig den Lesern verpflichtet ist und auf festen Grundsätzen beruht.

Die Grundsätze des MICHELIN-Führers:

Anonymer Besuch: Die Inspektoren testen regelmäßig und anonym die Restaurants und Hotels, um deren Leistungsniveau zu beurteilen. Sie bezahlen alle in Anspruch genommenen Leistungen und geben sich nur zu erkennen, um ergänzende Auskünfte zu den Häusern zu erhalten. Für die Reiseplanung der Inspektoren sind die Briefe der Leser im Übrigen eine wertvolle Hilfe.

Unabhängigkeit: Die Auswahl der Häuser erfolgt völlig unabhängig und ist einzig am Nutzen für den Leser orientiert. Die Entscheidungen werden von den Inspektoren und dem Chefredakteur gemeinsam getroffen. Über die höchsten Auszeichnungen wird sogar auf europäischer Ebene entschieden. Die Empfehlung der Häuser im MICHELIN-Führer ist völlig kostenlos.

Objektivität der Auswahl: Der MICHELIN-Führer bietet eine Auswahl der besten Hotels und Restaurants in allen Komfort- und Preiskategorien. Diese Auswahl erfolgt unter strikter Anwendung eines an objektiven Maßstäben ausgerichteten Bewertungssystems durch alle Inspektoren.

Einheitlichkeit der Auswahl: Die Klassifizierungskriterien sind für alle vom MICHELIN-Führer abgedeckten Länder identisch.

Jährliche Aktualisierung: Jedes Jahr werden alle praktischen Hinweise, Klassifizierungen und Auszeichnungen überprüft und aktualisiert, um ein Höchstmaß an Zuverlässigkeit zu gewährleisten.

... und sein einziges Ziel – dem Leser bestmöglich behilflich zu sein, damit jede Reise und jeder Restaurantbesuch zu einem Vergnügen werden, entsprechend der Aufgabe, die sich Michelin gesetzt hat: die Mobilität in den Vordergrund zu stellen.

Lieber Leser

Wir freuen uns, Ihnen die 54. Ausgabe des MICHELIN-Führers Italia vorstellen zu dürfen. Diese Auswahl der besten Hotels und Restaurants in allen Preiskategorien wird von einem Team von Inspektoren mit Ausbildung in der Hotellerie erstellt. Sie bereisen das ganze Jahr hindurch das Land. Ihre Aufgabe ist es, die Qualität und Leistung der bereits empfohlenen und der neu hinzu kommenden Hotels und Restaurants kritisch zu prüfen. In unserer Auswahl weisen wir jedes Jahr auf die besten Restaurants hin, die wir mit ✿ bis ✿✿✿ kennzeichnen. Die Sterne zeichnen die Häuser mit der besten Küche aus, wobei unterschiedliche Küchenstilrichtungen vertreten sind. Als Kriterien dienen die Qualität der Produkte, die fachgerechte Zubereitung, der Geschmack der Gerichte, die Kreativität und das Preis-Leistungs-Verhältnis, sowie die Beständigkeit der Küchenleistung. Darüber hinaus werden zahlreiche Restaurants für die Weiterentwicklung ihrer Küche hervorgehoben. Um die neu hinzugekommenen Häuser des Jahrgangs 2009 mit einem, zwei oder drei Sternen zu präsentieren, haben wir diese mit einem „**N**" gekennzeichnet.

Außerdem möchten wir die *"Hoffnungsträger"* für die nächsthöheren Kategorien hervorheben. Diese Häuser, die in der Liste in Rot aufgeführt sind, sind die besten ihrer Kategorie und könnten in Zukunft aufsteigen, wenn sich die Qualität ihrer Leistungen dauerhaft und auf die gesamte Karte bezogen bestätigt hat. Mit dieser besonderen Kennzeichnung möchten wir Ihnen die Restaurants aufzeigen, die in unseren Augen die Hoffnung für die Gastronomie von morgen sind. Ihre Meinung interessiert uns! Bitte teilen Sie uns diese mit, insbesondere hinsichtlich dieser *"Hoffnungsträger"*. Ihre Mitarbeit ist für die Planung unsere Besuche und für die ständige Verbesserung des MiCHELIN-Führers von großer Bedeutung.

Wir danken Ihnen für Ihre Treue und wünschen Ihnen angenehme Reisen mit dem MICHELIN-Führer 2009.

Den MICHELIN- Führer finden Sie auch im Internet unter
www.ViaMichelin.com
oder schreiben Sie uns eine E-mail:
laguidamichelin-italia@it.michelin.com

Kategorien
& Auszeichnungen

KOMFORTKATEGORIEN

Der MICHELIN-Führer bietet in seiner Auswahl die besten Adressen jeder Komfort- und Preiskategorie. Die ausgewählten Häuser sind nach dem gebotenen Komfort geordnet; die Reihenfolge innerhalb jeder Kategorie drückt eine weitere Rangordnung aus.

🏨🏨🏨	XXXXX	Großer Luxus und Tradition
🏨🏨	XXXX	Großer Komfort
🏨	XXX	Sehr komfortabel
🏨	XX	Mit gutem Komfort
🏠	X	Mit Standard-Komfort
个		Andere empfohlene Übernachtungsmöglichkeiten (Bed & Breakfast, Gästehäuser)
senza rist		Hotel ohne Restaurant
con cam		Restaurant vermietet auch Zimmer

AUSZEICHNUNGEN

Um ihnen behilflich zu sein, die bestmögliche Wahl zu treffen, haben einige besonders bemerkenswerte Adressen dieses Jahr eine Auszeichnung erhalten. Die Sterne bzw. „Bib Gourmand" sind durch das entsprechende Symbol ❀ bzw. 🙂 und **Rist** gekennzeichnet.

DIE BESTEN RESTAURANTS

Die Häuser, die eine überdurchschnittlich gute Küche bieten, wobei alle Stilrichtungen vertreten sind, wurden mit einem Stern ausgezeichnet. Die Kriterien sind: die Wahl der Produkte, die Kreativität, die fachgerechte Zubereitung und der Geschmack, sowie das Preis-Leistungs-Verhältnis und die immer gleich bleibende Qualität.

❀ ❀ ❀   **Eine der besten Küchen: eine Reise wert**
Man isst hier immer sehr gut, öfters auch exzellent.

❀ ❀   **Eine hervorragende Küche: verdient einen Umweg**

❀   **Ein sehr gutes Restaurant in seiner Kategorie**

DIE BESTEN PREISWERTEN HÄUSER

🙂   **Bib Gourmand**
Häuser, die eine gute Küche für weniger als 30 € bzw. 35 € in größeren Städten und Urlaubsorten bieten (Preis für eine Mahlzeit ohne Getränke).
In den meisten Fällen handelt es sich um eine regional geprägte Küche.

🏨   **Bib Hotel**
Häuser, die eine Mehrzahl ihrer komfortablen Zimmer für weniger als 85 € anbieten (Preis für 2 Personen ohne Frühstück).

DIE ANGENEHMSTEN ADRESSEN

Die rote Kennzeichnung weist auf besonders angenehme Häuser hin. Dies kann sich auf den besonderen Charakter des Gebäudes, die nicht alltägliche Einrichtung, die Lage, den Empfang oder den gebotenen Service beziehen.

⭡ bis 🏠🏠🏠🏠 **Angenehme Übernachtungsmöglichkeiten**

❌ bis ❌❌❌❌❌ **Angenehme Restaurants**

BESONDERE ANGABEN

Neben den Auszeichnungen, die den Häusern verliehen werden, legen die Michelin-Inspektoren auch Wert auf andere Kriterien, die bei der Wahl einer Adresse oft von Bedeutung sind.

LAGE

Wenn Sie eine ruhige Adresse oder ein Haus mit einer schönen Aussicht suchen, achten Sie auf diese Symbole:

    🐾   **Ruhiges Übernachtungsmöglichkeiten**

    🐾   **Sehr ruhiges Übernachtungsmöglichkeiten**

    ≪   **Interessante Sicht**

    ≪   **Besonders schöne Aussicht**

WEINKARTE

Wenn Sie ein Restaurant mit einer besonders interessanten Weinauswahl suchen, achten Sie auf dieses Symbol:

    🍇   Weinkarte mit besonders attraktivem Angebot
Aber vergleichen Sie bitte nicht die Weinkarte, die Ihnen vom Sommelier eines großen Hauses präsentiert wird, mit der Auswahl eines Gasthauses, dessen Besitzer die Weine der Region mit Sorgfalt zusammenstellt.

Einrichtung
& Service

30 cam	Anzahl der Zimmer
🛗	Fahrstuhl
A/C	Klimaanlage (im ganzen Haus bzw. in den Zimmern oder im Restaurant)
🚭	Nichtraucherzimmer vorhanden In Italien its es gesettalich verboten, in restaurants und in den Öffentlichen Bereichen eines Hotels zu rauchen.
📞	High-Speed Internetzugang in den Zimmern möglich
📶	Internetzugang nit W-LAN in den Zimmern möglich
♿	Für Körperbehinderte leicht zugängliches Haus
🧒	Spezielle Angebote für Kinder
🍽️	Terrasse mit Speisenservice
🧖	Wellnessbereich
♨️	Badeabteilung, Thermalkur
🧖 🏋️	Sauna – Fitnessraum
🏊 🏊	Freibad oder Hallenbad
🛋️ 🌳	Liegewiese, Garten – Park
🎾 ⛳18	Tennisplatz – Golfplatz und Lochzahl
🏛️	Konferenzraum
🖥️	Veranstaltungsraum
🚗	Garage kostenlos (nur für eine Nacht) für die Besitzer des MICHELIN-Führers des laufenden Jahres
🚗	Hotelgarage (wird gewöhnlich berechnet)
P	Parkplatz reserviert für Gäste
P	Gesicherter Parkplatz für Gäste
🚫	Hunde sind unerwünscht (im ganzen Haus bzw. in den Zimmern oder im Restaurant)
Ⓜ	Nächstgelegene U-Bahnstation in Rome und Milan
20 aprile-5 ottobre	Öffnungszeit, vom Hotelier mitgeteilt

Die in diesem Führer genannten Preise wurden uns im Sommer 2008 angegeben und beziehen sich auf die Hauptsaison. Bedienung und MWSt sind enthalten (wenn kein besonderer Hinweis gegeben wird, z. B. 15 %). Sie können sich mit den Preisen von Waren und Dienstleistungen ändern.

Die Häuser haben sich verpflichtet, die von den Hoteliers selbst angegebenen Preise den Kunden zu berechnen.

Anlässlich größerer Veranstaltungen, Messen und Ausstellungen werden von den Hotels in manchen Städten und deren Umgebung erhöhte Preise verlangt.

Erkundigen Sie sich bei den Hoteliers nach eventuellen Sonderbedingungen.

RESERVIERUNG UND ANZAHLUNG

Einige Hoteliers verlangen zur Bestätigung der Reservierung eine Anzahlung oder die Nennung der Kreditkartennummer. Dies ist als Garantie sowohl für den Hotelier als auch für den Gast anzusehen. Bitten Sie den Hotelier, dass er Ihnen in seinem Bestätigungsschreiben alle seine Bedingungen mitteilt.

KREDITKARTEN

Akzeptierte Kreditkarten:

VISA **MC** **AE** **DC** Visa – Mastercard (Eurocard) – American Express – Diners Club – Carta SI

ZIMMER

50/60€	Mindest- und Höchstpreis für ein Einzelzimmer
80/100€	Mindest- und Höchstpreis für ein Doppelzimmer
cam - 60/70€	Zimmerpreis inkl. Frühstück
10€	Preis des Frühstücks (falls nicht inkl.)
	(bei Zimmerservice kann ein Zuschlag erhoben werden)

HALBPENSION

½ P 77/120€ Mindest- und Höchstpreis für Halbpension (Zimmerpreis inkl. Frühstück und eine Mahlzeit) pro Person, bei einem von zwei Personen belegten Doppelzimmer für einen Aufenthalt von mindestens drei Tagen. Falls eine Einzelperson ein Doppelzimmer belegt, kann ein Preisaufschlag verlangt werden. In den meisten Hotels können Sie auf Anfrage auch Vollpension erhalten.

RESTAURANT

Restaurant, das ein einfaches Menu unter 22 € anbietet

Rist - Menu 15/25€ **Menupreise:**
mindestens 15 €, höchstens 25 €

bc Getränke inbegriffen

Rist - carta 30/46€ **Mahlzeiten „à la carte":**
Der erste Preis entspricht einer einfachen Mahlzeit mit Vorspeise, Hauptgericht, Dessert. Der zweite Preis entspricht einer reichlicheren Mahlzeit (mit Spezialität) aus Vorspeise, zwei Hauptgängen, Käse oder Dessert.
Falls weder eine Menu- noch eine „à la carte"-Karte vorhanden ist, wird das Tagesgericht mündlich angeboten.

Städte

ALLGEMEINES

20100	Postleitzahl
Piacenza	Provinz, in der der Ort liegt
✉ *28042 Baveno*	Postleitzahl und Name des Verteilerpostamtes
P	Provinzhauptstadt
561 D9	Nummer der Michelin-Karte mit Koordinaten
🛈 *Toscana*	Siehe Grünen Michelin-Reiseführer Toscana
108 872 ab	Einwohnerzahl
alt. 175	Höhe
Stazione termale	Thermalbad
Sport invernali	Wintersport
1500/2000 m	Höhe des Wintersportortes und Maximal-Höhe, die mit Kabinenbahn oder Lift erreicht werden kann
🚠 2	Anzahl der Kabinenbahnen
🚡 4	Anzahl der Schlepp- und Sessellifte
🎿	Langlaufloipen
EX A	Markierung auf dem Stadtplan
🏌18	Golfplatz mit Lochzahl
☀ ⬉	Rundblick, Aussichtspunkt
✈	Flughafen
⛴	Autofähre
🛈	Informationsstelle

SEHENSWÜRDIGKEITEN

BEWERTUNG

★★★	Eine Reise wert
★★	Verdient einen Umweg
★	Sehenswert

LAGE

👁	In der Stadt
👁	In der Umgebung der Stadt
Nord, Sud, Est, Ovest	Im Norden, Süden, Osten, Westen der Stadt
per ① *o* ④	Zu erreichen über die Ausfallstraße ① bzw. ④, die auf dem Stadtplan und der Michelin-Karte identisch gekennzeichnet sind
6 km	Entfernung in Kilometern

INFORMATIONEN FÜR DEN AUTOFAHRER

C.I.S.	☎ 1518 (Straßeninformationen)
A.C.I.	☎ 803 116 (Automobilclub)

Stadtpläne

- ● Hotels
- ● Restaurants

SEHENSWÜRDIGKEITEN

■ ■ ■ Sehenswertes Gebäude
⌂ ⌂ ⌂ ⵞ ⵞ Sehenswerte Kirche

STRASSEN

═══ ═══ Autobahn, Schnellstraße
❶ Nummern der Anschlussstellen: Autobahnein- und/oder -ausfahrt
▬▬ ══ ══ Hauptverkehrsstraße
← ◄ ≍≍≍≍≍ Einbahnstraße – Gesperrte Straße, mit Verkehrsbeschränkungen
⇉ ══ ─ Fußgängerzone – Straßenbahn
Pasteur 🅿 Einkaufsstraße – Unterirdisches Parkhaus
╪ ╡╞ ╪╪ Tor – Passage – Tunnel
━━━ 🚂━ Bahnhof und Bahnlinie
∘+++++∘ ∘●━●━●∘ Standseilbahn – Seilschwebebahn
⚠ Ⓑ Bewegliche Brücke – Autofähre

SONSTIGE ZEICHEN

🛈 Informationsstelle
☽ ✡ Moschee – Synagoge
● ○ ⁂ ✹ Turm – Ruine – Windmühle
▒▒ ▒▒ †ᵗ† ⊥ Garten, Park, Wäldchen – Friedhof – Bildstock
○ ⬡ ✚ Stadion – Golfplatz – Pferderennbahn
⬓ ⬔ ⬓ ⬒ Freibad – Hallenbad
➢· ☀ Aussicht – Rundblick
■ ◉ ☼ Denkmal – Brunnen – Fabrik
🛒 Einkaufszentrum
⚓ ⛴ 📡 Jachthafen – Leuchtturm – Funk-, Fernsehturm
✈ ◉ 🚌 Flughafen – U-Bahnstation – Autobusbahnhof
🚢 ⇔ ⇔ Schiffsverbindungen: Autofähre
③ Straßenkennzeichnung (identisch auf Michelin-Stadtplänen und -Abschnittskarten)
🖃 ✉ Hauptpostamt
✚ 🏛 Krankenhaus – Markthalle
▨ ▢ Öffentliches Gebäude, durch einen Buchstaben gekennzeichnet:
P H J – Präfektur – Rathaus – Gerichtsgebäude
M T – Museum – Theater
U – Universität
◈ POL – Gendarmerie – Polizei (in größeren Städten Polizeipräsidium)

How to use this guide

TOURIST INFORMATION

Distances from the main towns, tourist offices, local tourist attractions, means of transport, golf courses and leisure activities...

ANZOLA DELL'EMILIA – Bologna (BO) – **562** J15 – Vedere

AOSTA (AOSTE) P – (AO) –**561** E3 – 34 270 ab. – alt. 583 m –
per Pila (A/R) : a Pila 1 400 / 2 750 m ⚡ 1 ⚡ 7 ⚡ – ⊠ 11100 –

▶ Roma 746 – Chambéry 197 – Genève 139 – Mart
Novara 139 – Torino 113

🛈 Piazza Piramidi, ℰ 057 36 02 31, apt12abetone@
Aosta Arsanieres (giugno-15 ottobre). Località
016 55 60 46

👁 Collegiata di Sant'Orso Y : capitelli★★ del ch
Sant'Orso Y - Monumenti romani★ : porta F

HOTELS

From 🏨🏨🏨 to 🏠 : categories of comfort.
⭐ : Guesthouse, country guesthouse.
The most pleasant: in red.

Marinella
via San Giocondo 33 – ℰ 0165 23 45 45
–info@hotelmarinella.com– Fax 0165 23 4
– 15 dicembre-15 aprile e 15 giugno-15 sett
42 cam ⌕ – †60/95 € ††85/130 € – 17 su
Rist San Giorgio – ℰ 0165 23 45 85(chius
Rist La Taverna – pizzeria – Menu 20 €
◆ In pieno centro storico, confortev
stile: bianche colonne, parquet e ar
Graziosi tavolini nella raffinata sala da

GOOD FOOD AND ACCOMMODATION AT MODERATE PRICES

🍽 Bib Hotel.
😊 Bib Gourmand.

La Villa ⌂
via Ponte Suaz 26 – ℰ 0165 23 26 7
chiuso dal 2 novembre al 6 dicemb
36 cam – †60/70 € ††70/85 €, ⌕
Rist – (solo per alloggiati) Men
◆ Tipica atmosfera di montagn
colo e ospitale albergo ad and
l legno e i colori ambrati sono

STARS

🌼🌼🌼 Worth a special journey.
🌼🌼 Worth a detour.
🌼 A very good restaurant.

Cavallino
via Torino 12 – ℰ 0165 33 5
– Fax0165 33 57 59 – chiu
Rist – (solo la sera) Men
Spec. Gelato al gorgo
ripiena all'amaretto c
◆ L'ingresso sontuoso
con tavoli spaziati; to

RESTAURANTS

From 🍴🍴🍴🍴🍴 to 🍴 : categories of comfort
The most pleasant: in red.

Riviera
località Porossan
– Fax 0165 335 9
Rist – Menu 21
◆ Locale recer

ologna

Sport invernali : funivia
22 **S4**

Italia

ny 72 – Milano 184 –

virgilio.it, Fax 0573 60232.
Arsanieres, ℰ 016 55 60 45 - Fax

ostro★ - Finestre★ del Priorato di

etoria Y **A**

≪ monti e vallate
AU **d**

46
mbre
es 170/240 € – ½ P 150 €
lunedì) Menu 26 € – Carta 25/50 € ⊞
Carta 35/65 € (+10%)
e albergo con accogliente soggiorno in
di di sobria eleganza; camere ben tenute.
ranzo con soppalco e grandi vetrate.

≪
BF **n**

lavilla@aostehotels.com – Fax 0165 23 26 85 –

lavilla@aostehotels.com
, lunedì e mercoledì sera
€ – ½ P 50 €
6/35 € – Carta 56/70 €
e una bella cornice di boschi di faggio, per un pic-
a pochi metri dagli impianti di risalita.
mento familiare nell'accogliente sala dapranzo.
elementi predominanti
CY **a**

57 – info@ristorantecavallino.com
giugno, dal 2 al 7 novembre, domenica e lunedì.
32 € – Carta 65/85 €
ola con sedano, aceto balsamico e grissini alle noci. Pesca
salsa di lamponi.
roduce degnamente in un'ampia, luminosa sala di tono elegante
o toscana per una cucina ricca di tradizione e d'inventiva.
BU **g**

ppoz 18 – ℰ 0165 35 98 64 – riviera@tiscali.it
domenica sera e lunedì a mezzogiorno
5 – chiuso domenica sera e lunedì a mezzogiorno
– Carta 53/72 € ⊞
mente ristrutturato nella sua interezza. Calda atmosfera nei romantici
ucina offre piatti di una certa raffinatezza legati alla tradizione locale.
chiuso domenica sera e lunedì
CS **e**

ina
27 65 11 – Fax 0165 7 65 12 – chiuso domenica sera e lunedì
rdiale disponibilità in un piacevole ambiente
cana e tipici della casa.

Commitments

*"This volume was created at the turn of the century
and will last at least as long".*

This foreword to the very first edition of the MICHELIN guide, written in 1900,
has become famous over the years and the guide has lived up to the predic-
tion. It is read across the world and the key to its popularity is the consistency
of its commitment to its readers, which is based on the following promises.

The MICHELIN guide's commitments:

Anonymous inspections: our inspectors make regular and anonymous
visits to hotels and restaurants to gauge the quality of products and services offered to an ordinary customer. They settle their own bill and may then
introduce themselves and ask for more information about the establishment.
Our readers' comments are also a valuable source of information, which we
can then follow up with another visit of our own.

Independence: Our choice of establishments is a completely independent
one, made for the benefit of our readers alone. The decisions to be taken
are discussed around the table by the inspectors and the editor. The most
important awards are decided at a European level. Inclusion in the guide is
completely free of charge.

Selection and choice: The guide offers a selection of the best hotels and
restaurants in every category of comfort and price. This is only possible
because all the inspectors rigorously apply the same methods.

Annual updates: All the practical information, the classifications and awards
are revised and updated every single year to give the most reliable information possible.

Consistency: The criteria for the classifications are the same in every country
covered by the MICHELIN guide.

**... and our aim: to do everything possible to make travel,
holidays and eating out a pleasure, as part of Michelin's
ongoing commitment to improving travel and mobility.**

Dear reader

Dear reader,

We are delighted to introduce the 54rd edition of The MICHELIN guide Italia.

This selection of the best hotels and restaurants in every price category is chosen by a team of full-time inspectors with a professional background in the industry. They cover every corner of the country, visiting new establishments and testing the quality and consistency of the hotels and restaurants already listed in the guide.

Every year we pick out the best restaurants by awarding them from ✿ to ✿✿✿. Stars are awarded for cuisine of the highest standards and reflect the quality of the ingredients, the skill in their preparation, the combination of flavours, the levels of creativity and value for money, and the ability to combine all these qualities not just once, but time and time again.

Additionnally, we highlight those restaurants which, over the last year, have raised the quality of their cooking to a new level. Whether they have gained a first star, risen from one to two stars, or moved from two to three, these newly promoted restaurants are marked with an 'N' next to their entry to signal their new status in 2009.

We have also picked out a selection of "*Rising Stars*". These establishments, listed in red, are the best in their present category. They have the potential to rise further, and already have an element of superior quality; as soon as they produce this quality consistently, and in all aspects of their cuisine, they will be hot tips for a higher award. We've highlighted these promising restaurants so you can try them for yourselves; we think they offer a foretaste of the gastronomy of the future.

We're very interested to hear what you think of our selection, particularly the "*Rising Stars*", so please continue to send us your comments. Your opinions and suggestions help to shape your guide, and help us to keep improving it, year after year. Thank you for your support. We hope you enjoy travelling with the MICHELIN guide 2009.

Consult the MICHELIN guide at **www.ViaMichelin.com**
and write to us at: **laguidamichelin-italia@it.michelin.com**

Classification
& Awards

CATEGORIES OF COMFORT

The MICHELIN guide selection lists the best hotels and restaurants in each category of comfort and price. The establishments we choose are classified according to their levels of comfort and, within each category, are listed in order of preference.

🏠🏠🏠	✗✗✗✗✗	Luxury in the traditional style
🏠🏠🏠	✗✗✗✗	Top class comfort
🏠🏠🏠	✗✗✗	Very comfortable
🏠🏠	✗✗	Comfortable
🏠	✗	Quite comfortable
⚲		Alternative accommodation (B&B, country guesthouse)
senza rist		This hotel has no restaurant
con cam		This restaurant also offers accommodation

THE AWARDS

To help you make the best choice, some exceptional establishments have been given an award in this year's Guide. They are marked ✿ or 🅱 and **Rist**.

THE BEST CUISINE

Michelin stars are awarded to establishments serving cuisine, of whatever style, which is of the highest quality. The cuisine is judged on the quality of ingredients, the skill in their preparation, the combination of flavours, the levels of creativity, the value for money and the consistency of culinary standards.

✿✿✿	**Exceptional cuisine, worth a special journey**
	One always eats extremely well here, sometimes superbly.
✿✿	**Excellent cooking, worth a detour**
✿	**A very good restaurant in its category**

GOOD FOOD
AND ACCOMMODATION AT MODERATE PRICES

🅱	**Bib Gourmand**
	Establishment offering good quality cuisine, often with a regional flavour, for under €30 (€35 in a main city or important tourist destination).
	Price of a meal, not including drinks.
🏨	**Bib Hotel**
	Establishments offering good levels of comfort and service, with most rooms priced at under €85. Price of a room for 2 people, excluding breakfast.

PLEASANT HOTELS AND RESTAURANTS

Symbols shown in red indicate particularly pleasant or restful establishments: the character of the building, its décor, the setting, the welcome and services offered may all contribute to this special appeal.

⚐ to 🏨🏨🏨 **Pleasant accommodations**

✗ to ✗✗✗✗✗ **Pleasant restaurants**

OTHER SPECIAL FEATURES

As well as the categories and awards given to the establishment, Michelin inspectors also make special note of other criteria which can be important when choosing an establishment.

LOCATION

If you are looking for a particularly restful establishment, or one with a special view, look out for the following symbols:

    🌿   **Quiet accommodation**

    🌿   **Very quiet accommodation**

    ≤   **Interesting view**

    ≤   **Exceptional view**

WINE LIST

If you are looking for an establishment with a particularly interesting wine list, look out for the following symbol:

    🍇   **Particularly interesting wine list**
                This symbol might cover the list presented by a sommelier in a luxury restaurant or that of a simple inn where the owner has a passion for wine. The two lists will offer something exceptional but very different, so beware of comparing them by each other's standards.

Facilities
& services

30 cam	Number of rooms
🛗	Lift (elevator)
AC	Air conditioning (in all or part of the establishment)
⚡	Hotel partly reserved for non smokers. In Italy, it is forbidden by law to smoke in restaurants and in the public rooms of hotels.
📞	High speed Internet in bedrooms
📶	Wireless Internet in bedrooms
♿	Establishment at least partly accessible to those of restricted mobility
👪	Special facilities for children
🏞	Meals served in garden or on terrace
Spa	Wellness centre: an extensive facility for relaxation and well-being
♨	Hydrotherapy
🧖 ⓘ	Sauna – Exercise room
🏊 ⬛	Swimming pool: outdoor or indoor
🪑 🌳	Garden – Park
✗ ⛳	Tennis court – Golf course and number of holes
🛋	Equipped conference room
⬡	Private dining rooms
🚗	Hotel garage (one night free for those in possession of the current MICHELIN Guide)
🚘	Hotel garage (additional charge in most cases)
P	Car park for customers only
P	Enclosed car park for customers only
🐕	Dogs are excluded from all or part of the establishment
Ⓜ	Nearest metro station in Rome and Milan
20 aprile-5 ottobre	Dates when open (or closed), as indicated by the hotelier.

Prices quoted in this Guide are for summer 2008 and apply to high season. They are subject to alteration if goods and service costs are revised. The rates include tax and service charge (unless otherwise indicated, eg 15%).

By supplying the information, hotels and restaurants have undertaken to maintain these rates for our readers.

In some towns, when commercial, cultural or sporting events are taking place the hotel rates are likely to be considerably higher.

Out of season, certain establishments offer special rates. Ask when booking.

DEPOSITS

Some hotels will require a deposit, which confirms the commitment of customer and hotelier alike. Make sure the terms of the agreement are clear.

CREDIT CARDS

Credit cards accepted by the establishment:

VISA **MC** **AE** **D** Visa – MasterCard (Eurocard) – American Express – Diners Club –
S Carta Si

ROOMS

50/60€	Lowest/highest price for a single room
80/100€	Lowest/highest price for a double room
cam ☞ - 60/70€	Price includes breakfast
☞ 10€	Price of continental breakfast if not included (additional charge when served in the bedroom)

HALF BOARD

½ P 77/120€ Lowest/highest half-board price (room, breakfast and a meal) in high season, per person. These prices are valid for a double room occupied by two people for a minimum stay of three days. A single person may have to pay a supplement. Most of the hotels also offer full board terms on request.

RESTAURANT

Establishment serving a simple meal for less than €22.

Rist - Menu 15/25€ **Set meals:**
lowest €15 and highest €25
bc House wine included

Rist - carta 30/46€ **A la carte meals:**
The first figure is for a plain meal and includes entrée, main dish of the day with vegetables and dessert. The second figure is for a fuller meal (with "spécialité") and includes hors d'œuvre, 2 main courses, cheese or dessert.
When the establishment has neither table d'hôte nor "à la carte" menus, the dishes of the day are given verbally.

Towns

GENERAL INFORMATION

20100	Postal code
Piacenza	Province in which a town is situated
✉ *28042 Baveno*	Postal number and name of the post office serving the town
P	Provincial capital
561 D9	Michelin map and co-ordinates or fold
📗 *Toscana*	See the Michelin Green Guide Tuscany
108 872 ab	Population
alt. 175	Altitude (in metres)
Stazione termale	Spa
Sport invernali	Winter sports
1500/2000 m	Altitude (in metres) of resort and highest point reached by lifts
🚠 *2*	Number of cable cars
🎿 *4*	Number of ski and chair lifts
🏂	Cross-country skiing
EX A	Letters giving the location of a place on the town plan
🏌️	Golf course and number of holes
※ ≼	Panoramic view, viewpoint
✈	Airport
🚢	Shipping line (passengers & cars)
🛈	Tourist Information Centre

TOURIST INFORMATION

SIGHTS

★★★	Highly recommended
★★	Recommended
★	Interesting

LOCATION

👁	Sights in town
🄲	On the outskirts
Nord, Sud, Est, Ovest	The sight lies north, south, east or west of the town
per ① o ④	Sign on town plan and on the Michelin road map indicating the road leading to a place of interest
6 km	Distance in kilometres

INFORMATION FOR MOTORISTS

C.I.S.	☎ 1518 (roadway information)
A.C.I.	☎ 803 116 (roadway emergencies)

Town plans

- ● Hotels
- ● Restaurants

SIGHTS

■ ■ ▥ Place of interest
⌂ ⌂ ⌂ ⌡ ⌡ Interesting place of worship

ROADS

━━ ━━ Motorway, Dual carriageway
Motorway, Dual carriageway with motorway characteristics
❶ Number of junction
━━ ━━ ━━ Major thoroughfare
← ◄ ⌁⌁⌁⌁⌁ One-way street – Unsuitable for traffic, street subject to restrictions
▓▓▓▓ Area subject to restrictions
⊨⊨ ══ ⌁⌁ Pedestrian street – Tramway
Pasteur ⊞ Shopping street – Low headroom – Car park
╬ ╬ ╬ Gateway – Street passing under arch – Tunnel
━━━ ▦ Station and railway
∘┼┼┼┼┼∘ ∘━●━●━∘ Funicular – Cable-car
△ Ⓑ Lever bridge – Car ferry

VARIOUS SIGNS

𝐢 Tourist Information Centre
☪ ⊠ Mosque – Synagogue
● ○ ∴ ✻ Tower – Ruins – Windmill
▦ ▨ ⸶⸶ ⸶ Garden, park, wood – Cemetery – Cross
◔ ⛳ ⚘ Stadium – Golf course – Racecourse
⇌ ⎗ ⎘ ▣ Outdoor or indoor swimming pool
≷ ⁂ View – Panorama
■ ○ ✿ Monument – Fountain – Factory
⛬ Shopping centre
⚓ ⚑ ⊤ Pleasure boat harbour – Lighthouse – Communications tower
✈ ⊙ ⛟ Airport – Underground station – Coach station
Ferry services:
⛴ ⛵ ⛴ – passengers and cars
③ Reference numbers common to town plans and Michelin maps
⌸ ✉ Main post office
⊞ ⊟ Hospital – Covered market
▨ ▢ Public buildings located by letter:
P H J - Prefecture – Town Hall – Law Courts
M T U - Museum – Theatre – University
◈ POL - Police (in large towns police headquarters)

Le distinzioni 2009

Distinctions 2009
Auszeichnungen 2009
Awards 2009

Le Tavole stellate 2009

Il colore indica l'esercizio più stellato della località.

Roma	La località possiede almeno un ristorante 3 stelle	✳✳✳
Milano	La località possiede almeno un ristorante 2 stelle	✳✳
Taormina	La località possiede almeno un ristorante 1 stella	✳

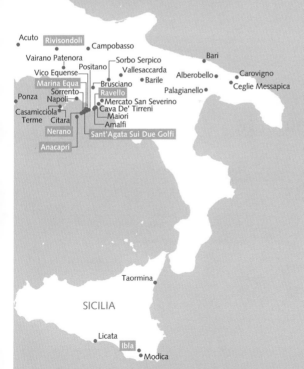

Macerata
Fermo

Acuto Rivisondoli
Campobasso
Vairano Patenora
Sorbo Serpico
Bari
Positano Vallesaccarda
Vico Equense
Marina Equa Barile Carovigno
Brusciano Alberobello Ceglie Messapica
Ponza Sorrento Ravello Palagianello
Napoli Mercato San Severino
Casamicciola Cava De' Tirreni
Terme Citara Maiori
Nerano Amalfi
Sant'Agata Sui Due Golfi
Anacapri

Taormina

SICILIA

Licata
Ibla
Modica

Le Tavole stellate 2009

Il colore indica l'esercizio più stellato della località.

Lombardia

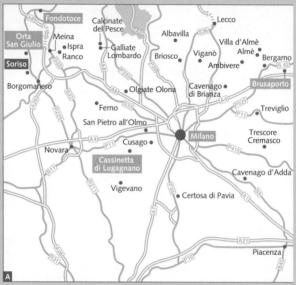

Fondotoce
Calcinate del Pesce
Lecco
Orta San Giulio
Meina
Albavilla
Villa d'Almè
Ispra
Galliate Lombardo
Almè
Ranco
Briosco
Viganò
Bergamo
Soriso
Ambivere
Borgomanero
Olgiate Olona
Cavenago di Brianza
Brusaporto
Ferno
Treviglio
San Pietro all'Olmo
Trescore Cremasco
Cusago
Milano
Novara
Cassinetta di Lugagnano
Cavenago d'Adda
Vigevano
Certosa di Pavia
Piacenza

A

Piemonte

Tigliole
Asti
Isola d'Asti
Canale
Monticello d'Alba
Barbaresco
Canelli
Alba
Santo Stefano Belbo
Cervere
Pollenzo
Treiso
Barolo

B

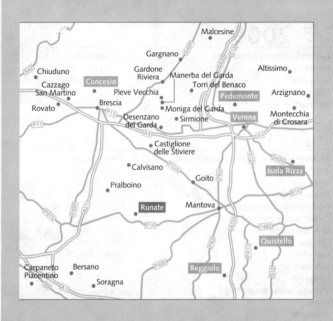

Toscana

Gli esercizi con stelle
Les tables étoilées
Die Sterne-Restaurants
Starred establishments

✿✿✿ 2009

Canneto Sull' Oglio / Runate (MN)	Dal Pescatore
Firenze (FI)	Enoteca Pinchiorri
Roma (RM)	La Pergola
Rubano (PD)	Le Calandre
Soriso (NO)	Al Sorriso

✿✿ 2009

Abbiategrasso / Cassinetta di Lugagnano (MI)	Antica Osteria del Ponte
Alta Badia (BZ)	St. Hubertus
Baschi (TR)	Vissani
Brusaporto (BG)	Da Vittorio
Capri (Isola di) / Anacapri (NA)	L'Olivo N
Cervia / Milano Marittima (RA)	La Frasca
Colle di Val d'Elsa (SI)	Arnolfo
Concesio (BS)	Miramonti l'Altro
Imola (BO)	San Domenico
Isola Rizza (VR)	Perbellini
Lonigo (VI)	La Peca N
Massa Lubrense / Nerano (NA)	Taverna del Capitano
Milano (MI)	Cracco
Milano (MI)	Il Luogo di Aimo e Nadia
Milano (MI)	Sadler
Milano (MI)	Trussardi alla Scala N
Modena (MO)	Osteria Francescana
Montemerano (GR)	Caino
Orta San Giulio (NO)	Villa Crespi
Quistello (MN)	Ambasciata
Ragusa / Ibla (RG)	Duomo
Ravello (SA)	Rossellinis
Reggiolo (RE)	Il Rigoletto
Rivisondoli (AQ)	Reale N
Rivoli (TO)	Combal.zero N
Roma (RM)	Il Pagliaccio N
San Pietro in Cariano / Pedemonte (VR)	Arquade
Sant' Agata sui Due Golfi (NA)	Don Alfonso 1890
San Vincenzo (LI)	Gambero Rosso
Senigallia (AN)	Uliassi N
Senigallia / Marzocca (AN)	Madonnina del Pescatore
Verbania / Fondotoce (VB)	Piccolo Lago
Verona (VR)	Il Desco
Vico Equense / Marina Equa (NA)	Torre del Saracino N

N → *Nuovo* ✿✿   → *Nouveau* ✿✿   → *Neu* ✿✿   → *New* ✿✿

❀ 2009

Cuneo (CN)	Delle Antiche Contrade
Cusago (MI)	Da Orlando
Desenzano del Garda (BS)	Esplanade
Dolegna del Collio / Ruttars	
(GO)	Castello di Trussio dell'Aquila d'Oro
Falzes / Molini (BZ)	Schöneck
Felino (PR)	La Cantinetta
Fermo (AP)	Emilio
Ferno (VA)	La Piazzetta
Ferrara (FE)	Il Don Giovanni
Forte dei Marmi (LU)	Lorenzo
Galliate Lombardo	
(VA)	Antica Trattoria Monte Costone
Gardone Riviera (BS)	Villa Fiordaliso
Gargnano (BS)	Grand Hotel a Villa Feltrinelli
Gargnano (BS)	La Tortuga
Genova (GE)	La Bitta nella Pergola
Giovo (TN)	Maso Franch
Goito (MN)	Al Bersagliere
Imperia / Oneglia (IM)	Agrodolce N
Ischia (Isola d') / Forio (NA)	Il Melograno
Ischia (Isola d') / Casamicciola Terme	
(NA)	Il Mosaico
Isola d'Asti (AT)	Il Cascinalenuovo
Ispra (VA)	Schuman
Labico (RM)	Antonello Colonna
Ladispoli (RM)	La Posta Vecchia
Lecco (LC)	Al Porticciolo 84
Licata (AG)	La Madia
Livigno (SO)	Chalet Mattias N
Lucca / Marlia (LU)	Butterfly
Lucca / Ponte a Moriano (LU)	La Mora
Macerata (MC)	L'Enoteca
Madesimo	
(SO)	Il Cantinone e Sport Hotel Alpina N
Madonna di Campiglio (TN)	Stube Hermitage N
Maiori (SA)	Il Faro di Capo d'Orso
Malcesine (VR)	Trattoria Vecchia Malcesine
Manerba del Garda (BS)	Capriccio
Manerba del Garda / Pieve Vecchia	
(BS)	Ortica
Mantova (MN)	Aquila Nigra
Massa Lubrense / Nerano (NA)	Quattro Passi
Massa Marittima / Ghirlanda (GR)	Bracali
Meina (NO)	Novecento N
Mercato San Severino	
(SA)	Casa del Nonno 13 N
Milano (MI)	Innocenti Evasioni N
Milano (MI)	Joia
Milano (MI)	Tano Passami l'Olio N
Modena (MO)	Fini
Modena (MO)	Hosteria Giusti
Modena (MO)	L'Erba del Re N
Modica (RG)	La Gazza Ladra N
Moena (TN)	Malga Panna
Moniga del Garda (BS)	Quintessenza N
Montalcino / Poggio alle Mura	
(SI)	Castello Banfi
Montecarotto (AN)	Le Busche
Montecchia di Crosara (VR)	La Terrazza
Monticello d'Alba (CN)	Conti Roero
Morgano / Badoere (TV)	Dal Vero
Morgex (AO)	Cafè Quinson N
Mules (BZ)	Stafler N
Napoli (NA)	Palazzo Petrucci N
Novara (NO)	Tantris
Oderzo (TV)	Gellius
Olbia (OT)	Gallura
Olgiate Olona (VA)	Ma.Ri.Na.
Ortisei (BZ)	Anna Stuben
Oviglio (AL)	Donatella N
Palagianello (TA)	La Strega
Parma (PR)	Al Tramezzo
Parma (PR)	Parizzi
Pasiano di Pordenone / Cecchini di Pasiano	
(PN)	Il Cecchini da Marco e Nicola
Pesaro (PS)	Da Alceo
Piacenza (PC)	Antica Osteria del Teatro
Pieve d'Alpago (BL)	Dolada
Pollone (BI)	Il Patio
Ponte dell'Olio (PC)	Riva
Ponza (Isola di) / Ponza (LT)	Acqua Pazza
Porto Ercole (GR)	Il Pellicano
Portoscuso (CI)	La Ghinghetta
Positano (SA)	San Pietro
Pralboino (BS)	Leon d'Oro
Prato (PO)	Il Piraña
Puos d'Alpago (BL)	Locanda San Lorenzo
Quattro Castella / Rubbianino (RE)	Ca' Matilde N
Ragusa / Ibla (RG)	Locanda Don Serafino
Ranco (VA)	Il Sole di Ranco
Remanzacco (UD)	Bibendum N
Rimini / Miramare (RN)	Guido
Rivodutri (RI)	La Trota
Roma (RM)	Acquolina Hostaria in Roma N
Roma (RM)	Agata e Romeo
Roma (RM)	Baby
Roma (RM)	Imàgo N

N → *Nuovo* ❀❀   → *Nouveau* ❀❀   → *Neu* ❀❀   → *New* ❀❀

Roma (RM)	Mirabelle	**Tirolo (BZ)**	Trenkerstube
Ronzone (TN)	Orso Grigio	**Tivoli (RM)**	Vesta N
Rovato (BS)	Due Colombe N	**Torino (TO)**	Guidopereataly-Casa Vicina
Rubiera (RE)	Arnaldo-Clinica Gastronomica	**Torino (TO)**	La Barrique
Ruda (UD)	Osteria Altran	**Torino (TO)**	Locanda Mongreno
Salice Terme (PV)	Ca'Vegia	**Torino (TO)**	Vintage 1997
San Casciano in Val di Pesa /		**Torri del Benaco (VR)**	Al Caval N
Cerbaia (FI)	La Tenda Rossa	**Treiso (CN)**	La Ciau del Tornavento
San Marino (SMR)	Righi la Taverna N	**Trento (9999)**	Locanda Margon
San Maurizio Canavese (TO)	La Credenza	**Trento (TN)**	Osteria a Le Due Spade
San Polo d'Enza (RE)	Mamma Rosa	**Trento (TN)**	Scrigno del Duomo
San Quirino (PN)	La Primula	**Trescore Cremasco (CR)**	Trattoria del Fulmine
San Remo (IM)	Paolo e Barbara	**Treviglio (BG)**	San Martino
Santo Stefano Belbo (CN)		**Udine / Godia (UD)**	Agli Amici
	Il Ristorante di Guido da Costigliole	**Vado Ligure / Sant'Ermete**	
Sappada (BL)	Laite	(SV)	La Fornace di Barbablù
Sarentino (BZ)	Auener Hof N	**Vairano Patenora (CE)**	Vairo del Volturno
Sasso Marconi (BO)	Marconi	**Vallesaccarda (AV)**	Oasis-Sapori Antichi
Savigno (BO)	Trattoria da Amerigo	**Vandoies (BZ)**	La Passion N
Savona (SV)	A Spurcacciun-a N	**Vandoies (BZ)**	Tilia
Savona (SV)	L'Arco Antico	**Varese / Calcinate del Pesce**	
Selvazzano Dentro (PD)	La Montecchia N	(VA)	Quattro Mori
Siena (SI)	Antica Trattoria Botteganova	**Venaria Reale (TO)**	Dolce Stil Novo alla Reggia
Siena (SI)	Il Canto	**Venezia (VE)**	Met
Sirmione (BS)	La Rucola	**Venezia (VE)**	Osteria da Fiore
Soragna (PR)	Locanda Stella d'Oro	**Verona (VR)**	Osteria la Fontanina
Sorbo Serpico (AV)	Marenna' N	**Viareggio (LU)**	Piccolo Principe N
Sorrento (NA)	Il Buco	**Viareggio (LU)**	Romano
Spello (PG)	La Bastiglia	**Vico Equense (NA)**	Antica Osteria Nonna Rosa
Taormina (ME)	Casa Grugno	**Viganò (LC)**	Pierino Penati
Taormina (ME)	La Capinera N	**Vigevano (PV)**	I Castagni
Taormina (ME)	Principe Cerami	**Villa d'Almè (BG)**	Osteria della Brughiera
Tavarnelle Val di Pesa / Badia a Passignano		**Villa di Chiavenna (SO)**	Lanterna Verde
(FI)	Osteria di Passignano	**Zagarolo (RM)**	Il Tordo Matto
Tesimo (BZ)	Zum Löwen		
Tigliole (AT)	Vittoria		

LE PROMESSE 2009 PER ❀

Les espoirs 2009 pour ❀
Die Hoffnungsträger 2009 für ❀
The 2009 Rising Stars for ❀

Benevello (CN)	Villa d'Amelia	**Siusi allo Sciliar (BZ)**	Sassegg
Bergamo (BG)	Roof Garden	**Viareggio (LU)**	L'Imbuto
Massa Lubrense / Termini (NA)	Relais Blu	**Vibo Valentia / Vibo Valentia Marina**	
Monsampolo del Tronto (AP)	Il Cantuccio	(VV)	L'Approdo
Montescano (PV)	Le Robinie	**Vico Equense (NA)**	Maxi
Piove di Sacco (PD)	Meridiana		

N → *Nuovo* ❀❀   → *Nouveau* ❀❀   → *Neu* ❀❀   → *New* ❀❀

Bib Gourmand

Pasti accurati a prezzi contenuti

Repas soignés à prix modérés

Sorgfältig zubereitete, preiswerte Mahlzeiten

Good food at moderate prices

Agazzano (PC)	Antica Trattoria Giovanelli	Campogalliano (MO)	Magnagallo
Agrigento (AG)	Spizzulio	Canale d'Agordo (BL)	Alle Codole
Alba Adriatica (TE)	Hostaria l'Arca	Candia Canavese (TO)	Residenza del Lago
Alta Badia (BZ)	Maso Runch	Cantalupo nel Sannio	
Andria (BA)	Arco Marchese	(IS)	Antica Trattoria del Riccio
Andria / Montegrosso (BA)	Antichi Sapori	Cappella de' Picenardi	
Arcore (MI)	L'Arco del Re N	(CR)	Locanda degli Artisti
Arezzo / Giovi (AR)	Antica Trattoria al Principe N	Capriata d'Orba (AL)	Il Moro
Argelato (BO)	L'800 N	Capri Leone (ME)	Antica Filanda N
Ariano Irpino (AV)	La Pignata	Caramanico Terme (PE)	Locanda del Barone N
Arona / Montrigiasco (NO)	Castagneto	Carasco (GE)	Beppa
Ascoli Piceno (AP)	Del Corso	Castagneto Carducci / Bolgheri	
Asiago (VI)	Locanda Aurora	(LI)	Osteria Magona N
Bagnara Calabra (RC)	Taverna Kerkira	Castelbuono (PA)	Nangalarruni N
Bagno di Romagna / San Piero in Bagno		Castelmezzano (PZ)	Al Becco della Civetta
(FO)	Locanda al Gambero Rosso	Castelnovo ne' Monti (RE)	Locanda da Cines
Barbianello (PV)	Da Roberto	Castelnuovo Magra (SP)	Il Terzo Capitolo N
Bassano Romano (VT)	La Casa di Emme	Cavallermaggiore (CN)	Italia
Bellinzago Novarese / Badia di Dulzago (NO)		Cavatore (AL)	Da Fausto
	Osteria San Giulio	Ceglie Messapica (BR)	Cibus
Belluno (BL)	Al Borgo	Cento (FE)	Antica Osteria da Cencio
Benevento (BN)	Pascalucci	Cetara (SA)	Al Convento N
Bologna (BO)	Marco Fadiga Bistrot	Chianciano Terme (SI)	Hostaria il Buco
Bologna (BO)	Monte Donato	Chiesa in Valmalenco (SO)	Malenco N
Bologna (BO)	Posta	Chieti (CH)	Da Gilda
Bolzano / Signato (BZ)	Patscheider Hof N	Civitella Casanova (PE)	La Bandiera
Bordighera (IM)	Magiargè Vini e Cucina	Colorno / Vedole (PR)	Al Vedel
Borgarello (PV)	Locanda degli Eventi	Como (CO)	Osteria Rusticana
Borghetto di Borbera (AL)	Il Fiorile	Concordia sulla Secchia (MO)	Trattoria Secchia N
Borgio Verezzi (SV)	Da Casetta	Corte de' Cortesi (CR)	Il Gabbiano
Bosco Marengo (AL)	Locanda dell'Olmo	Cortina d'Ampezzo (BL)	Da Aurelio
Bressanone (BZ)	Fink N	Cortona (AR)	Hostaria la Bucaccia N
Briona / Proh (NO)	Trattoria del Ponte	Crodo / Viceno (VB)	Edelweiss
Calamandrana (AT)	Violetta	Cuasso al Monte (VA)	Al Vecchio Faggio
Calavino (TN)	Da Cipriano	Cuneo (CN)	Osteria della Chiocciola
Calestano (PR)	Locanda Mariella	Curtatone / Grazie (MN)	Locanda delle Grazie
Camigliatello Silano (CS)	Aquila-Edelweiss	Cutigliano (PT)	Trattoria da Fagiolino
Campobasso (CB)	Miseria e Nobiltà	Eboli (SA)	Il Papavero

N → *Nuovo* 😊   → *Nouveau* 😊   → *Neu* 😊   → *New* 😊

Enna (EN)	Centrale
Eolie (Isole) / Lipari (ME)	La Cambusa
Fagagna (UD)	Al Castello
Fasano (BR)	Rifugio dei Ghiottoni
Felino (PR)	Antica Osteria da Bianchini
Felino / Casale (PR)	La Porta di Felino N
Ferrara (FE)	Quel Fantastico Giovedì
Ferrara / Gaibana (FE)	Trattoria Lanzagallo
Fiesole (FI)	Tullio a Montebeni
Filandari / Mesiano (VV)	Frammichè
Firenze (FI)	Del Fagioli
Firenze (FI)	Il Latini
Firenze (FI)	Il Santo Bevitore
Firenze (FI)	Pane e Vino
Firenze (FI)	Trattoria Cibrèo-Cibreino
Forno di Zoldo / Mezzocanale (BL)	Mezzocanale-da Ninetta
Furore (SA)	Hostaria di Bacco N
Gallodoro (ME)	Noemi
Gavirate (VA)	Tipamasaro
Genova (GE)	Antica Osteria di Vico Palla
Genova / Voltri (GE)	Ostaia da ü Santü
Glorenza (BZ)	Posta N
Grosseto (GR)	Antico Borgo N
Guardiagrele (CH)	Villa Maiella
Imperia / Oneglia (IM)	Pane e Vino
Inverno-Monteleone (PV)	Trattoria Righini
Isera (TN)	Casa del Vino
Isera (TN)	Locanda delle Tre Chiavi
Isola Dovarese (CR)	Caffè La Crepa
Isola Sant' Antonio (AL)	Da Manuela N
La Morra / Santa Maria (CN)	L'Osteria del Vignaiolo
La Spezia (SP)	Il Ristorantino di Bayon
Lavis / Sorni (TN)	Trattoria Vecchia Sorni
Lazise (VR)	Alla Grotta
Longiano (FO)	Dei Cantoni
Loreto (AN)	Vecchia Fattoria
Lucca (LU)	Agli Orti di Via Elisa
Lucca (LU)	La Cecca
Lucca / Ponte a Moriano (LU)	Antica Locanda di Sesto
Lusia (RO)	Trattoria al Ponte N
Macerata (MC)	Le Case
Mariano del Friuli / Corona (GO)	Al Piave
Marostica / Valle San Floriano (VI)	La Rosina
Marradi (FI)	Il Camino
Masio (AL)	Trattoria Losanna
Massa (MS)	Osteria del Borgo
Massa Lubrense / Santa Maria Annunziata (NA)	La Torre
Meldola (FO)	Il Rustichello
Melfi (PZ)	Novecento
Menfi (AG)	Il Vigneto
Milano (MI)	Baia Chia
Milano (MI)	La Cantina di Manuela
Milano (MI)	Dongiò
Milano (MI)	Da Giannino-L'Angolo d'Abruzzo
Milano (MI)	Giulio Pane e Ojo
Milano (MI)	La Brisa N
Milano (MI)	La Cantina di Manuela N
Milano (NU)	Serendib N
Mileto (VV)	Il Normanno
Minervino Murge (BA)	La Tradizione-Cucina Casalinga N
Moena (TN)	Foresta
Monastier di Treviso (TV)	Menegaldo
Moncalieri / Revigliasco (TO)	La Taverna di Fra' Fiusch
Monreale (PA)	Taverna del Pavone
Monte Sant' Angelo (FG)	Medioevo
Montoggio (GE)	Roma
Mossa (GO)	Blanch
Napoli (NA)	La Piazzetta N
Ne (GE)	Antica Trattoria dei Mosto
Norcia (PG)	Granaro del Monte N
Novafeltria (PS)	Del Turista-da Marchesi
Oliena (NU)	Sa Corte N
Oliena (NU)	Su Gologone N
Ormea / Ponte di Nava (CN)	Ponte di Nava-da Beppe
Ostuni (BR)	Osteria Piazzetta Cattedrale N
Pacentro (AQ)	Taverna De Li Caldora
Palazzago (BG)	Osteria Burligo
Palazzolo sull'Oglio (BS)	Osteria della Villetta
Palermo (PA)	Bellotero
Palermo (PA)	Lo Scudiero
Palermo (PA)	Santandrea N
Palermo / Sferracavallo (PA)	Il Delfino
Parma (PR)	I Tri Siochett
Parma / Castelnovo di Baganzola (PR)	Le Viole
Pederobba / Onigo di Piave (TV)	Le Rive
Pescara (PE)	Taverna 58
Pesek / Draga Sant' Elia (TS)	Locanda Mario
Piadena (CR)	Dell'Alba
Pietravairano (CE)	La Caveja
Pigna (IM)	Terme
Pisa (PI)	Osteria del Porton Rosso N
Pontecorvo (FR)	Primavera
Ponte dell'Olio (PC)	Locanda Cacciatori
Pontida (BG)	Hosteria la Marina
Porto Sant' Elpidio (AP)	Il Baccaro
Pozzolengo (BS)	Antica Locanda del Contrabbandiere
Pradipozzo (VE)	Tavernetta del Tocai
Pulsano / Marina di Pulsano (TA)	La Barca
Randazzo (CT)	Scrivano

N → *Nuovo* ☺ **→** *Nouveau* ☺ **→** *Neu* ☺ **→** *New* ☺

Reggiolo (RE)	Trattoria al Lago Verde N
Rieti (RI)	Bistrot
Riparbella (PI)	La Cantina
Roletto (TO)	Il Ciabot
Roma (RM)	Domenico dal 1968 N
Roma (RM)	Felice a Testaccio N
Roma (RM)	Mamma Angelina
Roma (RM)	Trattoria Fauro N
Roma (RM)	Trattoria Monti N
Romeno (TN)	Nerina
Rotonda (PZ)	Da Peppe
Ruvo di Puglia (BA)	U.P.E.P.I.D.D.E.
Sacrofano (RM)	Al Grottino
Saint-Pierre / Rumiod (AO)	Al Caminetto N
Salò (BS)	Osteria dell'Orologio
Sambuco (CN)	Della Pace
San Cipriano (GE)	Ferrando
Sangineto Lido (CS)	Convito
San Giustino Valdarno (AR)	Osteria del Borro
San Pietro in Casale (BO)	Tubino
Sansepolcro (AR)	Da Ventura N
San Severo (FG)	La Fossa del Grano
Sant' Ambrogio di Valpolicella /	
San Giorgio (VR)	Dalla Rosa Alda
Santarcangelo di Romagna	
(RN)	Osteria la Sangiovesa
San Vigilio di Marebbe (BZ)	Fana Ladina N
San Vito di Leguzzano	
(VI)	Antica Trattoria Due Mori
Sarnico (BG)	Al Tram
Saronno (VA)	La Cantina di Manuela
Sarzana (SP)	La Giara
Sauris (UD)	Alla Pace
Savogna d'Isonzo / San Michele del Carso	
(GO)	Lokanda Devetak
Scanno (AQ)	Osteria di Costanza e Roberto
Siderno (RC)	La Vecchia Hosteria
Siena (SI)	Trattoria Papei

Silvi Marina (TE)	Don Ambrosio
Sinagra (ME)	Trattoria da Angelo
Sizzano (NO)	Impero
Soiano del Lago (BS)	Villa Aurora
Soliera / Sozzigalli (MO)	Osteria Bohemia
Sommacampagna (VR)	Merica
Spoleto (PG)	Cantina de Corvi N
Tarcento (UD)	Osteria di Villafredda
Tavarnelle Val di Pesa / San Donato	
in Poggio (FI)	La Toppa
Taviano (LE)	A Casa tu Martinu
Termoli (CB)	Da Noi Tre N
Terranova di Pollino (PZ)	Luna Rossa
Toirano (SV)	Al Ravanello Incoronato
Torrile / Vicomero (PR)	Romani
Tortona (AL)	Vineria Derthona
Traversella (TO)	Le Miniere
Trecastagni (CT)	Villa Taverna
Trecchina (PZ)	L'Aia dei Cappellani
Tricesimo (UD)	Miculan
Urbino / Gadana (PS)	
	Agriturismo Cà Andreana
Urgnano / Basella (BG)	Quadrifoglio
Usseaux (TO)	Lago del Laux
Valdagno (VI)	Hostaria a le Bele
Valdobbiadene / Bigolino (TV)	Tre Noghere
Valle di Casies (BZ)	Durnwald
Varese Ligure (SP)	La Taverna del Gallo Nero
Venezia (VE)	Anice Stellato
Venezia (VE)	Trattoria alla Madonna
Verona (VR)	Al Bersagliere
Verona (VR)	San Basilio alla Pergola
Viareggio (LU)	Il Puntodivino
Vicchio (FI)	La Casa di Caccia
Villa Santina (UD)	Vecchia Osteria Cimenti
Voltido / Recorfano (CR)	Antica Trattoria Gianna
Zogno / Ambria (BG)	Da Gianni

Bib Hotel

Buona sistemazione a prezzo contenuto
Bonnes nuits à petits prix
Hier übernachten Sie gut und preiswert
Good accommodation at moderate prices

Acqui Terme (AL)	Ariston
Agrigento (AG)	Antica Foresteria Catalana
Agrigento / San Leone (AG)	Maredentro
Alba (CN)	
Agriturismo Villa la Meridiana-Cascina Reine	
Almenno San Bartolomeo (BG)	Camoretti
Alta Badia (BZ)	Ciasa Montanara
Alta Badia (BZ)	La Ciasota
Alta Badia (BZ)	Tamarindo
Arpino (FR)	Il Cavalier d'Arpino
Ballabio (LC)	Sporting Club
Bannio Anzino / Pontegrande (VB)	
La Residenza dello Scoiattolo	
Bardonecchia (TO)	Bucaneve
Barolo / Vergne (CN)	Ca' San Ponzio
Barzanò (LC)	Redaelli
Bassano del Grappa (VI)	Brennero
Boves / Rivoira (CN)	
Agriturismo La Bisalta e Rist. Locanda del Re	
Bra (CN)	Borgo San Martino
Bra (CN)	L'Ombra della Collina
Busalla (GE)	Vittoria
Canale d'Agordo (BL)	Alle Codole
Candia Canavese (TO)	Residenza del Lago
Cannero Riviera (VB)	Sole
Capriolo (BS)	Agriturismo Ripa del Bosco
Carisio (VC)	La Bettola
Casperia (RI)	La Torretta
Castellina in Chianti (SI)	Villa Cristina
Castellinaldo (CN)	Il Borgo
Castelnuovo Magra (SP)	Agriturismo la Valle
Cenova (IM)	Negro
Chioggia / Sottomarina (VE)	Sole
Chiusa (BZ)	Ansitz Fonteklaus
Chiusa / Gudon (BZ)	Unterwirt
Cimego (TN)	Aurora
Cisano Bergamasco (BG)	Fatur
Crandola Valsassina (LC)	Da Gigi
Crodo / Viceno (VB)	Edelweiss
Firenze (FI)	Residenza Johanna
Follina / Pedeguarda (TV)	Villa Guarda
Fontanafredda (PN)	Luna
Gambara (BS)	Gambara
Gargnano (BS)	Riviera
Grezzana (VR)	La Pergola
Grosotto (SO)	Le Corti
Lecco (LC)	Alberi
Levico Terme (TN)	Lucia
Lizzano in Belvedere / Vidiciatico (BO)	
	Montegrande
Lucca (LU)	Stipino
Menaggio / Nobiallo (CO)	Garden
Merano (BZ)	Agriturismo Sittnerhof
Montecarlo (LU)	Antica Dimora Patrizia
Montecarlo (LU)	Nina
Montecosaro (MC)	Luma
Montescano (PV)	Locanda Montescano
Morano Calabro (CS)	
	Agriturismo la Locanda del Parco
Mosciano Sant' Angelo (TE)	Casale delle Arti
Nava (Colle di) (IM)	Colle di Nava-Lorenzina
Nicosia (EN)	Baglio San Pietro
Noto (SR)	La Fontanella
Pavullo nel Frignano (MO)	Vandelli
Pontedera (PI)	Il Falchetto
Reggio nell'Emilia (RE)	B&B Del Vescovado

N → *Nuovo* 🔯 → *Nouveau* 🔯 → *Neu* 🔯 → *New* 🔯

57

Alberghi ameni

Hôtels agréables
Angenehme Hotels
Particularly pleasant hotels

Arzachena / Cala di Volpe (OT)	Cala di Volpe
Arzachena / Romazzino (OT)	Romazzino
Arzachena / Pitrizza (OT)	Pitrizza
Bellagio (CO)	Grand Hotel Villa Serbelloni
Capri (Isola di) / Capri (NA)	Grand Hotel Quisisana
Cernobbio (CO)	Villa d'Este
Firenze (FI)	Four Seasons Hotel Firenze
Firenze (FI)	Grand Hotel
Firenze (FI)	The Westin Excelsior
Fiuggi / Fiuggi Fonte (FR)	
	Grand Hotel Palazzo della Fonte
Milano (MI)	Four Seasons
Milano (MI)	Principe di Savoia
Napoli (NA)	Grand Hotel Vesuvio
Portofino (GE)	Splendido
Positano (SA)	San Pietro
Roma (RM)	De Russie
Roma (RM)	Hassler
Savelletri (BR)	Masseria San Domenico
Venezia (VE)	Cipriani & Palazzo Vendramin
Venezia (VE)	Danieli
Venezia (VE)	Gritti Palace
Venezia (VE)	San Clemente Palace

Amalfi (SA)	Santa Caterina
Bagno a Ripoli / Candeli (FI)	Villa La Massa
Breuil Cervinia (AO)	Hermitage
Capri (Isola di) / Anacapri (NA)	Capri Palace Hotel
Casole d'Elsa / Pievescola (SI)	Relais la Suvera
Castiglione della Pescaia / Badiola (GR)	
	L'Andana-Tenuta La Badiola
Cogne (AO)	Bellevue
Cortina d'Ampezzo (BL)	Cristallo Palace Hotel
Erbusco (BS)	L'Albereta
Fiesole (FI)	Villa San Michele
Firenze (FI)	Albani
Firenze (FI)	Regency
Firenze (FI)	Relais Santa Croce
Firenze (FI)	Villa La Vedetta
Gardone Riviera / Fasano (BS)	
	Grand Hotel Fasano e Villa Principe
Gargnano (BS)	Grand Hotel a Villa Feltrinelli
Ischia (Isola d') / Ischia (NA)	
	Grand Hotel Punta Molino Beach Resort & Spa
Ischia (Isola d') / Ischia (NA)	Il Moresco
Ischia (Isola d') / Forio (NA)	
	Mezzatorre Resort & Spa
Ischia (Isola d') / Casamicciola Terme (NA)	
	Terme Manzi Hotel & SPA
Ladispoli (RM)	La Posta Vecchia
Milano (MI)	Bulgari
Milano (MI)	Carlton Hotel Baglioni
Milano (MI)	Grand Hotel et de Milan
Milano (MI)	Park Hyatt Milano
Monopoli (BA)	Il Melograno
Napoli (NA)	Grand Hotel Parker's
Ortisei (BZ)	Gardena-Grödnerhof
Palermo (PA)	Villa Igiea Hilton
Poggio Catino (RI)	Borgo Paraelios
Porto Ercole (GR)	Il Pellicano
Positano (SA)	Le Sirenuse
Pula (CA)	Castello e Rist. Cavalieri
Rapallo (GE)	Excelsior Palace Hotel
Ravello (SA)	Caruso
Ravello (SA)	Palazzo Sasso
Riccione (RN)	Grand Hotel Des Bains

Rimini (RN)	Grand Hotel Rimini
Riva del Garda (TN)	Du Lac et Du Parc
Roma (RM)	Aleph
Roma (RM)	Lord Byron
Roma (RM)	Regina Hotel Baglioni
Roma (RM)	Splendide Royal
San Casciano dei Bagni (SI)	Fonteverde
San Pietro in Cariano (VR)	
	Byblos Art Hotel Villa Amistà
Sant' Agnello (NA)	Grand Hotel Cocumella
Santa Margherita Ligure (GE)	
	Imperiale Palace Hotel
Selva di Val Gardena (BZ)	
	Alpenroyal Grand Hotel - Gourmet & S.p.A.
Siena (SI)	Grand Hotel Continental
Sirmione (BS)	Villa Cortine Palace Hotel

Sorrento (NA)	Grand Hotel Excelsior Vittoria
Stresa (VB)	Villa Aminta
Taormina (ME)	Grand Hotel Timeo
Taormina / Mazzarò (ME)	Grand Hotel Atlantis Bay
Taormina / Mazzarò (ME)	
	Grand Hotel Mazzarò Sea Palace
Tirolo (BZ)	Castel
Tirolo (BZ)	Erika
Torino (TO)	Golden Palace
Tremezzo (CO)	Grand Hotel Tremezzo Palace
Venezia (VE)	Cà Sagredo
Venezia (VE)	Luna Hotel Baglioni
Venezia (VE)	Metropole
Venezia (VE)	The Westin Europa e Regina
Verona (VR)	Gabbia d'Oro
Viareggio (LU)	Grand Hotel Principe di Piemonte

Alba (CN)	Palazzo Finati
Alghero (SS)	Villa Las Tronas
Alghero / Porto Conte (SS)	El Faro
Alpe di Siusi (BZ)	Urthaler
Alta Badia (BZ)	Cappella
Alta Badia (BZ)	La Perla
Alta Badia (BZ)	Rosa Alpina
Alta Badia (BZ)	Sassongher
Ancona / Portonovo (AN)	Fortino Napoleonico
Arabba (BL)	Sporthotel Arabba
Arcugnano (VI)	Villa Michelangelo
Asolo (TV)	Villa Cipriani
Augusta / Brucoli (SR)	NH Venus Sea Garden Resort
Bagno a Ripoli (FI)	Villa Olmi Resort
Baia Domizia (CE)	Della Baia
Bassano del Grappa (VI)	Ca' Sette
Belgirate (VB)	Villa dal Pozzo d'Annone
Benevello (CN)	Villa d'Amelia
Bolzano (BZ)	Greif
Bressanone (BZ)	Elefante
Brusaporto (BG)	Relais da Vittorio
Canalicchio (PG)	Relais Il Canalicchio
Capri (Isola di) / Anacapri (NA)	Caesar Augustus
Capri (Isola di) / Capri (NA)	Casa Morgano
Capri (Isola di) / Marina Grande (NA)	
	J.K. Place Capri
Capri (Isola di) / Capri (NA)	Punta Tragara
Capri (Isola di) / Capri (NA)	Scalinatella
Castellabate / Santa Maria di Castellabate (SA)	
	Palazzo Belmonte
Castelnuovo Berardenga (SI)	Le Fontanelle
Castelnuovo Berardenga (SI)	
	Relais Borgo San Felice
Castelrotto (BZ)	Posthotel Lamm

Castiglione del Lago / Petrignano di Lago (PG)	
	Relais alla Corte del Sole
Catania (CT)	Villa del Bosco & VdB Next
Champoluc (AO)	Breithorn
Chiusi (SI)	Villa il Patriarca
Cittadella del Capo (CS)	Palazzo del Capo
Città di Castello / Ronti (PG)	Palazzo Terranova
Cortina d'Ampezzo (BL)	Park Hotel Faloria
Cortona / San Martino (AR)	Il Falconiere Relais
Cortona / Farneta (PI)	Relais Villa Petrischio
Courmayeur / Entrèves (AO)	Auberge de la Maison
Cutrofiano (LE)	Sangiorgio Resort
Dozza (BO)	Monte del Re
Erba (CO)	Castello di Casiglio
Ferrara (FE)	Duchessa Isabella
Finale Ligure (SV)	Punta Est
Firenze (FI)	Continentale
Firenze (FI)	Gallery Hotel Art
Firenze (FI)	J.K. Place
Firenze (FI)	Lungarno
Firenze (FI)	Monna Lisa
Firenze (FI)	Palazzo Magnani Feroni
Firenze (FI)	Santa Maria Novella
Firenze / Arcetri (FI)	Villa Le Piazzole
Follina (TV)	Villa Abbazia
Forte dei Marmi (LU)	Byron
Francavilla al Mare (CH)	Sporting Hotel Villa Maria
Gaeta (LT)	Grand Hotel Le Rocce
Gaeta (LT)	Villa Irlanda Grand Hotel
Gaiole in Chianti (SI)	Castello di Spaltenna
Galatina (LE)	Palazzo Baldi
Garda (VR)	Regina Adelaide
Gardone Riviera / Fasano (BS)	Villa del Sogno
Garlenda (SV)	La Meridiana

Gavi (AL)	L'Ostelliere
Gazzo (PD)	Villa Tacchi
Gradara (PS)	Villa Matarazzo
Grottaferrata (RM)	Park Hotel Villa Grazioli
Gubbio (PG)	Relais Ducale
Induno Olona (VA)	Porro Pirelli
Laces (BZ)	Paradies
Lana / Foiana (BZ)	Völlanerhof
La Salle (AO)	Mont Blanc Hotel Village
Lecce (LE)	Patria Palace Hotel
Lido di Camaiore (LU)	Park Hotel Villa Ariston
Lucca (LU)	Noblesse
Lucca (LU)	Villa la Principessa
Maratea / Fiumicello Santa Venere (PZ)	Santavenere
Martina Franca (TA)	Relais Villa San Martino
Massa Marittima / Valpiana (GR)	Villa il Tesoro
Merano (BZ)	Castello Labers
Merano (BZ)	Meister's Hotel Irma
Merano (BZ)	Park Hotel Mignon
Milano (MI)	The Gray
Milano (MI)	De la Ville
Mira (VE)	Villa Franceschi
Mira (VE)	Villa Margherita
Monopoli (BA)	La Peschiera
Montalcino / Poggio alle Mura (SI)	Castello Banfi-Il Borgo
Montebenichi (AR)	Castelletto di Montebenichi
Montefalco / San Luca (PG)	Villa Zuccari
Montegridolfo (RN)	Palazzo Viviani
Monza (MI)	De la Ville
Mussolente (VI)	Villa Palma
Napoli (NA)	Palazzo Alabardieri
Napoli (NA)	San Francesco al Monte
Naturno (BZ)	Lindenhof
Nervi (GE)	Villa Pagoda
Olbia (OT)	Ollastu
Olbia / Porto Rotondo (OT)	Sporting
Oliena (NU)	Su Gologone
Orbetello (GR)	Relais San Biagio
Orta San Giulio (NO)	Villa Crespi
Orvieto (TR)	La Badia
Palermo (PA)	Grand Hotel Wagner
Palermo (PA)	Principe di Villafranca
Panicale (PG)	Villa di Monte Solare
Parghelia (VV)	Porto Pirgos
Pasiano di Pordenone / Rivarotta (PN)	Villa Luppis
Pavone Canavese (TO)	Castello di Pavone
Perugia / San Martino in Campo (PG)	Alla Posta dei Donini
Perugia / Cenerente (PG)	Castello dell'Oscano
Peschiera del Garda (VR)	Ai Capitani
Pietrasanta (LU)	Albergo Pietrasanta
Pisa (PI)	Relais dell'Orologio
Ponti sul Mincio (MN)	Relais Corte Cavalli

Portobuffolé (TV)	Villa Giustinian
Portofino (GE)	Splendido Mare
Positano (SA)	Palazzo Murat
Pula (CA)	Le Dune
Punta Ala (GR)	Cala del Porto
Ranco (VA)	Il Sole di Ranco
Ravello (SA)	Palumbo
Ravello (SA)	Villa Cimbrone
Rieti (RI)	Park Hotel Villa Potenziani
Rimini (RN)	duoMo Hotel
Roma (RM)	Castello della Castelluccia
Roma (RM)	Fortyseven
Romano Canavese (TO)	Relais Villa Matilde
Salò (BS)	Laurin
San Candido (BZ)	Dolce Vita Family Chalet Postalpina
San Felice Circeo / Quarto Caldo (LT)	Punta Rossa
San Gimignano (SI)	La Collegiata
San Giovanni la Punta (CT)	Villa Paradiso dell'Etna
San Martino di Castrozza (TN)	Regina
San Pietro in Cariano / Pedemonte (VR)	Villa del Quar
Santo Stefano Belbo (CN)	Relais San Maurizio
Savelletri (BR)	Masseria Torre Coccaro
Savelletri (BR)	Masseria Torre Maizza
Selva di Val Gardena (BZ)	Granvara Sport-Wellnesshotel
Siena (SI)	Certosa di Maggiano
Siena / Vagliagli (SI)	Relais Borgo Scopeto
Sinalunga (SI)	Locanda dell'Amorosa
Siracusa (SR)	Grand Hotel Ortigia
Sorrento (NA)	Bellevue Syrene 1820
Sovicille (SI)	Borgo Pretale
Taormina / Mazzarò (ME)	Villa Sant'Andrea
Tavarnelle Val di Pesa (FI)	Castello del Nero
Tivoli (RM)	Torre Sant'Angelo
Todi (PG)	Relais Todini
Torgiano (PG)	Le Tre Vaselle
Torino (TO)	Victoria
Urbino (PS)	San Domenico
Valdaora (BZ)	Mirabell
Valle di Casies (BZ)	Quelle
Venezia (VE)	Bauer Palladio
Venezia (VE)	Ca' Maria Adele
Venezia (VE)	Ca' Nigra Lagoon Resort
Venezia (VE)	Ca' Pisani
Venezia (VE)	Palazzo Sant'Angelo sul Canal Grande
Venezia (VE)	Palazzo Stern
Venezia (VE)	Quattro Fontane
Vico Equense (NA)	Capo la Gala
Villa San Giovanni / Santa Trada di Cannitello (RC)	Altafiumara

Agrigento (AG)	Baglio della Luna
Agrigento (AG)	Domus Aurea
Aosta (AO)	Milleluci
Appiano sulla Strada del Vino / Missiano (BZ)	
	Schloss Korb
Arezzo (AR)	Badia di Pomaio
Arezzo (AR)	Patio
Arzachena (OT)	Tenuta Pilastru
Ascoli Piceno (AP)	Residenza 100 Torri
Assisi / Armenzano (PG)	Le Silve
Avelengo (BZ)	Viertlerhof
Azzate (VA)	Locanda dei Mai Intees
Bologna (BO)	Commercianti
Bologna (BO)	Il Convento dei Fiori di Seta
Bracciano (RM)	Villa Clementina
Caldaro sulla Strada del Vino (BZ)	
	Schlosshotel Aehrental
Caneva (PN)	Ca' Damiani
Cannobio (VB)	Pironi
Capri (Isola di) / Capri (NA)	Villa Brunella
Castelrotto (BZ)	Mayr
Castiglion Fiorentino / Polvano (AR)	
	Relais San Pietro in Polvano
Catania (CT)	Liberty
Chiaverano (TO)	Castello San Giuseppe
Cortona / San Pietro a Cegliolo (AR)	
	Relais Villa Baldelli
Costigliole Saluzzo (CN)	Castello Rosso
Courmayeur (AO)	Villa Novecento
Elba (Isala d') / Marciana (LI)	Cernia Isola Botanica
Eolie (Isole) / Isola Salina (ME)	Signum
Eolie (Isole) / Panarea (ME)	Quartara
Faenza (RA)	Relais Villa Abbondanzi
Ferrara (FE)	Principessa Leonora
Firenze (FI)	Cellai
Firenze (FI)	Inpiazzadellasignoria
Firenze (FI)	Relais Uffizi
Firenze / Galluzzo (FI)	Marignolle Relais & Charme
Frossasco (TO)	La Locanda della Maison Verte
Gallipoli (LE)	Palazzo del Corso
Gambassi Terme (FI)	Villa Bianca
Gargnano (BS)	Villa Giulia
Gerace (RC)	La Casa di Gianna e Palazzo Sant'Anna
Grinzane Cavour (CN)	Casa Pavesi
Ischia (Isola d') / Ischia (NA)	La Villarosa
Isola d'Asti (AT)	Castello di Villa
Madonna di Campiglio (TN)	Bio-Hotel Hermitage
Maratea / Acquafredda (PZ)	Villa Cheta Elite
Marina di Arbus (VS)	Le Dune
Merano / Freiberg (BZ)	Castel Fragsburg
Milano (MI)	Antica Locanda dei Mercanti
Modica (RG)	Palazzo Failla
Monforte d'Alba (CN)	Villa Beccaris
Montemerano (GR)	Relais Villa Acquaviva
Montevarchi / Moncioni (AR)	Villa Sassolini
Montorfano (CO)	Tenuta Santandrea
Napoli (NA)	Chiaja Hotel de Charme
Napoli (NA)	Costantinopoli 104
Negrar (VR)	Relais La Magioca
Novacella (BZ)	Pacherhof
Ortisei / Bulla (BZ)	Uhrerhof-Deur
Oviglio (AL)	Castello di Oviglio
Parcines / Rablà (BZ)	Roessl
Pellio Intelvi (CO)	La Locanda del Notaio
Penango / Cioccaro (AT)	Relais Il Borgo
Poggibonsi (SI)	Villa San Lucchese
Portofino (GE)	San Giorgio
Porto Santo Stefano / Cala Piccola (GR)	
	Torre di Cala Piccola
Radda in Chianti (SI)	Il Borgo di Vescine
Radda in Chianti (SI)	La Locanda
Radda in Chianti (SI)	Palazzo Leopoldo
Radda in Chianti (SI)	Palazzo San Niccolò
Radda in Chianti (SI)	Relais Vignale
Ragusa (RG)	Eremo della Giubiliana
Ragusa / Ibla (RG)	Locanda Don Serafino
Redagno (BZ)	Zirmerhof
Reggello / Vaggio (FI)	Villa Rigacci
Reggiolo (RE)	Villa Montanarini
Renon / Collalbo (BZ)	Kematen
Roccastrada (GR)	La Melosa
Roma (RM)	Degli Aranci
Roma (RM)	Sant'Anselmo
Salò (BS)	Bellerive
San Casciano in Val di Pesa (FI)	Villa il Poggiale
San Francesco al Campo (TO)	Furno
San Gimignano (SI)	Villasanpaolo Hotel
San Giorgio Canavese (TO)	Foresteria del Castello
San Quirico d'Orcia (SI)	
	Relais Palazzo del Capitano
San Remo (IM)	Eveline-Portosole
Santa Maria la Longa / Tissano (UD)	
	Villa di Tissano
Sauze d'Oulx / Le Clotes (TO)	Il Capricorno
Sesto / Moso (BZ)	Berghotel e Residence Tirol
Sestri Levante (GE)	Suite Hotel Nettuno
Siena (SI)	Palazzo Ravizza
Siena (SI)	Villa Scacciapensieri
Siracusa (SR)	Lady Lusya
Sorrento (NA)	Maison la Minervetta
Sovana (GR)	Sovana
Taormina (ME)	Villa Carlotta
Taormina (ME)	Villa Ducale
Tirolo (BZ)	Küglerhof
Tonale (Passo del) (BS)	La Mirandola
Tremosine (BS)	Villa Selene
Venezia (VE)	Palazzo Priuli
Vicchio / Campestri (FI)	Villa Campestri
Vipiteno (BZ)	Aquila Nera-Schwarzer Adler

Agropoli (SA)	La Colombaia
Appiano sulla Strada del Vino / Pigeno (BZ)	
	Schloss Englar
Bergamo (BG)	Piazza Vecchia
Canazei (TN)	Stella Alpina
Castelrotto (BZ)	Cavallino d'Oro
Eolie (Isole) / Filicudi Porto (ME)	La Canna
Fiesole (FI)	Pensione Bencistà
Gargnano / Villa (BS)	Baia d'Oro
Ischia (Isola d') / Forio (NA)	Punta Chiarito
Levanto (SP)	Stella Maris
Matera (MT)	Locanda di San Martino
Matera (MT)	Sassi Hotel
Milano (MI)	Antica Locanda Leonardo
Milano (MI)	Antica Locanda Solferino
Montecosaro (MC)	Luma
Morano Calabro (CS)	Villa San Domenico

Orta San Giulio (NO)	La Contrada dei Monti
Palazzuolo sul Senio (FI)	Locanda Senio
Pescocostanzo (AQ)	Il Gatto Bianco
Ravello (SA)	Villa San Michele
Roma (RM)	Pensione Barrett
Saint-Pierre (AO)	La Meridiana Du Cadran Solaire
San Giovanni d'Asso (SI)	La Locanda del Castello
Santarcangelo di Romagna (RN)	Il Villino
Sciacca (AG)	Villa Palocla
Selva di Cadore (BL)	Ca' del Bosco
Trevi (PG)	Trevi
Valtournenche (AO)	Grandes Murailles
Venezia (VE)	Antico Doge
Venezia (VE)	La Calcina
Venezia (VE)	Palazzo Abadessa
Verduno (CN)	Real Castello

Alberobello (BA)	Fascino Antico
Albinia (GR)	Agriturismo Antica Fattoria la Parrina
Amalfi (SA)	Relais Villa Annalara
Amalfi (SA)	Villa Lara
Andria / Montegrosso (BA)	
	Agriturismo Biomasseria Lama di Luna
Antignano / Gonella (AT)	Locanda del Vallone
Apricale (IM)	Locanda dei Carugi
Ascoli Piceno (AP)	Agriturismo Villa Cicchi
Avetrana (TA)	Masseria Bosco
Bagnoregio (VT)	Romantica Pucci
Barolo / Vergne (CN)	Ca' San Ponzio
Bernalda (MT)	Agriturismo Relais Masseria Cardillo
Bettona (PG)	Country House Torre Burchio
Bevagna (PG)	L'Orto degli Angeli
Bibbiena (AR)	Relais il Fienile
Borgo San Lorenzo (FI)	Casa Palmira
Borno (BS)	Zanaglio
Canale (CN)	Agriturismo Villa Tiboldi
Canelli (AT)	Agriturismo La Casa in Collina
Capri (Isola di) / Anacapri (NA)	Villa le Scale
Capriva del Friuli (GO)	Castello di Spessa
Carré (VI)	Locanda La Corte dei Galli
Casperia (RI)	La Torretta
Castagneto Carducci (LI)	Villa le Luci
Castel d'Aiano / Rocca di Roffeno (BO)	
	Agriturismo La Fenice
Castel di Lama (AP)	Borgo Storico Seghetti Panichi
Castelfranco Emilia (MO)	Agriturismo Villa Gaidello

Castellabate / San Marco (SA)	Giacaranda
Castellina in Chianti / Piazza (SI)	
	Fattoria Borgo Poggio al Sorbo
Castel Ritaldi (PG)	La Gioia
Castelvetro di Modena (MO)	Locanda del Feudo
Castiglion Fiorentino / Pieve di Chio (AR)	
	Casa Portagioia
Cetona (SI)	La Locanda di Anita
Città della Pieve (PG)	Relais dei Magi
Corciano (PG)	Palazzo Grande
Cortona (AR)	Villa di Piazzano
Diano d'Alba (CN)	Agriturismo La Briccola
Drizzona / Castelfranco d'Oglio (CR)	
	Agriturismo l'Airone
Fasano (BR)	Agriturismo Borgo San Marco
Fasano (BR)	Agriturismo Masseria Marzalossa
Ferentillo (TR)	Abbazia San Pietro in Valle
Ferrara (FE)	La Duchessina
Ferrara (FE)	Locanda d'Elite
Ferrara / Porotto-Cassana (FE)	
	Agriturismo alla Cedrara
Ferrara / Gaibanella (FE)	Locanda della Luna
Firenze (FI)	Antica Dimora Firenze
Firenze (FI)	Antica Torre di via Tornabuoni N. 1
Firenze (FI)	Le Residenze Johlea
Firenze (FI)	Palazzo Niccolini al Duomo
Foiano della Chiana / Pozzo (AR)	Villa Fontelunga
Fratta Todina (PG)	La Palazzetta del Vescovo
Furore (SA)	Agriturismo Sant'Alfonso

Location	Name
Gaiole in Chianti (SI)	Borgo Argenina
Gaiole in Chianti / San Sano (SI)	Castellare de' Noveschi
Gallipoli (LE)	Masseria Li Foggi
Gallipoli (LE)	Palazzo Mosco Inn
Gallipoli (LE)	Relais Corte Palmieri
Gardone Riviera (BS)	Dimora Bolsone
Gazzola / Rivalta Trebbia (PC)	Agriturismo Croara Vecchia
Genova (GE)	Locanda di Palazzo Cicala
Giffoni Sei Casali / Sieti (SA)	Palazzo Pennasilico
Greve in Chianti (FI)	Agriturismo Villa Vignamaggio
Gualdo Cattaneo / Saragano (PG)	Agriturismo la Ghirlanda
Gubbio / Pisciano (PG)	Agriturismo Le Cinciallegre
Gubbio / Scritto (PG)	Agriturismo Castello di Petroia
Imperia (IM)	Agriturismo Relais San Damian
Impruneta (FI)	Relais Villa L'Olmo
Labico (RM)	Agriturismo Fontana Chiusa
La Morra (CN)	Villa Carita
La Morra / Annunziata (CN)	Agriturismo La Cascina del Monastero
La Morra / Rivalta (CN)	Bricco dei Cogni
Levanto (SP)	Agriturismo Villanova
Lucca (LU)	A Palazzo Busdraghi
Lucca (LU)	Alla Corte degli Angeli
Lucca (LU)	La Romea
Lucca / Cappella (LU)	La Cappella
Lucca / Arsina (LU)	Villa Alessandra
Magione (PG)	Bella Magione
Magliano Alfieri (CN)	Agriturismo Cascina San Bernardo
Manciano (GR)	Le Pisanelle
Mango (CN)	Villa Althea
Melizzano (BN)	Agriturismo Mesogheo
Milano (MI)	Alle Meraviglie
Modica (RG)	Casa Talia
Mombello Monferrato (AL)	Cà Dubini
Moncalvo (AT)	Agriturismo Cascina Orsolina
Monforte d'Alba (CN)	Le Case della Saracca
Montecatini Terme (PT)	Villa le Magnolie
Montefiridolfi (FI)	Agriturismo Fonte de' Medici
Montefiridolfi (FI)	Il Borghetto Country Inn
Montepulciano (SI)	Relais San Bruno
Montepulciano (SI)	Villa Poggiano
Monte San Savino / Gargonza (AR)	Castello di Gargonza
Montieri (GR)	Agriturismo La Meridiana-Locanda in Maremma
Morano Calabro (CS)	Agriturismo la Locanda del Parco
Napoli (NA)	Belle Arti
Napoli (NA)	L'Alloggio dei Vassalli
Noli (SV)	Residenza Palazzo Vescovile
Offida (AP)	Agriturismo Nascondiglio di Bacco
Orvieto (TR)	Locanda Palazzone
Ostuni (BR)	Masseria Il Frantoio
Otranto (LE)	Masseria Panareo
Panicale (PG)	Agriturismo Montali
Panicale (PG)	Villa le Mura
Parma (PR)	Villa Fontanorio
Peccioli (PI)	Tenuta di Pratello
Peio / Cogolo (TN)	Chalet Alpenrose
Perugia / Casa del Diavolo (PG)	Cieli Umbri
Pesaro (PS)	Locanda di Villa Torraccia
Pesaro (PS)	Villa Serena
Pettineo (ME)	Casa Migliaca
Piana degli Albanesi (PA)	Agriturismo Masseria Rossella
Piegaro (PG)	Ca' de Principi
Pienza (SI)	Relais La Saracina
Pienza / Monticchiello (SI)	L'Olmo
Pinzolo / Sant' Antonio di Mavignola (TN)	Maso Doss
Portomaggiore / Runco (FE)	Le Occare
Positano (SA)	Villa Rosa
Pozzuoli / Cuma (NA)	Villa Giulia
Premia (VB)	La Meridiana
Ragusa / Ibla (RG)	Caelum Hyblae
Ravenna (RA)	Cappello
Reggio nell'Emilia (RE)	B&B Del Vescovado
Roma (RM)	Anne & Mary
Roma (RM)	Arco dei Tolomei
Roma (RM)	The Boutique Art Hotel
Roma / Casal Palocco (RM)	Relais 19
Roncofreddo (FO)	i Quattro Passeri
Roncofreddo / Monteleone (FO)	la Tana del Ghiro
San Casciano in Val di Pesa / Mercatale (FI)	Agriturismo Salvadonica
San Casciano in Val di Pesa / Talente (FI)	Villa Talente
San Damiano d'Asti (AT)	Casa Buffetto
San Leo (PS)	Country House Locanda San Leone
San Quirico d'Orcia (SI)	Casa Lemmi
San Quirico d'Orcia / Bagno Vignoni (SI)	La Locanda del Loggiato
Sansepolcro (AR)	Relais Palazzo di Luglio
Santarcangelo di Romagna / Montalbano (RN)	Agriturismo Locanda Antiche Macine
San Vincenzo (LI)	Poggio ai Santi
Sappada / Cima Sappada (BL)	Agriturismo Voltan Haus
Sassetta (LI)	Agriturismo La Bandita
Scandicci / Mosciano (FI)	Le Viste
Sellia Marina (CZ)	Agriturismo Contrada Guido
Selva di Val Gardena (BZ)	Villa Prà Ronch
Siena (SI)	Frances' Lodge

64

Ristoranti ameni

Restaurants agréables
Angenehme Restaurants
Particularly pleasant restaurants

Firenze (FI)	Enoteca Pinchiorri
Roma (RM)	La Pergola

Alta Badia (BZ)	St. Hubertus
Baschi (TR)	Vissani
Brusaporto (BG)	Da Vittorio
Canneto Sull'Oglio / Runate (MN)	Dal Pescatore
Capri (Isola di) / Anacapri (NA)	L'Olivo
Capri (Isola di) / Capri (NA)	Quisi
Milano (MI)	Il Teatro
Montignoso (MS)	Il Bottaccio
Quistello (MN)	Ambasciata
Ravello (SA)	Rossellinis
Roma (RM)	Hostaria dell'Orso
Roma (RM)	Imàgo
Roma (RM)	Mirabelle
Sant' Agata sui Due Golfi (NA)	Don Alfonso 1890
Tirolo (BZ)	Trenkerstube
Torino (TO)	Del Cambio
Venezia (VE)	Caffè Quadri
Ventimiglia (IM)	Baia Beniamin

Alta Badia (BZ)	La Stüa de Michil	**Castiglione della Pescaia / Badiola (GR)**	
Bassano del Grappa (VI)	Ca' 7		Trattoria Toscana-Tenuta la Badiola
Besenzone / Bersano (PC)	La Fiaschetteria	**Cetona (SI)**	La Frateria di Padre Eligio
Borgio Verezzi (SV)	Doc	**Chiusi (SI)**	I Salotti
Brescia (BS)	Castello Malvezzi	**Collebeato / Campiani (BS)**	Carlo Magno
Cartoceto (PS)	Symposium	**Cologne (BS)**	Cappuccini
Castel Guelfo di Bologna (BO)	Locanda Solarola	**Como (CO)**	Navedano

Cortona / San Martino (AR)	Il Falconiere
Dolegna del Collio / Ruttars (GO)	
	Castello di Trussio dell'Aquila d'Oro
Falzes / Molini (BZ)	Schöneck
Firenze (FI)	Alle Murate
Follina (TV)	La Corte
Gardone Riviera (BS)	Villa Fiordaliso
Manerba del Garda (BS)	Capriccio
Massa Lubrense / Nerano (NA)	Quattro Passi
Massa Lubrense / Termini (NA)	Relais Blu
Milano (MI)	Don Carlos
Montalcino / Poggio alle Mura (SI)	Castello Banfi
Montefollonico (SI)	La Chiusa
Monza (MI)	Derby Grill
Oderzo (TV)	Gellius
Orta San Giulio (NO)	Villa Crespi

Ortisei (BZ)	Anna Stuben
Pescara (PE)	Café les Paillotes
Piossasco (TO)	La Maison dei Nove Merli
Positano (SA)	Al Palazzo
Ranco (VA)	Il Sole di Ranco
San Bonifacio (VR)	Relais Villabella
San Giacomo di Roburent (CN)	Valentine
San Pietro in Cariano / Pedemonte (VR)	Arquade
Santo Stefano Belbo (CN)	
	Il Ristorante di Guido da Costiglione
Taormina (ME)	Casa Grugno
Treiso (CN)	La Ciau del Tornavento
Verona (VR)	Il Desco
Viareggio (LU)	Piccolo Principe
Vico Equense (NA)	Maxi

Alghero (SS)	Andreini
Almenno San Salvatore (BG)	Cantina Lemine
Barberino Val d'Elsa / Petrognano (FI)	
	Il Paese dei Campanelli
Barile (PZ)	Locanda del Palazzo
Bee (VB)	Chi Ghinn
Briaglia (CN)	Marsupino
Briosco (MI)	LeAR
Caldogno (VI)	Molin Vecio
Camaiore (LU)	Emilio e Bona
Cantello (VA)	Madonnina
Capri (Isola di) / Marina Grande (NA)	Da Paolino
Castelraimondo / Sant'Angelo (MC)	
	Il Giardino degli Ulivi
Cavalese (TN)	El Molin
Certaldo (FI)	Osteria del Vicario
Cervere (CN)	Antica Corona Reale-da Renzo
Chiesa in Valmalenco (SO)	Il Vassallo
Colloredo di Monte Albano (UD)	La Taverna
Cormons (GO)	Al Cacciatore-della Subida
Cuasso al Monte / Cuasso al Piano (VA)	
	Molino del Torchio
Domodossola (VB)	La Stella
Fabriano (AN)	Villa Marchese del Grillo
Firenze (FI)	Baccarossa
Fiume Veneto (PN)	L'Ultimo Mulino
Gavi (AL)	La Gallina
Grottaferrata (RM)	Taverna dello Spuntino
Longare / Costozza (VI)	Aeolia
Madonna di Campiglio (TN)	Stube Hermitage
Malé (TN)	Conte Ramponi
Millesimo (SV)	Msetutta
Misano Adriatico / Misano Monte (RN)	
	Locanda I Girasoli

Moncalieri (TO)	La Maison Delfino
Montaione / San Benedetto (FI)	Casa Masi
Morgex (AO)	Cafè Quinson
Oviglio (AL)	Donatella
Paestum (SA)	Le Trabe
Parma (PR)	La Filoma
Pergine Valsugana (TN)	Castel Pergine
Pieve di Soligo / Solighetto (TV)	Da Lino
Quartu Sant' Elena (CA)	Hibiscus
Ragusa / Ibla (RG)	Locanda Don Serafino
Roseto degli Abruzzi (TE)	Tonino-da Rosanna
Rubiera (RE)	Osteria del Viandante
Saint-Vincent (AO)	Le Grenier
Sappada (BL)	Laite
Senago (MI)	La Brughiera
Sorrento (NA)	L'Antica Trattoria
Tavarnelle Val di Pesa / Badia a Passignano (FI)	Osteria di Passignano
Tigliole (AT)	Vittoria
Torino (TO)	Villa Somis
Vado Ligure / Sant'Ermete (SV)	
	La Fornace di Barbablù
Vandoies (BZ)	Tilia
Varese / Capolago (VA)	Da Annetta
Venezia / Torcello (VE)	Locanda Cipriani
Verona (VR)	Osteria la Fontanina
Villa d'Almè (BG)	Osteria della Brughiera
Villa di Chiavenna (SO)	Lanterna Verde
Villanders / Villandro (BZ)	Ansitz Zum Steinbock

Alta Badia (BZ)	Maso Runch
Bergamo / San Vigilio (BG)	Baretto di San Vigilio
Bobbio (PC)	Enoteca San Nicola
Brescia (BS)	Trattoria Porteri
Cappella de' Picenardi (CR)	Locanda degli Artisti
Carate Brianza (MI)	Camp di Cent Pertigh
Chiavenna / Mese (SO)	Crotasc
Cisterna d'Asti (AT)	Garibaldi
Cogne (AO)	Bar a Fromage
Fumane (VR)	Enoteca della Valpolicella
Gravina in Puglia (BA)	Madonna della Stella
Ischia (Isola d') / Forio (NA)	
	Da «Peppina» di Renato
Matera (MT)	Don Matteo

Milano (MI)	Vietnamonamour
Modena (MO)	Hosteria Giusti
Pachino / Marzamemi (SR)	La Cialoma
Peccioli (PI)	La Greppia
San Pellegrino (Passo di) (TN)	Rifugio Fuciade
Siena (SI)	La Taverna di San Giuseppe
Siena (SI)	Osteria le Logge
Spiazzo (TN)	1/2 Soldo-dal 1897
Tarcento (UD)	Osteria di Villafredda
Taviano (LE)	A Casa tu Martinu
Trecastagni (CT)	Villa Taverna
Treviso (TV)	Toni del Spin
Usseaux (TO)	Lago del Laux

Wellness

Centro attrezzato per il benessere ed il relax
Bel espace de bien-être et de relaxation
Schöner Bereich zum Wohlfühlen
An extensive facility for relaxation

Abano Terme (PD)	Abano Grand Hotel	
Abano Terme (PD)	Bristol Buja	
Abano Terme (PD)	Due Torri	
Abano Terme (PD)	Europa Terme	
Abano Terme (PD)	Harrys' Terme	
Abano Terme (PD)	Metropole	
Abano Terme (PD)	Mioni Pezzato	
Abano Terme (PD) Panoramic Hotel Plaza		
Abano Terme (PD)	President	
Abano Terme (PD)	Trieste & Victoria	
Abano Terme (PD)	Tritone Terme	
Acqui Terme (AL)		
	Grand Hotel Nuove Terme	
Alghero (SS)	Villa Las Tronas	
Alpe di Siusi (BZ)	Sporthotel Floralpina	
Alpe di Siusi (BZ)	Urthaler	
Alta Badia (BZ)	Armentarola	
Alta Badia (BZ)	Cappella	
Alta Badia (BZ)	Ciasa Antines	
Alta Badia (BZ) Colfosco-Kolfuschgerhof		
Alta Badia (BZ)	Fanes	
Alta Badia (BZ)	Gran Ancëi	
Alta Badia (BZ)	La Majun	
Alta Badia (BZ)	La Perla	
Alta Badia (BZ)	Posta-Zirm	
Alta Badia (BZ)	Rosa Alpina	
Alta Badia (BZ)	Sassongher	
Alta Badia (BZ)	Sport Hotel Panorama	
Appiano sulla Strada del Vino (BZ)		
	Gartenhotel Moser	
Appiano sulla Strada del Vino / Missiano (BZ)		
	Schloss Korb	
Appiano sulla Strada del Vino / Pigeno (BZ)		
	Stroblhof	
Appiano sulla Strada del Vino /		
Cornaiano (BZ)	Weinegg	
Arabba (BL)	Evaldo	
Arta Terme / Piano d'Arta (UD)	Gardel	
Arzachena / Porto Cervo (OT)	Cervo	
Avelengo (BZ)	Miramonti	
Bagno di Romagna (FO)	Euroterme	
Bagno di Romagna (FO)		
	Grand Hotel Terme Roseo	
Bagno di Romagna (FO) Tosco Romagnolo		
Bagno di Romagna / Acquapartita (FO)		
	Miramonti	
Baveno (VB)	Grand Hotel Dino	
Bellagio (CO) Grand Hotel Villa Serbelloni		
Bertinoro / Fratta (FO)		
	Grand Hotel Terme della Fratta	
Bibione (VE)	Bibione Palace	
Bisceglie (BA)	Nicotel	
Bordighera (IM) Grand Hotel del Mare		
Bressanone (BZ)	Dominik	
Bressanone (BZ)	Grüner Baum	
Breuil Cervinia (AO)	Hermitage	
Brunico / Riscone (BZ)	Majestic	
Brunico / Riscone (BZ)		
	Royal Hotel Hinterhuber	
Brunico / Riscone (BZ)	Rudolf	
Brunico / Riscone (BZ)	Schönblick	
Caldaro sulla Strada del Vino (BZ)		
	Seeleiten	
Campitello di Fassa (TN)	Gran Paradis	
Campitello di Fassa (TN)		
	Park Hotel Rubino Executive	
Campitello di Fassa (TN)	Salvan	
Campo Tures (BZ)	Alphotel Stocker	
Campo Tures (BZ)	Alte Mühle	
Campo Tures (BZ)	Feldmüllerhof	
Canazei / Alba (TN)	La Cacciatora	
Capri (Isola di) / Anacapri (NA)		
	Capri Palace Hotel	
Capri (Isola di) / Capri (NA)		

Grand Hotel Quisisana

Capri (Isola di) / Marina Grande (NA)
J.K. Place Capri

Capri (Isola di) / Capri (NA)
JW Marriott Capri Tiberio Palace

Caramanico Terme (PE) La Réserve

Carzago Riviera (BS) Palazzo Arzaga

Castagneto Carducci / Marina di Castagneto Carducci (LI)
Tombolo Talasso Resort

Castelbello Ciardes (BZ) Sand

Castellammare di Stabia (NA)
Crowne Plaza Stabiae Sorrento Coast

Castelrotto (BZ) Posthotel Lamm

Castiglione della Pescaia / Badiola (GR)
L'Andana-Tenuta La Badiola

Castione della Presolana / Bratto (MS)
Milano

Castrocaro Terme (FO)
Grand Hotel Terme

Cavalese (TN) Lagorai

Cernobbio (CO) Villa d'Este

Cervia / Milano Marittima (RA) Aurelia

Cervia / Milano Marittima (RA) Le Palme

Cividale del Friuli (UD)
Locanda al Castello

Cogne (AO) Bellevue

Cogne (AO) Miramonti

Cogne / Cretaz (AO) Notre Maison

Cologne (BS) Cappuccini

Comano Terme / Ponte Arche (TN)
Cattoni-Plaza

Comano Terme / Ponte Arche (TN)
Grand Hotel Terme

Corato (BA) Nicotel Wellness

Cortina d'Ampezzo (BL)
Cristallo Palace Hotel

Cortina d'Ampezzo (BL)
Miramonti Majestic Grand Hotel

Cortina d'Ampezzo (BL) Park Hotel Faloria

Costermano (VR) Boffenigo

Courmayeur (AO)
Grand Hotel Royal e Golf

Cutrofiano (LE) Sangiorgio Resort

Desenzano del Garda (BS) Acquaviva

Dobbiaco (BZ) Cristallo

Dobbiaco (BZ) Park Hotel Bellevue

Dobbiaco (BZ) Santer

Elba (Isala d') / Portoferraio (LI)
Hermitage

Erba (CO) Leonardo da Vinci

Erbusco (BS) L'Albereta

Fiè allo Sciliar (BZ) Emmy

Fiè allo Sciliar (BZ) Heubad

Fiè allo Sciliar (BZ) Turm

Fiera di Primiero (TN) Iris Park Hotel

Fiera di Primiero (TN) Tressane

Firenze (FI) Four Seasons Hotel Firenze

Fiuggi / Fiuggi Fonte (FR)
Grand Hotel Palazzo della Fonte

Folgarida (TN) Alp Hotel Taller

Fondo (TN) Lady Maria

Francavilla al Mare (CH)
Sporting Hotel Villa Maria

Furore (SA) Furore Inn Resort

Gabicce Mare (PS)
Grand Hotel Michelacci

Gallio (VI) Gaarten

Galzignano Terme (PD)
Majestic Hotel Terme

Galzignano Terme (PD)
Splendid Hotel Terme

Galzignano Terme (PD)
Sporting Hotel Terme

Garda (VR) Regina Adelaide

Gardone Riviera / Fasano (BS)
Grand Hotel Fasano e Villa Principe

Grado (GO) Savoy

Gubbio (PG) Park Hotel ai Cappuccini

Ischia (Isola d') / Barano (NA)
Parco Smeraldo Terme

Ischia (Isola d') / Ischia (NA)
Grand Hotel Excelsior

Ischia (Isola d') / Ischia (NA)
Grand Hotel Punta Molino Beach Resort & Spa

Ischia (Isola d') / Ischia (NA) Il Moresco

Ischia (Isola d') / Ischia (NA)
Jolly Hotel Delle Terme

Ischia (Isola d') / Lacco Ameno (NA)
L'Albergo della Regina Isabella

Ischia (Isola d') / Ischia (NA) Le Querce

Ischia (Isola d') / Forio (NA)
Mezzatorre Resort & Spa

Ischia (Isola d') / Forio (NA)
Paradiso Terme e Garden Resort

Ischia (Isola d') / Casamicciola Terme (NA) Terme Manzi Hotel & SPA

Jesi (AN) Federico II

Laces (BZ) Paradies

Lana (BZ) Gschwangut

Lana / Foiana (BZ) Völlanerhof

Lana / Foiana (BZ) Waldhof

Lana / San Vigilio (BZ)
Vigilius Mountain Resort

La Salle (AO) Mont Blanc Hotel Village

Levico Terme (TN) Al Sorriso Green Park

Levico Terme (TN) Grand Hotel Imperial

Lignano Sabbiadoro / Lignano Pineta (UD) Greif

Limone sul Garda (BS) Park H. Imperial

Livigno (SO) Baita Montana

Livigno (SO)
Lac Salin Spa & Mountain Resort

Macerata (MC) Le Case

Località	Hotel
Madesimo (SO)	Andossi
Madesimo (SO)	Il Cantinone e Sport Hotel Alpina
Madonna di Campiglio (TN)	Lorenzetti
Madonna di Campiglio / Campo Carlo Magno (TN)	Carlo Magno-Zeledria Hotel
Malcesine (VR)	Maximilian
Malles Venosta / Burgusio (BZ)	Weisses Kreuz
Maratea / Fiumicello Santa Venere (PZ)	Santavenere
Marlengo (BZ)	Jagdhof
Marlengo (BZ)	Marlena
Marlengo (BZ)	Oberwirt
Massa Lubrense (NA)	Bellavista
Merano (BZ)	Adria
Merano (BZ)	Alexander
Merano (BZ)	Ansitz Plantitscherhof
Merano (BZ)	Castel Rundegg Hotel
Merano (BZ)	Meister's Hotel Irma
Merano (BZ)	Meranerhof
Merano (BZ)	Palace Merano-Espace Henri Chenot
Merano (BZ)	Park Hotel Mignon
Merano (BZ)	Steigenberger Hotel Therme Meran
Merano / Freiberg (BZ)	Castel Fragsburg
Mezzana (TN)	Val di Sole
Milano (MI)	Bulgari
Milano (MI)	Grand Visconti Palace
Milano (MI)	Principe di Savoia
Milano (MI)	The Chedi
Moena (TN)	Alle Alpi
Moena (TN)	Patrizia
Molveno (TN)	Alexander Hotel Cima Tosa
Molveno (TN)	Belvedere
Monopoli (BA)	Il Melograno
Monsummano Terme (PT)	Grotta Giusti
Montecatini Terme (PT)	Adua
Montecatini Terme (PT)	Grand Hotel e La Pace
Montefiridolfi (FI)	Agriturismo Fonte de' Medici
Montegrotto Terme (PD)	Continental Terme
Montegrotto Terme (PD)	Garden Terme
Montegrotto Terme (PD)	Grand Hotel Terme
Montegrotto Terme (PD)	Terme Olympia
Montegrotto Terme (PD)	Terme Sollievo
Montignoso / Cinquale (MS)	Villa Undulna
Naturno (BZ)	Feldhof
Naturno (BZ)	Funggashof
Naturno (BZ)	Lindenhof
Novacella (BZ)	Pacherhof
Nova Levante (BZ)	Engel
Nova Levante (BZ)	Posta-Cavallino Bianco
Deutschnofen / Nova Ponente (BZ)	Pfösl
Ortisei (BZ)	Adler
Ortisei (BZ)	Angelo-Engel
Ortisei (BZ)	Gardena-Grödnerhof
Ortisei (BZ)	Genziana-Enzian
Paestum (SA)	Ariston Hotel
Panicale (PG)	Villa di Monte Solare
Parcines / Rablà (BZ)	Roessl
Pavia (PV)	Cascina Scova
Peio / Cogolo (TN)	Kristiania Alpin Wellness
Pigna (IM)	Grand Hotel Pigna Antiche Terme
Pinzolo (TN)	Centro Pineta
Pinzolo (TN)	Cristina
Poggio Catino (RI)	Borgo Paraelios
Porlezza (CO)	Parco San Marco
Porretta Terme (BO)	Helvetia
Pré-Saint-Didier / Pallusieux (AO)	Le Grand Hotel Courmaison
Pula (CA)	Castello e Rist. Cavalieri
Pula (CA)	Il Borgo e Rist. Bellavista
Pula (CA)	Il Villaggio
Pula (CA)	La Pineta e Rist. Bellavista
Pula (CA)	Le Dune
Pula (CA)	Le Palme e Rist. Bellavista
Pula (CA)	Villa del Parco e Rist. Belvedere
Racines (BZ)	Gasteigerhof
Rapallo (GE)	Excelsior Palace Hotel
Rasun Anterselva / Rasun / Rasen (BZ)	Alpenhof
Rasun Anterselva / Anterselva / Antholz (BZ)	Santéshotel Wegerhof
Ravello (SA)	Palazzo Sasso
Renon / Soprabolzano (BZ)	Park Hotel Holzner
Riccione (RN)	Grand Hotel Des Bains
Riccione (RN)	Luna
Rimini (RN)	Le Meridien Rimini
Rio di Pusteria / Mühlbach / Valles (BZ)	Huber
Riva del Garda (TN)	Du Lac et Du Parc
Riva del Garda (TN)	Parc Hotel Flora
Roccaraso / Aremogna (AQ)	Boschetto
Roma (RM)	Crowne Plaza Rome St. Peter's & Spa
Roma (RM)	Rome Cavalieri
Roma (RM)	Rome Marriott Park Hotel
Roma (RM)	The Westin Excelsior
San Candido (BZ)	Cavallino Bianco-Weisses Rossl
San Candido (BZ)	Dolce Vita Family Chalet Postalpina
San Candido (BZ)	Panoramahotel Leithof
San Candido (BZ)	Parkhotel Sole Paradiso-Sonnenparadies

San Casciano dei Bagni (SI) Fonteverde

San Floriano (BZ) Cristal

San Floriano (BZ) Sonnalp

San Gimignano (SI) Villasanpaolo Hotel

San Martino di Castrozza (TN)
San Martino

San Martino in Passiria (BZ)Alpenschlössl

San Martino in Passiria (BZ)Parkresidenz

San Martino in Passiria (BZ)
Quellenhof-Forellenhof e Landhaus

San Martino in Passiria (BZ) Sonnenalm

San Martino in Passiria / Saltusio (BZ)
Castel Saltauserhof

San Pellegrino (Passo di) (TN) Monzoni

San Quirico d'Orcia (SI) Casanova

San Remo (IM) Royal Hotel

Santa Cristina Valgardena (BZ)
Diamant Sport & Wellness

Sant'Omobono Imagna (BG)
Villa delle Ortensie

Santo Stefano Belbo (CN)
Relais San Maurizio

San Vigilio di Marebbe (BZ) Excelsior

San Vito di Cadore (BL) Ladinia

Saturnia (GR)
Terme di Saturnia Spa & Golf Resort

Savelletri (BR) Masseria San Domenico

Savelletri (BR) Masseria Torre Coccaro

Scansano (GR)Antico Casale di Scansano

Scena (BZ) Hohenwart

Selva di Val Gardena (BZ)
Alpenroyal Grand Hotel - Gourmet & S.p.A.

Selva di Val Gardena (BZ) Chalet Portillo

Selva di Val Gardena (BZ)
Granvara Sport-Wellnesshotel

Selva di Val Gardena (BZ) Pralong

Selva di Val Gardena (BZ) Welponer

Sesto (BZ) Dolomiti-Dolomitenhof

Sesto (BZ) San Vito-St. Veit

Sesto / Moso (BZ)
Berghotel e Residence Tirol

Sesto / Moso (BZ)
Sport e Kurhotel Bad Moos

Sesto / Passo di Monte Croce di Comelico
(BL) Passo Monte Croce-Kreuzbergpass

Silandro / Vezzano (BZ)
Sporthotel Vetzan

Sirmione (BS) Grand Hotel Terme

Siusi allo Sciliar (BZ) Diana

Siusi allo Sciliar (BZ) Genziana-Enzian

Solda (BZ) Cristallo

Solda (BZ) Sporthotel Paradies Residence

Sommacampagna (VR)
Saccardi Quadrante Europa

Sperlonga (LT) Virgilio Grand Hotel

Stresa (VB)
Grand Hotel des Iles Borromées

Stresa (VB) Villa Aminta

Taormina (ME) Caparena

Taormina (ME) Grand Hotel San Pietro

Taormina / Mazzarò (ME)
Grand Hotel Atlantis Bay

Termini Imerese (PA)
Grand Hotel delle Terme

Tesero / Stava (TN) Villa di Bosco

Tirolo (BZ) Castel

Tirolo (BZ) Erika

Tirolo (BZ) Gartner

Tirolo (BZ) Golserhof

Tirolo (BZ) Patrizia

Tirrenia / Calambrone (PI)
Green Park Resort

Tivoli / Bagni di Tivoli (RM)
Grand Hotel Duca d'Este

Todi (PG) Relais Todini

Todi / Chioano (PG)Residenza Roccafiore

Torbole (TN) Piccolo Mondo

Torino (TO) Golden Palace

Tremezzo (CO)
Grand Hotel Tremezzo Palace

Trinità d'Agultu / Isola Rossa (OT)
Marinedda

Trinità d'Agultu / Isola Rossa (OT)
Torreruja

Ultimo / San Nicolò / St. Nikolaus (BZ)
Waltershof

Valdaora (BZ) Mirabell

Valdaora / Sorafurcia (BZ)
Berghotel Zirm

Valdaora / Sorafurcia (BZ) Hubertus

Valdidentro / Bagni Nuovi (SO)
Grand Hotel Bagni Nuovi

Valle Aurina / Ahrntal / Cadipietra (BZ)
Alpenschlössl & Linderhof

Valle Aurina / Ahrntal / Lutago (BZ)
Schwarzenstein

Valle di Casies (BZ) Quelle

Vallelunga (BZ) Alpenjuwel

Varese (VA) Relais sul Lago

Venezia (VE) Molino Stucky Hilton

Vigo di Fassa (TN) Alpen Hotel Corona

Villa San Giovanni / Santa Trada di
Cannitello (RC) Altafiumara

Vipiteno (BZ)
Aquila Nera-Schwarzer Adler

Vipiteno (BZ) Rose

Vipiteno (BZ) Wiesnerhof

Viterbo (VT)
Grand Hotel Salus e delle Terme

Per saperne di piú

Pour en savoir plus
Gut zu wissen
Further information

L'olio d'oliva e la cucina italiana :
Un matrimonio d'amore

Almeno quanto il vino, l'olio sta attraversando un momento di eccezionale fortuna in Italia e nel mondo. E come il vino ben rappresenta il nostro paese: dal lago di Garda alla Sicilia, la coltivazione dell'olivo è presente in quasi tutte le regioni declinandosi in un numero di varietà che ben rispecchia la vocazione tradizionale e locale del Belpaese.

Diverse sono le ragioni di tanto successo. La bontà del prodotto è amplificata dalla varietà di utilizzi: pasta, carne, pesce, ora perfino i dolci dei cuochi più creativi, sono tutti esaltati da questo "matrimonio all'italiana". Ma negli ultimi anni l'olio è diventato anche un elemento immancabile nelle diete, se ne scoprono ogni giorno virtù nutrizionali e terapeutiche, da sempre consigliato nelle fritture è comparso ora anche nei centri benessere in olio-terapie.

Dovunque andrete, utilizzando la guida, lo troverete sempre in tavola!

L'huile d'olive et la cuisine à l'italienne :
Un mariage d'amour

À l'instar du vin, l'huile connaît un engouement important en Italie et dans le monde. Et comme le vin, elle représente parfaitement notre pays : du lac de Garde à la Sicile, la culture de l'olive est présente dans presque toutes les régions et se décline en une variété qui reflète bien la vocation traditionnelle et locale de la péninsule italienne.

Ce succès s'explique de plusieurs façons. La saveur du produit est amplifiée par le nombre de ses utilisations : les pâtes, la viande, le poisson ou même les desserts des chefs les plus créatifs, sont sublimés par ce « mariage à l'italienne ». Mais ces dernières années l'huile est également devenue un élément incontournable des régimes, on découvre ses valeurs nutritionnelles et thérapeutiques. Présente depuis toujours dans la friture, elle apparaît maintenant dans les centres de bien-être en oléothérapie.

En utilisant le guide, partout où vous irez, vous la trouverez à table !

Olivenöl
und italienische
Küche :
eine heiße Liaison

Sowohl in Italien als auch weltweit erlebt das Olivenöl zurzeit eine spektakuläre Blüte, die sich mindestens mit der des Weins messen kann. Ebenso wie der Wein ist es ein Wahrzeichen Italiens, denn vom Gardasee bis Sizilien durchzieht der Olivenanbau fast alle Regionen und entfaltet eine Vielförmigkeit, die anschaulich belegt, wie prädestiniert für die Olivenkultur Italiens Regionen und Traditionen sind.

Für den Erfolg zeichnen mehrere Faktoren verantwortlich. Neben der Güte der Erzeugnisse begeistern die vielfältigen Verwendungsmöglichkeiten: Nudeln, Fleisch, Fisch, und neuerdings sogar Süßspeisen aus der Hand von Avantgarde-Köchen erhalten ihr gewisses Etwas dank dieser typisch italienischen Liaison. In letzter Zeit ist das Öl auch zum unentbehrlichen Bestandteil von Diäten geworden; tagtäglich wird mehr über seinen Nährwert und mögliche Heilanwendungen bekannt, und das von jeher zum Frittieren empfohlene Olivenöl begegnet uns nun selbst in den Öltherapien der Wellness-Center.

Kurz, wohin unsere Empfehlung Sie auch führt, es ist immer mit von der Partie!

Olive oil
and Italian cooking :
a marriage made in heaven

Like wine, olive oil is experiencing a time of exceptional good fortune in Italy and throughout the world. And like wine, it represents our country very well indeed: olives are cultivated in almost all the regions, from Lake Garda to Sicily, and the number of varieties mirrors well the traditional and local vocation of the Beautiful Country.

There are many reasons for such success. The flavour of the product is increased by its many different uses: pasta, meat, fish, now even sweet dishes made by the most creative cooks, are all enhanced by this "Italian-style marriage". Over the last few years, olive oil has even become an essential part of diets, and each day brings new discoveries of its nutritional and therapeutic virtues. It has always been recommended for fried food and now it is found in wellness centres as oil-therapy.

Wherever this guide takes you, you will always find it on the table!

I vini d'Italia :
il sapore del sole

L'Italia è un paese straordinariamente vocato alla produzione vinicola, se per secoli tanta ricchezza territoriale è stata poco o male sfruttata, da alcuni decenni la sapiente ricerca di qualità ha permesso ai vini nazionali di divenire Grandi Vini, perché se è vero che grande importanza hanno la qualità e le caratteristiche del vitigno, altrettanto peso hanno la giusta scelta geografica e climatica e allo stesso modo il "lavoro in vigna ed in cantina" su cui il paese si è concentrato crescendo sino ai livelli attuali.

L'eccellente potenzialità del territorio italiano, d'altra parte, è testimoniata dall'esistenza di oltre 300 varietà di vitigni coltivati nelle situazioni più disparate, vicino al mare piuttosto che ai piedi delle montagne, nelle isole del profondo sud ma anche tra le morbide sinuosità delle colline, ognuna di queste varietà è capace di produrre uve di tipo diverso e, quindi, vini -autoctoni piuttosto che di taglio più internazionale- dalle caratteristiche proprie.

Vitigni italiani diffusi e conosciuti in tutto il mondo sono il Sangiovese, il Trebbiano il Barbera o il Nebbiolo.

Questa grandissima varietà di tipologie è uguagliata forse soltanto dall'ampio ventaglio di prodotti alimentari e tipicità regionali che formano le importanti diversità dello stivale e che permettono abbinamenti col vino interessanti quando non addirittura emozionanti: lasciamo ai ristoratori il piacere di illustrarvene i dettagli e, soprattutto, al vostro palato la curiosità di scoprirli.

Anche perché, in fondo, cosa accompagna meglio un piatto italiano se non un grande vino italiano?

Les vins d'Italie :
les saveurs du soleil

L'Italie est un pays voué à la viticulture. Si pendant de nombreuses années toute la richesse de son territoire a été peu ou mal exploitée, depuis quelques dizaines d'années la recherche de la qualité a permis aux vins italiens de devenir de Grands Vins. Car même s'il est vrai que la qualité et les caractéristiques du vignobles sont importantes, le choix géographique et climatique et le « travail au vignoble et à la cave » sur lesquels le pays s'est concentré pour atteindre son niveau actuel sont également essentiels.

L'excellent potentiel du territoire italien, d'autre part, est démontré par les quelques 300 variétés de cépages cultivés dans les situations les plus variées, au bord de la mer comme au pied des montagnes, dans les îles du sud mais également sur les collines douces et sinueuses ; chacune de ces variétés est capable de produire du raisin différent et, par conséquent, des vins – autochtones plutôt que de style international – aux caractéristiques qui leur sont propres.

Des cépages italiens comme le Sangiovese, le Trebbiano, le Barbera ou le Nebbiolo sont connus et diffusés dans le monde entier.

Cette grande variété n'est égalée que par la diversité de produits alimentaires et de spécialités régionales qui composent la botte italienne et qui permettent des associations intéressantes voire émouvantes avec les vins : laissons aux restaurateurs le plaisir de vous en présenter les détails, et à votre palais la curiosité de les découvrir.

Parce qu'au fond, quoi de mieux qu'un grand vin italien pour accompagner un plat italien ?

Italiens Weine:
Aroma der Sonne

Zum Weinbau ist Italien besonders prädestiniert. Während früher jedoch sein hochkarätiges Anbaupotenzial nur unvollkommen ausgeschöpft wurde, hat in den letzten Jahrzehnten fachkompetentes Qualitätsstreben die italienischen Weine zu Spitzenweinen heranreifen lassen. Denn ebenso wichtig wie Qualität und Eigenschaften der Rebsorten ist auch die Wahl geeigneter geografischer und klimatischer Bedingungen und die Arbeit in Weinberg und Keller, die man in Italien gezielt verbessert und so das heutige Qualitätsniveau erreicht hat.

Das ausgezeichnete Potenzial Italiens als Weinbaustandort belegen auch die über 300 Rebsorten, die unter den verschiedenartigsten Bedingungen gedeihen. In Meeresnähe, am Fuß der Gebirge, auf Inseln im tiefen Süden oder in sanft geschwungenen Hügellandschaften bringt ein und dieselbe Sorte oft ganz andere Trauben und damit auch Weine mit eigenständigem Charakter hervor, die meist eher regionaltypisch als international zugeschnitten sind.

International verbreitete und bekannte italienische Rebsorten sind Sangiovese, Trebbiano, Barbera und Nebbiolo.

Der immensen Rebenvielfalt vergleichbar dürfte wohl nur das weit gefächerte Angebot an Speisen und regionalen Spezialitäten sein, die die enorme Vielgestaltigkeit des „Stiefels" ausmachen und Kombinationen mit Weinen erlauben, die interessant, ja geradezu aufregend sind. Das Vergnügen, Ihnen dies im Einzelnen zu demonstrieren, überlassen wir jedoch gern den Gastronomen, und den Spaß am Entdecken Ihrem Gaumen. Denn was passt besser zu einem italienischen Gericht als ein italienischer Wein mit Niveau?

Italian wines:
the flavour of the sun

Italy has an extraordinary inclination for the production of wine, although for centuries the country's rich resources had been used badly or hardly at all. However, over the last few decades, skilful striving for quality has meant that Italian wines have become "Grandi Vini" (Premium wines), because whereas it is true that the quality and characteristics of the vines are of great importance, the right geographic and climatic choice carries the same weight, as does the "work done in the vineyard and in the cellar". The country has concentrated on this, thereby increasing to current levels of growth.

The excellent potential of the Italian terrain is borne out by the existence of more than 300 varieties of vines cultivated in very different situations, by the sea and at the foot of the mountains, on southernmost islands, but also nestling amongst the soft undulations of the hills: each of these varieties is able to produce grapes that are different in type and, therefore, wines with their own characteristics – autochthonous rather than "international".

Italian varieties which are well known and found all over the world are Sangiovese, Trebbiano, Barbera and Nebbiolo.

This huge variety of types can only perhaps be equalled by the wide range of food products and typical regional produce to be found in Italy, which, when accompanied by wine, form combinations that are interesting and sometimes enthralling: we shall let restaurateurs have the pleasure of illustrating the details and shall also allow your palate the delight of discovering them.

After all, what better than a wonderful Italian wine to accompany an Italian dish?

Vini e Specialità Regionali

Vignobles & Spécialités régionales
Weinberge & regionale Spezialitäten
Vineyards & Regional Specialities

Franciacorta
Amarone
Trento
Aosta
Milano
Torino
Genova
Bologna
Firenze
Barbaresco / Barolo
Brunello Di Montalcino
Cagliari

① Valle d'Aosta :
Carbonada, Fonduta alla valdostana

② Piemonte :
Peperone farcito, bagna càöda, Ravioli del plin, Vitello tonnato, Tajarin con tartufo bianco d'Alba, Brasato al Barolo, Bonèt

③ Liguria :
Trofie al pesto, Pansotti con salsa di noci, Cappon magro, Coniglio arrosto alla ligure

④ Lombardia :
Risotto allo zafferano, Tortelli di zucca, Casônsèi, Pizzoccheri alla valtellinese, Cotoletta alla milanese, Pesce in carpione, Casoeûla, panettone

⑤ Veneto :
Risotto alla marinara, Bigoli in salsa, Pasta e fagioli, Baccalà alla vicentina, Sarde in saòr, Fegato alla veneziana

⑥ Trentino alto Adige :
Canéderli, Capriolo con salsa ai frutti di bosco, Stinco di maiale con crauti, Strudel

⑦ Friuli Venezia Giulia :
Zuppa d'orzo, Cialzóns

⑧ Emilia Romagna :
Pisari e fasö, Lasagne, Tagliatelle con ragù alla bolognese, Tortellini in brodo, Fritto misto di pesce, Bollito misto, Zuppa Inglese

⑨ Toscana :
Pappa al pomodoro, Pappardelle con la lepre, Ribollita, Triglie alla livornese, Cacciucco, Costata alla fiorentina, Cantucci

⑩ Umbria :

Stringozzi al tartufo nero di Norcia, Zuppa di lenticchie, Trota alla griglia, Piccione allo spiedo

⑪ Marche :

Olive all'ascolana, Stoccafisso in potacchio, Brodetto, Coniglio in porchetta

⑫ Abruzzo-Molise :

Maccheroni alla chitarra, Agnello allo zafferano, Pecora bollita

⑬ Lazio :

Bucatini alla amatriciana, Spaghetti alla carbonara, Carciofi alla romana, Coda alla vaccinara, Trippa alla romana

⑭ Campania :

Paccheri con ragù alla napoletana, Zite con ragù alla genovese, Pizze e calzoni, Sartù di riso, Polpo affogato, Sfogliatelle, Babà, Pastiera

⑮ Puglia :

Frutti di mare crudi, Orecchiette con cime di rapa, Minestra di fave e cicoria, Agnello al forno, Seppie ripiene

⑯ Basilicata :

Pasta e ceci, Baccalà alla lucana, Maiale con peperonata

⑰ Calabria :

Pasta con sardella, Baccalà alla calabrese, Cinghiale in umido

⑱ Sardegna :

Gnocchetti sardi allo zafferano, Aragosta bollita, Maialino alla brace, Sebadas

⑲ Sicilia :

Pasta con le sarde, Pasta alla Norma, Couscous alla trapanese, Involtini di pesce spada, Cannoli, Cassata

79

Scegliere un buon vino

Choisir le bon vin
Der richtige Wein
Choosing a good wine

	1991	1992	1993	1994	1995	1996	1997	1998	1999	2000	2001	2002	2003
Barbaresco	🍇	🍇	🍇	🍇	🍇	🍇	🍇	🍇	🍇	🍇	🍇	🍇	🍇
Barolo	🍇	🍇	🍇	🍇	🍇	🍇	🍇	🍇	🍇	🍇	🍇	🍇	🍇
Franciacorta	🍇	🍇	🍇	🍇	🍇	🍇	🍇	🍇	🍇	🍇	🍇	🍇	🍇
Chianti Classico	🍇	🍇	🍇	🍇	🍇	🍇	🍇	🍇	🍇	🍇	🍇	🍇	🍇
Brunello Di Montalcino	🍇	🍇	🍇	🍇	🍇	🍇	🍇	🍇	🍇	🍇	🍇	🍇	🍇
Nobile Di Montepulciano	🍇	🍇	🍇	🍇	🍇	🍇	🍇	🍇	🍇	🍇	🍇	🍇	🍇
Amarone	🍇	🍇	🍇	🍇	🍇	🍇	🍇	🍇	🍇	🍇	🍇	🍇	🍇
Sagrantino Di Montefalco	🍇	🍇	🍇	🍇	🍇	🍇	🍇	🍇	🍇	🍇	🍇	🍇	🍇

Grandi annate

→ **Grandes années**
→ Großen Jahrgänge
→ Great years

Buone annate

→ Bonnes années
→ Gute Jahrgänge
→ Good years

Annate corrette

→ Années moyennes
→ Mittlere Jahrgänge
→ Average years

Le grandi annate dal 1970 :
1970-1971-1974-1978-1980-1982-1983-1985- 1988

→ Les grandes années depuis 1970
→ Dis größten Jahrgänge seit 1970
→ The greatest vintages since 1970

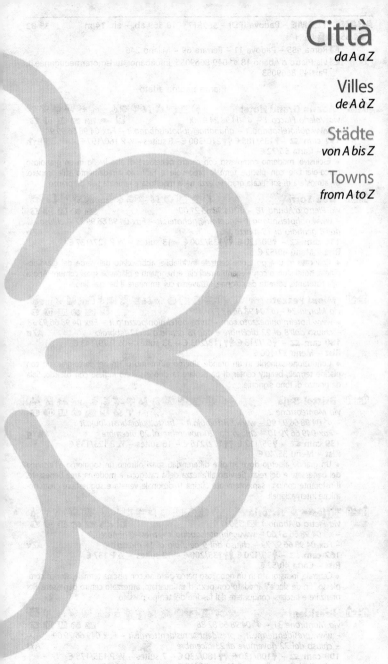

Città
da A a Z

Villes
de A à Z

Städte
von A bis Z

Towns
from A to Z

ABANO TERME – Padova (PD) – 562F17 – **18 569 ab.** – alt. 14 m   35 **B3**
– ✉ **35031** ▮ Italia

▶ Roma 485 – Padova 11 – Ferrara 69 – Milano 246

🖼 via Pietro d'Abano 18 ☎ 049 8669055, infoabano@turismotermeeuganee.it, Fax049 8669053

Pianta pagina a lato

🏨 **Abano Grand Hotel**   🔊 ☕ 🔲 🖵 ℔ ♨ 🛗 🛎 & cam, ⚒ ⚠ ↯ 🛠 📶
via Valerio Flacco 1 – ☎ 04 98 24 81 00   🅿 🚗 🆚🆂🅰 ⓿ 🅰🅴 ⓪ ❺
– www.gbhotelsabano.it – ghabano@gbhotelsabano.it – Fax 04 98 66 99 94
191 cam 🔲 – 💲135/185 € 💲💲210/300 € – 8 suites – ½ P 160/197 €   BY**h**
Rist – Carta 56/72 €
◆ Esclusivo, moderno complesso con centro benessere di alto livello in un grandioso parco-giardino con piscine termali; pregevole e raffinato arredamento stile impero. Un'atmosfera di sofisticata gradevolezza nella maestosa e raffinata sala da pranzo.

🏨 **Due Torri**   🔊 🔲 🖵 🖨 ℔ ♨ 🛗 🛎 & cam, ⚠ 🛠 📶 🅿 🚗
via Pietro d'Abano 18 – ☎ 04 98 63 21 00   🆚🆂🅰 ⓿ 🅰🅴 ⓪ ❺
– www.gbhotelsabano.it – duetorri@gbhotels.it – Fax 04 98 66 99 27 – chiuso dall'8 gennaio al 15 marzo   AZ**b**
136 cam 🔲 – 💲90/120 € 💲💲135/200 € – 13 suites – ½ P 127/137 €
Rist – Menu 40/52 €
◆ Collocato in una posizione centrale invidiabile, abbracciato dal verde del giardino-pineta, hotel storico con eleganti arredi classicheggianti e piacevoli spazi comuni. Ariosa sala ristorante, sorretta da colonne, attraverso cui ammirare il bel giardino.

🏨 **Mioni Pezzato**   🔊 ☕ 🔲 🖵 🖨 🌀 ℔ ♨ ✕ 🛎 & cam, ⚠ 🛠 rist, 📶
via Marzia 34 – ☎ 04 98 66 83 77   🅿 🆚🆂🅰 ⓿ 🅰🅴 ⓪ ❺
– www.hotelmionipezzato.com – info@hotelmionipezzato.it – Fax 04 98 66 93 38
– chiuso dall'8 al 22 dicembre e dal 18 gennaio al 12 febbraio   AZ**u**
180 cam 🔲 – 💲67/213 € 💲💲118/203 € – 33 suites – ½ P 79/143 €
Rist – Menu 37/100 €
◆ Conduzione signorile in un grande albergo all'interno di un bel parco-giardino con piscine termali; beauty center di particolare fascino e salotto inglese con biliardo. Sala da pranzo di tono signorile.

🏨 **Bristol Buja**   🔊 ☕ 🔲 🖵 🖨 🌀 ℔ ♨ ✕ 🛎 & cam, ⚒ ⚠ ↯
via Monteortone 2 –   🛠 rist, 📶 🆒 🅿 🆚🆂🅰 ⓿ 🅰🅴 ⓪ ❺
☎ 04 98 66 93 90 – *www.bristolbuja.it – bristolbuja@bristolbuja.it*
– Fax 049 66 79 10 – chiuso dal 20 novembre al 20 dicembre   AY**g**
139 cam 🔲 – 💲95/117 € 💲💲172/216 € – 16 suites – ½ P 123/133 €
Rist – Menu 35/40 €
◆ Un grande albergo dove ampi e differenziati spazi offrono un soggiorno all'insegna del benessere e del relax. Servizio all'altezza della categoria e moderna area benessere. Il ristorante coniuga sapientemente cucina tradizionale veneta e suggestioni gastronomiche internazionali.

🏨 **Trieste & Victoria**   🔊 🔲 🖵 🖨 ℔ ♨ 🛎 & cam, ⚠ 🛠 rist, 📶 🆒
via Pietro d'Abano 1 ✉ *35031*   🅿 🚗 🆚🆂🅰 ⓿ 🅰🅴 ⓪ ❺
☎ 04 98 66 51 00 – *www.gbhotelsabano.it – trieste@gbhotels.it*
– Fax 04 98 66 97 79 – chiuso dal 9 gennaio al 14 marzo   AZ**v**
162 cam 🔲 – 💲90/120 € 💲💲135/200 € – 12 suites – ½ P 137 €
Rist – Carta 40/52 €
◆ Centrale, incastonato in un rigoglioso parco-giardino con piscina termale, storico complesso "fin de siècle", arredato con pezzi d'antiquariato, attrezzato centro benessere. Per pranzare e lasciarsi conquistare dal fascino del tempo passato.

🏨 **President**   🚗 ☕ 🔲 🖵 🖨 🌀 ℔ ♨ 🛎 & cam, ⚠ 🛠 rist, 📶 🅿
via Montirone 31 – ☎ 04 98 66 82 88   🆚🆂🅰 ⓿ 🅰🅴 ⓪ ❺
– www.presidentterme.it – president@presidentterme.it – Fax 049 66 79 09
– chiuso dal 22 novembre al 23 dicembre   AY**t**
108 cam 🔲 – 💲100/130 € 💲💲180/230 € – 7 suites – ½ P 135/175 €
Rist – *(solo per alloggiati)* Menu 35/45 €
◆ Ambiente di classe in una residenza prestigiosa nel cuore verde della città; arredamento in elegante stile classico, camere ben accessoriate, fornite di ottimi confort.

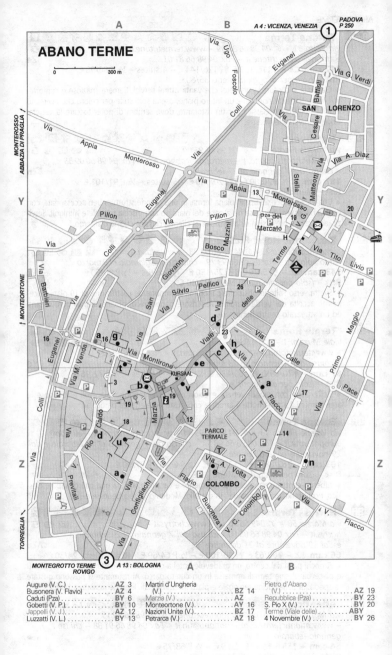

ABANO TERME

0 — 300 m

MONTEROSSO
ABBAZIA DI PRAGLIA

↑ MONTEORTONE

TORREGLIA

PADOVA
P 250

A 4 : VICENZA, VENEZIA
①

SAN LORENZO

MONTEGROTTO TERME
ROVIGO
③ A 13 : BOLOGNA

KURSAAL

PARCO TERMALE

COLOMBO

83

Tritone Terme 🔊 ⌛ 🔲 🎧 🍸 ⛾ 💈 ✶ 📠 🔛 🚿 rist. 📞 **P**
via Volta 31 – 📞 04 98 66 80 99 – www.termetritone.it 🔲🔲🔲🔲🔲🔲🔲
– tritone@termetritone.it – Fax 04 98 66 81 01 **VISA ⓪⑤ AE 💳** BZe
117 cam ⌑ – 💲116/132 € 💲💲126/144 € – 4 suites – ½ P 86/98 €
Rist – (solo per alloggiati) Menu 35/60 €
♦ Classicità e confort in un hotel che vanta ottimi servizi. Camere spaziose e confortevoli, recentemente rinnovate: un intero piano, ospita solo suite per coloro che ricercano l'esclusività. Cucina classica per un ristorante, dove sembra di poter toccare la vegetazione attraverso le finestre.

Metropole 📠 ⌛ 🔲 🎧 🍸 ⛾ 💈 ⛳ 📠 🔛 **P** 🚗
via Valerio Flacco 99 – 📞 04 98 61 91 00 **VISA ⓪⑤ AE ⓪ 💳**
– www.gbhotels-abano.it – metropole@gbhotels.it – Fax 04 98 60 09 35
– chiuso dal 7 gennaio al 27 febbraio BZn
187 cam ⌑ – 💲70/80 € 💲💲120/140 € – 5 suites – ½ P 91/101 €
Rist – Menu 35/60 €
♦ Una vacanza per sentirsi in piena forma, in una grande struttura ben accessoriata, con centro benessere, immersa nella pace del giardino con piscina termale e minigolf. Servizio accurato e professionale attenzione al cliente, classica cucina d'albergo.

Panoramic Hotel Plaza 📠 ⌛ 🔲 🎧 🍸 ⛾ 📠 🔛 🚿 rist. 📞 🧖
piazza Repubblica 23 – 📞 04 98 66 93 33 – www.plaza.it **P** **VISA ⓪⑤ AE 💳**
– info@plaza.it – Fax 04 98 66 93 79 – chiuso dal 7 gennaio al 9 marzo
143 cam ⌑ – 💲75/95 € 💲💲125/150 € – 11 suites – ½ P 80/90 € BYc
Rist – (solo per alloggiati) Menu 22/30 €
♦ Svetta verso l'alto in posizione panoramica l'imponente costruzione di 10 piani felicemente accolta dal verde giardino. Ascensore panoramico, piscine termali comunicanti ed un attrezzato centro benessere.

Terme Roma 📠 ⌛ 🔲 🎧 🍸 ⛾ 🔛 🔛 🚿 cam, 📠 🚿 rist. **P**
viale Mazzini 1 – 📞 04 98 66 91 27 **VISA ⓪⑤ AE ⓪ 💳**
– www.termeroma.it – roma@termeroma.it – Fax 04 98 63 02 11
– chiuso dal 7 gennaio al 23 febbraio BYd
87 cam – 💲70/85 € 💲💲100/130 €, ⌑ 10 € – 3 suites – ½ P 72/96 €
Rist – (solo per alloggiati)
♦ Bell'edificio con grandi vetrate e colori chiari che rendono piacevoli e luminose le aree comuni. La zona notte è arredata con gusto ed eleganza particolari.

Europa Terme 📠 ⌛ 🔲 🎧 🍸 ⛾ 🔛 🔛 cam, 📠 **P** 🔛 ⓪⑤ AE ⓪ 💳
via Valerio Flacco 13 – 📞 04 98 66 95 44 – www.europaterme.it – europa@
europaterme.it – Fax 04 98 66 98 57 – chiuso dal 7 gennaio al 11 febbraio e dal
29 novembre al 18 dicembre BZa
103 cam – 💲62/88 € 💲💲112/156 €, ⌑ 9 € – ½ P 77/98 €
Rist – (solo per alloggiati) Menu 29 €
♦ Albergo centrale, rinnovato recentemente e caratterizzato da una hall di sapore classico, ricchi tendaggi e lampadari in cristallo. Moderno centro benessere.

Harrys' Terme 📠 🔊 ⌛ 🔲 🎧 🍸 ⛾ 🔛 🔛 🚿 rist. 🍴 **P**
via Marzia 50 – 📞 049 66 70 11 – www.harrys.it – harrys@ **VISA ⓪⑤ 💳**
harrys.it – Fax 04 98 66 85 00 – chiuso dal 7 gennaio al 29 febbraio
e dal 30 novembre al 21 dicembre AZa
66 cam ⌑ – 💲60/63 € 💲💲96/100 € – ½ P 64/69 € **Rist** – Menu 24/30 €
♦ A pochi passi dal centro, un gradevole hotel a conduzione diretta: camere accoglienti e piacevoli piscine termali immerse in un curato parco. Al ristorante si possono gustare le specialità della cucina regionale e piatti internazionali. Fresche insalate a buffet.

Atlantic 📠 ⌛ 🔲 🎧 🍸 ⛾ 📠 🚿 rist. **P VISA ⓪⑤ 💳**
via Monteortone 66, per via Monteortone – 📞 04 98 66 90 15
– www.atlanticterme.com – hatlanti@tin.it – Fax 04 98 66 91 88 – chiuso
gennaio-febbraio AYa
56 cam – 💲58 € 💲💲92 €, ⌑ 9 € – ½ P 68/75 €
Rist – (solo per alloggiati) Menu 26 €
♦ In zona periferica, struttura a conduzione familiare, con piacevoli spazi comuni e confortevoli camere (in parte recentemente rinnovate). Gradevole la zona delle piscine termali.

🏠 **Terme Milano** 🚗 ⤴ 🖃 🕼 ♨ ✕ 🛗 🛁 cam, 🏃 AC 🎾 🅿

viale delle Terme 169 – ✆ *04 98 66 94 44* 〔VISA〕 ⓪⓪ AE ⓪ 🛵
– www.termemilano.it – milano@termemilano.it – Fax 04 98 63 02 44
– chiuso dal 1° al 21 dicembre e dal 7 gennaio al 28 febbraio AY**e**
89 cam ⤴ *–* ♦58/80 € ♦♦100/120 € *– ½ P 56/72 €* **Rist** *–* Menu 25/32 €
♦ Frequentazione principalmente italiana, apprezzabile e comoda posizione centrale nell'area pedonale di Abano e gestione diretta in un albergo di struttura classica.

✕✕ **Aubergine** 🏠 AC 🅿 〔VISA〕 ⓪⓪ AE ⓪ 🛵

via Ghislandi 5 – ✆ *04 98 66 99 10 – www.aubergine.it – spadaro.riccardo@*
alice.it – Fax 04 98 63 92 00 – chiuso dieci giorni in febbraio, dal 15 al 30 luglio,
martedì e mercoledì AZ**d**
Rist *–* Carta 28/40 €
♦ Tra quadri moderni e curiose suppellettili, ristorante-pizzeria dalla calda conduzione familiare: la cucina, di mare e di terra, è nelle mani della moglie, mentre padre e figlio elargiscono suggerimenti in sala.

✕✕ **Victoria** 🏠 AC 🎾 〔VISA〕 ⓪⓪ AE ⓪ 🛵

via Monteortone 30 – ✆ *049 66 76 84 – Fax 04 98 63 80 84 – chiuso lunedì*
Rist *–* Carta 25/50 € AY**a**
♦ Specialità di mare in un ambiente dai colori caldi sobrio ma elegante, con grandi specchi alle pareti e décor classicheggiante; buono il rapporto qualità/prezzo.

a Monteortone Ovest : 2 km **AY** – ✉ 35030

🏠🏠 **Rêve Monteortone** ⤳ ⤴ 🖃 🌲 ♨ ✕ 🛗 🏃 AC 🎾 rist, 🅿 〔VISA〕 ⓪⓪

via Santuario 118 – ✆ *04 98 24 35 55 – www.hotel-reve.com – info@*
hotel-reve.com – Fax 04 98 66 90 42
100 cam *–* ♦80/100 € ♦♦160/230 €, ⤴ 10 € *– 4 suites – ½ P 95/115 €*
Rist *– (solo per alloggiati)*
♦ Abbracciato da un maestoso parco-giardino con zona giochi per bambini, l'hotel dispone di camere accoglienti e moderne. Ideale per famiglie.

ABBADIA ISOLA – Siena – Vedere Monteriggioni

ABBADIA LARIANA – Lecco (LC) – 561E10 – **3 163 ab.** – **alt. 202 m** 16 **B2**
– ✉ 23821

▶ Roma 636 – Como 39 – Bergamo 43 – Lecco 8

🏠 **Park Hotel** senza rist ≼ 🚗 🖿 🛁 AC 📶 🕷 🅿 〔VISA〕 ⓪⓪ AE ⓪ 🛵

via Nazionale 142 – ✆ *03 41 70 31 93 – www.parkhotelabbadia.com*
– info@parkhotelabbadia.com – Fax 03 41 70 31 94
28 cam ⤴ *–* ♦70/88 € ♦♦98/165 €
♦ Struttura di recente realizzazione all'entrata della località, adatta sia per una clientela turistica che d'affari; accoglienti interni di taglio moderno, giardino sul lago.

ABBAZIA – Vedere nome proprio dell'abbazia

ABBIATEGRASSO – Milano (MI) – 561F8 – **28 890 ab.** – **alt. 120 m** 18 **A2**
– ✉ 20081

▶ Roma 590 – Alessandria 80 – Milano 24 – Novara 29

✕✕ **Il Ristorante di Agostino Campari** 🏠 AC ⇔ 🅿 〔VISA〕 ⓪⓪ ⓪ 🛵

via Novara 81 – ✆ *029 42 03 29 – www.agostinocampari.com – info@*
agostinocampari.com – Fax 029 42 12 16 – chiuso dal 26 al 31 dicembre, tre
settimane in agosto e lunedì
Rist *–* Carta 37/51 €
♦ Curato ambiente familiare, disponibilità e cortesia in un locale classico con servizio estivo all'ombra di un pergolato; specialità d'impronta genuinamente tradizionale.

a Cassinetta di Lugagnano Nord : 3 km – ✉ 20081

XXXX **Antica Osteria del Ponte** (Ezio Santin)   🏠 AC ⚅ ✿
⚅⚅ *piazza G. Negri 9 – ☎ 029 42 00 34*   VISA ⚭ AE ① ⑤
– *www.anticaosteriadelponte.it – anticaosteriadelponte@virgilio.it*
– *Fax 029 42 06 10 – chiuso dal 25 dicembre al 12 gennaio, agosto, domenica e lunedì*
Rist – Carta 88/128 € ⚘
Spec. Brandade di stoccafisso e salsa di prugne. Uovo in camicia, salsa al foie gras e tartufo bianco (ottobre-dicembre). Lasagnetta di pasta fresca ai cipollotti e tartufo nero di Norcia (gennaio-marzo).
♦ Una cartolina di campagna lombarda a pochi metri dal ponte sul Naviglio; calore e ospitalità all'interno tra legni e tessuti, proposte regionali in cucina e divagazioni internazionali.

ABETONE – Pistoia (PT) – 563J14 – **694 ab.** – **alt. 1 388 m** – **Sport**   28 **B1**
invernali : 1 388/1 950 m ⚐ 1 ⚑ 17, ⚐ – ✉ 51021 █ Toscana
■ Roma 361 – Pisa 85 – Bologna 109 – Firenze 90
🖪 piazza Piramidi ☎ 0573 60231, apt12abetone@virgilio.it, Fax 0573 60232

🏠 **Bellavista**   ⬅ 🕭 📶 ⬇ ⚙ rist, ⑪ 🅿 VISA ⚭ AE ⑤
via Brennero 383 – ☎ 057 36 00 28 – www.abetonebellavista.it
– *info@abetonebellavista.it – Fax 057 36 02 45*
– *15 dicembre-15 aprile e 15 giugno-15 settembre*
40 cam ⚏ – †75/145 € ††95/165 € – ½ P 80/110 €
Rist – *(solo per alloggiati)*
♦ Tipica struttura di montagna in pietra e legno in posizione panoramica, a pochi passi dal centro e adiacente agli impianti di risalita; camere confortevoli e spaziose.

a Le Regine Sud-Est : 2,5 km – ✉ 51020

🏠 **Da Tosca**   ⬅ VISA ⚭ ⑤
⚆⚆ *via Brennero 85 – ☎ 057 36 03 17 – www.albergotosca.it – datosca@abetone.com – Fax 057 36 03 17*
12 cam ⚏ – †45 € ††70 € – ½ P 55 €   **Rist** – Carta 21/41 €
♦ Tipica atmosfera di montagna e una bella cornice di boschi di faggio, per un piccolo e ospitale albergo ad andamento familiare a pochi metri dagli impianti di risalita. Il legno e i colori ambrati sono gli elementi predominanti nell'accogliente sala da pranzo.

ABTEI = Badia

ACCESA (Lago di) – Grosseto – Vedere Massa Marittima

ACERENZA – Potenza (PZ) – 564E29 – **2 914 ab.** – **alt. 833 m** – ✉ 85011   3 **B1**
■ Roma 364 – Potenza 40 – Bari 120 – Foggia 98

🏠 **Il Casone** ⚘   ⬅ ⚙ AC rist, ⚙ 🅿 VISA ⚭ ① ⑤
⚆⚆ *strada per Forenza località Bosco San Giuliano Nord-Ovest : 6 km*
– *☎ 09 71 74 11 41 – hotel.ilcasone@virgilio.it – Fax 09 71 74 10 39*
18 cam ⚏ – †35 € ††70 € – ½ P 50 €   **Rist** – Carta 17/23 €
♦ Struttura immersa nella completa tranquillità della campagna lucana che la circonda; camere spaziose e funzionali con arredamento in stile contemporaneo. Al ristorante, la cucina locale.

ACI CASTELLO – Catania – 565O27 – Vedere Sicilia alla fine dell'elenco alfabetico

---

ACIREALE – Catania – 565O27 – Vedere Sicilia alla fine dell'elenco alfabetico

---

ACI TREZZA – Catania (CT) – 565O27 – Vedere Sicilia (Aci Castello) alla fine dell'elenco alfabetico

---

ACQUAFREDDA – Potenza – 564G29 – Vedere Maratea

ACQUALAGNA – Pesaro e Urbino (PS) – 563 L20 – 4 277 ab.   20 B1
– alt. 204 m – ⊠ 61041

▶ Roma 247 – Rimini 89 – Ancona 95 – Gubbio 41

XX **Il Vicolo**   🅰🅲 ⚒ 🆅🅸🆂🅰 ⓦⓞ 🅰🅴 ⓞ 🖕

corso Roma 39 – ℰ 07 21 79 71 45 – Fax 07 21 79 71 45
– chiuso dal 7 al 17 gennaio, luglio, martedì sera e mercoledì
Rist – Carta 33/100 €

♦ Bicchieri di cristallo e posate d'argento rendono elegante l'ambiente familiare. La piccola veranda si affaccia sul centro storico; da provare i piatti a base di tartufo.

ACQUAPARTITA – Forlì-Cesena – 562 K18 – Vedere Bagno di Romagna

---

ACQUAPENDENTE – Viterbo (VT) – 563 N17 – 5 768 ab. – ⊠ 01021   12 A1
▶ Roma 163 – Viterbo 52 – Orvieto 33 – Todi 69

a Trevinano Nord-Est : 15 km

↑ **L'Albero Bianco** senza rist   ⇐ 🎄 🅿

località l'Albero Bianco 8/a, Sud-Ovest: 4 km – ℰ 07 63 73 01 54
– www.alberobianco.blogspot.com – alberobianco info@yahoo.it
5 cam ⊃ – †50/60 € ††70/80 €

♦ Bellissimo bed and breakfast in posizione tranquilla e molto panoramica, sulla sommità di una collinetta. Aperto da circa due anni da un'intraprendente coppia di coniugi romani dispone di camere accoglienti a prezzi interessanti.

XX **La Parolina** (De Cesare e Gordini)   🏠 🆅🅸🆂🅰 ⓦⓞ 🅰🅴 🖕
ℰ3 *via Giovanni Pascoli 3 – ℰ 07 63 71 71 30 – www.laparolina.it – laparolina@*
libero.it – Fax 07 63 71 71 30 – chiuso lunedì e martedì
Rist – Carta 45/65 €
Spec. Torrone di foie gras (autunno-inverno). Cappelletti di cinta senese in brodo affumicato di chianina. Spiedo di piccione con scaloppa di foie gras, cosce farcite di spugnole.

♦ Sono due giovani di grande entusiasmo e di indiscutibile talento a proporre una curiosa e curata cucina del territorio in questo piccolo locale. Da alcuni tavoli potrete persino ammirare il tramonto sull'Amiata.

ACQUAVIVA – Livorno – Vedere Elba (Isola d') : Portoferraio

ACQUI TERME – Alessandria (AL) – 561 H7 – 20 146 ab. – alt. 164 m   23 C3
– ⊠ 15011

▶ Roma 573 – Alessandria 35 – Genova 74 – Asti 47
🄸 Via Manzoni 34 ℰ 0144 322142, iat@acquiterme.it, Fax 0144 326520
🄾 Le Colline, ℰ 0144 31 13 86

🏨 **Grand Hotel Nuove Terme**   🚗 🄽 ⊕ 🐾 🛗 🅧 cam, 🅰🅲 ⚒ rist, 🕼
piazza Italia 1 – ℰ 014 45 85 55   🍴 🆅🅸🆂🅰 ⓦⓞ 🅰🅴 ⓞ 🖕
– www.antichedimore.com – grandhotel.nuove.terme@antichedimore.com
– Fax 01 44 32 90 64
138 cam ⊃ – †88/230 € ††118/250 € – 3 suites – ½ P 89/155 €
Rist – Menu 30/40 €

♦ All'interno di un palazzo in stile *liberty* del 1892, l'hotel propone ampie camere con arredi classici ed un centro termale-benessere: una vacanza in totale relax, catapultati nell'atmosfera effervescente della *Belle Epoque*. Varie salette ristorante e cucina basata su preparazioni classiche.

🏨 **Roma Imperiale** 🌿   🚗 🐾 🏠 🎄 🐾 🛗 🅧 🅰🅲 ⚒ rist, 🕼 🍴 🅿
via passeggiata dei Colli 1 – ℰ 01 44 35 65 03   🆅🅸🆂🅰 ⓦⓞ 🅰🅴 ⓞ 🖕
– www.antichedimore.com – roma.imperiale@antichedimore.com
– Fax 01 44 32 52 27 – chiuso dal 7 gennaio al 15 marzo
22 cam ⊃ – †80/155 € ††115/215 € – 3 suites – ½ P 88/148 €
Rist – (chiuso lunedì e martedì) Carta 25/58 €

♦ L'altisonanza del nome è del tutto meritata: il parco secolare, le lussuose camere, gli stucchi veneziani del bar, il moderno ascensore panoramico che tuttavia non stride con le linee classiche della struttura. Tutto concorre a rendere il soggiorno una parentesi memorabile ne' turbinìo della vita moderna.

🏨 Acqui & Beauty Center   🏠 🕸 ➲ 👌 🅰🅲 🍽 rist, ☎
corso Bagni 46 – ☏ 01 44 32 26 93   🆅🆂🅰 ⑳ 🅰🅴 ⑩ 💲
– www.hotelacqui.it – info@hotelacqui.it – Fax 01 44 32 28 20
– chiuso dal 7 gennaio al 7 marzo
30 cam ⊇ – ♦69/74 € ♦♦99/103 € – ½ P 78/83 €
Rist *– (chiuso da dicembre al 7 marzo)* Carta 31/38 €
♦ Signorile hotel dall'attenta gestione diretta, dispone di confortevoli camere e di un piccolo ma attrezzato beauty-center per trattamenti e cure estetiche. Un ottimo indirizzo per ritemprare corpo e mente. Il ristorante propone una cucina nazionale per tutti i gusti.

🏨 Ariston   🖃 👌 cam, 🅰🅲 🍽 rist, 🄿 🚗 🆅🆂🅰 ⑳ 🅰🅴 ⑩ 💲
piazza G. Matteotti 13 – ☏ 01 44 32 29 96 – www.hotelariston.net – acquiterme@
hotelariston.net – Fax 01 44 32 29 98 – chiuso dal 21 dicembre al 25 gennaio
38 cam – ♦55 € ♦♦78 €, ⊇ 7 € – ½ P 63 €   **Rist** – Carta 24/30 €
♦ L'affabile gestione familiare non vi farà pentire di aver scelto questo hotel. Alla cordialità dell'accoglienza fanno eco spazi comuni di tono classico, ben distribuiti e funzionali, nonché belle camere quasi tutte recentemente rinnovate. Accanto all'omonimo teatro.

✕✕ La Schiavia   ⇔ 🆅🆂🅰 ⑳ 💲
vicolo della Schiavia – ☏ 014 45 59 39 – www.laschiavia.it – robertoabrile@
libero.it – Fax 014 45 59 39 – chiuso dal 9 al 25 agosto, domenica sera e martedì
Rist – Carta 36/52 € 🕸
♦ Nel cuore della località, all'interno di un elegante edificio storico, scoprirete una saletta graziosamente ornata con stucchi e decorazioni, in cui gustare una buona cucina locale.

✕✕ Enoteca La Curia   🏠 👌 ⇔ 🆅🆂🅰 ⑳ 🅰🅴 ⑩ 💲
via alla Bollente 72 – ☏ 01 44 35 60 49 – www.enotecalacuria.com – info@
enotecalacuria.com – Fax 01 44 32 90 44 – chiuso lunedì
Rist – Menu 40/55 € – Carta 52/68 € 🕸
♦ Le ragioni del successo dell'*Enoteca La Curia* possono essere così brevemente riassunte: locale "intrigante" dal punto di vista architettonico con le sue volte in mattoni; atmosfera giovane e dinamica; cucina piemontese accompagnata da un'ampia scelta di vini; sala fumatori certificata. *Les jeux sont faits…*

Qualità a prezzi contenuti? Cercate i Bib:
«Bib Gourmand» rosso 🅑 per i ristoranti,
e «Bib Hotel» azzurro 🄷 per gli alberghi.

ACRI – Cosenza (CS) – 564I31 – 21 820 ab. – alt. 700 m – ✉ 87041   5 A1
▶ Roma 560 – Cosenza 44 – Taranto 168

✕ Panoramik   🆅🆂🅰 ⑳ 🅰🅴 💲
🍝 *via De Gasperi 315 – ☏ 09 84 94 18 09 – www.ristorantepanoramik.com*
– panoramik@tiscali.it – Fax 09 84 94 18 09 – chiuso mercoledì
Rist – Carta 20/36 €
♦ Ristorante suddiviso in due sale, la più grande propone piatti della cucina calabrese e servizio pizzeria, nella saletta invece sono servite gustosissime grigliate.

ACUTO – Frosinone (FR) – 563Q21 – 1 859 ab. – alt. 724 m – ✉ 03010   13 C2
▶ Roma 77 – Frosinone 36 – Avezzano 99 – Latina 87

✕✕✕ Colline Ciociare (Salvatore Tassa)   🏠 🅰🅲 ⇔ 🄿 🆅🆂🅰 ⑳ 🅰🅴 ⑩ 💲
❀ *via Prenestina 27 – ☏ 077 55 60 49 – salvatoretassa@libero.it – Fax 077 55 60 49*
– chiuso dal 1° al 10 settembre, domenica sera (escluso da maggio a settembre),
lunedì, martedì a mezzogiorno
Rist – Carta 63/90 €
Spec. Spaghetti alla lavanda, acciughe e limone candito. Manzo allo spago, aromi di spezie. Diplomatico di foie gras.
♦ Baluardo della cucina ciociara, in una sala essenziale con camino e pavimento in cotto del '700 sono proposti i sapori della regione con divagazioni più estrose.

ADRIA – Rovigo (RO) – 562G18 – **20 705 ab.** – ✉ **45011**

▶ Roma 478 – Padova 60 – Chioggia 33 – Ferrara 55

✗ **Molteni** con cam 🏠 AC ⚡ 🎙️ P VISA 🏧 ⑤
via Ruzzina 2/4 – ☎ 042 64 25 20 – www.albergomolteni.it
– info@albergomolteni.it – Fax 04 26 94 49 53
– chiuso dal 23 dicembre al 6 gennaio e 2 settimane in agosto
9 cam ☞ – ♦50/60 € ♦♦85 € **Rist** – Carta 30/60 €
♦ Cordialità e linea gastronomica ispirata al mare, in un ristorante felicemente posizionato nel centro storico in riva al Canal Bianco. Atmosfera fiabesca nella saletta principale con mattoni, travi a vista e camino fumante. Camere semplici.

ADRO – Brescia (BS) – **6 684 ab.** – ✉ 25030 19 **D1**
a **Torbiato** Sud-Est: 4 km – ✉ 25030

✗ **dispensa pani e vini** 🏠 🛁 AC VISA 🏧 AE ⑤
via Principe Umberto – ☎ 03 07 45 07 57 – www.dispensafranciacorta.com
– info@dispensafranciacorta.com – Fax 03 07 45 10 24
Rist – Carta 35/47 €
♦ Nuovo locale dalla formula moderna: piatti dai sapori locali, in sala il servizio è più classico; al bancone - dietro l'ingresso - ci si diverte a tutte le ore del giorno. In esposizione e da assaggiare, la materia prima utilizzata dall'esperto chef.

AFFI – Verona (VR) – 561F14 – **2 050 ab.** – alt. 191 m – ✉ 37010 35 **A2**
▶ Roma 514 – Verona 25 – Brescia 61 – Mantova 54

in prossimità casello autostradale A22 Affi Lago di Garda Sud Est : 1 km :

🏨 **Park Hotel Affi** 🛏 🍽 🎿 🛁 🛗 AC ⚡ rist, 🧖 P 🚗
via Crivellin 1 A ✉ 37010 – ☎ 04 56 26 60 00 VISA 🏧 AE ① ⑤
– www.sogliahotels.com – parkhotelaffi@sogliahotels.com – Fax 04 56 26 64 44
– chiuso dal 25 al 31 dicembre
105 cam ☞ – ♦98/170 € ♦♦119/198 € – 3 suites
Rist Il Poggio – Carta 27/48 € 🍽
♦ Moderno albergo dell'ultima generazione in grado di soddisfare le esigenze di chi viaggia per affari: comoda la posizione stradale, confortevoli le ampie zone comuni e le camere, arredate con gusto ed eleganza. Raffinato stile contemporaneo nella sala da pranzo à la carte. Piccola corte con fontana per il dehors.

AGAZZANO – Piacenza (PC) – 562H10 – **2 040 ab.** – alt. 184 m 8 **A2**
– ✉ 29010
▶ Roma 533 – Piacenza 23 – Bologna 173 – Milano 90
🗓 Bastardina località La Bastardina, ☎ 0523 97 53 73

✗ **Antica Trattoria Giovanelli** 🏠 AC P VISA 🏧 AE ① ⑤
🍴 via Centrale 5, località Sarturano Nord : 4 km – ☎ 05 23 97 51 55
– www.anticatrattoriagiovanelli.it – Fax 05 23 97 51 55 – chiuso 2 settimane in febbraio, 2 settimane in agosto, lunedì, la sera di mercoledì e dei giorni festivi
Rist – (consigliata la prenotazione) Carta 22/30 €
♦ In una piccola frazione di poche case in aperta campagna, una trattoria che esiste da sempre, dove gustare genuine specialità piacentine; grazioso cortile per servizio estivo.

AGGIUS – Olbia-Tempio (104) – 566E9 – **Vedere Sardegna alla fine dell'elenco alfabetico**

AGLIENTU – Olbia-Tempio (104) – 566D9 – **Vedere Sardegna alla fine dell'elenco alfabetico**

AGNONE – Isernia (IS) – 564B25 – **5 752 ab.** – alt. 800 m – ✉ 86081 2 **C3**
▶ Roma 220 – Campobasso 86 – Isernia 45

✗✗ **La Botte** con cam 🛗 🚲 AC rist, ⚡ VISA 🏧 AE ① ⑤
🍽 largo Pietro Micca 44 – ☎ 086 57 75 77 – www.ristorantelabotte.net – info@ristorantelabotte.net – Fax 086 57 82 39
20 cam ☞ – ♦45 € ♦♦70 € – ½ P 50 € **Rist** – Carta 11/26 €
♦ Ristorante totalmente rinnovato sia nello stile, sia nella conduzione: sale con mobili classici, tendaggi e ben disposti punti luce. Piccole botti alle pareti ad onorare l'insegna.

sulla strada statale 86 Km 34 Sud-Ovest : 15 km :

↑ **Agriturismo Selvaggi** ⌘ ◁ ⌘ cam, **P** VISA ⒺⒸ AE ⌘

∞ *località Staffoli Str.Prov. Montesangrina km 1* ✉ *86081 Agnone*
– ℰ *086 57 77 85 – www.staffoli.it – staffoli@staffoli.it – Fax 086 57 71 77*
– *chiuso dal 10 al 23 novembre*
15 cam � – †37/45 € ††52/65 € – ½ P 47/55 €
Rist – *(chiuso lunedì)* (consigliata la prenotazione) Carta 15/23 €
♦ Un soggiorno a contatto con la natura in una fattoria del 1720, restaurata: allevamento di bovini e ovini, produzione di salumi, escursioni a cavallo; camere accoglienti.

AGORDO – Belluno (BL) – 562D18 – 4 236 ab. – alt. 611 m – ✉ 32021   36 C1
▶ Roma 646 – Belluno 32 – Cortina d'Ampezzo 59 – Bolzano 85
🅓 via 27 Aprile 5/a ℰ 0437 62105, agordo@infodolomiti.it, Fax 0437 65205
🅖 Valle del Cordevole★★ Nord-Ovest per la strada S 203

⌂ **Erice** ⌘ ⌘ **P** ⌘ VISA ⒺⒸ AE ⌘

via 4 Novembre 13/b – ℰ *043 76 50 11* – *www.hotelerice.it* – *info@hotelerice.it*
– *Fax 043 76 23 07* – *chiuso ottobre*
13 cam – †55/65 € ††75 €, ⊊ 8 € – ½ P 55 €
Rist – *(chiuso lunedì in bassa stagione)* Carta 22/29 €
♦ Piccolo hotel a gestione diretta, ospitato in una bella struttura in comoda posizione
per inoltrarsi alla scoperta dei dintorni. Piacevoli zone comuni in stile montano di taglio
contemporaneo e camere semplici. Invitanti i profumi che provengono dalle cucine; non
vi resta che prendere posto nella capiente sala.

AGRATE BRIANZA – Milano (MI) – 561F10 – 13 330 ab. – alt. 162 m   18 B2
– ✉ 20041
▶ Roma 587 – Milano 23 – Bergamo 31 – Brescia 77

⌂ **Colleoni** 🛁 ⌘ AC ⌘ ⌘ rist, ⌘ ⌘ ⌘ VISA ⒺⒸ AE ① ⌘

via Cardano 2 – ℰ *03 96 83 71*
– *www.hotelcolleoni.com* – *colleoni@hotelcolleoni.com* – *Fax 039 65 44 95*
162 cam – †112/135 € ††170 €, ⊊ 16 € – 6 suites – ½ P 123 €
Rist Vip Restaurant – ℰ *03 96 83 79 13* *(chiuso sabato e domenica)*
Carta 40/57 €
♦ All'interno dell'imponente, omonimo complesso sede di un importante centro direzionale, un albergo funzionale e di moderna concezione, ideale per uomini d'affari. Ristorante rischiarato da grandi vetrate.

AGRIGENTO **P** – 565P22 – Vedere Sicilia alla fine dell'elenco alfabetico

AGROPOLI – Salerno (SA) – 564F26 – 19 970 ab. – ✉ 84043   7 C3
▶ Roma 312 – Potenza 106 – Battipaglia 33 – Napoli 107
🅖 Rovine di Paestum★★★ Nord : 11 km

⌂ **Il Ceppo** ⌘ ⌘ AC ⌘ ⌘ **P** ⌘ VISA ⒺⒸ AE ① ⌘

via Madonna del Carmine 31, Sud-Est : 1,5 km – ℰ *09 74 84 30 44*
– *www.hotelristoranteilceppo.com* – *info@hotelristoranteilceppo.com*
– *Fax 09 74 84 32 34*
20 cam ⊊ – †45/70 € ††75/95 €
Rist Il Ceppo – vedere selezione ristoranti
♦ Inaugurato nel 1994 e situato di fronte all'omonimo ristorante, un albergo ancora
nuovo con piacevoli zone comuni dai color caldi e ben arredate; camere funzionali.

⌂ **La Colombaia** ⌘ ◁ ⌘ ⌘ ⌘ ⌘ ★★ AC ⌘ ⌘ **P** ⌘

via Piano delle Pere Sud : 2 km – ℰ *09 74 82 18 00*   VISA ⒺⒸ AE ① ⌘
– *www.lacolombaiahotel.it* – *colombaia@tin.it* – *Fax 09 74 82 18 00* – *chiuso*
gennaio e febbraio
10 cam ⊊ – †40/50 € ††70/90 € – ½ P 70 €
Rist – *(maggio-settembre) (chiuso a mezzogiorno) (solo per alloggiati)*
Menu 20/22 €
♦ In quieta posizione panoramica, bella villa di campagna ristrutturata, dotata di terrazza-giardino con piscina; accoglienti e ben curate sia le camere che le zone comuni.

✗✗ Il Cormorano   🛖 VISA ◐◐ AE ⓪ ⑤

via C. Pisacane 13, al Porto – 𝒞 09 74 82 39 00 – www.ristoranteilcormorano.it
– info@ristoranteilcormorano.it – Fax 09 74 82 47 10 – aprile-ottobre; chiuso
mercoledì escluso da giugno a settembre
Rist *– (chiuso a mezzogiorno)* Carta 25/54 € (+10 %)
♦ Atmosfera caratteristica in un ristorante recente; un ambiente curato dove gustare pesce in estate (servito anche sulla bella terrazza) e piccola cacciagione d'inverno.

✗ Il Ceppo   🛖 🏧 ⁒ ⌂ 🅿 VISA ◐◐ AE ⓪ ⑤

via Madonna del Carmine 31, Sud-Est : 1,5 km – 𝒞 09 74 84 30 36
– www.hotelristoranteilceppo.com – info@hotelristoranteilceppo.com
– Fax 09 74 84 32 34 – chiuso novembre
Rist *–* Carta 20/46 € (+10 %)
♦ Appena fuori dalla località, ristorante con pizzeria serale: tre sale classiche con tocchi di rusticità, bianche pareti e pavimenti in cotto; saporita cucina di mare.

AGUGLIANO – Ancona (AN) – 563L22 – 4 267 ab. – alt. 203 m   21 C1
– ✉ 60020

▶ Roma 279 – Ancona 16 – Macerata 44 – Pesaro 67

🏠 Al Belvedere   ⬅ 🚲 |📱| ⁒ 🅿 VISA ◐◐ AE ⑤

piazza Vittorio Emanuele II, 3 – 𝒞 071 90 71 90 – www.hotelalbelvedere.it
– info@hotelalbelvedere.it – Fax 071 90 80 08
18 cam – 🛏39/45 € 🛏🛏57/73 €, � 6 € – ½ P 45/56 €   **Rist** – Carta 19/30 €
♦ Ubicato tra le colline marchigiane, offre la cordialità tipica di un ambiente a conduzione familiare. Camere semplici e funzionali. Ristorante dall'atmosfera rilassante con ampie vetrate che incorniciano il paesaggio agreste circostante.

AHRNTAL = Valle Aurina

Cerchiamo costantemente di indicarvi i prezzi più aggiornati…
ma tutto cambia così in fretta! Al momento della prenotazione,
non dimenticate di chiedere conferma delle tariffe.

ALAGNA VALSESIA – Vercelli (VC) – 561E5 – 446 ab. – alt. 1 191 m   22 B1
– ✉ 13021

▶ Roma 722 – Torino 163 – Varese 124 – Vercelli 105

🏠 Casa Prati senza rist ⬤   🚲 ⁒ (🕪) VISA ◐◐ ⓪ ⑤

frazione Casa Prati 7 – 𝒞 01 63 92 28 02 – www.zimmercasaprati.com
– casapratizimmer@libero.it – Fax 01 63 92 26 49
6 cam ⊆ – 🛏60/90 € 🛏🛏80/120 €
♦ Dalla ristrutturazione di vecchie stalle, una piacevole risorsa dotata di alcune camere molto graziose e di un appartamento ideale per famiglie. Accoglienza squisita.

ALASSIO – Savona (SV) – 561J6 – 10 765 ab. – ✉ 17021   14 B2

▶ Roma 597 – Imperia 23 – Cuneo 117 – Genova 98
🄸 via Mazzini 68 𝒞 0182 647027, alassio@inforiviera.it, Fax 0182 647874
🄸🄱 Garlenda, 𝒞 0182 58 00 12

Pianta pagina 92

🏨 Spiaggia   ⬅ ⬛ |📱| & 🏧 ⁒ rist, ♨ VISA ◐◐ AE ⓪ ⑤

via Roma 78 – 𝒞 01 82 64 34 03 – www.spiaggiahotel.it – info@spiaggiahotel.it
– Fax 01 82 64 02 79 – chiuso dal 15 ottobre al 27 dicembre   Zc
89 cam ⊆ – 🛏90/145 € 🛏🛏140/260 € – ½ P 124/148 €
Rist – Menu 36/52 €
♦ Distinto hotel in stile contemporaneo, con interni signorili e camere confortevoli; suggestiva piscina su terrazza panoramica per nuotare godendo di una splendida vista. Il mare, soave, si lascia contemplare anche dalle vetrate ad arco della sala da pranzo.

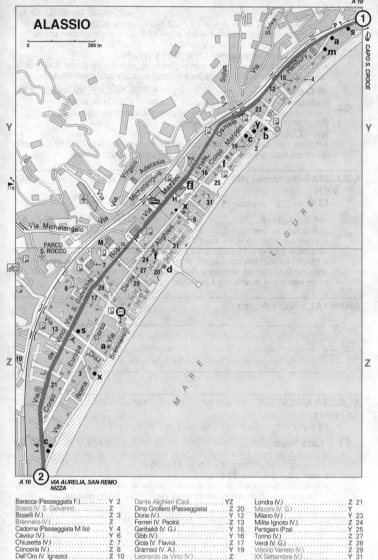

ALASSIO

VIA AURELIA, SAVONA, GENOVA
A 10

CAPO S. CROCE

0   300 m

LIGURE

MARE

A 10   VIA AURELIA, SAN REMO
NIZZA

Baracca (Passeggiata F.) .... Y 2	Dante Alighieri (Cso) .... YZ	Londra (V.) .... Z 21
Bosco (V. S. Giovanni) .... Z	Dino Grollero (Passeggiata) .... Z 20	Mazzini (V. G.) .... Y
Boselli (V.) .... Z 3	Doria (V.) .... Z 12	Milano (V.) .... Z 23
Brennero (V.) .... Z	Ferreri (V. Paolo) .... Z 13	Milite Ignoto (V.) .... Z 24
Cadorna (Passeggiata M.llo) .... Y 4	Garibaldi (V. G.) .... Y 15	Partigiani (Pza) .... Y 25
Cavour (V.) .... Y 6	Gibb (V.) .... Y 16	Torino (V.) .... Z 27
Chiusetta (V.) .... Z 7	Gioia (V. Flavio) .... Z 17	Verdi (V. G.) .... Z 28
Conceria (V.) .... Z 8	Gramsci (V. A.) .... Y 19	Vittorio Veneto (V.) .... Z 29
Dall'Oro (V. Ignazio) .... Z 10	Leonardo da Vinci (V.) .... Z	XX Settembre (V.) .... Y 31

92

Diana Grand Hotel
≼ 🚗 🏠 🔲 🐾 🇱🇬 🛎 🚶 AC 🕻 🍴 **P**

via Garibaldi 110 – 𝒞 *01 82 64 27 01* — 🆅🅸🆂🅰 ⓜⓞ AE ⓞ 🏧
*– www.hoteldianaalassio.it – hotel@dianagh.it – Fax 01 82 64 03 04 – chiuso dal
6 novembre al 6 dicembre e dal 10 gennaio al 7 febbraio* **Ya**
52 cam ⌣ – ♦120/210 € ♦♦160/245 € – ½ P 146/178 €
Rist – Menu 28/45 €
Rist *Sun Terrace* – *(7 febbraio-7 novembre)* Carta 29/48 €
♦ Una grande struttura bianca si erge maestosa di fronte al mare: un albergo di tradizione con ampi ed eleganti spazi comuni in stile ed un ameno giardino. In terrazza, piatti creativi e la tradizione ligure. Delizioso e informale il ristorante "Sun Terrace", con un invitante dehors sulla spiaggia.

Savoia
≼ 🏠 🛎 🔌 AC 🎨 rist, "🍴" 🚗 🆅🅸🆂🅰 ⓜⓞ AE ⓞ 🏧

via Milano 14 – 𝒞 *01 82 64 02 77 – www.hotelsavoia.it – info@hotelsavoia.it
– Fax 01 82 64 01 25 – chiuso novembre* **Yb**
35 cam ⌣ – ♦70/135 € ♦♦90/185 € – ½ P 65/120 €
Rist – Menu 28/35 €
Rist *La Prua* – 𝒞 *01 82 64 25 57* – Carta 31/40 €
♦ Imponenti colonne all'ingresso introducono in ambienti curati e di moderna concezione, con curiosi pavimenti a mosaico; camere ben rifinite e dotate di ogni confort. Vi sembrerà di pranzare lambiti dall'acqua marina nella piacevole sala ristorante. Imponenti colonne all'ingresso introducono in ambienti curati e di moderna concezione, con curiosi pavimenti a mosaico; camere ben rifinite e dotate di ogni confort.

Regina
≼ 🏠 🐾 🇱🇬 🛎 AC 🎨 rist, "🍴" 🔌 **P** 🆅🅸🆂🅰 ⓜⓞ AE ⓞ 🏧

viale Hanbury 220 – 𝒞 *01 82 64 02 15 – www.reginahotel.it – info@reginahotel.it
– Fax 01 82 66 00 92 – marzo-novembre* **Ys**
42 cam ⌣ – ♦60/160 € ♦♦100/250 € – ½ P 60/140 € **Rist** – Menu 30/40 €
♦ In riva al mare, albergo di recente ristrutturazione particolarmente adatto per un turismo familiare; colori caldi negli spazi comuni e ampia terrazza molto gradevole. Presso la sobria sala ristorante, i sapori della cucina nazionale.

Dei Fiori
🛎 🚶 🎨 rist, "🍴" 🔌 🆅🅸🆂🅰 ⓜⓞ AE ⓞ 🏧

viale Marconi 78 – 𝒞 *01 82 64 05 19 – www.hoteldeifiori-alassio.it – info@
hoteldeifiori-alassio.it – Fax 01 82 64 41 16* **Yc**
65 cam – ♦50/110 € ♦♦70/145 €, ⌣ 12 € – ½ P 67/90 € **Rist** – Menu 23/36 €
♦ Nel cuore di Alassio, piacevole struttura gestita con cura, serietà ed esperienza. Spaziose aree comuni e camere signorili: ideale per famiglie con bambini. Grande sala da pranzo in stile moderno.

Beau Rivage
≼ AC rist, 🎨 🕻 🔌 **P** 🆅🅸🆂🅰 ⓜⓞ AE ⓞ 🏧

🐚 *via Roma 82 –* 𝒞 *01 82 64 05 85 – www.hotelbeaurivage.it – info@
hotelbeaurivage.it – Fax 01 82 64 04 26 – chiuso dal 9 ottobre al 25 dicembre*
20 cam ⌣ – ♦50/105 € ♦♦98/155 € – ½ P 52/100 € **Zc**
Rist – Menu 21/30 €
♦ Signorile, accogliente casa ottocentesca di fronte al mare con interni molto curati: piacevoli salottini con bei soffitti affrescati e camere semplici, ma molto graziose. Gradevole sala da pranzo.

Lamberti
🏠 🛎 🔌 rist, AC 🎨 "🍴" 🔌 **P** 🆅🅸🆂🅰 ⓜⓞ AE ⓞ 🏧

via Gramsci 57 – 𝒞 *01 82 64 27 47 – www.hotellamberti.it – info@hotellamberti.it
– Fax 01 82 64 24 38 – chiuso sino a Pasqua* **Yy**
25 cam ⌣ – ♦50/105 € ♦♦80/150 € – ½ P 50/100 €
Rist *Lamberti* – *(chiuso novembre)* – Carta 44/91 € 🐚
♦ A pochi passi dalle spiagge, grazioso alberghetto centrale in un edificio degli anni '30, gestito con capacità e professionalità. Piacevoli le semplici camere: spaziose e funzionali. All'omonimo ristorante ottima cucina di pesce in un ambiente semplice, ma curato. Al piano interrato, enoteca con cantina a vista.

Beau Sejour
≼ 🏠 🛎 🎨 rist, **P** 🆅🅸🆂🅰 ⓜⓞ AE 🏧

via Garibaldi 102 – 𝒞 *01 82 64 03 03 – www.beausejourhotel.it – info@
beausejourhotel.it – Fax 01 82 64 63 91 – marzo-ottobre* **Ym**
42 cam ⌣ – ♦50/105 € ♦♦80/235 € – ½ P 55/160 € **Rist** – Menu 30/40 €
♦ Bella e grande villa d'inizio secolo dotata di comodo parcheggio e ampi spazi comuni, anche esterni, con bella vista mare; camere confortevoli. Invitante servizio ristorante estivo in terrazza tra il profumo dei fiori e la vista sul mare blu.

🏨 **Corso** 📶 ⚐ 🅰🅲 rist, 🍴 rist, 🚗 💳 ⓜ 🅰🅴 ⓓ 🛴

via Diaz 28 – ☎ 01 82 64 24 94 – www.hotelcorso.it
– info@hotelcorso.it – Fax 01 82 64 24 95
– chiuso dal 2 novembre al 22 dicembre   Z**s**
45 cam � – 🛏70/100 € 🛏🛏95/150 € – ½ P 72/81 €
Rist – Carta 21/26 €
♦ Posizione centrale e ambiente familiare in un albergo ben tenuto, costantemente aggiornato, ideale per una vacanza serena e spensierata.

🏠 **Danio Lungomare** ⬅ 🍴 📶 🅰🅲 rist, 🍴 rist, 💳 ⓜ 🛴

via Roma 23 – ☎ 01 82 64 06 83 – www.hoteldaniolungomare.it
– info@hoteldaniolungomare.it – Fax 01 82 64 03 47
– chiuso dal 18 ottobre al 26 dicembre   Z**x**
31 cam ⊂ – 🛏50/70 € 🛏🛏90/130 € – ½ P 55/80 €
Rist – Carta 22/38 €
♦ Vi sembrerà quasi che la vostra camera sia sulla spiaggia in questo piccolo albergo familiare, ubicato proprio di fronte al mare; camere essenziali e molto pulite. Tre luminose salette ristorante e servizio estivo con vista sul golfo di Alassio.

🌋🌋🌋 **Palma** (Massimo Viglietti) 🅰🅲 🍴 ⬡ 💳 ⓜ 🅰🅴 🛴

via Cavour 11 – ☎ 01 82 64 03 14 – massimoviglietti@uno.it
– Fax 01 82 64 03 14
– chiuso quindici giorni in gennaio, quindici giorni in novembre e mercoledì
Rist – Menu 60/90 €   Y**x**
Spec. Tartare di ricciola e salsiccia, cipolle brasate, grano scottato, pepe rosa intinto nel cioccolato. Ravioli di foie gras e verdurine scottate con zuppetta di crostacei. Gamberi in leggera frittura, tortini al limone e salsa Sauzette.
♦ A pochi metri dalla spiaggia, locale storico che si rinnova nelle mani del figlio con piatti più creativi e fantasiosi, invenzioni sorprendenti e originali.

🌋🌋 **Sail-Inn** 🍴 🅰🅲 ⬡ 💳 ⓜ 🅰🅴 ⓓ 🛴

via Brennero 34 – ☎ 01 82 64 02 32 – Fax 01 82 64 02 32
– chiuso dal 6 gennaio al 6 marzo e lunedì   Z**a**
Rist – Menu 22 € – Carta 30/60 €
♦ Sulla passeggiata a mare, un locale che propone un'interessante linea gastronomica marinaresca e un'apprezzabile cantina; bella veranda a pochi passi dalla spiaggia.

🌋🌋 **BaiadelSole** 🍴 🅰🅲 💳 ⓜ 🛴

corso Marconi 30 – ☎ 01 82 64 18 14 – mirella.porro@tin.it
– chiuso da novembre al 15 dicembre, dal 15 settembre al 15 giugno aperto solo nei week end   Y**e**
Rist – (chiuso a mezzogiorno) (consigliata la prenotazione) Carta 53/67 €
♦ Un ristorante giovane ed informale, in stile moderno con vetrate che danno sul dehors, dove gustare prodotti del territorio e piatti di pesce d'ispirazione contemporanea.

🌋🌋 **Mezzo** 🍴 🅰🅲 💳 ⓜ 🅰🅴 ⓓ 🛴

paggeggiata Dino Grollero 14 – ☎ 01 82 64 04 70
– www.mezzoristorante.it – info@mezzoristorante.it   Z**d**
Rist – Carta 46/64 €
♦ Locale alla moda di fronte alla spiaggia, con predominanza di bianco nel ristorante che propone gustose ricette di terra e di mare. Il nero, invece, caratterizza il bancone, nonché il pavimento del *lounge bar*. Originale!

🌋 **Krua Siam** 🅰🅲 🍴 💳 ⓜ 🅰🅴 ⓓ 🛴

via Volta 22 ✉ 17021 Alassio – ☎ 01 82 66 28 93
– krua.siam@alice.it
– chiuso a mezzogiorno   YZ**f**
Rist – (chiuso martedì) Carta 36/50 €
Rist *Mi Do Ri* – (chiuso lunedì) (consigliata la prenotazione) Carta 30/47 €
♦ In questa ridente località ligure, un omaggio alla Thailandia: luci soffuse, musica ed ovviamente cucina asiatica. Al *Mi Do Ri*: sushi, sashimi ed altri sapori nipponici in un esotico gioco di verde e nero. Design accattivante.

ALATRI – Frosinone (FR) – 563Q22 – **27 657 ab.** – **alt. 502 m** – ⊠ 03011   13 **C2**
▮ Italia

> ▶ Roma 93 – Frosinone 14 – Avezzano 89 – Latina 65
> ▣ Acropoli★ : ≤★★ – Chiesa di Santa Maria Maggiore★

X   **La Rosetta**   占 ⅍ 𝘷𝘪𝘴𝘢 ⅏ 🄰🄴 ⑩ 🅢
    via Duomo 39 – 𝒞 07 75 43 45 68 – larosetta.alatri@libero.it – Fax 07 75 43 45 68
    – chiuso dal 7 al 20 gennaio, dal 6 al 18 luglio, domenica sera e martedì
    Rist – Menu 30 € – Carta 25/36 €
    ♦ A ridosso dell'Acropoli, atmosfere di autentica Ciociaria e genuina cucina del territorio
    orgogliosamente fedele alle tradizioni, in un ambiente dal fascino antico.

ALBA – Cuneo (CN) – 561H6 – **30 034 ab.** – **alt. 172 m** – ⊠ 12051 ▮ Italia   25 **C2**
> ▶ Roma 644 – Cuneo 64 – Torino 62 – Alessandria 65
> 🄸 piazza Risorgimento 2 𝒞 0173 35833, info@langheroero.it, Fax 0173
>   363878

🏠   **Palazzo Finati** senza rist   🄸 🄰🄲 🄲 🄲 𝘷𝘪𝘴𝘢 ⅏ 🄰🄴 ⑩ 🅢
    via Vernazza 8 – 𝒞 01 73 36 63 24 – www.palazzofinati.it – albergo@
    palazzofinati.it – Fax 017 33 38 36 – chiuso dal 24 dicembre all'8 gennaio
    e 3 settimane in agosto
    9 cam ⊑ – ♦120/180 € ♦♦150/200 €
    ♦ Crema, vermiglio, indaco, eleganza delle forme e morbidezza dei tessuti: nell'ottocente-
    sco palazzo del centro convivono una romantica storicità e l'attenzione per il dettaglio.

🏠   **I Castelli**   🄸 🄰🄲 ⅍ 🄲 🄲 🄴 🚗 𝘷𝘪𝘴𝘢 ⅏ 🄰🄴 ⑩ 🅢
    corso Torino 14/1 – 𝒞 01 73 36 19 78 – www.hotel-icastelli.com – info@
    hotel-icastelli.com – Fax 01 73 36 19 74
    87 cam ⊑ – ♦73/93 € ♦♦98/115 € – 3 suites – ½ P 78 €
    Rist – (chiuso dal 1° al 18 agosto e domenica) (chiuso a mezzogiorno)
    Carta 30/40 €
    ♦ Imponente complesso recente di moderna concezione in vetro e cemento, dotato di
    ogni confort e di camere accoglienti e spaziose; ideale per una clientela di lavoro. Ele-
    gante sala ristorante con cucina della tradizione rivisitata in chiave moderna.

🏠   **Langhe** senza rist   ♨ 🄸 占 🕴 🄰🄲 🄲 🄿 🚗 𝘷𝘪𝘴𝘢 ⅏ 🄰🄴 ⑩ 🅢
    strada Profonda 21 – 𝒞 01 73 36 69 33 – www.hotellanghe.it – info@
    hotellanghe.it – Fax 01 73 44 20 97
    26 cam ⊑ – ♦65/78 € ♦♦78/98 €
    ♦ In posizione tranquilla, una risorsa completamente nuova con moderne soluzioni di
    design decisamente gradevoli e appropriate alla struttura. Camere con vista.

⌂   **Agriturismo Villa la Meridiana-Cascina Reine** senza rist ♨
    località Altavilla 9, Est : 1 km   ≤ 🚗 🌲 🕴 🄲 🄿 𝘷𝘪𝘴𝘢 ⅏
    – 𝒞 01 73 44 01 12 – www.villalameridianaalba.it – cascinareine@libero.it
    – Fax 01 73 44 01 12
    9 cam ⊑ – ♦70/75 € ♦♦90 € – 1 suite
    ♦ Originale complesso agrituristico composto da un'elegante villa liberty ed un attiguo
    cascinale: accoglienti interni e camere in stile. Esclusiva suite, dotata di una terrazza con
    splendida vista sui proverbiali vigneti locali. Relax allo stato puro.

XXX   **Piazza Duomo** (Enrico Crippa)   🄰🄲 𝘷𝘪𝘴𝘢 ⅏ 🄰🄴 🅢
✿   vicolo dell'Arco 1, angolo piazza Risorgimento 4 – 𝒞 01 73 36 61 67
    – www.piazzaduomoalba.it – info@piazzaduomoalba.it – Fax 01 73 29 60 03
    – chiuso gennaio, agosto, domenica sera (escluso ottobre) e lunedì; anche
    domenica a mezzogiorno in giugno-luglio
    Rist – (consigliata la prenotazione) Menu 90/110 € – Carta 73/95 €
    Spec. Tonno di coniglio...toni di colore. Merluzzo fresco di nostra salatura
    accomodato al verde. Agnello sambucano, latte di capra e limone al sale.
    ♦ Al primo piano di un centralissimo palazzo storico, un'unica sala dall'aspetto minimali-
    sta. Altrettanto moderna la cucina, priva di superfluo ma ricca di colore e fantasia.

> Non confondete le posate X e le stelle ✿ !
> Le posate definiscono il livello di confort e raffinatezza,
> mentre la stella premia le migliori cucine, in ognuna di queste categorie

XX ⚙ **Locanda del Pilone** con cam ⍺   ⇚ 🍴 🛏 ♿ **AK** **(°)** **P**

frazione Madonna di Como 34, Sud-Est : 5 km   **VISA** **◉◎** **AE** **①** **⑤**
– *ℂ 01 73 36 66 16 – www.locandadelpilone.com – info@locandadelpilone.com*
– *Fax 01 73 36 66 09 – chiuso dal 24 dicembre al 14 gennaio*
e dal 20 luglio al 20 agosto
8 cam � – **♛♛**130/180 €
Rist – *(chiuso i mezzogiorno di martedì e mercoledì in ottobre-novembre, tutto il
giorno negli altri mesi)* Carta 56/73 €
Spec. Savarin di polenta con tuorlo d'uovo, funghi porcini trifolati, crema al
parmigiano e tartufo bianco. Piccione disossato con scalogno al moscato pas-
sito su letto di spaetzli alla piastra. Terrina di Castelmagno con pere spadel-
late al miele di castagno e cannella, gelato di noci e miele.
♦ Nella straordinaria cornice delle colline del Barbaresco, una cascina ristrutturata ospita
una cucina di stampo regionale con prevalenza di piatti di carne.

XX **Daniel's-al Pesco Fiorito**   **AK** **P** **VISA** **◉◎** **AE** **①** **⑤**
corso Canale 28, Nord-Ovest : 1 km – ℂ 01 73 44 19 77 – daniels@ristoranti.it
– *Fax 01 73 44 19 77 – chiuso dal 23 dicembre al 9 gennaio,*
dal 27 luglio al 18 agosto e domenica (escluso da settembre a novembre)
Rist – *(prenotazione obbligatoria la sera)* Carta 33/46 €
♦ A pochi minuti dalla città, in una recente costruzione dall'esterno in mattoni, un'elegante sala dove assaporare la cucina tipica albese; sala banchetti al primo piano.

XX **La Libera**   **AK** **VISA** **◉◎** **AE** **①** **⑤**
*via Pertinace 24/a – ℂ 01 73 29 31 55 – www.lalibera.com – lalibera2002@
libero.it – Fax 01 73 29 31 55 – chiuso febbraio, dall' 8 al 18 luglio, domenica e
lunedì a mezzogiorno*
Rist – *(consigliata la prenotazione)* Carta 35/47 € 🌿
♦ Moderno e di design il locale, giovane ed efficiente il servizio, curata la cucina che
propone appetitosi piatti della tradizione piemontese rielaborati con tocchi di colore e
fantasia.

X **Osteria dell'Arco**   **AK** **℅** **VISA** **◉◎** **AE** **⑤**
*piazza Savona 5 – ℂ 01 73 36 39 74 – www.osteriadellarco.it – info@
osteriadellarco.it – Fax 01 73 22 80 28 – chiuso 25-26 dicembre, Capodanno,
domenica e lunedì (escluso ottobre-novembre)*
Rist – Carta 28/35 €
♦ Nasce come enoteca questo locale affacciato su un cortile interno, in pieno centro.
Informale ma accogliente, luminoso e piuttosto moderno propone una cucina legata al
territorio, rivisitata con fantasia.

ALBA – Trento – 562C17 – **Vedere Canazei**

ALBA ADRIATICA – Teramo (TE) – 563N23 – **10 754 ab.** – ✉ **64011**   1 B1
🚗 Roma 219 – Ascoli Piceno 40 – Pescara 57 – Ancona 104
🛈 lungomare Marconi 1 ℂ 0861 712426, iat.albaadriatica@abruzzoturismo.it,
Fax 0861 713993

🏨 **Meripol**   ⇚ 🛋 🛎 ♿ cam, 🏊 **AK** **℅** rist, **P** **VISA** **◉◎** **AE** **①** **⑤**
*lungomare Marconi 290 – ℂ 08 61 71 47 44 – www.hotelmeripol.it – info@
hotelmeripol.it – Fax 08 61 75 22 92 – marzo-ottobre*
51 cam ⊂ – **♛**50/90 € **♛♛**80/150 € – ½ P 60/105 €
Rist – *(solo per alloggiati)* Carta 25/57 €
♦ Solo una piccola pineta separa dal mare questo signorile ed imponente edificio avveniristico che dispone di camere spaziose, spesso illuminate da portefinestre con balcone.
Al ristorante, i sapori della tradizione culinaria italiana.

🏨 **Eden & Eden Park Hotel**   ⇚ 🍴 🛋 🍽 🛎 🏊 **AK** **℅** **P** 🚗
⚜ *lungomare Marconi 328 – ℂ 08 61 71 42 51*   **VISA** **◉◎** **AE** **①** **⑤**
– *www.hoteleden.it – info@hoteleden.it – Fax 08 61 71 37 85 – maggio-settembre*
83 cam ⊂ – **♛**84/99 € **♛♛**145/164 € – ½ P 75/99 €
Rist – *(solo per alloggiati)* Menu 16/32 €
♦ In un'area che si estende dal lungomare fino all'interno, due strutture identiche nei
servizi ma con camere distinte per tipologie: classiche all'Eden, più moderne al Park.

Doge ⟨ ⌇ ⌷ 🖶 cam, ⚹ ⎙ rist, ⚹ rist, 🅿 🚗 📶 ⚞ AE ① ⌸

lungomare Marconi 292 – ℰ 08 61 71 25 08 – www.hoteldoge.it – info@
hoteldoge.it – Fax 08 61 71 18 62 – 15 maggio-15 settembre
60 cam ⊑ – ♦35/60 € ♦♦60/85 € – ½ P 40/90 €
Rist – (solo per alloggiati) Menu 18/22 €
◆ Sul lungomare, attrezzato albergo di recente ristrutturazione, con camere arredate in stile coloniale; spazioso solarium con vista dominante l'intera spiaggia.

Impero ⟨ 🚗 ⌇ 🖶 ⚹ ⎙ ⚹ ℰ 🅿 🚗 📶 ⚞ ⌸

lungomare Marconi 162 – ℰ 08 61 71 24 22 – www.hotelimpero.com – info@
hotelimpero.com – Fax 08 61 75 16 15 – 24 maggio-20 settembre
60 cam ⊑ – ♦60/80 € ♦♦80/100 € – ½ P 80/90 €
Rist – (solo per alloggiati) Menu 20/30 €
◆ Albergo tradizionale, a pochi metri dal mare, con accogliente hall dipinta e arredata nelle sfumature del rosso e del rosa e comode poltrone in stile; camere eleganti.

Majestic senza rist ⚹ ⎙ ℰ 🅿 🚗 📶 ⚞ AE ①

via Molise – ℰ 08 61 75 37 55 – www.majestichotel.net – info@majestichotel.net
– Fax 08 61 71 72 10
32 cam ⊑ – ♦45/60 € ♦♦70/90 €
◆ Ubicato in posizione tranquilla leggermente arretrata rispetto al mare, un'edificio realizzato in mattoni con eco neoclassiche offre camere nuove con qualche tocco d'eleganza.

La Pergola senza rist ⌇ 🖶 ⚹ ⎙ ℰ 🅿 📶 ⚞ AE ①

via Emilia 19 – ℰ 08 61 71 10 68 – www.hotelpergola.it – info@hotelpergola.it
– Fax 08 61 71 10 68 – 15 marzo-ottobre
10 cam ⊑ – ♦40/50 € ♦♦60/95 €
◆ Piccola e deliziosa risorsa a gestione familiare recentemente rinnovata, offre la possibilità di consumare il primo pasto della giornata sotto il pergolato e di noleggiare biciclette per esplorare i dintorni.

Hostaria l'Arca 🍴 ⎙ ℰ 📶 ⚞ AE ①

viale Mazzini 109 – ℰ 08 61 71 46 47 – www.hostariaarca.it – info@
hostariaarca.it – chiuso sabato a mezzogiorno e martedì
Rist – Carta 30/50 € ⚘
◆ Sulla via principale della località, l'antica enoteca - come evoca il nome - è stata poi convertita in ristorante, moderno e giovanile. Dalla cucina: piatti originali, che valorizzano il territorio.

ALBANO LAZIALE – Roma (RM) – 563Q19 – 34 806 ab. – alt. 384 m   12 **B2**
– ✉ **00041** ▮ Roma

▶ Roma 27 – Anzio 33 – Frosinone 73 – Latina 42
🛈 viale Risorgimento 1 ℰ 06 9324081, turismoalbano@tin.it, Fax 06 9320040
◉ Villa Comunale★ – Chiesa di Santa Maria della Rotonda★

Miralago 🚗 ℰ ⚹ ℰ 🅿 📶 ⚞ AE ①

via dei Cappuccini 12, Nord-Est : 1,5 km – ℰ 069 32 22 53
– www.hotelmiralagorist.it – info@hotelmiralagorist.it – Fax 069 32 22 53
45 cam ⊑ – ♦90/95 € ♦♦110/115 € – ½ P 75/85 €
Rist Donna Vittoria – ℰ 069 32 10 18 – Carta 37/52 €
◆ A pochi metri da uno scenografico belvedere sul lago Albano, moderna struttura che presenta un'atmosfera più retrò negli interni, arredati con parati e decorazioni all'inglese. Ristorante molto attivo e frequentato, tempo permettendo si può pranzare anche all'aperto, in giardino.

La Galleria di Sopra ⎙ 📶 ⚞ ①

via Leonardo Murialdo 9 – ℰ 069 32 27 91 – www.lagalleriadisopra.it
– lagalleriadisopra@tiscali.it – Fax 069 32 27 91 – chiuso dal 16 al 31 agosto e lunedì
Rist – (chiuso a mezzogiorno escluso domenica da settembre a maggio)
Carta 34/45 €
◆ Nella parte alta della località, in un palazzo medievale, il locale presenta un continuo gioco tra modernità e tradizione e propone una cucina castellana giovane e ricca di fantasia.

ALBAREDO D'ADIGE – Verona (VR) – 562 G15 – **5 053 ab.**   35 **B3**
– ⊠ 37041
> ▶ Roma 494 – Verona 35 – Mantova 51 – Padova 71

a Coriano Veronese Sud : 5 km – ⊠ 37050

XX **Locanda Arcimboldo** con cam   🚗 🛋 AC 🍽 P VISA ⚫ AE ① ⛐
    via Gennari 5 – ℰ 04 57 02 53 00 – www.locandadellarcimboldo.it – info@
    locandadellarcimboldo.it – Fax 04 57 02 52 01 – chiuso 10 giorni in gennaio e 20
    giorni in agosto
    2 cam ⬜ – †80/100 € †† 100/150 € – 2 suites – †† 120/180 € – ½ P 80/120 €
    Rist – *(chiuso domenica sera e lunedì)* Carta 45/70 €
    ♦ Elegante casa dell'800 ristrutturata e trasformata in una signorile locanda: particolar-
    mente curate nei particolari sia la sala che la veranda, dove potrete gustare saporiti
    piatti locali rivisitati. Sontuose le camere, arredate con raffinata ricercatezza.

ALBAVILLA – Como (CO) – 561 E9 – **5 928 ab.** – **alt. 331 m** – ⊠ 22031   18 **B1**
> ▶ Roma 613 – Como 12 – Brescia 102 – Milano 46

XX **Il Cantuccio** (Mauro Elli)   🏠 🛋 AC 🍽 ↻ VISA ⚫ AE ⛐
ℰ3 *via Dante 36 – ℰ 031 62 87 36 – www.mauroelli.com – cantuccio@*
    mauroelli.com – Fax 03 12 28 02 34 – chiuso lunedì e martedì a mezzogiorno
    Rist – *(coperti limitati, prenotare)* Carta 49/67 €
    Spec. Tortelli ripieni ai piselli novelli con scampetti (primavera-estate). Cala-
    maretti rosolati con lenticchie di Colfiorito. Zuppetta di mandorle di Noto
    con frutti rossi e gelato al pistacchio (autunno-inverno).
    ♦ Fantasiosa rielaborazione di cucina tradizionale nel cuore di un verde paese della
    Brianza: due graziose salette, in un ambiente elegantemente rustico; cantina interes-
    sante.

ALBENGA – Savona (SV) – 561 J6 – **23 141 ab.** – ⊠ 17031 ▮ Italia   14 **B2**
> ▶ Roma 589 – Imperia 32 – Cuneo 109 – Genova 90
▮ lungocenta Croce Bianca 12 ℰ 0182 558444, albenga@inforiviera.it, Fax
    0182 558740
◉ Città vecchia ★

🏠 **Sole Mare**   🍽 rist, (((ŋ))) VISA ⚫ AE ⛐
⚓ *lungomare Cristoforo Colombo 15 – ℰ 018 25 27 52 – www.albergosolemare.it*
    – hsolemare@tiscali.it – Fax 01 82 54 52 12 – chiuso due settimane in dicembre
    26 cam ⬜ – †65/85 € †† 85/110 € – ½ P 65/75 €
    Rist – *(chiuso dal 1° novembre al 31 maggio) (chiuso a mezzogiorno) (solo per*
    alloggiati) Menu 20/30 €
    ♦ Invidiabile posizione di fronte al mare e ambiente ospitale in una struttura semplice, a
    conduzione familiare; camere spaziose, arredate sobriamente, ma funzionali.

XXX **Pernambucco**   🏠 AC P VISA ⚫ AE ① ⛐
    viale Italia 35 – ℰ 018 25 34 58 – massimoalessandri@libero.it – Fax 018 25 34 58
    – chiuso mercoledì
    Rist – Carta 48/92 € 🍸
    ♦ Insolita collocazione all'interno di un giardino, dove una capace e motivata
    gestione ha saputo creare un ambiente tra il rustico e l'elegante. Specialità di mare da
    provare.

XX **Osteria dei Leoni**   🏠 🛋 AC VISA ⚫ AE ① ⛐
    vico Avarenna 1, centro storico – ℰ 018 25 19 37 – www.osteriadeileoni.it
    – robertodepalo2006@libero.it – chiuso gennaio e martedì
    Rist – Carta 41/59 €
    ♦ Tra i vicoli del centro storico, un bell'edificio antico con interni rinnovati e piccola
    corte. In cucina, ingredienti di ottima qualità danno luogo a gustose specialità di pesce.

XX **Babette**   AC VISA ⚫ ⛐
    viale Pontelungo 26 – ℰ 01 82 54 45 56 – www.ristorantebabette.com
    – Fax 01 82 54 45 56 – chiuso lunedì e martedì a mezzogiorno
    Rist – Menu 46 € – Carta 43/58 €
    ♦ Alle porte del centro storico, una sala curata che accoglie pochi, comodi tavoli per
    apprezzare piatti fantasiosi che seguono l'avvicendarsi delle stagioni.

a Salea Nord-Ovest : 5 km – ⊠ **17031** – Albenga

Cà di Berta senza rist 🦢   🚗 🕭 ☃ 📴 🖆 ⚴ 🅰️🅲 🕸 🛜 **P**
località Cà di Berta 5 – ✆ *01 82 55 99 30*
– www.hoteldiberta.it – info@hotelcadiberta.it – Fax 01 82 55 98 88
5 cam ☄ – ∲85/110 € ∲∲110/130 € – 5 suites – ∲∲130/160 €
♦ Nella tranquillità della campagna, struttura accogliente e signorile impreziosita da una verde cornice di palme e ulivi; interni eleganti, camere curate e confortevoli.

ALBEROBELLO – Bari (BA) – 564E33 – **10 939 ab.** – **alt. 416 m**   27 **C2**
– ⊠ **70011** ▮ Italia
▶ Roma 502 – Bari 55 – Brindisi 77 – Lecce 106
🔢 piazza Ferdinando IV ✆ 080 4325171, Fax 080 4325171
👁 Località★★★ – Trullo Sovrano★

Grand Hotel Olimpo   🖆⚴🅰️🅲↯🛜🆂🅿️🚗🆅🅸🆂🅰 🅰🅴 🅾 🆂
via Sette Liberatori della Selva – ✆ *08 04 32 16 78 – www.grandhotelolimpo.it*
– info@grandhotelolimpo.it – Fax 08 04 32 70 49
29 cam ☄ – ∲60/80 € ∲∲80/130 € – 2 suites – ½ P 58/85 €
Rist – Carta 33/72 €
♦ Spazi ampi e luminosi in questo nuovo albergo, dove l'utilizzo di materiali di qualità ha dato luogo a graziose camere dalle calde tonalità, che ben si abbinano agli arredi in rovere e agli inserti in pelle. Zone comuni raccolte intorno alla pianta circolare della hall, lucida di marmi e rallegrata da angoli verdi.

Colle del Sole   🚗 🕭 ☃ 📴 🖆 cam, 🅰🅲 🕸 🛜 🆂🅰 🅿️
via Indipendenza 63 – ✆ *08 04 32 18 14*   🆅🅸🆂🅰 🅾🅾 🅰🅴 🅾 🆂
– www.hotelcolledelsole.it – info@hotelcolledelsole.it – Fax 08 04 32 13 70
45 cam ☄ – ∲40/80 € ∲∲65/90 € – ½ P 40/70 €
Rist – *(chiuso lunedì da ottobre a marzo)* Carta 17/24 €
♦ Fuori dal centro, semplice albergo a gestione familiare il cui bar è utilizzato come sede di piccole esposizioni fotografiche e incontri di poesia. Camere essenziali e sobrie. Ampia sala e servizio ristorante estivo all'aperto.

Fascino Antico senza rist   🚗 ☃ 🅰🅲 🕸 🅿️ 🆅🅸🆂🅰 🅾🅾 🅰🅴 🅾 🆂
strada Statale 172 per Locorotondo km 0,5 – ✆ *08 04 32 50 89*
– www.fascinoantico.eu – info@fascinoantico.eu – Fax 08 04 32 50 89 – aprile-novembre
5 cam ☄ – ∲∲75/85 €
♦ L'esperienza di alloggiare all'interno dei trulli, alcuni originali dell'Ottocento, e di concedersi un po' di riposo nella corte-giardino: un'autentica atmosfera pugliese.

Il Poeta Contadino (Marco Leonardo)   🅰🅲 🅿️ 🆅🅸🆂🅰 🅾🅾 🅾 🆂
via Indipendenza 21 – ✆ *08 04 32 19 17 – www.ilpoetacontadino.it*
– ilpoetacontadino@tiscalinet.it – Fax 08 04 32 19 17
– chiuso dal 7 al 31 gennaio e lunedì (escluso da luglio a settembre)
Rist – *(consigliata la prenotazione)* Carta 53/69 € 🦢
Spec. Crema di prezzemolo con risotto ai frutti di mare, formaggio dei poveri e porri fritti. Orata con ravioli di patate e tapenade di olive. Croccantino di mandorle con salsa di caramello.
♦ A due passi dai celebri trulli, un ulivo all'ingresso è il biglietto da visita della cucina: sapori e colori del sud in uno dei locali più eleganti della regione.

Trullo d'Oro   🅰🅲 🕸 ↔ 🆅🅸🆂🅰 🅾🅾 🅰🅴 🅾 🆂
via Cavallotti 27 – ✆ *08 04 32 39 09 – www.trullodoro.it – info@trullodoro.it*
– Fax 08 04 32 18 20 – chiuso dal 7 al 28 gennaio, domenica sera e lunedì
Rist – Carta 25/47 €
♦ Suggestiva ubicazione in un trullo per questo ristorante, in cui gustare cucina tipica in un ambiente caratteristico e signorile; grande offerta di antipasti, buoni vini.

L'Aratro   🕭 ↔ 🆅🅸🆂🅰 🅾🅾 🅰🅴 🅾 🆂
via Monte San Michele 25/29 – ✆ *08 04 32 27 89 – www.ristorantearatro.it*
– info@ristorantearatro.it – Fax 08 04 32 27 89
– chiuso dal 7 al 30 gennaio e lunedì escluso da marzo a ottobre
Rist – Carta 20/39 €
♦ Nel caratteristico agglomerato di trulli del centro storico, piacevole trattoria dagli arredi rustici e terrazza per il dehors. Proposte del territorio, di carne e di pesce.

ALBIGNASEGO – Padova (PD) – 562F17 – **19 567 ab.** – **alt. 13 m**   36 **C3**
– ✉ 35020

▷ Roma 492 – Padova 13 – Rovigo 41 – Venezia 47

✗✗ **Il Baretto**   🔲 🆔 🕙 P VISA ⚫ AE ⟟
via Europa 6 – ℰ 04 98 62 50 19 – il-baretto_lucio@libero.it – Fax 04 98 62 97 49
– chiuso domenica e lunedì
Rist – (coperti limitati, prenotare) Carta 60/80 €
◆ Piccolo ristorante dal taglio rustico-elegante. Propone una cucina di mare con acquisti
giornalieri di prodotti ittici da gustare crudi o in piatti tradizionali e casalinghi.

ALBINEA – Reggio Emilia (RE) – 562I13 – **8 034 ab.** – **alt. 259 m**   8 **B3**
– ✉ 42020

▷ Roma 438 – Parma 41 – La Spezia 114 – Milano 161

🏠 **Garden Viganò** senza rist ⌇   🔲 🔲 🔲 🔲 🔲 🔲 P VISA ⚫ AE ⟟
via Garibaldi 17 – ℰ 05 22 34 72 92 – www.hotelgardenvigano.it – info@
hotelgarden-vigano.it – Fax 05 22 34 72 93
22 cam – †70 € ††77 €, ⌑ 10 €
◆ In collina, antica struttura di fine '700 che ospita un grazioso albergo immerso in un
parco molto tranquillo; camere semplici, ma confortevoli e ben rifinite.

ALBINIA – Grosseto (GR) – 563O15 – ✉ 58010   29 **C3**

▷ Roma 144 – Grosseto 32 – Civitavecchia 75 – Orbetello 13

⌂ **Agriturismo Antica Fattoria la Parrina** ⌇   🔲 🔲 🔲 🔲 P
strada vicinale Parrina km 146, Sud-Est : 6 km   VISA ⚫ ① ⟟
– ℰ 05 64 86 26 36 – www.parrina.it – agriturismo@parrina.it
– Fax 05 64 86 55 86 – marzo-dicembre
9 cam ⌑ – ††120/340 € – 3 suites – ½ P 85/195 €
Rist – (consigliata la prenotazione) Carta 35/45 €
◆ Ambiente di raffinata ospitalità in una risorsa agrituristica ricavata nella casa padro-
nale di una fattoria ottocentesca; interni ricchi di fascino e camere confortevoli.

ALBINO – Bergamo (BG) – 561E11 – **17 058 ab.** – **alt. 347 m** – ✉ 24021   19 **C1**

▷ Roma 621 – Bergamo 14 – Brescia 65 – Milano 67

✗✗ **Il Becco Fino**   ⟳ VISA ⚫ ① ⟟
via Mazzini 200 – ℰ 035 77 39 00 – www.ilbeccofino.it – info@ilbeccofino.it
– Fax 035 76 08 92 – chiuso dal 1 settimana a gennaio, 2 settimane in agosto,
domenica sera e lunedì
Rist – *(chiuso a mezzogiorno escluso domenica e festivi)* Carta 38/56 € 🌿
◆ Piacevole collocazione in un cortile tra palazzi d'epoca, dove apprezzare proposte di
cucina tradizionale rivisitate in chiave moderna e servite in tre sale curate; ottima cantina.

ALBISANO – Verona – Vedere Torri del Benaco

ALBISSOLA MARINA – Savona (SV) – 561J7 – **5 715 ab.** – ✉ 17012   14 **B2**
🏴 Italia

▷ Roma 541 – Genova 43 – Alessandria 90 – Cuneo 103

🅸 passeggiata Eugenio Montale 21 ℰ 019 4002008, albisola@inforiviera.it,
Fax 019 4003084

◉ Parco★ e sala da ballo★ della Villa Faraggiana

Pianta : vedere Savona

🏨 **Garden**   🔲 🔲 🔲 🔲 🔲 🔲 🔲 rist, 🕙 🔲 🚗 VISA ⚫ AE ① ⟟
viale Faraggiana 6 – ℰ 019 48 52 53 – www.hotelgardenalbissola.com
– garden@savonaonline.it – Fax 019 48 52 55   CV**b**
52 cam ⌑ – †75/98 € ††90/148 € – 2 suites – ½ P 68/98 €
Rist – Carta 28/35 €
◆ Struttura di moderna concezione, dotata di camere spaziose e discreti spazi comuni,
comodamente a due passi dal mare. Cucina regionale ed internazionale nell'ariosa sala
ristorante.

ALDEIN = Aldino

ALDINO (ALDEIN) – **Bolzano** (BZ) – 562C16 – **1 659 ab.** – **alt. 1 225 m**   31 **D3**
– Sport invernali : 2 000/2 300 m 💧5, ⚡ – ⊠ 39040

▶ Roma 628 – Bolzano 34 – Cortina d'Ampezzo 112 – Trento 57

✗   **Krone** con cam 🌭   🏠 ℀ rist, 📶 🚗 *VISA* 🐸 AE ① 💪

piazza Principale 4 – ℰ 04 71 88 68 25 – www.gasthof-krone.it – info@
gasthof-krone.it – Fax 04 71 88 66 96 – chiuso dal 5 novembre all' 8 dicembre ed
aprile
14 cam � – †70/100 € †† 110/150 € – ½ P 75/95 €
Rist – (chiuso lunedì) Carta 32/41 €
  ♦ Il passato è una prerogativa di fascino che ancora non cede il passo alla modernità: in
un piccolo paese di montagna, ristorante di antica tradizione dove gustare genuinità e
tipicità. Nato come punto di riferimento per l'ospitalità, conserva tutt'oggi camere non
troppo spaziose ma ben arredate e confortevoli.

ALESSANDRIA Ⓟ (AL) – 561H7 – **85 939 ab.** – **alt. 95 m** – ⊠ 15100   23 **C2**

▶ Roma 575 – Genova 81 – Milano 90 – Piacenza 94

🄸 via Gagliaudo 2 ℰ 0131 234794, info@alexala.it Fax 0131 234794

🄶 La Serra, ℰ 0131 95 47 78

Pianta pagina 102

🏠   **Mercure Alessandria**   🛗 👍 AC ⇔ ℀ rist, 🛁 🚗 *VISA* 🐸 AE ① 💪

via Cavour 32 – ℰ 01 31 51 71 71 – www.mercure.com – mercure.alessandria@
padhotels.com – Fax 01 31 51 71 72   Z**a**
47 cam ⊐ – †85/120 € †† 105/160 € – ½ P 75/110 €
Rist *Alli Due Buoi Rossi* – (chiuso dal 2 al 12 gennaio, agosto, sabato a mezzogiorno e domenica) Carta 41/53 €
  ♦ Varcata la soglia si è piacevolmente immersi nell'atmosfera ovattata di un albergo
riportato all'antico splendore: camere dotate di ogni confort con arredi di stile moderno.
Raffinata sala ristorante con proposte sia regionali sia nazionali.

🏠   **Europa** senza rist   🛗 AC ⇔ 📶 🚗 *VISA* 🐸 AE ① 💪

via Palestro 1 – ℰ 01 31 23 62 26 – www.hoteleuropaal.com – info@
hoteleuropaal.com – Fax 01 31 25 24 98   Y**s**
34 cam ⊐ – †60/68 € †† 90/96 €
  ♦ Una risorsa affidabile, con un buon livello di confort e un'accurata pulizia. Ambienti
sobri, servizio professionale, spazi comuni di buone dimensioni.

🏠   **Lux** senza rist   🛗 👍 AC 🛁 🚗 *VISA* 🐸 AE 💪

via Piacenza 72 – ℰ 01 31 25 16 61 – www.hotelluxalessandria.it – info@
hotelluxalessandria.it – Fax 01 31 44 10 91 – chiuso tre settimane in agosto
45 cam ⊐ – †70/100 € †† 100/170 €   Y**a**
  ♦ Recentemente rinnovato, un albergo del centro che dispone di camere confortevoli
arredate con attenzione alla funzionalità e al gusto. Graziosa sala colazioni.

🏠   **Londra** senza rist   🛗 👍 AC ⇔ 📶 *VISA* 🐸 AE ① 💪

corso Felice Cavallotti 51 – ℰ 01 31 25 17 21 – www.londrahotel.info – info@
londrahotel.info – Fax 01 31 25 34 57
39 cam ⊐ – †70 € †† 90/110 €
  ♦ Nei pressi della stazione ferroviaria, graziosa risorsa - recentemente ristrutturata
- dotata di camere confortevoli e ben accessoriate. Solida gestione familiare per un piacevole albergo a tutto tondo.

✗✗✗   **Il Grappolo**   🏠 AC ℀ ⇔ *VISA* 🐸 AE ① 💪

via Casale 28 – ℰ 01 31 25 32 17 – www.ristoranteilgrappolo.it – beppesardi@
libero.it – Fax 01 31 26 00 46 – chiuso lunedì sera e martedì   Y**e**
Rist – Carta 32/42 € 🏵
  ♦ Atmosfera ricercata in un locale storico con grandi ambienti, alti soffitti, alcuni arredi
d'epoca, cristalli e argenti ai tavoli; cucina locale rielaborata con fantasia.

✗   **Osteria della Luna in Brodo**   AC ⇔ *VISA* 🐸 ① 💪

via Legnano 12 – ℰ 01 31 23 18 98 – patriziabocchio@tiscali.it
– Fax 01 31 32 59 06 – chiuso dieci giorni in febbraio, venti giorni in agosto e
lunedì   Z**m**
Rist – Carta 22/31 € 🏵
  ♦ Trattoria del centro con ambienti distribuiti tra varie salette curate. Piatti della tradi-
zione regionale e interessante selezione di formaggi.

ALESSANDRIA

---

all'uscita autostrada A 21 Alessandria Ovest per 4,3 km :

Al Mulino

via Casale 44 fraz. San Michele – ℰ 01 31 36 22 50 – *www.almulino-hotel.it*
– *info@almulino-hotel.it* – *Fax 01 31 36 29 79* – *chiuso dal 23 dicembre*
all'8 gennaio, dal 5 al 20 agosto
57 cam ☑ – ✝60/80 € ✝✝80/120 € – ½ P 62/82 €
Rist – *(chiuso sabato, domenica e festivi)* Carta 27/45 €

♦ Nei pressi del casello autostradale, in posizione ideale per la clientela d'affari, una risorsa recente che dispone di stanze dal confort al passo coi tempi. Ristorante dai toni rustici, ricavato in un antico mulino.

a Spinetta Marengo Est : 3 km – ⌧ **15047**

🏨 **Marengo** 🛗 ⏶ 🆔 ↯ ❄ rist. 🕭 🔧 🅿 𝘝𝘐𝘚𝘈 ⓪ 𝘈𝘌 ⓪ ⏶
via Genova 30 – ☎ 01 31 21 38 00 – www.marengohotel.com – info@
marengohotel.com – Fax 01 31 61 99 77
72 cam ⬜ – ♥60/85 € ♥♥90/130 € – ½ P 70/90 €
Rist – (chiuso a mezzogiorno dal 10 al 20 agosto) Carta 34/44 €
♦ Di recente apertura, hotel moderno ideale per una clientela d'affari, con un valido
centro congressi; luminosi ambienti d'ispirazione contemporanea, camere confortevoli.
Ampia e "fresca" sala ristorante.

🍴🍴🍴 **La Fermata** (Riccardo Aiachini) con cam 🍽 🆔 ❄ 🕭 🔧 🅿
£3 via Bolla 2 , Ovest: 1 km – ☎ 01 31 61 75 08 𝘝𝘐𝘚𝘈 ⓪ 𝘈𝘌 ⏶
– www.lafermata-al.it – lafermata@alice.it – Fax 01 31 61 75 08 – chiuso dal 10
al 20 agosto, sabato a mezzogiorno, domenica
12 cam ⬜ – ♥70/90 € ♥♥90/120 € – ½ P 90/100 €
Rist – Carta 46/63 € 🍴
Spec. Trancio di ricciola appena scottato con passata di finocchi e salicornia.
Cipolla cotta al sale e ripiena. Zuppetta di pesche con gelato al basilico e
menta.
♦ Cascinale del '700 in aperta campagna totalmente rinnovato: grazioso relais con
eccellenti proposte gastronomiche tra creatività e tradizione. Camere confortevoli.

ALESSANO – Lecce (LE) – **6 635 ab.** – alt. 130 m – ⌧ **73031** 27 **D3**
▶ Roma 634 – Brindisi 99 – Lecce 61 – Taranto 135

🏠 **Agriturismo Masseria Macurano** 🌿 🏞 ❄ cam, 🎯 🅿
via Macurano 134, Sud-Est : 3 km – ☎ 08 33 52 42 87
– www.masseriamacurano.it – info@masseriamacurano.it – maggio-settembre
6 cam ⬜ – ♥♥70/110 € – ½ P 60/75 €
Rist – (chiuso a mezzogiorno) (prenotazione obbligatoria) Menu 22/30 €
♦ Ambienti spaziosi, ampie camere arredate con mobili in arte povera e qualche pezzo
d'artigianato in questa masseria del '700 a gestione famliare circondata da un bel giardino. La rustica ed accogliente sala ristorante propone menù degustazione a prezzo
fisso.

ALFONSINE – Ravenna (RA) – 563I18 – **11 765 ab.** – ⌧ **48011** 9 **D2**
▶ Roma 396 – Ravenna 16 – Bologna 73 – Ferrara 57

🍴 **Stella** con cam 🆔 ❄ 𝘝𝘐𝘚𝘈 ⓪ 𝘈𝘌 ⓪ ⏶
🍷 corso Matteotti 12 – ☎ 054 48 11 48 – Fax 054 48 14 85 – chiuso dal 1° al 10
gennaio e dal 3 al 27 agosto
15 cam – ♥44 € ♥♥49 €, ⬜ 5 € – ½ P 38 €
Rist – (chiuso sabato) Carta 16/26 €
Rist Della Rosa – (chiuso sabato) Menu 36 € – Carta 18/28 €
♦ Cucina della tradizione romagnola servita in ambienti semplici e a prezzi contenuti. A
disposizione anche alcune camere dagli arredi essenziali, a tariffe economiche. Al "Della
Rosa" ambiente più elegante nella graziosa saletta, confortevole e raccolta.

ALGHERO – Sassari – 566F6 – **Vedere Sardegna alla fine dell'elenco alfabetico**

ALGUND = **Lagundo**

ALLEGHE – Belluno (BL) – 562C18 – **1 396 ab.** – alt. 979 m – Sport 36 **C1**
invernali : 1 000/2 100 m ⛷ 2 ⛷ 23 (Comprensorio Dolomiti superski Civetta) a
Caprile ⛷ – ⌧ **32022** Italia
▶ Roma 665 – Cortina d'Ampezzo 40 – Belluno 48 – Bolzano 84
🎯 piazza Kennedy 17 ☎ 0437 523333, alleghe@infodolomiti.it, Fax 0437
723881
◎ Lago★
◎ Valle del Cordevole★★ Sud per la strada S 203

a Masarè Sud-Ovest : 2 km

Barance   ⟵ 🔲 🏠 🏢 🔆 & ⍾ rist, (♛) **P** **VISA** **⬤⬤** **①** **⑤**

corso Venezia 45 ✉ *32022 Masarè –* ℰ *04 37 72 37 48 – www.hotelbarance.com – barance@dolomiti.com – Fax 04 37 72 37 08 – 6 dicembre-Pasqua e 16 giugno-settembre*

26 cam ⊑ – ♦35/73 € ♦♦40/98 € – ½ P 45/115 €   **Rist** – Carta 23/36 €

♦ Interni signorili arredati nel classico stile alpino ed eleganti camere con tendaggi fioriti in questa grande casa rosa dall'ospitale gestione familiare. Tutt'intorno, sentieri per passeggiate e pareti da arrampicata. Sala da pranzo ampia e accogliente, riscaldata dal sapiente impiego del legno. Cucina creativa.

La Maison   senza rist   🎐 & ↕️ ⍾ (♛) **P** 🚗 **VISA** **⬤⬤** **AE** **⑤**

via Masarè 58 ✉ *32022 Alleghe –* ℰ *04 37 72 37 37 – www.hotellamaison.com – info@hotellamaison.com – Fax 04 37 72 38 74 – chiuso ottobre e novembre*

13 cam ⊑ – ♦45/85 € ♦♦76/150 €

♦ In posizione isolata, una nuova risorsa con uno spazio comune dotato d'una stufa in muratura ed ampie camere riscaldate da boiserie. E' possibile utilizzare in autonomia un angolo cottura.

a Caprile Nord-Ovest : 4 km – ✉ **32023**

Alla Posta   🔲 🏠 ▐⧚ 🎐 ⚡ ⍾ (♛) **VISA** **⬤⬤** **AE** **①** **⑤**

piazza Dogliani 19 – ℰ *04 37 72 11 71 – www.hotelposta.com – hotelposta@sunrise.it – Fax 04 37 72 16 77 – 20 dicembre-aprile e 15 giugno-25 settembre*

59 cam – ♦55/80 € ♦♦90/150 €, ⊑ 12 € – ½ P 90/190 €

Rist *Il Postin* – *(chiuso mercoledì)* Carta 23/48 €

♦ Imponente albergo dalla tradizione centenaria, con accoglienti ed ampi spazi interni ornati da tappeti e mobili in stile; camere confortevoli e un centro benessere ben attrezzato. Elegante sala da pranzo nella quale si alternano i sapori e i prodotti del territorio.

Monte Civetta   ⟵ 🏠 🎐 **P** **VISA** **⬤⬤** **⑤**

via Nazionale 23 – ℰ *04 37 72 16 80 – www.hotelmontecivetta.it – info@hotelmontecivetta.it – Fax 04 37 72 17 14 – dicembre-aprile e giugno-settembre*

23 cam ⊑ – ♦30/60 € ♦♦60/110 € – ½ P 38/80 €

Rist *– (solo per alloggiati)* Carta 21/36 €

♦ In facile posizione stradale, una massiccia struttura in tipico stile montano a gestione diretta, offre accoglienti spazi comuni, dove l'elemento predominante è il legno. Piacevole la piccola zona relax.

ALMÈ – Bergamo (BG) – 561E10 – 5 765 ab. – alt. 289 m – ✉ 24011   19 C1

▶ Roma 610 – Bergamo 9 – Lecco 26 – Milano 49

✕✕✕ Frosio   (Paolo Frosio)   ▐⧚ ⟳ **VISA** **⬤⬤** **AE** **⑤**

piazza Leminè 1 – ℰ *035 54 16 33 – www.frosioristoranti.it – frosioristorante@libero.it – Fax 035 54 16 33 – chiuso una settimana in gennaio, tre settimane in agosto, giovedì a mezzogiorno e mercoledì*

Rist – Menu 55/70 € – Carta 43/72 € ❀

Spec. Crudità di pesce. Tortino di cipolle e tartufo nero di Bracca (autunno-inverno). Flan al cioccolato.

♦ All'interno di un signorile palazzo secentesco, la cucina creativa rivaleggia in eleganza con la bellezza delle sale. Carne o pesce, la qualità non muta, dolci compresi.

a Paladina Sud : 2,5 km – ✉ **24030**

✕✕ Paladina   ▐⧚ **P** **VISA** **⬤⬤** **AE** **①** **⑤**

via Piave 6 – ℰ *035 54 56 03 – Fax 035 54 56 03 – chiuso mercoledì*

Rist – Carta 30/46 €

♦ Una gradevole sosta nei locali rinnovati e confortevoli di una casa colonica, dove un tono elegante impreziosisce l'originaria rusticità; cucina del luogo e piatti di pesce.

ALMENNO SAN BARTOLOMEO – Bergamo (BG) – 561E10   19 C1
– 5 330 ab. – alt. 350 m – ✉ 24030

▶ Roma 584 – Bergamo 13 – Lecco 33 – Milano 50

🅘 via Papa Giovanni XXIII ℰ 035 548634, iatvalleimagna@virgilio.it, Fax 035 548634

🖭 Bergamo L'Albenza, ℰ 035 64 00 28

Camoretti 🦢 ≤ 🚗 ⛫ 🛗 🕭 🏧 🎱 🕪 🧖 🅿 🚗 VISA ☻ AE ⓞ 💰

via Camoretti 2, località Longa Nord : 3,5 km – 🕾 035 55 04 68
– www.camoretti.it – info@camoretti.it – Fax 035 55 25 21
– chiuso dal 2 al 10 gennaio e dal 16 al 28 agosto
22 cam 🛏 – ♗46/55 € ♗♗72/80 € – ½ P 60/65 €
Rist – (chiuso i mezzogiorno di lunedì e martedì) Carta 20/42 €
♦ Albergo di recente realizzazione, ubicato in posizione collinare e panoramica. A pochi
chilometri dal capoluogo, camere accoglienti ed eleganti, atmosfera familiare. Esperienza
pluriennale ai fornelli, con menu personalizzati, salumi di produzione propria e pasta fresca. Il tutto rigorosamente di matrice casalinga.

✗✗ Antica Osteria Giubì dal 1884 ⛫ 🏧 ⇄ 🅿 VISA ☻ AE 💰

via Cascinetto 2, direzione Brembate di Sopra Sud 1,5 km – 🕾 035 54 01 30
– Fax 035 54 01 30 – chiuso una settimana in marzo, dal 5 al 15 settembre,
domenica sera e mercoledì
Rist – (consigliata la prenotazione la sera) Menu 39 € (solo a mezzogiorno nei
giorni feriali)/59 € 🍷
♦ Una fornitissima cantina con oltre 40.000 bottiglie in un'autentica trattoria immersa
nel verde di un parco; specialità di cucina tradizionale, servite all'aperto in estate.

✗✗ Collina ⛫ 🏧 🛗 🏧 ⇄ 🅿 VISA ☻ 💰

via Ca' Paler 3, sulla strada per Roncola, Nord 1,5 km – 🕾 035 64 25 70
– www.ristorantecollina.it – info@ristorantecollina.it – Fax 035 64 25 70 – chiuso
dal 1° al 10 gennaio, 10 giorni in luglio, lunedì e martedì
Rist – Carta 40/56 €
♦ Da una trattoria di famiglia nasce questo locale che, pur non disdegnando le proprie
origini, propone piatti d'ispirazione contemporanea. Saletta con camino e sala panoramica.

ALMENNO SAN SALVATORE – Bergamo (BG) – 561E10 – 5 800 ab.   19 C1
– alt. 325 m – ✉ 24031

▶ Roma 612 – Bergamo 13 – Lecco 27 – Milano 54

✗✗ Cantina Lemine ⛫ 🏧 ⇄ 🅿 VISA ☻ AE ⓞ 💰

via Buttinoni 48 – 🕾 035 64 25 21 – www.cantinalemine.it – info@
cantinalemine.it – Fax 035 64 39 56 – chiuso 1 settimana in gennaio, martedì e
sabato a mezzogiorno
Rist – Menu 45 € – Carta 37/56 € 🍷
♦ Ristorante elegante dal design moderno con qualche spunto etnico. Il giardino, la
cantina-enoteca e il salottino per caffè e distillati donano ulteriore fascino al locale.

✗ Palanca ≤ 🚗 ⛫ ⇄ 🅿 VISA ☻ AE 💰

via Dogana 15 – 🕾 035 64 08 00 – Fax 035 64 31 96 – chiuso dal 15 al 31 luglio,
lunedì sera e martedì
Rist – Carta 20/35 €
♦ Tradizione e genuinità, la cucina è sempre fedele a quella di una volta, con passione
tramandata fino alla quarta generazione, in un'atmosfera sempre autentica e cordiale.

ALPE DI SIUSI (SEISER ALM) – Bolzano (BZ) – 562C16 – alt. 1 826 m   31 C2
– Sport invernali : 1 850/2 100 m ⛷ 2 ⛷19, (Comprensorio Dolomiti superski Alpe
di Siusi) 🏂 – ✉ 39040 📶 Italia

▶ Roma 674 – Bolzano 23 – Bressanone 28 – Milano 332

🄸 località Compatsch 50 🕾 0471 727904, seiserlam@rolmail.net, Fax
0471727828

👁 Posizione pittoresca ★★

🏠🏠🏠 Urthaler 🦢 ≤ 🚗 ⛫ 🖫 🖳 ☻ 🎱 😴 💪🏋 🛗 🕭 🌲 🧖 rist, 🕪 🚗
– 🕾 04 71 72 79 19 – www.seiseralm.com – info@ VISA ☻ AE ⓞ 💰
seiseralm.com – Fax 04 71 72 78 20 – chiuso dal 9 al 30 novembre e dal 19 aprile
al 20 maggio
54 cam – 3 suites – solo ½ P 98/207 €   **Rist** – (solo per alloggiati)
♦ Pietra, ferro, vetro e soprattutto legno: i materiali usati per questo hotel di concezione "bio", ispirato a un coinvolgente minimalismo. Ottimi servizi e spazi comuni.

🏨 **Sporthotel Floralpina** ⚜ ⟨ 🚗 🍴 ⌧ 📺 🏊 🐟 ᴸ₅ ✕ 🛋

via Saltria 5, Est : 7 km – ℰ 04 71 72 79 07   ⚘ rist, ⌧ **P** 🚗 **VISA** 🌑

– www.floralpina.com – info@floralpina.com – Fax 04 71 72 78 03 – 6 dicembre-aprile e 14 giugno-12 ottobre

44 cam – solo ½ P 61/142 €   **Rist** – Carta 20/43 €

◆ Si gode di una vista pacificatrice su monti e pinete da questo hotel immerso nella tranquillità di un parco naturale; calda atmosfera nei caratteristici ambienti interni. Originale soffitto in legno a cassettoni ottagonali nella sala da pranzo.

🏨 **Plaza**   ⟨ 🚗 🐟 ⋔ ✕ rist, (("))) 🛋 **P** 🚗 **VISA** 🌐 ⓞ 🌑

Compatsch 33 – ℰ 04 71 72 79 73 – www.seiseralm.com

– plaza@seiseralm.com – Fax 04 71 72 78 20

– 15 dicembre-marzo e 6 giugno-19 ottobre

42 cam – solo ½ P 66/140 €

Rist *– (chiuso a mezzogiorno) (solo per alloggiati)*

◆ In centro, albergo in tipico stile montano, ma d'impronta moderna; gradevolmente confortevoli le aree comuni con pavimenti in parquet, camere razionali.

🏨 **Compatsch** ⚜   ⟨ 🚗 🐟 ⋔ ✕ rist, **P** **VISA** 🌐 ⓞ 🌑

Compatsch 62 – ℰ 04 71 72 79 70 – www.seiseralm.com

– compatsch@seiseralm.com – Fax 04 71 72 78 20

– 20 dicembre-marzo e 6 giugno-19 ottobre

32 cam – solo ½ P 48/104 €

Rist *– (chiuso a mezzogiorno) (solo per alloggiati)*

◆ Piccolo hotel di montagna che si propone soprattutto a nuclei familiari; interni ordinati e semplici, camere ammobiliate sobriamente.

ALPE FAGGETO – Arezzo – Vedere Caprese Michelangelo

ALSENO – Piacenza (PC) – 562H11 – **4 754 ab.** – alt. 79 m – ✉ 29010   8 A2

🗺 Roma 487 – Parma 32 – Piacenza 30 – Milano 93

🏛 Castell'Arquato, ℰ 0523 89 55 57

🏨 **Palazzo della Commenda**   📶 ♿ cam, ⋔ ᴬᴷ (("))) 🛋

località Chiaravalle della Colomba Nord : 3,5 km   **VISA** 🌐 **AE** ⓞ 🌑

– ℰ 05 23 94 00 03 – www.palazzodellacommenda.it

– massimiliano@palazzodellacommenda.it – Fax 05 23 94 01 09

– chiuso dal 1° al 15 gennaio

25 cam ⌦ – ♦65/70 € ♦♦95/100 € – ½ P 65/70 €

Rist *– (chiuso lunedì, anche martedì a mezzogiorno in agosto)* Carta 23/37 €

◆ Sia una clientela d'affari che turisti di passaggio scelgono questa graziosa piccola struttura ricavata dalla ristrutturazione dell'antica dimora dell'amministratore dei beni della vicina abbazia. Anche al ristorante l'atmosfera oscilla tra il rustico e il moderno. Ampie vetrate si affacciano sulla corte interna.

a **Castelnuovo Fogliani** Sud-Est : 3 km – ✉ 29010

🍴 **Trattoria del Ponte**   ᴬᴷ **P** **VISA** 🌐 **AE** 🌑

via Centro 4 – ℰ 05 23 94 71 10 – Fax 05 23 94 73 50 – chiuso mercoledì

Rist *– (consigliata la prenotazione)* Carta 18/24 €

◆ Buona gestione e ambiente informale in questa trattoria di campagna. Nelle salette in sobrio stile rustico l'attenzione è rivolta soprattutto alla cura dei piatti, dalla selezione delle materie prime alla loro elaborazione.

a **Cortina Vecchia** Sud-Ovest : 5 km – ✉ 29010

🍴🍴 **Da Giovanni**   🍴 ✕ ⟳ **P** **VISA** 🌐 **AE** ⓞ 🌑

via Centro 79 – ℰ 05 23 94 83 04 – www.dagiovanniacortina.com

– posta@dagiovanniacortina.com – Fax 05 23 94 83 55

– chiuso dal 1° al 18 gennaio, dal 15 agosto al 5 settembre, lunedì e martedì

Rist *– (consigliata la prenotazione)* Menu 50/80 € – Carta 42/63 € ❀

◆ La settecentesca stufa in ceramica e l'arredo d'epoca potranno far volare la fantasia dei più romantici avventori. Le certezze in ogni caso vengono dalla cucina, ispirata alla tradizione piacentina.

🏅 9 🚡 43, (Comprensorio Dolomiti superski Alta Badia) 🎿

　🏔 Alta Badia, 🖉 0471 83 66 55

CORVARA IN BADIA (BZ) – 562 C17 – **1 279 ab.** – alt. **1 568 m** – ✉ 39033 ▮ Italia

　▶ Roma 704 – Cortina d'Ampezzo 36 – Belluno 85 – Bolzano 65
　🄘 via Col Alt 36 (Municipio) 🖉 0471 836176, corvara@dnet.it, Fax 0471836540

🏨　**La Perla**　　≼ 🚘 ⛱ 🔲 ⊛ 🏊 *Lō* 🖆 AC rist, 🍴 rist, 📞 **P** 🚗
via Col Alt 105 – 🖉 04 71 83 10 00　　　　　　　　VISA ⓝ AE ❶ 🅢
– www.hotel-laperla.it – info@hotel-laperla.it – Fax 04 71 83 65 68
– 24 novembre- aprile e 20 giugno-settembre
52 cam 🍴 – ½ P 136/326 €
Rist La Stüa de Michil – vedere selezione ristoranti
Rist – Carta 57/74 €
♦ Ospitalità calorosa, eleganza e tradizione nel curatissimo stile tirolese degli interni, giardino con piscina riscaldata, simpatico bar dopo sci. La cucina spazia con successo dalle radici ladine ai fondali marini.

🏨　**Sassongher** 🦢　　≼ 🔲 ⊛ 🏊 *Lō* 🖆 AC rist, 🍴 rist, 📶 🖧 **P** VISA ⓝ 🅢
strada Sassongher 45 – 🖉 04 71 83 60 85 – www.sassongher.it
– info@sassongher.it – Fax 04 71 83 65 42
– 5 dicembre-14 aprile e 27 giugno-13 settembre
47 cam 🍴 – 🛏108/168 € 🛏🛏186/286 € – 6 suites – ½ P 148/205 €
Rist – *(chiuso a mezzogiorno)* Menu 30/58 €
♦ La sobria raffinatezza negli interni d'intonazione locale lascia intravvedere il delizioso gusto dei proprietari nella cura dei particolari. In posizione spettacolare. Una luminosa sala e tre antiche stube sono a disposizione del vostro appetito.

🏨　**Posta-Zirm**　　≼ 🔲 ⊛ 🏊 *Lō* 🖆 AC rist, 🍴 rist, 📶 🖧 **P** 🚗
strada Col Alto 95 – 🖉 04 71 83 61 75　　　　　　　VISA ⓝ AE 🅢
– www.postazirm.com – info@postazirm.com – Fax 04 71 83 65 80
– dicembre-29 marzo e 10 giugno- settembre
57 cam 🍴 – 🛏115/163 € 🛏🛏210/306 € – 12 suites – ½ P 115/168 €
Rist – Carta 34/47 €
♦ Vicino agli impianti di sci, albergo storico dell'Alta Badia, costruito all'inizio dell'800 e dal 1908 gestito dalla stessa famiglia; nuova zona wellness, camere in stile. Il ristorante dispone di un'ampia sala e di due calde stube tipicamente tirolesi.

🏠　**Table**　　≼ 🏊 🖆 🍴 📶 **P** VISA ⓝ 🅢
strada Col Alto 8 – 🖉 04 71 83 61 44 – www.table.it – hotel@table.it
– Fax 04 71 83 63 13 – 3 dicembre-17 aprile e 20 giugno-20 settembre
30 cam 🍴 – 🛏151/233 € 🛏🛏178/274 € – ½ P 99/147 €
Rist – *(chiuso a mezzogiorno) (solo per alloggiati)*
♦ Interni signorili caratterizzati da un'ariosa hall e da un frequentato bar-pasticceria; camere deliziose con dotazioni aggiornati e completi. Ottime vacanze.

🏠　**Sport Hotel Panorama** 🦢　　≼ 🚘 🔲 ⊛ 🏊 ❌ 🖆 AC rist, 🍴 rist,
via Sciuz 1 – 🖉 04 71 83 60 83　　　　　　　　　📶 **P** 🚗 VISA ⓝ 🅢
– www.sporthotel-panorama.com – info@sporthotel-panorama.com
– Fax 04 71 83 64 49 – 5 dicembre-14 aprile e 19 giugno-23 settembre
52 cam – 🛏124/189 € 🛏🛏232/376 € – ½ P 116/242 €
Rist – Carta 35/56 €
♦ Ubicazione soleggiata e tranquilla per una struttura con buona offerta di attrezzature sportive; arredi in moderno stile montano nelle camere, dotate di ogni confort. Panoramica sala da pranzo e caratteristica stube ladina.

🏠　**Villa Eden**　　≼ 🚘 🏊 🖆 🍴 rist, **P** VISA ⓝ 🅢
strada Col Alt 47 – 🖉 04 71 83 60 41 – www.villaeden.com – info@villaeden.com
– Fax 04 71 83 64 89 – 18 dicembre-29 marzo e 25 giugno-18 settembre
32 cam 🍴 – 🛏92/116 € 🛏🛏160/268 € – 1 suite – ½ P 90/144 €
Rist – *(solo per alloggiati)* Carta 24/35 €
♦ Hotel di tradizione familiare, rinnovato negli anni, con piacevole giardino e accoglienti spazi comuni, compresa una fornita cioccolateria per "dolci" pause pomeridiane. Intima ed accogliente, la sala da pranzo propone una cucina tipica delle montagne.

🏨 **Col Alto**　⇠ 🔲 ⅏ 🛏 ⚐⛷ 🏊 P VISA ◑ ᛏ

strada Col Alto 9 – ℰ 04 71 83 11 00 – www.colalto.it – info@colalto.it
– Fax 04 71 83 60 66 – chiuso dal 15 aprile a maggio e novembre
100 cam ⌂ – ⌑90/115 € ⌑⌑80/138 € – ½ P 65/91 €　**Rist** – Carta 45/65 €
♦ Sulla via principale, un tradizionale albergo di montagna, con tanto legno alle pareti e al soffitto; un sottopassaggio conduce alla zona relax con piscina coperta. Ampia e classica sala ristorante.

🏨 **La Tambra**　⇠ 🍴 🏠 ⅏ 🍽 rist P VISA ◑ ᛏ

via Sassonger 2 – ℰ 04 71 83 62 81 – www.latambra.com – info@latambra.com
– Fax 04 71 83 66 46 – 5 dicembre-14 aprile e 20 giugno-27 settembre
28 cam ⌂ – solo ½ P 78/110 €　**Rist** – Carta 24/51 €
♦ In posizione centrale e con vista sul Sassonger, grazioso albergo a conduzione familiare, recentemente rinnovato. Piccolo centro wellness ben attrezzato e camere spaziose, minimaliste negli arredi. La *stube* propone gustose specialità locali: canederli, speck e carni alla griglia. Giardinetto estivo.

⛺ **Alpenrose** senza rist ⬀　⚐ P VISA ◑ ᛏ

strada Agà 20 – ℰ 04 71 83 62 40 – www.garnialpenrose.com
– garni.alpenrose@rolmail.net – Fax 04 71 83 56 52 – dicembre-Pasqua e giugno-ottobre
5 cam ⌂ – ⌑28/44 € ⌑⌑48/86 €
♦ Una piccola e accogliente risorsa ubicata in posizione tranquilla e soleggiata. L'ospitalità dei gestori è riscontrabile nei mille particolari, dagli arredi al servizio.

⋔⋔⋔ **La Stüa de Michil** – Hotel La Perla　⚐ ⇄ P VISA ◑ AE ① ᛏ
ε₃

strada Col Alt 105 – ℰ 04 71 83 10 00 – www.hotel-laperla.it
– info@hotel-laperla.it – Fax 04 71 83 65 68
– 2 dicembre-2 aprile e 18 giugno-24 settembre; chiuso lunedì
Rist – *(chiuso a mezzogiorno)* Carta 71/97 € ⌘
Spec. Filetto di maiale affumicato su spuma di patate e rafano con crescione. Risotto all'aceto d'acero con petto di piccione. Sella di camoscio in crosta di pan di spezie con rape.
♦ L'apoteosi dello stile ladino, un mix di eleganza, calorosa accoglienza e cura dei particolari in una profusione di legni. La cucina parte dalla montagna per ogni direzione.

COLFOSCO (BZ) – alt. 1 645 m – ✉ 39033

🅸 strada Peccëi 2 ℰ 0471 836145, colfosco@altabadia.org, Fax 0471 836744

🏨 **Cappella**　⇠ 🍴 🏠 🔲 ⅏ 🏊 ℄ 🍽 🛏 ⚐ 🔊 ⚑ P ☎ 🚗 VISA ◑ AE ᛏ

strada Pecei 17 – ℰ 04 71 83 61 83 – www.hotelcappella.com
– info@hotelcappella.com – Fax 04 71 83 65 61
– 4 dicembre-marzo e 19 giugno-20 settembre
46 cam ⌂ – ⌑93/222 € ⌑⌑166/458 € – 9 suites – ½ P 146/234 €
Rist – Carta 50/69 € 舒
♦ Passione per l'arte e buon gusto regnano in questo albergo di tradizione, che sfoggia mostre permanenti e un settore notte nuovo e di curata eleganza; piacevole giardino. Raffinato il ristorante; a mezzogiorno si può pranzare in terrazza.

🏨 **Colfosco-Kolfuschgerhof**　⇠ 🍴 🏠 🔲 ⅏ ℄ ᛌ cam,
via Roenn 7, verso Passo Gardena　AC rist, ⚐ rist, 🔊 P 🚗 VISA ◑ ᛏ
Ovest : 2 km – ℰ 04 71 83 61 88 – www.kolfuschgerhof.com – info@
kolfuschgerhof.com – Fax 04 71 83 63 51 – dicembre-aprile e giugno-settembre
34 cam ⌂ – ⌑105/260 € ⌑⌑174/376 € – 13 suites – ½ P 140/190 €
Rist – Carta 44/58 €
♦ Dell'hotel colpisce non solo l'invidiabile posizione panoramica, ma anche il calore che avvolge gli ospiti nelle parti comuni. Ampia offerta per lo sport ed il benessere. Di particolare effetto la vista dalle sale da pranzo; bel dehors estivo.

🏠 **Mezdì**　⇠ 🔲 ⅏ 🍽 ⚐⛷ AC rist, ⚐ rist, 🔊 P 🚗 VISA ◑ ᛏ
ε₃

strada Pecei 20 – ℰ 04 71 83 60 79 – www.mezdi.it – info@mezdi.it
– Fax 04 71 83 66 57 – dicembre-10 aprile e 26 giugno-20 settembre
30 cam ⌂ – ⌑90/160 € ⌑⌑170/250 € – ½ P 53/170 €　**Rist** – Carta 20/30 €
♦ Buon punto di partenza per escursioni o sciate, una risorsa semplice a conduzione familiare, confortevole e arredata nel caratterisitico stile locale. Grandi vetrate e comodi divanetti in sala da pranzo.

✖✖ Stria ⓟ 🅿 VISA ⓪ ♿

via Val 18 – ☎ 04 71 83 66 20 – stria@rolmail.net – Fax 04 71 83 65 14 – chiuso novembre e lunedì in bassa stagione
Rist – Menu 40/72 € – Carta 40/51 €
♦ Atmosfera più informale a mezzogiorno, con frequentazione di sciatori, di tono più classico la sera in questo locale in stile tirolese; in menù la cucina locale.

LA VILLA (BZ) – alt. 1 484 m – ✉ 39030

🚹 strada Colz 75 ☎ 0471 847037, lavilla@dnet.it, Fax 0471 847277

⌂⌂⌂ Christiania ⇐ 🍴 🕅 🛋 ⚑ 🌊 rist, ⓣ ⓟ 🚗 VISA ⓪ AE ♿

via Colz 109 – ☎ 04 71 84 70 16 – www.christiania.it – hotel@christiania.it – Fax 04 71 84 70 56 – 7 dicembre-28 marzo e 20 giugno-25 settembre
33 cam ⌂ – †65/238 € ††110/366 € – ½ P 106/233 € **Rist** – Menu 45/60 €
♦ Una soluzione per un soggiorno elegante che propone un'interpretazione raffinata dell'arredamento tirolese: camere di ottimo livello e parti comuni solari e gradevoli.

⌂⌂ La Majun ⇐ 🗔 ⊕ 🕅 🛋 ♿ cam, 🌊 rist, ⓣ ⓟ 🚗 VISA ⓪ ♿

via Colz 59 – ☎ 04 71 84 70 30 – www.lamajun.it – reception@lamajun.it – Fax 04 71 84 70 74 – chiuso dal 13 aprile al 15 maggio
30 cam ⌂ – †100/146 € ††216/318 € – ½ P 108/167 € **Rist** – Carta 29/65 €
♦ Radicalmente ristrutturato, questo hotel presenta uno stile originale che coniuga meravigliosamente arredi ladini e minimalismo moderno. Magici momenti al centro fitness. Cucina con piatti della tradizione italiana serviti anche al sole sulla bella terrazza.

⌂⌂ Ciasa Antines ⇐ 🗔 ⊕ 🕅 🛋 ⚑ 🌊 rist, ⓣ 🚗 VISA ⓪ ♿

via Picenin 18 – ☎ 04 71 84 42 34 – www.hotelantines.it – hotel.antines@ rolmail.net – Fax 04 71 84 42 43 – dicembre-marzo e 20 giugno-20 settembre
21 cam – †84/124 € ††162/388 €, ⌂ 8 € – 4 suites – ½ P 140/180 €
Rist – *(chiuso a mezzogiorno) (solo per alloggiati)*
♦ Nuova struttura vicina alla scuola di sci con ambienti luminosi ed accoglienti. Le camere sono differenziate, ma sempre arredate con ampio uso del legno, antico o moderno.

⌂ La Ciasota senza rist ⇐ 🍴 🕅 🛋 ⓣ ⓟ

strada Colz 118 – ☎ 04 71 84 71 71 – www.garnilaciasota.it – garnilaciasota@ rolmail.net – Fax 04 71 84 57 40
15 cam ⌂ – †33/47 € ††60/92 €
♦ Lungo la direttrice che da Badia conduce a Corvara, una piacevole risorsa di dimensioni contenute, ma senz'altro piacevole. Belle camere in stile alpino ed atmosfera familiare.

⌂ Tamarindo senza rist ⓢ ⇐ ⓣ ⓟ VISA ⓪ ♿

via Plaon 20 – ☎ 04 71 84 40 96 – www.tamarindo-lavilla.it – tamarindo@ rolmail.net – Fax 04 71 84 49 06 – dicembre-20 aprile e giugno-ottobre
12 cam ⌂ – ††38/84 €
♦ Nuovissima struttura in stile con camere di alto livello, ambienti moderni e selezionati tocchi d'arredo che richiamano la tradizione locale. In paese, ma tranquillo.

⌂ Ciasa Montanara senza rist ⓢ ⇐ ⓟ 🚗 VISA ♿

via Plaon 24 – ☎ 04 71 84 77 35 – www.montanara.it – ciasa@montanara.it – Fax 04 71 84 77 35
12 cam ⌂ – †35/45 € ††60/80 €
♦ "Ciasa" costruita ex novo nel 1999, ma capace di offrire un'ospitalità dal sapore antico, in stile ladino. Notevole il confort delle camere, ottimo rapporto qualità/prezzo.

PEDRACES (BZ) – alt. 1 315 m – ✉ 39036

🚹 strada Pedraces 40 ☎ 0471 839695, pedraces@altabadia.org, Fax 0471 839573

⌂⌂ Lech da Sompunt ⓢ ⇐ 🍷 🍴 🕅 🛋 🛋 ⚑ 🌊 ⓟ VISA ⓪ ♿

via Sompunt 36, Sud-Ovest : 3 km – ☎ 04 71 84 70 15 – www.lechdasompunt.it – lech.sompunt@altabadia.it – Fax 04 71 84 74 64 – dicembre-aprile e giugno-settembre
55 cam – solo ½ P 50/101 € **Rist** – Carta 25/38 €
♦ In posizione isolata, suggestivamente affacciato su un laghetto naturale, ideale per pesca sportiva o pattinaggio e curling su ghiaccio; spazi comuni sobri e stanze comode. Al ristorante, nei periodi di alta stagione, serate gastronomiche con cucina ladina.

🏨 **Gran Ander** 🕊️   ⟨ 🏛️ 🏠 £6 |🕏| 🏊 AC rist. 🌑 ⁽⁾ **P** VISA ⚏ 🖘

via Runcac 29 – 🕾 *04 71 83 97 18 – www.granander.it – info@granander.it*
– Fax 04 71 83 97 41 – 6 dicembre-2 aprile e 15 giugno-settembre
20 cam ⟱ – 🛏60/82 € 🛏🛏100/160 € – ½ P 80/95 €   **Rist** *– (solo per alloggiati)*
♦ Ricorda uno chalet questo piccolo albergo dall'atmosfera intima e dalla gestione familiare particolarmente cortese. Posizione tranquilla e bel panorama sulle Dolomiti.

🍴
   Maso Runch   **P**
🏡
via Runch 11 – 🕾 *04 71 83 97 96 – Fax 04 71 83 97 96*
Rist *– (chiuso domenica)* (coperti limitati, prenotare) Menu 26 €
♦ Un unico menu con le specialità tipiche ladine è quello che propone ogni giorno il locale, nelle intime e caratteristiche stube dall'accoglienza squisitamente familiare.

A **SAN CASSIANO** (BZ) – alt. 1 535 m – ✉ 39030

   🅹 strada Micurà de Rü 24 🕾 0471 849422, sancassiano@altabadia.org,
   Fax0471 849249

🏰 **Rosa Alpina**   ⟨ 🚗 🏛️ 🖥️ 🅭 🏠 £6 |🕏| 🌑 rist. ⁽⁾ **P** 🖘
🐾
Str Micura de Rue 20 – 🕾 *04 71 84 95 00*   VISA ⚏ AE 🖘
– www.rosalpina.it – alpina@relaischateaux.com – Fax 04 71 84 93 77 – 5
dicembre-5 aprile e 25 giugno-4 ottobre
50 cam ⟱ – 🛏280/330 € 🛏🛏350/550 € – 8 suites
Rist St. Hubertus – vedere selezione ristoranti
Rist *– (chiuso martedì) (chiuso a mezzogiorno)* Carta 80/140 €
Rist Wine bar & Grill – Carta 10/27 €
♦ Gestione attenta e sempre pronta a rinnovarsi per una struttura dalle camere spaziose e finemente arredate. Classe e comodità nei vari ambienti comuni, nonché, centro benessere di prim'ordine. Cucina del territorio al Wine bar & Grill.

🏰 **Armentarola**   ⟨ 🚗 🏛️ 🖥️ 🅭 🏠 £6 🍴 |🕏| 🏊 ⁽⁾ **P** 🖘 VISA ⚏ 🖘
via Pre de Vi 12, Sud-Est : 2 km – 🕾 *04 71 84 95 22 – www.armentarola.com*
– info@armentarola.com – Fax 04 71 84 93 89
– 4 dicembre-14 aprile e 18 giugno-4 ottobre
47 cam ⟱ – 🛏74/204 € 🛏🛏140/400 € – 4 suites – ½ P 109/205 €
Rist – Carta 40/75 €
♦ Bella struttura in stile anni '30 affacciata sulle piste da sci, luogo ideale per un perfetto soggiorno tra i monti dolomitici. Maneggio con numerosi cavalli a disposizione. Oggetti della tradizione locale infondono alla sala ristorante un calore familiare.

🏰 **Fanes** 🕊️   ⟨ 🚗 🏊 🖥️ 🅭 🏠 £6 🍴 |🕏| 🏊 AC 🌑 **P** 🚗 VISA ⚏ 🖘
Pecei 19 – 🕾 *04 71 84 94 70 – www.hotelfanes.it – hotelfanes@hotelfanes.it*
– Fax 04 71 84 94 03 – chiuso dal 20 aprile al 10 giugno
63 cam – solo ½ P 112/229 €   **Rist** – Menu 38/46 €
♦ Impossibile rimanere insensibili all'effetto che suscita la splendida hall di questo albergo, degno preludio alle camere dotate di spazi esorbitanti e begli arredi. Alcune specialità della cucina locale da assaporare in un ambiente arredato con gusto.

🏰 **Ciasa Salares** 🕊️   ⟨ 🚗 🏛️ 🖥️ 🏠 £6 🌑 rist. ⁽⁾ **P** 🚗
via Prè de Vi 31, Sud-Est : 2 km – 🕾 *04 71 84 94 45*   VISA ⚏ AE ① 🖘
– www.siriolagroup.it – salares@siriolagroup.it – Fax 04 71 84 93 69
– 4 dicembre-14 aprile e 16 giugno-29 settembre
36 cam ⟱ – 🛏105/215 € 🛏🛏180/364 € – 6 suites – ½ P 202/225 €
Rist La Siriola – vedere selezione ristoranti
Rist – Menu 42/75 €
♦ Ricco di suggestioni per la varietà e la godibilità degli spazi comuni; gestione intraprendente e grande attenzione per i particolari. In una posizione fantastica. E' davvero piacevole pranzare all'aperto coccolati dal panorama e dal dolce silenzio.

Come scegliere fra due strutture equivalenti?
In ogni categoria, hotel e ristoranti sono elencati per ordine di preferenza:
ai primi posti, le scelte Michelin.

Diamant 🚗 🗖 🕸 ᴌ♣ ※ 🖃 ⅄ cam, ⚞⚟ 🌂 rist, "📶" 🎿 🅿 VISA ⓪ 🍸

strada Micurà de Rü 29 – ℰ 04 71 84 94 99 – www.hoteldiamant.com – info@
hoteldiamant.com – Fax 04 71 84 93 70 – dicembre-10 aprile e 25 giugno-
settembre

34 cam ⌑ – ♦90/120 € ♦♦140/225 € – 6 suites – ½ P 70/110 €
Rist – Carta 27/33 €

♦ Dopo un profondo ammodernamento tutte le camere risultano ora luminose, ampie e
gradevoli. Tennis coperto, bowling, servizio familiare attento e cortese. Cucina variamente ispirata, a prezzi decisamente interessanti.

Ciasa ai Pini senza rist ⟨ 🕸 ᴌ♣ 🖃 ⅄ ※ "📶" 🅿 🚗

via Glira 4, Sud-Est : 1,5 km – ℰ 04 71 84 95 41 – www.ai-pini.it – aipini@
rolmail.net – Fax 04 71 84 92 33 – dicembre-Pasqua e giugno-settembre

21 cam ⌑ – ♦43/50 € ♦♦86/94 €

♦ Hotel ricavato da una struttura interamente rinnovata nel 2001. L'aspetto odierno è in
linea con la tradizione locale, largo impiego di legno chiaro anche nelle ampie camere.

Gran Ancëi 🦢 ⟨ 🍸 🕸 🗖 🏮 🕸 ᴌ♣ 🖃 ᴀc rist, 🅿 VISA ⓪ 🍸

Pre de Costa 10, Sud-Est : 2,5 km – ℰ 04 71 84 95 40 – www.granancei.com
– info@granancei.com – Fax 04 71 84 92 10 – 3 dicembre-14 aprile e 15 giugno-
settembre

39 cam ⌑ – ♦38/58 € ♦♦70/90 € – ½ P 98/115 €   **Rist** – Carta 27/53 €

♦ Avrete la possibilità di soggiornare tra il silenzio, i profumi e i colori della pineta, ma
anche di farvi coccolare nel nuovo centro benessere. Camere rinnovate. Offerta di piatti
riferibili alla tradizione culinaria ladina in un ambiente caratteristico.

La Stüa 🦢 ⟨ 🕸 🖃 ᴀc rist, ※ 🅿 VISA ⓪ 🍸

strada Micurà de Rue 31 – ℰ 04 71 84 94 56 – www.hotel-lastua.it
– info@hotel-lastua.it – Fax 04 71 84 93 11
– 4 dicembre-1° aprile e 20 giugno-27 settembre

24 cam ⌑ – ♦45/105 € ♦♦72/190 € – 4 suites – ½ P 49/108 €
Rist – (chiuso a mezzogiorno) Menu 26/52 €

♦ In posizione centrale ma tranquilla, a due passi dalla chiesetta di S. Cassiano, hotel
familiare connotato da una gestione esperta. Spazi comuni raccolti e curati.

Ciasa Roby senza rist ⟨ 🅿 VISA ⓪ 🍸

via Micurà de Ru 67 – ℰ 04 71 84 95 25 – www.ciasaroby.com – info@
ciasaroby.it – Fax 04 71 84 92 60 – dicembre-15 aprile e 25 giugno-10 ottobre

25 cam ⌑ – ♦40/80 € ♦♦80/155 €

♦ Albergo a conduzione diretta, gestito dalla figlia del proprietario, in cui si respira una
gradevole "aria di nuovo". Gli ambienti sono semplici, sobri ma molto curati.

🏵🏵🏵🏵 St. Hubertus (Norbert Niederkofler) – Hotel Rosa Alpina ※ ⇔ 🅿
❀❀ ❀❀ Str Micura de Rue 20, a San Cassiano – ℰ 04 71 84 95 00   VISA ⓪ ᴀᴇ 🍸
– www.rosalpina.it – alpina@relaischateaux.com – Fax 04 71 84 93 77
– 5 dicembre-5 aprile e 25 giugno-4 ottobre; chiuso martedì
Rist – (chiuso a mezzogiorno) Carta 85/133 € 🝔

Spec. Composizione di fegato grasso d'oca. Agnello della Val Badia con purè
di pomodori e melanzane, yogurt al limone e timo con patate ed olive. Millefoglie alle banane con gelato bianco al caffé.

♦ Moderna interpretazione di materiali e arredi ladini: la sala anticipa il sapore della
cucina ricca di spunti locali, aperta su citazioni italiane ed internazionali.

🏵🏵🏵 La Siriola – Hotel Ciasa Salares ※ 🅿 VISA ⓪ ᴀᴇ ① 🍸
❀ via Pre de Vi 31, Sud-Est : 2 km – ℰ 04 71 84 94 45 – www.siriolagroup.it
– salares@siriolagroup.it – Fax 04 71 84 93 69
– 4 dicembre-13 aprile e 25 giugno-21 settembre; chiuso lunedì
Rist – (chiuso a mezzogiorno escluso agosto) Carta 64/83 € 🝔

Spec. Filettini di sarda croccanti, insalata di calamari, anguria e salsa soia
(estate). Tortelli di stufato di renna al burro tartufato e passatina di mele al
vino rosso. Reale di manzo fassone cotto a bassa temperatura con indivia al
frutto della passione.

♦ Reinterpretando elementi e materiali di montagna, il ristorante offre uno stile personalizzato, luminoso e moderno. Segue a ruota la cucina con invenzioni sorprendenti.

ALTAMURA – Bari (BA) – 564E31 – **65 776 ab.** – **alt. 473 m** – ✉ **70022**   26 **B2**

▮ Italia

▶ Roma 461 – Bari 46 – Brindisi 128 – Matera 19

◉ Rosone★ e portale★ della Cattedrale

🏠 **San Nicola**   📶 🅰️🅲️ 🔁 ✂️ rist. 📞 ⚕️ 𝘝𝘐𝘚𝘈 ⓒⓞ 🅰️🅴 ① ♿

via Luca De Samuele Cagnazzi 29 – 𝒞 *08 03 10 51 99* – *www.hotelsannicola.com*
– *info@hotelsannicola.com* – *Fax 08 03 14 47 52*
26 cam ⛺ – ♦90/110 € ♦♦140/160 € – 1 suite – ½ P 90/100 €
Rist *Artusi* – 𝒞 08 03 14 40 03 *(chiuso dal 16 al 31 agosto, domenica sera e
lunedì)* Carta 37/62 €

◆ In un antico palazzo del 1700, nel cuore del centro storico, vicino al Duomo, un
albergo signorile con raffinati ambienti in stile arredati con gusto; camere spaziose.
Sala ristorante con soffitto a volte e buona cura dei particolari.

ALTARE – Savona (SV) – 56117 – **2 147 ab.** – **alt. 397 m** – ✉ **17041**   14 **B2**

▶ Roma 567 – Genova 68 – Asti 101 – Cuneo 80

✖✖ **Quintilio** con cam   ✂️ 🅿️ 𝘝𝘐𝘚𝘈 ⓒⓞ ① ♿

via Gramsci 23 – 𝒞 *01 95 80 00* – *www.ristorante-quintilio.it* – *rquintilio@libero.it*
– *Fax 01 95 89 93 91* – *chiuso 10 giorni in dicembre, luglio*
5 cam – ♦49 € ♦♦65 €, ⛺ 5 €
Rist – *(chiuso domenica sera e lunedì)* Carta 30/48 €

◆ Alle porte della località, cortesia e ospitalità in un ristorante dall'ambiente classico,
dove gustare una buona cucina sia ligure sia piemontese. Possibilità di alloggio in
camere semplici, ma confortevoli.

ALTAVILLA VICENTINA – Vicenza (VI) – 562F16 – **10 211 ab.**   37 **A2**
– **alt. 45 m** – ✉ **36077**

▶ Roma 541 – Padova 42 – Milano 198 – Venezia 73

🏠 **Genziana**   ← 🛄 ✂️ 📶 ⛷️ 🅰️🅲️ ✂️ 📶 🅿️ 𝘝𝘐𝘚𝘈 ⓒⓞ 🅰️🅴 ♿
🛏️
via Mazzini 75/77, località Selva Sud-Ovest : 2,5 km – 𝒞 *04 44 57 21 59*
– *www.hotelristorantegenziana.com* – *hotelgenziana@abnet.it*
– *Fax 04 44 57 43 10*
35 cam ⛺ – ♦♦80/130 €
Rist – *(chiuso agosto, sabato a mezzogiorno e domenica)* Carta 21/41 €

◆ Cordialità e ottima accoglienza familiare, in un albergo su una collina che domina la
valle, immerso nel verde; camere sufficientemente spaziose in stile montano. Buoni
spazi comuni, soprattutto esterni. Piacevole sala da pranzo, ammobiliata in modo semplice.

🏠 **Tre Torri**   🛗 ♿ 🅰️🅲️ ✂️ ✂️ rist. 📞 ⚕️ 🅿️ 🚗 𝘝𝘐𝘚𝘈 ⓒⓞ 🅰️🅴 ① ♿

via Tavernelle 71 – 𝒞 *04 44 57 24 11* – *www.bwhoteltretorri-vi.it* – *info@
hoteltretorri.it* – *Fax 04 44 57 26 09*
92 cam ⛺ – ♦65/160 € ♦♦74/220 € – 1 suite – ½ P 62/145 €
Rist *L'Altro Penacio* – vedere selezione ristoranti

◆ Risorsa ideale soprattutto per una clientela d'affari: funzionale nella suddivisione degli
spazi e completo nella gamma dei servizi offerti. Buon livello generale di tutte le installazioni.

✖✖ **L'Altro Penacio** – Hotel Tre Torri   🅰️🅲️ ✂️ 🅿️ 𝘝𝘐𝘚𝘈 ⓒⓞ 🅰️🅴 ① ♿

via Tavernelle 71 – 𝒞 *04 44 37 13 91* – *altropenacio@infinito.it*
– *Fax 04 44 37 45 07* – *chiuso 15 giorni in gennaio, 15 giorni in agosto,
domenica e lunedì a mezzogiorno*
Rist – Carta 30/55 €

◆ Nel contesto dell'hotel Tre Torri, ristorante classico-elegante con proposte sia locali,
sia nazionali e di mare.

ALTEDO – Bologna – 562I16 – **Vedere Malalbergo**

ALTICHIERO – Padova – **Vedere Padova**

ALTISSIMO – Vicenza (VI) – 562F15 – **2 333 ab.** – **alt. 672 m** – ⊠ 36070   35 **B2**
➤ Roma 568 – Verona 65 – Milano 218 – Trento 102

XX **Casin del Gamba** (Antonio Dal Lago)   🕭 🎇 🖨 **P** VISA ⬤⬤ AE ① 🕭
🕸 *strada per Castelvecchio , Nord-Est : 2,5 km –* 🕿 *04 44 68 77 09*
– www.casindelgamba.eu – casindelgamba@hotmail.com – Fax 04 44 68 77 09
– chiuso 15 giorni in gennaio, 15 giorni in agosto, domenica sera, lunedì,
martedì a mezzogiorno
Rist – Menu 75 € – Carta 46/70 € 🕸
Spec. Insalata di finferli crudi, salsa alla senape e supreme di pollo (estate-
autunno). Ravioli di ricotta di capra, verdure e tartufo nero. Fragole con sciroppo al pepe di Sarawak e vaniglia di Tahiti, crema al mascarpone e babà
al limoncello (primavera-estate).
♦ Tipica casa di montagna: l'atmosfera si ripropone anche all'interno tra camino, perlinato e travi a vista, nonché nella cucina che valorizza i sapori del territorio.

ALTOPASCIO – Lucca (LU) – 563K14 – **11 996 ab.** – **alt. 19 m**   28 **B1**
– ⊠ 55011
➤ Roma 333 – Pisa 38 – Firenze 57 – Lucca 17

XXX **Il Melograno**   🕭 VISA ⬤⬤ AE ① 🕭
piazza degli Ospitalieri 9 – 🕿 *058 32 50 16 – www.ilmelogranoclub.it*
– Fax 058 32 50 16 – chiuso dal 13 al 18 agosto
Rist – Carta 43/61 €
♦ L'antica cinta muraria preserva la rusticità e l'eleganza d'un tempo dalla moderna vitalità della cittadina: all'interno del castello medievale rivivono ricette tradizionali, di terra
e di mare, non prive di vena creativa.

ALVIGNANELLO – Caserta – Vedere Ruviano

ALZANO LOMBARDO – Bergamo (BG) – 561E11 – **12 540 ab.**   19 **C1**
– **alt. 294 m** – ⊠ 24022
➤ Roma 616 – Bergamo 9 – Brescia 60 – Milano 62

XXX **RistoFante**   🕭 🕭 AC 🎇 🖨 VISA ⬤⬤ AE ① 🕭
via Mazzini 41 – 🕿 *035 51 12 13 – www.ristofante.it – ristofante@ristofante.it*
– Fax 03 54 72 05 26 – chiuso 10 giorni in gennaio, 15 giorni in
agosto, domenica sera e lunedì
Rist – *(chiuso a mezzogiorno)* Carta 40/72 €
♦ Nel centro storico, in un antico palazzo ristrutturato, ambiente elegante, confortevole
e sobriamente arredato; cucina tradizionale rivisitata, servizio estivo all'aperto.

AMALFI – Salerno (SA) – 564F25 – **5 521 ab.** – ⊠ 84011▌ Italia   6 **B2**
➤ Roma 272 – Napoli 70 – Avellino 61 – Caserta 85
🄵 corso Repubbliche Marinare 27 🕿 089 871107, info@amalfitouristoffice.it,
Fax 089 871107
🄾 Posizione e cornice pittoresche★★★ – Duomo di Sant'Andrea★ : chiostro
del Paradiso★★ – Vie★ Genova e Capuano
🄶 Atrani★ Est : 1 km – Ravello★★★ Nord-Est : 6 km – Grotta dello
Smeraldo★★ Ovest : 5 km – Vallone di Furore★★ Ovest : 7 km

🏨 **Santa Caterina**   ← 🚗 🕭 ⌛ 🏊 🕭 🛗 AC 🕿 🕭 🕭 **P** 🚐
via Nazionale 9 – 🕿 *089 87 10 12*   VISA ⬤⬤ AE ① 🕭
– www.hotelsantacaterina.it – info@hotelsantacaterina.it – Fax 089 87 13 51
66 cam ⌛ – 🛏445/781 € – 11 suites – ½ P 300/468 €
Rist – *(chiuso gennaio e febbraio)* Carta 75/107 € 🕸
♦ Suggestiva vista del golfo, terrazze fiorite digradanti sul mare con ascensori per la
spiaggia, interni in stile di raffinata piacevolezza: qui i sogni diventano realtà! Al ristorante soffitto a crociera, colonne, eleganti tavoli rotondi: per cene di classe.

🏨 **Marina Riviera** senza rist   ← 🛗 AC 🎇 🕿 VISA ⬤⬤ AE 🕭
via P. Comite 19 – 🕿 *089 87 11 04 – www.marinariviera.it – info@marinariviera.it*
– Fax 089 87 10 24 – Pasqua-ottobre
34 cam ⌛ – 🛏180 € 🛏🛏250/280 € – 1 suite
♦ Struttura dei primi anni del '900 all'ingresso della località, in posizione panoramica;
ariosi spazi comuni e camere totalmente rinnovate con gusto e sobrietà.

⌂ **Aurora** senza rist   ⟨ 📶 AC 🍴 VISA 🌐 AE ⭑

piazza dei Protontini 7 – *☎ 089 87 12 09* – *www.aurora-hotel.it* – *info@
aurora-hotel.it* – *Fax 089 87 29 80* – *Capodanno e aprile-ottobre*
29 cam 🛏 – ♦♦145/175 €

♦ Nella zona del porto, di fronte al molo turistico, costruzione bianca con piacevoli e
"freschi" interni dai colori marini; camere luminose con maioliche vietresi.

⌂ **La Pergola**   🏡 📶 AC 🍴 ℃ 🚗 VISA 🌐 AE ⭑

via Augustariccio 14, località Vettica Minore Ovest : 2 km – *☎ 089 83 10 88*
– *www.lapergolamalfi.it* – *info@lapergolamalfi.it* – *Fax 08 98 32 19 07* – *marzo-
dicembre*
12 cam 🛏 – ♦40/100 € ♦♦40/160 €
Rist – *(aprile-ottobre) (chiuso a mezzogiorno) (solo per alloggiati)* Menu 25 €

♦ In un angolo pittoresco della costa, lungo la strada per Positano, hotel aperto recentemente da una famiglia direttamente impegnata nella gestione. Camere di buon confort. Al ristorante vengono proposti i piatti della tradizione locale.

⌂ **Antica Repubblica** senza rist   AC ℃ VISA 🌐 AE ① ⭑

vico dei Pastai 2 – *☎ 08 98 73 63 10* – *www.anticarepubblica.it* – *info@
anticarepubblica.it* – *Fax 08 98 73 63 10*
7 cam 🛏 – ♦♦80/160 €

♦ Nel vicolo dove un tempo esercitavano i pastai di Amalfi, un piccolo edificio tenuto a
regola d'arte, con camere nuove, elegantemente rifinite; terrazza per la colazione.

⌂ **Villa Lara** senza rist ⌂   ⟨ 🚗 📶 ♿ ℃ VISA 🌐 AE ① ⭑

via delle Cartiere 1 bis – *☎ 08 98 73 63 58* – *www.villalara.it* – *info@villalara.it*
– *Fax 089 88 73 63 58*
7 cam 🛏 – ♦75/145 € ♦♦90/195 €

♦ In posizione tranquilla e nelle parte più alta della località, una casa totalmente ristrutturata che presenta ai propri ospiti camere davvero graziose. Panorama e charme.

⌂ **Relais Villa Annalara** senza rist ⌂   ⟨ 🚗 📶 AC ℃ 🚗

via delle Cartiere 1 ✉ *84011 Amalfi* – *☎ 089 87 11 47*   VISA 🌐 AE ① ⭑
– *www.villaannalara.it* – *info@villaannalara.it* – *Fax 089 87 11 47*
6 cam 🛏 – ♦70/150 € ♦♦80/180 €

♦ Piacevole struttura in una bella villa: a disposizione un giardino ed un'ampia terrazza
con vista incantevole. Camere nuovissime, personalizzate ed eleganti.

✕✕✕ **La Caravella** (Antonio Dipino)   AC 🍴 VISA 🌐 AE ⭑
   ✿

via Matteo Camera 12 – *☎ 089 87 10 29* – *www.ristorantelacaravella.it* – *info@
ristorantelacaravella.it* – *Fax 089 87 10 29* – *chiuso dal 3 novembre
al 5 dicembre, dal 6 gennaio al 13 febbraio e martedì*
Rist – Carta 60/84 € ✿

Spec. Frittata di spaghetti con frutti di mare. Trito di pesce del giorno gri-
gliato in foglia di limone con erba finocchiella e mandorle. Soufflé ai limoni
di Amalfi.

♦ Dalle ceramiche vietresi alla gestione familiare, è la via d'accesso alla storia della
costiera e ad una cucina che esalta i sapori dei prodotti locali.

✕✕ **Eolo**   ⟨ AC 🍴 VISA 🌐 AE ⭑

via Comite 3 – *☎ 089 87 12 41* – *www.marinariviera.it/eolo* – *info@
marinariviera.it* – *Fax 089 87 10 24* – *aprile-1°novembre*
Rist – *(chiuso martedì) (chiuso a mezzogiorno da giugno al 15 settembre)*
Carta 60/78 € ✿

♦ Piatti tradizionali rivisitati in un piccolo ristorante dall'ambiente intimo e curato; appagante vista sul mare attraverso aperture ad arco sostenute da agili colonne.

✕ **Marina Grande**   ⟨ 🏡 AC VISA 🌐 AE ① ⭑

viale delle Regioni 4 – *☎ 089 87 11 29* – *www.ristorantemarinagrande.com*
– *info@marinagrande.com* – *Fax 089 87 11 29* – *chiuso dal 15 novembre
al 20 dicembre, dall'8 gennaio al 20 febbraio elunedì da ottobre a maggio*
Rist – Carta 31/69 €

♦ Locale sulla spiaggia: pavimento in legno e bianche sedie nella sala lineare, dove provare cucina della tradizione e campana; gradevole terrazza per il servizio estivo.

X **Da Ciccio Cielo-Mare-Terra** ≼ ⓐⓒ 🅿 ⅦⓈⒶ ⓪ ⒶⒺ ❶ ᕯ
via Augustariccio 21, località Vettica Minore Ovest : 3 km – 𝒞 *089 83 12 65*
– cavalier19@ristorantedaciccio.191.it – Fax 089 83 12 65 – chiuso novembre e
martedì dal 6 marzo al 30 ottobre, anche lunedì negli altri mesi
Rist – Carta 35/63 €
♦ Lungo la strada per Positano, ristorante con pizzeria serale: un'ampia sala da cui si
gode uno splendido panorama su mare e costa; specialità: spaghetti al cartoccio.

AMANTEA – Cosenza (CS) – 564J30 – **13 456 ab.** – ✉ 87032   5 A2
◘ Roma 514 – Cosenza 38 – Catanzaro 67 – Reggio di Calabria 160
🖸 Corso Vittorio Emauele II 11 𝒞 0982 41785

🏛 **La Tonnara** ≼ 🛒 ℁ 🛉 ᕯ ⓐⓒ ℀ rist, ℣ ᓀ 🅿 ⅦⓈⒶ ⓪ ⒶⒺ ❶ ᕯ
via Tonnara 13, Sud : 3 km – 𝒞 *09 82 42 42 72 – www.latonnara.it – direttore@*
latonnara.it – Fax 098 24 23 90 – chiuso dal 1° al 20 novembre e Natale
59 cam ⌂ – †45/75 € ††80/140 € – ½ P 85/99 €   **Rist** – Carta 30/44 €
♦ A poche decine di metri dalla spiaggia, propone ampie camere di buon livello, quasi
tutte con vista mare, e attività organizzate per la ricreazione dei più piccoli nei mesi
estivi. Grande sala ristorante, piacevolmente arredata, per fragranti piatti marinari.

🏠 **Mediterraneo** 🛉 ᓀ rist, ⋆⋆ ⓐⓒ ℀ rist, ℣ ᓀ 🅿 ⅦⓈⒶ ⓪ ⒶⒺ ❶ ᕯ
via Dogana 64 – 𝒞 *09 82 42 63 64 – www.mediterraneohotel.net – info@*
mediterraneohotel.net – Fax 09 82 42 62 47 – chiuso 24-25 dicembre
31 cam ⌂ – †40/70 € ††65/100 € – ½ P 80 €
Rist – *(chiuso a mezzogiorno escluso da giugno a settembre)* Carta 23/30 €
♦ Albergo centrale, ricavato dalla ristrutturazione di un palazzo dell'800; camere essenziali, ma funzionali, con piacevoli accostamenti del color legno al verde pastello. Graziosa sala da pranzo nei toni del beige ravvivati da quadri decorativi alle pareti.

🏠 **Tyrrenian Park Hotel** 🛒 ℁ 🛉 ⋆⋆ ⓐⓒ ℀ rist, ᓀ 🅿
strada statale 18-via Stromboli 227, Sud : 1,5 km   ⅦⓈⒶ ⓪ ⒶⒺ ❶ ᕯ
– 𝒞 *098 24 16 73 – www.tyrrenian.it – direzione@tyrrenian.it – Fax 09 82 42 87 37*
50 cam ⌂ – †35/50 € ††60/90 € – ½ P 80/95 €   **Rist** – Carta 25/40 €
♦ Struttura fuori dal centro, con grandi spazi interni e camere essenziali, ma dignitose;
piccolo parco giochi per bambini e campo da calcetto. Ariosa e ampia sala ristorante.

a Corica Sud : 4 km – ✉ 87032 – Amantea

🏛 **La Scogliera** ≼ 🛉 ⋆⋆ ⓐⓒ ℀ rist, ℣ ᓀ 🅿 ⟷ ⅦⓈⒶ ⓪ ⒶⒺ ❶ ᕯ
via Coreca 1 – 𝒞 *098 24 62 19 – www.hotellascogliera.net – info@*
hotellascogliera.net – Fax 098 24 86 70
46 cam ⌂ – †65/80 € ††95/125 € – 7 suites – ½ P 65/115 €
Rist – Carta 26/36 €
♦ In posizione panoramica, ai piedi di una piccola collina e a ridosso dello scoglio di
Corica, albergo con camere rinnovate di recente; terrazzino all'ultimo piano. Nuova sala
da pranzo.

AMBIVERE – Bergamo (BG) – **2 247 ab.** – alt. 261 m – ✉ 24030   19 C1
◘ Roma 607 – Bergamo 18 – Brescia 58 – Milano 49

XXX **Antica Osteria dei Camelì** (Loredana Vescovi)   🛒 ᓀ ⓐⓒ ℀ ⇔ 🅿
🕄 *via G. Marconi 13 –* 𝒞 *035 90 80 00*   ⅦⓈⒶ ⓪ ⒶⒺ ❶ ᕯ
– www.anticaosteriadeicameli.it – camil.rota@tiscalinet.it – Fax 035 90 80 00
– chiuso dal 2 al 9 gennaio, dal 4 al 28 agosto, lunedì e martedì sera
Rist – (consigliata la prenotazione) Menu 70/75 € – Carta 66/114 € ℬℬ
Spec. Casoncelli alla bergamasca. Fritto leggero di mare con verdure in
pastella croccante. Sottospra di fragole e banane (primavera).
♦ A metà Ottocento era una apprezzata osteria di paese ma con costanza e passione è
diventata un locale davvero elegante. Anche la cucina ha avvertito il cambiamento,
creativa e saporita, sempre fedele alla tradizione.

AMBRIA – Bergamo – Vedere Zogno

AMEGLIA – La Spezia (SP) – 561J11 – **4 521 ab.** – alt. 80 m – ✉ 19031   15 D2
◘ Roma 400 – La Spezia 18 – Genova 107 – Massa 17
🖸 via XXV Aprile 𝒞 0187 600524, infoturismo_ameglia@libero.it

Paracucchi-Locanda dell'Angelo 🔊   🚗 ⛋ AK 🍴 cam, 🎇 ⛢

viale XV Aprile 60, (strada provinciale Sarzana-   🅿 VISA ⓪ AE ① ⛴
Marinella Sud-Est : 4,5 km) – 𝒞 *018 76 43 91 – www.paracucchilocanda.it*
– paracucchi@luna.it – Fax 018 76 43 93 – 11 marzo-3 novembre
31 cam ⌁ – 🛏90/110 € 🛏🛏110/150 €   **Rist** *– (chiuso lunedì)* Carta 60/83 € 🅰
♦ In fondo a un grande giardino con piscina, un'architettura anni '70 con interni spaziosi e lineari punteggiati da opere di autori contemporanei. L'apparente ed intenzionale semplicità delle camere nasconde, in realtà, un'approfondita ricerca negli accostamenti di tende, lenzuola, mobili. Ottima cucina.

River Park Hotel   🏤 ⛋ 🏊 🛐 AK 🍴 📞 ⛢ 🚗 VISA ⓪ AE ① ⛴

via del Botteghino 17, località Fiumaretta, Sud-Est : 2 km – 𝒞 *01 87 64 81 54*
– www.riverparkhotel.it – riverpark.hotel@tin.it – Fax 01 87 64 81 75 – chiuso dal
22 dicembre all'8 gennaio
33 cam ⌁ – 🛏75/85 € 🛏🛏120/150 € – ½ P 85/95 €   **Rist** *–* Carta 31/57 €
♦ Al centro della quieta località balneare di Fiumaretta, imponente struttura di moderna concezione dispone di ampi spazi interni confortevoli, seppure arredati con estrema semplicità. Camere spaziose con mobili sobri in rattan e midollino. Ariosa sala ristorante da cui ammirare l'invitante piscina circondata dal verde.

🍴🍴🍴   **Locanda delle Tamerici** (Mauro Ricciardi) con cam 🔊   🏤 AK rist,
🌸   *via Litoranea 106, località Fiumaretta, Sud-Est :*   🅿 VISA ⓪ AE ⛴
3,5 km – 𝒞 *018 76 42 62 – www.locandadelletamerici.com*
– locandadelletamerici@tin.it – Fax 018 76 46 27
– chiuso dal 24 dicembre al 18 gennaio e 1 settimana in ottobre
8 cam ⌁ – 🛏120/150 € 🛏🛏195/220 €
Rist *– (chiuso lunedì e martedì; a mezzogiorno solo su prenotazione.)*
Menu 65/95 € – Carta 71/99 € 🅰
Spec. Rana pescatrice avvolta nel lardo con salsa di acciughe e strudel di carciofi. Garganelli con capesante e guanciale di maiale su crema di finocchio. Il baccalà fresco in padella, mantecato e fritto su salsa di sedano rapa.
♦ Creativa cucina di mare, elaborata negli accostamenti con salse, creme o vellutate che aggiungono un tocco cromatico ai piatti ed accompagnano deliziosamente sapori ittici con verdure e spezie. Le camere sono mansardate, ricche di tessuti e con arredi in stile.

a Montemarcello Sud : 5,5 km – ✉ **19030**

🅸 (maggio-settembre) via Nuova 48 𝒞 0187 600324, Fax 0187 606738

🍴🍴   **Pescarino-Sapori di Terra e di Mare** con cam 🔊   🏤 🍴 cam,

via Borea 52, Nord-Ovest : 3 km   🅿 VISA ⓪ AE ① ⛴
– 𝒞 *01 87 60 13 88 – ristorantepescarino@yahoo.it – Fax 01 87 60 35 01*
– chiuso dal 15 al 31 gennaio, dal 10 al 20 giugno, dal 7 al 14 settembre, lunedì
e martedì (escluso agosto)
3 cam ⌁ – 🛏40 € 🛏🛏70/85 €
Rist *– (chiuso a mezzogiorno escluso sabato-domenica e festivi)* Carta 40/49 €
♦ Collocazione davvero idilliaca: un'oasi di pace immersa nel bosco di Montemarcello, per questo locale in stile semplice ma intrigante per l'articolata e gustosa proposta di "Sapori di Terra e di Mare". Camere eleganti nella villa adiacente.

AMENDOLARA (Marina di) – Cosenza (CS) – 564H31 – ✉ 87071   5 **A1**

▶ Roma 495 – Cosenza 97 – Castrovillari 54 – Crotone 140

🏠   **Enotria**   ⛋ 🛐 AK 🍴 rist, 🅿 VISA ⓪ AE ① ⛴

🐌   *viale Calabria 20 –* 𝒞 *09 81 91 50 26 – www.hotelenotria.it – info@hotelenotria.it*
– Fax 09 81 91 52 61
48 cam ⌁ – 🛏40/60 € 🛏🛏65/100 €
Rist *– (Chiuso lunedì da settembre a maggio)* Carta 14/39 €
♦ Valida gestione in un albergo completamente rinnovato, con interni di moderna concezione e camere lineari, ben accessoriate, in riposanti colori pastello. Piatti di mare nella sala da pranzo al piano terra.

ANACAPRI – Napoli – 564F24 – Vedere Capri (Isola di)

ANAGNI – Frosinone (FR) – 563Q21 – 19 182 ab. – alt. 460 m   13 **C2**
– ✉ 03012▪ Italia
- ▶ Roma 65 – Frosinone 30 – Anzio 78 – Avezzano 106
- 🖬 piazza Innocenzo III ℰ 0775 727852, Fax 0775 727852

XX **Lo Schiaffo**   🎫 ⅍ 𝗩𝗜𝗦𝗔 ⓿ 𝖠𝖤 ᕞ
via Vittorio Emanuele 270 – ℰ 07 75 73 91 48 – guidotagliaboschi@alice.it
– Fax 07 75 73 35 27 – chiuso dal 25 al 31 luglio, domenica sera (da novembre a
febbraio) e lunedì
Rist – Carta 32/43 €
♦ Il nome evoca atmosfere medievali, il riferimento al celebre schiaffo a Bonifacio VIII; la
sala invece è stata completamente rinnovata e presenta un ambiente caldo e moderno.

Un buon ristorante a prezzo contenuto? Cercate i «Bib Gourmand» ⓐ.

ANCONA ℙ (AN) – 563L22 – 101 545 ab. – ✉ 60100▪ Italia   21 **C1**
- ▶ Roma 319 – Firenze 263 – Milano 426 – Perugia 166
- ✈ di Falconara per ③ : 13 km ℰ 071 28271
- 🖬 via Thaon de Revel 4 ✉ 60124 ℰ 071 358991, iat.ancona@
  regione.marche.it, 071 3589929
- 🖬 Conero, ℰ 071 736 06 13
- ◉ Duomo di San Ciriaco★ AY – Loggia dei Mercanti★ AZ **F** – Chiesa di Santa
  Maria della Piazza★ AZ **B**

Piante pagine 118-119

🏨 **Grand Hotel Passetto** senza rist   ← 🚗 ⅃ 📱 🎫 ⅍ ℡ 🦺 ℙ
via Thaon de Revel 1 ✉ 60124 – ℰ 07 13 13 07   𝗩𝗜𝗦𝗔 ⓿ 𝖠𝖤 ⓞ ᕞ
– www.hotelpassetto.it – info@hotelpassetto.it – Fax 07 13 28 56
– chiuso dal 23 dicembre al 2 gennaio   CZ**d**
40 cam � – †115/145 € ††185 €
♦ Il giardino con piscina abbellisce questo hotel alle porte della città, non lontano dal
mare; eleganti e sobri interni, confortevoli camere di taglio moderno.

🏨 **NH Ancona**   ← 📱 ⅙ cam, 🎫 ⇎ ⅍ rist, 🦺 ℙ 𝗩𝗜𝗦𝗔 ⓿ 𝖠𝖤 ⓞ ᕞ
rupi di via 29 Settembre 14 ✉ 60122 – ℰ 071 20 11 71 – www.nh-hotels.it
– jhancona@nh-hotels.com – Fax 071 20 68 23   AZ**a**
89 cam ☞ – †120/140 € ††160/190 € – ½ P 107/122 €   **Rist** – Menu 25/30 €
♦ Sulla sommità di una collinetta, a pochi passi dal centro, edificio in mattoni d'ispirazione contemporanea; ambienti raffinati e luminosi, gradevoli camere funzionali. Bella
sala da pranzo con comode poltroncine e splendida vista sul porto.

🏨 **Grand Hotel Palace** senza rist   📱 🎫 ⅍ ℡ 🦺 🚗
lungomare Vanvitelli 24 ✉ 60121 – ℰ 071 20 18 13   𝗩𝗜𝗦𝗔 ⓿ 𝖠𝖤 ⓞ ᕞ
– www.hotelancona.it – palace.ancona@libero.it – Fax 07 12 07 48 32 – chiuso
dal 22 dicembre al 7 gennaio   AY**k**
40 cam ☞ – †90/130 € ††120/170 €
♦ In un palazzo seicentesco austero e nobiliare, davanti al porto, albergo con "solenne"
sala comune con camino; accoglienti camere in stile e appartamenti con angolo cottura.

XXX **Passetto**   ← 🍴 🎫 ⅍ ⇪ 𝗩𝗜𝗦𝗔 ⓿ 𝖠𝖤 ⓞ ᕞ
piazza 4 Novembre 1 ✉ 60124 – ℰ 07 13 32 14 – www.ristorantepassetto.it
– rist.passetto@libero.it – Fax 07 13 43 64 – chiuso dal 5 al 25 agosto, domenica
sera e lunedì   CZ**a**
Rist – Carta 38/69 €
♦ Elegante locale classico con panoramica vista sul mare, che riesce a soddisfare in
modo competente sia il singolo che le grandi comitive; servizio estivo in terrazza.

XX **La Moretta**   🍴 🎫 𝗩𝗜𝗦𝗔 ⓿ 𝖠𝖤 ⓞ ᕞ
piazza Plebiscito 52 ✉ 60122 – ℰ 071 20 23 17 – www.trattoriamoretta.com
– trattoriamoretta@email.it – Fax 071 20 23 17 – chiuso dal 1° al 10 gennaio, dal
13 al 18 agosto e domenica   AZ**n**
Rist – Carta 27/41 € (+10 %)
♦ Ristorante della stessa famiglia dal 1897: cucina del territorio di carne e di pesce, stoccafisso e brodetto all'anconetana i classici. Servizio estivo in piazza Plebiscito.

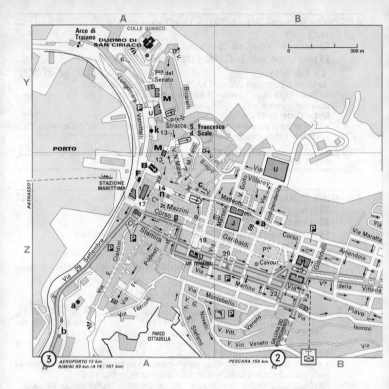

XX **Boccon Divino** ⬜ 🖸 VISA ⬤⬤ ⓞ 💲

via Matteotti 13 – ☎ 07 15 72 69 – Fax 07 15 72 69 – chiuso 3 settimane in
agosto, sabato a mezzogiorno e domenica AZ**c**
Rist – Carta 32/41 €

♦ Vicino alla piazza del Plebiscito, ristorante accogliente con proposte di mare e di terra,
da gustare d'estate nella piccola corte interna. Gestione giovane e capace.

X **Sot'Ajarchi** 🅰🅲 VISA ⬤⬤ 🅰🅴 ⓞ 💲

via Marconi 93 ✉ 60125 – ☎ 071 20 24 41 – Fax 07 12 07 73 93
– chiuso 10 giorni a Natale, agosto e domenica CY**b**
Rist – Carta 33/66 €

♦ Ambiente informale nella piccola trattoria sotto ai portici, dove sentirsi a proprio agio
consumando gustosi piatti di mare, a base di pescato fresco giornaliero.

X **Sale Grosso** 🅱 🅰🅲 VISA ⬤⬤ 💲

via Marconi 3 ✉ 60125 – ☎ 07 12 07 52 79 – salegrossoancona@alice.it
– Fax 07 12 07 52 79
– chiuso dal 23 giugno al 15 luglio e mercoledì AZ**b**
Rist – Carta 32/42 €

♦ Alla fine dei portici, davanti alla Mole Vanvitelliana, un locale giovane e sobrio con
quadri moderni alle pareti. Cucina fantasiosa a base di prodotti locali di terra e
mare.

Qualità a prezzi contenuti? Cercate i Bib:
«Bib Gourmand» rosso ⬤ per i ristoranti,
e «Bib Hotel» azzurro 🏠 per gli alberghi.

118

ANCONA

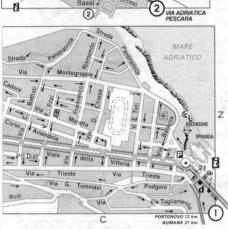

a Portonovo per ① : 12 km – ⊠ 60020

◉ Chiesa di Santa Maria★

🏠🏠🏠 **Fortino Napoleonico** 🍃   🚗 🛺 ᕦ ⚲ ⏃ Ⓐ 🎏 rist, Ⓟ
via Poggio 166 – ℰ 071 80 14 50   𝘝𝘐𝘚𝘈 ⓦⓞ ⒜⒠ ⓪ ⑤
– www.hotelfortino.it – info@hotelfortino.it – Fax 071 80 14 54 – chiuso Natale
33 cam ⊇ – ♦130/250 € ♦♦180/250 € – 6 suites – ½ P 140/175 €
Rist – *(Chiuso a mezzogiorno da novembre a febbraio)* Carta 42/56 € (+10 %)
♦ Il fasto di un tempo ormai lontano rivive in una suggestiva fortezza ottocentesca sul mare, voluta da Napoleone, per concedersi un incredibile tuffo nel passato! Aristocratica ricercatezza nella maestosa sala da pranzo, splendidi tramonti dalla terrazza.

🏠🏠🏠 **Emilia** 🍃   ⟨ 🚗 🛺 ⏃ 🎏 🛗 ᕦ cam, Ⓐ cam, 🎏 🆂 Ⓟ 𝘝𝘐𝘚𝘈 ⓦⓞ ⓪ ⑤
via Poggio 149/a, (in collina), Ovest : 2 km – ℰ 071 80 11 45
– www.hotelemilia.com – info@hotelemilia.com – Fax 071 80 13 30 – marzo-ottobre
26 cam ⊇ – ♦140/170 € ♦♦150/350 € – 4 suites – ½ P 125/225 €
Rist – Carta 52/84 €
♦ Sede del premio d'arte "Ginestra d'oro", hotel con collezione di quadri d'arte moderna, situato in appagante posizione su una terrazza naturale con vista su mare e costa. Ampia sala da pranzo o servizio all'aperto, in ogni caso curata cucina di mare.

🏠🏠🏠 **Excelsior la Fonte** 🍃   🚗 🛺 ⏃ 🎏 🛗 ⚲ Ⓐ 🎏 🕪 🆂 Ⓟ
via Poggio 163 – ℰ 071 80 14 70   𝘝𝘐𝘚𝘈 ⓦⓞ ⒜⒠ ⓪ ⑤
– www.excelsiorlafonte.it – info@excelsiorlafonte.it – Fax 071 80 14 74 – chiuso gennaio e febbraio
70 cam ⊇ – ♦130 € ♦♦150/170 € – ½ P 110/120 €   **Rist** – Carta 31/41 €
♦ Non lontana dal mare, bianca struttura a vocazione congressuale immersa in un incantevole manto verde, con "freschi" ambienti di raffinata eleganza. Candide pareti ravvivate da quadri nella sala ristorante; servizio estivo all'aperto.

Internazionale ⌂ ⟨icons⟩ rist, 📶 P VISA ⓐ AE ① ⚓

via Portonovo – ☎ 071 80 10 01 – www.hotel-internazionale.com – info@hotel-internazionale.com – Fax 07 12 13 99 09 – chiuso dal 20 dicembre al 6 gennaio

26 cam ☲ – †60/120 € ††90/150 € – ½ P 75/103 €

Rist – *(chiuso domenica sera)* Carta 40/60 €

♦ In una tranquilla oasi verde, sulle pendici del promontorio che disegna la baia di Portonovo, un albergo a gestione diretta, con interni lineari; camere di due tipologie. Pareti con pietra a vista e ampie finestre panoramiche nella sala da pranzo.

✗✗ Giacchetti ⟨icons⟩ P VISA ⓐ AE ① ⚓

via Portonovo 171 – ☎ 071 80 13 84 – www.ristorantedagiacchetti.it – info@ristorantedagiacchetti.it – Fax 07 12 13 90 22 – aprile-ottobre; chiuso lunedì escluso giugno-luglio-agosto

Rist – Carta 38/54 €

♦ Nella silenziosa baia di Portonovo, locale di lunga tradizione, con annesso stabilimento balneare privato; in sala o all'aperto le classiche specialità di mare dell'Adriatico.

✗ Da Emilia ⟨icons⟩ VISA ⓐ AE ⚓

nella baia – ☎ 071 80 11 09 – Fax 071 80 11 09 – marzo-ottobre; chiuso lunedì escluso agosto

Rist – *(chiuso a mezzogiorno)* Carta 33/57 €

♦ Ristorante familiare dall'ambiente semplice e curato, il cui fascino ha incantato anche celebri personaggi; solo piatti di pesce e splendido terrazzo sul mare.

a Torrette per ③ : *4 km* – ✉ **60020**

Europa *senza rist* ⟨icons⟩ P VISA ⓐ AE ① ⚓

via Sentino – ☎ 071 88 80 96 – www.hoteleuropa-ancona.it – info@hoteleuropa-ancona.it – Fax 071 88 88 55

62 cam ☲ – †70/75 € ††90/98 €

♦ In posizione defilata ma comoda, ad un passo dal grande Ospedale Regionale e non lontano dal mare, camere omogenee, ben tenute e funzionali.

ANDALO – Trento (TN) – 562D15 – **1 017 ab.** – alt. 1 050 m – Sport   30 **B2**
invernali : 1 040/2 125 m ⛷ 1 ⛷11 (Consorzio Paganella-Dolomiti) ⚐ – ✉ **38010**
▌ Italia

▷ Roma 625 – Trento 40 – Bolzano 60 – Milano 214

🛈 piazza Dolomiti 1 ☎ 0461 585836, infoandalo@esperienzatrentino.it Fax 0461 585570

▣ ❄ ★★ dal Monte Paganella 30 mn di funivia

Cristallo ⟨icons⟩ P VISA ⓐ AE ⚓

via Rindole 1 – ☎ 04 61 58 57 44 – www.hotelcristalloandalo.com – info@hotelcristalloandalo.com – Fax 04 61 58 59 70 – dicembre-23 aprile e 15 giugno-15 settembre

38 cam ☲ – †50/65 € ††96/110 € – ½ P 62/68 €   **Rist** – Carta 23/31 €

♦ Albergo centrale, in parte rimodernato negli ultimi anni, a pochissimi metri dagli impianti di risalita; accoglienti interni in stile montano d'ispirazione moderna. Al primo piano, soffitto in legno con lavorazioni a rombi nel ristorante.

Dolce Avita ⟨icons⟩ rist, 📶 P ⊟ VISA ⓐ ⚓

via del Moro 1 – ☎ 04 61 58 59 12 – www.dolceavita.it – info@hoteldolceavita.it – Fax 04 61 58 59 80 – chiuso maggio

27 cam ☲ – †70/100 € ††120/140 € – 9 suites – ½ P 85/120 €

Rist – *(solo per alloggiati)*

♦ In posizione panoramica e soleggiata, hotel dagli spazi accoglienti e ben arredati; nuove camere "romantic" con letto a baldacchino e junior suite adatte alle famiglie.

Serena ⟨icons⟩ rist, 🛏 rist, ℃ P ⊟ VISA ⓐ ⚓

via Crosare 15 – ☎ 04 61 58 57 27 – www.hotelserena.it – info@hotelserena.it – Fax 04 61 58 57 02 – dicembre-22 aprile e 10 giugno-20 settembre

32 cam ☲ – ††135 € – 2 suites – ½ P 51/89 €

Rist – *(solo per alloggiati)* Menu 20/30 €

♦ Solida gestione diretta in un albergo in gran parte rimodernato, che gode di una bella veduta panoramica su montagne maestose; camere funzionali, regolarmente rinnovate.

🏠 **Olimpia Dolomiti** senza rist ← 🚗 🏊 🎿 🛗 🖉 🏋 ♿ 🛜 📶 **P** 🚙
via Paganella 17 – 𝒞 04 61 58 57 15 **VISA** **◑⊙** **🅐** **❿** ⬤ 🔔
– olimpia@gottardi.it – Fax 04 61 58 54 58
– 15 dicembre-22 aprile e 20 giugno-15 settembre
40 cam 🍽 – ⬩45/85 € ⬩⬩100/175 €
♦ Circondato dal verde e dai monti, hotel di recente ristrutturazione costituito da due corpi distinti, ma collegati internamente; arredamento classico, buoni servizi.

✕✕ **Al Penny** 🏠 **AC** ♿ **P** **VISA** **◑⊙** **🅐** **❿** ⬤ 🔔
viale Trento 23 – 𝒞 04 61 58 52 51 – www.alpenny.it – info@alpenny.it
– Fax 04 61 58 52 51 – dicembre- aprile e giugno-ottobre
Rist – Carta 30/38 €
♦ All'ingresso della località, un ristorante dalla struttura in legno, due sale rustiche dalle proposte gastronomiche regionali. Pizza con forno a legna anche a mezzogiorno.

ANDORA – Savona (SV) – 561K6 – **7 027 ab.** – ✉ **17051** 14 **B2**
▶ Roma 601 – Imperia 16 – Genova 102 – Milano 225
🅸 via Aurelia 122/A, Villa Laura 𝒞 0182 681004, andora@inforiviera.it,Fax 0182 681807

🏨 **Lungomare** 🏠 ✕ ♿ 🛗 ⬥ cam, 🏋 **AC** rist, ♿ 📶 ♿ 🚙
via Capri 10 – 𝒞 018 28 51 85 **VISA** **◑⊙** **🅐** **❿** ⬤ 🔔
– www.hotellungomare.it – info@hotellungomare.it – Fax 018 28 96 68 – chiuso ottobre e novembre
56 cam 🍽 – ⬩60/100 € ⬩⬩70/130 € – ½ P 60/85 € **Rist** – Carta 30/50 € 🍴
♦ La spiaggia è facilmente raggiungibile da quest'albergo in posizione leggermente decentrata e per questo tranquilla. Gradevoli camere di buon livello, appena rinnovate. Ristorante classico con fornita cantina: degustazioni di vini e piatti del territorio.

🏠 **Garden** ♿ rist, 📞 **P** **VISA** **◑⊙** **🅐** **❿** ⬤ 🔔
🐾 via Aurelia 60 – 𝒞 018 28 86 78 – www.hotelgardenandora.com
– info@hotelgardenandora.com – Fax 018 28 76 53
– chiuso dal 5 novembre al 21 dicembre
16 cam – ⬩50/70 € ⬩⬩70/90 €, 🍽 10 € – ½ P 40/80 € **Rist** – Carta 21/48 €
♦ Gestione diretta seria e attenta in questo albergo di piccole dimensioni, ideale per famiglie; spazi interni sobri e funzionali e graziose camere lineari, ma molto curate. Lunga, stretta sala da pranzo, molto luminosa.

🏠 **Moresco** ← 🛗 🏋 **AC** **VISA** **◑⊙** **🅐** **❿** ⬤ 🔔
via Aurelia 96 – 𝒞 018 28 91 41 – www.hotelmoresco.com – hotelmoresco@ andora.it – Fax 018 28 54 14 – chiuso da novembre al 22 dicembre
35 cam – ⬩50/65 € ⬩⬩80/95 €, 🍽 13 € – ½ P 75/80 €
Rist – (solo per alloggiati) Carta 23/30 €
♦ Albergo centrale con accoglienti e razionali interni, dove rilassarsi dopo una giornata in spiaggia. Camere rinnovate recentemente, da tutte le finestre uno scorcio di mare.

✕✕ **La Casa del Priore** ← **AC** **P** **VISA** **◑⊙** **🅐** **❿** ⬤ 🔔
via Castello 34, Nord : 2 km – 𝒞 018 28 73 30 – Fax 01 82 68 43 77
– chiuso dal 3 gennaio all'11 febbraio e lunedì
Rist – (chiuso a mezzogiorno escluso sabato e domenica) Carta 56/89 €
Rist Brasserie – (chiuso lunedì) (chiuso a mezzogiorno) Carta 26/36 €
♦ Ambiente caratteristico e raffinato in un ex convento del XIII secolo: sala con soffitto in mattoni, grande camino e arredi d'epoca; cucina ligure rivisitata, da provare. Alla "Brasserie": ambiente informale, specialità alla brace e dehors estivo.

ANDRIA – Bari (BA) – 564D30 – **96 910 ab.** – alt. 151 m – ✉ **70031** 26 **B2**
▶ Roma 399 – Bari 57 – Barletta 12 – Foggia 82
🅸 piazza Catuma 𝒞 0883 290293

🏨 **Cristal Palace Hotel** 🛗 **AC** ♿ 📶 ♿ 🚙 **VISA** **◑⊙** **🅐** **❿** ⬤ 🔔
🐾 via Firenze 35 – 𝒞 08 83 55 64 44 – www.cristalpalace.it – info@cristalpalace.it
– Fax 08 83 55 67 99
40 cam 🍽 – ⬩68/90 € ⬩⬩88/120 € – ½ P 62/85 €
Rist La Fenice – 𝒞 08 83 55 02 60 – Carta 18/34 €
♦ In centro, confortevole struttura di moderna concezione con interni eleganti in stile contemporaneo, abbelliti da realizzazioni artistiche; distinte camere con parquet. Vini esposti lungo le pareti, luci soffuse e ambiente raffinato in sala da pranzo.

🏨 **L'Ottagono** 🚗 🏠 ♨ ✕ 📶 🆔 AC 🍴 rist. 🛎 🧖 🅿 🚗
VISA ⚌ AE ① 💲

via Barletta 218 – 𝒞 08 83 55 78 88
– www.hotellottagono.it – info@hotellottagono.it – Fax 08 83 55 60 98
25 cam 😋 – †68 € ††93 € – ½ P 65 €
Rist – *(chiuso a mezzogiorno)* Menu 25/40 €
♦ Alle porte della cittadina, ma non lontano dal centro, albergo d'ispirazione moderna con un grazioso giardino, spaziose zone comuni e camere lineari; campi di calcetto. Arioso ristorante nelle tonalità del beige e del nocciola.

🏨 **Tenuta Cocevola** 🐾 ◁ 🚗 🆔 🎿 AC 🍴 🧖 🅿 VISA ⚌ ① 💲

strada statale 170 Castel del Monte-Andria km 9,9, contrada Cocevola
– 𝒞 08 83 56 69 45 – www.tenutacocevola.com – info@tenutacocevola.com
– Fax 08 83 56 97 06
24 cam 😋 – †60/160 € ††80/200 € – ½ P 70/150 €
Rist – *(chiuso domenica sera e lunedì)* Carta 28/46 €
♦ Abbracciata da profumati uliveti e dalla rigogliosa macchia mediterranea, un'antica tenuta costruita in pietra e tufo accoglie camere calde arredate con legni pregiati. Semplice, caratterizzato da soffitti a botte, il ristorante propone piatti di terra e di mare e dispone anche di sale dove allestire banchetti.

✕ **Arco Marchese** AC 🍴 VISA ⚌ AE ① 💲

🙂 *via Arco Marchese 1 – 𝒞 08 83 55 78 26 – Fax 08 83 55 79 40 – chiuso dal 1° al 23 agosto*
Rist – Carta 22/38 €
♦ A due passi da piazza del Duomo, una caratteristica trattoria dall'atmosfera rustica e raccolta, dalle pareti interamente rivestite in pietra; proposte culinarie tradizionali.

Prima colazione compresa?
Cercate la tazza 😋, dopo il numero di camere.

a **Montegrosso** Sud-Ovest : 15 km – **alt. 224 m** – ✉ 70031

🏠 **Agriturismo Biomasseria Lama di Luna** 🐾 ◁ 🚗 🏠
Sud : 3,5 km – 𝒞 08 83 56 95 05 🍴 rist. 🅿 VISA ⚌ AE ① 💲
– www.lamadiluna.com – info@lamadiluna.com – Fax 08 83 56 95 05
– 20 marzo-20 dicembre
11 cam 😋 – †110/120 € ††140/150 € – ½ P 95/100 €
Rist – *(chiuso a mezzogiorno) (solo per alloggiati)* Menu 25 €
♦ Masseria ottocentesca ristrutturata secondo i dettami della bioarchitettura e del Feng Shui: affascinante mix di tradizione pugliese e filosofia giapponese di vita naturale.

✕ **Antichi Sapori** AC VISA ⚌ 💲
🍽 *piazza San Isidoro 10 – 𝒞 08 83 56 95 29 – www.antichisapori.biz – zitopietro@*
🙂 *tiscalinet.it – Fax 08 83 56 95 29 – chiuso dal 23 dicembre al 3 gennaio, dal 10 al 20 agosto, sabato sera e domenica*
Rist – *(coperti limitati, prenotare)* Carta 21/32 €
♦ Trattoria con decorazioni di vita contadina e tappa irrinunciabile per chi desidera conoscere i sapori tradizionali pugliesi, a base di prodotti ormai quasi introvabili. Da visitare l'orto biologico ubicato a poche decine di metri.

ANGERA – **Varese (VA)** – 561E7 – **5 615 ab.** – **alt. 205 m** – ✉ 21021   16 A2
🏳 Italia

▶ Roma 640 – Stresa 34 – Milano 63 – Novara 47
🗺 piazza Garibaldi 1 𝒞 0331 960207
◎ Affreschi dei maestri lombardi★★ e Museo della Bambola★ nella Rocca

🏨 **Dei Tigli** senza rist 🐾 🆔 🍴 VISA ⚌ AE ① 💲
via Paletta 20 – 𝒞 03 31 93 08 36 – www.hoteldeitigli.com – info@
hoteldeitigli.com – Fax 03 31 96 03 33 – chiuso dal 18 dicembre al 6 gennaio
31 cam 😋 – †85/95 € ††110/130 €
♦ In centro, a due passi dal pittoresco e panoramico lungolago, atmosfera familiare in un hotel con interni accoglienti: arredamento curato negli spazi comuni e nelle camere.

🏠 **Lido Angera** ← 🚗 🅰️🅲 rist, ⚒️ 📶 🄿 🆅🅸🆂🅰️ ⓿ 🅰️🅴 ⓪ ♿

viale Libertà 11, Nord : 1 km – ℰ 93 02 32 – www.hotellido.it – lido@hotellido.it
– Fax 03 31 93 20 44 – chiuso dal 1° al 7 gennaio
16 cam ⊴ – 🛏️74/80 € 🛏️🛏️98/115 € – ½ P 75/80 €
Rist – *(chiuso lunedì a mezzogiorno)* Carta 37/54 €
♦ In posizione incantevole, leggermente rialzata, proprio a ridosso del lago, una calda risorsa a gestione familiare. Camere ampie con arredi semplici ma complete di tutto. Ristorante con ampie e panoramiche vetrate, per apprezzare specialità di lago.

ANGHIARI – Arezzo (AR) – 563L18 – **5 849 ab.** – alt. 429 m – ✉️ 52031   29 **D2**

🟫 Toscana

▶ Roma 242 – Perugia 68 – Arezzo 28 – Firenze 105
◪ Cimitero di Monterchi cappella con Madonna del Parto★ di Piero dellaFrancesca Sud-Est : 11 km

🏠 **La Meridiana** 🏡 🛗 📞 🆅🅸🆂🅰️ ⓿ 🅰️🅴 ⓪ ♿

piazza 4 Novembre 8 – ℰ 05 75 78 81 02 – www.hotellameridiana.it – info@
🆂🅴 *hotellameridiana.it – Fax 05 75 78 79 87*
24 cam – 🛏️40 € 🛏️🛏️60 €, ⊴ 5 € – ½ P 47 €
Rist – *(chiuso sabato)* Menu 18/23 €
♦ Esperta gestione familiare in un alberghetto semplice e conveniente vicino alla parte medievale di Anghiari; camere essenziali e spaziose con mobili in laminato bianco, alcune più recenti in stile contemporaneo. Sala ristorante in linea con la tradizionale schiettezza della cucina.

🍴 **Da Alighiero** 🅰️🅲 ⚒️ 🆅🅸🆂🅰️ ⓿ ♿

via Garibaldi 8 – ℰ 05 75 78 80 40 – www.daalighiero.it – rist-daalighiero@
libero.it – Fax 05 75 78 86 98 – chiuso dal 15 febbraio al 10 marzo e martedì
Rist – Carta 26/45 €
♦ Piatti semplici e abbondanti dalle chiare radici toscane in questo locale dalla giovane gestione, in prossimità delle antiche porte di ingresso della città. Da assaggiare i cantucci.

ANGUILLARA SABAZIA – Roma (RM) – 563P18 – **15 848 ab.**   12 **B2**
– alt. 175 m – ✉️ 00061

▶ Roma 39 – Viterbo 50 – Civitavecchia 59 – Terni 90

🏨 **Country Relais I Due Laghi** 🌿 ← 🚗 🏡 🌲 🚠 ♿ cam, 🅰️🅲 ⚒️ 📶

località Le Cerque, Nord-Est : 3 km 🅰️ 🄿 🆅🅸🆂🅰️ ⓿ 🅰️🅴 ♿
– ℰ 06 99 60 70 59 – www.iduelaghi.it – info@iduelaghi.it – Fax 06 99 60 70 68
31 cam ⊴ – 🛏️120 € 🛏️🛏️170 € – ½ P 115 €
Rist La Posta de' Cavalieri – *(Chiuso dal 10 gennaio al 15 febbraio)*
Carta 32/54 €
♦ Nella dolcezza e nella tranquillità dei colli, per arrivare all'albergo si attraversa uno dei maggiori centri equestri d'Italia presso il quale è anche possibile praticare una "finta" caccia alla volpe. Nell'elegante sala da pranzo, una cucina creativa con pesci di lago, carni e formaggi di propria produzione.

🍴 **Da Zaira** ← 🏡 ⚒️ 🄿 🆅🅸🆂🅰️ ⓿ 🅰️🅴 ⓪ ♿

viale Reginaldo Belloni 2 – ℰ 069 96 80 82 – www.ristorantezaira.com – info@
ristorantezaira.com – Fax 06 99 60 90 35 – chiuso dal 20 dicembre al 20 gennaio
e martedì
Rist – Carta 27/53 €
♦ Sempre molto frequentato, a pochi metri dal centro storico, questo locale è stato il promotore delle specialità a base di pesce di lago, cui si affianca quache piatto di carne e di mare.

ANNUNZIATA – Cuneo – Vedere La Morra

ANTAGNOD – Aosta – 561E5 – Vedere Ayas

ANTERSELVA = ANTHOLZ – Bolzano – 562B18 – Vedere Rasun Anterselva

ANTEY SAINT ANDRÈ – Aosta (AO) – 561E4 – 603 ab. – alt. 1 080 m   34 **B2**
– ✉ 11020

▶ Roma 729 – Aosta 35 – Breuil-Cervinia 20 – Milano 167
ℹ piazza Rolando 1 ✆ 0166 548266, antey@montecervino.it, Fax 0166 548388

Maison Tissiere ⌂ ≤ 🚗 🖼 🕙 📶 📺 rist, 🕾 **P.** 🚗 **VISA** ⑩ **AE** 🕉
Frazione Petit Antey 9 – ✆ 01 66 54 91 40 – *www.hoteltissiere.it* – *info@hoteltissiere.it* – *Fax 01 66 54 98 61*
– Chiuso dal 4 al 28 maggio e dal 4 al 26 novembre
14 cam ⌕ – ♦86/103 € ♦♦130/158 € – ½ P 87/99 €   **Rist** – Carta 30/57 €
♦ Nella parte alta del paese, un *rascard* (fienile) con stalla dei '700, sobriamente ristrutturato: pavimenti in pietra e larice nonché arredi dalle forme semplici e discrete per non contrastare con l'architettura contadina dell'edificio. Al ristorante, piatti piemontesi e valdostani gustosamente "allegeriti".

Des Roses ≤ 🚗 📶 📺 rist, **P.** **VISA** ⑩ **AE** 🕉
località Poutaz – ✆ 01 66 54 85 27 – *www.hoteldesroses.com*
– info@hoteldesroses.com – *Fax 01 66 54 82 48*
– 6 dicembre-4 maggio e 21 giugno-16 settembre
21 cam – ♦36/43 € ♦♦54/70 €, ⌕ 7 € – ½ P 41/60 €
Rist – *(chiuso a mezzogiorno dal 6 dicembre al 4 maggio) (solo per alloggiati)*
Menu 23/26 €
♦ Oltre il paese, lungo la strada per Cervinia, semplice gestione familiare per una struttura che dispone di camere confortevoli e bagni recentemente rinnovati. Ristorante decorato con bottiglie esposte su mensole, sedie in stile valdostano.

ANTIGNANO D'ASTI – Asti (AT) – 561H6 – 988 ab. – alt. 260 m   25 **C1**
– ✉ 14010

▶ Roma 603 – Torino 54 – Alessandria 49 – Asti 11

a Gonella Sud-Ovest : 2 km – ✉ 14010 – Antignano d'Asti

Locanda del Vallone senza rist ⌂ ≤ 🚗 🗶 **P.**
strada del Vallone 9 – ✆ 01 41 20 55 72 – *www.locandadelvallone.com* – *info@locandadelvallone.com* – *Fax 01 41 20 55 72* – *25 aprile-5 novembre*
3 cam ⌕ – ♦55/65 € ♦♦75/85 €
♦ Tra colline e vigneti, una cascina settecentesca sapientemente ristrutturata, annovera poche camere, due salette con biblioteca, una piscina, ma vanta una fiabesca atmosfera.

ANZIO – Roma (RM) – 563R19 – 39 508 ab. – ✉ 00042 ▮ Italia   12 **B3**

▶ Roma 52 – Frosinone 81 – Latina 25 – Ostia Antica 49
⛴ per Ponza – Caremar, call center 892 123
ℹ piazza Pia 19 ✆ 06 9845147, iat.anzio@tin.it, Fax 06 9848135
▦ Nettuno, ✆ 06 981 94 19

Lo Sbarco di Anzio ≤ 🍴 📶 **VISA** ⑩ **AE** ① 🕉
via Molo Innocenziano 1 – ✆ 069 84 76 75 – *losbarcodianzio@hotmail.it*
– Fax 069 84 76 75 – chiuso dall'8 al 24 dicembre e martedi (escluso luglio-agosto)
Rist – Carta 38/73 € 🍴
♦ Incantevole posizione sulla baia di Anzio, siete quasi sull'acqua. Dalla cucina, i classici di pesce ma anche proposte più fantasiose, a cominciare dalla serie di antipasti.

Alceste al Buon Gusto ≤ 🍴 🗚 📶 **VISA** ⑩ **AE** ① 🕉
piazzale Sant'Antonio 6 – ✆ 069 84 67 44 – *www.alcestealbuongusto.it*
– Fax 069 84 67 44
Rist – Carta 40/56 € (+12 %)
♦ Un ristorante sul mare, la sensazione è quella di essere su una palafitta. Anche l'interno è un omaggio alla posizione: instancabilmente e con passione, la cuoca si destreggia tra piatti di pesce.

ANZOLA DELL'EMILIA – Bologna (BO) – 562I15 – 10 669 ab.   9 **C3**
– alt. 40 m – ✉ 40011

▶ Roma 381 – Bologna 13 – Ferrara 57 – Modena 26

🏨 **Alan** senza rist 🍴 ☲ ⚏ 🅰🅲 (🍸) ⚒ 🅿 _VISA_ ◑◐ 🄰🄴 ◑ ⚓
via Emilia 46/b – 𝒞 051 73 35 62 – www.alanhotel.it – info@alanhotel.it
– Fax 051 73 53 76 – chiuso Natale e Pasqua
61 cam – 🛏50/120 € 🛏🛏70/140 €, ⚏ 10 €
♦ In comoda posizione sulla via per Bologna, albergo con un'ottima gestione che vi farà
sentire davvero a vostro agio; camere ampie e ben insonorizzate, nuove sale riunioni.

🏠 **Garden** senza rist 🍴 ⅚ 🅰🅲 (🍸) ⚒ 🅿 _VISA_ ◑◐ 🄰🄴 ◑ ⚓
via Emilia 29 ✉ 40056 Crespellano – 𝒞 051 73 52 00
– www.hotelgarden-bo.com – info@hotelgarden-bo.com – Fax 051 73 56 73
– chiuso dal 22 dicembre al 7 gennaio e dal 27 luglio al 26 agosto
57 cam ⚏ – 🛏58/170 € 🛏🛏85/260 €
♦ Sulla via Emilia, praticamente ad Anzola ma ancora nel comune di Crespellano, struttura moderna e funzionale dagli interni in stile contemporaneo; gradevoli camere.

✗✗ **Il Ristorantino-da Dino** 🅰🅲 ⅝ ⟷ _VISA_ ◑◐ 🄰🄴 ◑ ⚓
via 25 Aprile 11 – 𝒞 051 73 23 64 – info@ristorantinodadino.it – Fax 051 73 23 64
Rist – Carta 25/38 €
♦ Ristorantino in zona residenziale che vale la pena di provare per le interessanti preparazioni di cucina tradizionale: materie prime di qualità e prezzi convenienti.

AOSTA (AOSTE) 🅿 (AO) – 561E3 – 34 227 ab. – alt. 583 m – Sport   34 **A2**
invernali : funivia per Pila (A/R): a Pila 1 450/2750 m ⚐2 ⚑9 – ✉ 11100▮ Italia
▶ Roma 746 – Chambéry 197 – Genève 139 – Martigny 72
🛈 piazza Chanoux 2 𝒞 0165 236627,uit-aosta@regione.vd.it, Fax 0165 34657
⛳ Aosta Arsanieres, 𝒞 0165 560 20
⛳ Pila, 𝒞 0165 23 69 63
◎ Collegiata di Sant'Orso Y : capitelli★★ del chiostro★ – Finestre★ del
　　Priorato di Sant'Orso Y – Monumenti romani★ : Porta Pretoria Y **A**, Arco di
　　Augusto Y **B**, Teatro Y **D**, Anfiteatro Y **E**, Ponte Y **G**
◪ Valle d'Aosta★★ : Panorami★★★

Pianta pagina 126

🏨 **ClassHotel Aosta** 🍴 ⅚ ☲ 🅰🅲 rist, ⚿ ⅝ ⚒ 🅿 🚗
corso Ivrea 146 – 𝒞 016 54 18 45   _VISA_ ◑◐ 🄰🄴 ◑ ⚓
– www.classhotel.com – info.aosta@classhotel.com – Fax 01 65 23 66 60
105 cam ⚏ – 🛏47/116 € 🛏🛏63/180 €   X**b**
Rist – (Chiuso domenica e novembre) Carta 24/33 €
♦ La struttura si presenta con un'ampia hall, arredo moderno, pareti e pavimenti rivestiti in marmo. Camere confortevoli, soprattutto quelle degli ultimi due piani recentemente rinnovate. Al ristorante, sapori valdostani e piatti classici della tradizione italiana.

🏨 **Europe** 🍴 🅰🅲 ⚿ ⅝ rist, ⚒ _VISA_ ◑◐ 🄰🄴 ◑ ⚓
piazza Narbonne 8 – 𝒞 01 65 23 63 63 – www.ethotels.com – hoteleurope@
ethotels.com – Fax 016 54 05 66   Y**c**
63 cam ⚏ – 🛏60/98 € 🛏🛏84/160 € – ½ P 59/97 €
Rist – (chiuso domenica) Carta 28/42 €
♦ In pieno centro storico, confortevole albergo con un accogliente soggiorno in stile: pianoforte, bianche colonne, _parquet_ e arredi di sobria eleganza; camere ben tenute. Due raffinate sale ristorante, una delle quale più riservata con soppalco. Possibilità di _buffet_ a pranzo.

🏨 **Milleluci** senza rist ⚘ ⟵ 🚙 ⚒ �️ 🛗 🍴 ⅚ ⅝ (🍸) ⚒ 🅿 🚗
località Porossan Roppoz 15 – 𝒞 01 65 23 52 78   _VISA_ ◑◐ 🄰🄴 ◑ ⚓
– www.hotelmilleluci.com – info@hotelmilleluci.com – Fax 01 65 23 52 84
31 cam ⚏ – 🛏120/130 € 🛏🛏140/190 €   X**a**
♦ Albergo in posizione tranquilla e panoramica con vista sulla città; particolari gli interni con arredi, rifiniture e oggetti originali, tipici della tradizione locale.

🏠 **Roma** senza rist 🍴 ⅚ 🚗 _VISA_ ◑◐ 🄰🄴 ◑ ⚓
via Torino 7 – 𝒞 016 54 10 00 – www.hotelroma-aosta.it – hroma@libero.it
– Fax 016 53 24 04 – chiuso novembre   Y**n**
38 cam – 🛏42/56 € 🛏🛏70/78 €, ⚏ 6 €
♦ Atmosfera familiare nonché interni arredati in modo tradizionale per questo hotel adiacente il centro storico e vicino alla telecabina per la conca di Pila: originale l'ubicazione della _reception_ al centro della _hall_.

AOSTA

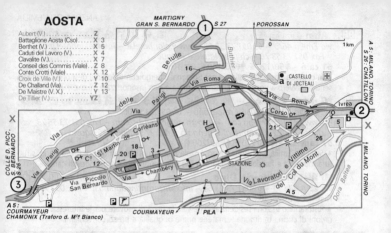

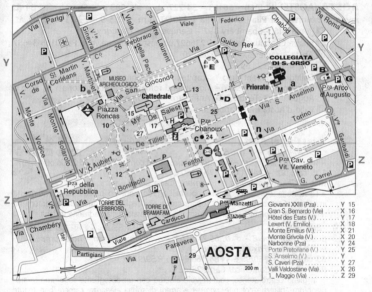

✗✗ Vecchio Ristoro (Alfio Fascendini)   ⟳ VISA ⓶ AE ① ⑤

✿ *via Tourneuve 4 – ℰ 016 53 32 38 – www.ristorantevecchioristoro.it*
– vecchioristoro@hotmail.com – Fax 016 53 32 38
– chiuso 3 settimane in giugno, dal 1° al 7 novembre, domenica e lunedì a
mezzogiorno   Y**b**
Rist – (consigliata la prenotazione) Menu 55/65 € – Carta 44/60 € ⌘
Spec. Galantina di carni bianche con gelatina di birra e salsa tonnata. Tagliolini di castagne con cipollotto fresco e bottarga di muggine. Pesca ripiena all'amaretto e caramellata con salsa di lamponi.
♦ Nel centro cittadino, una coppia di coniugi vi accoglie in ambienti rustico-eleganti per servirvi una cucina fantasiosa, in prevalenza di carne, con qualche spunto valtellinese.

✗ **Osteria Nando** 🛋 🖐 [VISA] 🐵 [AE] ① ⑤

via Sant'Anselmo 99 – 𝒞 016 54 44 55 – *scarpapaul@yahoo.it*
– Fax 01 65 23 48 89 – *chiuso il martedì escluso dal 15 luglio al 15 settembre*
Rist – (consigliata la prenotazione) Carta 24/48 € Y**a**
♦ Splendida collocazione nel cuore della città tra l'arco di Augusto e le Porte Pretoriane
per questa semplice risorsa, a conduzione familiare, caratterizzata da *parquet* e soffitto
ad archi. Cucina squisitamente valdostana: niente pesce ma salumi, selvaggina, polenta
e funghi.

in prossimità casello autostrada A 5 Direzione Torino Est: 4,5 km
– ⊠ 11020 – Pollein

🏨 **Express by Holiday Inn Aosta** senza rist 🛗 � 🖐 [AC] ⊬ ⓦ ♨ [P]

località Autoporto 33 – 𝒞 016 54 57 23 [VISA] 🐵 [AE] ① ⑤
– *www.ethotels.com – hotelexpress@ethotels.com* – Fax 01 65 26 17 97
– *chiuso dal 15 ottobre al 15 dicembre*
72 cam ⊊ – 🛏51/72 € 🛏🛏78/120 €
♦ In prossimità del casello di Aosta est, struttura moderna inserita in un contesto commerciale fra supermercati ed esercizi vari. La maggior nota di pregio è rappresentata
dalla metratura delle camere: anche le più piccole sono comunque spaziose.

a Sarre Ovest : 7 km – **alt. 780 m** – ⊠ 11010

🏨 **Etoile du Nord** ⇐ ≾ 🗓 🀄 🛗 ⒧ [AC] 🖐 rist, ⓦ ♨ [P] ⊶

frazione Arensod 11/a – 𝒞 01 65 25 82 19 [VISA] 🐵 [AE] ① ⑤
– *www.etoiledunord.it – info@etoiledunord.it* – Fax 01 65 25 82 25
59 cam ⊊ – 🛏85 € 🛏🛏125 € – ½ P 75 €
Rist – (chiuso novembre, domenica sera e lunedì) (chiuso a mezzogiorno)
Menu 24 €
♦ Originale architettura per questa risorsa posta ai margini della strada per *Courmayeur*.
Le camere, caratterizzate da arredi moderni e funzionali, si sviluppano a stella. Ampia
sala ristorante articolata lungo una parete vetrata. Cucina prevalenetemente regionale.

🏨 **Panoramique** ⑤ ⇐ 🚗 🛗 ⒧ 🖐 rist, [P] ⊶ [VISA] 🐵 [AE] ⑤
🍴

località Pont d'Avisod 90, Nord-Est : 2 km – 𝒞 01 65 55 12 46
– *www.htlpanoramique.com – info@htlpanoramique.com* – Fax 01 65 21 24 57
– *chiuso novembre*
31 cam – 🛏50/63 € 🛏🛏70/85 €, ⊊ 8 € – ½ P 55/65 €
Rist – (chiuso a mezzogiorno) (consigliata la prenotazione) Menu 20 €
♦ In posizione dominante e, come recita il nome, panoramica, con vista sui monti e la
vallata, un'accogliente casa dal sapore quasi privato, calda e confortevole come uno
chalet. Camere con arredi in legno massiccio; optare per quelle con vista. Profusione di
legno nella sala da pranzo ed accattivanti menu valdostani.

🏠 **Agriturismo L'Arc en Ciel** ⑤ ⇐ 🚗 ⊬ 🖐 cam, [P]
🍴

frazione Vert 5 ⊠ 11010 Sarre – 𝒞 01 65 25 78 43 – *www.agriturismelarcenciel.it*
– *agrlarcenciel@yahoo.it* – Fax 01 65 25 78 43
5 cam ⊊ – 🛏43/48 € 🛏🛏66/72 € – ½ P 48/51 €
Rist – (chiuso a mezzogiorno) Menu 20/24 €
♦ Un agriturismo genuino, in cui la gestione è da sempre impegnata tra coltivazioni ed
animali. All'interno della casa padronale, cinque camere graziose e confortevoli. Al ristorante viene servita tutta la freschezza dei prodotti dell'azienda: dalla carne alla frutta.

a Pollein per ② : 5 km – **alt. 608 m** – ⊠ 11020

🏨 **Diana** ⇐ 🚗 🛗 ⒧ cam, 🖐 [P] [VISA] 🐵 [AE] ① ⑤

via Saint Benin 1/b – 𝒞 016 55 31 20 – *www.hoteldianaaosta.com – info@*
hoteldianaaosta.com – Fax 016 55 33 21
30 cam ⊊ – 🛏47/65 € 🛏🛏75/100 € – ½ P 49/62 €
Rist *San Giorgio* – 𝒞 01 65 25 36 10 (chiuso lunedì) Carta 29/49 €
♦ Comoda soluzione per rimanere vicino ad Aosta, ma in un contesto bucolico alle pendici dei monti; funzionali interni in stile moderno, camere con arredi in legno di ciliegio.
Sala con pavimento a scacchiera, divisa centralmente da colonne. Cucina eclettica.

APPIANO GENTILE – Como (CO) – 561E8 – **7 090 ab.** – **alt. 368 m**   18 **A1**
– ✉ 22070

▶ Roma 617 – Como 20 – Milano 43 – Saronno 18
🏌 La Pinetina, 𝒞 031 93 32 02

✗✗ **Tarantola**   🏠 & ⇧ **P** 𝓥𝓘𝓢𝓐 ⓜⓞ 🄰🄴 ⓘ 🦪
via della Resistenza 29 – 𝒞 031 93 09 90 – www.ristorantetarantola.it
– info@ristorantetarantola.it – Fax 031 89 11 01
– chiuso dall'11 al 19 agosto, lunedì sera e martedì
Rist – Carta 47/64 € 🕮
♦ In collina, vicino a un ampio bosco, grande struttura familiare: diverse sale eleganti e,
per l'estate, un invitante pergolato; cucina fantasiosa, notevole cantina.

APPIANO SULLA STRADA DEL VINO   30 **B2**
(EPPAN AN DER WEINSTRASSE) – Bolzano (BZ) – 562C15 – **12 308 ab.**
– **alt. 418 m** – ✉ 39057

▶ Roma 641 – Bolzano 10 – Merano 32 – Milano 295

a San Michele (St. Michael) – ✉ 39057 – **SAN MICHELE APPIANO EPPAN**

🛈 piazza Municipio 1 𝒞 0471 662206, info@eppan.net, Fax 0471 663546

🏨 **Ansitz Tschindlhof** 🕭   ⬅ 🛋 🏠 🔅 **P** 𝓥𝓘𝓢𝓐 ⓜⓞ 🄰🄴 🦪
🍝 via Monte 36 – 𝒞 04 71 66 22 25 – www.tschindlhof.com – info@tschindlhof.com
– Fax 04 71 66 36 49 – 3 aprile-8 novembre
19 cam ⫥ – ∥72/88 € ∥∥106/158 € – 2 suites – ½ P 71/92 €
Rist – (chiuso a mezzogiorno) (solo per alloggiati) Menu 13 €
♦ Incantevole dimora antica piacevolmente situata in un giardino-frutteto con piscina:
amabili e raffinati interni con mobili in legno lavorato, camere accoglienti. Ampie vetrate
sul giardino nella sala ristorante e piatti regionali nel menu.

🏨 **Ansitz Angerburg**   🛋 🏠 🔅 🌀 🖻 🄰🄲 rist, 🍽 rist, **P** 𝓥𝓘𝓢𝓐 ⓜⓞ 🦪
via dell'Olmo 16 – 𝒞 04 71 66 21 07 – www.hotel-angerburg.com – info@
hotel-angerburg.com – Fax 04 71 66 09 93 – aprile-8 novembre
32 cam ⫥ – ∥48/72 € ∥∥90/140 € – ½ P 55/81 €   **Rist** – Carta 22/39 €
♦ A due passi dal centro, bella risorsa circondata da 5000 mq di prato ed un'accattivante struttura acquatica in grado di allietare adulti e bambini. Interni curati e personalizzati: camere decisamente spaziose e arredate con buon gusto. Ristorante illuminato
da ampie finestre; cucina italiana e specialità sudtirolesi.

🏠 **Schloss Aichberg** senza rist 🕭   🛋 🔅 🌀 **P** 𝓥𝓘𝓢𝓐 ⓜⓞ 🄰🄴 🦪
via Monte 31 – 𝒞 04 71 66 22 47 – www.aichberg.com – info@aichberg.com
– Fax 04 71 66 09 08 – marzo-15 novembre
10 cam ⫥ – ∥60 € ∥∥130 € – 3 suites
♦ Sarete affascinati dalla tipicità di questa residenza risalente al 17 sec., impreziosita da
finestre a tutto sesto, un pavimento a terrazzo ed altre particolarità dello stile d'Oltradige.

✗✗ **Zur Rose** (Herbert Hintner)   ⇧ 𝓥𝓘𝓢𝓐 ⓜⓞ 🄰🄴 ⓘ 🦪
🏵 via Josef Innerhofer 2 – 𝒞 04 71 66 22 49 – www.zur-rose.com
– info@zur-rose.com – Fax 04 71 66 24 85
– chiuso dal 24-26 dicembre, domenica, lunedì a mezzogiorno
Rist – Carta 56/80 € 🕮
Spec. Risotto di pipollotti con speck e Schuettelbrot (schiacciata di pane).
Petto di vitello al latte con porcini (estate). Dialogo di caffè e cioccolato.
♦ Moderna reinterpretazione dei più classici ambienti tirolesi dove anche la cucina ne
segue la falsariga: piatti caratterizzati da un ottimo equilibrio fra la creatività e la concretezza di una terra ricca di prodotti sostanziosi.

a Pigeno (Pigen)Nord-Ovest : 1,5 km – ✉ 39057 – San Michele Appiano

🏨 **Stroblhof** 🕭   🛋 🏠 🔅 🔲 🌀 🌀 ✖ 🖻 🍽 rist, **P** 𝓥𝓘𝓢𝓐 ⓜⓞ 🦪
strada Pigeno 25 – 𝒞 04 71 66 22 50 – www.stroblhof.it – hotel@stroblhof.it
– Fax 04 71 66 36 44 – marzo-novembre
30 cam ⫥ – ∥94/110 € ∥∥153/181 € – ½ P 88/114 €
Rist – (chiuso lunedì) Carta 33/54 €
♦ Abbracciata dal verde dei vigneti, una grande struttura impreziosita da un bel giar-
dino con laghetto-piscina, adatta a una vacanza con la famiglia; camere ampie e recenti.
Luce soffusa nella sala ristorante con soffitto in travi di legno; splendidi dehors.

Schloss Englar senza rist ◈   ⟵ 🚗 ⫨ 🄿 ⅦⅠⅤ 🅰🄾 ⑤

via Pigeno 42 – ℰ *04 71 66 26 28* – *www.schloss-englar.it* – *info@schloss-englar.it*
– *Fax 04 71 66 04 04* – *Pasqua-novembre*
11 cam ⌂ – †62/65 € ††116/126 €

♦ Tranquillità della natura ristoratrice e fascino ammaliatore di un'amenità totale in un castello medioevale dove ritrovare intatta l'atmosfera di una residenza nobiliare.

a Cornaiano (Girlan)Nord-Est : 2 km – ⊠ **39057**

Weinegg ◈   ⟵ 🚗 🛋 ⫨ 🔲 ⑳ 🔥 ⟲ 🍴 🛎 ⬡ ⛷ 🄰🄲 ↯ ℓ 🄿
via Lamm 22 – ℰ *04 71 66 25 11* – *www.weinegg.com*   🚙 ⅦⅠⅤ 🅰🄾 ⑤
– *info@weinegg.com* – *Fax 04 71 66 31 51*
25 cam ⌂ – †90 € ††180 € – 17 suites – ½ P 125/135 €
Rist *L'Arena* – Carta 44/67 € 𝄢

♦ Immerso nel verde di una natura incontaminata, imponente edificio moderno con incantevole vista su monti e frutteti; ambienti in elegante stile tirolese dotati di ogni *confort*. Sale da pranzo, alcune di raffinata eleganza, impreziosite da soffitti in legno. Menu ben articolato con piatti legati al territorio.

Girlanerhof ◈   ⟵ 🚗 🛋 ⫨ 🔲 ⑳ ⛷ 🄲 ℓ 🄿 ⅦⅠⅤ 🅰🄾 🄰🄴 ⑤
via Belvedere 7 – ℰ *04 71 66 24 42* – *www.girlanerhof.it* – *info@girlanerhof.it*
– *Fax 04 71 66 12 59* – *Pasqua-novembre*
30 cam ⌂ – †79/101 € ††128/196 € – 8 suites – ½ P 76/99 €
Rist – Carta 28/58 €

♦ Tra i vigneti, in un'oasi di pace, sobria ricercatezza e accoglienza tipica tirolese in un hotel a gestione diretta con elegante sala soggiorno in stile. Camere non molto spaziose, ma piacevoli. Ristorante arredato con gusto e illuminato da grandi finestre ornate di graziose tende.

Marklhof-Bellavista   ⟵ 🔲 🄰🄲 ⬡ 🄿 ⅦⅠⅤ 🅰🄾 🄰🄴 ⑤
via Marklhof 14 – ℰ *04 71 66 24 07* – *www.eppan.com/marklhof* – *marklhof@
brennercom.net* – *Fax 04 71 66 15 22* – *chiuso domenica sera e lunedì*
Rist – Carta 28/45 €

♦ Semplice e ben fatta la cucina, qualche ricercatezza nelle proposte di mare; l'insegna invece ammicca al piacere di fermarsi all'antico maso: delizia per gli occhi in un paesaggio di alberi da frutto.

a Monte (Berg)Nord-Ovest : 2 km – ⊠ **39057 – San Michele Appiano**

Steinegger ◈   ⟵ 🚗 🛋 ⫨ 🔲 ⑳ 🍴 🛎 ⛷ ℓ 🄿 ⅦⅠⅤ 🅰🄾 ⑤
via Masaccio 9 – ℰ *04 71 66 22 48* – *www.steinegger.it* – *info@steinegger.it*
– *Fax 04 71 66 05 17* – *aprile-novembre*
36 cam ⌂ – †40/70 € ††80/140 € – ½ P 50/90 €
Rist – *(chiuso mercoledì)* Carta 16/47 €

♦ Possente complesso in aperta campagna, con bella vista sulla vallata: struttura particolarmente indicata per le famiglie, complici la tranquillità e le buone attrezzature sportive. Camere accoglienti, spaziose e ben rifinite in stile locale. Sala da pranzo tirolese, impreziosita da un forno originale.

Bad Turmbach con cam   🚗 🛋 ⫨ 🄿 🚙 ⅦⅠⅤ 🅰🄾 🄰🄴 ⑤
via Rio della Torre 4 – ℰ *04 71 66 23 39* – *www.turmbach.com*
– *gasthof@turmbach.com* – *Fax 04 71 66 47 54* – *20 marzo-22 dicembre*
15 cam ⌂ – †48/65 € ††92/130 €
Rist – *(chiuso martedì, mercoledì a mezzogiorno)* Carta 35/62 €

♦ Il servizio estivo in giardino è davvero godibile, ma anche la cucina è in grado di offrire piacevoli emozioni attraverso proposte del territorio rielaborate con fantasia.

a Missiano (Missian)Nord : 4 km – ⊠ **39057 – San Paolo Appiano**

Schloss Korb ◈   ⟵ 🚗 🛋 ⫨ 🔲 ⑳ 🔥 🍴 🛎 🎵 ⛷ 🄿 ⅦⅠⅤ ⑤
via Alto Appiano 5 – ℰ *04 71 63 60 00* – *www.schloss-hotel-korb.com*
– *info@schloss-hotel-korb.com* – *Fax 04 71 63 60 33* – *aprile-novembre*
42 cam ⌂ – †75/140 € ††120/150 € – 10 suites – ½ P 80/125 €
Rist – Carta 41/62 €

♦ Incantevole veduta panoramica sulla vallata e quiete assoluta in un castello medioevale dai raffinati e tipici interni; molte camere nell'annessa struttura più recente. Lasciatevi avvolgere dalla calda, raffinata, atmosfera della sala ristorante e conquistare dalle prelibatezze della cucina locale.

ai laghi di Monticolo (Montiggler See) Sud-Est : 6 km – ✉ **39057 – San Michele Appiano**

🏨 **Gartenhotel Moser** 🦢 ← 🚗 🏛 ⌁ ▢ 🌐 🎿 🛋 ⛊ 🛋 ♨ ⤢
lago di Monticolo 104 – ✆ *04 71 66 20 95* 🏊 rist, 🕿 📶 **P** 🅿 **VISA** ⬤⬤ 🕉
– www.gartenhotelmoser.com – *info@gartenhotelmoser.com*
– Fax 04 71 66 10 75 – *aprile-novembre*
42 cam – 10 suites – solo ½ P 75/105 € **Rist** – Carta 31/62 €
♦ Immerso nella pace del suo giardino-frutteto è la meta ideale per una distensiva vacanza con tutta la famiglia. All'interno grande hall con bar e *boutique*. Camere confortevoli e piacevole zona *fitness*. Cucina improntata sulla tradizione locale nella spaziosa sala da pranzo dalle linee essenziali.

APPIGNANO – Macerata (MC) – 563L22 – **4 005 ab.** – ✉ **62010** 21 **C2**

🏠 **Country House dei Segreti** 🦢 ← 🚗 **P** **VISA** ⬤⬤ **AE** ① 🕉
via Verdefiore 41, Nord : 3 km – ✆ *07 33 57 97 86* – *www.osteriadeisegreti.it*
– info@osteriadeisegreti.it – *Fax 07 33 57 97 86*
12 cam 🖙 – ♦35/40 € ♦♦60 €
Rist *Osteria dei Segreti* – ✆ *073 35 76 85 (chiuso dal 15 gennaio al 15 febbraio e mercoledì)* Carta 24/32 €
♦ Un casolare sapientemente ristrutturato nel cuore della campagna marchigiana: camere dall'arredamento sobrio, ma confortevoli e tranquille. Un ottimo indirizzo per rilassarsi e godere della natura circostante. I sapori del territorio nel menu del ristorante.

APRICA – Sondrio (SO) – 561D12 – **1 613 ab.** – alt. **1 181 m** – **Sport** 17 **C1**
invernali : 1 181/2 600 m ⛄ 2 ⛷12, ⚟ – ✉ **23031**
▶ Roma 674 – Sondrio 30 – Bolzano 141 – Brescia 116
🖸 corso Roma 150 ✆ 0342 746113, infoaprica@provincia.so.it, Fax 0342 747732
🖻, ✆ 0342 74 80 09

🏨 **Derby** ← 🖕 🛋 🖕 cam, 🏊 🕿 **P** 🚗 **VISA** ⬤⬤ **AE** ① 🕉
via Adamello 16 – ✆ *03 42 74 60 67* – *www.albergoderby.it* – *info@albergoderby.it* – *Fax 03 42 74 77 60*
50 cam 🖙 – ♦88/120 € ♦♦90/130 € – 1 suite – ½ P 80/120 €
Rist – Carta 24/35 €
♦ Capace conduzione diretta in un complesso di moderna concezione, rinnovatosi in anni recenti. Spazi comuni e camere colorate: confort e stile d'ispirazione contemporanea. Massicce colonne color amaranto ravvivano la sala ristorante.

APRICALE – Imperia (IM) – 561K4 – **584 ab.** – alt. **273 m** – ✉ **18035** 14 **A3**
▶ Roma 668 – Imperia 63 – Genova 169 – Milano 292

🏠 **Locanda dei Carugi** 🦢 🚗 **VISA** ⬤⬤ **AE** 🕉
via Roma 12/14 – ✆ *01 84 20 90 10* – *www.locandadeicarugi.it* – *carugi@masterweb.it* – *Fax 01 84 20 99 42*
6 cam 🖙 – ♦88/108 € ♦♦110/135 €
Rist La Capanna-da Bacì – vedere selezione ristoranti
♦ Nel cuore del borgo, elegante locanda in un edificio del 1400 esternamente rivestito di pietra: calda atmosfera nei romantici ambienti, con mobili d'epoca restaurati.

🏠 **Apricus Locanda** senza rist ← 🎛 **P** **VISA** ⬤⬤ **AE**
via IV Novembre 5 – ✆ *01 84 20 90 20* – *www.apricuslocanda.com*
– apricuslocanda@libero.it – *chiuso una settimana in maggio e una settimana in novembre*
5 cam 🖙 – ♦♦90/130 €
♦ Si trova lungo la strada che avvolge il centro medievale questa risorsa gestita all'insegna della semplicità e del buon gusto. Camere con arredi d'epoca e vista sulla valle. D'estate colazione in terrazza.

XX **Apricale da Delio** 🛋 AK 🏊 VISA ⓝ AE ① ⑤

piazza Vittorio Veneto 9 – 🕿 *01 84 20 80 08 – www.ristoranteapricale.it – info@*
ristoranteapricale.it – Fax 01 84 20 99 21 – chiuso 15 giorni in novembre, lunedì e
martedì (escluso luglio-agosto)
Rist – Menu 25/35 €

♦ All'ingresso del paese, la cucina offre piatti di una certa raffinatezza legati alla gastronomia locale: una tradizione che e si è evoluta nel tempo di pari passo all'eleganza del
locale.

XX **La Capanna-da Bacì** – Locanda dei Carugi ← 🛋 VISA ⓝ AE ① ⑤

via Roma 16 – 🕿 *01 84 20 81 37 – www.ristorantebaci.it – capanna@*
masterweb.it – Fax 01 84 20 99 77 – chiuso lunedì sera e martedì, anche
mercoledì da ottobre ad aprile
Rist – Menu 25/30 €

♦ Tra i viottoli in pietra del centro della località, ristorante dall'atmosfera rustica; dalla
veranda la vista sulle montagne e dalla cucina i sapori dell'entroterra ligure.

XX **La Favorita** con cam ← 🛋 AK cam, 📞 P VISA ⓝ AE ① ⑤

località Richelmo – 🕿 *01 84 20 81 86 – www.lafavoritaapricale.com – info@*
lafavoritaapricale.com – Fax 01 84 20 82 47
6 cam ⌂ – 🛏50/55 € 🛏🛏75/80 € – ½ P 65/68 €
Rist – *(chiuso dal 1° al 10 luglio, dal 1° al 20 dicembre, martedì sera e mercoledì*
escluso agosto) Menu 23/36 €

♦ Situato ai piedi del villaggio, il ristorante è arredato in stile provenzale e propone la
tipica cucina ligure. Vetrate panoramiche affacciate sulla vallata e brace sempre accesa.
Rinnovate di recente, le camere sono accoglienti e piacevolmente decorate.

APRILIA – Latina (LT) – 563R19 – **60 838 ab.** – **alt. 80 m** – ✉ **04011** 12 **B2**

🚗 Roma 44 – Latina 26 – Napoli 190
🚇 Eucalyptus, 🕿 06 92 74 62 52

XXX **Il Focarile** con cam 🚗 🛋 AK 🏊 P VISA ⓝ AE ① ⑤

via Pontina al km 46,5 – 🕿 *069 28 25 49 – www.ilfocarile.it – info@ilfocarile.it*
– Fax 069 28 03 92 – chiuso Natale, due settimane in agosto, domenica sera e
lunedì
4 cam ⌂ – 🛏🛏250 € **Rist** – Carta 46/61 € 🍷

♦ L'ingresso sontuoso introduce degnamente in un'ampia, luminosa sala di tono elegante con tavoli spaziati; tocco toscano per una cucina ricca di tradizione e d'inventiva.
Dispone anche di nuove eleganti camere.

XX **Da Elena** AK ⇔ P VISA ⓝ AE ① ⑤

via Matteotti 14 – 🕿 *06 92 70 40 98 – ristorantedaelena@tiscali.it*
– Fax 06 92 70 40 98 – chiuso agosto e domenica
Rist – Carta 26/42 €

♦ Ambiente moderno semplice, ma accogliente, e conduzione vivace per un ristorante
classico a gestione familiare con cucina tradizionale di terra e di mare.

AQUILEIA – Udine (UD) – 562E22 – **3 477 ab.** – ✉ **33051** Italia 11 **C3**

🚗 Roma 635 – Udine 41 – Gorizia 32 – Grado 11
🛈 piazza Capitolo 1 🕿 0431 91087, giubileo30@adriacom.it
◉ Basilica★★ : affreschi★★ della cripta carolingia, pavimenti★★ della cripta
degli Scavicripta degli Scavi – Rovine romane★

🏠 **Patriarchi** 🚗 AK 📶 ⚿ P VISA ⓝ AE ① ⑤
⚓

via Augusta 12 – 🕿 *04 31 91 95 95 – www.hotelpatriarchi.it – info@*
hotelpatriarchi.it – Fax 04 31 91 95 96 – chiuso febbraio
23 cam ⌂ – 🛏44/58 € 🛏🛏74/96 € – ½ P 48/73 € **Rist** – Carta 21/38 €

♦ Nel cuore del centro storico-archeologico di Aquileia, un albergo semplice e funzionale che si è recentemente dotato di una grande sala riunioni; camere confortevoli.
Sala da pranzo classica, ma piacevole con ampio salone per banchetti.

ARABBA – Belluno (BL) – 562C17 – **alt. 1 602 m** – **Sport invernali :** 35 **B1**
1 600/3 269 m 🚠7 🚡23 (**Comprensorio Dolomiti superski Arabba-Marmolada**) 🎿
– ✉ **32020** Italia

🚗 Roma 709 – Belluno 74 – Cortina d'Ampezzo 36 – Milano 363
🛈 via Boè 3 🕿 0436 79130, arabba@infodolomiti.it, Fax 0436 79300

Sporthotel Arabba ⊜ 🕅 ⅃⅌ 📶 ⅌ rist, ☎ 🄿 VISA ⚹⚹ ① ⅙

via Mesdì 76 – ℰ 043 67 93 21 – www.sporthotelarabba.com
– info@sporthotelarabba.com – Fax 043 67 91 21
– 15 dicembre-5 aprile e 21giugno-20 settembre
52 cam ⌂ – ♥♥145/248 € – ½ P 85/130 €
Rist – Menu 20 €
Rist *La Stube* – Carta 37/50 € ⅌
♦ Nell'incantevole scenario delle Dolomiti, un indimenticabile soggiorno di classe in ambienti resi unici e confortevoli dal raffinato impiego del legno finemente decorato. Ambiente raccolto ed elegante al ristorante *La Stube*, ideale per ambientare romantiche cene a lume di candela.

Evaldo ⊜ ⅌ 🕅 ⊛ 🕅 ⅃⅌ 📶 ⅌ ☎ ⅍ 🄿 ⚘ VISA ⚹⚹ ⅙

via Mesdì 3 – ℰ 043 67 91 09 – www.hotelevaldo.it – info@hotelevaldo.it
– Fax 043 67 93 58 – chiuso dal 12 aprile al 15 maggio e dal 10 ottobre al 5 dicembre
34 cam ⌂ – ♥80/200 € ♥♥115/340 € – 13 suites – ♥♥170/420 €
– ½ P 75/180 €
Rist – Carta 28/40 €
♦ Una grande casa da cui si gode una vista panoramica sulle Dolomiti; calda atmosfera negli interni signorili rivestiti in legno. Essenze naturali, musica e acque rigeneranti presso l'originale centro benessere. Elegante sala da pranzo con soffitti in legno lavorato; accogliente la tipica stube.

Alpenrose ⅌ ⊜ 🕅 📶 ⅌ rist, 🕭 ⚘ VISA ⚹⚹ ① ⅙

via Precumon 24 – ℰ 04 36 75 00 76 – www.alpenrosearabba.it – info@alpenrosearabba.it – Fax 04 36 75 07 69 – dicembre-aprile e giugno-settembre
28 cam ⌂ – ♥66/146 € ♥♥96/220 €   **Rist** – Carta 25/77 €
♦ Sulla strada che conduce al passo Pordoi, l'albergo propone camere modernamente accessoriate e luminose, arredate in legno chiaro. Piacevole la zona benessere. Ristorante con terrazza panoramica e stube dove assaporare la cucina della tradizione locale.

Mesdì ⊜ 🕅 ⅌ 🕭 ⅂⅌ ⅌ cam, ☎ 🄿 VISA ⚹⚹ ⅙

via Mesdì 75 – ℰ 043 67 91 19 – www.hotelmesdi.com
– info@hotelmesdi.com – Fax 043 67 94 57
– dicembre-15 aprile e 15 maggio-settembre
19 cam ⌂ – ♥♥80/120 € – ½ P 70/120 €   **Rist** – Carta 23/43 €
♦ Perfetto per chi ama lo sport sulla neve ma anche per chi preferisce tranquille passeggiate nel verde, l'hotel si trova di fronte alle seggiovie. Il divertimento è assicurato. Per apprezzare l'ospitalità e la gastronomia locale, niente di meglio di una "serata ladina".

Chalet Barbara senza rist ⅌ ⊜ 🕅 ⅌ 📶 ⅌ 🄿 VISA ⚹⚹ ① ⅙

via Precumon 23 – ℰ 043 67 93 21 – www.sporthotelarabba.com – info@sporthotelarabba.com793 – Fax 04 36 75 00 46 – dicembre-4 aprile e 22 giugno-settembre
15 cam ⌂ – ♥54/90 € ♥♥121/212 €
♦ Poco distante dal centro, una casa di quattro piani dalla facciata di gusto tirolese; è il legno antico a dominare negli spaziosi ambienti, recuperato da vecchi casolari.

Laura senza rist 🕅 ⊜ ⅂⅌ ⅌ 🄿 VISA ⚹⚹ ⅙

via Boè 6 – ℰ 04 36 78 00 55 – www.garnilaura.it – info@garnilaura.it
– Fax 04 36 75 00 68 – dicembre-15 aprile e maggio- settembre
12 cam ⌂ – ♥♥100/140 €
♦ In comoda posizione centrale, poco distante dalla chiesa e dagli impianti di risalita, è una struttura piccola e accogliente, con belle camere mansardate al secondo piano.

Royal senza rist ⊜ 🕅 ⊜ ⅌ 🄿 VISA ⚹⚹ ⅙

via Mesdì 7 – ℰ 043 67 92 93 – www.royal-arabba.it – info@royal-arabba.it
– Fax 04 36 78 00 86 – chiuso maggio e novembre
16 cam ⌂ – ♥♥50/100 €
♦ A poche centinaia di metri dal centro e dalle piste da sci, albergo a gestione familiare dagli interni rivestiti in legno; grandi e luminose le camere sobriamente arredate nel tradizionale stile alpino.

sulla strada statale 48 Est : 3 km :

Festungshotel-Al Forte

via Pezzei 66 – ✆ 043 67 93 29 – www.alforte.com – info@alforte.com – Fax 043 67 94 40 – 5 dicembre-14 aprile e 15 maggio-9 ottobre

23 cam ☕ – 🚹80/90 € 🚹🚹90/180 € – ½ P 55/110 €

Rist *Al Forte* – *(chiuso martedì)* Carta 21/39 €

◆ Attenta ad ogni particolare è un'intera famiglia a gestire questo accogliente hotel in posizione panoramica. Spazi interni in stile montano, piccola zona benessere e vista sulle Dolomiti. Il ristorante si trova all'interno di un antico fortino austro-ungarico del 1897.

ARCETO – **Reggio nell'Emilia** – 562I14 – **Vedere Scandiano**

ARCETRI – **Firenze** – 563K15 – **Vedere Firenze**

ARCIDOSSO – **Grosseto (GR)** – 563N16 – **4 088 ab.** – **alt. 661 m** – ✉ **58031** 29 **C3**

Roma 183 – Grosseto 59 – Orvieto 74 – Siena 75

piazza Indipendenza ✆ 0564 966438, 0564 966010

Park Hotel Colle degli Angeli

località Aiole, Sud : 3 km rist,

– ✆ 05 64 96 74 09 – www.colledegliangeli.com – info@colledegliangeli.com – Fax 05 64 96 71 88

96 cam ☕ – 🚹80/180 € 🚹🚹120/280 € – ½ P 65/105 € **Rist** – Menu 20/50 €

◆ Complesso turistico e congressuale, con bella vista sui monti: un corpo centrale e villini; ampi ed eleganti spazi comuni in stile moderno, funzionale centro benessere. Vetrate panoramiche ad arco illuminano la sala da pranzo, grande camino.

Agriturismo Rondinelli

località I Rondinelli 32, Sud-Ovest : 7 km – ✆ 05 64 96 81 68 – www.agriturismorondinelli.it – Fax 05 64 96 81 68

11 cam – 🚹50 € 🚹🚹70 €, ☕ 7 € – ½ P 60 €

Rist – (prenotazione obbligatoria) Menu 23/28 €

◆ Un soggiorno rilassante a contatto con la natura nella tranquillità di un casale ottocentesco in un bosco di castagni; ambiente caratteristico e camere essenziali.

ARCO – **Trento (TN)** – 562E14 – **15 139 ab.** – **alt. 91 m** – ✉ **38062** 30 **B3**

Roma 576 – Trento 33 – Brescia 81 – Milano 176

viale delle Palme 1 ✆ 0464 532255, info@gardatrentino.it, Fax 0464 532353

Everest rist,

viale Rovereto 91, località Vignole, Est : 2 km – ✆ 04 64 51 92 77 – www.hoteleverest.it – infoarco@hoteleverest.it – Fax 04 64 51 92 80 – aprile-ottobre

55 cam ☕ – 🚹55/64 € 🚹🚹90/104 €

Rist – *(chiuso a mezzogiorno)* Carta 22/30 €

◆ Sito nella piana di Arco, è una costruzione recente di gusto contemporaneo con camere arredate in stile classico; all'esterno un piccolo giardino ed una piscina. Luminosa, ampia ed ideale per allestire banchetti, la sala da pranzo propone una cucina classica.

Al Sole senza rist

via Foro Boario 5 – ✆ 04 64 51 66 76 – www.soleholiday.com – info@soleholiday.com – Fax 04 64 51 85 85

20 cam ☕ – 🚹47/50 € 🚹🚹80/90 €

◆ Tra lago e montagna, l'hotel e la residenza *Al Sole* dispongono di camere semplici e confortevoli per un soggiorno di relax e di sport. Coccolati dal calore di una schietta ospitalità.

ARCORE – Milano (MI) – 561F9 – **16 769 ab.** – alt. 193 m – ✉ 20043   18 **B2**

🖪 Roma 594 – Milano 31 – Bergamo 39 – Como 43

🔠 **Sant'Eustorgio**   🚗 🏠 📶 📠 cam, 🌏 🄿 🚾 ⓒⓓ Æ ⓞ ♿
via Ferruccio Gilera 1 – 𝒞 03 96 01 37 18 – www.santeustorgio.com
– info@santeustorgio.com – Fax 039 61 75 31
– chiuso dal 26 dicembre al 5 gennaio e dal 5 al 20 agosto
40 cam ⌖ – 🛏110 € 🛏🛏160 € – ½ P 120 €
Rist – (chiuso domenica sera e lunedì) Carta 30/49 €
♦ Bella posizione centrale, resa ancor più gradevole e tranquilla dall'ampio e curato giardino ombreggiato che circonda l'albergo; ampie camere, in parte rinnovate. Accogliente sala ristorante con un grande camino, cucina toscana.

✗ **L'Arco del Re**   📶 ✼ 🚾 ⓒⓓ Æ
😊 via Papina 4 – 𝒞 03 96 01 36 44 – www.arcodelre.it – arcodelre@fastwebnet.it
– Fax 03 96 01 36 44 – chiuso Natale, agosto, sabato a mezzogiorno, domenica e lunedì a mezzogiorno
Rist – (consigliata la prenotazione la sera) Carta 28/37 € ✾
♦ Ambiente semplice, ma ben tenuto in un'enoteca con cucina che offre un'ottima selezione di vini (anche degustazione a bicchiere) e una grande scelta di formaggi e salumi.

ARCUGNANO – Vicenza (VI) – 562F16 – **7 314 ab.** – alt. 160 m   37 **A2**
– ✉ 36057

🖪 Roma 530 – Padova 40 – Milano 211 – Vicenza 7

🔠🔠 **Villa Michelangelo** 🌿   ≼ 🕭 🏠 🌄 📶 & cam, 📶 ⇄ ✼ rist, 🌐 🖾
via Sacco 35 – 𝒞 04 44 55 03 00   🄿 🚾 ⓒⓓ Æ ⓞ ♿
– www.hotelvillamichelangelo.com – reception@hotelvillamichelangelo.com
– Fax 04 44 55 04 90
52 cam ⌖ – 🛏130/170 € 🛏🛏200/320 € – ½ P 145/205 €   **Rist** – Carta 60/78 €
♦ Lo splendore di un nobile passato che rivive nel presente in una villa del 1700 con grande parco, in magnifica posizione tra i colli Berici, per un soggiorno esclusivo. Camere alcune spaziose, altre meno, arredate con mobili antichi. Ambiente signorile in sala da pranzo, servizio sulla terrazza panoramica in estate.

a Lapio Sud : 5 km – ✉ 36057 – Arcugnano

✗✗ **Trattoria Zamboni**   ≼ 🏠 📶 ✼ ⇄ 🄿 🚾 ⓒⓓ Æ ⓞ ♿
via Santa Croce 73 – 𝒞 04 44 27 30 79 – www.trattoriazamboni.it
– info@trattoriazamboni.it – Fax 04 44 27 39 00
– chiuso dal 2 al 10 gennaio, dal 20 al 30 agosto, lunedì e martedì
Rist – Carta 26/40 € ✾
♦ In un imponente palazzo d'epoca, le sobrie sale quasi si fanno da parte per dare spazio al panorama sui colli Berici e alla cucina, tradizionale e rivisitata al tempo stesso. Particolarmente gradevole il dehors estivo.

a Soghe Sud : 9,5 km – ✉ 36057 – Arcugnano

✗✗ **Antica Osteria da Penacio**   🏠 📶 ✼ ⇄ 🄿 🚾 ⓒⓓ Æ ♿
via Soghe 62 – 𝒞 04 44 27 30 81 – anticaosteriapenacio@infinito.it
– Fax 04 44 27 35 40 – chiuso 8 giorni in febbraio, 8 giorni in luglio, 8 giorni in novembre, mercoledì e giovedì a mezzogiorno
Rist – Carta 29/45 €
♦ Ristorante a conduzione familiare in una villetta al limitare del bosco: due raffinate salette e una piccola (ma ben fornita) enoteca, fanno da sfondo ad una cucina d'impronta tradizionale con qualche spunto di creatività.

ARDENZA – Livorno (LI) – 563L12 – **Vedere Livorno**

AREMOGNA – L'Aquila (AQ) – 563Q24 – **Vedere Roccaraso**

ARENZANO – Genova (GE) – 561I8 – **11 584 ab.** – ✉ 16011   14 **B2**

🖪 Roma 527 – Genova 24 – Alessandria 77 – Milano 151

🈺 lungomare Kennedy 𝒞 010 9127581, iat.comune.arenzano.ge.it, Fax 0109127581

🔝 , 𝒞 010 911 18 17

Grand Hotel Arenzano ← 🚗 🏠 🏊 🏋 📶 👥 & 🅰️ ⚡ rist, 🍴 🚿 🅿️
lungomare Stati Uniti 2 – ℰ 01 09 10 91 🆅🆂🅰️ ⓿ 🅰️🅴 ⓪ ⚡
– www.gharenzano.it – info@gharenzano.it – Fax 01 09 10 94 44
– chiuso dal 20 dicembre al 12 gennaio
104 cam ⊡ – ✝85/155 € ✝✝135/270 € – 5 suites – ½ P 98/165 €
Rist – Carta 28/45 €
◆ Grande villa d'inizio secolo di fronte al mare, in un ameno giardino con piscina: un albergo di moderna concezione, per congressi e turismo, con ampi ed eleganti interni. Al ristorante, un'atmosfera signorile per piatti regionali o creativi.

Ena 📶 🅰️ 🚿 cam, 🍴 🚗 🆅🆂🅰️ ⓿ 🅰️🅴 ⓪ ⚡
via Matteotti 12 – ℰ 01 09 12 73 79 – www.enahotel.it – info@enahotel.it
– Fax 01 09 12 56 96 – chiuso dal 24 dicembre al 27 gennaio
23 cam ⊡ – ✝66/110 € ✝✝81/127 € – ½ P 60/79 €
Rist – *(chiuso dal 1° al 30 gennaio)* Carta 20/65 €
◆ Sul lungomare, graziosa villa liberty dai piacevoli interni di tono elegante. Camere confortevoli. Al ristorante: sala panoramica o saletta piu intima, dove gustare i piatti della tradizione.

Poggio Hotel 🏊 📶 & cam, 🅰️ 🚿 📞 🅰️ 🅿️ 🚗 🆅🆂🅰️ ⓿ 🅰️🅴 ⓪ ⚡
via di Francia 24, Ovest : 2 km – ℰ 01 09 13 53 20 – www.poggiohotel.it – info@poggiohotel.it – Fax 01 08 59 00 46
40 cam ⊡ – ✝62/108 € ✝✝70/129 €
Rist *La Buca* – ℰ 01 09 13 53 50 – Carta 22/35 €
◆ Hotel d'ispirazione contemporanea, in prossimità dello svincolo autostradale, ideale per una clientela d'affari o di passaggio; camere funzionali, comodo parcheggio. Ristorante di taglio moderno, cucina con specialità del territorio.

Ulivi con cam 🏠 📶 🅰️ 📞 🆅🆂🅰️ ⓿ 🅰️🅴 ⓪ ⚡
via Olivette 12 – ℰ 01 09 12 77 12 – www.hotelulivi.com – info@hotelulivi.com
– Fax 01 09 13 13 84 – chiuso 15 giorni in novembre
10 cam ⊡ – ✝50/90 € ✝✝70/120 € – ½ P 50/72 €
Rist – *(chiuso lunedì escluso da giugno a settembre)* Carta 25/63 €
◆ Ristorante e pizzeria dall'ambiente di tono rustico, con mattoni a vista e pareti con paesaggi dipinti; proposte di piatti di mare, d'estate serviti all'aperto.

ARESE – Milano (MI) – 561F9 – 19 181 ab. – alt. 160 m – ✉ 20020   18 B2
▶ Roma 597 – Milano 16 – Como 36 – Varese 50

Castanei 🚗 🅰️ 🚿 ⇧ 🅿️ 🆅🆂🅰️ ⓿ 🅰️🅴 ⓪ ⚡
viale Alfa Romeo 10, Nord-Ovest : 1,5 km – ℰ 029 38 00 53
– www.aredin.it/castanei – castanei@alice.it – Fax 02 93 58 13 66
– chiuso dal 24 dicembre al 2 gennaio, agosto, domenica e mercoledì sera
Rist – Carta 25/37 €
◆ Ristorante gestito dalla stessa famiglia da oltre trent'anni, propone una cucina classica d'impronta regionale con un'attenzione particolare ai prodotti di stagione; servizio estivo all'aperto.

AREZZO 🅿️ (AR) – 563L17 – 93 783 ab. – alt. 296 m – ✉ 52100   29 D2
▌ Toscana

▶ Roma 214 – Perugia 74 – Ancona 211 – Firenze 81
🆔 piazza della Repubblica 28 ℰ 0575 377678, info@arezzo.turismo.toscana.it, Fax 0575 20839
◎ Affreschi di Piero della Francesca★★★ nella chiesa di San Francesco ABY – Chiesa di Santa Maria della Pieve★ : facciata★★ BY – Crocifisso★★ nella chiesa di San Domenico BY – Piazza Grande★ BY – Museo d'Arte Medievale e Moderna★ : maioliche★★ AY **M2** – Portico★ e ancona★ della chiesa di Santa Maria delle Grazie AZ – Opere d'arte★ nel Duomo BY

Pianta pagina 136

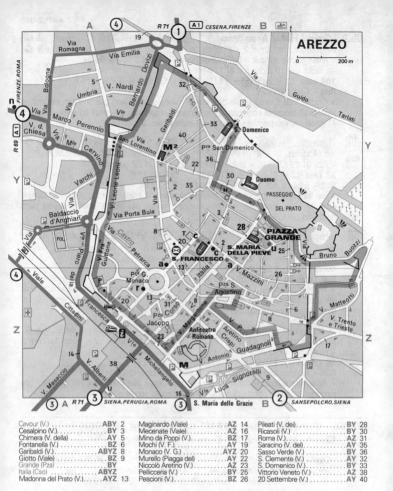

AREZZO

Cavour (V.) .... **ABY** 2	
Cesalpino (V.) .... **BY** 3	
Chimera (V. della) .... **AY** 5	
Fontanella (V.) .... **BZ** 6	
Garibaldi (V.) .... **ABYZ** 8	
Giotto (Viale) .... **BZ** 9	
Grande (Pza) .... **BY**	
Italia (Cso) .... **ABYZ**	
Madonna del Prato (V.) .. **AYZ** 13	

Maginardo (Viale) ...... **AZ** 14	
Mecenate (Viale) ...... **AZ** 16	
Mino da Poppi (V.) ..... **BZ** 17	
Mochi (V. F.) .... **AY** 19	
Monaco (V. G.) .... **AYZ** 20	
Murello (Piagga del) ... **AY** 22	
Niccolò Aretino (V.) ... **AY** 23	
Pellicceria (V.) .... **BY** 25	
Pescioni (V.) .... **BZ** 26	

Pileati (V. dei) .... **BY** 28	
Ricasoli (V.) .... **BY** 30	
Roma (V.) .... **AZ** 31	
Saracino (V. del) ...... **BY** 35	
Sasso Verde (V.) ...... **BY** 36	
S. Clemente (V.) ...... **BY** 32	
S. Domenico (V.) ...... **BY** 33	
Vittorio Veneto (V.) .... **AZ** 38	
20 Settembre (V.) ..... **AY** 40	

âÎâ **AC Hotel Arezzo** *⟫ ⅃⅚ 🕭 ⅙ 🄰🄺 ↯ (ᵠ) 🚿 P̄ VISA ⅏ AE ① ⅍*
via Einstein 4, 1 km per ① – ℰ 05 75 38 22 87 – www.ac-hotels.com
– acarezzo@ac-hotels.com – Fax 05 75 38 29 82
79 cam ⌑ – †100/180 € ††100/250 €
Rist – *(chiuso domenica a mezzogiorno)* Carta 33/53 €
♦ Periferico, ma comodo da raggiungere dal casello autostradale, design hotel che
coniuga l'essenzialità e la modernità delle forme alla sobrietà dei colori. Ambiente
moderno e minimalista anche al ristorante. *Less is more.*

âÎâ **Etrusco Palace Hotel** *🕭 🄰🄺 🚿 rist. (ᵠ) 🚿 P̄ ⟐ VISA ⅏ AE ① ⅍*
via Fleming 39, 1 km per ④ – ℰ 05 75 98 40 66 – www.etruscohotel.it
– etrusco@etruscohotel.it – Fax 05 75 38 21 31
80 cam ⌑ – †60/98 € ††90/120 € – ½ P 65/80 €
Rist *Le Anfore* – *(chiuso dal 25 luglio al 25 agosto e domenica) (chiuso a mez-*
zogiorno) Carta 25/39 €
♦ Alle porte della città, imponente albergo moderno dotato di ogni confort con aree
comuni raccolte ed eleganti. Piacevoli camere ben arredate e luminose. Cucina di antica
tradizione ed ampia scelta di vini toscani nella signorile sala da pranzo.

Minerva ⏠ ⓕ 🖪 ⓕ 🕭 rist, ⓣ ⓛ **P** 🆅🆂🅰 ⓦ 🅰🅴 ⓘ ⓢ
via Fiorentina 4 – ✆ 05 75 37 03 90 – www.hotel-minerva.it – info@
hotel-minerva.it – Fax 05 75 30 24 15   AY**n**
130 cam ⊊ – †70/145 € ††90/195 € – ½ P 80/120 €
Rist – *(chiuso dal 1° al 20 agosto)* Carta 22/29 €
♦ Hotel a vocazione congressuale, con grandi spazi interni e diverse sale riunioni; colori chiari nelle camere ariose, palestra all'ultimo piano con vista sulla città. Saloni con tavoli rotondi e quadrati armoniosamente disposti, in ambienti ben illuminati.

Badia di Pomaio ⓢ ⩽ 🚗 ⓕ 🕮 ⓕ cam, 🕮 🕯 ⓦ **P**
località Badia di Pomaio , 6 km per via Guido Tarlati 🆅🆂🅰 ⓦ 🅰🅴 ⓘ ⓢ
– ✆ 05 75 37 14 07 – www.badiadipomaio.it – info@badiadipomaio.it
– Fax 05 75 37 14 09   BY
17 cam ⊊ – †90 € ††125/170 €   **Rist** – Carta 35/53 €
♦ Dai giardini e dalla piscina apprezzerete l'ampio panorama che si apre su Arezzo e sui dintorni; all'interno, ogni ambiente è stato ristrutturato avendo cura di conservare lo stile originale della badia secentesca. Il ristorante si trova nelle antiche cantine e propone una cucina basata sulla tradizione regionale.

Patio senza rist   🕮 🕯 🆅🆂🅰 ⓦ 🅰🅴 ⓘ ⓢ
via Cavour 23 – ✆ 05 75 40 19 62 – www.hotelpatio.it – info@hotelpatio.it
– Fax 057 52 74 18 – chiuso dal 7 al 24 gennaio   BY**c**
8 cam ⊊ – †100/150 € ††155/190 € – 2 suites
♦ Albergo che presenta ambientazioni davvero originali, le camere infatti si ispirano ai racconti di viaggio del romanziere Bruce Chatwin. Si va dalla stanza dei trofei a quella cinese con camino e lucide lacche rosse alle pareti. Segni d'Africa e d'Oriente.

Continentale senza rist   🖪 🕮 ⓣ ⓛ 🆅🆂🅰 ⓦ 🅰🅴 ⓘ ⓢ
piazza Guido Monaco 7 – ✆ 057 52 02 51 – www.hotelcontinentale.com
– prenotazioni@hotelcontinentale.com – Fax 05 75 35 04 85   AZ**r**
76 cam – †74/90 € ††108/118 €, ⊊ 9 € – 4 suites
♦ Ampia costruzione centrale con zone comuni d'impronta contemporanea; camere lineari, alcune più spaziose con arredi in stile, altre d'ispirazione più recente. Tre nuove camere esclusive all'ultimo piano, con terrazza panoramica.

Casa Volpi ⓢ   ⩽ 🔊 ⓕ 🖪 🕮 ⓦ **P** 🆅🆂🅰 ⓦ 🅰🅴 ⓢ
via Simone Martini 29, 1,5 km per ② – ✆ 05 75 35 43 64 – www.casavolpi.it
– posta@casavolpi.it – Fax 05 75 35 59 71 – chiuso 10 giorni in agosto
15 cam – †65 € ††95 €, ⊊ 9 €
Rist – *(chiuso dal 23 dicembre al 2 gennaio, 20 giorni in agosto e mercoledì)*
(chiuso a mezzogiorno escluso domenica) Carta 22/34 €
♦ Gestione tutta al femminile per questa bella villa ottocentesca, immersa in un ampio parco, a soli due chilometri dal centro città. Camere rustiche di tono elegante, arredate con letti in ferro battuto e mobili in stile. Silenziosissime! Piatti regionali presso il ristorante articolato in diverse salette.

XX **La Lancia d'Oro**   🕮 ⓦ 🆅🆂🅰 ⓦ 🅰🅴 ⓘ ⓢ
piazza Grande 18/19 – ✆ 057 52 10 33 – www.loggevasari.it – lanciadoro@
loggevasari.it – Fax 05 75 39 91 24 – chiuso dal 5 al 25 novembre, domenica in
luglio-agosto, lunedì negli altri mesi   BY**u**
Rist – Carta 39/50 € (+15 %)
♦ Bel locale sito nella celebre piazza delle manifestazioni storiche, sotto le splendide logge del Vasari, dove d'estate è svolto il servizio all'aperto. Linea di cucina deliziosamente riconducibile alla migliore tradizione toscana.

XX **Le Chiavi d'Oro**   🕮 ⓕ 🕮 ⓦ 🆅🆂🅰 ⓦ 🅰🅴 ⓢ
piazza San Francesco 7 – ✆ 05 75 40 33 13 – www.ristorantelechiavidoro.it
– info@ristorantelechiavidoro.it – Fax 05 75 40 33 13 – chiuso una settimana in
febbraio, una settimana in giugno e lunedì   ABY**c**
Rist – Carta 37/47 €
♦ Accanto alla basilica di San Francesco, il ristorante sfoggia un look originale: pavimento in parte in legno, in parte in resina, nonché sedie girevoli anni '60 ed altre di design danese; una parete di vetro consente di "sbirciare" il lavoro in cucina. Sulla tavola, piatti del territorio moderatamente rivisitati.

✗ **Antica Osteria l'Agania** 🅰🅒 🆅🅸🆂🅰 ⓦⓞ 🅰🅴 ⓞ ⑤
🍴 *via Mazzini 10 – ℰ 05 75 29 53 81 – www.agania.com – info@agania.com*
– Fax 05 75 29 53 81 – chiuso lunedì   BY**a**
Rist – Carta 18/24 €
♦ Cucina semplice e casalinga, senza fronzoli ne manierismi, dove con piacevole sorpresa si ritrovano piatti un po' dimenticati come la trippa e le polpette. Prezzi simpaticamente "contenuti".

a Giovi per ① : *8 km* – ✉ **52100**

✗ **Antica Trattoria al Principe** con cam ⌂   🍴 rist,
😊 *piazza Giovi 25 – ℰ 05 75 36 20 46*   🆅🅸🆂🅰 ⓦⓞ 🅰🅴 ⓞ ⑤
– www.anticatrattoriaalprincipe.it – info@anticatrattoriaalprincipe.it
– Fax 05 75 34 29 12 – chiuso dal 7 al 15 gennaio e dal 3 al 27 agosto
4 cam – ♦40/50 € ♦♦60/70 €, ⌹ 5 € – ½ P 50/55 €
Rist – *(chiuso lunedì)* Carta 24/40 €
♦ L'espressione migliore della cucina di provincia: una trattoria di paese dove gustare i piatti della tradizione locale e casalinga, saggiamente integrati da preparazioni al passo con i tempi e le richieste del mercato. Quattro belle camere in stile rustico per gli avventori del locale.

a Rigutino per ③ : *12 km* – ✉ **52040**

🏨 **Planet** 🏠 ⓃⓃ 🛆 🖃 🖧 🅰🅒 🍴 rist, "🍸" ♨ 🅿 🆅🅸🆂🅰 ⓦⓞ 🅰🅴 ⓞ ⑤
strada statale 71 Rigutino Est 161/162 – ℰ 057 59 79 71 – www.hotelhp.it
– info@hotelhp.it – Fax 057 59 79 74 44
94 cam ⌹ – ♦70/85 € ♦♦95/105 € – 1 suite – ½ P 68/75 €
Rist *Il Giardino d'Inverno* – ℰ 057 59 79 74 10 *(chiuso a mezzogiorno da lunedì a mercoledì)* Carta 24/30 €
♦ Lungo la statale per Cortona, moderna struttura in cui spicca la generosità degli spazi sia della hall sia delle camere, dotate tutte di doccia e vasca con parete attrezzata per l'idroterapia. Stile moderno e luminoso anche al ristorante, affacciato su una corte interna che ne ha ispirato il nome.

ARGEGNO – Como **(CO)** – 561E9 – 632 ab. – alt. 220 m – ✉ **22010**   16 **A2**
🗺 Roma 645 – Como 20 – Lugano 43 – Menaggio 15

🏠 **Argegno-La Corte** 🏠 🍴 cam, 🆅🅸🆂🅰 ⓦⓞ 🅰🅴 ⓞ ⑤
via Milano 14 – ℰ 031 82 14 55 – www.hotelargegno.it – info@hotelargegno.it
– Fax 031 82 14 55 – chiuso dal 23 al 27 dicembre
14 cam ⌹ – ♦55/65 € ♦♦80/70 € – ½ P 60/70 € **Rist** – Carta 25/34 €
♦ Buona accoglienza in un piccolo albergo centrale a gestione familiare, ristrutturato da pochi anni; camere dignitose e ben tenute, con arredi funzionali. Sala da pranzo non ampia, ma arredata con buon gusto, in un semplice stile moderno.

a Sant'Anna Sud-Ovest : 3 km – ✉ **22010** – **Argegno**

✗✗ **La Griglia** con cam ⌂   🚗 🏠 🛆 🕻 🅿 🆅🅸🆂🅰 ⓦⓞ 🅰🅴 ⓞ ⑤
località Sant'Anna 1 – ℰ 031 82 11 47 – www.lagriglia.it – hotel@lagriglia.it
– Fax 031 82 15 62 – chiuso dal 7 gennaio al 13 febbraio
11 cam ⌹ – ♦75/88 € ♦♦88/115 € – ½ P 63/75 €
Rist – *(chiuso martedì escluso da luglio ad agosto)* Carta 35/45 €
♦ Trattoria di campagna con camere: ambiente rustico nelle due sale completamente rinnovate; servizio estivo all'aperto e ampia selezione di vini e distillati.

✗✗ **Locanda Sant'Anna** con cam ⌂   ← 🚗 🍴 🅿 🆅🅸🆂🅰 ⓦⓞ ⑤
via Sant'Anna 152 – ℰ 031 82 17 38 – www.locandasantanna.net
– locandasantanna@libero.it – Fax 031 82 20 46
9 cam ⌹ – ♦♦60/98 € – ½ P 65/75 €
Rist – *(chiuso mercoledì)* Carta 30/43 € ❀
♦ Locanda con camere in una bella casa totalmente ristrutturata; due sale da pranzo attigue, con divanetti e soffitto con travi a vista, affacciate sulla valle e sul lago.

ARGELATO – Bologna (BO) – 562I16 – 9 228 ab. – alt. 21 m – ✉ 40050   9 **C3**

▶ Roma 393 – Bologna 20 – Ferrara 34 – Milano 223

XX   **L'800**   🕭 🝙 AC ℀ P VISA ☎ AE ➊ 🕭

via Centese 33 – ✆ 051 89 30 32 – www.ristorante800.it – info@ristorante800.it
– Fax 051 89 30 32 – chiuso domenica sera e lunedì
Rist – Menu 30/35 € – Carta 23/36 €

♦ Signorile casa colonica di fine '800: un'elegante e ampia sala con grandi tavoli ornati di argenti e cristalli e una saletta più intima. Specialità da provare: lumache e rane.

a Funo Sud-Est : 9 km – ✉ 40050

XX   **Il Gotha**   🕭 🝙 AC ℀ 🛏 VISA ☎ 🕭

via Galliera 92 – ✆ 051 86 40 70 – www.ilgotha.com – info@ilgotha.com
– Fax 051 86 40 70 – chiuso dal 26 dicembre al 6 gennaio, dal 1° al 20 agosto e domenica
Rist – Carta 28/52 €

♦ Sala classica dagli arredi lineari col solo vezzo delle sedie zebrate. Piatti di mare classici o ricercati ma non mancano proposte a base di carne, tra cui l'agnello.

ARGENTA – Ferrara (FE) – 562I17 – 21 827 ab. – ✉ 44011   9 **C2**

▶ Roma 432 – Bologna 53 – Ravenna 40 – Ferrara 34

18, ✆ 0532 85 25 45

🏨   **Villa Reale** senza rist   🕭 🛓 AC ℀ 🛏 P VISA ☎ 🕭

viale Roiti 16/a – ✆ 05 32 85 23 34 – www.hotelvillareale.it – hvrfernando@libero.it – Fax 05 32 85 23 53 – chiuso dal 1° al 15 agosto
25 cam ☲ – †75/80 € ††100/125 €

♦ La villa d'epoca si integra con una costruzione moderna in vetro per dare vita a un albergo confortevole, ideale sia per soggiorni di lavoro che per una clientela turistica.

🏠   **Agriturismo Val Campotto**   ≤ 🚗 🏸 AC ℀ 🛏 P VISA ☎ 🕭

strada Margotti 2, Sud-Ovest : 2 km – ✆ 05 32 80 05 16 – www.valcampotto.it
– agriturismo@valcampotto.it – Fax 05 32 31 94 13
9 cam ☲ – †48/52 € ††72 € – ½ P 54 €
Rist – (chiuso gennaio, lunedì e martedì) (consigliata la prenotazione)
Carta 17/28 €

♦ Era la casa dei nonni paterni questa residenza di campagna. Ristrutturata con gusto e accortezza, è avvolta da una vera passione per l'ospitalità, tramandata da generazioni. Si pranza all'aperto in estate, in una luminosa veranda. Curata dai titolari stessi, la cucina riscopre i sapori del territorio.

ARIANO IRPINO – Avellino (AV) – 564D27 – 23 418 ab. – alt. 817 m   7 **C1**
– ✉ 83031

▶ Roma 262 – Foggia 63 – Avellino 51 – Benevento 41

XX   **La Pignata**   AC ℀ 🛏 VISA ☎ AE 🕭

viale Dei Tigli 7 – ✆ 08 25 87 25 71 – www.ristorantelapignata.it
– ristorantelapignata@virgilio.it – Fax 08 25 87 23 55 – chiuso 15 giorni in luglio e martedì
Rist – Carta 20/35 €

♦ La grande bilancia addossata al muro ricorda l'originaria funzione dell'edificio, mentre la cucina racconta la storia di oggi, saldamente legata al territorio tra fagioli, pancotto e baccalà.

ARIANO NEL POLESINE – Rovigo (RO) – 562H18 – 4 879 ab.   36 **C3**
– ✉ 45012

▶ Roma 473 – Padova 66 – Ravenna 72 – Ferrara 50

XX   **Due Leoni** con cam   AC rist, ℀ VISA ☎ 🕭

corso del Popolo 21 – ✆ 04 26 37 21 29 – www.ristorantedueleoni.it – dueleoni@ristorantedueleoni.it – Fax 04 26 37 21 30 – chiuso dall' 8 luglio al 31 agosto
14 cam ☲ – †45/50 € ††60/65 € – ½ P 55/65 €
Rist – (chiuso lunedì) Carta 25/52 €

♦ Ristorante con camere accoglienti, recentemente ristrutturate. Proposte gastronomiche intente a valorizzare i piatti della tradizione veneta ed i prodotti del mare, serviti in una sala con arredi in stile moderno.

a San Basilio Est : 5 km – ⊠ **45012** – Ariano nel Polesine

↑ **Agriturismo Forzello** senza rist ⌚   🚗 ⌂ AC P
via San Basilio 5 – ℰ 04 26 37 23 30 – www.agriturismoforzello.it – info@ agriturismoforzello.it – Fax 04 26 37 33 51 – chiuso gennaio-febbraio
6 cam ⌤ – ♥♥65 €
♦ Casa colonica di inizio '900 costruita sul terreno di un insediamento romano. Punto di partenza per la visita del parco, le camere di maggiore atmosfera hanno arredi d'epoca.

ARMA DI TAGGIA – Imperia (IM) – 561K5 – ⊠ **18011**   14 **A3**

🚗 Roma 631 – Imperia 22 – Genova 132 – Milano 255
🛈 via Boselli ℰ 0184 43733, infoarmataggia@rivieradeifiori.travel, Fax 0184 43333
◉ Dipinti★ nella chiesa di San Domenico a Taggia★ Nord : 3,5 km

XXX **La Conchiglia** (Anna Parisi)   🏛 AC ⅏ VISA ⓿ AE ① ⑤
🕸 *lungomare 33 – ℰ 018 44 31 69 – rist.laconchiglia@virgilio.it – Fax 018 44 28 72*
– chiuso 15 giorni in giugno, 15 giorni in novembre, mercoledì, giovedì a mezzogiorno
Rist – Menu 45/110 € – Carta 46/100 € ⅏
Spec. Calamaretti di lampara cotti in zimino con carciofi (inverno-primavera). Gamberi di San Remo su passata di fagioli di Conio. Cannoli di pan pepato farciti di mascarpone e cioccolata bianca su gelatina di lamponi.
♦ Una cucina leggera, dalle linee semplici, che aliena ogni tentativo di procurare eccessivo stupore: il successo risiede nella qualità del pescato, valorizzato in ogni piatto. Qualche proposta di carne.

ARMENZANO – Perugia – 563M20 – Vedere Assisi

ARONA – Novara (NO) – 561E7 – 14 426 ab. – alt. 212 m – ⊠ **28041**   24 **B2**
▌ Italia

🚗 Roma 641 – Stresa 16 – Milano 40 – Novara 64
🛈 piazzale Duca d'Aosta ℰ 0322 243601, arona@distrettolaghi.it, Fax 0322 243601
◉ Lago Maggiore★★★ – Colosso di San Carlone★ – Polittico★ nella chiesa di Santa Maria – ≼★ sul lago e Angera dalla Rocca

XXX **Taverna del Pittore**   ⅋ ⅏ ⇄ VISA ⓿ AE ① ⑤
piazza del Popolo 39 – ℰ 03 22 24 33 66 – www.ristorantetavernadelpittore.it – bacchetta@ristorantetavernadelpittore.it – Fax 032 24 80 16
– chiuso dal 18 dicembre al 21 gennaio e lunedì
Rist – Carta 58/77 € (+10 %)
♦ Ambiente distinto in un ristorante ubicato in un edificio seicentesco che si protende sul lago grazie a un'incantevole veranda con vista sulla rocca di Angera.

XX **La Piazzetta**   ≼ 🏛 AC ⅏ VISA ⓿ AE ⑤
piazza del Popolo 35 – ℰ 03 22 24 33 16 – www.lapiazzettadiarona.com
– ristlapiazzetta.arona@virgilio.it – Fax 032 24 80 27
– chiuso dal 1° al 10 gennaio
Rist – Carta 30/47 €
♦ In prossimità del lago, locale gestito da due fratelli napoletani che hanno esportato in zona lacustre la loro cucina marinara: prodotti freschi e piatti ben fatti.

a Campagna Nord-Ovest : 4 km – ⊠ **28041**

X **Campagna**   🏛 AC ⅏ P VISA ⓿ AE ⑤
via Vergante 12 – ℰ 032 25 72 94 – Fax 032 25 72 94
– chiuso dal 15 al 30 giugno, dal 10 al 25 novembre, lunedì sera (escluso luglio-agosto) e martedì
Rist – Carta 28/37 €
♦ Trattoria a conduzione familiare, in un bel rustico ristrutturato; interni piacevoli e accoglienti dove provare piatti di cucina della tradizione elaborata con cura.

a **Montrigiasco** Nord-Ovest : 6 km – ✉ 28041 – **Arona**

XX   **Castagneto**   ⟨ 🚗 🏤 AK P VISA 🐽 AE ① ⑤
     via Vignola 14 – ℰ 032 25 72 01 – www.ristorantecastagneto.com
     – info@ristorantecastagneto.com – Fax 032 25 72 01
     – chiuso dal 24 dicembre al 20 gennaio, 10 giorni in giugno, 10 giorni in settembre, lunedì e martedì
     Rist – Carta 20/42 € 🍴
     ♦ Attivo da alcuni decenni, il locale ha visto avvicendarsi la nuova generazione della medesima famiglia. Lo spirito genuino è immutato così come l'atmosfera, calda e rilassata.

ARPINO – Frosinone (FR) – 563R22 – **7 681 ab. – alt. 450 m** – ✉ 03033   **13 D2**
     ▶ Roma 115 – Frosinone 29 – Avezzano 53 – Isernia 86

🏨   **Il Cavalier d'Arpino** senza rist   🚗 🕭 🛎 ✝✝ AK 🕻 P
     via Vittoria Colonna 21 – ℰ 07 76 84 93 48   VISA 🐽 AE ① ⑤
     – www.cavalierdarpino.it – info@cavalierdarpino.it – Fax 07 76 85 00 60
     – chiuso novembre
     28 cam ☲ – ♦40/60 € ♦♦53/90 €
     ♦ Fuori dal centro, circondato da un ameno giardino e da un parco, grande edificio in pietra rinnovato negli arredi durante gli ultimi anni; camere confortevoli.

a **Carnello** Nord : 5 km – ✉ 03030

XX   **Mingone** con cam   🏤 🛎 ⅙ AK ⅜ 🔊 P VISA 🐽 AE ① ⑤
     via Pietro Nenni 96 – ℰ 07 76 86 91 40 – www.mingone.it
     – mingone@mingone.it – Fax 07 76 86 87 00
     8 cam ☲ – ♦35/50 € ♦♦47/85 € – ½ P 52/65 €
     Rist – Carta 20/34 €
     ♦ Stazione di posta per l'Abruzzo dal 1890, oggi poliedrico ristorante con camino e affreschi di vita ciociara, sala per degustazione vini e camere con arredi in stile.

ARQUÀ PETRARCA – Padova (PD) – 562G17 – **1 840 ab. – alt. 56 m**   **35 B3**
– ✉ 35032 🛈 Italia
     ▶ Roma 478 – Padova 22 – Mantova 85 – Milano 268

XX   **La Montanella**   ⟨ 🚗 🏤 AK ⅜ ⟳ P VISA 🐽 AE ① ⑤
     via dei Carraresi 9 – ℰ 04 29 71 82 00 – www.montanella.it
     – lamontanella@gmail.com – Fax 04 29 77 71 77
     – chiuso da gennaio al 15 febbraio, dal 7 al 21 agosto, martedì sera e mercoledì
     Rist – Carta 32/46 € 🍴
     ♦ In posizione panoramica un locale di rustica eleganza, dove un'appassionata gestione familiare vi delizierà con primizie e prelibatezze del territorio.

ARSINA – Lucca – 562K13 – **Vedere Lucca**

ARTA TERME – Udine (UD) – 562C21 – **2 288 ab. – alt. 442 m**   **10 B1**
– ✉ 33022
     ▶ Roma 696 – Udine 56 – Milano 435 – Monte Croce Carnico 25
     🛈 via Umberto I 15 ℰ 0433 929290, apt.carnia@ud.nettuno.it, Fax 0433 92104

a **Piano d'Arta** Nord : 2 km – **alt. 564 m** – ✉ 33022

🏨   **Gardel**   🖵 🐽 🕭 🛎 ⅙ rist, AK ⅜ rist, 🕻 P VISA 🐽 ⑤
     via Marconi 6/8 – ℰ 043 39 25 88 – info@gardel.it – Fax 043 39 21 53
     – chiuso dal 15 novembre al 20 dicembre
     55 cam ☲ – ♦55/70 € ♦♦65/85 € – ½ P 65/70 €
     Rist – Carta 18/25 €
     ♦ Ideale per una vacanza salutare e rigenerante, coccolati dalla calda accoglienza di una famiglia dalla lunga tradizione alberghiera. Attrezzato centro benessere e confortevoli camere recentemente rinnovate. L'attenzione al benessere continua a tavola, dove potrete trovare piatti leggeri e salutari.

ARTIMINO – Prato – 563K15 – Vedere Carmignano

ARTOGNE – Brescia (BS) – 561E12 – 3 155 ab. – alt. 252 m – ✉ 25040   17 **C2**
 ▶ Roma 608 – Brescia 53 – Milano 104 – Monza 93

XX **Osteria Cà dei Nis**   &. ⅍ **P** VISA ⊕ AE ① **S**
  via della Concordia ang. via Trento – ℰ 03 64 59 02 09 – *www.cadeinis.it*
  – *info@cadeinis.it* – *Fax 03 64 59 88 82*
  – *chiuso una settimana in gennaio, dall'8 al 28 agosto e lunedì*
  Rist – *(chiuso a mezzogiorno escluso domenica)* Carta 30/41 €
  ♦ Due pittoresche salette completamente in pietra all'interno di un palazzo del '700 nel
  cuore della piccola località. Ambiente ideale per apprezzare una cucina sfiziosa.

ARVIER – Aosta (AO) – 561E3 – 865 ab. – alt. 776 m – ✉ 11011   34 **A2**
 ▶ Roma 774 – Aosta 15 – Moncalieri 161 – Rivoli 140

XX **Le Vigneron**   🏠 ⅍ **P** VISA ⊕ **S**
  Via Corrado Gex 64 – ℰ 016 59 92 18 – *www.levigneron.it*
  – *levigneron@tiscali.it* – *Fax 016 59 92 18*
  – *Chiuso 15 giorni in ottobre e martedì*
  Rist – Carta 38/48 €
  ♦ Immerso nei vigneti dell'*Enfer*, giovane e dinamica gestione: menu di selvaggina, turi-
  stico, enogastromico, per bambini e vegetariano... oltre a qualche inattesa specialità di
  pesce.

ARZACHENA – Olbia-Tempio – 566D10 – Vedere Sardegna alla fine dell'elenco
alfabetico

ARZIGNANO – Vicenza (VI) – 562F15 – 24 350 ab. – alt. 116 m   35 **B2**
– ✉ 36071
 ▶ Roma 536 – Verona 48 – Venezia 87 – Vicenza 22

XXX **Ca' Daffan** (Gianni Battistella)   AC **P** VISA ⊕ AE ① **S**
 ☆ *via Fratta Alta 15* – ℰ 04 44 67 14 79 – *www.cadaffan.it*
  – *info@cadaffan.it* – *Fax 04 44 45 51 75*
  – *chiuso 3 settimane in gennaio,1 settimana in marzo, dal 13 al 20 agosto,
  domenica, lunedì a mezzogiorno*
  Rist – Carta 38/58 € ⅛
  Spec. Raviolo di latte con granchio reale d'Alaska e burrata. Maialino 77.
  Gelato allo zafferano, biscotto al pepe e finocchio caramellato.
  ♦ Piccolissimo ristorante con una ventina di coperti e cantina a vista. Ma è la cucina ad
  offrire la sorpresa più grande, estro e accuratezza per palati esigenti.

ASCIANO – Siena (SI) – 563M16 – 6 737 ab. – alt. 200 m – ✉ 53041   29 **C2**
 ▌ Toscana
 ▶ Roma 208 – Siena 29 – Arezzo 46 – Firenze 100

🏠🏠🏠 **Borgo Casabianca** ◈   ≼ 🏠 🏠 � ⅍ ✯ AC ⅍ rist, ⓣ 🈳 **P**
  località Casa Bianca, Est : 10,5 km – ℰ 05 77 70 43 62   VISA ⊕ AE ① **S**
  – *www.casabianca.it* – *casabianca@casabianca.it* – *Fax 05 77 70 46 22*
  – *chiuso dal 7 gennaio al 3 aprile*
  29 cam ⌂ – †110/129 € ††170/198 € – 2 suites – ½ P 139 €
  Rist – *(chiuso mercoledì)* Carta 31/44 € ⅛
  ♦ Immerso in un paesaggio agreste, un borgo dai caratteristici edifici in pietra si propone per un soggiorno di relax nei suoi ambienti arredati con pezzi d'antiquariato.
  Rustico elegante, il ristorante è riscaldato da un piacevole caminetto e propone piatti
  legati al territorio, accompagnati da qualche rivisitazione.

▶ Roma 191 – Ancona 122 – L'Aquila 101 – Napoli 331

ℹ piazza Arringo 7 ✆ 0736 253045, iat.ascolipiceno@regione.marche.it, Fax 0736 252391

◉ Piazza del Popolo★★ B : palazzo dei Capitani del Popolo★, chiesa di San Francesco★, Loggia dei Mercanti★ **A** – Quartiere vecchio★ AB : ponte di Solestà★, chiesa dei Santi Vicenzo ed Anastasio★ **N** – Corso Mazzini★ ABC – Polittico del Crivelli★ nel Duomo C – Battistero★ C **E**

Piante pagine 144-145

🏠 **Palazzo Guiderocchi**   🛋 🏢 ♿ rist, Ⓐ𝐂 ⁽ᵖ⁾ 🛠 🅿 ᴠɪꜱᴀ ◎◎ Ⓐ🄴 ⓘ ⑤
via Cesare Battisti 3 – ✆ 07 36 24 40 11 – www.palazzoguiderocchi.com
– info@palazzoguiderocchi.com – Fax 07 36 24 34 41   B**c**
40 cam ⊆ – 👫69/199 €   **Rist** – *(chiuso martedì)* Carta 24/38 €
♦ Palazzo patrizio della fine del XVI secolo, centralissimo e con una pittoresca corte interna e camere in stile molto grandi. A 200 metri la dipendenza di taglio più moderno. Il ristorante è stato ricavato dagli antichi locali di guardia del palazzo.

🏠 **Residenza 100 Torri** senza rist   🏢 ♿ Ⓐ𝐂 🍴 Ⓐ𝐂 ᴠɪꜱᴀ ◎◎ Ⓐ🄴 ⓘ ⑤
via Costanzo Mazzoni 6 – ✆ 07 36 25 51 23 – www.centotorri.com
– info@centotorri.com – Fax 07 36 25 16 46   A**b**
14 cam ⊆ – 👤120/175 € 👫128/250 € – 2 suites
♦ Nuovo hotel ricavato da un'antica filanda e dalle scuderie di un palazzo del 1700. Ambienti signorili e camere rafffinate per un soggiorno di qualità.

🏠 **Pennile** senza rist 🍃   🛠 Ⓐ𝐂 ⁽ᵖ⁾ 🅿 ᴠɪꜱᴀ ◎◎ ⓘ ⑤
via Spalvieri 24, per viale Napoli – ✆ 073 64 16 45 – www.hotelpennile.it
– info@hotelpennile.it – Fax 07 36 34 27 55   C
33 cam ⊆ – 👤52/65 € 👫78/85 €
♦ Immerso nel verde e nella tranquillità, ma non lontano dal centro della località, un albergo recentemente rinnovato; interni ariosi e camere di taglio moderno.

🏠 **Agriturismo Villa Cicchi** 🍃   ⬅ 🍴 🛠 🏢 ⋆⋆ ⁽ᵖ⁾ 🛠 🅿 ᴠɪꜱᴀ ◎◎ ⑤
via Salaria Superiore 137, Sud : 3 km direzione Rosara – ✆ 07 36 25 22 72
– www.villacicchi.it – info@villacicchi.it – Fax 07 36 24 72 81
– chiuso dal 13 novembre all'8 dicembre e dal 10 gennaio al 10 febbraio
6 cam ⊆ – 👤80 € 👫110/160 € – ½ P 85/110 €
Rist – *(chiuso a mezzogiorno)* (prenotazione obbligatoria) Menu 30 €
♦ In campagna, casa di fine '600 in pietra, che conserva i tratti originali grazie al paziente restauro; arredi autentici e camere con soffitti a volta decorati a tempera.

🍴🍴 **Gallo d'Oro**   🛋 Ⓐ𝐂 🍴 ⟷ ᴠɪꜱᴀ ◎◎ Ⓐ🄴 ⓘ ⑤
corso Vittorio Emanuele 54 – ✆ 07 36 25 35 20 – Fax 07 36 34 26 91
– chiuso dal 31 dicembre al 4 gennaio, dal 20 al 26 agosto, sabato a
mezzogiorno e domenica   C**n**
Rist – Carta 28/36 €
♦ Ristorante di tradizione in buona posizione centrale: nella sala tavoli quadrati anche su un simpatico soppalco; cucina nazionale e del territorio.

🍴 **Del Corso**   Ⓐ𝐂 🍴 ᴠɪꜱᴀ ◎◎ ⑤
😊 corso Mazzini 277/279 – ✆ 07 36 25 67 60 – chiuso dal 7 al 14 aprile,
dal 15 agosto al 7 settembre, domenica sera e lunedì   C**d**
Rist – (consigliata la prenotazione) Carta 29/44 €
♦ In un antico palazzo del centro storico, il ristorante dispone di un'unica sala dalla pareti in pietra e volte a vela. La cucina è di mare, fragrante e gustosa; i piatti esposti a voce.

Cosa si nasconde dietro questo simbolo rosso 🍃 ?
Un albergo tranquillo, per svegliarsi al canto degli uccelli.

ASCOLI PICENO

A 14 : PESCARA, ANCONA

ASIAGO – Vicenza (VI) – 562E16 – 6 631 ab. – alt. 1 001 m   35 **B2**
– Sport invernali : 1 000/2 000 m ✠43 (Altopiano di Asiago) ⚞
– ✉ 36012

   ▶ Roma 589 – Trento 64 – Milano 261 – Padova 88

   🛈 via Stazione 5 ✆ 0424 462661, iat.asiago@provincia.vicenza.it, Fax 0424
      462445

   📷 Asiago, ✆ 0424 46 27 21

🏠🏠🏠   **Europa**   ⚜ 🛗 & 🆎 rist, ⚒ 🛜 🅿 VISA 🆖 AE ① 🔻
    corso IV Novembre 65/67 – ✆ 04 24 46 26 59
    – www.hoteleuroparesidence.it – info@hoteleuroparesidence.it
    – Fax 04 24 46 07 96
    22 cam ⚏ – �psingle75/170 € �psingle♀126/190 € – ½ P 93/125 €
    Rist – *(chiuso lunedì)* Carta 33/47 €
    ♦ Signorile ed imponente palazzo nel cuore di Asiago apparentemente d'epoca ma in
    realtà completamente ricostruito. Al primo piano un'elegante stufa riscalda le zone
    comuni. Camere di diverse tipologie, ma accomunate dallo stile caldo di montagna.
    Accogliente sala da pranzo, dove gustare piatti tipici veneti.

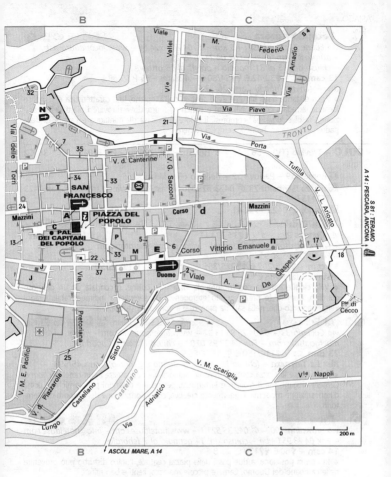

ASCOLI MARE, A 14

🏨 **Golf Hotel Villa Bonomo** 🐾   ⬅ 🛁 🏠 🏢 ⚡ rist, 🔥 🅿 🚗

via Pennar 322, Sud-Est : 3 km – 🕾 *04 24 46 04 08*   **VISA** ⓄⓄ 🅢
– www.hotelvillabonomo.it – info@hotelvillabonomo.it – Fax 04 24 46 04 08
– chiuso dal 5 novembre al 5 dicembre e dal 10 marzo al 20 aprile (escluso Pasqua)
11 cam � – 👤65/95 € 👤👤95/165 € – ½ P 75/110 €
Rist *– (25 dicembre-6 gennaio e luglio-agosto)* Carta 25/34 €
◆ Elegante residenza di campagna adiacente ai campi da golf, recentemente restaurata in rustico stile tirolese; deliziosi spazi comuni con due grandi stufe in ceramica. Gradevole sala ristorante.

🏨 **Erica**   🚲 🏃 📱 🆔 rist, ⚡ 📞 🅿 **VISA** ⓄⓄ 🅢
via Garibaldi 55 – 🕾 *04 24 46 21 13 – www.hotelerica.it – info@hotelerica.it*
– Fax 04 24 46 28 61 – dicembre-aprile e 15 maggio-ottobre
32 cam – 👤52/80 € 👤👤72/110 €, ⊂⊃ 9 € – ½ P 70/92 €
Rist *– (7 dicembre-25 marzo e 15 giugno-14 settembre)* Carta 22/29 €
◆ Conduzione familiare per questa struttura situata nella verdeggiante conca di Asiago: cordialità e professionalità, unite alla tipicità dell'ambiente e ai vari confort, creano le condizioni indispensabili per la riuscita del soggiorno. Piatti locali e nazionali nel bel ristorante con soffitto a cassettoni.

145

Locanda Aurora con cam 🛏   🖼 P VISA ⊚ AE ⚕

via Ebene 71, Nord-Est : 1,5 km – *€ 04 24 46 24 69* – *www.locandaurora.it*
– *aurora@telemar.net* – *Fax 04 24 46 05 28*
– *chiuso dal 15 al 31 maggio e dal 1° al 15 ottobre*
13 cam ⊃ – ♟30/42 € ♟♟54/80 € – 4 suites – ½ P 55/68 €
Rist – *(chiuso lunedì)* Carta 26/32 €
◆ Poco distante dagli innumerevoli sentieri dell'altopiano, una caratteristica e semplice locanda, arredata con mobili scuri e panche a muro, dove ritrovare i piatti della tradizione, "fasoi e luganiga" compresi. Il calore della casa di montagna e l'affabilità della padrona di casa anche nelle semplici camere.

ASOLO – Treviso (TV) – 562E17 – 8 199 ab. – alt. 204 m – ✉ 31011   36 C2

Italia

▶ Roma 559 – Padova 52 – Belluno 65 – Milano 255

🇮 piazza Garibaldi 73 *€ 0423 529046, iat.asolo@provincia.treviso.it,* Fax 0423 524137

🗺 Asolo, *€ 0423 94 22 41*

Villa Cipriani 🛏   ⟨ 🖼 🏠 🏛 ♨ 🖼 🔊 AC ♨ rist, ⁽ᵖ⁾ 🎿 P 🚗

via Canova 298 – *€ 04 23 52 34 11*   VISA ⊚ AE ① ⚕
– *www.sheraton.com/vllacipriani* – *villacipriani@sheraton.com*
– *Fax 04 23 95 20 95*
31 cam – ♟175/269 € ♟♟225/355 €, ⊃ 38 € – ½ P 190/255 €
Rist – Carta 64/88 €
◆ Villa cinquecentesca con incantevole vista sulle colline, circondata da un delizioso giardino. Camere (e prezzi) molto eterogenee, da semplici a indimenticabili. Grandi vetrate ad arco che, nella sala da pranzo, si aprono sulla vallata.

Al Sole 🛏   ⟨ 🏠 🏛 🔊 🖼 ৳ cam, AC ♨ VISA ⊚ AE ⚕

via Collegio 33 – *€ 04 23 95 13 32* – *www.albergoalsole.com* – *info@albergoalsole.com* – *Fax 04 23 95 10 07* – *chiuso Natale e Capodanno*
23 cam ⊃ – ♟110/150 € ♟♟185/285 €
Rist *La Terrazza* – *(chiuso Natale, Capodanno e gennaio)* Carta 45/59 €
◆ Sovrastante la piazza centrale di Asolo, signorilità e raffinatezza in un hotel di *charme*. Camere eleganti ma il gioiello è la terrazza, per pasti e colazioni panoramiche. Cucina d'impostazione moderna, leggermente creativa, con valorizzazione dei prodotti del territorio.

Duse senza rist   🔊 AC ♨ VISA ⊚ AE ⚕

via Browning 190 – *€ 042 35 52 41* – *www.hotelduse.com* – *info@hotelduse.com*
– *Fax 04 23 95 04 04* – *chiuso dal 14 gennaio al 7 febbraio*
14 cam – ♟60 € ♟♟120 €, ⊃ 8 €
◆ In ottima posizione, a due passi dalla piazza centrale, l'unico disturbo può provenire dalle campane del Duomo. Camere piccole ma accoglienti e ben rifinite.

Dormire con tutti i confort a prezzo contenuto?
Cercate i «Bib Hotel» 🏨.

ASSAGO – Milano – Vedere Milano, dintorni

ASSISI – Perugia (PG) – 563M19 – 26 037 ab. – alt. 424 m ▌ Italia   32 B2

▶ Roma 197 – Perugia 25 – Foligno 23 – Spoleto 46

Piante pagine 148-149

Grand Hotel Assisi 🛏   🏠 🖼 🔊 🖼 ৳ AC ♨ rist, 📞 🎿 🚗

via f.lli Canonichetti, 2 km per ① ✉ *06081*   VISA ⊚ AE ⚕
– *€ 07 58 15 01* – *www.grandhotelassisi.com* – *info@grandhotelassisi.com*
– *Fax 07 58 15 07 77*
150 cam ⊃ – ♟103/123 € ♟♟165/205 € – 1 suite   **Rist** – Menu 20/50 €
◆ Sulle pendici del monte Subasio, un'imponente struttura moderna dotata di terrazza roof-garden con vista sui dintorni; spaziosa hall, camere di medie dimensioni. L'ampiezza della sala ristorante riflette la versatilità delle preparazioni gastronomiche.

🏨 **Subasio** ⟪ 🕸 |❄| ▦ 🕸 rist, ⁽¹⁾ 🚾 ⓞⓞ 🆎 ⓞ 🕭

via Frate Elia 2 ✉ *06082 – ☎ 075 81 22 06 – www.hotelsubasioassisi.com*
– info@hotelsubasioassisi.com – Fax 075 81 66 91   **Af**
62 cam ⌷ – ❦80/190 € ❦❦98/300 €   **Rist** – Carta 41/51 €
♦ Hotel di tradizione, adiacente alla Basilica di S. Francesco, con arredi in stile e atmosfere d'epoca; terrazze panoramiche a disposizione degli ospiti. Elegante ristorante, con
lampadari che sembrano di pizzo e finestre che paiono infinite; servizio all'aperto sotto
un pergolato.

🏨 **Fontebella** ⟪ |❄| ⅃ ▦ 🕸 🚾 ⓞⓞ 🆎 ⓞ 🕭

via Fontebella 25 ✉ *06081 – ☎ 075 81 28 83 – www.fontebella.com – info@*
fontebella.com – Fax 075 81 29 41   **Be**
46 cam ⌷ – ❦72/170 € ❦❦98/290 € – ½ P 79/175 €
Rist Il Frantoio – vedere selezione ristoranti
♦ All'interno di un palazzo seicentesco, raffinati spazi comuni in stile classico, ornati da
eleganti tappeti e dipinti di artisti umbri contemporanei. Tecnologie d'avanguardia
hanno invece "conquistato" le camere, dotandole di ogni confort.

🏨 **La Terrazza** ⟪ 🚗 🕸 ⅃ |❄| ⅃ rist, ▦ 🕸 rist, 🅿 🚾 ⓞⓞ 🆎 ⓞ 🕭

via F.lli Canonichetti, 2 km per ① ✉ *06081 – ☎ 075 81 23 68*
– www.laterrazzahotel.it – info@laterrazzahotel.it – Fax 075 81 61 42
26 cam ⌷ – ❦60/80 € ❦❦90/125 € – ½ P 80 €
Rist – *(chiuso gennaio e febbraio)* Carta 23/31 €
♦ Tra il verde degli olivi, un'architettura ricca di "movimento" che si rifà a certi casali in
pietra della zona: spazi all'aperto che incorniciano una bella piscina e camere di taglio
moderno. Bianche pareti, ulteriormente rischiarate da piccoli lumi, nell'ampia e sobria
sala ristorante.

🏨 **Dei Priori** |❄| ▦ 🕸 ⁽¹⁾ 🚾 ⓞⓞ 🆎 ⓞ 🕭

corso Mazzini 15 ✉ *06081 – ☎ 075 81 22 37 – www.assisi-hotel.com – hpriori@*
tiscalinet.it – Fax 075 81 68 04   **Bn**
34 cam ⌷ – ❦50/120 € ❦❦90/250 € – ½ P 75/140 €
Rist – *(chiuso dal 15 gennaio a febbraio) (chiuso a mezzogiorno)* Carta 31/57 €
♦ Vicino alla piazza centrale, l'albergo occupa l'antico Palazzo *Nepis Cilleni* del 1570. Al
suo interno, la raffinatezza si esprime nella cura degli arredi: dai mobili d'epoca ai soffitti
affrescati. Atmosfera raffinata e un piacevole gioco di luci, che illumina il soffitto a volte
della sala.

🏨 **Umbra** 🦢 🕸 |❄| ▦ cam, 🕸 🕸 🚾 ⓞⓞ 🆎 🕭

vicolo degli Archi 6 ✉ *06081 – ☎ 075 81 22 40 – www.hotelumbra.it – info@*
hotelumbra.it – Fax 075 81 36 53 – chiuso dal 10 gennaio al 15 marzo
24 cam ⌷ – ❦70/80 € ❦❦105/125 € – ½ P 77/87 €   **Bx**
Rist – *(chiuso dal 4 novembre al 15 marzo e domenica) (chiuso a mezzogiorno)*
Carta 24/37 €
♦ E' in una posizione davvero felice questo hotel, dove sarete accolti con cordialità,
situato in pieno centro, in una zona tranquilla; ampie camere con arredi in stile. Gradevole sala con pareti chiare e tavoli graziosi; servizio estivo all'aperto, in terrazza.

🏠 **Sole** |❄| 🕸 🚾 ⓞⓞ 🆎 ⓞ 🕭
🍃

corso Mazzini 35 ✉ *06081 – ☎ 075 81 23 73 – www.assisihotelsole.com – info@*
assisihotelsole.com – Fax 075 81 37 06   **Bz**
37 cam – ❦26/45 € ❦❦37/65 €, ⌷ 6 € – ½ P 53 €
Rist – *(aprile-ottobre) (chiuso a mezzogiorno)* Carta 17/33 €
♦ Albergo costituito da due corpi separati, quello principale con ricevimento e ristorante
e, dirimpetto, il secondo che ospita camere recenti e spaziose. Ottima cucina umbra in
una caratteristica sala con soffitto a volte in mattoni ed un imponente camino, vero
cuore del locale.

🏠 **Berti** |❄| ▦ 🕸 🚾 ⓞⓞ 🆎 ⓞ 🕭

piazza San Pietro 24 ✉ *06081 – ☎ 075 81 34 66 – www.hotrelberti.it – info@*
hotelberti.it – Fax 075 81 68 70 – chiuso dal 10 gennaio al 1° marzo
10 cam ⌷ – ❦50/70 € ❦❦80/85 €   **Aa**
Rist Da Cecco – vedere selezione ristoranti
♦ Graziosi spazi comuni non ampi, ma accoglienti e camere recentemente rinnovate: un
ottimo punto di partenza (e di ritorno) alla scoperta della città del santo *Poverello*.

ASSISI

Aretino (V. Borgo) C
Brizi (V.) . . . . B 2
Carceri (V. Eremo d.). C
Colle (V. del). . . . . B
Comune (Pza del) . . . . B 3
Cristofani (V.) . . . . B
Fontebella (V.) . . . . B
Fortini (V. A.) . . . . B 4
Fosso Cupo (V. del) . . . . AB 6
Frate Elia (V.) . . . . A 7
Galeazzo Alessi (V.) . . . . C 8
Garibaldi (Piazzetta). . . . . B 9
Giotto (V.) . . . . B 10
Marconi (Viale) . . . . A
Matteotti (Pza) C
Mazzini (Corso) . . . . B 12
Merry del Val (V.) . . . . A 13
Metastasio (V.) . . . . B
Porta Perlici (V.) . . . . C 14
Porta S. Pietro (Piazzale) . . . . A
Portica (V.) . . . . B 16
Rocca (V. della) . . . . BC
San Francesco (V.) . . . . AB
Seminario (V. del) . . . . B 28
S. Agnese (V.) . . . . B
S. Apollinare (V.) . . . . B 17
S. Chiara (Pza) . . . . BC 19
S. Croce (V.). . . . . B
S. Francesco (Pza) . . . . A 20
S. Gabriele della Addolorata (V.) . . . . . . BC 21
S. Giacomo (V.). A 23
S. Paolo (V.) . . . . B
S. Pietro (Borgo) . . . . AB
S. Pietro (Pza) . . . . A 24
S. Rufino (V.) . . . . B 26
Torrione (V. del). . . . . C 30
Umberto I (Viale). C
Villamena (V.). . . . . C 31
Vittorio Emanuele II (Viale) . . . . ABC

🍴🍴 **San Francesco** < [AC] [VISA] [MC] [AE] [D] [S]

via San Francesco 52 ✉ 06081 – ☎ 075 81 23 29 – www.ristorantesanfrancesco.com – info@ristorantesanfrancesco.com – Fax 075 81 52 01 – chiuso dal 1° al 15 luglio e mercoledì A**b**

Rist – Carta 37/50 € 🍇

◆ Ristorante dalla cucina tradizionale, *in loco* da più da più di mezzo secolo e gestito sempre dalla stessa famiglia. Bella veranda affacciata sulla Basilica di S. Francesco alla quale fanno eco interni rustici, decorati con ceramiche artistiche e soffitto a cassettoni.

🍴🍴 **Buca di San Francesco** ☂ [VISA] [MC] [AE] [D] [S]

via Brizi 1 ✉ 06081 – ☎ 075 81 22 04 – www.assisi.com/buca-san-francesco/ – bucasanfrancesco@libero.it – Fax 075 81 37 80 – chiuso dal 1° al 15 luglio e lunedì B**v**

Rist – Carta 24/36 €

◆ Ambiente decisamente rustico con collezione di piatti del *Buon Ricordo* alle pareti, per questo storico ristorante che mantiene la promessa di un'autentica cucina regionale, al di là delle mode e dei tempi. Gradevole servizio estivo sotto un pergolato.

🍴🍴 **Il Frantoio** – Hotel Fontebella 🪑 ☂ [AC] 🚭 [VISA] [MC] [AE] [D] [S]

vicolo Illuminati ✉ 06081 – ☎ 075 81 28 83 – www.fontebella.com – info@fontebella.com – Fax 075 81 29 41 B**e**

Rist – Carta 28/65 € 🍇

◆ Ci sarà solo l'imbarazzo della scelta nella fornitissima proposta enologica, degna sposa di un menu che esalta i sapori della terra umbra. Servizio estivo in giardino.

ROCCA MAGGIORE

TEMPIO DI MINERVA

SAN RUFINO

ANFITEATRO ROMANO

SANTA CHIARA

CONVENTO DI S. DAMIANO

FOLIGNO
TERNI, FANO

SPELLO

EREMO DELLE CARCERI

✗ **Da Erminio**   VISA ◉◎ AE ① ᴕ

*via Montecavallo 19 ⊠ 06081 – ℰ 075 81 25 06 – www.trattoriadaerminio.it
– info@trattoriadaerminio.it – Fax 075 81 25 06 – chiuso dal 15 gennaio
al 3 marzo, dal 1° al 15 luglio e giovedì* **Rist** – Carta 20/36 €

♦ Non lontano dalla Basilica di S. Rufino, *Da Erminio* ha il grande pregio di trasmettere
all'avventore una piacevole sensazione di autenticità: sarà forse per quelle alte volti che
caratterizzano il locale o per il camino sulle cui braci cuociono le carni…Di sicuro, è l'indirizzo giusto per gustare buoni piatti locali.

✗ **Da Cecco** – Hotel Berti   AC VISA ◉◎ AE ᴕ

*piazza San Pietro 8 ⊠ 06081 – ℰ 075 81 24 37 – www.hotelberti.it – info@
hotelberti.it – Fax 075 81 68 70 – chiuso dal 6 gennaio al 15 marzo e mercoledì*
Rist – Carta 20/36 €   A**m**

♦ Atmosfera informale nelle tre semplici salette, dove fa bella mostra di sè un'originale
collezione di vasi ed otri in terracotta. Dalla cucina: specialità umbre, funghi e tartufo nero.

✗ **La Fortezza**   AC VISA ◉◎ ᴕ

*vicolo della Fortezza 2/b ⊠ 06081 – ℰ 075 81 29 93 – www.lafortezzahotel.com
– lafortezza@lafortezzahotel.com – Fax 07 58 19 80 35 – chiuso febbraio,
una settimana in luglio e una settimana in novembre*   B**c**
Rist – *(chiuso Natale) (chiuso a mezzogiorno escluso sabato e domenica)*
(consigliata la prenotazione) Menu 18/40 € – Carta 23/32 €

♦ In una sobria sala, piatti del territorio e servizio familiare (ma in cravatta e di gran cortesia) per questo ristorante, a pochi passi dalla piazza del Comune.

149

a Viole Sud-Est : 4 km per ① – ✉ **06081 – Assisi**

🏠 **Agriturismo Malvarina** 🐎 rist, [P]
Pieve Sant'Apollinare 32 – ☎ 07 58 06 42 80 VISA [MC] [D] $
– www.malvarina.it – info@malvarina.it – Fax 07 58 06 42 80
13 cam ☕ – 👤53 € 👥93 € – 3 suites – ½ P 77 €
Rist – *(chiuso a mezzogiorno)* (prenotazione obbligatoria) Menu 30 €
◆ Un'oasi di tranquillità a poca distanza da Assisi, ideale per trascorrere momenti di relax, e per bucoliche passeggiate a cavallo. Camere accoglienti, in arte povera. Graziosa sala ristorante, cucina genuina.

🏠 **Agriturismo il Giardino dei Ciliegi** [AC] [P]
via Massera 6 – ☎ 07 58 06 40 91 VISA [MC] $
– www.ilgiardinodeiciliegi.it – giardinodeiciliegi@libero.it – Fax 07 58 06 40 91
8 cam ☕ – 👤50/70 € 👥90/100 € – ½ P 80 €
Rist – *(chiuso a mezzogiorno)* (prenotazione obbligatoria) *(solo per alloggiati)* Menu 20/35 €
◆ Una vacanza rilassante tra le dolci colline umbre in una piccola casa colonica a gestione familiare, con sobrie camere accoglienti arredate in stile "finto povero".

ad Armenzano Est : 12 km – **alt. 759 m** – ✉ **06081 – Assisi**

🏨 **Le Silve** 🐎 rist, [P] VISA [MC] [AE] [D] $
– ☎ 07 58 01 90 00 – www.lesilve.it – info@lesilve.it – Fax 07 58 01 90 05
– aprile-5 novembre
20 cam ☕ – 👤100/150 € 👥130/220 € – ½ P 105/150 €
Rist – Carta 56/66 €
◆ In un'oasi di pace, dove severi boschi succedono a dolci ulivi, un casale del X secolo dai sobri e incantevoli interni rustici, dove ritrovare una semplicità antica. Servizio ristorante estivo all'aperto; proposte di cucina locale rivisitata con creatività.

a Santa Maria degli Angeli Sud-Ovest : 5 km – ✉ **06081**

🏨 **Dal Moro Gallery Hotel** [AC] rist, [P]
via Becchetti 2 – ☎ 07 58 04 36 88 VISA [MC] [AE] [D] $
– www.dalmorogalleryhotel.com – info@dalmorogalleryhotel.com
– Fax 07 58 04 16 66
51 cam ☕ – 👤70/150 € 👥98/240 € – ½ P 69/145 €
Rist – *(chiuso lunedì)* Carta 35/52 €
◆ Vicino alla Porziuncola di San Francesco, si può scegliere tra camere classiche o di design che ripropongono i temi moderni rappresentati nella hall. Menu capace di stimolare appetiti esigenti e attenti alla cucina del territorio. Buona cantina.

🏨 **Cristallo** cam, [AC] rist, [P] VISA [MC] [AE] [D] $
via Los Angeles 195 – ☎ 07 58 04 35 35 – www.mencarelligroup.com – cristallo@mencarelligroup.com – Fax 07 58 04 35 38
52 cam ☕ – 👤70/90 € 👥110/150 € – ½ P 75/95 € **Rist** – Carta 22/40 €
◆ Situato in una bella posizione panoramica, l'hotel è stato di recente totalmente ristrutturato: gli interni sono arredati in stile contemporaneo e le ampie camere dispongono di ogni moderno confort. Pronti a visitare la *Porziuncola*, a meno di 1 km? Al ristorante, autentici sapori umbri.

🍴 **Brilli Bistrot** [AC] VISA [MC] [AE] [D] $
via Los Angeles 83 – ☎ 07 58 04 34 33 – www.brillibistrot.com
– info@billibistrot.com – chiuso Natale, quindici giorni in agosto,martedì e i mezzogiorno di sabato e domenica
Rist – (consigliata la prenotazione la sera) Carta 35/54 € ✻
◆ A metà strada tra *bistrot* e ristorante, la risorsa è smaccatamente promotrice di una cucina non convenzionale, che fa della particolarità gastronomica (partendo da ottime materie prime) la propria bandiera. Ostriche e pesce crudo.

Non confondete le posate 🍴 e le stelle ✻ !
Le posate definiscono il livello di confort e raffinatezza,
mentre la stella premia le migliori cucine, in ognuna di queste categorie

ASTI Ⓟ (AT) – 561H6 – **73 120 ab.** – alt. 123 m – ⌧ **14100** Italia 25 **D1**

▶ Roma 615 – Alessandria 38 – Torino 60 – Genova 116

🅱 piazza Alfieri 29 ☎ 0141 530357, atl@axt.it, Fax 0141 538200

◉ Battistero di San Pietro★ CY

Ⓒ Monferrato★ per ①

Piante pagine 152-153

Aleramo senza rist 🕴 🛬 🔟 📞 🔊 ⇐ 𝚅𝙸𝚂𝙰 ⓞⓞ 🄰🄴 ⓞ 🛆

*via Emanuele Filiberto 13 – ☎ 01 41 59 56 61 – www.hotel.aleramo.it
– haleramo@tin.it – Fax 014 13 00 39 – chiuso agosto* BZ**a**

42 cam ⌂ – †80/90 € ††140/160 €

♦ La passione del proprietario per il design contemporaneo prende forma in camere moderne e mai banali, dal lontano e mitico Giappone alle decorazioni in cera.

Reale 🕴 ⅁ 🔟 📞 𝚅𝙸𝚂𝙰 ⓞⓞ 🄰🄴 ⓞ 🛆

*piazza Alfieri 6 – ☎ 01 41 53 02 40 – www.hotelristorantereale.it
– info@hotelristorantereale.it – Fax 014 14 13 43 57* BY**e**

27 cam ⌂ – †75/90 € ††110/140 € – ½ P 75/110 €

Rist *Il Flauto Magico* – ☎ 01 41 53 22 79 *(chiuso luglio)* Carta 21/35 €

♦ Fu inaugurato nel 1793 uno degli hotel più antichi della città; richiami liberty nei piacevoli interni e belle camere, alcune molto spaziose e arredate con gusto. Elegante sala ristorante al primo piano, ma si può scegliere anche il self-service e le pizze.

Rainero senza rist 🕴 🔟 📞 ⇐ 𝚅𝙸𝚂𝙰 ⓞⓞ 🄰🄴 ⓞ 🛆

*via Cavour 85 – ☎ 01 41 35 38 66 – www.hotelrainero.com
– info@hotelrainero.com – Fax 01 41 59 49 85
– chiuso dal 24 dicembre al 10 gennaio* BZ**c**

53 cam – †50 € ††75/95 €, ⌂ 8 €

♦ Comoda ubicazione, vicino al Campo del Palio, per un albergo con spazi interni essenziali, in stile moderno; camere lineari, gradevole terrazza-solarium.

Lis senza rist 🔟 📞 𝚅𝙸𝚂𝙰 ⓞⓞ 🄰🄴 ⓞ 🛆

*viale Fratelli Rosselli 10 – ☎ 01 41 59 50 51 – www.hotellis.it – hotellis@tin.it
– Fax 01 41 35 38 45* CY**r**

29 cam ⌂ – †65/75 € ††90/110 €

♦ Hotel centrale, affacciato sui giardini pubblici dai maestosi alberi secolari, vocato al turismo d'affari; ampia hall e camere confortevoli in stile moderno e lineare.

Palio senza rist 🕴 🔟 📞 🔊 🚗 𝚅𝙸𝚂𝙰 ⓞⓞ 🄰🄴 🛆

*via Cavour 106 – ☎ 014 13 43 71 – www.hotelpalio.com – info@hotelpalio.com
– Fax 014 13 43 73 – chiuso dal 23 al 26 dicembre* BZ**b**

37 cam ⌂ – †75/105 € ††107/155 €

♦ Con intelligenza la limitatezza degli spazi è stata trasformata in soluzioni originali e moderne. Curiosa sala colazioni al primo piano con vetrate sulla strada.

XXX **Gener Neuv** (Giuseppina Bagliardi) 🔟 🕉 ⇔ Ⓟ 𝚅𝙸𝚂𝙰 ⓞⓞ 🄰🄴 ⓞ 🛆

£3 *lungo Tanaro dei Pescatori 4, per ③ – ☎ 01 41 55 72 70
– www.generneuv.it – generneuv@atlink.it – Fax 01 41 43 67 23
– chiuso agosto, domenica sera (anche domenica a mezzogiorno da gennaio a luglio) e lunedì*

Rist – 68 € – Carta 56/76 € 🍷

Spec. Baccalà mantecato con cialde di farina di ceci. Polenta al cucchiaio su fonduta, uovo barzotto e tartufo bianco d'Alba. Faraona disossata e arrostita con salsa reale.

♦ Storico baluardo della cucina astigiana, la carta è un compendio dei classici piemontesi, l'accoglienza calorosa e familiare, il locale elegante con tavoli distanziati.

XX **L'Angolo del Beato** 🔟 ⇔ 𝚅𝙸𝚂𝙰 ⓞⓞ 🄰🄴 🛆

*via Guttuari 12 – ☎ 01 41 53 16 68 – www.angolodelbeato.it
– info@angolodelbeato.it – Fax 01 41 53 16 68
– chiuso dal 26 dicembre al 6 gennaio, dal 14 al 20 agosto, domenica e i giorni festivi* BZ**c**

Rist – Carta 30/50 €

♦ Piccolo ristorante centrale con diverse sale sobrie ma accoglienti, in stile "francescano" ma con tocchi d'eleganza; proposte di specialità piemontesi fedeli alla tradizione.

ASTI

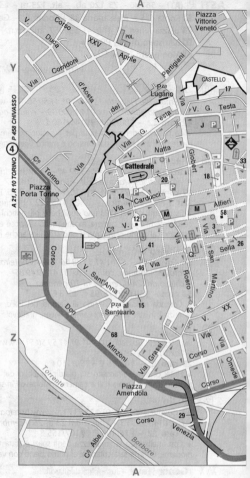

ATENA LUCANA – Salerno (SA) – 564F28 – 2 273 ab. – alt. 642 m   7 D2
– ✉ 84030

▶ Roma 346 – Potenza 54 – Napoli 140 – Salerno 89

 Villa Torre Antica   🏠 🕭 AK 🍴 rist, VISA 🚗 ⓘ 💳
via Indipendenza 32 – ☎ 09 75 77 90 16
– www.hoteltorreantica.com – info@hoteltorreantica.com
– Fax 09 75 77 90 17
14 cam ⚏ – †50/60 € – ††70/90 € – ½ P 70/90 €
Rist – Carta 25/51 €
◆ Hotel di *charme* nato nel 2005 dal restauro di un vecchio torrione del XVIII
secolo: gli interni ne conservano i muri, mentre alla modernità sono ispirati i raffinati confort.

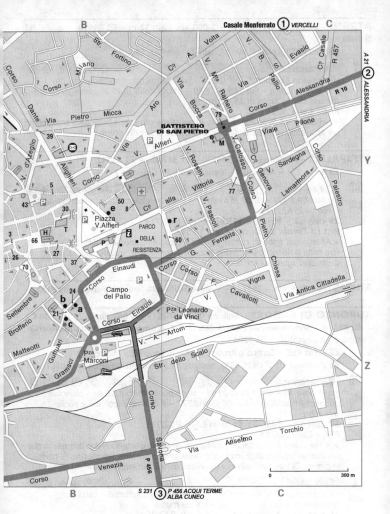

sulla strada statale 19 Sud : 4 km

🏠 **Magic Hotel**
⚕️ via Maglianiello 13 ⊠ 84030 – ✆ 097 57 12 92
🏵️   – www.magichotel.it – info@magichotel.it
    – Fax 097 57 12 92
⏻🖥️&♿ cam, 🎛️ 📶 🛁 P 🅿️ VISA ⑳ AE ① 💲
45 cam ⊇ – 📖40/50 € 📖📖50/60 € – 1 suite
Rist – *(chiuso Natale e Capodanno)* Carta 18/42 €
♦ Costruzione d'ispirazione contemporanea lungo la statale: interni in stile lineare, con luminosi ed essenziali spazi comuni. Camere semplici, ma molto accoglienti. Piccolissima beauty farm. Grande sala da pranzo con tocchi eleganti (anche pizzeria serale).

ATRANI – Salerno (SA) – 564F25 – **1 008 ab.** – alt. 12 m – ⊠ 84010   6 **B2**

Italia

▶ Roma 270 – Napoli 69 – Amalfi 2 – Avellino 59

X   **'A Paranza**   AC   VISA   AE
via Traversa Dragone 1 – ✆ *089 87 18 40 – www.ristoranteaparanza.com*
– max70@tiscali.it – Fax 089 87 18 40 – chiuso dall'8 al 25 dicembre e martedì
(escluso dal 15 luglio al 15 settembre)
Rist – Carta 30/55 €
♦ Nel centro del caratteristico paese, intime salette con volte a botte dove accomodarsi
per apprezzare le specialità di mare, espressione di saporite ricette.

ATRIPALDA – Avellino (AV) – 564E26 – **11 317 ab.** – ⊠ 83042   7 **C2**

▶ Roma 251 – Avellino 4 – Benevento 40 – Caserta 62

🏨   **Civita**   AC   P   VISA   AE
via Manfredi 124 – ✆ *08 25 61 04 71 – www.hotelcivita.it – info@hotelcivita.it*
– Fax 08 25 62 25 13
29 cam ⊊ – †61/70 € ††85/95 € – ½ P 60/73 €
Rist *La Tavola del Duca* – Carta 18/35 €
♦ Albergo con ambienti comuni signorili e accoglienti, arredati in stile moderno. Il settore notte si distingue per camere graziose e confortevoli. Spaziosa sala da pranzo con
decorazioni agresti sul soffitto.

AUGUSTA – Siracusa – 565P27 – **Vedere Sicilia alla fine dell'elenco alfabetico**

AURONZO DI CADORE – Belluno (BL) – 562C19 – **3 651 ab.**   36 **C1**
– alt. 864 m – Sport invernali : 864/1 585 m ✦4, (Comprensorio Dolomiti superski
Cortina d'Ampezzo) ✦ – ⊠ 32041

▶ Roma 663 – Cortina d'Ampezzo 34 – Belluno 62 – Milano 402
🛈 via Roma 10 ✆ 0435 9359, auronzo@infodolomiti.it, Fax 0435 400161

🏨   **Panoramic**   P   VISA
via Padova 15 – ✆ *04 35 40 01 98 – www.panoramichotel.com – prenotazioni@*
panoramichotel.com – Fax 04 35 40 05 78 – 4 dicembre-febbraio e aprile-
settembre
30 cam ⊊ – †45/70 € ††70/94 € – ½ P 57/73 €
Rist – Carta 22/38 €
♦ In riva al lago e in posizione panoramica, un ampio giardino avvolge la quiete di questo albergo familiare dagli ambienti in delizioso stile montano. Semplicemente gradevoli
le camere. Di tono rustico la sala da pranzo, dalle accattivanti proposte del territorio.

X   **Cacciatori** con cam   P   VISA   AE
via Ligonto 26 – ✆ *043 59 70 17 – www.wel.it/HRcacciatori – cacciatori@*
cadorenet.it – Fax 043 59 71 03 – chiuso marzo
15 cam ⊊ – †38/80 € ††70/115 € – ½ P 67/75 €
Rist – Carta 18/38 €
♦ Selvaggina e carni proposte in piatti dalle porzioni generose nelle due accoglienti e
semplici sale di cui una ricavata dalla chiusura di una veranda con lunghe vetrate su
tutto il lato. Le camere non sono di grandi dimensioni ma piacevoli e confortevoli dal-
l'arredo minimalista in legno colorato.

a Palus San Marco Ovest : 12 km – ⊠ 32041 – Auronzo di Cadore

🏠   **Al Cervo** ⌂   P   VISA   AE
via Valle Ansiei 140 – ✆ *04 35 49 70 00 – www.albergoalcervo.it – info@*
albergoalcervo.it – Fax 04 35 49 75 91 – chiuso maggio, ottobre e novembre
9 cam ⊊ – †38/60 € ††66/110 € – ½ P 48/74 €
Rist – *(chiuso martedì escluso luglio agosto)* Carta 17/33 €
♦ Avvolto dal verde delle pinete, un luogo di pace, relax e sport. Piccolo e caratteristico
albergo familiare, completamente rimodernato, con graziosi ambienti per rilassarsi
all'ombra della cime. Riscaldata dalle luminose tonalità lignee la sala da pranzo dove
gustare piatti montani e grigliate di carne.

AVELENGO (HAFLING) – Bolzano (BZ) – 562C15 – 719 ab.
– alt. 1 290 m – Sport invernali : a Merano 2000 : 1 600/2 300 m ✦ 2 ✦5, ✦
– ✉ 39010▮ Italia

▶ Roma 680 – Bolzano 37 – Merano 15 – Milano 341
ℹ via Santa Caterina 2b ☎ 0473 279457, info@hafling.com, Fax 0473 279540

Miramonti ⚑ ⬚ ⬚ ⬚ ⬚ ⬚ ⬚ ⬚ ⬚ ⬚ 🅰🅲 ⬚ ⬚ 🆅🆂🅰 ⬚ 🅰🅴 ⓘ ⬚
via St. Kathrein 14 – ☎ 04 73 27 93 35 – www.hotel-miramonti.com – info@
hotel-miramonti.com – Fax 04 73 27 93 37 – chiuso dal 10 novembre al 18 dicembre
31 cam ⬚ – †120/225 € ††161/300 € – 5 suites   **Rist** – Carta 45/58 €
♦ Recentemente ristrutturato, l'hotel vanta arredi ed ambienti in stile moderno. Posizione deliziosamente panoramica. Ampie vetrate sulla vallata illuminano il ristorante, dove assaporare prelibatezze locali.

Viertlerhof ⬚ ⬚ ⬚ ⬚ ⬚ ⬚ 🅰🅲 ⬚ rist, ⬚ 🅿 ⬚ 🆅🆂🅰 ⬚ ⬚
via Falzeben 126 – ☎ 04 73 27 94 28 – www.hotel-viertlerhof.it
– info@viertlerhof.it – Fax 04 73 27 94 46
– chiuso dal 22 marzo al 5 aprile e dall' 8 novembre al 25 dicembre
27 cam – solo ½ P 70/80 €   **Rist** – (solo per alloggiati)
♦ Immerso nella tranquillità d'un bel giardino, un tradizionale hotel ben accessoriato, dagli spazi interni rinnovati con molto legno in stile moderno; pregevole settore relax.

Mesnerwirt ⬚ ⬚ ⬚ ⬚ ⬚ ⬚ rist, ⬚ 🅿 ⬚
alla Chiesa 2 – ☎ 04 73 27 94 93 – www.mesnerwirt.it – info@mesnerwirt.it
– Fax 04 73 27 95 30 – chiuso dal 10 novembre al 20 dicembre
19 cam – †55/75 € ††94/122 € – ½ P 60/73 €   **Rist** – Carta 24/47 €
♦ Classico albergo in stile tirolese, a conduzione familiare; accogliente zona comune rivestita interamente di perlinato, alcune camere con angolo cottura. Classica sala da pranzo con grandi finestre.

AVELLINO Ⓟ (AV) – 564E26 – 56 400 ab. – alt. 351 m – ✉ 83100
▶ Roma 245 – Napoli 57 – Benevento 39 – Caserta 58
ℹ piazza Libertà 50 ☎ 0825 74732, info@eptavellino.it, Fax 0825 74757

De la Ville ⬚ ⬚ ⬚ ⬚ ⬚ 🅰🅲 ⬚ ⬚ 🅿 ⬚ 🆅🆂🅰 ⬚ 🅰🅴 ⓘ ⬚
via Palatucci 20 – ☎ 08 25 78 09 11 – www.hdv.av.it – info@hdv.av.it
– Fax 08 25 78 09 21
63 cam – †170/210 € ††230 €, ⬚ 25 € – 6 suites – ½ P 165 €
Rist *Il Cavallino* – Carta 45/55 € (+10 %)
♦ Da sempre attivi nella realtà edile, i proprietari stessi hanno ideato e costuito questa enorme struttura con camere signorili ed ampi spazi personalizzati con molto verde. Ampia e di taglio classico-elegante, la sala da pranzo propone i piatti della tradizione.

Viva Hotel ⬚ ⬚ cam, 🅰🅲 ⬚ rist, ⬚ 🅰🅲 🅿 🆅🆂🅰 ⬚ 🅰🅴 ⓘ ⬚
via Circumvallazione 121/123 – ☎ 082 53 21 79 – www.vivahotel.it – info@
vivahotel.it – Fax 08 25 78 00 29
82 cam ⬚ – †80/90 € ††100/110 € – ½ P 70/75 €   **Rist** – Menu 15/25 €
♦ Non molto distante dal centro, l'albergo è stato recentemente ampliato e dispone di camere lineari, moderni ed accoglienti monolocali con angolo cottura e sala convegni. Presso l'intima sala ristorante, la cucina tipica irpina e la golosa pizza napoletana.

La Maschera ⬚ ⬚ 🆅🆂🅰 ⬚ 🅰🅴 ⓘ ⬚
rampa San Modestino 1 – ☎ 082 53 76 03 – www@ristorantelamaschera.com
– info@ristorantelamaschera.com – Fax 08 25 24 87 61 – chiuso 10 giorni in
agosto e domenica sera
Rist – Carta 36/48 € ⬚
♦ Luci soffuse e tocchi signorili nell'arredo in sala, un fresco dehors con tavoli in ferro ed una cucina dalle proposte legate al territorio irpino, rivisitate ed alleggerite.

Antica Trattoria Martella ⬚ 🅰🅲 ⬚ 🆅🆂🅰 ⬚ 🅰🅴 ⓘ ⬚
via Chiesa Conservatorio 10 – ☎ 082 53 11 17 – www.ristorantemartella.it
– info@ristorantemartella.com – Fax 082 53 21 23 – chiuso dal 24 al 26 dicembre,
Capodanno, 1 settimana in agosto, domenica sera e lunedì
Rist – (chiuso a mezzogiorno) Carta 26/35 € ⬚
♦ Un'accogliente trattoria arredata in modo classico con tavoli quadrati, propone un buffet d'antipasti accanto ad una cucina e ad una cantina che riflettono i sapori regionali.

AVENA (Monte) – Belluno – 562D17 – Vedere Pedavena

AVENZA – Carrara – 563J12 – Vedere Carrara

AVETRANA – Taranto (TA) – 564F35 – **7 140 ab.** – **alt. 62 m** – ✉ 74020   27 **D3**
▶ Roma 562 – Bari 146 – Brindisi 42 – Lecce 50

⌂   **Masseria Bosco** ॐ   🔊 ☕ ☂ 🛠 AC ॐ 🎵 ⚒ 𝗣 *VISA* ⦿⦿ AE ① 👌
via Stazione km 1, Nord : 2 km – ✆ *09 99 70 40 99* – *www.masseriabosco.it*
– *info@masseriabosco.it* – *Fax 09 99 70 40 99*
12 cam ☟ – ⅋60/144 € ⅋⅋100/200 € – ½ P 120/165 €
Rist – *(chiuso novembre)* Carta 31/41 €
♦ Immersa tra gli ulivi, la masseria settecentesca offre una bella esposizione di strumenti
di vita contadina. Caratteristiche camere con soffitto in tufo e bagni policromi. L'olio del-
l'azienda e i piatti regionali nel suggestivo ristorante.

AVEZZANO – L'Aquila (AQ) – 563P22 – **38 946 ab.** – **alt. 697 m**   1 **A2**
– ✉ 67051
▶ Roma 105 – L'Aquila 52 – Latina 133 – Napoli 188

🏨   **Dei Marsi** 🔊 📱 👌 🛠 AC ⇶ ॐ 🎵 ⚒ 𝗣 *VISA* ⦿⦿ AE ① 👌
via Cavour 79/B, Sud : 3 km – ✆ *08 63 46 01* – *www.hoteldeimarsi.it* – *booking@
hoteldeimarsi.it* – *Fax 086 34 60 01 00*
112 cam ☟ – ⅋63/90 € ⅋⅋85/120 € – ½ P 56/78 €   **Rist** – Carta 23/51 €
♦ Nel cuore industriale di Avezzano, efficiente struttura di moderna concezione con
spazi interni funzionali e camere in stile lineare d'ispirazione contemporanea. Ampia e
accogliente sala ristorante.

🏨   **Olimpia** 🔊 ☂ 🍸 📶 📱 👌 AC ⇶ ॐ 🎵 ⚒ 𝗣 *VISA* ⦿⦿ AE ① 👌
via Tiburtina Valeria km 111,200, Nord-Ovest : 3 km – ✆ *08 63 45 21*
– *www.hotelolimpia.it* – *info@hotelolimpia.it* – *Fax 08 63 45 24 00*
76 cam ☟ – ⅋60/100 € ⅋⅋80/110 € – ½ P 56/71 €   **Rist** – Carta 25/47 €
♦ In comoda posizione vicino all'uscita autostradale, albergo con confortevoli zone
comuni e camere essenziali; a disposizione uno dei migliori centri benessere della zona.
Luminosa sala da pranzo e spazioso salone per banchetti.

AVIANO – Pordenone (PN) – 562D19 – **8 644 ab.** – ✉ 33081   10 **A2**
▶ Roma 618 – Trieste 133 – Pordenone 14 – San Donà di Piave 75

🏨🏨   **Villa Policreti** 🔊 ☕ 📶 📱 AC ॐ rist. 🛠 𝗣 *VISA* ⦿⦿ AE ① 👌
⚙⚙   *via 4 Novembre 13, località Castel d'Aviano, Sud-Ovest: 2 km* – ✆ *04 34 67 71 69*
– *www.villapolicreti.net* – *info@villapolicreti.net* – *Fax 04 34 67 72 08*
38 cam ☟ – ⅋80/90 € ⅋⅋100/120 €   **Rist** – Carta 20/60 €
♦ In un'antica dimora del XVI sec., circondata dal verde da un lussureggiante parco, la
struttura è caratterizzata da camere confortevoli ed originali. Ottimo indirizzo per un
soggiorno all'insegna del relax.

AVOLA – Siracusa – 565Q27 – Vedere Sicilia alla fine dell'elenco alfabetico.

AYAS – Aosta (AO) – 561E5 – **1 281 ab.** – **alt. 1 453 m** – **Sport invernali :**   34 **B2**
1 267/2 714 m ⛷2 **(Comprensorio Monte Rosa Sky)** – ✉ 11020
▶ Roma 732 – Aosta 61 – Ivrea 57 – Milano 170
🛈 località Antagnod, Route Emile Chanoux ✆ 0125 306335, infoantagnod@
aiatmonterosa.com, Fax 0125 306518

ad Antagnod Nord : 3,5 km – **alt. 1 699 m** – ✉ 11020

🏨   **Petit Prince** ॐ   ≤ 🔊 🍸 📱 👌 cam, ॐ rist, 𝗣 *VISA* ⦿⦿ 👌
route Tchavagnod 1 – ✆ *01 25 30 66 62* – *www.hotelpetitprince.com*
– *info@hotelpetitprince.com* – *Fax 01 25 30 49 63*
– *dicembre-Pasqua e 21 giugno-9 settembre*
28 cam ☟ – ⅋48/79 € ⅋⅋84/138 € – ½ P 70/89 €
Rist *L'Etoile* – Carta 24/38 €
♦ In splendida posizione tranquilla e panoramica, vicino agli impianti da sci, una struttura di recente costruzione; spazi comuni confortevoli e camere con arredi in legno.
Caldo e tipico ristorante, ricette classiche.

AZZANO DECIMO – Pordenone (PN) – 562E20 – 13 361 ab.   10 **B3**
– alt. 14 m – ✉ 33082
▶ Roma 591 – Udine 60 – Pordenone 11 – Treviso 65

🏠 **Eurohotel** 　　　🛋 🎐 ᕕ 🅰 🛬 rist. "♥" 🛁 🅿 ᴠⁱˢᵃ 🐵 🆎 ① ᴄ
via Don Bosco 3 – ℰ 04 34 63 32 05 – www.eurohotelfriuli.it – azzano@
eurohotelfriuli.it – Fax 04 34 64 20 36 – chiuso 3 settimane in agosto
42 cam – ♦49/63 € ♦♦76/90 €, ☑ 10 € – ½ P 76/101 €
Rist *All'Ancora* – (chiuso sabato e domenica) Carta 24/34 €
◆ Nelle vicinanze del campo sportivo, offre piacevoli spazi comuni arredati in calde
tonalità e camere lineari. Possibilità di servizio navetta per Fiera e aeroporto. Al ristorante, proposte soprattutto a base di pesce a prezzi interessanti.

AZZATE – Varese (VA) – 561E8 – 3 974 ab. – alt. 332 m – ✉ 21022   18 **A1**
▶ Roma 622 – Stresa 43 – Bellinzona 63 – Como 30

🏨 **Locanda dei Mai Intees** ॐ 　　　🛋 🎐 🅰 ᶜ⁾ 🛁 🅿 ᴠⁱˢᵃ 🐵 🆎 ① ᴄ
via Monte Grappa 22 – ℰ 03 32 45 72 23 – www.mai-intees.com – maiintees@
tin.it – Fax 03 32 45 93 39
12 cam ☑ – ♦135/195 € ♦♦195/285 € – 2 suites – ½ P 138/185 €
Rist – (chiuso a mezzogiorno) Carta 47/63 €
◆ Incantevole fusione di due edifici di origine quattrocentesca raccolti intorno a due
corti: atmosfera ricca di charme negli ameni interni signorili, con mobili in stile.
Ambiente romantico nella sala da pranzo con grande camino e pareti affrescate.

✗ **Hosteria da Bruno** 　　　　　🅰 ᴠⁱˢᵃ 🐵 🆎 ① ᴄ
via Piave 43/a – ℰ 03 32 45 40 93 – dabruno1@hotmail.it – Fax 03 32 45 40 93
– chiuso dal 7 al 21 agosto
Rist – (consigliata la prenotazione la sera) Menu 33/42 €
◆ Bruno, che dal nonno ha ereditato nome e passione, ripropone quest'insegna con
oltre mezzo secolo di storia. Il ristorante è rustico, ma piacevole proprio per quest'aura
di autenticità, nelle sedie impagliate, nelle panche disposte intorno ad un caminetto,
nelle foto di famiglia appese alle pareti. Cucina regionale.

BACOLI – Napoli (NA) – 564E24 – 27 191 ab. – ✉ 80070 ▮ Italia   6 **A2**
▶ Roma 242 – Napoli 27 – Formia 77 – Pozzuoli 8
◎ Cento Camerelle★ – Piscina Mirabile★
◉ Terme★★ di Baia

🏨 **Cala Moresca** ॐ 　　　≤ 🛥 🛋 ⅉ 🎭 🎐 ⁂ 🅰 ᴬᶜ ⁎ rist. ᶜ⁾ 🛁 🅿
via del Faro 44, località Capo Miseno – ℰ 08 15 23 55 95 　　ᴠⁱˢᵃ 🐵 🆎 ① ᴄ
– www.calamoresca.it – info@calamoresca.it – Fax 08 15 23 55 57
34 cam ☑ – ♦85/90 € ♦♦130/160 € – ½ P 80/95 €
Rist – (chiuso dal 24 al 26 dicembre) Carta 31/51 €
◆ Una panoramica e tranquilla posizione, discesa a mare privata, camere luminose e
gradevoli per questo hotel moderno e di sobria eleganza. D'estate, animazione a bordo
piscina. Accomodatevi al ristorante per contemplare la scenografica vista sul golfo e
sulla costa. La sera, anche pizzeria.

🏠 **Villa Oteri** 　　　　≤ 🅰 ⁎ rist. 🅿 ᴠⁱˢᵃ 🐵 🆎 ① ᴄ
via Lungolago 174 – ℰ 08 15 23 49 85 – www.villaoteri.it – reception@villaoteri.it
– Fax 08 15 23 39 44
9 cam ☑ – ♦65/85 € ♦♦80/120 € – ½ P 55/75 €
Rist – (chiuso Natale) Carta 23/41 €
◆ Villa di inizio Novecento, dall'esterno colorato ed appariscente, conserva all'interno le
caratteristiche della struttura originale ed offre camere confortevoli e una speciale accoglienza. Specialità culinarie dell'area flegrea.

✗✗ **A Ridosso** 　　　　🛋 🅰 🅿 ᴠⁱˢᵃ 🐵 🆎 ① ᴄ
via Mercato di Sabato 320 – ℰ 08 18 68 92 33 – www.ristorantearidosso.com
– info@ristorantearidosso.com – Fax 08 18 68 92 33 – chiuso dal 23 dicembre al
4 gennaio, dal 13 al 28 agosto, domenica sera e lunedì
Rist – (chiuso a mezzogiorno escluso domenica) (consigliata la prenotazione)
Carta 37/57 €
◆ A ridosso di una collina, un locale piccolo ed elegante, la cui costante cura per i dettagli è
testimoniata da numerose ceramiche e vetrinette. Nei piatti solo i prodotti del mare.

BADIA A PASSIGNANO – Firenze – 563L15 – **Vedere Tavarnelle Val di Pesa**

BADIA DI DULZAGO – Novara – **Vedere Bellinzago Novarese**

BADICORTE – Arezzo – 563M17 – **Vedere Marciano della Chiana**

BADIOLA – Grosseto – **Vedere Castiglione della Pescaia**

BADOERE – Treviso – **Vedere Morgano**

BAGNAIA – Viterbo (VT) – 563O18 – **alt. 441 m** – ✉ 01031 ▐ Italia   12 **B1**
> Roma 109 – Viterbo 5 – Civitavecchia 63 – Orvieto 52
◎ Villa Lante★★

✗   **Biscetti** con cam   🏠 📶 AC rist. P VISA ◑◐ AE ① ⑤
😊   via Gen. A. Gandin 11/A ✉ 01100 – 𝒞 07 61 28 82 52 – www.hotelbiscetti.it
– reception@hotelbiscetti.it – Fax 07 61 28 92 54
23 cam – ♦35/45 € ♦♦56/66 €, ⌑ 6 € – ½ P 55/65 €
Rist – (chiuso domenica sera e giovedì) Carta 19/27 €
♦ Proposta di piatti locali d'impronta casalinga per un ristorante con una lunga storia.
Un sicuro punto di approdo per chi ricerca la genuinità e rifugge le novità.

BAGNAIA – Livorno – 563N13 – **Vedere Elba (Isola d') : Rio nell'Elba**

BAGNARA CALABRA – Reggio di Calabria (RC) – 564M29 – **11 128 ab.**   5 **A3**
– **alt. 50 m** – ✉ 89011
> Roma 671 – Reggio Calabria 35 – Catanzaro 130 – Cosenza 160

✗   **Taverna Kerkira**   AC VISA ◑◐ AE ①
😊   corso Vittorio Emanuele 217 – 𝒞 09 66 37 22 60 – Fax 09 66 37 22 60 – chiuso
dal 20 dicembre al 15 gennaio, dal 1° agosto al 15 settembre, lunedì e martedì
Rist – Carta 27/46 €
♦ Una piacevole e curata trattoria familiare sul corso principale, a due passi dal mare. In
menu: stuzzicanti fragranze del mediterraneo e piatti della tradizione ellenica.

BAGNARA DI ROMAGNA – Ravenna (RA) – 562I17 – **1 811 ab.**   9 **C2**
– **alt. 22 m**
> Roma 55 – Bologna 55 – Acquaviva 88 – Ravenna 41

⌂   **La Locanda di Bagnara**   📶 AC ⅍ rist. ⓣ VISA ◑◐ AE ① ⑤
piazza Marconi 10 – 𝒞 054 57 69 51 – www.locandabagnara.it – info@
locandabagnara.it – Fax 05 45 90 52 61 – chiuso dal 10 al 20 agosto
7 cam ⌑ – ♦♦190 € – 1 suite   **Rist Rocca** – (chiuso lunedì) Carta 45/60 €
♦ Nel cuore di questa piccola frazione, edificio del 1870 restaurato su modello di una
raffinata e moderna locanda. Arredi eleganti, confort al passo coi tempi. Cucina creativa
nella suggestiva corte della Rocca.

BAGNARIA ARSA – Udine (UD) – 562E21 – **3 491 ab.** – **alt. 18 m**   11 **C3**
– ✉ 33050
> Roma 624 – Udine 26 – Grado 31 – Pordenone 66

⌂   **Agriturismo Mulino delle Tolle**   ঙ ᐧᐧ AC ⓣ ঝ P
😊   località Casa Bianca, statale Palmanova-Grado,   VISA ◑◐ ① ⑤
Sud-Ovest : 2 km – 𝒞 04 32 92 47 23 – www.mulinodelletolle.it
– info@mulinodelletolle.it – Fax 04 32 92 47 23 – chiuso 15 giorni in gennaio
10 cam – ♦50 € ♦♦72 €, ⌑ 5 €
Rist – (chiuso Natale, Pasqua, lunedì, martedì e mercoledì) Carta 14/19 €
♦ Lazzaretto secentesco o dogana di confine all'epoca degli Asburgo? Una testina
votiva in cotto, oggi marchio dell'azienda, ammicca invece alla sua lunga tradizione vitivinicola… Gnocchi con ricotta affumicata, minestra d'orzo e faraona alla mela verde
sono solo alcuni dei piatti in cui ritroverete i sapori di un tempo.

BAGNI DI LUCCA – Lucca (LU) – 563J13 – **6 573 ab.** – **alt. 150 m**   28 **B1**
– ✉ 55021
> Roma 350 – Pisa 48 – Firenze 77 – Lucca 27

🏠 **Regina Park Hotel** senza rist   🚗 🔟 🖥 📶 📠 **P** VISA ⓪ AE 🌼

viale Umberto I° 157 – 📞 *05 83 80 55 08 – www.coronaregina.it – info@*
coronaregina.it – Fax 05 83 80 51 34 – chiuso dal 15 gennaio a marzo
14 cam ⚏ – †55/90 € ††80/140 €
♦ In un palazzo della fine del XVIII secolo, comodo indirizzo tanto per chi sceglie una
vacanza culturale, quanto per chi opta per un soggiorno di relax. Giardino con piscina
sul retro.

🍴 **Corona**   🏠 🌼 🔄 VISA ⓪ AE 🌼

frazione Ponte a Serraglio – 📞 *05 83 80 51 51 – www.coronaregina.it – info@*
coronaregina.it – Fax 05 83 80 51 34 – chiuso dal 15 gennaio al 15 febbraio
Rist – *(chiuso a mezzogiorno escluso da giugno a settembre)* Carta 30/41 €
♦ L'elegante sala offre una magnifica vista sul fiume grazie alle ampie vetrate che la circondano ed illuminano; d'estate si mangia anche in terrazza. Cucina locale, talvolta rivisitata.

BAGNI DI TIVOLI – Roma – 563Q20 – **Vedere Tivoli**

BAGNI NUOVI – Sondrio – **Vedere Valdidentro**

BAGNI SAN FILIPPO – Siena (SI) – 563N17 – ✉ 53020   29 **D3**

▶ Roma 186 – Siena 62 – Firenze 135 – Grosseto 81

🏠 **Terme San Filippo**   🚗 🔟 🐎 🌿 🖥 ♿ cam, 🅰🅲 rist, 🌼 **P**

via San Filippo 23 – 📞 *05 77 87 29 82*   VISA ⓪ AE 🌼
– www.termesanfilippo.it – info@termesanfilippo.it – Fax 05 77 87 26 84
– Pasqua-2 novembre
27 cam ⚏ – †68 € ††120 € – ½ P 80 €   **Rist** – Menu 22 €
♦ In un complesso di antiche origini abbracciato dal parco, l'hotel dispone di accoglienti
camere dall'arredo ligneo, rilassanti zone comuni ed accesso diretto alle terme. Proposte
classiche di tradizione mediterranea nella semplice sala ristorante.

BAGNO A RIPOLI – Firenze (FI) – 563K15 – 25 490 ab. – alt. 77 m   29 **D3**
– ✉ 50012

▶ Roma 270 – Firenze 9 – Arezzo 74 – Montecatini Terme 63

🛈 piazza della Vittoria 1 📞 055 6390222, urp@comune.bagno-a-ripoli.fi.it, Fax
055 6390267

🏨 **Villa Olmi Resort**   🚗 🔟 ♨ 🖥 ♿ ☂ 🅰🅲 🌼 📶 🎿 **P**

via degli Olmi 4/8 – 📞 *055 63 77 10*   VISA ⓪ AE ① 🌼
– www.villaolmiresort.com – info@villaolmiresort.com – Fax 055 63 77 16 00
59 cam ⚏ – †265/330 € ††325/410 € – 3 suites   **Rist** – Carta 62/80 €
♦ Una villa del Settecento ed una più recente, collegate tra loro con un passaggio nel
sottosuolo, offrono ambienti eleganti e personalizzati, arredati con pezzi di antiquariato.
In sala da pranzo, antichi candelieri al soffitto, nature morte alle pareti ed una fantasiosa
cucina italiana.

🏠 **Centanni**   ⟨ 🚗 🔟 📺 🅰🅲 📶 **P** VISA ⓪ 🌼

via di Centanni 8 – 📞 *055 63 01 22 – www.residence-centanni.it – info@*
residence-centanni.it – Fax 05 56 51 04 45
12 cam ⚏ – †85/120 € ††108/152 € – 3 suites – ½ P 105 €
Rist Centanni – vedere selezione ristoranti
♦ Nella tranquillità della campagna toscana, l'antica casa colonica offre mini appartamenti con cucina e camere sobrie ma signorili. Recente piccolo campo da golf tra gli
ulivi.

🍴 **Centanni**   ⟨ 🏠 🅰🅲 🔄 **P** VISA ⓪ 🌼

via di Centanni 7 – 📞 *055 63 01 22 – www.residence-centanni.it – info@*
residence-centanni.it – Fax 05 56 51 04 45 – Pasqua-dicembre; chiuso domenica
sera e lunedì
Rist – *(chiuso a mezzogiorno escluso sabato e domenica)* Carta 43/58 €
♦ Locale storico nel panorama della gastronomia locale, accolto in una piacevole antica
dimora. I piatti proposti appartengono alla tradizione regionale, attenti ai prodotti di stagione.

a Candeli Nord : 1 km – ⊠ **50012**

🏨 Villa La Massa 🏊 ← 🚗 🍴 ⟂ 📶 🏨 ⟂ 🔲 🍸 rist, 📶 🛁 🅿️

via della Massa 24 – 𝒞 *05 56 26 11* — VISA ⚫⚫ AE ⓪ 💲
– *www.villalamassa.it* – *reservations@villalamassa.it* – *Fax 055 63 31 02*
– *6 marzo-15 novembre*
23 cam ⊃ – †270/455 € ††425/505 € – 12 suites – ½ P 288/328 €
Rist *Il Verrocchio* – Carta 64/125 €

♦ Avvolta dal verde e dalla tranquillità dei colli, la secentesca villa medicea offre spettacolari viste sull'Arno ed ambienti arredati in stile, nei quali conserva il fascino del passato. Soffitto a volte, colonne e un grande camino, piatti della tradizione e menù speciali per i più piccoli: ecco il raffinato ristorante.

BAGNO DI ROMAGNA – Forlì-Cesena (FO) – 562K17 – 6 154 ab. 9 D3
– alt. 491 m – ⊠ **47021**

▶ Roma 289 – Rimini 90 – Arezzo 65 – Bologna 125

🗓 via Fiorentina 38 𝒞 0543 911026, iat.bagno@comunic.it, Fax 0543 911026

🏨 Tosco Romagnolo 🔲 🌐 📶 📶 ⟂ 🍴 ⟂ 🏃 🍸 📶 🅿️

piazza Dante 2 – 𝒞 *05 43 91 12 60* — VISA ⚫⚫ AE ⓪ 💲
– *www.paoloteverini.it* – *lacasa@paoloteverini.it* – *Fax 05 43 91 10 14*
42 cam ⊃ – ††160/440 € – 4 suites
Rist Paolo Teverini – vedere selezione ristoranti
Rist – Carta 33/42 € 🌸

♦ Ambiente raffinato, gestito da personale con esperienza nel settore. Dispone di camere spaziose, una piscina panoramica ed una Beauty spa: ideali per dimenticare la routine.

🏨 Euroterme 🚗 🔲 🗔 🌐 📶 📶 🍷 🍴 ⟂ 🔲 🍸 📶 🅿️

via Lungosavio 2 – 𝒞 *05 43 91 14 14* — VISA ⚫⚫ AE ⓪ 💲
– *www.euroterme.com* – *hotel@euroterme.com* – *Fax 05 43 91 11 33*
252 cam ⊃ – †114/219 € ††180/288 €   **Rist** – Menu 30 € bc/50 € bc

♦ Storico hotel locale, che qualche anno fa ha cambiato gestione, subendo un radicale intervento di rinnovo. In sintesi: un buon indirizzo con attrezzato centro benessere e termale.

🏨 Grand Hotel Terme Roseo 🔲 🌐 📶 🍷 🍴 ⟂ cam, 🍸 rist, 📶

piazza Ricasoli 2 – 𝒞 *05 43 91 10 16* — VISA ⚫⚫ AE ⓪ 💲
– *www.termeroseo.it* – *termeroseo@tin.it* – *Fax 05 43 91 13 60*
69 cam ⊃ – †60/120 € ††90/150 € – ½ P 46/95 €
Rist – *(solo per alloggiati)* Menu 23/65 €

♦ Albergo termale che offre cure "in casa", ospitato in un antico palazzo nel centro medioevale del paese. Soggiorno rilassante nelle camere, quasi tutte rinnovate di recente.

🏨 Balneum 🍴 ⟂ cam, 🔲 rist, 🍸 rist, 🚗 VISA ⚫⚫ AE ⓪ 💲
🐾
via Lungosavio 15/17 – 𝒞 *05 43 91 10 85* – *www.hotelbalneum.it*
– *hotelbalneum@virgilio.it* – *Fax 05 43 91 12 52*
– *chiuso dal 12 gennaio al 6 febbraio*
40 cam ⊃ – †49/90 € ††80/136 € – ½ P 59/84 €   **Rist** – Carta 20/32 €

♦ Tranquilla struttura a gestione familiare, situata all'ingresso del paese, che oggi si propone con camere in gran parte ristrutturate, alcune sono dotate di bagno turco. Ristorante con atmosfera informale e cucina locale.

XXX Paolo Teverini – Hotel Tosco Romagnolo ⟂ 🔲 🅿️ VISA ⚫⚫ AE ⓪ 💲
☸
piazza Dante 2 – 𝒞 *05 43 91 12 60* – *www.paoloteverini.it* – *lacasa@*
paoloteverini.it – *Fax 05 43 91 10 14* – *chiuso lunedì e martedì escluso agosto*
Rist – Carta 67/90 €
Spec. Cubetti di pasta fresca cucinati come un risotto con funghi e tartufi neri. Trancio di merluzzo arrostito alle erbe aromatiche, salsa alle ostriche e fritto di verdure. Uovo con spuma di parmigiano e tartufi.

♦ Cucina classica e contemporaneamente creativa in questo elegante ristorante, dove tradizione ed innovazione si alleano grazie alla sapiente fantasia dello chef.

ad Acquapartita Nord-Est : 8 km – **alt. 806 m** – ✉ **47021 – San Piero in Bagno**

🏠🏠🏠 **Miramonti** 🚗 🖃 🕭 🐾 🛏 �ⓘ 🖳 ♿ 🏧 🗚 ✻ rist. 🖺 **P** 🚗 **VISA** **OO** 🖢
via Acquapartita 103 – 𝒞 *05 43 90 36 40 – www.selecthotels.it – miramonti@
selecthotels.it – Fax 05 43 90 36 40 – 24 dicembre-6 gennaio e aprile-ottobre*
46 cam 🖾 – ♦65/100 € ♦♦70/140 € – ½ P 50/78 € **Rist** – Menu 25/40 €
♦ Struttura recentissima e dotata di ottimi servizi; ubicata tra i folti boschi appenninici e
affacciata su un lago con pesca sportiva. Arredi di qualità e belle camere. Sala ristorante
con bella vista sul lago di Aquapartita.

a San Piero In Bagno Nord-Est : 2,5 km – ✉ **47021**

🍴🍴 **Locanda al Gambero Rosso** con cam 🖩 ✻ **VISA** **OO** ⓘ 🖢
😊 *via Verdi 5 –* 𝒞 *05 43 90 34 05 – www.locandagamberorosso.it
– locanda.gamberorosso@libero.it – Fax 05 43 90 34 05 – chiuso domenica sera,
lunedì e martedì, anche mercoledì in gennaio e febbraio*
4 cam – ♦♦80 € 🖾 5 €
Rist – Carta 26/40 €
♦ Indirizzo giusto per chi cerca la genuinità dei piatti della cucina locale, compresa
quella "povera". Salutare tuffo nel passato in un'impeccabile ambiente di gusto femminile.

BAGNOLO IN PIANO – Reggio Emilia (RE) – 562H14 – **8 568 ab.**   8 B3
– **alt. 32 m** – ✉ 42011

▶ Roma 433 – Parma 38 – Modena 30 – Reggio nell'Emilia 8

🏨 **Garden Cristallo** senza rist 🖩 🖩 ✻ 🕪 🏧 **P** 🚗 **VISA** **OO** **AE** ⓘ 🖢
via Borri 5 – 𝒞 *05 22 95 38 88 – www.hotelgardencristallo.re.it
– info@hotelgardencristallo.re.it – Fax 05 22 95 71 11
– chiuso dal 23 dicembre al 2 gennaio, Pasqua ed agosto*
48 cam 🖾 – ♦60/90 € ♦♦90/120 € – 8 suites
♦ Facilmente raggiungibile dall'autostrada, hotel moderno dotato di spazi ampi e luminosi, nonché arredi comodi e funzionali. Qualche appartamento con angolo cottura.

🍴 **Trattoria da Probo** ♿ 🖩 ✻ ⇆ **P** **VISA** **OO** **AE** ⓘ 🖢
via Provinciale nord 13 – 𝒞 *05 22 95 13 00 – www.trattoriadaprobo.it
– info@trattoriadaprobo.it – Fax 05 22 95 98 27
– chiuso dal 2 al 10 gennaio, dal 1° al 15 settembre, le sere di domenica, lunedì
e martedì; in luglio-agosto chiuso anche domenica a mezzogiorno*
Rist – Carta 27/40 €
♦ Autentica trattoria di campagna, rinnovata in anni recenti, mantiene inalterato lo spirito della tradizione sia nell'accoglienza sia nell'impostazione della cucina.

BAGNOLO SAN VITO – Mantova (MN) – 561G14 – **5 514 ab.**   17 D3
– **alt. 18 m** – ✉ 46031

▶ Roma 460 – Verona 48 – Mantova 13 – Milano 188

🍴🍴 **Villa Eden** 🚗 🖳 ♿ 🖩 ✻ ⇆ **P** **VISA** **OO** **AE** ⓘ 🖢
via Gazzo 6 – 𝒞 *03 76 41 56 84 – www.ristorantevillaeden.it – info@
ristorantevillaeden.it – Fax 03 76 25 13 92 – chiuso dal 1° al 7 gennaio, dal 1° al
23 agosto, martedì e domenica sera*
Rist – Carta 25/45 €
♦ Una villa tra i campi, che si presenta quasi come un'ospitale abitazione privata, dove
si fondono con facilità la tradizione culinaria mantovana e le delicatezze di mare.

BAGNOREGIO – Viterbo (VT) – 563O18 – **3 691 ab. – alt. 485 m**   12 A1
– ✉ 01022

▶ Roma 125 – Viterbo 28 – Orvieto 20 – Terni 82
◉ Civita★

↑ **Romantica Pucci** 🔲 rist, ⅙ 🅿 🆅🆂🅰 ⓿ 🅰🅴 ⓪ 🔗
piazza Cavour 1 – 𝒞 07 61 79 21 21 – www.hotelromanticapucci.it
– hotelromanticapucci@libero.it – chiuso dal 15 al 28 febbraio
8 cam ⊑ – ♦♦80 €
Rist – *(chiuso a mezzogiorno)* (consigliata la prenotazione) Carta 22/30 €
♦ In un palazzo del XIV secolo, piacevole risorsa caratterizzata da camere arredate con gusto e attenzione particolari, ma tutte diverse tra loro. Si respira un'atmosfera d'intima familiarità. La cucina propone pochi piatti fatti al momento, una cucina semplice e casalinga.

※※ **Hostaria del Ponte** ⟨ 🏠 🔲 ⅙ 🆅🆂🅰 ⓿ 🅰🅴 ⓪ 🔗
*località Mercatello 11 – 𝒞 07 61 79 35 65 – www.hostariadelponte.it – info@
hostariadelponte.it – Fax 07 61 79 35 65 – chiuso dal 25 febbraio al 9 marzo, 15
giorni in novembre, domenica sera (ecluso da maggio a settembre) e lunedì*
Rist – Carta 23/34 €
♦ Al piano superiore una profusione di colori, a quello inferiore grandi acquari con pesci tropicali. La cucina tuttavia è unica: intramontabili piatti del territorio elaborati con passione.

BAGNO VIGNONI – Siena – 563M16 – **Vedere San Quirico d'Orcia**

BAIA DOMIZIA – Caserta (CE) – 563S23 – ✉ 81030   6 **A2**
▶ Roma 167 – Frosinone 98 – Caserta 53 – Gaeta 29

🏠 **Della Baia** ✎ ⟨ 🚲 ⅙ 🔲 ⅙ cam, 🅿 🆅🆂🅰 ⓿ 🅰🅴 ⓪ 🔗
*via dell'Erica – 𝒞 08 23 72 13 44 – www.hoteldellabaia.it – info@hoteldellabaia.it
– Fax 08 23 72 15 56 – 15 maggio-28 settembre*
50 cam ⊑ – ♦95/110 € ♦♦130/140 €, ⊑ 10 € – ½ P 120/125 €
Rist – Menu 36/40 €
♦ Il gradevole e curato giardino si spinge proprio fino al limite della spiaggia, a pochi passi dal mare. La conduzione familiare è accogliente e belle le parti comuni. Affidabile e apprezzato il ristorante.

BALDICHIERI D'ASTI – Asti (AT) – 1 020 ab. – alt. 173 m – ✉ 14011   25 **C1**
▶ Roma 626 – Torino 50 – Alessandria 47 – Asti 12

🏠 **Madama Vigna** 🔊 🚹 🔲 🕻 🅿 🆅🆂🅰 ⓿ 🅰🅴 ⓪ 🔗
⊜ *via Nazionale 41 – 𝒞 01 41 65 92 38 – www.madamavigna.it – info@
madamavigna.it – Fax 01 41 65 95 38*
16 cam ⊑ – ♦45/60 € ♦♦80/90 € – ½ P 65/70 €
Rist – *(chiuso dal 1° al 14 gennaio, dal 11 al 26 agosto e lunedì)* Menu 15/30 €
♦ All'incrocio di una strada trafficata, un piacevole edificio in mattoni di fine Ottocento. Camere ben insonorizzate dai vivaci colori e porte dipinte a mano.

BALDISSERO TORINESE – Torino (TO) – 561G5 – **3 396 ab.**   22 **B1**
– **alt. 421 m** – ✉ 10020
▶ Roma 656 – Torino 13 – Asti 42 – Milano 140

※※※ **Osteria del Paluch** 🏠 🅿 🆅🆂🅰 ⓿ 🅰🅴 🔗
*via Superga 44, Ovest : 3 km – 𝒞 01 19 40 87 50 – www.ristorantepaluch.it
– info@ristorantepaluch.it – Fax 01 19 40 75 92 – chiuso 2 settimane in
gennaio, 2 settimane in novembre, domenica sera e lunedì*
Rist – *(chiuso a mezzogiorno)* Carta 40/61 €
♦ Elegante e ben curato, a classica conduzione diretta, propone una cucina piemontese con predilezione verso percorsi moderni e creativi. Servizio estivo all'aperto.

a Rivodora Nord-Ovest : 5 km – ✉ 10020

※ **Torinese** 🏠 🔲 ⇌ 🆅🆂🅰 ⓿ 🔗
*via Torino 42 – 𝒞 01 19 46 00 25 – ristorante_torinese@alice.it
– Fax 01 19 46 00 06 – chiuso dal 7 al 30 gennaio, dal 2 al 14 agosto, martedì e
mercoledì*
Rist – *(chiuso a mezzogiorno escluso sabato-domenica)* Carta 25/35 €
♦ Semplici piatti piemontesi fatti in casa delizieranno gli ospiti nelle due sale di questa tipica trattoria vecchio stile situata sulla collina di Superga, a pochi passi da Torino.

BALESTRATE – Palermo – 565M21 – **Vedere Sicilia alla fine dell'elenco alfabetico**

BALLABIO – Lecco (LC) – 561E10 – **3 539 ab.** – **alt. 732 m** – ✉ **23811** 16 **B2**

▶ Roma 617 – Bergamo 41 – Como 38 – Lecco 6

🏠 **Sporting Club** 🛗 ♿ rist, [VISA] [MC] [AE] [D] $

😴 *via Casimiro Ferrari 3, a Ballabio Superiore, Nord : 1 km – ☎ 03 41 53 01 85 – www.albergosportingclub.it – albergosporting.club@alice.it – Fax 03 41 53 01 85*

14 cam ☕ – 🛏45/55 € 🛏🛏55/65 € – ½ P 55/65 € **Rist** – Carta 27/33 €

♦ Ai piedi delle Grigne, palestra per molti noti alpinisti, una comoda e tranquilla risorsa dove godere dell'aria frizzante di montagna. Solarium con splendido panorama, all'ultimo piano. Al ristorante recentemente ristrutturato: piatti della tradizione italiana e, più specificatamente, lombarda.

BALOCCO – Vercelli (VC) – 561F6 – **274 ab.** – **alt. 166 m** – ✉ **13040** 23 **C2**

▶ Roma 654 – Stresa 71 – Biella 27 – Torino 68

🍴🍴 **L'Osteria** ☂ [AC] ⇔ [VISA] [MC] [AE] [D] $

piazza Castello 1 – ☎ 01 61 85 32 10 – Fax 01 61 85 32 10 – chiuso dal 27 dicembre al 6 gennaio, agosto e lunedì

Rist – Carta 35/45 € 🍇

♦ Centralissimo, sulla piazza principale del paese ma con ingresso nel verde. Propone una cucina piemontese moderatamente innovativa e un'ottima carta dei vini.

BANNIO ANZINO – Verbano-Cusio-Ossola (VB) – 561E6 – **567 ab.** – **alt. 669 m** – ✉ **28871** 23 **C1**

▶ Roma 712 – Stresa 48 – Novara 119 – Torino 181

🏠 **Passo Baranca** 🌳 🛗 🚭 rist, 📶 [VISA] [MC] $

via Teresa Testone 6 Bannio – ☎ 03 24 82 88 18 – www.albergopassobaranca.it – info@albergopassobaranca.it – Fax 03 24 82 88 10 – chiuso dal 10 al 25 gennaio

10 cam ☕ – 🛏45/50 € 🛏🛏70/90 € – ½ P 45/60 € **Rist** – Carta 22/37 €

♦ Nel centro del paese, un vecchio albergo rinnovato, dispone di camere semplici ma funzionali e di un giardino: una risorsa ideale per gli amanti dello sci e della natura. Nella raccolta sala da pranzo, i profumi e la genuinità di una gustosa cucina casalinga.

a Pontegrande Nord : 2 km – ✉ **28871** – **Bannio Anzino**

🏡 **La Residenza dello Scoiattolo** senza rist 🚭 📶 [P]

😴 *via San Pietro 21 – ☎ 032 48 96 98 – www.rescoiattolo.com – info@rescoiattolo.com – Fax 032 48 96 98 – chiuso novembre*

3 cam ☕ – 🛏40/50 € 🛏🛏55/60 €

♦ L'ingresso ornato da un profumato glicine, poche camere con arredi lignei ed un caldo soggiorno: un indirizzo accogliente e familiare in una caratteristica casa di montagna.

BARAGAZZA – Bologna – 562J15 – **Vedere Castiglione dei Pepoli**

BARANO D'ISCHIA – Napoli – 564E23 – **Vedere Ischia (Isola d')**

BARBARANO – Brescia – **Vedere Salò**

BARBARESCO – Cuneo (CN) – 561H6 – **652 ab.** – **alt. 274 m** – ✉ **12050** 25 **C2**

▶ Roma 642 – Genova 129 – Torino 57 – Alessandria 63

𝄌𝄌𝄌 **Al Vecchio Tre Stelle** (Flavio Scaiola) con cam   AC ⇔ 🍴 rist,
località Tre Stelle, Sud : 3 km – ℰ *01 73 63 81 92*   VISA ❻❺ AE ① 💰
– www.vecchiotrestelle.it – ristorante@vecchiotrestelle.it – Fax 01 73 63 82 82
– chiuso dal 25 dicembre sera al 15 gennaio e dal 28 luglio al 13 agosto
7 cam ⬜ – 🍽70/80 € – 🍽🍽90/110 € – ½ P 80/90 €
Rist *– (chiuso lunedì e martedì) (chiuso a mezzogiorno)* Menu 40/60 €
– Carta 44/61 € 𝄐
Spec. Funghi porcini, lardo e aromi in cartoccio (estate-autunno). Lombetto di
coniglio spadellato con gamberi e foie gras all'aceto di champagne. Meringa
con frutti di bosco e sorbetto alla fragola su salsa ai frutti rossi.
♦ Affacciato su uno dei più celebrati paesaggi vinicoli, eleganza e spazi si moltiplicano
all'interno; cucina e prodotti regionali, dalle paste fresche alle pregiate carni.

𝄌𝄌 **Antinè** (Andrea Marino)   AC 🍴 VISA ❻❺ AE ① 💰
via Torino 16 – ℰ *01 73 63 52 94 – www.antine.it – info@antine.it*
– Fax 01 73 63 84 07 – chiuso dal 27 dicembre al 25 gennaio, dal 10 al 25 agosto
e mercoledì
Rist *–* Menu 40/48 € *–* Carta 43/57 € 𝄐
Spec. Petto d'anatra con fegato grasso e frutti di bosco. Agnolotti del plin ai
tre arrosti con burro di montagna e timo. Costolette d'agnello con semi di
sesamo e insalatina all'aceto balsamico.
♦ Lungo la strada che attraversa il caratteristico paese, al primo piano di un edificio
d'epoca, la cucina è fedele ai classici della località e impreziosita da spunti creativi.

BARBERINO DI MUGELLO – Firenze (FI) – 563J15 – 9 915 ab.   29 C1
– alt. 268 m – ✉ **50031**
   ▶ Roma 308 – Firenze 34 – Bologna 79 – Milano 273

in prossimità casello autostrada A 1 Sud-Ovest : 4 km :

𝄌𝄌 **Cosimo de' Medici**   AC P VISA ❻❺ AE ① 💰
viale del Lago 19 ✉ *50030 Cavallina –* ℰ *05 58 42 03 70 – Fax 05 58 42 03 70*
– chiuso dal 1° al 20 agosto, domenica sera e lunedì
Rist *–* Carta 28/37 €
♦ Storico ristorante in cui gustare una cucina tradizionale con proposte prevalentemente toscane. Professionalità e cortesia nell'unica ampia sala.

a Galliano Nord-Est : 8,8 km – ✉ 50031 – Barberino di Mugello

𝄌 **Osteria Poggio di Sotto**   ⇐ 🚗 🏠 🍴 P VISA ❻❺ AE ① 💰
via Galliano 15/a – ℰ *05 58 42 86 54 – agriturismopoggiodisotto@virgilio.it*
– Fax 05 58 42 84 49
Rist *–* Carta 20/30 €
♦ La contagiosa simpatia del titolare è l'anima del locale; la cucina si "reinventa" ogni
giorno in base alla disponibilità dei prodotti e alle stagioni. Servizio estivo all'aperto.

BARBERINO VAL D'ELSA – Firenze (FI) – 563L15 – 4 049 ab.   29 D1
– alt. 373 m – ✉ **50021** ▌ Toscana
   ▶ Roma 260 – Firenze 32 – Siena 36 – Livorno 109

a Petrognano Ovest : 3 km – ✉ 50021 – Barberino Val d'Elsa

𝄌𝄌 **Il Paese dei Campanelli**   🏠 P VISA ❻❺ AE ① 💰
località Petrognano 4 – ℰ *05 58 07 53 18 – www.ilpaesedeicampanelli.it – info@*
ilpaesedeicampanelli.it – Fax 05 58 07 53 18 – chiuso venti giorni in gennaio o
febbraio e lunedì
Rist *– (chiuso a mezzogiorno escluso giorni festivi)* Carta 32/43 €
♦ Originale collocazione all'interno di un antico casale di campagna con pareti in pietra
e rifiniture in legno; d'estate si mangia anche all'aperto, tra vigne e ulivi.

a Ponzano Sud : 2 km – ✉ 50021 – Barberino Val d'Elsa

⌂ **La Torre di Ponzano** senza rist 🌑   ⇐ 🚗 ⊐ 🍴 P VISA ❻❺ 💰
strada di Ponzano 9 – ℰ *05 58 05 92 55 – www.ponzano.wide.it – agriponzano@*
hotmail.com – Fax 05 58 05 92 55 – chiuso dal 20 dicembre al 30 gennaio
6 cam ⬜ – 🍽70/89 € 🍽🍽89/150 €
♦ Sul crinale di una collina che offre una doppia, incantevole, vista, una risorsa ricavata
in parte da un edificio cinquecentesco. Stile rustico-elegante, giardino attrezzato.

BARBIANELLO – Pavia (PV) – 561 G9 – 851 ab. – alt. 67 m – ✉ 27041   16 **B3**

▶ Roma 557 – Piacenza 45 – Alessandria 68 – Milano 56

Da Roberto   ♿ cam, 🅰🅲 ⇔ 🆅🅸🆂🅰 ⓿ 🅰🅴 ⑤
via Barbiano 21 – ℰ 038 55 73 96 – www.daroberto.it – info@daroberto.it
– Fax 038 55 73 96 – chiuso dal 1° al 7 gennaio, luglio, lunedì
Rist – *(chiuso la sera escluso venerdì-sabato)* Menu 19/30 €
♦ Trattoria nata a fine '800 (l'attuale gestione risale al 1986), dispone di ambienti rustici e curati: in due sale con camino, proposte tipiche dai sapori genuini.

BARBIANO – Parma – Vedere Felino

BARCUZZI – Brescia – Vedere Lonato

BARDOLINO – Verona (VR) – 562 F14 – 6 383 ab. – alt. 68 m   35 **A3**
– ✉ 37011 Italia

▶ Roma 517 – Verona 27 – Brescia 60 – Mantova 59
🅸 piazza Aldo Moro 5 ℰ 045 7210078, iatbardolino@provincia.vr.it, Fax045 7210872
🅲 Cà degli Ulivi a Marciaga di Costermano, ℰ 045 627 90 30
👁 Chiesa★

San Pietro   🚗 ⤢ 📶 🅰🅲 ⤴ ⚅ 🗼 🅿 🆅🅸🆂🅰 ⓿ 🅰🅴 ⑤
via Madonnina 15 – ℰ 04 57 21 05 88 – www.hotelsanpietro.eu – info@hotelsanpietro.eu – Fax 04 57 21 00 23 – 20 marzo-15 ottobre
51 cam – ♦74/90 € ♦♦100/160 €, � 10 € – ½ P 65/95 €
Rist – *(chiuso a mezzogiorno)* Carta 30/49 €
♦ Struttura imponente dalla gestione attenta, con un piccolo grazioso giardino antistante l'ingresso. Camere nuove di gusto classico con mobili in legno scuro ed altre un po' datate, ma comunque confortevoli e ben accessoriate. La sala ristorante è ampia e capiente, a pranzo servizio snack-bar.

Color Hotel   🚗 ⤢ 📶 ♿ 🅰🅲 ⤴ ⚅ rist, 🗼 ♨ 🅿 🆅🅸🆂🅰 ⓿ ⑤
via Santa Cristina 5 – ℰ 04 56 21 08 57 – www.colorhotel.it – info@colorhotel.it – Fax 04 56 21 26 97 – marzo-ottobre
91 cam ⊇ – ♦94/155 € ♦♦104/240 €   **Rist** – Carta 45/53 €
♦ Belli gli spazi aperti tra cui una piscina grande, una piccola con cascate colorate ed un enorme idromassaggio; i balconi delle camere sono arredati con mobili coloratissimi.

Kriss Internazionale   ≼ 🚗 🏡 🔦 📶 ♿ 🅰🅲 ⤴ ⚅ rist, 🏔 🅿 🚙
lungolago Cipriani 3 – ℰ 04 56 21 24 33 – www.kriss.it   🆅🅸🆂🅰 ⓿ ⑤
– info@kriss.it – Fax 04 54 85 20 99 – chiuso dicembre e gennaio
34 cam ⊇ – ♦60/115 € ♦♦84/170 € – ½ P 85/110 €   **Rist** – Carta 20/38 €
♦ Gestita con meticolosità, la casa offre camere di diverse tipologie, alcune classiche altre in stile rustico, moderne invece le ultime realizzate. Notevole la vista sul lago. Ampia proposta di piatti della tradizione italiana per soddisfare palati internazionali.

Bologna senza rist   ⚅ 📶 ♿ 🅰🅲 ⤴ ⚅ 🗼 🅿 🚙 🆅🅸🆂🅰 🅰🅴
via Mirabello 19 – ℰ 04 57 21 00 03 – www.hotelbologna.info – info@hotelbologna.info – Fax 04 57 21 05 64 – aprile-20 ottobre
33 cam ⊇ – ♦♦80/104 €
♦ Sono le due figlie dei fondatori ad occuparsi ora di questa piccola risorsa poco distante sia dal centro che dal lago; camere curate, una veranda dalle grandi vetrate e, in un terrazzino, la piscina.

Il Giardino delle Esperidi   🏡 ♿ 🅰🅲 🆅🅸🆂🅰 ⓿ 🅰🅴 ⓪ ⑤
via Mameli 1 – ℰ 04 56 21 04 77 – susannatezzon@tiscali.it – Fax 04 56 21 04 77 – chiuso mercoledì a mezzogiorno e martedì
Rist – Carta 31/41 € ❀
♦ Locale al femminile in pieno centro storico propone ricette semplici e personali alla ricerca dell'identità territoriale. Caldi interni arredati con oggetti di antiquariato.

BARDONECCHIA – Torino (TO) – 561G2 – **2 987 ab.** – alt. **1 312 m**   22 **A2**
– Sport invernali : 1 312/2 750 m ⬧1 ⬧19, ⬧ – ✉ 10052

▶ Roma 754 – Briançon 46 – Milano 226 – Col du Mont Cenis 51

ℹ piazza De Gasperi 1 ℰ 0122 99032, info.bardonecchia@
turismotorino.orgbardonecchia@montagnedoc.it Fax 0122 980612

◼ I Ginepri, ℰ 011 908 50 42

Rivè   🖼 🛆 🎬 🍴 🏊 AC ⬧ ⬧ rist, 📶 P 🚗 VISA ⬧ AE ⓘ 🍴

*località Campo Smith – ℰ 01 22 90 92 33 – www.hotelrive.it – info@hotelrive.it
– Fax 01 22 90 92 03 – dicembre-aprile e giugno-settembre*
77 cam – ⬧80/150 € ⬧⬧120/260 €, ⬧ 8 € – ½ P 85/155 €
Rist – Carta 32/63 €

♦ Gestita da un personale giovane, moderna struttura (anche residence) a ridosso delle
piste da sci, offre camere spaziose e confortevoli; ai piani inferiori, un'enorme palestra.
Ampia sala ristorante, cucina con predilezione piemontese ma anche pesce.

Bucaneve   🚗 📶 🍴 rist, P VISA ⬧ AE 🍴

*viale della Vecchia 2 – ℰ 01 22 99 93 32 – www.hbucanevebardonecchia.it
– hbucaneve@tin.it – Fax 01 22 99 99 80 – dicembre-aprile e 15 giugno-
15 settembre*
24 cam ⬧ – ⬧45/70 € ⬧⬧60/80 € – ½ P 60/90 €   **Rist** – Menu 22/32 €

♦ Nelle vicinanze di una pineta e vicino agli impianti sportivi, questo albergo a gestione
familiare offre camere confortevoli e graziose sale comuni, raccolte ed accoglienti. Per i
pasti, due calde salette piacevolmente arredate in legno. D'estate è possibile pranzare in
giardino.

La Nigritella   🚗 ♿ cam, 📶 P VISA ⬧ AE 🍴

*via Melezet 96 – ℰ 01 22 98 04 77 – www.lanigritella.it – nigritella@libero.it
– Fax 01 22 98 00 54 – dicembre-25 aprile e giugno-settembre*
7 cam ⬧ – ⬧50/55 € ⬧⬧80/90 € – ½ P 57/68 €
Rist – *(dicembre-aprile e luglio-agosto; negli altri mesi aperto solo il fine settimana) (chiuso a mezzogiorno escluso luglio-agosto)* Menu 26/50 €

♦ A 500 m dagli impianti, un piccolo chalet che coniuga tradizione locale e confort
moderno per un soggiorno all'insegna dello sport o del relax....senza spendere delle fortune! Sapori locali nella sala ristorante con vista panoramica.

✗ Locanda Biovey con cam   🚗 📶 📶 P VISA ⬧ 🍴

*via General Cantore 2 – ℰ 01 22 99 92 15 – www.biovey.it – info@biovey.it
– Fax 01 22 99 92 15 – chiuso 20 giorni in maggio e 20 giorni in settembre-
ottobre*
8 cam ⬧ – ⬧40/60 € ⬧⬧58/88 € – ½ P 58/70 €
Rist – *(chiuso martedì e in bassa stagione anche il lunedì sera)* Carta 37/48 €

♦ Esercizio ospitato in una palazzina d'epoca del centro e circondato da un giardino,
propone una cucina del territorio preparata con moderata creatività. Al piano superiore,
camere nuove, colorate e confortevoli, arredate in stili diversi, dall'800 al Luigi XV.

BARGE – Cuneo (CN) – 561H3 – **7 404 ab.** – alt. **355 m** – ✉ 12032   22 **B3**
▶ Roma 694 – Torino 61 – Cuneo 50 – Sestriere 75

Alter Hotel   🚗 🛆 🎬 🍴 🏊 AC 📶 🧖 P VISA ⬧ AE 🍴

*piazza Stazione 1 – ℰ 01 75 34 90 92 – www.alterhotel.it – info@alterhotel.it
– Fax 01 75 34 69 45*
15 cam ⬧ – ⬧80/145 € ⬧⬧100/145 € – 7 suites – ½ P 73/103 €
Rist – *(chiuso a mezzogiorno)* Carta 26/34 €

♦ Nato dal restauro di un'antica industria manifatturiera, un design hotel che gioca sulle
tinte del bianco e del nero ed ospita originali e tecnologici ambienti. Nato dal restauro
di un'antica industria manifatturiera, un design hotel che gioca sulle tinte del bianco e
del nero ed ospita originali e tecnologici ambienti.

✗✗ D'Andrea   P VISA ⬧ 🍴

*via Bagnolo 37 – ℰ 01 75 34 57 35 – www.dandrea.info – ristorante@
dandrea.info – Fax 01 75 34 57 35 – chiuso 1 settimana in gennaio, 2 settimane
in luglio e mercoledì*
Rist – Carta 28/44 €

♦ Cucina di tradizione rivisitata e "alleggerita", che propone anche pesce di mare e d'acqua dolce. Tavoli ben disposti, ambiente interno personalizzato e accogliente.

a **Crocera** Nord-Est : 8 km – ⊠ 12032 – **Barge**

XX **D'la Picocarda**　　　　　　　　AC 🐾 P VISA ⊕ AE 🐕
via Cardè 71 – 𝒞 017 53 03 00 – www.picocarda.it – picocarda@libero.it
– Fax 017 53 03 00 – chiuso agosto, lunedì sera e martedì
Rist – Carta 34/60 € 🍴
◆ Casa colonica di origine seicentesca, ristrutturata e arredata con buon gusto ed eleganza. In lista proposte legate al territorio ma anche alcuni inserimenti di mare.

BARGECCHIA – Lucca – 563K12 – **Vedere Massarosa**

BARGNI – Pesaro e Urbino – 563K20 – **Vedere Serrungarina**

BARI P (BA) – 564D32 – **314 166 ab.** – ⊠ 70100 ▌ Italia　　　　　　27 **C2**
▶ Roma 449 – Napoli 261
✈ di Palese per viale Europa : 9 km AX 𝒞080 5800200
ℹ piazza Aldo Moro 33/a ⊠ 70122 𝒞 080 5242361, aptbari@
pugliaturismo.com, Fax 080 5242329
🏌 Barialta, 𝒞 080 697 71 05
Manifestazioni locali
12.09 -20.09 : fiera del levante campionaria generale
👁 Città vecchia★ CDY : basilica di San Nicola★★ DY, Cattedrale★ DY **B**,
castello★ CY – Cristo★ in legno nella pinacoteca BX **M**

Piante pagine 168-169

🏨 **Sheraton Nicolaus Hotel**　🚗 🔲 🎵 📻 🎠 🍴 AC ⇆ 🐾 🎙 🏊
via Cardinale Agostino Ciasca 9 ⊠ 70124　　　　　🚗 VISA ⊕ AE ① 🐕
– 𝒞 08 05 68 21 11 – www.sheraton.com – info@sheratonbari.com
– Fax 08 05 04 20 58　　　　　　　　　　　　　　　AX**e**
175 cam 🛏 – 🛏200 € 🛏🛏410 €　**Rist** *Le Stagioni* – Carta 40/57 €
◆ Imponente albergo di concezione moderna, facilmente raggiungibile dalle principali arterie stradali; confort adeguato ai livelli della catena e moderno centro congressi. Ricco buffet, che spazia dagli antipasti al dolci, nel curato ristorante.

🏨 **Mercure Villa Romanazzi Carducci** 🍴　🛏 🎿 📻 🎠 🍴📱
via Capruzzi 326　　　　🛏 cam, AC ⇆ 🐾 🎙 🏊 P 🚗 VISA ⊕ AE ① 🐕
⊠ 70124 – 𝒞 08 05 42 74 00 – www.villaromanazzi.com – mercure@
villaromanazzi.com – Fax 08 05 56 02 97　　　　　　　CZ**c**
118 cam 🛏 – 🛏180/190 € 🛏🛏275/295 € – 1 suite – ½ P 168/176 €
Rist – *(chiuso agosto, sabato, domenica e i giorni festivi)* Carta 36/83 €
◆ Curioso contrasto tra la villa dell'800 e l'edificio moderno che compongono questo originale, elegante complesso situato in un parco con piscina; attrezzato centro congressi. Sala ristorante avvolta da vetrate con vista sul parco.

🏨 **Excelsior Congressi**　　🎵 🍴📱 🛏 cam, AC 🐾 🎙 🏊 P 🚗
via Giulio Petroni 15 ⊠ 70124 – 𝒞 08 05 56 43 66　　　　⊕ AE ① 🐕
– www.hotelexcelsioronline.it – info@hotelexcelsioronline.it – Fax 08 05 52 33 77
140 cam 🛏 – 🛏100/180 € 🛏🛏140/250 € – 6 suites – ½ P　　DZ**b**
100/170 €
Rist – Carta 30/53 €
◆ Risorsa nata a nuova a vita, dopo una efficace ristrutturazione totale. Oggi vengono rivolte attenzioni particolari alle esigenze della clientela d'affari e commerciale. Sala ristorante con una notevole capacità ricettiva, cucina dai sapori mediterranei.

🏨 **Grand Hotel Leon d'Oro**　　🍴 🎠 AC 🐾 rist, 🎙 🏊 🚗
piazza Aldo Moro 4 ⊠ 70122 – 𝒞 08 05 23 50 40　　　VISA ⊕ AE ① 🐕
– www.grandhotelleondoro.it – info@grandhotelleondoro.it – Fax 08 05 21 15 55
80 cam 🛏 – 🛏100/130 € 🛏🛏150/190 € – ½ P 95/130 €　　DZ**c**
Rist – *(chiuso dal 6 al 25 agosto)* Carta 35/50 €
◆ Nel cuore della città, di fronte alla stazione ferroviaria, un hotel totalmente ristrutturato in grado di offrire un confort attuale. Nelle camere pavimenti in parquet. Piccolo, elegante e originale ristorante.

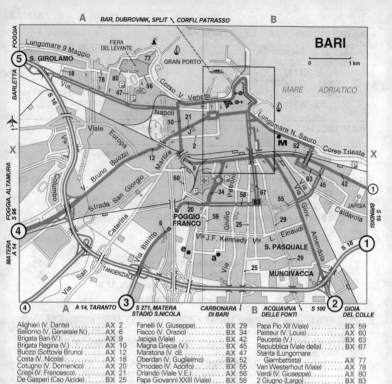

BAR, DUBROVNIK, SPLIT \ CORFU, PATRASSO

BARI

0   1 km

MARE   ADRIATICO

Alighieri (V. Dante)	AX 2
Bellomo (V. Generale N.)	AX 6
Brigata Bari (V.)	AX 9
Brigata Regina (V.)	AX 10
Buozzi (Sottovia Bruno)	AX 12
Costa (V. Nicola)	AX 18
Cotugno (V. Domenico)	AX 20
Crispi (V. Francesco)	AX 21
De Gasperi (Cso Alcide)	BX 25

Fanelli (V. Giuseppe)	BX 29
Flacco (V. Orazio)	BX 34
Japigia (Viale)	BX 42
Magna Grecia (V.)	BX 45
Maratona (V. di)	AX 47
Oberdan (V. Guglielmo)	BX 52
Omodeo (V. Adolfo)	BX 55
Orlando (Viale V.E.)	AX 56
Papa Giovanni XXIII (Viale)	BX 58

Papa Pio XII (Viale)	BX 59
Pasteur (V. Louis)	BX 60
Peucetia (V.)	BX 63
Repubblica (Viale della)	BX 67
Starita (Lungomare Giambattista)	AX 77
Van Westerhout (Viale)	AX 78
Verdi (V. Giuseppe)	AX 80
2 Giugno (Largo)	BX 83

🏠 Scandic by Hilton   🔆 🕭 ⛐ 占 ⭑ AC ⇥ 🐾 rist, ⁛ 🕭 🚗   VISA ◑ AE ① 🚲

via Don Guanella 15/l ✉ 70124 – ☎ 08 05 02 68 15
– *www.bari.stayhgi.com* – *info.bari@hilton.com*
– *Fax 08 05 02 09 86*   BXa

88 cam – ♦125/190 € ♦♦152/215 €, ⛐ 12 € – ½ P 96/128 €
Rist – *(chiuso nei giorni festivi)* Carta 25/50 €

◆ Le attrattive che mancano alla zona, periferica e residenziale, sono compensate dall'albergo: un design hotel d'ispirazione scandinava con utilizzo di materiali innovativi.

🏠 Boston *senza rist*   🕭 AC 🐾 🚲 🚗 VISA ◑ AE ① 🚲

via Piccinni 155 ✉ 70122 – ☎ 08 05 21 66 33 – *www.bostonbari.it* – *info@bostonbari.it* – *Fax 08 05 24 68 02*   CYe

69 cam ⛐ – ♦98/135 € ♦♦140/175 €

◆ In pieno centro, funzionalità e confort adeguato in un albergo ideale per clientela di lavoro; camere di dimensioni non ampie, ma con curato arredamento recente.

🍴🍴🍴 La Pignata   AC VISA ◑ AE ① 🚲

corso Vittorio Emanuele 173 ✉ 70122 – ☎ 08 05 23 24 81
– *salvincenti@vincenti.191.it* – *Fax 08 05 75 25 23*
– *chiuso agosto e lunedì*   CYc

Rist – *(consigliata la prenotazione)* Carta 31/48 €

◆ Soffitti di legno e quadri alle pareti nei caldi, eleganti ambienti di un locale, dove potrete scegliere tra piatti della tradizione pugliese, con specialità di mare.

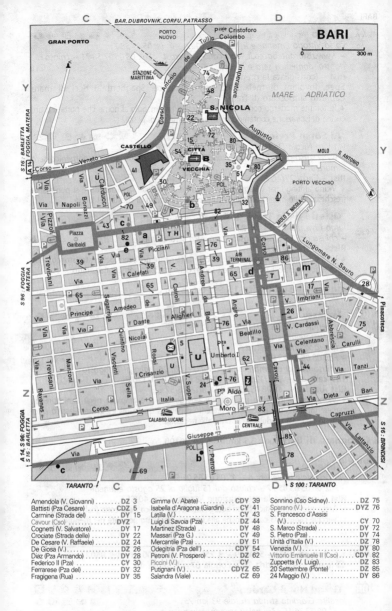

BARI

GRAN PORTO

BAR, DUBROVNIK, CORFU, PATRASSO

PORTO NUOVO

P.zale Cristoforo Colombo

STAZIONE MARITTIMA

MARE ADRIATICO

S. NICOLA

CASTELLO

CITTÀ VECCHIA

MOLO S. ANTONIO

PORTO VECCHIO

MOLO S. NICOLA

Lungomare N. Sauro

Plazza Garibaldi

Piccinni

AIR TERMINAL

Pinacoteca

Calefati

Caioli

Principe

Amedeo

Dante

Alighieri

Beatillo

Nicolai

P.za Umberto I

Crisanzio

Sella

P.za Aldo Moro

Italia

CALABRO-LUCANE

CENTRALE

Giuseppe

POL.

TARANTO

S 100 : TARANTO

Amendola (V. Giovanni) . . . . **DZ** 3	Gimma (V. Abate) . . . . **CDY** 39	Sonnino (Cso Sidney) . . . . **DZ** 75
Battisti (Pza Cesare) . . . . **CDZ** 5	Isabella d'Aragona (Giardini) . . . . **CY** 41	Sparano (V.) . . . . **DYZ** 76
Carmine (Strada del) . . . . **CDY** 15	Latilla (V.) . . . . **CY** 43	S. Francesco d'Assisi
Cavour (Cso) . . . . **DYZ**	Luigi di Savoia (Pza) . . . . **DZ** 44	(V.) . . . . **CY** 70
Cognetti (V. Salvatore) . . . . **DZ** 17	Martinez (Strada) . . . . **DY** 48	S. Marco (Strada) . . . . **DY** 72
Crociate (Strada delle) . . . . **DZ** 22	Massari (Pza G.) . . . . **CY** 49	S. Pietro (Pza) . . . . **DY** 74
De Cesare (V. Raffaele) . . . . **DZ** 24	Mercantile (Pza) . . . . **DY** 51	Unità d'Italia (V.) . . . . **DZ** 78
De Giosa (V.) . . . . **DZ** 26	Odegitria (Pza dell') . . . . **CDY** 54	Venezia (V.) . . . . **DY** 80
Diaz (Pza Armando) . . . . **DZ** 28	Petroni (V. Prospero) . . . . **DZ** 62	Vittorio Emanuele II (Cso) . . . . . **CDY** 82
Federico II (Pza) . . . . **CY** 30	Piccinni (V.) . . . . **CY**	Zuppetta (V. Luigi). . . . . **DZ** 83
Ferrarese (Pza del) . . . . **DY** 32	Putignani (V.) . . . . **CDYZ** 65	20 Settembre (Ponte) . . . . **DZ** 85
Fragigena (Rua) . . . . **DY** 35	Salandra (Viale) . . . . **CZ** 69	24 Maggio (V.) . . . . **DY** 86

XX **Ai 2 Ghiottoni** ⌕ AK ✂ VISA ⓪ AE ① ♻
via Putignani 11 ⌂ *70121 –* ☎ *08 05 23 22 40*
– ai2ghiottoni@libero.it – Fax 08 05 23 33 30
– chiuso dal 16 al 24 agosto   DY**d**
Rist – Carta 35/50 €

♦ Accoglienza e servizio informali, ma cortesi in un centrale, moderno locale, sempre molto frequentato da habitué e non; fragrante cucina d'ispirazione pugliese.

XX   **Bacco** (Angela Campana)   ⟨symbols⟩   𝒞 08 05 27 58 71
⟨symbol⟩ corso Vittorio Emanuele II 126 ⊠ 70122 – 𝒞 08 05 27 58 71
– www.ristorantebacco.it – baccobari@libero.it – Fax 08 05 27 58 71 – chiuso
agosto, domenica sera e lunedì   CY**a**
Rist – (consigliata la prenotazione) Carta 38/70 € ⟨symbol⟩
Spec. Involtini di melanzane con pescatrice. Spaghetti ai ricci di mare.
Capretto al moscato di Trani.
♦ Ristorante moderno con una buona cantina (in omaggio al nome che porta) ed una
cucina di ispirazione contemporanea sia di carne sia di pesce.

X   **Al Sorso Preferito**   ⟨symbols⟩
via Vito Nicola De Nicolò 40 ⊠ 70121 – 𝒞 08 05 23 57 47
– www.sorso-preferito.com – Fax 08 05 23 57 47 – chiuso agosto, domenica sera
e martedì   DY**m**
Rist – Carta 27/46 €
♦ Vicino al lungomare, frequentato ristorante, a gestione familiare, dove si punta sulla
freschezza delle materie prime per un ampio repertorio di cucina del luogo.

X   **Osteria delle Travi "Il Buco"**   ⟨symbol⟩
⟨symbol⟩ largo Chyurlia 12 ⊠ 70122 – 𝒞 33 91 57 88 48
– chiuso dal 15 al 24 agosto, domenica sera e lunedì   DY**b**
Rist – Carta 16/25 €
♦ Vino e cucina casalinga per questa osteria familiare nel cuore del centro storico, semplice e accogliente. La genuinità e i sapori delle tradizioni locali innanzitutto.

sulla tangenziale sud-uscita 15 Sud-Est : 5 km per ① :

⟨symbol⟩   **Majesty**   ⟨symbols⟩ rist, ⟨symbols⟩
via Gentile 97/B ⊠ 70126 – 𝒞 08 05 49 10 99
– www.hotelmajesty.it
– albergo@hotelmajesty.it
– Fax 08 05 49 23 97
– chiuso dal 19 dicembre al 7 gennaio e dal 26 luglio al 25 agosto
109 cam ⟨symbol⟩ – †73/125 € ††110/188 € – ½ P 71/120 €
Rist *Amulet* – 𝒞 08 05 49 46 32 Carta 26/57 €
♦ Vicino alla tangenziale per Brindisi, albergo che si è ampliato negli anni aprendo
camere in un'ala più recente, da preferire rispetto a quella già esistente. Classico ristorante in una sala modulabile in base alle necessità.

a Carbonara di Bari Sud : 6,5 km *BX* – ⊠ **70100**

XX   **Taberna**   ⟨symbols⟩
via Ospedale di Venere 6 – 𝒞 08 05 65 05 57
– Fax 08 05 65 45 77 – chiuso dal 15 luglio al 25 agosto e lunedì
Rist – (consigliata la prenotazione la sera) Carta 40/55 €
♦ Ambiente caratteristico in un accogliente locale storico della zona (dal 1959), ricavato
in vecchie cantine; la carne, anche alla brace, è elemento portante del menù.

BARILE – Potenza (PZ) – 564E29 – **3 251 ab.** – alt. 600 m – ⊠ 85022   3 **A1**
  ◨ Roma 329 – Andria 76 – Foggia 67 – Potenza 43

⟨symbol⟩   **Grand Hotel Garden**   ⟨symbols⟩
località Giardino strada statale 93 km 75   ⟨symbols⟩
– 𝒞 09 72 76 15 33 – www.grandhotelgarden.it
– info@grandhotelgarden.it – Fax 09 72 76 15 60
46 cam ⟨symbol⟩ – †50/75 € ††60/95 € – ½ P 70/95 €
Rist – (chiuso domenica sera) Menu 25 €
♦ Poco fuori dal paese, immersa in un parco di ulivi, una nuova struttura dalle linee
sobrie e moderne che dispone di camere funzionali e curate e di un piccolo centro
benessere. Dalle cucine, i profumi di una cucina classica nazionale arricchita da eco
moderne.

XX **Locanda del Palazzo** (Lucia Giura) con cam ≤ 🏠 |♨| AC ¼ (ᵖ)
ⵣ *piazza Caracciolo 7* – 𝒞 *09 72 77 10 51* VISA ➌ AE ➀ 👍
– *www.locandadelpalazzo.com*
– *info@locandadelpalazzo.com* – *Fax 09 72 77 10 51*
– *chiuso una settimana in gennaio e dal 6 al 31 luglio*
11 cam ⌨ – ♥72 € ♥♥98 €
Rist – *(chiuso domenica sera e lunedì)* *(chiuso a mezzogiorno escluso domenica)*
Carta 35/53 € ⅋ (+5 %)
Spec. Zuppa di scarola e patate con gnocchi di vitello, pecorino stravecchio e
crostini in padella. Sella d'agnello con farcia di funghi cardoncelli e salsa di
peperoni rossi arrostiti. Millefoglie di mele caramellate, crème brûlée e salsa
di vaniglia con perfetto al vino rosso.
♦ La splendida Basilicata si arricchisce di una grande cucina. Fedele al territorio, ne
ricerca i migliori prodotti permettendosi con abilità anche citazioni più esotiche. Elementi in legno e accessori moderni nelle ampie camere.

BARLETTA – Bari (BA) – 564D30 – **92 783 ab.** – ✉ 70051 🏢 Italia   26 **B2**
▶ Roma 397 – Bari 69 – Foggia 79 – Napoli 208
🅸 corso Garibaldi 208 𝒞 0883 331331, iat@comune.barletta.ba.it, Fax 0883
33730
👁 Colosso★★ AY – Castello★ BY – Museo Civico★ BY **M** – Reliquiario★ nella
basilica di San Sepolcro AY

Pianta pagina 172

🏨 **Nicotel** senza rist ≤ |♨| & AC ¼ **P** VISA ➌ AE ➀ 👍
viale Regina Elena, litorale di Levante per ① – 𝒞 *08 83 34 89 46*
– *www.nicotelhotels.com* – *barletta@nicotelhotels.com* – *Fax 08 83 33 43 83*
62 cam ⌨ – ♥100 € ♥♥150 €
♦ Albergo di taglio lineare e contemporaneo, affacciato sulla passeggiata a mare, dispone
di camere dotate di tutti i confort. Arredamento di design, con linee curve ricorrenti.

🏨 **Dei Cavalieri** 🛏 ⅏ ♨ ✕ |♨| & AC ✂ 🖖 🛎 **P** 🚗
via Foggia 40, per ④ – 𝒞 *08 83 57 14 61* VISA ➌ AE ➀ 👍
– *www.hoteldeicavalieri.net* – *info@hoteldeicavalieri.net* – *Fax 08 83 52 66 40*
96 cam ⌨ – ♥60/120 € ♥♥84/125 € – ½ P 70/90 €
Rist – *(chiuso domenica)* *(solo per alloggiati)* Carta 25/35 €
♦ Hotel moderno e funzionale, ubicato alle porte della città, punto di riferimento ideale
per chi viaggia per lavoro e per turisti di passaggio. Con la recente apertura di una
nuova ala, la struttura si arricchisce di buoni servizi, soprattutto dedicati al benessere.
Cucina classica con alcune proposte del giorno.

🏨 **Itaca** ≤ 🏠 ⅏ ✕ AC ✂ rist, 🕾 🛎 **P** 🚗 VISA ➌ AE ➀ 👍
ⵐ *viale Regina Elena 30, per* ① – 𝒞 *08 83 34 77 41* – *www.itacahotel.it* – *itaca@
itacahotel.it* – *Fax 08 83 34 77 86*
41 cam ⌨ – ♥57/78 € ♥♥88/120 € – ½ P 60/76 €
Rist – *(chiuso a mezzogiorno escluso i giorni festivi)* Carta 20/30 €
♦ Architettura recente, in posizione fortunata con vista sul mare, presenta interni signorili, soprattutto nelle gradevoli e curate zone comuni; camere ampie e luminose. Sala da
pranzo ariosa, contrassegnata da un tocco di ricercata eleganza.

XX **Il Brigantino** ≤ 🏠 ⅏ ✕ AC **P** VISA ➌ AE ➀ 👍
viale Regina Elena 19, per ① – 𝒞 *08 83 53 33 45* – *www.brigantino.it* – *info@
brigantino.it* – *Fax 08 83 53 32 48* – *chiuso gennaio*
Rist – Carta 28/44 € (+15 %)
♦ Un ristorante dove apprezzare una solida professionalità espressa anche attraverso
l'impostazione del menù (con prevalenza di pesce). Esclusiva terrazza sul mare.

XX **Antica Cucina 1983** AC ✂ VISA ➌ AE ➀ 👍
via Milano 73 – 𝒞 *08 83 52 17 18* – *antica.cucina@alice.it*
– *Fax 08 83 52 17 18* AZ**f**
Rist – *(chiuso lunedì, martedì e la sera dei giorni festivi)* Menu 28 € bc/50 € bc
– Carta 32/51 € ⅋
♦ Un signorile riferimento in centro città, la sala da pranzo è un antico frantoio. Piatti
della tradizione pugliese personalizzati con gusto; servizio attento e puntuale.

BARLETTA

✕ **Baccosteria**   🏧 ⚡ VISA ⬤⬤ AE ⬤ ⬤

*via San Giorgio 5 – 𝒞 08 83 53 40 00 – baccosteria@live.it – Fax 08 83 53 31 00
– chiuso due settimane in agosto, domenica sera e lunedì*   BY**a**
Rist – (consigliata la prenotazione) Carta 23/45 €

♦ Una sorta di elegante bistrot con soffitto a campana e pavimento in vetro sopra la
cantina a vista. In cucina particolari emozioni dal crudo e dai dolci.

Cerchiamo costantemente di indicarvi i prezzi più aggiornati...
ma tutto cambia così in fretta! Al momento della prenotazione,
non dimenticate di chiedere conferma delle tariffe.

BAROLO – Cuneo (CN) – 561I5 – 683 ab. – alt. 301 m – ✉ 12060   25 **C2**
> ▶ Roma 627 – Cuneo 68 – Asti 42 – Milano 164

⌂ **Agriturismo La Terrazza sul Bosco** senza rist   ← ✦✦
   via Conforso 5 – ☏ *017 35 61 37*   VISA ◎◎ AE ① ⚄
   – www.cameranobarolo.com – laterrazzasulbosco@tiscali.it – Fax 01 73 56 08 12
   5 cam – ♦60 € ♦♦70 €, ☲ 5 €
   ♦ Una panoramica terrazza sul bosco lungo le mura di cinta della località. L'agriturismo
   occupa gli spazi di un edificio secentesco e dispone di una cantina per la degustazione
   di vini di propria produzione.

XXX **Locanda nel Borgo Antico** (Massimo Camia)   ← 🛱 ⚄ 🅰🅲 🍴 ✿
🏵 *località Boschetti 4, verso Monforte d'Alba Sud : 4 km*   **P** VISA ◎◎ ⚄
   – ☏ *017 35 63 55 – www.locandanelborgo.it – info@locandanelborgo.com*
   – Fax 01 73 56 09 35 – chiuso mercedì a mezzogiorno e martedì
   (solo martedì da ottobre a novembre)
   Rist – Menu 70/80 € – Carta 51/67 € ⌘
   Spec. Gamberi rossi e calamari scottati, maionese di pomodori e burrata
   pugliese. Raviolino tradizionale con ricotta di pecora di Murazzano alla
   crema di fiori di zucchina. Cubo di filetto di maialino avvolto nel lardo di
   Neive e confettura di renette e curry.
   ♦ Struttura sorprendentemente moderna, la sobrietà della sala è interamente dedicata
   al panorama del paesaggio collinare. Cucina langarola con qualche estrosa invenzione.

a Vergne Ovest :2 km – ✉ 12060

⌂ **Ca' San Ponzio** senza rist 🍃   ← 🚃 📶 **P** VISA ◎◎ AE ⚄
🖼 *via Rittane 7 –* ☏ *01 73 56 05 10 – www.casanponzio.com – info@*
   casanponzio.com – Fax 01 73 56 05 10 – chiuso gennaio
   6 cam – ♦47/52 € ♦♦62/68 €, ☲ 8 €
   ♦ Un inaspettato prato all'inglese "disseminato" di noccioli, l'ingresso sotto un caratteristico balcone alla piemontese, mobili in stile, camere mansardate: davvero bello.

BARONE CANAVESE – Torino (TO) – 561G5 – 596 ab. – alt. 325 m   22 **B2**
– ✉ 10010
> ▶ Roma 673 – Torino 48 – Aosta 86 – Ivrea 18

X **Al Girasol**   🛱 VISA ◎◎ AE ⚄
   via Roma 8 – ☏ *01 19 89 85 65 – chiuso dal 15 gennaio al 3 febbraio e lunedì*
   Rist – *(chiuso a mezzogiorno escluso i giorni festivi)* Carta 31/45 €
   ♦ Varcato l'ingresso è possibile vedere la cucina, mentre al piano superiore si trovano le
   tre salette, di cui una affrescata e riscaldata da uno scoppiettante caminetto; atmosfera
   familiare e cucina piemontese.

BARZANÒ – Lecco (LC) – 561E9 – 4 861 ab. – alt. 370 m – ✉ 23891   18 **B1**
> ▶ Roma 605 – Como 27 – Bergamo 36 – Lecco 19

🏠 **Redaelli**   🍴 rist, **P** VISA ◎◎ AE ① ⚄
🖼 *via Garibaldi 77 –* ☏ *03 99 21 04 55 – www.hotelredaelli.it – info@hotelredaelli.it*
   – Fax 039 95 53 12 – chiuso 3 settimane in agosto
   16 cam ☲ – ♦58 € ♦♦89 € – 4 suites – ½ P 60 €
   Rist – *(chiuso venerdì)* Carta 23/36 €
   ♦ La stessa famiglia da quattro generazioni: una garanzia per chi desidera un riferimento certo per pernottare tra le colline brianzole. Struttura semplice e ben tenuta. La
   particolare atmosfera da ristorante della tipica provincia italiana.

BASCAPÉ – Pavia (PV) – 561G9 – 1 585 ab. – alt. 89 m – ✉ 27010   16 **B3**
> ▶ Roma 560 – Milano 25 – Piacenza 59 – Pavia 25

⌂ **Agriturismo Tenuta Camillo** 🍃   🚃 🛱 ⚄ 🅰🅲 🍴 rist, **P**
   località Trognano, Nord : 2 km – ☏ *038 26 65 09*   VISA ◎◎ ⚄
   – www.tenutacamillo.com – info@tenutacamillo.com – Fax 038 26 65 09
   6 cam – ♦♦80 €, ☲ 5 €
   Rist – *(chiuso dal 15 settembre al 15 ottobre, negli altri mesi aperto la sera di*
   sabato e domenica a mezzogiorno) Menu 28/40 €
   ♦ Un tuffo nel passato in un tipico cascinale lombardo dei primi del '900; intorno all'aia
   la villa padronale e le case coloniche; camere semplici e invitante piscina nel verde.

BASCHI – Terni (TR) – 563N18 – **2 713 ab.** – alt. 165 m – ✉ 05023   32 **B3**
▶ Roma 118 – Viterbo 46 – Orvieto 10 – Terni 70

sulla strada statale 448

XXXX   **Vissani** con cam   🅰🅺 ⚡ 📞 📠 🆚 🆎 ⓘ ⛇
❀❀   *Nord : 12 km ✉ 05020 Civitella del Lago – ☏ 07 44 95 02 06*
– www.casavissani.it – info@casavissani.it – Fax 07 44 95 01 86 – chiuso Natale,
agosto, lunedì a mezzogiorno, mercoledì, giovedì a mezzogiorno e domenica sera
7 cam – ❙250 € ❙❙300 €   **Rist** – Carta 128/200 € ❀ (+15 %)
Spec. Gamberoni rossi al sale affumicato di cacao. Stracciatella al limone con
terrina di fegato grasso ed anguria, caramelle di caviale. Faraona con ventresca di tonno all'aglio, puré di cime di rapa.
♦ Geniale inventore, Vissani ha rivoluzionato la cucina italiana creando piatti barocchi e
sofisticati all'interno di un degno palcoscenico: una casa-ristorante teatro di irripetibili
rappresentazioni.

a Civitella del Lago Nord-Est : 12 km – ✉ 05020

XX   **Trippini**   ≼ ⚡ 📠 🆚 🆎 ⓘ ⛇
via Italia 14 – ☏ 07 44 95 03 16 – www.trippini.net – info@trippini.net
– Fax 07 44 95 03 16 – chiuso dal 20 gennaio al 10 febbraio, una settimana in
settembre e lunedì
Rist – (consigliata la prenotazione) Carta 43/55 €
♦ Panorama di grande suggestione sul lago di Corbara e sulle colline circostanti, da
ammirare attraverso le vetrate della piccola sala dall'ambiente curato e ricercato.

BASELGA DI PINÈ – Trento (TN) – 562D15 – **4 632 ab.** – alt. 964 m   30 **B3**
– ✉ 38042
▶ Roma 606 – Trento 19 – Belluno 116 – Bolzano 75
🛈 a Serraia via Cesare Battisti 106 ☏ 0461 557028, pine@aptpinecembra.it,
Fax 0461 557577

🏠   **Edera**   ≼ 🚗 📶 ⚡ 📠 🆚 🆎 ⓘ ⛇
via Principale 19, a Tressilla – ☏ 04 61 55 72 21 – Fax 04 61 55 89 77 – chiuso
novembre
42 cam ⌑ – ❙35/70 € ❙❙70/125 € – ½ P 52/78 €
Rist – (chiuso lunedì escluso dal 15 giugno al 15 settembre) Carta 22/53 €
♦ Struttura frequentata anche dalla clientela d'affari, ordinata e ben tenuta. Le camere,
di livello soddisfacente, sono dotate di balcone e arredate in stile di montagna. Due sale
ristorante con rifiniture in legno, cucina locale.

XX   **2 Camini** con cam   🚗 ⚡ 📶 📠 🆚 🆎 ⓘ ⛇
via del 26 Maggio 65 – ☏ 04 61 55 72 00 – www.albergo2camini.com
– info@albergo2camini.com – Fax 04 61 55 88 33
– chiuso dal 15 ottobre al 15 novembre
10 cam ⌑ – ❙50/80 € ❙❙80/120 € – ½ P 52/68 €
Rist – (chiuso domenica sera e lunedì escluso dal 30 giugno al 15 settembre)
Menu 22/40 € – Carta 29/37 €
♦ Una casa di montagna, rallegrata da colorati fiori sui balconi, il calore e la cortesia dei
titolari e la tipica cucina trentina attenta al variare delle stagioni. Quasi ospiti in una casa
privata. Dopo una piacevole passeggiata attraverso l'altipiano, potrete trovare ristoro
nelle graziose e colorate camere.

X   **La Vecchia Quercia** con cam 🦢   ≼ 🚗 📶 ⛇ cam, 📞 📠
❀❀   *a Masi di Sternigo 16, Nord : 1,5 km*   🆚 🆎 ⓘ ⛇
– ☏ 04 61 55 30 53 – www.masovecchiaquercia.it – info@masovecchiaquercia.it
– Fax 04 61 55 30 53 – chiuso dal 3 al 14 novembre
8 cam ⌑ – ❙30/50 € ❙❙50/80 € – ½ P 29/49 €
Rist – (chiuso lunedì da ottobre a maggio) Menu 16/25 € – Carta 27/40 €
♦ La sana e ricercata cucina trentina a tavola, elaborata a partire dai prodotti coltivati e
lavorati presso la propria azienda, in un contesto tranquillo e panoramico avvolto dal
verde. Per risvegliarsi al profumo dei fiori, affacciati su incantevoli panorami, semplici
graziose camere ai piani.

BASELLA – Bergamo – 561F11 – **Vedere Urgnano**

> ▶ Roma 543 – Padova 45 – Belluno 80 – Milano 234
>
> 🛈 largo Corona d'Italia 35 ℰ 0424 524351, iat.bassano@provincia.vicenza.it, Fax 0424 525301
>
> 🖾 Museo Civico★
>
> 🖾 Monte Grappa★★★ Nord-Est : 32 km

🏛 **Ca' Sette**   🚗 |🛏| ⅘ 🄰🄲 ⁽ᵖ⁾ 🄰 🄿 🚙 𝗩𝗜𝗦𝗔 ☒ 🄰🄴 ➀ 💲

via Cunizza da Romano 4, Nord : 1 km – ℰ 04 24 38 33 50 – www.ca-sette.it – booking@ca-sette.it – Fax 04 24 39 32 87

17 cam ⌷ – ♦118/165 € ♦♦180/215 € – 2 suites

Rist Ca' 7 – vedere selezione ristoranti

♦ Design contemporaneo in una villa del 1700, un hotel in cui tradizione, storia e soluzioni d'avanguardia sono state fuse con sapienza. Un soggiorno originale ed esclusivo.

🏛 **Belvedere** |🛏| 🄰🄲 ⅘ ℅ ⁽ᵖ⁾ 🄰 🚙 𝗩𝗜𝗦𝗔 ☒ 🄰🄴 ➀ 💲

piazzale Gaetano Giardino 14 – ℰ 04 24 52 98 45 – www.bonotto.it – belvederehotel@bonotto.it – Fax 04 24 52 98 49

83 cam ⌷ – ♦65/142 € ♦♦90/224 € – 2 suites

Rist – (chiuso 5 giorni in gennaio, 2 settimane in agosto e domenica) Carta 32/41 € 🏡

♦ Gestione familiare che si tramanda di generazione in generazione, tenendo sempre alto il baluardo dell'ospitalità, per questa risorsa dalla storia antica (l'edificio sembrerebbe risalire al XV sec). Camere arredate con stili differenti, ma tutte confortevoli. Al ristorante, gustosi piatti di mare e di terra.

🏛 **Palladio** senza rist   🛁 |🛏| 🄰🄲 ⅘ ℅ ⁽ᵖ⁾ 🄰 🄿 🚙 𝗩𝗜𝗦𝗔 ☒ 🄰🄴 ➀ 💲

via Gramsci 2 – ℰ 04 24 52 37 77 – www.bonotto.it – palladiohotel@bonotto.it – Fax 04 24 52 40 50 – chiuso 1 settimana in agosto

66 cam ⌷ – ♦55/105 € ♦♦72/144 €

♦ Una struttura moderna diretta da una gestione molto attenta alle attività congressuali; camere e spazi comuni sono dotati di un omogeneo, gradevole livello di confort.

🏨 **Brennero** senza rist |🛏| ⅘ 🄰🄲 ℅ ⁽ᵖ⁾ 𝗩𝗜𝗦𝗔 ☒ 🄰🄴 ➀ 💲

via Torino 7 – ℰ 04 24 22 85 38 – www.hotelbrennero.com – info@hotelbrennero.com – Fax 04 24 22 70 21

28 cam ⌷ – ♦46/56 € ♦♦76/86 €

♦ Lungo le mura cittadine, non lontano dal centro storico, una ristrutturazione continua delle camere assicura ambienti confortevoli e funzionali adatti alla clientela d'affari.

🏠 **Al Castello** senza rist   🄰🄲 ℅ ⁽ᵖ⁾ 𝗩𝗜𝗦𝗔 ☒ 🄰🄴 ➀ 💲

via Bonamigo 19 – ℰ 04 24 22 86 65 – www.hotelalcastello.it – info@hotelalcastello.it – Fax 04 24 22 86 65

11 cam – ♦40/60 € ♦♦70/100 €, ⌷ 6 €

♦ Risorsa situata a ridosso del castello medioevale e poco lontana dal celebre Ponte Coperto; stanze non ampie, ma confortevoli, dotate di complementi d'arredo in stile.

🏠 **Dal Ponte** senza rist |🛏| ⅘ 🄰🄲 ⁽ᵖ⁾ 🄿 𝗩𝗜𝗦𝗔 ☒ 🄰🄴 ➀ 💲

viale De Gasperi 2/4 – ℰ 04 24 21 91 00 – www.hoteldalponte.it – info@hoteldalponte.it – Fax 04 24 21 91 81

24 cam ⌷ – ♦50/75 € ♦♦75/130 €

♦ Hotel di nuova costruzione non distante dal centro storico, dispone di luminosi spazi comuni e camere semplici d'arredo moderno: un buon indirizzo per ogni tipo di clientela.

XXX **Ca' 7** – Hotel Ca' Sette   🍴 ⅘ 🄰🄲 ♻ 🄿 𝗩𝗜𝗦𝗔 ☒ 🄰🄴 ➀ 💲

via Cunizza da Romano 4, Nord : 1 km – ℰ 04 24 38 33 50 – info@ca-sette.it – Fax 04 24 39 32 87 – chiuso dal 1° al 7 gennaio, dal 4 al 20 agosto, domenica sera e lunedì

Rist – Carta 40/57 €

♦ Struttura, colonne e materiali d'epoca si uniscono a quadri e illuminazione moderni in un ardito ma affascinante accostamento. In estate la magia si sposta in giardino. Cucina del territorio permeata da una sottile vena creativa.

XX **Al Ponte** ⌂ ✠ 🆅🅸🆂🅰 ⓿ 🅰🅴 ⓪ 🅢

via Volpato 60 – ℰ 04 24 21 92 74 – www.alpontedibassano.com – info@
alpontedibassano.com – chiuso martedì a mezzogiorno e lunedì
Rist – Carta 36/48 € ▓

♦ Il nome deriva dalla "celebrità" locale, l'ambiente da uno stile caldo e con tocchi d'eleganza. Servizio estivo all'aperto, cucina che si ispira alle stagioni.

XX **Bauto** 🅺🅲 ✠ ⟳ 🆅🅸🆂🅰 ⓿ 🅰🅴 ⓪ 🅢

via Trozzetti 27 – ℰ 042 43 46 96 – www.ristorantebauto.it
– info@ristorantebauto.it – Fax 042 43 46 96 – chiuso dal 1° al 7 gennaio,
dal 13 al 16 agosto e domenica escluso aprile e maggio)
Rist – Carta 29/42 €

♦ Bella saletta e veranda altrettanto accogliente per un locale ubicato nella zona industriale e che quindi presenta un buon menù d'affari; specialità: carne alla griglia.

BASSANO ROMANO – Viterbo (VT) – 563P18 – **4 448 ab.** – ✉ 01030   12 **B2**

▶ Roma 58 – Viterbo 39 – Fiumicino 83 – Civitavecchia 70

X **La Casa di Emme** ⌂ 🆅🅸🆂🅰 ⓿ 🅰🅴 ⓪ 🅢

via della Stazione 33 – ℰ 07 61 63 55 44 – www.lacasadiemme.it – info@
lacasadiemme.it
Rist – *(chiuso a mezzogiorno)* Carta 25/40 €

♦ Le specialità proposte sono quelle della tradizione mitteleuropea ma ci si può fermare in questa taverna di campagna anche per una pausa più veloce e informale, un tagliere di salumi e formaggi con una birra o un bicchiere di vino.

BASTIA UMBRA – Perugia (PG) – 563M19 – **19 105 ab.** – **alt. 201 m**   32 **B2**
– ✉ 06083

▶ Roma 176 – Perugia 17 – Assisi 9 – Terni 77

sulla strada statale 147 Assisana Est : 4 km :

🏨 **Campiglione** 🛗 ⬅ cam, 🅺🅲 ✠ 📶 📺 🆅🅸🆂🅰 ⓿ 🅰🅴 ⓪ 🅢

via Campiglione 11 – ℰ 07 58 01 07 67 – www.hotel-campiglione.it – hotel@
hotel-campiglione.it – Fax 07 58 01 07 68
42 cam ⥂ – †55/65 € ††65/90 € – ½ P 60/68 €
Rist – *(chiuso sabato e domenica, escluso da marzo ad ottobre,*
e dall'8 al 20 gennaio) (chiuso a mezzogiorno) Carta 20/40 €

♦ Lungo l'arteria stradale principale del paese, sorge quest'accogliente struttura che dispone di confortevoli camere, arredate con cura. Gestione di grande esperienza. Ristorante recentemente rinnovato, dove gustare una prelibata cucina genuina.

ad Ospedalicchio Ovest : 5 km – ✉ 06083

🏨 **Lo Spedalicchio** 🚗 🛗 🅺🅲 ✠ rist, 📶 🅿 📺 🆅🅸🆂🅰 ⓿ 🅰🅴 ⓪ 🅢

piazza Bruno Buozzi 3 – ℰ 07 58 01 03 23 – www.lospedalicchio.it – info@
lospedalicchio.it – Fax 07 58 01 03 23
25 cam ⥂ – †65/76 € ††95/110 € – ½ P 75 €
Rist – *(chiuso lunedì)* Carta 31/42 €

♦ Una sistemazione capace di trasmettere quel genere di emozioni proprie delle dimore fortificate dalle origini antiche (XIV sec.). Il confort è commisurato alla struttura. Per pranzi o cene avvolti da pareti e volte in pietra e mattoni.

BAVENO – Verbano-Cusio-Ossola (VB) – 561E7 – **4 648 ab.** – **alt. 205 m**   24 **A1**
– ✉ 28831 Italia

▶ Roma 661 – Stresa 4 – Domodossola 37 – Locarno 51

🄸 piazza Dante Alighieri 14 (Palazzo Comunale) ℰ 0323 924632,
baveno@distrettolaghi.it, Fax 0323 924632

🏨🏨🏨 Grand Hotel Dino ← 🚗 🐟 🎾 🏊 🏛 ⚉ 🌅 ⑂ 🍴 ⚕ cam, 🅰🄲 ↯

corso Garibaldi 20 🍴 rist, ⁇ 🛎 🄿 🚗 🆅🅸🅂🄰 ⓪⓪ 🄰🄴 ⑩ 💲
– ℰ 03 23 92 22 01 – www.zaccherahotels.com – info@grandhoteldino.com
– Fax 03 23 92 45 15 – marzo-novembre
367 cam – ♦70/280 € ♦♦90/400 €, ⊆ 25 € – 8 suites – ½ P 60/300 €
Rist – Carta 32/95 €
♦ Circondato da un giardino con alberi secolari, un maestoso complesso a indirizzo congressuale sulle rive del lago con spazi comuni ampi e camere dall'atmosfera principesca. L'elegante sala ristorante offre una splendida vista sul golfo e propone una cucina classica.

🏨🏨 Simplon ← 🐟 🎾 🌅 🅰🄲 🍴 rist, ⁇ 🄿 🆅🅸🅂🄰 ⓪⓪ 🄰🄴 ⑩ 💲

corso Garibaldi 52 – ℰ 03 23 92 41 12 – www.hotelsimplon.com – info@
hotelsimplon.com – Fax 03 23 91 65 07 – 8 aprile-ottobre
114 cam – ♦50/260 € ♦♦75/310 €, ⊆ 20 € – ½ P 50/250 €
Rist – Carta 22/60 €
♦ Immerso in un grande parco secolare, l'hotel dispone di eleganti ed ampie camere con vista sul lago o sulla montagna. Una galleria d'arte lo collega al health club dell'hotel *Dino*. Dalla sala ristorante, illuminata da lampade in stile, lo sguardo spazia sul giardino all'italiana. Cucina tradizionale.

🏨🏨 Splendid ← 🚗 🐟 🎾 🏊 🏛 ⚉ 🌅 🅰🄲 🍴 rist, ⁇ 🚗
🕸 *via Sempione 12* – ℰ 03 23 92 45 83 🆅🅸🅂🄰 ⓪⓪ 🄰🄴 ⑩ 💲
– www.hotelsplendid.com – info@hotelsplendid.com – Fax 03 23 92 22 00
– aprile-ottobre
118 cam – ♦50/200 € ♦♦60/240 €, ⊆ 20 € – ½ P 50/220 €
Rist – Carta 21/60 €
♦ Dotata di camere sontuose, alcune delle quali arredate in stile barocco, la risorsa si trova in riva al lago ed è circondata da un giardino con campo da tennis e piscina. Cucina classica nella sfarzosa sala ristorante dominata da ampie vetrate che si affacciano sul Lago e sulle montagne.

🏨🏨 Lido Palace ← 🎾 🏛 ⚉ 🌅 🅰🄲 🍴 rist, ⁇ 🄿 🆅🅸🅂🄰 ⓪⓪ 🄰🄴 ⑩ 💲

strada statale del Sempione 30 – ℰ 03 23 92 44 44 – www.lidopalace.com
– info@lidopalace.com – Fax 03 23 92 47 44 – 10 aprile-20 ottobre
91 cam ⊆ – ♦115/135 € ♦♦188/226 € – 2 suites – ½ P 135/155 €
Rist – Carta 40/50 €
♦ Una villa settecentesca immersa nel verde, negli anni meta di numerosi ospiti illustri, dispone di immensi spazi comuni e camere arredate con eleganza. Una capiente terrazza-ristorante con vista sul lago e sulle isole Borromee per assaporare la cucina tradizionale.

🏨🏨 Rigoli 🐟 ← 🚗 🌅 🅰🄲 🍴 rist, ⁇ 🄿 🆅🅸🅂🄰 ⓪⓪ 🄰🄴 💲

via Piave 48 – ℰ 03 23 92 47 56 – www.hotelrigoli.com – hotel@hotelrigoli.com
– Fax 03 23 92 51 56 – Pasqua-ottobre
31 cam ⊆ – ♦65/100 € ♦♦100/120 € – ½ P 70/85 €
Rist – (chiuso a mezzogiorno) Carta 28/42 €
♦ Direttamente sul lago, una struttura a gestione familiare, punto di riferimento per una clientela abituale, dotata di accoglienti camere con balcone e sobriamente eleganti. Nella sala ristorante, dalle pareti tinteggiate in un riposante verde acqua, proposte di cucina casalinga.

🏨🏨 Villa Azalea senza rist 🌅 ⚕ 🅰🄲 ⁇ 🄿 🚗 🆅🅸🅂🄰 ⓪⓪ 🄰🄴 ⑩ 💲

via Domo 6 – ℰ 03 23 92 43 00 – www.villaazalea.com – info@villaazalea.com
– Fax 03 23 92 20 65 – marzo-15 novembre
36 cam ⊆ – ♦58/68 € ♦♦75/115 €
♦ Sita nel centro storico della località, la risorsa dispone di un'ampia zona soggiorno, camere confortevoli arredate con gusto moderno e di appartamenti con angolo cottura.

🍴 Il Gabbiano 🅰🄲 🍴 🆅🅸🅂🄰 💲

via I Maggio 19 – ℰ 03 23 92 44 96 – www.ristoranteilgabbiano.info – info@
ristoranteilgabbiano.info – Fax 03 23 83 64 80 – chiuso martedì a mezzogiorno e
lunedì
Rist – Menu 30/50 € – Carta 32/49 €
♦ Un ristorante semplice in una posizione tranquilla con proposte gastronomiche piemontesi a base di carne e di pesce, attente all'avvicendarsi delle stagioni e ai loro sapori.

BAZZANO – Bologna (BO) – 562I15 – **6 297 ab.** – **alt. 93 m** – ✉ **40053**   9 **C3**

▶ Roma 382 – Bologna 24 – Modena 23 – Ostiglia 86

🏠 **Alla Rocca**   🚗 🅿 📶 & 🆎 ✂ rist, 📶 🐾 🅿 🚙 VISA ⦿ AE ⓞ ⛟

via Matteotti 76 – ✆ *051 83 12 17* – *www.allarocca.com* – *info@allarocca.com*
– *Fax 051 83 06 90* – *chiuso 2 settimane in agosto*
52 cam ☞ – 🛏70/300 € 🛏🛏100/400 € – 3 suites
Rist – *(chiuso sabato a mezzogiorno e domenica)* Carta 22/60 €
♦ Struttura di gran fascino ricavata da un imponente e colorato palazzo del 1794. Tanti ambienti, tutti suggestivi, arredati con pregevole mobilio. Il confort regna sovrano. Sala ristorante classica o caratteristica taverna in mattoni? Un curioso dilemma.

BEDIZZOLE – Brescia (BS) – 561F13 – **9 882 ab.** – **alt. 184 m**   17 **D1**
– ✉ **25081**

▶ Roma 539 – Brescia 17 – Milano 111 – Verona 54

🏠 **La Corte** senza rist   📶 & 🏃 🆎 🛁 ✂ 📶 🅿 VISA ⦿ AE ⓞ ⛟

via Benaco 117 – ✆ *03 06 87 16 88* – *www.albergolacorte.it* – *direzione@*
albergolacorte.it – *Fax 03 06 87 04 93*
16 cam ☞ – 🛏42/50 € 🛏🛏80/100 €
♦ Hotel a conduzione familiare ospitato dagli inusuali spazi di una deliziosa cascina completamente ristrutturata. Ambienti comuni ridotti, ma camere ampie e confortevoli.

BEE – Verbano-Cusio-Ossola (VB) – 561E7 – **677 ab.** – **alt. 594 m**   24 **B1**
– ✉ **28813**

▶ Roma 682 – Stresa 27 – Locarno 50 – Milano 116

✕✕ **Chi Ghinn** con cam 🏡   ⟵ 📶 📶 VISA ⦿ AE ⓞ ⛟

via Maggiore 21 – ✆ *032 35 63 26* – *www.chighinn.com* – *info@chighinn.com*
– *Fax 032 35 64 30* – *chiuso dal 7 gennaio al 28 febbraio*
6 cam ☞ – 🛏60 € 🛏🛏80 € – ½ P 75 €   **Rist** – *(chiuso martedì)* Carta 34/46 €
♦ Sita nel centro del paese, una struttura dalla giovane conduzione ospita una saletta riscaldata da un bel camino e una terrazza-giardino dove gustare una cucina contemporanea. Dispone anche di poche camere spaziose e semplici negli arredi, alcune delle quali con zona salotto.

BELGIRATE – Verbano-Cusio-Ossola (VB) – 561E7 – **500 ab.**   24 **B2**
– **alt. 200 m** – ✉ **28832**

▶ Roma 651 – Stresa 6 – Locarno 61 – Milano 74
🛈 via Mazzini 12/14 ✆ 339 4635252, prolocobelgirate@libero.it

🏠 **Villa dal Pozzo d'Annone**   ⟵ 📶 🏊 🏠 🛁 🏃 📶 ✂ 🅿 🚙

strada statale Sempione, 5 – ✆ *03 22 72 55*   VISA ⦿ AE ⓞ ⛟
– *www.villadalpozzodannone.com* – *info@villadalpozzodannone.com*
– *Fax 03 22 77 20 21* – *Pasqua-ottobre*
9 cam ☞ – 🛏🛏250/400 € – 9 suites – 🛏🛏440/620 €
Rist Villa dal Pozzo d'Annone – Carta 39/58 €
♦ Una villa con ampi spazi, pezzi unici d'arredo e scalini intarsiati, una dependance con camere ariose ed eleganti: un dono di nozze ottocentesco immerso in un parco secolare.

BELLAGIO – Como (CO) – 561E9 – **2 992 ab.** – **alt. 216 m** – ✉ **22021**   16 **B2**
▐ Italia

▶ Roma 643 – Como 29 – Bergamo 55 – Lecco 22
🚢 per Varenna – Navigazione Lago di Como, ✆ 031 579211 e 800 551 801
🛈 piazza Mazzini (pontile Imbarcadero) ✆ 031 950204, prombell@tin.it,Fax
031 950204
◉ Posizione pittoresca ★★★ – Giardini ★★ di Villa Serbelloni – Giardini ★★ di
Villa Melzi

Grand Hotel Villa Serbelloni 🖐 &, cam, 🎥 📶 ⚡ 🅿️ 🚗 🆚 ⑩ 🆎 ⓪ ⑤

via Roma 1

– ℰ 031 95 02 16 – www.villaserbelloni.com – inforequest@villaserbelloni.com

– Fax 031 95 15 29 – aprile-8 novembre

91 cam ☑ – †235/275 € ††445/800 € – 4 suites – ½ P 300/477 €

Rist Mistral – vedere selezione ristoranti

Rist – Carta 69/102 €

♦ Prestigioso ed esclusivo hotel, all'estremità del promontorio di Bellagio, immerso in un parco digradante sul lago. Ha ospitato regnanti e personalità da ogni continente.

Belvedere ≤ 🚗 🖼 🔽 📶 🛎 &, 🎥 cam, 📶 rist, 🕿 🛄 🅿️

via Valassina 31 – ℰ 031 95 04 10

– www.belvederebellagio.com – belveder@tin.it – Fax 031 95 01 02 – aprile-ottobre

64 cam ☑ – †130/157 € ††160/342 € – ½ P 166/209 €   **Rist** – Carta 36/68 €

♦ Albergo in posizione panoramica con vista sul lago e sugli affascinanti scorci di paesaggio. Bello il giardino fiorito, con piscina estiva, che digrada fino al lago. Sala da pranzo classica con arredi moderni e ampia visuale del panorama.

Florence ≤ 🔽 📶 🛎 📶 🆚 ⑩ 🆎 ⑤

piazza Mazzini 46 – ℰ 031 95 03 42 – www.hotelflorencebellagio.it – hotflore@tin.it – Fax 031 95 17 22 – aprile-ottobre

29 cam ☑ – †120 € ††140/190 € – 1 suite – ½ P 110/135 €

Rist – (chiuso ottobre) Carta 40/55 €

♦ Camere rimodernate di recente sempre secondo il buon gusto e la ricerca di una fine personalizzazione degli ambienti. Un bel camino a disposizione degli ospiti. Servizio ristorante estivo sulla terrazza ombreggiata in riva al lago.

Du Lac ≤ 🔽 🛎 🎥 📶 🚗 🆚 ⑤

piazza Mazzini 32 – ℰ 031 95 03 20 – www.bellagio.info – dulac@tin.it

– Fax 031 95 16 24 – aprile-ottobre

42 cam ☑ – †85/140 € ††160/190 € – ½ P 115 €   **Rist** – Carta 34/48 €

♦ In posizione centralissima, situato di fronte all'imbarcadero dei battelli; l'hotel dispone anche di una terrazza utilizzabile sia come solarium che come roof-garden. Sala da pranzo in cui la bellezza del panorama è "servita" ad ogni ora.

Bellagio senza rist ≤ 🔽 🛎 🎥 📶 📶 🆚 ⑩ ⑤

salita Grandi 6 – ℰ 031 95 04 24 – www.bellagio.info – hotelbellagio@virgilio.it

– Fax 031 95 19 66 – chiuso dal 7 gennaio al 7 febbraio

29 cam ☑ – †50/120 € ††80/160 €

♦ Hotel ubicato in pieno centro storico, a due passi dal lungolago e dall'imbarcadero. Interamente ristrutturato ad inizio 2005, presenta camere graziose ed una bella terrazza.

Silvio 🔽 🎥 📶 🅿️ 🚗 🆚 ⑩ ⑤

via Carcano 10/12, Sud-Ovest : 2 km – ℰ 031 95 03 22 – www.bellagiosilvio.com – info@bellagiosilvio.com – Fax 031 95 09 12

– chiuso dal 20 novembre al 20 dicembre e dal 6 gennaio al 6 marzo

21 cam ☑ – †50/90 € ††75/125 €   **Rist** – Carta 25/40 €

♦ Risorsa familiare e accogliente, gli arredi sono di taglio moderno. Una realtà senza fronzoli o ricercatezze ma ben "equipaggiata" di attenzioni e professionalità. Ristorante con annessa veranda con vista lago; servizio estivo anche sotto il pergolato.

XX **Mistral** – Grand Hotel Villa Serbelloni ≤ 🔽 🎥 📶 🅿️ 🆚 ⑩ 🆎 ⓪ ⑤

🕸 via Roma 1 – ℰ 031 95 64 35 – www.ristorante-mistral.com – mistral@ristorante-mistral.com – Fax 031 95 15 29 – marzo-novembre

Rist – (chiuso a mezzogiorno da giugno a settembre) Carta 62/105 €

Spec. Granchio dell'Alaska in due versioni: le chele croccanti e insalata con noci, mela verde e crema di limone. Risotto mantecato con trippe di baccalà, capperi e buccia di limone. Pesci del lago al burro e salvia.

♦ Sulla riva del lago, ci si ha la sensazione di mangiare nella stiva di una nave in legno. Cucina "molecolare" che sperimenta cotture innovative accanto a piatti più tradizionali.

X **Barchetta** con cam 🔽 🎥 📶 🆚 ⑩ 🆎 ⓪ ⑤

salita Mella 13 – ℰ 031 95 13 89 – www.ristorantebarchetta.com – info@ristorantebarchetta.com – Fax 031 95 19 86 – 15 marzo-25 ottobre

5 cam ☑ – ††90 €   **Rist** – (chiuso martedì) Carta 37/66 €

♦ Un approccio fantasioso alla tavola con proposte di mare e di lago. Molto frequentato da stranieri, soprattutto americani, che tanto apprezzano la terrazza estiva.

BELLANO – Lecco (LC) – 3 412 ab. – alt. 202 m – ✉ 23822   16 **B1**
➤ Roma 653 – Como 56 – Bergamo 60 – Lecco 25

XX   **Pesa Vegia**   🕍 𝗩𝗜𝗦𝗔 ⓿ 🅰🅴 ⚓
*piazza Verdi 7 – ℰ 03 41 81 03 06 – www.pesavegia.it – info@pesavegia.it
– Fax 03 41 81 03 06 – Pasqua-settembre; chiuso domenica sera e lunedì*
Rist – (consigliata la prenotazione la sera) Carta 40/58 €
♦ Piccolo e grazioso ristorantino, collocato in posizione centrale e sul lungolago.
Gestione giovane ed appassionata, arredi moderni, proposte di piatti rivisitati con fanta-
sia.

BELLARIA IGEA MARINA – Rimini (RN) – 562J19 – **16 454 ab.**   9 **D2**
➤ Roma 350 – Ravenna 39 – Rimini 15 – Bologna 111

a Bellaria – ✉ 47814

🄰 via Leonardo da Vinci 2 ℰ 0541 344108, iat@
    comune.bellaria-igea-marina.rn.it, Fax 0541 345491

🏨   **Miramare**   ⟨ 🛎 |🍴| 🛗 🖧 ⚄ ✑ 🛏 rist, ⟨¹⟩ **P** 𝗩𝗜𝗦𝗔 ⓿ 🅰🅴 ① ⚓
*lungomare Colombo 37 – ℰ 05 41 34 41 31 – www.hotelmiramare1913.it
– miramarebellaria@libero.it – Fax 05 41 34 73 16 – maggio-settembre*
64 cam ⛲ – †60/90 € ††95/115 € – ½ P 75/90 €   **Rist** – Menu 25/30 €
♦ Hotel quasi centenario, in grado di offrire ai propri clienti una certa eleganza, avverti-
bile nell'ariosa hall caratterizzata dalla dinamicità e fruibilità degli spazi. Esperta gestione
familiare.

🏨   **Orizzonte e Villa Ariosa**   ⟨ 🛏 🕸 |🍴| 🛗 🅰🅲 ✑ rist, ⟨¹⟩ **P**
via Rovereto 10 – ℰ 05 41 34 42 98   𝗩𝗜𝗦𝗔 ⓿ 🅰🅴 ① ⚓
*– www.hotelorizzonte.com – info@hotelorizzonte.com – Fax 05 41 34 68 04
– maggio-settembre*
42 cam ⛲ – †60/90 € ††85/110 € – ½ P 70/130 €   **Rist** – (solo per alloggiati)
♦ Moderno e non privo di ricercatezza, con un'annessa villa fine secolo affacciata direttamente sul mare. Bello e scenografico il piccolo centro benessere con piscina coperta.

🏨   **Ermitage**   ⟨ 🛏 🕸 🖧 ⚄ 🅰🅲 ✑ rist, ⟨¹⟩ **P** 𝗩𝗜𝗦𝗔 ⓿ 🅰🅴 ① ⚓
*via Ala 11 – ℰ 05 41 34 76 33 – www.hotelermitage.it – info@hotelermitage.it
– Fax 05 41 34 30 83 – aprile-settembre*
60 cam ⛲ – ††100/140 € – 6 suites – ½ P 65/110 €
Rist – (chiuso a mezzogiorno) (solo per alloggiati)
♦ Posizione invidiabile - in prima fila sul mare - per questa risorsa dotata di un'ampia
gamma di servizi, tra cui due belle piscine. Camere recentemente rinnovate con uno
spiccato gusto per il moderno e il design.

🏨   **Montanari** |🍴| 🅰🅲 ✑ rist, **P** 𝗩𝗜𝗦𝗔 ⓿ 🅰🅴 ⚓
😊 *via Redipuglia 10 – ℰ 05 41 34 63 40 – www.hotelmontanari.it – info@
hotelmontanari.it – Fax 05 41 34 68 02 – 20 maggio-25 settembre*
95 cam ⛲ – †54/61 € ††96/110 € – ½ P 53/60 €
Rist – (solo per alloggiati) Menu 14/18 €
♦ In prossimità del mare, due strutture compongono questa risorsa recentemente rinnovata. La posizione tranquilla e la gestione cortese offrono l'opportunità di vivere un'i-
deale vacanza tutto mare.

🏨   **Rosa Maria e Elite**   ⟨ 🛋 🛏 |🍴| 🅰🅲 ✑ rist, **P** 𝗩𝗜𝗦𝗔 ⓿ ⚓
*via Italia 27 – ℰ 05 41 34 66 15 – www.hotelrosamariaelite.com – info@
hotelrosamariaelite.com – Fax 05 41 34 69 15 – 15 maggio-20 settembre*
65 cam ⛲ – †45/55 € ††98/115 € – ½ P 49/65 €   **Rist** – (solo per alloggiati)
♦ Per arrivare al mare, verso il quale si affaccia la maggior parte delle camere, si costeggia la bella piscina, passando tra le file di ombrelloni della spiaggia privata.

a Igea Marina – ✉ 47813

🄰 (aprile-settembre), viale Pinzon 196 ℰ 0541 333119, iatim@
    comune.bellaria-igea-marina.rn.it

🏨   **Agostini**   ⟨ ✑ 🕸 |🍴| 🖧 🅰🅲 ✑ rist, ⟨¹⟩ 🛗 **P** 𝗩𝗜𝗦𝗔 ⓿ 🅰🅴 ① ⚓
*viale Pinzon 68 – ℰ 05 41 33 15 10 – www.hotelagostini.it – info@hotelagostini.it
– Fax 05 41 33 00 85 – aprile-settembre*
67 cam ⛲ – †50/80 € ††60/110 € – ½ P 70/90 €   **Rist** – (solo per alloggiati)
♦ Struttura a ferro di cavallo, dispone di gradevoli spazi comuni e stanze di confort e
stile contemporaneo: bell'arredamento e tessuti coordinati. Proverbiale accoglienza
romagnola.

Aris 🏠 £å &. AK 🎾 rist. ⁽ᵞ⁾ 🏊 P �𝚟𝚒𝚜𝚊 ⓒ𝐨 AE ① ⚓
via Ennio 32/34 – 𝒞 05 41 33 00 07 – www.aris-hotel.com – info@aris-hotel.com
– Fax 05 41 33 32 66
54 cam ⊑ – 🛏45/65 € 🛏🛏80/110 € – ½ P 50/70 €   **Rist** – *(solo per alloggiati)*
♦ Lungo il viale centrale, dedicato a shopping e passeggio, a cento metri dal mare, moderna e confortevole struttura che si presta anche ad esigenze di soggiorni di lavoro.

Strand ≼ 🏠 📶 ⛵ AK 🎾 rist. ⁽ᵞ⁾ P ⟁𝚟𝚒𝚜𝚊 ⓒ𝐨 AE ⚓
viale Pinzon 161 – 𝒞 05 41 33 17 26 – www.hstrand.com – info@hstrand.com
– Fax 05 41 33 19 00 – marzo-novembre
40 cam – 🛏42/46 € 🛏🛏66/86 €, ⊑ 10 € – ½ P 60/70 €
Rist – *(solo per alloggiati)* Menu 18/30 €
♦ Valida struttura caratterizzata da interni moderni, a tratti signorili, e camere - spesso diverse fra loro sia nei dettagli sia nell'arredamento - con forti elementi di personalizzazione. Tenuta impeccabile!

BELLINZAGO NOVARESE – Novara (NO) – 561F7 – 8 649 ab.   23 **C2**
– alt. 191 m – ⊠ 28043

🛣 Roma 634 – Milano 60 – Novara 15 – Varese 45
🗺 Novara, 𝒞 0321 92 78 34

a Badia di Dulzago Ovest : 3 km – ⊠ 28043 – Bellinzago Novarese

Osteria San Giulio AK ⇔
– 𝒞 032 19 81 01 – Fax 032 19 81 01 – chiuso dal 26 dicembre al 7 gennaio, agosto, domenica sera, lunedì e martedì
Rist – 30 € – Carta 20/32 €
♦ A partire dalla collocazione all'interno di un'antica abbazia rurale, passando per l'accoglienza, l'atmosfera e la cucina, le porzioni generose e la complessiva genuinità.

BELLUN – Aosta – Vedere Sarre

BELLUNO P (BL) – 562D18 – 35 377 ab. – alt. 389 m – ⊠ 32100   36 **C1**
📘 Italia

🛣 Roma 617 – Cortina d'Ampezzo 71 – Milano 320 – Trento 112
🄸 piazza Duomo 2 𝒞 0437 940083, belluno@infodolomiti.it, Fax 0437 958716
◉ Piazza del Mercato★ – Piazza del Duomo★: palazzo dei Rettori★, polittico★ nel Duomo – Via del Piave : ≼★

Europa Executive senza rist 📶 &. AK ⚭ P 🚗 ⟁𝚟𝚒𝚜𝚊 ⓒ𝐨 AE ① ⚓
via Vittorio Veneto 158 – 𝒞 04 37 93 01 96 – www.europaexecutive.it
– info@europaexecutive.it – Fax 043 73 47 08
40 cam ⊑ – 🛏70/90 € 🛏🛏100/118 €
♦ Moderna struttura commerciale nata sulle ceneri dell'omonima precedente struttura, propone spazi comuni limitati in stile minimalista. Poco fuori dal centro proprio adiacente allo stadio civico.

Delle Alpi senza rist 📶 AK 🎾 ⁽ᵞ⁾ ⟁𝚟𝚒𝚜𝚊 ⓒ𝐨 AE ① ⚓
via Jacopo Tasso 13 – 𝒞 04 37 94 05 45 – www.dellealpi.it – info@dellealpi.it
– Fax 04 37 94 05 65
38 cam ⊑ – 🛏82 € 🛏🛏102 € – 2 suites
♦ Camere semplici, spaziose e funzionali per questo indirizzo in comoda posizione centrale, adatto a una clientela business o per turisti di passaggio.

Al Borgo 🍴 🏠 ⇔ P ⟁𝚟𝚒𝚜𝚊 ⓒ𝐨 AE ① ⚓
via Anconetta 8 – 𝒞 04 37 92 67 55 – www.alborgo.to – alborgosnc@libero.it
– Fax 04 37 92 64 11 – chiuso dal 26 gennaio al 10 febbraio, dal 5 al 13 ottobre, lunedì sera e martedì
Rist – Carta 23/28 €
♦ All'interno di una villa settecentesca cinta dal parco, ristorante dallo stile rustico ma molto curato che offre una golosa cucina casalinga del territorio ben rielaborata.

a Castion Sud-Est : 3 km – ✉ **32024**

⬆ **Nogherazza** ◈   🚇 🛰 🛁 **P** 🆅🆂🅰 ⓞⓞ 🄰🄴 ⑤

↩ *via Gresane 78 – ℰ 04 37 92 74 61 – www.nogherazza.it – amiarif@tin.it*
– Fax 04 37 92 58 82 – chiuso febbraio
6 cam � – ▮▮80/100 €   **Rist** – *(chiuso martedì)* Carta 18/47 €
♦ Piccolo borgo rurale composto da due edifici totalmente ristrutturati e ben inseriti nel contesto paesaggistico circostante. Belle e d'atmosfera le camere, rivestite in legno. Giardino atrezzato. Cucina tipica bellunese nell'intima sala da pranzo o in terrazza, da dove ammirare il sole spegnersi sulle cime.

BELMONTE CALABRO – Cosenza (CS) – 564J30 – **2 994 ab.**   5 A2
– alt. 262 m – ✉ 87033

▶ Roma 513 – Cosenza 36 – Catanzaro 74 – Reggio di Calabria 166

🏨 **Villaggio Albergo Belmonte** ◈   🚇 🏠 🍖 ❊ ⚡ ⌖ 🄰🄲 🎾 🛁

località Piane, Nord : 2 km – ℰ 09 82 40 01 77   **P** 🆅🆂🅰 ⓞⓞ 🄰🄴 ⑤
– www.vabbelmonte.it – vabbelmonte@vabbelmonte.it – Fax 09 82 40 03 01
46 cam ⊡ – ▮85/105 € ▮▮120/140 € – ½ P 75/85 €   **Rist** – Carta 28/52 €
♦ Struttura organizzata in diversi padiglioni (4 camere ognuno) ad un solo livello, inseriti in un contesto naturale di grande bellezza grazie alla vista mozzafiato. Pranzi e cene in compagnia del panorama, approfittando del servizio all'aperto.

BELVEDERE MARITTIMO – Cosenza (CS) – 564I29 – **9 261 ab.**   5 A1
– alt. 150 m – ✉ 87021

▶ Roma 453 – Cosenza 71 – Castrovillari 94 – Catanzaro 130

✕✕ **Lido Sabbiadoro-Il Chiosco**   ← 🏠 🎾 **P** 🆅🆂🅰 ⓞⓞ 🄰🄴 ⓞ ⑤

località Piano delle Donne, Nord : 5 km – ℰ 098 58 84 56
– www.ristorantesabbiadoro.it – Fax 098 58 10 14 – chiuso Natale-Epifania e martedì
Rist – Carta 32/49 €
♦ Cucina a netta, se non esclusiva vocazione "marinara". Locale ampio, praticamente sulla spiaggia, composto da due sale che, grazie alle vetrate, ricevono luce e offrono vista.

BENACO – Vedere Garda (Lago di)

BENEVELLO – Cuneo (CN) – 561I6 – **451 ab. – alt. 671 m – ✉ 12050**   25 C2

▶ Roma 676 – Cuneo 77 – Alessandria 86 – Genova 171

🏨 **Villa d'Amelia** ◈   ← 🐾 🏠 🍖 🏊 🛁 🍴 🚇 ⚡ ⌖ 🄰🄲 🎾 rist, 🕯 🛁 **P**

località Manera 1 – ℰ 01 73 52 92 25   🆅🆂🅰 ⓞⓞ 🄰🄴 ⓞ ⑤
– www.villadamelia.com – info@villadamelia.com – Fax 01 73 52 92 78
– chiuso dal 6 gennaio al 13 marzo
34 cam ⊡ – ▮168/240 € ▮▮200/300 € – 3 suites
Rist – *(chiuso martedì a mezzogiorno e lunedì)* Carta 40/68 € 🍷
♦ Una cascina Ottocentesca raccolta attorno ad una corte è oggi una villa signorile, caratterizzata da un elegante design moderno (negli interni) e oggetti d'epoca. Il ristorante - raccolto ed elegante - propone piatti tipici locali.

BENEVENTO P (BN) – 564D26 – **61 636 ab. – alt. 135 m – ✉ 82100**   6 B1
⬛ Italia

▶ Roma 241 – Napoli 71 – Foggia 111 – Salerno 75
◉ Arco di Traiano★★ – Museo del Sannio★ : Chiostro★

🏨 **Villa Traiano** senza rist   🖥 🄰🄲 🎾 🕯 🛁 🚗 🆅🆂🅰 ⓞⓞ ⓞ ⑤

viale dei Rettori 9 – ℰ 08 24 32 62 41 – www.hotelvillatraiano.it – info@ hotelvillatraiano.it – Fax 08 24 32 61 96 – chiuso agosto
26 cam ⊡ – ▮80/90 € ▮▮120/150 € – 1 suite
♦ All'interno di una graziosa villa d'inizio Novecento ristrutturata con gusto. Camere molto confortevoli, sala colazioni anche all'aperto e spazio relax sul roof-garden.

sulla strada statale 7 - via Appia Sud-Ovest : 3 km

🏨 **Bei Park Hotel** 🚗 🔟 📶 👍 🅰️ 🐾 🐕 🏋️ 🅿️ 🆚 🆎 🅾️ ⛎
✉ 82100 – 📞 08 24 36 00 16 – www.beiparkhotel.it – info@beiparkhotel.it
– Fax 08 24 36 00 46
53 cam – †55/70 € ††70/90 € – 3 suites – ½ P 63 €
Rist – (chiuso lunedì a mezzogiorno) Carta 19/41 €
♦ Nuovo edificio lungo la via Appia, poco più a sud di Benevento. Arredi classici, discreta disponibilità di spazi e buon livello del servizio: ideale per la clientela d'affari. Cucina classica nel moderno ristorante con brace a vista.

sulla provinciale per San Giorgio del Sannio Sud-Est : 7 km :

✕✕ **Pascalucci** con cam 🏠 📶 🅿️ 🆚 🆎 🅾️ ⛎
via lannassi ✉ 82010 San Nicola Manfredi – 📞 08 24 77 84 00
– www.pascalucci.it – pascalucci@libero.it – Fax 08 24 77 81 01
– chiuso 24-25 dicembre
11 cam 🍴 – †35 € ††45 € – ½ P 42 €
Rist – Carta 19/35 € 🍴 (+10 %)
♦ Ristorante nato dalla tradizione e che oggi, oltre a proposte locali, presenta anche una cucina di pesce elaborata con capacità, a base di prodotti freschi e genuini.

BENTIVOGLIO – Bologna (BO) – 562I16 – **4 622 ab.** – **alt. 17 m**   9 **C3**
– ✉ **40010**
▶ Roma 395 – Bologna 19 – Ferrara 34 – Modena 57

🏨 **Bentivoglio** 🏠 📶 👍 cam, ♿ 📶 ≠ 🛜 🏋️ 🆚 🆎 🅾️ ⛎
piazza Carlo Alberto Pizzardi 1 – 📞 05 16 64 11 11 – www.hotelbentivoglio.it
– info@hotelbentivoglio.it – Fax 05 19 91 43 18
50 cam 🍴 – †70/130 € ††80/190 €
Rist – (chiuso Natale, agosto e sabato) (chiuso a mezzogiorno) (solo per alloggiati) Carta 28/42 €
♦ Il buon gusto della gestione è testimoniato dalla scelta degli arredi, tra cui diversi mobili e oggetti d'antiquariato. Situato di fronte all'omonimo castello di fine '400.

BERCETO – Parma (PR) – 562I11 – **2 389 ab.** – **alt. 790 m** – ✉ **43042**   8 **A2**
▶ Roma 463 – Parma 60 – La Spezia 65 – Bologna 156

✕✕ **Vittoria-da Rino** con cam 🆚 🆎 🅾️ ⛎
via Marconi 5 – 📞 052 56 43 06 – www.darino.it – info@darino.it
– Fax 05 25 62 95 12 – chiuso dal 20 dicembre al 7 gennaio
15 cam – †47/57 € ††63/69 €, 🍴 6 € – ½ P 55 €
Rist – (chiuso lunedì escluso dal 20 giugno a settembre) Carta 26/54 €
♦ Bell'edificio d'epoca in centro paese: varcato il bar, in sala troverete un'infinità di piatti regionali, parmigiani e appenninici, presentati con iniziative tematiche stagionali. Confortevoli le stanze.

BERGAMO 🅿️ (BG) – 561E11 – **114 190 ab.** – **alt. 249 m** – ✉ **24100**   19 **C1**
📙 Italia
▶ Roma 601 – Brescia 52 – Milano 47
✈ di Orio al Serio per③ : 3,5 km 📞035 326323.
ℹ piazzale Marconi (stazione FS) ✉ 24122 📞 035 210204, turismo1@comune.bg.it, Fax 035 230184
📗 Parco dei Colli, 📞 035 25 00 33
📗 Bergamo L'Albenza, 📞 035 64 00 28
📗 La Rossera, 📞 035 83 86 00
👁 Città alta★★★ ABY – Piazza del Duomo★★ AY **12** : Cappella Colleoni★★, Basilica di Santa Maria Maggiore★ : arazzi★★, arazzo della Crocifissione★★, pannelli★★, abside★, Battistero★ – Piazza Vecchia★ AY **39** – ≼★ dalla Rocca AY – Città bassa★ : Accademia Carrara★★ BY **M1** – Quartiere vecchio★ BYZ – Piazza Matteotti★ BZ **19**

Pianta pagina 184

BERGAMO

0 — 400 m

Circolazione stradale regolamentata nella Città Alta

🏨🏨 **Excelsior San Marco**   ⬆️ 👥 🏢 ♿ AC ⟷ ⁽ᵗ⁾ 🏋️ 🅿️ 🚗

piazza della Repubblica 6 ✉️ *24122* – ☎️ *035 36 61 11*   VISA 💳 AE 💲
– *www.hotelsanmarco.com* – *info@hotelsanmarco.com* – *Fax 035 22 32 01*
147 cam ⬜ – 🛏️**150/200 €** 🛏️🛏️**220/280 €** – **8 suites**   AZ**a**
Rist Roof Garden – vedere selezione ristoranti
♦ Un riferimento storico e intramontabile dell'ospitalità bergamasca. In progressiva
ristrutturazione, per riuscire sempre a proporsi come realtà funzionale, ma di qualità.

Voglia di pranzare all'aperto?
Scegliete un ristorante con terrazza 🛖

184

NH Bergamo 🔲 ⅙ 🔲 ⅙ ⁽ᵗ⁾ 🔲 ᴠɪsᴀ ⓪⓪ 🄰🄴 ⓪ ⅙
via Paleocapa 1/G ⊠ 24122 – € 03 52 27 18 11 – www.nh-hotels.it
– jhbergamo@nh-hotels.com – Fax 03 52 27 18 12 BZ**d**
88 cam � – †95/240 € ††120/290 € – ½ P 172/180 €
Rist *La Matta* – Carta 28/45 €
♦ Nel cuore di Bergamo bassa, hotel aperto a fine 2003 in stile moderno e sobrio, con largo impiego di marmi e legno. Ottime le camere, sia come arredi che come confort.

Mercure Bergamo Palazzo Dolci senza rist 🔲 ⅙ 🔲 ⅙ ⁽ᵗ⁾
viale Papa Giovanni XXIII 100 ⊠ 24121 ᴠɪsᴀ ⓪⓪ 🄰🄴 ⓪ ⅙
– € 035 22 74 11 – www.mercure.com – h3653-re@accor.com
– Fax 035 21 80 08 BZ**e**
88 cam – †130/240 € ††150/270 €, ⊑ 12 €
♦ Lo storico palazzo neo-rinascimentale fa da guscio ad un albergo di design contemporaneo, dalle linee pulite e armoniose. In posizione comoda e centrale.

Città dei Mille senza rist 🔲 🔲 🄿 ᴠɪsᴀ ⓪⓪ 🄰🄴 ⅙
via Autostrada 3/c ⊠ 24126 – € 035 31 74 00 – www.hotelcittadeimille.it
– hotel@cittadeimille.it – Fax 035 31 73 85 BZ**a**
40 cam ⊑ – †70/95 € ††99/140 €
♦ Colori vivaci, camere connotate da oggetti e complementi d'arredo di gusto estroso. Spazi comuni con tanti "ricordi" garibaldini. Apprezzato dalla clientela d'affari.

Arli 🄵ᔞ 🔲 🔲 ⅙ rist, ⓒ⁽ᵗ⁾ ᴠɪsᴀ ⓪⓪ 🄰🄴 ⓪ ⅙
largo Porta Nuova 12 ⊠ 24122 – € 035 22 20 14 – www.arli.net – hotel.arli@
arli.net – Fax 035 23 97 32 BZ**s**
56 cam – †85/150 € ††110/180 €, ⊑ 15 €
Rist – Carta 35/40 €
♦ Nel cuore della città bassa, ci si sposta facilmente con i mezzi pubblici alla volta dei tesori del centro storico. Dispone di camere ampie e confortevoli e, all'ultimo piano, la palestra.

XXX **Roof Garden** ≤ 🏠 ⅙ cam, 🔲 🄿 ᴠɪsᴀ ⓪⓪ 🄰🄴 ⅙
piazza della Repubblica 6 ⊠ 24122 – € 035 36 61 59
– www.roofgardenrestaurant.it – ristorante@hotelsanmarco.com
– Fax 035 22 32 01 – chiuso dieci giorni in agosto AZ**a**
Rist – *(chiuso domenica)* Menu 60/90 € – Carta 54/93 €
♦ Recentemente inaugurato l'elegante ed ottimo ristorante panoramico, all'ultimo piano dell'hotel, propone un suggestivo scorcio della Città Alta. La sera, cucina ricercata; a pranzo, anche piatti più leggeri.

XX **Ol Giopì e la Margì** 🔲 ⅙ ᴠɪsᴀ ⓪⓪ 🄰🄴 ⓪ ⅙
via Borgo Palazzo 27 ⊠ 24125 – € 035 24 23 66 – www.giopimargi.com
– info@giopimargi.com – Fax 035 24 92 06 – chiuso dal 1° all'8 gennaio, agosto,
domenica sera e lunedì BZ**c**
Rist – Carta 30/40 €
♦ L'insegna ritrae la maschera bergamasca e il temperamento dei suoi concittadini, mentre la cucina è un omaggio al territorio. Rivive la tradizione e con essa la storia di una città e di una regione!

XX **Taverna Valtellinese** 🔲 ⅙ ᴠɪsᴀ ⓪⓪ 🄰🄴 ⓪ ⅙
via Tiraboschi 57 ⊠ 24122 – € 035 24 33 31 – chiuso lunedì BZ**r**
Rist – Carta 28/37 €
♦ Gli antichi legami tra la città e la Valtellina sono "curati" anche da questo tipico ristorante che propone in lista tante specialità tradizionali. Regina è la carne.

X **A Modo** 🏠 🔲 ⅙ ᴠɪsᴀ ⓪⓪ 🄰🄴 ⓪ ⅙
viale Vittorio Emanuele II 19 ⊠ 24121 – € 035 21 02 95
– www.ristoranteamodo.com – borsatticarlo@virgilio.it – chiuso domenica e
lunedì a mezzogiorno
Rist – Carta 22/62 €
♦ Sulla strada che porta alla funicolare, la moderna sala è impreziosita da una originale collezione di vetri artistici; a mezzogiorno propone un interessante menu a prezzo fisso.

alla città alta – alt. 249 m

🄸 via Gombito (Torre di Gombito) ⊠ 24129 ☎ 035 242226, turismo@comune.bg.it, Fax 035 242994

🏨 **San Lorenzo** senza rist ⚜ ⟨ 🕼 🕭 🅰🅺 🆅🅸🆂🅰 🆎 🅰🅴 ⓪ ⚡
piazzale Mascheroni 9/a ⊠ 24129 – ☎ 035 23 73 83 – www.hotelsanlorenzobg.it
– hotelsanlorenzo@hotelsanlorenzobg.it – Fax 035 23 79 58   AYd
25 cam ☑ – †96 € ††148 €
♦ In bella posizione e per di più tranquilla, una struttura ricavata da un vecchio e caratteristico edificio. Gli spazi, anche se ridotti, sono dinamici, quasi labirintici.

🏨 **Piazza Vecchia** senza rist 🕼 🕭 🅰🅺 🕪 🆅🅸🆂🅰 🆎 🅰🅴 ⓪ ⚡
via Colleoni 3/5 ⊠ 24129 – ☎ 035 25 31 79 – www.hotelpiazzavecchia.it – info@hotelpiazzavecchia.it – Fax 035 40 20 81 – chiuso dal 4 al 12 gennaio
13 cam – †120/130 € ††135/190 €, ☑ 13 €   AYy
♦ Spaziose, vivaci e colorate, tutte le camere custodiscono copie di quadri d'autore eseguite dalla proprietaria stessa. L'architettura che raccoglie tutto questo è di origini medievali.

🏨 **La Valletta Relais** senza rist ⟨ 🏃 🅰🅺 🕭 🕪 🆅🅸🆂🅰 🆎 ⓪ ⚡
via Castagneta 19, 1 km per via Castagneta ⊠ 24129 – ☎ 035 24 27 46
– www.lavallettabergamo.it – info@lavallettabergamo.it – Fax 03 52 28 12 17
– chiuso dal 15 dicembre al 14 febbraio   AYa
8 cam – †70/80 € ††85/95 €, ☑ 7 €
♦ Villino nel verde del Parco dei Colli. Poche camere personalizzate e d una gradevole junior suite con terrazzino. L'atmosfera è quella di una casa signorile e raffinata.

XXX **Colleoni & dell'Angelo** 🕼 🅰🅺 ⇔ 🆅🅸🆂🅰 🆎 🅰🅴 ⓪ ⚡
piazza Vecchia 7 ⊠ 24129 – ☎ 035 23 25 96 – www.colleonidellangelo.com
– info@colleonidellangelo.com – Fax 035 23 19 91 – chiuso lunedì   AYx
Rist – 60 € – Carta 49/68 € 🕭
♦ In un antico palazzo di piazza Vecchia, una delle più belle d'Italia, un ristorante di rara eleganza. Servizio preciso e cortese, cucina all'altezza della situazione.

XX **L'Osteria di via Solata** (Ezio Gritti) 🅰🅺 🆅🅸🆂🅰 🆎 🅰🅴 ⓪ ⚡
❄ via Solata 8 ⊠ 24129 – ☎ 035 27 19 93 – www.osteriaviasolata.it
– osteriaviasolata@inwind.it – Fax 03 54 22 72 08 – chiuso dal 18 al 28 febbraio,
dal 5 al 25 agosto, domenica sera e martedì   AYc
Rist – Menu 67 € – Carta 66/92 € 🕭
Spec. Mozzarella di bufala al cucchiaio con calamaretti spillo e pancetta croccante. Piccione: petto e coscia in salsa alla liquirizia e menta. Parmigiana di melanzane con calamari, mozzarella e basilico.
♦ Nei vicoli del centro storico della città alta, fiori e decorazioni regalano una serata incantevole mentre il cuoco vi consiglierà personalmente i piatti.

XX **La Marianna** 🍴 🕼 ⇔ 🆅🅸🆂🅰 🆎 🅰🅴 ⚡
largo Colle Aperto 2/4 ⊠ 24129 – ☎ 035 24 79 97 – www.lamarianna.it
lamarianna@lamarianna.it – Fax 035 21 13 14 – chiuso dal 2 al 18 gennaio e lunedì
Rist – 60 € bc – Carta 41/73 € 🕭   AYe
♦ Ambienti di gradevole freschezza e una fiorita terrazza-giardino nella bella stagione per una cucina di ricerca, nel solco della tradizione. All'ingresso, storica pasticceria con paste di produzione propria.

X **La Colombina** ⟨ 🕼 🅰🅺 🆅🅸🆂🅰 🆎 🅰🅴 ⚡
via borgo Canale 12 ⊠ 24129 – ☎ 035 26 14 02 – Fax 035 26 14 02
– chiuso 15 giorni in gennaio e giugno, lunedì e martedì   AYa
Rist – Carta 24/31 €
♦ Semplice e accogliente trattoria fuori dalle mura della città alta, il piacevole dehors è stato recentemente cinto da vetrate per renderlo fruibile anche d'inverno. La cucina si ispira alle stagioni e alle tradizioni.

a San Vigilio Ovest: 1 km o 5 mn di funicolare AY – alt. 461 m

X **Baretto di San Vigilio** 🕼 ⇔ 🆅🅸🆂🅰 🆎 🅰🅴 ⓪ ⚡
via Al Castello 1, per via San Vigilio ⊠ 24129 – ☎ 035 25 31 91 – www.baretto.it
– baretto@baretto.it – Fax 03 54 32 98 75 – chiuso lunedì in gennaio, febbraio e
novembre   **Rist** – Carta 37/57 € 🕭
♦ Caratteristico bar-ristorante ubicato nella piazzetta antistante all'arrivo della funicolare. Godibilissimo servizio estivo in terrazza con incantevole vista sulla città.

BERGANTINO – Rovigo (RO) – 562G15 – **2 615 ab.** – ⊠ **45032**   35 **B3**

ⓧⓧ   Il Portico   🏠 ♿ 🅰🄲 ♿ **P** 🆅🅸🆂🅰 ⓒⓞ 🅰🅴 ⓞ 🌶
   via Campo 766 – ℰ *04 25 80 51 87* – *www.ristoranteilportico.it* – *info@*
   ristoranteilportico.it – *chiuso sabato a mezzogiorno, martedì, 1 settimana in*
   febbraio e 2 settimane in agosto
   Rist – Carta 35/45 € 🐝
   ◆ In aperta campagna, ristorante con proposte gastronomiche articolate in modo tale
   da soddisfare gusti e budget diversi. Ottima scelta enologica e piccola cantina visitabile.

BERGEGGI – Savona (SV) – 561J7 – **1 195 ab.** – **alt. 110 m** – ⊠ **17028**   14 **B2**
   ▶ Roma 556 – Genova 58 – Cuneo 102 – Imperia 63
   🄸 (maggio-settembre) via Aurelia ℰ 019 859777, bergeggi@inforiviera.it, Fax
   019 859777

🏠🏠   Claudio 🌦   ← 🍴 🏠 🏊 🅰🄲 **P** 🚗 🆅🅸🆂🅰 ⓒⓞ 🅰🅴 ⓞ 🌶
   via XXV Aprile 37 – ℰ *019 85 97 50* – *www.hotelclaudio.it* – *hclaudio@tin.it*
   – Fax 019 85 97 50 – *marzo-dicembre*
   22 cam ☲ – †80/120 € ††130/160 € – 4 suites
   Rist Claudio – vedere selezione ristoranti
   ◆ Suggestiva collocazione con vista eccezionale sul golfo sottostante. Camere ampie ed
   eleganti, piscina, spiaggia privata e numerosi altri servizi.

ⓧⓧⓧ   Claudio (Claudio Pasquarelli)   ← 🍴 🏠 🏊 🅰🄲 **P** 🆅🅸🆂🅰 ⓒⓞ 🅰🅴 🌶
   ✿
      via XXV Aprile 37 – ℰ *019 85 97 50* – *www.hotelclaudio.it* – *hclaudio@tin.it*
      – Fax 019 85 97 50 – *marzo-dicembre*
      Rist – *(chiuso lunedì)* *(chiuso a mezzogiorno escluso sabato e i giorni festivi)*
      Menu 75/85 € – Carta 65/85 €
      Spec. Zuppa di piccole cozze bretoni. Filetto di san Pietro al vapore all'olio
      extravergine. Piramide ai tre cioccolati, croccante di mandorle.
      ◆ Ottimo ristorante con splendida terrazza estiva. Padre e figlia in cucina, il figlio in sala.
      In tavola: la fragranza del mare.

BERNALDA – Matera (MT) – 564F32 – **12 046 ab.** – **alt. 127 m**   4 **D2**
– ⊠ **75012**
   ▶ Roma 458 – Bari 108 – Matera 38 – Potenza 99

↑   Agriturismo Relais Masseria Cardillo 🌦   ← 🍴 🏠 🍽 🏊
   strada statale 407 Basentana al km 98   🅰🄲 🏊 **P** 🆅🅸🆂🅰 ⓒⓞ 🅰🅴 ⓞ 🌶
   – ℰ *08 35 74 89 92* – *www.masseriacardillo.it* – *info@masseriacardillo.it*
   – Fax 08 35 74 89 94 – *aprile-ottobre*
   10 cam ☲ – †78/101 € ††120/156 € – ½ P 96 €
   Rist – *(chiuso a mezzogiorno)* Carta 28/35 €
   ◆ A pochi chilometri dal lido di Metaponto, una elegante risorsa ricavata dai granai di
   una masseria di fine '800. Camere spaziose con terrazzini affacciati sulla campagna.

BERSANO – Piacenza – 561H12 – **Vedere Besenzone**

BERTINORO – Forlì-Cesena (FO) – 562J18 – **9 441 ab.** – **alt. 257 m**   9 **D2**
– ⊠ **47032** Italia
   ▶ Roma 343 – Ravenna 46 – Rimini 54 – Bologna 77
   👁 ←★ dalla terrazza vicino alla Colonna dell'Ospitalità

ⓧⓧ   Belvedere   🏠 🆅🅸🆂🅰 ⓒⓞ 🅰🅴 ⓞ 🌶
   via Mazzini 7 – ℰ *05 43 44 51 27* – *www.belvederebertinoro.com* – *info@*
   belvederebertinoro.com – *Fax 05 43 44 51 27* – *chiuso dal 1° al 20 gennaio e*
   mercoledì escluso luglio e agosto
   Rist – Menu 25/45 € – Carta 38/67 €
   ◆ Sovrastante la sala l'antico soffitto a cassettoni, dalla terrazza saranno le mille luci dei
   centri abitati e del cielo stellato ad avvolgervi. Sapori locali secondo stagione.

a Fratta Ovest: 4 km – ⊠ **47032**

🏨 **Grand Hotel Terme della Fratta** 🔔 🔀 🛈 🕸 ♨ 🛁 🎽 🕎 🏄 🅰🅲
via Loreta 238 – ☏ *05 43 46 09 11* – 🕸 🛁 🅿 🆅🅸🆂🅰 🆅🆅 ⓘ 🕉
– *www.termedellafratta.it* – *info@termedellafratta.it* – *Fax 05 43 46 04 73*
64 cam ⌷ – 🛉65/140 € 🛉🛉90/220 € – ½ P 65/90 € **Rist** – Menu 25/55 €
♦ Aperto da poco propone programmi terapeutici diversi grazie alla disponibilità contemporanea di sette tipologie diverse di acqua, note sin dall'epoca romana. Nel giardino, percorsi vita e fontane termali. Creatività e sapori della cucina romagnola e mediterranea si uniscono per realizzare piatti invitanti e genuini.

BESANA BRIANZA – Milano (MI) – 561E9 – 14 484 ab. – alt. 336 m   18 **B1**
– ⊠ **20045**

▶ Roma 600 – Como 27 – Bergamo 42 – Lecco 23

a Calo' Sud-Ovest : 3,5 km – ⊠ **20045** – **Besana Brianza**

✗ **Il Riservino Ungherese** 🕎 🆅🅸🆂🅰 🆅🆅 🅰🅴 ⓘ 🕉
via Lovati 3/5 – ☏ *036 21 79 29 64* – *marzini.talia@fastwebnet.it* – *chiuso*
domenica
Rist – *(chiuso a mezzogiorno)* Carta 34/63 €
♦ Ristorantino caratteristico con moltissimi richiami alla terra d'origine dei gestori: stovi-
glie, tovagliato, fotografie, oggettistica, oltre naturalmente alla cucina.

BESENZONE – Piacenza (PC) – 561H11 – 986 ab. – alt. 48 m – ⊠ 29010   8 **A1**
▶ Roma 472 – Parma 44 – Piacenza 23 – Cremona 23

a Bersano Est : 5,5 km – ⊠ **29010** – **Besenzone**

🏠 **Agriturismo Le Colombaie** senza rist 🌿 🚗 🅰🅲 🛁 🅿
via Bersano 29 – ☏ *05 23 83 00 07* – *www.colombaie.it*   🆅🅸🆂🅰 🆅🆅 ⓘ 🕉
– *lecolombaie@colombaie.it* – *Fax 05 23 83 04 43* – *marzo-20 novembre*
4 cam ⌷ – 🛉55/65 € 🛉🛉90/100 € – 2 suites
♦ Occorre percorrere un breve tratto di strada sterrata, delimitata da alberi per raggiungere questa risorsa ricavata in una vecchia cascina. La colazione è servita anche all'a-
perto all'ombra di un pergolato.

✗✗✗ **La Fiaschetteria** (Patrizia Dadomo) con cam 🌿   🅰🅲 🅿
⌘ *via Bersano 59/bis* – ☏ *05 23 83 04 44*   🆅🅸🆂🅰 🆅🆅 🅰🅴 ⓘ 🕉
– *www.la-fiaschetteria.it* – *info@la-fiaschetteria.it* – *Fax 05 23 83 04 44* – *chiuso*
dal 23 dicembre al 6 gennaio e agosto
3 cam ⌷ – 🛉80 € 🛉🛉110 €
Rist – *(chiuso lunedì e martedì) (chiuso a mezzogiorno escluso i giorni festivi)*
(consigliata la prenotazione) Carta 40/58 € 🍴
Spec. Terrina di foie gras all'ananas caramellato. Savarin di riso. Agnello di
Zeri arrosto (primavera).
♦ Elegante e accogliente, in una grande casa colonica di origine settecentesca illuminata da moderni lampadari di design così come da un grande camino. Offre un'ottima
rielaborazione della cucina emiliana.

BESNATE – Varese (VA) – 561E8 – 4 964 ab. – alt. 300 m – ⊠ 21010   18 **A1**
▶ Roma 622 – Stresa 37 – Gallarate 7 – Milano 45

✗✗ **La Maggiolina** 🅰🅲 ⇄ 🅿 🆅🅸🆂🅰 🆅🆅 🅰🅴 ⓘ 🕉
via per Gallarate 9 – ☏ *03 31 27 42 25* – *Fax 03 31 27 30 70*
– *chiuso dal 24 dicembre al 5 gennaio, agosto e martedì*
Rist – Carta 31/45 €
♦ Un velo leggero pare essere sceso su questa risorsa. Un velo capace di fermare il
tempo e di regalare ambienti, atmosfere e stili assolutamente vicini agli anni Settanta.

▶ Roma 546 – Piacenza 34 – Bologna 184 – Milano 99

XX   **Agnello**   ⌂ 🎫 ♻ **VISA** ⊕⊗

piazza Colombo 53 – ☎ 05 23 91 77 60 – *chiuso febbraio e martedì*
Rist – Carta 24/35 €
♦ Perfettamente inserito nella vita sociale del paese, il ristorante è idealmente diviso in due sale, la parte più antica con volte in mattoni e colonne in pietra. Curiosi e interessati potranno accedere alle cantine, dove stagionano i salumi.

BETTOLELLE (AN) – vedere **SENIGALLIA**

BETTOLLE – Siena – 563M17 – **Vedere Sinalunga**

▶ Roma 167 – Perugia 21 – Assisi 15 – Orvieto 71

🏛   **Relais la Corte di Bettona**   ≼ 🎫 ⌂ 🗻 |♿| ♿ **AC** ⟨ᵀ⟩

via Santa Caterina 2 – ☎ 075 98 71 14   **VISA** ⊕⊗ **AE** ⊕ 🔆
– *www.relaisbettona.com* – *info@relaisbettona.com* – *Fax 07 59 86 91 39*
– *chiuso dal 7 gennaio al 28 febbraio*
39 cam ⌂ – ✝98/143 € ✝✝130/190 € – ½ P 95/130 €
Rist *Taverna del Giullare* – ☎ 075 98 72 54 – Menu 30/35 €
♦ Nel cuore del centro storico, edificio del 1300, suddiviso in due corpi distinti. L'originalità delle camere si esprime nella loro "unicità" e quelle ubicate nell'edificio più a valle godono di una spettacolare vista sulla vallata. Interessante connubio di rusticità e modernità. Piatti umbri alla *Taverna del Giullare*.

⬆   **Country House Torre Burchio** ⌖   ≼ 🚗 🎫 🗻 ✗ ♿ 🎫 rist,

località Torre Burchio, Sud : 7 km   **P** **VISA** ⊕⊗ **AE** ⊕ 🔆
– ☎ 07 59 88 50 17 – *www.torreburchio.it* – *torreburchio@tin.it*
– *Fax 075 98 71 50* – *chiuso dal 21 al 28 dicembre e dal 7 gennaio al 28 febbraio*
18 cam ⌂ – ✝54/68 € ✝✝77/104 € – ½ P 75 €
Rist – *(chiuso a mezzogiorno)* Menu 24 €
♦ Un antico casale di caccia, circondato da una vasta tenuta di boschi abitati da ogni sorta di fauna: un contesto in cui la natura è regina e dove è possibile effettuare numerose attività (es: escursioni a cavallo e in fuoristrada). La tavola riproduce la stessa filosofia della struttura: genuinità, *in primis*.

a Passaggio Nord-Est : 3 km – ✉ **06084**

XX   **Il Poggio degli Olivi** con cam ⌖   ≼ 🚗 🎫 🗻 ✗ **AC** 🎫 ⟨᷁⟩ **P**

località Montebalacca, Sud : 3 km – ☎ 07 59 86 90 23   **VISA** ⊕⊗ **AE** ⊕ 🔆
– *www.poggiodegliolivi.com* – *info@poggiodegliolivi.com*
– *Fax 07 59 86 90 23* – *chiuso dal 7 gennaio al 6 febbraio*
12 cam ⌂ – ✝60/90 € ✝✝88/135 € – ½ P 69/92 €
Rist – *(chiuso mercoledì)* Carta 28/40 €
♦ La più autentica gastronomia locale, "animata" dalla fantasia dello chef, diventa la colonna portante di una cucina che realizza un perfetto equilibrio tra tradizione e contemporaneità. Lo splendido panorama sulla verde Umbria contribuisce a rendere la sosta indimenticabile. Disponibilità di appartamenti in residence.

Cerchiamo costantemente di indicarvi i prezzi più aggiornati…
ma tutto cambia così in fretta! Al momento della prenotazione,
non dimenticate di chiedere conferma delle tariffe.

BEVAGNA – Perugia (PG) – 563N19 – **4 956 ab.** – alt. 225 m – ⊠ **06031**   33 **C2**
- Roma 148 – Perugia 35 – Assisi 24 – Macerata 100

Palazzo Brunamonti senza rist   🏨 ⬤ AC ⬤ P VISA ⬤ AE ⬤ ⬤
corso Matteotti 79 – ℰ 07 42 36 19 32 – www.brunamonti.com – hotel@
brunamonti.com – Fax 07 42 36 19 48 – chiuso gennaio e febbraio
21 cam ⬚ – ⬤47/100 € ⬤⬤70/125 €
♦ Proprio nel cuore dell'incantevole cittadina, l'albergo occupa un nobiliare palazzo e negli ambienti interni riproduce la sobria essenzialità dell'aspetto esteriore.

L'Orto degli Angeli   ⬤ AC ⬤ ⬤ VISA ⬤ AE ⬤
via Dante Alighieri 1 – ℰ 07 42 36 01 30 – www.ortoangeli.it – ortoangeli@
ortoangeli.it – Fax 07 42 36 17 56 – chiuso dal 12 gennaio al 12 febbraio
5 cam – ⬤170/320 € ⬤⬤200/220 € – 9 suites – ⬤⬤280/350 €
Rist Redibis – vedere selezione ristoranti
♦ Un palazzo del XVII sec. rallegrato da un grazioso giardino pensile, che si affaccia su un palazzo medievale (sorto a sua volta sui resti di un tempio e di un teatro romano) vanta ambienti raffinati e di grande *charme*: quasi una dimora privata pregna di fascino e di storia.

Redibis   AC ⬤ ⬤ VISA ⬤ AE ⬤ ⬤
via Dante Alighieri 1 – ℰ 07 42 36 01 30 – www.redibis.it – info@redibis.it
– Fax 07 42 36 17 56 – chiuso dal 12 gennaio al 12 febbraio e martedì
Rist – Menu 35/40 € – Carta 42/54 €
♦ Sotto le alte volte delle vestigia di un teatro romano del I secolo d.C., una cucina squisitamente creativa e mobili dalle linee moderne, minimaliste: un sapiente gioco di contrasti, in un ambiente di grande suggestione.

BIANZONE – Sondrio (SO) – 561D12 – **1 236 ab.** – ⊠ **23030**   16 **B1**

Alta Villa con cam   🏨 ⬤ VISA ⬤ AE ⬤
via A. Monti 46 – ℰ 03 42 72 03 55 – www.altavilla.info – benvenuti@
altavilla.info – Fax 03 42 72 16 26 – chiuso domenica sera e lunedì
14 cam – ⬤25/38 € ⬤⬤45/68 €, ⬚ 8 € – ½ P 42/52 €
Rist – Carta 21/40 €
♦ Nella parte alta della località, circondato da boschi e vigneti, il ristorante propone piatti del territorio in un'atmosfera rustica ed informale. Bella terrazza panoramica.

BIBBIENA – Arezzo (AR) – 563K17 – **11 863 ab.** – alt. 425 m – ⊠ **52011**   29 **D1**
▌ Toscana

- Roma 249 – Arezzo 32 – Firenze 60 – Rimini 113
- via di Rignano 17/A ℰ 0575 593098, infocasentino@apt.arezzo.it, Fax 0575 593098
- Casentino, ℰ 0575 52 98 10

Borgo Antico senza rist   🏨 ⬤ P VISA ⬤ AE ⬤
via Bernado Dovizi 18 – ℰ 05 75 53 64 45 – www.brami.com – borgoantico@
brami.com – Fax 05 75 53 64 47
14 cam ⬚ – ⬤45/50 € ⬤⬤70/80 €
♦ Esattamente nel cuore medievale del paese, un classico hotel da centro storico, completamente ristrutturato e dotato di confort moderni. Gestione giovane e simpatica.

Relais il Fienile senza rist ⬤   ⬤ ⬤ ⬤ ⬤ P VISA ⬤ ⬤
località Gressa, Nord : 6 km – ℰ 05 75 59 33 96 – www.relaisilfienile.it – info@
relaisilfienile.it – Fax 05 75 59 33 96 – aprile-ottobre
6 cam ⬚ – ⬤65/73 € ⬤⬤95/150 €
♦ Come trasformare un ex fienile del '700 in una risorsa lussuosa dove il confort è curatissimo, gli ambienti gradevoli e arredati con gusto. Tranquillo e panoramico.

a Soci Nord : 4 km – ⊠ **52010**

Le Greti senza rist ⬤   ⬤ ⬤ ⬤ ⬤ P VISA ⬤ AE ⬤ ⬤
via Privata le Greti, Ovest : 1,5 km – ℰ 05 75 56 17 44 – www.legreti.it – info@
legreti.it – Fax 05 75 56 18 08
16 cam ⬚ – ⬤60 € ⬤⬤100 €
♦ Lontano dal centro abitato, sulla sommità di un poggio panoramico, un albergo connotato da una conduzione familiare dallo stile apprezzabile. Buoni spazi comuni.

BIBBONA – Livorno (LI) – 563M13 – **3 110 ab.** – ⊠ 57020　　　　28 **B2**
> ▶ Roma 269 – Pisa 66 – Livorno 44 – Piombino 46

⌂　**Relais di Campagna Podere Le Mezzelune** senza rist　≤ ⌕
località Mezzelune 126, Ovest : 4 km　　　　　 ⚒ **P** ⊙ AE ⓞ ⚓
– *ℰ 05 86 67 02 66* – *www.lemezzelune.it* – *relais@lemezzelune.it*
– *Fax 05 86 67 18 14* – *chiuso dal 10 dicembre a febbraio*
4 cam � – ♥♥160/190 € – 2 suites – ♥♥206/221 €
◆ Risorsa ricavata da una casa colonica di fine '800, all'interno di una proprietà coltivata ad ulivi ed ortaggi biologici; conduzione signorile e mare all'orizzonte.

BIBBONA (Marina di) – Livorno (LI) – 563M13 – ⊠ 57020　　　28 **B2**
> ▶ Roma 277 – Pisa 69 – Grosseto 92 – Livorno 47
> ⓘ via dei Cavalleggeri Nord *ℰ 0586 600699, apt7bibbona@ costadeglietruschi.it*

🏨　**Marinetta**　⌕ ⚙ ⏚ 🐟 ⚒⚘ ⚒ AC ⚒ ⚒ ⚓ **P** VISA ⊙ AE ⓞ ⚓
via dei Cavalleggeri Nord 3 – *ℰ 05 86 60 05 98* – *www.hotelmarinetta.it*
– *booking@hotelmarinetta.it* – *Fax 05 86 60 01 86* – *marzo- ottobre*
140 cam ⊇ – ♥110/220 € ♥♥124/340 € – ½ P 72/190 €
Rist – Carta 30/56 €
◆ Abbracciato da un parco-giardino, albergo recentemente rinnovato diviso in piu strutture. Per una vacanza immersi nella natura, senza rinunciare al confort.

⊠⊠　**La Pineta** (Luciano Zazzeri)　≤ ⌕ ⚒ **P** VISA ⊙ AE ⓞ ⚓
⚙　*via dei Cavalleggeri Nord 27* – *ℰ 05 86 60 00 16* – *ristorantelapineta@hotmail.it*
– *Fax 05 86 60 00 16* – *chiuso 1 settimana in gennaio, dal 15 ottobre al 14 novembre, lunedì e martedì a mezzogiorno*
Rist – Carta 57/80 € ⚘
Spec. Millefoglie di baccalà mantecato. Straccetti di pasta fresca con le triglie. Caciucco della pineta.
◆ Si parcheggia già sulla sabbia per raggiungere il ristorante, quasi una palafitta sull'acqua. Il mare si "esprime" nei piatti con pesce crudo, preparazioni livornesi o più classiche.

BIBIONE – Venezia (VE) – 562F21 – ⊠ 30020　　　　36 **D2**
> ▶ Roma 613 – Udine 59 – Latisana 19 – Milano 352
> ⓘ via Maja 37/39 *ℰ 0431 442111, segreteria@bibioneturismo.it, Fax 0431 439997*

viale Aurora 111 (aprile-ottobre) *ℰ 0431 442111, info@bibioneturismo.it, Fax 0431 439995*

🏨　**Bibione Palace** senza ⊇　⌕ ⚒ ⚒ ⊙ 🐟 ⚒⚘ ⚒ ⚒ AC ⚒ rist, ⚓
via Taigete 20 – *ℰ 04 31 44 72 20*　　　　 **P** ⚓ VISA ⊙ ⚓
– *www.hotelbibionepalace.it* – *info@hotelbibionepalace.it* – *Fax 04 31 44 64 97*
– *8 aprile-15 ottobre*
160 cam – ♥60/140 € ♥♥120/280 €, ⊇ 8 € – 8 suites – ½ P 120/160 €
Rist – *(solo per alloggiati)* Menu 25/70 €
◆ Centrale e contemporaneamente frontemare, le camere sono tutte terrazzate e luminose, gli spazi comuni arredati con gusto minimalista; all'esterno, piscina e parco giochi per i piccoli. Veste moderna anche per il ristorante, dalle proposte mediterrane.

🏨　**Palace Hotel Regina**　⚒ ⚒⚘ ⚒ ⚒ AC ⚒ ⚓ ⚓ VISA ⊙ ⚓
corso Europa 7 – *ℰ 043 14 34 22* – *www.palacehotelregina.it* – *info@ palacehotelregina.it* – *Fax 04 31 43 83 77* – *15 maggio-15 settembre*
49 cam – ♥120 € ♥♥180 €, ⊇ 25 € – ½ P 80/120 €
Rist – *(solo per alloggiati)*
◆ Gestione seria e dinamica per questo signorile hotel a metà strada tra centro e mare; all'interno spazi realizzati in una sobria ed elegante ricercatezza cui si uniscono funzionalità e modernità. Al ristorante, una cucina genuina e semplice, con pietanze soprattutto a base di carne, pesce e verdure.

🏨 **Corallo**　　　⟨ 🚗 🗻 ♨ 🎿 📶 🍴 🧖 🔥 🔗 🏧 📶 📶 🅿 VISA ⊕ AE ♿

via Pegaso 38 – ℰ 04 31 43 09 43 – www.corallo.bibione.it – corallo@bibione.it – Fax 04 31 43 92 29 – maggio-settembre

76 cam ☷ – ♦69/106 € ♦♦94/168 € – ½ P 53/94 €

Rist – *(solo per alloggiati)* Menu 25 €

♦ Caratteristico nella particolare forma cilindrica della sua architettura, signorile hotel con ampi terrazzi che si affacciano sul mare. La piscina è proprio a bordo spiaggia.

🏨 **Leonardo da Vinci**　　　🗻 🔥 🏧 🧖 rist. 🅿 VISA ⊕ ① ♿
🛏

corso Europa 76 – ℰ 043 14 34 16 – www.hoteldavinci.it – info@hoteldavinci.it – Fax 04 31 43 80 09 – 20 maggio-25 settembre

55 cam – ♦51/88 € ♦♦82/106 €, ☷ 8 € – ½ P 67/80 €　　**Rist** – Menu 13/35 €

♦ Per una vacanza senza pensieri, a breve distanza dalla spiaggia e dal mare così come dal centro della città, propone ambienti semplici e ben tenuti. Conduzione familiare.

🏨 **Italy**　　　⟨ 🚗 🗻 🔥 ♿ cam, 🏧 🧖 🔗 🅿 🚃 VISA ⊕ ♿
🛏

via delle Meteore 2 – ℰ 043 14 32 57 – www.hotel-italy.it – info@hotel-italy.it – Fax 04 31 43 92 58 – 21 maggio-20 settembre

67 cam ☷ – ♦70/90 € ♦♦120/160 € – ½ P 80/110 €　　**Rist** – Menu 20/30 €

♦ Sul retro un ampio e curato giardino ombreggiato con area giochi a disposizione dei bambini, davanti la piscina e l'accesso diretto alla spiaggia. Apprezzato dai nuclei familiari.

a Bibione Pineda Ovest : 5 km – ✉ 30020

🛈 (maggio-settembre) viale dei Ginepri 222 ℰ 0431 442111

🏨 **San Marco** ⌖　　　🚗 🗻 🔥 🏧 🧖 🔥 🅿 VISA ⊕ ♿

via delle Ortensie 2 – ℰ 043 14 33 01 – www.sanmarco.org – mail@ sanmarco.org – Fax 04 31 43 83 81 – giugno-15 settembre

64 cam ☷ – ♦85 € ♦♦140 € – ½ P 90/90 €　　**Rist** – *(solo per alloggiati)*

♦ Incantevole e tranquillo il piacevole giardino pineta che custodisce anche una piscina, angolo di relax e refrigerio per una vacanza all'insegna del dolce far niente.

BIELLA 🅿 **(BI)** – 561F6 – **46 504 ab.** – alt. 424 m – ✉ 13900　　　23 **C2**

▶ Roma 676 – Aosta 88 – Milano 102 – Novara 56

🛈 piazza Vittorio Veneto 3 ℰ 015 351128, info@atl.biella.it, Fax 015 34612

🏌 Living Garden, ℰ 015 98 05 56

🏌 Le Betulle, ℰ 015 67 91 51

Pianta pagina a lato

🏨🏨 **Agorà Palace**　　　🔥 ♿ cam, 🎿 🏧 🧖 🔥 🚗 VISA ⊕ AE ① ♿

via Lamarmora 13/A – ℰ 01 58 40 73 24 – www.agorapalace.it – info@ agorapalace.it – Fax 01 58 40 74 23　　　**Z**e

82 cam ☷ – ♦100/115 € ♦♦120/170 € – 2 suites – ½ P 101/107 €

Rist – Carta 24/45 €

♦ E' abbastanza facile riconoscere nello stile degli ambienti, comuni e no, come nella gestione complessiva, professionalità e serietà di grande valore ed esperienza. Più sobria la sala ristorante, dove gustare la cucina piemontese.

🏨 **Augustus** senza rist ⌖　　　🔥 🏧 🧖 🎿 🅿 VISA ⊕ AE ① ♿

via Italia 54 – ℰ 01 52 75 54 – www.augustus.it – info@augustus.it – Fax 01 52 92 57　　　**Y**s

38 cam ☷ – ♦70/78 € ♦♦88/99 €

♦ Una risorsa del centro che, grazie al parcheggio privato, risulta essere comoda e frequentata soprattutto da una clientela d'affari. Camere dotate di ottimi confort.

🏨 **Bugella**　　　🔥 ♿ cam, 🏧 🧖 rist, 🎿 🅿 VISA ⊕ AE ① ♿

via Cottolengo 65, per ③ – ℰ 015 40 66 07 – www.hotelbugella.it – info@ hotelbugella.it – Fax 015 40 55 43

24 cam – ♦65/70 € ♦♦80/85 €, ☷ 4 €

Rist – *(chiuso 15 giorni in agosto e domenica)* Carta 26/37 €

♦ Un grazioso villino liberty su quattro livelli, di cui l'ultimo mansardato. Gradevoli e curati tanto gli esterni quanto gli interni. Belle camere di confort omogeneo. Allestito al piano interrato, il raccolto ristorante propone la cucina tipica piemontese.

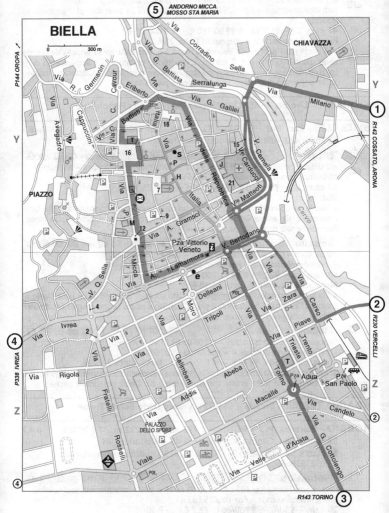

Il rosso è il colore di chi sa distinguersi; i nostri punti di riferimento!

BIGOLINO – Treviso – Vedere Valdobbiadene

BINASCO – Milano (MI) – 561 G 9 – **7 187 ab.** – **alt. 101 m** – ✉ **20082**   16 **A3**
> Roma 573 – Milano 21 – Alessandria 76 – Novara 63
🔞 Ambrosiano, ✆ 02 90 84 08 20
🔞 Castello di Tolcinasco, ✆ 02 90 42 80 35

🏠 **Albergo Della Corona** 🛗 AC P VISA ⚫⚫ AE ⓪ 🔾

via Matteotti 20 – 𝒞 029 05 22 80 – www.hoteldellacorona.it – info@
hoteldellacorona.it – Fax 029 05 43 53 – chiuso dal 24 dicembre al 2 gennaio ed
agosto
47 cam 🖭 – ❙60/130 € ❙❙80/180 € – ½ P 60/110 €
Rist – (chiuso sabato e domenica) Carta 20/40 €
♦ A pochi passi dal Castello Visconteo, l'hotel è gestito dalla stessa famiglia da quattro
generazioni! Recenti lavori di ristrutturazione hanno portato ad un ampliamento degli
spazi comuni; le camere mantengono sempre un livello confortevole. Ristorante indicato
anche per pranzi di lavoro: economici menù a prezzo fisso.

BIODOLA – Livorno – 563N12 – Vedere Elba (Isola d') : Portoferraio

---

BISCEGLIE – Bari (BA) – 564D31 – 52 736 ab. – ✉ 70052 ▌ Italia   26 **B2**
🚗 Roma 422 – Bari 39 – Foggia 105 – Taranto 124

🏠 **Nicotel** 🏊 📺 ⚫ 🐾 🕰 🛗 🔾 AC ✂ rist, ⁗ 🏖 🚗 VISA ⚫⚫ AE ⓪ 🔾

via della Libertà 62 – 𝒞 08 03 99 31 11 – www.nicotelhotels.com – bisceglie@
nicotelhotels.com – Fax 08 03 99 31 55
87 cam 🖭 – ❙90/160 € ❙❙130/200 € – ½ P 125/135 €
Rist – Carta 15/47 €
♦ Nuovo, valido hotel realizzato secondo un design moderno e minimalista, molto luminoso grazie alle ampie vetrate e alla prevalenza di colori chiari. Ottimo centro fitness.
Accogliente sala ristorante, cucina di mare e di terra.

🏠 **Salsello** ≼ 🏡 🏊 🛗 AC ✂ rist,> 🛗 P 🚗 VISA ⚫⚫ AE 🔾

via Siciliani 41/42 – 𝒞 08 03 95 59 53 – www.hotelsalsello.it
– info@hotelsalsello-it – Fax 08 03 95 59 51
52 cam 🖭 – ❙72/85 € ❙❙92/100 € – ½ P 67 €
Rist – (chiuso venerdì) Carta 23/58 €
♦ Un grande complesso alberghiero affacciato sul mare e dotato di un buon livello di
confort, all'insegna di funzionalità e praticità. Valido e ampio centro congressi. Ristorante
anche a vocazione congressuale e banchettistica.

🍴🍴 **Memory** con cam 🌿 🏡 🛗 AC 🕻 P, VISA ⚫⚫ AE ⓪ 🔾

Panoramica Paternostro 239 – 𝒞 08 03 98 01 49 – www.memoryristorante.it
– info@memoryristorante.it – Fax 08 03 98 03 04
8 cam 🖭 – ❙64 € ❙❙74 € – ½ P 59/68 €   **Rist** – Carta 22/39 €
♦ Ristorante-pizzeria ubicato lungo la litoranea, rinnovato recentemente negli spazi e
negli arredi. Vasta scelta in lista, con diversi menù combinati: per tutte le tasche.

BOARIO TERME – Brescia – 561E12 – Vedere Darfo Boario Terme

BOBBIO – Piacenza (PC) – 561H10 – 3 772 ab. – alt. 272 m – ✉ 29022   8 **A2**
🚗 Roma 558 – Genova 90 – Piacenza 45 – Alessandria 84
🅸 piazza San Francesco 1 𝒞 0523 962815, iatbobbio@libero.it, Fax
   0523936666

🍴🍴 **Piacentino** con cam 🏡 🛗 AC ✂ 🕻 P, VISA ⚫⚫ AE ⓪ 🔾

piazza San Francesco 19 – 𝒞 05 23 93 62 66 – www.hotelpiacentino.it – info@
hotelpiacentino.com – Fax 05 23 93 65 63
20 cam – ❙50/65 € ❙❙60/80 €, 🖭 7 € – ½ P 50/70 €
Rist – (chiuso lunedì escluso luglio-agosto) Carta 24/37 €
♦ Di famiglia da 129 anni, ristorante di moderno design dove gustare piatti piacentini;
d'estate si desina nel giardino dal quale si vede l'antica chiesa di S. Francesco. Le
camere sono di due stili, alcune con letti in ferro battuto e mobili in arte povera, altre
più moderne.

🍴 **Ra Ca' Longa** ≼ ✂ P, VISA ⚫⚫ AE ⓪ 🔾

località San Salvatore 1, Sud : 4 km – 𝒞 05 23 93 69 48 – www.racalonga.it
– info@racalonga.it – Fax 05 23 93 69 48 – chiuso gennaio, febbraio, lunedì sera
e martedì
Rist – Carta 23/50 €
♦ Ristorante tipico, in prossimità di un delizioso borgo medievale, dove gustare i piatti
della tradizione piacentina ed emiliana, presentati in appetitose e generose porzioni.

✗ **Enoteca San Nicola** con cam ✍   🆅🅸🆂🅰 ◯◯ 🅰🅴 ➊ 🎕
*contrada di San Nicola 11/a – ℰ 05 23 93 23 55 – www.ristorantesannicola.it
– info@ristorantesannicola.it – Fax 05 23 96 35 15*
4 cam ⌚ – †60 € ††80 €
Rist – Bistro – *(chiuso lunedì e martedì)* (consigliata la prenotazione)
Carta 28/37 € ⌂
♦ Originale la cucina, che si sta impegnando verso i canoni della modernità, così come
il book bar dove è possibile fermarsi per un calice di vino, una cioccolata o un infuso
particolare. Nell'intrico di stradine, intorno a San Colombano. Camere d'atmosfera, tutte
con caminetto funzionante.

BOBBIO PELLICE – Torino (TO) – 561H3 – 613 ab. – alt. 732 m   22 B3
– ✉ 10060
▶ Roma 691 – Torino 65 – Asti 103 – Cuneo 73

✗ **L'Alpina** con cam   🏠 & cam, 🅿 🆅🅸🆂🅰 ◯◯ 🅰🅴 🎕
via Maestra 27 – ℰ 01 21 95 77 47 – Fax 01 21 95 77 47 – chiuso giugno
4 cam ⌚ – †45 € ††65 € – ½ P 40 €
Rist – *(chiuso martedì)* Carta 24/30 €
♦ Quasi al limitare della valle, un locale di montagna in pietra e legno riscaldato da un
camino. La cucina è regionale ed offre bourguignonne, raclette e carni cotte alla pietra.
Semplici ma piacevoli, le camere sono arredate in stile sobrio e continuano la novecentesca tradizione di locanda.

BOCCA DI MAGRA – La Spezia (SP) – 561J11 – ✉ 19030   15 D2
▶ Roma 404 – La Spezia 22 – Genova 110 – Lucca 60

🏨 **Sette Archi**   🚗 🏠 ⛤ 🏄 rist, 🆅🅸🆂🅰 ◯◯ 🎕
*via Fabbricotti 242 – ℰ 01 87 60 90 17 – www.hotelsettearchi.com – info@
hotelsettearchi.com – Fax 01 87 60 90 28 – marzo-ottobre*
24 cam – †50/70 € ††80/120 €, ⌚ 7 € – ½ P 80 €
Rist – *(chiuso lunedì a mezzogiorno)* Menu 25/40 €
♦ Collocazione fronte mare, atmosfera piacevolmente familiare, grande cura posta nel-
l'ammodernamento realizzato con successo sia nelle stanze, che nelle parti comuni. Al
ristorante vengono proposti esclusivamente antipasti di pesce e dolci.

✗ **Capannina Ciccio**   ≪ 🏠 🆅🅸🆂🅰 ◯◯ 🅰🅴 ➊ 🎕
*via Fabbricotti 71 – ℰ 018 76 55 68 – www.ristoranteciccio.it – ristoranteciccio@
gmail.com – Fax 01 87 60 90 00 – chiuso 15 giorni in novembre e martedì escluso
giugno-settembre*
Rist – Carta 35/60 €
♦ Specialità ittiche in un ristorante della tradizione, informale e frequentatissimo. Nella
bella stagione si può godere di un'incantevole veranda con vista sul mare.

BOGLIASCO – Genova (GE) – 561I9 – 4 575 ab. – ✉ 16031   15 C2
▶ Roma 491 – Genova 13 – Milano 150 – Portofino 23
🅸 via Aurelia 106 ℰ 010 3470429, iat@prolocobogliasco.it, Fax 0103470429

a San Bernardo Nord : 4 km – ✉ 16031 – Stella

✗✗ **Il Tipico**   ≪ 🏠 🅰🅺 🆅🅸🆂🅰 ◯◯ 🅰🅴 ➊ 🎕
*via Poggio Favaro 20 – ℰ 01 03 47 07 54 – Fax 01 03 47 10 61 – chiuso dall'8 al
31 gennaio, 1 settimana in agosto e lunedì*
Rist – Carta 40/60 €
♦ L'ambiente è gradevole, con qualche tocco d'eleganza, ma ciò che incanta è il panorama sul mare. Ubicato in una piccola frazione collinare, propone cucina ligure di pesce.

BOGNANCO (Fonti) – Verbano-Cusio-Ossola (VB) – 561D6 – 359 ab.   23 C1
– alt. 986 m – ✉ 28842
▶ Roma 709 – Stresa 40 – Domodossola 11 – Milano 132
🅸 piazzale Giannini 2 ℰ 0324 234127, bognanco@distrettolaghi.it, Fax 0324
234127

a Graniga Nord : 5 km – ✉ 28842 – Bognanco (Fonti)

🏠   **Panorama**   ⇐ 🛋 🍴 📭 🎴 *VISA* ⑳ 🅰🅴 ⓪ ⚡
🕿   – 𝒞 03 24 23 41 57 – www.alpanorama.it – alpanorama@libero.it
     – Fax 03 24 23 41 57
     12 cam � – ♦30 € ♦♦56 € – ½ P 40 €
     Rist – *(chiuso giovedì escluso maggio-settembre)* Carta 21/27 €
     ♦ Una dozzina di camere colorate, graziose e ben tenute per questa risorsa molto sem-
     plice, ideale per un soggiorno tranquillo e riposante. Dalle finestre, una suggestiva vista
     sulle valli e sui monti circostanti. Nel piccolo ristorante al piano terra, una gustosa cucina
     casalinga.

BOLGHERI – Livorno – 563M13 – **Vedere Castagneto Carducci**

BOLLATE – Milano (MI) – 561F9 – 48 356 ab. – alt. 154 m – ✉ 20021   18 **B2**
    ▶ Roma 595 – Milano 10 – Como 37 – Novara 45

                 Pianta d'insieme di Milano

🏨   **La Torretta**   🔖 🅰🅺 🍴 ⁽ᵗ⁾ 🧖 📭 *VISA* ⑳ 🅰🅴 ⓪ ⚡
   via Trento 111, S.S N. 233 Varesina Nord-Ovest : 2 km – 𝒞 023 50 59 96
   – www.hotellatorretta.it – htltorretta@tin.it – Fax 02 33 30 08 26   AO**d**
   76 cam ⌖ – ♦87/110 € ♦♦118/145 € – 1 suite
   Rist – *(chiuso dall'8 al 25 agosto, sabato, domenica sera)* Carta 26/59 €
   ♦ L'ubicazione della risorsa è un po' anonima ma, all'interno, continui lavori di ristrutturazione ed ammodernamento hanno reso le parti comuni gradevoli ed accoglienti. Sala
   ristorante luminosa e capiente, di tono contemporaneo.

BOLOGNA 📭 (BO) – 562I15 – 373 539 ab. – alt. 55 m – ✉ 40100▮ Italia   9 **C3**
    ▶ Roma 379 – Firenze 105 – Milano 210 – Venezia 152
    ✈ Bologna-G. Marconi Nord-Ovest : 6 km EFU 𝒞051 6479615
    🛈 piazza Maggiore 1/e c/o palazzo del Podestà ✉ 40121 𝒞 051 239660,
      TouristOffice@comune.bologna.it, Fax 051 6472253 - Stazione Ferroviaria-
      Piazza Medaglie D'Oro ✉ 40121 𝒞 051 251947, TouristOffice@
      comune.bologna.it, Fax 051 6472253
      Aeroporto Marconi ✉ 40132 𝒞 051 6472113, TouristOffice@
      comune.bologna.it, Fax 051 6472253
    📭₁₈ , 𝒞 051 96 91 00
    📭₉ Casalunga, 𝒞 051 605 01 64
    Manifestazioni locali
    23.03 - 26.03 : fiera internazionale del libro per ragazzi
    03.04 - 06.04 : cosmoprof (salone internazionale della profumeria e della
    cosmesi)
    15.04 - 17.04 : lineapelle 1 (preselezione italiana moda)
    13.10 - 15.10 : simac (salone internazionale delle macchine per l'industria
    calzaturiera e pelletteria)
    13.10 - 15.10 : lineapelle 2 (preselezione italiana moda)
    28.10 - 31.10 : saie (salone internazionale dell'industrializzazione edilizia)
    04.12 - 13.12 : motor show (salone internazionale dell'automobile)
    ◉ Piazza Maggiore CY **57** e del Nettuno★★★ CY **76**: fontana del Nettuno★★
      CY **F**, basilica di San Petronio★★ CY, Palazzo Comunale★ BY **H**, palazzo
      del Podestà★ CY – Piazza di Porta Ravegnana★★ CY **93**: Torri Pendenti★★
      CY **R** – Mercanzia★ CY **C** – Chiesa di Santo Stefano★ CY – Museo Civico
      Archeologico★★ CY **M1** – Pinacoteca Nazionale★★ DY – Chiesa di San
      Giacomo Maggiore★ CY – Strada Maggiore★ CDY – Chiesa di San
      Domenico★ CZ : arca★★ del Santo, tavola★ diFilippino Lippi – Palazzo
      Bevilacqua★ BY – Postergale★ nella chiesa di San Francesco BY
    ◙ Madonna di San Luca: portico★, ⇐★ su Bologna e gli Appennini Sud-
      Ovest : 5 km FV

                 Piante pagine 198-202

Royal Hotel Carlton 🏨   📺 & cam, 🅰🅲 ⇄ ⁽ᵠ⁾ 🛦 🚗 VISA ⬤ AE ① 🔿

via Montebello 8 ✉ *40121* – ℰ *051 24 93 61* – *www.monrifhotels.it*
– *carlton.res@monrifhotels.it* – *Fax 051 24 97 24* – *chiuso agosto*   CX**g**
217 cam 🗔 – ✝169/410 € ✝✝199/490 € – 19 suites
Rist *NeoClassico* ℰ 051 24 21 39 *(chiuso domenica a mezzogiorno)* Carta 50/65 €
♦ Hotel ormai storico i cui ampi spazi comuni sono elegantemente arredati e impreziositi da lampadari "scenografici"; camere signorili con elevati standard di confort. Moderna sala ristorante con qualche spunto d'oriente, così come in menù.

Grand Hotel Baglioni 🏨 🅰🅲 ⇄ 🕸 rist, ⁽ᵠ⁾ 🛦 VISA ⬤ AE ① 🔿

via dell'Indipendenza 8 ✉ *40121* – ℰ *051 22 54 45* – *www.baglionihotels.com*
– *reservations.ghbbologna@baglionihotels.com* – *Fax 051 23 48 40*   CY**e**
103 cam 🗔 – ✝338/436 € ✝✝448/766 € – 6 suites – ½ P 263/422 €
Rist *I Carracci* – ℰ 051 22 20 49 *(chiuso domenica in agosto)* Carta 45/67 €
♦ Nella preziosa cornice di uno storico palazzo del centro, il lusso degli interni mantiene viva la raffinata atmosfera d'altri tempi senza rinunciare alle più moderne comodità. Meravigliosa sala ristorante del '500, con affreschi originali dei Carracci.

Starhotels Excelsior 🎿 🏨 & cam, 🚶 🅰🅲 ⇄ 🕸 ⁽ᵠ⁾ 🛦

viale Pietramellara 51 ✉ *40121* – ℰ *051 24 61 78*   VISA ⬤ AE ① 🔿
– *www.starhotels.com* – *excelsior.bo@starhotels.it* – *Fax 051 24 94 48*
193 cam 🗔 – ✝✝100/550 €   **Rist** – *(solo per alloggiati)*   CX**b**
♦ Hotel di ultima generazione, con ambienti comuni di taglio minimalista e camere, più classiche, dotate di ogni confort moderno; ottimo settore congressuale. Ristorante e lounge bar molto frequentati dalla clientela dell'hotel.

NH Bologna De La Gare 🏨 & 🅰🅲 ⇄ 🕸 ⁽ᵠ⁾ 🛦 VISA ⬤ AE ① 🔿

piazza XX Settembre 2 ✉ *40121* – ℰ *051 28 16 3* – *www.nh-hotels.com*
– *jhbologna@nh-hotels.com*   CX**a**
154 cam 🗔 – ✝75/385 € ✝✝90/399 € – 2 suites – ½ P 69/235 €
Rist *Amarcord* – Carta 41/70 €
♦ Atmosfera e moderne comodità vanno di pari passo mentre tessuti e tendaggi rendono calde le raffinate camere, molto confortevoli. Splendide quelle rinnovate all'ultimo piano. Signorile ristorante con luci soffuse per la cena.

Corona d'Oro senza rist 🏨 & 🅰🅲 ⇄ ⁽ᵠ⁾ 🛦 VISA ⬤ AE ① 🔿

via Oberdan 12 ✉ *40126* – ℰ *05 17 45 76 11* – *www.bolognarthotels.com*
– *corona@inbo.it* – *Fax 05 17 45 76 22* – *chiuso agosto*   CY**q**
37 cam 🗔 – ✝143/327 € ✝✝209/357 € – 3 suites
♦ Viaggio nell'eleganza cittadina: dalle origini medievali, attraverso il Rinascimento, fino alle decorazioni liberty. La Belle Époque rivive nelle camere, alcune con terrazza.

UNA Hotel Bologna 🛰 & 🅰🅲 🕸 rist, ⁽ᵠ⁾ 🛦 VISA ⬤ AE ① 🔿

viale Pietramellara 41/43 ✉ *40121* – ℰ *05 16 08 01* – *www.unahotels.it*
– *una.bologna@unahotels.it* – *Fax 05 16 08 02*   CX**d**
93 cam 🗔 – ✝103/230 € ✝✝103/271 € – 6 suites   **Rist** – Carta 38/50 €
♦ Particolare, diverso, colorato, ogni spazio è una realtà a sè disegnato nel moderno stile minimalista che si avvale di tinte inusuali e personalizzate. Spaziose e confortevoli le camere.

BH4 Hotel Tower 🏨 & 🅰🅲 ⇄ ⁽ᵠ⁾ 🛦 🅿 🚗 VISA ⬤ AE ① 🔿

viale Lenin 43 ✉ *40138* – ℰ *05 16 00 55 55* – *www.boscolohotels.com*
– *reception@tower.boscolo.com* – *Fax 05 16 00 55 50*   HV**e**
136 cam – ✝150/350 € ✝✝150/400 €, 🗔 10 €, 14 suites   **Rist** – Carta 31/44 €
♦ Una torre moderna, funzionale e dotata di ogni confort, in comoda posizione all'uscita della tangenziale e a pochi km dall'aeroporto. Attrezzato il centro congressi.

Savoia Hotel Country House 🚘 🛰 🏨 & 🚶 🅰🅲 🕸 rist, ⁽ᵠ⁾ 🛦
🐎

via San Donato 161 ✉ *40127* – ℰ *05 16 33 23 66*   🅿 VISA ⬤ AE ① 🔿
– *www.savoia.it* – *savoia@savoia.it* – *Fax 05 16 33 23 66*
– *chiuso dal 24 dicembre al 4 gennaio e dal 1° al 21 agosto*   HU**a**
43 cam 🗔 – ✝75/210 € ✝✝75/330 €
Rist *Danilo e Patrizia* – ℰ 05 16 33 25 34 *(chiuso domenica sera e lunedì)*
Menu 20/35 € – Carta 22/43 €
♦ In un complesso colonico composto da 3 strutture collegate da un passaggio sotterraneo e disposte in un ampio giardino, un hotel signorile, con centro congressi. Ristorante dall'ambiente gradevole, per assaporare la cucina emiliana.

BOLOGNA

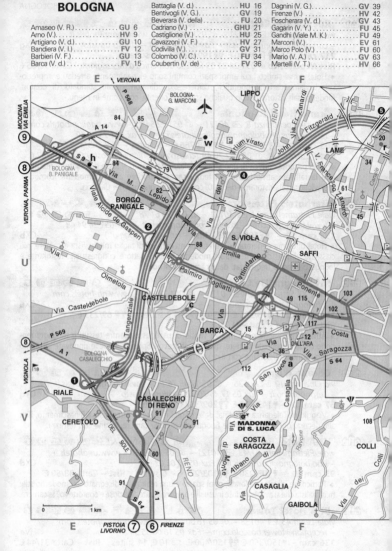

AC Bologna

🛏️ 📶 🛜 ⚗️ 📻 🔇 🚗 🛜 **VISA** 🅿️ **AE** ① 🔑

via Sebastiano Serlio 28 ☒ 40128 – 𝒞 051 37 72 46
– www.ac-hotels.com – acbologna@ac-hotels.com
– Fax 051 37 79 78

GU**c**

120 cam ⚏ – ♦♦88/380 € – 2 suites
Rist *Il Conte Restaurant* – Carta 33/54 €

◆ Design moderno sia negli spazi comuni che nelle camere, servizio di buon livello e una notevole gentilezza. Non manca nulla per rispettare gli standard della catena. Ristorante sempre pronto a soddisfare ogni esigenza.

198

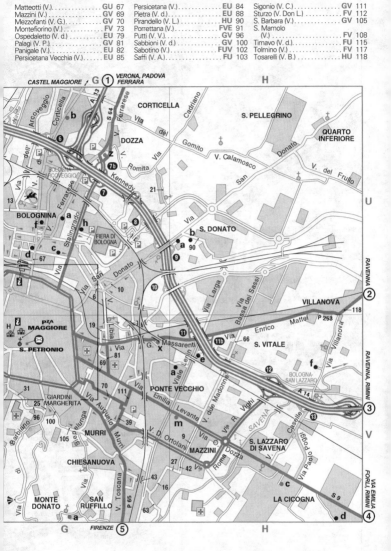

Unaway Bologna Fiera 🏊 👙 🛗 🆎 ♿ ✂ rist, 📶 � 🅿 🚗
piazza della Costituzione 1 ✉ *40128 –* ☎ *05 14 16 66* 💳 **VISA** ◍ **AE** ◍ ✓
– www.unawayhotels.it – una.bolognafiera@unawayhotels.it
– Fax 05 14 16 65 GU**h**
161 cam – 🛏332 € 🛏🛏435 €, ⊇ 20 €
Rist Unaway Restaurant – Carta 32/52 €

♦ Di fronte all'ingresso della Fiera, struttura funzionale, dotata di accessori moderni, con ampi spazi comuni e ben attrezzato centro congressi; camere di buon confort. Ariosa sala da pranzo con cucina eclettica.

BOLOGNA

0 |——————| 400m

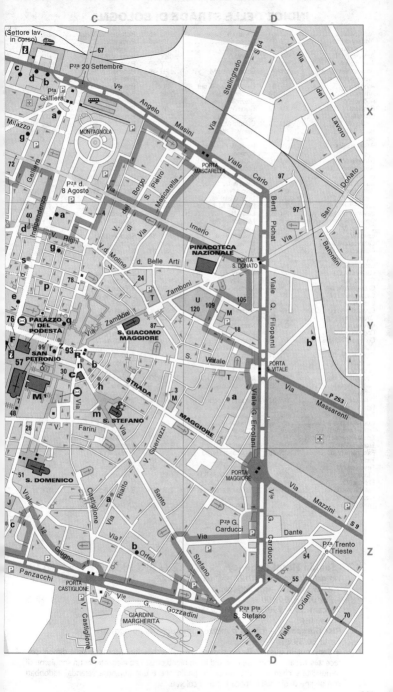

INDICE DELLE STRADE DI BOLOGNA

Aemilia   🏋️ 🔄 ⚕️ 🅰️🅲 ↳ 🍽️ rist, 🌐 🚗 🚐 VISA ⓪ AE ① 🔑
via Alvisi 16 ⊠ 40139 – ℰ 05 13 94 03 11 – www.aemiliahotel.it – info@
aemiliahotel.it – Fax 05 13 94 03 13   DY**b**
124 cam – 🛏130/439 € 🛏🛏170/439 €
Rist *Gurmé* –   ℰ 051 39 26 60 *(chiuso agosto) (chiuso a mezzogiorno)*
Carta 33/45 €
♦ Modernismo ed omogeneità nelle belle camere, suddivise in categorie solo in base alla tipologia dei servizi offerti. Bella terrazza panoramica con solarium. Il *Gurmé* vi delizierà con ricette tradizionali bolognesi e creativi piatti di cucina italiana.

Novecento senza rist   🔄 ⚕️ 🅰️🅲 🌐 VISA ⓪ AE ① 🔑
piazza Galileo 4/3 ⊠ 40123 – ℰ 05 17 45 73 11 – www.bolognarthotels.it
– novecento@inbo.it – Fax 05 17 45 73 22   BY**e**
25 cam ⊊ – 🛏133/327 € 🛏🛏199/357 €
♦ Nel centro medievale della città, un palazzo dei primi del Novecento è stato convertito in un design hotel in cui confort e ricercatezza si uniscono a forme di sobria eleganza.

Commercianti senza rist   🔄 🅰️🅲 ↳ 🌐 🚗 VISA ⓪ AE ① 🔑
via dè Pignattari 11 ⊠ 40124 – ℰ 05 17 45 75 11 – www.bolognarthotels.it
– commercianti@inbo.it – Fax 05 17 45 75 22   BY**n**
32 cam ⊊ – 🛏133/327 € 🛏🛏199/357 € – 2 suites
♦ Camini, travi a vista, letti a baldacchino e 5 ambiti terrazzini affacciati sulla fiancata di S.Petronio in un edificio del '200: una bomboniera tra storia e ospitalità.

Orologio senza rist   🔄 🅰️🅲 ↳ 🌐 VISA ⓪ AE ① 🔑
via IV Novembre 10 ⊠ 40123 – ℰ 05 17 45 74 11 – www.bolognarthotels.it
– orologio@inbo.it – Fax 05 17 45 74 22   BY**a**
29 cam ⊊ – 🛏123/327 € 🛏🛏189/357 € – 5 suites
♦ Di fronte all'orologio della torre comunale: piccolo hotel di tradizione con camere curate nei dettagli e ben rifinite, alcune con vista sul centro città. Orologi ovunque.

Millennhotel senza rist   🔄 ⚕️ 🅰️🅲 ↳ 🌐 🏋️ VISA ⓪ AE ① 🔑
via Boldrini 4 ⊠ 40121 – ℰ 05 16 08 78 11 – www.millennhotelbologna.it
– info@millennhotelbologna.it – Fax 05 16 08 78 88   CX**c**
60 cam ⊊ – 🛏60/200 € 🛏🛏80/300 €
♦ Moderno hotel nei pressi della stazione ferroviaria. Spazi comuni limitati, ma il servizio e il buon livello di confort delle camere offrono un buon rapporto qualità/prezzo.

Roma   🔄 🅰️🅲 🍽️ rist, 🌐 🚗 VISA ⓪ AE ① 🔑
via Massimo d'Azeglio 9 ⊠ 40123 – ℰ 051 22 63 22 – www.hotelroma.biz
– info@hotelroma.biz – Fax 051 23 99 09   BY**x**
82 cam ⊊ – 🛏95/120 € 🛏🛏160/170 € – 4 suites – ½ P 130/150 €
Rist – *(chiuso domenica ed agosto)* Carta 32/65 €
♦ In una centralissima via pedonale, una risorsa che offre camere piacevoli con tappezzerie fiorate, alcune con balconcino. Pochi coperti ed eleganti sedie rosse nella sala ristorante.

Al Cappello Rosso senza rist   🔄 🅰️🅲 ↳ 🌐 🏋️ 🚗
via de' Fusari 9 ⊠ 40123 – ℰ 051 26 18 91   VISA ⓪ AE ① 🔑
– www.alcappellorosso.it – info@alcappellorosso.it – Fax 051 22 71 79 – chiuso
Natale e agosto   BY**v**
33 cam ⊊ – 🛏140/459 € 🛏🛏170/459 €
♦ Nel cuore antico della città, il confort moderno di un hotel funzionale dotato di camere accoglienti ed una suite mansardata: ottima insonorizzazione e personalizzazione degli arredi.

Il Guercino   🔄 ↳ cam, 🅰️🅲 ↳ 🌐 🏋️ VISA ⓪ AE ① 🔑
via Luigi Serra 7 ⊠ 40129 – ℰ 051 36 98 93 – www.guercino.it – reception@
guercino.it – Fax 051 36 80 71   GU**d**
51 cam – 🛏48/189 € 🛏🛏48/269 €, ⊊ 5 € – 1 suite
Rist *San Luigi* – ℰ 051 35 71 20 *(chiuso agosto, sabato a mezzogiorno e domenica)* Carta 26/40 €
♦ Atmosfera e decorazioni indiane per questa bella risorsa tra stazione e Fiera; le camere più caratteristiche dispongono anche di un terrazzino. Ristorante d'eleganza multietnica ma con proposte di cucina emiliana di ricerca.

🏨 **Il Convento dei Fiori di Seta** senza rist [AC] 🚭 📶
via Orfeo 34/4 ✉ 40124 – ☎ 051 27 20 39 VISA MC [AE] DC ⓢ
– www.ilconventodeifioridiseta.com – info@ilconventodeifioridiseta.com
– Fax 05 12 75 90 01 – chiuso dal 23 dicembre al 9 gennaio e agosto
10 cam ☕ – 👥165/330 € CZ**b**
♦ Lo straordinario esito della ristrutturazione di un convento del '400 trasformato in una risorsa che fonde con incredibile armonia design e classicità, nel cuore della città.

🏨 **Alloro Suite Hotel** senza rist [lift] [AC] ⇆ 📶 [P] VISA MC [AE] DC ⓢ
via Ferrarese 161 ✉ 40128 – ☎ 051 37 29 60 – www.allorosuitehotel.it
– welcome@allorosuitehotel.it – Fax 051 37 21 27 GU**a**
51 cam ☕ – 👤79/195 € 👥89/290 €
♦ 25 anni di attenzioni per soddisfare le esigenze di una clientela business, grazie alla sua vicinanza al polo fieristico. Per festeggiare il traguardo, nuove suites e biciclette a disposizione degli ospiti.

🏨 **City Hotel** senza rist ☀ [lift] ♿ [AC] 🚭 📶 👥 [P] 🚗 VISA MC [AE] DC ⓢ
via Magenta 10 ✉ 40128 – ☎ 051 37 26 76 – www.bestwestern.it/city_bo
– city.bo@bestwestern.it – Fax 051 37 20 32 GU**f**
92 cam ☕ – 👤50/230 € 👥60/340 €
♦ Dopo l'ampliamento l'hotel si ripresenta più arioso e moderno, indicato per la clientela business. Camere funzionali e di notevole metratura.

🏨 **Re Enzo** [lift] [AC] ⇆ 🚭 📶 👥 VISA MC [AE] DC ⓢ
via Santa Croce 26 ✉ 40122 – ☎ 051 52 33 22 – www.hotelreenzo.it
– reenzo.bo@bestwestern.it – Fax 051 55 40 35 AY**a**
51 cam ☕ – 👤75/160 € 👥90/230 €
Rist Alla Grada – vedere selezione ristoranti
♦ Fuori della zona a traffico limitato, struttura funzionale, dotata di buone attrezzature, tra cui un centro congressi, adatta ad una clientela turistica e di lavoro.

🏨 **Nuovo Hotel Del Porto** senza rist [lift] ♿ 🏃 [AC] 🚭 📶 VISA MC [AE] ⓢ
via del Porto 6 ✉ 40122 – ☎ 051 24 79 26 – www.nuovohoteldelporto.com
– info@nuovohoteldelporto.com – Fax 051 24 73 86 BX**a**
42 cam ☕ – 👤60/240 € 👥78/260 €
♦ Nome curioso per un albergo in posizione centrale, con spazi comuni limitati ma accoglienti e soprattutto camere confortevoli e ben insonorizzate.

🏨 **Touring** senza rist [lift] ♿ ⇆ 📶 VISA MC [AE] DC ⓢ
via dè Mattuiani 1/2, angolo piazza dei Tribunali ✉ 40124 – ☎ 051 58 43 05
– www.hoteltouring.it – hoteltouring@hoteltouring.it – Fax 051 33 47 63
40 cam ☕ – 👤69/140 € 👥89/250 € BZ**b**
♦ Nelle vicinanze di S.Domenico, una piacevole vista sui tetti della città è lo spettacolo che offre la terrazza solarium di questo hotel. Camere di buon confort e un'elegante atmosfera familiare.

🏨 **Delle Drapperie** senza rist [AC] 🚭 VISA MC ⓢ
via delle Drapperie 5 ✉ 40124 – ☎ 051 22 39 55 – www.albergodrapperie.com
– Info@albergodrapperie.com – Fax 051 23 87 60 CY**r**
21 cam – 👤70/135 € 👥85/150 €, ☕ 5 €
♦ Nel cuore medievale della città, fra le bancarelle e i negozi di gastronomia della tradizione bolognese, camere d'atmosfera tra soffitti decorati e graziosi bagni.

🏨 **Paradise** senza rist [lift] [AC] 📶 VISA MC [AE] DC ⓢ
vicolo Cattani 7 ✉ 40126 – ☎ 051 23 17 92 – www.hotelparadisebologna.it
– info@hotelparadisebologna.it – Fax 051 23 45 91 – chiuso dal 23 al 27 dicembre e dall'8 al 24 agosto CY**g**
18 cam ☕ – 👤50/100 € 👥75/125 €
♦ Gestione al femminile per questo comodo indirizzo che coniuga vicinanza al centro, camere molto semplici e pulite e prezzi interessanti.

🏨 **Villa Azzurra** senza rist e senza ☕ ☀ ♿ [P] VISA MC [AE] DC ⓢ
viale Felsina 49 ✉ 40139 – ☎ 051 53 54 60 – www.hotelvillaazzurra.com – info@hotelvillaazzurra.com – Fax 051 53 13 46 – chiuso dal 10 al 20 agosto
15 cam – 👤60/80 € 👥70/110 € HV**a**
♦ Un silenzioso giardino avvolge la dimora del tardo Ottocento, che dell'epoca conserva l'aspetto e l'atmosfera.

🍴🍴 **Trattoria Battibecco** [AC] 🚭 VISA [MC] [D] [S]

via Battibecco 4 ✉ 40123 – ☎ 051 22 32 98 – www.battibecco.com – Fax 051 26 35 79 – chiuso dal 21 gennaio all'8 febbraio, dal 30 giugno al 14 luglio, sabato a mezzogiorno, domenica BY**v**

Rist – Carta 48/71 €

◆ In un vicolo centrale, un locale di classe e di tono elegante, che spicca nel panorama della ristorazione cittadina per la cucina tradizionale e le proposte di mare.

🍴🍴 **Bitone** [AC] 🚭 ⊕ VISA [MC] [AE] [D] [S]

via Emilia Levante 111 ✉ 40139 – ☎ 051 54 61 10 – www.ristorantebitone.it – info@ristorantebitone.it – Fax 05 16 23 22 52 – chiuso agosto, lunedì e martedì

Rist – Carta 55/91 € 🍇 HV**m**

◆ Locale ben noto agli intenditori, nonostante la posizione periferica. La sala è simile ad un giardino d'inverno, la cucina tipica bolognese, schietta e sostanziosa con molti piatti di pesce.

🍴🍴 **Pappagallo** [AC] 🚬 VISA [MC] [AE] [D] [S]

piazza della Mercanzia 3 c ✉ 40125 – ☎ 051 23 12 00 – www.alpappagallo.it – ristorante@alpappagallo.it – Fax 051 23 28 07 – chiuso agosto e domenica, anche il sabato in giugno-luglio CY**n**

Rist – (consigliata la prenotazione) Carta 50/65 €

◆ Sotto le due Torri, due sale con altissimi soffitti a volta e fotografie di celebrità alle pareti; cucina bolognese e piatti di pesce in un ristorante di grande tradizione.

🍴🍴 **Al Cambio** ♿ [AC] 🚭 [P] VISA [MC] [AE] [D] [S]

via Stalingrado 150 ✉ 40128 – ☎ 051 32 81 18 – www.ristorantealcambio.it – info@ristorantealcambio.it – Fax 051 35 29 47 – chiuso dal 23 dicembre al 7 gennaio, dal 1° al 21 agosto, sabato a mezzogiorno e domenica

Rist – (consigliata la prenotazione) Carta 45/59 € GU**z**

◆ Ristrutturato in chiave moderna, è ora un elegante e giovane locale che riuscirà a soddisfare sia gli amanti della tradizione che i palati desiderosi di curiosare tra le elaborazioni della fantasia.

🍴🍴 **Da Sandro al Navile** ⛱ [AC] 🚭 ⊕ [P] VISA [MC] [AE] [D] [S]

via del Sostegno 15 ✉ 40131 – ☎ 05 16 34 31 00 – www.dasandroalnavile.it – dasandroalnavile@hotmail.it – Fax 05 16 34 75 92 – chiuso dal 26 dicembre al 6 gennaio ed agosto FU**r**

Rist – *(chiuso domenica)* Carta 40/46 € 🍇

◆ Rinomato ristorante in zona decentrata, le salette sono sempre affollate di affezionati clienti; curata cucina emiliana tradizionale, eccezionale collezione di whisky.

🍴🍴 **Franco Rossi** [AC] ⊕ VISA [MC] [AE] [D] [S]

via Goito 3 ✉ 40126 – ☎ 051 23 88 18 – www.italiadiscovery.it/francorossi – francorossibologna@hotmail.it – Fax 051 23 88 18 – chiuso domenica

Rist – (consigliata la prenotazione) Carta 39/54 € CY**p**

◆ L'omonimo proprietario è la vera anima di questo intimo ristorante centrale. Il fratello invece si dedica alla preparazione di fantasiose e curate proposte tradizionali.

🍴🍴 **La Terrazza** ⛱ [AC] ⊕ VISA [MC] [AE] [D] [S]

via del Parco 20 ✉ 40138 – ☎ 051 53 13 30 – www.ristorantelaterrazza.it – tiziano@laterrazzasnc.191.it – Fax 05 16 01 10 55 – chiuso dal 6 al 26 agosto e domenica GV**x**

Rist – (consigliata la prenotazione) Carta 38/49 €

◆ In una via tranquilla, un ristorante di dimensioni contenute con una tettoria in legno per il servizio estivo. Le proposte in menù spaziano dalla carne al pesce.

🍴🍴 **Cesarina** ⛱ [AC] VISA [MC] [AE] [D] [S]

via Santo Stefano 19 ✉ 40125 – ☎ 051 23 20 37 – www.ristorantecesarina.it – info@ristorantecesarina.it – Fax 051 23 20 37 – chiuso dal 22 dicembre al 18 gennaio, lunedì, martedì a mezzogiorno CY**m**

Rist – Carta 40/56 €

◆ Accanto alla splendida chiesa, ristorante con quasi un secolo di storia alle spalle. In tavola viene proposta la tradizionale cucina emiliana con numerosi piatti di mare.

🍴🍴 **Panoramica** ⛱ VISA [MC] [AE] [D] [S]

via San Mamolo 31 ✉ 40136 – ☎ 051 58 03 37 – www.trattoriapanoramica.com – info@trattorialapanoramica.com – Fax 051 58 03 37 – chiuso domenica

Rist – Carta 33/54 € BZ**a**

◆ Servizio informale e cucina di stampo classico, con molto pesce, per un signorile ristorante fuori del centro storico; d'estate si può scegliere di mangiare all'aperto.

XX **Diana**   🏠 AK 🍴 VISA ⚫⚫ AE ⓪ 🍴

via dell'Indipendenza 24 ✉ *40121 – ℰ 051 23 13 02 – diana@softer.it*
– Fax 051 22 81 62 – chiuso dal 1° al 15 gennaio, dal 1° al 28 agosto e lunedì
Rist – Carta 33/43 €   CY**s**
♦ In pieno centro, un classico della ristorazione cittadina questo locale, sempre molto frequentato, anche a mezzogiorno, con cucina emiliana tradizionale.

XX **Alla Grada** – Hotel Re Enzo   AK VISA ⚫⚫ AE ⓪ 🍴

via della Grada 6/b ✉ *40123 – ℰ 051 22 55 05 – www.ristorantegrada.com*
– info@ristorantegrada.com – Fax 051 22 55 05 – chiuso domenica   AY**a**
Rist – Carta 24/47 €
♦ La giovane ed entusiasta gestione si trova ora in una nuova sede, sempre centrale. Invariata l'attività della cucina che propone piatti di mare e bolognesi di gusto moderno.

X **Marco Fadiga Bistrot**   AK 🍴 ⇔ VISA ⚫⚫ AE 🍴
☺

via Rialto 23/c ✉ *40124 – ℰ 051 22 01 18 – www.marcofadigabistrot.it*
– marcofadigabistrot@hotmail.com – Fax 051 22 01 18
– chiuso Natale, 2 settimane in agosto, domenica e lunedì   CZ**a**
Rist – (chiuso a mezzogiorno) Carta 32/41 €
♦ Un'occasione unica per apprezzare l'atmosfera del bistrot francese vissuto in chiave moderna. Cucina del territorio, accanto a piatti più creativi, presentata su una lavagna.

X **Posta**   🏠 🍴 ⇔ VISA ⚫⚫ AE ⓪ 🍴
☺

via della Grada 21/a ✉ *40122 – ℰ 05 16 49 21 06 – www.ristoranteposta.it*
– posta@ristoranteposta.it – Fax 05 16 49 10 22 – chiuso 15 giorni in agosto,
lunedì e sabato a mezzogiorno   AY**c**
Rist – Carta 31/43 €
♦ Travi a vista e mattoni sono i piacevoli contorni rustici di questo locale, appena fuori dal centro, dove sono toscane sia le proprietarie che le specialità gastronomiche.

X **Antica Trattoria della Gigina**   & AK 🍴 ⇔ VISA ⚫⚫ 🍴

via Stendhal 1 ✉ *40128 – ℰ 051 32 23 00 – www.trattoriagigina.it – info@*
trattoriagigina.it – Fax 05 14 18 98 65   GU**b**
Rist – Carta 32/43 €
♦ Trattoria rinnovata nel segno della tradizione e del rispetto per il proprio passato. Come un tempo la cucina, gustosa e abbondante, trasmette la tipicità del locale.

X **Caminetto d'Oro**   & AK 🍴 VISA ⚫⚫ AE ⓪ 🍴

via de' Falegnami 4 ✉ *40121 – ℰ 051 26 34 94 – www.caminettodoro.it – info@*
caminettodoro.it – Fax 05 16 56 11 09 – chiuso dal 30 dicembre al 10 gennaio,
agosto, martedì sera e mercoledì   CY**d**
Rist – Carta 45/69 €
♦ Due piccole sale rinnovate per continuare ad accogliere una cucina attenta alla scelta dei prodotti tipici della tradizione locale. Nell'annesso *bistrot*, aperto dalle 12 alle 24, proposte veloci in un contesto informale.

X **Cesari**   AK 🍴 VISA ⚫⚫ ⓪ 🍴

via de' Carbonesi 8 ✉ *40123 – ℰ 051 23 77 10 – www.da-cesari.it*
– abolognadacesari@iol.it – Fax 05 12 96 98 12 – chiuso dal 1° al 6 gennaio,
25 luglio al 25 agosto, domenica, anche sabato in luglio   BY**c**
Rist – Carta 28/47 €
♦ Nelle vicinanze di piazza Maggiore, ambiente caldo e familiare in un ristorante di solida esperienza ultratrentennale; cucina d'impronta classica con piatti regionali.

X **Grassilli**   🏠 🍴 VISA ⚫⚫ AE ⓪ 🍴

via del Luzzo 3 ✉ *40125 – ℰ 051 22 29 61 – Fax 051 22 29 61 – chiuso dal*
25 dicembre all'8 gennaio, dal 15 luglio al 10 agosto, mercoledì, domenica sera
Rist – (consigliata la prenotazione) Carta 35/40 €   CY**b**
♦ Vicino alle celebri "Torri", ristorantino classico che segue una linea di cucina emiliana alla quale affianca proposte della tradizione francese, omaggio alle origini dello chef.

X **Il Cantuccio**   AK 🍴 VISA ⚫⚫ ⓪ 🍴

via Volturno 4 ✉ *40121 – ℰ 051 23 34 24 – Fax 051 22 93 35 – chiuso agosto e*
lunedì   CY**s**
Rist – (chiuso a mezzogiorno escluso domenica) Carta 50/70 €
♦ "A bordo" di questo piccolo locale a gestione familiare - una calda e luminosa saletta con tanti quadri alle pareti - si servono piatti della tradizione mediterranea di pesce.

✗ **Biagi**   🄰🄲 🆅🅸🆂🅰 ⬢ ⓪ ♿
via Savenella 9/a ✉ *40124 –* ✆ *05 14 07 00 49 – www.ristorantebiagi.it*
– ristorantebiagi@hotmail.com – Fax 05 14 07 09 19 – chiuso dal 1° al 5 gennaio
e martedì   CZ**c**
Rist *– (chiuso a mezzogiorno escluso i giorni festivi)* Carta 24/35 €
♦ Continua la tradizione della storica famiglia di ristoratori il cui nome fa ormai rima con
cucina bolognese. In lista troverete i grandi classici, nessuno escluso.

✗ **Scacco Matto**   🄰🄲 🍽 🆅🅸🆂🅰 ⬢ 🄰🄴 ⓪ ♿
via Broccaindosso 63/b ✉ *40125 –* ✆ *051 26 34 04*
– www.ristorantescaccomatto.com – Fax 051 26 34 04 – chiuso dal 24 dicembre
al 3 gennaio, Pasqua, agosto e lunedì a mezzogiorno   DY**a**
Rist *–* Carta 34/48 €
♦ In una vivace zona di osterie e di universitari, un semplice, ma schietto angolo di Basilicata, dove una famiglia propone i sapori tipici della propria terra.

✗ **Teresina**   🈁 🍽 🆅🅸🆂🅰 ⬢ 🄰🄴 ⓪ ♿
via Oberdan 4 ✉ *40126 –* ✆ *051 22 89 85 – Fax 051 23 75 26 – chiuso dal 10 al*
30 agosto e domenica   CY**z**
Rist *– (consigliata la prenotazione)* Carta 30/53 €
♦ Dalla nonna ai nipoti, c'è tutta la famiglia impegnata in questa moderna e semplice
trattoria. Genuina e gustosa cucina emiliana con proposte ittiche; bel dehors estivo.

✗ **Trattoria da Leonida**   🈁 🄰🄲 🍽 🆅🅸🆂🅰 ⬢ 🄰🄴 ⓪ ♿
vicolo Alemagna 2 ✉ *40125 –* ✆ *051 23 97 42 – Fax 05 16 27 18 50 – chiuso dal*
1° al 25 agosto e domenica   **Rist** *–* Carta 26/40 €
♦ Familiari la gestione e l'accoglienza in un ristorantino del centro con proposte legate
alla tradizione emiliana; piacevole il servizio estivo nella veranda aperta.

✗ **Monte Donato**   🈁 🍽 ⇔ 🆅🅸🆂🅰 ⬢ ♿
🌐 *via Siepelunga 118, località Monte Donato, Sud : 4 km* ✉ *40141*
– ✆ *051 47 29 01 – www.trattoriamontedonato.it – Fax 051 47 23 06 – chiuso*
domenica in luglio-agosto, lunedì negli altri mesi   GV**a**
Rist *–* Carta 28/40 €
♦ E' soprattutto con la bella stagione che si potranno apprezzare i colori e i profumi di
questa trattoria tra i colli; la cucina, abbondante e tipica, saprà saziare ogni palato.

✗ **Trattoria Meloncello**   🈁 🄰🄲 🍽 ⇔ 🆅🅸🆂🅰 ⬢ ♿
via Saragozza 240/a ✉ *40135 –* ✆ *05 16 14 39 47 – chiuso 1 settimana in*
gennaio, dal 3 al 25 agosto, lunedì sera e martedì   **Rist** *–* Carta 25/30 €
♦ Simpatico ambiente intimo e raccolto in questa vecchia trattoria a breve distanza dal-
l'omonimo arco; dalla cucina, piatti casarecci e golosi di tradizione regionale.

✗ **Il Paradisino**   🈁 🍽 🆅🅸🆂🅰 ⬢ 🄰🄴 ♿
🕻 *via Coriolano Vighi 33* ✉ *40133 –* ✆ *051 56 64 01 – www.trattoriaparadisino.it*
– Fax 05 12 98 40 73 – chiuso dal 7 al 25 gennaio   **Rist** *–* Carta 21/32 €
♦ Fuori mano ma grazioso questo locale rustico, con porticato per il servizio estivo all'a-
perto, dove assaggerete piatti curati di cucina emiliana casalinga.

a Borgo Panigale Nord-Ovest : 7,5 km *EU –* ✉ **40132**

🏨 **Sheraton Bologna**   🛏 🕴 ♿ cam, 🄰🄲 ⇜ 🍽 rist, ⟨⟨📶⟩⟩ 🎾 🅿
via dell'Aeroporto 34/36 – ✆ *051 40 00 56*   🆅🅸🆂🅰 ⬢ 🄰🄴 ⓪ ♿
– www.sheraton.it – info@sheratonbologna.it – Fax 05 16 41 51 40   EU**w**
243 cam � – †388 € ††418 €   **Rist** *–* Carta 33/56 €
♦ Vicino all'aeroporto e comodamente raggiungibile dalla tangenziale, una struttura
funzionale, che dispone di moderne attrezzature e spazi perfetti per meeting. Impostazione classica nella capiente sala del ristorante.

🏨 **Holiday Inn Bologna-Via Emilia**   ⇜ 🕴 ♿ cam, 🄰🄲 ⟨⟨📶⟩⟩ 🎾 🅿
via Lepido 203/214 – ✆ *051 40 92 11*   🚗 🆅🅸🆂🅰 ⬢ 🄰🄴 ⓪ ♿
– www.alliancealberghi.com – holidayinn.bolognaemilia@alliancealberghi.com
– Fax 051 40 59 69   EU**h**
143 cam ⊒ – †119/380 € ††134/455 €   **Rist** *–* Menu 25 € *–* Carta 32/45 €
♦ Nelle vicinanze dell'autostrada, un comodo albergo di concezione moderna; camere
non enormi ma ben insonorizzate, con arredi in legno massiccio. Sala ristorante classica
con travi a vista, come una moderna trattoria.

a Villanova Est : 7,5 km *HV* – ⊠ **40055**

🏨 **NH Bologna Villanova** 🔲 📶 ⛶ AC ↵ ⚑ rist. ⁽ᵗ⁾ 🛁 🅿 🚗
via Villanova 29/8 – ℰ *051 60 43 11* 💳 ⊕ AE ① 💰
– www.nh-hotels.it – jhbolognavillanova@nh-hotels.com – Fax 051 78 14 44
209 cam 🛏 – 🕴130/265 € 🕴🕴149/320 € – ½ P 100/190 € HVf
Rist *– (chiuso agosto)* Carta 38/63 €
◆ Edificio costruito ex novo con numerose dotazioni e servizi. Arredi moderni ispirati al minimalismo con ampio utilizzo di marmo, legno e metallo. Suite di alto livello. Ristorante raffinato con una proposta gastronomica classica.

BOLSENA – Viterbo (VT) – 563O17 – 4 143 ab. – alt. 348 m – ⊠ 01023   12 A1
▌ Italia

▶ Roma 138 – Viterbo 31 – Grosseto 121 – Siena 109
◉ Chiesa di Santa Cristina★

🏨 **Royal** senza rist 🚗 🏊 📶 AC 🍽 🅿 💳 ⊕ 💰
piazzale Dante Alighieri 8/10 – ℰ *07 61 79 70 48 – www.bolsenahotel.it – royal@ bolsenahotel.it – Fax 07 61 79 60 00*
37 cam 🛏 – 🕴68/114 € 🕴🕴88/130 €
◆ Struttura elegante, curata tanto nei signorili spazi esterni, quanto negli eleganti ambienti interni. Un soggiorno in riva al lago, coccolati dalla bellezza del paesaggio.

🏨 **Holiday** ◁ 🚗 🏊 📶 AC 🍽 rist. 🅿 💳 ⊕ 💰
viale Diaz 38 – ℰ *07 61 79 69 00 – www.bolsena.com – holiday@bolsena.com*
– Fax 07 61 79 95 50 – 20 dicembre-10 gennaio e aprile-2 novembre
23 cam 🛏 – 🕴80/100 € 🕴🕴80/125 € – ½ P 55/78 €
Rist *– (chiuso a mezzogiorno)* Carta 25/51 €
◆ In riva al lago, in zona leggermente decentrata, una grande villa anni '50 con ampio, curato giardino e piscina. Camere in stile classico, arredate con mobili di pregio. Bella e luminosa sala da pranzo.

🏨 **Columbus** 📶 AC 🍽 🛁 🅿 💳 ⊕ 💰
viale Colesanti 27 – ℰ *07 61 79 90 09 – www.bolsenahotel.it – columbus@ bolsenahotel.it – Fax 07 61 79 81 72 – marzo-ottobre*
39 cam 🛏 – 🕴53/81 € 🕴🕴74/106 € – ½ P 72 €
Rist *La Conchiglia* – Carta 31/37 €
◆ Alla fine del viale e già sulla piazza prospiciente il lago, una piacevole struttura con spazi comuni di buon livello e confortevoli camere, recentemente rinnovate. Ristorante d'impostazione classica.

BOLZANO (BOZEN) ℙ (BZ) – 562C16 – 96 097 ab. – alt. 262 m   31 D3
– ⊠ 39100▌ Italia

▶ Roma 641 – Innsbruck 118 – Milano 283 – Padova 182
✈ ABD Dolomiti ℰ0471 255255
🛈 piazza Walther 8ℰ 0471 307000, info@bolzano-bozen.it, Fax 0471 980128
◉ Via dei Portici★ B – Duomo★ B – Pala★ nella chiesa dei Francescani B
  – Pala d'altare scolpita★ nella chiesa parrocchiale di Gries per corso
  Libertà A
◎ Gole della Val d'Ega★ Sud-Est per ① – Dolomiti★★★ Est per ①

Pianta pagina a lato

🏨 **Parkhotel Laurin** 🎭 🌳 🏊 📶 ⛶ cam. AC 🍽 rist. ⁽ᵗ⁾ 🛁
via Laurin 4 – ℰ *04 71 31 10 00 – www.laurin.it* 💳 ⊕ AE ① 💰
– info@laurin.it – Fax 04 71 31 11 48 Be
100 cam 🛏 – 🕴118/294 € 🕴🕴169/294 € – ½ P 175 €
Rist *– (chiuso domenica)* Carta 28/60 €
◆ Risorsa di notevole pregio, ospitata in un magnifico edificio in stile liberty, in cui lusso e raffinatezza sono stati abilmente coniugati alla modernità del confort. Ristorante di grande eleganza che accompagna una cucina moderna e creativa; servizio estivo nel parco.

A LA RECHERCHE DE L'ŒUVRE

BRUT PREMIER

LOUIS ROEDERER

CHAMPAGNE

BRUT   REIMS

L'innovazione ha un futuro
quando è sempre più pulita,
più sicura e più performante.

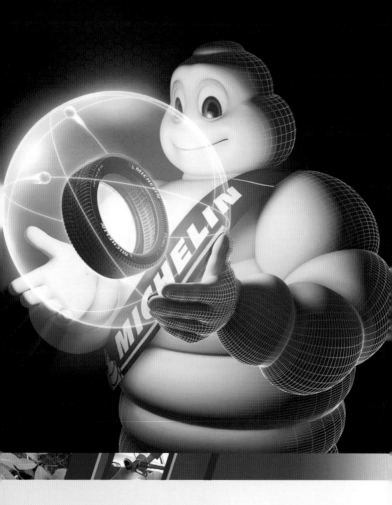

www.michelin.com

MICHELIN
Il modo migliore di avanzare

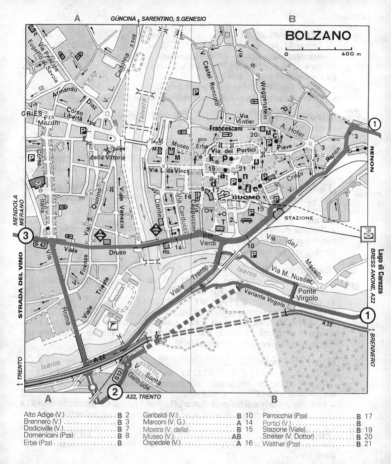

Alto Adige (V.) . . . . **B** 2	Garibaldi (V.) . . . . **B** 10	Parrocchia (Pza) . . . . **B** 17
Brennero (V.) . . . . **B** 3	Marconi (V. G.) . . . . **B** 14	Portici (V.) . . . . **B**
Dodiciville (V.) . . . . **B** 7	Mostra (V. della) . . . . **B** 15	Stazione (Viale) . . . . **B** 19
Domenicani (Pza) . . . . **B** 8	Museo (V.) . . . . **AB**	Streiter (V. Dottor) . . . . **B** 20
Erbe (Pza) . . . . **B**	Ospedale (V.) . . . . **A** 16	Walther (Pza) . . . . **B** 21

Greif senza rist   🔝 ⏰ 🅰️🅲️ ↩ 🗠 👁️ 🍸 🆂🆀 𝗩𝗜𝗦𝗔 ⚫ 🅰🅴 ⓪ 💲

piazza Walther – ☏ 04 71 31 80 00 – www.greif.it – info@greif.it
– Fax 04 71 31 81 48   **Bn**
33 cam ☷ – �psi140/300 € ♆♆180/360 €

♦ Dietro la bellezza del palazzo, restituita alla città da un recente restauro, stanze rimodernate e personalizzate grazie all'intervento di artisti internazionali. Architettura e tecnologie avveniristiche si fondono mirabilmente nel *lounge bar*, aperto anche agli esterni.

Luna-Mondschein   🔊 🍽️ 🔝 ⏰ cam, 🎚️ 🆂🆀 🅿️ 🚗 𝗩𝗜𝗦𝗔 ⚫ 🅰🅴 ⓪ 💲

via Piave 15 – ☏ 04 71 97 56 42 – www.hotel-luna.it – info@hotel-luna.it
– Fax 04 71 97 55 77   **Bc**
77 cam ☷ – �psi89/107 € ♆♆144/168 €
– 4 suites – ½ P 110 €

Rist – *(chiuso dal 24 al 28 dicembre)* Carta 32/44 €

♦ Hotel di tradizione, in un parco mediterraneo, offre il vantaggio di essere in pieno centro e di disporre di un ampio garage. Camere impreziosite da dettagli e materiali armonizzati con gusto. Imperdibile servizio ristorante effettuato tra il verde lussureggiante. In menu: proposte classiche e specialità regionali.

209

Magdalenerhof ⟨ 🚗 🏠 ☃ 🎉 ⚐ ♿ 👹 🌐 📶 **P** 🚗 — VISA ⓴ AE ⑩ 🌙

via Rencio 48, per via Renon – ℰ *04 71 97 82 67*
– www.magdalenerhof.it – info@magdalenerhof.it – Fax 04 71 98 10 76
38 cam ⌿ *–* ♦78/95 € ♦♦105/135 € *– 1 suite*   B**i**
Rist *– (chiuso lunedì)* Carta 33/58 €

◆ Edificio in tipico stile tirolese in posizione tranquilla, dalla gestione diretta ed attenta ai dettagli, presenta stanze di buon livello. Sono tre le sale da pranzo ricavate all'interno dell'hotel.

Stadt Hotel Città 🏠 🏩 🎉 ⚐ & cam, 🌐 rist, 📶 VISA ⓴ AE 🌙

piazza Walther 21 – ℰ *04 71 97 52 21 – www.hotelcitta.info – info@
hotelcitta.info – Fax 04 71 97 66 88*   B**a**
99 cam ⌿ *–* ♦94/144 € ♦♦135/215 €   **Rist** *–* Carta 33/41 €

◆ Hotel di lunga tradizione, affacciato sulla suggestiva piazza Walther. Tra i numerosi servizi a disposizione, anche la spaziosa zona relax. Nuovo il Caffè, ideale anche per mangiare.

Figl *senza rist* 🎉 & 🚹 🆑 🌐 VISA ⓴ AE 🌙

piazza del grano 9 – ℰ *04 71 97 84 12 – www.figl.net – info@figl.net – Fax 04 71 97 84 13
– chiuso dal 25 gennaio al 20 febbraio e dal 21 giugno all'11 luglio*   B**p**
23 cam *–* ♦78/88 € ♦♦100/120 €, ⌿ 11 €

◆ Ospitalità d'impronta familiare e, per certi versi, piacevolmente informale in un piccolo, ma grazioso, hotel del centro con soluzioni all'avanguardia. Belle camere, seppure semplici, di buon tono anche negli accessori.

Rentschner Hof ⟨ 🏠 ☃ 🎉 🌐 rist, 📶 **P** 🚗 VISA ⓴ AE ⑩ 🌙
🏩
via Rencio 70, per via Renon – ℰ *04 71 97 53 46 – www.rentschnerhof.com
– info@rentschnerhof.com – Fax 04 71 97 70 98*   B**f**
21 cam ⌿ *–* ♦57/70 € ♦♦90/110 € *– ½* P 55/68 €
Rist *– (chiuso domenica) (solo a mezzogiorno)* Carta 21/38 €

◆ E' ubicato alle porte del centro abitato e infatti questo hotel si avvicina più ad un albergo di campagna che non ad una risorsa cittadina. Bella vista sui vigneti. Nella sala ristorante prevalgono tinte chiare e piacevoli.

✗✗ Zur Kaiserkron 🏩 VISA ⓴ AE ⑩ 🌙

piazza della Mostra 1 – ℰ *04 71 30 32 33 – www.kaiserkron.it – info@kaiserkron.it
– Fax 04 71 32 48 15 – chiuso dal 1° al 12 gennaio, domenica e giorni festivi*
Rist *–* Carta 37/64 €   B**d**

◆ Ambiente signorile e di design realizzato all'interno di uno storico palazzo del centro. La cucina si ispira alla tradizione altoatesina per realizzare proposte acccattivanti e moderne.

✗ Forsterbrau VISA ⓴ AE ⑩ 🌙

Via Goethe 6 – ℰ *04 71 97 72 43 – Fax 04 71 32 69 66 – chiuso domenica escluso
dicembre*   B**f**
Rist *–* Carta 30/43 €

◆ Una sorta di Giano bifronte con un servizio più informale (stile *bistrot*) a pranzo nonchè più ricercato la sera. Sempre e comunque: una solida e ben fatta cucina della tradizione locale, con piatti elaborati partendo da ottime materie prime.

✗ Argentieri VISA ⓴ AE ⑩ 🌙

via Argentieri 14 – ℰ *04 71 98 17 18 – Fax 04 71 97 33 83
– chiuso dal 10 al 28 agosto e domenica*   B**k**
Rist *–* Carta 26/45 €

◆ A dispetto della posizione geografica, ottimi piatti soprattutto di pesce e qualche proposta classica nazionale, in un piccolo locale curato e signorile. Un indirizzo sicuro in pieno centro!

sulla strada statale 12-zona Fiera A

Four Points Sheraton 🏩 🏠 🆑 🎉 & 🚹 🅰 ⚐ 🌐 rist, 📶 🅂🄰 🚗

via Buozzi 35, Sud : 2 km – ℰ *047 11 95 00 00*   VISA ⓴ AE 🌙
– www.fourpointsbolzano.it – info@fourpointsbolzano.it – Fax 047 11 95 09 99
168 cam ⌿ *–* ♦120/150 € ♦♦150/190 € *– 21 suites – ½* P 115/120 €
Rist *– (chiuso a mezzogiorno domenica e festivi)* Carta 45/52 €

◆ Accanto alla fiera, il più grande hotel di Bolzano e forse, il più moderno dispone di un notevole centro congressi e di confort ideali per una clientela business. Ristorante di design, ottimo servizio e linea di cucina classica.

Lewald   🏡 🕭 cam, 🅰🄲 🕿 🅿 🚗 VISA ⓪ 🄰🄴 ⓪ 🕭

via Maso della Pieve 17, Sud : 4 km – 𝒞 04 71 25 03 30 – www.lewald.it – info@
lewald.it – Fax 04 71 25 19 16
24 cam ⌂ – ♉56/70 € ♉♉98/115 € – 4 suites – ½ P 65/75 €
Rist – (chiuso agosto, sabato e domenica) (chiuso a mezzogiorno)
Carta 40/60 €
◆ Hotel a vocazione commerciale, ubicato non lontano dal nuovo polo fieristico della
città, si contraddistingue per un'originale architettura, articolata in due strutture unite e
di medie dimensioni. Camere personalizzate di varie tipologie. Due salette ristorante e
uno spazio esterno per il servizio estivo all'aperto.

a Colle (Kohlern)Sud : 5 km – ✉ 39100 – Bolzano

🍴   **Colle-Kohlern** con cam   ⇐ 🏡 🏠 🎿 rist, "🕪" 🅿 VISA ⓪ 🕭
– 𝒞 04 71 32 99 78 – www.kohlern.com – info@kohlern.com
– Fax 04 71 32 99 66 – chiuso dal 7 gennaio all'11 aprile
16 cam ⌂ – ♉60/120 € ♉♉80/160 € – ½ P 65/95 €
Rist – (chiuso lunedì) Carta 32/40 €
◆ Costruita nel 1908, la funivia che porta al Gasthof è stata la prima al mondo ad essere
realizzata. All'insegna della tradizione anche il ristorante, una semplice stube affacciata
sulla valle. Nata come locanda ai primi del Novecento, dispone anche di camere semplici e d'atmosfera

a Signato Nord-Est : 5 km – ✉ 39054

🍴   **Patscheider Hof**   ⇐ 🏡
(😊)   via Signato 178 – 𝒞 04 71 36 52 67 – chiuso dal 7 al 24 gennaio, luglio e
martedì
Rist – Carta 25/35 €
◆ In un autentico maso, cucina regionale di incontrastata qualità: le specialità in menu
non sono tante, ma gli ottimi prodotti utilizzati danno vita a piatti gustosi e ben fatti, di
cui si serberà un buon ricordo.

BOLZANO VICENTINO – Vicenza (VI) – 562F16 – 5 787 ab.   37 **B1**
– alt. 44 m – ✉ 36050
▶ Roma 539 – Padova 41 – Treviso 54 – Vicenza 9

🍴🍴   **Locanda Grego** con cam   🏡 🅰🄲 ⇋ "🕪" 🕭 🅿 VISA ⓪ 🄰🄴 🕭
via Roma 24 – 𝒞 04 44 35 05 88 – www.locandagrego.it – locanda.grego@
virgilio.it – Fax 04 44 35 06 95 – chiuso dal 26 dicembre all'8 gennaio
e 3 settimane in agosto
20 cam ⌂ – ♉47/52 € ♉♉72/82 € – ½ P 55 €
Rist – (chiuso sabato e domenica in luglio e le sere di domenica e mercoledì
negli altri mesi) Carta 27/37 €
◆ Tra i tavoli di una locanda che esiste dagli inizi dell'Ottocento, una calorosa accoglienza e proposte di cucina regionale con piatti preparati secondo stagione e tradizione. Camere linde e ben tenute, non eccessivamente grandi ma ben accessoriate.

BOLZONE – Cremona – Vedere Ripalta Cremasca

BONASSOLA – La Spezia (SP) – 561J10 – 954 ab. – ✉ 19011   15 **D2**
▶ Roma 456 – La Spezia 38 – Genova 83 – Milano 218
🄶 via Fratelli Rezzano 𝒞 0187 813500, info@prolocobonassola.it, Fax 0187
813529

🏠   **Delle Rose**   📑 🏵 🅰🄲 rist, 🎿 VISA ⓪ 🄰🄴 ⓪ 🕭
via Garibaldi 8 – 𝒞 01 87 81 37 13 – www.hoteldellerosebonassola.it – info@
hoteldellerosebonassola.it – Fax 01 87 81 42 68 – aprile-ottobre
26 cam ⌂ – ♉60/75 € ♉♉90/140 € – ½ P 70/82 €
Rist – (chiuso a mezzogiorno) Carta 32/37 €
◆ Una solida gestione familiare in grado di garantire nell'insieme un buon livello di ospitalità, sulla piazza di questo bel borgo di mare, a pochi passi dalla spiaggia. Cucina semplice e di fattura casalinga.

🏠 **Villa Belvedere** ⬅ � 🍴 rist, **P** 🆚 ⓤ 🅰 ⓞ ⑤
via Ammiraglio Serra 15 – ℰ 01 87 81 36 22
– www.bonassolahotelvillabelvedere.com – hotelvillabelvedere.hote@tin.it
– Fax 01 87 81 37 09 – 20 marzo-12 ottobre
22 cam 🛏 – ✝75/90 € ✝✝105/120 € – ½ P 72/80 €
Rist *– (chiuso a mezzogiorno) (solo per alloggiati)* Menu 30 €
♦ Piccolo albergo contornato da terrazze verdeggianti con vista mare. Gestione attenta, camere e ambienti comuni arredati con cura e semplicità.

BONDENO – Ferrara (FE) – 562H16 – 15 605 ab. – alt. 11 m – ✉ 44012   9 **C1**
🚗 Roma 443 – Bologna 69 – Ferrara 20 – Mantova 72

🍴🍴 **Tassi** con cam   🔌 🅰🅲 🍴 cam, **P** 🆚 ⓤ ⑤
viale Repubblica 23 – ℰ 05 32 89 30 30 – hotel.tassi@libero.it
– Fax 05 32 89 30 30 – chiuso 3 settimane in luglio
10 cam 🛏 – ✝60 € ✝✝70 € – ½ P 53 €
Rist *– (chiuso domenica sera e lunedì)* Carta 34/42 €
♦ Attivo dal 1918, in questo locale storico si cucina oggi la "salama da sugo" esattamente come 50 anni fa. Un ambiente classico con ampie vetrate, familiare ma non privo di fascino. Semplici e confortevoli le camere, tutte leggermente differenti tra loro nei colori.

BONDONE (Monte) – Trento (TN) – 562D15 – 670 ab. – alt. 2 098 m   30 **B3**
– Sport invernali : 1 175/2 090 m �533 5, ⛷
🚗 Roma 611 – Trento 24 – Bolzano 78 – Milano 263
ℹ (dicembre-aprile e luglio-agosto) a Vaneze ℰ 0461 947128, Fax 0461 947188

a Vason Nord : 2 km – alt. 1 680 m – ✉ 38100 – Vaneze

🏨 **Chalet Caminetto** ⬅ 🗔 🐾 🕭 🍴 🍴 ⑨ 🐛 **P** 🚗 🆚 ⓤ 🅰 ⓞ ⑤
località Vason 39/1 – ℰ 04 61 94 80 90 – www.chaletcaminetto.it – info@ chaletcaminetto.it – Fax 04 61 94 80 31 – 1° dicembre-15 aprile e 1° giugno -15 settembre
32 cam 🛏 – ✝55/70 € ✝✝70/130 € – ½ P 50/75 €
Rist *– (chiuso a mezzogiorno) (solo per alloggiati)*
♦ Appena oltre il passo, albergo da poco ristrutturato ed ampliato. Piccolo centro benessere ben attrezzato, camere con balcone: tutto sotto la supervisione diretta dei titolari.

BONFERRARO – Verona (VR) – 562G15 – alt. 20 m – ✉ 37060   35 **A3**
🚗 Roma 481 – Verona 35 – Ferrara 35 – Mantova 17

🍴🍴 **Sarti**   🏠 🅰🅲 🍴 ⬆ **P** 🆚 ⓤ 🅰 ⓞ ⑤
⊂⊃ *via Don Giovanni Benedini 1 – ℰ 04 57 32 02 33 – ristorante.sarti@libero.it*
– Fax 04 57 32 00 23 – chiuso dal 25 luglio al 18 agosto e martedì
Rist *– Carta 20/47 €* 🕸
♦ Ristorante classico, a conduzione familiare ed elegante negli arredi, propone una cucina di impostazione tradizionale e dispone di un'ampia carta di vini e distillati. Zona disimpegno con bar ad uso interno.

BORDIGHERA – Imperia (IM) – 561K4 – 10 546 ab. – ✉ 18012 ▊ Italia   14 **A3**
🚗 Roma 654 – Imperia 45 – Genova 155 – Milano 278
ℹ via Vittorio Emanuele II 172 ℰ 0184 262322, infobordighera@ rivieradeifiori.travel, Fax 0184 264455
◉ Località ★★

🏨 **Grand Hotel del Mare** 🕅 ⬅ 🚗 🍴 ⑨ 🐾 🕭 🔌 ✱✱ 🅰🅲 🍴 rist,
via Portico della Punta 34, Est : 2 km   🔌 **P** 🆚 ⓤ 🅰 ⓞ ⑤
– ℰ 01 84 26 22 01 – www.grandhoteldelmare.it – info@grandhoteldelmare.it
– Fax 01 84 26 23 94 – chiuso dal 1° ottobre al 22 dicembre
51 cam 🛏 – ✝190/280 € ✝✝230/400 € – 22 suites – ½ P 160/245 €
Rist *– Carta 42/73 €*
♦ In posizione isolata su una punta costiera, moderna struttura con generosi spazi comuni. Di due tipologie le camere: alcune con arredi d'epoca, altre di tono più classico, tutte affacciate sul mare. Ampie vetrate illuminano l'ariosa sala da pranzo arredata con eleganza d'impronta classica.

Parigi
⟨ ⟩ 🍴 🗲 🖧 👤 ♿ 🚹🚹 AC cam, ℅ rist, (🈂) VISA ⓪⓪ AE ⌚

lungomare Argentina 16/18 – 𝒞 *01 84 26 14 05 – www.hotelparigi.com – direzione@hotelparigi.com – Fax 01 84 26 04 21*
55 cam 🖵 – 🛏135 € 🛏🛏173 € – ½ P 117 € **Rist** – Carta 45/59 €
♦ Classiche o più moderne, con o senza vista mare le camere sono spaziose e di sobria eleganza. In pieno centro, l'ingresso è lungo la bella passeggiata pedonale a ridosso della spiaggia. Buffet di antipasti e di verdure e soprattutto il piacere di una bella vista panoramica sul mare per cene indimenticabili.

Piccolo Lido
⟨ 🍴 🗲 cam, AC ℅ rist, VISA ⓪⓪ AE ⓪ ⌚

lungomare Argentina 2 – 𝒞 *01 84 26 12 97 – www.hotelpiccololido.it – info@ hotelpiccololido.it – Fax 01 84 26 23 16 – chiuso dal 1° ottobre al 22 dicembre*
33 cam 🖵 – 🛏66/140 € 🛏🛏82/180 € – ½ P 59/120 € **Rist** – *(solo per alloggiati)*
♦ Recentemente dotata di una piacevole terrazza-solarium con vista sul mare, offre interni nei quali dominano i colori pastello e camere fresche dall'arredo fantasioso. All'inizio della passeggiata lungomare.

Villa Elisa
🚗 🍴 🗲 🖧 👤 ♿ AC ℅ rist, (🈂) P VISA ⓪⓪ AE ⓪ ⌚

via Romana 70 – 𝒞 *01 84 26 13 13 – www.villaelisa.com – info@villaelisa.com – Fax 01 84 26 19 42 – chiuso dal 15 novembre al 22 dicembre*
35 cam 🖵 – 🛏80/110 € 🛏🛏120/180 € – ½ P 100/115 € **Rist** – Menu 40/55 €
♦ Lungo la strada cha ha visto i fasti della belle époque, una villa circondata da un incantevole giardino in cui aleggiano fragranze di aranci, limoni e ulivi. Interni d'atmosfera. Luminosa e spaziosa la sala da pranzo.

La Via Romana
AC VISA ⓪⓪ AE ⓪ ⌚
🏵

via Romana 57 – 𝒞 *01 84 26 66 81 – www.laviaromana.it – info@laviaromana.it – Fax 01 84 26 75 49 – chiuso mercoledì e giovedì a mezzogiorno*
Rist – Menu 60 € bc/75 € – Carta 53/80 € 🌿
Spec. Calamaretti al rosmarino con panissa di ceci. Ravioli di mozzarella di bufala, burrata e ricotta di pecora, bietoline all'emulsione d'olio e parmigiano. Cartoccio di triglie e fiori di zucca in frittura leggera (maggio-novembre).
♦ La strada che celebrò Bordighera come una delle capitali della Belle Epoque apre un salone delle feste ad una cucina ligure tra stucchi e girocsala, tessuti e parquet.

Mimmo
🍴 ℅ VISA ⓪⓪ AE ⌚

via Vittorio Emanuele II 302 – 𝒞 *01 84 26 18 40 – mirizz@alice.it – chiuso dal 5 novembre al 5 dicembre, dal 30 giugno al 10 luglio e mercoledì*
Rist – (consigliata la prenotazione) Carta 48/110 €
♦ La porta si apre direttamente sull'unica, semplice sala del locale; in cucina, invece, passione ed entusiasmo si impadroniscono del pesce, sempre fresco, in virtù di un duraturo accordo con alcuni pescatori locali.

Carletto
AC ⟳ VISA ⓪⓪ AE ⓪ ⌚

via Vittorio Emanuele 339 – 𝒞 *01 84 26 17 25 – chiuso dal 25 giugno al 5 luglio, dal 10 novembre al 20 dicembre e mercoledì*
Rist – Menu 60/80 € – Carta 71/95 €
♦ Uno dei locali storici della riviera, non cede ad inutili formalismi, ma lascia spazio ad una cucina di sostanza. Pesce in piatti tradizionali, talvolta rivisitati.

Le Chaudron
🍴 AC VISA ⓪⓪ AE ⓪ ⌚

via Vittorio Emanuele 9 – 𝒞 *01 84 26 35 92 – reglisse1@alice.it – Fax 01 84 26 35 92 – chiuso dal 6 gennaio al 6 febbraio, domenica sera e lunedì*
Rist – Carta 48/63 €
♦ Un'antica dimora vicino al lungomare ospita questo grazioso ristorante di famiglia: dell'epoca rimane il suggestivo soffitto in mattoni e a volte. Il resto dell'arredo è nelle mani della fantasia...

Magiargè Vini e Cucina
🍴 AC VISA ⓪⓪ ⌚
☺

piazza Giacomo Viale, centro storico – 𝒞 *01 84 26 29 46 – www.magiarge.it – viniecucina@magiarge.it – Fax 01 84 26 29 46 – chiuso lunedì e martedì*
Rist – *(chiuso a mezzogiorno in luglio-agosto)* (consigliata la prenotazione) Menu 26/43 € – Carta 30/45 € 🌿
♦ Caratteristico e vivace, nell'affascinante centro storico della località, le salette sembrano scavate nella roccia, coperte da un soffitto a volta. Nessuna sorpresa dalla cucina: ligure e stuzzicante.

BORGARELLO – Pavia (PV) – 1 888 ab. – alt. 91 m – ✉ 27010

▶ Roma 604 – Alessandria 86 – Pavia 8 – Milano 30

XX **Locanda degli Eventi** 🏠 AC VISA ◍ ♿

😊 *via Principale 4 – 𝒸 03 82 93 33 03 – http//:blog.libero.it/locandaeventi
– gkbruzzo@hotmail.com – Fax 038 23 35 60 – chiuso domenica sera e lunedì*
Rist – (consigliata la prenotazione) Carta 26/36 €
♦ In una sala dall'elegante e rustica atmosfera o in veranda, si parte dalla sicurezza della tradizione per approdare a qualche creazione di tendenza contemporanea. In centro paese.

BORGARO TORINESE – Torino (TO) – 561G4 – 13 045 ab.
– alt. 254 m – ✉ 10071

▶ Roma 689 – Torino 10 – Milano 142

🏨 **Atlantic** 🔟 📶 ♿ AC ✄ 🅿️ rist, 🍽 🕼 🅿️ 🚗 VISA ◍ AE ① ♿
*via Lanzo 163 – 𝒸 01 14 50 00 55 – www.hotelatlantic.com – atlantic@
hotelatlantic.com – Fax 01 14 70 17 83*
110 cam ⬚ – †80/150 € ††130/255 € – ½ P 100/175 €
Rist *Il Rubino* – (chiuso dal 7 al 23 agosto e domenica) Carta 31/43 €
♦ Non distante dall'aeroporto, la struttura è destinata soprattutto a una clientela d'affari: offre ampi ambienti destinati ad un'attività congressuale, camere spaziose e piscina. Recentemente rinnovato in occasione dei giochi olimpici, il ristorante propone ricette classiche, senza dimenticare i piatti di stagione.

🏨 **Pacific Hotel Airport** 📶 ♿ cam, AC 🍽 rist, 🕼 🅿️ 🚗
viale Martiri della Libertà 76 – 𝒸 01 14 70 46 66 VISA ◍ AE ① ♿
– www.pacifichotels.it – hotelairport@pacifichotels.it – Fax 01 14 70 32 93
58 cam ⬚ – †120/150 € ††155/185 € – ½ P 80/95 €
Rist – (chiuso sabato, domenica e i giorni festivi) (chiuso a mezzogiorno)
Carta 22/40 €
♦ Apprezzato soprattutto da una clientela commerciale, l'hotel si trova in posizione defilata e dispone di camere ampie e funzionali spazi comuni anche se un po' ridotti. Moderno il ristorante, arredato esclusivamente con tavoli rotondi e comode poltroncine.

BORGHETTO – Verona – Vedere Valeggio sul Mincio

BORGHETTO D'ARROSCIA – Imperia (IM) – 561J5 – 475 ab.
– alt. 155 m – ✉ 18020

▶ Roma 604 – Imperia 28 – Genova 105 – Milano 228

a Gazzo Nord-Ovest : 6 km – **alt. 610 m** – ✉ 18020 – Borghetto d'Arroscia

XX **La Baita** 🅿️ VISA ◍ AE ① ♿

*località Gazzo – 𝒸 018 33 10 83 – www.labaitagazzo.it – labaitagazzo@
katamail.com – Fax 018 33 13 24 – chiuso da lunedì a mercoledì da luglio a
settembre, da lunedì a giovedì negli altri mesi*
Rist – Carta 27/37 €
♦ Locale rustico e al tempo stesso signorile, in un borgo dell'affascinante entroterra ligure. Funghi e tante specialità della tradizione con varie elaborazioni gustose.

BORGHETTO DI BORBERA – Alessandria (AL) – 561H8 – 1 973 ab.
– ✉ 15060

X **Il Fiorile** con cam ⬚ 🚗 🏠 AC cam, 🕼 🅿️ VISA ◍ AE ♿

😊 *via XXV Aprile 6, frazione Castel Ratti, Sud-Est: 2 km – 𝒸 01 43 69 73 03
– www.ilfiorile.com – info@ilfiorile.com – Fax 01 43 69 79 47
– chiuso dal 15 al 31 gennaio e dal 20 agosto al 5 settembre*
6 cam ⬚ – †65/70 € ††75/80 € – ½ P 57/60 €
Rist – (chiuso a mezzogiorno escluso sabato e domenica) (consigliata la prenotazione) Carta 26/36 €
♦ Quasi come in una cartolina, il calore di un vecchio fienile immerso nei colori e nel silenzio dei boschi nel quale vive l'entusiasmo di riscoprire i profumi e le ricette del passato. Al piano superiore, graziose camere arredate nel rilassante stile campestre, fra gusto retrò e confort contemporaneo.

BORGIO VEREZZI – Savona (SV) – 561J6 – **2 233 ab.** – ✉ 17022   14 **B2**

▶ Roma 574 – Genova 75 – Imperia 47 – Milano 198

🛈 (maggio-settembre) via Matteotti 158 📞 019 610412, borgioverezzi@inforiviera.it, Fax 019 610412

XXX   **Doc**   🍴 🏠 ⇔ 📶 ⓒ AE 🔥

via Vittorio Veneto 1 – 📞 019 61 14 77 – www.ristorantedoc.it – info@ristorantedoc.it – chiuso lunedì da giugno a settembre, anche martedì negli altri mesi

Rist – *(chiuso a mezzogiorno)* Carta 55/80 €

♦ All'interno di una signorile villetta d'inizio secolo adornata da un grazioso giardino, un ristorante dall'ambiente raccolto e curato, in cui godere di una certa eleganza e di una cucina di mare: moderna e creativa.

XX   **Da Casetta**   🏠 📶 ⓒ AE ⓞ 🔥

😊   *piazza San Pietro 12 – 📞 019 61 01 66 – www.dacasettaplayrestaurant.tv – Fax 019 61 01 66 – chiuso martedì*

Rist – *(chiuso a mezzogiorno escluso sabato-domenica e i giorni festivi da ottobre a giugno)* (consigliata la prenotazione) Carta 26/47 €

♦ Una piacevole passeggiata nel centro storico vi introdurrà a questo locale accogliente e caratteristico, dove la tavola è legata alle tradizioni gastronomiche regionali con molta carne e poche, ma curate, specialità di pesce.

BORGO A MOZZANO – Lucca (LU) – 563K13 – **7 323 ab.** – alt. 97 m   28 **B1** – ✉ 55023 | Toscana

▶ Roma 368 – Pisa 42 – Firenze 96 – Lucca 22

🏨   **Milano**   🏠 🖥 � cam, ᵗ⁰ ⅍ 🅿 📶 ⓒ AE ⓞ 🔥

😊😊   *via del Brennero, 9, località Socciglia, Sud-Est : 1,5 km – 📞 05 83 88 91 91 – www.hotelristorantemilano.info – hotelmilano@interfree.it – Fax 05 83 88 91 80 – chiuso dal 21 dicembre al 6 gennaio*

34 cam 🖵 – †48/68 € ††83/98 € – ½ P 55/75 €

Rist – *(chiuso dal 23 dicembre al 18 gennaio, sabato sera e domenica)* Carta 17/30 €

♦ Struttura imponente situata sulla strada che conduce all'Abetone; camere curate negli arredi, ampi spazi comuni anche se un po' démodé e sala giochi. Ideale per la clientela d'affari. Ampia sala ristorante, in menù la tradizione italiana e le specialità del territorio.

BORGO FAITI – Latina – 563R20 – **Vedere Latina**

BORGOMANERO – Novara (NO) – 561E7 – **19 886 ab.** – alt. 306 m   24 **A3** – ✉ 28021

▶ Roma 647 – Stresa 27 – Domodossola 59 – Milano 70

🏰 Castelconturbia, 📞 0322 83 20 93

🏌, 📞 0322 86 37 94

XXX   **Pinocchio** (Piero Bertinotti)   🍴 🏠 🎩 🍸 ⇔ 🅿 📶 ⓒ AE ⓞ 🔥

🏵   *via Matteotti 147 – 📞 032 28 22 73 – www.ristorantepinocchio.it – bertinotti@ristorantepinocchio.it – Fax 03 22 83 50 75 – chiuso dal 24 al 26 dicembre, dal 19 al 25 agosto, lunedì, martedì a mezzogiorno*

Rist – Carta 55/90 € 🍷

Spec. Filetto di pescatrice arrostito nel prosciutto stagionato in baita, melone alla griglia. Uovo in piedi in crosta di mandorle, ristretto al Vermouth Dry. Lumache di Domodossola in due maniere: al burro di montagna e noci, fritte in pastella con bagnetto rosso.

♦ Ambienti eleganti con richiami ad un passato rustico: la cucina riflette le tradizioni del territorio piemontese con piatti di carne proposti in interpretazioni più raffinate.

BORGONOVO VAL TIDONE – Piacenza (PC) – 561G10 – **7 044 ab.**   8 **A1** – alt. 114 m – ✉ 29011

▶ Roma 528 – Piacenza 23 – Genova 137 – Milano 67

🛈 piazza Garibaldi 18 📞 0523 861210, iatborgonovo@libero.it, Fax 0523861210

✗✗ La Palta 　　　　ＡＣ Ｐ ＶＩＳＡ ⓜⓞ ＡＥ ① ⛷

località Bilegno, Sud Est : 3 km – ℰ 05 23 86 21 03 – lapalta@libero.it
– Fax 05 23 86 50 20 – chiuso 10 giorni in gennaio, 20 giorni in luglio e lunedì
Rist – Menu 35/55 € – Carta 39/67 € ⅋⅋

◆ Eleganza e design contemporaneo per ricette piacentine rielaborate con gusto.
Recentemente ristrutturato, la terrazza ha lasciato il posto ad una bella veranda con
vetrate continue.

✗ Vecchia Trattoria Agazzino 　　　　ＡＣ ⅍ Ｐ ＶＩＳＡ ⓜⓞ ＡＥ ① ⛷

località Agazzino 335, Nord-Est : 7 km – ℰ 05 23 88 71 02 – gianskyb@alice.it
– chiuso dal 26 dicembre al 6 gennaio, dal ° al 27 agosto e martedì
Rist – *(chiuso la sera dal lunedì al giovedì)* Carta 20/32 €

◆ Due salette, di cui una con soffitto in mattoni, dove trovare una cucina genuina e tradizionale: la grande cascina in cui si trova il ristorante rappresenta in realtà l'intero
paese!

BORGO PANIGALE – Bologna – 563I15 – **Vedere Bologna**

BORGO PRIOLO – Pavia (PV) – 561H9 – **1 406 ab.** – **alt. 139 m**　　　　16 **B3**
– ✉ 27040

🖪 Roma 558 – Alessandria 60 – Genova 106 – Milano 70

⌂ Agriturismo Torrazzetta ⅍ 　　🚗 🏠 ⅃ ✗ ＡＣ ⅍ rist, 🖤 ⚓ Ｐ

frazione Torrazzetta 1, Nord-Ovest : 2 km　　　　　　　　ＶＩＳＡ ⓜⓞ ＡＥ ① ⛷
– ℰ 03 83 87 10 41 – www.torrazzetta.it – info@torrazzetta.it
– Fax 03 83 87 10 41
29 cam ⊡ – ♟49/70 € ♟♟74/90 € – ½ P 58/80 €
Rist – *(chiuso lunedì)* Menu 30/45 €

◆ In un luogo tranquillo sorge questa cascina di dimensioni notevoli, dagli ambienti di
tono rustico. Le camere sono semplici e funzionali, alcune soppalcate. La sala ristorante
è davvero ampia e frequentata soprattutto nei week-end.

BORGO SAN LORENZO – Firenze (FI) – 563K16 – **16 301 ab.**　　29 **C1**
– **alt. 193 m** – ✉ 50032█ Toscana

🖪 Roma 308 – Firenze 25 – Bologna 89 – Forlì 97
🖪🖪 Poggio dei Medici a Scarperia, ℰ 055 843 50

🏨 Park Hotel Ripaverde 　　🖤 ℎ₆ 🖼 ⅃ & cam, ＡＣ ⅍ rist, 🖤 ⚓ Ｐ

viale Giovanni XXIII 36 – ℰ 05 58 49 60 03　　　　　　　ＶＩＳＡ ⓜⓞ ＡＥ ① ⛷
– www.ripaverde.it – info@ripaverde.it – Fax 05 58 45 93 79
54 cam ⊡ – ♟♟140/249 € – 3 suites
Rist L'O di Giotto – *(chiuso 15 giorni ad agosto e domenica) (chiuso a mezzogiorno)* Carta 33/58 €

◆ Hotel recente, situato alle porte della cittadina, nei pressi dell'ospedale. Si respira
ancora aria di nuovo e il confort è facilmente fruibile in tutti gli ambienti. Ingresso indipendente per il ristorante: un ambiente elegante con luminose vetrate.

🏠 Locanda degli Artisti 　　　　ＡＣ ⚉ ＶＩＳＡ ⓜⓞ ⛷

*piazza Romagnoli 2 – ℰ 05 58 45 53 59 – www.locandartisti.it – info@
locandartisti.it – Fax 05 58 45 01 16*
7 cam ⊡ – ♟70/90 € ♟♟90/150 €
Rist Degli Artisti – vedere selezione ristoranti

◆ Piccola struttura con spazi comuni, sala colazione e soggiorno abbastanza ridotti, ma
sicuramente accoglienti. Camere curate, gestione attenta e cordiale.

✗✗ Degli Artisti 　　　　🗟 ⅍ ⚉ ＶＩＳＡ ⓜⓞ ＡＥ ① ⛷

piazza Romagnoli 1 – ℰ 05 58 45 77 07 – www.ristorantedegliartisti.it
– donatella@ristorantedegliartisti.it – Fax 05 58 44 98 87
– chiuso dal 10 al 30 gennaio e mercoledì
Rist – Menu 40 € – Carta 40/49 €

◆ Per chi cerca una cucina legata al territorio, ma rivisitata con fantasia. Una casa del
centro, con servizio estivo sotto al pergolato, e vineria con prodotti tipici regionali.

sulla strada statale 302 Sud-Ovest : 15 km :

⌂ **Casa Palmira** senza rist ⌖   🚗 ⚙ **P**
località Feriolo-Polcanto ⊠ *50032 – ℰ 05 58 40 97 49 – www.casapalmira.it*
– info@casapalmira.it – Fax 05 58 40 97 49 – chiuso dal 20 gennaio al 10 marzo
6 cam ⊡ – †60/70 € ††85/100 €
♦ Un fienile ristrutturato di un'antica casa colonica nel quale l'ospitalità ha un sapore antico e intimo. Ci si sente a casa di amici, nella verde campagna del Mugello.

BORGOSESIA – Vercelli (VC) – 561E6 – 13 849 ab. – alt. 354 m   23 **C1**
– ⊠ 13011
    ▶ Roma 684 – Stresa 60 – Milano 97 – Novara 44

✗✗ **Casa Galloni 1669**   🆎 ⚙ ⇄ **VISA** ⦿ 🆎 ⓞ ➎
via Cairoli 42 – ℰ 016 32 32 54 – casagalloni@libero.it – Fax 016 32 32 54
– chiuso agosto, domenica sera e lunedì
Rist – Carta 24/39 € 🌮
♦ Nel centro storico, intimo e raccolto sin dal giardino che si attraversa per salire, al primo piano, alle tre sale dove viene servita una cucina tradizionale ma rivisitata.

BORGO VAL DI TARO – Parma (PR) – 562I11 – 7 159 ab. – alt. 411 m   8 **A2**
– ⊠ 43043
    ▶ Roma 473 – La Spezia 73 – Parma 72 – Bologna 163

⌂ **Agriturismo Cà Bianca** ⌖   🚗 ⦿ ⚙ **P** **VISA** ⦿ 🆎 ⓞ ➎
località Ostia Parmense 84, Nord-Est : 7 km – ℰ 052 59 80 03
– www.agriturismo-cabianca.it – info@agriturismo-cabianca.it – Fax 052 59 82 13
– chiuso dal 15 gennaio al 15 febbraio
7 cam ⊡ – ††85/105 €
Rist – *(aperto sabato, domenica ed agosto)* (prenotazione obbligatoria)
Menu 22/30 €
♦ Ai bordi di un affluente del Taro, un piacevole cascinale interamente ristrutturato: camere con arredi d'epoca e recuperati da vari mercatini. Uno scrigno fiabesco! Al ristorante cucina tipica e ricette emiliane.

BORGO VERCELLI – Vercelli (VC) – 561F7 – 2 143 ab. – alt. 126 m   23 **C2**
– ⊠ 13012
    ▶ Roma 640 – Alessandria 59 – Milano 68 – Novara 15

✗✗✗ **Osteria Cascina dei Fiori**   🆎 ⚙ ⇄ **P** **VISA** ⦿ 🆎 ➎
regione Forte - Cascina dei Fiori – ℰ 016 13 28 27 – Fax 01 61 32 99 28
– chiuso 2 settimane in gennaio, luglio, domenica e lunedì
Rist – Carta 30/65 €
♦ Ambiente rustico elegante, presenta una cucina con una linea gastronomica legata al territorio, anche se non mancano alcune proposte innovative. Discreta cantina.

BORMIO – Sondrio (SO) – 561C13 – 4 084 ab. – alt. 1 225 m – Sport   17 **C1**
invernali : 1 225/3 012 m ⛷2 ⛷9, ⚡ – ⊠ 23032
    ▶ Roma 763 – Sondrio 64 – Bolzano 123 – Milano 202
    🄸 via Roma 131/b ℰ 0342 903300, infobormio@provincia.so.it, Fax 0342
    904696
    🄵 , ℰ 0342 91 07 30

🏨 **Baita dei Pini**   🚗 🅟 🛁 🖥 ↔ ⚙ rist, ¶ 🅰 **P** 🚗
via Peccedì 15 – ℰ 03 42 90 43 46   **VISA** ⦿ 🆎 ⓞ ➎
– www.baitadeipini.com – baitadeipini@baitadeipini.com – Fax 03 42 90 47 00
– dicembre-20 aprile e 15 giugno-20 settembre
43 cam – †50/106 € ††79/170 €, ⊡ 12 € – 3 suites – ½ P 70/135 €
Rist – Menu 26/40 €
♦ Hotel adiacente il centro con una gestione diretta, attenta e dinamica. Ambienti in piacevole stile montano con rivestimenti in legno naturale. Impronta altoatesina anche nelle confortevoli camere. Al ristorante: gustose specialità locali e cucina classica.

⌂⌂⌂ Posta ⌂⌂⌂ 🐕 🗖 🕎 📠 🖨 🐾 rist, 🕻 🔥 🚗 VISA 🐠 AE ① ⛷

*via Roma 66 – ℰ 03 42 90 47 53 – www.hotelposta.bormio.it – hotelposta@
bormio.it – Fax 03 42 90 44 84 – dicembre-aprile e giugno-ottobre*
26 cam ⌷ – ♦75/150 € ♦♦100/200 € – 2 suites – ½ P 75/125 €
Rist – *(chiuso a mezzogiorno da dicembre ad aprile)* Carta 34/49 €
♦ Albergo di lunga tradizione in pieno centro storico, nato a metà '800 come "ostello di
posta". Calde camere con mobili in stile; originale piscina ricavata in una stalla Seicentesca. Ristorante di stampo classico con ampie proposte di cucina nazionale.

⌂⌂ Genzianella 🕎 🖨 🕎 🐾 📠 🐾 P VISA 🐠 ⛷

*via Funivie, (angolo via Zandilla, 6) – ℰ 03 42 90 44 85 – www.genzianella.com
– info@genzianella.com – Fax 03 42 90 41 58 – dicembre-aprile e giugno-
settembre*
40 cam ⌷ – ♦55/90 € ♦♦100/150 € – ½ P 88/115 €
Rist – *(chiuso a mezzogiorno da dicembre ad aprile)* Menu 22/40 €
♦ Hotel ideale per turisti e famiglie: poco distante dagli impianti di risalita e ristrutturato
con grande attenzione per i particolari nonché per il confort. Piacevole sala ristorante
con proposte regionali valtellinesi.

⌂⌂ Miramonti Park Hotel 📠 🕎 🐾 🐾 🐾 rist, 🐾 P VISA 🐠 AE ① ⛷

*via Milano 50 – ℰ 03 42 90 33 12 – www.miramontibormio.it – miramonti@
miramontibormio.it – Fax 03 42 90 52 22*
50 cam – ♦75/105 € ♦♦120/180 €, ⌷ 15 € – ½ P 84/120 €
Rist – Carta 28/42 €
♦ Alle porte della località, hotel dal signorile stile montano con caldi ed accoglienti
ambienti comuni, nonché confortevoli camere. Piccolo centro benessere per un soggiorno rigenerante. Specialità alla griglia al ristorante.

⌂⌂ SantAnton ⟨ 🕎 📠 🖨 🐾 🚗 P 🚗 VISA 🐠 AE ① ⛷

*via Leghe Grigie 1 – ℰ 03 42 90 19 06 – www.santanton.com – info@
santanton.com – Fax 03 42 91 93 08*
43 cam ⌷ – ♦50/132 € ♦♦100/220 € – ½ P 107/125 € **Rist** – Carta 31/45 €
♦ Albergo-residence di fronte alle terme. A disposizione degli ospiti camere tradizionali, ma anche appartamenti dotati di angolo cottura. Ristorante dalle saporite proposte
mediterranee.

⌂⌂ Alù ⟨ 📠 🕎 🖨 🐾 🐾 🐾 P VISA 🐠 ⛷

*via Btg. Morbegno 20 – ℰ 03 42 90 45 04 – www.hotelalu.it – info@hotelalu.it
– Fax 03 42 91 04 44 – dicembre-20 aprile e 15 giugno-15 settembre*
30 cam ⌷ – ♦55/85 € ♦♦80/170 €, ⌷ 10 € – ½ P 58/120 € **Rist** – Carta 25/38 €
♦ A pochi metri di distanza dalla partenza della funivia per Bormio2000, una risorsa
molto curata con stanze di buon livello e spazi comuni caldi e signorili. Piccolo e grazioso centro benessere. Ristorante d'albergo con tavoli ben distanziati e clima rilassante.

⌂⌂ Larice Bianco ⟨ 🕎 📠 🖨 🐾 🐾 P VISA 🐠 ⛷

*via Funivia 10 – ℰ 03 42 90 46 93 – www.laricebianco.it – info@laricebianco.it
– Fax 03 42 90 46 14 – dicembre-Pasqua e 15 giugno-15 settembre*
45 cam – ♦80 € ♦♦130 €, ⌷ 10 € – ½ P 110 €
Rist – *(solo per alloggiati)* Menu 35 €
♦ In comoda posizione, tra il centro storico e gli impianti di risalita, hotel a conduzione
familiare: confortevole e con spazi comuni di gran respiro. Giardino ombreggiato. Sala
da pranzo in stile.

⌂ La Baitina dei Pini *senza rist* 📠 🐾 P VISA 🐠 AE ① ⛷

*via Peccedì 26 – ℰ 03 42 90 30 22 – www.labaitina.info – labaitina@bormio.it
– Fax 03 42 90 30 22 – dicembre-20 aprile e giugno-20 settembre*
10 cam ⌷ – ♦46/55 € ♦♦92/110 €
♦ Per chi preferisce sentirsi ospitato in famiglia piuttosto che da una struttura alberghiera: il clima e l'atmosfera sono amichevoli e la gestione ispirata all'informalità.

XX Al Filo' 🐾 P VISA 🐠 ⛷

*via Dante 6 – ℰ 03 42 90 17 32 – www.ristorantealfilo.it – filo@bormio.it
– Fax 03 42 90 17 32 – chiuso dal 2 al 27 giugno, dal 3 novembre al 3 dicembre,
lunedì e martedì a mezzogiorno escluso dicembre e luglio-agosto*
Rist – Carta 26/36 €
♦ In un fienile settecentesco dalle caratteristiche pareti in pietra, specialità della tradi-
zione valtellinese e sapori del territorio fantasiosamente reinterpretati dallo *chef*.

✗ **Buca 19** ⚐ ✗ ⇄ **P** **VISA** ⓪ ⓢ
via Giustizia – ☎ *33 95 62 33 75* – *burelin@libero.it* – *chiuso marzo, novembre e mercoledì escluso 15 giugno-15 settembre*
Rist – *(chiuso a mezzogiorno escluso aprile-ottobre)* (prenotazione obbligatoria)
Carta 26/35 €
♦ All'ingresso del golf club una casa costruita con tronchi di legno chiaro: piacevole atmosfera, menu simpaticamente presentato a voce e cucina saporitamente mediterranea.

a Ciuk Sud-Est : 5,5 km o 10 mn di funivia – **alt. 1 690 m** – ✉ **23030** – **Valdisotto**

🏠 **Baita de Mario** ⇐ ⚐ |≠| ✗ cam, **P** **VISA** ⓪ ⓢ
– ☎ *03 42 90 14 24* – *www.baitademario.com* – *info@baitademario.com*
– *Fax 03 42 91 08 80* – *dicembre-10 maggio e luglio-settembre*
22 cam – ♦40/50 € ♦♦60/82 €, ⥮ 6 € – ½ P 64/74 €   **Rist** – Carta 25/32 €
♦ Direttamente sulle piste da sci per vivere appieno la montagna, una rustica baita a gestione familiare: arredi lignei e buon confort. Tipiche e genuine specialità valtellinesi nell'ampia sala ristorante.

BORNO – Brescia (BS) – *561E12* – **2 746 ab.** – **alt. 903 m** – **Sport**   17 **C2**
invernali : 1000/1 700 m ⚡7 – ✉ **25042**
▷ Roma 634 – Brescia 79 – Bergamo 72 – Bolzano 171

↗ **Zanaglio** senza rist ☎⚐ **P** **VISA** ⓪ ⓢ
via Trieste 3 – ☎ *036 44 15 20* – *zanaglio.diana@libero.it* – Fax 036 44 10 33
6 cam ⥮ – ♦59/72 € ♦♦75/95 €
♦ Poche camere immerse nella storia, dall'edificio di origini quattrocentesche agli arredi di epoche diverse. Originale, signorile, di recente ristrutturazione.

✗ **Belvedere** **P** **VISA** ⓪ **AE** ⓪ ⓢ
🍴 *viale Giardini 30* – ☎ *03 64 31 16 23* – *hotel-belvedere@libero.it*
– *Fax 036 44 10 52* – *chiuso dal 30 settembre al 15 ottobre e mercoledì*
Rist – Carta 21/30 €
♦ La cucina casalinga che riscopre i sapori del territorio è il forte richiamo per gli amanti di piatti semplici e genuini, mentre la sincera accoglienza familiare renderà piacevole ogni sosta.

BORROMEE (Isole)★★★ – **Verbano-Cusio-Ossola (VB)** – *561E7*   24 **A1**
– **alt. 200 m** Italia
▣ Isola Bella★★★ – Isola Madre★★★ – Isola dei Pescatori★★

Piante delle Isole : vedere Stresa

ISOLA SUPERIORE O DEI PESCATORI (VB) – ✉ **28049** – **Stresa**

🏠 **Verbano** 🦢 ⇐ ⇌ ⚐ ✸✸ **VISA** ⓪ **AE** ⓪ ⓢ
via Ugo Ara 2 – ☎ *032 33 04 08* – *www.hotelverbano.it* – *hotelverbano@tin.it*
– *Fax 032 33 31 29* – *aprile-4 novembre*
12 cam ⥮ – ♦100/120 € ♦♦160/180 € – ½ P 110/130 €   **Rist** – Carta 49/68 €
♦ In posizione particolarmente suggestiva, con vista sull'Isola Bella, un antico palazzo adatto per un soggiorno di tranquillità negli ampi spazi comuni e nelle orignali camere. Affacciato sul lago, il ristorante propone una cucina legata al territorio, mentre la terrazza è ideale per pranzi estivi e romantiche cene.

✗✗ **Casabella** ⚐ **AK** **VISA** ⓪ **AE** ⓪ ⓢ
via del Marinaio 1 – ☎ *032 33 34 71* – *www.isola-pescatori.it* – *info@isola-pescatori.it* – *Fax 032 33 07 58* – *chiuso dal 2 al 26 gennaio*
Rist – Carta 35/57 €
♦ Di fronte all'imbarcadero, una raccolta sala con vetrate ed una piccola e graziosa terrazza con bella vista sul lago dove gustare la cucina locale d'ispirazione moderna.

BOSA – Nuoro – *566G7* – **Vedere Sardegna alla fine dell'elenco alfabetico**

BOSCO – Perugia – **Vedere Perugia**

BOSCO CHIESANUOVA – Verona (VR) – 562F15 – **3 323 ab.**   35 **A2**
– alt. 1 104 m – Sport invernali : 1 100/1 800 m ⅃3, ⅃ – ⊠ 37021
> ◩ Roma 534 – Verona 32 – Brescia 101 – Milano 188
> ◧ piazza della Chiesa 34 ℰ 045 7050088, iatbosco@provinvia .vr.it, Fax 045
> 7050088

🏠 **Lessinia**   Ⓖ 📵 🚶 ⅃ rist, 🍷 🚗 ⓋⒾⓈⒶ ⓄⓄ ↻
⊖⊖   *piazzetta degli Alpini 2/3* – ℰ *04 56 78 01 51* – *www.hotellessinia.it*
      – *hotellessina@libero.it* – *Fax 04 56 78 00 98*
      – *chiuso dal 15 al 25 giugno e dal 5 al 15 settembre*
      22 cam – ♦35/50 € ♦♦60/85 €, ⊑ 6 € – ½ P 38/60 €
      Rist – *(chiuso martedì)* Carta 20/25 €
      ♦ Ad un'altitudine di poco superiore ai 1000 metri, una buona risorsa molto sfruttata da
      escursionisti, ma anche da chi viaggia per lavoro. Gestione tipicamente familiare. Due
      sale da pranzo, clima alla buona, cucina che segue la tradizione locale.

BOSCO MARENGO – Alessandria (AL) – 561H8 – **2 477 ab.**   23 **C2**
– alt. 121 m – ⊠ 15062
> ◩ Roma 575 – Alessandria 18 – Genova 80 – Milano 95

🍴 **Locanda dell'Olmo**   ⒶⒸ ✦ ⓋⒾⓈⒶ ⓄⓄ ↻
⊛   *piazza Mercato 7* – ℰ *01 31 29 91 86* – *www.locandadellolmo.it* – *info@*
    locandadellolmo.it – *Fax 01 31 28 91 86*
    – *chiuso dal 25 dicembre al 5 gennaio, agosto, martedì sera e lunedì*
    Rist – Carta 25/33 €
    ♦ Affacciato sulla piazza del mercato, il locale è sempre molto frequentato grazie pro-
    prio ai piatti curati e fragranti che si ispirano al territorio. Evidenti influenze liguri tra i
    secondi.

BOSCO VERDE – Belluno – 562C17 – **Vedere Rocca Pietore**

BOSSOLASCO – Cuneo (CN) – 561I6 – **697 ab.** – alt. 757 m – ⊠ 12060   25 **C3**
> ◩ Roma 606 – Cuneo 65 – Asti 61 – Milano 185

🏠 **La Panoramica**   ⪜ 🚗 📵 ⅃ cam, 🚶 ⅃ 🅿 🚗 ⓋⒾⓈⒶ ⓄⓄ ⒶⒺ ↻
⊖⊖   *via Circonvallazione 1* – ℰ *01 73 79 34 01* – *www.lapanoramica.com* – *info@*
      lapanoramica.com – *Fax 01 73 79 34 01* – *chiuso dal 10 gennaio al 20 febbraio*
      24 cam ⊑ – ♦67 € ♦♦78 € – ½ P 55/60 €
      Rist – *(chiuso lunedì e martedì escluso da giugno a settembre)* Carta 20/25 €
      ♦ Dalla pianura del cuneese all'arco alpino la panoramica offerta dalla risorsa. Familiare
      e funzionale, è una tappa per rilassarsi dalla frenetica routine quotidiana. Piatti piemon-
      tesi e casalinghi: quella della ristorazione è l'attività con cui è nata la struttura.

BOTTANUCO – Bergamo (BG) – **4 730 ab.** – alt. 211 m – ⊠ 24040   19 **C2**
> ◩ Roma 597 – Bergamo 21 – Milano 41 – Lecco 45

🏢 **Villa Cavour**   🚗 📵 ⅃ rist, ⒶⒸ ⅃ 🍷 ⅃ 🅿 ⓋⒾⓈⒶ ⓄⓄ ⒶⒺ Ⓞ ↻
    via Cavour 49 – ℰ *035 90 72 42* – *www.villacavour.com* – *info@villacavour.com*
    – *Fax 035 90 64 34* – *chiuso dal 1° al 9 gennaio e 3 settimane in agosto*
    16 cam ⊑ – ♦70/80 € ♦♦98/120 €
    Rist – *(chiuso domenica sera)* Carta 40/70 €
    ♦ Hotel molto sfruttato dalla clientela d'affari di passaggio per questa zona, ricca di atti-
    vità produttive. Struttura recente, molto curata, con confort di buon livello. Per i pasti
    non il solito ristorante d'albergo, ma una sala con tocchi d'eleganza.

BOTTICINO – Brescia (BS) – 561F12 – **9 924 ab.** – alt. 160 m   17 **C1**
– ⊠ 25082
> ◩ Roma 560 – Brescia 9 – Milano 103 – Verona 44

🍴 **Eva**   ⪜ ⅃ 🅿 ⓋⒾⓈⒶ ⓄⓄ ⒶⒺ Ⓞ ↻
    via Gazzolo 75, località Botticino Mattina, Nord-Est : 2,5 km – ℰ *03 02 69 17 56*
    – *remofant@tin.it* – *Fax 03 02 69 17 56* – *chiuso 10 giorni in gennaio, 15 giorni in*
    agosto, martedì sera e mercoledì
    Rist – Carta 31/43 €
    ♦ Un rustico di campagna in collina e una famiglia che in passato ha lavorato nel set-
    tore delle carni, ma che ha sempre avuto la passione per la ristorazione: bel connubio.

BOVES – Cuneo (CN) – 561J4 – **9 380 ab.** - alt. 590 m – ⊠ 12012   22 **B3**
> ▶ Roma 645 – Cuneo 15 – Milano 225 – Savona 100
> 🔝 Cuneo, ✆ 0171 38 70 41

a Fontanelle Ovest : 2 km – ⊠ **12012** – BOVES

X   **Fontanelle-da Politano** con cam   🛥 ⏰ rist, ⁇ rist, **P.** *VISA* **④ ⑤**
          via Santuario 125 – ✆ *01 71 38 03 83* – *Fax 01 71 38 03 83*
          14 cam – ♦37 € ♦♦57 €, ⌑ 5 € – ½ P 42 €
          Rist – *(chiuso lunedì sera e martedì)* Carta 26/41 €
          ♦ Tradizionale ristorante, composto da una sala ampia e da una più piccola e tranquilla,
          presenta specialità tipiche piemontesi, senza bizzarrie o iniezioni di fantasia.

a Rivoira Sud-Est :2 km – ⊠ **12012** – BOVES

⭡   **Agriturismo La Bisalta e Rist. Locanda del Re** ◈   ≤ 🛥
🏮   *via Tetti Re 5* – ✆ *01 71 38 87 82*   ⁇ ⅙ cam, ⁇ **P** *VISA* **④ ⑤** AE ① ⑤
          – *Fax 01 71 38 87 82* – *maggio-15 ottobre*
          5 cam – ♦50 € ♦♦60 €, ⌑ 6 € – ½ P 56 €   **Rist** – (prenotare) Menu 24/32 €
          ♦ Risorsa ben organizzata, gestita con attenzione e intraprendenza. L'edificio conserva al
          proprio interno elementi architettonici settecenteschi di indubbio pregio. Cucina con
          vari piatti a base di lumache, allevate biologicamente dai proprietari.

BOVOLONE – Verona (VR) – 562G15 – **13 607 ab.** - alt. 24 m   35 **B3**
– ⊠ 37051
> ▶ Roma 498 – Verona 23 – Ferrara 76 – Mantova 41

🏠   **Sasso**   🖃 ⏰ ⁇ ⁇ **P.** 🚗 *VISA* **④** AE ① ⑤
          via San Pierino 318, Sud-Est : 3 km – ✆ *04 57 10 04 33* – *www.hotelsasso.com*
          – *info@hotelsasso.com* – *Fax 04 57 10 02 28*
          32 cam – ♦55/75 € ♦♦70/110 € – ½ P 73/80 €
          Rist – *(chiuso dal 2 al 20 gennaio, domenica sera e sabato)* Carta 27/35 €
          ♦ Struttura estremamente funzionale e frequentata soprattutto da una clientela d'af-
          fari; in posizione campestre, isolata e tranquilla, offre un buon livello di confort. Per la
          cucina si va sul sicuro grazie all'ormai quarantennale esperienza dei proprietari nel
          campo della ristorazione.

BOZEN = Bolzano

BRA – Cuneo (CN) – 561H5 – **28 541 ab.** - alt. 280 m – ⊠ 12042   22 **B3**
> ▶ Roma 648 – Cuneo 47 – Torino 49 – Asti 46
> 🖪 via Moffa di Lisio 14 ✆ 0172 438324, turismo@comune.bra.cn.it, Fax 0172
> 44333

🏨   **Cavalieri**   🕉 🖃 ⅙ ⏰ ⁇ rist, ⁈ 🔥 **P.** 🚗 *VISA* **④** AE ① ⑤
          piazza Giovanni Arpino 37 – ✆ *01 72 42 15 16* – *www.hotelcavalieri.net* – *info@*
          hotelcavalieri.net – *Fax 01 72 42 90 20*
          88 cam ⌑ – ♦80/100 € ♦♦115/135 € – ½ P 50/90 €
          Rist *Il Principe* – ✆ *01 72 43 05 12* *(chiuso agosto)* Menu 25/32 €
          – Carta 29/47 €
          ♦ Si trova proprio di fronte al campo da hockey su prato, nella zona degli impianti spor-
          tivi, moderna e funzionale ed ideale per chi si sposta per affari o per un'escursione nelle
          Langhe. Cucina piemontese e nazionale, ma anche piatti di mare, le creazioni del gio-
          vane chef.

🏨   **Cantine Ascheri**   🏠 🖃 ⅙ cam, ⏰ ⁇ cam, ⓦ 🔥 **P**
          via Piumati 25 – ✆ *01 72 43 03 12*   *VISA* **④** AE ① ⑤
          – *www.ascherivini.it* – *albergo@ascherivini.it* – *Fax 01 72 41 87 76*
          – *chiuso dal 23 dicembre al 7 gennaio e dal 7 al 24 agosto*
          27 cam ⌑ – ♦100 € ♦♦130 €
          Rist *Osteria Murivecchi* – ✆ *01 72 43 10 08* *(chiuso lunedì e i mezzogiorno di*
          sabato e domenica) Carta 23/29 €
          ♦ Hotel moderno, dal design fortemente personalizzato ed originale, costruito sopra le
          cantine dell'azienda vinicola. Camere luminose dove il confort raggiunge ottimi livelli.
          Antiche mura ad archi ed elementi architettonici moderni si intrecciano nell'*Osteria Muri-
          vecchi*, che propone piatti del territorio.

⌂ **L'Ombra della Collina** senza rist   P VISA ⑩ ⓞ ⚲
🖼 *via Mendicità Istruita 47 – ℰ 017 24 48 84 – www.lombradellacollina.it*
– lombradellacollina@libero.it – Fax 017 24 48 84
6 cam ☲ – †62 € ††78 €
♦ Ora sono 6 le camere, tutte dello stesso stile, sobrio eppure confortevole, affacciate sul cortile. Di fascino l'ubicazione in una corte, nel cuore del centro storico.

✗ **Battaglino**   🏠 VISA ⑩ ⚲
piazza Roma 18 – ℰ 01 72 41 25 09 – www.ristorantebattaglino.it
– info@ristorantebattaglino.it – Fax 01 72 41 28 74
– chiuso dal 7 al 17 gennaio, dal 7 al 30 agosto, domenica sera e lunedì
Rist – (consigliata la prenotazione) Menu 25/35 € – Carta 26/32 €
♦ Dal 1919, una gestione familiare vivace e cortese da sempre impegnata nel settore della ristorazione. Fiera di questa garanzia, propone i piatti del piemontese più caratteristico.

✗ **Boccondivino**   ⟷ VISA ⑩ AE ⓞ ⚲
via Mendicità Istruita 14 – ℰ 01 72 42 56 74 – www.boccondivinoslow.it
– info@boccondivinoslow.it – Fax 01 72 43 15 70
– chiuso domenica e lunedì escluso ottobre e novembre
Rist – Carta 24/31 € ⌖
♦ Al primo piano di una casa di ringhiera nel pieno centro storico, due salette ed una più grande tappezzata di bottiglie per una cucina piemontese genuina, accompagnata da buon vino.

a Pollenzo Sud-Est : 7 km – ✉ 12060

🏢 **Albergo dell'Agenzia**   🛋 🏠 ⌗ ℉ 🔔 🔊 AC ((‖)) 🏝 P 🚗
via Fossano 21 – ℰ 01 72 45 86 00   VISA ⑩ AE ⓞ ⚲
– www.albergoagenzia.it – info@albergoagenzia.it – Fax 01 72 45 86 45
– chiuso dal 24 dicembre al 7 gennaio
44 cam ☲ – †155/195 € ††195/240 € – 3 suites
Rist – (chiuso domenica) Carta 28/37 €
♦ All'interno di un suggestivo complesso neogotico databile all'epoca di re Carlo Alberto di Savoia, camere tutte arredate con cura e dotate di ogni confort. Al ristorante, la cucina del territorio.

🏢 **La Corte Albertina** senza rist   ⚲ AC ((‖)) P VISA ⑩ AE ⓞ ⚲
via Amedeo di Savoia 8 – ℰ 01 72 45 84 10 – www.lacortealbertina.it
– info@lacortealbertina.it – Fax 01 72 45 89 21
– chiuso dal 10 al 20 agosto
25 cam ☲ – †87/95 € ††103/146 €
♦ Una risorsa in cui la comodità si coniuga volentieri a spunti d'eleganza, muovendosi tra arredi assolutamente nuovi. Volte in mattoni a testimoniare le antiche origini.

✗✗✗ **Guido** (Alciati e Mongelli)   AC VISA ⑩ ⓞ ⚲
⌘ *via Fossano 19 – ℰ 01 72 45 84 22 – alciatimongelli@hotmail.it*
– Fax 01 72 05 42 78 – chiuso dal 24 dicembre al 15 gennaio, 3 settimane in agosto, domenica e lunedì
Rist – (chiuso a mezzogiorno escluso da ottobre a dicembre) Carta 60/90 €
Spec. Cappesante al lardo e finocchi al guanciale. Faraona al forno con salsa "della beccaccia". Sformato caldo di pistacchio fondente.
♦ In un caratteristico complesso neogotico, mattoni e legno si coniugano all'interno con arredi più moderni. Cucina tradizionale langarola e piatti di pesce.

✗✗ **La Corte Albertina**   AC P VISA ⑩ ⓞ ⚲
piazza Vittorio Emanuele 3 – ℰ 01 72 45 81 89 – www.ristlacortealbertina.it
– info@ristlacortealbertina.it – Fax 01 72 45 81 89 – chiuso 10 giorni in agosto, mercoledì e domenica sera
Rist – (chiuso a mezzogiorno) (consigliata la prenotazione) Carta 32/44 €
♦ Ristorante ricavato da un ampio portico ristrutturato, racchiuso da pareti a vetro, all'interno di un complesso neogotico del XIX sec. Stile ricercato, ma informale.

BRA

sulla strada statale 231 Est : 3 km :

🏠 **Borgo San Martino**   &cam, AC rist, (°) P VISA ❻❺ AE ❶ ✆

borgo San Martino 7 – ℰ 01 72 43 05 63 – www.sanmartinohotel.it – info@
sanmartino-hotel.it – Fax 01 72 41 48 75

24 cam ☐ – ▮50/60 € ▮▮65 €

Rist L'Ostu 'd Racunis – ℰ 01 72 43 00 58 (chiuso 1 settimana in gennaio,
3 settimane in agosto, mercoledì e sabato a mezzogiorno) Carta 12/18 €

◆ Piccolo borgo raccolto accoccolato a lato della strada, rinnovato in anni recenti. Le
camere si affacciano verso la campagna e garantisco un ottimo riposo a prezzi corretti.
Ambiente accogliente, rapido e sempre gentile il servizio, per riscoprire la cucina piemontese, presentata senza artifici della fantasia.

BRACCIANO – Roma (RM) – 563P18 – **14 983 ab.** – alt. 280 m   12 **B2**
– ✉ 00062

▶ Roma 41 – Viterbo 53 – Civitavecchia 51 – Terni 98

🏠 **Villa Clementina** ✍   🚗 🏠 ⌚ ❀ & ♣ AC cam, ❀ (°) P ❀
traversa Quarto del Lago 12/14 – ℰ 069 98 62 68   VISA ❻❺ AE ✆
– www.hotelvillaclementina.it – villaclementina@tiscali.it – Fax 069 98 62 68
– chiuso dal 6 gennaio al 28 febbraio

7 cam ☐ – ▮110/145 € ▮▮140/185 € – ½ P 130 €

Rist – (chiuso a mezzogiorno) (solo per alloggiati) Menu 37 €

◆ Una posizione tranquilla, un curato giardino punteggiato di fiori, piscina e campo da
tennis per una vacanza all'insegna del relax. Ottime le camere, spaziose e affrescate, efficiente il servizio.

La guida vive con voi: parlateci delle vostre esperienze.
Comunicateci le vostre scoperte più piacevoli e le vostre delusioni.
Buone o cattive sorprese? Scriveteci!

BRACIGLIANO – Salerno (SA) – 564E26 – **5 333 ab.** – alt. 320 m   6 **B2**
– ✉ 84082

▶ Roma 250 – Napoli 54 – Avellino 23 – Salerno 24

🏠 **La Canniccia**   ⌚ ♣ AC ❀ (°) P VISA ❻❺ AE ❶ ✆
via Cardaropoli 23 – ℰ 081 96 97 97 – www.hotellacanniccia.com
– basiliodeleo@tiscali.it – Fax 081 96 97 97

12 cam ☐ – ▮47 € ▮▮57 € – ½ P 42 €   **Rist** – Carta 16/29 €

◆ L'edificio che ospita quest'hotel è recente, risale alla metà degli anni '80, ed è sempre
stato ben tenuto. Nel complesso si tratta di una struttura valida e affidabile. Sala ristorante d'impostazione classica, in menù proposte nazionali.

BRAIES (PRAGS) – Bolzano (BZ) – 562B18 – **634 ab.** – alt. 1 383 m   31 **D1**
– Sport invernali : Plan de Corones : 1 200/2 275 m ✆ 19 ✆12 (Comprensorio
Dolomiti superski Plan de Corones) ✍ – ✉ 39030▮ Italia

▶ Roma 744 – Cortina d'Ampezzo 47 – Bolzano 106 – Brennero 97
◎ Lago★★★

🏠 **Erika**   ← 🏠 🏠 ▮☰▮ & cam, ❀ rist, (°) P VISA ❻❺ ❶ ✆
via Braies di Fuori 66 – ℰ 04 74 74 86 84 – www.hotelerika.net
– info@hotelerika.net – Fax 04 74 74 87 55
– 20 dicembre-20 marzo e 15 maggio-2 novembre

30 cam – ▮22/50 € ▮▮44/80 €, ☐ 7 € – ½ P 42 €   **Rist** – Carta 20/27 €

◆ Cordialità e simpatia sono due ottime credenziali di cui dispone la gestione di questo
hotel. Non vanno dimenticati spazi comuni e stanze ammodernate di buon livello. Sala
da pranzo capiente ma non dispersiva.

BRANZI – Bergamo (BG) – 562D11 – **757 ab. – alt. 874 m** – ⊠ 24010   16 **B2**
▶ Roma 650 – Bergamo 48 – Foppolo 9 – Lecco 71

⌂   **Pedretti** |≑| **P** _VISA_ ⚋ ❺
via Umberto I, 23 – ℰ 034 57 11 21 – www.hotelpedretti.info – albgob@libero.it
– Fax 034 57 05 00
24 cam – ♦️40/50 € ♦️♦️60/70 €, ⌷ 7 € – ½ P 50/70 €
Rist – *(chiuso martedì)* Carta 30 €
♦ Da più generazioni la stessa famiglia gestisce questa risorsa databile al primo Novecento. Accoglienti e luminosi gli ambienti comuni, arredati in legno chiaro. In cucina si
mantengono stretti legami con le tradizioni locali. Dalla polenta taragna agli altri piatti
bergamaschi.

BRATTO – Bergamo – 561I11 – **Vedere Castione della Presolana**

BRENTA (Gruppo di) – Trento – 562D14▮ Italia

BRENTONICO – Trento (TN) – 562E14 – **3 745 ab. – alt. 693 m** – **Sport**   30 **B3**
invernali : a La Polsa : 1 244/1 600 m ≰5, ≰ – ⊠ 38060
▶ Roma 550 – Trento 22 – Brescia 107 – Milano 197
🄸 via Mantova 4 (palazzo Baisi) ℰ 0464 395149, brentonico@aptrovereto.it,
Fax 0464 395149

a San Giacomo Sud-Ovest : 6,5 km – **alt. 1 196 m** – ⊠ 38060 – Brentonico

🏛   **San Giacomo**   ≼ 🐟 🖻 🕅 |≑| ⅃ ♣ ≁ ⅍ rist. ☌ **P**
via Graziani 1 – ℰ 04 64 39 15 60   _VISA_ ⚋ AE ① ❺
– www.hotelsgiacomo.it – info@hotelsgiacomo.it – Fax 04 64 39 16 33 – chiuso
dal 3 novembre al 2 dicembre
35 cam ⌷ – ♦️60/80 € ♦️♦️90/115 € – ½ P 85/100 €   **Rist** – Carta 27/45 €
♦ Arrampicato a quota 1200 mt., sul Monte Baldo, questo hotel sa presentarsi in modo
gradevole: centro benessere, campo di calcetto e pallavolo, ambienti caldi e accoglienti.
Ristorante gestito con cura e passione, bella veranda con arredi rustici.

BRENZONE – Verona (VR) – 562E14 – **2 398 ab. – alt. 75 m** – ⊠ 37010   35 **A2**
▶ Roma 547 – Verona 50 – Brescia 85 – Mantova 86
🄸 via Zanardelli 38 Frazione Porto ℰ 045 7420076, iatbrenzone@
provincia.vr.it, Fax 7420758

⌂   **Piccolo Hotel**   ≼ 🏠 AC rist. ⅍ ⅍ rist. **P** _VISA_ ⚋ AE ① ❺
⊗⊗   *via Lavesino 12 – ℰ 04 57 42 00 24 – www.piccolohotel.info – info@*
piccolohotel.info – Fax 04 57 42 06 88 – 10 aprile -8 novembre
20 cam ⌷ – ♦️40/60 € ♦️♦️80/120 € – ½ P 45/65 €   **Rist** – Menu 20/40 €
♦ Un albergo raccolto che deve la propria fortuna alla felice posizione, praticamente
sulla spiaggia. Adatto ad una clientela turistica in cerca di relax e di tranquillità.

✕✕   **Giuly**   🏠 AC _VISA_ ⚋ ① ❺
via XX Settembre 28 – ℰ 04 57 42 04 77 – www.ristorantegiuli.it
– Fax 04 56 59 40 00 – chiuso novembre e lunedì
Rist – *(chiuso a mezzogiorno escluso sabato e i giorni festivi)* Carta 30/50 €
♦ Nonostante sia proprio in riva alle acque del Garda, la linea gastronomica di questo
ristorante si è concentrata sul mare. I crostacei sono "pescati" vivi dall'acquario.

a Castelletto di Brenzone Sud-Ovest : 3 km – ⊠ 37010

✕✕   **Alla Fassa**   ≼ 🏠 ✿ **P** _VISA_ ⚋ ❺
via Nascimbeni 13 – ℰ 04 57 43 03 19 – www.ristoranteallafassa.com
– info@ristoranteallafassa.com – Fax 04 57 43 03 19
– chiuso dal 15 dicembre al 15 febbraio e martedì (escluso luglio-15 settembre)
Rist – Carta 26/40 €
♦ Una romantica sala all'interno ed una bella veranda affacciata sulle rive del lago. La
cucina si affida alla tradizione locale, proponendo molti piatti a base di pesce.

BRESCELLO – Reggio Emilia (RE) – 562I13 – **4 969 ab. – alt. 24 m**   8 **B2**
– ⊠ 42041
▶ Roma 450 – Parma 22 – Bologna 90 – Mantova 46

Brixellum   🏠 🏠 🖭 % rist. 📞 🅿 VISA ❻ 🅐🅔 ① 🖸

via Cavallotti 58 – ℰ 05 22 68 61 27 – www.hotelbrixellum.com – brixellum@ libero.it – Fax 05 22 96 28 71

29 cam 🖵 – 🛏60/95 € 🛏🛏90/105 €   **Rist** – *(chiuso lunedì)* Carta 20/44 €

♦ Se si desidera soggiornare nel paese di *Peppone* e *Don Camillo* questa è la risorsa giusta: semplice, accogliente, funzionale. Camere spaziose e ben arredate. Classico ristorante con menu ampio e vario, non manca la pizza.

BRESCIA 🅟 (BS) – 561F12 – **191 114 ab.** – alt. 149 m – ⊠ 25100 ▐ Italia   17 **C1**

▶ Roma 535 – Milano 93 – Verona 66

🛫 Gabriele D'Annunzio di Montichiari, Sud-Est: 20 km ℰ030 9656599

🛈 via Musei 32 ⊠ 25121 ℰ 030 3749916, promozione.turismo@ provincia.brescia.it, Fax 030 3749982 - piazza Loggia 6 ⊠25121 ℰ 030 2400357, turismo@comune.brescia.it, Fax 0303773773

🏌 Franciacorta, ℰ 030 98 41 67

◎ Piazza della Loggia★ BY **9** -Duomo Vecchio★ BY – Pinacoteca Tosio Martinengo★ CZ – Via dei Musei★ CY – Croce di Desiderio★★ nel monastero★ di San Salvatore e Santa GiuliaCY – Chiesa di San Francesco★ AY – Facciata★ della chiesa di Santa Maria dei Miracoli AYZ **A** – Incoronazione della Vergine★ nella chiesa dei SS. Nazaro e Celso AZ – Annunciazione★ e Deposizione dalla Croce★ nella chiesa di Sant'Alessandro BZ – Interno★, polittico★ e affresco★ nella chiesa di Sant'Agata BY

Piante pagine 226-228

Vittoria   🏠🏠🏠 🖭 & 🖭 % rist. 🎵 🕍 VISA ❻ 🅐🅔 ① 🖸

via delle X Giornate 20 ⊠ 25121 – ℰ 030 28 00 61 – www.hotelvittoria.com – info@hotelvittoria.com – Fax 030 28 00 65   BY**a**

65 cam 🖵 – 🛏100/166 € 🛏🛏130/217 € – ½ P 151/160 €

Rist *Miosotis* – *(chiuso agosto e domenica)* Carta 37/51 €

♦ Caratteristica struttura anni '30 riflette sontuosamente il gusto dell'epoca nell'ampio uso del marmo e nelle forme austere, magniloquenti. Originali, gli enormi lampadari del salone delle feste oggetto di visita e fotografia da parte dei clienti. Gusto e levità contraddistinguono il rist *Miosotis*, elegante classicità.

Park Hotel Ca' Nöa   🏠🏠🏠 🏊 🕉 🖭 & 🖭 % rist. 🎵 🕍 🅿 🚗

via Triumplina 66 ⊠ 25123 – ℰ 030 39 87 62   VISA ❻ 🅐🅔 ① 🖸

– www.hotelcanoa.it – info@hotelcanoa.it – Fax 030 39 87 64 – chiuso Natale ed agosto   EV**b**

79 cam 🖵 – 🛏86/130 € 🛏🛏125/192 € – ½ P 88/121 €

Rist – *(chiuso a mezzogiorno)* Carta 26/59 €

♦ Rispetto ad analoghe strutture, la clientela commerciale troverà in questa bella risorsa, avvolta dal verde dell'ampio giardino, un'atmosfera e una cura dei dettagli estrema: arredi non banali, camino e colori. Le camere sono anch'esse piacevolmente decorate con tappeti e legni pregiati.

UNA Hotel Brescia   🏠🏠🏠 🔚 🖭 & 🖭 % rist. 🎵 🕍 🅿 🚗

viale Europa 45 ⊠ 25133 – ℰ 03 02 01 80 11   VISA ❻ 🅐🅔 ① 🖸

– www.unahotels.it – una.brescia@unahotels.it – Fax 03 02 00 97 41   EV**j**

145 cam 🖵 – 🛏92/214 € 🛏🛏92/252 €   **Rist** – Carta 45/58 €

♦ Imponente e spaziosa struttura commerciale di taglio moderno, vicina allo stadio, dispone di camere omogenee negli arredi ma di diverse metrature. Professionalità e cordialità nella gestione. Capiente ed elegante la sala ristorante.

Master   🏠🏠🏠 🖭 & 🖭 ⅘ % rist. 🎵 🕍 🅿 VISA ❻ 🅐🅔 ① 🖸

via Apollonio 72 ⊠ 25128 – ℰ 030 39 90 37 – www.hotelmaster.net – info@ hotelmaster.net – Fax 03 03 70 13 31   CY**a**

74 cam 🖵 – 🛏88/135 € 🛏🛏128/220 € – ½ P 84/130 €

Rist *La Corte* – *(chiuso dal 10 al 24 agosto)* Carta 28/40 €

♦ Elegante edificio anni '30 alle porte della città, vanta camere sobrie e moderne, recentemente rinnovate. Alcune di esse godono di un imperdibile vista sul castello. Il calore dell'ospitalità familiare anima anche le sale del ristorante *La Corte*, dove gustare proposte di cucina italiana e qualche piatto locale.

AC Hotel Brescia   🏠🎖 ⛲ 👤 🅰️🅲 ✂️ 📶 🛁 🅿️ 🚗 VISA ⓜⓞ 🅰🅴 🍴

via Giulio Quinto Stefana 3 (ex via Cassala 19) ⊠ 25126 – ✆ 03 02 40 55 11
– www.ac-hotels.com – acbrescia@ac-hotels.com – Fax 03 02 40 55 12
112 cam ⌷ – 👤👤82/248 € – 1 suite   DX**a**
Rist – (solo per alloggiati) Menu 25/40 €
♦ In un contesto periferico non eclatante, gli interni sorprendono per il design moderno, l'assenza di colori e una geometrica sobrietà. Trionfo di minimalismo vagamente nipponico.

NH Brescia   🎖 ⛲ 🅰️🅲 ↯ ✂️ rist, 📶 🛁 VISA ⓜⓞ 🅰🅴 ⓞ 🍴

viale Stazione 15 ⊠ 25122 – ✆ 03 04 42 21 – www.nh-hotels.it
– hbrescia@nh-hotels.com – Fax 03 04 42 24   AZ**a**
87 cam ⌷ – 👤79/200 € 👤👤99/220 € – ½ P 74/138 €   **Rist** – Carta 29/39 €
♦ Modernità ed originalità si fondono nelle strutture architettoniche nonché negli arredi di questo funzionale hotel, a 50 m dalla stazione ferroviaria. Accoglienti e piacevoli gli spazi comuni; belle le camere dotate di ogni confort. Al ristorante: piatti regionali italiani con selezione di insalate.

Ambasciatori   🎖 ⛲ cam, ⛹ 🅰️🅲 ↯ ✂️ rist, 📶 🛁 🅿️   VISA ⓜⓞ 🅰🅴 ⓞ 🍴

via Santa Crocifissa di Rosa 92 ⊠ 25128
– ✆ 030 39 91 14 – www.ambasciatori.net – info@ambasciatori.net
– Fax 030 38 18 83   EV**m**
66 cam ⌷ – 👤80/120 € 👤👤100/170 € – ½ P 92/105 €
Rist – (chiuso agosto, sabato e domenica) Carta 30/42 €
♦ A dispetto della zona periferica, la gestione familiare è riuscita a creare un albergo d'atmosfera, ovattato e dagli ambienti anglosassoni. La stessa *ambiance* si ritrova nelle camere: colori *country* con qualche stampa di caccia alla volpe. Al ristorante i classici della cucina nazionale e alcune specialità locali.

Impero   🎖 ⛲ cam, 🅰️🅲 📶 🅿️ VISA ⓜⓞ 🅰🅴 ⓞ 🍴

via Triumplina 6 ⊠ 25123 – ✆ 030 38 14 83 – www.hotelimpero.it – algrillosnc@libero.it – Fax 030 38 14 83   EV**d**
26 cam ⌷ – 👤55/75 € 👤👤100/113 € – ½ P 67 €   **Rist** – Carta 30/45 €
♦ Grazioso esercizio a gestione familiare, ubicato dietro l'ospedale cittadino: camere spaziose e confortevoli, ben tenute. Buon rapporto qualità/prezzo. Classicità nelle proposte gastronomiche del ristorante-pizzeria.

Orologio senza rist   🎖 🅰️🅲 ✂️ 📶 VISA ⓜⓞ 🍴

via Beccaria 17 ⊠ 25121 – ✆ 03 03 75 54 11 – www.albergoorologio.it – info@albergoorologio.it – Fax 03 02 40 48 05 – chiuso 15 giorni in agosto
16 cam – 👤90/140 € 👤👤110/180 €   BY**c**
♦ Ideale per partire alla scoperta del centro storico, l'albergo trae il proprio nome dalla vicina, omonima, torre. Spazi comuni quasi inesistenti, ma nelle camere gli arredi e le decorazioni creano un'atmosfera di *charme* ed intimità: alcune, con scorci sui tetti e sui monumenti della città.

XXX   Castello Malvezzi   🅰️🅲 ✂️ 🅿️ VISA ⓜⓞ 🅰🅴 ⓞ 🍴

via Colle San Giuseppe 1, nord 6 km per viale Europa ⊠ 25133
– ✆ 03 02 00 42 24 – www.castellomalvezzi.it – info@castellomalvezzi.it
– Fax 03 02 00 42 08 – chiuso dal 7 al 23 gennaio, 15 giorni in agosto, lunedì e martedì   CY**a**
Rist – (chiuso a mezzogiorno escluso sabato e domenica) (consigliata la prenotazione) Carta 55/75 € 🍷
♦ Isolato e circondato da un parco, il maestoso castello che ospita il ristorante ha sale affrescate ed una cucina che contempla piatti classici nazionali e menu specifici per ciliaci, vegetariani e ricette con ingredienti biologici. Ottima carta dei vini presentata in un sontuoso volume.

XXX   La Sosta   🅰️🅲 ⇄ 🅿️ VISA ⓜⓞ 🅰🅴 ⓞ 🍴

via San Martino della Battaglia 20 ⊠ 25121 – ✆ 030 29 56 03 – www.lasosta.it
– lasosta@tin.it – Fax 030 29 25 89 – chiuso dal 30 dicembre al 7 gennaio, dal 3 al 25 agosto, domenica sera e lunedì   BZ**n**
Rist – Carta 55/70 €
♦ La sala sembra una chiesa divisa in navate da solenni colonne. E invece, si tratta delle ex scuderie di un palazzo dove si vedono ancora gli anelli a cui venivano attaccati i cavalli. In tavola si celebra il rito della gastronomia: piatti classici, alcuni regionali, all'insegna della sapidità e dell'abbondanza.

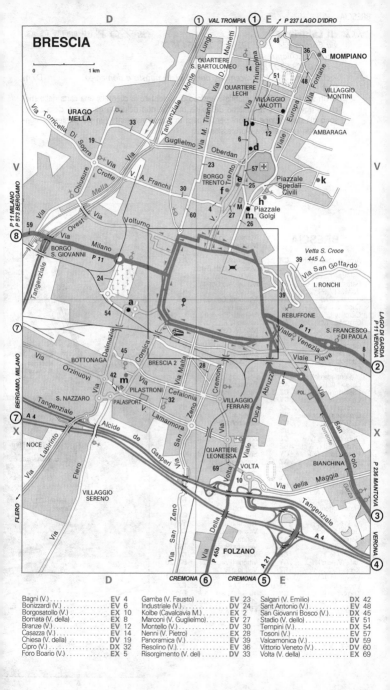

BRESCIA

0   1 km

227

XXX Il Labirinto 🔲 ⌖ 🅿 VISA ⦿ AE ① ⓢ

via Corsica 224 ⊠ 25125 – ℰ 03 03 54 16 07
– raffaele.chiappi@tin.it
– Fax 03 03 53 23 87
– chiuso dal 21 al 31 dicembre, dal 13 al 19 agosto e domenica   **DXm**
Rist – Carta 34/72 € ⌘

♦ Un servizio familiare, affabile e ansioso di soddisfare la clientela; una carta delle specialità dove forte è il richiamo del mare, ma che non deluderà gli amanti della carne: sono già delle buone ragioni per fermarsi in questo ristorante (un po' periferico), condotto con competenza e professionalità.

BRESCIA

Armado Diaz (Viale). . . **CZ**	Mameli (Cso G.) . . . . . **BY**	
Arnaldo (Pza) . . . . **CZ**	Mantova (V.) . . . . **CZ**	
Battaglie (V. delle) . . . . **BY**	Manzoni (V.). . . . . **AY**	
Battisti (Piazzale C.). . . **BY**	Marsala (V.) . . . . **AY**	
Boitava (V. P.). . . . . **CY**	Martinengo da Barco	
Brusato (Pza) . . . . **CY**	(V.). . . . . **CZ**	
Cadorna (Viale). . . . . . . **CZ**	Martiri della Libertà	
Cairoli (V.). . . . . **AY**	(Cso). . . . . **AZ** 13	
Calatafimi (V.). . . . . **AY**	Matteotti (Cso G.). . . **AYZ**	
Calini (V.) . . . . **CZ**	Mazzini (V.). . . . . **BY**	
Callegari (V. A.). . . . . . . **CZ**	Mercato (Pza del) . . . . **BY** 15	
Campo di Marte	Milano (V.). . . . . **AY**	
(V. del) . . . . **ABY**	Mille (V. dei). . . . . **AY**	
Capriolo (V.). . . . . **ABY**	Montebello (V.) . . . . . . **AY**	
Carmine	Monte Suello (V.). . . . . **BY**	
(Contrada del) . . . . **ABY**	Moretto (V.) . . . . **ABZ**	
Cassala (V.) . . . . **AZ**	Musei (V. dei) . . . . **CY**	
Castellini (V. N.) . . . . . **CZ** 3	Pace (V.). . . . . **BY**	
Castello (V. del). . . . . **BCY**	Palestro (Cso) . . . . **BY**	
Corsica (V.). . . . . **AZ**	Panoramica (V.) . . . . . . **CY**	
Cremona (Piazzale) . . . **BZ**	Paolo VI (Pza). . . . . **BY** 16	
Crispi (V.) . . . . **CZ**	Pastrengo (V.) . . . . **AY** 17	
Dante (V.). . . . . **BY**	Pellico (V.) . . . . **BY**	
Duca di Aosta (Viale). . **CZ**	Pusteria (V.) . . . . **BCY**	
Emanuele II (V. Vitt.). **ABZ**	Repubblica (Pza) . . . . . **AZ**	
Filippo Turati (V.) . . . . . **CZ**	Santa Chiara (V.) . . . . . **BY**	
Folonari (V.). . . . . **AZ**	Solferino (V.) . . . . **ABZ**	
Foppa (V.). . . . . **AZ**	Sostegno (V.). . . . . **AZ**	
Foro (Pza d.) . . . . **CY**	Spalto S. Marco (V.). . **BCZ**	
Foscolo (V. U.). . . . . . . **BY**	Stazione (Viale) . . . . . . **AZ**	
Fratelli Lechi (V.) . . . . . **CZ**	S. Crocifissa di Rosa	
Fratelli Porcellaga (V.) . **BY** 7	(V.) . . . . **CY** 18	
Fratelli Ugoni (V.). . . . **AYZ**	S. Faustino (V.) . . . . . . **BY**	
Galilei (V. G.) . . . . **CY**	S. Martino d. Battaglia	
Gallo (V. A.) . . . . **CYZ**	(V.). . . . . **BZ**	
Garibaldi (Cso) . . . . . . **AY**	S. Rocchino (V.) . . . . . . **CY**	
Garibaldi (Piazzale). . . . **AY**	Trento (V.). . . . . **BY**	
Gramsci (V.) . . . . **BZ**	Trieste (V.). . . . . **BCYZ**	
Inganni (V.) . . . . **CZ**	Vaiarini (V. G.). . . . . . . **CZ**	
Italia (Viale d'). . . . . **AY**	Veneto (Piazzale) . . . . . **AY**	
Kennedy (Cavalcavia) . **BZ**	Venezia (Porta). . . . . . . **CZ**	
Leonardo da Vinci (V.). **AB**	Venezia (Viale) . . . . **CZ**	
Loggia (Pza della) . . . . **BY** 9	Vittoria (Pza). . . . . **BY** 20	
Lombroso (V. C.) . . . . . **CY**	Volturno (V.). . . . . **AY**	
Lupi di Toscana (V.). . . **AY**	Zanardelli (Cso) . . . . . **BZ** 21	
Magenta (Cso) . . . . . **BCZ**	Zima (V. C.). . . . . **CZ**	
	10 Giornate (V. delle). **BY** 22	
	20 Settembre (V.) . . . . **BZ**	
	25 Aprile (V.). . . . . **CZ**	

XX **Noce** con cam 🛏 AC rist, 🍴 📶 P VISA ⬤⬤ AE ⓪ ⛾
via dei Gelsi 5, quartiere Noce ⊠ *25125 –* 𝒞 *030 34 95 10*
– www.ristorantehotelnoce.com – info@ristorantenoce.com
– Fax 030 34 95 10   DX**b**
13 cam ⊊ – 👤60/120 € 👥👤60/150 €
Rist *– (chiuso agosto, sabato a mezzogiorno e domenica)* Carta 45/66 €
♦ La nuova generazione propone piatti di pesce, creativi e fantasiosi, oltre alle storiche
fiorentine e cotolette. Una storia di famiglia nata nel 1987, che con rustica-signorilità
continua a deliziare *gourmet* e *gourmand*. "Freschezza" nelle graziose camere, punteg-
giate da colori solari.

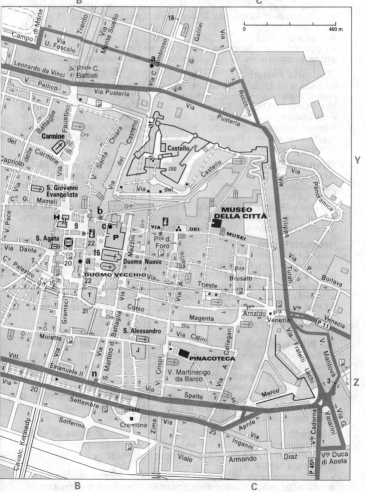

XX **Eden**   🍴 AC ⇔ VISA ☺☺ AE ⓞ ⚡

piazzale Corvi ⊠ 25128 – 𝒞 030 30 33 97 – Fax 030 30 33 97 – chiuso dal 5 al 20 gennaio, 3 settimane in agosto, domenica sera e martedì   EV**e**
Rist – Menu 40/55 € – Carta 37/61 € 🍴

♦ Dotato di un piccolo e grazioso dehors estivo, è un ristorantino di taglio moderno, con qualche tocco di eleganza. Cucina di stagione, con piatti di carne e di pesce che si contendono equamente la carta. Vasta scelta enologica.

XX **Trattoria Rigoletto**   AC ⇔ VISA ☺☺ AE ⓞ ⚡

via Fontane 54/b ⊠ 25133 – 𝒞 03 02 00 41 40 – Fax 03 02 00 41 40 – chiuso agosto e lunedì   EV**a**
Rist – Carta 40/70 €

♦ Bianco, luminoso e moderno: è il sogno realizzato di un cuoco autodidatta che propone gustosi piatti di pesce in preparazioni creative; la carta dei vini annovera quasi esclusivamente bianchi.

X **La Campagnola**   🍴 🍴 P VISA ☺☺ ⚡

🐕 *via Val Daone 25 ⊠ 25123 – 𝒞 030 30 06 78 – lacampagnola1948@libero.it – Fax 030 30 06 78 – chiuso dal 27 dicembre al 4 gennaio, dal 10 al 25 agosto, lunedì sera e martedì*   EV**k**
Rist – Carta 20/30 €

♦ Il capolavoro di due generazioni, nutrire di sapore e genuinità una tradizione mai perduta nell'incanto di un vecchio cascinale avvolto dal verde che racconta l'arte dell'ospitare.

X **Trattoria Porteri**   🍴 ⇔ VISA ☺☺ AE ⓞ ⚡

via Trento 52 ⊠ 25128 – 𝒞 030 38 09 47 – trattoriaporteri@libero.it – Fax 030 30 18 33 – chiuso 1 settimana in gennaio, 2 settimane in agosto, domenica sera e lunedì
Rist – Carta 24/37 €   EV**f**

♦ Un susseguirsi di citazioni storiche - dalla strada 500esca all'adiacente gastronomia 800esca - questa suggestiva trattoria, composta da tre sale in mattoni con raccolta di oggetti di vita agricola e commerciale del bel tempo che fu, vi "obbliga" ad un simpatico tuffo nel passato. In tavola: specialità regionali.

X **Trattoria Briscola**   🍴 🍴 P VISA ☺☺ ⓞ ⚡

via Costalunga 18/G ⊠ 25123 – 𝒞 030 39 52 32 – Fax 030 39 72 14 – chiuso gennaio, febbraio e mercoledì   EV**h**
Rist – Carta 26/34 €

♦ Si trova sulle prime colline, immersa nel verde, questa tipica trattoria che nella bella stagione effettua il servizio anche sotto il pergolato. Buffet di verdure all'ingresso, ma la specialità e il motivo di richiamo del ristorante sono le carni alla griglia.

X **www.restorant**   🍴 VISA ☺☺ AE ⚡

vicolo Sant'Agostino 3 b ⊠ 25121 – 𝒞 03 03 75 22 54 – www.restorant.it – info@restorant.it – Fax 03 03 75 22 54 – chiuso domenica   BY**b**
Rist – (consigliata la prenotazione) Menu 35 € – Carta 34/47 €

♦ Originale, come il suo nome: una sola, piccola sala con pochi coperti. Un voluto minimalismo anche negli arredi, per non distrarre i sensi dalla cucina, fatta di ricette classiche nazionali (di terra e di mare) in cui la fantasia del cuoco si sbizzarrisce apportandovi un po' d'estro e d'invenzione.

a Sant'Eufemia della Fonte per ② : 2 km – ⊠ 25135

XXX **La Piazzetta**   AC P VISA ☺☺ AE ⓞ ⚡

via Indipendenza 87/c – 𝒞 030 36 26 68 – www.allapiazzetta.com – allapiazzetta@tin.it – Fax 03 03 36 72 43 – chiuso dal 1° al 7 gennaio, dal 7 al 20 agosto, sabato a mezzogiorno e domenica
Rist – (consigliata la prenotazione) Menu 36/55 € – Carta 53/73 € 🍴

♦ Piccolo ed elegante ristorante alle porte della città, in un contesto moderno tra faretti e colori sobri, fa eccezione il soffitto di una sala impreziosito da un affresco del XIX sec. Il mare domina in tavola con elaborazioni fantasiose e originali.

XX **Hosteria**   AC VISA ☺☺ AE ⓞ ⚡

via 28 Marzo 2/A – 𝒞 030 36 06 05 – www.ristorantehosteria.it – emanuelebettini@virgilio.it – Fax 030 36 06 05 – chiuso dal 24 giugno al 19 luglio e martedì
Rist – Carta 38/60 € 🍴

♦ Piatti del territorio, soprattutto di carne, imbandiscono la tavola di questo ristorante, ex casino di caccia del XVII secolo con caratteristico soffitto a stella e sale dallo stile rustico elegante.

a Roncadelle per ⑤ : *7 km* – ✉ 25030

🏨 **President** 🕭 🛌 🤵 🧖 AC ⁽¹⁾ 🔦 **P** �"= VISA ⓒⓞ AE ① 💲

via Roncadelle 48 – 𝒞 *03 02 58 44 44* – *www.presidenthotel.it* – *info@*
presidenthotel.it – *Fax 03 02 78 02 60* – *chiuso dal 2 al 23 agosto*
118 cam ⧆ – †90/130 € ††140/200 € – 5 suites – ½ P 110/130 €
Rist – *(chiuso domenica)* Carta 30/50 €
♦ Imponente albergo d'affari che dispone di un importante centro congressi e di spazi
comuni ampi ed eleganti, dove marmi e legni pregiati concorrono a rendere piacevole il
soggiorno. Notevoli le capacità ricettive del ristorante, che propone cucina nazionale
adatta ad ogni gusto ed esigenza.

verso Ospitaletto per ⑧: 5 km

🏨 **Santellone** senza rist 🚗 🛌 🤵 AC ⁽¹⁾ **P** VISA ⓒⓞ AE ① 💲

via del Santellone 116 ✉ *25132* – 𝒞 *03 02 41 01 26* – *www.santelloneresort.it*
– *info@santelloneresort.it* – *Fax 03 03 73 64 41* – *chiuso dal 10 al 20 agosto*
22 cam ⧆ – †125 € ††168 €
♦ Nel magico incanto di un borgo medievale, confort, stile e classe sono gli elementi
che caratterizzano le lussuose camere di questa piacevole struttura. Per curare la forma
fisica e solleticare la vanità, sosta presso l'attrezzata *Vitae Spa*.

☖☖ **Trattoria Artigliere** (Davide Botta) 🔦 🤵 AC 🍴 ⟳ **P**
🌸 VISA ⓒⓞ AE ① 💲

via del Santellone 116 ✉ *25132* – 𝒞 *03 02 77 03 73*
– *www.artigliere.it* – *davidebotta@libero.it* – *Fax 03 02 77 03 73* – *chiuso dieci*
giorni in gennaio, agosto, lunedì e domenica sera
Rist – Menu 80 € – Carta 56/86 €
Spec. Crema di zucca mantovana con arancino di stoccafisso. Savarin di riso
rosso con mazzancolle, burrata e crema di peperone giallo. Coda di rospo farcita di fegato grasso con crema di patate al limone.
♦ Qualche chilometro fuori Brescia, in una vecchia badia con annesso cascinale, due
sale minimaliste per non distogliere l'attenzione dalla protagonista assoluta: la cucina,
creativa con spunti locali.

BRESSANONE (BRIXEN) – Bolzano (BZ) – 562B16 – 18 694 ab.   **31 C1**
– *alt. 559 m* – *Sport invernali : a La Plose-Plancios : 1 503/2 500 m* 🎿 1 🎿 9
(**Comprensorio Dolomiti superski Valle Isarco**) 🎿 – ✉ 39042 ▌ Italia
  ▶ Roma 681 – Bolzano 40 – Brennero 43 – Cortina d'Ampezzo 109
  🛈 *viale Stazione 9* 𝒞 *0472 836401, info@brixen.org, Fax 0472 836067*
  ◉ Duomo : chiostro★ **A** – Palazzo Vescovile: cortile★, museo Diocesano★,
      sculture lignee★★, pale scolpite★, collezione di presepi★, tesoro★
  🅖 Plose★★★ : ☀★★★ Sud-Est per via Plose

Pianta pagina 232

🏨 **Elefante** 🕳 🔦 🏊 🧖 🛥 🍴 🛌 🤵 rist, 🏓 AC rist, 🌸 rist, ⁽¹⁾ 🔦 **P**
VISA ⓒⓞ AE ① 💲

via rio Bianco 4 – 𝒞 *04 72 83 27 50*
– *www.hotelelephant.com* – *info@hotelelephant.com* – *Fax 04 72 83 65 79*
– *chiuso dall'8 gennaio al 20 marzo e dal 3 al 28 novembre*   **a**
44 cam ⧆ – †96/106 € ††160/212 € – ½ P 115/141 €
Rist – *(chiuso a mezzogiorno)* Carta 44/75 €
♦ Elegante ed austera magione del XIV sec. inserita in un prezioso parco-frutteto all'interno del quale si trovano anche la piscina e il tennis. Dimora fine ed esclusiva.
Ambiente, servizio, cucina e atmosfera: un ristorante notevole.

🏨 **Goldener Adler** 🕭 🔦 🛥 🌸 ⁽¹⁾ **P** VISA ⓒⓞ ① 💲

via Ponte Aquila 9 – 𝒞 *04 72 20 06 21* – *www.goldener-adler.com* – *info@*
goldener-adler.com – *Fax 04 72 20 89 73*   **c**
28 cam – †63/75 € ††102/134 €, ⧆ 6 €
Rist Oste Scuro-Finsterwirt – vedere selezione ristoranti
♦ Caratteristico edificio del Cinquecento, da secoli votato all'ospitalità, offre oggi ai propri ospiti la possibilità di un soggiorno sobriamente elegante. Bar con terrazza ed enoteca.

BRESSANONE

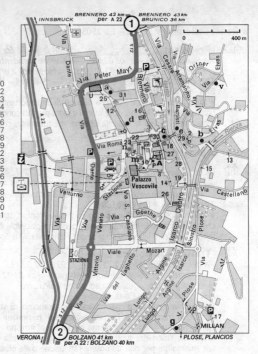

Grüner Baum
via Stufles 11 – ℰ 04 72 27 41 00
– www.gruenerbaum.it – info@gruenerbaum.it – Fax 04 72 27 41 01 – chiuso
dal 22 marzo al 3 aprile e dal 1° al 28 novembre
100 cam ⊡ – ♦65/120 € ♦♦92/150 € – ½ P 69/120 €
Rist – Carta 19/35 €

♦ Imponente hotel di città, che ha il privilegio di possedere un grazioso giardino con piscina riscaldata e belle camere, alcune delle quali totalmente rivestite in legno ed ubicate in una nuova struttura, construita secondo i *diktat* della bioarchitettura. Sale da pranzo semplici, all'insegna della tradizione sudtirolese.

Goldene Krone
via Fienili 4 – ℰ 04 72 83 51 54
– www.coronadoro.com – info@coronadoro.com – Fax 04 72 83 50 14 – chiuso
dal 20 al 26 dicembre
48 cam ⊡ – ♦82/118 € ♦♦124/196 € – ½ P 94/123 €
Rist – Carta 27/41 €

♦ Hotel la cui storia si svolge da quasi tre secoli, rinnovato in veste moderna, con piacevole area wellness. Le camere offrono un buon confort sia per turismo che per affari. Ristorante moderno, ambiente tranquillo e intimo.

Dominik 🦢
via Terzo di Sotto 13 – ℰ 04 72 83 01 44
– www.hoteldominik.com – info@hoteldominik.com – Fax 04 72 83 65 54
– chiuso dal 15 al 31 gennaio e novembre
34 cam ⊡ – ♦73/120 € ♦♦104/200 € – 1 suite – ½ P 115/125 €
Rist – (solo per alloggiati)

♦ Il torrente Rienza scorre davanti a questa risorsa rivolta a chi desidera godere di un soggiorno curato sotto ogni profilo. Servizio attento, espletato in ambienti eleganti. Ideale per allestire importanti eventi, la sala da pranzo è illuminata da ampie finestre.

🏨 **Temlhof** 🦢   ← 🚗 🏠 🏊 🗻 🌦 🛎 🌦 rist, 🍴 **P** 🆚 ⦿ 🆎 ⓞ 💰

via Elvas 76 – 𝒞 *04 72 83 66 58 – www.temlhof.com – temlhof@dnet.it*
– Fax 04 72 83 55 39 – dicembre-6 gennaio e Pasqua-5 novembre   **v**
48 cam �}⋍ – 🛏65/75 € 🛏🛏106/146 € – 2 suites
Rist – *(chiuso martedì)* (prenotazione obbligatoria) Menu 28/45 €
♦ Questo albergo, situato in zona panoramica e tranquilla, è avvolto da un giardino con piscina e dispone di un'interessante raccolta di attrezzi agricoli e mobili antichi. Varie sale ristorante: intime e raccolte.

🏨 **Millanderhof**   🛎 🦽 🏋 🌦 🍴 **P** 🚗 🆚 ⦿ ⓞ 💰
🏡
via Plose 58 – 𝒞 *04 72 83 38 34 – www.millanderhof.com – hotel@*
millanderhof.com – Fax 04 72 83 51 24   **g**
26 cam �}⋍ – 🛏50/70 € 🛏🛏80/130 € – ½ P 59/79 €
Rist – *(solo per alloggiati)* Menu 12/20 €
♦ Albergo appena fuori dal centro, rinnovato di recente, ma che si conferma nell'ospitalità familiare della gestione. A disposizione anche un angolo bar godibile e rilassante. Sala ristorante semplice ma luminosa per una cucina di buon livello.

🏠 **Haller** 🦢   ← 🏠 🛎 🌦 **P** 🆚 ⦿ 💰

via dei Vigneti 68, 1 km per via Cesare Battisti – 𝒞 *04 72 83 46 01*
– www.gasthof-haller.com – info@gasthof-haller.com – Fax 04 72 20 82 94
– chiuso dal 1° al 14 luglio
8 cam �}⋍ – 🛏40/60 € 🛏🛏70/75 € – ½ P 55/58 €
Rist – *(chiuso lunedì sera e martedì esluso agosto e settembre)* Carta 26/38 €
♦ Piccolo albergo a conduzione familiare in posizione tranquilla e con bella vista. Le camere non sono molto grandi, ma confortevoli e tenute con molta attenzione. Ampio settore ristorante: due stube, giardino d'inverno e servizio all'aperto.

✗✗ **Oste Scuro-Finsterwirt** – Hotel Goldener Adler   🏠 ⟳
vicolo del Duomo 3 – 𝒞 *04 72 83 53 43*   🆚 ⦿ ⓞ 💰
– www.finsterwirt.com – info@finsterwirt.com – Fax 04 72 83 56 24
– chiuso 1 settimana in gennaio, 2 settimane in giugno, domenica sera e lunedì
non festivi   **m**
Rist – Carta 25/45 €
♦ E' questo uno dei ristoranti più tradizionali e suggestivi della città. L'ambiente tipico tirolese e l'arredamento antico regalano la dolce atmosfera di epoche passate.

✗✗ **Sunnegg** con cam   ← 🏠 🛎 🆎 ⟿ 🍴 **P** 🆚 ⦿ ⓞ 💰
via Vigneti 67, 1 km per via Cesare Battisti – 𝒞 *04 72 83 47 60*
– www.sunnegg.com – info@sunnegg.com – Fax 04 72 20 83 57
– chiuso dal 7 gennaio al 12 febbraio e dal 17 giugno al 3 luglio
6 cam – 🛏40/55 € 🛏🛏58/75 €, �}⋍ 5 € – ½ P 50 €
Rist – *(chiuso mercoledì, giovedì a mezzogiorno)* Carta 35/44 €
♦ Qui, tra i vigneti, è possibile gustare un approccio sincero alla cucina del territorio, ricco di specialità stagionali, con servizio estivo all'aperto e vista sui monti.

✗ **Fink**   🆎 ⟳ 🆚 ⦿ 🆎 💰
🏡
via Portici Minori 4 – 𝒞 *04 72 83 48 83 – www.restaurant-fink.it*
– info@restaurant-fink.it – Fax 04 72 83 52 68
– chiuso martedì sera, escluso da giugno ad agosto, e mercoledì   **n**
Rist – (prenotare) Carta 33/42 €
♦ Sotto i portici, questo tradizionale luogo della ristorazione cittadina presenta due alternative: consumazioni veloci al piano terra, sala più classica al primo piano.

a Cleran (Klerant)Sud : 5 km – **alt. 856 m** – ✉ **39042 – Sant'Andrea in Monte**

🏨 **Fischer** 🦢   ← 🏠 🌦 🛎 🦽 🏋 ⦿ **P** 🆚 ⦿ 💰

Cleran 196 – 𝒞 *04 72 85 20 75 – www.hotel-fischer.it – info@hotel-fischer.it*
– Fax 04 72 85 20 60 – chiuso dal 9 novembre al 5 dicembre
23 cam �}⋍ – 🛏55/65 € 🛏🛏94/118 €
Rist – *(chiuso domenica sera e lunedì)* Carta 26/41 €
♦ Isolata e con una vista incantevole sul fondovalle, una risorsa che si offre con vari convincenti servizi e camere confortevoli e di tutto riposo. Architettura tipica. Per i pasti la rustica e caratteristica stube o l'ariosa e luminosa sala da pranzo.

invernali : 2 050/3 500 m ♨ 4 ♨ 11 (Comprensorio Monte Rosa ski collegato con Valtournenche e Zermatt - Svizzera) anche sci estivo ♨ – ⊠ 11021

▮ Italia

> ▶ Roma 749 – Aosta 55 – Biella 104 – Milano 187

> 🅸 via Guido Rey 17 ℰ 0166 949136, breuil-cervinia@montecervino.it, Fax0166 949731

> 🎦 Cervino, ℰ 0166 94 91 31

> 👁 Località ★★

Hermitage ⌀   ≤ 🚘 🚡 🔲 ⊕ 🐚 🛏 🕹 🛗 cam, 🛁 🛜 🏋 🅿 🚗
via Piolet 1 – ℰ *01 66 94 89 98*   🆅🅸🆂🅰 ⓦ AE ⓓ ✆
– www.hotelhermitage.com – hermitage@relaischateaux.com
– Fax 01 66 94 90 32 – dicembre-25 aprile e 7 luglio-31 agosto
28 cam – ▮250/350 € ▮▮300/450 €, ⊃ 40 € – 9 suites – ½ P 200/340 €
Rist – Carta 66/84 € ▒
◆ Lusso, atmosfera e tradizione: uno dei più romantici rifugi di montagna con camere spaziose ed accessori pregiati. Dalla piscina si gode una splendida vista sul maestoso Cervino. Il menu del ristorante si adegua alla clientela internazionale. Notevoli, le specialità alla griglia cucinate di fronte ai clienti.

Excelsior-Planet   ≤ 🐚 🕹 🛗 🏋 🛜 🅿 🚗 🆅🅸🆂🅰 ⓦ AE ✆
piazzale Planet 1 – ℰ *01 66 94 94 26 – www.excelsiorplanet.com*
– info@excelsiorplanet.com – Fax 01 66 94 88 27
– novembre-aprile e luglio-agosto
41 cam – ▮80/229 € ▮▮110/270 €, ⊃ 15 € – 5 suites – ½ P 95/200 €
Rist – Carta 35/60 €
◆ In posizione centrale, albergo a gestione familiare caratterizzato da camere per la maggior parte ampie con salottino. Una struttura in cui godere di un'ospitalità attenta e vicina alle esigenze di ogni cliente. Ristorante dal menu vasto ed articolato.

Sertorelli Sporthotel   ≤ 🐚 🛏 🕹 🛗 cam, 🛜 rist, 🛜 🅿
☎   *piazza Guido Rey 28 –* ℰ *01 66 94 97 97*   🆅🅸🆂🅰 ⓦ AE ⓓ ✆
– www.sertorelli-cervinia.it – info@sertorelli-cervinia.it
– Fax 01 66 94 81 55 – 25 novembre-1° maggio e 29 giugno-2 settembre
69 cam ⊃ – ▮75/150 € ▮▮120/260 € – 1 suite – ½ P 150 €
Rist – Carta 20/52 €
◆ All'ingresso della località, ampi saloni con bar, biliardo e piccola libreria. Camere dagli arredi semplici ma funzionali.

Punta Maquignaz   ≤ 🐚 🕹 🏋 cam, 🅿 🆅🅸🆂🅰 ⓦ AE ✆
piazza Guide Maquignaz – ℰ *01 66 94 91 45 – www.puntamaquignaz.com*
– puntamaquignaz@puntamaquignaz.com
– Fax 01 66 94 80 55 – dicembre-aprile
33 cam ⊃ – ▮60/170 € ▮▮120/340 € – 2 suites – ½ P 90/230 €
Rist Ymeletrob – Carta 44/69 €
◆ Hotel centrale, internamente rifinito in legno, ristrutturato in stile alpino con signorile gusto montano. In bella mostra una ricca collezione di trofei di caccia. Piatti di diversa ispirazione al ristorante, ma la specialità è la griglia.

Mignon   🕹 🛗 cam, 🏋 🆅🅸🆂🅰 ⓦ ✆
via Carrel 50 – ℰ *01 66 94 93 44 – www.mignoncervinia.com – info@mignoncervinia.com – Fax 01 66 94 96 87*
– novembre-aprile e luglio-agosto
20 cam ⊃ – ▮55/105 € ▮▮110/210 € – ½ P 75/130 €
Rist – (chiuso a mezzogiorno) (solo per alloggiati)
◆ Lungo la centrale strada pedonale, albergo a conduzione familiare caratterizzato da accoglienti spazi comuni in legno valdostano. Camere più semplici, ma ben tenute. C'est Mignon!

🏠 **Jumeaux** senza rist ≤ 🛎 ⇔ 🅿 VISA ⚫ AE 🖐
piazza Jumeaux 8 – 𝒞 *01 66 94 90 44 – www.hoteljumeaux.it*
– info@hoteljumeaux.it – Fax 01 66 94 98 86
– novembre-maggio e luglio-settembre
30 cam ⚏ – 🛏62/90 € 🛏🛏96/136 €
♦ Risorsa attiva sin dal 1905, in comoda posizione centrale, presenta ambienti comuni accoglienti e confortevoli con una caratteristica e luminosissima saletta relax.

🏠 **Breithorn** senza rist ≤ 🛎 🍴 🚗 VISA ⚫ AE ① 🖐
via Guido Rey – 𝒞 *01 66 94 90 42 – breithorn@libero.it – Fax 01 66 94 83 63*
– 27 novembre-10 maggio e 15 luglio-15 settembre
24 cam – 🛏30/70 € 🛏🛏50/120 €, ⚏ 10 €
♦ Una risorsa sobria, in posizione eccezionale per gli amanti dello sci di fondo, da cui è possibile godere di una bellissima vista sul Cervino e sulle Grandes Murailles.

sulla strada regionale 46

🏠 **Lac Bleu** ≤ 🚇 🛋 🐾 🛎 🖐 cam, 🍴 rist, 🅿 🚗 VISA ⚫ 🖐
☺ *località Lago Blu, Sud-Ovest : 1 km* ✉ *11021 –* 𝒞 *01 66 94 91 03*
– www.hotel-lacbleu.com – info@hotel-lacbleu.com – Fax 01 66 94 99 02
– 3 dicembre-aprile e luglio-10 settembre
17 cam – 🛏50/78 € 🛏🛏90/146 €, ⚏ 15 € – 3 suites – ½ P 80/120 €
Rist – *(chiuso a mezzogiorno) (solo per alloggiati)* Menu 20/32 €
♦ Lungo la strada per Cervinia, una piccola gestione familiare ma ricca d'atmosfera montana, camere semplici e dignitose. Panorama mozzafiato sul maestoso Cervino.

Un buon ristorante a prezzo contenuto? Cercate i «Bib Gourmand» 🍴.

BRIAGLIA – Cuneo (CN) – 56115 – 287 ab. – alt. 557 m – ✉ 12080 **23 C3**
   ▶ Roma 608 – Cuneo 31 – Savona 68 – Torino 80

✕✕ **Marsupino** con cam 🛎 🆊 ☎ VISA ⚫ AE 🖐
via Roma Serra 20 – 𝒞 *01 74 56 38 88 – www.trattoriamarsupino.it*
– info@trattoriamarsupino.it – Fax 01 74 56 30 35
– chiuso dal 7 gennaio al 7 febbraio
5 cam ⚏ – 🛏60 € 🛏🛏110 € – 2 suites
Rist – *(chiuso mercoledì e giovedì a mezzogiorno)* (prenotare)
Carta 31/49 € 🏵
♦ In un paesino di poche case, una trattoria dall'atmosfera rustica ed elegante. La cucina è rigorosamente del territorio, particolarmente attenta alla scelta dei prodotti. Accoglienti e graziose le nuove camere, arredate con mobili antichi e abbellite con stucchi e affreschi alle pareti.

BRINDISI 🅿 (BR) – 564F35 – 88 197 ab. – ✉ 72100▮ Italia **27 D2**
   ▶ Roma 563 – Bari 113 – Napoli 375 – Taranto 72
   ✈ di Papola-Casale per ④ : 6 km 𝒞 0831 4117447
   ℹ lungomare Regina Margherita 44 𝒞 0831 523072, apt.brindisi@
   viaggiareinpuglia.it, Fax 0831 523072
   👁 Colonna romana★ (termine della via Appia) Y **A**

Piante pagine 236-237

🏠 **Majestic** senza rist 🛎 🆊 ⁽ᵗ⁾ 🛁 🅿 VISA ⚫ AE ① 🖐
corso Umberto I 137 – 𝒞 *08 31 59 79 41 – www.ht-majestic.it*
– info@ht-majestic.it – Fax 08 31 52 40 71 Z**a**
62 cam ⚏ – 🛏54/115 € 🛏🛏85/138 €
♦ In comoda posizione di fronte alla stazione ferroviaria e poco distante dal porto, propone camere confortevoli di modeste dimensioni e gradevoli spazi comuni da poco rinnovati.

BRINDISI

🏠	**La Rosetta** senza rist 🛗 AC (📶) VISA 💳 AE ⓪ 🎴

via San Dionisio 2 – ℰ 08 31 59 04 61 – www.brindisiweb.com/rosetta
– hotelarosetta@libero.it – Fax 08 31 56 31 10   **Yg**
40 cam ⌚ – †60 € ††80 €

♦ In uno stabile del centro storico, indirizzo valido per il turista come per chi viaggia per affari con camere semplici e tradizionali dagli accessori moderni.

🏠	**Barsotti** senza rist 🛗 AC (📶) 🚿 🚗 VISA 💳 AE ⓪ 🎴

via Cavour 1 – ℰ 08 31 56 08 77 – www.hotelbarsotti.com
– info@hotelbarsotti.com – Fax 08 31 56 38 51   **Ze**
60 cam ⌚ – †60/78 € ††80/105 €

♦ Piccolo e utile indirizzo a gestione familiare, ben posizionato in centro località e frequentato principalmente da chi viaggia per lavoro, dispone di garage privato e di camere fresche e confortevoli.

✗✗	**Pantagruele** ♿ AC VISA 💳 AE ⓪ 🎴

Salita di Ripalta 1/5 – ℰ 08 31 56 06 05 – Fax 08 31 56 06 05
– chiuso dal 15 al 30 agosto, sabato a mezzogiorno e domenica   **Yb**
Rist – (consigliata la prenotazione) Carta 24/36 €

♦ Recentemente rimesso a nuovo, un locale carino di tono moderno e gestito con passione e attenzione. Offre una cucina casalinga a base di pesce, ben fatta e piacevolmente presentata.

BRINDISI

La guida vive con voi: parlateci delle vostre esperienze.
Comunicateci le vostre scoperte più piacevoli e le vostre delusioni.
Buone o cattive sorprese? Scriveteci!

BRIONA – Novara (NO) – 561F7 – 1 189 ab. – alt. 216 m – ⊠ 28072   23 **C2**

▶ Roma 636 – Stresa 51 – Milano 63 – Novara 17

a Proh Sud-Est : 5 km – ⊠ 28072 – Briona

XX **Trattoria del Ponte**   🖾 🛠 🅿 VISA ⚫⚫ 💳
    via per Oleggio 1 – ℰ 03 21 82 62 82 – www.trattoriadelponte.eu
    – Fax 03 21 82 62 82 – chiuso le sere di lunedì e martedì
    Rist – (prenotare) Carta 23/35 €
    ♦ Affacciata sulle risaie e sulla campagna novarese, questa curata trattoria dalla profes-
    sionale gestione familiare propone una cucina profondamente legata alla tradizione e al
    variare delle stagioni.

BRIOSCO – Milano (MI) – 561E9 – 5 674 ab. – alt. 271 m – ⊠ 20040   18 **B1**

▶ Roma 608 – Como 25 – Lecco 24 – Milano 40

✗✗ **LeAR** con cam ⬥   🔤 ⅙ rist, 🔲 🕪 ⅙ **P** 𝗩𝗜𝗦𝗔 ⓒⓞ ⒶⒺ ⓘ ✦

💮 *via Col de Frejus 3, Est : 1,5 km – ℰ 03 62 96 69 20 – www.ristorante-lear.com*
– info@ristorante-lear.com – Fax 03 62 96 69 60 – chiuso 3 settimane in gennaio
e 3 settimane in agosto
9 cam ⌚ – ♦80/100 € ♦♦110/130 €
Rist – *(chiuso domenica sera e lunedì)* Menu 63/73 € – Carta 59/82 €
Spec. Terrina di scorfano, astice, emulsione del suo fumetto e perline di
melone. Mezzelune di verdura, burrata campana e colatura di alici. Lombetti
di coniglio con funghi porcini profumati al rosmarino.
♦ Piccolo borgo fuori paese, impreziosito dal parco-museo che accoglie una raccolta di
opere d'arte e l'elegante ristorante di tono rustico moderno.

BRISIGHELLA – Ravenna (RA) – 562J17 – 7 701 ab. – alt. 115 m   9 **C2**
– ⊠ 48013

▶ Roma 355 – Bologna 71 – Ravenna 48 – Faenza 13

🄓 piazza Porta Gabalo 5 ℰ 0546 81166, iat.brisighella@provincia.ra.it,Fax
0546 81166

🄳 **La Meridiana** senza rist ⬥   🖪 🔲 🕪 ⅙ **P** 𝗩𝗜𝗦𝗔 ⓒⓞ ⒶⒺ ⓘ ✦
viale delle Terme 19 – ℰ 054 68 15 90 – www.lameridianahotel.it – info@
lameridianahotel.it – Fax 054 68 15 90 – marzo-novembre
54 cam ⌚ – ♦50/75 € ♦♦75/95 €
♦ Poco oltre il borgo medievale, la struttura sorge nella zona termale e dispone di
camere con vista e di una piacevole sala colazioni dalle decorazioni in stile liberty.

🏠 **Relais Varnello** senza rist ⬥   ≼ 🔲 🔲 🄰🄺 🔲 **P** 𝗩𝗜𝗦𝗔 ⓒⓞ ⒶⒺ ⓘ ✦
Borgo Rontana 34, Ovest : 3 km – ℰ 054 68 54 93 – www.varnello.it – info@
varnello.it – Fax 054 68 31 24 – aprile-dicembre
6 cam ⌚ – ♦100/120 € ♦♦100/140 €
♦ Lungo l'antica via etrusca, tra colline e calanchi, il casale si trova all'interno del Parco
Regionale Gessi Romagnoli e dispone di camere moderne, ben accessoriate.

a La Strada Casale Sud-Ovest : 8 km – ⊠ 48013 – **Fognano**

✗✗ **Strada Casale**   🔤 🔲 **P** 𝗩𝗜𝗦𝗔 ⓒⓞ ⓘ ✦
via Strada Casale 22 – ℰ 054 68 80 54 – Fax 054 68 80 54
– chiuso dal 10 al 30 gennaio, dal 1° al 10 giugno, dal 10 al 20 settembre,
mercoledì
Rist – *(chiuso a mezzogiorno escluso sabato e domenica)* Carta 25/33 €
♦ Ristorante-enoteca fuori paese, ricavato da una casa di campagna ristrutturata sapientemente. La sala da pranzo è calda, invitante e dotata di un grande camino.

BRISSOGNE – Aosta (AO) – 561E4 – 962 ab. – alt. 894 m – ⊠ 11020   34 **B2**

▶ Roma 717 – Aosta 13 – Moncalieri 118 – Torino 108

🏠 **Agriturismo Le Clocher du Mont-Blanc** senza rist ⬥   🔲 **P**
frazione Pallù Dessus 2 – ℰ 01 65 76 21 96 – www.geocities.com
/leclocherdumontblanc – clocherdumontblanc@libero.it – Fax 01 65 77 21 07
8 cam ⌚ – ♦25/35 € ♦♦48/70 €
♦ Situata in un grazioso borgo alle pendici dei monti, una casa in pietra del '600 - interamente ristrutturata - accoglie questa semplice struttura, dotata di una decina di
camere dagli arredi lignei.

BRIXEN = Bressanone

BROGLIANO – Vicenza (VI) – 562F16 – 3 135 ab. – alt. 172 m   35 **B2**
– ⊠ 36070

▶ Roma 540 – Verona 54 – Venezia 90 – Vicenza 31

🏠 Locanda Perinella ⒮   🏠 🛗 & cam, 🅰🅲 ⚙ 📶 🅿 🛋 🆅🆂🅰 🆎 🖐

via Bregonza 19 – 𝒞 04 45 94 76 88 – hotel@locandaperinella.it
– Fax 04 45 94 76 88 – chiuso dal 1° all'8 gennaio e dal 7 al 23 agosto
16 cam – ♦60/80 € ♦♦90/110 €, ☲ 8 € – 6 suites   **Rist** – Carta 21/39 €
♦ Antico edificio agricolo, ristrutturato con maestria, si è trasformato in un raffinato ed esclusivo albergo. Mobili d'epoca e pregevoli elementi architettonici originali per un soggiorno indimenticabile. Cucina regionale permeata da qualche venatura estrosa nel ristorante rustico-elegante.

BRUGNERA – Pordenone (PN) – 562E19 – 8 342 ab. – alt. 16 m   10 A3
– ✉ 33070

▶ Roma 564 – Belluno 59 – Pordenone 15 – Treviso 38

🏠🏠 Ca' Brugnera   🖥 🛗 & 🅰🅲 📶 🏛 🅿 🛋 🆅🆂🅰 🆎 🆎 🛈 🖐

via Villa Varda 4 ✉ 33070 – 𝒞 04 34 61 32 32 – www.cabrugnera.com – info@ cabrugnera.com – Fax 04 34 61 34 56
56 cam ☲ – ♦57/97 € ♦♦79/145 € – 4 suites – ½ P 90/98 €
Rist – (chiuso a mezzogiorno) Carta 30/42 €
♦ Realizzata secondo i canoni dell'architettura contemporanea, la risorsa è ideale per una clientela d'affari e commerciale: ampi e con arredo classico sia gli spazi comuni che le camere. Al ristorante, atmosfera elegante, sapori regionali e proposte di cucina celiaca.

BRUNECK = Brunico

BRUNICO (BRUNECK) – Bolzano (BZ) – 562B17 – 13 914 ab.   31 C1
– alt. 835 m – Sport invernali : 838/2 275 m ⛷ 19 ⚡12 (Comprensorio Dolomiti superski Plan de Corones) ⚷ – ✉ 39031▮ Italia

▶ Roma 715 – Cortina d'Ampezzo 59 – Bolzano 77 – Brennero 68
ⓘ piazza Municipio 7 𝒞 0474 555722, info@bruneck.com, Fax 0474 555544
◉ Museo etnografico★ di Teodone

🏠 Rosa d'Oro-Goldene Rose senza rist   🛗 & 🛎 📶 🏛 🛋

via Bastioni 36/b – 𝒞 04 74 41 30 00   🆅🆂🅰 🆎 🆎 🖐
– www.hotelgoldenrose.com – info@hotelgoldenerose.com – Fax 04 74 41 30 99
– chiuso dal 1° al 22 giugno e dal 1° al 20 ottobre
21 cam ☲ – ♦65/105 € ♦♦94/124 €
♦ Questa risorsa costituisce un esempio eccellente di come si possa coniugare la modernità dei servizi e delle installazioni, col calore della tradizione. Camere ottime.

🍴 Oberraut   🚗 🆅🆂🅰 🆎 🆎 🖐

via Ameto 1 – 𝒞 04 74 55 99 77 – gasthof.oberraut@dnet.it – Fax 04 74 55 99 97
– chiuso dal 15 al 30 gennaio e dal 15 al 30 giugno
Rist – Carta 20/44 €
♦ Ubicato nel verde di un bosco, questa sorta di maso propone al suo interno un servizio ristorante di tutto rispetto con gustosi piatti regionali, rivisitati in chiave moderna.

a Stegona (Stegen)Nord-Ovest : 2 km – **alt. 817 m** – ✉ 39031 – Brunico

🏠 Langgenhof   🚗 🏠 🛏 🖥 🛗 & ⚙ rist, 📶 🅿 🆅🆂🅰 🆎 🖐

via San Nicolò 11 – 𝒞 04 74 55 31 54 – www.langgenhof.com – hotel@ langgenhof.com – Fax 04 74 55 21 10
31 cam ☲ – ♦47/71 € ♦♦74/130 € – ½ P 66/77 €
Rist – (chiuso 2 settimane in aprile, 2 settimane in novembre e domenica) (chiuso a mezzogiorno) Carta 33/43 €
♦ Un maso, edificio tipico di queste parti, riadattato con materiali biologici e molto e buon gusto per ospiti in cerca di genuinità, da viversi nello spirito della tradizione. Originali e meravigliose stufe nella sala da pranzo. Tutto trasmette passione e cura.

a San Giorgio (St. Georgen)Nord : 2 km – **alt. 823 m** – ⊠ 39031 – **Brunico**

🏨 **Gissbach** ⤵ ⬜ 🏊 📶 🍴 rist, 🛎 🄿 🚗 🆅🆂🄰 ⓒⓑ 🄰🄴 ⓞ ⓢ
via Gissbach 27 – 𝒞 04 74 55 11 73 – www.gissbach.com – info@gissbach.com
– Fax 04 74 55 07 14 – dicembre-Pasqua e maggio-ottobre
27 cam ⊊ – ♦65/95 € ♦♦102/140 € – 8 suites – ½ P 66/85 €
Rist – (chiuso a mezzogiorno) (solo per alloggiati)
♦ La facciata è quella di una casa in tipico stile tirolese, mentre gli interni sono caratterizzati da alcuni interessanti spunti architettonici come gli inserti di vetro nel pavimento.

a Riscone (Reischach)Sud-Est : 3 km – **alt. 960 m** – ⊠ **39031**

🏨 **Schönblick** ⇐ 🍴 ⬜ 🌐 🏊 📶 🖐 🐾 📶 🛁 🄿 🚗
via Reiperting 1 – 𝒞 04 74 54 17 77 🆅🆂🄰 ⓒⓑ 🄰🄴 ⓞ ⓢ
– www.schoenblick.it – hotel@schoenblick.it – Fax 04 74 54 17 45
– chiuso dal 14 aprile al 29 maggio e dal 18 ottobre al 30 novembre
42 cam ⊊ – ♦85/160 € ♦♦130/280 € – 3 suites – ½ P 150/190 €
Rist Juwel – 𝒞 04 74 54 16 00 (chiuso a mezzogiorno escluso luglio-agosto)
(solo per alloggiati) Menu 25/100 €
♦ Imponente ed elegante struttura cinta dal verde; all'interno grandi spazi in stile montano di taglio moderno e tono signorile. Belle stanze spaziose, dotate di ogni confort.
Calda atmosfera nella sala da pranzo rivestita in perlinato.

🏨 **Royal Hotel Hinterhuber** ⤵ ⇐ 🍴 ⬜ 🏊 🌐 📶 🛁 🍴 🖐 🐾
via Ried 1/A 🄰🄲 rist, 🐾 rist, 🛎 🄿 🚗 ⓞ ⓢ
– 𝒞 04 74 54 10 00 – www.royal-hinterhuber.com – info@royal-hinterhuber.com
– Fax 04 74 54 80 48 – 5 dicembre-25 marzo e 10 giugno-25 settembre
39 cam ⊊ – ♦110/170 € ♦♦170/250 € – 8 suites – ½ P 90/155 €
Rist – (solo per alloggiati)
♦ Grazie ai continui rinnovi, resta sempre attuale questo hotel adatto a chi cerca un
luogo nel quale trovare assoluto relax e praticare sport. Parco con piscina riscaldata, tennis e un delizioso centro benessere.

🏨 **Majestic** ⤵ ⇐ 🍴 ⬜ 🌐 🏊 📶 🛁 🛎 🐾 📶 🄿 🆅🆂🄰 ⓒⓑ ⓢ
Im Gelande 20 – 𝒞 04 74 41 09 93 – www.hotel-majestic.it – info@
hotel-majestic.it – Fax 04 74 55 08 21 – chiuso dal 18 aprile al 16 maggio
e dal 1° al 28 novembre
56 cam ⊊ – ♦90/122 € ♦♦180/300 € – 4 suites – ½ P 120/145 €
Rist – (chiuso a mezzogiorno) (solo per alloggiati) Menu 25/50 €
♦ Vicino agli impianti sportivi e al golf a 9 buche, non difetta di silenzio e tranquillità
per una vacanza in cui il relax è la chiave di volta. Piacevole e rilassante centro benessere.

🏨 **Rudolf** ⇐ 🍴 ⬜ 🌐 🏊 🛁 🛎 🐾 🔀 🐾 rist, 📶 🄿 🚗
via Riscone 33 – 𝒞 04 74 57 05 70 🆅🆂🄰 ⓒⓑ 🄰🄴 ⓞ ⓢ
– www.hotel-rudolf.it – info@hotel-rudolf.it – Fax 04 74 55 08 06
32 cam ⊊ – ♦80/170 € ♦♦140/230 € – 4 suites – ½ P 85/140 €
Rist – (chiuso novembre) Carta 39/45 €
♦ Il punto di forza dell'albergo è rappresentato senz'altro dagli ambienti e dai servizi
comuni di livello apprezzabile. In più ci sono panorama e tranquillità. Ristorante d'impostazione classica nello stile dell'arredo e nella composizione del menù.

BRUSAPORTO – Bergamo (BG) – 4 416 ab. – **alt. 238 m** – ⊠ 24060   19 **C1**
🚗 Roma 601 – Bergamo 12 – Brescia 54 – Milano 60

🏨 **Relais da Vittorio** ⤵ ⇐ 🍴 ⬜ 🐾 🛎 🄰🄲 🛎 🛁 🄿
via Cantalupa 17 – 𝒞 035 68 10 24 🆅🆂🄰 ⓒⓑ 🄰🄴 ⓞ ⓢ
– www.davittorio.com – relaisdavittorio@davittorio.com – Fax 035 68 08 49
– chiuso 20 giorni ad agosto
10 cam ⊊ – ♦200/250 € ♦♦280/300 €
Rist Da Vittorio – vedere selezione ristoranti
♦ Dalla città del Colleoni al verde delle colline bergamasche: struttura ricettiva di gran
lusso con camere tutte diverse fra loro, ma accomunate dallo stesso ottimo standard di
confort; bagni che seguono la felice linea della personalizzazione, con rivestimenti in
marmi pregiati e suggestivi giochi cromatici.

Da Vittorio (Enrico e Roberto Cerea) – Relais da Vittorio 🏠 ⚑ 🅰🅲 🅿
via Cantalupa 17 – 📞 *035 68 10 24* 🆅🆂🅰 ⓞⓞ 🅰🅴 ⓞ 🔶
– www.davittorio.com – info@davittorio.com – Fax 035 68 08 49
– chiuso 20 giorni ad agosto e mercoledì (escluso settembre e dicembre)
Rist – Menu 70/140 € – Carta 81/161 € ⅜
Spec. Insalata di pesce calda con pesto gentile. Trionfo di crostacei e molluschi al vapore con verdure. Gran fritto misto.
♦ In un'imponente villa ricca di spazi e classicità, la vera "tavola" italiana in chiave
moderna e creativa.

BRUSCIANO – Napoli (NA) – 15 412 ab. – alt. 27 m – ✉ 80031   6 **B2**
▶ Roma 217 – Napoli 22 – Latina 62 – Salerno 59

Taverna Estia (Francesco e Armando Sposito) 🚗 🏠 🅰🅲 ⅜ 🅿
via Guido De Ruggiero 108 – 📞 *08 15 19 96 33* 🆅🆂🅰 ⓞⓞ ⓞ 🔶
– www.tavernaestia.it – info@tavernaestia.it – Fax 08 18 84 96 18
*– chiuso dal 7 al 13 gennaio, dal 15 al 30 agosto, domenica sera, lunedì, martedì
a mezzogiorno*
Rist – (consigliata la prenotazione) Carta 58/76 € ⅜
Spec. Apparentemente un uovo: tuorlo marinato, schiuma d'acqua di pomodoro, insalatina di asparagi. Stoccafisso in pasta: tradizione e innovazione.
Rombo in crosta di pop corn , olio ai pistacchi di Bronte, peperoncini verdi e
gelato di melanzane.
♦ Un'intera famiglia al lavoro tra sala e cucina a vista è la chiave, tutta italiana, che
spiega il successo del locale: un'inaspettata oasi di elegante rusticità con camino e travi
a vista. Cucina gustosamente creativa.

BUDOIA – Pordenone (PN) – 562D19 – 2 267 ab. – alt. 140 m – ✉ 33070   10 **A2**
▶ Roma 600 – Belluno 65 – Pordenone 32 – Treviso 58

Ciasa de Gahja 🏠 🚗 🏠 🍴 ⚑ 🅰🅲 rist, "🐄" 🅿 🆅🆂🅰 ⓞⓞ 🅰🅴 ⓞ 🔶
via Anzolet 13 – 📞 *04 34 65 48 97 – www.ciasadegahja.com – info@
ciasadegahja.com – Fax 04 34 65 48 15*
16 cam 🖃 – ✝65/85 € ✝✝85/130 € – ½ P 63/85 €
Rist – *(chiuso lunedì e martedì a mezzogiorno)* Carta 30/72 €
♦ All'interno di un'antica residenza di caccia, una calda accoglienza e ampie camere personalizzate. Nei dintorni, passeggiate per boschi ed avventure tra testimonianze archit-
toniche. Nelle eleganti sale o a bordo piscina, sarete deliziati da una cucina fantasiosa.

Il Rifugio 🚗 🏠 ⅜ 🅿 🆅🆂🅰 ⓞⓞ 🅰🅴 ⓞ 🔶
località Val de Croda, Nord-Ovest : 3 km – 📞 *04 34 65 49 15 – www.ilrifugio.net
– info@ilrifugio.net – chiuso 2 settimane in gennaio, 10 giorni in giugno,
mercoledì e giovedì a mezzogiorno escluso luglio e agosto*
Rist – Carta 34/44 €
♦ Sono la pace e il silenzio del parco della Val de Croda a fare da cornice naturale al
piacevole dehors estivo; all'interno, accoglienti salette con camino. Selvaggina, funghi e
carni alla griglia dalle cucine.

BUDRIO – Bologna (BO) – 562I16 – 15 835 ab. – alt. 25 m – ✉ 40054   9 **C2**
▶ Roma 401 – Bologna 22 – Ferrara 46 – Ravenna 66

Sport Hotel senza rist 🏢 ✳ 🅿 🆅🆂🅰 ⓞⓞ 🅰🅴 ⓞ 🔶
via Massarenti 10 – 📞 *051 80 35 15 – www.hotelsport.biz – info@hotelsport.biz
– Fax 051 80 35 80 – chiuso dal 24 al 30 dicembre*
31 cam 🖃 – ✝60/170 € ✝✝80/250 €
♦ Risorsa con camere semplici e bagni piccoli, apprezzata per la propria funzionalità e
per la comoda ubicazione non lontara dal polo fieristico bolognese.

Centro Storico ⚑ 🅰🅲 ⅜ 🆅🆂🅰 ⓞⓞ 🅰🅴 🔶
via Garibaldi 10 – 📞 *051 80 16 78 – Fax 05 16 92 44 14 – chiuso
dal 20 al 28 febbraio, dal 21 agosto al 2 settembre, domenica sera e lunedì*
Rist – (consigliata la prenotazione) Carta 37/49 €
♦ Piccolo locale a gestione famigliare, dove lo chef propone una cucina che affonda le
proprie radici nella tradizione, rivisitata e alleggerita.

BULLA = PUFELS – Bolzano – Vedere Ortisei

BURAGO DI MOLGORA – Milano (MI) – 561F10 – **4 158 ab.** 18 B2
– alt. 182 m – ⊠ 20040
> ▸ Roma 591 – Milano 22 – Bergamo 37 – Lecco 33

🔝 **Brianteo** 🎿 AC 🌣 ⁽¹⁾ 🏊 P 🅥🅸🆂🅰 ⚭ AE ① ♻
via Martin Luther King 3/5 – ℰ *03 96 08 21 18 – www.brianteo.it – hotel@*
brianteo.it – Fax 03 96 08 43 38 – chiuso dal 23 dicembre al 6 gennaio e dal 2 al
24 agosto
62 cam ⊂⊐ – ♦90/110 € ♦♦130/160 € – ½ P 109/129 €
Rist Brianteo – vedere selezione ristoranti
♦ Struttura votata alla soddisfazione delle esigenze della clientela d'affari. Camere ampie, curate e funzionali, benché semplici; sono validi anche gli spazi comuni.

✗✗ **Brianteo** AC 🌣 ⇄ P 🅥🅸🆂🅰 ⚭ AE ① ♻
via Martin Luther King 3/5 – ℰ *03 96 08 04 36 – www.brianteo.it – ristorante@*
brianteo.it – Fax 03 96 08 43 38 – chiuso dal 26 dicembre al 6 gennaio e dal 2 al
24 agosto
Rist – Carta 33/46 €
♦ Accanto all'omonimo hotel, un ristorante composto da un grande salone e due sale più raccolte. Il menù propone la più rassicurante e classica cucina nazionale.

BURANO – Venezia – Vedere Venezia

BURGSTALL = Postal

BURGUSIO = BURGEIS – Bolzano – 561B13 – Vedere Malles Venosta

BUSALLA – Genova (GE) – 561I8 – **5 959 ab.** – alt. 358 m – ⊠ 16012 15 C1
> ▸ Roma 513 – Genova 26 – Alessandria 59 – Milano 123

🏠 **Vittoria** 🎿 ♿ 🌣 🅥🅸🆂🅰 ⚭ ♻
via Vittorio Veneto 177 – ℰ *01 09 76 12 84 – info@albergobarvittoria.it*
– Fax 01 09 76 06 35 – chiuso dal 23 dicembre al 17 gennaio
15 cam ⊂⊐ – ♦50/60 € ♦♦70/85 €
Rist – *(chiuso venerdì) (chiuso a mezzogiorno)* Carta 18/28 €
♦ Piccola e accogliente risorsa, in centro e a due passi dalla stazione ferroviaria. Ambiente familiare e pulito, camere dotate di tutti i confort di base. Le decorazioni e le luci del ristorante testimoniano l'estro artistico della gestione.

✗✗ **Grit** ☂ ⇄ 🅥🅸🆂🅰 ⚭ AE ① ♻
piazza Garibaldi 9 – ℰ *01 09 64 17 98 – www.ristorantegrit.com*
– extreme.kayak@libero.it – Fax 01 09 64 17 98 – chiuso dal 1° all' 8 marzo,
agosto e lunedì
Rist – Carta 25/48 €
♦ Ristorante sviluppato su tre salette e d'estate anche nella minuscola piazzetta antistante, dove sono sistemati alcuni tavolini. Cucina casalinga, con tocchi creativi.

BUSCATE – Milano (MI) – 561F8 – **4 339 ab.** – alt. 177 m – ⊠ 20010 18 A2
> ▸ Roma 611 – Milano 38 – Gallarate 15 – Novara 21

🏨 **Scià on Martin** ♿ AC 🌣 ⁽¹⁾ 🏊 P 🅥🅸🆂🅰 ⚭ AE ① ♻
viale 2 Giugno 1 – ℰ *03 31 80 30 00 – www.sciaonmartin.it – info@*
sciaonmartin.it – Fax 03 31 80 35 00 – chiuso dal 24 dicembre al 3 gennaio
ed agosto
44 cam ⊂⊐ – ♦107/200 € ♦♦132/250 € – 3 suites
Rist – *(chiuso sabato a mezzogiorno)* Carta 38/55 €
♦ La struttura si mantiene sempre su buoni livelli di confort con camere accoglienti e spazi comuni ben distribuiti. Sala ristorante di tono moderno ed elegante con proposte di cucina stagionale. (Possibilità di organizzare banchetti in un'apposita sala).

BUSCO – Treviso (TV) – Vedere Ponte di Piave

BUSSANA – Imperia – Vedere San Remo

BUSSETO – Parma (PR) – 562H12 – **6 877 ab.** – **alt. 39 m** – ✉ **43011** 8 **A1**
- ▸ Roma 490 – Parma 35 – Piacenza 32 – Bologna 128
- 🅸 piazza Verdi 10 (Municipio) 𝒞 0524 92487, info@bussetolive.com, Fax0542 931740

🏠 **I Due Foscari** 🍴 🎐 🕭 🕓 🏵 🕑 **P** 𝗩𝗜𝗦𝗔 ⓪ 🄰🄴 ① ⑀
piazza Carlo Rossi 15 – 𝒞 05 24 93 00 31 – www.iduefoscari.it – info@ iduefoscari.it – Fax 052 49 16 25
20 cam – ♦62/70 € ♦♦87 €, � 8 € – ½ P 82 €
Rist – *(chiuso 3 settimane in agosto e lunedì)* Carta 36/54 € 🕸
♦ Per farsi avvolgere da un'autentica atmosfera verdiana, una suggestiva e scenografica dimora di campagna, con arredi in stile e mobili d'epoca. Facile farsi sopraffare dalla meraviglia dell'ambientazione della sala ristorante.

BUSSOLENGO – Verona (VR) – 562F14 – **18 046 ab.** – **alt. 127 m** 37 **A2**
– ✉ **37012**
- ▸ Roma 504 – Verona 13 – Garda 20 – Mantova 43

🏩 **Montresor Hotel Tower** 🉐 🎐 🕭 🛁 🏵 rist, 🍷 🛁 **P** 🚗
via Mantegna 30/a – 𝒞 04 56 76 10 00 𝗩𝗜𝗦𝗔 ⓪ 🄰🄴 ⑀
– www.montresorgroup.com – tower@montresorgroup.com – Fax 04 56 76 22 22
144 cam – ♦80/300 € ♦♦100/350 €, � 8 € – ½ P 66/191 €
Rist – *(chiuso a mezzogiorno in lugio e agosto)* Carta 22/41 €
♦ Pare un piccolo grattacielo color melanzana dagli interni che colpiscono per la modernità e la ricerca del lusso. Non mancano gli spazi, soprattutto nelle camere tutte molto ampie. Per i pasti numerose proposte culinarie e grande capacità ricettiva.

BUSTO ARSIZIO – Varese (VA) – 561F8 – **78 445 ab.** – **alt. 224 m** 18 **A2**
– ✉ **21052**
- ▸ Roma 611 – Milano 35 – Stresa 52 – Como 40
- 🅸 Le Robinie, 𝒞 0331 32 92 60

✕✕ **Antica Osteria I 5 Campanili** 🍴 🎐 🕭 𝗩𝗜𝗦𝗔 ⓪ 🄰🄴 ① ⑀
via Maino 18 – 𝒞 03 31 63 04 93 – antonio.pagani5@tin.it – Fax 03 31 63 04 93
– chiuso dal 6 al 15 gennaio, dal 16 al 20 agosto e lunedì
Rist – Carta 36/49 € 🕸
♦ Un locale elegante, con un bel giardino per il servizio estivo e una nutrita e affezionata clientela di habitué. La cucina si affida a valide e fantasiose elaborazioni.

✕✕ **Mirò** 🕭 🕓 𝗩𝗜𝗦𝗔 ⓪ 🄰🄴 ① ⑀
via Roma 5 – 𝒞 03 31 62 33 10 – maxmauri@hotmail.it – chiuso sabato a mezzogiorno e lunedì
Rist – Carta 47/60 €
♦ In un ex convento in pieno centro, ambienti piacevoli suddivisi tra una sala romantica e un godibile dehors. Cucina fantasiosa e ricca di abbinamenti curiosi.

BUTTRIO – Udine (UD) – 562D21 – **3 880 ab.** – **alt. 79 m** – ✉ **33042** 11 **C2**
- ▸ Roma 641 – Udine 12 – Gorizia 26 – Milano 381

🏠 **Locanda alle Officine** 🕭 🉐 🕭 🛁 🏵 rist, 🍷 🛁 **P** 🚗
via Nazionale 46/48, Sud-Est : 1 km – 𝒞 04 32 67 33 04 𝗩𝗜𝗦𝗔 ⓪ 🄰🄴 ⑀
– www.aziendagricolamarinadanieli.it – locanda.officine@alice.it
– Fax 04 32 68 35 21
38 cam – ♦80 € ♦♦155 €, � 10 € – ½ P 130 €
Rist – *(chiuso domenica)* Carta 26/34 €
♦ Abbracciato dal verde e contemporaneamente poco distante dal centro, la locanda propone agli ospiti moderne camere di notevole ampiezza. Al ristorante, piatti del territorio, alcuni rivisitati.

✕ **Trattoria al Parco** 🕓 🕭 🕭 **P** 𝗩𝗜𝗦𝗔 ⓪ 🄰🄴 ① ⑀
via Stretta 7 – 𝒞 04 32 67 40 25 – parco.meroi@libero.it – Fax 04 32 67 33 69
– chiuso dal 15 al 25 gennaio, dal 5 al 25 agosto, martedì sera e mercoledì
Rist – Carta 24/32 €
♦ Sale rustiche, gestione familiare e specialità alla brace: ecco cosa offre questo locale in centro paese. In estate il servizio continua all'aperto, nel piacevole giardino con laghetto.

CABRAS – Oristano – 566H7 – **Vedere Sardegna alla fine dell'elenco alfabetico**

CADEO – Piacenza (PC) – 562H11 – **5 463 ab.** – **alt. 67 m** – ✉ 29010　　　8 **A1**

▶ Roma 501 – Piacenza 15 – Cremona 34 – Milano 76

🏠　**Relais Cascina Scottina**　🚗 🐬 📠 🅰️ cam, 🛜 ⚘ 🅿️
strada Riglio, verso Saliceto Nord-Ovest: 2 km　🆚 🅾️ 🅰️ ⓪ 👄
– ☎ 05 23 50 42 32 – *www.relaiscascinascottina.it* – *info@relaiscascinascottina.it*
– *Fax 05 23 50 42 60 – chiuso dal 1° all'8 agosto e dal 10 al 24 agosto*
14 cam ⌅ – ♦99/160 € ♦♦143/210 €
Rist *Antica Osteria della Pesa* – Menu 30/55 € – Carta 40/61 € ⚘
♦ Nel cuore della campagna piacentina, nuovo ed accogliente *relais* ambientato in un antico casale del '700 (precedentemente azienda agricola): camere spaziose, arredate con gusto ed eleganza, curate nei minimi dettagli per garantire agli ospiti un soggiorno indimenticabile.

🏠　**Le Ruote**　🔃 👤 📠 🛜 ⚘ 🅿️ 🆚 🅾️ 🅰️ ⓪ 👄
♻　*via Emilia 204, località Roveleto, Sud-Est* – ☎ 05 23 50 04 27
– *www.hotelleruote.it* – *prenotazioni@hotelleruote.it* – *Fax 05 23 50 93 34*
72 cam ⌅ – ♦92/120 € ♦♦120/145 €　**Rist** – Carta 21/40 €
♦ Al centro di numerosi itinerari turistici, questa moderna struttura rivestita da vetri a specchio offre ambienti colorati ed accoglienti. Apprezzata soprattutto da una clientela di lavoro. Piatti nazionali e locali al ristorante, nel quale sarete accolti da una piacevole atmosfera demodé.

✂　**Lanterna Rossa**　📠 ⚘ 🔃 🅿️ 🆚 🅾️ 🅰️ 👄
via Ponte 8, località Saliceto, Nord-Est : 4 km – ☎ 05 23 50 05 63
– *www.lanternarossa.it* – *rist.lanterna.rossa@libero.it* – *Fax 05 23 50 30 57*
– *chiuso dal 1° al 10 gennaio, agosto, lunedì e martedì*
Rist – *(chiuso a mezzogiorno)* (prenotazione obbligatoria) Menu 30/40 €
– Carta 31/48 € ⚘
♦ Una villetta di campagna tinteggiata di rosso ospita questo ristorante dalla gestione familiare; la cucina punta sulla qualità e su piatti che traggono la loro ispirazione dal mare.

CADIPIETRA = STEINHAUS – Bolzano – Vedere Valle Aurina

CADREZZATE – Varese (VA) – 561E7 – **1 629 ab.** – **alt. 281 m**　　　16 **A2**
– ✉ 21020

▶ Roma 634 – Stresa 37 – Bergamo 102 – Milano 62

✂✂　**Vecchio Mulino**　📠 ⚘ 🅿️ 🆚 🅾️ ⓪ 👄
via Solferino 376 – ☎ 03 31 95 31 79 – *rist_vecchiomulino@libero.it* – *chiuso dal 26 dicembre al 4 gennaio, lunedì e martedì in estate, anche domenica sera in inverno*
Rist – *(chiuso a mezzogiorno escluso domenica)* Menu 38/42 € – Carta 40/51 €
♦ Travi a vista e pareti in pietra, arredi della tradizione con tavoli in legno scuro e un bel camino a riscaldare la sala. Caldo ristorantino dalla cucina fantasiosa.

CAERANO DI SAN MARCO – Treviso (TV) – 562E17 – **7 134 ab.**　　　36 **C2**
– **alt. 123 m** – ✉ 31031

▶ Roma 548 – Padova 50 – Belluno 59 – Milano 253

🏠　**Agriturismo Col delle Rane** senza rist 🐬　⬅ 🚗 🍽 📠 ⚘ 🛜
via Mercato Vecchio 18, Nord-Est : 1 km – ☎ 042 38 55 85　　🅿️ 🆚 🅾️ 👄
– *www.coldellerane.it* – *info@coldellerane.it* – *Fax 04 23 85 70 04*
14 cam ⌅ – ♦37/49 € ♦♦67/70 €
♦ Elegante casa colonica di fine '700, ben ristrutturata al fine di ottenere una risorsa tranquilla e confortevole. Immersa nel verde, la nuova bio-piscina concilierà i vostri momenti di relax.

CAFRAGNA – Parma – 562H12 – Vedere Collecchio

CAGLIARI 🅿️ – 566J9 – Vedere Sardegna alla fine dell'elenco alfabetico

---

CALAMANDRANA – Asti (AT) – 561H7 – **1 626 ab.** – **alt. 314 m**　　　25 **D2**
– ✉ 14042

▶ Roma 599 – Alessandria 38 – Genova 98 – Asti 35

✗ **Violetta** 🕼 ♿ 🅰🅲 ⚅ ⟳ 🄿 🆅🆂🄰 ⓪ ⓪ 🅕
😊 *località Valle San Giovanni 1, Nord : 2,5 km –* ✆ *01 41 76 90 11*
– www.ristorantevioletta.it – info@ristorantevioletta.it – Fax 01 41 76 90 11
– chiuso dal 7 al 30 gennaio, mercoledì e la sera di domenica e martedì
Rist – Carta 29/41 € 🕸
♦ Quasi un'abitazione privata: accoglienza calorosa e ambiente rustico-elegante nelle salette di questa trattoria casalinga che propone piatti regionali, giornalmente esposti a voce.

CALAMBRONE – Pisa – 563L12 – Vedere Tirrenia

CALANGIANUS – Olbia-Tempio (104) – 566E9 – Vedere Sardegna alla fine dell'elenco alfabetico

---

CALA PICCOLA – Grosseto – 563O15 – Vedere Porto Santo Stefano

---

CALASETTA – Carbonia-Iglesias (107) – 566J7 – Vedere Sardegna alla fine dell'elenco alfabetico

---

CALAVINO – Trento (TN) – 562D14 – **1 337 ab.** – **alt. 409 m** – ✉ **38072**   30 **B3**
▶ Roma 605 – Trento 15 – Bolzano 77 – Brescia 100

✗✗ **Da Cipriano** 🕼 ⚅ 🆅🆂🄰 ⓪ 🄰🄴 ⓪ 🅕
😊 *via Graziadei 13 –* ✆ *04 61 56 47 20 – Fax 04 61 56 30 49 – chiuso mercoledì*
😊 **Rist** – *(chiuso a mezzogiorno escluso domenica e i giorni festivi)* Carta 18/26 €
♦ La casa antica dalle volte basse ospita un ristorante con quattro salette di diverso stile, nelle quali gustare una cucina regionale particolarmente attenta alla scelta dei prodotti.

CALCINATE DEL PESCE – Varese – 561E8 – Vedere Varese

CALCINATO – Brescia (BS) – 561F13 – **11 436 ab.** – **alt. 164 m**   17 **D1**
– ✉ **25011**
▶ Roma 517 – Brescia 19 – Milano 113 – Parma 83

a Ponte San Marco Nord : 2,5 km – ✉ **25011**

🏨 **Della Torre 1850** 🕼 ♿ cam, 🅰🅲 ⚅ 🕪 ⚙ 🄿 🚗 🆅🆂🄰 ⓪ 🄰🄴 ⓪ 🅕
via strada statale 11, Padana Superiore 33 – ✆ *03 09 65 51 11*
– www.hoteldellatorre1850.it – info@hoteldellatorre1850.it – Fax 03 09 63 73 45
– chiuso dal 25 dicembre al 7 gennaio
41 cam � – 🛏65/150 € 🛏🛏110/200 €
Rist – *(chiuso domenica a mezzogiorno)* Carta 24/39 €
♦ Attorno ad una torre colombaia del XIX sec., originale hotel (ricavato da un ex opificio con struttura "a ringhiera") dispone di camere moderne e mini appartamenti per soggiorni medio-lunghi.

CALDANA – Grosseto – 563N14 – Vedere Gavorrano

CALDARO SULLA STRADA DEL VINO   31 **D3**
(KALTERN AN DER WEINSTRASSE) – Bolzano (BZ) – 562C15
– **7 075 ab.** – **alt. 426 m** – ✉ **39052**
▶ Roma 635 – Bolzano 15 – Merano 37 – Milano 292
ℹ piazza Mercato 8 ✆ 0471 963169, info@kaltern.com, Fax 0471 963469

🏨 **Schlosshotel Aehrental** 🚲 🕼 🏊 🛗 ⚅ 🕨 🄿 🆅🆂🄰 ⓪ 🅕
via dell'Oro 19 – ✆ *04 71 96 22 22 – www.schlosshotel.it – info@schlosshotel.it*
– Fax 04 71 96 59 41 – 15 marzo-15 novembre
17 cam – 2 suites – solo ½ P 82/100 €   **Rist** – Carta 47/60 €
♦ Bell'edificio nobiliare di metà '600 a due passi dal centro, ma circondato da un bel giardino. Camere e ambienti signorili, per un soggiorno all'insegna del buon gusto. Servizio ristorante estivo all'aperto.

al lago Sud : 5 km :

Parc Hotel ≫ ← 🚗 🏡 🖥 🕍 ᒪᕼ 🛗 🕹 cam, 🆎 ⟷ 🛁 🎵 🕼 **P** 🚙
Campi al lago 9 – 𝒞 *04 71 96 00 00* – *www.parchotel.cc* VISA 🆎 🕉
– *info@parchotel.cc* – *Fax 04 71 96 02 06*
– *chiuso dal 7 gennaio al 20 marzo*
37 cam ⊐ – ♦128/270 € ♦♦196/336 € – 3 suites – ½ P 178/300 €
Rist – *(solo per alloggiati)* Carta 31/58 €
♦ Imponente complesso ubicato proprio sulle rive del lago con interni di taglio classico, ma assolutamente moderni per completezza e funzionalità. Belle camere spaziose, quasi tutte con vista lago.

Seeleiten ← 🚗 🏡 🖥 🐞 🕍 ᒪᕼ 🛗 cam, ☂ 🆎 ⟷ 🕼 🚪 **P** 🚙
strada del Vino 30 – 𝒞 *04 71 96 02 00* – *www.seeleiten.it* VISA 🆎 🕉
– *info@seeleiten.it* – *Fax 04 71 96 00 64* – *15 marzo-20 novembre*
49 cam ⊐ – ♦98/116 € ♦♦144/196 € – 10 suites – ½ P 103/135 €
Rist – Carta 40/52 €
♦ Tante possibilità per il relax e la cura del corpo in un hotel di classe, dotato di centro benessere e cinto da un giardino con laghetto-piscina. All'interno, tradizione e "generosità" negli spazi (soprattutto comuni). Originale il bar con un imponente bancone semicircolare. Cucina regionale.

Seegarten ← 🚗 🏡 🖥 🕍 ᒪᕼ 🛗 ☂ 🕼 **P** VISA 🆎 ① 🕉
lago di Caldaro 17 – 𝒞 *04 71 96 02 60* – *www.seegarten.com*
– *seegarten@rolmail.net* – *Fax 04 71 96 00 66* – *aprile-ottobre*
29 cam ⊐ – ♦78/130 € ♦♦150/210 € – 4 suites – ½ P 75/110 €
Rist – *(chiuso mercoledì)* Carta 28/59 €
♦ Per gli amanti del nuoto è davvero ideale la spiaggia attrezzata di questa risorsa, immersa nel verde a bordo lago e con vista sui monti. Le camere sono confortevoli, seppur non molto spaziose. Il piacevole servizio estivo in terrazza è indubbiamente il punto di forza del ristorante.

Haus Am Hang ≫ ← 🚗 🏡 ⒥ 🕍 🛗 🕼 **P** VISA 🆎 🕉
al Lago 57 – 𝒞 *04 71 96 00 86* – *www.hausamhang.it* – *info@hausamhang.it*
– *Fax 04 71 96 00 12* – *15 marzo-15 novembre*
29 cam ⊐ – ♦45/70 € ♦♦98/135 € – ½ P 75/85 € **Rist** – Carta 25/45 €
♦ Godere della quiete, del panorama e delle opportunità offerte dalla natura in un ambiente familiare e accogliente. Le camere sono in stile e piacevolmente arredate. Luminosa sala da pranzo di ambientazione tirolese dove assaporare una gustosa cucina regionale.

ⵝⵝ **Castel Ringberg** ← 🕍 ⟷ **P** VISA 🆎 🕉
– 𝒞 *04 71 96 00 10* – *www.castel-ringberg.com* – *info@castel-ringberg.com*
– *Fax 04 71 96 08 03* – *chiuso dal 12 gennaio al 26 marzo, dal 18 al 28 giugno e martedì*
Rist – *(prenotazione obbligatoria)* Menu 47/66 € – Carta 52/67 €
♦ Un vero castello, in buone condizioni, che continua ad affascinare i propri ospiti. Arredi e sale di taglio classico, cucina di mare e di terra della tradizione italiana.

CALDERARA DI RENO – Bologna (BO) – 562|15 – **11 915 ab.** 9 **C3**
– alt. 30 m – ✉ 40012

▶ Roma 373 – Bologna 11 – Ferrara 54 – Modena 40

Meeting Hotel 🛗 🛁 🆎 ⟷ 🎵 rist, 🕼 🚪 **P** VISA 🆎 AE ① 🕉
🐕 *via Garibaldi 4, Sud : 1 km* – 𝒞 *051 72 07 29* – *www.meetinghotel.it*
– *meeting.bo@bestwestern.it* – *Fax 051 72 04 78*
95 cam ⊐ – ♦50/155 € ♦♦60/243 €
Rist *Europa* – 𝒞 *051 72 15 06 (chiuso dal 10 al 16 agosto e domenica a mezzogiorno)* Carta 20/38 €
♦ La funzionale struttura a piramide, oltre a disporre di un attrezzato centro congressi offre camere semplici di differenti dimensioni. Nuova gestione per questo classico ristorante con una sala capiente, per una cucina tradizionale.

a Sacerno Ovest : 5 km – ⊠ **40012 – Calderara di Reno**

XX   **Antica Trattoria di Sacerno**   🛋 ५ 🄰🄲 💱 🗘 🄿 VISA ◑ 🄰🄴 🔧
via di Mezzo Levante 2/b – 𝒞 05 16 46 90 50 – www.sacerno.it – sacerno@
sacerno.it – Fax 05 16 46 90 50 – chiuso dal 25 dicembre al 10 gennaio, agosto e
domenica a mezzogiorno da giugno a settembre
Rist – Carta 61/79 € 🕸
♦ Villetta con giardino e spazi adatti ad ogni esigenza. A piano terra la sala principale e
una saletta più raccolta. In cucina il mare, dalla cantina tante bollicine.

CALDERINO – Bologna (BO) – 562I15 – alt. 112 m – ⊠ 40050   9 C2
▶ Roma 373 – Bologna 16 – Milano 213 – Modena 45

X   **Nuova Roma**   🚗 🛋 🄰🄲 💱 🄿 VISA ◑ 🄰🄴 ◍ 🔧
via Olivetta 87, Sud-Est : 1 km – 𝒞 05 16 76 01 40 – Fax 05 16 76 03 26 – chiuso
dal 28 gennaio al 14 febbraio, agosto, martedì, mercoledì a mezzogiorno
Rist – Menu 37 € – Carta 30/58 € 🕸
♦ Una trattoria semplice, sulla strada tra Calderino e Sasso Marconi, dove gustare una
cucina regionale con un bicchiere da scegliere ad hoc entro una completa carta dei vini.

CALDIERO – Verona (VR) – 562F15 – 5 951 ab. – alt. 44 m – ⊠ 37042   37 B3
▶ Roma 517 – Verona 15 – Milano 174 – Padova 66

🏠   **Bareta** senza rist   🛗 🄰🄲 💱 ⦿🄿 🏙 🄿 🚗 VISA ◑ 🄰🄴 ◍ 🔧
via Strà 88 – 𝒞 04 56 15 07 22 – www.hotelbareta.it – info@hotelbareta.it
– Fax 04 56 15 07 23 – chiuso dal 21 dicembre al 7 gennaio
33 cam ☲ – †45/75 € ††60/100 €
♦ Comodo da raggiungere sulla strada statale, albergo di concezione moderna - a
gestione familiare - che propone confortevoli camere dalle rilassanti tinte azzurre. La
sera, servizio di wine bar con affettati misti e formaggi vari.

sulla strada statale 11 Nord-Ovest : 2,5 km :

XX   **Renato**   🛋 🄰🄲 🗘 🄿 VISA ◑ 🄰🄴 ◍ 🔧
località Vago 6 ⊠ 37042 – 𝒞 045 98 25 72 – ristrenato@email.it
– Fax 045 98 22 09 – chiuso agosto, lunedì sera e martedì
Rist – Carta 37/90 € 🕸
♦ Estremamente piacevole il dehors sul retro, affacciato sulla campagna e sull'orto di
famiglia. Il timone della gestione è ormai passato dal padre, quel Renato che da il
nome al tutto, al figlio.

CALDOGNO – Vicenza (VI) – 562F16 – 10 497 ab. – alt. 54 m   37 A1
– ⊠ 36030
▶ Roma 548 – Padova 48 – Trento 86 – Vicenza 8

🏠   **Marco Polo**   🛗 🄰🄲 💱 ⦿🄿 🄿 VISA ◑ 🄰🄴 🔧
🐾   via Roma 26 – 𝒞 04 44 90 55 33 – www.marcopolohotel.it – info@
marcopolohotel.it – Fax 04 44 90 55 44 – chiuso agosto
15 cam ☲ – †45/80 € ††60/110 €
Rist – (chiuso a mezzogiorno) Carta 20/56 €
♦ In un edificio semplice, che richiama le tradizionali case coloniche, hotel curato, che
dispone di graziose e funzionali camere, rinnovate, in ottime condizioni.

XX   **Molin Vecio**   🛋 🗘 🄿 VISA ◑ 🄰🄴 🔧
via Giaroni 116 – 𝒞 04 44 58 51 68 – www.molinvecio.it – info@molinvecio.it
– Fax 04 44 90 54 47 – chiuso dal 7 al 15 gennaio e martedì
Rist – Menu 25/40 € – Carta 32/42 €
♦ In un mulino del '500 funzionante, sale d'atmosfera con camino e servizio estivo in
riva ad un laghetto. Cucina tipica vicentina e, più genericamente, veneta.

CALDONAZZO – Trento (TN) – 562E15 – 2 941 ab. – alt. 485 m   30 B3
– ⊠ 38052
▶ Roma 608 – Trento 22 – Belluno 93 – Bolzano 77
🄳 (aprile-settembre) piazza Vecchia 15 𝒞 0461 723192, Fax 0461 723192

⌂ **Due Spade** 🛗 ⌘ cam, 𝘝𝘐𝘚𝘈 ⓪ ⑤

⏎ *piazza Municipio 2 – ℰ 04 61 72 31 13 – www.albergoduespade.it – info@*
albergoduespade.it – Fax 04 61 72 31 13 – chiuso novembre
24 cam ⌑ – ♦30/35 € ♦♦60/70 € – ½ P 46 € **Rist** – Menu 15/20 €
♦ E' dai primi anni del '900 che la stessa famiglia gestisce questa risorsa nel centro del
paese, con mini piscina; arredi funzionali nelle camere ben tenute. Ristorante con due
sale, una di stile quasi montano, l'altra di taglio più classico.

CALENZANO – Firenze (FI) – 563K15 – **15 384 ab. – alt. 109 m** 29 **C1**
– ✉ 50041

▶ Roma 290 – Firenze 15 – Bologna 94 – Milano 288

Pianta di Firenze : percorsi di attraversamento

⌂ **Valmarina** senza rist 🛗 𝗔𝗖 ⌘ (ᵗ) 𝘝𝘐𝘚𝘈 ⓪ 𝗔𝗘 ⓪ ⑤
via Baldanese 146 – ℰ 05 58 82 53 36 – www.hotelvalmarina.it – info@
hotelvalmarina.it – Fax 05 58 82 52 50 – chiuso a Ferragosto AR**f**
34 cam ⌑ – ♦50/83 € ♦♦70/120 €
♦ In posizione ideale per chi desidera un soggiorno alla scoperta della città o per chi
viaggia per lavoro, la struttura dispone di camere accoglienti - recentemente rinnovate
negli arredi - ed ampi spazi comuni.

✗ **La Terrazza** ⪡ 𝗣 𝘝𝘐𝘚𝘈 ⓪ 𝗔𝗘 ⓪ ⑤
via del Castello 25 – ℰ 05 58 87 33 02 – michelebenelli@tiscali.it – chiuso dal 25
dicembre al 6 gennaio, agosto, domenica e lunedì AR**e**
Rist – Carta 25/45 €
♦ Cortesia, ospitalità e gustosi piatti di cucina toscana in questo ristorante situato in
un'antica casa nella parte alta della località. Panoramica sala con colonne di pietra.

a Carraia Nord : 4 km – ✉ 55061

✗ **Gli Alberi** 𝗣 𝘝𝘐𝘚𝘈 ⓪ 𝗔𝗘 ⓪ ⑤
⏎ *via Bellini 173 – ℰ 05 58 81 99 12 – Fax 05 58 81 99 12 – chiuso martedì*
Rist – Carta 20/34 €
♦ Piacevole trattoria con quattro sale di tono rustico e dalla cortese gestione familiare
situata lungo la strada per Barberino. Dalla cucina, i piatti della tradizione toscana.

a Pontenuovo di Calenzano Nord : 6 km – ✉ 50041 – **Calenzano**

🏨 **Meridiana Country Hotel** ⪢ ℉ 🛗 ⪢ 𝗔𝗖 (ᵗ) ⪢ 𝗣 🚗
via di Barberino 253 – ℰ 05 58 81 94 72 𝘝𝘐𝘚𝘈 ⓪ 𝗔𝗘 ⑤
– www.meridianacountryhotel.it – info@meridianacountryhotel.it
– Fax 05 58 81 90 23
32 cam ⌑ – ♦90/231 € ♦♦125/241 €
Rist Carmagnini del 500 – vedere selezione ristoranti
♦ Inaugurata nel 2004, offre camere luminose, con terrazzo o giardino privato, arredate
con calde tonalità in uno stile essenziale e funzionale. Dispone anche di un centro wellness.

✗✗ **Carmagnini del 500** – Meridiana Country Hotel 🍴 ⌘ ✧ 𝗣
via di Barberino 242 – ℰ 05 58 81 99 30 𝘝𝘐𝘚𝘈 ⓪ 𝗔𝗘 ⓪ ⑤
– www.carmagninidel500.it – saverio@carmagninidel500.it – Fax 05 58 81 96 11
– chiuso dal 15 al 28 febbraio e lunedì
Rist – Carta 27/38 € 🍷
♦ Rustico ed elegante al contempo, al ristorante troverete convivialità ed una cucina
che ripropone ricette rinascimentali e rivisita i piatti del territorio. Ottima cantina.

CALESTANO – Parma (PR) – 561I12 – **1 918 ab. – alt. 417 m** – ✉ 43030 8 **B2**
▶ Roma 488 – Parma 36 – La Spezia 88

✗ **Locanda Mariella** 🍴 𝗣
⏎ *località Fragnolo Sud-Est : 5 km – ℰ 052 55 21 02 – chiuso lunedì e martedì*
Rist – Carta 24/31 € 🍷
♦ Strade tortuose incidono il paesaggio collinare che avvolge la locanda, una risorsa
familiare, ormai generazionale, che custodisce nel seminterrato il suo più prezioso
tesoro!

CALIZZANO – Savona (SV) – 561J6 – 1 596 ab. – alt. 660 m – ✉ 17057   14 **A2**

  ▶ Roma 588 – Genova 94 – Alba 75 – Cuneo 69

  🛈 (maggio-settembre) piazza San Rocco ✆ 019 79193, calizzano@inforiviera.it
, Fax 019 79193

🏠   **Villa Elia** ॐ   🚗 🛗 🆎 rist, 🍴 rist, **P** 🎫 ⓿ 💪
    via Valle 26 – ✆ 01 97 96 33 – www.villaelia.it – villa_elia@hotmail.com
    – Fax 01 97 90 48 00
    35 cam ⌖ – ♦45/50 € ♦♦75/80 € – ½ P 55/65 €   **Rist** – Carta 18/30 €
    ◆ Nell'entroterra ligure, un piccolo albergo tranquillo - circondato da un giardino cin-
tato (ideale per i bambini) - dispone di camere essenziali, ma abbastanza spaziose.
Nella sala ristorante, grandi vetrate affacciate sul verde.

🏠   **Miramonti**   🚗 🛗 🍴 rist, 🎫 ⓿ 🆎 ⓵ 💪
    via 5 Martiri 6 – ✆ 01 97 96 04 – Fax 01 97 97 96 – aprile-novembre
    35 cam ⌖ – ♦32/50 € ♦♦55/70 €
    Rist – (chiuso lunedì escluso da giugno a settembre) Menu 20/30 €
    ◆ Ben posizionata in centro, accogliente struttura a gestione familiare con un gradevole
giardinetto. In parte rinnovate le camere, semplici, ma tenute con cura. Ristorante molto
frequentato per i suoi gustosi piatti tipici, con funghi e tartufi.

CALLIANO – Trento (TN) – 562E15 – 1 172 ab. – alt. 186 m – ✉ 38060   30 **B3**

  ▶ Roma 570 – Trento 17 – Milano 225 – Riva del Garda 31

🏠   **Aquila**   🚗 🏊 🛗 🔥 rist, 🆎 rist, 🍴 rist, **P** 🎫 ⓿ 🆎 ⓵ 💪
    via 3 Novembre 11 – ✆ 04 64 83 41 10 – www.villaggiohotelaquila.it
    – info@villaggiohotelaquila.it – Fax 04 64 83 45 66
    – chiuso dal 20 dicembre al 10 gennaio
    43 cam ⌖ – ♦55/62 € ♦♦80/82 € – ½ P 48/58 €
    Rist – (chiuso dal 20 dicembre a gennaio, domenica) (chiuso a mezzogiorno)
Carta 22/29 €
    ◆ Dotata di parcheggio interno, giardino e piscina, una risorsa ad andamento familiare,
che offre accoglienti camere, alcune ristrutturate, con rustici arredi in legno. Il ristorante
dispone di varie belle sale, tra cui una stube in stile montano.

CALÒ – Milano – Vedere Besana Brianza

CALOLZIOCORTE – Lecco (LC) – 561E10 – 14 171 ab. – alt. 237 m   18 **B1**
– ✉ 23801

  ▶ Roma 614 – Bergamo 28 – Brescia 76 – Lecco 8

🏠   **Locanda Del Mel** senza rist   🆎 🍴 📶 🎫 ⓿ 🆎 ⓵ 💪
    piazza Vittorio Veneto 2 – ✆ 03 41 63 02 65 – www.locandamel.com – hotel@
locandamel.com – Fax 03 41 64 12 96 – chiuso dal 9 al 24 agosto
    12 cam ⌖ – ♦60/70 € ♦♦80/95 €
    ◆ Sulla piazza centrale della città, una risorsa gestita dalla medesima famiglia fin dall'Ot-
tocento; la garanzia di un soggiorno affidabile e ricco di personalità.

CALTAGIRONE – Catania – 565P25 – Vedere Sicilia alla fine dell'elenco
alfabetico

CALTANISSETTA Ⓟ – 565O24 – Vedere Sicilia alla fine dell'elenco alfabetico

---

CALTIGNAGA – Novara (NO) – 2 430 ab. – alt. 179 m – ✉ 28010   23 **C2**

  ▶ Roma 633 – Stresa 53 – Milano 59 – Novara 8

🍴🍴   **Cravero** con cam   🚗 🆎 🍴 📶 **P** 🎫 ⓿ 🆎 💪
    via Novara 8 – ✆ 03 21 65 26 96 – www.hotelcravero.com – hotelcravero@
inwind.it – Fax 03 21 65 26 97 – chiuso dal 27 dicembre all'8 gennaio e dal 5 al
22 agosto
    12 cam ⌖ – ♦65/75 € ♦♦70/85 €
    Rist – (chiuso domenica sera e martedì) Carta 33/54 €
    ◆ Ambiente curato e signorile, ma familiare, in un locale di lunga tradizione; convin-
cente l'ampia gamma di proposte del territorio, talvolta rielaborate.

CALUSO – Torino (TO) – 561G5 – **7 321 ab.** – **alt. 303 m** – ✉ 10014   **22 B2**

▶ Roma 678 – Torino 32 – Aosta 88 – Milano 121

XXX   **Gardenia** (Mariangela Susigan)   🛐 ⅙ 🆎 ⇧ 🅿 VISA ⓪ ① ⑤
☸   corso Torino 9 – 𝒞 01 19 83 22 49 – www.gardeniacaluso.it
– info@gardeniacaluso.it – Fax 01 19 83 32 97
– chiuso dal 7 al 31 gennaio, il 7 e l'8 aprile, dal 17 al 27 agosto e martedì
Rist – Menu 70 € – Carta 51/71 € 🈂
Spec. "Il rosso è passione": fassone in tre crudi. Coniglio grigio di Carmagnola,
ciliege, purè di limoni e caprino dell'Albertana. Spalla d'agnello sambucano
con tegame di peperoni dolci e menta di Pancalieri.
◆ Bomboniera piemontese fin dall'ingresso, attraverso il cortile del palazzo con balconi
a ringhiera, ad una cucina che rispolvera i prodotti e le ricette savoiarde con una raffinatezza ed un gusto per le presentazioni squisitamente femminili.

> Cerchiamo costantemente di indicarvi i prezzi più aggiornati…
> ma tutto cambia così in fretta! Al momento della prenotazione,
> non dimenticate di chiedere conferma delle tariffe.

CALVISANO – Brescia (BS) – 561F13 – **7 711 ab.** – **alt. 63 m** – ✉ 25012   **17 C2**

▶ Roma 523 – Brescia 27 – Cremona 44 – Mantova 55

XXX   **Gambero** (Paola ed Edvige Gavazzi)   🆎 🈂 VISA ⓪ ① ⑤
☸   via Roma 11 – 𝒞 030 96 80 09 – Fax 03 09 96 81 61
– chiuso la sera del 24 dicembre, dal 12 al 15 gennaio, agosto e mercoledì
Rist – Carta 57/77 € 🈂
Spec. Lo stoccafisso (autunno-inverno). Risotto con asparagi alla crema di formaggi. Piccione disossato con salsa al rosmarino.
◆ Nel cuore del paese, la tradizione familiare si è evoluta tenendo costanti gli ingredienti del territorio riproposti in piatti più raffinati. L'ospitalità è quella di sempre.

CAMAGNA MONFERRATO – Alessandria (AL) – 561G7 – **547 ab.**   **23 C2**
– **alt. 261 m** – ✉ 15030

▶ Roma 580 – Alessandria 24 – Genova 108 – Milano 90

X   **Taverna di Campagna dal 1997**   🈂 ⇧ 🅿 VISA ⓪ 🆎 ⑤
vicolo Gallina 20 – 𝒞 01 42 92 56 45
– chiuso dal 15 al 22 febbraio, dal 29 agosto al 6 settembre e lunedì
Rist – (chiuso a mezzogiorno escluso sabato e domenica) 30 €
◆ Un ambiente rustico dove farsi portare al tavolo il menù degustazione: un connubio
tra tradizione, stagione ed estro creativo. E' consigliabile giungere previa prenotazione.

CAMAIORE – Lucca (LU) – 563K12 – **30 502 ab.** – **alt. 47 m** – ✉ 55041   **28 B1**
▌ Toscana

▶ Roma 376 – Pisa 29 – Livorno 51 – Lucca 18

🏨   **Locanda le Monache**   🛐 🖺 VISA ⓪ 🆎 ① ⑤
☜   piazza XXIX Maggio 36 – 𝒞 05 84 98 92 58 – www.lemonache.com – info@
lemonache.com – Fax 05 84 98 40 11
13 cam ⌑ – †40/55 € ††60/90 € – ½ P 45/65 €
Rist – (chiuso da ottobre a febbraio) (chiuso a mezzogiorno) Carta 21/34 €
◆ Nel cuore del paese, questa locanda a gestione familiare offre camere arredate con
dovizia di fantasia, tra allegri tocchi ed arredi d'epoca o di gusto moderno. Comodi al
ristorante, accolti da un camino e da una riproduzione di Bruegel, per gustare i piatti
della tradizione toscana.

XX   **Emilio e Bona**   🛐 🈂 ⇧ 🅿 VISA ⓪ 🆎 ① ⑤
località Lombrici 22, Nord : 3 km – 𝒞 05 84 98 92 89 – Fax 05 84 98 92 89
– chiuso gennaio, martedì a mezzogiorno e lunedì
Rist – Carta 31/54 € 🈂
◆ Sulla riva di un torrente, vi troverete all'interno di un vecchio frantoio, le cui macine
sono ancora visibili in sala. Dalle cucine, solo piatti regionali di carne.

a Capezzano Pianore Ovest : 4 km – ✉ **55040**

🍴   **Il Campagnolo**   🔲 AC 🍸 VISA ◍ AE ① ⑤
via Italica 332 – ✆ 05 84 91 36 75 – www.ristorantecampagnolo.com – info@ristoranteilcampagnolo.com – Fax 05 84 91 36 75 – chiuso dal 7 al 31 gennaio e mercoledì
Rist – Carta 23/39 €
♦ Accogliente ristorante a conduzione familiare, dalle cui cucine provengono proposte di terra e di mare di impronta casalinga. La sera anche pizze con forno a legna. Dehors estivo.

a Montemagno Sud-Est : 6 km – ✉ **56011**

🍴🍴   **Le Meraviglie**   & AC 🍸 P VISA ◍ AE ① ⑤
via Provinciale 13 ✉ 55040 – ✆ 05 84 95 17 50 – Fax 05 84 95 12 35 – chiuso dal 12 al 20 gennaio, dal 4 al 26 novembre, giovedì e venerdì a mezzogiorno, mercoledì
Rist – Carta 19/28 €
♦ Lungo una piacevole strada collinare che conduce a Lucca, il locale è gestito da due fratelli che propongono una cucina regionale a base di carne o baccalà. Pesce su ordinazione.

CAMARDA – L'Aquila – 563O22 – Vedere L'Aquila

CAMERANO – Ancona (AN) – 563L22 – **6 601 ab. – alt. 231 m**   **21 C1**
– ✉ **60021**
▶ Roma 280 – Ancona 19 – Gubbio 112 – Macerata 48

🏠   **3 Querce**   🕼 & cam, AC 🍸 rist, ⊮ ⚐ P VISA ◍ AE ① ⑤
via Papa Giovanni XXIII 44 ✉ 60021 – ✆ 07 19 53 16 – www.hotel3querce.com – info@hotel3querce.com – Fax 071 73 17 09
– chiuso dal 22 dicembre all'8 gennaio
34 cam ⌷ – †35/90 € ††70/150 € – ½ P 35/90 €
Rist – (chiuso a mezzogiorno) Carta 19/47 €
♦ Hotel votato ad una clientela business, gestito con esperienza e professionalità, dispone di ambienti e camere semplici ed ampi ed una capiente sala conferenze.

sulla strada statale 16 Est : 3 km :

🏨   **Concorde**   ⊿ 🕼 & AC ⊛ ⚐ P VISA ◍ AE ① ⑤
via Aspio Terme 191 ✉ 60021 Camerano – ✆ 07 19 52 70
– www.albergoconcorde.it – info@albergoconcorde.it – Fax 071 95 94 76
68 cam ⌷ – †80/85 € ††100/110 € – ½ P 69/74 €
Rist – (chiuso domenica) Carta 20/55 €
♦ Risorsa in parte recentemente ristrutturata - ideale per una clientela di lavoro e di passaggio - dispone di accoglienti camere, dotate di ogni confort. Ristorante di taglio classico.

CAMERI – Novara (NO) – 561F7 – **9 915 ab. – alt. 162 m** – ✉ **28062**   **23 C2**
▶ Roma 621 – Stresa 53 – Milano 53 – Novara 10

🍴🍴   **Al Caminetto**   AC 🍸 VISA ◍ AE ⑤
via Cavour 30 – ✆ 03 21 51 87 80 – www.alcaminettocameri.it
– ristorantealcaminetto@alice.it – Fax 03 21 51 87 80 – chiuso lunedì, martedì a mezzogiorno
Rist – Menu 30/48 € – Carta 37/57 €
♦ Bel locale sorto all'interno di una casa padronale nel centro della località. Soffitti con travi a vista, gestione giovane ma esperta, cucina appetitosa e interessante.

CAMERINO – Macerata (MC) – 563M16 – **7 022 ab. – alt. 661 m**   **21 C2**
– ✉ **62032**
▶ Roma 203 – Ascoli Piceno 82 – Ancona 90 – Fabriano 37
🛈 piazza Cavour 19 (portico Varano) ✆ 0737 632534, Fax 0737 632534

a Polverina Sud-Est : 10 km – ✉ **62037**

Il Cavaliere   🛗 🅰🅲 🕭 🛵 🅿 💳 🇲 🇦 🇮 👟

via Mariani 33/35 ✉ *62032* – ✆ *073 74 61 28* – *www.hotelilcavaliere.com*
– *info@hotelilcavaliere.com* – *Fax 073 74 61 29*
14 cam ⌂ – 🛏47 € 🛏🛏70 € – ½ P 57 €   **Rist** – *(chiuso lunedì)* Carta 18/26 €
♦ Dopo averli abitato per generazioni, il proprietario ha trasformato un edificio del '500 in una piacevole risorsa dotata di camere spaziose, nuove, con mobili di legno scuro. Simpatico ambiente di taglio rustico nella sala da pranzo.

CAMIGLIATELLO SILANO – Cosenza (CS) – 564I31 – alt. 1 272 m   5 A2
– Sport invernali : 1 350/1 760 m 🎿1, 🚡1, 🚠 – ✉ **87058**

▶ Roma 553 – Cosenza 32 – Catanzaro 128 – Rossano 83
🏢 via Roma 5 c/o Casa del Forestiero ✆ 0984 578243
🔲 Massiccio della Sila★★ Sud

Sila   ♨ 🛗 🏕 🕭 rist. 🛵 �car 💳 🇲 🇦 🇮 👟

via Roma 7 – ✆ *09 84 57 84 84* – *www.hotelsila.it* – *info@hotelsila.it*
– *Fax 09 84 57 82 86*
36 cam ⌂ – 🛏50/85 € 🛏🛏65/105 € – ½ P 50/71 €   **Rist** – Carta 19/26 €
♦ Seria gestione e ottima manutenzione in una struttura tra le migliori della frequentata località montana; confortevoli camere, rinnovate di recente, bagni piccoli, ma moderni. Legno chiaro alle pareti dell'ampia e luminosa sala ristorante.

Aquila-Edelweiss   🛗 🕭 🛵 🅿 💳 🇲 👟

via Stazione 11 – ✆ *09 84 57 80 44* – *www.hotelaquilaedelweiss.com* – *info@
hotelaquilaedelweiss.com* – *Fax 09 84 57 87 53*
48 cam ⌂ – 🛏60/85 € 🛏🛏80/125 € – ½ P 70/90 €
Rist – *(chiuso martedì escluso luglio-agosto)* Carta 24/45 €
♦ Pluridecennali e collaudate l'accoglienza e l'ospitalità della famiglia in questo albergo all'inizio del paese; tanto legno negli spazi comuni e camere eterogenee. Le curate salette di tono elegante propongono i sapori rustici e intensi della regione.

Cozza   🛗 🏕 🕭 🇼 💳 🇲 🇦 👟

via Roma 77 – ✆ *09 84 57 92 34* – *hotelcozza@hotelcozza.it* – *Fax 09 84 57 80 34*
39 cam ⌂ – 🛏30/45 € 🛏🛏50/80 € – ½ P 43/65 €   **Rist** – Menu 18/23 €
♦ In comoda posizione centrale, un hotel di buon confort, con tipici interni di montagna rivestiti di perlinato; camere e bagni semplici, ma dignitosi e puliti. Non ha un aspetto "montano", come l'omonima struttura, il ristorante di taglio classico-moderno.

a Croce di Magara Est : 5 km – ✉ **87052**

Magara 🦌   🚗 🔲 ♨ 🛁 🕌 🛗 🏕 🕭 🛵 🅿 🚗 💳 🇲 🇦 🇮 👟

via del Fallistro – ✆ *09 84 57 87 12* – *www.geohotels.it* – *magarahotel@tiscali.it*
– *Fax 09 84 57 81 15*
101 cam ⌂ – 🛏60/80 € 🛏🛏88/120 € – ½ P 65/88 €   **Rist** – Carta 25/35 €
♦ In un suggestivo contesto naturale, perfetto per chi ama la tranquillità e l'isolamento, una struttura dotata di varie attrezzature e di camere ampie e confortevoli. Classico ristorante d'albergo, di notevoli dimensioni e capienza.

verso il lago di Cecita Nord-Est : 5 km – ✉ **87052** – Camigliatello Silano

La Tavernetta   🅰🅲 ⇄ 🅿 💳 🇲 🇦 🇮 👟

contrada campo San Lorenzo, Nord-Est : 5 km ✉ *87052 Camigliatello Silano*
– ✆ *09 84 57 90 26* – *www.sanlorenzosialberga.it* – *latavernetta.sila@gmail.com*
– *Fax 09 84 57 90 26* – *chiuso dal 15 al 30 novembre e mercoledì*
Rist – Menu 30/55 € – Carta 33/55 € 🍴
♦ Nuova veste moderna per un locale di lunga tradizione, molto rinomato in zona; obiettivo gastronomico è promuovere le specialità locali incentrate sui funghi.

CAMIN – Padova – Vedere Padova

CAMOGLI – Genova (GE) – 561I9 – **5 764 ab.** – ⊠ **16032**▯ Italia   **15 C2**

> ▶ Roma 486 – Genova 26 – Milano 162 – Portofino 15

> **i** via XX Settembre 33/r ✆ 0185 771066, proloco.camogli@libero.it, Fax0185 777111

> ◎ Località★★

> ◎ Penisola di Portofino★★★ – San Fruttuoso★★ Sud-Est : 30 mn di motobarca – Portofino Vetta★★ Sud-Est : 6 km (strada a pedaggio)

🏛️ **Cenobio dei Dogi** 🕭   ≤ 🐦 🚗 ⛱ 🎐 ⅙ rist, 🏧 ⅗ ⑪ ⚒ 🅿️
via Cuneo 34 – ✆ 01 85 72 41 – www.cenobio.it   **VISA** **CO** **AE** **①** **ら**
– cenobio@cenobio.it – Fax 01 85 77 27 96
100 cam ⌲ – ♦111/150 € ♦♦160/425 € – 5 suites
Rist – Carta 36/71 €
Rist *La Playa* –   ✆ 01 85 72 44 42 *(15 giugno-15 settembre)* Carta 38/72 €
♦ Per un esclusivo soggiorno in questa "perla" ligure, prestigioso, panoramico albergo di eleganza e fascino; lussureggiante parco ed attrezzato centro estetico. Sembra di essere sospesi sul mare al ristorante, con vista, unica, del golfo di Camogli. Direttamente sulla spiaggia, il ristorante dai sapori liguri.

🏠 **La Camogliese** senza rist   ≤ 🚶 🏧 🕻⟩ **VISA** **CO** **AE** **ら**
via Garibaldi 55 – ✆ 01 85 77 14 02 – www.lacamogliese.it – info@
lacamogliese.it – Fax 01 85 77 40 24
21 cam ⌲ – ♦60/90 € ♦♦70/110 €
♦ Sul lungomare, un hotel ben ristrutturato, che offre discreto confort e buon rapporto qualità/prezzo: da alcune camere si sente la risacca sulla spiaggia sottostante.

🏠 **Casmona** senza rist   ≤ 🏧 🅿️ **VISA** **CO** **AE** **①** **ら**
salita Pineto 13 – ✆ 01 85 77 00 15 – www.casmona.com – info@casmona.com
– Fax 01 85 77 50 30 – chiuso dal 20 novembre al 25 dicembre
19 cam – ♦65/105 € ♦♦85/170 €, ⌲ 10 €
♦ La nuova energica gestione ha potenziato e ammodernato questo gradevole hotel sul mare, in posizione panoramica. Bella vista dalle camere e dalla sala colazioni.

⤴️ **I Tre Merli Locanda** senza rist   ≤ 🏧 ⅗ ⑪ **VISA** **CO** **AE** **①** **ら**
via Scalo 5 ⊠ 16032 Camogli – ✆ 01 85 77 67 52 – www.locandaitremerli.com
– camogli@itremerli.it – Fax 01 85 77 75 23
5 cam – ♦95/220 € ♦♦130/270 €
♦ Per piacevoli soggiorni direttamemte sul porticciolo di Camogli, nuova locanda con piccolo wine-bar per piacevoli aperitivi in riva al mare. Graziose camere con parquet, mobili moderni e televisore a schermo piatto.

🍴 **Da Paolo**   🚗 🏧 **VISA** **CO** **AE** **①** **ら**
via San Fortunato 14 – ✆ 01 85 77 35 95 – angelo.viacava1965@alice.it
– Fax 01 85 77 35 95 – chiuso dal 15 al 28 febbraio, lunedì, martedì a mezzogiorno
Rist – Carta 37/63 €
♦ Ristorantino rustico a conduzione familiare, ubicato nel borgo antico poco lontano dal porticciolo; cucina di mare secondo le disponibilità quotidiana del mercato.

---

a San Rocco Sud : 6 km – **alt. 221 m** – ⊠ 16032 – San Rocco di Camogli

> ◎ Belvedere★★ dalla terrazza della chiesa

🍴 **La Cucina di Nonna Nina**   🚗 ⅗ **VISA** **CO** **ら**
via Molfino 126 – ✆ 01 85 77 38 35 – www.nonnanina.it – chiuso 10 giorni in gennaio, 15 giorni in settembre e mercoledì
Rist – Carta 27/48 €
♦ In una classica casa ligure della pittoresca frazione si trova questa trattoria sobria e curata; atmosfera accogliente e familiare per piatti locali, di mare e di terra.

CAMPAGNA – Salerno (SA) – 564E27 – **15 603 ab.** – **alt. 280 m**   **7 C2**
– ⊠ 84022

> ▶ Roma 295 – Potenza 75 – Avellino 73 – Napoli 94

a Quadrivio Sud : 3,5 km – ✉ 84022

🏨 **Capital** 🚗 🏡 🏊 |🛎| AC 🕽 🕪 🐆 **P** 🚗 *VISA* ◉ AE ① 🔆

piazza Mercato – 𝒞 082 84 59 45 – www.hotelcapital.it – info@hotelcapital.it
– Fax 082 84 59 95
36 cam 🖵 – ♦60/88 € ♦♦88/110 € – ½ P 59/70 € – **Rist** – Carta 19/35 €
◆ Confortevole struttura di taglio contemporaneo, dotata di giardino con piscina, ampi
spazi comuni, sale per ricevimenti e signorili camere in stile, ben accessoriate.

CAMPAGNA – Novara – 561E7 – Vedere Arona

CAMPAGNA LUPIA – Venezia (VE) – 562F18 – 6 506 ab. – ✉ 30010   36 **C3**
▶ Roma 500 – Padova 27 – Venezia 32 – Ferrara 87

a Lughetto Nord-Est : 7,5 km – ✉ 30010

🍽🍽🍽 **Antica Osteria Cera** (Daniele Cera)   AC 🕽 **P** *VISA* ◉ AE ① 🔆
via Marghera 24, a Lughetto, Nord-Est: 7,5 km – 𝒞 04 15 18 50 09
– www.osteriacera.it – cera@osteriacera.it – Fax 04 15 18 99 54
– chiuso 2 settimane in gennaio o febbraio, 3 settimane in agosto, domenica
sera e lunedì
Rist – Menu 60 € (solo a mezzogiorno escluso domenica)/140 €
– Carta 68/98 € ✿
Spec. Colori del mare. Insalata calda di pesce al vapore con salsa verde, bottarga di tonno di Carloforte. Fritto misto.
◆ Un'elegante villa quasi una residenza privata all'esterno, ospita un locale sobriamente
elegante, imperdibile tappa gastronomica per gli appassionati di una cucina di pesce,
tradizioni venete e piatti più creativi.

CAMPAGNANO DI ROMA – Roma (RM) – 563P19 – 9 387 ab.   12 **B2**
– alt. 270 m – ✉ 00063
▶ Roma 34 – L'Aquila 139 – Terni 85 – Viterbo 45

🍽 **Da Righetto** 🏡 AC 🕽 *VISA* ◉ AE ① 🔆
corso Vittorio Emanuele 70 – 𝒞 069 04 10 36 – www.darighetto.it
– Fax 069 04 10 36 – chiuso dal 1° al 12 agosto e martedì
Rist – Carta 25/30 €
◆ Lungo il corso principale, accogliente locale a gestione familiare: soffitto con volta a
botte e piacevoli luci su ogni tavolo. Ricette regionali fedelmente riproposte.

CAMPAGNATICO – Grosseto (GR) – 563N15 – 2 465 ab. – alt. 275 m   29 **C3**
– ✉ 58042
▶ Roma 198 – Grosseto 24 – Perugia 158 – Siena 59

🍽🍽 **Locanda del Glicine** con cam   🏡 🔆 rist. AC 🕽 *VISA* ◉ AE 🔆
piazza Garibaldi 6/8 – 𝒞 05 64 99 64 90 – www.locandadelglicine.com
– ilglicine@tin.it – Fax 05 64 99 69 16 – chiuso dal 10 gennaio al 15 marzo e dal
10 al 20 novembre
5 cam 🖵 – ♦60/70 € ♦♦130 € – 1 suite – ½ P 95/100 €
Rist – (chiuso lunedì) (chiuso a mezzogiorno escluso i giorni festivi)
Carta 33/49 €
◆ Nel cuore del paese, la locanda consta di due sale arredate in stile rustico e di un piccolo dehors e propone una cucina moderna a partire dai prodotti tipici del territorio.
Nelle camere e nelle suite ben arredate un buon livello di confort.

CAMPALTO – Venezia – Vedere Mestre

CAMPEGINE – Reggio Emilia (RE) – 562H13 – 4 640 ab. – alt. 34 m   8 **B3**
– ✉ 42040
▶ Roma 442 – Parma 22 – Mantova 59 – Reggio nell'Emilia 16

in prossimità strada statale 9 - via Emilia Sud-Ovest : 3,5 km :

XX **Lago di Gruma**   🛋 ⅋ **P** 🚗 **VISA** ⬤ **AE** ① ⅙
vicolo Lago 7 ✉ *42040 –* 𝒞 *05 22 67 93 36 – Fax 05 22 67 93 36 – chiuso Natale-Capodanno, agosto, martedì e mercoledì*
Rist – Carta 43/56 € ⊛
♦ In una villetta prospiciente un piccolo lago, autentica trattoria di campagna che col tempo si è evoluta, arrivando a proporre una creativa cucina "di acqua e di terra", legata alle stagioni.

CAMPELLO SUL CLITUNNO – Perugia (PG) – 563N20 – **2 404 ab.**   33 **C2**
– alt. 290 m – ✉ **06042**
▶ Roma 141 – Perugia 53 – Foligno 16 – Spoleto 11
◉ Fonti del Clitunno★ Nord : 1 km – Tempietto di Clitunno★ Nord : 3 km

🏠 **Benedetti** ⥂   🛋 🍴 ⅙ rist, **AC** ⅋ cam, **P** **VISA** ⬤ **AE** ① ⅙
via Giuseppe Verdi 32, località Settecamini – 𝒞 *07 43 52 00 80*
– www.hotelbenedetti.it – info@hotelbenedetti.it – Fax 07 43 27 54 66
26 cam ⥂ – ♦45/55 € ♦♦70/80 € – ½ P 52/57 €   **Rist** – Carta 21/34 €
♦ Gestione familiare per un tranquillo rustico in pietra, circondato dagli ulivi e non lontano dalle Fonti del Clitunno; mobili classici nelle ampie camere. Mura con pietra a vista nella sala del rinomato ristorante.

a Pissignano Alto Nord : 2 km – ✉ **06042**

XX **Camesena**   🛋 **VISA** ⬤ **AE** ① ⅙
via del Castello 3 – 𝒞 *07 43 52 03 40 – www.camesena.it – camesena@libero.it*
– chiuso lunedì
Rist – *(chiuso a mezzogiorno)* (consigliata la prenotazione) Carta 43/85 €
♦ Una risorsa "artistica" in un caratteristico borgo della campagna umbra, decisamente fuori mano (per questo è stato istituito un comodo servizio di navetta dal piazzale della chiesa al ristorante), dove approfittare della cucina e del servizio estivo sulla terrazza panoramica.

CAMPERTOGNO (VC) – 561E6 – **223 ab.** – ✉ **13023**   23 **C1**
▶ Roma 721 – Torino 151 – Vercelli 94 – Biella 83

🏛 **Relais San Rocco**   ⮜ 🛋 🎴 🏃 ⅄ 🛜 **P** **VISA** ⬤ **AE** ① ⅙
via San Rocco 2 – 𝒞 *016 37 71 61 – www.relaissanrocco.it – info@*
relaissanrocco.it – Fax 01 63 77 51 26
18 cam ⥂ – ♦100/120 € ♦♦120/160 € – 6 suites – ½ P 90/110 €
Rist *Casa alla Piana* – *(chiuso giovedì)* Menu 35/40 €
♦ Spettacolare la scala in pietra che domina questa prestigiosa villa ottocentesca. Incastonata in un piccolo borgo secentesco, unisce con gusto gli antichi affreschi e i mobili d'epoca con un ricercato arredo dal design contemporaneo. Nelle diverse salette d'atmosfera sarete stupiti da una cucina regionale rivisitata.

CAMPESE – Grosseto – 563O14 – Vedere Giglio (Isola del) : Giglio Porto

---

CAMPESTRI – Firenze – Vedere Vicchio

CAMPIANI – Brescia – Vedere Collebeato

CAMPI BISENZIO – Firenze (FI) – 563K15 – **38 577 ab.** – alt. 41 m   29 **D3**
– ✉ **50013**
▶ Roma 291 – Firenze 12 – Livorno 97 – Pistoia 20
🛈 piazza Matteotti 3 𝒞 055 8979737, campibisenzio@
comune.campi-bisenzio.fi.it, Fax 055 8979745

Granducato 🚋 ⌿ |❄| & 📺 ≋ rist. 📞 🚿 Ⓟ VISA ⚫⚫ AE ① 💰

via di Tomerello 1, uscita autostrada – 𝒞 05 58 80 51 11
– www.boscolohotel.com – reservation@granducato.boscolo.com
– Fax 05 58 80 50 00
60 cam ⌸ – ♦95/350 € ♦♦105/405 € – 2 suites **Rist** – Carta 38/50 € ⅍
♦ E' uno splendido viale alberato a condurvi alle porte della cinquecentesca villa nobiliare immersa da un ampio giardino con piscina-solarium; all'interno spazi moderni e
confortevoli. Sobria eleganza anche al ristorante, dove incontrerete la cucina regionale
rivisitata con tocchi di fantasia.

West Florence e Rist. Klass 🚋 🏠 ⌿ |❄| & ↟↟ 📺 ⅍ ⌿ rist.

via Guido Guinizelli 15/17 📞 🚿 Ⓟ. ⇔ VISA ⚫⚫ AE ① 💰
– 𝒞 05 58 95 34 88 – www.westflorencehotel.it – info@westflorencehotel.it
– Fax 05 58 95 40 02
70 cam ⌸ – ♦120/220 € ♦♦230/330 € – 1 suite – ½ P 210 €
Rist – 𝒞 055 89 00 03 – Menu 25/50 €
♦ Di recente apertura alla periferia di Firenze, all'interno tutto è moderno a partire dal-
l'arredo d'avanguardia. Un indirizzo business, attrezzato ad hoc per l'attività congres-
suale. Ristorante di taglio classico, luminoso e con buona disponibilità di spazio.

✗✗ L'Ostrica Blu 📺 ⅍ VISA ⚫⚫ AE ① 💰

via Vittorio Veneto 6 – 𝒞 055 89 10 36 – Fax 055 89 10 03 – chiuso agosto,
sabato a mezzogiorno e domenica
Rist – Carta 34/48 €
♦ Il nome di questo locale molto conosciuto in zona è altamente evocativo: la
cucina propone solamente specialità di mare e punta su materie ed ingredienti di alta
qualità.

a Capalle Nord : 2 km – ✉ 50010

Starhotels Vespucci |❄| & cam. ↟↟ 📺 ⅍ ⌿ ⍟ 🚿 ⛟

via S. Quirico 292/A – 𝒞 05 58 95 51 VISA ⚫⚫ AE ① 💰
– www.starhotels.com – vespucci.fi@starhotels.it – Fax 05 58 98 60 85
79 cam ⌸ – ♦♦80/320 € **Rist** – (solo per alloggiati)
♦ Moderna struttura frequentata soprattutto da una clientela di lavoro, offre un comodo
garage chiuso, confortevoli camere di sobria eleganza ed ampi spazi comuni. Tenui tinte
pastello al ristorante, che si articola in raffinate sale modulari.

CAMPIGLIA – La Spezia (SP) – 561J11 – alt. 382 m – ✉ 19132   15 D2
▶ Roma 427 – La Spezia 8 – Genova 111 – Milano 229

✗ La Lampara ⇐ 🏠

via Tramonti 4 – 𝒞 01 87 75 80 35
– chiuso dal 7 gennaio al 7 marzo, dal 25 settembre al 25 ottobre e lunedì
Rist – Carta 29/40 €
♦ La vista e il sapore del mare nella luminosa e panoramica sala di una trattoria la cui
proprietaria, da oltre quarant'anni, prepara gustosi piatti di pesce.

CAMPIGLIA D'ORCIA – Siena (SI) – 563N17 – alt. 810 m – ✉ 53020   29 C2
▶ Roma 187 – Grosseto 74 – Siena 63 – Arezzo 80

↟ Agriturismo Casa Ranieri ◈ ⇐ 🚋 ⌿ & cam. ⅍ rist. Ⓟ

podere La Martina, Est : 1 km – 𝒞 05 77 87 26 39 VISA 💰
– www.casaranieri.com – naranier@tin.it – Fax 05 77 87 26 39
9 cam ⌸ – ♦♦70/80 € – ½ P 50/55 €
Rist – (chiuso a mezzogiorno) (solo per alloggiati) Menu 30 €
♦ Un maneggio coperto per gli amanti di sport equestri e corsi di pony per gli ospiti più
piccoli: una vacanza a contatto con la natura in una casa colonica con vista su colline e
vallate.

CAMPIONE D'ITALIA – Como (CO) – 561E8 – 2 205 ab. – alt. 280 m   16 A2
– ✉ 22060 ▮ Italia
▶ Roma 648 – Como 27 – Lugano 10 – Milano 72

✗✗ **Da Candida** 🄰🄺 ⇔ 𝗩𝗜𝗦𝗔 ⑩ 🄰🄴 ⓞ ⑤

viale Marco da Campione 4 – 𝒞 004 19 16 49 75 41 – www.dacandida.ch
– ristorante@dacandida.ch.net – Fax 004 19 16 49 75 50 – chiuso dal 29 giugno
al 24 luglio, martedì a mezzogiorno e lunedì
Rist – Menu 38/76 € – Carta 54/65 €
♦ Da molti anni un abile chef della Lorena "anima" con successo questa storica trattoria, facendone un elegante e raccolto angolo di delizie culinarie d'impronta francese.

CAMPITELLO DI FASSA – Trento (TN) – 562C17 – 747 ab.   31 C2
– alt. 1 442 m – Sport invernali : 1 450/2 428 m ⛷ 13 ⛷67 (Comprensorio Dolomiti superski Val di Fassa)⛷ – ✉ 38031

▶ Roma 684 – Bolzano 48 – Cortina d'Ampezzo 61 – Milano 342
ℹ via Dolomiti 46 𝒞 0462 609620, infocampitello@fassa.com, Fax 0462 750219

🏠 **Gran Paradis** ≼ 🚗 🔲 ⑩ 🔊 🗂 🗐 🍴 P 🚗 𝗩𝗜𝗦𝗔 ⑩ ⑤

via Dolomiti 2 – 𝒞 04 62 75 01 35 – www.granparadis.com
– info@granparadis.com – Fax 04 62 75 01 48
– 20 dicembre-12 aprile e 23 maggio-4 ottobre
39 cam 😄 – †50/86 € ††84/170 € – ½ P 85/95 €
Rist – *(chiuso a mezzogiorno)* Carta 23/44 €
♦ Sulla strada principale, all'ingresso del paese, un albergo con splendida vista sul Catinaccio; interni caldi e accoglienti, bella piscina chiusa da vetrate scorrevoli. Sala ristorante con boiserie e soffitti di legno.

🏠 **Gran Chalet Soreghes** ≼ 🚗 🔊 🗂 🗐 🐾 🍴 rist, 🎵 P 🚗
via Pent de Sera 18 – 𝒞 04 62 75 00 60   𝗩𝗜𝗦𝗔 ⑩ 🄰🄴 ⑤
– www.unionhotelscanazei.it – info@unionhotelscanazei.it – Fax 04 62 60 15 27
– dicembre-aprile e giugno-settembre
37 cam 😄 – †80/160 € ††140/280 € – 5 suites – ½ P 88/160 €
Rist – Carta 35/62 €
♦ Albergo in stile ladino, il più vicino agli impianti del Sella Ronda. Gradevoli ambienti rustici, stube caratteristica e centro benessere con attrezzata palestra. La cucina si ispira naturalmente alle tradizioni locali.

🏠 **Park Hotel e Club Diamant** ≼ 🔌 🚗 🔊 🗂 🗐 🐾 🍴 rist, 🎵
via Pent de Sera 38 – 𝒞 04 62 75 04 40   P 🚗 𝗩𝗜𝗦𝗔 ⑩ 🄰🄴 ⑤
– www.unionhotelscanazei.it – info@unionhotelscanazei.it – Fax 04 62 60 15 27
– dicembre-aprile e giugno-settembre
39 cam 😄 – †80/160 € ††145/285 € – ½ P 93/165 €   **Rist** – Carta 35/62 €
♦ Tranquilla casa in stile tirolese, con un grande parco-pineta allestito con gazebo e angoli barbecue. Confortevoli camere, alcune disposte su due livelli, bella zona relax. Ristorante con saporite specialità locali.

🏠 **Park Hotel Rubino Executive** 🐾   ≼ 🚗 🔲 ⑩ 🔊 🗂 🐾
via Sot Ciapiaà 3 – 𝒞 04 62 75 02 25   🍴 rist, 📞 P 🚗 𝗩𝗜𝗦𝗔 ⑩ 🄰🄴 ⑤
– www.unionhotelscanazei.it – info@unionhotelscanazei.it – Fax 04 62 60 15 27
– dicembre-aprile e giugno-settembre
38 cam 😄 – †85/165 € ††150/298 € – ½ P 98/175 €   **Rist** – Carta 35/62 €
♦ Eleganza e fascino di un ambiente arricchito da legno pregiato, giardino e zona benessere con piscina. Animazione, discoteca e american bar per le serate. Tipica, mediterranea, originale: la cucina saprà sorprendervi!

🏠 **Salvan** ≼ 🚗 🔲 ⑩ 🔊 🗂 🗐 🍴 🎵 P 𝗩𝗜𝗦𝗔 ⑩ ⓞ ⑤

via Dolomiti 10 – 𝒞 04 62 75 03 07 – www.hotelsalvan.com
– info@hotelsalvan.com – Fax 04 62 75 01 99
– 6 dicembre-Pasqua e 20 giugno-10 ottobre
35 cam 😄 – †40/90 € ††66/168 € – ½ P 85/97 €
Rist – Menu 20/25 € – Carta 25/40 €
♦ Hotel a gestione familiare, situato alle porte della località, con discrete zone comuni, piscina coperta e centro salute; mobili di legno chiaro nelle piacevoli camere. Tre spazi per il ristorante: uno ampio e classico, uno intimo e "montano" e poi la veranda.

🏠 **Alaska** ⪬ 🖼 🏠 📶 ⟨ℙ⟩ 🅿 🚗

*via Dolomiti 42 – 𝒞 04 62 75 04 30 – www.hotelalaskavaldifassa.com
– hotel.alaska@tin.it – Fax 04 62 75 05 03 – 18 dicembre-20 aprile e giugno-settembre*

32 cam ⌂ – ▮55/68 € ▮▮100/120 € – ½ P 45/96 €   **Rist** – Carta 25/40 €

♦ In centro, classico albergo di montagna, costruito negli anni '70; ambiente familiare, buoni spazi comuni, arredi di legno chiaro nelle camere, accoglienti junior suites. Ristorante rustico-classico con cucina del territorio.

🏠 **Panorama** ⪬ 🚗 🏠 ℅ rist. ⟨ℙ⟩ 🅿 𝑽𝑰𝑺𝑨 ⓦ 🔥

*Strèda Ciadenac 7 – 𝒞 04 62 75 01 12 – www.panoramahotel.it
– info@panoramahotel.it – Fax 04 62 75 02 43
– Natale-Pasqua e 20 giugno-20 settembre*

32 cam ⌂ – ▮30/60 € ▮▮60/120 € – ½ P 70/95 €   **Rist** – (solo per alloggiati)

♦ Albergo gestito con intraprendenza, costantemente aggiornato e sempre in grado di offrire una buona ospitalità. Buoni spazi comuni, con una graziosa stube in legno di cirmolo.

CAMPLI – Teramo (TE) – ✉ 64012 1 B1

▶ Roma 188 – L'Aquila 76 – Teramo 12 – Ascoli Piceno 39

in prossimità del Bivio per Campli Sud-Ovest 3 km

✕✕ **La Locanda del Pompa** 🚗 🏠 ℅ ℅ 🅿 𝑽𝑰𝑺𝑨 ⓦ 𝑨𝑬 ⓘ 🔥

✉ 64011 Campli – 𝒞 08 61 56 90 11 – www.lalocandadelpompa.it – p.pompa@tiscali.it – Fax 08 61 56 90 11 – chiuso mercoledì

Rist – Carta 24/36 €

♦ Abbracciato da un riposante paesaggio collinare, un casolare ospita nelle sue stalle un ambiente rustico dalla gastronomia fedele alla tradizione locale, paste fatte in casa.

CAMPO ALL'AIA – Livorno – Vedere Elba (Isola d') : Marciana Marina

---

CAMPOBASSO ℙ (CB) – 564C25 – 51 629 ab. – alt. 700 m – ✉ 86100 2 D3

▶ Roma 226 – Benevento 63 – Foggia 88 – Isernia 49

🛈 piazza Vittoria 14 𝒞 0874 415662, Fax 0874 415370

🏠🏠 **CentrumPalace** 🖼 ℅ 🆔 ⇦ ℅ ⟨ℙ⟩ 🔐 🅿 🚗 𝑽𝑰𝑺𝑨 ⓦ 𝑨𝑬 ⓘ 🔥

*via Gianbattista Vico 2/a – 𝒞 08 74 41 33 41 – www.centrumpalace.it
– prenotazioni@centrumpalace.it – Fax 08 74 41 33 42*

142 cam ⌂ – ▮70/100 € ▮▮90/150 € – 2 suites – ½ P 80/100 €

Rist – Carta 32/41 €

♦ Struttura moderna ed imponente che si colloca ai vertici dell'offerta alberghiera della località: grandi spazi comuni arredati con poltroncine in pelle color tabacco, a cui fanno eco i pavimenti e i numerosi inserti in legno *wenge*. Nelle confortevoli camere: predominanza di legno chiaro e tessuti coordinati.

🏠🏠 **Donguglielmo** ⪬ 🏠 🖼 ℅ 🆔 ⇦ ℅ ⟨ℙ⟩ 🔐 🅿 🚗 𝑽𝑰𝑺𝑨 ⓦ 𝑨𝑬 ⓘ 🔥

contrada San Vito 15/b – 𝒞 08 74 41 81 78 – www.donguglielmo.it – info@donguglielmo.it – Fax 08 74 43 83 77

36 cam – ▮95 € ▮▮140 € – ½ P 90 €   **Rist** – Carta 22/48 €

♦ Nuova struttura nell'immediata periferia della città, moderna e funzionale dispone di camere accoglienti, piacevole zona relax e una panoramica sala da thé. Anche il ristorante rispecchia lo stile moderno dell'hotel.

✕✕ **Vecchia Trattoria da Tonino** (Maria Lombardi) 🚗 🆔 ℅
🏵 *corso Vittorio Emanuele 8 – 𝒞 08 74 41 52 00* 𝑽𝑰𝑺𝑨 ⓦ 𝑨𝑬 ⓘ 🔥
*– vecchiatrattoriadatonino@gmail.com – Fax 08 74 41 52 00
– chiuso dal 10 al 20 agosto, domenica e lunedì da settembre a giugno, sabato e domenica in luglio-agosto*

Rist – (consigliata la prenotazione) Carta 35/45 €

Spec. Tortino di ricotta e salsiccia sott'olio. Spaghettoni artigianali con melanzane, pomodorini, capperi e olive. Cosciotto d'agnello farcito con erbette e pecorino.

♦ Semplice, ma anche precisa e sostanziosa, la cucina prende il via dall'impiego di prodotti locali selezionati: è il bastione indiscusso della tradizione regionale.

XX **Miseria e Nobiltà**　　AC %% VISA ⚫⚫ AE ⓘ 🍴

via Sant'Antonio Abate 16 – 𝒞 087 49 42 68 – miseriaenobilta@aol.it
– chiuso 24, 25, 31 dicembre, dal 20 luglio al 5 agosto e domenica
Rist – Carta 26/46 € ❀
◆ Trasferitasi nella tranquilla zona pedonale del centro storico, la giovane e appassionata gestione continua a proporre una sostanziosa cucina di taglio moderno, legata al territorio.

X **Aciniello**　　AC %% ⇦ VISA ⚫⚫ AE ⓘ 🍴

via Torino 4 – 𝒞 087 49 40 01 – rdc73@libero.it – Fax 087 49 40 01 – chiuso dal
10 al 24 agosto, domenica e martedì sera
Rist – Carta 20/30 €
◆ Storica trattoria cittadina, di ambiente semplice e familiare, ma curato nei particolari; a voce vi proporranno i piatti più tipici della tradizione molisana.

CAMPO CARLO MAGNO – Trento – Vedere Madonna di Campiglio

CAMPO DI TRENS (FREIENFELD) – Bolzano (BZ) – 562B16　　31 **C1**
– 2 566 ab. – alt. 993 m – Sport invernali : Vedere Vipiteno – ✉ 39040
▶ Roma 703 – Bolzano 62 – Brennero 19 – Bressanone 25

🏠 **Bircher** ঌ　　🏤 🖼 ⌘ 🛏 %% 🅿 VISA ⚫⚫ 🍴

località Maria Trens, Ovest : 0,5 km – 𝒞 04 72 64 71 22 – www.hotelbircher.it
– info@hotelbircher.it – Fax 04 72 64 73 50
– chiuso dal 3 novembre al 26 dicembre
32 cam 🔲 – †47/54 € ††73/98 € – ½ P 52/64 €
Rist – *(chiuso martedì) (chiuso la sera)* Carta 23/36 €
◆ Cordiale accoglienza familiare in un quieto e delizioso albergo, curato nei dettagli, con tocchi di eleganza sia negli articolati spazi comuni che nelle camere dai bei colori. Il legno è protagonista nell'ampia sala ristorante.

CAMPO FISCALINO = FISCHLEINBODEN – Bolzano – Vedere Sesto

CAMPOGALLIANO – Modena (MO) – 562H14 – 7 959 ab. – alt. 43 m　　8 **B2**
– ✉ 41011
▶ Roma 412 – Bologna 50 – Milano 168 – Modena 11

🏨 **Mercure Modena Campogalliano**　　🏤 🛏 ⅃ cam, AC ⅄ %% ᵛ⁰

via del Passatore 160, zona Dogana　　🅰 🅿 VISA ⚫⚫ AE ⓘ 🍴
– 𝒞 059 85 15 05 – www.mercure.com – h1602@accor.com – Fax 059 85 13 77
91 cam – †35/120 € ††35/132 €, 🔲 10 € – ½ P 50/92 €
Rist – *(chiuso sabato sera e domenica) (chiuso a mezzogiorno)* Carta 19/47 €
◆ In posizione strategica per chi viaggia in auto, al crocevia delle autostrade del Sole e del Brennero, l'hotel è perfettamente inserito nel tessuto locale: dalle prelibatezze culinarie, ai famosi monumenti storici, nonché ai motori di gran prestigio. Tutto trova qui la sua collocazione ideale!

XX **La Ca' di Mat**　　🏤 ⅃ %% 🅿 VISA ⚫⚫ ⓘ 🍴

viottolo Paolucci 3, angolo via Molino Valle – 𝒞 059 52 76 75 – Fax 059 52 76 75
– chiuso lunedì
Rist – Carta 26/36 €
◆ Una sala per l'inverno e una per l'estate dove gustare la cucina tradizionale e soprattutto piatti di selvaggina. Il locale è ricavato da una casa di campagna ristrutturata.

in prossimità del casello autostradale A 22 Sud-Est : 3,5 km :

XX **Magnagallo** con cam　　🚗 🏤 ⅃ AC ⑨ 🅰 🅿 VISA ⚫⚫ AE ⓘ 🍴

via Magnagallo Est 7 – 𝒞 059 52 87 51 – www.magnagallo.it – info@
magnagallo.it – Fax 05 95 22 14 52
28 cam 🔲 – †60/70 € ††80/90 € – ½ P 70 €
Rist – *(chiuso domenica sera)* Carta 28/35 €
◆ Lungo la pista ciclabile che conduce ai laghi Curiel, un ambiente caratteristico con alte volte e spioventi rivestiti in legno. Assoluta protagonista la gustosa cucina emiliana. La struttura offre semplici camere che dispongono di un ingresso autonomo.

ⓧ **Trattoria Barchetta** 🔥 🅰🅲 ⌀ ⇄ 🆅🅸🆂🅰 ⓴⓪ 🅰🅴 ⓪ ⓢ
via Magnagallo Est 20 – ℰ *059 52 62 18 – Fax 059 52 62 18*
– chiuso dal 1° al 20 gennaio, dal 15 agosto al 7 settembre e domenica
Rist *– (chiuso la sera da lunedì a giovedì)* Carta 22/31 € ∰
♦ Bel pergolato estivo, arredo di gusto etnico-coloniale e cucina regionale in questa trattoria articolata su due piani, sorta negli anni Cinquanta in aperta campagna.

CAMPO LOMASO – Trento – Vedere Comano Terme

CAMPOLONGO (Passo di) – Belluno (BL) – 562C17 – alt. 1 875 m — 35 B1
– Sport invernali : 1 875/2 095 m ᚼ 1 ᚼ9 (Comprensorio Dolomiti superski Arabba-Marmolada) – ✉ 32020

▶ Roma 711 – Cortina d'Ampezzo 41 – Belluno 78 – Bolzano 70

🏠🏠 **Grifone** 🆗 ≼ 🖥 🕊 🍴 ⅙ cam, 🏋 🆚 ⅙ rist, 🍲 **P** 🆅🅸🆂🅰 ⓴⓪ 🅰🅴 ⓪ ⓢ
Passo Campolongo 27 ✉ 32020 Arabba – ℰ *04 36 78 00 34*
– www.hotelgrifone.com – info@hotelgrifone.com – Fax 04 36 78 00 42
– 5 dicembre-10 aprile e 1° luglio-9 settembre
56 cam – †260/285 € ††320/450 € – ½ P 198/218 €
Rist *– (solo per alloggiati)* Carta 24/39 €
♦ Costruito secondo criteri di bioarchitettura, l'hotel si trova in prossimità degli impianti di risalita. Negli eleganti interni predomina il legno chiaro, nelle ampie camere confort e luce. Gradevole area benessere.

CAMPOROSSO – Imperia (IM) – 561K4 – ✉ 18033 — 14 A3
▶ Roma 632 – Imperia 49 – Genova 160 – Nice 43

ⓧⓧⓧ **Manuel** ⅙ 🅰🅲 🆅🅸🆂🅰 ⓴⓪ 🅰🅴 ⓪ ⓢ
corso Italia 265, Nord : 2,5 km – ℰ *01 84 20 50 37 – Fax 01 84 20 50 37 – chiuso lunedì e martedì a mezzogiorno*
Rist *– (consigliata la prenotazione)* Menu 48/58 € – Carta 44/80 €
♦ La tradizione ligure si incontra con l'inesauribile creatività del giovane chef, l'ambiente unisce romanticismo ed eleganza, il servizio, infine, strettamente familiare e caloroso.

CAMPO TURES (SAND IN TAUFERS) – Bolzano (BZ) – 562B17 — 31 C1
– 4 924 ab. – alt. 874 m – Sport invernali : a Monte Spico : 860/1 600 m ᚼ 3 ᚼ15, ⅍ – ✉ 39032

▶ Roma 730 – Cortina d'Ampezzo 73 – Bolzano 92 – Brennero 83
ℹ️ via Jungmann 8 ℰ 0474 678076, info@campo-tures.com, Fax 0474 678922

🏠🏠 **Feldmüllerhof** 🆗 ≼ 🍴 🖥 🕊 ① 🕊 🛁 🖳 🏋 ⅙ rist, 🍲 **P** 🚗
via Castello 9 – ℰ *04 74 67 71 00 – www.feldmullerhof.com* 🆅🅸🆂🅰 ⓴⓪ ⓢ
– info@feldmullerhof.com – Fax 04 74 67 73 20
35 cam ⌑ – †150 € ††200 € **Rist** – Carta 30/62 €
♦ Hall con camino, nonché profusione di legni ed ampie terrazze in una bella risorsa, recentemente ritrutturata; camere personalizzate e moderne, alcune di design minimalista. Atmosfera classica al ristorante dove accomodarsi per gustare piatti regionali.

🏠 **Alte Mühle** ≼ 🍴 🖥 ① 🕊 🛁 🖳 ⅙ rist, ⅙ rist, 🍲 **P** 🆅🅸🆂🅰 ⓴⓪ ⓢ
via San Maurizio 1/2 – ℰ *04 74 67 80 77 – www.alte-muehle.it*
– info@alte-muehle.it – Fax 04 74 67 95 68
– chiuso dal 20 al 29 aprile, dal 4 al 14 maggio e dall'8 al 27 novembre
20 cam ⌑ – †100/130 € ††140/200 € – 4 suites – ½ P 250/270 €
Rist *– (chiuso a mezzogiorno)* Carta 35/47 €
♦ Calda accoglienza e cordialità in questo albergo completamente rinnovato, tanto legno, con qualche inserto antico, negli ambienti curati. Sauna finlandese a forma di capanna. Il ristorante, aperto solo per cena, è distribuito su una sala ed una veranda.

🏠 **Alphotel Stocker** 🔥 🖥 ① 🕊 🛁 🖳 🍲 **P** 🚗 ⓴⓪ ⓢ
via Wiesenhof 39/41 – ℰ *04 74 67 81 13 – www.hotelstocker.com – info@hotelstocker.com – Fax 04 74 67 90 30 – chiuso dal 7 novembre al 20 dicembre*
36 cam ⌑ – †50/92 € ††84/164 € – 6 suites – ½ P 57/97 €
Rist *– (chiuso a mezzogiorno)* *(solo per alloggiati)*
♦ Albergo tirolese a conduzione familiare, dispone di un centro benessere con bagni di fieno e trattamenti ayurvedici e camere con piccolo soggiorno, alcune con angolo cottura.

✗✗ **Leuchtturm** ✗ ✿ 🆚 ⓪ ᴀᴇ ⑆
vicolo Bayer 12 – ℰ 04 74 67 81 43 – www.restaurant-leuchtturm.com
– info@restaurant-leuchtturm.com – Fax 04 74 06 97 38
– chiuso dal 14 giugno al 2 luglio, giovedì, venerdì a mezzogiorno
Rist – Carta 43/55 €
♦ Locale in centro paese dalla gestione giovane: bar-bistrot a pianterreno a cui si aggiungono due accoglienti sale ristorante al primo piano. Cucina mediterranea ed orientale.

CANALE – Cuneo (CN) – 561H5 – **5 437 ab.** – alt. 193 m – ✉ 12043   25 **C2**
▶ Roma 637 – Torino 50 – Asti 24 – Cuneo 68

🔠 **Munin** senza rist 🖥 ᴋ ᴀᴄ ⑈ 🄿 🆚 ⓪ ᴀᴇ ⓪ ⑆
località Valpone, Est : 1 km – ℰ 01 73 96 84 06 – www.hotelmunin.it – info@hotelmunin.it – Fax 017 39 81 34
22 cam ☑ – †65 € ††90 €
♦ Un albergo di recente costruzione che offre un insieme moderno con camere spaziose dotate di arredo di qualità. Al piano terra un'ampia hall e una grande sala colazione.

🏠 **Agriturismo Villa Cornarea** senza rist 🍃 ᐸ 🚃 🍴 ᴋ ✗ rist,
via Valentino 150 – ℰ 01 73 97 90 91 🄿 🆚 ⓪ ⓪ ⑆
– www.villacornarea.it – info@villacornarea.com – Fax 017 39 58 99 – chiuso dal 1° gennaio al 15 marzo
9 cam – †75/85 € ††80/98 €, ☑ 8 €
♦ Tra i celebri vigneti del Roero, villa liberty del 1908 dominante un suggestivo paesaggio collinare. Camere raffinate e suggestiva terrazza panoramica fra le due torri.

🏠 **Agriturismo Villa Tiboldi** 🍃 ᐸ 🚃 🍴 🍴 ᴀᴄ ✗ 🄿 ⑆
via Case Sparse 127 località Tiboldi, Ovest : 2 km 🆚 ⓪ ⑆
– ℰ 01 73 97 03 88 – www.villatiboldi.it – villatiboldi@villatiboldi.it
– Fax 01 73 95 92 33 – chiuso dal 7 gennaio al 12 febbraio
6 cam – ††100/140 €, ☑ 14 € – 4 suites – ††180/200 €
Rist – *(chiuso martedì a mezzogiorno, lunedì)* Menu 38/50 € – Carta 45/58 €
♦ Imponente villa del Settecento, restaurata con cura, affacciata sul paesaggio collinare. Interni di grande eleganza, a volte principeschi, comunque signorili. Accoglienti le due sale da pranzo nelle quali accomodarsi a gustare la cucina piemontese.

✗✗✗ **All'Enoteca** (Davide Palluda) ᴀᴄ ✿ 🆚 ⓪ ⓪ ⑆
꩜ *via Roma 57 – ℰ 017 39 58 57 – www.davidepalluda.it – info@davidepalluda.it*
– Fax 017 39 58 57 – chiuso domenica (solo domenica sera da ottobre-novembre) e lunedì a mezzogiorno
Rist – Carta 50/70 € 🕸
Spec. Scampi conditi, gelato salato alle mandorle e melagrana. Tortelli di acciughe, zuppa di burrata, peperoni tostati e pane. Quattro gelati molto piemontesi.
♦ In un elegante palazzo del centro storico, l'entusiasmo del giovane cuoco e la passione per i prodotti piemontesi producono una delle cucine più stimolanti ed innovative della regione.

CANALE D'AGORDO – Belluno (BL) – 562C17 – **1 243 ab.**   35 **B1**
– alt. 976 m – ✉ 32020
▶ Roma 625 – Belluno 47 – Cortina d'Ampezzo 55 – Bolzano 69

✗ **Alle Codole** con cam 🄿 🆚 ⓪ ⑆
🍸 *via 20 Agosto 27 – ℰ 04 37 59 03 96 – www.allecodole.it – info@allecodole.eu*
🍽 *– Fax 04 37 50 31 12 – chiuso dal 1° al 15 giugno e novembre*
10 cam ☑ – †30/60 € ††60/80 € – ½ P 60/80 €
Rist – Carta 22/50 € 🕸
♦ Pasta fresca, selvaggina, polenta e dolci casalinghi: non solo tradizione ma anche una forte vena creativa. Al timone, una accogliente famiglia dotata di un grande senso di ospitalità. Semplici e confortevoli le camere, moderna declinazione di una passione che risale agli anni Sessanta del XIX secolo.

CANALICCHIO – Perugia (PG) – 563M19 – alt. 420 m – ⊠ 06050   32 **B2**
  ▶ Roma 158 – Perugia 29 – Assisi 41 – Orvieto 66

🏨 **Relais Il Canalicchio** ⬧   ⪦ 🏠 ⌱ 🐾 ♨ 🎿 ❄ 🍴, 🅰🅲 ♚ rist,
via della Piazza 4 – ℰ *07 58 70 73 25*   🆗 🅿 VISA ⓥ AE ① ⓢ
  – *www.relaisilcanalicchio.it* – *relais@relaisilcanalicchio.it* – Fax *07 58 70 72 96*
  35 cam ⊒ – †119/140 € ††170/240 €
  – 14 suites – ††230/260 € – ½ P 125/160 €
  Rist *Il Pavone* – Carta 43/57 € (+10 %)
  ♦ Un piccolo borgo medievale, dominante dolci e verdi vallate umbre, per un soggiorno
  pieno di *charme*; tocco inglese nelle camere spaziose in stile rustico elegante. Lussuose *Country Suite* con piscina "dedicata". Il fascino del passato aleggia nel romantico
  ristorante con veranda e terrazza panoramica.

CANAZEI – Trento (TN) – 562C17 – 1 838 ab. – alt. 1 465 m – Sport   31 **C2**
invernali : 1 465/2 630 m ⬧13 ⬧67 (Comprensorio Dolomiti superski Val di Fassa)
🎿 – ⊠ 38032▮ Italia
  ▶ Roma 687 – Bolzano 51 – Belluno 85 – Cortina d'Ampezzo 58
  🅳 piazza Marconi 5 ℰ *0462 609600, infocanazei@fassa.com, Fax 0462 602502*
  🅶 Passo di Sella★★★ : ⁂★★★ Nord : 11,5 km – Passo del Pordoi★★★ Nord-
    Est : 12 km – ⪦★★ dalla strada S 641 sulla Marmolada Sud-Est

🏨 **Croce Bianca**   ⪦ 🚗 🏠 🐾 🎐 ♚ ⓦ 🅿 VISA ⓥ AE ① ⓢ
  stredà Roma 3 – ℰ *04 62 60 11 11* – *www.hotelcrocebianca.com* – *office@*
  hotelcrocebianca.com – *Fax 04 62 60 26 46* – *chiuso dal 29 marzo al 6 giugno*
  46 cam ⊒ – †100/157 € ††183/306 € – ½ P 94/172 €
  Rist – *(chiuso a mezzogiorno escluso da giugno a settembre)* Carta 34/50 €
  Rist Wine & Dine – *(chiuso martedì) (chiuso a mezzogiorno da dicembre a
  marzo)* Carta 37/57 € ⬧
  ♦ Una tradizione familiare che si rinnova dal 1869 è garanzia di ospitalità accorta e professionale; zone comuni eleganti e personalizzate, invitante centro benessere. Accogliente sala ristorante con attiguo bistrot per serate alternative. Piacevole e intimo il raccolto Wine & Dine, tutto rivestito di legno.

🏨 **Cesa Tyrol** ⬧   ⪦ 🚗 🏠 🍴 🎐 ♚ ⓦ 《 🅿 🚙 VISA ⓥ AE ① ⓢ
  Streda de la Cascata 2 ⊠ *38032* – ℰ *04 62 60 11 56* – *www.hotelcesatyrol.com*
  – *info@hotelcesatyrol.com* – *Fax 04 62 60 23 54*
  – *6 dicembre-15 aprile e 11 giugno-3 ottobre*
  41 cam ⊒ – †48/80 € ††76/150 € – ½ P 54/102 €   **Rist** – Carta 22/33 €
  ♦ In zona dominante, tranquilla e soleggiata, un albergo in crescita con molte camere
  dotate di salotto. Confort e servizi adatti a ogni esigenza, gestione professionale. Al
  ristorante il menù riporta le specialità della zona, in un ambiente elegante e luminoso.

🏨 **Astoria**   ⪦ 🏠 🎐 ♚ rist, ⋆⋆ ♚ rist, 《 🅿 🚙 VISA ⓥ AE ① ⓢ
  via Roma 92 – ℰ *04 62 60 13 02* – *info@hotel-astoria.net* – Fax *04 62 60 16 87*
  – *4 dicembre-2 maggio e 15 giugno-ottobre*
  39 cam ⊒ – †70/135 € ††115/240 € – ½ P 70/150 €   **Rist** – Carta 28/43 €
  ♦ Nello scenario delle Dolomiti, una struttura completamente rinnovata, dotata di centro benessere e camere spaziose, con vivaci tessuti a fiori. Cucina del territorio nella piccola sala ristorante.

🏨 **Rita**   🏠 🐾 ⋆⋆ ♚ 《 🆗 🅿 🚙 VISA ⓥ ⓢ
  streda de Pareda 16 – ℰ *04 62 60 12 19* – *www.hotelrita.com* – *info@*
  hotelrita.com – *Fax 04 62 60 11 73* – *dicembre-Pasqua e 15 giugno-settembre*
  21 cam ⊒ – †80/120 € ††120/180 € – ½ P 80/116 €   **Rist** – Carta 26/50 €
  ♦ Centrale e bella costruzione in stile ladino che ripropone anche negli interni la stessa
  atmosfera montana. Stube tirolese, zona benessere e piccolo parco giochi estivo. Curiosi
  e colorati i piatti proposti nella deliziosa sala da pranzo.

🏨 **Gries**   🏠 🐾 ♚ ⋆⋆ ♚ 《 VISA ⓥ ⓢ
  via Lungo Rio di Soracrepa 22 – ℰ *04 62 60 13 32* – *www.hotelgries.it* – *info@*
  hotelgries.it – *Fax 04 62 60 16 33* – *dicembre-Pasqua e giugno-settembre*
  19 cam ⊒ – †77/87 € ††100/150 € – ½ P 85/100 €
  Rist – *(solo per alloggiati)* Menu 30/40 €
  ♦ Poco lontano dal centro, la frazione Gries è tutt'uno con Canazei. L'albergo è stato
  totalmente ristrutturato ed offre una calda ed intima atmosfera.

Stella Alpina senza rist

via Antermont 6 – ✆ 04 62 60 11 27 – www.stella-alpina.net – info@stella-alpina.net – Fax 04 62 60 21 72 – 5 dicembre-4 maggio e 28 maggio-8 ottobre
7 cam – ††68/128 €
◆ Delizioso e curatissimo garni, in una casa del '600, albergo già nel 1880; camere in stile ladino e piccola veranda al primo piano adibita a sala di soggiorno.

Al Viel senza rist

streda de Ciampac 7 ✉ 38032 – ✆ 04 62 60 00 81 – garnialviel@virgilio.it – Fax 04 62 60 62 94 – dicembre-aprile e giugno-settembre
12 cam – †34/70 € ††60/98 €
◆ In posizione tranquilla, un edificio di nuova costruzione, in pietra e legno, nello stile di montagna ospita un simpatico garni con atmosfera quasi da casa privata.

XX **El Paél**

via Roma 58 – ✆ 04 62 60 14 33 – www.elpael.com – info@elpael.com – Fax 04 62 60 17 50 – dicembre-Pasqua e giugno-settembre; chiuso lunedì a mezzogiorno in inverno
Rist – Menu 28/40 € bc – Carta 28/46 €
◆ Esternamente poco attraente, si riscatta con interni accoglienti ed un'atmosfera invitante; cucina del territorio rivisitata e piatti a tema. Servizio pizzeria.

ad Alba Sud-Est : 1,5 km – ✉ **38057**

strèda de Costa 258 ✆ 0462 609550, infoalba@fassa.com, Fax 0462 600293

La Cacciatora

via de Contrin 26 – ✆ 04 62 60 14 11 – www.lacacciatora.it – hotel@lacacciatora.it – Fax 04 62 60 17 18 – chiuso dal 15 ottobre al 2 dicembre
37 cam – †71/115 € ††112/238 € – ½ P 67/119 € **Rist** – Carta 31/64 €
◆ Sito vicino alla funivia del Ciampac, l'albergo dispone di un giardino, articolati spazi interni per il relax, camere particolarmente confortevoli e di un servizio pizzeria.

CANDELI – Firenze – 563K16 – Vedere Bagno a Ripoli

CANDELO – Biella (BI) – 561F6 – 7 935 ab. – alt. 340 m – ✉ 13878 — 23 C2

Roma 671 – Aosta 96 – Biella 5 – Milano 97

X **Fuori le Mura**

via Marco Pozzo 4 – ✆ 01 52 53 61 55 – fuorilemura@libero.it – chiuso Capodanno, dal 1° al 15 agosto e martedì
Rist – (consigliata la prenotazione) Carta 29/43 €
◆ Simpatica trattoria, ricavata nelle ex stalle di un'antica stazione di posta; cucina tradizionale, con piatti creativi. Piccolo museo "delle cose di cucina e pasticceria".

CANDIA CANAVESE – Torino (TO) – 561G5 – 1 305 ab. – alt. 285 m – ✉ 10010 — 22 B2

Roma 658 – Torino 33 – Aosta 90 – Milano 115

XX **Residenza del Lago** con cam — cam,

via Roma 48 – ✆ 01 19 83 48 85 – www.residenzadelago.it – info@residenzadelago.it – Fax 01 19 83 48 86
11 cam – †70/75 € ††85/90 € – ½ P 65/70 €
Rist – *(chiuso dal 1° al 5 gennaio, dal 24 luglio al 22 agosto e venerdì)*
Carta 30/39 €
◆ Una tipica casa colonica canavese sapientemente ristrutturata, custodisce al suo interno un caratteristico ristorante di tono vagamente country e una veranda per il servizio estivo all'aperto. Offre anche belle stanze, graziose e ampie, con soffitti di mattoni a vista e mobili d'epoca, alcune con caminetto funzionante.

XX **Al Cantun**

piazza 7 Martiri 3/4 – ✆ 01 19 83 45 40 – www.alcantun.it – info@alcantun.it – chiuso dal 7 al 15 gennaio, dal 1° al 15 settembre e lunedì
Rist – (consigliata la prenotazione) Menu 22/32 € – Carta 26/36 €
◆ Nel centro del paese, in un ristorante classico arredato con gusto, troverete piatti del territorio, tradizionali o rielaborati dallo chef-patron con un pizzico di fantasia.

CANELLI – Asti (AT) – 561H6 – **10 325 ab.** – **alt. 157 m** – ✉ 14053   25 **D2**

▶ Roma 603 – Alessandria 43 – Genova 104 – Asti 29

🏠 **Asti** senza rist ⤺ |≡| 📞 📶 🅿 🚗 VISA ◉ AE ① ⑤
viale Risorgimento 174 – ☏ 01 41 82 42 20 – www.piemontehotels.com – scarsi@
inwind.it – Fax 01 41 82 24 49
20 cam ⤳ – ♦65/70 € ♦♦80/95 €
♦ Nella patria dello spumante, in posizione centrale, ma tranquilla, un piccolo albergo
con ambienti comuni, camere di semplice essenzialità e bagni rinnovati.

🏠 **Agriturismo La Casa in Collina** senza rist ⤺   ≤ 🛋 🚶 📶 🅿
località Sant'Antonio 30, Nord-Ovest : 2 km   VISA ◉ AE ① ⑤
– ☏ 01 41 82 28 27 – www.casaincollina.com – casaincollina@casaincollina.com
– Fax 01 41 82 35 43 – chiuso gennaio
6 cam ⤳ – ♦70/110 € ♦♦90/110 €
♦ Dal romanzo di Cesare Pavese, uno dei luoghi più panoramici delle Langhe con vista
fino al Monte Rosa nei giorni più limpidi. In casa, elegante atmosfera piemontese.

✗✗ **San Marco** (Mariuccia Ferrero)   🅰🅲 ⇔ VISA ◉ AE ⑤
🕸 via Alba 136 – ☏ 01 41 82 35 44 – www.sanmarcoristorante.it – info@
sanmarcoristorante.it – Fax 01 41 82 92 05 – chiuso dieci giorni in gennaio, dal
23 luglio al 14 agosto, martedì sera e mercoledì
Rist – Menu 43/48 € – Carta 40/56 € ❀
Spec. Crudo di vitella fassona battuto al coltello. Tempura di baccalà e carciofi. Maialino da latte laccato al miele di corbezzolo e agrumi.
♦ La sussurrata ospitalità del marito in sala, il polso deciso della moglie in cucina, i piatti
della tradizione astigiana in tavola. L'anima di un territorio in un ristorante.

CANEVA – Pordenone (PN) – 562E19 – **6 359 ab.** – ✉ 33070   10 **A3**

▶ Roma 588 – Belluno 52 – Pordenone 24 – Portogruaro 47

🏠 **Ca' Damiani** senza rist ⤺   📞 🅰🅲 🅿 VISA ◉ AE ① ⑤
via Vittorio Veneto 3, località Stevenà – ☏ 04 34 79 90 92 – www.wel.it/damiani
– cadamiani@libero.it – Fax 04 34 79 93 33
11 cam ⤳ – ♦75/85 € ♦♦95/130 €
♦ Abbracciata da un ampio parco secolare, la maestosa villa settecentesca dalla calda
accoglienza offre al suo interno ambienti raffinati, arredati con pezzi di antiquariato.

CANGELASIO – Parma – 561H11 – **Vedere Salsomaggiore Terme**

CANICATTÌ – Agrigento – 565O23 – **Vedere Sicilia alla fine dell'elenco alfabetico**

CANINO – Viterbo (VT) – 563O17 – **5 097 ab.** – **alt. 229 m** – ✉ 01011   12 **A1**

▶ Roma 118 – Viterbo 44 – Grosseto 90 – Perugia 128

🏠 **Agriturismo Cerrosughero** ⤺   ≤ 🛋 🚶 ♨ 🎾 rist, 🅿
🕸 strada statale 312 al km 22,600 – ☏ 07 61 43 72 42   VISA ◉ AE ⑤
– www.cerrosughero.com – info@cerrosughero.com – Fax 07 61 43 72 69
– chiuso dall'11 gennaio al 28 febbraio
16 cam ⤳ – ♦50 € ♦♦75/95 € – ½ P 65 €
Rist – (chiuso a mezzogiorno escluso sabato e domenica) Carta 20/31 €
♦ Oasi di tranquillità immersa nel verde, un'elegante residenza di campagna con
camere molto ampie e confortevoli realizzate negli spazi di tre diversi casali. Scenografico laghetto-piscina. Un quarto edificio ospita la sala ristorante di taglio rustico con
tetto spiovente, per una cucina casereccia.

CANNARA – Perugia (PG) – 563N19 – **4 024 ab.** – **alt. 197 m** – ✉ 06033   32 **B2**

▶ Roma 160 – Perugia 30 – Assisi 13 – Orvieto 79

🏠 **Hortensis** ⤺   🛋 |≡| 🅰🅲 🅿 VISA ◉ AE ① ⑤
🕸 via Enrico Berlinguer – ☏ 07 42 73 00 26 – www.hotelhortensis.it – infohotel@
hotelhortensis.it – Fax 07 42 73 00 27
45 cam – ♦49/60 € ♦♦67/93 €, ⤳ 8 € – ½ P 60/70 €   **Rist** – Menu 20/32 €
♦ Albergo di recente realizzazione, esprime una propensione prevalentemente turistica,
proponendo interessanti soluzioni per le camere. Gradito anche alla clientela d'affari.

✗ **Perbacco-Vini e Cucina**   🍴 📶 VISA 🌐 ① 🅢

🕸 *via Umberto I, 14 –* 📞 *07 42 72 04 92 – chiuso dal 20 giugno al 20 luglio e lunedì*
Rist – *(chiuso a mezzogiorno)* Menu 19/30 € – Carta 25/32 €
◆ Un grande camino e pareti affrescate con amorini, angioletti nonché l'immancabile
dio Bacco, tavoli in legno grezzo o colorati cospirano a creare una calorosa atmosfera
familiare. La cucina, squisitamente casalinga, è legata al territorio.

CANNERO RIVIERA – Verbano-Cusio-Ossola (VB) – 561D8 – **1 075 ab.**   23 **C1**
– alt. 225 m – ✉ 28821 ▮ Italia
  ▶ Roma 687 – Stresa 30 – Locarno 25 – Milano 110
  ℹ️ via Roma 37 📞 0323 788943, procanneroriviera@libero.it, Fax 0323 788943
  ◉ Insieme ★★

🏨 **Cannero** 🐾   ⪡ 🍴 🗓 🎿 🛎 ⅄ & cam, 🚗🛏 🄰🄲 ↰ 🍴 rist, 🕪 🅿 🚗
  piazza Umberto I 2 – 📞 *03 23 78 80 46*   VISA 🌐 🄰🄴 ① 🅢
  – www.hotelcannero.com – info@hotelcannero.com – Fax 03 23 78 80 48
  – 5 marzo-2 novembre
  69 cam 🛏 – ♦98/117 € ♦♦116/154 € – ½ P 81/103 €
  Rist *I Castelli –* 📞 *03 23 78 80 48 –* Carta 36/60 €
  ◆ Sulla sponda occidentale del Lago Maggiore, di fronte all'imbarcadero in tranquilla
  zona pedonale la lunga tradizione familiare di ospitalità in un albergo signorile. Curata
  ambientazione classica, con lampadari e sedie in stile, nella raffinata sala ristorante.

🏨 **Park Hotel Italia** 🐾   ⪡ 🍴 🗓 🎿 🛎 ⅄ rist, 🕪 🅿
  lungolago delle Magnolie 19 – 📞 *03 23 78 84 88*   VISA 🌐 🄰🄴 ① 🅢
  – www.parkhotel-cannero.it – parkhot-cannero@iol.it – Fax 03 23 78 84 98
  – aprile-ottobre
  25 cam 🛏 – ♦90/120 € ♦♦105/180 € – ½ P 83/120 €   **Rist** – Carta 32/57 €
  ◆ L'impressione che si ha dall'esterno è quella di un'enorme villa cinta da un ampio
  giardino; all'interno l'atmosfera di questa dimora del primo Novecento è però un'altra:
  un ambiente familiare e più semplice. In alternativa alla sala classica interna, d'estate
  sarà piacevole mangiare all'aperto.

✗✗ **Il Cortile** con cam   🍴 🄰🄲 cam, VISA 🌐 🄰🄴 🅢
  via Massimo D'Azeglio 73 – 📞 *03 23 78 72 13 – www.cortile.net*
  – cortilecannero@libero.it – Fax 03 23 78 60 66 – 4 aprile-ottobre
  9 cam 🛏 – ♦73/75 € ♦♦105/110 €
  Rist – *(chiuso mercoledì a mezzogiorno)* Carta 43/55 €
  ◆ Sito nel cuore della località e raggiungibile solo a piedi, un locale grazioso e
  curato, frequentato soprattutto da una clientela straniera, propone una cucina creativa.
  Dispone anche di alcune camere signorili dall'arredo ricercato.

sulla strada statale 34 Sud-Ovest : 2 km :

🏠 **Sole** senza rist   ⪡ & 🕪 🅿 🚗 VISA 🌐 🄰🄴 ① 🅢
  via Nuova per Cassino 6, Sud-Ovest : 1,5 km ✉ *28821 Cannero*
  – 📞 *03 23 78 81 50 – www.albergosole.it – cristina@albergosole.it*
  – Fax 03 23 78 81 50
  14 cam 🛏 – ♦42 € ♦♦66/75 €
  ◆ In posizione panoramica, per un soggiorno sul lago a prezzi contenuti, una risorsa con
  camere semplici ma funzionali; la panoramica terrazza accoglie d'estate la prima colazione.

CANNETO SULL'OGLIO – Mantova (MN) – 561G13 – **4 519 ab.**   17 **C3**
– alt. 35 m – ✉ 46013
  ▶ Roma 493 – Parma 44 – Brescia 51 – Cremona 32

✗✗ **Alla Torre**   🄰🄲 🍴 ⇄ VISA 🌐 🄰🄴 ① 🅢
  piazza Matteotti 5 – 📞 *037 67 01 21 – Fax 037 67 01 60 – chiuso dal 5 al*
  26 agosto e mercoledì
  Rist – Carta 32/43 € 🍃
  ◆ E' passata nelle mani della figlia la gestione di questa storica osteria del paese dove
  riscoprire i sapori regionali e i piatti tipici mantovani. Interessante anche la cantina
  dove si conservano molte bottiglie storiche.

a Runate Nord-Ovest : 3 km : – ⊠ **46013 – Canneto sull'Oglio**

XXXX   **Dal Pescatore** (Nadia e Giovanni Santini)   🛋 🍴 AIC � P
❀ ❀ ❀   – *℘ 03 76 72 30 01 – www.dalpescatore.com*   VISA ⁰⁰ AE ⓞ ✦
  – santini@dalpescatore.com – Fax 037 67 03 04 – chiuso dal 2 al 19 gennaio,
  dal 12 agosto al 5 settembre, lunedì, martedì, mercoledì a mezzogiorno
  Rist – Menu 175 € – Carta 112/182 € 🕮
  Spec. Triangoli di pasta ripieni di ricotta e pecorino con fonduta. Coscette di
  rana alle erbe fini. Soufflé all'arancia con coulis al frutto della passione.
  ♦ Lo spazio di una generazione ha trasformato una semplice trattoria in uno dei più
  celebri ristoranti d'Europa; la tradizione mantovana e italiana sublimata in raffinati
  ambienti.

Le «promesse», segnalate in rosso nelle nostre selezioni,
distinguono i ristoranti suscettibili di accedere alla categoria superiore,
vale a dire una stella in più.
Le troverete nella lista dei ristoranti stellati, all'inizio della guida.

CANNIZZARO – Catania – 565027 – Vedere Sicilia alla fine dell'elenco alfabetico

CANNOBIO – Verbano-Cusio-Ossola (VB) – 561D8 – **5 016 ab.**   23 **C1**
– alt. 224 m – ⊠ **28822**▮ Italia
  ▶ Roma 694 – Stresa 37 – Locarno 18 – Milano 117
  🖈 viale Vittorio Veneto 4 *℘ 0323 71212, info@procannobio.it, Fax 0323*
    71212
  ◉ Orrido di Sant'Anna★ Ovest : 3 km

🏚🏚🏚 **Park Hotel Villa Belvedere** senza rist 🕭   ♨ ㊅ ৬ AIC «ɴ» P
  via Casali Cuserina 2, Ovest : 1 km – ℘ 032 37 01 59   VISA ⁰⁰ AE ✦
  – www.villabelvederehotel.it – info@villabelvederehotel.it – Fax 032 37 19 91
  – 14 marzo-1° novembre
  27 cam ☴ – †100/110 € ††140/190 €
  ♦ Un tranquillo e grazioso albergo che si articola in più costruzioni, immerso nel verde
  di un grande parco con piscina riscaldata. Camere confortevoli e arredate con cura, tutte
  con balcone o terrazzo e panorama di grande respiro.

🏚🏚 **Cannobio**   ≼ 🍴 🛎 ৬ cam, AIC «ɴ» VISA ⁰⁰ AE ⓞ ✦
  piazza Vittorio Emanuele III 6 – ℘ 03 23 73 96 39 – www.hotelcannobio.com
  – info@hotelcannobio.com – Fax 03 23 73 95 96 – Natale e aprile-novembre
  19 cam ☴ – †100/130 € ††170/210 € – 1 suite
  Rist *Porto Vecchio* – *℘ 03 23 73 99 98 (8 marzo-2 novembre; chiuso martedì)*
  Menu 35/64 € – Carta 28/51 €
  ♦ Nasce da una sapiente e recente ristrutturazione questa risorsa nel cuore della località. Gli spazi comuni sono eleganti, le camere gradevoli e personalizzate; ovunque il piacere di scoprire le sfumature delle acque del lago. Ristorante con proposte classiche e
  servizio pizzeria.

🏚🏚 **Pironi** senza rist   🛎 ❀ «ɴ» P VISA ⁰⁰ AE ⓞ ✦
  via Marconi 35 – ℘ 032 37 06 24 – www.pironihotel.it – info@pironihotel.it
  – Fax 032 37 21 84 – 14 marzo-8 novembre
  12 cam ☴ – †100/120 € ††140/180 €
  ♦ Nel cuore della località con vista sul lago, un hotel d'atmosfera che fu monastero e
  dimora patrizia: camere con mobili d'epoca, soggiorno con camino e saloni affrescati.

XXX   **Lo Scalo**   🍴 ❀ VISA ⁰⁰
  piazza Vittorio Emanuele 32 – ℘ 032 37 14 80 – www.loscalo.com – info@
  loscalo.com – Fax 03 23 73 88 00 – chiuso dall'8 gennaio al 13 febbraio, lunedì e
  martedì a mezzogiorno
  Rist – Carta 46/60 €
  ♦ Affacciato sulla piazza principale, il ristorante offre un ambiente elegante ed un ampio
  dehors estivo dove assaporare una cucina creativa che spazia dal mare alla terra.

sulla strada statale 34

XXX **Del Lago** con cam 🦢   ◁ 🛋 🏠 AC cam, 🎱 rist, **P** VISA ⊚ 🖐
via Nazionale 2, località Carmine Inferiore ✉ 28822 – ☎ 032 37 05 95
*– www.enotecalago.com – enotecadellago@lycos.it – Fax 032 37 05 95 – marzo-
ottobre*
13 cam – ♦60/90 € ♦♦80/120 €, ☕ 10 €
Rist – *(chiuso martedì e mercoledì a mezzogiorno)* Carta 45/73 € ♨
♦ Una moderna e raffinata cucina con piatti di carne e soprattutto di pesce, sia di lago
che di mare, una sala di sobria eleganza avvolta da vetrate oppure, d'estate, in terrazza,
in riva al lago. Graziose le camere, per sentirsi quasi ospiti di una dimora privata.

in Valle Cannobina

X **Osteria VinoDivino**   🛋 🏠 ✿
Ovest : 2 km – ☎ 032 37 19 19 – *www.osteriavinodivino.com
– chiuso dall' 8 gennaio al 4 marzo*
Rist – *(chiuso mercoledì escluso in maggio e agosto) (chiuso a mezzogiorno
escluso domenica)* Carta 31/39 €
♦ Avvolto dal verde, un rustico ottocentesco, piacevolmente ristrutturato, offre una
sala ed un dehors con tavoli di pietra all'ombra degli alberi dove gustare piatti
locali.

CANOVE – Vicenza (VI) – 562E16 – **alt. 1 001 m** – ✉ **36010**   35 **B2**
▶ Roma 568 – Trento 61 – Padova 87 – Treviso 100

🏠 **Alla Vecchia Stazione**   🖼 ⚡ 🍴 🚫 🎱 VISA 🖐
via Roma 147 – ☎ 04 24 69 20 09 – *www.allavecchiastazione.it – info@
allavecchiastazione.it – Fax 04 24 69 20 09 – chiuso ottobre*
42 cam – ♦60 € ♦♦80 €, ☕ 10 € – ½ P 50/70 €
Rist – *(chiuso lunedì escluso da giugno al 15 settembre)* Carta 23/43 €
♦ Ubicato di fronte al museo locale, l'hotel presenta ambienti di buon livello con accessori e dotazioni in grado di garantire un soggiorno piacevole. Camere di diverse tipologie, alcune particolarmente indicate per le famiglie.

CANTALUPO – Milano – Vedere Cerro Maggiore

CANTALUPO LIGURE – Alessandria (AL) – 561H9 – **556 ab.**   23 **D3**
– alt. 390 m – ✉ **15060**
▶ Roma 556 – Alessandria 56 – Genova 69 – Piacenza 122

X **Belvedere**   AC VISA ⊚ ⓘ 🖐
località Pessinate, Nord: 7 km – ☎ 014 39 31 38 – *belvedere1919@libero.it
– Fax 014 39 31 38*
Rist – *(prenotazione obbligatoria)* Menu 32 € – Carta 26/44 €
♦ Ambiente rustico con elementi moderni e una cucina di taglio contemporaneo, che
tuttavia non dimentica i prodotti del territorio.

CANTALUPO NEL SANNIO – Isernia (IS) – 564C25 – **764 ab.**   2 **C3**
– alt. 587 m – ✉ **86092**
▶ Roma 227 – Campobasso 32 – Foggia 120 – Isernia 19

X **Antica Trattoria del Riccio**   🎱
🦢 *via Sannio 7* – ☎ 08 65 81 42 46 – *menasisto@alice.it – Fax 08 74 78 29 60
– chiuso una settimana in luglio e lunedì*
😊 **Rist** – *(chiuso la sera)* (consigliata la prenotazione) Carta 19/27 €
♦ Semplice e caratteristico ristorante di montagna: la conduzione è nelle mani della
stessa famiglia dal 1890, la cucina casalinga e tradizionale, i piatti abbondanti e
gustosi.

CANTELLO – Varese (VA) – 561E8 – **4 383 ab.** – **alt. 404 m** – ⊠ **21050**   18 **A1**
▶ Roma 640 – Como 26 – Lugano 29 – Milano 59

XX **Madonnina** con cam   🔊 🖿 🛋 📶 **P** *VISA* ◉◉ *AE* ◑ ⚓
largo Lanfranco 1, località Ligurno – ☏ *03 32 41 77 31* – *www.madonnina.it*
– *info@madonnina.it* – *Fax 03 32 41 84 03*
19 cam ☷ – ♥70 € ♥♥116 € – 2 suites – ½ P 90 €
Rist – *(chiuso lunedì)* Carta 37/53 €
♦ Un locale di charme, con camere raffinate, in una stazione di posta del '700 circondata da un bel parco-giardino; cucina che segue le stagioni, piatti ricchi d'estro.

CANTÙ – Como (CO) – 561E9 – **36 048 ab.** – **alt. 369 m** – ⊠ **22063**   18 **B1**
▶ Roma 608 – Como 10 – Bergamo 53 – Lecco 33

🏨 **Canturio** senza rist   📶 ⅙ *AE* ↯ 🐾 📶 ᣠ **P** *VISA* ◉◉ *AE* ◑ ⚓
via Vergani 28 – ☏ *031 71 60 35* – *www.hotelcanturio.it* – *info@hotelcanturio.it*
– *Fax 031 72 02 11* – *chiuso dal 24 dicembre al 6 gennaio ed agosto*
30 cam ☷ – ♥60/90 € ♥♥99/120 €
♦ Gestito da 20 anni dalla stessa famiglia, un hotel ideale per clientela di lavoro e di passaggio. Camere con parquet, funzionali ed accoglienti, quelle sul retro hanno un terrazzino sul verde.

XX **Pepè Scescè**   *AE* 🐾 *VISA* ◉◉ *AE* ◑ ⚓
via al Monte 5/a – ☏ *03 17 07 33 80* – *www.pepescesce.it* – *info@pepescesce.it*
– *Fax 03 17 07 33 80* – *chiuso 15 giorni in agosto e lunedì*
Rist – Carta 35/42 €
♦ Appassionata gestione per un piccolo ristorante vicino al centro. In una luminosa saletta vengono serviti piatti di pesce dalle ricette più classiche a quelle più creative.

XX **Al Ponte**   🖿 ⇆ *VISA* ◉◉ ⚓
via Vergani 25 – ☏ *031 71 25 61* – *chiuso agosto e lunedì*
Rist – Carta 28/43 €
♦ Accogliente locale, raccolto ed elegante, che resta sempre un indirizzo sicuro per piatti di cucina lombarda, oltre che italiana in genere; ampia scelta di vini.

XX **La Scaletta** con cam   *AE* rist, 🐾 **P** *VISA* ◉◉ *AE* ◑ ⚓
via Milano 30 – ☏ *031 71 65 40* – *www.trattorialascaletta.it*
– *trattorialascaletta@libero.it* – *Fax 031 71 65 40* – *chiuso dal 1° all'8 gennaio e dal 10 agosto al 2 settembre*
8 cam ☷ – ♥45/55 € ♥♥75/85 € – ½ P 70 €
Rist – *(chiuso venerdì sera e sabato a mezzogiorno)* Carta 40/54 €
♦ Ubicato alle porte della località, ristorante classico-elegante sia nella struttura sia nelle proposte gastronomiche, che seguono con un briciolo di creatività tradizioni locali e stagionalità dei prodotti.

CANZANO – Teramo (TE) – 563O23 – **1 863 ab.** – **alt. 448 m** – ⊠ **64020**   1 **B1**
▶ Roma 176 – Ascoli Piceno 67 – Pescara 56 – Ancona 144

X **La Tacchinella**   🐾 ⇆ *VISA* ◉◉ *AE* ◑ ⚓
🍃 *via Roma 18* – ☏ *08 61 55 51 07* – *latacchinella@virgilio.it* – *Fax 08 61 50 50 42*
– *chiuso dal 1° al 15 settembre e le sere di domenica, lunedì e martedì (escluso luglio e agosto)*
Rist – Carta 16/24 €
♦ Fedele al suo nome e alla più rinomata specialità del luogo, da anni questo locale con due sale del 1200 ha come piatto forte appunto il tacchino alla "canzanese".

CANZO – Como (CO) – 561E9 – **4 970 ab.** – **alt. 387 m** – ⊠ **22035**   18 **B1**
▶ Roma 620 – Como 20 – Bellagio 20 – Bergamo 56

🏨 **Volta**   📶 📶 **P** *VISA* ◉◉ *AE* ◑ ⚓
🍃 *via Volta 58* – ☏ *031 68 12 25* – *www.hotelvolta.com* – *hotelvolta@hotmail.it*
– *Fax 031 67 01 67*
16 cam ☷ – ♥♥45/50 € – ½ P 50/60 €
Rist – *(chiuso a mezzogiorno)* Carta 19/35 €
♦ Sarete accolti con cordialità e vi sentirete come a casa vostra in questo albergo a gestione familiare; carine le camere, ben arredate e con ottima dotazione di cortesia.

▶ Roma 587 – Udine 74 – Milano 326 – Padova 96

🛈 calle delle Liburniche 16 ℰ 0421 81085, info@caorleturismo.it, Fax 0421 218623

⛳ Prà delle Torri, ℰ 0421 29 95 70

Airone   ≤ ⌂ 🛋 ♨ ℔ ⁂ 🏨 & 🅰🅲 **P** 𝚟𝚒𝚜𝚊 ⚙

via Pola 1 – ℰ 042 18 15 70 – www.hotelairone.it – info@hotelairone.it
– Fax 042 18 20 74 – 9 maggio-27 settembre
70 cam ⊑ – 🛏116 € 🛏🛏203 € – ½ P 117 €   **Rist** – Menu 30 €
♦ Al limitare della località, un fresco parco-pineta con piscina e campo da tennis avvolge questa signorile struttura anni Settanta dal piacevole fascino un po' retro.

International Beach Hotel   ⌂ 📶 & cam, ⁂ 🅰🅲 📞 **P**
viale Santa Margherita 57 – ℰ 042 18 11 12   𝚟𝚒𝚜𝚊 ⓦ🅾 🅰🅴 ⓞ ⚙
– www.internationalbeachhotel.it – info@internationalbeachhotel.it
– Fax 04 21 21 10 05 – chiuso dal 20 al 28 dicembre e dal 7 al 20 gennaio
59 cam ⊑ – 🛏30/70 € 🛏🛏60/120 € – ½ P 40/90 €
Rist – *(aprile-ottobre)* Carta 25/48 €
♦ Leggermente arretrato rispetto al mare, lungo un'arteria commerciale che in estate viene chiusa al traffico, due strutture sobriamente eleganti con aree riservate per il gioco dei più piccoli. Più classica la sala ristorante.

Savoy   ≤ ⌂ 📶 🅰🅲 ♨ rist, 📶 𝚟𝚒𝚜𝚊 ⓦ🅾 ⚙
viale G.Pascoli 1 – ℰ 042 18 18 79 – www.savoyhotel.it – savoy@savoyhotel.it
– Fax 042 18 33 79 – 24 aprile-27 settembre
62 cam ⊑ – 🛏70/90 € 🛏🛏90/150 € – ½ P 75/90 €
Rist – *(21 maggio-27 settembre) (chiuso a mezzogiorno)* Carta 30/44 €
♦ Per una vacanza tra bagni e tintarella è perfetto questo hotel fronte spiaggia dalla seria conduzione familiare. Ad un livello intermedio tra la struttura e la spiaggia, zona solarium con piscina. Capiente e luminosa la sala da pranzo dove gustare una sana cucina mediterranea.

Garden   ≤ 🚗 ⌂ 🐾 📶 & ⁂ 🅰🅲 ♨ rist, 📞 **P** 𝚟𝚒𝚜𝚊 ⓦ🅾 ⚙
Piazza belvedere, 2 – ℰ 04 21 21 00 36 – www.hotelgarden.info – info@
hotelgarden.info – Fax 04 21 21 00 37 – aprile-ottobre
62 cam ⊑ – 🛏52/86 € 🛏🛏80/140 € – ½ P 54/103 €   **Rist** – Carta 19/40 €
♦ Solo la piazza divide dal mare questo hotel dagli ambienti luminosi arredati con gusto moderno secondo linee di design minimalista. Ideale per una vacanza balneare. Al ristorante semplici piatti con prevalenza di proposte mediterranee.

Stellamare   ≤ 🐾 📶 ⁂ 🅰🅲 ♨ rist, 📶 **P** 🚗 𝚟𝚒𝚜𝚊 ⓦ🅾 🅰🅴 ⓞ ⚙
via del Mare 8 – ℰ 042 18 12 03 – www.hotelstellamare.it – info@
hotelstellamare.com – Fax 042 18 37 52 – Pasqua-ottobre
33 cam ⊑ – 🛏72/82 € 🛏🛏110/120 € – ½ P 70/90 €
Rist – *(maggio-settembre)* Carta 28/36 €
♦ Spazi comuni dai freschi tocchi di colore, un'atmosfera perfetta per una vacanza rilassante e camere dall'arredo chiaro e leggermente minimalista per questa piccola struttura sulla baia di levante. Ristorante con vetrate panoramiche e servizio all'aperto.

Marzia   ⌂ 🅰🅲 ♨ **P** 𝚟𝚒𝚜𝚊 ⓦ🅾 🅰🅴 ⓞ ⚙
viale Dante Alighieri 2 – ℰ 042 18 14 77 – www.hotelmarzia.it – info@
hotelmarzia.it – Fax 04 21 21 06 11 – Carnevale e Pasqua-ottobre
28 cam ⊑ – 🛏57/92 € 🛏🛏90/130 € – 1 suite – ½ P 58/75 €
Rist – *(solo per alloggiati)*
♦ Piccolo grazioso hotel a conduzione familiare a pochi metri dalla spiaggia, dispone di una hall dalle moderne poltrone colorate e di ampie camere all'attico, con soppalco e idromassaggio. Per i pasti, la cucina tipica veneta con un'ampia scelta di carne e pesce ed un buffet di vedure.

La guida vive con voi: parlateci delle vostre esperienze.
Comunicateci le vostre scoperte più piacevoli e le vostre delusioni.
Buone o cattive sorprese? Scriveteci!

XX **Duilio** con cam   🚗 🛋 AC 🛁 P VISA ⑩ AE 🦶

strada Nuova 19 – 𝒞 04 21 21 03 61 – www.diplomatic.it – info@diplomatic.it
– Fax 04 21 21 00 89
22 cam 🛏 – 🛉49/59 € 🛉🛉78/92 € – ½ P 57/67 €
Rist – *(chiuso 20 giorni in gennaio e lunedì escluso da giugno al 20 settembre)*
Menu 28/50 € – Carta 26/40 €
♦ Sorto alla fine degli anni '50 sfoggia oggi due sale in cui gustare fragranti piatti di pesce, una di tono rustico con una grande barca come arredo, l'altra più elegante, dalle pareti colorate. Camere accoglienti e spaziose a disposizione di chi desidera fermarsi per una breve vacanza.

a Porto Santa Margherita Sud-Ovest : 6 km oppure 2 km e traghetto – ✉ 30021

🛈 (maggio-settembre) corso Genova 21 𝒞 0421 260230

🏠 **San Giorgio**   ≼ 🕭 ⚓ ✕ 🍽 ☀️ AC ✕ rist. P VISA ⑩ AE ① 🦶

via dei Vichinghi 1 – 𝒞 04 21 26 00 50 – www.hotelsangiorgio.info – info@
hotelsangiorgio.info – Fax 04 21 26 10 77 – 20 maggio-20 settembre
100 cam 🛏 – 🛉75/105 € 🛉🛉100/140 € – ½ P 77/102 €
Rist – *(solo per alloggiati)* Menu 22/27 €
♦ Sono innumerevoli le oportunità di praticare dello sport nel contesto verdeggiante di questa imponente struttura di fronte al mare! Moderne e luminose le camere, da poco rinnovate. Tanta allegria e gustosi piatti di pesce al ristorante.

🏠 **Ausonia** 🍃   🕭 ⚓ 🛁 ✕ 🍽 🖼 ☀️ AC ✕ P VISA ⑩ 🦶
😊 *Centro Vacanze Prà delle Torri Sud-Ovest : 3 km – 𝒞 04 21 29 94 45*
– www.pradelletorri.it – info@pradelletorri.it – Fax 04 21 29 90 35
– 4 aprile-27 settembre
68 cam 🛏 – 🛉45/75 € 🛉🛉69/117 € – ½ P 52/76 €
Rist – *(chiuso a mezzogiorno)* Carta 14/53 €
♦ Al bando la noia e la stanchezza all'interno di questo grande centro vacanze grazie alla sua particolare posizione e alle innumerevoli opportunità sportive. Ideale per famiglie. Cucina locale ma anche proposte internazionali e pizze, al ristorante.

🏠 **Oliver**   ≼ 🕭 ⚓ 🛁 ☀️ AC ✕ 🥽 P VISA ⑩ 🦶

viale Lepanto 3 – 𝒞 04 21 26 00 02 – www.hoteloliver.it – info@hoteloliver.it
– Fax 04 21 26 13 30 – maggio-settembre
66 cam – 🛉70/90 € 🛉🛉120/150 €, 🛏 12 € – ½ P 72/87 €   **Rist** – Carta 25/37 €
♦ Offre ampi spazi esterni e un ambiente familiare questo piacevole albergo, posizionato direttamente sul mare, con piccola pineta e piscina al limitare della spiaggia. Classica e luminosa la sala da pranzo.

a Duna Verde Sud-Ovest : 10 km – ✉ 30021 – **Caorle**

🏠 **Playa Blanca**   ≼ 🕭 ⚓ ☀️ AC ✕ P VISA ⑩ 🦶

viale Cherso 80 – 𝒞 04 21 29 92 82 – www.playablanca.it – info@playablanca.it
– Fax 04 21 29 92 83 – maggio-20 settembre
44 cam 🛏 – 🛉80/85 € 🛉🛉80/120 € – ½ P 62/66 €
Rist – *(solo per alloggiati)* Menu 22/25 €
♦ Curiosa struttura circolare cinta da un curato giardino nel quale si trovano una piscina e un'area giochi attrezzata per i più piccoli. Al timone della conduzione, tre fratelli. Al quarto piano con vista sul mare, la sala ristorante dalle grandi vetrate propone gustose specialità mediterranee.

a San Giorgio di Livenza Nord-Ovest : 12 km – ✉ 30020

XX **Al Cacciatore**   🛁 AC ✕ ⇔ P VISA ⑩ AE ① 🦶

corso Risorgimento 35 – 𝒞 042 18 03 31 – www.ristorantealcacciatore.it – info@
ristorantealcacciatore.it – Fax 04 21 29 02 33 – chiuso dal 1° al 6 gennaio e dal
1° al 15 luglio
Rist – *(chiuso mercoledì)* Carta 40/58 €
♦ Lungo la strada principale che attraversa il paese, una grande sala dall'alto soffitto gestita con dedizione da tre fratelli dove trovare una cucina di pesce dalle porzioni abbondanti.

CAPACCIO SCALO – **Salerno** – **564F27** – **Vedere Paestum**

CAPALBIO – Grosseto (GR) – 563O16 – 3 995 ab. – alt. 217 m   29 **C3**
– ⊠ 58011 ▊ Toscana

▶ Roma 139 – Grosseto 60 – Civitavecchia 63 – Orbetello 25

🏨 **Valle del Buttero** senza rist ⌂   ≤ ⌂ 🛁 ⁽⁽ᵖ⁾⁾ 🅿 𝘝𝘐𝘚𝘈 ⓪ 🕯
via Silone 21 – 🕾 05 64 89 60 97 – www.valledelbuttero.it – info@
valledelbuttero.it – Fax 05 64 89 65 18 – marzo-novembre
42 cam – †55/65 € ††80/100 €, ⌳ 8 €
♦ Poco distante dalle antiche mura, l'hotel dispone di camere ed appartamenti con
arredi semplici in legno, una nuova piccola palestra, sauna e parco giochi per i bambini.

🏠 **Agriturismo Ghiaccio Bosco** senza rist ⌂   🚗 🔟 🕭 🅰🅲 🕻⁾ 🅿
strada della Sgrilla 4, Nord-Est : 4 km – 🕾 05 64 89 65 39   𝘝𝘐𝘚𝘈 ⓪ ① 🕯
– www.ghiacciobosco.com – info@ghiacciobosco.com – Fax 05 64 89 65 39
14 cam ⌳ – ††80/120 €
♦ Circondato da un parco ricco di piante e fiori, l'agriturismo dispone di una bella
piscina e confortevoli camere arredate in legno con accesso indipendente dal giardino.

🍴🍴 **Tullio**   🕭 🅰🅲 𝘝𝘐𝘚𝘈 ⓪ 🕯
via Nuova 27 – 🕾 05 64 89 61 96 – Fax 05 64 89 61 96 – chiuso dal 10 gennaio al
20 febbraio e mercoledì (escluso la sera dal 1° luglio al 15 settembre)
Rist – Carta 28/40 € (+10 %)
♦ Poco distante dall'antica cinta muraria, il ristorante dispone di una sala interna e di
una terrazza dove è possibile assaggiare proposte gastronomiche del territorio.

CAPALLE – Firenze – Vedere Campi Bisenzio

CAPANNORI – Lucca – 563K13 – Vedere Lucca

CAPEZZANO PIANORE – Lucca – 563K12 – Vedere Camaiore

CAPISTRANO – Vibo Valentia (VV) – 564K30 – 1 162 ab. – alt. 952 m   5 **A2**
– ⊠ 89818

▶ Roma 616 – Reggio di Calabria 112 – Catanzaro 69 – Crotone 138

🏠 **Agriturismo Sant'Elia**   ≤ 🍴 rist, 🅿
♨ località Sant'Elia, Nord : 3 km – 🕾 09 63 32 50 40
– www.agriturismosantelia.com – info@agriturismosantelia.com
– Fax 09 63 32 79 07
6 cam ⌳ – †30/35 € ††54/63 € – ½ P 55 €
Rist – (prenotazione obbligatoria) Menu 20/25 €
♦ Sul lago Angitola, oasi naturale curata dal WWF, un bel casale della seconda metà
dell'800. Splendida vista fino al mare, ambienti curati e calma assoluta. Cucina tradizionale calabrese.

CAPO D'ORLANDO – Messina – 565M26 – Vedere Sicilia alla fine dell'elenco
alfabetico

CAPOLAGO – Varese – Vedere Varese

CAPOLIVERI – Livorno – 563N13 – Vedere Elba (Isola d')

CAPOLONA – Arezzo (AR) – 563L17 – 4 958 ab. – alt. 254 m   29 **D2**
– ⊠ 52010

▶ Roma 223 – Siena 75 – Arezzo 15 – Firenze 90

🍴🍴 **Acquamatta** (Alimenti e Motolese)   ≤ 🅰🅲 🍴 ↔ 𝘝𝘐𝘚𝘈 ⓪ 🅰🅴 ① 🕯
✿ piazza della Vittoria 13 – 🕾 05 75 42 09 99 – www.acquamatta.com – info@
acquamatta.com – Fax 05 75 42 18 07 – chiuso dal 4 gennaio al 2 febbraio,
dall'11 al 17 agosto, domenica e lunedì
Rist – (chiuso a mezzogiorno) Menu 59/65 € – Carta 59/79 € ⌂
Spec. Risotto con zucchine e taleggio profumato al Sauternes. Catalana reale.
Filetto di manzo chianino con cuore di pecorino, salsa di pepe nero e flan di
indivia.
♦ A ridosso del fiume, elegante sala per occasioni importanti e una cucina che si allontana dalle impostazioni regionali per abbracciare piatti creativi e personalizzati.

CAPPELLA – Lucca – Vedere Lucca

CAPPELLA DÉ PICENARDI – Cremona (CR) – 445 ab. – alt. 41 m   17 **C3**
– ✉ 26038

▶ Roma 498 – Parma 51 – Cremona 18 – Mantova 48

✕ **Locanda degli Artisti**   🔟 🕀 🗘 𝘝𝘐𝘚𝘈 ⓒⓞ 🄰🄴 🅾 ⟳
🍴 via XXV Aprile 13/1 – ✆ 03 72 83 55 76 – www.locandadegliartisti.it
– info@locandadegliartisti.it – chiuso giovedì e domenica sera
Rist – Carta 28/38 €
♦ Un'esperienza artistica prima ancora che gastronomica, la locanda occupa una delle
tante cascine che costruiscono il suggestivo borgo , invitandovi a riscoprire la cucina
del territorio e i sapori della cucina padana.

CAPRAIA E LIMITE – Firenze (FI) – 6 237 ab. – ✉ 50056   29 **C1**

▶ Roma 314 – Firenze 33 – Prato 39 – Pisa 65

🏠 **l' fiorino** senza rist   📶 🕭 🔟 ⟨ᵗ⟩ 🄿 𝘝𝘐𝘚𝘈 ⓒⓞ 🄰🄴 🅾 ⟳
via S. Allende 97/a ✉ 50050 Capraia e Limite – ✆ 05 71 58 39 41
– www.hotelifiorino.it – info@hotelifiorino.it – Fax 05 71 59 40 32
– chiuso dall'8 al 23 agosto e dal 24 al 27 dicembre
17 cam ⌂ – ♦40/100 € ♦♦50/130 €
♦ Piccolo hotel di recente apertura, piacevole e raccolto, vanta una luminosa veranda
sulla quale viene allestita la prima colazione a buffet. Moderno e confortevole.

CAPRESE MICHELANGELO – Arezzo (AR) – 563L17 – 1 673 ab.   29 **D1**
– alt. 653 m – ✉ 52033 ▌ Toscana

▶ Roma 260 – Rimini 121 – Arezzo 45 – Firenze 123

🏠 **Buca di Michelangelo** �´   ⟨ 📞 𝘝𝘐𝘚𝘈 ⓒⓞ 🄰🄴 ⟳
🍴 via Roma 51 – ✆ 05 75 79 39 21 – www.bucadimichelangelo.it – albergo@
bucadimichelangelo.it – Fax 05 75 79 39 41 – chiuso dal 10 al 25 febbraio
23 cam ⌂ – ♦45/60 € ♦♦55/65 € – ½ P 40/50 €
Rist – (chiuso giovedì) Carta 20/35 €
♦ Nel centro del paese che diede i natali a Michelangelo, un hotel con camere semplici,
ma accoglienti, così come accogliente e familiare risulta essere la gestione. Piatti toscani
serviti in un ampio salone panoramico.

✕ **Il Rifugio**   🕀 𝘝𝘐𝘚𝘈 ⓒⓞ ⟳
🍴 località Lama 47, Ovest : 2 km – ✆ 05 75 79 39 68 – Fax 05 75 79 37 52
– chiuso mercoledì escluso agosto
Rist – Carta 20/35 €
♦ Giovane gestione familiare e ambiente rustico in un locale di campagna, le cui specialità sono funghi e tartufi, ma che propone anche pesce e la sera le pizze.

ad Alpe Faggeto Ovest : 6 km – alt. 1 177 m – ✉ 52033 – Caprese Michelangelo

✕ **Fonte della Galletta** con cam �´   ⟨ 🛏 🕀 🄿 𝘝𝘐𝘚𝘈 ⓒⓞ 🅾 ⟳
località Alpe Faggeto – ✆ 05 75 79 39 25 – www.fontedellagalletta.it
– info@fontedellagalletta.it – Fax 05 75 79 36 52
– dal 7 gennaio a Pasqua aperto solo sabato e domenica
13 cam ⌂ – ♦45 € ♦♦70 € – ½ P 65 €
Rist – (chiuso lunedì e martedì escluso dal 15 giugno al 15 settembre)
Carta 24/38 € 🍽
♦ Qui si respira aria di montagna e tra faggeti secolari si intravede una splendida vista
sulla Val Tiberina; al ristorante, piatti tipici locali, funghi e cacciagione.

Un pasto con i fiocchi senza rovinarsi? Cercate i «Bib Gourmand» 🄰.
Vi aiuteranno a scovare le buone tavole
che sanno sposare una cucina di qualità al prezzo giusto!

CAPRI (Isola di) ★★★ – Napoli (NA) – 564 F24 – 7 220 ab. ▮ Italia   6 **B3**

    🚢 per Napoli e Sorrento – Caremar, call center 892 123

    ◉ Marina Grande★ BY – Escursioni in battello : giro dell'isola★★★ BY, grotta
    Azzurra★★ BY (partenza da Marina Grande)

ANACAPRI (NA) – 564 F24 – 6 214 ab. – alt. 275 m – ✉ 80071

    🅸 via Orlandi 59 ℰ 081 8371524, information@capri.it

    ◉ Monte Solaro★★★ BY – ✳✳★★ per seggiovia 15 mn – Villa San Michele★
    BY : ✳★★★ – Belvedere di Migliara★ BY 1 h AR a piedi – Pavimento in
    maiolica★ nella chiesa di San Michele AZ

🏨 **Capri Palace Hotel**   ⇐ 🛌 📺 📶 🦢 🎧 🔌 👟 AC 🎷 rist, (🎏) 👤
via Capodimonte 14 – ℰ 08 19 78 01 11   VISA ⦿ AE ① ◐
– www.capripalace.com – info@capri-palace.com – Fax 08 18 37 31 91
– Pasqua-2 novembre   AZ**p**
65 cam 🍴 – 🛏250/350 € 🛏🛏330/950 € – 12 suites – ½ P 265/575 €
Rist L'Olivo – vedere selezione ristoranti

♦ Dai pavimenti in pietra, alle volte e ai tessuti: tutta una sinfonia di morbidi toni écru
nei suoi raffinatissimi interni, che si aprono su terrazze fiorite con piscina.

🏨 **Caesar Augustus** ॐ   ⇐ 🚙 🏡 🛌 📶 🖥 AC 🎷 rist, (🎏) 👤 🅿
via Orlandi 4 – ℰ 08 18 37 33 95   VISA ⦿ AE ① ◐
– www.caesar-augustus.com – info@caesar-augustus.com
– Fax 08 18 37 14 44 – 15 aprile-ottobre   BY**c**
42 cam 🍴 – 🛏390 € 🛏🛏430 € – 13 suites – ½ P 278 €
Rist – (prenotazione obbligatoria) Carta 65/82 €

♦ Vi sembrerà di poter spiccare il volo dalle terrazze di questo hotel in posizione panoramica mozzafiato, a strapiombo sul mare; letti in ferro battuto e mobili antichi nelle raffinate camere. Colazione e cena in ambienti eleganti da cui ammirare la superba vista.

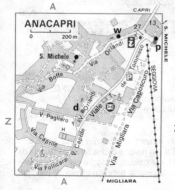

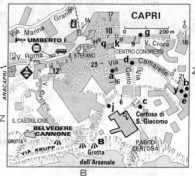

🏠 **Al Mulino** senza rist ⑂ 🚗 👫 AC 🍸 🛜 P VISA ⓜ AE ① ⑤
via La Fabbrica 9 – ☎ 08 18 38 20 84 – www.mulino-capri.it – mulino@capri.it
– Fax 08 18 38 21 32 – Paqua-ottobre BY**f**
7 cam ⇌ – †100/150 € ††120/200 €
♦ Una ex fattoria immersa in un curatissimo giardino, collocato nella parte più "nobile" e riservata della località, quindi distante da centro, shopping e frastuono. Tutte le camere sono dotate di un grazioso patio privato.

🏠 **Biancamaria** senza rist ← 📶 AC 🍸 VISA ⓜ ⑤
via Orlandi 54 – ☎ 08 18 37 10 00 – www.hotelbiancamaria.com – info@
hotelbiancamaria.com – Fax 08 18 37 20 60 – aprile-settembre AZ**w**
25 cam ⇌ – †100/130 € ††160 €
♦ Architettura caprese per questa piccola risorsa, nata dalla ristrutturazione di una casa privata; le camere sono classiche con mobili in legno naturale e tessuti coordinati.

🏠 **Bellavista** ← 🚗 AC 🍸 🛜 P VISA ⓜ AE ⑤
via Orlandi 10 – ☎ 08 18 37 14 63 – www.bellavistacapri.com
– info@bellavistacapri.com – Fax 08 18 38 27 19 – Pasqua-ottobre BY**m**
15 cam ⇌ – †70/150 € ††100/250 € – ½ P 130/145 €
Rist – Carta 32/41 €
♦ La realtà non smentisce il nome: è davvero splendido il panorama del golfo da uno dei più antichi alberghi dell'isola! Piacevole aria démodé negli interni anni '60 e caratteristici pavimenti con maioliche dai colori marini. L'intensa luce del sole o il chiaroscuro del tramonto fanno da sfondo all'ampia sala da pranzo.

🏠 **Villa le Scale** senza rist ⑂ 🚗 ⌁ AC 🍸 🛜 VISA ⓜ AE ① ⑤
via Capodimonte 64 – ☎ 08 18 38 21 90 – www.villalescale.com
– info@villalescale.com – Fax 08 18 38 27 96 – 15 aprile-15 ottobre BY**n**
6 cam ⇌ – ††450/850 € – 1 suite
♦ Aristocratica villa ottocentesca con stupendo giardino. Nelle camere, tutte diverse fra loro, si respira un'aria di esclusiva raffinatezza. Profusione di arredi d'antiquariato di ogni epoca e luogo, per un indirizzo tra i più suggestivi dell'isola.

✕✕✕✕ **L'Olivo** (Oliver Glowing) – Capri Palace Hotel 🏠 AC 🍸
❀❀ via Capodimonte 14 – ☎ 08 19 78 01 11 VISA ⓜ AE ① ⑤
– www.capripalace.com – info@capri-palace.com – Fax 08 18 37 31 91
– 9 aprile-2 novembre AZ**p**
Rist – Menu 140/180 € – Carta 86/144 € ⌁
Spec. Trippa di baccalà e caviale con ricotta, taccole e pancetta. Fusilli allo scorfano. Cioccolato in cinque consistenze.
♦ Coccolati da un eccellente servizio, si pranza tra morbidi colori e massicce colonne. Cucina in continua crescita, che coniuga professionalità e tecnicismo ai sapori del sud.

✕✕ **La Rondinella** 🏠 VISA ⓜ ① ⑤
via Orlandi 245 – ☎ 08 18 37 12 23 – larondinella@live.it – Fax 08 18 37 32 22
– chiuso dicembre-febbraio e giovedì escluso da giugno a settembre
Rist – Carta 25/65 € (+10 %) AZ**d**
♦ Servizio solerte e cordiale, d'inverno in un ambiente rustico, d'estate sulla gradevole terrazza tra piante e fiori; cucina caprese e di mare, la sera anche le pizze.

alla Migliara Sud-Ovest : 30 mn a piedi :

✕ **Da Gelsomina** con cam ⑂ ← 🏠 ⌁ AC cam, 🍸 cam, 🛜
via Migliara 72 – ☎ 08 18 37 14 99
– www.dagelsomina.com – info@dagelsomina.com – Fax 08 18 37 14 99
– chiuso dal 7 gennaio al 28 febbraio (solo camere: chiuso da novembre a
marzo) BY**r**
5 cam ⇌ – †75/85 € ††120/140 €
Rist – (chiuso martedì) (chiuso la sera da ottobre al 25 aprile) Carta 30/45 €
♦ Tranquillo locale raggiungibile solo a piedi o con navetta; cucina casalinga favorita da un'azienda agricola di proprietà del ristorante, che produce ortaggi e vino. Panorama e tranquillità totale nelle camere realizzate sotto la terrazza, tutte con un piccolo patio privato.

CAPRI (NA) – 564F24 – 7 220 ab. – alt. 142 m – ✉ 80073

🖂 piazza Umberto I 19 ℰ 081 8370686, information@capri.it

👁 Belvedere Cannone★★ BZ accesso per la via Madre Serafina★ BZ **12**
– Belvedere di Tragara★★ BY – Villa Jovis★ BY : ❄★★, salto di
Tiberio★ – Giardini di Augusto ≤★★ BZ **B** – Via Krupp★ BZ – Marina
Piccola★ BY – Piazza Umberto I★ BZ – Via Le Botteghe★ BZ **10** – Arco
Naturale★ BY

Grand Hotel Quisisana ≤ 🚗 🛋 🗊 🖾 📶 📷 🕍 🎇 🖹 AC 🎇

via Camerelle 2 – ℰ 08 18 37 07 88 🏻 🔐 VISA ◑ AE ① 🖬
– www.quisisana.com – info@quisisana.com – Fax 08 18 37 60 80 – 25 marzo-
ottobre BZ**a**
133 cam ⌑ – 👭350/820 € – 15 suites – ½ P 235/470 €
Rist Quisi – vedere selezione ristoranti
Rist La Colombaia – (chiuso la sera) Carta 63/85 € 🏶
Rist Rendez Vous – Menu 75 € – Carta 66/90 €
♦ Storica, lussuosa vetrina per chi è in cerca di mondanità: "il" grande albergo di Capri
per antonomasia offre confort all'altezza delle aspettative. La Colombaia, ristorante informale (vicino alla piscina) propone specialità regionali. In terrazza il Rendez Vous, tra
piatti freddi ed una cucina più classica.

JW Marriott Capri Tiberio Palace 🐾 ≤ 🛋 🗊 🖾 🖾 📶 🕍

via Croce 11/15 – ℰ 08 19 78 71 11 🖨 AC 🎇 🕩 VISA ◑ AE ① 🖬
– www.tiberiopalace.com – info@tiberiopalace.com – Fax 08 18 37 44 93 – aprile-
ottobre BZ**g**
48 cam ⌑ – 👭273/909 € – 12 suites – ½ P 216/483 €
Rist White – ℰ 08 19 78 78 50 – Carta 87/116 € 🏶
♦ Nella parte alta di Capri, a pochi minuti dal centro, architettura classica mediterranea
per quest'albergo con ampi balconi incorniciati da archi. Interni chiari, eleganti con suggestive soluzioni di design per la sala da pranzo.

Casa Morgano senza rist 🐾 ≤ 🛋 🖨 AC 🎇 🕩 VISA ◑ AE ① 🖬

via Tragara 6 – ℰ 08 18 37 01 58 – www.casamorgano.com – info@
casamorgano.com – Fax 08 18 37 06 81 – 15 marzo-5 novembre BZ**y**
28 cam ⌑ – 👭250/600 €
♦ Albergo esclusivo contraddistinto da ambienti comuni eleganti e camere molto spaziose: praticamente tutte con angolo salotto e personalizzate. La prima colazione è
spesso servita in stanza sul bel terrazzo di cui ogni camera può disporre. A pranzo, possibilità di un pasto leggero a bordo piscina.

Scalinatella senza rist 🐾 ≤ 🛋 🖨 AC VISA ◑ AE ① 🖬

via Tragara 8 – ℰ 08 18 37 06 33 – www.scalinatella.com – info@
scalinatella.com – Fax 08 18 37 82 91 – marzo-novembre BZ**e**
28 cam ⌑ – 👭430/700 € – 2 suites
♦ Primogenito tra i gioielli di una famiglia di albergatori, se ne sta acquattato sul fianco
della collina e conserva intatto il suo fascino esclusivo. Camere lussuose e, solo a pranzo,
possibilità di un leggero pasto a bordo piscina.

Punta Tragara 🐾 ≤ 🛋 🗊 🕍 🖨 AC 🎇 rist. 🕩 VISA ◑ AE ① 🖬

via Tragara 57 – ℰ 08 18 37 08 44 – www.hoteltragara.com – info@
hoteltragara.it – Fax 08 18 37 77 90 – aprile-ottobre BY**p**
39 cam ⌑ – 👭520/780 € – 4 suites – ½ P 380/450 €
Rist – (consigliata la prenotazione) Carta 50/64 €
♦ Hotel esclusivo, progettato da Le Corbusier, perfetto per lasciarsi incantare dal fascino
di Capri; le spaziose camere offrono una meravigliosa vista sui faraglioni. Possibilità di
pranzare in terrazza e cenare nell'elegante sala da pranzo.

Luna 🐾 ≤ 🚗 🛋 🗊 🖨 AC 🎇 🏻 VISA ◑ AE 🖬

viale Matteotti 3 – ℰ 08 18 37 04 33 – www.lunahotel.com – luna@capri.it
– Fax 08 18 37 74 59 – Pasqua-ottobre BZ**j**
48 cam ⌑ – 👭285/460 € – 4 suites – ½ P 192/280 €
Rist – (solo per alloggiati) Carta 45/61 €
♦ Quasi a picco sulla scogliera, struttura in perfetto stile caprese con ambienti luminosi
e fresche maioliche. Grande giardino fiorito e terrazza da cui contemplare il mare, i Faraglioni e la Certosa: un sogno mediterraneo!

CAPRI (Isola di)

🏨 **Villa Brunella** ⊱ ≤ 🛋 ⤢ ⌛ 🍽 AC 🌸 🌐 VISA ⓿ AE ① 👍
via Tragara 24 – 𝒞 08 18 37 01 22 – www.villabrunella.it – villabrunella@capri.it
– Fax 08 18 37 04 30 – Pasqua-ottobre BYw
20 cam � – ♦220/300 € ♦♦250/360 €
Rist – (consigliata la prenotazione) Carta 35/74 € (+12 %)
♦ Una ripida scala si "inabissa" verso la piscina, più o meno a metà di questa originale raffinata struttura, dove è tutto un susseguirsi di terrazze fiorite e di suggestivi scorci panoramici. Tappa di rito per gli appassionati della cucina mediterranea, la terrazza-ristorante si affaccia sulla baia di Marina Piccola.

🏨 **La Certosella** senza rist ⊱ ≤ 🛋 ⌛ ♠🏸 AC 📞 VISA ⓿ AE ① 👍
via Tragara 13/15 – 𝒞 08 18 37 07 22 – www.hotelcertosella.com
– info@hotelcertosella@.com – Fax 08 18 37 61 13 BZb
18 cam ⊠ – ♦150/200 € ♦♦200/270 €
♦ Un piccolo ma incantevole giardino vi indurrà a sostare in quest'albergo sotto glicini, limoni e aranci. Le spaziose camere sono ospitate in un edificio neoclassico.

🏨 **Canasta** senza rist ⊱ 🛋 ⌛ AC 🌸 🌐 VISA ⓿ AE ① 👍
via Campo di Teste 6 – 𝒞 08 18 37 05 61 – www.hotel-canasta.com – canasta@
capri.it – Fax 08 18 37 66 75 – chiuso dal 12 gennaio al 13 marzo BZc
17 cam ⊠ – ♦120 € ♦♦160/220 €
♦ Graziosa villa a pochi passi dal cuore di Capri e dalla Certosa di S.Giacomo, dispone di camere arredate con mobili bianchi laccati e rallegrati da policrome ceramiche. Alcune stanze sono dotate di una grande terrazza.

🏨 **Syrene** ≤ 🛋 🏡 ⌛ 🍽 AC ⤢ 🌸 🌐 VISA ⓿ AE 👍
via Camerelle 51 – 𝒞 08 18 37 01 02 – www.hotelsyrene.com – syrene@capri.it
– Fax 08 18 37 09 57 – aprile-ottobre BZd
32 cam ⊠ – ♦190/350 € ♦♦220/420 € – ½ P 184/199 € **Rist** – Carta 36/48 €
♦ In una delle vie dello shopping caprese, comodo albergo dagli spazi comuni ampi e ariosi; camere con arredi classici o più moderni; bel giardino-limonaia con piscina. Grosse colonne bianche e vetrate sul verde nella sala da pranzo.

🏠 **Villa Sarah** senza rist ⊱ ≤ 🛋 ⌛ 📞 VISA ⓿ AE ① 👍
via Tiberio 3/a – 𝒞 08 18 37 78 17 – www.villasarahcapri.com – info@villasarah.it
– Fax 08 18 37 72 15 – Pasqua-ottobre BYa
19 cam ⊠ – ♦105/140 € ♦♦150/210 €
♦ Albergo ricavato dalla ristrutturazione di una abitazione privata, molto luminosa e fresca, lo stile architettonico è quello tradizionale dell'isola e da alcune camere si gode un'imperdibile vista del mare. Una vacanza in famiglia grazie all'ospitalità dei proprietari.

XXXX **Quisi** – Gd H. Quisisana 🏡 AC 🌸 VISA ⓿ AE ① 👍
via Camerelle 2 – 𝒞 08 18 37 07 88 – www.quisisana.com – info@quisisana.com
– Fax 08 18 37 60 80 – 24 marzo-ottobre BZa
Rist – (chiuso la sera escluso dal 15 giugno al 15 settembre) Carta 82/110 € 🕸
♦ Importanti sedie in stile, lume di candela, cura dei dettagli e atmosfera elegante per un ristorante solo serale; cucina internazionale di ottimo livello.

XX **Aurora** 🏡 AC 🌸 VISA ⓿ AE ① 👍
via Fuorlovado 18 – 𝒞 08 18 37 01 81 – www.auroracapri.com
– mia@capri.it – Fax 08 18 37 44 58
– chiuso da gennaio a marzo BZk
Rist – (consigliata la prenotazione) Carta 51/77 € 🕸 (+15 %)
♦ Ambitissimo il dehors di un simpatico, frequentato ristorante di lunga tradizione familiare che prosegue con le giovani generazioni; piatti di mare, di terra e pizze.

XX **La Capannina** AC 🌸 VISA ⓿ AE ① 👍
via Le Botteghe 12 bis/14 – 𝒞 08 18 37 07 32 – www.capannina-capri.it
– capannina@capri.it – Fax 08 18 37 69 90
– 20 marzo-ottobre; chiuso mercoledì in aprile e ottobre BZq
Rist – (consigliata la prenotazione la sera) Carta 60/80 € (+15 %)
♦ Nato negli anni '30, il ristorante propone una cucina moderna, studiata per soddisfare le esigenze di una clientela internazionale. Veranda, tappezzata con foto di gente famosa.

276

MARINA GRANDE (NA) – 564F24 – ✉ **80073**

𝐢 banchina del Porto 𝒞 081 8370634, information@capri.it

🏠🏠🏠 **J.K. Place Capri** ⪡ 🍴 ♨ 🏨 🏊 𝄁 📶 AC 🖥 rist, 📶 **P**

via Provinciale 225 – 𝒞 08 18 38 40 01   VISA ⓪ AE ① ⑤
– www.jkcapri.com – info@jkcapri.com – Fax 08 18 37 04 38
– 10 aprile-1° novembre   BY**b**
22 cam ⊏ – 🛏🛏500/1200 €
Rist – (prenotazione obbligatoria) Carta 55/128 €
◆ La recente ristrutturazione gli ha conferito un'impronta decisamente non convenzionale: una lussuosa residenza privata, un susseguirsi di salotti ricchi di accessori e camere
colorate. Non c'è un vero ristorante, ma la possibilità di pranzare dove si preferisce, in
sala, al bar o in terrazza. Cucina campana.

🏠 **Relais Maresca** ⪡ 🍴 🖥 🚶 AC 📶 📶 VISA ⓪ AE ① ⑤

via Provinciale Marina Grande 284 – 𝒞 08 18 37 96 19 – www.relaismaresca.it
– info@relaismaresca.it – Fax 08 18 37 40 70
– chiuso dal 5 gennaio al 28 febbraio   BY**v**
27 cam ⊏ – 🛏150/230 € 🛏🛏150/320 € – ½ P 110/195 €
Rist – (consigliata la prenotazione) Carta 32/64 €
◆ Prospiciente l'animato porto di Marina Grande, risorsa recentemente ristrutturata vanta
piacevoli interni luminosi, in tipico stile caprese: variopinte maioliche e mobili chiari. La terrazza roof-garden - al quarto piano - ospita un grazioso ristorante, in gran parte all'aperto.

✕✕ **Da Paolino** 🚗 🍴 VISA ⓪ AE ① ⑤

via Palazzo a Mare 11 – 𝒞 08 18 37 61 02 – www.caprinet.it – paolino@capri.it
– Fax 08 18 37 56 11 – Pasqua-ottobre   BY**s**
Rist – (chiuso a mezzogiorno dal 15 maggio a ottobre) (consigliata la prenotazione) Carta 42/65 €
◆ Locale rustico, molto luminoso, immerso nel verde: la "sala" è la limonaia sotto le cui
fronde sono allestiti i tavoli. Cucina ricca e variegata secondo la migliore tradizione campana.

CAPRIANO DEL COLLE – Brescia (BS) – 561F12 – **3 794 ab.**   17 **C2**
– alt. 116 m – ✉ 25020

▶ Roma 538 – Brescia 13 – Cremona 43 – Milano 80

✕✕ **Antica Trattoria La Pergolina** AC 📶 ↔ **P** VISA ⓪ AE ① ⑤

via Trento 86, località Fenili Belasi – 𝒞 03 09 74 80 02 – lapergolina@gmail.com
– Fax 03 09 74 79 81 – chiuso dal 1° all'8 gennaio, dal 1° al 15 agosto, domenica
sera e lunedì
Rist – Carta 29/44 €
◆ In un grande edificio colonico, una trattoria rustica, ma raffinata; ingredienti tutti fatti
in casa per una cucina del territorio elaborata con cura e professionalità.

CAPRIATA D'ORBA – Alessandria (AL) – 561H8 – **1 862 ab.**   23 **C3**
– alt. 176 m – ✉ 15060

▶ Roma 575 – Alessandria 25 – Genova 63 – Milano 101

✕ **Il Moro** 🍴 ♿ AC 📶 ↔ VISA ⓪ ⑤

piazza Garibaldi 7 – 𝒞 014 34 61 57 – www.ristoranteilmoro.it
– info@ristornteilmoro.it – Fax 01 43 46 08 40
– chiuso 2 settimane in marzo, dal 26 dicembre al 1° gennaio, lunedì, anche
domenica sera da ottobre ad aprile
Rist – Menu 20/36 € – Carta 26/39 €
◆ In centro paese, all'interno di un palazzo del '600, una rustica trattoria dai soffitti a
volta dove è possibile apprezzare una saporita cucina piemontese. Piccola enoteca
annessa.

CAPRILE – Belluno – Vedere Alleghe

CAPRI LEONE – Messina – 565M26 – **Vedere Sicilia alla fine dell'elenco
alfabetico**

CAPRIOLO – Brescia (BS) – 562F11 – 8 550 ab. – alt. 218 m – ✉ 25031   19 **D1**
> ▶ Roma 593 – Brescia 33 – Milano 73 – Parma 142

Sole   🍴 ⅍ AK ※ ⁽ᵖ⁾ 🏊 P 🚗 VISA ⱺ AE ① ⅊
via Sarnico 2 – ℰ 03 07 46 15 50 – www.solehotel.it – info@solehotel.it
– Fax 03 07 46 54 76 – chiuso dal 1° all'8 gennaio e Ferragosto
38 cam ⇆ – ✝55/65 € ✝✝75/80 € – ½ P 50/55 €
Rist – (chiuso sabato a mezzogiorno e domenica sera) Carta 26/48 €
♦ Struttura completamente ristrutturata e arredi totalmente rinnovati sono il miglior
benvenuto di questo hotel dotato di spazi ampi e di camere moderne. Indirizzo affidabile. Ampia sala ristorante con caratteristica griglia a vista.

Agriturismo Ripa del Bosco ⌂   🍴 🍴 AK ※ P VISA ⱺ ① ⅊
via Valle 21, Sud-Ovest : 2 km – ℰ 03 07 46 16 20 – www.ripadelbosco.it
– info@ripadelbosco.it – Fax 03 07 36 59 90
– chiuso dal 7 al 31 gennaio e dal 1° al 20 luglio
15 cam ⇆ – ✝40 € ✝✝75 €
Rist – (chiuso lunedì, martedì e mercoledì) Menu 30/55 € – Carta 20/37 €
♦ Grande e rustico caseggiato lombardo del XVII secolo, in posizione defilata e tranquilla, immerso tra le vigne di proprietà utilizzate per la produzione di vino. Ristorante
composto da salette accoglienti e ben arredate; cucina regionale con carni e salumi di
produzione propria.

CAPRIVA DEL FRIULI – Gorizia (GO) – 1 621 ab. – alt. 63 m   11 **C2**
– ✉ 34070
> ▶ Roma 636 – Udine 27 – Gorizia 9 – Pordenone 74

Castello di Spessa senza rist ⌂   ≼ ⒣ 🔞 ⁽ᵖ⁾ P VISA ⱺ ⅊
via Spessa 1, Nord : 1,5 km – ℰ 04 81 80 81 24 – www.paliwines.com
– castellodispessaresorts@paliwines.com – Fax 04 81 80 81 24
14 cam ⇆ – ✝100/145 € ✝✝150/180 €
♦ Poche ed esclusive camere per una vacanza di relax a contatto con la storia, in questo
castello ottocentesco che ha ospitato i signori della nobiltà friulana, celato da un parco
secolare.

Tavernetta al Castello con cam ⌂   ≼ 🍴 🍴 🔞 ⅍ AK ↰ P
via Spessa 7, Nord : 1 km – ℰ 04 81 80 82 28   VISA ⱺ ① ⅊
– www.paliwines.com – castellodispessaresorts@paliwines.com – Fax 04 81 88 02 18
– chiuso dal 24 gennaio al 7 febbraio, domenica sera e lunedì
10 cam ⇆ – ✝80 € ✝✝120 €   **Rist** – Carta 34/55 € ⅋
♦ Un tempo osteria del vicino castello, oggi un ristorante dalle caratteristiche sale da
pranzo, di cui una con muri in pietra e camino. Cucina regionale che mette in risalto i
prodotti locali. Circondata dal verde e all'ombra del castello, offre camere confortevoli,
ideali per un soggiorno di tranquillità.

CARAGLIO – Cuneo (CN) – 561I4 – 6 415 ab. – alt. 575 m – ✉ 12023   22 **B3**
> ▶ Roma 655 – Cuneo 12 – Alessandria 138 – Genova 156
> 🄸 piazza San Paolo 3 ℰ 0171 619492, info@vallegrana.it, Fax 0171 618290

Quadrifoglio   🍴 ⅍ 🏊 P VISA ⱺ AE ① ⅊
via C.L.N. 20 – ℰ 01 71 81 76 66 – www.hotel-quadrifoglio.it – info@
hotel-quadrifoglio.it – Fax 01 71 81 76 66 – chiuso dal 23 dicembre al 7 gennaio
38 cam ⇆ – ✝45/51 € ✝✝76/88 € – 2 suites – ½ P 88/94 €
Rist Il Quadrifoglio – ℰ 01 71 61 96 85 (chiuso dal 7 al 28 gennaio,
dal 7 al 19 agosto e lunedì) Carta 15/30 €
♦ Sorto negli anni '90 alle porte della località, hotel ideale per clientela di lavoro o di
passaggio; camere spaziose dalle linee essenziali, ma dal confort adeguato. Cucina piemontese ed ampie sale per ospitare banchetti e cerimonie.

Il Portichetto   🍴 P VISA ⱺ AE ① ⅊
via Roma 178 – ℰ 01 71 81 75 75 – www.ilportichetto.com – info@
ilportichetto.com – Fax 01 71 81 75 75 – chiuso dal 20 luglio al 10 agosto, lunedì,
sabato a mezzogiorno e domenica sera
Rist – Menu 27 € – Carta 23/28 € ⅋
♦ Nel cortiletto di un grazioso edificio d'epoca con piccolo portico, un ristorantino
curato, con tocchi di personalizzazione e di eleganza; piatti piemontesi.

CARAMANICO TERME – Pescara (PE) – 563P23 – **2 100 ab.** 1 **B2**
– alt. 700 m – ✉ 65023

> ▶ Roma 202 – Pescara 54 – L'Aquila 88 – Chieti 43
> ✦ via Fonte Grande 3 ✆ 085 9290209, iat.caramanico@abruzzoturismo.it, Fax 085 922202

🏨 **La Réserve** ❧ ≤ 🚗 🛋 🗔 🕔 🖠 Ⅰ🛦 🕴 🗡 🕭 🗛 🎍 rist. 🕻 **P**

via Santa Croce – ✆ 08 59 23 91 – www.lareserve.it **VISA** 🔵🔵 AE ① 🔥
– info@lareserve.it – Fax 08 59 23 95 10 – chiuso dal 7 gennaio al 7 marzo
72 cam – solo ½ P 116/208 €   **Rist** – Menu 35/45 €
   ♦ La natura del Parco della Maiella è cornice ideale per i rigenerativi "sentieri del benessere" proposti in una ricercata struttura con attrezzature a tecnologia avanzata. Ampiezza e luminosa ariosità degli spazi anche nel ristorante.

🏨 **Cercone** ≤ 🛋 🖼 🕴 cam, 🗛 cam, 🗡 rist, **P** **VISA** 🔵🔵 AE ① 🔥
🚐

viale Torre Alta 17/19 – ✆ 085 92 21 18 – www.hotelcercone.com
– hotelcercone@hotmail.com – Fax 085 92 22 71 – 15 dicembre-15 gennaio e marzo-ottobre
33 cam 🖙 – 🛏50/70 € 🛏🛏65/95 € – ½ P 60/70 €   **Rist** – Carta 20/25 €
   ♦ Di fronte all'ingresso delle Terme, un hotel che negli anni ha continuato a rinnovarsi, con camere confortevoli e pulite; piccole terrazze panoramiche dove rilassarsi.

🍴 **Locanda del Barone** con cam 🏡 🕴 rist, 🗡 🕊 **VISA** 🔵🔵 AE ① 🔥
🚐

località San Vittorino, Sud: 3 km – ✆ 08 59 25 84 – www.locandadelbarone.it
– info@locandadelbarone.it – Fax 08 59 25 84
6 cam 🖙 – 🛏40 € 🛏🛏80 € – ½ P 60 €
Rist – (consigliata la prenotazione) Carta 23/30 €
   ♦ Posizione tranquilla e panoramica per una bella casa dai toni rustici, ma molto accogliente. In tavola: proposte del territorio in chiave moderna. Confortevoli camere arredate con mobili di buona fattura e letti in ferro battuto.

CARANO – Trento (TN) – 562D16 – **970 ab.** – alt. 1 086 m – ✉ 38030 31 **D3**
> ▶ Roma 659 – Bolzano 38 – Trento 66 – Belluno 96

⌂ **Maso El Giata** senza rist ❧   ≤ 🚗 🖠 🛦 🖼 🗡 **P**
località Aguai 3, Est : 3,5 km – ✆ 04 62 23 14 56 – www.masoelgiata.it – info@masoelgiata.it – chiuso ottobre e novembre
4 cam 🖙 – 🛏60 € 🛏🛏140 €
   ♦ Bellissimo maso la cui recente ristrutturazione ha messo in rilievo le travi a vista e le volte in pietra, senza rinunciare ad un tocco di design moderno. Vista sui boschi.

CARASCO – Genova (GE) – 561I10 – **3 393 ab.** – alt. 31 m – ✉ 16042 15 **C2**
> ▶ Roma 466 – Genova 53 – Parma 164 – Portofino 27

🍴 **Beppa** 🗛 🗡 **P** **VISA** 🔵🔵 ① 🔥
🚐

via Vecchia Provinciale 89/91, località Graveglia, Est : 3 km – ✆ 01 85 38 07 25
– Fax 01 85 38 07 25 – chiuso dal 30 dicembre al 20 gennaio e martedì
Rist – Carta 24/31 €
   ♦ Nell'entroterra ligure, sulla riva sinistra del torrente Graveglia, una casa di campagna dall'arredamento semplice e dall'atmosfera accogliente e familiare, con una gustosa e casalinga cucina del territorio.

CARATE BRIANZA – Milano (MI) – 561E9 – **16 814 ab.** – alt. 252 m 18 **B1**
– ✉ 20048
> ▶ Roma 598 – Como 28 – Bergamo 38 – Milano 31

🍴 **Camp di Cent Pertigh** 🏡 🕴 🗡 **P** **VISA** 🔵🔵 AE ① 🔥
Cascina Contrevaglio, Est : 1 km, strada per Besana – ✆ 03 62 90 03 31
– www.campdicentpertig.it – info@campdicentpertig.it – Fax 03 62 90 70 08
– chiuso dal 27 dicembre al 17 gennaio, dal 16 al 22 agosto e martedì
Rist – Carta 44/54 € 🍃
   ♦ All'interno di una cascina lombarda immersa nel verde della Brianza, il ristorante occupa quell'area un tempo adibita a stalle e fienile. Stile rustico-elegante e cucina del luogo.

279

✗ Osteria del Ritrovo   AC ⅍ VISA ◑◐ AE ① ⑤

*via Ugo Bassi 1 bis – ℰ 03 62 90 22 87 – www.osteriadelritrovo.it – info@
osteriadelritrovo.it – Fax 03 62 90 22 87 – chiuso una settimana in gennaio, una
settimana in agosto, domenica sera, lunedì*
Rist – Carta 48/66 €
♦ Locale semplice e raccolto, in cui gustare specialità di pesce d'ispirazione siciliana (con
tocchi esotici che derivano dalle esperienze di viaggio dello *chef*) nonché ricette a base
di carne d'impronta più tradizionale lombarda.

CARAVAGGIO – Bergamo (BG) – 561F10 – 14 681 ab. – alt. 111 m   19 C2
– ✉ 24043

▶ Roma 564 – Bergamo 26 – Brescia 55 – Crema 19

⌂ Tre Re   ⇲ ⊜ ⅗ AC 〝 VISA ◑◐ AE ① ⑤

*via Papa Giovanni XXIII 19 – ℰ 036 35 13 81 – www.albergotrere.it – info@
albergotrere.it – Fax 03 63 35 34 35*
10 cam ⊆ – †50/70 € ††70/90 € – ½ P 50/60 €
Rist – *(chiuso lunedì)* Carta 30/57 €
♦ Una bella villa del 1910 situata di fronte al complesso di San Bernardino e all'inizio
della via che conduce al Santuario. Camere di ampia metratura e dagli antichi arredi.
Cordiale gestione familiare. Proposte mediterranee nel ristorante di sobria eleganza.

al Santuario-strada provinciale Rivoltana Sud-Ovest : 1,5 km :

⌂⌂ Belvedere dei Tre Re   ⇲ ⊜ ⅗ AC ⅍ 〝 P VISA ◑◐ AE ① ⑤

*via Beata Vergine 1 ✉ 24040 Misano di Gera d'Adda – ℰ 03 63 34 06 95
– www.belvedere3re.it – belvedere3re@tiscalinet.it – Fax 03 63 34 13 99*
14 cam ⊆ – †50/70 € ††70/90 € – ½ P 50/70 €   **Rist** – Carta 23/57 €
♦ Non lontano dal santuario, un edifico d'epoca ospita un hotel dagli interni raffinati,
arredati con antichi mobili di famiglia. Con la bella stagione, l'ampio giardino è attrezzato per i vostri momenti di relax. Sobrietà classica, cura della tavola e dei dettagli al
ristorante. D'estate si pranza all'aperto.

CARBONARA DI BARI – Bari – 564D32 – Vedere Bari

CARBONARA DI PO – Mantova (MN) – 561G15 – 1 334 ab.   17 D3
– alt. 14 m – ✉ 46020

▶ Roma 457 – Verona 58 – Ferrara 51 – Mantova 55

⌂ Passacör   ⊜ AC 〝 P VISA ◑◐ AE ① ⑤

*strada provinciale Ferrarese 4 – ℰ 038 64 14 61 – www.hotelpassacor.it – info@
hotelpassacor.it – Fax 038 64 18 95*
37 cam ⊆ – †68 € ††100 € – ½ P 50/68 €
Rist – *(chiuso domenica) (chiuso a mezzogiorno)* Carta 22/30 €
♦ Struttura di concezione moderna, funzionale e ben tenuta, a conduzione diretta,
dotata di parcheggio; le camere sono omogenee, essenziali, ma complete nel confort. Il
ristorante apre ai passanti solo nella stagione in cui le specialità profumano di tartufo.

CARBONARA SCRIVIA – Alessandria (AL) – 561H8 – 1 027 ab.   23 C2
– alt. 177 m – ✉ 15050

▶ Roma 563 – Alessandria 27 – Genova 69 – Milano 79

✗✗ Locanda Malpassuti   ⇲ ⌂ P VISA ◑◐ ① ⑤

*vicolo Cantù 11 – ℰ 01 31 89 26 43 – www.locandamalpassuti.it – info@
locandamalpassuti.it – Fax 01 31 89 30 00 – chiuso una settimana in gennaio e
martedì*
Rist – *(chiuso a mezzogiorno)* (consigliata la prenotazione) Carta 37/48 €
♦ Un'insegna in ferro, un vecchio edificio in centro, una sala con mobili e sedie in stile;
in cucina però la tradizione viene rinnovata con elaborazioni interessanti.

CARBONIA – Carbonia-Iglesias (107) – 566J7 – Vedere Sardegna alla fine
dell'elenco alfabetico

CARCOFORO – Vercelli (VC) – 561E6 – 77 ab. – alt. 1 304 m   23 **C1**
– ✉ 13026

▶ Roma 705 – Aosta 191 – Biella 85 – Milano 132

✗✗   **Scoiattolo** (Mariangela Marone)   ← ✥ VISA ⬤ ⑤
☆   via Casa del Ponte 3/b – ℰ 016 39 56 12 – www.ristorantescoiattolo.com
– ristorantescoiattolo@libero.it – Fax 016 39 56 12
– chiuso dal 10 gennaio al 10 marzo, una settimana in giugno, una settimana in
settembre, lunedì e martedì (escluso agosto)
Rist – Menu 38/45 € – Carta 31/43 €
Spec. Trilogia di trota: in carpione di moscato, affumicata e tartare. Riso
venere con fonduta di toma e peperoni. Cosciotto di maialino glassato con
mostarda di mele.
♦ Pazienza per arrivarci lungo i tornanti della strada per trovare infine una rilassante
oasi di pace: vi accoglie una tipica casa di montagna con una cucina altrettanto calda
e avvolgente.

CARDANO AL CAMPO – Varese (VA) – 12 402 ab. – alt. 238 m   18 **A2**
– ✉ 21010

▶ Roma 620 – Stresa 45 – Milano 43 – Gallarate 3

🏨   **Cardano Malpensa** senza rist   🚗 🔲 📶 🛗 📶 🅿 �
via al Campo 10 – ℰ 03 31 26 10 11   VISA ⬤ AE ① ⑤
– www.cardanohotel.com – info@cardanohotel.com – Fax 03 31 73 08 29
60 cam ☖ – ♦122/135 € ♦♦150/186 €
♦ Confortevole struttura di curiosa forma circolare, che racchiude gli spazi esterni tra cui
la piscina; ideale per una clientela d'affari, con camere in progressivo rinnovo.

CAREZZA (Passo di) = KARERPASS – Bolzano e Trento – Vedere Costalunga
(Passo di)

CARIGNANO – Lucca – Vedere Lucca

CARIMATE – Como (CO) – 3 994 ab. – alt. 296 m – ✉ 22060   18 **B1**
▶ Roma 620 – Como 19 – Milano 30
🔲, ℰ 031 79 02 26

✗✗   **Al Torchio di Carimate**   🏠 ⬤ 🔲 ✥ VISA ⬤ AE ① ⑤
piazza Castello 4 – ℰ 031 79 14 86 – www.altorchio.com – altorchio@
altorchio.com – Fax 031 79 14 86 – chiuso 2 settimane in agosto e lunedì
Rist – Carta 36/46 €
♦ Vicino al suggestivo castello del XIV secolo, travi a vista, colonne ed archi rivaleggiano
fra loro per rendere caldo e luminoso questo originale ristorante dalle ampie vetrate. In
tavola, l'imbarazzo della scelta tra piatti lombardi rivisitati ed una buona selezione di
vini.

CARISIO – Vercelli (VC) – 561F6 – 957 ab. – alt. 183 m – ✉ 13040   23 **C2**
▶ Roma 648 – Torino 58 – Aosta 103 – Biella 26

sulla strada statale 230 Nord-Est : 6 km :

🏨   **La Bettola**   🛗 🔲 ✥ 🛁 🅿 VISA ⬤ AE ① ⑤
🏢   Strada Statale Vercelli-Biella 9 ✉ 13040 – ℰ 01 61 85 80 45
– www.labettolahotel.com – info@labettolahotel.com – Fax 01 61 85 81 00
🍽   **39 cam** ☖ – ♦50 € ♦♦80 €   **Rist** – Carta 20/37 €
♦ Facilmente raggiungibile dall'uscita autostradale, funzionale struttura articolata su due
corpi con spazi comuni limitati ma stanze spaziose, da preferire quelle nell'ala più
recente. Il ristorante dispone di due confortevoli sale climatizzate d'impostazione classica.

CARLENTINI – 565P27 – Vedere Sicilia alla fine dell'elenco alfabetico

---

CARLOFORTE – Carbonia-Iglesias (107) – 566J6 – Vedere Sardegna (San Pietro,
isola di) alla fine dell'elenco alfabetico

CARMAGNOLA – Torino (TO) – 561H5 – **25 454 ab.** – **alt. 240 m**   22 **B3**
– ✉ 10022

➲ Roma 663 – Torino 29 – Asti 58 – Cuneo 71
🏠 I Girasoli, ✆ 011 979 50 88
🏠 La Margherita, ✆ 011 979 51 13

🏨 **San Marco**   🔊 ⓓ 🆔 🛥 ⓒ 🛁 🅿 VISA ⓒⓞ AE ⓢ
via San Francesco di Sales 18 – ✆ 01 19 62 69 53 – www.sanmarcoalbergo.com
– info@sanmarcoalbergo.com – Fax 01 19 71 59 38
– chiuso dal 27 dicembre al 6 gennaio e dal 3 al 26 agosto
20 cam ⌿ – 🛏64/120 € 🛏🛏75/200 € – ½ P 58/150 €
Rist *San Marco* – *(chiuso sabato a mezzogiorno e domenica)* Carta 25/34 €
♦ Non lontana dal centro, la struttura offre spaziose camere, confortevoli, sobriamente eleganti e modernamente accessoriate, ed è vocata soprattutto ad una clientela commerciale. Al ristorante, la cucina classica ed una saletta-enoteca dove degustare formaggi e salumi in un'atmosfera più riservata.

🏠 **Agriturismo Margherita** ⚘   🍴 🏊 🔟 ⚐ 🆔 ⓒ rist. ⓨ 🛁 🅿
strada Pralormo 315, Est : 6 km – ✆ 01 19 79 50 88   VISA ⓒⓞ ⓞ ⓢ
– www.girasoligolf.it – info@girasoligolf.it – Fax 01 19 79 52 28
12 cam – 🛏🛏70/100 €, ⌿ 8 € – ½ P 70 €
Rist – *(chiuso gennaio)* Menu 20/30 €
♦ Frutta, verdura, allevamento di polli ed un campo da golf con 18 buche per gli appassionati di questa attività; all'interno, l'azienda offre camere rustiche, alcune con angolo cottura. Atmosfera campagnola anche al ristorante, presso il quale potrete gustare, soprattutto, i prodotti dell'agriturismo.

CARMIGNANO – Prato (PO) – 563K15 – **12 554 ab.** – **alt. 200 m**   29 **C1**
– ✉ 59015

➲ Roma 298 – Firenze 24 – Milano 305 – Pistoia 23

ad Artimino Sud : 7 km – **alt. 260 m** – ✉ 59015

🏨 **Paggeria Medicea** ⚘   ⩽ 🍴 🏊 🍽 🆔 ⓒ rist. ⓨ 🛁 🅿
viale Papa Giovanni XXIII – ✆ 055 87 51 41   VISA ⓒⓞ AE ⓞ ⓢ
– www.artimino.com – hotel@artimino.com – Fax 05 58 75 14 70
– chiuso dal 18 dicembre al 10 gennaio
37 cam ⌿ – 🛏93/125 € 🛏🛏115/210 € – ½ P 88/140 €
Rist – *(chiuso dal 1° al 25 novembre, mercoledì sera e giovedì a mezzogiorno)*
Carta 30/52 €
♦ Un edificio rinascimentale ospita l'elegante hotel, le cui camere si trovano negli ex alloggi dei paggi medicei. Tra gli spazi comuni un giardino ed una piscina panoramica. La gastronomia che ha reso celebre nel mondo la Toscana, presso il ristorante del borgo.

🍴🍴 **Da Delfina**   🛐 ⓒ 🅿
via della Chiesa 1 – ✆ 05 58 71 80 74 – www.dadelfina.it – posta@dadelfina.it
– Fax 05 58 71 81 75 – chiuso dal 20 gennaio al 10 febbraio, dal 10 agosto al 1° settembre, domenica sera, lunedì, martedì a mezzogiorno
Rist – Carta 31/40 € (+10 %)
♦ Un locale classico, raffinato e caratteristico che propone cucina regionale tipica. In estate è possibile il servizio in terrazza da dove contemplare il paesaggio collinare.

CARMIGNANO DI BRENTA – Padova (PD) – 562F17 – **7 205 ab.**   37 **B1**
– **alt. 45 m** – ✉ 35010

➲ Roma 505 – Padova 33 – Belluno 96 – Tarvisio 47

🏠 **Zenit**   🔊 🆔 Ⓦ ⓒ ⓨ 🅿 VISA ⓒⓞ AE ⓞ ⓢ
piazza del Popolo 16 – ✆ 04 99 43 03 88 – www.hotelzenit.it – hotel.zenit@
libero.it – Fax 04 99 43 02 97
20 cam ⌿ – 🛏50/65 € 🛏🛏70/85 €
Rist – *(chiuso dal 26 dicembre al 5 gennaio e le sere di sabato e domenica)*
Carta 19/30 €
♦ Servizio di tono familiare in un albergo ben tenuto, ideale per clientela di lavoro e di passaggio; buon rapporto qualità/prezzo, servizi adeguati. Ristorante classico, dove gustare anche paste fresche fatte in casa.

CARNAGO – Varese (VA) – 561E8 – 5 784 ab. – alt. 354 m – ⊠ 21040   18 **A1**
> ▶ Roma 639 – Como 60 – Varese 18 – Milano 53

🏨 **Villa Bregana** senza rist 🐾   🚗 🔌 📶 & 📺 ⚡ 📡 ⛳ 🅿
   viale dei Carpini – 𝒞 *03 31 98 76 00*   💳 ⚫ 🅰🅴 ⓪ 💲
   – www.villabregana.it – hotel@villabregana.it – Fax 03 31 98 68 68 – chiuso dal
   10 al 23 agosto
   25 cam ☲ – ♦100/120 € ♦♦140/160 €
   ◆ Grande villa settecentesca, recentemente ristrutturata, immersa in un vasto parco con
   piante secolari. Ambienti curati, camere con arredi moderni in stile country minimalista.

CARNELLO – Frosinone – 563R22 – Vedere Arpino

CARONA – Bergamo (BG) – 561D11 – 373 ab. – alt. 1 110 m – Sport   16 **B1**
invernali : 1 100/2 130 m ⚡16, 🎿 – ⊠ 24010
> ▶ Roma 636 – Sondrio 90 – Bergamo 53 – Brescia 101

🏠 **Carona**   🚗 ⚡ rist. 🔌 🅿 💳 ⚫ 🅰🅴 ⓪ 💲
😊 *via Bianchi 22* – 𝒞 *034 57 71 25 – www.albergocarona.it – albergocarona@tin.it*
   – Fax 034 57 71 24 – chiuso maggio ed ottobre
   9 cam ☲ – ♦50 € ♦♦70 € – ½ P 50/60 €
   Rist – *(chiuso martedì)* – Carta 20/30 €
   ◆ In alta Val Brembana, albergo a conduzione familiare, semplice, ma ben tenuto;
   camere arredate in gran parte con mobili inizio '900, dal confort essenziale. E' ubicata
   al primo piano la sala ristorante, d'impostazione classica.

CAROVIGNO – Brindisi (BR) – 564E34 – 15 396 ab. – alt. 171 m   27 **C2**
– ⊠ 72012
> ▶ Roma 538 – Brindisi 28 – Bari 88 – Taranto 61

🍴🍴🍴 **Già Sotto l'Arco** (Teresa Galeone)   🅰🅲 ⚡ 💳 ⚫ 🅰🅴 💲
😊 *corso Vittorio Emanuele 71* – 𝒞 *08 31 99 62 86 – www.giasottolarco.it – info@*
   giasottolarco.it – Fax 08 31 99 62 86 – chiuso dal 15 al 30 novembre, lunedì e
   domenica sera da novembre a maggio
   Rist – (consigliata la prenotazione) Menu 60 € – Carta 49/65 € 🍷
   Spec. Fegato grasso d'oca con gelatina di moscato di Trani, mandorle tostate
   e pan brioche. Risotto con verdurine, pancetta croccante su fonduta di caciocavallo. Ventresca di tonno di Carloforte con sesamo e senape.
   ◆ Elegante edificio barocco sulla piazza centrale, l'accoglienza è calorosa e familiare in
   una sala non priva di signorilità. Reinterpretazioni pugliesi in cucina.

CARPANETO PIACENTINO – Piacenza (PC) – 562H11 – 7 139 ab.   8 **A2**
– alt. 110 m – ⊠ 29013
> ▶ Roma 508 – Piacenza 19 – Alessandria 114 – Genova 151

🍴🍴 **Nido del Picchio** (Daniele Repetti)   🅰🅲 ⇔ 💳 ⚫ 🅰🅴 ⓪ 💲
😊 *viale Patrioti 6* – 𝒞 *05 23 85 09 09 – nidodelpicchio@tiscali.it – Fax 05 23 85 09 09*
   – chiuso lunedì
   Rist – *(chiuso a mezzogiorno escluso i giorni festivi)* (consigliata la prenotazione)
   Menu 60 € – Carta 40/70 € 🍷
   Spec. Crema di porcini con caprino e uovo poché. Coda d'astice arrostita all'o-
   lio con capperi, patate e pomodori confit. Cannoli di cioccolato in salsa
   d'agrumi e frutti di bosco.
   ◆ Una villetta in zona residenziale e periferica, piacevole sensazione di una casa privata
   tra camino, stampe e parquet. Cucina giovane ed eclettica nel rispetto delle stagioni.

a Travazzano Sud-Est : 5 km – ⊠ 29013 – Carpaneto Piacentino

🍴🍴 **Trattoria di Travazzano**   🍽 ⇔ 🅿 💳 ⚫ 🅰🅴 ⓪ 💲
😊 *via Valle 195* – 𝒞 *05 23 85 28 75 – Fax 05 23 85 28 75 – chiuso lunedì e martedì*
   escluso da giugno ad agosto
   Rist – Carta 20/31 €
   ◆ Intime salette e un dehors estivo per questo locale a gestione familiare: un fratello in
   cucina, l'altro sommelier, presentano la storia culinaria della campagna piacentina.

CARPI – Modena (MO) – 562H14 – **63 316 ab.** – **alt. 28 m** – ✉ **41012** 8 **B2**

▮ Italia

▶ Roma 424 – Bologna 60 – Ferrara 73 – Mantova 53

◙ Piazza dei Martiri★ – Castello dei Pio★

🏨 **Touring** ♣ ⇅ A/C ⊬ ✂ rist, ((·)) VISA ◎ AE ⊙ ṡ

viale Dallai 1 – ☎ 059 68 15 35 – www.hoteltouringcarpi.it – info@hoteltouringcarpi.it – Fax 059 65 42 31 – chiuso dall'8 al 24 agosto

64 cam ☕ – 🚹89/156 € 🚹🚹119/214 € – 1 suite

Rist Blu – vedere selezione ristoranti

◆ Struttura degli anni Cinquanta ma dal taglio moderno, etnico e minimalista, con ambienti caldi ed accoglienti, alle cui pareti campeggiano immagini di campagne pubblicitarie di famiglia.

🏨 **My One Hotel** senza rist ⇅ ♿ ⊬ ((·)) 🏋 P 🚗 VISA ◎ AE ⊙ ṡ

via delle Magliaie 2/4 – ☎ 059 64 59 15 – www.myonehotel.it – carpi@myonehotel.it – Fax 059 64 27 71

80 cam – 🚹55/180 € 🚹🚹65/220 €

◆ Bianco edificio dalle ampie vetrate, offre ambienti moderni, alle cui pareti sono esposte fotografie della città e vedute d'epoca. Particolarmente adatto ad una clientela d'affari. Tariffe speciali nei weekend.

🏠 **Gabarda** ♿ A/C ((·)) P VISA ◎ AE ⊙ ṡ

via Marx 172 – ☎ 059 69 36 46 – www.gabarda.it – info@gabarda.it – Fax 05 96 22 98 27 – chiuso 2 settimane in agosto

32 cam – 🚹75/110 € 🚹🚹85/125 € – 1 suite **Rist** – Carta 30/48 €

◆ Lo stile è quello di una casa colonica con il portico che corre tutto intorno; le camere, particolarmente spaziose ed arredate con mobili chiari, hanno tutte ingresso indipendente. Di taglio rustico, il ristorante si trova in una struttura attigua e propone gustosi piatti tipici regionali.

🍴🍴🍴 **L'incontro** ☂ ♿ A/C ⊕ [P] VISA ◎ AE ṡ

◎ *via delle Magliaie 4/1 – ☎ 059 69 31 36 – www.lincontroristorante.it – info@lincontroristorante.it – Fax 059 69 31 36 – chiuso dal 1° al 6 gennaio e dal 10 al 20 agosto, domenica e lunedì a mezzogiorno*

Rist – (consigliata la prenotazione) Menu 20/45 € – Carta 28/42 € ❀

◆ Passione e impegno caratterizzano questo locale raccolto e accogliente, articolato in quattro salette classicamente arredate in colori caldi e vivaci. Di stampo più creativo la proposta gastronomica.

🍴🍴 **Il Barolino** A/C ✂ VISA ◎ AE ⊙ ṡ

via Giovanni XXIII 110 – ☎ 059 65 43 27 – Fax 059 65 43 27 – chiuso dal 30 dicembre al 6 gennaio, dal 1° al 24 agosto, sabato a mezzogiorno e domenica

Rist – Carta 28/41 € ❀

◆ Piatti unicamente del territorio e conduzione strettamente familiare per questo locale in posizione periferica. Propone anche vendita di vini e di prodotti alimentari.

🍴🍴 **Blu** – Hotel Touring ♣ ☂ A/C VISA ◎ AE ⊙ ṡ

viale Dallai 1 – ☎ 059 65 37 01 – www.belloniebelloni.com – info@belloniebelloniblu.it – Fax 05 96 31 19 73 – chiuso dal 4 al 19 agosto

Rist – *(chiuso sabato a mezzogiorno e domenica)* Carta 30/61 €

◆ Locale luminoso, arredato nelle chiare tonalità bianco e avorio, circondato da grandi vetrate affacciate sul dehors e sul piccolo giardino interno. Dispone di una sala per fumatori.

CARPINETI – Reggio Emilia (RE) – 562I13 – **4 167 ab.** – **alt. 556 m** – ✉ **42033** 8 **B2**

▶ Roma 457 – Parma 50 – Bologna 92 – Modena 52

⌂ **Agriturismo Le Scuderie** ☘ ⋖ ♣ ((·)) [P] VISA ◎ AE ṡ

◎ *frazione Regigno 77, Sud-Est : 1,5 km – ☎ 05 22 61 83 97 – www.agriturismolescuderie.it – info@agriturismolescuderie.it – Fax 05 22 71 80 66*

6 cam ☕ – 🚹35 € 🚹🚹60 € – ½ P 45 € **Rist** – *(chiuso lunedì sera)* Carta 20/28 €

◆ Per scoprire l'Appennino Reggiano, un bel rustico ristrutturato in posizione tranquilla nel verde dei colli; camere spaziose con mobili d'epoca, molti dei quali da sempre di proprietà delle famiglia. Cucina casereccia nelle due sale gemelle del ristorante: una con pietre l'altra con travi a vista.

CARRAIA – Firenze – Vedere Calenzano

CARRARA – Massa Carrara (MS) – 563J12 – **65 039 ab.** – **alt. 80 m**   28 **A1**
– ⊠ 54033🛈 Toscana
> ▶ Roma 400 – La Spezia 31 – Firenze 126 – Massa 7
> 🎦 Cave di marmo di Fantiscritti★★ Nord-Est : 5 km – Cave di
>   Colonnata★ Est : 7 km

ad Avenza Sud-Ovest: 4 km – ⊠ **54031**

 🏠   **Carrara**   🖕 🗚 ⚡ rist, ⁹¹ 🅿 🚾 ⓒ 🗛 ⓞ ⓓ
 🆑   via Petacchi 21 – 𝒞 05 85 85 76 16 – www.hotelcarrara.it – info@hotelcarrara.it
      – Fax 058 55 03 44
      32 cam ⊑ – 🛏65 € 🛏🛏102 €
      Rist – *(chiuso a mezzogiorno) (solo per alloggiati)* Menu 20/30 €
      ♦ Nelle immediate vicinanze della stazione ferroviaria, una risorsa familiare di buon con-
      fort generale, dotata di parcheggio privato; camere semplici, ma dignitose. Simpatica e
      colorata sala ristorante, non priva d'eleganza.

CARRARA (Marina di) – Massa Carrara (MS) – 563J12 – ⊠ 54036   28 **A1**
> ▶ Roma 396 – La Spezia 26 – Carrara 7 – Firenze 122

 ✕✕   **Ciccio Marina**   🏡 🔥 🗚 🚾 ⓒ 🗛 ⓞ ⓓ
      viale da Verrazzano 1 – 𝒞 05 85 78 02 86 – www.ristoranteciccio.it
      – cicciomarina@ristoranteciccio.it – Fax 05 85 63 28 64 – chiuso lunedì (escluso
      da giugno a settembre)
      Rist – Carta 30/51 €
      ♦ Bella risorsa situata nei pressi dei lidi e del porto, propone una gustosa cucina di
      mare.

CARRÈ – Vicenza (VI) – 562E16 – **3 398 ab.** – **alt. 219 m** – ⊠ 36010   35 **B2**
> ▶ Roma 545 – Padova 66 – Trento 63 – Belluno 106

 🏠   **La Rua** 🌿   ≤ 🏡 🗚 rist, ⁹¹ 🔣 🅿 🚾 ⓒ 🗛 ⓞ ⓓ
      località Cà Vecchia, Est : 4 km – 𝒞 04 45 89 30 88 – www.hotellarua.it – info@
      hotellarua.it – Fax 04 45 89 31 47
      22 cam – 🛏45/65 € 🛏🛏60/90 €, ⊑ 5 €   **Rist** – *(chiuso martedì)* Carta 22/34 €
      ♦ Circondato da prati e boschi, l'hotel è dotato di due tipi di camere: classiche e spa-
      ziose o più recenti e moderne negli arredi, ma di metratura talvolta più ridotta. Cucina
      del territorio servita in un ambiente accogliente e curato o sulla piacevole terrazza
      panoramica. Un oasi di relax tra storia e modernità.

 🏠   **Locanda La Corte dei Galli** senza rist   🚗 🗚 ⁹¹ 🅿
      via Prà Secco 1/a – 𝒞 04 45 89 33 33   🚾 ⓒ 🗛 ⓞ ⓓ
      – www.lacortedeigalli.it – lacortedeigalli@tiscali.it – Fax 04 45 89 33 18
      7 cam ⊑ – 🛏110/130 € 🛏🛏130/160 €
      ♦ Struttura di charme ricavata nella barchessa di un edificio rurale del '700, rinnovato
      con elegante raffinatezza: mobili d'epoca nelle camere, arredate secondo lo stile dei
      migliori relais. Graziosa piscina interna.

CARRO – La Spezia (SP) – 561J10 – **650 ab.** – **alt. 420 m** – ⊠ 19012   15 **D2**
> ▶ Roma 420 – La Spezia 36 – Genova 68 – Parma 134

a Pavareto Sud-Ovest : 1,5 km – ⊠ **19012**

 🏠   **Agriturismo Ca du Chittu** 🌿   🚗 🏡 🅿
      isolato Camporione 25 – 𝒞 01 87 86 12 05 – www.caduchittu.it – caduchittu@
      virgilio.it
      7 cam ⊑ – 🛏50/54 € 🛏🛏64/72 € – ½ P 56 €
      Rist – *(solo su prenotazione) (chiuso a mezzogiorno escluso domenica e i giorni
      festivi)* Menu 25 €
      ♦ Nel cuore della Val di Vara, risorsa tranquilla ed accogliente dispone di camere circon-
      date da coltivazioni e allevamenti biologici, i cui prodotti trionfano in tavola. *Mountain
      bike* a disposizione degli sportivi.

CARRÙ – Cuneo (CN) – 56115 – **4 101 ab.** – **alt. 364 m** – ⊠ 12061   23 **C3**
> ▶ Roma 620 – Cuneo 31 – Milano 203 – Savona 75

🏠 **Palazzo di Mezzo** senza rist   🏧 ⚫ 🅰🅒 ⚙ 🐾 🚗 🚗 ☒☒ ☒☒ ☒ ⚫
     via Garibaldi 4 – 𝒞 01 73 77 93 06 – www.palazzodimezzo.com – info@
     palazzodimezzo.com – Fax 01 73 75 99 96
     11 cam 🍴 – 🛏55/60 € 🛏🛏75/85 €
     ♦ Piccola ed accogliente struttura sorta dalla sapiente ristrutturazione di un palazzo settecentesco nel centro della località. Confort moderno e calorosa accoglienza familiare.

CARSOLI – L'Aquila (AQ) – 563P21 – **5 174 ab.** – **alt. 640 m** – ⊠ 67061   1 **A2**
> ▶ Roma 68 – Avezzano 45 – Frosinone 81 – L'Aquila 63

✕✕ **L'Angolo d'Abruzzo**   🏠 ⚫ ⚙ ⇆ ☒☒ ☒☒ ☒☒ ⚫
     piazza Aldo Moro – 𝒞 08 63 99 74 29 – www.langolodiabruzzo.it – info@
     langolodiabruzzo.it – Fax 08 63 99 50 04 – chiuso in gennaio, luglio e mercoledì
     Rist – Carta 35/55 €
     ♦ Per gli appassionati della cucina abruzzese, i migliori prodotti e i sapori più autentici della gastronomia regionale in un ambiente classico; ottima cantina, visitabile.

✕✕ **Al Caminetto**   🅰🅒 ⚙ ⇆ ☒☒ ☒☒ ☒☒ ⓪ ⚫
     via degli Alpini 95 – 𝒞 08 63 99 54 79 – www.al-caminetto.it – al-caminetto@
     tiscali.it – Fax 08 63 90 70 47 – chiuso dall' 8 al 15 gennaio, dal 17 al 28 luglio e
     lunedì
     Rist – Carta 23/38 €
     ♦ *Décor* rustico in un locale poliedrico, con sala enoteca per degustazioni. L'offerta è ampia e variegata: dai funghi ai tartufi, passando per gustose specialità regionali.

in prossimità dello svincolo Carsoli-Oricola Sud-Ovest : 2 km :

🏠 **Nuova Fattoria**   🚘 🏠 🚶 🅿 ☒☒ ☒☒ ⓪ ⚫
🛏   *via Tiburtina km 68,3* ⊠ *67061 – 𝒞 08 63 99 73 88 – nuova.fattoria@tiscali.it*
     – Fax 08 63 99 21 73
     19 cam 🍴 – 🛏60 € 🛏🛏70 € – ½ P 55 €   **Rist** – Menu 20 € – Carta 24/32 €
     ♦ Davanti al casello autostradale, offre ambienti omogenei e di buon livello. Arredi di legno massiccio nelle camere, bagni sempre diversi, a volte estrosi. Sala ristorante con alto spiovente in legno e brace a vista per la carne.

CARTOCETO – Pesaro e Urbino (PS) – 563K20 – **6 830 ab.** – **alt. 235 m**   20 **B1**
– ⊠ 61030
> ▶ Roma 271 – Rimini 69 – Ancona 75 – Pesaro 28

✕✕✕ **Symposium** (Lucio Pompili) con cam 🦐   🚘 ☒ 🅰🅒 📞 🅿
🌸   *via Cartoceto 38, Ovest : 1,5 km – 𝒞 07 21 89 83 20*   ☒☒ ☒☒ ☒☒ ⚫
     – www.symposium4stagioni.it – lucio@symposium4stagioni.it – Fax 07 21 89 39 77
     – chiuso 2 settimane in gennaio, 2 settimane in novembre e lunedì
     7 cam 🍴 – 🛏110 € 🛏🛏150 €
     Rist – (chiuso a mezzogiorno escluso domenica) Menu 90 € bc/130 €
     – Carta 64/114 € 🍷
     Spec. Panzanella con scampi di Fano (primavera-estate). Ravioli di gallo con emulsione di caciotta e tartufo bianco di Acqualagna. Capriolo del Montefeltro con patate e melanzane.
     ♦ Nel contesto di un lussureggiante paesaggio collinare, il cuoco-cacciatore apre le porte del suo elegante ristorante. In menu: cacciagione, ma anche pesce. Camere moderne ed attenzione per il dettaglio.

CARTOSIO – Alessandria (AL) – 56117 – **788 ab.** – **alt. 236 m** – ⊠ 15015   23 **C3**
> ▶ Roma 578 – Genova 83 – Acqui Terme 13 – Alessandria 47

✕✕ **Cacciatori** con cam 🦐   🏠 ⚙ 🅿 ☒☒ ☒☒ ⚫
     via Moreno 30 – 𝒞 014 44 01 23 – info@cacciatoricartosio.com
     – Fax 014 44 05 24 – chiuso dal 23 dicembre al 24 gennaio e dal 1° al 15 luglio
     10 cam – 🛏45 € 🛏🛏60 €, 🍴 10 € – 2 suites
     Rist – (chiuso giovedì e venerdì a mezzogiorno) (coperti limitati, prenotare)
     Carta 28/40 € 🍷
     ♦ Sobria struttura che vede impegnata un'attenta gestione familiare; proposte legate alle tradizioni del territorio, con un'oculata scelta delle materie prime.

CARZAGO – Brescia (BS) – 561F13 – alt. 202 m – ✉ 25080   17 **D1**
  ▶ Roma 542 – Brescia 23 – Verona 57
  📷 Arzaga, 𝒞 030 680 62 66

🏨🏨 **Palazzo Arzaga** 🦢   ⇐ 🏖 🛋 ⒥ 🔳 🗔 ⑨ 🕭 🗤 🔅 ✕ 🖼 ⅋ 🕍 🌊 ⒜⒞ ⅌
    località Calvagese della Riviera, Sud – 🍽 rist, ⑴ 🖄 **P** 𝖵𝖨𝖲𝖠 🆎 🗛🅴 ⑩ ⓢ
    2 km – 𝒞 030 68 06 00 – www.palazzoarzaga.com – hotel@palazzoarzaga.com
    – Fax 03 06 80 62 70 – 20 marzo-14 novembre
    81 cam ⊇ – 🛏280/420 € 🛏🛏310/820 € – 3 suites – ½ P 241/496 €
    Rist *Il Moretto* – (chiuso a mezzogiorno) Carta 57/89 €
    Rist *Club House* – (17 gennaio-22 dicembre) (chiuso la sera) Carta 42/45 €
    ♦ In un suggestivo palazzo del XV secolo, poliedrico hotel di lusso, per congressi, per
    chi ama il golf, le terapie rigenerative o il semplice relax in ambiente elegante. Arredi
    antichi al raffinato ristorante "Il Moretto". Più informale il "Club House".

CASA DEL DIAVOLO – Perugia (PG) – Vedere Perugia

CASALBUTTANO ED UNITI – Cremona (CR) – 561G11 – **4 055 ab.**   16 **B3**
– alt. 61 m – ✉ 26011
  ▶ Roma 531 – Piacenza 42 – Bergamo 62 – Brescia 45

✕   **La Granda**   🗛 𝖵𝖨𝖲𝖠 🆎 ⓢ
😋   via Jacini 51 – 𝒞 03 74 36 24 06 – lagranda@libero.it – Fax 03 74 36 24 06
    – chiuso dal 1° al 25 gennaio, martedì sera e mercoledì
    Rist – Carta 19/34 €
    ♦ Un ambiente rustico ed accogliente tra le mura di una cascina sita in centro paese,
    dove gustare una genuina cucina regionale e pane fatto in casa. Servizio estivo in corte.

CASALE – Parma – Vedere Felino

CASALE CORTE CERRO – Verbano-Cusio-Ossola (VB) – 561E7   24 **A1**
– 3 358 ab. – alt. 372 m – ✉ 28881
  ▶ Roma 671 – Stresa 14 – Domodossola 32 – Locarno 53

🏠   **Cicin**   ✕ 🍽 cam, 🖄 **P** 𝖵𝖨𝖲𝖠 🆎 🗛🅴 ⑩ ⓢ
    via Novara 1/31, Est : 1 km – 𝒞 03 23 84 67 02
    – www.hotelcicin.com – info@hotelcicin.com – Fax 03 23 84 00 45
    – chiuso agosto
    26 cam – 🛏40 € 🛏🛏65 €, ⊇ 6 € – ½ P 50/55 €
    Rist – (chiuso lunedì) Carta 26/40 €
    ♦ Risorsa sita lungo la statale, votata ad una clientela d'affari, dispone all'interno di una
    sala conferenza-ristorante, camere semplici e confortevoli. Il ristorante, con sale di gran-
    dezza modulabile, propone una cucina tipica piemontese.

CASALE MONFERRATO – Alessandria (AL) – 561G7 – **35 459 ab.**   23 **C2**
– alt. 116 m – ✉ 15033
  ▶ Roma 611 – Alessandria 31 – Asti 42 – Milano 75
  ℹ piazza Castello 𝒞 0142 444330, chiosco@comune.casale-monferrato.al.it,
    Fax 0142 444330

🏨🏨 **Candiani**   🛗 🖕 🗛 ⑴ 🖄 **P** 𝖵𝖨𝖲𝖠 🆎 🗛🅴 ⑩ ⓢ
    via Candiani d'Olivola 36 – 𝒞 01 42 41 87 28 – www.hotelcandiani.com
    – hotelcandiani@libero.it – Fax 01 42 41 87 22
    47 cam ⊇ – 🛏75/80 € 🛏🛏99/110 € – 2 suites
    Rist La Torre – vedere selezione ristoranti
    ♦ Da una sapiente ristrutturazione che ha salvaguardato l'originario stile liberty di un
    vecchio mattatoio del 1913, è sorto un elegante albergo, dotato di camere spaziose.

🏠   **Business** senza rist   🏖 ⒥ 🛗 🖕 🗛 ⅋ ⑴ 🖄 **P** 𝖵𝖨𝖲𝖠 🆎 🗛🅴 ⑩ ⓢ
    strada Valenza 4/G – 𝒞 01 42 45 64 00 – www.business-hotel.it – info@
    business-hotel.it – Fax 01 42 45 64 40 – chiuso dal 23 dicembre all'8 gennaio
    87 cam ⊇ – 🛏95 € 🛏🛏140 €
    ♦ Un corpo tipo motel con posto auto di fronte alla camera e una più recente struttura
    a torre compongono un hotel funzionale, dotato di piscina e sale convegni.

287

XX **La Torre** 🄰🄲 🄿 ᵛⁱˢᵃ 🚫 🄰🄴 🅞 ⑤
via Candiani d'Olivola 36 – 𝒞 *014 27 02 95*
– www.ristorante-latorre.it – info@ristorantelatorre.it
– chiuso dal 26 dicembre al 5 gennaio e dal 1° al 20 agosto
Rist *– (chiuso martedì e mercoledì a mezzogiorno)* Menu 37/47 €
– Carta 35/55 €
♦ Le eleganti sale di questo ristorante ben si prestano ad una cucina di ispirazione regionale, basata su materie prime accuratamente selezionate.

CASALE SUL SILE – Treviso (TV) – 562F18 – **10 842 ab.** – ✉ 31032   35 **A1**
▶ Roma 541 – Venezia 26 – Padova 48 – Pordenone 52

🄷🄷 **Claudia Augusta** senza rist 🐾   🕼 🅷 🄰🄲 📶 🄿 ᵛⁱˢᵃ 🚫 🄰🄴 🅞 ⑤
vicolo San Francesco d'Assisi 1, Nord-Est : 1 km – 𝒞 *04 22 78 33 11*
– www.hca.it – prenotazioni@hca.it – Fax 04 22 78 33 33
28 cam ⊆ – †50/70 € ††75/100 €
♦ Un'antica casa padronale vicina al Sile, è ora, dopo il restauro, una risorsa moderna negli accessori e nel confort, conservando negli interni il fascino del suo passato.

XX **San Nicolò** 🏠 🅷 🄰🄲 🍴 ⟳ ᵛⁱˢᵃ 🚫 🄰🄴 🅞 ⑤
via San Nicolò 5 – 𝒞 *04 22 82 26 72 – Fax 04 22 82 26 72*
– chiuso dal 1° al 6 gennaio, domenica sera e lunedì, anche domenica a mezzogiorno in luglio-agosto
Rist – Carta 35/70 €
♦ Idilliaca posizione tra la chiesa e le rive del Sile, il contesto rustico della casa colonica è stato rinnovato per offrire ambienti più eleganti. La cucina è di mare.

CASALFIUMANESE – Bologna (BO) – 562I16 – **3 049 ab.** – alt. 125 m   9 **C2**
– ✉ 40020
▶ Roma 387 – Bologna 47 – Firenze 84 – Modena 93

X **Valsellustra** 🏠 🅷 🄰🄲 🄿 ᵛⁱˢᵃ 🚫 🄰🄴 🅞 ⑤
via Valsellustra 16, Nord : 11 km – 𝒞 *05 42 68 40 73*
– www.ristorantevalsellustra.com – info@ristorantevalsellustra.com
– chiuso dal 15 al 28 febbraio, dal 18 al 23 agosto e giovedì
Rist – 34 € bc – Carta 24/31 €
♦ Tipico ristorante di campagna, in posizione isolata, sobrio con tavoli ampi e ravvicinati. Piatti saporiti e appetitosi con specialità a base di funghi e cacciagione.

CASALMAGGIORE – Cremona (CR) – 561H13 – **14 117 ab.** – alt. 26 m   17 **C3**
– ✉ 26041
▶ Roma 46 – Parma 24 – Brescia 69 – Cremona 40

🄷🄷 **B & H Hotel Bifi's** senza rist   🕼 🅷 🔭 🄰🄲 🕼 🔄 🄿 🚗
strada statale 420 km 36, località Rotonda   ᵛⁱˢᵃ 🚫 🄰🄴 🅞 ⑤
– 𝒞 *03 75 20 09 38 – www.bifihotel.it – info@bifihotel.it*
– Fax 03 75 20 06 90
82 cam ⊆ – †75/139 € ††95/170 €
♦ Un'ampia e marmorea hall con colonne vi accoglie in questo funzionale e comodo albergo al crocevia tra le province di Mantova, Cremona e Parma; arredi recenti nelle camere.

XX **Ristobifi** 🅷 🄰🄲 🍴 ⟳ 🄿 ᵛⁱˢᵃ 🄰🄴 ⑤
strada statale 420 km 36, località Rotonda – 𝒞 *03 75 20 12 44*
– ospitali1@ospitalitaeristorazione.191.it – Fax 03 75 20 55 05
– chiuso dal 23 dicembre al 6 gennaio, 15 giorni in agosto e martedì
Rist – Carta 35/59 €
♦ Ristorante moderno ed accogliente, ospitato dallo stesso edificio dell'hotel Bifi. Pavimento in parquet e una cucina che e propone piatti classici, a volte rivisitati.

CASALNOCETO – Alessandria (AL) – 561H8 – 901 ab. – alt. 159 m 23 D2
– ⊠ 15052

▶ Roma 598 – Alessandria 33 – Genova 89 – Milano 76

※※ **La Locanda del Seicento** 🎴 ⇌ 𝚅𝙸𝚂𝙰 ⊚ 𝙰𝙴 ➊ ⚄
*piazza Martiri della Libertà – 𝒞 01 31 80 96 14 – www.lalocandadelseicento.it
– lalocandadelseicento@libero.it – Fax 01 31 80 98 00
– chiuso dal 9 al 23 gennaio, una settimana in agosto e lunedì*
Rist – Carta 30/44 €
♦ Diverse salette ricavate dai due piani di in una casa del '600. Ambiente rustico ma di tono elegante, gestione giovane e motivata. Dalla cucina piatti piemontesi e non solo.

CASALOTTO – Asti – Vedere Mombaruzzo

CASAL PALOCCO (RM) – 563Q19 – Vedere ROMA

CASAL VELINO – Salerno (SA) – 564G27 – 4 711 ab. – alt. 170 m 7 C3
– ⊠ 84040

▶ Roma 346 – Potenza 148 – Salerno 87 – Sapri 74

⋔ **Agriturismo i Moresani** 🦐 🛏 🍽 🎴 rist, ☎ 📱
*località Moresani Casal Velino – 𝒞 09 74 90 20 86 𝚅𝙸𝚂𝙰 ⊚ 𝙰𝙴 ➊ ⚄
– www.imoresani.com – imoresani@hotmail.com – Fax 09 74 90 20 86 – chiuso
dal 27 al 31 gennaio*
7 cam ⌷ – ♦90/110 € – 1 suite – ½ P 65/75 € **Rist** – Menu 30 €
♦ Poco sopra la località, oasi di pace e serenità, immersa tra gli ulivi. Camere semplici ma arredate con gusto, piscina per rinfrescarsi nei caldi pomeriggi estivi. A tavola la genuinità e i sapori degli ottimi prodotti locali.

※ **Le Giare** 🛏 🍽 📱 𝚅𝙸𝚂𝙰 ⊚ 𝙰𝙴 ➊ ⚄
*via bivio Acquavella, Nord-Est : 5 km – 𝒞 09 74 90 79 90 – cristinagiordano83@
hotmail.it – chiuso dal 30 settembre al 15 ottobre e martedì (escluso luglio-
agosto)*
Rist – Carta 19/37 €
♦ Situato fuori della località, un ristorante classico, a conduzione familiare, dove potrete scegliere tra piatti campani e del Cilento, di terra e di mare.

CASAMICCIOLA TERME – Napoli – 564E23 – Vedere Ischia (Isola d')

CASARZA LIGURE – Genova (GE) – 561J10 – 6 196 ab. – alt. 34 m 15 C2
– ⊠ 16030

▶ Roma 457 – Genova 50 – Portofino 38 – La Spezia 59

※※ **San Giovanni** 🦐 🛏 📱 𝚅𝙸𝚂𝙰 ⊚ 𝙰𝙴 ➊ ⚄
*via Monsignor Podestà 1 – 𝒞 01 85 46 72 44 – Fax 01 85 46 72 44
– chiuso dal 7 gennaio al 1° febbraio e lunedì (escluso luglio-agosto)*
Rist – *(chiuso a mezzogiorno in luglio e agosto)* Carta 40/52 €
♦ Fuori del centro, una villetta con un curato giardino, dove d'estate si svolge il servizio all'aperto, ospita questo ristorante, che propone esclusivamente pesce.

CASCIA – Perugia (PG) – 563N21 – 3 249 ab. – alt. 645 m – ⊠ 06043 33 C3
▶ Roma 138 – Ascoli Piceno 75 – Perugia 104 – Rieti 60
🇮 piazza Garibaldi 1 𝒞 0743 71147, info@iat.cascia.pg.it, Fax 0743 76630

🏨 **Monte Meraviglia e Sporting Center La Reggia** 🍽 🎿 ⛷
*via Roma 15 – 𝒞 074 37 61 42 📳 🎴 rist, 🍽 rist, ♨ 📱 𝚅𝙸𝚂𝙰 ⊚ ⚄
– www.magrelliospitalita.com – prenotazioni@magrelliospitalita.com
– Fax 074 37 11 27*
159 cam ⌷ – ♦50/90 € ♦♦80/140 € – ½ P 70/95 €
Rist *Il Tartufo* – Carta 25/58 €
♦ Complesso formato da due strutture: una imponente, di taglio moderno, con ampi spazi: per grandi numeri. L'altra più piccola, con attrezzato centro sportivo usato da entrambe. Ambiente curato al ristorante dove gustare piatti a base di tartufo e locali.

🏠 **Cursula**   🏡 🛏 AC rist, ⟨¹⟩ 🛁 P VISA ⑩ AE ① ⌀
viale Cavour 3 – ℰ 074 37 62 06 – www.hotelcursula.com – info@
hotelcursula.com – Fax 074 37 62 62 – chiuso gennaio e febbraio
30 cam �??? – †45/70 € ††70/110 € – ½ P 45/55 € **Rist** – Carta 25/48 €
♦ Piccolo albergo a gestione familiare, che garantisce, nella sua semplicità, un soggiorno
confortevole tanto ai gruppi di pellegrini, quanto alla clientela di lavoro. In attività dal
1949, il rinomato ristorante che propone una schietta cucina del territorio.

CASCIANA TERME – Pisa (PI) – 563L13 – 3 605 ab. – alt. 125 m   28 **B2**
– ⌧ 56034 ▌ Toscana
   ▶ Roma 335 – Pisa 39 – Firenze 77 – Livorno 41
   🛈 via Cavour 11 ℰ 0587 646258, proloco@casciana.it, Fax 0587 646258

🏨 **Roma**   🍃 🛋 🛏 cam, AC 🞕 rist, P VISA ⑩ AE ⌀
💶 via Roma 13 – ℰ 05 87 64 62 25 – www.albergo-roma.it – info@albergo-roma.it
– Fax 05 87 64 52 33 – chiuso dicembre
36 cam �??? – †50/65 € ††85/100 € – ½ P 65/75 €
Rist – (solo per alloggiati) Menu 20/30 €
♦ D'altri tempi i corridoi ampi e i soffitti alti negli spazi comuni di un hotel centrale,
ristrutturato in anni recenti; giardino ombreggiato con piscina. Regna un'atmosfera piacevolmente retrò nella signorile sala ristorante.

CASCINA – Pisa (PI) – 563K13 – 39 423 ab. – ⌧ 56021   28 **B2**
   ▶ Roma 334 – Pisa 21 – Firenze 63 – Livorno 29

🏨 **Eurohotel**   🛏 🛋 cam, ⚡ AC 🞕 ⟨¹⟩ 🛁 P VISA ⑩ AE ⌀
viale Europa 4/6 – ℰ 050 71 04 94 – www.eurohotel.pisa.it – reservation@
eurohotel.pisa.it – Fax 050 71 05 70
68 cam �??? – †90/110 € ††110/130 € – ½ P 75/85 €
Rist – (chiuso sabato a mezzogiorno) Carta 30/55 €
♦ All'uscita della superstrada Pisa-Firenze, hotel in comoda posizone stradale, dotato di
arredi classici nelle camere ben insonorizzate; sale convegni.

CASEI GEROLA – Pavia (PV) – 561G8 – 2 533 ab. – alt. 81 m   16 **A3**
– ⌧ 27050
   ▶ Roma 574 – Alessandria 36 – Milano 57 – Novara 61

🏨 **Bellinzona**   🛏 AC 🞕 cam, ⟨¹⟩ P 🚗 VISA ⑩ AE ① ⌀
💶 via Mazzini 71 – ℰ 038 36 15 25 – info@hotelbellinzona.it – Fax 038 36 13 74
18 cam �??? – †50/55 € ††65/70 € – ½ P 55 €
Rist – (chiuso dal 1° al 7 gennaio, agosto e sabato) Carta 21/34 €
♦ Hotel centrale, gestito da quattro generazioni della stessa famiglia, in grado di offrire
un buon livello di confort generale; camere ben tenute. Ampio ristorante, molto frequentato, piatti genuini con specialità alla brace.

CASELLE TORINESE – Torino (TO) – 561G4 – 16 574 ab. – alt. 277 m   22 **A1**
– ⌧ 10072
   ▶ Roma 691 – Torino 13 – Milano 144
   🛫 Città di Torino Nord : 1 km ℰ 011 5676361

🏨 **Jet Hotel**   🛏 AC ⟨¹⟩ 🛁 P VISA ⑩ AE ① ⌀
via Della Zecca 9 – ℰ 01 19 91 37 33 – www.jet-hotel.com – info@jet-hotel.com
– Fax 01 19 96 15 44 – chiuso dal 6 al 20 agosto
79 cam �??? – †70/195 € ††120/240 €
Rist Antica Zecca – ℰ 01 19 96 14 03 (chiuso lunedì) Carta 32/50 €
♦ E' un bell'edificio del XVI secolo ad ospitare questo piacevole hotel situato nelle vicinanze dell'aeroporto; atmosfera signorile, buon livello di servizio e camere ben accessoriate. Al ristorante ambiente di tono elegante e piatti creativi che prendono vita dalla
tradizione regionale.

CASE NUOVE – Varese – Vedere Somma Lombardo

CASERE = **KASERN** – Bolzano – Vedere Valle Aurina

CASERTA P (CE) – 564D25 – **78 965 ab.** – **alt. 68 m** – ✉ **81100** Italia 6 **B2**

Roma 192 – Napoli 31 – Avellino 58 – Benevento 48

corso Trieste 43 (angolo piazza Dante) ✆ 0823 322233, enturismo.caserta@virgilio.it

La Reggia★★

Caserta Vecchia★ Nord-Est : 10 km – Museo Campano★ a Capua Nord-Ovest : 11 km

Crowne Plaza Caserta
cam, VISA AE

viale Lamberti – ✆ 08 23 52 30 01 – www.crowneplaza-caserta.com – info@crowneplaza-caserta.com – Fax 08 23 45 87 30

304 cam – †80/140 € ††90/160 € – 16 suites – ½ P 60/100 €
Rist – Carta 30/54 €

◆ Un'avveniristica struttura in posizione periferica, sviluppata attorno ad una piazza centrale - interamente coperta da una enorme cupola in vetro (tra le più grandi di Europa) - che racchiude camere, ristoranti, bar, centro congressi ed hall. Un hotel dall'innovativo concept.

Jolly Caserta
cam, rist, VISA AE

via Vittorio Veneto 13 – ✆ 08 23 32 52 22 – www.jollyhotels.com – info@jollyhotelcaserta.it – Fax 08 23 35 45 22

107 cam – †70/140 € ††80/160 € – ½ P 60/120 € **Rist** – Carta 32/40 €

◆ In comoda posizione tra la stazione e la Reggia, struttura rimodernata e ampliata in anni recenti, con spazi comuni razionali; confort secondo lo standard della catena. Classico ristorante d'albergo, ampio e in stile moderno.

Amadeus senza rist
VISA AE

via Verdi 72/76 – ✆ 08 23 35 26 63 – wwwcampaniatour.it/hotelamadeus – info@hotelamadeus.191.it – Fax 08 23 32 91 95

18 cam – †62/69 € ††80/100 €, 3 €

◆ Centrale, ristrutturato seguendo lo spirito del palazzo del '700 in cui è inserito, un piccolo albergo confortevole con camere ben tenute e accessoriate. Giovane gestione, appassionata e competente.

XXX Le Colonne
VISA AE

viale Giulio Douhet 7/9 – ✆ 08 23 46 74 94 – www.lecolonnemarziale.it – info@lecolonnemarziale.it – Fax 08 23 46 79 88 – chiuso dal 12 al 31 agosto, martedì e la sera

Rist – Carta 48/64 €

◆ Molto elegante, con arredi lussuosi e profusione di marmi, un ristorante che propone cucina campana anche rielaborata in chiave moderna; specialità della casa: i dolci.

XX Leucio
P VISA AE

via Giardini Reali, località San Leucio, Nord-Ovest : 4 km ✉ 81020 San Leucio – ✆ 08 23 30 12 41 – www.ristoranteleucio.it – info@ristoranteleucio.it – Fax 08 23 30 15 90 – chiuso Natale, 10 giorni in agosto e lunedì

Rist – Carta 20/40 € (+15 %)

◆ Cucina classica sia di terra sia di mare e buona scelta di vini campani per questo ristorante dagli ampi spazi esterni che si propone anche come pizzeria, la sera.

X Antica Locanda
VISA AE

piazza della Seta, località San Leucio, Nord-Ovest : 4 km – ✆ 08 23 30 54 44 – anticalocanda@libero.it – Fax 08 23 30 11 02 – chiuso dal 5 al 28 agosto, domenica sera e lunedì

Rist – Carta 22/31 €

◆ Quasi una trattoria, si mangia in due caratteristiche sale separate da un arco in mattoni. Cucina di influenza partenopea, ma la specialità della casa è il risotto.

Le «promesse», segnalate in rosso nelle nostre selezioni, distinguono i ristoranti suscettibili di accedere alla categoria superiore, vale a dire una stella in più.
Le troverete nella lista dei ristoranti stellati, all'inizio della guida.

in prossimità casello autostrada A 1 - Caserta Sud Sud : 6 km :

🏨🏨 **Novotel Caserta Sud** 🖈 📶 🚳 🎬 🏧 🗝 ⚡️ rist. ♨️ 🖇️ 🅿️
strada statale 87 Sannitica ✉️ *81020 Capodrise* 〔VISA〕 〔◎◎〕 〔AE〕 〔①〕 🔶
– 📞 *08 23 82 65 53 – www.accorhotels.com – novotel.caserta@accorhotels.it*
– *Fax 08 23 82 72 38*
126 cam – 🛏️*125/145 €* 🛏️🛏️*155/179 €*, ☕ *15 €*
Rist *Côté Jardin* – *Carta 35/45 €*
♦ A 2 km dal centro città, imponente, squadrata struttura moderna, dotata di ampie, confortevoli camere insonorizzate, comodo parcheggio e attrezzato centro congressi. Grandi vetrate affacciate sulla piscina e grill a vista nel ristorante.

🏨🏨 **Grand Hotel Vanvitelli** 🖈 📶 🚳 🎬 🗝 ⚡️ ♨️ 🖇️ 🅿️ 🚗
viale Carlo III, località Cantone, (in prossimità casello 〔VISA〕 〔◎◎〕 〔AE〕 〔①〕 🔶
autostrada A1) ✉️ *81020 San Marco Evangelista –* 📞 *08 23 21 71 11*
– *www.grandhotelvanvitelli.it – info@grandhotelvanvitelli.it – Fax 08 23 42 13 30*
247 cam ☕ – 🛏️*80/150 €* 🛏️🛏️*90/180 € – 3 suites –* ½ P *70/115 €*
Rist – *Carta 28/54 €*
♦ Grande struttura a vocazione commerciale dispone di ampi ambienti, nei quali la raffinata eleganza del passato si unisce alla funzionalità e ai confort più moderni. Sofisticato centro congressi. Capienti, curate sale per l'attività banchettistica e roof-garden per gli individuali.

CASIER – Treviso (TV) – 562F18 – **7 752 ab.** – **alt. 5 m** – ✉️ 31030   35 **A1**
    ▶ Roma 539 – Venezia 32 – Padova 52 – Treviso 6

a Dosson Sud-Ovest : 3,5 km – ✉️ 31030

%% **Alla Pasina** con cam 🌾 🍴 🛎️ 📶 🚳 🎬 📞 🗝 🅿️ 〔VISA〕 〔◎◎〕 〔AE〕 🔶
via Marie 3 – 📞 *04 22 38 21 12 – www.pasina.it – pasina@pasina.it*
– *Fax 04 22 49 23 22 – chiuso dal 1° al 7 gennaio*
7 cam ☕ – 🛏️*55/60 €* 🛏️🛏️*80/90 €*
Rist – *(chiuso domenica sera e lunedì) (chiuso a mezzogiorno in agosto)*
Carta 29/47 €
♦ Non è solo una casa di campagna ristrutturata. Le tre intime salette si trovano in un'atmosfera ricca di fascino, quasi fiabesca e il *C'era una volta* inizia in cucina, tra tradizione e fantasia. Con qualche intervento architettonico, il vecchio granaio ospita ora poche intime camere affacciate sul fresco giardino.

CASINO DI TERRA – Pisa – Vedere Guardistallo

CASOLA VALSENIO – Ravenna (RA) – 562J16 – **2 846 ab.** – **alt. 195 m**   9 **C2**
– ✉️ 48010
    ▶ Roma 380 – Bologna 64 – Firenze 82 – Forlì 42
    🛈 (aprile-settembre) via Roma 50 📞 0546 73033, iat.casolavalsenio@provincia.ra.it, Fax 0546 73033

🏨 **All'Antica Corona** 📶 🎬 🗝 ⚡️ rist, 〔VISA〕 〔◎◎〕 〔AE〕 🔶
😊 *via Roma 38 –* 📞 *054 67 38 47 – www.hotelanticacorona.com – info@hotelanticacorona.com – Fax 054 67 62 84 – chiuso gennaio-marzo e novembre*
16 cam ☕ – 🛏️*70/105 €* 🛏️🛏️*90/155 € –* ½ P *75/105 €*
Rist – *Menu 15/50 € – Carta 35/45 €*
♦ Albergo recente in pieno centro cittadino; ambienti accoglienti con raccolta di vecchi attrezzi contadini. Camere curate, luminose e dotate di un buon confort. Ristorante dai toni rustici, con soffitti e pareti in mattoni.

%% **Mozart** 🍴 ⚡️ 🍽️ 🅿️ 〔VISA〕 〔◎◎〕 〔AE〕 〔①〕 🔶
via Montefortino 3 – 📞 *054 67 35 08 – www.ristorantemozart.com*
– *ristorantemozart@libero.it – maggio-novembre; chiuso lunedì e martedì a mezzogiorno*
Rist – *Menu 25/36 € – Carta 29/42 €*
♦ Un giovane chef gestisce questo ristorante, dove propone le sue creazioni nelle graziose salette di una casa familiare in pietra, in mezzo al verde, in posizione dominante sul paese.

CASOLE D'ELSA – Siena (SI) – 563L15 – 3 066 ab. – alt. 417 m   29 **C2**
– ✉ 53031

▶ Roma 269 – Siena 48 – Firenze 63 – Livorno 97
i piazza Lucchetti 2 ℰ 0577 949737, uff.turistico@casole.it, Fax 0577949740

🏨 **Aquaviva** ❧   🚗 ⏳ 🖥 🐬 ⅃₄ 🖥 ⅄ ⒜ 🆚 🅿 🆚 🆖 ⒜ 🆗
località Aquaviva, Sud-Est : 3 km – ℰ 05 77 94 91 12 – www.hotel-aquaviva.it
– aquaviva@hotel-aquaviva.it – Fax 05 77 94 79 98
– chiuso dal 5 gennaio al 15 marzo
35 cam � ⊇ – ♦75/81 € ♦♦120/132 € – ½ P 85/91 €
Rist – *(chiuso martedì a mezzogiorno)* Carta 29/61 €
♦ Tra le colline senesi, hotel di recente apertura studiato nell'architettura e negli interni
per soddisfare una clientela in cerca di silenzio e tranquillità; dispone di una zona
benessere. Al ristorante, una bella vista sul rilassante ambiente circostante e proposte
di carne e di pesce.

🏨 **Gemini**   ≼ 🚗 ⏳ ⅃ 🖥 ⅄ cam, ⒜ 🅿 🆚 🆖 ⒜ 🆗
via Provinciale 4 – ℰ 05 77 94 86 22 – www.gemini-lapergola.it – gemini@
gemini-lapergola.it – Fax 05 77 94 82 41 – aprile-ottobre
42 cam ⊇ – ♦63/70 € ♦♦95/110 € – ½ P 72/79 €
Rist – *(chiuso mercoledì a mezzogiorno)* Carta 29/61 €
♦ In un borgo di origine etrusca, poco distante dai principali centri di interesse turistico,
offre gradevoli sale comuni, graziose camere con arredi in legno ed una piscina. Semplice la sala ristorante dove consumare i classici piatti della cucina nazionale.

✕✕ **Il Colombaio**   🏠 🍴 ⟳ 🅿 🆚 🆖 ⒜ 🅞 🆗
❀ *località Colombaio – ℰ 05 77 94 90 02 – www.ilcolombaio.it – info@*
ilcolombaio.it – Fax 05 77 94 99 00 – chiuso dal 7 gennaio al 5 marzo, lunedì
e martedì a mezzogiorno
Rist – Menu 35/70 € – Carta 48/64 € ⅋⅋
Spec. Tonno del Chianti con tonnetto dell'Elba e fantasia di fagioli. Risotto di
zucca gialla col nero di seppia al profumo di tartufo (inverno). Sinfonia di
cioccolato.
♦ All'interno di una caratteristica casa toscana, una sala elegante dal servizio curato e
professionale dove gustare una cucina regionale elaborata in chiave moderna.

a Pievescola Sud-Est : 12 km – ✉ 53031

🏰 **Relais la Suvera** ❧   ≼ 🚗 🏠 ⅃ 🐬 ✕ 🖥 ⅄ cam, ⒜ 🍴 rist, 🛎
via La Suvera – ℰ 05 77 96 03 00   ⅄ 🅿 🆚 🆖 ⒜ 🅞 🆗
– www.lasuvera.it – lasuvera@lasuvera.it – Fax 05 77 96 02 20
– 6 marzo-28 novembre
24 cam ⊇ – ♦♦330/470 € – 12 suites – ♦♦575/1200 €
Rist *Oliviera* – *(chiuso a mezzogiorno)* Carta 60/99 € ⅋⅋
♦ Nella campagna senese, un complesso nobiliare del XVI sec. con giardino all'italiana vi
accoglie in un perfetto connubio di storia, eleganza esclusiva e lussuoso confort. Sale
ristorante di grande raffinatezza, ricavate in quello che un tempo era il frantoio.

CASPERIA – Rieti (RI) – 563O20 – 1 148 ab. – alt. 397 m – ✉ 02041   12 **B1**
▶ Roma 65 – Terni 36 – Rieti 38 – Viterbo 71

🏠 **La Torretta** senza rist ❧   ≼ 🛎 🆚 🆖
▧ *via Mazzini 7 – ℰ 076 56 32 02 – www.latorrettabandb.com – latorretta@tiscali.it*
– Fax 076 56 32 02 – chiuso gennaio e febbraio
7 cam ⊇ – ♦55/65 € ♦♦80/90 €
♦ In un borgo pittoresco, da visitare inerpicandosi per stradine strette per lo più fatte a
scala, una casa signorile del XVI secolo e una terrazza che offre un'ampia magnifica
vista.

CASSANO D'ADDA – Milano (MI) – 561F10 – 17 137 ab. – alt. 133 m   19 **C2**
– ✉ 20062
▶ Roma 567 – Bergamo 27 – Brescia 63 – Cremona 72

XX **Antica Osteria la Tesorella**   ♿ AC P VISA ☺ AE ① ⑤
*via Milano 63 – & 036 36 30 33 – Fax 036 36 30 33 – chiuso dal 7 al 31 agosto,
lunedì sera e martedì*
Rist – Carta 54/75 €
♦ Un piacevole "rifugio" dove fermarsi per gustare preparazioni di pesce, in quest'angolo di Lombardia. Ristorante aperto di recente e gestito con intraprendenza e capacità.

CASSINE – Alessandria (AL) – 561H7 – 3 043 ab. – alt. 190 m – ✉ 15016   23 **C3**
    ◻ Roma 607 – Torino 109 – Alessandria 26 – Asti 55

⬆ **Agriturismo Il Buonvicino**   ⇚ ⬚ & ⅋ rist, ⅍ P VISA ☺ AE ⑤
*strada Ricaldone di Sotto 40, Sud-Ovest : 1,5 km – & 01 44 71 52 28
– ilbuonvicino@libero.it – Fax 01 44 71 48 64 – chiuso agosto*
6 cam ⊔ – ♦35 € ♦♦70 € – ½ P 45/55 €   **Rist** – Menu 23/27 €
♦ Un'enorme botte posta lungo la strada segnala che è giunto il momento di fermarsi:
ne vale la pena. Tipica, accogliente, cascina ristrutturata meticolosamente. Camere arredate con mobili in stile arte povera.

CASSINETTA DI LUGAGNANO – Milano – 561F8 – Vedere Abbiategrasso

CASSINO – Frosinone (FR) – 563R23 – 32 714 ab. – alt. 45 m – ✉ 03043   13 **D2**
    ◻ Roma 130 – Frosinone 53 – Caserta 71 – Gaeta 47
    ⅈ Via Di Biaso 54 & 0776 21292, iat.cassino@apt.frosinone.it, Fax 0776
    319723
    ⓖ Abbazia di Montecassino★★ – Museo dell'abbazia★★ Ovest : 9 km

🏨 **Al Boschetto**   ⬚ |⬚| & ⅍⅋ AC ⅋ ⓒ ⅍ P VISA ☺ AE ⑤
*via Ausonia 54, Sud-Est : 2 km – & 077 63 91 31
– www.hotelristorantealboschetto.it – info@hotelristorantealboschetto.it
– Fax 07 76 30 13 15*
82 cam – ♦70 € ♦♦85 €, ⊔ 8 € – ½ P 57 €   **Rist** – Carta 19/42 €
♦ Sulla strada che dal casello porta a Cassino e alla Casilina nord, imponente struttura
completamente rinnovata adatta a una clientela d'affari. Ampio, tranquillo giardino.
Ristorante capiente, mancheranno angoli più privati ma non degli squisiti dolci.

🏨 **Alba**   ⅍ |⬚| AC ⅋ cam, ⓒ ⅍ P ⇔ VISA ☺ AE ① ⑤
*via G. di Biasio 53 – & 077 62 18 73 – www.albahotel.it – info@albahotel.it
– Fax 07 76 27 00 00*
29 cam ⊔ – ♦60/75 € ♦♦70/90 € – ½ P 45/60 €
Rist Da Mario – & 077 62 25 58 – Carta 25/37 €
♦ Alle pendici del monte dell'Abbazia, un edificio recente per un albergo accogliente, a
gestione familiare, dagli interni ariosi, con carta da parati e colori chiari. Ambiente simpatico nella signorile sala da pranzo.

🏨 **Rocca**   ⅏ ⅏ ⅙ ⅋ |⬚| & cam, AC ⓒ P VISA ☺ AE ① ⑤
*via Sferracavallo 105 – & 07 76 31 12 12 – www.hotelrocca.it – hotel.rocca@
libero.it – Fax 077 62 54 27 – chiuso dal 24 al 26 dicembre*
69 cam ⊔ – ♦60/65 € ♦♦80/85 € – ½ P 60/65 €   **Rist** – Carta 23/30 €
♦ L'ampia hall con divani in pelle introduce in un hotel funzionale, dotato di parco
acquatico con piscina; chiedete le camere nuove sul retro, confortevoli e con bagni
moderni. Luminosa sala ristorante, d'impostazione classica.

XX **La Colombaia**   ⅍ AC P VISA ☺ AE ① ⑤
*via Sant'Angelo 43 – & 07 76 30 08 92 – Fax 07 76 30 08 92
– chiuso dal 15 al 22 agosto, domenica sera e lunedì*
Rist – Menu 18/28 € – Carta 19/38 €
♦ Lungo la strada per S. Angelo, un moderno villino in campagna ospita una cucina di
pesce in classiche preparazioni, corroborate da una buona selezione di formaggi.

CASTAGNETO CARDUCCI – Livorno (LI) – 563M13 – 8 435 ab.   28 **B2**
– alt. 194 m – ✉ 57022▮ Toscana
    ◻ Roma 272 – Firenze 143 – Grosseto 84 – Livorno 57
    ⅈ (maggio-settembre) via Vittorio Emanuele 21 & 0565 765042,
    apt7castagneto@costadeglietruschi.it, Fax 0565 765042

🏠 Zì Martino 🚗 🍴 🏊 📶 ⛱ cam, 🅰🅲 ⛲ ↻ 🅿 VISA ⬤⬤ ⭐

località San Giusto 264/a, Ovest : 2 km – 🕾 05 65 76 36 66 – www.zimartino.com
– info@zimartino.com – Fax 05 65 76 34 44 – chiuso 3 settimane in novembre
23 cam ☲ – ♦60/100 € ♦♦85/125 € – ½ P 60/90 €
Rist – *(chiuso lunedì escluso luglio-agosto)* Carta 15/28 €
♦ Alle pendici del colle di Castagneto, una bassa struttura di concezione moderna, con corte interna e ballatoio da cui si accede alle camere, lineari e di buon confort. Dehors per il servizio ristorante estivo affacciato su un piccolo prato interno.

⛺ Villa le Luci *senza rist* 🚗 🅰🅲 ⛲ ↻ 🅿 VISA ⬤⬤ AE ⭐

via Umberto I° 47 – 🕾 05 65 76 36 01 – www.villaleluci.it – info@villaleluci.it
6 cam ☲ – ♦90/140 € ♦♦110/160 €
♦ Alle porte del paese, in posizione panoramica, elegante villa del 1910 con salotti e camere personalizzate. L'incanto di una vista che spazia sul mare e sulla costa...

a Donoratico Nord-Ovest : 6 km – ✉ 57024

🏠 Il Bambolo *senza rist* 🚗 🏊 🛋 🅰🅲 ↻ 🅿 VISA ⬤⬤ AE ① ⭐

via del Bambolo 31, Nord : 1 km – 🕾 05 65 77 52 06 – www.hotelbambolo.com
– info@hotelbambolo.com – Fax 05 65 77 53 46 – chiuso dicembre
43 cam ☲ – ♦58/120 € ♦♦170/184 €
♦ Qualche km alle spalle del mare, nel verde quieto della campagna troverete un grande cascinale ristrutturato, dove praticare equitazione e cicloturismo; camere moderne.

a Marina di Castagneto Nord-Ovest : 9 km – ✉ 57022 – Donoratico

🅸 *(maggio-settembre) via della Marina 8 🕾 0565 744276,*
apt7marinacastagneto@costadeglietruschi.it, Fax 0565 746012

🏨 Tombolo Talasso Resort ⚘ 🚗 🏊 🍴 ⊞ ⬤ 🛋 ⛱

via del Corallo 3   🤼 🅰🅲 ⛲ ↻ 🧖 🅿 VISA ⬤⬤ AE ① ⭐
– 🕾 056 57 45 30 – www.tombolotalasso.it – info@tombolotalasso.it
– Fax 05 65 74 40 52
91 cam ☲ – ♦216/329 € ♦♦288/498 € – 5 suites – ½ P 189/304 €
Rist – Carta 57/75 €
♦ Lo splendido risultato della ristrutturazione di una ex colonia marina, dall'architettura originale. Ottimo centro benessere, grandi terrazze, belle camere, servizio accurato. Raffinata sala ristorante.

⛺ Villa Tirreno 🅰🅲 ⛲ rist, VISA ⬤⬤ ⭐

via della Triglia 4 – 🕾 05 65 74 40 36 – www.villatirreno.com – info@
villatirrento.com – Fax 05 65 74 41 87 – marzo-ottobre
30 cam – ♦45/71 € ♦♦72/115 €, ☲ 4 € – ½ P 54/94 €
Rist – *(chiuso lunedì in bassa stagione)* Carta 23/44 €
♦ Ospitato in un bell'edificio d'epoca, centrale sul lungomare, albergo confortevole, con camere spaziose e curate: chiedete una delle 5 con grande terrazza. Luminosa sala da pranzo, con aria condizionata.

✗ La Tana del Pirata 🍴 ⭐ 🅰🅲 🅿 VISA ⬤⬤ AE ① ⭐

via Milano 17 – 🕾 05 65 74 41 43 – tanadelpirata@libero.it – Fax 05 65 74 45 48
– Pasqua-10 ottobre; chiuso martedì escluso da giugno a settembre
Rist – Carta 41/66 €
♦ Un'oasi tranquilla e silenziosa per mangiare del buon pesce, magari all'aperto, in un ambiente molto alla moda, approfittando anche della spiaggia privata.

a Bolgheri Nord : 10 km – ✉ 57020

✗ Osteria Magona VISA ⬤⬤ AE ⭐

piazza Ugo 2/3 – 🕾 05 65 76 21 73 – Fax 05 65 76 21 73 – chiuso novembre e lunedì
Rist – *(chiuso a mezzogiorno escluso sabato e domenica)* Carta 27/39 €
♦ Sita nel centro storico è una classica trattoria fedele alla cucina del territorio con una buona selezione di vini locali. Servizio anche all'aperto durante la bella stagione.

CASTAGNOLE MONFERRATO – Asti (AT) – 561H6 – 1 226 ab.   25 D1
– alt. 229 m – ✉ 14030

▶ Roma 586 – Alessandria 30 – Torino 69 – Asti 16

✗✗ **Ruchè** 🖨 VISA ⚫ AE ⓞ ⚡

via xx Settembre 3 – 𝒞 01 41 29 22 42 – www.ristoranteruche.it – vitzit@tin.it
– Fax 01 41 29 22 42 – chiuso dal 2 all'8 gennaio, dal 15 al 30 luglio,
dal 1° al 8 settembre e mercoledì
Rist *– (chiuso a mezzogiorno escluso domenica)* Menu 35/50 € – Carta 30/47 € 🏵
◆ Nel paese dove negli anni '70 è stato inventato l'omonimo vino, un ristorantino
gestito da una giovane e appassionata coppia. Cucina del territorio, venerdì e sabato
pesce.

CASTELBELLO CIARDES (KASTELBELL TSCHARS) – Bolzano (BZ) 30 B2
– 562C14 – 2 321 ab. – alt. 586 m – ✉ 39020

▶ Roma 688 – Bolzano 51 – Merano 23

🛈 via Statale 5 𝒞 0473 624193, info@kastelbell-tschars.com, Fax 0473 624559

✗✗✗ **Kuppelrain** (Jörg Trafoier) con cam ≼ 🏠 AK rist, 🍴 rist, 📞 P
❀ *piazza Stazione 16 località Maragno – 𝒞 04 73 62 41 03* VISA ⚫ ⚡
– www.kuppelrain.com – kuppelrain@rolmail.net – chiuso due settimane in
gennaio e febbraio
4 cam 🖙 – ♦♦120/130 €
Rist *– (chiuso domenica e lunedì a mezzogiorno)* Menu 80/90 € – Carta 54/72 € 🏵
Spec. Risotto allo speck e lucioperca con spuma di prezzemolo. Sella
d'agnello su scalogno al vino rosso e purea di sedano rapa, piccolo hamburger con gnocchi di patate su crema di peperoni. Maialino al forno su crema di
foie gras, pancetta arrostita con passatina di ceci e tartufo nero.
◆ Un'intima ed accogliente sala all'interno di un villino liberty fa da sfondo ad una
cucina ricca di personalità e fantasia, senza confini nella ricerca di prodotti ed accostamenti.

sulla strada statale 38

🏨 **Sand** ≼ 🚗 🏠 🏊 🗔 🏦 🌀 L♨ 🍴 📶 🚶 AK rist, 🍴 rist, 📶 P
via Molino 2, Est : 4,5 km ✉ 39020 – 𝒞 04 73 62 41 30 VISA ⚫ ⚡
– www.hotel-sand.com – info@hotel-sand.com – Fax 04 73 62 44 06 – 15 marzo-
novembre
28 cam 🖙 – ♦75/100 € ♦♦130/180 € – 6 suites – ½ P 80/120 €
Rist *– (chiuso mercoledì)* Carta 35/55 €
◆ Ottimamente attrezzato per praticare attività sportive o semplicemente per rilassarsi
all'aperto, vanta un piacevole giardino-frutteto con piscina, laghetto e beach volley. Centro benessere. Ambiente romantico nella caratteristica e intima stube, tutta rivestita di
legno.

CASTELBIANCO – Savona (SV) – 290 ab. – alt. 343 m – ✉ 17030 14 A2
▶ Roma 576 – Imperia 42 – Genova 104 – Savona 56

✗✗ **Gin** con cam 🚗 🍴 📶 P VISA ⚫ AE ⓞ ⚡
via Pennavaire 99 – 𝒞 018 27 70 01 – www.dagin.it – info@dagin.it
– Fax 018 27 71 04 – chiuso dieci giorni in febbraio e dieci giorni in giugno o
luglio
8 cam – ♦60 € ♦♦80/100 €, 🖙 8 € – 1 suite – ½ P 60 €
Rist *– (chiuso lunedì) (chiuso a mezzogiorno escluso i giorni festivi)* Menu 35 €
– Carta 31/40 € 🏵
◆ Ottimo ristorante in crescita, propone piatti tradizionali elaborati partendo dai sapori
locali e ricette che s'ispirano alle più recenti linee gastronomiche. Al piano superiore, belle camere arredate con mobili d'epoca restaurati, da sempre proprietà della
famiglia.

✗ **Scola** con cam 🍴 📞 P VISA ⚫ AE ⓞ ⚡
via Pennavaire 166 – 𝒞 018 27 70 15 – www.scolarist.it – funghi@scolarist.it
– Fax 01 82 77 93 42 – chiuso gennaio
8 cam 🖙 – ♦60 € ♦♦80 € – ½ P 65 €
Rist *– (chiuso martedì sera e mercoledì)* Menu 30/42 € – Carta 34/52 €
◆ Due sale, di cui una molto ampia adatta anche per banchetti e l'altra invece di dimensioni ridotte, ma di tono più elegante. In menu, rielaborazioni della cucina ligure dell'entroterra. Piacevoli le camere al primo piano, arredate con mobili d'epoca.

CASTELBUONO – Palermo – 565N24 – Vedere Sicilia alla fine dell'elenco alfabetico

---

CASTEL D'AIANO – Bologna (BO) – 562J15 – **1 917 ab.** – alt. 772 m 9 C2
– ✉ 40034

▶ Roma 365 – Bologna 48 – Firenze 89 – Pistoia 52

a Rocca di Roffeno Nord-Est : 7 km – ✉ 40034 – **ROCCA DI ROFFENO**

⌂ **Agriturismo La Fenice** 🐾   🍴 🔄 🌂 rist, **P** 🆚 ⚫ ⑩ ⚐
via Santa Lucia 29 – ✆ 051 91 92 72 – www.lafeniceagritur.it – lafenice@
lafeniceagritur.it – Fax 051 91 90 24 – chiuso dal 7 gennaio al 7 febbraio
14 cam ⌷ – ♦60/80 € ♦♦80/100 € – ½ P 60/95 €
Rist – (chiuso da lunedì a giovedì escluso dal 15 giugno al 15 settembre)
Carta 22/43 €
♦ Piccolo agglomerato di case coloniche del XVI secolo, dove dominano le pietre unite al legno, per vivere a contatto con la natura in un'atmosfera di grande suggestione.

CASTEL D'APPIO – Imperia – Vedere Ventimiglia

CASTEL D'ARIO – Mantova (MN) – 561G14 – **4 345 ab.** – alt. 24 m 17 D3
– ✉ 46033

▶ Roma 478 – Verona 47 – Ferrara 96 – Mantova 15

🏨 **Eden** senza rist   🎴 🆔 😊 **P** 🆚 ⚫ ⑩ ⚐
viale della Libertà 1 – ✆ 03 76 66 15 61 – www.hoteledenmantova.com – info@
hoteledenmantova.com – Fax 03 76 66 16 40
44 cam ⌷ – ♦65/80 € ♦♦80/110 €
♦ Struttura omogenea, camere non eleganti ma funzionali, ampi spazi comuni. Risorsa votata all'accoglienza della clientela d'affari, con un previsto arricchimento dei servizi.

✗✗ **Edelweiss** con cam   🆔 🌂 rist, **P** 🆚 ⚫ 🆎 ⑩ ⚐
via Roma 109, Ovest : 1 km – ✆ 03 76 66 58 85 – edelweisscasteldario@
gimail.com – Fax 03 76 66 58 93 – chiuso 2 settimane in agosto
8 cam ⌷ – ♦55/60 € ♦♦65/80 € – ½ P 45/53 €
Rist – (chiuso mercoledì) Menu 25/34 € – Carta 27/44 €
♦ Due giovani soci sfidano la concorrenza di altri "fregiati" locali in zona, puntando sulla qualità dei prodotti di un'interessante cucina mantovana. Sale abbellite di recente. Semplici e confortevoli le camere.

CASTEL D'AZZANO – Verona (VR) – 562F14 – **9 957 ab.** – alt. 44 m 35 A3
– ✉ 37060

▶ Roma 495 – Verona 12 – Mantova 32 – Milano 162

🏨 **Villa Malaspina**   🎴 🔄 🏰 🆔 🎴 😊 🆔 🌐 🛰 😊 **P**
via Cavour 6 – ✆ 04 58 52 19 00   🆚 ⚫ 🆎 ⑩ ⚐
– www.hotelvillamalaspina.com – info@hotelvillamalaspina.com
– Fax 04 58 52 91 18
70 cam ⌷ – ♦80/128 € ♦♦128/178 € – ½ P 89/124 €
Rist Vignal de la Baiardina – ✆ 04 58 52 91 20 (chiuso sabato a mezzogiorno, domenica) Menu 25/50 € – Carta 31/57 €
♦ Molto affascinanti le camere nella parte storica di questa bella villa di origini cinquecentesche. Ideale per congressi e banchetti, riserva grandi attenzioni anche per i clienti individuali. La cucina rispetta la tradizione veneta e si diletta nell'innovazione; la sala è arredata in calde tonalità di colore.

✗✗ **Allo Scudo d'Orlando**   🆔 ↻ **P** 🆚 ⚫ 🆎 ⚐
via Scuderlando 120 – ✆ 04 58 52 05 12 – www.scudodorlando.it – info@
scudodorlando.it – Fax 04 58 52 05 13 – chiuso domenica e lunedì a
mezzogiorno
Rist – Carta 47/84 €
♦ Ristorante dall'ambiente classico, di buon tono la grande sala rettangolare; quasi esclusivamente uno il tema affidato alle mani dello chef, quello del mare.

CASTEL DEL PIANO – Grosseto (GR) – 563N16 – **4 458 ab.** 29 **C3**
– alt. 632 m – Sport invernali : al Monte Amiata : 1 350/1 730 m ⚡8, ⚓ – ✉ 58033
> ▶ Roma 196 – Grosseto 56 – Orvieto 72 – Siena 71
> 🖼 via Marconi 9 ☏ 0564 973534, ufficioturisticocipiano@amiata.net, Fax0564 973534

a Prato delle Macinaie Est : 9 km – **alt. 1 385 m** – ✉ 58033 – Castel del Piano

🏠 **Le Macinaie** ⊗ ≼ ☕ rist, "📶" **P** VISA ⬤ AE ① ⚫
– ☏ 05 64 95 90 01 – www.lemacinaie.com – info@lemacinaie.it
– Fax 05 64 95 59 83 – 22 dicembre-7 gennaio e 20 aprile-3 novembre
17 cam ☲ – ♦♦85/120 € – ½ P 65/85 € **Rist** – Menu 26/35 €
♦ D'inverno vi ritroverete praticamente sulle piste di sci soggiornando in questa piccola casa sul monte Amiata; bagni nuovi, camere non ampie, ma rinnovate e gradevoli. Ristorante con sale più raccolte di tono rustico e altre di notevole capienza.

CASTEL DI LAMA – Ascoli Piceno (AP) – **7 568 ab.** – **alt. 201 m** 21 **D3**
– ✉ 63031
> ▶ Roma 208 – Ascoli Piceno 17 – Ancona 113 – Pescara 88

🏠 **Borgo Storico Seghetti Panichi** ⊗ ≼ 🏠 🍳 ☕ "📶" 🛁 **P**
via San Pancrazio 1 – ☏ 07 36 81 25 52 VISA ⬤ AE ① ⚫
– www.seghettipanichi.it – info@seghettipanichi.it – Fax 07 36 81 45 28
11 suites ☲ – ♦♦190/400 €
Rist – (chiuso lunedì a mezzogiorno e martedì da giugno a settembre, domenica e lunedì a mezzogiorno negli altri mesi) (prenotazione obbligatoria)
Menu 35/70 €
♦ Soggiorno esclusivo con camere nella villa settecentesca con parco storico e saloni sfarzosi o nell'attigua foresteria dall'eleganza più sobria ma più vicina alla piscina.

CASTELDIMEZZO – Pesaro e Urbino (PS) – 563K20 – **alt. 197 m** 20 **B1**
– ✉ 61100
> ▶ Roma 312 – Rimini 27 – Milano 348 – Pesaro 12

✗ **La Canonica** 🏠 **P** VISA ⬤ AE ① ⚫
via Borgata 20 – ☏ 07 21 20 90 17 – www.ristorantelacanonica.it – info@ristorantelacanonica.it – Fax 07 21 20 90 17 – chiuso dal 10 al 30 gennaio e lunedì
Rist – (chiuso a mezzogiorno escluso sabato e i giorni festivi) Carta 31/43 €
♦ Questa caratteristica osteria ricavata nel tufo propone piatti tipici di mare e di terra, rigorosamente del territorio, sapientemente rivisitati.

CASTEL DI SANGRO – L'Aquila (AQ) – 563Q24 – **5 715 ab.** 2 **C3**
– alt. 800 m – ✉ 67031
> ▶ Roma 206 – Campobasso 80 – Chieti 101 – L'Aquila 109

🏠🏠 **Don Luis** senza rist ♪🎵 & "📶" 🛁 **P** VISA ⬤ AE ① ⚫
Parco del Sangro – ☏ 08 64 84 70 61 – info@hoteldonluis.com
– Fax 08 64 84 70 61
43 cam ☲ – ♦40/60 € ♦♦70/120 €
♦ All'interno di un parco con laghetto e centro sportivo, un hotel in grado di accontentare tanto la clientela di passaggio quanto quella di villeggiatura. Camere spaziose.

CASTELFIDARDO – Ancona (AN) – 563L22 – **17 600 ab.** – **alt. 199 m** 21 **C2**
– ✉ 60022
> ▶ Roma 303 – Ancona 27 – Macerata 40 – Pescara 125

🏠🏠 **Parco** senza rist 🛗 & AC "📶" 🛁 **P** VISA ⬤ AE ① ⚫
via Donizetti 2 – ☏ 07 17 82 16 05 – www.hotelparco.net – hotelparco@libero.it
– Fax 07 17 82 03 09 – chiuso dal 24 dicembre al 7 gennaio
43 cam – ♦55/63 € ♦♦80/93 €, ☲ 9 €
♦ A pochi passi dal centro, la struttura, a conduzione familiare, offre un soggiorno confortevole in camere spaziose e funzionali. Vista sul parco di Castelfidardo e sul mare.

sulla strada statale 16 Est: 6 km

🏠 **Klass Hotel** ⚒ 🐊 ♨ 📶 🖥 ⚃ ⚂ 𝔸ℂ ⚄ ⁽ᵗᵗ⁾ 🛁 🌐 𝗩𝗜𝗦𝗔 ⓧⓞ 𝔸𝔼 ⓞ ⓕ
via Adriatica 22 – ☎ *07 17 82 12 54 – www.klasshotel.it – info@klasshotel.it
– Fax 07 17 82 19 06*
71 cam ☕ – †70/150 € †† 120/190 € – ½ P 80/95 € **Rist** – Carta 33/46 €
♦ Nuova struttura lungo una strada statale: design avvenieristco in ogni settore. Camere
spaziose e di ottimo confort.

CASTELFRANCO D'OGLIO – Cremona – Vedere Drizzona

CASTELFRANCO EMILIA – Modena (MO) – 562I15 – 26 535 ab.   9 C3
– alt. 42 m – ✉ **41013**

▶ Roma 398 – Bologna 25 – Ferrara 69 – Firenze 125

🏠 **Aquila** senza rist 🖥 𝔸ℂ ⚄ ⁽ᵗᵗ⁾ 🅿 𝗩𝗜𝗦𝗔 ⓧⓞ 𝔸𝔼 ⓞ ⓕ
via Leonardo da Vinci 5 – ☎ *059 92 32 08 – www.hotelaquila.it – info@
hotelaquila.it – Fax 059 92 71 59*
34 cam ☕ – †60/100 € †† 90/140 €
♦ Discreta e familiare l'accoglienza di questo semplice hotel, ideale per una clientela di
passaggio, che offre camere semplici ed un comodo parcheggio.

🏡 **Agriturismo Villa Gaidello** senza rist 🦢 ⚞ ⚄ 🅿 𝗩𝗜𝗦𝗔 ⓧⓞ 𝔸𝔼 ⓕ
via Gaidello 18/22 – ☎ *059 92 68 06 – www.gaidello.com – info@gaidello.com
– Fax 059 92 66 20 – chiuso Natale, Pasqua e agosto*
2 cam ☕ – †68 € †† 98 € – 7 suites – †† 90/200 €
♦ Protetto dal silenzio e dalla tranquillità dei dintorni, un cigno sorveglia il laghetto di
questo complesso agrituristico costituito da case coloniche del '700 dai caldi interni
d'epoca.

🍴 **La Lumira** ✿ 🅿 𝗩𝗜𝗦𝗔 ⓧⓞ 𝔸𝔼 ⓞ ⓕ
corso Martiri 74 – ☎ *059 92 65 50 – nuvola.borsarini@alice.it – Fax 059 92 17 78
– chiuso dal 24 dicembre al 2 gennaio, Pasqua, agosto, domenica e lunedì sera*
Rist – Carta 31/46 €
♦ Carri agricoli ottocenteschi sono oggi pezzi d'arredo, mentre utensili d'epoca raccontano la storia dalle pareti. Interpretata con fantasia, la cucina racconta la tradizione emiliana.

CASTELFRANCO VENETO – Treviso (TV) – 562E17 – 32 603 ab.   36 C2
– alt. 42 m – ✉ **31033**❚ Italia

▶ Roma 532 – Padova 34 – Belluno 74 – Milano 239
ℹ Via Preti 66 ☎ 0423 491416, iat.calstelfrancoveneto@provincia.treviso.it,
Fax 0423 771085
🔟 , ☎ 0423 49 35 37
◎ Madonna col Bambino★★ del Giorgione nella Cattedrale

🏠 **Fior** ⚞ ⚒ ♨ 🍴 🖥 𝔸ℂ ⚄ rist, ⁽ᵗᵗ⁾ 🛁 🅿 🚗 𝗩𝗜𝗦𝗔 ⓧⓞ 𝔸𝔼 ⓞ ⓕ
via dei Carpani 18 – ☎ *04 23 72 12 12 – www.hotelfior.com – info@hotelfior.com
– Fax 04 23 49 87 71*
43 cam ☕ – †64/76 € †† 94/114 € – ½ P 101 €
Rist – *(chiuso domenica sera e lunedì a mezzogiorno)* Carta 29/50 €
♦ In zona periferica, rustico ristrutturato che offre le camere più piacevoli rivolte verso il
verde del grande giardino sul retro, in cui trovano posto anche tennis e piscina. Tre sale
ristorante di taglio classico, divise da pareti mobili.

🏠 **Roma** senza rist ⚃ 𝔸ℂ ↯ ⁽ᵗᵗ⁾ 🛁 🅿 𝗩𝗜𝗦𝗔 ⓧⓞ 𝔸𝔼 ⓞ ⓕ
via Fabio Filzi 39 – ☎ *04 23 72 16 16 – www.albergoroma.com – info@
albergoroma.com – Fax 04 23 72 15 15*
80 cam ☕ – †63/88 € †† 88/114 € – 3 suites
♦ Affacciato sulla scenografica piazza Giorgione, di fronte alle mura medievali, hotel con
camere moderne e funzionali. Accesso gratuito a Internet e film in ogni stanza.

🏠 **Al Moretto** senza rist   🔲 🔲 ⚹ 🔲 ⚹/ ⚹ 🔲¹⁾ 🄿 VISA ◎◎ 🄰🄴 ⚓

via San Pio X 10 – ℰ *04 23 72 13 13* – *www.albergoalmoretto.it*
– *albergo.al.moretto@apf.it* – *Fax 04 23 72 10 66*
– *chiuso dal 24 dicembre al 6 gennaio e dall'8 al 20 agosto*
46 cam � – ♦95 € ♦♦130 €
♦ Palazzo del '500, fin dal secolo successivo locanda, oggi offre cura e accoglienza tutte al femminile. Dodici junior suites con materiali tipici dell'artigianato veneto.

🏠 **Alla Torre** senza rist   🔲 ⚹ 🔲 ¹⁾ 🄲🄰 🚗 VISA ◎◎ 🄰🄴 ① ⚓

piazzetta Trento e Trieste 7 – ℰ *04 23 49 87 07* – *www.hotelallatorre.it* – *info@hotelallatorre.it* – *Fax 04 23 49 87 37*
54 cam ⊃ – ♦60/110 € ♦♦90/140 €
♦ Adiacente alla torre civica dell'orologio, un edificio del 1600 le cui camere migliori dispongono di bagni in marmo e pavimenti in parquet; colazione estiva in terrazza.

✗✗ **Alle Mura**   🔲 ⟳ VISA ◎◎ 🄰🄴 ① ⚓

via Preti 69 – ℰ *04 23 49 80 98* – *Fax 04 23 72 14 25*
– *chiuso dal 10 al 30 gennaio, dal 5 al 25 agosto e giovedì*
Rist – Carta 46/64 €
♦ Ambiente raffinato, con quadri, decorazioni e oggetti del Sud-Pacifico, atmosfera e servizio informali in un frequentato ristorante di pesce; servizio estivo in giardino.

a Salvarosa Nord-Est : 3 km – ✉ **31033** – **SALVAROSA**

✗✗ **Barbesin** con cam   🄲🄰 ¹⁾ 🄿 VISA ◎◎ 🄰🄴 ① ⚓

via Montebelluna 41 – ℰ *04 23 49 04 46* – *www.barbesin.it* – *info@barbesin.it*
– *Fax 04 23 49 02 61* – *chiuso dal 27 dicembre all'8 gennaio e dal'8 al 29 agosto*
18 cam ⊃ – ♦45 € ♦♦74 € – ½ P 57 €
Rist – *(chiuso mercoledì sera e giovedì)* Carta 22/38 €
♦ Una vecchia casa totalmente ristrutturata ospita un bel locale di ambientazione signorile, con tocchi di rusticità e di eleganza, che propone i piatti del territorio.

✗✗ **Rino Fior**   🔲 🄲🄰 ⚹ ⟳ 🄿 VISA ◎◎ 🄰🄴 ① ⚓

via Montebelluna 27 – ℰ *04 23 49 04 62* – *www.rinofior.com* – *info@rinofior.com*
– *Fax 04 23 74 40 48* – *chiuso dal 1° al 7 gennaio, dal 4 al 25 agosto, lunedì sera e martedì*
Rist – Carta 25/35 €
♦ Famoso in zona e frequentato da celebrità, soprattutto sportivi, è un ristorante di lunga tradizione familiare e notevole capienza; specialità venete e dehors estivo.

CASTEL GANDOLFO – Roma (RM) – 563Q19 – **8 539 ab.** – alt. 426 m   12 **B2**
– ✉ **00040** Roma

▶ Roma 25 – Anzio 36 – Frosinone 76 – Latina 46
🔲 , ℰ 06 931 23 01

✗✗ **Antico Ristorante Pagnanelli**   < 🔲 VISA ◎◎ 🄰🄴 ① ⚓

via Gramsci 4 – ℰ *069 36 00 04* – *www.pagnanelli.it* – *info@pagnanelli.it*
– *Fax 06 93 02 18 77* – *chiuso martedì a mezzogiorno da giugno a settembre, tutto il giorno negli altri mesi*
Rist – Carta 36/47 € ⁂
♦ Raffinata eleganza, piatti di mare e proposte dai monti nella splendida cornice del lago di Albano; caratteristiche le labirintiche cantine scavate nel tufo, con possibilità di degustazione.

al lago Nord-Est : 4,5 km :

🏠 **Villa degli Angeli** ⚘   < 🔲 🔲 ⊥ ⚘ ⚹⚹ 🄲🄰 ¹⁾ 🔲 🄿

via Spiaggia del Lago 32 ✉ *00040 Castel Gandolfo*   VISA ◎◎ 🄰🄴 ① ⚓
– ℰ *06 93 66 82 41* – *www.villadegliangeli.com* – *hotelvilladegliangeli@virgilio.it*
– *Fax 06 93 66 82 51*
37 cam ⊃ – ♦75/150 € ♦♦90/200 € – ½ P 80/135 €   **Rist** – Carta 33/67 €
♦ Avvolto dal verde del parco dei Castelli, al limitare della strada che costeggia il lago, la struttura si contraddistingue per la tranquillità del luogo e le confortevoli camere dall'arredo contemporaneo. La cucina della villa vi attende in sala da pranzo o sulla splendida terrazza panoramica.

CASTEL GUELFO DI BOLOGNA – Bologna (BO) – 562I17   9 C2
– 3 620 ab. – alt. 32 m – ⊠ 40023

▶ Roma 404 – Bologna 28 – Ferrara 74 – Firenze 136

XXX **Locanda Solarola** con cam ॐ   ⌂ 🏊 AC 🐾 rist, 📶 P
🌸 *via Santa Croce 5, Ovest : 7 km –* 📞 *05 42 67 01 02*   VISA ⓜⓞ AE ① ♿
– *www.locandasolarola.it – info@locandasolarola.it – Fax 05 42 67 02 22*
15 cam ☞ – †90/120 € †† 150/170 € – ½ P 120/130 €
Rist – *(chiuso lunedì, martedì a mezzogiorno)* Carta 63/81 € ❀
Spec. Sandwich di foie gras, nespole e pane speziato (primavera). Risotto alla
puttanesca. Coscia d'oca laccata al nocino con crema di mele e cipolla.
♦ Si respira un'atmosfera elegante, dal sapore inglese, in questa casa di campagna. In
sala le emozioni si spostano verso una tradizione che si reinventa in ogni piatto. Mobili,
oggetti e tappeti d'epoca arredano le camere, ciascuna intitolata ad un fiore.

CASTELLABATE – Salerno (SA) – 564G26 – 7 892 ab. – alt. 278 m   7 C3
– ⊠ 84048

▶ Roma 328 – Potenza 126 – Agropoli 13 – Napoli 122

⌂ **La Mola**   ≼ ⌂ 🐾 rist, VISA ⓜⓞ AE ① ♿
via A. Cilento 2 – 📞 *09 74 96 70 53 – www.lamola-it.com – lamola@*
lamola-it.com – Fax 09 74 96 77 14 – marzo-ottobre
6 cam ☞ – †90/100 € †† 114/120 € – ½ P 90 €
Rist – *(chiuso a mezzogiorno) (solo per alloggiati)* Menu 40/55 €
♦ E' stupenda la vista del mare e della costa che si gode, magari facendo colazione,
dalla terrazza di questo antico palazzo ristrutturato, con spaziose camere curate.

a San Marco Sud-Ovest : 5 km – ⊠ 84071

⌂ **Giacaranda** ॐ   🚗 ⌂ XX AC cam, 🐾 🐾 P VISA ⓜⓞ AE ① ♿
contrada Cenito, Sud : 1 km – 📞 *09 74 96 61 30 – www.giacaranda.it*
– ilsoleintasca@alice.it – marzo-ottobre
4 cam ☞ – †55/70 € †† 80/110 € – 1 suite
Rist – *(chiuso a mezzogiorno)* (prenotazione obbligatoria) Menu 30 €
♦ Prende il nome da una pianta del suo giardino questa casa ricca di charme: tra il
verde della campagna, coccolati dalle mille attenzioni delle proprietarie, che si occupano
direttamente anche della cucina. Iniziative culturali.

a Santa Maria Nord-Ovest : 5 km – ⊠ 84072

🏨 **Palazzo Belmonte**   ≼ 🐾 ⌂ 🏊 AC cam, 🐾 🐾 🛁 P VISA ⓜⓞ AE ♿
via Flavio Gioia 25 – 📞 *09 74 96 02 11 – www.palazzobelmonte.com – info@*
palazzobelmonte.com – Fax 09 74 96 11 50 – 10 maggio-1° novembre
48 cam ☞ – †135/175 € †† 180/260 € – 5 suites – ½ P 135/175 €
Rist – Carta 38/51 € (+10 %)
♦ La dimora di caccia venne trasformata in hotel esclusivo e lussuoso da un erede della
famiglia nobiliare proprietaria della struttura. Elegante nel suo stile mediterraneo offre
una posizione incantevole: tra il parco e il mare.

🏨 **Villa Sirio**   ≼ ⌂ 📶 AC 🐾 P VISA ⓜⓞ AE ① ♿
via lungomare De Simone 15 – 📞 *09 74 96 01 62 – www.villasirio.it – info@*
villasirio.it – Fax 09 74 96 05 07 – 19 marzo-3 novembre
15 cam ☞ – †190/220 € †† 210/280 € – ½ P 130/165 €
Rist Da Andrea – 📞 *09 74 96 10 99 (chiuso a mezzogiorno escluso da giugno a*
settembre) Carta 26/49 € (+15 %)
♦ Una casa padronale dei primi del '900 nel centro storico, ma direttamente sul mare,
dai raffinati interni in stile classico; belle, luminose e confortevoli le camere. Ristorante
di tono elegante.

XX **La Taverna del Pescatore**   ⌂ ⌂ P VISA ⓜⓞ AE ① ♿
via Lamia – 📞 *09 74 96 82 93 – Fax 09 74 96 82 93 – marzo-novembre; chiuso*
lunedì (escluso da luglio al 15 settembre) e a mezzogiorno da lunedì a venerdì in
luglio e agosto
Rist – Carta 34/47 € (+10 %)
♦ La moglie in cucina e il marito in sala a proporvi le loro specialità di mare, secondo il
pescato giornaliero, in un raccolto locale ben arredato, con grazioso dehors estivo.

XX **I Due Fratelli** ≼ 🏠 💥 P VISA ⑥⑤ AE ① ⑤
*via Sant'Andrea, Nord : 1,5 km – 𝒞 09 74 96 80 04 – iduefratelli1945@libero.it
– Fax 09 74 96 80 04 – chiuso mercoledì escluso dal 15 giugno al 15 settembre*
Rist – Carta 27/39 € (+10 %)
♦ I "due fratelli" in questione gestiscono da molti anni questo piacevole ristorante di ambiente moderno; piatti campani per lo più di pesce e pizze il fine settimana.

CASTELLAMMARE DEL GOLFO – Trapani – 565M20 – **Vedere Sicilia alla fine dell'elenco alfabetico**

CASTELLAMMARE DI STABIA – Napoli (NA) – 564E25 – **66 339 ab.**   6 B2
– ✉ **80053** ▌ Italia

▶ Roma 238 – Napoli 31 – Avellino 50 – Caserta 55
🛈 piazza Matteotti 34/35 𝒞 081 8711334, stabiae@intfree.it, Fax 081 8711334
◉ Antiquarium ★
🖾 Scavi di Pompei★★★ Nord : 5 km – Monte Faito★★ : ✳★★★ dal belvedere dei Capi e ✳★★★ dalla cappella di San Michele (strada a pedaggio)

🏠 **Grand Hotel la Medusa** ⚘   ≼ 🗄 🏠 ⅄ ⅃₆ 🔊 📓 💥 📞 ⚖ P
via passeggiata Archeologica 5 – 𝒞 08 18 72 33 83   VISA ⑥⑤ AE ① ⑤
– www.lamedusahotel.com – info@lamedusahotel.com – Fax 08 18 71 70 09
49 cam ⚼ – ♦90/180 € ♦♦140/240 € – 3 suites – ½ P 155 €
Rist – *(aprile-dicembre)* Carta 43/68 €
♦ In un vasto e curato giardino-agrumeto sorge questa villa ottocentesca che ha conservato anche nei raffinati interni lo stile e l'atmosfera del suo tempo. Un piccolo Eden! Lo stesso romantico ambiente "fin de siècle" si ritrova anche nel ristorante.

sulla Strada Statale 145 Sorrentina km 11 Ovest : 4 km :

🏨 **Crowne Plaza Stabiae Sorrento Coast** ⚘   ≼ 🏠 ⅄ ⑨⑨ 🐎
località Pozzano   ⅃₆ 🔊 & 📓 💥 rist, 🞯¹ ⚖ 🚗 VISA ⑥⑤ AE ① ⑤
*– 𝒞 08 13 94 67 00 – www.sorrentocoasthotel.com – info@
sorrentocoasthotel.com – Fax 08 13 94 67 70*
150 cam – ♦58/200 € ♦♦73/450 €, ⚼ 13 € – 7 suites – ½ P 260 €
Rist Gouache – 𝒞 08 13 94 67 23 (consigliata la prenotazione) Carta 35/80 €
♦ Struttura curiosa, un ex cementificio convertito in hotel, dallo stile decisamente moderno. In riva al mare, camere al passo coi tempi nel design come negli accessori. Possibilità di consumare un piccolo pranzo a bordo piscina e, nelle calde sere d'estate, cena in terrazza con meravigliosa vista sul golfo.

CASTELL' APERTOLE – Vercelli – **Vedere Livorno Ferraris**

CASTELLARO LAGUSELLO – Mantova – 561F13 – **Vedere Monzambano**

CASTELL'ARQUATO – Piacenza (PC) – 562H11 – **4 581 ab.**   8 A2
– alt. 225 m – ✉ 29014

▶ Roma 495 – Piacenza 34 – Bologna 134 – Cremona 39
🛈 via Dante 27 𝒞 0523 803091, iat@castellarquato.com, Fax 0523 803091
🖾₁₈, 𝒞 0523 89 55 57

XX **Maps**   🏠 💥 VISA ⑥⑤ AE ① ⑤
piazza Europa 3 – 𝒞 05 23 80 44 11 – Fax 05 23 80 30 31 – chiuso dal 7 al 20 gennaio, dal 2 al 18 luglio, lunedì e martedì
Rist – Carta 36/56 €
♦ Una collezione di quadri di artisti locali arredano il locale, ricavato in un vecchio mulino ristrutturato. Piccole salette moderne e servizio estivo all'aperto per una cucina di ispirazione contemporanea.

X **La Rocca-da Franco** ≼ AK VISA ⚫ AE ⓪ 🔥
*piazza del Municipio – ℰ 05 23 80 51 54 – www.larocca1964.it – info@
larocca1964.it – Fax 05 23 80 60 26 – chiuso febbraio, dal 15 al 31 luglio e
mercoledì*
Rist – (consigliata la prenotazione) Carta 28/37 €
♦ Nel cuore del centro storico, accolto tra i maggiori monumenti della piazza, il ristorante offre una bella vista sulla campagna; la cucina proposta è semplice e fatta in casa.

X **Da Faccini** 🏠 P VISA ⚫ AE ⓪ 🔥
*località Sant'Antonio, Nord : 3 km – ℰ 05 23 89 63 40 – Fax 05 23 89 64 70
– chiuso dal 20 al 30 gennaio, una settimana in luglio e mercoledì*
Rist – Carta 25/35 €
♦ Lunga tradizione familiare per questa tipica trattoria, che unisce alle proposte classiche piatti più fantasiosi, stagionali. Una piccola elegante sala riscaldata dal caminetto e
una attrezzata per i fumatori.

CASTELLETTO DI BRENZONE – Verona – 561E14 – Vedere Brenzone

CASTELLINA IN CHIANTI – Siena (SI) – 563L15 – **2 776 ab.** 29 **D1**
– **alt. 578 m** – ✉ 53011

▶ Roma 251 – Firenze 61 – Siena 24 – Arezzo 67

🏨 **Villa Casalecchi** 🌿 ≼ 🛋 🏊 🏠 🛠 AK 🍽 rist, P
località Casalecchi, Sud : 1 km – ℰ 05 77 74 02 40 VISA ⚫ AE ⓪ 🔥
*– www.villacasalecchi.it – info@villacasalecchi.it – Fax 05 77 74 11 11 – marzo-
novembre*
19 cam ⬭ – †100/150 € ††150/245 € **Rist** – (chiuso martedì) Carta 34/47 €
♦ Ideale per chi è in cerca di un'atmosfera toscana "nobiliare", villa ottocentesca
immersa in un parco secolare, circondata dai vigneti; begli arredi in stile. Affreschi alle
pareti della raffinata sala ristorante; cucina del territorio.

🏨 **Palazzo Squarcialupi** senza rist ≼ 🛠 🎷 🛋 🛗 AK 🛜 P
via Ferruccio 22 – ℰ 05 77 74 11 86 VISA ⚫ AE ⓪ 🔥
*– www.palazzosquarcialupi.com – info@palazzosquarcialupi.com
– Fax 05 77 74 03 86 – 15 marzo-ottobre*
17 cam ⬭ – †98/145 € ††105/160 €
♦ Nel centro della località, un tipico palazzo del '400 ricco di decorazioni e arredi
d'epoca sia negli spazi comuni che nelle ampie camere. Piacevole giardino con piscina.

🏡 **Salivolpi** senza rist 🛋 🛠 🍽 P VISA ⚫ AE 🔥
*via Fiorentina 89, Nord-Est : 1 km – ℰ 05 77 74 04 84 – www.hotelsalivolpi.com
– info@hotelsalivolpi.com – Fax 05 77 74 09 98 – chiuso da gennaio a marzo*
19 cam – ††78/98 €, ⬭ 5 €
♦ Il vostro sguardo potrà spaziare sui colli che circondano questa antica casa rustica
ristrutturata: piacevoli interni con arredi in legno e giardino con piscina.

🏠 **Villa Cristina** senza rist 🛋 🛠 P VISA ⚫ 🔥
😊 *via Fiorentina 34 – ℰ 05 77 74 11 66 – www.villacristina.it – info@villacristina.it
– Fax 05 77 74 29 36*
5 cam ⬭ – †57 € ††78 €
♦ Un villino d'inizio Novecento con un piccolo giardino, spazi comuni limitati, ma
camere gradevoli, soprattutto nella torretta. In complesso un buon rapporto qualità/
prezzo.

XX **Albergaccio di Castellina** (Sonia Visman) 🏠 🛠 ♻ P
🌸 *via Fiorentina 63 – ℰ 05 77 74 10 42* VISA ⚫ AE 🔥
*– www.albergacciocast.com – posta@albergacciocast.com – Fax 05 77 74 12 50
– chiuso mercoledì a mezzogiorno e domenica*
Rist – Carta 46/65 €
Spec. Tartara di maiale cinto su galletta di farro, insalata d'erbette e uovo di
quaglia. Lasagnette con sugo d'agnello, verza stufata e gratin di zabaione
profumato al vin santo. Animelle di vitello con mele francesche appassite su
testaroli di castagne (autunno).
♦ All'interno di un rustico in pietra e legno, la gestione familiare apre la cucina toscana
verso piatti più fantasiosi senza tradire la sapidità e i prodotti regionali.

XX **Al Gallopapa**   🏠 ⬅ AC VISA ⦿ AE ⬧
🌸 *via delle Volte 14/16 – ℰ 05 77 74 29 39 – www.gallopapa.com – tiziano@*
    gallopapa.com – Fax 05 77 74 29 39 – chiuso 15 giorni in gennaio, 15 giorni in
    novembre e lunedì
    Rist – Menu 63/75 € 🍴
    Spec. Caciucco di funghi con croissant alla cannella. Gnocchi di barbe rosse,
    fonduta di pecorino di fossa e ragù di carni bianche. Il piccione: petto con le
    fave di cacao e coscia con bietole.
    ◆ Suggestivo ingresso lungo un camminamento coperto, siamo nelle vecchie mura del
    paese. Gestione brillante e tovagliato all'americana, cucina innovativa dalle complesse
    elaborazioni.

a Tregole Sud : 6 km – ⊠ 53011 – **Castellina in Chianti**

⌂ **Fattoria Tregole** senza rist 🌿   ⬅ 🚗 🌊 P VISA ⦿ ⬧
   località Tregole 86 – ℰ 05 77 74 09 91 – www.fattoria-tregole.com
   – fattoria-tregole@castellina.com – Fax 05 77 74 19 28 – marzo-15 novembre
   5 cam ⊊ – †115 € ††150 €
   ◆ Come in una fiaba, l'eleganza dettata da vivaci e luminose tinte di colore, un panorama mozzafiato e, per colazione, fragranti e golosi dolci fatti in casa. Coccolati dalla
   natura e dalla poesia!

a San Leonino Sud : 8 km – ⊠ 53011 – **Castellina in Chianti**

🏠 **Belvedere di San Leonino**   🚗 🌊 🌿 🚻 P VISA ⦿ AE ⬧
   – ℰ 05 77 74 08 87 – www.hotelsanleonino.com – info@hotelsanleonino.com
   – Fax 05 77 74 09 24 – aprile-ottobre
   29 cam ⊊ – ††78/156 € – ½ P 64/103 €
   Rist – *(chiuso a mezzogiorno) (solo per alloggiati)* Menu 25/45 €
   ◆ Conserva l'atmosfera ed i caratteri originali questa antica casa colonica trasformata in
   un confortevole albergo; arredi in legno e travi a vista nelle camere.

sulla strada regionale 222 al Km 51 Sud : 8 km :

🏠 **Casafrassi** 🌿   🚗 🎐 🌊 🌊 🌿 🛎 ⬅ cam, ✳ AC 🌿 rist, 🕭 P
   località Casafrassi – ℰ 05 77 74 06 21 – www.casafrassi.it   VISA ⦿ AE ⬧
   – info@casafrassi.it – Fax 05 77 74 08 05 – aprile-ottobre
   25 cam ⊊ – †100/140 € ††120/180 €
   Rist – *(maggio-ottobre) (chiuso a mezzogiorno)* Carta 26/52 €
   ◆ Immersa in un parco, all'interno della tenuta agricola, un'oasi di silenzio ingentilita
   dalla villa nobiliare del Settecento. Camere signorili, confort in stile country. Il ristorante
   propone le specialità del territorio.

a Piazza Nord : 10 km – ⊠ 53011

⌂ **Fattoria Poggio al Sorbo** senza rist 🌿   ⬅ 🚗 🌊 🌿 P
   località Poggio al Sorbo 48, Ovest : 1 km   VISA ⦿ AE ⬧
   – ℰ 05 77 74 97 31 – www.poggioalsorbo.it – info@poggioalsorbo.it
   – Fax 05 77 73 36 40 – marzo-novembre
   1 cam ⊊ – †120 € – 4 suites – ††150/300 €
   ◆ Il verde delle dolci colline del Chianti avvolge gli ampi eleganti ambienti della fattoria.
   Nella bella stagione la colazione è servita direttamente nella suggestiva piazzetta del
   borgo trecentesco.

CASTELLINALDO – Cuneo (CN) – 561H6 – 861 ab. – alt. 312 m   25 **C2**
– ⊠ 12050
       ▶ Roma 615 – Torino 57 – Alessandria 63 – Asti 27

⌂ **Il Borgo** senza rist 🌿   ⬅ 🌿 P VISA ⦿ AE ⬧ ⬧
🍴 *via Trento 2 – ℰ 01 73 21 40 17 – www.ilborgoagriturismo.it*
   – agriturismoilborgo@tiscali.it – Fax 01 73 21 40 17
   – chiuso dal 23 al 27 dicembre
   5 cam ⊊ – †50/55 € ††70/80 €
   ◆ Edificio splendidamente restaurato la cui storia si confonde e si intreccia con quella
   del castello del XII sec. distante pochi passi. Camere spaziose, ognuna delle quali contraddistinta dal nome di un vino locale.

CASTELLINA MARITTIMA – Pisa (PI) – 563L13 – **1 871 ab.**   28 **B2**
– alt. 375 m – ✉ 56040
- ▶ Roma 308 – Pisa 49 – Firenze 105 – Livorno 40
- 🄸 (stagionale) piazza Giaconi 13 ☎ 050 695001

🏠 **Il Poggetto** ⌖   ⟨ 🚗 🏠 🎿 ❀ 👬 AK rist, 🍴 **P** _VISA_ ◑◐ AE ⟵
via dei Giardini 1 – ☎ 050 69 52 05 – www.ilpoggetto.it – info@ilpoggetto.it
– Fax 050 69 52 46 – chiuso gennaio
31 cam – ♦44/54 € ♦♦72/77 €, ⊑ 8 € – ½ P 52/57 €
Rist (chiuso domenica sera e lunedì escluso da luglio a settembre) Carta 26/38 €
♦ Ideale per le famiglie, è una struttura a gestione familiare ubicata in posizione rilassante tra il verde dei boschi e dispone di camere semplici e ordinate. Accogliente sala ristorante di tono rustico.

CASTELLO – Pavia – Vedere Santa Giulietta

CASTELLO DI BRIANZA – Lecco (LC) – 561E10 – **2 081 ab.**   18 **B1**
– alt. 394 m – ✉ 23884
- ▶ Roma 598 – Como 26 – Bergamo 35 – Lecco 14

❌❌ **La Piana**   AK 🍴 _VISA_ ◑◐ AE ⟵
via San Lorenzo 1, località Brianzola, Nord-Est : 1 km – ☎ 03 95 31 15 53
– www.ristorantelapiana.it – info@ristorantelapiana.it – Fax 03 95 31 15 53
chiuso dal 1° al 15 gennaio, dal 15 al 30 giugno, lunedì e martedì a mezzogiorno
Rist – Menu 40 € – Carta 25/40 € 🍃
♦ Ricavato da una vecchia stalla totalmente ristrutturata, un bel locale classico, dove un giovane chef propone una cucina di fantasia legata ai prodotti stagionali.

CASTELLO DI GODEGO – Treviso (TV) – 6 517 ab. – ✉ 31030   36 **C2**
🏠 **Locanda al Sole**   🕮 ⚹ AK 🍴 📶 **P** 🚗 _VISA_ ◑◐ AE ⓞ ⟵
via San Pietro 1 – ☎ 04 23 76 04 50 – www.locandaalsole.it – info@
locandaalsole.it – Fax 04 23 76 83 99
20 cam ⊑ – ♦42/50 € ♦♦62/70 € – ½ P 51/60 €
Rist – (chiuso a mezzogiorno escluso i giorni festivi) Carta 25/37 €
♦ L'attenta ristrutturazione e l'ampliamento di un'antica locanda ha dato vita ad un albergo "moderno" in quanto a confort, ma nostalgicamente "antico" per quanto concerne l'atmosfera di schietta e tipica ospitalità veneta. Il ristorante vi aspetta con i suoi piatti regionali, rivisitati con maestria.

CASTELLO MOLINA DI FIEMME – Trento (TN) – 562D16   31 **D3**
– 2 150 ab. – alt. 963 m – Sport invernali : Vedere Cavalese – ✉ 38030
- ▶ Roma 645 – Bolzano 41 – Trento 64 – Belluno 95
- 🄸 (dicembre-aprile e giugno-settembre) via Roma 38 ☎ 0462 231019

🏠 **Los Andes**   ⟨ 🚗 🖬 🎿 🛋 ⚹ cam, 👬 AK rist, 📶 **P** _VISA_ ◑◐ ⓞ ⟵
𝄃𝄃 via Dolomiti 5 – ☎ 04 62 34 00 98 – www.los-andes.it – info@los-andes.it
– Fax 04 62 34 22 30 – 21 dicembre-18 aprile e 19 giugno-15 ottobre
51 cam ⊑ – ♦45/70 € ♦♦70/120 € – 2 suites – ½ P 45/75 €
Rist – (solo per alloggiati) Menu 20/35 €
♦ In posizione tranquilla, risorsa in stile contemporaneo con tocchi rustici come nella caratteristica taverna; ampia piscina coperta e piccolo giardino pensile.

CASTEL MAGGIORE – Bologna (BO) – 562I16 – **15 613 ab.** – alt. 20 m   9 **C3**
– ✉ 40013
- ▶ Roma 387 – Bologna 10 – Ferrara 38 – Milano 214

🏠 **Olimpic**   𝄃𝄃 AK 📶 🛁 **P** 🚗 _VISA_ ◑◐ AE ⓞ ⟵
𝄃𝄃 via Galliera 23 – ☎ 051 70 08 61 – www.hotelolimpicbologna.com
– hotelolimpic@libero.it – Fax 051 70 07 76
62 cam ⊑ – ♦50/60 € ♦♦67/80 € – ½ P 60/70 €
Rist – (chiuso agosto e domenica) Carta 18/26 €
♦ Facilmente raggiungibile dall'aeroporto e dalla stazione di Bologna, un albergo semplice caratterizzato da pavimenti con piastrelle policrome nelle camere. Capiente e classica sala ristorante con vetrate e colonne. Apprezzata cucina emiliana.

✗ **Alla Scuderia** 🆎 🕸 🅿 🆅🅸🆂🅰 ⓸ 🅰🅴 ⓞ ⛟

*località Castello, Est : 1,5 km – 𝒞 051 71 33 02 – www.italiadiscovery.it/bo/
lascuderia – scuderia88@libero.it – Fax 051 71 33 02 – chiuso dal 26 dicembre al
6 gennaio, dal 6 al 27 agosto, sabato a mezzogiorno e domenica*
Rist – Carta 28/42 €
♦ Una scuderia del '700 riconvertita in ristorante conserva intatto il suo fascino; sotto le
alte volte in mattoni gusterete una cucina fedele alle tradizioni emiliane.

a Trebbo di Reno Sud-Ovest : 6 km – ✉ 40013

🏠 **Antica Locanda il Sole** 🛗 ♿ 🆎 🅿 🆅🅸🆂🅰 ⓸ 🅰🅴 ⓞ ⛟

*via Lame 65 – 𝒞 05 16 32 53 81 – www.hotelilsole.com – info@hotelilsole.com
– Fax 051 70 22 52 – chiuso dal 23 dicembre al 9 gennaio e due settimane in
agosto*
23 cam � – †70/190 € ††90/190 €
Rist Il Sole – vedere selezione ristoranti
♦ Un'antica stazione di posta ristrutturata nel colore rosso vivo dell'architettura bolognese; camere semplici, tutte con parquet alcune mansardate.

✗✗✗ **Il Sole** (Marcello e Gianluca Leoni) – Antica Locanda il Sole 🏠 🆎 ⟳ 🅿
🕸 *via Lame 67 – 𝒞 051 70 01 02 – www.fratellileoni.it* 🆅🅸🆂🅰 ⓸ 🅰🅴 ⓞ ⛟
*– ristoranteilsole@libero.it – Fax 051 70 02 90 – chiuso sabato a mezzogiorno e
domenica*
Rist – Menu 60/95 € – Carta 66/114 € 🍴
Spec. Cannocchie al vapore con gelato di ostriche in salsa di ostriche. Tagliatelle al ragù di germano in salsa di fegato d'oca. Merluzzo nero caramellato
con caviale e rape.
♦ Due fratelli, chef di talento, si esibiscono in originali creazioni ispirate ad una cucina
fusion; di anno in anno il locale si fa più elegante, pur mantenendo un ambiente caldo
e familiare.

CASTELMEZZANO – Potenza (PZ) – 564F30 – **944 ab.** – **alt. 890 m**   3 B2
– ✉ 85010
▶ Roma 418 – Potenza 65 – Matera 107

✗ **Al Becco della Civetta** con cam 🦢 🆎 🕸 🗥 🆅🅸🆂🅰 ⓸ 🅰🅴 ⛟
🅎 *vico I Maglietta 7 – 𝒞 09 71 98 62 49 – www.beccodellacivetta.it – info@
🆎 beccodellacivetta.it – Fax 09 71 98 62 49*
24 cam – †55/60 € ††80/100 €, ⊇ 10 €
Rist – (chiuso martedì) Carta 19/29 €
♦ E' la vera celebrità di questo paesino, isolato tra le suggestive "Dolomiti Lucane". Ad
occuparsi della cucina è la moglie che con passione fa rivivere le ricette delle sue muse:
mamma e nonna. Dalle finestre delle camere apprezzerete la maestosa scenografia
naturale; all'interno, tranquillità e calorosa accoglienza.

CASTELNOVO DI BAGANZOLA – Parma – Vedere Parma

CASTELNOVO DI SOTTO – Reggio Emilia (RE) – 562H13 – **8 198 ab.**   8 B3
– alt. 27 m – ✉ 42024
▶ Roma 440 – Parma 26 – Bologna 78 – Mantova 56

🏨 **Poli** ⛾ 🛗 ♿ 🆎 🕸 🅶 🅿 🆅🅸🆂🅰 ⓸ 🅰🅴 ⓞ ⛟

*via Puccini 1 – 𝒞 05 22 68 31 68 – www.hotelpoli.it – hotelpoli@hotelpoli.it
– Fax 05 22 68 37 74 – chiuso dal 7 al 21 agosto*
53 cam ⊇ – †80 € ††120 €
Rist Poli-alla Stazione – vedere selezione ristoranti
♦ Ottima gestione familiare: l'accogliente struttura viene costantemente migliorata per
garantire il miglior confort nelle spaziose camere; al di là della strada, la piscina.

✗✗✗ **Poli-alla Stazione** – Hotel Poli 🏠 ⛾ 🆎 🕸 🅿 🆅🅸🆂🅰 ⓸ 🅰🅴 ⓞ ⛟
*viale della Repubblica 10 – 𝒞 05 22 68 23 42 – www.hotelpoli.it – hotelpoli@
hotelpoli.it – Fax 05 22 68 37 74 – chiuso agosto, domenica sera e lunedì*
Rist – Carta 33/71 € 🍴
♦ Oltrepassata la promettente esposizione di antipasti e la griglia, vi accomoderete in due
ariose sale di tono elegante o nella gradevole terrazza estiva; cucina di terra e di mare.

CASTELNOVO NE' MONTI – Reggio Emilia (RE) – 562I13   8 **B2**
– 10 414 ab. – alt. 700 m – ⊠ 42035

▶ Roma 470 – Parma 58 – Bologna 108 – Milano 180
🛈 via Roma 33/c ✆ 0522 810430, reappennino@reappennino.it, Fax 0522 812313

⚒   **Locanda da Cines** con cam   ⏚ 🎶 **P** 𝗩𝗜𝗦𝗔 ◉ ⛝

😊   *piazzale Rovereto 2 – ✆ 05 22 81 24 62 – www.locandadacines.it – info@*
locandadacines.it – Fax 05 22 81 24 62 – chiuso dal 1° al 15 gennaio
10 cam – 🛏40/45 € 🛏🛏75/80 €, � 5 € – ½ P 54/58 €
Rist – *(chiuso sabato)* (consigliata la prenotazione) Carta 27/31 €
♦ I piatti del giorno, esposti a voce, esplorano i segreti e le tradizioni conservati nel
verde dell'Appennino. Calorosa gestione familiare in un piccolo ristorante di tono rustico
e moderno. I boschi dei dintorni e la salubre aria di montagna garantiscono tranquillità
e quiete anche al vostro riposo.

CASTELNUOVO – Padova – 562G17 – **Vedere Teolo**

CASTELNUOVO BERARDENGA – Siena (SI) – 563L16 – **7 767 ab.**   29 **C2**
– alt. 351 m – ⊠ 53019▮ Toscana

▶ Roma 215 – Siena 19 – Arezzo 50 – Perugia 93
🛈 via del Chianti 61 ✆ 0577 355500, Fax 0577 355500

🏨🏨🏨   **Relais Borgo San Felice** 🦢   ⟨ ⏚ 🍴 ⏚ 🔥 🍽 🅰🅲 🍴 rist, 🎶 🏋
località San Felice, Nord-Ovest : 10 km   **P** 𝗩𝗜𝗦𝗔 ◉ 🅰🅴 ◑ ⛝
– ✆ 05 77 39 64 – www.borgosanfelice.com – info@borgosanfelice.it
– Fax 05 77 35 90 89 – marzo-ottobre
37 cam � – 🛏230/358 € 🛏🛏330/385 € – 6 suites – ½ P 240/268 €
Rist – Carta 70/94 €
♦ All'interno di un borgo con edifici in pietra, abbracciato da un giardino con piscina e
campi da golf, la risorsa dispone di camere sobrie negli arredi ed ampie sale comuni. Un
ambiente elegante dove farsi servire pietanze dai sapori toscani.

🏨🏨🏨   **Le Fontanelle** 🦢   ⟨ ⏚ 🍴 ⏚ 🔅 🪟 🔥 📶 ⏚ 🅲 🅰🅲 🍴 rist, 📞 **P** 🚗
località Fontanelle di Pianella, Nord-Ovest : 20 km   𝗩𝗜𝗦𝗔 ◉ 🅰🅴 ⛝
– ✆ 057 73 57 51 – www.hotelfontanelle.com – info@hotelfontanelle.com
– Fax 05 77 35 75 55 – 15 marzo-ottobre
20 cam � – 🛏333 € 🛏🛏363/594 € – 5 suites – ½ P 252/367 €
Rist *La Colonna* – Carta 58/98 €
♦ In posizione dominante e tranquilla, suggestivo borgo agricolo "scolpito" nella pietra
con rilassante vista sui dintorni. Interni raffinati, pur mantenendo un certo *coté* rustico.

🏨🏨   **Villa Curina Resort** 🦢   ⟨ ⏚ 🍴 🍽 🅰🅲 🍴 🎶 **P**
strada provinciale 62, località Curina   𝗩𝗜𝗦𝗔 ◉ 🅰🅴 ◑ ⛝
– ✆ 05 77 35 56 30 – www.villacurina.it – info@villacurina.it – Fax 05 77 35 56 10
– chiuso dal 15 gennaio al 15 febbraio
28 cam � – 🛏132/149 € 🛏🛏155/175 € – 3 suites
Rist – *(chiuso mercoledì)* Carta 34/52 €
♦ Un complesso immerso nella tranquillità delle colline, dispone di confortevoli camere
e suite arredate con mobili d'epoca ed un terrazzo solarium con piscina. La caratteristica
e pittoresca sala ristorante, offre la possibilità di gustare piatti regionali.

⚒⚒   **La Bottega del 30** (Helene Stoquelet)   🍴 🍴 𝗩𝗜𝗦𝗔 ◉ 🅰🅴 ◑ ⛝

🌸   *via Santa Caterina 2, località Villa a Sesta, Nord : 5 km – ✆ 05 77 35 92 26*
– www.labottegadel30.it – sonia@labottegadel30.it – Fax 05 77 35 92 26
– chiuso martedì e mercoledì
Rist – *(chiuso a mezzogiorno escluso i giorni festivi)* Menu 60/65 €
– Carta 55/71 €
Spec. Carpaccio di fegatelli di cinta senese al finocchietto selvatico con insalatina di campo. Spaghetti impastati con Chianti classico, salsa di burro, noce
moscata e salvia. Millefoglie di stinco di vitello chianino con vellutata di verdure e porri fritti.
♦ Il caratteristico borgo in pietra varrebbe già la visita, ma il suo gioiello è il ristorante,
grondante di decorazioni come una bottega e con romantico dehors estivo.

a San Gusmè Nord: 5 km – ⊠ 53010

✕✕   **La Porta del Chianti**   🏠 ⅃ ♿ ✂ 🅥🅢🅐 ⓪⓪ 🅐🅔 ⑤

piazza Castelli 10 – ℰ 05 77 35 80 10 – www.laportadelchianti.com – info@ laportadelchianti.com – Fax 05 77 35 89 07
Rist *– (chiuso domenica)* (consigliata la prenotazione) Carta 26/39 €
♦ Una squisita cucina della tradizione che rievoca sapori antichi, nel cuore del piccolo e suggestivo borgo di San Gusmé, all'interno di un vecchio caseggiato del '600.

a Colonna del Grillo Sud-Est : 5 km – ⊠ 53019 – Castelnuovo Berardenga

🏠   **Posta del Chianti**   🛋 🏠 ♿ 🅿 🅥🅢🅐 ⓪⓪ ⑤

– ℰ 05 77 35 30 00 – www.postadelchianti.it – info@postadelchianti.it
– Fax 05 77 35 30 50 – chiuso dal 6 gennaio al 5 febbraio
20 cam ⊃ – ♦60/90 € ♦♦75/110 € – 1 suite – ½ P 65/80 €
Rist *Hostaria Molino del Grillo* – ℰ 05 77 35 30 51 *(chiuso martedì)*
Carta 23/36 €
♦ Un piccolo e tranquillo albergo a conduzione familiare circondato dalle panoramiche colline senesi, dotato di camere arredate in modo semplice ed ampie aree comuni. Soffitti di legno, pavimenti in cotto e cucina regionale al ristorante.

CASTELNUOVO CALCEA – Asti (AT) – 561H6 – 788 ab. – alt. 246 m   25 D2
– ⊠ 14040

▶ Roma 590 – Alessandria 39 – Asti 23 – Milano 126

🏠   **Agriturismo La Mussia** 🦢   ⅃ ♿ ✂ rist, 🅿 🅥🅢🅐 ⓪⓪ ⑤
ⓖⓢ
regione Opessina 4, Sud : 1,5 km – ℰ 01 41 95 72 01 – www.lamussia.it – info@ lamussia.it – Fax 01 41 95 72 01 – chiuso gennaio
10 cam ⊃ – ♦40/50 € ♦♦65/85 € – ½ P 50/65 €
Rist *– (chiuso a mezzogiorno) (solo per alloggiati)* Menu 20 €
♦ Una vera fattoria con camere semplici, alcune persino spartane, a prezzi contenuti e corretti. La vita si svolge intorno ad una grande aia.

CASTELNUOVO CILENTO – Salerno (SA) – 564G27 – 2 295 ab.   7 C3
– alt. 285 m – ⊠ 84040

▶ Roma 344 – Potenza 132 – Napoli 134 – Salerno 83

🔳   **La Palazzina**   🔊 🏠 🅰🅒 ⅃ 🅿 🅥🅢🅐 ⓪⓪ 🅐🅔 ⓞ ⑤
ⓖⓢ
via contrada Coppola 41, Casal Velino Scalo Sud-Ovest : 8 km
– ℰ 097 46 28 80 – www.hotellapalazzina.it – info@hotellapalazzina.it
– Fax 097 46 21 09
12 cam ⊃ – ♦40/60 € ♦♦80/120 € – 4 suites – ½ P 50/80 €
Rist *– (chiuso lunedì escluso da giugno ad ottobre)* Carta 19/35 € (+10 %)
♦ Poco distante dal lago artificiale, l'hotel è stato ricavato in seguito allo scrupoloso restauro di una villa settecentesca ed offre confortevoli ambienti con arredi d'epoca. Prodotti tipici e di stagione presso la caratteristica sala da pranzo.

CASTELNUOVO DEL GARDA – Verona (VR) – 562F14 – 9 297 ab.   35 A3
– alt. 130 m – ⊠ 37014

▶ Roma 520 – Verona 19 – Brescia 51 – Mantova 46

✕✕   **Il Nido delle Cicogne**   🏠 ♿ ⇆ 🅿 🅥🅢🅐

via Dosso 18 , Nord-Ovest : 2 km ⊠ 37010 Sandrà – ℰ 04 57 59 51 98
– www.nidodellecicogne.it – info@nidodellecicogne.it – Fax 04 57 59 51 98
– chiuso martedì, sabato a mezzogiorno
Rist *– (consigliata la prenotazione)* Menu 39/46 € – Carta 45/61 €
♦ Cucina del territorio con piglio creativo, proposta in un locale di tono gradevole suddiviso in ambienti raccolti e curati dal vivace arredo policromo. All'interno di un tipico e rustico cascinale.

✗ **La Meridiana** con cam   🚗 🏠 ♿ 🅰️🅲 cam, ↩️ 🅿 🆅🆂🅰 ⓒⓞ 🅰🅴 ⚡

via Zamboni 11, Nord-Est : 3 km ✉ 37010 Sandrà – ☎ 04 57 59 63 06
– www.albergo-meridiana.com – h.lameridiana@libero.it – Fax 04 57 59 63 13
– chiuso dal 7 gennaio al 7 febbraio
13 cam ⌓ – †50/60 € ††70/100 € – ½ P 50/60 €
Rist – (chiuso giovedì e domenica sera da ottobre a marzo, solo domenica sera negli altri mesi) (chiuso a mezzogiorno) Carta 18/40 €
◆ Gestione e accoglienza sono deliziosamente familiari in questo rustico di campagna. Il vecchio fienile ospita oggi le tre sale del ristorante, con pietra e legno a vista e una cucina veneta di terra e di mare. La casa padronale dispone anche di alcune belle e confortevoli camere in stile.

a Sandrà Nord: 2 km – ✉ 37010

🏨 **Mod05** senza rist   🛗 ♿ 🅰🅲 💹 📶 🆅🆂🅰 ⓒⓞ ⚡

via Modigliani 5 – ☎ 04 57 59 63 78 – www.modfive.it – info@modfive.it
– Fax 04 57 59 54 91
36 cam ⌓ – †65/95 € ††80/115 €
◆ Già in campagna, ai piedi delle colline, un edificio per certi versi "avvenieristico": interamente avvolto da assi di legno, l'hotel propone spazi comuni moderni e minimalisti, "naturalmente" illuminati da grandi vetrate. Semplici ed essenziali le camere. In una cornice verde, funzionalità e confort.

CASTELNUOVO DEL ZAPPA – Cremona – 561G12 – Vedere Castelverde

---

CASTELNUOVO DI GARFAGNANA – Lucca (LU) – 563J13   **28 B1**
– 6 056 ab. – alt. 277 m – ✉ 55032

▶ Roma 395 – Pisa 67 – Bologna 141 – Firenze 121

🏨 **La Lanterna**   🚗 🛗 ♿ 🅰🅲 📶 🎠 🅿 🆅🆂🅰 ⓒⓞ 🅰🅴 ① ⚡

località alle Monache-Piano Pieve, Est : 1,5 km – ☎ 05 83 63 93 64
– www.lalanterna.eu – info@hotellalanterna.com – Fax 05 83 64 14 18
30 cam ⌓ – †47/52 € ††77/87 € – ½ P 50/60 €
Rist – (chiuso 2 settimane in gennaio e martedì a mezzogiorno escluso luglio-agosto) Carta 18/26 €
◆ Si trova nella parte più alta della località ed è una piacevole villetta cinta dal verde; all'interno, ampi spazi comuni e confortevoli camere con arredi recenti. Sale luminose ed un servizio attento al ristorante, dove troverete la cucina regionale e garfagnina.

CASTELNUOVO FOGLIANI – Piacenza – 562H11 – Vedere Alseno

CASTELNUOVO MAGRA – La Spezia (SP) – 561J12 – 7 860 ab.   **15 D2**
– alt. 188 m – ✉ 19030

▶ Roma 404 – La Spezia 24 – Pisa 61 – Reggio nell'Emilia 149

⬆ **Agriturismo la Valle** 🍃   🚗 🏠 💹 cam, 🅿 🆅🆂🅰 ⓒⓞ ① ⚡

via delle Colline 24, Sud-Ovest : 1 km – ☎ 01 87 67 01 01
– www.lavalle.altervista.org – agriturismolavalle@libero.it – Fax 01 87 67 40 75
– chiuso dal 1° al 6 gennaio e 1 settimana in marzo
6 cam ⌓ – †50 € ††70 € – ½ P 60 €
Rist – (chiuso a mezzogiorno) Menu 25 € bc/30 € bc
◆ Bella casa immersa nel verde dell'entroterra ligure, al confine con Emilia e Toscana. Alcuni mobili d'epoca arricchiscono le già confortevoli camere. Indirizzo ideale per chi cerca pace e relax, a due passi dal mare e...dall'arte. A tavola vengono proposti i genuini sapori locali.

✗✗ **Il Terzo Capitolo**   🅰🅲 🆅🆂🅰 ⓒⓞ 🅰🅴 ⚡

via Aurelia, al km 391 – ☎ 01 87 69 30 12 – www.ilterzocapitolo.it
– ilterzocapitolo@interfree.it – Fax 01 87 69 30 12 – chiuso lunedì e martedì
Rist – (chiuso a mezzogiorno) Menu 40 € – Carta 26/38 €
◆ Lungo la via Aurelia, tra Sarzana e Carrara, al primo piano di un edificio (apparentemente un po' anonimo) una coppia vi delizierà con piatti di terra e di mare, accompagnati da una squisita cortesia.

※ **Armanda** 🏠 AK 🛇 VISA ⬤ ⚓

piazza Garibaldi 6 – ✆ 01 87 67 44 10 – *trattoriaarmanda@libero.it*
– *Fax 01 87 67 44 10 – chiuso dal 24 dicembre al 15 gennaio, una settimana in settembre e mercoledì*
Rist – Carta 32/46 €

♦ In un caratteristico borgo dell'entroterra, andamento e ambiente familiari in una trattoria che propone piatti stagionali del territorio ben elaborati.

CASTELPETROSO – Isernia (IS) – 564C25 – **1 694 ab.** – **alt. 871 m**   2 **C3**
– ✉ 86090

▶ Roma 179 – Campobasso 32 – Benevento 74 – Foggia 121

sulla strada statale 17 uscita Santuario dell'Addolorata

🏠 **La Fonte dell'Astore** 🛇 🚗 ⅃ ⬧ AK 🛇 📶 ⚙ P 🚗
🏵   via Santuario – ✆ 08 65 93 60 85 VISA ⬤ AE ① ⚓
– *www.lafontedellastore.it – info@lafontedellastore.it – Fax 08 65 93 60 06*
– *chiuso 24-25 dicembre*
36 cam ⌷ – ♦75 € ♦♦95 € – ½ P 68 €   **Rist** – Carta 21/39 €

♦ Nei pressi del Santuario dell'Addolorata, una confortevole risorsa recente, di concezione moderna, con ampi spazi comuni, camere di buona fattura e ben accessoriate. Ampia ricettività per il funzionale ristorante, che dispone di varie sale anche per banchetti.

CASTELRAIMONDO – Macerata (MC) – 563M21 – **4 768 ab.**   21 **C2**
– alt. 307 m – ✉ 62022

▶ Roma 217 – Ancona 85 – Fabriano 27 – Foligno 60

🏠 **Borgo di Lanciano** 🛇 ⟨ 🚗 AK ↯ 🛇 rist, 📶 ⚙ P VISA ⬤ AE ⚓
località Lanciano 5, Sud : 2 km – ✆ 07 37 64 28 44 – *www.borgodilanciano.it*
– *info@borgodilanciano.it – Fax 07 37 64 28 45*
48 cam ⌷ – ♦86/300 € ♦♦104/300 € – 5 suites   **Rist** – Carta 25/39 €

♦ Confortevole hotel sorto entro un antico borgo, offre camere e suite diverse per forma e arredamento, nonché aree comuni per dedicarsi ad una chiacchierata o alla lettura. Suddiviso in sale più piccole, il ristorante propone una cucina tradizionale, fedele ai prodotti della zona.

a Sant'Angelo Ovest : 7 km – ✉ 62022 – Castelraimondo

※※ **Il Giardino degli Ulivi** con cam ⟨ 🛇 P VISA ⬤ ⚓
via Crucianelli 54 – ✆ 07 37 64 21 21 – *www.ilgiardinogliulivi.com – info@ilgiardinogliulivi.com – Fax 07 37 64 26 00 – marzo-dicembre*
6 cam ⌷ – ♦50/70 € ♦♦80/130 € – ½ P 60/85 €
Rist – *(chiuso martedì)* Carta 25/43 €

♦ Valgono il viaggio la vista e la verde quiete che troverete in questo antico casolare ristrutturato; pochi, ma gustosi piatti della tradizione locale e camere suggestive.

CASTEL RIGONE – Perugia (PG) – 563M18 – **Vedere Passignano sul Trasimeno**

CASTEL RITALDI – Perugia (PG) – 563N20 – **3 116 ab.** – **alt. 297 m**   33 **C2**
– ✉ 06044

▶ Roma 143 – Perugia 60 – Terni 39 – Guidonia Montecelio 141

🏠 **La Gioia** 🛇 ⟨ 🚗 🏠 ⅃ 📶 ⚙ P VISA ⬤ ⚓
colle del Marchese 60, Ovest : 4 km – ✆ 07 43 25 40 68 – *www.lagioia.biz*
– *benvenuti@lagioia.biz – Fax 07 43 25 40 46*
– *27 dicembre-3 gennaio e 21 marzo-1° novembre*
8 cam ⌷ – ♦♦170/190 € – 3 suites – ½ P 135/165 €
Rist – *(chiuso a mezzogiorno) (solo per alloggiati)* Menu 40 €

♦ Un mulino del '700 convertito in una fiabesca casa di campagna da una simpatica coppia svizzera. Curatissimo giardino e camere variopinte in stile rustico tradizionale.

CASTELROTTO (KASTELRUTH) – Bolzano (BZ) – 562C16 – **6 072 ab.**   31 C2
– alt. 1 060 m – Sport invernali : 1 000/1 480 m ✓ 2, ✓19 (Comprensorio Dolomiti
superski Alpe di Siusi) – ✉ 39040

> ▶ Roma 667 – Bolzano 26 – Bressanone 25 – Milano 325
> 🛈 piazza Krausen 1 ☎ 0471 706333, info@kastelruth.com, Fax 0471 705188
> ⛳ Golf Club, ☎ 0471 707 08

🏠🏠🏠 **Posthotel Lamm** ☎ 04 71 70 63 43 ≼ 🚗 🏡 ▦ 🛖 🎠 🐾 🕸 🍴 rist, ❦ 📞 🚗 ▨ 🏧 🔒
piazza Krausen 3 – 𝒫 *04 71 70 63 43*   ~~VISA~~ ➊➌ 🔒
– *www.posthotellamm.it – info@posthotellamm.it – Fax 04 71 70 70 63 – chiuso
dal 2 novembre al 4 dicembre e dal 15 aprile al 15 maggio*
55 cam ☑ – 🛏62/129 € 🛏🛏138/286 € – 3 suites – ½ P 104/213 €
Rist – Menu 35/70 €
♦ Nella piazza principale, hotel elegante con pregevoli interni arredati in larice; le
camere sono uno specchio delle tre generazioni dei gestori: rustiche, classiche e attuali.
Raffinate sia la grande sala da pranzo che la più intima stube.

🏠🏠 **Mayr** 🐾 ≼ 🕸 ⛲ 🎵 **P** ~~VISA~~ ➊➌ 🆎 ➊ 🔒
via Marinzen 5 – 𝒫 *04 71 70 63 09 – www.hotelmayr.com – info@hotelmayr.com
– Fax 04 71 70 73 60 – chiuso dal 4 novembre al 6 dicembre e dal 10 aprile
al 17 maggio*
22 cam ☑ – 🛏58/89 € 🛏🛏96/164 € – ½ P 85/93 €
Rist – *(chiuso a mezzogiorno)* Menu 30/45 €
♦ Albergo, impreziosito da decori tirolesi che conferiscono un'apprezzabile armonia d'insieme. Belle camere tradizionali o moderne, attrezzato centro fitness.

🏠🏠 **Alpenflora** ≼ 🚗 ▦ 🕸 ⛲ 🎰 🐾 🍴 rist, 🎵 **P** ~~VISA~~ ➊➌ 🆎 ➊ 🔒
via Oswald von Wolkenstein 32 – 𝒫 *04 71 70 63 26 – www.alpenflora.it – info@
alpenflora.com – Fax 04 71 70 71 73 – chiuso dal 2 novembre al 1° dicembre*
37 cam ☑ – 🛏64/90 € 🛏🛏128/180 € – ½ P 74/120 €
Rist – *(chiuso a mezzogiorno) (solo per alloggiati)*
♦ Risale al 1912 questo albergo di tono elegante con ampie camere luminose; bella
piscina chiusa da vetrate, spazi e animazione per i bambini.

🏠 **Cavallino d'Oro** ≼ 🕸 ⛲🎰 🍴 rist, 🎵 🚗 ~~VISA~~ ➊➌ 🆎 ➊ 🔒
piazza Krausen – 𝒫 *04 71 70 63 37 – www.cavallino.it – cavallino@cavallino.it
– Fax 04 71 70 71 72 – chiuso dal 10 novembre al 1 dicembre*
21 cam ☑ – 🛏50/78 € 🛏🛏75/150 € – ½ P 60/85 €
Rist – *(chiuso a mezzogiorno)* Carta 24/35 €
♦ Arredi d'epoca e belle camere - tutte personalizzate - qualcuna con letto a baldac-
chino, in una dimora storica del 1300. Al ristorante, due caratteristiche stube tirolesi del
XVII sec.

🏠 **Villa Gabriela** 🐾 ≼ 🚗 🐾 ⛲ rist, 📞 **P**
San Michele 31/1, Nord-Est : 4 km – 𝒫 *04 71 70 00 77 – www.villagabriela.com
– info@villagabriela.com – Fax 04 71 70 03 00*
– *chiuso dal 22 aprile al 20 maggio e dal 5 novembre all'8 dicembre*
6 cam ☑ – 🛏84/136 € 🛏🛏98/160 € – 1 suite – ½ P 53/130 €
Rist – *(chiuso a mezzogiorno) (solo per alloggiati)* Menu 30/85 €
♦ Per godere appieno di uno tra i più magici panorami dolomitici, è ideale questa bella
villetta circondata dal verde; camere graziose e ricche di personalizzazioni.

🏠 **Silbernagl Haus** senza rist 🐾 ≼ 🚗 ▦ 🕸 **P**
via Bullaccia 1 – 𝒫 *04 71 70 66 99 – www.garni-silbernagl.com – gsilber@tin.it
– Fax 04 71 71 00 04 – 20 dicembre-22 marzo e maggio-18 ottobre*
12 cam ☑ – 🛏33/47 € 🛏🛏66/94 €
♦ In zona tranquilla, garni curato e confortevole, con un ambiente cordiale, tipico della
gestione familiare; bei mobili nelle camere spaziose.

CASTEL SAN GIORGIO – Salerno (SA) – 564E26 – **12 994 ab.**   6 B2
– alt. 90 m – ✉ 84083

> ▶ Roma 252 – Napoli 56 – Latina 106 – Salerno 22

Villa Soglia senza rist 🚗 🎏 📺 AC 🚭 🛁 P VISA ⊙⊙ AE ① ♿
corso Claudio Cortedomini 1 – ℰ 08 15 16 16 00 – www.villa-soglia.it
– info@villa-soglia.it – Fax 08 15 16 19 96
– chiuso dal 23 dicembre al 6 gennaio e dal 22 al 24 marzo
16 cam ☲ – ♦93 € ♦♦124 € – 1 suite
♦ Elegante villa settecentesca, dispone di salotti ricchi di fascino e camere eleganti con
arredi in stile. Sul retro si apre il parco con piante secolari e angoli pittoreschi.

CASTEL SAN PIETRO TERME – Bologna (BO) – 562I16 – 19 524 ab.   9 C2
– alt. 75 m – ✉ 40024

▸ Roma 395 – Bologna 24 – Ferrara 67 – Firenze 109

🛈 piazza XX Settembre 14 ℰ 051 6954135, proloco@castelsanpietroterme.it,
Fax 051 6954135

🏠 Le Fonti, ℰ 051 695 19 58

Castello 📺 ⛲ AC ⇄ 📶 🛁 P VISA ⊙⊙ AE ① ♿
viale delle Terme 1010/b – ℰ 051 94 35 09 – www.hotelcastello.com – info@
hotelcastello.com – Fax 051 94 45 73 – chiuso Natale e due settimane in agosto
57 cam ☲ – ♦68/160 € ♦♦95/230 €
Rist Da Willy – vedere selezione ristoranti
♦ Fuori del centro, sulla strada per le Terme, in una zona verde davanti ad un parco
pubblico, complesso dotato di camere semplici ma confortevoli.

XX **Da Willy** – Hotel Castello
🍽 via Terme 1010/b – ℰ 051 94 42 64 – marinellaalberici@msn.com
– Fax 051 94 42 64 – chiuso lunedì
Rist – Carta 21/34 €
♦ Nello stesso edificio dell'hotel Castello, ma con gestione separata, ristorante con
alcuni tavoli rotondi nelle ampie sale con vetrate sul giardino, piatti emiliano-romagnoli.

X **Trattoria Trifoglio** 📶 ⛲ P VISA ⊙⊙ AE ① ♿
località San Giovanni dei Boschi, Nord : 13 km – ℰ 051 94 90 66
– Fax 051 94 92 66 – chiuso agosto, 15 giorni in gennaio, domenica sera, lunedì
Rist – Carta 23/30 €
♦ Val la pena percorrere alcuni chilometri in campagna per ritrovare la semplicità e l'au-
tentica cordialità della tradizione emiliana, sia nell'accoglienza che nella cucina.

a Osteria Grande Nord-Ovest : 7 km – ✉ 40060

X **L'Anfitrione** 📶 AC ⇄ P VISA ⊙⊙ AE ① ♿
via Emilia Ponente 5629 – ℰ 05 16 95 82 82 – ristorante.anfitrione@fastwebnet.it
– Fax 05 16 95 82 82 – chiuso domenica sera e lunedì
Rist – Carta 36/72 €
♦ Due salette di stile vagamente neoclassico, più una per fumatori che d'estate diviene
veranda aperta, per gustare saporiti piatti di pesce dell'Adriatico.

CASTELSARDO – Sassari – 566E8 – Vedere Sardegna alla fine dell'elenco
alfabetico

CASTEL TOBLINO – Trento (TN) – 562D14 – alt. 243 m – ✉ 38076   30 B3
– Sarche

▸ Roma 605 – Trento 18 – Bolzano 78 – Brescia 100

XX **Castel Toblino** 🎏 ⛲ 🛁 P VISA ⊙⊙ AE ♿
via Caffaro 1 – ℰ 04 61 86 40 36 – www.casteltoblino.com – info@
casteltoblino.com – Fax 04 61 34 05 63 – chiuso dal 26 dicembre a febbraio,
lunedì sera e martedì
Rist – Carta 53/69 €
♦ Su un lembo di terra che si protende sull'omonimo lago, sorge questo affascinante
castello medioevale con piccolo parco; suggestiva la terrazza per il servizio estivo.

CASTELVECCANA – Varese (VA) – 561E8 – 2 000 ab. – alt. 281 m   16 A2
– ✉ 21010

▸ Roma 666 – Bellinzona 46 – Como 59 – Milano 87

Da Pio 🐾   🛖 🖕 🖖 cam, 🎏 🖖 **P** **VISA** ⓒ 🖖
*località San Pietro – ℰ 03 32 52 05 11 – www.albergodapio.it – info@
albergodapio.it – Fax 03 32 52 20 14*
9 cam ⌑ – 🛏60/90 € 🛏🛏90/120 €
Rist – *(chiuso martedì dal 15 maggio a settembre, da lunedì a giovedì negli altri
mesi)* Carta 35/50 €
♦ Cordiale accoglienza familiare in un hotel di buon livello, quasi sulla sommità di un
promontorio affacciato sul lago Maggiore; arredi d'epoca in varie camere. Due sale da
pranzo classiche, di cui una con caminetto e un piacevole dehors estivo.

CASTELVERDE – Cremona (CR) – 561G11 – 5 079 ab. – alt. 53 m   17 C3
– ✉ 26022

▶ Roma 515 – Parma 71 – Piacenza 40 – Bergamo 70

a Castelnuovo del Zappa Nord-Ovest : 3 km – ✉ 26022 – Castelverde

Valentino   🄰🄲 ⇄ **P** **VISA** ⓒ 🄰🄴 🖖
*via Manzoni 27 – ℰ 03 72 42 75 57 – chiuso dal 5 al 31 agosto, lunedì sera e
martedì*
Rist – Carta 22/29 €
♦ Alla periferia della città, bar-trattoria dalla calorosa gestione familiare che propone
una cucina casalinga fedele alla gastronomia cremonese e mantovana.

CASTELVETRO DI MODENA – Modena (MO) – 562I14 – 10 029 ab.   8 B2
– alt. 152 m – ✉ 41014

▶ Roma 406 – Bologna 50 – Milano 189 – Modena 19

Guerro senza rist   🕮 🖐 🖕 🖖 🄰🄲 🖖 🕍 **P** 🚗 **VISA** ⓒ 🄰🄴 ⓞ 🖖
*via Destra Guerro 18 ✉ 41014 – ℰ 059 79 97 91 – www.hotelguerro.it – info@
hotelguerro.it – Fax 059 79 97 94 – chiuso una settimana in gennaio e due
settimane in agosto*
29 cam ⌑ – 🛏65/130 € 🛏🛏85/130 €
♦ Ideale per una clientela business, questa moderna struttura a gestione familiare si
trova lungo l'omonimo fiume ed offre camere spaziose e luminose. D'estate, la colazione
è in terrazza.

Zoello   🖕 🖖 🄰🄲 🖖 **P** **VISA** ⓒ 🄰🄴 ⓞ 🖖
*via Modena 171, località Settecani, Nord : 5 km – ℰ 059 70 26 24
– www.zoello.com – albergojesuis@zoello.it – Fax 05 99 77 20 74
– chiuso dal 24 dicembre al 5 gennaio e dal 5 al 28 agosto*
49 cam ⌑ – 🛏56/65 € 🛏🛏94/110 € – 3 suites
Rist Zoello – vedere selezione ristoranti
♦ Fondato nel 1938, questo hotel è ormai un capitolo negli annali della storia; animato
da una familiare ed accogliente ospitalità, dispone di camere confortevoli.

Locanda del Feudo   🖕 🖖 🄰🄲 cam, 🎏 rist, 🖖 **VISA** ⓒ 🄰🄴 ⓞ 🖖
*via Trasversale 2 – ℰ 059 70 87 11 – www.locandadelfeudo.it – info@
locandadelfeudo.it – Fax 059 70 87 17*
4 cam ⌑ – 🛏85/105 € 🛏🛏110/150 € – 2 suites – ½ P 85/105 €
Rist – *(chiuso una settimana in gennaio, una settimana in novembre, una settimana in agosto, domenica sera e lunedì)* (consigliata la prenotazione)
Carta 29/52 €
♦ Piccola ed affascinante risorsa situata nella parte alta della città, la locanda offre
camere e spazi comuni in stile, dove l'antico si fonde sapientemente con il moderno.
Specialità locali e prodotti tipici vi attendonoa pranzo e a cena, nella luminosa taverna.

Zoello – Hotel Zoello   🖕 🄰🄲 ⇄ **P** **VISA** ⓒ 🄰🄴 ⓞ 🖖
*via Modena 181, località Settecani, Nord : 5 km – ℰ 059 70 26 35
– www.zoello.com – zoello@tin.it – chiuso dal 24 dicembre al 5 gennaio
e dal 5 al 28 agosto*
Rist – *(chiuso domenica sera e venerdì)* Carta 25/30 €
♦ In questa trattoria potrete assaggiare i piatti della tradizione, a partire dalle paste fresche, prodotte nei propri laboratori.

CASTEL VOLTURNO – Caserta (CE) – 564D23 – **20 100 ab.** – ⊠ 81030   6 **A2**
- ▶ Roma 190 – Napoli 40 – Caserta 37
- ▣ Volturno, 𝒞 081 509 51 50

Holiday Inn Resort ⊗   🕭 🕭 🔲 ⌕ 🗖 ✕ 🔲 🕭 ⌖ ⌕ 🔲 🕭 🅿
via Domitiana km 35,300, Sud : 3 km   🆅🅸🆂🅰 ⓿ 🄰🄴 ⓿ ⌖
– 𝒞 08 15 09 51 50 – www.holiday-inn-resort.com – info@holiday-inn-resort.com
– Fax 08 15 09 58 55
251 cam ⊋ – †80/160 € ††80/210 € – 16 suites – ½ P 125/160 €
Rist – Carta 23/29 €
◆ Vicino al mare, ai bordi di una pineta, un'imponente struttura moderna, con ampi interni eleganti; piscina con acqua di mare, maneggio a disposizione, centro congressi. Di notevoli dimensioni gli spazi per la ristorazione, con sale curate e luminose.

Vassallo Park Hotel   🔲 🕭 ⌖ ⌕ 🄰🄲 ✕ rist. 🕭 🅿
via Domitiana km 34,9, Sud : 2,5 km   🆅🅸🆂🅰 ⓿ 🄰🄴 ⓿ ⌖
– 𝒞 08 18 39 60 35 – info@vassalloparkhotel.com – Fax 08 18 39 69 88
34 cam ⊋ – †60/65 € ††70/80 € – 2 suites – ½ P 65/75 €
Rist – *(chiuso domenico) (chiuso a mezzogiorno)* Carta 33/51 €
◆ Lungo la domiziana verso Pozzuoli, un'occasione di sosta per acquistare le celebri mozzarelle di bufala della zona e dormire in un albergo di recente realizzazione. Luminose e classiche le sale da pranzo arredate in legno e caldi colori.

CASTENEDOLO – Brescia – 561F12 – **Vedere Brescia**

CASTIADAS – Cagliari – 566J10 – **Vedere Sardegna alla fine dell'elenco alfabetico**

CASTIGLIONCELLO – Livorno (LI) – 563L13 – ⊠ 57016▮ Toscana   28 **B2**
- ▶ Roma 300 – Pisa 40 – Firenze 137 – Livorno 21
- 🄸 (giugno-settembre) via Aurelia 632 𝒞 0586 754890, apt7castiglioncello@costadeglietruschi.it, Fax 0586 754890

Villa Parisi ⊗   ⪡ 🕭 🕭 🔲 🕭 🄰🄲 ✕ rist. 🕭 🅿 🆅🅸🆂🅰 ⓿ ⌖
via Romolo Monti 10 ⊠ 57016 – 𝒞 05 86 75 16 98 – www.villaparisi.com
– bricoli@tiscalinet.it – Fax 05 86 75 11 67 – aprile-settembre
21 cam ⊋ – †163/209 € ††242/330 € – ½ P 136/180 €
Rist – *(23 maggio-18 settembre) (chiuso a mezzogiorno escluso luglio-agosto)*
Carta 28/52 €
◆ Villa di inizio secolo in splendida posizione, appoggiata alla pineta e sospesa sugli scogli, con parco e discesa a mare: più una dimora privata d'atmosfera che un hotel. Ristorante classico con servizio all'aperto.

Villa Martini ⊗   🚿 🔲 🕭 🄰🄲 ✕ rist. 🕿 ⌖ 🅿 🆅🅸🆂🅰 ⓿ ⌖
via Martelli 3 – 𝒞 05 86 75 21 40 – www.villamartini.it – info@villamartini.it
– Fax 05 86 75 80 14 – aprile-novembre
39 cam ⊋ – †150 € ††200 € – ½ P 120 €
Rist – *(chiuso a mezzogiorno escluso dal 15 luglio al 31 agosto) (solo per alloggiati)* Menu 40/60 €
◆ Un ombreggiato giardino con piscina e solarium ospita questo elegante hotel completamente rinnovato. Per un soggiorno nella zona più "in" del paese. Ristorante dalle linee sobrie e moderne.

Atlantico ⊗   🚿 🔲 🕭 🕭 🄰🄲 ✕ rist. 🕭 🅿 🆅🅸🆂🅰 ⓿ 🄰🄴 ⓿ ⌖
via Martelli 12 – 𝒞 05 86 75 24 40 – hatlant@tin.it – Fax 05 86 75 24 94 – aprile-settembre
50 cam ⊋ – †80/110 € ††110/200 €   **Rist** – Carta 25/35 €
◆ Nel cuore più verde e più quieto della località, un albergo con dépendance in una villetta inizio '900; accoglienti camere di recente rinnovate e bella piscina coperta. Ampia e luminosa sala da pranzo.

✕ **In Gargotta**   🕭 🄰🄲 🆅🅸🆂🅰 ⓿ 🄰🄴 ⌖
via Fucini 39 – 𝒞 05 86 75 43 57 – ristogargotta@hotmail.it – Fax 058 67 68 55 75
– chiuso dal 12 al 18 gennaio, dal 19 al 25 novembre e lunedì
Rist – *(chiuso a mezzogiorno dal 15 giugno a settembre)* (coperti limitati, prenotare) Carta 39/54 €
◆ Piccolo ristorante nel centro della località dalla conduzione motivata e giovanile. Cucina di mare con qualche tocco di fantasia. Gradevole dehors.

CASTIGLIONE DEI PEPOLI – Bologna (BO) – 562J15 – 6 056 ab.   9 **C2**
– alt. 691 m – ⊠ 40035

➤ Roma 328 – Bologna 54 – Firenze 60 – Ravenna 134

a Baragazza Est : 6 km – ⊠ 40035

🏠 **Bellavista**   🛖 🎐 ⅏ rist, ⅧⅥⅪ ⅏ ① ⅗
  via Sant'Antonio 8/10 – ℰ *05 34 89 81 66 – alberg.bellavista@libero.it*
  – Fax 053 49 70 63
  19 cam – ♦55/68 € ♦♦60/78 €, ⛛ 8 € – ½ P 50/60 €
  Rist – *(chiuso domenica sera e martedì a mezzogiorno)* Carta 27/31 €
  ♦ Per una tappa di viaggio lungo l'Appennino tosco-emiliano, un albergo a conduzione
  familiare con camere di stile essenziale, ma pulite e luminose. Cucina delle due regioni,
  dalle paste fresche alla fiorentina; gradevole dehors estivo.

CASTIGLIONE DEL LAGO – Perugia (PG) – 563M18 – 14 640 ab.   32 **A2**
– alt. 304 m – ⊠ 06061

➤ Roma 182 – Perugia 46 – Arezzo 46 – Firenze 126

🅸 piazza Mazzini 10 ℰ 075 9652484, info@iat.castiglione-del-lago.pg.it, Fax
  075 9652763

🖼 Lamborghini, ℰ 075 83 75 82

🏠 **Miralago**   🛖 ⒶⒸ ⅏ rist, ⅧⅥⅪ ⅏ Ⓐ🄴 ⅗
🐝 *piazza Mazzini 6 –* ℰ *075 95 11 57 – www.hotelmiralago.com – hotel.miralago@*
  tin.it – Fax 075 95 19 24 – chiuso dal 7 gennaio al 15 marzo
  19 cam ⛛ – ♦72/80 € ♦♦93/98 € – ½ P 72 €
  Rist – *(chiuso lunedì) (chiuso a mezzogiorno)* Carta 21/28 €
  ♦ Gradevole atmosfera un po' démodé negli spazi comuni e nelle ampie camere di
  questo albergo ospitato in un edificio d'epoca nella piazza principale del paese. Servizio
  ristorante estivo in giardino con vista sul lago.

🏠 **Duca della Corgna**   🚃 ⒷⒸ ఈ cam, ⒶⒸ ⅏ rist, 🄰🄰 🅿 ⌂ ⅧⅥⅪ ⅏
🐝 *via Buozzi 143 –* ℰ *075 95 32 38 – www.hotelcorgna.com – hotelcorgna@libero.it*
  – Fax 07 59 65 24 46
  35 cam ⛛ – ♦45/65 € ♦♦65/90 € – ½ P 55/60 €
  Rist – *(Pasqua-ottobre) (chiuso a mezzogiorno) (solo per alloggiati)*
  Menu 20/25 €
  ♦ Ambiente familiare in un hotel con buon livello di confort; arredi essenziali nelle
  camere, sia nel corpo centrale, sia in una dépendance che dà sulla piscina.

a Petrignano del Lago Nord-Ovest : 12 km – ⊠ 06060

🏘 **Relais alla Corte del Sole** ⬧   ⬉ 🚃 🛖 ⒷⒸ ఈ ⒶⒸ ⅏ ⅋⅌ 🄰🄰 🅿
  località I Giorgi – ℰ *07 59 68 90 08*   ⅧⅥⅪ ⅏ Ⓐ🄴 ① ⅗
  – www.cortedelsole.com – info@cortedelsole.com – Fax 07 59 68 90 70 – chiuso
  dal 10 al 31 gennaio
  14 cam ⛛ – ♦141/213 € ♦♦166/250 € – 4 suites
  Rist – *(chiuso martedì)* Carta 42/64 €
  ♦ Sui colli del Trasimeno, suggestioni mistiche ma charme di una raffinata eleganza
  tutta terrena tra le antiche pietre di un insediamento monastico e rurale del XVI secolo.
  Elegante ristorante dai sapori mediterranei, con terrazza estiva.

CASTIGLIONE DELLA PESCAIA – Grosseto (GR) – 563N14   29 **C3**
– 7 367 ab. – ⊠ 58043 ▌ Toscana

➤ Roma 205 – Grosseto 23 – Firenze 162 – Livorno 114

🅸 piazza Garibaldi 6 ℰ 0564 933678, infocastiglione@lamaremma.info, Fax
  0564 933954

🏨 **L'Approdo**   ⬉ 🎐 🕆 ⒶⒸ ⅏ rist, ⓒ⅍ 🄰🄰 ⅧⅥⅪ ⅏ Ⓐ🄴 ① ⅗
  via Ponte Giorgini 29 – ℰ *05 64 93 34 66 – www.approdo.it – info@approdo.it*
  – Fax 05 64 93 30 86
  48 cam ⛛ – ♦♦90/164 € – ½ P 65/102 €
  Rist – *(chiuso lunedì e a mezzogiorno escluso da aprile a settembre)* Carta 25/75 €
  ♦ Affacciato sul porto canale, l'hotel presenta funzionali spazi comuni, camere recentemente rinnovate, un ampio soggiorno ed un salone per feste e ricevimenti. Due sale
  ristorante di taglio moderno, luminose e accoglienti.

Piccolo Hotel 🏠 📶 ❄ P̶ VISA ⚫ AE ① ⚓

*via Montecristo 7 – 𝒞 05 64 93 70 81 – www.hotel-castiglione.com
– piccolo_hotel@virgilio.it – Fax 05 64 93 25 66 – Pasqua e 15 maggio-settembre*
24 cam ⌷ – ♦116/126 € – ½ P 100 € **Rist** – *(solo per alloggiati)* Menu 34 €
♦ Ritornerete volentieri in questa graziosa struttura in zona non centrale, gestita con
classe, signorilità e attenzione per i particolari; arredi moderni nelle camere. Piccola e
sobria la sala da pranzo dove gustare frutta e verdura dell'orto e dolci casalinghi.

Sabrina 📶 AC 📞 P̶ VISA ⚫ AE ⚓

*via Ricci 12 – 𝒞 05 64 93 35 68 – www.hotelsabrinaonline.it – info@
hotelsabrinaonline.it – Fax 05 64 93 35 68 – giugno-settembre*
37 cam ⌷ – ♦70/98 € ♦♦80/108 € – ½ P 65/90 € **Rist** – *(solo per alloggiati)*
♦ Collaudata gestione diretta per un hotel ubicato nella zona di parcheggio a pochi
metri dal porto canale; spazi ben distribuiti, camere non amplissime, ma complete.

Miramare ⟨ 📶 📶 AC ❄ VISA ⚫ AE ⚓

*via Veneto 35 – 𝒞 05 64 93 35 24 – www.hotelmiramare.info – info@
hotelmiramare.info – Fax 05 64 93 36 95 – chiuso novembre, gennaio e febbraio*
35 cam ⌷ – ♦50/95 € ♦♦66/158 € – ½ P 62/110 € **Rist** – Carta 33/44 €
♦ Ubicato sul lungomare di Castiglione della Pescaia e ai piedi del borgo medievale, l'hotel
dispone di camere semplici ed accoglienti e di una spiaggia privata. Nella sala ristorante che
si affaccia sul mare, proposte di cucina nazionale e soprattutto piatti di mare.

Perla ❄ P̶ VISA ⚫ ⚓

via dell'Arenile 3 – 𝒞 05 64 93 80 23 – Fax 05 64 93 80 23 – Pasqua-ottobre
13 cam ♦35/50 € ♦♦55/67 €, ⌷ 10 € – ½ P 70/80 € **Rist** *(solo per alloggiati)*
♦ Una piccola risorsa a conduzione familiare sita in posizione tranquilla a pochi passi
dalla spiaggia, dispone di camere semplici ma gradevoli. Presso la raccolta sala ristorante, proposte gastronomiche regionali e casalinghe.

✗✗ Pierbacco 📶 AC ⇔ VISA ⚫ AE ① ⚓

*piazza Repubblica 24 – 𝒞 05 64 93 35 22 – www.pierbacco.it – info@pierbacco.it
– Fax 05 64 93 20 64 – chiuso gennaio e mercoledì escluso da maggio a settembre*
Rist – Carta 34/44 € 🍂
♦ Un locale rustico con i tipici soffitti in legno, dispone di due sale e di un dehors sul
corso principale, vocato ad una cucina classica, prevalentemente di mare.

✗✗ Da Romolo 📶 AC VISA ⚫ AE ① ⚓

*corso della Libertà 10 – 𝒞 05 64 93 35 33 – info@daromolo.com – Fax 05 64 93 35 33
– chiuso novembre e martedì escluso dal 20 giugno al 20 settembre*
Rist – *(chiuso a mezzogiorno in luglio e agosto)* Carta 28/40 €
♦ Direttamente sulla via pedonale in centro città, è un locale con due sale arredate in
stile rustico, annovera un dehors su pedana di legno e propone specialità di pesce.

a Riva del Sole Nord-Ovest : 2 km – ✉ 58043 – RIVA DEL SOLE

Riva del Sole 🦢 🎭 ⊼ ₤₅ ✗ 🚴 AC ❄ 🏊 P̶ VISA ⚫ AE ① ⚓

*viale Kennedy – 𝒞 05 64 92 81 11 – www.rivadelsole.it – info@rivadelsole.it
– Fax 05 64 93 56 07 – aprile-ottobre*
175 cam ⌷ – ♦82/118 € ♦♦124/196 € – ½ P 87/123 €
Rist – *(solo per alloggiati)* Menu 28/38 €
♦ In riva al mare ed abbracciato da una rigogliosa pineta, l'hotel presenta camere semplici e rinnovate negli arredi. Ideale per un soggiorno di relax, bagni e sole. Cinque sale
dalle ampie vetrate ed un giardino, per il ristorante-pizzeria.

a Tirli Nord : 17 km – ✉ 58040

✗ Tana del Cinghiale con cam 🌠 📶 ⚓ rist, AC cam, P̶ VISA ⚫ AE ① ⚓

*via del Deposito 10 – 𝒞 05 64 94 58 10
– www.tanadelcinghiale.it – info@tanadelcinghiale.it
– Fax 05 64 94 58 10 – chiuso dal 1° febbraio al 5 marzo*
7 cam ⌷ – ♦45/60 € ♦♦75/105 € – ½ P 78/87 €
Rist – *(chiuso mercoledì escluso dal 15 giugno al 15 settembre)* Carta 22/38 €
♦ Due sale ristorante arredate nello stile tipico di una rustica trattoria propongono una
carta regionale con specialità a base di cinghiale. Un piccolo albergo a gestione familiare, offre camere semplici e curate.

a Badiola Est : 10 km – ✉ 58043 – **Castiglione della Pescaia**

🏨🏨🏨 **L'Andana-Tenuta La Badiola** ♠ ← 🚗 ⤴ 🏞 🚲 🐎 🏊 ✕ 🅿
 – 📞 05 64 94 48 00 – www.andana.it – ⚹ 🅰🅲 ☎ 🍴 🅿 🚗 ⚏ 🅰🅴 ⓪ ⚹
 – info@andana.it – Fax 05 64 94 45 77
 – chiuso dal 6 gennaio al 1° marzo
 26 cam ⛉ – ♦♦350/762 € – 7 suites – ½ P 240/446 €
 Rist Trattoria Toscana-Tenuta la Badiola – vedere selezione ristoranti
 ♦ Sita all'interno di una tenuta di ulivi e vigneti e pervasa dai profumi del Mediterraneo,
 la villa offre confort e raffinatezza nei suoi spaziosi e moderni interni ed un completo
 centro wellness.

✕✕✕ **Trattoria Toscana-Tenuta la Badiola** – L'Andana-Tenuta La Badiola
 ⛛ – 📞 05 64 94 43 22 – www.andana.it 🍴 🅰🅲 ✕ 🅿 🚗 ⚏ 🅰🅴 ⓪ ⚹
 – ristorante@andana.it – Fax 05 64 94 45 77 – Pasqua-ottobre; chiuso lunedì
 Rist – (chiuso a mezzogiorno) Carta 51/81 € ⚿
 Spec. Insalata di trippa e di campo, pesto d'erbe e crostini all'aceto. Gnocchi
 fondenti di patate, scottiglia d'agnello e salsa ghiotta. Trancio di baccalà in
 padella, peperonata con le trippette.
 ♦ E' l'omaggio del celebre cuoco Ducasse alla tradizione maremmana, dall'ambientazione ad un carosello di sapori regionali con diverse proposte alla brace.

CASTIGLIONE DELLE STIVIERE – Mantova (MN) – 561F13   17 **D1**
– 19 500 ab. – alt. 116 m – ✉ 46043
 ▶ Roma 509 – Brescia 28 – Cremona 57 – Mantova 38

🏠 **La Grotta** senza rist ♠ 🚗 🅰🅲 🅿 🚗 ⚏ 🅰🅴 ⚹
 viale dei Mandorli 22 – 📞 03 76 63 25 30 – www.lagrottahotel.it – info@
 lagrottahotel.it – Fax 03 76 63 92 95
 28 cam ⛉ – ♦55/58 € ♦♦88/92 €
 ♦ Lontano dal traffico del centro, nella verde quiete delle colline, una villa di carattere
 familiare, con un bel giardino curato; camere semplici, di recente ristrutturazione.

✕✕ **Osteria da Pietro** (Fabiana Ferri) 🍴 ⚹ 🅰🅲 ✕ ⇄ 🚗 ⚏ 🅰🅴 ⓪ ⚹
 ⛛ via Chiassi 19 – 📞 03 76 67 37 18 – www.osteriadapietro.eu
 – info@osteriadapietro.eu – Fax 03 76 67 37 18 – chiuso dal 7 al 23 gennaio,
 dal 24 giugno al 16 luglio, mercoledì e da giugno ad agosto anche martedì
 Rist – (consigliata la prenotazione) Carta 54/77 € ⚿
 Spec. Lumache rosolate con erbette e menta servite con polenta. Agnolotti di
 piccione conditi con fegato grasso d'oca. Controfiletto di cavallo in salsa al
 vino rosso, sale grosso e patate arrosto.
 ♦ Piacevole locale a gestione familiare con soffitto a volte. Territorialmente alla con-
 fluenza tra la tradizione mantovana e gardesana, le risorse gastronomiche sono infinite.

✕✕ **Hostaria Viola** 🅰🅲 ⇄ 🅿 🚗 ⚏ 🅰🅴 ⓪ ⚹
 via Verdi 32 – 📞 03 76 67 00 00 – www.hostariaviola.it – ristorale@libero.it
 – Fax 03 76 67 00 00 – chiuso dal 1° al 5 gennaio, agosto, domenica sera e
 lunedì
 Rist – Carta 28/43 €
 ♦ Fin dal XVII secolo l'Hostaria è stata il punto di ristoro per viandanti e cavalli in
 transito; dal 1909, sotto i caratteristici soffitti a volta, rivive la tradizione culinaria mantovana.

CASTIGLIONE DI SICILIA – Catania – 565N27 – **Vedere Sicilia alla fine
dell'elenco alfabetico**

CASTIGLIONE D'ORCIA – Siena (SI) – 563M16 – 2 551 ab.   29 **C2**
– alt. 574 m – ✉ 53023
 ▶ Roma 191 – Siena 52 – Chianciano Terme 26 – Firenze 124
 🅸 viale Marconi 13 📞 0577 887363

🏨 **Osteria dell'Orcia** 🦢   ← 🚗 ⤢ 🛏️ 👖 cam, 🆔 🚫 rist, 🎙️ 🅿️ �〰️

Podere Osteria – ℰ *05 77 88 71 11*   VISA ⓪⓪ AE ① 🔑
*– www.hotelorcia.it – info@hotelorcia.it – Fax 05 77 88 89 11 – chiuso dal 23 al
26 dicembre e dal 7 gennaio al 15 marzo*
16 cam � – ♛♛140/160 € – ½ P 105/115 €
Rist *– (chiuso a mezzogiorno)* Carta 36/47 €

♦ Isolata nella campagna senese, all'inteno del parco dell'omonima valle, un'antica stazione postale ospita camere con differenti tipologie d'arredo, due salotti ed una piscina. Nella piacevole sala ristorante, di recente costruzione, si organizzano anche serate a tema.

CASTIGLIONE FALLETTO – Cuneo (CN) – 561I5 – 638 ab.   25 C2
– alt. 350 m – ✉ *12060*

🚩 Roma 614 – Cuneo 68 – Torino 70 – Asti 39

🏠 **Le Torri** senza rist   ← 🎙️ 🚗 VISA ⓪⓪ AE ① 🔑
via Roma 29 – ℰ *017 36 29 61 – www.hotelletorri.it – info@hotelletorri.it
– Fax 017 36 29*   **8 cam** – ♛60/95 € ♛♛86/100 €, ⌇ 13 €

♦ In posizione strategica per la visita delle Langhe, antica dimora patrizia trasformata in albergo e residence; camere e appartamenti ampi, luminosi e panoramici.

🍴🍴 **Le Torri**   ← 🍽️ ⇄ VISA ⓪⓪ AE ① 🔑
piazza Vittorio Veneto 10 – ℰ *017 36 28 49 – www.ristoranteletorri.it
– ristletorri@virgilio.it – Fax 017 36 28 49 – chiuso gennaio o febbraio, martedì,
mercoledì a mezzogiorno*   **Rist** *–* Carta 28/50 € 🍷

♦ In pieno centro, nello stesso edificio dell'omonimo hotel, un locale elegante, ma senza esagerazioni. Gestione giovane, piacevole servizio estivo in terrazza panoramica.

CASTIGLIONE TINELLA – Cuneo (CN) – 561H6 – 848 ab.   25 D2
– alt. 408 m – ✉ *12053*

🚩 Roma 622 – Genova 106 – Alessandria 60 – Asti 24

🏨 **Castiglione** senza rist   🚗 ⤢ 🍖 🛏️ 🆔 ♨️ 🅿️ VISA ⓪⓪ AE 🔑
via Cavour 5 – ℰ *01 41 85 54 10 – www.albergocastiglione.com – info@
albergocastiglione.com – Fax 01 41 85 59 77 – 14 marzo-14 dicembre*
13 cam ⌇ – ♛105/120 € ♛♛120/160 €

♦ Piscina, sauna e bagno turco in un contesto verdeggiante a breve distanza dall'edificio principale, deliziosa casa di campagna, un tempo locanda, con camere moderne e confortevoli.

CASTIGLION FIORENTINO – Arezzo (AR) – 563L17 – 12 240 ab.   29 D2
– alt. 345 m – ✉ *52043*

🚩 Roma 198 – Perugia 57 – Arezzo 17 – Chianciano Terme 51

a Pieve di Chio Est : 7 km – ✉ *52043 – Castiglion Fiorentino*

🏠 **Casa Portagioia** senza rist 🦢   ← 🚗 ⤢ 🆔 🎙️ 🅿️ VISA ⓪⓪ AE 🔑
Pieve di Chio 56 – ℰ *05 75 65 01 54 – www.casaportagioia.com – tuscanbreaks@
gmail.com – Fax 05 75 65 01 54 – marzo-novembre*
5 cam ⌇ – ♛135/155 € ♛♛140/170 €

♦ Fiabesco casale del '700 che esprime un connubio di gusto toscano e inglese, nel giardino come nell'atmosfera, riflesso delle origini e delle passioni dei proprietari.

a Polvano Est : 8 km – ✉ *52043 – Castiglion Fiorentino*

🏨 **Relais San Pietro in Polvano** 🦢   ← 🚗 🍽️ ⤢ 🍷 🅿️
– ℰ *05 75 65 01 00 – www.polvano.com – info@*   VISA ⓪⓪ AE 🔑
polvano.com – Fax 05 75 65 02 55 – aprile-ottobre
6 cam ⌇ – ♛130/140 € ♛♛150/230 € – 4 suites – ♛♛265/300 €
Rist *– (chiuso a mezzogiorno)* Carta 23/41 € (+10 %)

♦ Prestigiosa dimora in un edificio del '700, situato in posizione collinare nel borgo di Polvano. Gli ospiti possono godere dell'intima atmosfera nelle eleganti sale con camino o rilassarsi nella piscina o sulla terrazza panoramica, dove nella bella stagione vengono serviti gli aperitivi e la cena a lume di candela.

CASTION – Belluno – 562D18 – Vedere Belluno

CASTIONE DELLA PRESOLANA – Bergamo (BG) – 561E12   16 **B2**
– 3 325 ab. – alt. 870 m – Sport invernali : al Monte Pora : 1 300/1 900 m ≤ 13
– ✉ 24020

> ▶ Roma 643 – Brescia 89 – Bergamo 42 – Edolo 80
> 𝐢 piazza Roma 1 ☏ 0346 60039, info@presolana.it, Fax 0346 60045

🏠   **Aurora**   ≤ 🐧 🛌 ☆ 🛗 ⋈ 🅰🅲 rist, ☆ rist, 🛜 **P** 🆅🅸🆂🅰 ⑩ 🅰🅴 ⑤
⑬   via Sant'Antonio 19 – ☏ 034 66 00 04 – www.auroraalbergo.it – info@
auroraalbergo.it – Fax 034 66 02 46
27 cam ⊑ – ❖60/99 € ❖❖65/99 € – ½ P 60/125 €
Rist – (da settembre a giugno chiuso da lunedì a giovedì escluso i giorni festivi)
Carta 20/30 €
◆ Recentemente ampliatosi con la creazione di due spaziose camere per famiglie offre
ambienti arredati in stili differenti, dal rustico al moderno, ospitalità e calorosa accoglienza. Nella colorata e luminosa sala ristorante di taglio moderno, una cucina casalinga
e locale.

a Bratto Nord-Est : 2 km – alt. 1 007 m – ✉ 54027

🏠   **Milano**   ≤ 🚗 🏡 ⏞ ⑩ 🛌 ▮ ㅂ 🛗 ⋈ ↯ ☆ rist, 🛜 🔄 **P**
via Silvio Pellico 3 – ☏ 034 63 12 11   🆅🅸🆂🅰 🅰🅴 ⓪ ⑤
– www.hotelmilano.com – info@hotelmilano.com – Fax 034 63 62 36
59 cam ⊑ – ❖90/170 € ❖❖160/350 € – 3 suites – ½ P 150/180 €
Rist Al Caminone – Carta 41/57 €
◆ Moderno e funzionale centro congressi, ma anche caldo e accogliente hotel per soggiorni turistici; camere di diverse tipologie e nuovo, attrezzatissimo centro benessere.
Come vuole il nome, in sala campeggia un grande camino; la cucina è tradizionale ma
non priva di spunti di fantasia. La sera anche enoteca.

🏠   **Eurohotel**   ≤ 🚗 ▮ ☆ 🛜 🔄 **P** 🆅🅸🆂🅰 ⑩ 🅰🅴 ⓪ ⑤
via Provinciale 36 – ☏ 034 63 15 13 – www.eurohotelbratto.com – info@
eurohotelbratto.com – Fax 034 63 07 01
29 cam ⊑ – ❖50/120 € ❖❖70/200 € – ½ P 75/85 €
Rist – (chiuso lunedì) Carta 24/42 €
◆ Conduzione attenta per un albergo in stile alpino, rinnovato con gusto e sobrietà,
sulla strada per il Passo; buon livello di confort negli spazi comuni e nelle camere. Luminosa sala ristorante, d'impostazione classica.

CASTREZZATO – Brescia (BS) – 561F11 – 6 079 ab. – alt. 126 m   19 **D2**
– ✉ 25030

> ▶ Roma 583 – Brescia 33 – Milano 90 – Parma 141

🍴🍴   **Da Nadia**   🚗 ⅙ 🅰🅲 **P** 🆅🅸🆂🅰 ⑩ 🅰🅴 ⓪ ⑤
via Campagna 15 – ☏ 03 07 04 06 34 – Fax 03 07 04 06 34
– chiuso dal 1° al 12 gennaio, agosto e lunedì
Rist – (chiuso a mezzogiorno escluso i giorni festivi) Carta 57/72 €
◆ Immerso nella campagna bresciana, un raccolto e signorile locale dove gustare specialità ittiche in preparazioni classiche. Menu esposto a voce.

CASTROCARO TERME – Forlì-Cesena (FO) – 562J17 – 6 212 ab.   9 **C2**
– alt. 68 m – ✉ 47011

> ▶ Roma 342 – Bologna 74 – Ravenna 40 – Rimini 65
> 𝐢 viale Marconi 81 ☏ 0543 767162, iat@
> comune.castrocarotermeeterredelsole.fc.it, Fax 0543 769326

🏨   **Grand Hotel Terme**   🌙 🏡 🖳 ⑩ 🐧 🛌 🖐 ▮ ⅙ 🅰🅲 ↯ ☆ rist, 🛜
via Roma 2 – ☏ 05 43 76 71 14   🔄 **P** 🆅🅸🆂🅰 ⑩ 🅰🅴 ⓪ ⑤
– www.termedicastrocaro.it – grandhotel@termedicastrocaro.it
– Fax 05 43 76 81 35
119 cam ⊑ – ❖80/120 € ❖❖120/195 € – ½ P 86/130 €   **Rist** – Carta 40/54 €
◆ Nato negli anni '30, l'albergo conserva ancora lo stile dell'epoca. Spazi comuni e
camere di notevoli dimensioni, all'interno un centro benessere: ideali per momenti di
relax. La grande sala illuminata da ampie vetrate si affaccia sulla fresca veranda del giardino. Proposte di cucina nazionale.

Rosa del Deserto 🖼️ 🛗 👤 🅰️🅲 % rist, 🚗 🆅🅸🆂🅰️ ⓂⓄ 🅰️🅴 ⓪ 🔧

via Giorgini 3 – ℰ 05 43 76 72 32 – www.hotelrosadeldeserto.it – info@
hotelrosadeldeserto.it – Fax 05 43 76 72 36
48 cam 🛏️ – 🛏️55/80 € 🛏️🛏️77/120 € – ½ P 60/100 €
Rist – (chiuso gennaio-febbraio) Carta 20/32 €
♦ Antistante l'ingresso alle terme, presenta ambienti luminosi e spaziosi. Interessante
punto di partenza per un soggiorno alla scoperta delle tradizioni e dei tesori locali.

CASTROCIELO – Frosinone (FR) – 563R23 – 3 802 ab. – alt. 250 m   13 **D2**
– ✉️ 03030

▶ Roma 116 – Frosinone 42 – Caserta 85 – Gaeta 61

XX **Villa Euchelia** 🖼️ 🛗 👤 🅰️🅲 % 🔄 🅿️ 🆅🅸🆂🅰️ ⓂⓄ 🅰️🅴 ⓪ 🔧

via Giovenale – ℰ 07 76 79 98 29 – www.villaeuchelia.com – info@villaeuchelia.it
– Fax 07 76 79 99 30 – chiuso 1 settimana in gennaio, 1 settimana in luglio,
martedì, mercoledì a mezzogiorno
Rist – Carta 27/38 €
♦ Una sommelier e uno chef gestiscono con competenza un locale in una villa signorile
tra gli ulivi delle colline; inserimenti di mare in una cucina ciociara rivisitata.

XX **Al Mulino** 🖼️ 🅰️🅲 % 🅿️ 🆅🅸🆂🅰️ ⓂⓄ 🅰️🅴 ⓪ 🔧

via Casilina 47, Sud : 2 km – ℰ 077 67 93 06 – www.almulino.net – almulino@
libero.it – Fax 077 67 98 24 – chiuso dal 23 dicembre al 10 gennaio
Rist – Carta 35/70 €
♦ Soffitto perlinato, esposizione di pesce fresco e acquario per astici nella grande sala di
un ristorante di tono elegante, con interessanti proposte di mare.

CASTROCUCCO – Potenza – 564H29 – Vedere Maratea

CASTRO MARINA – Lecce (LE) – 564G37 – 2 469 ab. – ✉️ 73030   27 **D3**
❚ Italia

▶ Roma 660 – Brindisi 86 – Bari 199 – Lecce 48

alla grotta Zinzulusa Nord : 2 km❚ Italia

Orsa Maggiore 🦭 ≤ 🖼️ 🛗 👤 🅰️🅲 🛁 🅿️ 🆅🅸🆂🅰️ ⓂⓄ 🔧

litoranea per Santa Cesarea Terme 303 ✉️ 73030 – ℰ 08 36 94 70 28
– www.orsamaggiore.it – info@orsamaggiore.it – Fax 08 36 94 77 66
28 cam – 🛏️110/124 € 🛏️🛏️120/134 €, 🛏️ 6 € – ½ P 86/88 €
Rist – Carta 18/31 €
♦ In posizione panoramica, arroccato sopra la grotta Zinzulosa, un hotel a conduzione
familiare che dispone di confortevoli spazi comuni e camere lineari, quasi tutte con
vista. Ampia e luminosa, la sala ristorante annovera proposte di mare e di terra ed è
disponibile anche per allestire banchetti.

CASTROREALE – Messina – 565M27 – Vedere Sicilia alla fine dell'elenco
alfabetico

CASTROVILLARI – Cosenza (CS) – 564H30 – 22 582 ab. – alt. 350 m   5 **A1**
– ✉️ 87012

▶ Roma 453 – Cosenza 74 – Catanzaro 168 – Napoli 247
🈳 sull'autostrada SA-RC, area servizio IP Frascineto Ovest ℰ 0981 32710, Fax
0981 32710

La Locanda di Alia 🦭 🖼️ 🛗 🧊 🅰️🅲 📶 🛁 🅿️ 🆅🅸🆂🅰️ ⓂⓄ 🅰️🅴 ⓪ 🔧

via Jetticelli 55 – ℰ 098 14 63 70 – www.alia.it – alia@alia.it – Fax 098 14 63 70
14 cam 🛏️ – 🛏️90 € 🛏️🛏️120 € – ½ P 110/120 €
Rist – (chiuso domenica) Carta 43/53 € ❀
♦ Una piacevole sorpresa questa confortevole "locanda" nel verde; le camere sono tutte al
pianoterra e hanno accesso indipendente dall'esterno. Il ristorante di tono rustico-elegante
propone piatti preparati giornalmente legati al territorio e all'antica cucina calabrese.

CATABBIO – Grosseto – Vedere Semproniano

CATANIA ℗ – 565O27 – Vedere Sicilia alla fine dell'elenco alfabetico

CATANZARO ℗ (CZ) – 564K31 – **94 924 ab.** – alt. 343 m – ⊠ 88100   5 **B2**
▌ Italia

    ▶ Roma 612 – Cosenza 97 – Bari 364 – Napoli 406

    🆔 via Spasari 3 (Galleria Mancuso) ℰ 0961 743961, apt.catanzaro@tiscalinet.it, Fax 0961 727973

    ◉ Villa Trieste★ Z – Pala★ della Madonna del Rosario nella chiesa di San Domenico Z

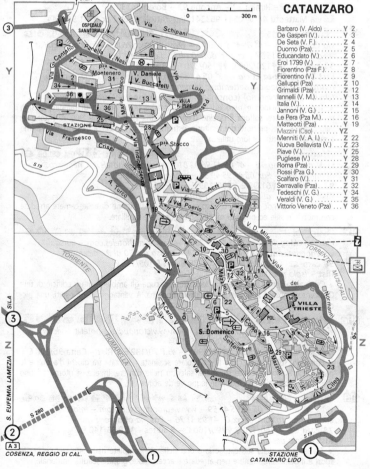

CATANZARO

Barbaro (V. Aldo) . . . . **Y** 2
De Gasperi (V.) . . . . **Y** 3
De Seta (V. F.) . . . . **Z** 4
Duomo (Pza) . . . . **Z** 5
Educandato (V.) . . . . **Z** 6
Eroi 1799 (V.) . . . . **Z** 7
Fiorentino (Pza F.) . . . . . . **Z** 8
Fiorentino (V.) . . . . **Z** 9
Galluppi (Pza) . . . . **Z** 10
Grimaldi (Pza) . . . . **Z** 12
Iannelli (V. M.) . . . . **Y** 13
Italia (V.) . . . . **Z** 14
Jannoni (V. G.) . . . . **Z** 15
Le Pera (Pza M.) . . . . **Z** 16
Matteotti (Pza) . . . . **Y** 19
Mazzini (Cso) . . . . **YZ**
Menniti (V. A. I.) . . . . **Z** 22
Nuova Bellavista (V.) . . . **Z** 23
Piave (V.) . . . . **Y** 25
Pugliese (V.) . . . . **Z** 28
Roma (Pza) . . . . **Z** 29
Rossi (Pza G.) . . . . **Z** 30
Scalfaro (V.) . . . . **Y** 31
Serravalle (Pza) . . . . **Z** 32
Tedeschi (V. G.) . . . . **Y** 34
Veraldi (V. G.) . . . . **Z** 35
Vittorio Veneto (Pza) . . . **Y** 36

🏨 **Guglielmo** senza rist 🈳 AK ⚙ 📶 🧖 VISA ⊘ AE ① ⚓
*via Tedeschi 1 – ☎ 09 61 74 19 22 – www.hotelguglielmo.it – info@
hotelguglielmo.it – Fax 09 61 72 21 81* Ya
36 cam ☷ – ♦120/135 € ♦♦180 €
♦ In centro, una risorsa signorile, ristrutturata in anni recenti, con confort e attrezzature
all'altezza della sua categoria, molto frequentata da clientela d'affari.

a Catanzaro Lido per ① : *14 km* – ✉ **88063**

🏨 **Palace** ≼ 🈳 ⚙ AK ⚙ rist, 📶 🧖 P VISA ⊘ AE ① ⚓
😊 *via lungomare 221 – ☎ 096 13 18 00 – www.hotel-palace.it – info@
hotel-palace.it – Fax 09 61 73 80 84*
80 cam ☷ – ♦70/200 € ♦♦90/250 € – 5 suites – ½ P 63/143 €
Rist – Carta 19/52 €
♦ Edificio sul lungomare che nel 2000 ha subito una totale ristrutturazione. L'eleganza è
rimarcata dallo stile Impero degli ambienti comuni. Per villeggiatura o business. Sala
ristorante panoramica al primo piano.

CATTOLICA – Rimini (RN) – 562K20 – **15 973 ab.** – ✉ **47841** 9 D2
� Roma 315 – Rimini 22 – Ancona 92 – Bologna 130
🛈 via Matteotti 46 ☎ 0541 963341, iat@cattolica.net, Fax 0541 963344

🏨 **Carducci 76** ≼ 🍴 🏡 🅻🛁 🈳 AK ⚙ 📶 🚗 VISA ⊘ AE ① ⚓
*via Carducci 76 – ☎ 05 41 95 46 77 – www.carducci76.it – info@carducci76.it
– Fax 05 41 83 15 57 – chiuso dal 20 al 26 dicembre*
35 cam ☷ – ♦120/200 € ♦♦150/370 € – 3 suites
Rist *Vicolo Santa Lucia* – ☎ 05 41 83 63 60 *(chiuso dal 3 al 17 gennaio,
martedì da maggio a settembre, domenica e lunedì negli altri mesi)*
(chiuso a mezzogiorno) (consigliata la prenotazione) – Carta 53/69 €
♦ Tripudio di bianco e nero ed arredi minimalisti in un trionfo di raffinato design
moderno, che non soffoca il fascino d'epoca di una villa dei primi '900. Al ristorante:
valorizzazione dei prodotti del territorio, estrema cura nella ricerca delle materie prime
e massimo rispetto nel loro utilizzo.

🏨 **Negresco** ≼ 🖥 🍴 AK ⚙ rist, 🧖 P VISA ⊘ AE ⚓
😊 *viale del Turismo 10 – ☎ 05 41 96 32 81 – www.nonnihotels.it – negresco@
nonnihotels.it – Fax 05 41 95 49 32 – maggio-settembre*
87 cam ☷ – ♦61/96 € ♦♦90/159 € – ½ P 96 €
Rist – *(solo per alloggiati)* Menu 20/32 €
♦ Sul mare, grande complesso d'ispirazione classica, dispone di belle camere arredate
con mobili in stile ed originali madie. Solida gestione familiare.

🏨 **Kursaal** ≼ 🍴 ⚙ cam, AK ↝ ⚙ rist, 📶 🧖 🚗 VISA ⊘ AE ① ⚓
*piazza I° Maggio 2 – ☎ 05 41 96 23 05 – www.vimehoteles.com – kursaal@
vimehoteles.com – Fax 05 41 96 24 14 – chiuso dal 20 al 27 dicembre*
58 cam ☷ – ♦80/150 € ♦♦100/175 € – ½ P 105/155 €
Rist – *(solo per alloggiati)* 20 €
♦ Originale albergo d'affari e di villeggiatura, occupa gli ambienti di un edificio di fine
Ottocento ampliato con una struttura più moderna. A vantaggio degli ospiti, una piccola piscina.

🏨 **Victoria Palace** ≼ 🖥 🕸 🅻🛁 🈳 AK ⚙ 📶 P 🚗 VISA ⊘ AE ① ⚓
*viale Carducci 24 – ☎ 05 41 96 29 21 – www.victoriapalace-hotel.it – victoria@
victoriapalace-hotel.it – Fax 05 41 96 29 04*
84 cam ☷ – ♦68/156 € ♦♦88/198 € – ½ P 70/132 € **Rist** – Carta 36/120 €
♦ Entrando, subito colpiscono la particolare scalinata realizzata tra giochi d'acqua e le
pareti in cristallo affacciate sul mare; salendo nelle camere, invece, si ritorna ad uno
stile più tradizionale, con mobili in legno verde acqua.

🏨 **Europa Monetti** 🕸 🅻🛁 🈳 ⚙ AK ⚙ rist, 🧖 P 🚗 VISA ⊘ ⚓
*via Curiel 39 – ☎ 05 41 95 41 59 – www.europamonetti.com – info@
europamonetti.com – Fax 05 41 95 81 76 – Pasqua-ottobre*
74 cam ☷ – ♦60/120 € ♦♦95/160 € – 3 suites – ½ P 85/140 €
Rist – *(solo per alloggiati)*
♦ Tra le risorse della sua categoria è una delle più complete nelle attrezzature per lo
sport e il benessere; camere ben arredate e accessoriate, grande solidità gestionale.

🏨 Moderno-Majestic ≤ 🔲 ₤ 🉐 🄰🄲 ℀ rist. 🅿 🆅🅸🆂🅰 ⊙⊙ 🄰🄴 ⛄

via D'Annunzio 15 – ℰ 05 41 95 41 69 – www.modernomajestic.it – holiday@modernomajestic.it – Fax 05 41 95 32 92 – 20 maggio-20 settembre
60 cam – ♦70/85 € ♦♦130/180 €, � 8 € – ½ P 81 €
Rist – *(solo per alloggiati)*
◆ Hotel caratterizzato da una curiosa architettura, dove la compresenza di colonne ed elementi vagamente moreschi gli conferisce un aspetto di assoluta originalità. Affacciato sulla spiaggia, dispone di camere essenziali, ma decorose.

🏨 Park Hotel ≤ 🔺 🉐 ⾕ 🄰🄲 ℀ rist. ⟨⟩ 🄿 🚗 🆅🅸🆂🅰 ⊙⊙ 🄰🄴 ⊙ ⛄
lungomare Rasi Spinelli 46 – ℰ 05 41 95 37 32 – www.parkhotels.it – parkhotel@parkhotels.it – Fax 05 41 96 15 03
51 cam � – ♦55/110 € ♦♦80/190 € – 3 suites – ½ P 89/130 €
Rist – Menu 18/35 €
◆ Un albergo costruito nel 1989, sulla strada che costeggia la spiaggia; luminose sia le aree comuni che le camere, rinnovate in massima parte, con vetrate e vista mare.

🏨 Beaurivage ≤ 🚲 🏠 ₤ 🉐 🄰🄲 ℀ rist. 🅿 🆅🅸🆂🅰 ⊙⊙ 🄰🄴 ⊙ ⛄
viale Carducci 82 – ℰ 05 41 96 31 01 – www.hotelbeaurivage.com – info@hotelbeaurivage.com – Fax 05 41 96 31 02 – maggio-settembre
78 cam � – ♦75/90 € ♦♦150/180 € – ½ P 85/107 €
Rist – Carta 35/45 €
◆ In una via centrale, ma sul mare con accesso diretto alla spiaggia, dispone di ampi spazi comuni interni ed esterni. Camere arredate sobriamente, ma confortevoli.

🏨 Aurora 🏠 ₤ 🉐 ⾕ 🄰🄲 ℀ ⟨⟩ 🄿 🆅🅸🆂🅰 ⊙⊙ 🄰🄴 ⊙ ⛄
via Genova 26 – ℰ 05 41 83 04 64 – www.hotel3stellecattolica.info – info@hotel3stellecattolica.info – Fax 05 41 83 04 64 – aprile-ottobre
18 cam – ♦34/52 € ♦♦68/104 €, � 7 € – ½ P 81 €
Rist – *(solo per alloggiati)*
◆ Piacevole hotel centrale, ma in zona tranquilla, totalmente ristrutturato in anni recenti; camere di rara ampiezza, bagni moderni, piccolo solarium con idromassaggio.

🏨 Columbia ≤ 🔺 ₤ 🉐 🄰🄲 🄿 🚗 🆅🅸🆂🅰 ⛄
lungomare Rasi Spinelli 36 – ℰ 05 41 96 14 93 – www.hotelcolumbia.net – Fax 05 41 95 23 55 – maggio-settembre
56 cam – ♦63/67 € ♦♦92/103 €, � 10 € – ½ P 62/85 €
Rist – *(solo per alloggiati)*
◆ Sul lungomare, separato dalla spiaggia solo da una strada, bianco edificio anni '70, a gestione familiare, con camere recentemente rinnovate: non ampie, ma confortevoli.

🏨 Sole 🉐 ⾕ 🄰🄲 ℀ rist. 🚗 🆅🅸🆂🅰 ⊙⊙ ⛄
via Verdi 7 – ℰ 05 41 96 12 48 – www.hotel-sole.it – info@hotel-sole.it – Fax 05 41 96 39 46 – 20 maggio-20 settembre
43 cam – ♦30/45 € ♦♦60/80 €, � 7 € – ½ P 63 €
Rist – *(solo per alloggiati)* Menu 16/20 €
◆ Familiari la gestione e l'ospitalità in questo hotel situato in una via alle spalle del lungomare; tinte pastello nelle camere, semplici, ma luminose e ben tenute.

✕✕ Locanda Liuzzi (Raffaele Liuzzi) 🄰🄲 🆅🅸🆂🅰 ⊙⊙ 🄰🄴 ⛄
via Fiume 63, angolo via Carducci – ℰ 05 41 83 01 00 – www.locandaliuzzi.com – info@locandaliuzzi.com – chiuso mercoledì escluso da giugno ad agosto
Rist – *(consigliata la prenotazione)* Menu 47/55 € – Carta 43/55 € 🍷
Spec. Ricciola affumicata "fai da te" con squacquerone. Tortelli farciti d'acqua d'ostriche in zuppa d'ostriche. Pastiera napoletana scomposta in guazzetto d'acqua di fiori d'arancio.
◆ Una ristrutturazione moderna, di cui il proprietario ha disegnato alcune soluzioni, dove gustare una cucina mediterranea, rivisitata in chiave creativa, che sa sempre stupire senza tuttavia perdere di concretezza.

Hotel e ristoranti cambiano ogni anno.
Per questo, ogni anno, c'è una nuova guida MICHELIN!

CAVA DE' TIRRENI – Salerno (SA) – 564E26 – 52 389 ab. – alt. 196 m   6 B2
– ⌧ 84013

▶ Roma 254 – Napoli 47 – Avellino 43 – Caserta 76

🛈 piazza Enrico De Marinis 6 ℰ 089 341605, info@cavaturismo.sa.it, Fax089
463723

✗✗ **Pappacarbone** (Rocco Iannone)   ✿ VISA ⓴⓪ AE ⓪ 💰
☆
*via Rosario Senatore 30 – ℰ 089 46 64 41 – www.ristorantepappacarbone.it
– pappacarbone@libero.it – Fax 089 46 64 41 – (chiuso domenica sera e lunedì)*
Rist – Carta 44/57 €
Spec. Caprese di pesce mormora. Battuto di sarde con pane e pecorino.
Tubetti con favette, rosmarino e caciocavallo podolico.
♦ Linee semplici e colori tenui per un delizioso locale, dove gustare piatti creativi legati
ai sapori del territorio.

a Corpo di Cava Sud-Ovest : 4 km – **alt. 400 m** – ⌧ 84013 – **Badia di Cava de'**
Tirreni

🏠 **Scapolatiello** ✤   ⟨ 🛏 🐕 🏠 🔲 🏠 🖥 AC ✿ rist, ℰ 🏋 P
piazza Risorgimento 1 – ℰ 089 44 36 11   VISA ⓴⓪ AE ⓪ 💰
*– www.hotelscapolatiello.it – info@hotelscapolatiello.it
– Fax 089 44 47 80*
43 cam ⊆ – †86/108 € ††128/138 € – 1 suite – ½ P 89/94 €
Rist – Carta 35/53 €
♦ Gestito dalla stessa famiglia fin dal 1821, signorile albergo panoramico vicino all'Abbazia Benedettina; belle terrazze-giardino con piscina e ampi, curati spazi comuni.
Moderna, luminosa sala ristorante, con grandi vetrate affacciate sulla terrazza fiorita.

CAVAGLIÀ – Biella (BI) – 561F6 – 3 624 ab. – alt. 272 m – ⌧ 13881   23 C2

▶ Roma 657 – Torino 54 – Aosta 99 – Milano 93
📷 , ℰ 0161 96 69 49

✗ **Osteria dell'Oca Bianca**   🚹 AC ✿ ⟷ VISA ⓴⓪ 💰
*via Umberto I 2 – ℰ 01 61 96 68 33 – Fax 01 61 96 68 33
– chiuso dal 7 al 28 gennaio, dal 24 giugno al 15 luglio e martedì*
Rist – Carta 30/42 € 🍷
♦ Nel cuore della località, di fronte alla chiesa, classica osteria di paese che mantiene
intatto lo spirito originario. Cantina ben fornita e affidabile cucina del territorio.

CAVAGLIETTO – Novara (NO) – 561F7 – 422 ab. – alt. 233 m   23 C2
– ⌧ 28010

▶ Roma 647 – Stresa 42 – Milano 74 – Novara 22

✗✗✗ **Arianna**   AC ✿ P VISA ⓴⓪ AE 💰
*via Umberto 4 – ℰ 03 22 80 61 34 – www.ristorantearianna.net
– jrearianna@libero.it – Fax 03 22 80 61 34
– chiuso Natale, dal 1° al 11 gennaio, dal 21 luglio al 14 agosto, martedì e
mercoledì a mezzogiorno*
Rist – Menu 50 € – Carta 46/63 €
♦ In un piccolo e tranquillo borgo agricolo, imprevedibilmente, un ristorante d'impronta
elegante; tavoli distanziati, comode sedie a fiori, piatti di concezione moderna.

CAVAGNANO – Varese – Vedere Cuasso al Monte

Le «promesse», segnalate in rosso nelle nostre selezioni,
distinguono i ristoranti suscettibili di accedere alla categoria superiore,
vale a dire una stella in più.
Le troverete nella lista dei ristoranti stellati, all'inizio della guida.

CAVALESE – Trento (TN) – 562D16 – 3 695 ab. – alt. 1 000 m – Sport 31 **D3**
invernali : ad Alpe Cermis : 1 280/2 250 m ☇7 ☇38 **(Comprensorio Dolomiti superski Val di Fiemme-Obereggen)** – ⊠ 38033 ▮ Italia

▶ Roma 648 – Bolzano 43 – Trento 50 – Belluno 92

🛈 via Fratelli Bronzetti 60/a ✆ 0462 241111, info@aptfiemme.tn.it, Fax0462 241199

🏨 **Lagorai** ⌕ ≤ 🛋 🖩 🖥 ᕒ ⅍ 🏄 🛍 ⅍ **P** 🚗 🗺 ⬤ 🗛 ⑩ ⌕
via Val di Fontana 2 – ✆ 04 62 34 04 54 – www.hotel-lagorai.com – info@
hotel-lagorai.com – Fax 04 62 34 05 40 – chiuso dal 1° al 26 novembre
50 cam ⌕ – ☗67/157 € ☗☗96/224 € – ½ P 114/138 € **Rist** – Carta 29/37 €
• Leggermente periferico, in posizione tranquilla, soleggiata e panoramica. Hotel completo con ampi spazi di soggiorno, raffinato centro benessere e camere per ogni esigenza. Ristorante luminoso, caldo ed elegante.

🏨 **Bellavista** 🛏 🖩 ᕒ cam, 🏄 ⅍ ⅍ rist, 🛍 🚗 🗺 ⬤ 🗛 ⑩ ⌕
via Pizzegoda 5 – ✆ 04 62 34 02 05 – www.hotelbellavista.biz – info@
hotelbellavista.biz – Fax 04 62 23 91 19 – chiuso maggio e novembre
45 cam ⌕ – ☗60/160 € ☗☗60/210 € – ½ P 60/130 € **Rist** – Menu 25/40 €
• Una struttura in grado di offrire un livello di confort attuale fruibile in ogni spazio, dalle camere agli spazi comuni, fino all'ottimo centro benessere. Sala ristorante di tono elegante.

🏨 **La Roccia** ≤ 🛋 🛏 ᕒ 🖩 ᕒ cam, ⅍ rist, 🛍 **P** 🚗 🗺 ⬤ 🗛 ⌕
via Marco 53 – ✆ 04 62 23 11 33 – www.hotellaroccia.it – info@hotellaroccia.it
– Fax 04 62 23 11 35 – chiuso maggio, ottobre e novembre
55 cam ⌕ – ☗70/135 € ☗☗100/250 € – 2 suites – ½ P 85/185 €
Rist – Menu 30 €
• Nelle adiacenze della piscina comunale e del palazzetto dello sport, struttura panoramica e tranquilla, con tipici, accoglienti interni di montagna; angolo benessere.

🏨 **Park Hotel Villa Trunka Lunka** ⌕ 🛋 🛏 🏄 ⅍ **P** 🚗
via De Gasperi 6 – ✆ 04 62 34 02 33 – www.trunkalunka.it 🗺 ⬤ ⌕
– info@trunkalunka.it – Fax 04 62 34 05 44
– 20 dicembre-aprile e 20 giugno-15 settembre
24 cam ⌕ – ☗65 € ☗☗101 € – ½ P 88 €
Rist – (chiuso a mezzogiorno in inverno) (solo per alloggiati)
• Bella casa in stile montano con gradevole giardino; confortevoli sia gli spazi comuni che il settore notte, con arredi rustico-classici. Anche in formula residence.

🏨 **Excelsior** 🛏 🏄 ⅍ rist, 🚏 🚗 🗺 ⬤ 🗛 ⑩ ⌕
piazza Cesare Battisti 11 – ✆ 04 62 34 04 03 – www.excelsiorcavalese.com
– info@excelsiorcavalese.com – Fax 04 62 23 13 12
30 cam ⌕ – ☗☗78 € **Rist** – (solo per alloggiati) Menu 21/60 €
• In un antico e nobile edificio, già residenza estiva di principi e vescovi. Ubicato su una delle piazza centrali del paese, offre ambienti curati e originali.

🏨 **Salvanel** senza rist 🖩 ⅍ 🚏 **P** 🗺 ⬤ 🗛 ⌕
via Carlo Esterle 3 – ✆ 04 62 23 20 57 – www.salvanel.com – info@salvanel.com
– Fax 04 62 23 28 67 – chiuso 15 giorni a maggio e 15 giorni a novembre
8 cam ⌕ – ☗40/47 € ☗☗60/92 €
• Albergo aperto nel 2005, ricavato dalla ristrutturazione di una casa di origini settecentesche. Spazi ridotti al piano terra ma camere spaziose e confortevoli.

✗✗ **El Molin** (Alessandro Gilmozzi) ⅍ 🗺 ⬤ 🗛 ⑩ ⌕
✿ piazza Cesare Battisti 11 – ✆ 04 62 34 00 74 – www.elmolin.info
– gilmozzi@cr-surfing.net – Fax 04 62 23 13 12
– dicembre-12 aprile, 15 giugno-15 ottobre; chiuso martedì, mercoledì a mezzogiorno
Rist – Carta 48/69 € 🕸 **Rist Wine-bar** – Carta 23/39 € 🕸
Spec. Terrina di caprino fresco, melone, aglio orsino e fiori di campo (estate). Crudità di cervo, uova di ricci di mare, pistacchi e olio di cardo. Stinco d'agnello al miele di rododendro, lavanda e croccanti di verdure.
• Ha atmosfera e charme del tutto particolari questo raccolto ambiente tipico, in un mulino seicentesco, che si sviluppa su più livelli; rielaborazioni di cucina trentina. Winebar con piccola cucina, salumi e formaggi al piano superiore.

XX **Costa Salici** 🛋 🕅 ⇆ **P** _VISA_ ◍ ⓪ ♿

via Costa dei Salici 10 – ℰ 04 62 34 01 40 – www.costasalici.com – info@
costasalici.com – chiuso ottobre, lunedì e martedì a mezzogiorno escluso agosto
e Natale
Rist – Carta 35/48 €
♦ In una casa di montagna, due salette comunicanti di cui una caratteristica stube rivestita in legno di cirmolo, cristalli e posate d'argento a tavola; piatti locali rivisitati.

CAVALLERMAGGIORE – Cuneo (CN) – 561H5 – 5 149 ab.   22 **B3**
– alt. 285 m – ✉ 12030

▶ Roma 625 – Cuneo 40 – Torino 48 – Alessandria 104

XX **Italia** 🕅 ⇆ _VISA_ ◍ AE ⓪ ♿

🌝 *piazza Statuto 87 – ℰ 01 72 38 12 96 – ristoranteitalia@libero.it – chiuso quindici*
giorni in gennaio e settembre, martedì sera e mercoledì
Rist – Carta 28/38 € ⅏
♦ Golosi primi con paste fatte in casa dalla mamma in questo ristorante del centro storico, proprio all'ombra della torre civica. La cucina propone i piatti della tradizione piemontese, rivisitate e secondo stagione.

CAVALLINO – Venezia (VE) – 562F19 – ✉ 30013   36 **C2**

▶ Roma 571 – Venezia 53 – Belluno 117 – Milano 310
🛈 (giugno-settembre) via Fausta 406/a ℰ 041 529871

🏨 **Art & Park Hotel Union Lido** ॐ 🚗 🏡 🏊 🦢 🏖 🛩 🎽

⊝ *via Fausta 270 – ℰ 041 96 80 43* ♿ cam, 🕅 🕅 '🕅 🔊 **P** _VISA_ ◍ ♿
– www.parkhotelunionlido.com – parkhotel@unionlido.com – Fax 04 15 37 03 55
– 23 aprile-27 settembre
78 cam � – †76/103 € ††105/143 € **Rist** *Ai Pini* – Carta 17/45 €
♦ All'interno di un complesso turistico che si estende per oltre 1 km sul mare, piacevoli sale classiche, una piccola zona fitness e un recente servizio di beauty center e wellness. Sala da pranzo classica e un gradevole dehors estivo per una cucina di mare e pizze.

XX **Trattoria Laguna** 🏡 🕅 ⇆ _VISA_ ◍ AE ⓪ ♿

via Pordelio 444 – ℰ 041 96 80 58 – www.trattorialaguna.it – info@
trattorialaguna.it – Fax 041 96 80 58 – chiuso da gennaio al 15 febbraio e giovedì
Rist – Carta 43/70 €
♦ Varcato l'ingresso, dove si trova una rivendita di confetture provenienti dall'azienda di famiglia, si accede a una sala dalle pareti colorate con un simpatico menu di proposte casalinghe.

XX **Da Achille** 🏡 🕅 ⇆ _VISA_ ◍ AE ♿

piazza Santa Maria Elisabetta 16 – ℰ 041 96 80 05 – www.ristoranteachille.it
– martinonicola@ristoranteachille.it – Fax 041 96 80 05 – chiuso novembre e lunedì
Rist – Carta 42/60 €
♦ La giovane e dinamica gestione ha conferito un nuovo look al ristorante: sale dai toni lievemente rustici con archi in mattoni per una interessante carta di pesce con qualche rivisitazione.

CAVALLINO – Lecce (LE) – 564G36 – 10 713 ab. – ✉ 73020   27 **D2**

▶ Roma 582 – Brindisi 47 – Gallipoli 42 – Lecce 7

X **Osteria del Pozzo Vecchio** 🏡 🕅 ⇆ _VISA_ ◍ AE ⓪ ♿

⊝ *via M. Silvestro 16 – ℰ 08 32 61 16 49 – www.osteriadelpozzovecchio.it*
– osteriapozzovecchi@libero.it – Fax 08 32 61 16 49 – chiuso lunedì
Rist – *(chiuso a mezzogiorno in luglio e agosto)* Carta 18/33 €
♦ A due passi dalla piazza, il ristorante consta di due sale e di un giardino per il servizio all'aperto dove gustare una cucina principalmente di pesce. La sera anche pizzeria.

CAVANELLA D'ADIGE – Venezia – Vedere Chioggia

CAVASO DEL TOMBA – Treviso (TV) – 562E17 – 2 524 ab.   35 **B2**
– alt. 248 m – ✉ 31034

▶ Roma 550 – Belluno 51 – Padova 67 – Treviso 40

X **Locanda alla Posta** con cam

piazza 13 Martiri 13 – ℰ *04 23 54 31 12 – Fax 04 23 54 31 12*
– chiuso dal 15 gennaio al 2 febbraio
7 cam ⊡ – ♦40 € ♦♦60 €
Rist *– (chiuso mercoledì sera e giovedì)* Carta 25/32 €
♦ Sulla piazza principale del paese, un edificio d'epoca ristrutturato ospita una piacevole locanda; camere grandi, arredi d'epoca, bagni di dimensioni più contenute.

CAVATORE – Alessandria (AL) – 561I7 – 303 ab. – alt. 518 m   23 **C3**
– ✉ 15010

▶ Roma 557 – Alessandria 42 – Genova 80 – Asti 51

XX **Da Fausto**

località Valle Prati 1 – ℰ *01 44 32 53 87 – www.relaisborgodelgallo.it – info@ relaisborgodelgallo.it – Fax 01 44 32 53 84 – chiuso dal 1° gennaio al 10 febbraio, martedì a mezzogiorno e lunedì, anche martedì sera da ottobre ad aprile*
Rist – Carta 23/33 €
♦ Piatti casalinghi dalle porzioni generose, ricchi di gusto e ben curati nella presentazione in questa casa dalla facciata in pietra. Tempo e luce permettendo, non gustatevi anche il panorama!

CAVENAGO D'ADDA – Lodi (LO) – 561G10 – 2 135 ab. – ✉ 26824   16 **B3**

▶ Roma 557 – Milano 47 – Lodi 13 – Cremona 73

XX **L'Arsenale** (Fabio Granata)

via Geppino Conti 8 – ℰ *03 71 70 90 86 – l-arsenale@libero.it*
– Fax 03 71 70 98 17 – chiuso 3 settimane in agosto, domenica sera e lunedì
Rist – (consigliata la prenotazione) Carta 51/69 €
Spec. Foie gras d'oca affumicato con gelatina di melone e riduzione al Porto. Risotto lodigiano ai piselli e ragout bianco di storione. Piccione con tortino di patate, composta di mele alla cannella e vinaigrette alla senape in grani.
♦ Trasferitosi da Lodi nel vecchio fienile adibito anche alla lavorazione di carri, nel locale ritroverete inalterati i sapori della curata cucina, classica ed innovativa.

CAVENAGO DI BRIANZA – Milano (MI) – 561F10 – 6 192 ab.   18 **B2**
– ✉ 20040

▶ Roma 553 – Lodi 12 – Milano 47 – Piacenza 33

🏠 **Devero**

largo Kennedy 1 – ℰ *02 95 33 54 12 – www.deverohotel.it – info@deverohotel.it*
– Fax 02 95 33 96 25 – chiuso dal 9 al 16 agosto
83 cam ⊡ – ♦78/255 € ♦♦80/280 €
Rist La Lucanda – vedere selezione ristoranti
Rist *Dodici 24* – Carta 29/40 €
♦ Nuovissima struttura dalle linee nette e moderne si presenta con spazi comuni funzionali dall'arredo contemporaneo. Camere abbastanza spaziose e ben accessoriate. Come evoca il nome, il ristorante è aperto dalle 12 alle 24 - senza interruzioni - con proposte di cucina mediterranea.

XXX **La Lucanda**

largo Kennedy 1 – ℰ *02 95 33 52 68 – www.lalucanda.it – info@lalucanda.it*
– Fax 02 95 01 96 41 – chiuso tre settimane in agosto e domenica
Rist *– (chiuso a mezzogiorno)* Carta 70/106 €
Spec. Tortelli di mandorle amare al tartufo nero bergamasco. Risotto mantecato con ostriche e caviale nell'oro. Fassone ghiacciato con germogli croccanti.
♦ Una nuova sede per un ristorante che rimane sempre ai vertici della ristorazione locale: ambienti moderni e armoniosi, cucina moderna.

CAVERNAGO – Bergamo (BG) – 561F11 – 1 812 ab. – alt. 202 m   19 **C2**
– ✉ 24050

▶ Roma 600 – Bergamo 13 – Brescia 45 – Milano 54

✗✗ **Giordano** con cam   🛏 🏠 👗 🐾 AC 🍽 cam, 🛜 P VISA ⑳ AE ① 🌣
*via Leopardi 1 – ℰ 035 84 02 66 – www.hotelgiordano.it – info@hotelgiordano.it
– Fax 035 84 02 12 – chiuso dal 26 dicembre al 6 gennaio, agosto, domenica
sera e lunedì*
20 cam ⌑ – ♦85 € ♦♦120 €   **Rist** – Carta 32/67 € ❀
♦ Si rifanno alla Toscana, terra d'origine del titolare, le specialità di questo ristorante,
particolarmente attento nella scelta dei prodotti. Una grande vetrata separa la sala
dalla griglia. Camere confortevoli offrono ospitalità soprattutto ad una clientela di
lavoro. Recentemente migliorate quelle al piano terra.

CAVO – Livorno – 563N13 – **Vedere Elba (Isola d') : Rio Marina**

CAVOUR – Torino (TO) – 561H4 – **5 383 ab.** – alt. 300 m – ✉ 10061   22 **B3**
▶ Roma 698 – Torino 54 – Asti 93 – Cuneo 51

🏠 **Locanda La Posta**   🕭 rist, ⚡ AC 📞 VISA ⑳ AE ① 🌣
*via dei Fossi 4 – ℰ 012 16 99 89 – www.locandalaposta.it – posta@
locandalaposta.it – Fax 012 16 97 90*
18 cam ⌑ – ♦55 € ♦♦80 € – ½ P 60 €
Rist – *(chiuso dal 28 dicembre al 5 gennaio, dal 26 luglio al 13 agosto e venerdì)*
Carta 28/41 € ❀
♦ Guidata dalla stessa famiglia sin dalle sue origini settecentesche, la locanda vanta
camere accoglienti e in stile, intitolate ai personaggi storici che vi hanno alloggiato.
Cucina tradizionale ma anche menù con piatti unici: un ristorante di taglio rustico-signorile con travi a vista, riscaldato da un antico camino.

CAVRIAGO – Reggio Emilia (RE) – 562H13 – **9 088 ab.** – alt. 78 m   8 **B3**
– ✉ 42025
▶ Roma 436 – Parma 26 – Milano 145 – Reggio nell'Emilia 9

✗✗✗ **Picci**   AC 👗 P VISA ⑳ AE ① 🌣
*via XX Settembre 4 – ℰ 05 22 37 18 01 – www.acetaiapicci.it
– info@acetaiapicci.it – Fax 05 22 57 71 80
– chiuso dal 1° al 15 gennaio, dal 5 al 26 agosto, domenica sera e lunedì*
Rist – Menu 35/45 € – Carta 41/55 € ❀
♦ Ambiente elegante, sedie in stile e quadri alle pareti, in un locale che propone cor-
pose personalizzazioni di cucina emiliana; tra i menù, uno a base di aceto balsamico.

CAVRIGLIA – Arezzo (AR) – 563L16 – **8 327 ab.** – alt. 312 m – ✉ 52022   29 **C2**
▶ Roma 238 – Firenze 58 – Siena 41 – Arezzo 49

a Meleto Nord-Ovest : 9 km – ✉ 52020

🏠 **Relais Villa Barberino** 🌿   🛏 🏠 🏊 👗 👗 rist, 📞 🚿 P
viale Barberino 19 – ℰ 055 96 18 13   VISA ⑳ ① 🌣
– www.villabarberino.it – barberin@val.it – Fax 055 96 10 71 – chiuso novembre
9 cam ⌑ – ♦75/130 € ♦♦100/200 € – 3 suites – ½ P 85/145 €
Rist *Il Tributo* – *(chiuso i mezzogiorno di lunedì e martedì escluso luglio e agosto)*
– Carta 40/58 €
♦ Raccontano una storia secolare le pietre del pittoresco borgo in cui sono site un'antica fattoria e la villa padronale con giardino all'italiana e interni d'atmosfera. Ambiente
intimo ed accogliente nelle belle sale dalle antiche volte a crociera. Cucina regionale.

CAZZAGO SAN MARTINO – Brescia (BS) – 561F12 – **10 189 ab.**   19 **D2**
– alt. 200 m – ✉ 25046
▶ Roma 560 – Brescia 17 – Bergamo 40 – Milano 81

✗✗✗ **Il Priore**   🏠 P VISA ⑳ AE 🌣
*via Sala 70, località Calino, Ovest : 1 km – ℰ 03 07 25 46 65 – ericadotti@
virgilio.it – Fax 03 07 25 46 65 – chiuso dal 7 al 30 gennaio e martedì*
Rist – Menu 30 € (solo a mezzogiorno) – Carta 48/87 €
♦ Due sale ampie e luminose con una piccola collezione di opere d'arte del '900 e servizio estivo in terrazza panoramica per un'interessante cucina di ampio respiro.

sulla strada statale 11 Padana Superiore Sud : 2,5 km

🏠🄷 Papillon   🍴 📶 & rist. 🅰🄲 🎿 🖐 🐾 🄿 🆅🅸🆂🅰 🆇🅾 🅰🄴 ⓞ 🔅

via Padana Superiore 100 ✉ *25046* – 𝒞 *03 07 75 08 43* – *papillon@ albergopapillon.it* – *Fax 03 07 75 08 43* – *chiuso agosto*
47 cam – 🛏55/70 € 🛏🛏75/85 €, � 10 € – ½ P 63 €
Rist – *(chiuso domenica)* Carta 24/44 €
♦ Facilmente raggiungibile dall'autostrada Milano-Venezia, hotel di taglio moderno, a gestione familiare, frequentato da clientela di lavoro; camere spaziose e funzionali. Il ristorante dispone di varie, luminose sale d'impostazione classica.

🍴🍴🍴 Il Gelso di San Martino *(Nicola Silvestri)*   🏮 & 🅰🄲 🎿 🔄 🄿

   🆅🅸🆂🅰 🆇🅾 🅰🄴 ⓞ 🔅

🍃   *via del Perosino 38, sulla strada statale 11 Padana superiore Sud : 2,5 km* ✉ *25046* – 𝒞 *03 07 75 99 44* – *www.ristoranteilgelso.com* – *ilgelsodisanmartino@libero.it* – *Fax 03 07 25 54 61* – *chiuso la sera di Natale, il 26 dicembre, agosto, domenica sera e lunedì (anche domenica a mezzogiorno in giugno-luglio)*
Rist – Menu 77 € – Carta 62/89 €
Spec. Zuppetta d'ananas e crudità di crostacei con granella d'arachidi e chicchi di frutto della passione. Ravioli farciti con lasagne alla bolognese in salsa al parmigiano reggiano. Composizione di piedino di maiale e cassoeula.
♦ Interni eleganti e armoniosi in una casa di campagna, dove gustare una cucina creativa che combina tanti ingredienti, trasformandoli in sorprendenti presentazioni.

CECCHINI DI PASIANO – Pordenone – 562E19 – Vedere Pasiano di Pordenone

---

CECINA – Livorno (LI) – 563M13 – 26 824 ab. – alt. 15 m – ✉ 57023   28 B2
📗 Toscana

▶ Roma 285 – Pisa 55 – Firenze 122 – Grosseto 98

🏠🄷 Posta *senza rist*   🖐 & 🅰🄲 🎿 🖐 🆅🅸🆂🅰 🆇🅾 🅰🄴 ⓞ 🔅

piazza Gramsci 12 – 𝒞 *05 86 68 63 38* – *www.postahotel.it* – *info@postahotel.it* – *Fax 05 86 68 07 24*
15 cam ⊟ – 🛏60/100 € 🛏🛏96/110 €
♦ In una delle piazze principali di Cecina (a due passi dalla stazione), piccolo albergo d'atmosfera ospitato in un edificio d'epoca. Parquet e mobili di legno scuro nelle camere, accoglienti e curate.

🏠🄷 Il Palazzaccio *senza rist*   🖐 & 🅰🄲 🎿 🄿 🆅🅸🆂🅰 🆇🅾 🅰🄴 ⓞ 🔅

via Aurelia Sud 300 – 𝒞 *05 86 68 25 10* – *www.i5fratellisangiorgi.it* – *Fax 05 86 68 62 21*
35 cam ⊟ – 🛏60/70 € 🛏🛏90/110 €
♦ Poco distante dal centro e ricavato da una vecchia stazione di posta, l'hotel dispone di spazi comuni ben distribuiti: un gradevole salotto, la classica sala colazioni ed un'altra rustica saletta polifunzionale. Camere generose nelle dimensioni, con piacevoli arredi in legno scuro (recentemente rinnovati).

🍴🍴 Scacciapensieri   🅰🄲 🎿 🆅🅸🆂🅰 🆇🅾 🅰🄴 ⓞ 🔅

via Verdi 22 – 𝒞 *05 86 68 09 00* – *Fax 05 86 68 09 00* – *chiuso dal 5 al 28 ottobre e lunedì*
Rist – Carta 50/80 € 🍷
♦ Locale classico di lunga tradizione con tavoli di tono elegante, quadri e griglie in legno: affidatevi al titolare che vi "racconterà" il menu e saprà consigliarvi il miglior pesce fresco di giornata, vero punto di forza della cucina. Se siete un po' giù di tono, cosa c'è di meglio di uno *Scacciapensieri*?

🍴🍴 Trattoria Senese   🅰🄲 🎿 🔄 🆅🅸🆂🅰 🆇🅾 🅰🄴 🔅

via Diaz 23 – 𝒞 *05 86 68 03 35* – *trattoriasenese@yahoo.it* – *Fax 05 86 68 03 35* – *chiuso martedì*
Rist – Carta 38/58 €
♦ "Al cuoco non si comanda" è il motto del ristorante nonché il miglior consiglio per i clienti: affidatevi, quindi, all'estroso *chef* che declina il pescato del giorno in preparazioni semplici e mediterranee, sempre diverse ma ricche di gusto.

XX Il Doretto

via Pisana Livornese 32, Nord 2,8 – ℰ 05 86 66 83 63 – doretto@stefan.it
– Fax 05 86 66 17 92 – chiuso dal 7 al 24 novembre e mercoledì
Rist – (coperti limitati, prenotare) Menu 30/60 € – Carta 40/60 €
♦ Ristorante all'interno di un raffinato cascinale, che dell'antica struttura ha mantenuto lo stile rustico nonostante qualche spunto di eleganza nell'arredamento. In menu: interessanti proposte culinarie di terra e di mare (con scelta un po' più limitata a pranzo). Gradevole *dehors* per il servizio estivo.

CECINA (Marina di) – Livorno (LI) – 563M13 – ✉ 57023   28 **B2**

▶ Roma 288 – Pisa 57 – Cecina 3 – Firenze 125

🛈 piazza Sant'Andrea 6 ℰ 0586 620678, apt7cecina@costadeglietruschi.itFax 0586 620678

Tornese

viale Galliano 36 – ℰ 05 86 62 07 90 – www.hoteltornese.com – info@hoteltornese.com – Fax 05 86 62 06 45
53 cam ⌸ – ♦49/89 € ♦♦88/168 € – ½ P 58/106 €
Rist – (chiuso a mezzogiorno in estate) Carta 26/36 €
♦ A due passi dalla spiaggia, struttura di indubbio confort caratterizzata da accoglienti interni e camere di buona funzionalità con arredi in stile marinaro: chiedete quelle con vista mare.

XXX Olimpia

viale della Vittoria 68 – ℰ 05 86 62 11 93 – ristoranteolimpia@libero.it
– Fax 05 86 62 11 93 – chiuso dal 19 dicembre a gennaio e lunedì, anche domenica sera da ottobre a Pasqua
Rist – (chiuso a mezzogiorno escluso i giorni festivi) Menu 35/55 €
– Carta 55/75 € ❀
♦ Ubicato sulla spiaggia, un ristorante di tono elegante con attenta cura della tavola; proposta che varia con il pescato, ricercata negli ingredienti e nelle preparazioni.

XX Bagatelle

via Ginori 51 – ℰ 05 86 62 00 89 – www.ristorante-bagatelle.it – facreat@tin.it
– Fax 05 86 29 44 41 – chiuso dal 10 al 25 gennaio, mercoledì, giovedì a mezzogiorno
Rist – (chiuso a mezzogiorno in agosto escluso sabato e domenica)
Menu 40/60 € – Carta 50/79 €
♦ Piacevole locale diviso in due sale climatizzate ed accoglienti con quadri, libri ed oggetti vari: servizio curato e proposte sia di carne sia di pesce.

X El Faro

viale della Vittoria 70 – ℰ 05 86 62 01 64 – www.ristorantelfaro.it – info@ristorantelfaro.it – Fax 05 86 62 02 74 – chiuso gennaio o novembre e mercoledì
Rist – Menu 40/50 € – Carta 44/54 €
♦ Per i patiti della spiaggia, che però non rinunciano al confort quando mangiano, è ideale questo locale con stabilimento e proposte gastronomiche interessanti, unicamente a base di pesce.

L'indicazione «**Rist**» in rosso evidenzia le strutture a cui abbiamo assegnato un riconoscimento: ❀ (stella) o ❀ (Bib Gourmand).

CEFALÙ – Palermo – 565M24 – Vedere Sicilia alla fine dell'elenco alfabetico

CEGLIE MESSAPICA – Brindisi (BR) – 564F34 – 20 864 ab.   27 **C2**
– alt. 303 m – ✉ 72013

▶ Roma 564 – Brindisi 38 – Bari 92 – Taranto 38

XX **Al Fornello-da Ricci** (Ricci e Sookar)   ☞ ☆ AC ⚡ P

🏵 *contrada Montevicoli –* ℰ 08 31 37 71 04   VISA ⚫ AE ① ⚓
– ricciristor@libero.it – Fax 08 31 37 71 04 – chiuso lunedì sera e martedì (anche domenica sera in inverno)
Rist – Menu 55/65 € – Carta 42/60 € 🕸
Spec. Millefoglie al nero d'oliva con funghi cardoncelli (primavera e autunno). Salsiccia tradizionale a punta di coltello con bracioline di maiale e polpette classiche, pomodoro fresco e cipollotto. Tortino di mele e gelato di latte di capra.
♦ Trattoria familiare all'insegna della calorosa ospitalità pugliese con esposizione di oggetti di vita agricola. Sono le radici della cucina: prodotti dell'entroterra e tradizione regionale.

XX **Cibus**   ☆ AC ⚡ VISA ⚫ AE ① ⚓

🏵 *via Chianche di Scarano 7 –* ℰ 08 31 38 89 80 – *www.ristorantecibus.it*
– cibus.celie@libero.it – Fax 08 31 38 89 80 – chiuso dal 24 giugno al 7 luglio e martedì
Rist – Carta 30/38 € 🕸
♦ Negli ex magazzini di un convento, un cortiletto interno con qualche tavolo collega una curata enoteca alle sale ristorante, caratteristiche, con tavoloni in legno.

X **Da Gino**   ⇦ P VISA ⚫ AE ① ⚓

contrada Montevicoli – ℰ 08 31 37 79 16 – *ristorantedagino@libero.it*
– Fax 08 31 38 89 56 – chiuso dal 15 giugno al 15 luglio e venerdì
Rist – Carta 22/35 €
♦ Curioso ambiente dove l'elemento dominante è il legno color miele, che ricopre pure i caminetti, e c'è anche un angolo che riproduce un trullo; cucina del territorio.

sulla strada statale 581 per San Vito dei Normanni Est : 8 km

🏠 **Relais La Fontanina**   ⚒ 𝔥 ♣♠ AC ⚡ (ᵗ) 👙 P VISA ⚫ AE ① ⚓

contrada Palagogna ✉ 72013 – ℰ 08 31 38 09 32 – *www.lafontanina.it – info@lafontanina.it – Fax 08 31 38 09 33*
35 cam ☲ – †60/100 € ††90/150 € – 1 suite – ½ P 70/150 €
Rist Relais La Fontanina – vedere selezione ristoranti
♦ Nella rigogliosa macchia mediterranea, è stata da poco aggiunta una nuova piscina sul retro: indirizzo perfetto per una vacanza alla scoperta della Puglia o per una sosta per chi viaggia per lavoro.

XXX **Relais La Fontanina**   ☆ AC ⚡ P VISA ⚫ AE ① ⚓

contrada Palagogna ✉ 72013 – ℰ 08 31 38 09 32 – *www.lafontanina.it – info@lafontanina.it – Fax 08 31 38 09 33 – chiuso lunedì da ottobre a marzo i mezzogiorno da martedì a sabato e la sera dei giorni festivi, anche domenica a mezzogiorno*
Rist – *(negli altri mesi)* (consigliata la prenotazione) Menu 35/70 €
– Carta 30/68 € 🕸
♦ Signorile ed elegante il ristorante, tra tessuti ricercati e arredi in stile; dalla cucina le ricette della tradizione contadina rivisitata e specialità di pesce. Dolci fatti in casa.

CELANO – L'Aquila (AQ) – 563P22 – 10 858 ab. – alt. 800 m – ✉ 67043   1 B2
    ❱ Roma 118 – Avezzano 16 – L'Aquila 44 – Pescara 94

🏠 **Le Gole**   ☞ ▮ AC ⚡ rist. (ᵗ) 👙 P 🚗 VISA ⚫ AE ① ⚓

via Sardellino, Sud : 1,5 km ✉ 67041 Aielli – ℰ 08 63 71 10 09
– www.hotellegole.it – info@hotellegole.it – Fax 08 63 71 11 01
41 cam ☲ – †50/60 € ††80/100 € – ½ P 55/65 €
Rist Le Gole da Guerrinuccio – vedere selezione ristoranti
♦ Un albergo recente, costruito con materiali "antichi" - legno, pietra e mattoni - ovunque a vista; belle camere in stile intorno alla corte interna; giardino ombreggiato.

🏠 **Lory**   ▮ 👙 cam, AC (ᵗ) 👙 P 🚗 VISA ⚫ AE ① ⚓

☎ *via Ranelletti 279 –* ℰ 08 63 79 36 56 – *www.loryhotel.it – info@loryhotel.it*
– Fax 08 63 79 30 55
34 cam ☲ – †50/70 € ††80/120 € – ½ P 60/75 €
Rist – *(chiuso dal 1° al 15 luglio)* Carta 18/28 €
♦ Lungo una curva verso Celano Alta, hotel dotato di installazioni all'avanguardia; luminose zone comuni con comode poltrone; parquet nelle confortevoli camere.

✕✕ **Le Gole da Guerrinuccio** 🕭 🔟 ⅌ ⅗ 🅿 VISA ⚌ AE ① ⅗
☞ *via Sardellino, Sud : 1,5 km* ✉ *67041 Aielli – ℰ 08 63 79 14 71*
– www.hotellegole.it – info@hotellegole.it – Fax 08 63 71 11 01
Rist – Carta 17/41 €
♦ Piacevole l'esterno, ma ancor più accogliente l'interno: soprattutto la sala con camino e arnesi di vecchia gastronomia e agricoltura; tradizione abruzzese in cucina.

CELLARENGO – Asti (AT) – 561H5 – **640 ab.** – alt. 321 m – ✉ **14010**   25 **C1**
🄳 Roma 621 – Torino 41 – Asti 28 – Cuneo 77

⌂ **Agriturismo Cascina Papa Mora** ⬎   ≼ 🚗 ⻀ ⅗ rist. ♣♣
via Ferrere 16, Sud : 1 km   ⅌ cam, 🅿 VISA ⚌ AE ① ⅗
– ℰ 01 41 93 51 26 – www.cascinapapamora.it – papamora@tin.it
– Fax 01 41 93 54 44 – chiuso dicembre e gennaio
6 cam ⌂ – †35/40 € ††60/70 € – ½ P 55/60 €
Rist – *(chiuso a mezzogiorno escluso domenica)* (prenotazione obbligatoria)
Menu 25/40 €
♦ Cascina ristrutturata, in aperta campagna, circondata da coltivazioni biologiche, offre un'ospitalità familiare e tranquilla; stanze semplici, ma curate e personalizzate.

CELLE LIGURE – Savona (SV) – 561I7 – **5 450 ab.** – ✉ **17015**   14 **B2**
🄳 Roma 538 – Genova 40 – Alessandria 86 – Milano 162
🄸 via Boagno (palazzo Comunale) ℰ 019 990021, celleligure@inforiviera.it, Fax 019 9999798

🏨 **San Michele** senza rist   🌡 📶 ♣♣ 🔟 🅿 VISA ⚌ AE ① ⅗
via Monte Tabor 26 – ℰ 019 99 00 17 – www.hotel-sanmichele.it – info@hotel-sanmichele.it – Fax 019 99 31 11 – maggio-15 ottobre
48 cam – †50/90 € ††80/130 €, ⌂ 10 €
♦ Confortevole struttura con giardino, piscina, parcheggio interno e sottopassaggio per la spiaggia; arredi di legno chiaro nelle funzionali camere, rinnovate di recente.

✕ **L'Acqua Dolce**   ⅗ 🔟 VISA ⚌ AE ⅗
via Pescetto 5/A – ℰ 019 99 42 22 – www.lacquadolcevillage.com
– federica_carovelli@libero.it – Fax 019 99 42 22 – chiuso domenica sera e lunedì da ottobre a maggio
Rist – *(chiuso a mezzogiorno da giugno a settembre)* Menu 45 €
– Carta 35/79 €
♦ Sulla passeggiata lungomare, conduzione giovane e ambiente di tono rustico-signorile in un localino dove gustare ottima e freschissima fauna di... acqua salata.

CELLE SUL RIGO – Siena – Vedere San Casciano dei Bagni

CELLORE – Verona – Vedere Illasi

CEMBRA – Trento (TN) – 562D15 – **1 758 ab.** – alt. 677 m – ✉ **38034**   30 **B2**
🄳 Roma 611 – Trento 22 – Belluno 130 – Bolzano 63
🄸 piazza Toniolli 2 ℰ 0461 683110, info@aptpinecembra.it, Fax 0461 683257

🏠 **Europa**   ≼ 🚗 ⻀ ⅍ ℔ 🖥 ⅗ ⅌ ⅜ 🅿 VISA ⚌ AE ⅗
☞ *via San Carlo 19 – ℰ 04 61 68 30 32 – www.hoteleuropacembra.it – info@hoteleuropacembra.it – Fax 04 61 68 30 32*
30 cam ⌂ – †35/40 € ††58/66 € – ½ P 35/44 €
Rist – *(chiuso domenica)* – Carta 16/23 €
♦ In posizione soleggiata, un albergo degli anni '90 per una vacanza tranquilla in un'atmosfera familiare; parquet e arredi essenziali nelle funzionali camere. Legno chiaro e ampie vetrate nella sala ristorante di taglio moderno.

CENERENTE – Perugia – Vedere Perugia

CENOVA – Imperia (IM) – 561J5 – alt. 558 m – ⊠ 18026 – CENOVA   14 **A2**
▶ Roma 613 – Imperia 27 – Genova 114

⌂ **Negro** ⌖   ⇐ ⤵ 🕏 🕪 **P** 🆅🆂🅰 ⓪ ⛴
🏨 *via Canada 10* – 🕿 *018 33 40 89* – *www.hotelnegro.it* – *hotelnegro@libero.it*
– *Fax 01 83 32 48 00* – *chiuso dall'8 gennaio a Pasqua*
13 cam ⌷ – ♦59/65 € ♦♦80/85 € – ½ P 60/65 €
Rist *I Cavallini* – *(chiuso mercoledì escluso dal 15 giugno al 15 settembre)*
(consigliata la prenotazione) Carta 27/43 €
♦ Un paese medioevale circondato dai boschi, con case in pietra addossate le une alle altre, l'albergo è stato ristrutturato, pur conservando le porte basse e le ripide scale. Familiare e rustica la sala da pranzo, nonchè la garanzia di una genuina cucina casalinga.

CENTALLO (CN) – 561I4 – **6 343 ab.** – ⊠ 12044   22 **B3**
▶ Roma 660 – Torino 82 – Cuneo 15 – Pinerolo 62

✗✗ **Due Palme**   **P** 🆅🆂🅰 ⓪ 🅰🅴 ⓪ ⛴
via Busca 2 – 🕿 *01 71 21 41 81* – *ristoranteduepalme@libero.it*
– *Fax 01 71 21 48 46* – *chiuso mercoledì*
Rist – Carta 32/41 €
♦ Questa secentesca casa nobiliare, convertita in trattoria due secoli più tardi, è ora un ristorante, in cui ritrovare una cucina regionale particolarmente attenta alla scelta dei prodotti.

CENTO – Ferrara (FE) – 562H15 – **30 496 ab.** – **alt. 15 m** – ⊠ 44042   9 **C2**
▶ Roma 410 – Bologna 34 – Ferrara 35 – Milano 207
🌀, 🕿 *051 683 05 04*

🏨 **Europa**   🛗 🄰🄲 ⅍ 🕪 🎧 🆅🆂🅰 ⓪ ⛴
via 4 Novembre 16 – 🕿 *051 90 33 19* – *heuropacento@tiscali.it*
– *Fax 051 90 22 13* – *chiuso 15 giorni ad agosto*
44 cam ⌷ – ♦50/95 € ♦♦80/135 €   **Rist** – *(chiuso venerdì)* Carta 22/36 €
♦ La cortese conduzione familiare ed una semplice eleganza sono alla base del successo di questo hotel. Camere dai graziosi arredi, ampi spazi verdi tutt'intorno e noleggio biciclette. Ampia la sala da pranzo al primo piano, dove assaporare specialità mediterranee e regionali.

✗ **Antica Osteria da Cencio**   🏠 🄰🄲 ⅍ 🆅🆂🅰 ⓪ 🅰🅴 ⓪ ⛴
☺ *via Provenzali 12/d* ⊠ *44042* – 🕿 *05 16 83 18 80* – *chiuso Capodanno, dieci giorni in marzo, agosto, lunedì e i mezzogiorno di sabato e domenica*
Rist – Carta 25/42 € ❧
♦ Sapori del territorio arricchiti da spunti di contemporanea creatività in questa osteria dall'atmosfera d'altri tempi: dall'Ottocento ad oggi, è qui di casa la genuinità.

CERASA – Pesaro-Urbino – 563K21 – Vedere San Costanzo

CERASO – Salerno (SA) – 564G27 – **2 506 ab.** – **alt. 330 m** – ⊠ 84052   7 **C3**
▶ Roma 349 – Potenza 151 – Napoli 145 – Salerno 90

a Petrosa Sud-Ovest : 7,5 km – ⊠ **84052** – Ceraso

⌂ **Agriturismo La Petrosa** ⌖   🚃 🏠 ⤵ ⅍ rist, **P** 🆅🆂🅰 ⛴
☞ *via Fabbrica 25* – 🕿 *097 46 13 70* – *www.lapetrosa.it* – *staff@lapetrosa.it*
– *Fax 097 46 13 70* – *marzo-ottobre*
6 cam ⌷ – ♦40/55 € ♦♦60/90 € – ½ P 60 €
Rist – *(prenotazione obbligatoria)* Carta 18/26 €
♦ Camere nella casa padronale, con più charme, o nella cascina ristrutturata, a circa 1 km, dove si trovano gli altri servizi: per una vacanza rurale nel Parco del Cilento.

CERBAIA – Firenze – 563K15 – Vedere San Casciano in Val di Pesa

CERES – Torino (TO) – 561G4 – 1 051 ab. – alt. 704 m – ⊠ 10070   22 **B2**
> ▶ Roma 699 – Torino 38 – Aosta 141 – Ivrea 78

⚒ **Valli di Lanzo** con cam   🏠 🍸
  via Roma 15 – 𝒞 012 35 33 97 – www.ristorantevallidilanzo.it – info@
  ristorantevallidilanzo.it – Fax 012 35 37 53 – chiuso settembre
  8 cam � – ♦40/45 € ♦♦67/70 € – ½ P 63/65 €
  Rist – (chiuso mercoledì in inverno) Menu 25/30 € – Carta 29/43 €
  ◆ Gestito dal 1905 dalla stessa famiglia, è un accogliente locale dal sapore dei tempi
  antichi, personalizzato con oggetti di rame alle pareti; piatti piemontesi e della valle.
  Non molto grandi ma graziose le camere.

CERESE DI VIRGILIO – Mantova – 561G14 – **Vedere Mantova**

CERMENATE – Como (CO) – 561E9 – 8 752 ab. – alt. 332 m – ⊠ 22072   18 **B1**
> ▶ Roma 612 – Como 15 – Milano 32 – Varese 28

🏨 **Gardenia**   📶 ⅙ cam, 🄰🄲 🍸 rist, (¶) 🛁 🅿 🚗 𝘝𝘐𝘚𝘈 ◉◉ 🄰🄴 ◉ 🍴
  via Europa Unita – 𝒞 031 72 25 71 – www.paginegialle.it/gardeniahotel
  – prenotazioni@hotelgardeniacermenate.it – Fax 031 72 25 70
  34 cam – ♦60/90 € ♦♦70/130 €, ⊒ 10 €
  Rist – (chiuso a mezzogiorno) (solo per alloggiati) Carta 29/35 €
  ◆ Immerso nel verde della Brianza, un basso edificio di mattoni rossi ospita un albergo
  concepito in modo moderno e funzionale: camere di buon confort, spaziose e ben
  accessoriate. A 10 min dalla romantica Como.

⚒⚒ **Castello**   🏠 ⇄ 🅿 𝘝𝘐𝘚𝘈 ◉◉ 🄰🄴 🍴
  via Castello 28 – 𝒞 031 77 15 63 – www.ristorante-castello.it – Fax 031 77 15 63
  – chiuso dal 24 dicembre al 6 gennaio, agosto, martedì sera e lunedì
  Rist – Carta 35/49 € 🕸
  ◆ Tocchi di eleganza in una trattoria con la stessa gestione da 30 anni; cucina locale e
  anche di più ampio respiro, con qualche ricercatezza francese; ottima cantina.

CERNOBBIO – Como (CO) – 561E9 – 7 000 ab. – alt. 202 m – ⊠ 22012   18 **A1**
🇮🇹 Italia
> ▶ Roma 630 – Como 5 – Lugano 33 – Milano 53
> 🔝 Villa d'Este, 𝒞 031 20 02 00

🏨🏨🏨 **Villa d'Este** 🐾   ⇄ 🍳 🏠 🏊 🏊 ◉◉ 🎱 🛁 🏋 🎾 🛎 ⅙ cam, 🏃 🄰🄲 ⤢
  via Regina 40 – 𝒞 031 34 81   🍸 (¶) 🛁 🅿 𝘝𝘐𝘚𝘈 ◉◉ 🄰🄴 ◉ 🍴
  – www.villadeste.it – info@villadeste.it – Fax 031 34 88 73 – marzo-16 novembre
  152 cam ⊒ – ♦430/650 € ♦♦710/1200 € – 7 suites
  Rist La Veranda – 𝒞 031 34 87 20 – Carta 96/136 €
  Rist Grill – (aprile-ottobre, chiuso lunedì) (chiuso a mezzogiorno) Carta 81/117 €
  ◆ Splendido esempio architettonico del 1500, immerso in un parco con piante centenarie, tra le quali un platano di oltre 500 anni; camere con mobili d'epoca, dipinti, broccati
  e sete preziose. Raffinatezza anche al ristorante La Veranda. Al Grill, informale ma chic,
  piatti regionali e di pesce. D'estate, cena all'aperto.

🏨 **Miralago**   ⇄ 📶 🄰🄲 🍸 (¶) 🅿 🚗 𝘝𝘐𝘚𝘈 ◉◉ 🄰🄴 ◉ 🍴
  piazza Risorgimento 1 – 𝒞 031 51 01 25 – www.hotelmiralago.it – info@
  hotelmiralago.it – Fax 031 34 20 88 – marzo-15 novembre
  42 cam ⊒ – ♦80/115 € ♦♦110/165 € – ½ P 110 €   **Rist** – Carta 31/53 €
  ◆ Una signorile casa liberty affacciata sul lago e sulla passeggiata pedonale ospita un
  albergo accogliente; moderne camere di dimensioni limitate, ma ben accessoriate. Bella
  veduta del paesaggio lacustre dalla sala ristorante.

🏠 **Centrale**   🚗 🏠 🄰🄲 (¶) 🅿 🚗 𝘝𝘐𝘚𝘈 ◉◉ 🄰🄴 🍴
  via Regina 39 – 𝒞 031 51 14 11 – www.albergo-centrale.com – info@
  albergo-centrale.com – Fax 031 34 19 00 – chiuso dal 21 dicembre al 4 febbraio
  22 cam ⊒ – ♦75/85 € ♦♦100/130 €
  Rist – (chiuso sabato a mezzogiorno e lunedì) Carta 28/43 €
  ◆ Un edificio inizio '900, ristrutturato in anni recenti, per una piccola, curata risorsa a
  gestione familiare; arredi classici nelle camere non ampie, ma confortevoli. Ameno servizio ristorante estivo in giardino.

ⅩⅩ **Trattoria del Vapore**   🍴 🏧 VISA ⓪ AE ① ⑤
via Garibaldi 17 – ℰ 031 51 03 08 – www.trattoriadelvapore.it
– trattoriadelvapore@libero.it – Fax 031 51 03 08
– chiuso dal 25 dicembre al 25 gennaio e martedì
Rist – Carta 36/51 € ⊗
♦ Un grande camino troneggia nell'accogliente sala di questo raccolto locale, in centro, a pochi passi dal lago; cucina legata alle tradizioni lacustri, ricca enoteca.

CERNUSCO LOMBARDONE – Lecco (LC) – 561E10 – 3 730 ab.   18 B1
– alt. 267 m – ✉ 23870

▶ Roma 593 – Como 35 – Bergamo 28 – Lecco 19

ⅩⅩ **Osteria Santa Caterina**   🍴 AK VISA ⓪ AE ① ⑤
via Lecco 34 – ℰ 03 99 90 23 96 – www.osterisantacaterina.eu – info@
osteriasantacaterina.eu – Fax 03 99 90 23 96 – chiuso dal 1° all' 8 gennaio, dal
16 al 30 agosto e lunedì
Rist – Carta 37/45 €
♦ Bel ristorante con gestione giovane, arredi moderni in un edificio di fine '800 nel centro del paese; cucina fantasiosa, di terra e di mare, e interessante proposta di vini.

CERNUSCO SUL NAVIGLIO – Milano (MI) – 561F10 – 28 067 ab.   18 B2
– alt. 133 m – ✉ 20063

▶ Roma 583 – Milano 14 – Bergamo 38
🏁 Molinetto, ℰ 02 92 10 51 28

ⅩⅩⅩ **Due Spade**   AK VISA ⓪ ⑤
via Pietro da Cernusco 2/A – ℰ 029 24 92 00 – www.ristoranteduespade.it
– infotiscali@ristoranteduespade.it
– chiuso dal 24 dicembre al 7 gennaio, 3 settimane in agosto e domenica
Rist – Menu 40/50 € – Carta 32/47 € ⊗
♦ Un "salotto" elegante, con soffitto e pavimento di legno, questo locale raccolto, che ruota tutto intorno al camino della vecchia filanda; cucina stagionale rivisitata.

CERRO MAGGIORE – Milano (MI) – 561F8 – 14 099 ab. – alt. 206 m   18 A2
– ✉ 20023

▶ Roma 603 – Milano 26 – Como 31 – Varese 32

🏨 **UNA Hotel Malpensa**   🖥 🕭 AK 🍴 rist, 🕭 🔧 🅿 🗻
via Turati 84, uscita A8 di Legnano   VISA ⓪ AE ① ⑤
– ℰ 03 31 51 31 11 – www.unahotels.it – una.malpensa@unahotels.it
– Fax 03 31 51 31 12
160 cam ⊑ – †99/222 € ††99/522 €   **Rist** – Carta 39/51 €
♦ A metà strada tra il capoluogo lombardo e l'aeroporto di Malpensa, un moderno grattacielo, ben visibile anche dall'autostrada. Confort e servizi di ultima generazione. Ristorante ampio e luminoso.

a Cantalupo Sud-Ovest : 3 km – ✉ 20020

ⅩⅩⅩ **Corte Lombarda**   🍴 AK ⇆ 🅿 VISA ⓪ AE ① ⑤
piazza Matteotti 9 – ℰ 03 31 53 56 04 – www.cortelombarda.it – info@
cortelombarda.it – Fax 03 31 53 35 75 – chiuso dal 26 dicembre al 10 gennaio,
dal 3 al 28 agosto, domenica sera e lunedì
Rist – Carta 38/50 €
♦ Eleganti sale interne, anche con camino, in una vecchia cascina che offre servizio estivo all'aperto; tocco fantasioso nella cucina, di pesce e di tradizione lombarda.

CERTALDO – Firenze (FI) – 563L15 – 15 944 ab. – alt. 67 m – ✉ 50052   29 C2
▮ Toscana

▶ Roma 270 – Firenze 57 – Siena 42 – Livorno 75

✗✗ **Osteria del Vicario** (Sara Conforti) con cam   🐾   ← 🏠 🈵

via Rivellino 3, a Certaldo Alto – ☎ 05 71 66 82 28   **VISA** ⓪Ⓞ AE ⓪ 🖸
– _www.osteriadelvicario.it_ – _info@osteriadelvicario.it_ – Fax 05 71 66 86 76
– _chiuso dal 10 gennaio al 28 febbraio_
4 cam ⌁ – ♥80 € ♥♥100 €
Rist – _(chiuso domenica sera e lunedì)_ (consigliata la prenotazione)
Carta 48/57 € 🕸
Spec. Rollé di melanzana e banana con salsa di cacao e caffè. Zuppa di cipolle
di Certaldo con ricci di mare e mousse di rose. Piccione su salsa di fragole in
agrodolce.
♦ Ubicato nella suggestiva parte alta e storica di Certaldo, ambienti suggestivi che si
aprono l'estate sulla corte con balconata e vista sulla valle. Cucina di terra e di mare.
Nelle antiche celle dei monaci, letti rinascimentali, ospitalità e quiete.

CERTOSA = KARTHAUS – Bolzano – Vedere Senales

CERTOSA DI PAVIA – Pavia (PV) – 561G9 – 3 341 ab. – alt. 91 m   16 **A3**
– ✉ 27012 ▌ Italia

▶ Roma 572 – Alessandria 74 – Bergamo 84 – Milano 31
◉ Certosa★★★ Est : 1,5 km

✗✗✗ **Locanda Vecchia Pavia "Al Mulino"** (Annamaria Leone)   🏠 AK

via al Monumento 5 – ☎ 03 82 92 58 94   **P.** **VISA** ⓪Ⓞ AE ⓪ 🖸
– _vecchiapaviaalmulino@libero.it_ – Fax 03 82 93 33 00
– _chiuso dal 1° al 22 gennaio, dal 5 al 27 agosto, lunedì e martedì a
mezzogiorno da aprile ad ottobre, domenica sera e lunedì negli altri mesi_
Rist – Carta 56/85 € 🕸
Spec. Fegato d'oca di Mortara cotto al torcione con mostarda di frutta fatta in
casa. Gnocchetti di melanzane al pomodoro fresco, mozzarella e basilico. Piccione disossato in doppia cottura con riduzione di Porto e vino rosso.
♦ Presso la certosa, ambientazione idilliaca in un mulino d'epoca nella campagna lombarda. Più raffinati gli interni, la cucina spazia dai prodotti della terra al mare.

CERVERE – Cuneo (CN) – 561I5 – 1 939 ab. – alt. 304 m – ✉ 12040   22 **B3**
▶ Roma 656 – Cuneo 43 – Torino 58 – Asti 52

✗✗ **Antica Corona Reale-da Renzo** (Gian Piero Vivalda)   AK ⇔

via Fossano 13 – ☎ 01 72 47 41 32   **VISA** ⓪Ⓞ AE ⓪ 🖸
– _anticacoronareale@gosystem.it_ – Fax 01 72 47 43 99 – _chiuso dal 26 dicembre
al 10 gennaio, dal 5 al 25 agosto, martedì sera e mercoledì_
Rist – Carta 45/60 € 🕸
Spec. Tortelli di formaggio Roccaverano e seirass al luvertin selvatico (germo-
glio) e punte d'ortica (marzo-luglio). Cappone di Morozzo in doppia cottura su
funghi porcini trifolati (ottobre-gennaio). Insalata tiepida di piccione di
cascina all'aglio rosa in camicia su subric (frittata) di patate e mousse di
carote.
♦ Eleganti sale in un edificio rustico in mattoni hanno visto crescere una cucina generazionale. Ora siamo ai livelli più alti, spunti piemontesi ma anche pesce e creatività.

CERVESINA – Pavia (PV) – 561G9 – 1 189 ab. – alt. 72 m – ✉ 27050   16 **A3**
▶ Roma 580 – Alessandria 46 – Genova 102 – Milano 72

🏰 **Il Castello di San Gaudenzio** 🐾   🄰 🖳 🗢 AK rist, ፧🕪 🆘 **P**

via Mulino 1, località San Gaudenzio, Sud : 3 km   **VISA** ⓪Ⓞ AE ⓪ 🖸
– ☎ 03 83 33 31 – _www.castellosangaudenzio.com_ – _info@
castellosangaudenzio.com_ – Fax 03 83 33 34 09
45 cam – ♥95/110 € ♥♥140 €, ⌁ 10 € – ½ P 115 €
Rist – _(chiuso martedì)_ Carta 36/48 €
♦ Un'oasi di pace questo castello del XIV secolo in un parco, con interni in stile e
dépendance intorno ad un giardino all'italiana con fontana; attrezzature congressuali.
Bianche colonne e soffitto di legno con grosse travi a vista nell'elegante sala da pranzo.

Italia

> ◼ Roma 42 – Civitacecchia 34
> ◎ Necropoli della Banditaccia★★ Nord : 2 km
> Ⓖ Circuito intorno al lago di Bracciano★★

X **Antica Locanda Le Ginestre**   🛱 ℅ 🔁 🆚🆘 ⓞ AE ⓞ &
*piazza Santa Maria 5 – ℰ 069 94 06 72 – www.le-ginestre.it – leginestre@
le-ginestre.it – Fax 069 94 06 65 – chiuso dal 7 al 31 gennaio e lunedì*
Rist – *(chiuso a mezzogiorno dal 15 luglio al 25 agosto)* Carta 32/51 € ▒
◆ Si attraversa, in salita, l'intero paese per arrivare al borgo medioevale. E' qui che si
trova l'edificio secentesco che ospita il ristorante, un misto di storico e rustico come la
cucina, di terra e di mare.

> ◼ Roma 382 – Ravenna 22 – Rimini 31 – Bologna 96
> 🄸 (maggio-settembre) viale dei Mille 65 ℰ 0544 974400, iatcervia@
> comunecervia.it, Fax 0544 977194
> 🏞, ℰ 0544 99 27 86

🏨🏨🏨 **Universal**   ≼ ⍉ Ị🛁 🎖 🏃 🄰🄺 ℅ rist, **P** 🚗 🆚 🆘 &
*lungomare Grazia Deledda 118 – ℰ 054 47 14 18 – www.selecthotels.it
– universal@selecthotels.it – Fax 05 44 97 17 46 – marzo-ottobre*
94 cam ☑ – ♦65/100 € ♦♦110/200 € – ½ P 85/100 €   **Rist** – Menu 30/45 €
◆ Affacciato sul mare, un'elegante e grande struttura dagli ambienti spaziosi e signorili,
camere nuove e ben arredate ed un'invitante piscina ricavata sul retro. La sala da
pranzo con vista panoramica propone menù a scelta, nonchè buffet di verdure ed antipasti.

🏨🏨🏨 **Gambrinus**   ≼ ⍉ Ị🛁 🎖 🄺 ℅ cam, 🏊 **P** 🆚 🆘 AE ⓞ &
*lungomare Grazia Deledda 102 – ℰ 05 44 97 17 73 – www.gambrinushotel.it
– info@ gambrinushotel.it – Fax 05 44 97 39 84 – maggio-settembre*
79 cam ☑ – ♦75/92 € ♦♦108/160 € – 3 suites – ½ P 90/108 €
Rist – Carta 35/50 €
◆ Sul lungomare, elegante hotel composto da due strutture: spazi molto ampi, camere
recentemente rinnovate - arredate in tinte pastello e gusto neoclassico - nonché simpatica sala ricreazione per bambini. Nel lussuoso ristorante dai colori caldi, i tipici prodotti
della cucina nazionale.

🏨 **K 2 Cervia**   🖨 🎖 & cam, 🏃 🄺 ℅ rist, 🍽 🏊 **P** 🆚 🆘 AE ⓞ &
*viale dei Mille 98 – ℰ 05 44 97 10 25 – info@hotelk2cervia.com
– Fax 05 44 97 10 28 – chiuso novembre, gennaio e febbraio*
36 cam ☑ – ♦70/110 € ♦♦60/120 € – ½ P 60/84 €   **Rist** – Menu 25/40 €
◆ Circondato da un fresco giardino un'albergo dall'atmosfera familiare a pochi metri dal
mare con ambienti in legno perlinato e camere dagli arredi chiari. Presso la sobria sala
da pranzo, una cucina particolarmente curata con proposte di pesce tutti i giorni. Menù
speciale per i bambini.

🏠 **Ascot**   🚗 ⍉ 🎖 🏃 🄺 ℅ **P** 🆚 🆘 ⓞ &
😞 *viale Titano 14 – ℰ 054 47 23 18 – www.hotelascot.it – info@hotelascot.it
– Fax 054 47 23 45 – 15 maggio-15 settembre*
36 cam – ♦50/70 € ♦♦70/100 €, ☑ 5 € – ½ P 62 €
Rist – *(chiuso a mezzogiorno) (solo per alloggiati)* Menu 20 €
◆ Un piccolo albergo a gestione familiare, poco distante dal mare, dispone di ampi
spazi in giardino, allestiti con tavolini ed ombrelloni, e semplici camere di recente rinnovate.

XX **Locanda dei Salinari**   🛱 🄺 ℅ 🆚 🆘 &
*circonvallazione Sacchetti 152 – ℰ 05 44 97 11 33 – locandadeisalinari@libero.it
– Fax 05 44 97 11 33 – chiuso mercoledì escluso giugno-agosto*
Rist – Menu 25/45 € – Carta 34/45 €
◆ Nell'antico borgo dei Salinari, un locale semplice nelle mani di un giovane intrapren-
dente chef che propone una cucina creativa usufruendo dei migliori prodotti della
Romagna.

XX **Nautilus-da Franco**   🏤 AC VISA ⬤⬤ AE ⓘ 💲

via Nazario Sauro 116 – 𝒞 *05 44 97 64 86* – *Fax 05 44 97 64 86* – *chiuso dieci giorni in ottobre e lunedì*
Rist – Carta 36/42 €

◆ Nella zona portuale tra negozi e pescherie, questo locale è dislocato su due sale di tono classico e una veranda esterna dove gustare una cucina che predilige prodotti ittici.

a Pinarella Sud : 2 km – ✉ **48015**

🇮 (maggio-settembre) via Tritone 15/a 𝒞 0544 988869, Fax 0544 980728

🏨 **Garden**   🛏 🔔 ₤6 ⌂ ✝ AC 🍴 rist, 🔌 P 🚗 VISA ⬤⬤ AE 💲

viale Italia 250 – 𝒞 *05 44 98 71 44* – *www.severihotels.it* – *hotelgarden@cervia.com* – *Fax 05 44 98 00 06* – *15 maggio-settembre*
64 cam – ♦92/105 € ♦♦154/176 €, � 15 € – ½ P 99/115 €   **Rist** – 35 € bc

◆ Tutto il calore di questa terra così ospitale in una piacevole struttura – recentemente rinnovata – che dispone di camere accoglienti e confortevoli. Incantevoli piscine con vasca idromassaggio per gli adulti e cascate per il divertimento dei più piccoli. Al ristorante: specialità regionali e piatti classici italiani.

🏨 **Club Everest**   🔔 ₤6 ⌂ ✝ AC 🍴 rist, P VISA ⬤⬤ AE 💲

viale Italia 230 – 𝒞 *05 44 98 72 14* – *www.severihotels.it* – *hoteleverest@cervia.com* – *Fax 05 44 98 75 74* – *25 maggio-settembre*
47 cam – ♦85/99 € ♦♦145/165 €, ⊡ 15 € – ½ P 79/97 €   **Rist** – Menu 35 € bc

◆ In posizione tranquilla davanti alla pineta marittima e a pochi passi dalla spiaggia, l'albergo dispone di camere nuove e riposanti aree comuni. Al ristorante, le classiche proposte della tradizione culinaria italiana.

a Milano Marittima Nord : 2 km – ✉ **48015** – **Cervia - Milano Marittima**

🇮 viale Matteotti 39/41 𝒞 0544 993435, Fax 0544 993226

🏰 **Palace Hotel**   🔔 🕸 ₤6 ⌂ ⌂ ✝ AC 🍴 rist, 🗼 🏋 🚗

viale 2 Giugno 60 – 𝒞 *05 44 99 36 18*   VISA ⬤⬤ AE ⓘ 💲
– *www.selecthotels.it* – *palace@selecthotels.it* – *Fax 05 44 99 53 01* – *marzo-ottobre*
99 cam ⊡ – ♦200/280 € ♦♦250/400 € – 13 suites – ½ P 160/270 €
Rist – Menu 70/90 €

◆ Prestigiosa ed esclusiva struttura a pochi metri dal mare ospita eleganti spazi arredati con mobili intagliati, preziosi lampadari e ceramiche e la tranquillità di un parco di ulivi millenari. L'elegante e capiente sala da pranzo offre una vista sul giardino e piatti della tradizione nazionale.

🏛 **Waldorf**   ⇐ 🔔 ⌂ ⌂ ✝ AC ⇔ 🍴 🗼 P 🚗 VISA ⬤⬤ AE ⓘ 💲

VII Traversa 17 – 𝒞 *05 44 99 43 43* – *www.premierhotels.it* – *waldorf@premierhotels.it* – *Fax 05 44 99 34 28*
30 cam ⊡ – ♦200/220 € ♦♦236/520 €
Rist *La Settima* – *(dicembre e aprile-settembre)* Carta 36/64 €

◆ Design, innovazione e soprattutto stupore per questo elegante albergo completamente rinnovato; ora presenta spazi che ripropongono i colori e i movimenti del mare e ampi balconi con vista. Arredo ricercato, cascate d'acqua e una cucina creativa e d'autore al ristorante.

🏛 **Grand Hotel Gallia**   🛏 🔔 ₤6 🍽 ⌂ ✝ AC 🍴 rist, P VISA ⬤⬤ 💲

piazzale Torino 16 – 𝒞 *05 44 99 46 92* – *www.selecthotels.it* – *gallia@selecthotels.it* – *Fax 05 44 99 44 71* – *Pasqua-15 ottobre*
99 cam ⊡ – ♦110/160 € ♦♦110/260 € – ½ P 100/155 €   **Rist** – Menu 40/65 €

◆ Un hotel dai grandi spazi arredati con preziose ceramiche ed eleganza di eco settecentesca, un luminoso salotto all'ingresso; una attrezzata palestra e piscina in giardino. Al ristorante, i sapori della gastronomia tradizionale.

🏛 **Mare e Pineta**   🎵 🔔 ₤6 🍽 ⌂ cam, ✝ AC 🍴 rist, 🏋 P 🚗

viale Dante 40 – 𝒞 *05 44 99 22 62* – *www.selecthotels.it*   VISA ⬤⬤ 💲
– *hmarepineta@selecthotels.it* – *Fax 05 44 99 27 39* – *25 marzo-2 ottobre*
158 cam ⊡ – ♦110/150 € ♦♦180/260 € – 5 suites – ½ P 170/220 €
Rist – Menu 50/70 €

◆ Uno dei primi alberghi aperti in città alla fine degli anni Venti, dispone oggi di numerose camere confortevoli e di un ampio parco con campi da tennis e piscina.

Aurelia

viale 2 Giugno 34 – 𝒞 05 44 97 54 51 – www.selecthotels.it – aurelia@
selecthotels.it – Fax 05 44 97 27 73
94 cam ⌂ – ♦100/150 € ♦♦150/260 € – ½ P 100/145 €
Rist – Menu 40/65 €
♦ Sito direttamente sul mare e circondato da un ampio giardino che conduce alla spiaggia, l'hotel annovera camere di recente rinnovo, un centro benessere e piscina climatizzata. I sapori della tradizione vengono serviti presso la sala ristorante arredata in calde tonalità.

Le Palme

VII Traversa 12 – 𝒞 05 44 99 46 61
– www.premierhotels.it – lepalme@premierhotels.it – Fax 05 44 99 41 79
102 cam ⌂ – ♦120/170 € ♦♦182/300 € – ½ P 120/198 €
Rist – Menu 36/70 €
♦ Fronte mare, una moderna struttura adatta ad un clientela commercile, dispone di una zona benessere e di due piscine, una olimpica ed una più piccola all'ultimo piano. Al ristorante, i colori del Mediterraneo, palme e piatti di carne e di pesce presentati nelle classiche ricette regionali.

Globus

viale 2 Giugno 59 – 𝒞 05 44 99 21 15
– www.baldisserihotels.it – globus@hotelglobus.it – Fax 05 44 99 29 31 – marzo-
ottobre
80 cam ⌂ – ♦90/130 € ♦♦130/250 € – ½ P 130/145 €
Rist – Menu 35/90 €
♦ Un hotel esclusivo con ingresso al primo piano tra lampadari in pregiato cristallo, camere rinnovate, un moderno centro benessere ed un giardino dove allestire spettacoli. Presso la rilassante sala da pranzo, un menù alla carta con proposte ad hoc per chi segue diete specifiche e per i più piccoli.

Metropolitan

via XVII Traversa 7 – 𝒞 05 44 99 47 33 – www.premierhotels.it – metropolitan@
premierhotels.it – Fax 05 44 99 47 35 – marzo-ottobre
78 cam – ♦61/96 € ♦♦100/215 €, ⌂ 18 € – ½ P 95/125 €
Rist – Carta 30/63 €
♦ A pochi passi dalla spiaggia, un edificio con camere e ambienti comuni ampi ed arredati con gusto moderno, piscina ed area fitness. Prima colazione a buffet in veranda.

Delizia

VIII Traversa 23 ✉ 48016 – 𝒞 05 44 99 54 41 – www.hoteldelizia.it – info@
hoteldelizia.it – Fax 05 44 99 52 88 – marzo-ottobre
40 cam ⌂ – ♦70/100 € ♦♦120/180 € – ½ P 60/90 €
Rist – (chiuso la sera) (solo per alloggiati, a buffet)
♦ A pochi passi dal centro, direttamente sul mare, la struttura dispone di camere luminose e confortevoli dall'arredo moderno. Palestra ben attrezzata e per gli amanti della buona tavola: ricco buffet a pranzo.

Acapulco

VI Traversa 19 – 𝒞 05 44 99 23 96 – www.acapulcohotels.it – info@
acapulcohotels.it – Fax 05 44 99 38 33 – marzo-settembre
45 cam – ♦90 € ♦♦115/130 €, ⌂ 13 € – ½ P 80/103 €
Rist – (solo per alloggiati)
♦ Fronte mare, l'hotel è ideale per trascorrere vacanze riposanti con la famiglia, dispone di luminose camere modernamente arredate nonchè di una piacevole terrazza-solarium.

Mazzanti

via Forlì 51 – 𝒞 05 44 99 12 07 – info@hotelmazzanti.it – Fax 05 44 99 12 58
– Pasqua-20 settembre
55 cam ⌂ – ♦50/60 € ♦♦70/100 € – ½ P 84/90 €
Rist – (chiuso fino al 9 maggio) (chiuso a mezzogiorno) (solo per alloggiati)
Menu 20/30 €
♦ In una zona tranquilla direttamente sul mare, una struttura a gestione familiare con semplici spazi comuni arredati con divani. Ideale per una vacanza di relax con i bambini.

Alexander 🚗 ⅃ 🏠 📶 ⅄ ♿ 🧒 📺 💱 rist, 🅿 VISA ⚬⚬ AE ① 💳

viale 2 Giugno 68 – ☎ 05 44 99 15 16 – www.alexandermilanomarittima.it
– info@alexandermilanomarittima.it – Fax 05 44 99 94 10 – aprile-20 settembre
52 cam – 🛏70/90 € 🛏🛏100/130 €, ⌑ 10 € – ½ P 105 €
Rist – Menu 35/40 €
♦ Tavolini e piscina dominano l'ingresso di questo hotel costruito in posizione centrale
che offre accoglienti camere, una terrazza-solarium ed un centro benessere. Spettacolari
inserti in marmo e cucina tradizionale nell'elegante sala ristorante.

Majestic ⟨ ⅃ 📶 🧒 📺 ♿ ⸨•⸩ 🅿 VISA ⚬⚬ ① 💳

X Traversa 23 – ☎ 05 44 99 41 22 – www.majesticgroup.it – majestic@
majesticgroup.it – Fax 05 44 99 41 23 – aprile-settembre
46 cam – 🛏🛏70/160 €, ⌑ 15 € – ½ P 68/110 €
Rist – Menu 25/40 €
♦ Adatta per una vacanza con la famiglia, una struttura semplice con spaziosi e confortevoli ambienti, sita direttamente sulla spiaggia. Colazione all'aperto nei mesi caldi. Buffet di insalate e cucina classica nella grande e sobria sala ristorante.

Isabella senza rist 🚗 📶 🧒 📺 ⸨•⸩ 🅿 VISA ⚬⚬ ① 💳

viale 2 Giugno 152 – ☎ 05 44 99 40 68 – www.isabellagarni.it – isabella@
majesticgroup.it – Fax 05 44 99 50 34 – Pasqua-10 ottobre
31 cam ⌑ – 🛏35/80 € 🛏🛏60/120 €
♦ Una struttura dagli ambienti rinnovati con soluzioni moderne, piscina riscaldata e
colazione a buffet nella sala al piano terra; è possibile consumare piatti freddi a pranzo.

Ridolfi 🚗 ⅃ 📶 📺 ♿ rist, 🅿 VISA ⚬⚬ AE 💳

anello del Pino 18 – ☎ 05 44 99 45 47 – www.hotelridolfi.com – hoteridolfi@
cervia.com – Fax 05 44 99 15 06 – Pasqua-settembre
36 cam ⌑ – 🛏45/55 € 🛏🛏80/100 € – ½ P 70/80 €
Rist – *(solo per alloggiati)* Carta 30/41 €
♦ A pochi metri dal mare in posizione tranquilla vicino ad un parco, l'hotel vanta una
cordiale gestione familiare, camere semplici di recente rinnovo, spazi per la ricreazione.

Santiago 📶 📺 ♿ rist, ⸨•⸩ VISA ⚬⚬ AE ① 💳

viale 2 Giugno 42 – ☎ 05 44 97 54 77 – www.hotelsantiago.it – info@
hotelsantiago.it – Fax 05 44 97 54 77 – chiuso dal 15 gennaio al 15 febbraio
26 cam ⌑ – 🛏50/80 € 🛏🛏60/90 € – ½ P 42/65 €
Rist – *(aprile-settembre) (solo per alloggiati)* Menu 15/26 €
♦ Ideale per chi non ama i grandi alberghi e la mondanità, una semplice risorsa dalla
simpatica e calorosa accoglienza familiare con camere ordinate ed essenziali.

XXX La Frasca (Marco Cavallucci) 🎦 ♿ 📺 ⟳ 🅿 VISA ⚬⚬ AE ① 💳

rotonda Don Minzoni 3 – ☎ 05 44 99 58 77 – www.lafrasca.it – info@lafrasca.it
– Fax 05 44 99 12 26 – chiuso dal 7 gennaio al 12 febbraio e lunedì; da
settembre a maggio anche martedì
Rist – *(consigliata la prenotazione)* Menu 80/110 € – Carta 80/115 € 🍸
Spec. Insalata ricca di crostacei e molluschi. Tagliolini con gamberi rossi e zuc-
chine in fiore (estate). Filetto di mora romagnola con fegatelli in rete.
♦ Ristorante di classe, "primaverile" nella scelta degli accostamenti cromatici. Gustosa
cucina regionale con un occhio di riguardo per i prodotti del mare.

XXX Al Caminetto 🎦 VISA ⚬⚬ 💳

viale Matteotti 46 – ☎ 05 44 99 44 79 – www.alcaminetto.it – info@alcaminetto.it
– Fax 05 44 99 16 60 – 15 novembre-6 gennaio e marzo-ottobre
Rist – *(chiuso a mezzogiorno escluso i giorni festivi)* Menu 86 € – Carta 50/86 €
♦ Un ampio ed elegante ristorante, in cui regna un'atmosfera arabeggiante tra lampa-
dari e tessuti di pregio, propone pizze e specialità di pesce. Servizio estivo all'aperto.

CERVIGNANO DEL FRIULI – Udine (UD) – 562E21 – 12 607 ab.   11 C3
– ✉ 33052

▶ Roma 627 – Udine 34 – Gorizia 28 – Milano 366

Internazionale 🚻 &, cam, 🔤 ⚡ 📞 🕳 ⓟ 🆚 ⓒ🅞 🅐🅔 ⓞ 🔥

*via Ramazzotti 2 – ℰ 043 13 07 51 – www.hotelinternazionale.it – info@
hotelinternazionale.it – Fax 043 13 48 01*

69 cam ⌨ – †65/83 € ††90/122 € – ½ P 75/85 €

Rist *La Rotonda* – *(chiuso dal 1° all'8 gennaio, dal 1° al 20 agosto, domenica
sera e lunedì)* Carta 34/44 €

◆ Albergo funzionale, nato negli anni '70 e ristrutturato negli anni '90, concepito sopratttutto per una clientela d'affari; centro congressi con sale polivalenti. Sala ristorante di taglio classico, che dispone anche di spazi per banchetti.

Al Campanile 🏠 ⓟ 🆚 ⓒ🅞 🅐🅔

*via Fredda 3, località Scodovacca, Est : 1,5 km – ℰ 043 13 20 18
– Fax 043 13 07 71 – chiuso Natale, l'11 febbraio, Pasqua, due settimane in
ottobre, lunedì e martedì*

Rist – Carta 21/43 €

◆ Ben sette generazioni son passate da questo storico ristorante, una trattoria che dalla fine dell'Ottocento conserva il suo spirito semplice e familiare. Cucina genuinamente casalinga.

CERVINIA – Aosta – Vedere BreuilCervinia

CERVO – Imperia (IM) – 561K6 – 1 189 ab. – alt. 66 m – ✉ 18010   14 **B3**

▶ Roma 605 – Imperia 10 – Alassio 12 – Genova 106

🄸 piazza Santa Caterina 2 (nel Castello) ℰ 0183 408197, infocervo@
rivieradeifiori.travel, Fax 0183 408197

San Giorgio (Caterina Lanteri Crauet) con cam 🛏 ⇐ 🏠 🔤 ⚡ cam,
🆚 ⓒ🅞 🅐🅔 🔥

*via Alessandro Volta 19, centro storico
– ℰ 01 83 40 01 75 – www.ristorantesangiorgio.net – info@
ristorantesangiorgio.net – Fax 01 83 40 01 75 – chiuso dal 6 al 31 gennaio,
dal 3 novembre al 5 dicembre, lunedì sera e martedì da ottobre a Pasqua,
solo martedì a mezzogiorno dal 20 giugno al 10 settembre*

2 cam ⌨ – ††130/180 €

Rist – (consigliata la prenotazione) Carta 60/100 € 🍷

Spec. Crudo di mare. Risotto al nero con filangé di seppia alla griglia. Triglia in pane tostato, verza cruda, scaloppa di fegato grasso e bagna cauda fredda (autunno-inverno).

◆ Un antico edificio nel borgo di Cervo, ospita questo elegante locale dove l'impiego di materie prime di ottima qualità si traduce in una una cucina prevalentemente di mare. Due accoglienti camere sono a disposizione di quei clienti che, dopo cena, intendono godersi la tranquillità del posto.

CESANA TORINESE – Torino (TO) – 561H2 – 1 032 ab. – alt. 1 354 m   22 **A2**
– **Sport invernali : 1 354/2 823 m (Comprensorio Via Lattea ⛷6 ⛷72)** ⛷
– ✉ 10054

▶ Roma 752 – Bardonecchia 25 – Briançon 21 – Milano 224

🄸 piazza Vittorio Amedeo 3 ℰ 0122 89202, cesana@montagnedoc.it, Fax
0122 856289

a Mollières Nord : 2 km – ✉ 10054 – **Cesana Torinese**

La Selvaggia ⚡ ⇆ ⓟ 🆚 ⓒ🅞 🔥

*frazione Mollieres 43 – ℰ 012 28 92 90 – Fax 012 28 92 90 – chiuso dal 15 al 30
giugno, dal 10 al 30 novembre e mercoledì*

Rist – Carta 31/45 €

◆ Cucina regionale semplice ma gustosa in questo locale da oltre vent'anni a gestione familiare; due sale, dall'atmosfera più montana quella al 1° piano, sotto un tetto spiovente.

a Champlas Seguin Est : 7 km – **alt. 1 776 m** – ✉ 10054 – Cesana Torinese

✗ **La Locanda di Colomb** 🛜 🕸 **P** 🚗 ⬛ **VISA** 🐷 🕭
frazione Champlas Seguin 27 – 🕾 *01 22 83 29 44* – *Fax 01 22 83 29 44*
– dicembre-Pasqua e 15 giugno-agosto; chiuso lunedì
Rist – Carta 29/39 €
♦ Nella piccola e pittoresca frazione, quella che una volta era una stalla è stata trasformata in una locanda con pareti in pietra, dove potrete gustare la cucina tipica piemontese.

CESANO BOSCONE – Milano (MI) – 561F9 – **23 253 ab.** – **alt. 120 m**   **18 B2**
– ✉ 20090

▶ Roma 582 – Milano 10 – Novara 48 – Pavia 35

Pianta d'insieme di Milano

🏨🏨 **Roma** 🎽 🕭 cam, 🕮 🕸 **P** 🚗 ⬛ **VISA** 🐷 **AE** 🔵 🕭
via Poliziano 2 – 🕾 *024 58 18 05* – *www.roma-wagner.com* – *roma@wagner.com*
– Fax 024 50 04 73 – *chiuso dal 10 al 20 agosto*   **APk**
34 cam 🖙 – †90/449 € ††125/549 €
Rist – *(chiuso i mezzogiorno di sabato e domenica)* Carta 23/40 €
♦ Struttura molto curata sia nel livello dei confort offerti, sia nelle soluzioni d'arredo di grande effetto. L'eleganza imperversa anche nelle signorili camere, "calde" e confortevoli.

CESANO MADERNO – Milano (MI) – 561F9 – **32 318 ab.** – **alt. 198 m**   **18 B2**
– ✉ 20031

▶ Roma 613 – Milano 20 – Bergamo 52 – Como 29

🏨 **Parco Borromeo** 🎽 🕮 🕸 🕭 🕸 🚗 **VISA** 🐷 **AE** 🔵 🕭
via Borromeo 29 – 🕾 *03 62 55 17 96* – *www.hotelparcoborromeo.it*
– info@hotelparcoborromeo.it – *Fax 03 62 55 01 82*
– chiuso dal 28 dicembre al 4 gennaio e dal 7 al 23 agosto
40 cam 🖙 – †85/125 € ††115/150 €
Rist *Il Fauno* – 🕾 *03 62 54 09 30 (chiuso dal 1° al 23 agosto e lunedì)*
Carta 37/73 €
♦ Fascino del passato e confort moderni in una struttura elegante, adiacente al parco e al palazzo Borromeo; camere non grandi, ma arredate con gusto e personalizzate. Raffinato ristorante affacciato sul verde con trompe l'oeil alle pareti.

CESENA – Forlì-Cesena (FO) – 562J18 – **92 714 ab.** – **alt. 44 m** – ✉ 47023   **9 D2**
▌ Italia

▶ Roma 336 – Ravenna 31 – Rimini 30 – Bologna 89
🛈 piazza del Popolo 11 🕾 0547 356327, iat@comune.cesena.it, Fax 0547 356329

◉ Biblioteca Malatestiana ★

🏨🏨 **Casali** 🛜 **Là** 🎽 🕮 🖊 🕸 🕭 **VISA** 🐷 **AE** 🔵 🕭
via Benedetto Croce 81 – 🕾 *054 72 27 45* – *www.hotelcasalicesena.it* – *info@
hotelcasalicesena.it* – *Fax 054 72 28 28*
46 cam 🖙 – ††90/240 € – 2 suites
Rist *Casali* – 🕾 *054 72 74 85 (chiuso domenica da giugno a settembre, solo
domenica sera negli altri mesi)* Carta 32/50 €
♦ L'hotel più rappresentativo della città, completamente ristrutturato in chiave classicomoderna, vanta ambienti confortevoli e spaziosi di sobria eleganza. Atmosfera raffinata e rivisitazione creativa della tradizione regionale al ristorante.

🏨 **Meeting Hotel** senza rist 🎽 🕮 🕸 🕭 **P** **VISA** 🐷 **AE** 🔵 🕭
via Romea 545 – 🕾 *05 47 33 31 60* – *www.meetinghotelcesena.it*
– meetinghotel@libero.it – *Fax 05 47 33 43 94*
26 cam 🖙 – †60/90 € ††75/120 €
♦ In zona periferica, la risorsa annovera camere spaziose e confortevoli di taglio moderno recentemente rinnovate ed arredate con mobili in legno scuro e parquet.

🏠 **Alexander**   🌀 Ló ▣ ☆☆ AC 🕭 rist, ⁽¹⁾ ☆ P 🚗 VISA ⨀ AE ① ☆
piazzale Karl Marx 10 – ✆ 054 72 74 74 – www.albergoalexander.it – info@
albergoalexander.it – Fax 054 72 78 74 – chiuso dal 20 dicembre al 9 gennaio
31 cam ☐ – ☖85/135 € ☖☖99/225 € – 1 suite – ½ P 95 €
Rist – *(chiuso luglio-agosto) (chiuso a mezzogiorno)* Carta 25/55 €
♦ Di fronte alla stazione ferroviaria, una funzionale struttura che dispone di comodo parcheggio e ambienti confortevoli; ideale per una clientela d'affari. Sala ristorante classica al secondo piano.

CESENATICO – Forlì-Cesena (FO) – 562J19 – **22 592 ab.** – ✉ 47042   9 **D2**
▶ Roma 358 – Ravenna 31 – Rimini 22 – Bologna 98
🅸 viale Roma 112 ✆ 0547 673287, info@cesenaticoturismo.com, Fax 0547 673288

🏨 **Grand Hotel Cesenatico**   ☒ ✼ ▣ ₺ cam, ☆☆ AC 🕭 rist, ⁽¹⁾ ☆ P
piazza Andrea Costa 1 – ✆ 054 78 00 12   VISA ⨀ AE ① ☆
– www.grandhotel.cesenatico.fo.it – info@grandhotel.cesenatico.fo.it
– Fax 054 78 02 70 – aprile-15 ottobre e Capodanno
78 cam ☐ – ☖88/160 € ☖☖111/140 €   **Rist** – Carta 32/44 €
♦ Struttura maestosa, sita direttamente sulla spiaggia, garantisce camere arredate con gusto ed un'atmosfera aristocratica e mondana ad una clientela internazionale. Sala elegante con possibilità di gustare in terrazza sia la prima colazione che una classica cucina a base di pesce.

🏨 **Britannia**   ≤ 🚗 ☒ Ló ▣ ☆☆ AC 🕭 ⁽¹⁾ ☆ P 🚗 VISA ⨀ AE ① ☆
viale Carducci 129 – ✆ 05 47 67 25 00 – www.hbritannia.it – hbritannia@
hbritannia.it – Fax 054 78 17 99 – aprile-20 settembre
36 cam ☐ – ☖90/110 € ☖☖130/180 € – 5 suites – ½ P 85/105 €
Rist – *(chiuso sino al 21 maggio)* Carta 25/38 €
♦ Situato nel centro della zona balneare e circondato da un bel giardino, convivono qui un gusto antico ed uno moderno per un soggiorno di divertimento e di relax. Di sobria raffinatezza, la sala da pranzo è circondata da pareti con vetrate.

🏨 **Alexia Palace** senza rist   ☒ 🌀 ▣ ₺ AC 🕭 ☆ P 🚗 VISA ⨀ AE ① ☆
viale Cavour 20 – ✆ 054 78 10 71 – www.alexiapalace.it – info@alexiapalace.it
– Fax 054 78 12 81
60 cam ☐ – ☖63/100 € ☖☖110/140 €
♦ Edificio di grandi dimensioni, non distante dal mare e dal parco acquatico; recentemente dotato di sauna e bagno turco, propone ambienti spaziosi arredati con sobria eleganza.

🏨 **Sirena**   ▣ ₺ ☆☆ AC 🕭 rist, ⁽¹⁾ ☆ 🚗 VISA ⨀ AE ① ☆
viale Zara 42 – ✆ 054 78 05 48 – www.hotelsirena.it – info@hotelsirena.it
– Fax 05 47 67 27 42
37 cam ☐ – ☖50/70 € ☖☖83/99 € – ½ P 80 €
Rist – *(chiuso novembre)* (prenotare) Carta 19/48 €
♦ Sito un po' all'interno rispetto alla costa, l'hotel si presenta nella sua architettura moderna; buon servizio e spazi accoglienti. Originale mix di ambiente moderno e vecchi mobili rustici in stile nella sala ristorante.

🏨 **Residenza Lido**   ≤ ☒ 🌀 ▣ ₺ ☆☆ AC 🚗 VISA ⨀ AE ① ☆
viale Carducci 51 ang. via Ferrara 14 – ✆ 05 47 67 21 94 – www.residenzalido.it
– info@residenzalido.it – Fax 05 47 67 27 23 – 20 dicembre-7 gennaio e Pasqua-15 ottobre
66 cam ☐ – ☖55/85 € ☖☖90/140 € – ½ P 77/107 €
Rist Lido Lido – vedere selezione ristoranti
♦ Struttura e arredamento classico si fondono, in questo hotel, con una gestione dinamica e moderna. Le camere sono spaziose ed il bar molto frequentato.

🏨 **Internazionale**   ≤ ☒ ▣ ☆☆ AC 🕭 rist, ⁽¹⁾ P VISA ⨀ AE ☆
via Ferrara 7 – ✆ 05 47 67 33 44 – www.hinternazionale.it – info@
hinternazionale.it – Fax 05 47 67 23 63 – maggio-settembre
60 cam ☐ – ☖76/100 € ☖☖122/145 € – ½ P 78/105 €
Rist – *(solo per alloggiati)* Menu 25/50 €
♦ Direttamente sul lungomare, annovera una spiaggia privata ed una piscina attrezzata con scivoli ad acqua. Offre camere arredate sia in stile classico che moderno. La cucina propone un menù di impostazione classica, ma soprattutto specialità ittiche.

Sporting ⧏ 🛋 🚶 AC ⑤ P VISA ⚹ AE ① ⑤

*viale Carducci 191 – ℰ 054 78 30 82 – www.hotelsporting.it – info@
hotelsporting.it – Fax 05 47 67 21 72 – 20 maggio-20 settembre*
48 cam ⌫ – †60/85 € ††75/100 € – ½ P 68/80 €   **Rist** – *(solo per alloggiati)*
♦ Camere graziose recentemente rinnovate nell'arredamento, una bella veranda ed uno
spazio per la colazione all'aperto fronte spiaggia: ideale per una vacanza con la famiglia.

Miramare ⧏ 🍴 ⟰ 🛋 AC ⑤ rist, 𝄞 ♨ P VISA ⚹ AE ① ⑤

*viale Carducci 2 – ℰ 054 78 00 06 – www.hrmiramare.it – info@hrmiramare.it
– Fax 054 78 47 85*
30 cam ⌫ – †100/117 € ††128/143 €
Rist – *(chiuso martedì escluso da aprile ad ottobre)* Carta 18/42 €
♦ L'hotel offre un'atmosfera rilassante, camere semplici e spaziose arredate in stile
moderno, adatte a nuclei familiari. Possibili anche soluzioni business. La cucina propone
ricette classiche che puntano sulle specialità ittiche, servite nel raffinato locale che si
affaccia al porto leonardesco.

Jole 🛋 ఉ AC ⑤ rist, VISA ⚹ AE ⑤

*via De Amicis 100 ⌧ 47042 Cesenatico – ℰ 054 77 54 32 – www.hoteljole.biz
– info@hoteljole.biz – Fax 054 77 84 96 – Pasqua-novembre e Capodanno*
47 cam ⌫ – †45/80 € ††60/120 € – ½ P 60/85 €   **Rist** – Carta 34/58 €
♦ Hotel a conduzione familiare, rinnovato di recente, dispone di ambienti moderni e
funzionali. Il mare si raggiunge comodamente a piedi.

Atlantica ⧏ 🛋 🚶 AC ⑤ P VISA ⚹ ⑤

*viale Bologna 28 – ℰ 054 78 36 30 – www.hotelatlantica.it – info@
hotelatlantica.it – Fax 054 77 57 58 – Pasqua-settembre*
35 cam – †60/80 € ††95/145 €, ⌫ 15 € – ½ P 78/98 €
Rist – *(chiuso a mezzogiorno) (solo per alloggiati)* Menu 37/50 €
♦ Spazi semplici, tinteggiati con sobri tocchi di colore per questa risorsa che si affaccia
sui giardini del lungomare cesenaticense. Possibile consumare i pasti in veranda.

Zeus 🛋 AC ⑤ P VISA ⚹ AE ① ⑤

*viale Carducci 46 – ℰ 054 78 02 47 – www.hotelzeus.it – info@hotelzeus.it
– Fax 054 78 02 47 – chiuso dal 16 novembre al 3 dicembre*
28 cam ⌫ – †47/59 € ††78/104 € – ½ P 65/70 €
Rist – *(solo per alloggiati)* Menu 25/35 €
♦ Piccolo hotel a gestione familiare, dispone di camere classiche per una clientela di
turisti ma anche per soggiorni di lavoro. All'interno una tavernetta per momenti di relax.

XX Lido Lido (Vincenzo Cammerucci) 🍴 ఉ AC ⑤ ⇄ VISA ⚹ AE ① ⑤
✿

*via Ferrara 12 – ℰ 05 47 67 33 11 – www.lidolido.com – info@lidolido.com
– Fax 05 47 67 27 23 – chiuso lunedì*
Rist – *(chiuso a mezzogiorno escluso domenica e i giorni festivi)* Carta 53/64 €
Spec. Seppia arrostita con lemongrass, insalata riccia, salsa di fegato e nero di
seppia. Ravioli al tartufo scorzone con zucca e granciporro. Rombo poché,
verdure e vinaigrette ai lamponi.
♦ All'interno di un centrale complesso residenziale, ambientazione moderna ed essen-
ziale per piatti in prevalenza di mare con qualche proposta di terra.

XX Magnolia (Alberto Faccani) 🍴 AC VISA ⚹ AE ① ⑤
✿

*viale Trento 31 – ℰ 054 78 15 98 – www.magnoliaristorante.it – info@
magnoliaristorante.it – Fax 054 78 15 98 – chiuso lunedì*
Rist – *(chiuso a mezzogiorno escluso i giorni festivi da ottobre a maggio)*
Menu 48/60 € – Carta 53/71 € 🍷
Spec. Passatelli asciutti con sugo di lumachine di mare, zucca e aneto
(inverno). "Viaggio intorno al tonno" (quattro modi di gustare il tonno dell'A-
driatico). Rombo chiodato allo spiedo con patate "rifatte" e crema di zucchine
(estate).
♦ Nuova, luminosa sede per un cuoco tanto giovane quanto affermato. Cucina fantasiosa e personalizzata, si sperimentano accostamenti inusitati e colorate presentazioni.

Prima distinzione: la stella ✿.
Assegnata ai ristoranti per i quali si percorre volentieri qualche chilometro in più!

XX **Vittorio** 🛱 **P** 𝚅𝙸𝚂𝙰 ⑳ 𝙰𝙴 ⑤

porto turistico Onda Marina, via Andrea Doria 3 – ℰ 05 47 67 25 88
– ristorantevittorio@libero.it – Fax 05 47 67 94 72 – chiuso dal 15 dicembre
al 10 febbraio, martedì e da ottobre ad aprile anche mercoledì
Rist *– (chiuso a mezzogiorno in luglio e agosto escluso sabato e domenica)*
Carta 61/75 €
◆ Unicamente piatti a base di pesce fresco preparato con semplicità e genuinità in questo locale di comprovata gestione familiare.

X **La Buca** 🛱 ℵ 𝙰𝙲 𝚅𝙸𝚂𝙰 ⑳ 𝙰𝙴 ① ⑤

corso Garibaldi 41 – ℰ 054 78 24 74 – www.labucaristorante.it – info@
labucaristorante.it – Fax 054 78 24 74
Rist – Carta 41/55 € **Rist Osteria del Gran Fritto** – Carta 22/36 €
◆ Colori mediterranei, giochi di luce, una vetrata che si affaccia sul canale e dehors
d'estate: queste le caratteristiche di un locale moderno votato ad un menù di mare.
Più informale l'Osteria, tappezzata da vivaci tele marine dove assaporare prodotti ittici,
ovviamente fritti.

a Valverde Sud : 2 km – ✉ 47042 – Cesenatico

🄳 (maggio-settembre) viale Carducci 292/b ℰ 0547 85183, Fax 0547 681357

🏨 **Caesar** ⇐ ⅃ 𝄞 𝐿ℰ̃ 🛄 🏃 𝙰𝙲 𝒮 rist, ⑽ **P** 𝚅𝙸𝚂𝙰 ⑳ ⑤

viale Carducci 290 – ℰ 054 78 65 00 – www.hotel-caesar.com – info@
hotel-caesar.com – Fax 054 78 66 54 – aprile-settembre
61 cam ⊊ – ♦40/60 € ♦♦80/120 € – ½ P 51/91 € **Rist** *– (solo per alloggiati)*
◆ 40 anni di esperienza nel settore: ecco il punto forte di questa struttura, ideale per
famiglie con bambini. Piscina riscaldata (min. 27°), sauna ed idromassaggio per il relax.
Il ristorante può contenere oltre cento coperti; in menu: piatti classici ed, ovviamente,
tanto pesce.

🏨 **Colorado** ⇐ ⅃ 🛄 🏃 𝙰𝙲 𝒮 ⑽ **P** 𝚅𝙸𝚂𝙰 ⑳ ⑤

viale Carducci 306 – ℰ 054 78 62 42 – www.hotelcolorado.it – info@
hotelcolorado.it – Fax 05 47 68 01 94 – maggio-settembre
55 cam ⊊ – ♦60/105 € ♦♦100/140 € – ½ P 75/95 € **Rist** – Carta 28/50 €
◆ Una struttura moderna che dispone di camere semplici ma accoglienti arredate con
sobrietà, tutte con balcone vista mare. Prima colazione a buffet anche all'aperto.

🏨 **Wivien-Canada** ⅃ 𝄞 𝐿ℰ̃ 🛄 🏃 𝙰𝙲 𝒮 rist, ℰ **P** 𝚅𝙸𝚂𝙰 ⑳ ⑤

via Alberti angolo via Canova 91 – ℰ 054 78 53 88 – www.biondihotels.it
– info@biondihotels.it – Fax 054 78 54 55 – aprile-15 ottobre
96 cam – ♦40/50 € ♦♦70/100 €, ⊊ 10 € – ½ P 65/95 €
Rist *– (solo per alloggiati)* Menu 25/35 €
◆ Due strutture che offrono camere fresche ed accoglienti, due piscine ed un terrazzo
panoramico con vista sul mare e sui colli per una vacanza di vero relax.

a Zadina Pineta Nord : 2 km – ✉ 47042 – Cesenatico

🏠 **Beau Soleil-Wonderful** ⤵ ⅃ 𝄞 𝐿ℰ̃ 🛄 🏃 𝙰𝙲 𝒮 rist, **P**

viale Mosca 43/45 – ℰ 054 78 22 09 – info@ 𝚅𝙸𝚂𝙰 ⑳ 𝙰𝙴 ⑤
hotelbeausoleil.it – Fax 054 78 20 69 – 28 marzo-20 settembre
86 cam ⊊ – ♦70/85 € ♦♦90/110 € – ½ P 65/80 € **Rist** *– (solo per alloggiati)*
◆ Hotel sito in posizione silenziosa in prossimità della pineta, a pochi passi dal mare,
dispone di camere sobrie. Ideale per una vacanza in famiglia.

🏠 **Renzo** ⤵ 𝄃 ⅃ 🛄 𝙰𝙲 𝒮 rist, **P** 𝚅𝙸𝚂𝙰 ⑳ 𝙰𝙴 ① ⑤

viale dei Pini 55 ✉ 47042 – ℰ 054 78 23 16 – www.renzohotel.it – info@
renzohotel.it – Fax 054 78 23 16 – Pasqua-20 settembre
36 cam – ♦60/70 € ♦♦80/100 €, ⊊ 14 € – ½ P 38/60 €
Rist *– (solo per alloggiati)*
◆ Poco distante dalla spiaggia, l'albergo è stato recentemente ristrutturato e ampliato.
Gli ambienti sono semplici ed adatti per un soggiorno in famiglia. Piscina riscaldata e
panoramica.

CETARA – Salerno (SA) – 564F26 – **2 383 ab.** – alt. 15 m – ⊠ 84010   6 **B2**
> ▶ Roma 255 – Napoli 56 – Amalfi 15 – Avellino 45

🏠 **Cetus** 🏖 ⏸ AC ⅍ rist. 🕍 P VISA ⚉ AE ① ⚓
strada statale 163 – ℰ 089 26 13 88 – www.hotelcetus.com – info@
hotelcetus.com – Fax 089 26 13 88
37 cam ⌂ – †100/150 € ††140/320 € – ½ P 95/185 €   **Rist** – Carta 29/44 €
♦ Un'incomparabile vista sul golfo di Salerno dalle camere di questo hotel a picco sul
mare, aggrappato alla roccia dell'incantevole costiera amalfitana. Quasi foste a bordo di
una nave, anche dalle raffinate sale ristorante dominerete il Tirreno.

✗ **San Pietro** 🕍 AC VISA ⚉ ① ⚓
piazzetta San Francesco 2 – ℰ 089 26 10 91 – www.sanpietroristorante.it – info@
sanpietroristorante.it – Fax 089 26 19 77 – chiuso dal 15 gennaio al 4 febbraio e
martedì
Rist – Carta 37/54 €
♦ Cucina marinara in un ristorante a gestione familiare: una semplice, sobria saletta e un
grazioso dehors estivo, in parte sotto un porticato.

✗ **Acqua Pazza** 🕍 AC ⅍ ⇆ VISA ⚉ AE ① ⚓
corso Garibaldi 38 – ℰ 089 26 16 06 – www.acquapazza.it – info@acquapazza.it
– Fax 089 26 16 06 – chiuso marzo e lunedì
Rist – Carta 50/77 €
♦ In prossimità della spiaggia attigua al centro storico, una trattoria marinara con propo-
ste che variano giornalmente... seguendo le onde del mare.

✗ **Al Convento** 🕍 AC VISA ⚉ AE ① ⚓
🏡 *piazza San Francesco 16* – ℰ 089 26 10 39 – www.alconvento.net – info@
alconvento.net – Fax 089 26 10 39
Rist – (chiuso mercoledì in inverno) Menu 30 € – Carta 23/46 €
♦ Semplice ma molto frequentata, questa trattoria-pizzeria propone esclusivamente
piatti marinari e della tradizione che vengono serviti, d'estate, anche sulla piazzetta.

CETONA – Siena (SI) – 563N17 – **2 892 ab.** – alt. 384 m – ⊠ 53040   29 **D2**
🟫 Toscana
> ▶ Roma 155 – Perugia 59 – Orvieto 62 – Siena 89
> 🄸 piazza Garibaldi 63 ℰ 0578 239143, proloco@cetona.org, Fax 0578 239143

🏠 **La Locanda di Anita** *senza rist* AC VISA ⚉ ⚓
piazza Balestrieri 4/5/6 – ℰ 05 78 23 70 75 – www.lalocandadianita.it – info@
lalocandadianita.it – Fax 05 78 23 79 17
5 cam ⌂ – †80/105 € ††110/160 €
♦ Sulla storica e animata piazza del paese, una locanda ricca di fascino dove è anche
possibile degustare ottimo vino o un buon cocktail, davanti al camino o seduti all'e-
sterno.

✗✗✗ **La Frateria di Padre Eligio** *con cam* ⌚ ⩽ 🄺 🕍 AC cam, ⅍ ☎
al Convento di San Francesco 🕍 P 🚗 VISA ⚉ AE ⚓
Nord-Ovest : 1 km – ℰ 05 78 23 82 61 – www.lafrateria.it – info@lafrateria.it
– Fax 05 78 23 92 20 – chiuso dal 7 gennaio al 1° marzo
7 cam ⌂ – †150 € ††240 € – 2 suites
Rist – (chiuso martedì) Menu 80/110 €
♦ In un parco, convento francescano medievale gestito da una comunità di ex-tossico-
dipendenti, camere esclusive, cucina creativa: suggestioni mistiche e "peccati" di gola.

✗ **Osteria Vecchia da Nilo** *con cam* 🕍 AC ⅍ VISA ⚉ AE ① ⚓
via Cherubini 11 – ℰ 05 78 23 90 40 – osteria_vecchia@tiscali.it
– Fax 05 78 23 90 40 – chiuso dal 15 gennaio al 10 febbraio e martedì (escluso
dal 15 giugno al 30 settembre)
2 cam ⌂ – ††70 €   **Rist** – Carta 27/34 €
♦ A pochi metri dalla piazza principale, un edificio del Seicento ospita il piccolo locale di
tono rustico moderno. Proposte fra tradizione e innovazione, pesce solo il venerdì.
Recentemente sono state aggiunte alcune camere, arredate con gusto e semplicità.

CETRARO – Cosenza (CS) – 564I29 – **10 338 ab.** – alt. 120 m – ⊠ 87022   5 **A1**
> ▶ Roma 466 – Cosenza 55 – Catanzaro 115 – Paola 21
> 🄶 San Michele, ℰ 0982 910 12

sulla strada statale 18 Nord-Ovest : 6 km :

🏨 **Grand Hotel San Michele** ⚅ ⟨ 🚗 🏠 ⚒ ✗ 🖼 🏢 AC ✗ rist,
località Bosco 8/9 ✉ 87022 ⟨⟨ 👪 🅿 VISA ⚬⚬ AE ⓪ 🄳
– ✆ 098 29 10 12 – www.sanmichele.it – sanmichele@sanmichele.it
– Fax 098 29 14 30 – chiuso novembre e febbraio
72 cam ⚏ – ♦90/160 € ♦♦120/230 € – 6 suites – ½ P 125/165 €
Rist – Carta 41/57 €
◆ Vi incanteranno i profumi del giardino-frutteto, l'ampio, meraviglioso panorama e il
morbido fascino retrò degli interni di una nobile villa; ascensore per la spiaggia. Una
cena sospesi tra cielo e mare sulla terrazza del ristorante; raffinate le sale interne.

CHAMPAGNE – vedere Verrrayes

CHAMPLAS SEGUIN – Torino – Vedere Cesana Torinese

CHAMPOLUC – Aosta (AO) – 561E5 – alt. 1 570 m – Sport invernali :   34 B2
1 568/2 714 m ✇ 2 ≸8, ⚐ – ✉ 11020

▶ Roma 737 – Aosta 64 – Biella 92 – Milano 175
🄸 via Varasc 16 ✆ 0125 307113, infoavas@aiatmonterosa.com, Fax 0125
307785

🏨 **Breithorn** 🚗 🏠 🀄 🛏 🕭 cam, ✗ rist, ⟨⟨ 🚗 VISA ⚬⚬ AE 🄳
route Ramey 27 – ✆ 01 25 30 87 34 – www.breithorn.com
– info@breithornhotel.com – Fax 01 25 30 83 98
– 5 dicembre-19 aprile e 27 giugno-31 agosto
31 cam ⚏ – ♦♦120/450 € – ½ P 95/260 €
Rist – Carta 30/60 € 🕭
Rist *Brasserie du Breithorn* – (novembre-24 aprile e 16 giugno-14 settembre)
Carta 39/49 €
◆ Incantevole casa di montagna, trionfo di legni sin dall'esterno con ambienti ricchi di
calda e tipica ospitalità montana. Vera cucina valdostana e savoiarda alla *Brasserie*.

Hotellerie de Mascognaz 🄷 – dependance Hotel Breithorn ⚅
località Mascognaz – ✆ 01 25 30 87 34   ⟨ 🀄 ✗ rist, 🚗 VISA ⚬⚬ 🄳
– www.hotelleriedemascognaz.com – info@hotelleriedemascognaz.com
– Fax 01 25 30 83 98
8 cam – solo ½ P 100/190 €
◆ Nel silenzio del paesaggio alpino, due tipici rascard in pietra: qualità dei materiali, pregiate rifiniture e le camere, piccoli gioielli in legno.

🏨 **Relais des Glacier** ⟨ 🀄 🛏 🕭 ✗ 🅿 🚗 VISA ⚬⚬ ⓪ 🄳
Route G.B. Dondeynaz – ✆ 01 25 30 81 82 – www.hotelrelaisdesglaciers.com
– info@hotelrelaisdesglaciers.com – Fax 01 25 30 83 00
– 8 dicembre-aprile e 15 giugno-settembre
42 cam – solo ½ P 80/165 €
Rist – (chiuso a mezzogiorno) (solo per alloggiati) Menu 30/60 €
◆ Imponente albergo centrale con eleganti e spaziosi saloni: ospitalità e camere accoglienti, alcune con letto a baldacchino, altre soppalcate. Ampia sala ristorante con cucina
classica; in alcune serate vengono proposti diversivi, quali cene valdostane o ambientazioni più eleganti con candele.

🏠 **Villa Anna Maria** ⚅ ⟨ 🚗 ✗ rist, ⟨⟨ 🅿 VISA ⚬⚬ 🄳
via Croues 5 – ✆ 01 25 30 71 28 – www.hotelvillaannamaria.com
– hotelannamaria@tiscali.it – Fax 01 25 30 79 84
13 cam ⚏ – ♦55/85 € ♦♦85/105 € – ½ P 52/90 €
Rist – (5 dicembre-15 aprile e 20 giugno-10 settembre) Carta 28/35 €
◆ Splendida collocazione non lontano dal centro ma già immerso nei boschi: affascinante chalet, interamente in legno, camere comprese. La sala ristorante ricalca lo stile
dell'albergo e si arricchisce di una bella stufa all'ingresso; cucina di varia impronta:
nazionale con qualche piatto valdostano.

⌂ **Petit Tournalin** ⌖ ⟨ 🚗 🏠 🖥 & 🐾 **P** 🚗 VISA ⓪ AE ① ⑤
*località Villy 2 – ℰ 01 25 30 75 30 – www.hotelpetittournalin.it – info@
hotelpetittournalin.it – Fax 01 25 30 73 47*
19 cam – ♥♥72/90 €, ☲ 8 € – ½ P 50/80 €
Rist – *(dicembre-marzo e giugno-settembre)* Carta 23/31 €
♦ Ambiente familiare in un grazioso hotel in legno e pietra, ubicato sulla pista di fondo,
ai margini della pineta, con camere accoglienti e bagni di buona fattura.

⌂ **Le Vieux Rascard** senza rist ⟨ **P**
*rue des Guides 35 – ℰ 01 25 30 87 46 – www.levieuxrascard.com – info@
levieuxrascard.com – Fax 01 25 30 87 46 – 7 dicembre-Pasqua e 15 giugno-
settembre*
6 cam ☲ – ♥♥60/112 €
♦ Poche camere, molto carine e curate, all'interno di una tipica e caratteristica casa di
montagna. Atmosfera calda e intima, arredi semplici e caratteristici.

CHANAVEY – Aosta – 561F3 – Vedere Rhêmes Notre Dame

CHATILLON – Aosta (AO) – 561E4 – **4 814 ab.** – alt. 549 m – ✉ 11024   34 **B2**
🔁 Roma 723 – Aosta 28 – Breuil-Cervinia 27 – Milano 160

⌂⌂ **Relais du Foyer** ⟨ 🏠 ♨ 🖥 & cam, 🌐 ⅀ rist, 🔞 **P** 🚗
località Panorama 37 – ℰ 01 66 51 12 51   VISA ⓪ AE ① ⑤
– www.relaisdufoyer.it – info@relaisdufoyer.it – Fax 01 66 51 35 98
32 cam ☲ – ♥50/90 € ♥♥80/210 € – ½ P 75/140 €
Rist – *(solo per alloggiati)* Menu 35 €
♦ Vicino al Casinò di Saint Vincent, per turisti o clientela d'affari, elegante struttura con
zona fitness e solarium; boiserie nelle camere in stile classico. Gestione attenta e professionale.

CHERASCO – Cuneo (CN) – 561I5 – **7 506 ab.** – alt. 288 m – ✉ 12062   22 **B3**
🔁 Roma 646 – Cuneo 52 – Torino 53 – Asti 51
🅳 via Vittorio Emanuele-Palazzo Comunale 79 ℰ 0172 489382, info@
cherasco2000.com, Fax 0172489218
🖼, ℰ 0172 48 97 72

✗ **La Lumaca** 🌐 VISA ⓪ AE ⑤
*via San Pietro ang. via Cavour – ℰ 01 72 48 94 21 – la.lumaca@libero.it
– Fax 01 72 48 94 21 – chiuso dal 13 al 20 gennaio, dall'8 al 15 giugno, dal 1° al
18 agosto, lunedì e martedì*
Rist – Menu 35 € – Carta 29/41 € ⅋
♦ Nelle cantine di un edificio di origini cinquecentesche, caratteristico ambiente con
volte in mattoni per una cucina tradizionale dove regna incontrastata la lumaca.

CHIAMPO – Vicenza (VI) – 562F15 – **12 473 ab.** – alt. 170 m – ✉ 36072   35 **B2**
🔁 Roma 539 – Verona 52 – Venezia 91 – Vicenza 24

⌂⌂ **La Pieve** 🖥 & 🌐 ↳ ⅀ 🐾 🔞 **P** 🚗 VISA ⓪ ⑤
*via Pieve 69 – ℰ 04 44 42 12 01 – www.lapievehotel.it – info@lapievehotel.it
– Fax 04 44 42 12 71*
65 cam ☲ – ♥42/114 € ♥♥47/114 € – ½ P 80/125 €
Rist – *(chiuso sabato a mezzogiorno e domenica sera)* Carta 32/52 €
♦ In una lineare struttura di taglio moderno un albergo recente, dotato di buoni confort
e piacevoli camere d'impostazione classica; ideale per un turismo d'affari. Gustose ricette
del territorio da assaporare nell'ampia e piacevole sala da pranzo.

CHIANCIANO TERME – Siena (SI) – 563M17 – **7 234 ab.** – alt. 550 m   29 **D2**
– ✉ 53042 Toscana
🔁 Roma 167 – Siena 74 – Arezzo 73 – Firenze 132
🅳 piazza Italia 67 ℰ 0578 671122, aptchiancianoterme@terresiena.it, Fax
0578 63277
◉ Museo Civico Archeologico delle Acque★

Grand Hotel Excelsior 🎿 🛋 AC ⅃⅂ 🍽 📶 ♿ P VISA ◎ AE ① ⚡
via Sant'Agnese 6 – ✆ 057 86 43 51 – www.grandhotelexcelsior.it – direzione@ grandhotelexcelsior.it – Fax 057 86 32 14 – Pasqua-ottobre
72 cam ⚏ – 🛏100 € 🛏🛏160 € – ½ P 115 €   **Rist** – Menu 30 €
◆ Ricchi spazi comuni, piscina riscaldata in terrazza panoramica, grande centro congressi: per un soggiorno termale o congressuale in un prestigioso hotel rinnovato di recente. Sala da pranzo essenziale nella sua linearità.

Grande Albergo Le Fonti ⟨ 🛋 AC rist, 🍽 rist, ♿ P 🚗 VISA ◎ AE ① ⚡
viale della Libertà 523 – ✆ 057 86 37 01 – info@ grandealbergolefonti.com – Fax 057 86 37 01
75 cam ⚏ – 🛏90 € 🛏🛏130 € – ½ P 90 €   **Rist** – *(solo per alloggiati)* Menu 28 €
◆ Uno dei due fiori all'occhiello dell'hotellerie locale ha eleganti interni in stile e camere tutte diverse; ampia vista sui morbidi colli senesi dalla terrazza solarium.

Ambasciatori 🎿 🛁 🛋 AC 📶 ♿ P 🚗 🚐 VISA ◎ AE ① ⚡
viale della Libertà 512 – ✆ 057 86 43 71 – www.barbettihotels.it – ambasciatori@ barbettihotels.it – Fax 057 86 43 71
111 cam ⚏ – 🛏75/95 € 🛏🛏95/120 € – 4 suites – ½ P 65/85 €
Rist – Carta 22/30 €
◆ Clientela termale, ma anche congressuale in un centrale, comodo albergo inizio anni '60, periodicamente rinnovato; piscina riscaldata e solarium in terrazza panoramica. Zona ristorante d'impostazione classica.

Michelangelo 🐾 ⟨ 🐕 🎿 🌀 🍽 🛋 AC 🍽 rist, ♿ P
via delle Piane 146 – ✆ 057 86 40 04 VISA ◎ AE ① ⚡
– www.hotel-michelangelo.it – hotelmichelangelo@libero.it – Fax 057 86 04 80 – Pasqua-5 novembre
63 cam ⚏ – 🛏80 € 🛏🛏110 €   **Rist** – *(solo per alloggiati)* Menu 29/42 €
◆ Per chi ama la tranquillità, imponente risorsa in dominante posizione panoramica nel verde di un parco ombreggiato con piscina riscaldata; terrazza solarium sul tetto.

Moderno 🐾 🎿 🍽 🛋 AC 📶 📶 P 🚗 VISA ◎ AE ① ⚡
viale Baccelli 10 – ✆ 057 86 37 54 – www.albergomodernochianciano.com – info@hotelmodernochianciano.com – Fax 057 86 06 56 – aprile-dicembre
66 cam ⚏ – 🛏60/75 € 🛏🛏90/140 € – ½ P 80/100 €
Rist – *(solo per alloggiati)* Menu 25 €
◆ Moderno di nome e di fatto questo albergo dagli ariosi spazi comuni di un marmoreo bianco abbaciante; piacevoli angoli relax nel parco con tennis e piscina riscaldata. Una maestosa stalattite di cristallo troneggia al centro della sala da pranzo.

Ave 🎿 🌀 🛋 ♿ rist, 🍽 rist, 📶 ♿ P VISA ◎ AE ① ⚡
🐾 *via Piave 27 – ✆ 057 86 36 19 – www.hotelave.it – info@hotelave.it – Fax 057 86 36 19 – marzo-ottobre*
56 cam – 🛏40/50 € 🛏🛏80/100 €, ⚏ 7 € – ½ P 47/57 €
Rist – *(chiuso a mezzogiorno)* Menu 20/35 €
◆ Gestione al femminile per un albergo completamente rinnovato. Colori pastello nelle sale comuni, camere confortevoli con arredi in legno.

Aggravi 🛋 AC rist, 🍽 rist, ♿ P 🚗 VISA ◎ AE ① ⚡
🐾 *viale Giuseppe di Vittorio 118 – ✆ 057 86 40 32 – hotelaggravi@hotmail.com – Fax 057 86 34 56 – aprile-ottobre*
34 cam – 🛏30/40 € 🛏🛏55/70 €, ⚏ 4 € – ½ P 52 €
Rist – *(solo per alloggiati)* Menu 18/22 €
◆ Hotel a gestione familiare con comodi spazi comuni e buoni servizi, tra cui solarium panoramico; arredi dalle tinte chiare nelle stanze, con terrazzino.

Sole ed Esperia 🚿 🛋 AC 🍽 rist, ♿ P VISA ◎ AE ① ⚡
via delle Rose 40 – ✆ 057 86 01 94 – www.hotelsolechiancianoterme.it – hsole@ libero.it – Fax 057 86 01 96 – Pasqua-ottobre
108 cam – 🛏40/55 € 🛏🛏65/85 €, ⚏ 7 € – ½ P 74 €   **Rist** – Carta 22/26 €
◆ Centrale, ma in zona tranquilla vicina alle terme, si compone di un corpo centrale e di una dépendance, con camere più moderne; giardino ombreggiato e terrazza solarium.

🏠 **Montecarlo** 🔄 📶 AC ✂ rist, 🅿 🚗 VISA ◎ 🔥
*viale della Libertà 478 – ☎ 057 86 39 03 – www.hotel-montecarlo.it – info@
hotel-montecarlo.it – Fax 057 86 30 93 – maggio-ottobre*
41 cam – ♦42/52 € ♦♦65/75 €, ⇆ 6 € – ½ P 63 €
Rist – *(solo per alloggiati)* Menu 20/24 €
◆ Accogliente struttura a conduzione diretta, che dispone di bella terrazza panoramica
con solarium e piscina; arredi semplici, ma funzionali nelle sobrie stanze.

🏠 **Irma** 📶 ✂ rist, 🅿 VISA ◎ AE 🔥
viale della Libertà 302 – ☎ 057 86 39 41 – Fax 057 86 39 41 – maggio-ottobre
73 cam ⇆ – ♦45 € ♦♦60 € – ½ P 68 €   **Rist** – *(solo per alloggiati)* 30 €
◆ Troverete un cordiale ambiente familiare in questo albergo; dehors ombreggiato nel
giardino, con angolo solarium e grande vasca idromassaggio. Sala ristorante d'impostazione classica.

🏠 **Cristina** 📶 🔥 cam, ✳ AC ✂ rist, 🅿 🚗 VISA ◎ AE ① 🔥
*via Adige 31, angolo v.le di Vittorio – ☎ 057 86 05 52
– www.hotelcristinachiancianoterme.it – hcristina@tin.it – Fax 057 86 05 53
– marzo-ottobre*
43 cam – ♦52/62 € ♦♦70 €, ⇆ 6 € – ½ P 50/60 €   **Rist** – *(solo per alloggiati)*
◆ Hotel familiare, rinnovatisi nel corso degli ultimi anni, presenta zone comuni vecchio
stile e camere sobrie, con arredi pratici e bagni di diverso confort; terrazza solarium.

🏠 **Patria** 📶 AC ✂ rist, VISA ◎ AE ① 🔥
*viale Roma 56 – ☎ 057 86 45 06 – www.barbettihotels.it – patria@
barbettihotels.it – Fax 057 86 45 06 – aprile-novembre*
30 cam ⇆ – ♦60/70 € ♦♦75/85 € – ½ P 48/60 €
Rist – *(solo per alloggiati)* Carta 20/30 €
◆ Lungo il viale che conduce alla moderna piazza Italia, accoglienza cordiale, prezzi corretti. Piacevoli arredi in stile nelle camere.

🏠 **San Paolo** 📶 AC rist, ✂ cam, 🅿 VISA ◎ AE ① 🔥
*via Ingegnoli 22 – ☎ 057 86 02 21 – www.hotelsanpaolochianciano.it – info@
hotelsanpaolochianciano.it – Fax 057 86 37 53 – marzo-15 novembre*
44 cam ⇆ – ♦45 € ♦♦65 € – ½ P 45 €   **Rist** – *(solo per alloggiati)* Menu 20 €
◆ Struttura familiare, ben tenuta e in parte rinnovata, che propone soluzioni improntate
sulla funzionalità sia negli spazi comuni che nelle sobrie camere.

✂ **Hostaria il Buco** AC ✂ VISA ◎ AE ① 🔥
*via Della Pace 39 – ☎ 057 83 02 30 – davidcaroti@libero.it – Fax 05 78 32 09 03
– chiuso dal 2 al 15 novembre e mercoledì*
Rist – Carta 22/30 €
◆ Nel centro storico della località, vi accoglieranno un arredamento signorile e una calorosa accoglienza familiare. Ristorante-pizzeria con proposte tipiche locali; paste fatte in
casa, funghi e tartufi.

CHIARAMONTE GULFI – Ragusa – 565P26 – **Vedere Sicilia alla fine
dell'elenco alfabetico**

CHIAROMONTE – Potenza (PZ) – 564G30 – **2 108 ab. – alt. 794 m**   4 C3
– ✉ 85032

🚩 Roma 435 – Potenza 139 – Matera 116 – Sapri 82

🏠 **Agriturismo Costa Casale** ⇐ 🏠 ✂ 🅿
contrada Vito – ☎ 09 73 64 23 46 – Fax 09 73 64 23 46
4 cam ⇆ – ♦28 € ♦♦56 € – 1 suite – ½ P 45 €
Rist – *(chiuso mercoledì)* Menu 25/35 €
◆ Alla scoperta del Parco del Pollino o per semplice relax e magari per un po' di turismo
equestre in un'antica masseria tranquilla e panoramica; camere arredate con gusto.
Cucina casalinga al ristorante.

CHIASSA SUPERIORE – Arezzo – 563L17 – **Vedere Arezzo**

350

CHIAVARI – Genova (GE) – 561 J9 – 27 770 ab. – ⊠ 16043 ▮ Italia   15 **C2**

▶ Roma 467 – Genova 38 – Milano 173 – Parma 134

🇮 corso Assarotti 1 ☎ 0185 325198, iatchiavari@apttigullio.liguria.it, Fax 0185 324796

◉ Basilica dei Fieschi★

🏠 Monte Rosa   ▮ 🗚 rist, ⅍ rist, "↑" 🏖 🚗 VISA 💳 AE ① 🚲
via Monsignor Marinetti 6 – ☎ 01 85 31 48 53 – info@hotelmonterosa.it
– Fax 018 51 87 10 88
61 cam ⊊ – ♦60/100 € ♦♦95/160 € – 3 suites – ½ P 85 €
Rist – *(chiuso quindici giorni a novembre)* Menu 28 €
♦ Ubicato nel cuore del centro storico, un caratteristico hotel della riviera dotato di buoni spazi comuni, sale polivalenti e camere confortevoli. Al ristorante viene proposta una buona cucina di mare senza trascurare i classici nazionali.

XXX Lord Nelson con cam   ≼ 🗚 cam, VISA 💳 AE ① 🚲
corso Valparaiso 27 – ☎ 01 85 30 25 95 – www.thelordnelson.it
– Fax 01 85 31 03 97 – chiuso 20 giorni in novembre
5 suites ⊊ – ♦♦181 €   **Rist** – *(chiuso mercoledì)* Menu 70 € – Carta 57/107 €
♦ Nell'elegante veranda sulla passeggiata vi sentirete come in un pub inglese o a bordo di un galeone; enoteca di design e spunti creativi in cucina. Eleganti appartamenti.

XX Vecchio Borgo   🏡 🗚 VISA 💳 🚲
piazza Gagliardo 15/16 – ☎ 01 85 30 90 64 – chiuso dal 6 al 30 gennaio e martedì escluso luglio-agosto
Rist – Carta 28/59 €
♦ In un vecchio edificio alla fine della passeggiata, sale in stile rustico ricercato e un bel dehors sulla piazzetta; fragranti piatti classici per lo più di pesce.

X Da Felice   🗚 VISA 💳 🚲
via Risso 71 – ☎ 01 85 30 80 16 – www.ristorantefelice.it – ristorantedafelice@libero.it – Fax 01 85 30 47 30
Rist – *(chiuso lunedì) (chiuso a mezzogiorno da giugno al 15 settembre)*
Carta 25/46 €
♦ Alle spalle del lungomare, marinaro ambiente rustico in una minuscola trattoria, con cucina a vista presidiata dal titolare; piatti secondo il mercato del giorno.

CHIAVENNA – Sondrio (SO) – 561 D10 – 7 280 ab. – alt. 333 m   16 **B1**
– ⊠ 23022 ▮ Italia

▶ Roma 684 – Sondrio 61 – Bergamo 96 – Como 85

🇮 via Vittorio Emanuele II, 2 ☎ 0343 33442, infochiavenna@provincia.so.it, Fax 0343 33442

◉ Fonte battesimale★ nel battistero

🏠 Sanlorenzo   ▮ 🗚 ⌚ P 🚗 VISA 💳 AE ① 🚲
corso Garibaldi 3 – ☎ 034 33 49 02 – www.sanlorenzochiavenna.it
– info.sanlorenzo@yahoo.it – Fax 034 33 60 98
29 cam ⊊ – ♦55/75 € ♦♦85/100 € – ½ P 59/75 €   **Rist** – Carta 24/51 €
♦ Nuova struttura adiacente il centro ed a pochi passi dalla stazione, si caratterizza per gli arredi moderni di buon confort e le camere luminose nonchè funzionali. Il ristorante propone piatti del territorio gustosamente rivisitati.

🏠 Aurora   🍴 🏡 ⌷ ▮ & ⅍ "↑" 🏖 P VISA 💳 ① 🚲
via Rezia 73, località Campedello, Est : 1 km – ☎ 034 33 27 08
– www.albergoaurora.it – info@albergoaurora.it – Fax 034 33 51 45 – chiuso dal 5 al 19 novembre
48 cam ⊊ – ♦45/55 € ♦♦50/100 € – ½ P 40/60 €
Rist – Carta 31/44 €
Rist Garden – Menu 15/20 € – Carta 30/48 €
♦ Una struttura fuori dal centro, gestita da sei fratelli, con spazi comuni ridotti e camere dagli arredi essenziali ma ben tenute; di particolare interesse la piscina in un grazioso giardino. Al rist *Garden*: proposte di cucina nazionale e specialità valtellinesi.

✕✕✕ Passerini `VISA` `OO` `AE` `OD` `Ġ`

palazzo Salis, via Dolzino 128 – 𝒞 034 33 61 66 – www.ristorantepasserini.com
– info@ristorantepasserini.com – Fax 034 33 61 66 – chiuso 20 giorni a giugno,
dal 20 al 30 novembre e lunedì
Rist – Menu 33/53 € – Carta 31/57 €

♦ Cucina eclettica, attenta alle stagioni, al territorio nonché alla qualità degli ingredienti: in un palazzo settecentesco dalle attraenti sale di sobria eleganza.

✕✕ Al Cenacolo `㠕` `VISA` `OO` `AE` `OD` `Ġ`

via Pedretti 16 – 𝒞 034 33 21 23 – www.alcenacolo.info – Fax 034 33 21 23
– chiuso giugno, martedì sera e mercoledì
Rist – Carta 38/48 €

♦ Nel centro storico della località, ristorante rustico-elegante con soffitti in legno, pavimenti in cotto ed un affascinante terrazzino sul fiume Mera. Dalla cucina, piatti legati ai prodotti del territorio.

a Mese Sud-Ovest : 2 km – ✉ 23020

✕ Crotasc `㠕` `⇔` `P` `VISA` `OO` `AE` `OD` `Ġ`

via Don Primo Lucchinetti 63 – 𝒞 034 34 10 03 – www.mameteprevostini.com
– info@mameteprevostini.com – Fax 034 34 15 21
– chiuso dal 15 giugno al 5 luglio, lunedì e martedì
Rist – Menu 36/45 € – Carta 33/44 € ❀

♦ Dal 1946 il fuoco del camino scalda le giornate più fredde e le due sale riscoprono nella pietra la storia del crotto e una cordiale accoglienza; in cucina, la tradizione rivive con creatività.

CHIAVERANO – Torino (TO) – 561F5 – 2 217 ab. – alt. 329 m 22 B2
– ✉ 10010

▶ Roma 689 – Aosta 69 – Torino 55 – Biella 32

🏨 Castello San Giuseppe ❧ `<` `🏷` `㠕` `🕸` `𝙮` `𝙮` rist, `⑪` `𝘼` `P`
`VISA` `OO` `AE` `OD` `Ġ`

località Castello San Giuseppe, Ovest : 1 km
– 𝒞 01 25 42 43 70 – www.castellosangiuseppe.it – info@castellosangiuseppe.it
– Fax 01 25 64 12 78 – chiuso dal 7 al 20 gennaio
24 cam ⌗ – †105/125 € ††165/180 € – ½ P 121/143 €
Rist *Il Cenobio* – (chiuso domenica) (chiuso a mezzogiorno) Carta 39/55 €

♦ Una breve salita in mezzo ad un boschetto vi condurrà a questo panoramico convento secentesco, per un soggiorno di classe avvolti dalla quiete e dal fascino, ricco di storia, di ambienti d'epoca. Atmosfera romantica ed elegante nell'antica sala di studio oggi ristorante; servizio all'aperto.

CHIERI – Torino (TO) – 561G5 – 33 569 ab. – alt. 315 m – ✉ 10023 22 B1
▌ Italia

▶ Roma 649 – Torino 18 – Asti 35 – Cuneo 96

✕✕✕ Sandomenico `AC` `⇔` `VISA` `OO` `AE` `OD` `Ġ`

via San Domenico 2/b – 𝒞 01 19 41 18 64 – www.web.tiscali.it/chieri/
sandomenico – ristorante@ristorantesandomenico.191.it – Fax 01 19 41 18 64
– chiuso sabato a mezzogiorno, domenica sera e lunedì
Rist – Carta 50/82 € ❀

♦ Luminoso ed elegante dal soffitto con travi a vista ed arredato con pochi tavoli rotondi. Dalle cucine, piatti di terra e di mare, dalle cantine, bottiglie italiane e francesi.

CHIESA IN VALMALENCO – Sondrio (SO) – 561D11 – 2 742 ab. 16 B1
– alt. 1 000 m – Sport invernali : 1 050/2 236 m �533 1 �533 6, ✖ – ✉ 23023

▶ Roma 712 – Sondrio 14 – Bergamo 129 – Milano 152

🅳 piazza Santi Giacomo e Filippo 𝒞 0342 451150, infovalmenco@
provincia.so.it, Fax 0342 452505

Tremoggia   ≤ ⁿ⁂ Lö ⬚ ⇘ ⬚ rist, "⎮⁰ ↯ 🄿 💳 ⬚ 🄰🄴 🅾 ⑤

*via Bernina 6 – ☎ 03 42 45 11 06 – www.tremoggia.it – tremoggia.so@
bestwestern.it – Fax 03 42 45 17 18 – chiuso novembre*

39 cam ⌸ – †82/150 € ††115/177 € – 4 suites   **Rist** – Menu 26/31 €

♦ Tra le splendide cime del gruppo del Bernina, calda accoglienza familiare, giunta ormai alla quarta generazione, per un hotel dagli ambienti classici che, tuttavia, sono stati oggetto di graduali rinnovi. All'ultimo piano, un piccolo centro relax... per fare "pace" con il mondo.

La Lanterna   ⁂ rist, "⎮⁰ 💳 ⬚ 🄰🄴 🅾 ⑤

*via Bernina 88 – ☎ 03 42 45 14 38 – www.hotellanterna@
tiscalinet.it – Fax 03 42 45 47 66 – dicembre-aprile e luglio-25 settembre*

16 cam – †40/60 € ††60/75 €, ⌸ 6 € – ½ P 45/55 €   **Rist** – Carta 20/27 €

♦ Conduzione familiare per questo piccolo hotel, ai margini del paese: semplici e caldi ambienti, camere spaziose e dal confort adeguato. Ristorante casalingo seguito direttamente dai gestori dell'albergo.

XX La Volta   ⇘ 💳 ⬚ 🄰🄴 🅾 ⑤

*via Milano 48 – ☎ 03 42 45 40 51 – Fax 03 42 45 40 51 – chiuso quindici giorni in
maggio, dal 20 ottobre al 10 novembre, martedì, mercoledì, i mezzogiorno di
lunedì-giovedì-venerdì e domenica sera*

Rist – Menu 25/40 € – Carta 33/43 € ⁂

♦ Tradizione e modernità: è il binomio che descrive un locale classico all'interno di un edificio storico ristrutturato; ai fornelli si fondono antiche ricette locali e piatti contemporanei.

XX Il Vassallo   ← ⇘ 🄿 💳 ⬚ 🄰🄴 🅾 ⑤

*via Vassalini 27 – ☎ 03 42 45 12 00 – ristorantevassallo@.it – Fax 03 42 45 12 00
– chiuso lunedì*

Rist – Carta 27/35 €

♦ Costruita intorno ad un bgrande masso di granito dalle sfumature policrome, l'antica residenza vescovile offre atmosfere suggestive e stuzzicanti ricette del territorio.

XX Malenco   ← ⇘ 🄿 💳 ⬚ 🄰🄴 🅾 ⑤

*via Funivia 20 – ☎ 03 42 45 21 82 – www.malencofre.it – ristormalenco@tiscali.it
– Fax 03 42 45 21 82 – chiuso dal 20 giugno al 5 luglio e martedì*

Rist – Carta 26/42 €

♦ Sapidi piatti del territorio da gustare in una sala di taglio moderno con vetrata panoramica sulla valle: piacevole e curato ambiente; prezzi contenuti.

CHIETI ℗ (CH) – 563O24 – 51 854 ab. – alt. 330 m – ⊠ 66100▯ Italia   1 **B2**

▶ Roma 205 – Pescara 14 – L'Aquila 101 – Ascoli Piceno 103

🔋 via B. Spaventa 29 ☎ 0871 63640, presidio.chieti@abruzzoturismo.it,Fax
0871 63647

🔘 Abruzzo, ☎ 0871 68 49 69

◉ Giardini★ della Villa Comunale Z – Guerriero di Capestrano★ nel museo
Archeologico degli Abruzzi Z**M1**

Harri's   ≤ 🄰🄲 ⁂ rist, "⎮⁰ 💳 ⬚ 🄰🄴 🅾 ⑤

*via Valignani 219, prossimità casello autostrada – ☎ 08 71 32 15 55
– www.hotelharris.com – info@hotelharris.com – Fax 08 71 32 17 81*

15 cam ⌸ – †62/99 € ††93/118 €

Rist – (chiuso sabato e domenica) (chiuso a mezzogiorno) Carta 19/32 €

♦ Su una collina, la vista che spazia sulla vallata e nei dintorni, la piccola accogliente struttura si articola su due livelli e propone camere classiche, tutte provviste di balcone.

sulla strada statale 5 Tiburtina - località Brecciarola Sud-Ovest : 9 km :

Enrica   ← 🄰🄲 ⁂ ⬚ 🄿 💳 ⬚ 🄰🄴 🅾 ⑤

*via Aterno 441, località Brecciarola – ☎ 087 16 85 41 – www.hotelenrica.it
– Fax 087 16 85 42 23*

15 cam ⌸ – †65/75 € ††100/130 €

Rist Da Gilda – vedere selezione ristoranti

♦ Elegante struttura di recente costruzione, dotata di un ascensore panoramico che conduce alle confortevoli camere, moderne e di alto livello. Dai balconi, vista sul Gran Sasso.

X **Da Gilda** 🄰🄲 🕸 🄿 🆅🆂🅰 ⊙⊙ 🄰🄴 ⊙ 🕿
☺☺ *via Aterno 464 Brecciarola – ℰ 08 71 68 41 57 – Fax 08 71 68 47 27 – chiuso*
lunedì
☺ **Rist** – *(chiuso la sera escluso giovedì, venerdì e sabato)* Carta 18/41 €
♦ 40 anni di cucina semplice e genuina a prezzi sempre onesti! Ecco il segreto di questa trattoria a gestione familiare che punta su ricette nazionali e locali e qualche piatto di pesce.

CHIOANO – Perugia (PG) – Vedere Todi

CHIOGGIA – Venezia (VE) – 562G18 – **51 648 ab.** – ✉ **30015** ▌ Venezia   36 **C3**
▶ Roma 510 – Venezia 53 – Ferrara 93 – Milano 279
◉ Duomo★

🏨 **Grande Italia** ≼ 🛋 🎐 🎱 🄰🄲 🕻 🔞 🆅🆂🅰 ⊙⊙ 🄰🄴 ⊙ 🕿
rione Sant'Andrea 597, piazzetta Vigo 1 – ℰ 041 40 05 15
– hgi@hotelgrandeitalia.com – Fax 041 40 01 85
– chiuso dal 10 al 28 gennaio e dal 6 al 15 novembre
52 cam ⊑ – ♦90/110 € ♦♦100/150 € – 4 suites – ½ P 75/100 €
Rist Alle Baruffe Chiozzotte – ℰ 04 15 50 92 52 *(chiuso dal 7 al 31 gennaio)*
Carta 31/54 €
♦ Palazzo d'inizio novecento che si affaccia contemporaneamente alla laguna e al centro, un ambiente di sobria eleganza dove assaporare il fascino di una struttura d'epoca. Bei tappeti e lampadari in stile nel ristorante. Servizio estivo sul porto canale.

X **La Taverna** 🛋 🄰🄲 🕸 🆅🆂🅰 ⊙⊙ 🄰🄴 🕿
via Cavalotti 348 – ℰ 041 40 02 65 – Fax 04 15 54 13 73
– chiuso dal 29 dicembre al 21 gennaio, quindici giorni ad ottobre e lunedì
Rist – (consigliata la prenotazione) Carta 36/48 €
♦ Simpatico localino di gusto vagamente tirolese, con pannelli di legno color miele. Un ottimo impiego di materie prime produce piatti degni della migliore tradizione marinara e chioggiotta.

a Cavanella d'Adige Sud : 13 km – ✉ **30010**

XX **Al Centro da Marco e Melania** 🄰🄲 ⇕ 🆅🆂🅰 ⊙⊙ 🄰🄴 ⊙ 🕿
piazza Baldin e Mantovan – ℰ 041 49 75 01 – melania.pregnolato@tin.it
– Fax 041 49 76 61 – chiuso dal 5 al 16 gennaio, dal 22 giugno al 3 luglio e
lunedì
Rist – Carta 46/69 € 🐝
♦ E' sulla grande griglia posizionata a vista in sala che vengono preparate le fragranti specialità ittiche della casa; moderno e accogliente con quadri alle pareti.

a Lido di Sottomarina Est : 1 km – ✉ **30019**

🛈 lungomare Adriatico 101 ℰ 041 401068, Fax 041 5540855

🏨 **Bristol** ≼ 🛋 🏊 🎱 🏄 🄰🄲 🕸 🕻 🄿 🆅🆂🅰 ⊙⊙ 🄰🄴 ⊙ 🕿
lungomare Adriatico 46 – ℰ 04 15 54 03 89 – www.hotelbristol.net – info@
hotelbristol.net – Fax 04 15 54 18 13 – 15 marzo-15 novembre
65 cam ⊑ – ♦55/200 € ♦♦60/260 € – ½ P 70/100 €
Rist – *(giugno-agosto) (solo per alloggiati)* Menu 35/65 €
♦ Imponente struttura bianca e signorile con piscina e zona solarium, propone camere confortevoli, tutte con balcone e vista sul mare. All'esterno un piccolo giardino.

🏨 **Le Tegnue** ≼ 🛋 🏊 🎱 🏄 🄰🄲 🕸 🕻 🄿 🆅🆂🅰 ⊙⊙ 🄰🄴 🕿
lungomare Adriatico 48 – ℰ 041 49 17 00 – www.hotelletegnue.it – info@
hotelletegnue.it – Fax 041 49 39 00 – Carnevale e aprile-ottobre
88 cam ⊑ – ♦81/88 € ♦♦127/141 € – ½ P 65/75 €   **Rist** – Menu 35 €
♦ Grande complesso a conduzione diretta situato davanti al mare e circondato da un piccolo giardino; dispone di una spiaggia privata proprio di fronte. Camere di diverse tipologie recentemente rinnovate.

Sole 🏨 🗦 🖳 🕭 ⚡ 🖧 🚾 ⚡ 🔟 🖧

viale Mediterraneo 9 – 𝒞 04 14 91 50 43 – www.hotel-sole.com – info@hotel-sole.com – Fax 04 14 96 67 60 – aprile-ottobre

58 cam 🖂 – ♦50/54 € ♦♦80/88 € – ½ P 60/65 €

Rist – *(aprile-settembre) (chiuso a mezzogiorno) (solo per alloggiati)*

♦ Elegante, all'inizio del lungomare, una spiaggia riservata, con piscina, a pochi metri di distanza. Luminosi gli spazi comuni, mentre le camere sono state recentemente rinnovate.

Garibaldi 🖳 🖧 🚾 ⚡ 🖧 🔟 🖧

via San Marco 1924 – 𝒞 04 15 54 00 42 – www.ristorantegaribaldi.com – info@ristorantegaribaldi.com – Fax 04 15 54 00 42 – chiuso novembre, dal 21 al 27 gennaio e lunedì, anche domenica sera da dicembre a maggio

Rist – Carta 45/75 € 🕸

♦ Tre generazioni di ristoratori per un ristorante centenario! Elegante eppure informale l'ambiente, dove gustare semplici e deliziosi piatti a base di pesce.

CHIRIGNAGO – Venezia – Vedere Mestre

CHIUDUNO – Bergamo (BG) – ✉ 24060 – CHIUDUNO 19 **D1**

Anteprima ai Santi (Daniel Facen) 🖳 🖧 🖧 🚾 ⚡ 🖧 🔟 🖧

via Kennedy 12 – 𝒞 03 58 36 10 30 – www.ristoranteanteprima.it – info@ristoranteanteprima.it – Fax 035 83 81 39 – chiuso dal 1° al 7 gennaio, dal 7 al 21 agosto, domenica e lunedì

Rist – *(consigliata la prenotazione)* 95 € – Carta 60/104 € 🕸

Spec. Foie gras in tre variazioni. Tortelli alla farina di mais farciti con formaggio di monte, tartufo e aria di parmigiano. San Pietro allo zafferano, gamberi rossi in tempura, melanzane essicate e porri.

♦ La cucina molecolare sbarca anche nella bergamasca con un menu di circa venti assaggi proposti in un'elegante sala alle porte della località. A disposizione anche una carta con piatti più classici, ma sempre di impronta moderno/creativa. Scelta enologica superlativa.

CHIUSA (KLAUSEN) – Bolzano (BZ) – 562C16 – 4 863 ab. – alt. 525 m 31 **C1**
– ✉ 39043 – Chiusa d'Isarco ▮ Italia

▶ Roma 671 – Bolzano 30 – Bressanone 11 – Cortina d'Ampezzo 98

🛈 piazza Thinne 6 𝒞 0472 847424, info@klausen.it, Fax 0472 847244

Ansitz Fonteklaus 🖇 ≤ 🗦 🗠 🗉 🖧 rist, **P** 🚾 ⚡ 🖧

Est : 3,6 km, alt. 897 – 𝒞 04 71 65 56 54 – www.fonteklaus.it – info@fonteklaus.it – Fax 04 71 65 50 45 – aprile-novembre

8 cam 🖂 – ♦45/52 € ♦♦72/82 € – 2 suites – ½ P 55/62 €

Rist – *(chiuso giovedì)* Carta 25/50 €

♦ Potreste incontrare i caprioli, il picchio o lo scoiattolo in questa incantevole oasi di pace; laghetto-piscina naturale; confort e relax in un hotel tutto da scoprire. Calda atmosfera nella sala da pranzo in stile stube.

Bischofhof 🗠 🖳 🗉 🗉 ⚡ **P** 🚾 ⚡ 🖧

via Gries 4 – 𝒞 04 72 84 74 48 – www.bischofhof.it – info@bischofhof.it – Fax 04 72 84 71 72 – chiuso novembre

23 cam 🖂 – ♦38/45 € ♦♦56/70 € **Rist** – *(solo per alloggiati)*

♦ Pochi minuti a piedi dal centro della cittadina e raggiungerete questa pensione familiare: all'interno camere comode ed accoglienti, una piscina e giochi per i più piccoli.

Jasmin (Martin Obermarzoner) – Hotel Bischofhof 🗠 🖳 **P** 🚾 ⚡ 🖧

via Gries 4 – 𝒞 04 72 84 74 48 – www.bischofhof.it – info@bischofhof.it – Fax 04 72 84 71 72 – chiuso novembre e martedì

Rist – *(chiuso a mezzogiorno escluso domenica)* (prenotazione obbligatoria) Menu 55/80 €

Spec. Ostrica con gelatina calda di frutto della passione e cioccolato bianco. Spuma di patate al tartufo, panna acida e caviale. Agnello nostrano cotto nel fieno.

♦ Grande e giovane talento della ristorazione altoatesina, vi verranno proposti menu degustazione con scelta del numero di piatti, carne o pesce, ma con un unico - eccellente - risultato. La piacevolezza e l'armonia avvolgono le belle camere.

a Gudon (Gufidaun)Nord-Est : 4 km – ⊠ 39043

X X   **Unterwirt** con cam ⌂   ⊟ ⌐ **P** VISA ⚫ ⌂
⌂⊠   – ☏ 04 72 84 40 00 – www.unterwirt-gufidaun.com
– info@unterwirt-gufidaun.com – Fax 04 72 84 40 65
– chiuso dal 7 gennaio al 2 febbraio, dal 18 al 30 giugno, domenica e lunedì
3 cam ⌂ – ††86 €   **Rist** – Carta 38/51 €
♦ Tre caratteristiche stube, personalizzate con stufe in muratura, colorati acquerelli o
trofei di caccia, ma soprattutto una calda e cordiale accoglienza per gustare al meglio
un locale ricco di tradizione. La risorsa dispone anche di curate camere, avvolte dalla
tranquillità e dai silenzi delle montagne.

CHIUSDINO – Siena (SI) – 563M15 – **1 909 ab.** – alt. 564 m – ⊠ 53012   29 **C2**
▶ Roma 229 – Siena 32 – Firenze 89 – Livorno 132

⌂   **Agriturismo Il Mulino delle Pile** ⌂   ⊟ ⌂ ⌐ ⌂ rist. **P**
località Mulino delle Pile, Sud : 8 km – ☏ 05 77 75 06 88   VISA ⚫ ⓪ ⌂
– www.agriturismoilmulino.com – info@agriturismoilmulino.com
– Fax 05 77 75 06 86 – aprile-dicembre
8 cam ⌂ – †80/110 € ††100/154 €
Rist – (chiuso martedì) (chiuso a mezzogiorno escluso sabato e domenica)
Carta 26/42 €
♦ Tra le mura di un antico mulino attivo sino agli anni Settanta e poi usato come scenografia in celebri spot televisivi, camere accoglienti e funzionali arredate in legno. Allestito tra le vecchie macine, il ristorante propone i piatti della tradizione gastronomica
nazionale.

CHIUSI – Siena (SI) – 563M17 – **8 700 ab.** – alt. 375 m – ⊠ 53043   29 **D2**
▌ Toscana
▶ Roma 159 – Perugia 52 – Arezzo 67 – Chianciano Terme 12
🅳 piazza Duomo 1 ☏0578 227667, prolocochiusi@bcc.tin.it, Fax 0578 227667
◎ Museo Etrusco★

⌂   **La Casa Toscana** senza rist   AC ☎ VISA ⚫ AE ⓪ ⌂
via Ermanno Baldetti 37 – ☏ 05 78 22 22 27 – www.valerianigroup.com
– casatoscana@libero.it – Fax 05 78 22 38 12 – chiuso dal 15 al 30 gennaio
6 cam ⌂ – †40/60 € ††70/90 €
♦ Un vero bed and breakfast, con spazi comuni intimi e raccolti: un insieme caldo ed
elegante, in un palazzo nobiliare del centro; mobili antichi e dettagli di pregio.

X   **Osteria La Solita Zuppa**   AC VISA ⚫ AE ⓪ ⌂
via Porsenna 21 – ☏ 057 82 10 06 – www.lasolitazuppa.it – rl@lasolitazuppa.it
– Fax 057 82 10 06 – chiuso dal 15 gennaio al 1° marzo e martedì
Rist – Carta 25/33 € ⌂
♦ Calda e rustica trattoria con ambiente caratteristico; cucina toscana, con un occhio di
riguardo per piatti antichi e "poveri" e, ovviamente, per le zuppe. Ottima accoglienza.

X   **Zaira**   AC ⌂ ⇄ VISA ⚫ ⓪ ⌂
via Arunte 12 – ☏ 057 82 02 60 – www.zaira.it – ristorantezaira@tin.it
– Fax 057 82 16 38 – chiuso lunedì escluso da luglio a settembre
Rist – Carta 26/35 € ⌂
♦ Chiedete di visitare la cantina ricavata in camminamenti etruschi di tufo e poi gode-
tevi la rustica atmosfera della sala e i genuini piatti del territorio.

in prossimità Casello autostrada A1 Ovest : 3 km:

⌂⌂⌂   **Villa il Patriarca** ⌂   ⇄ ⌂ ⌐ ⌂ ⌂ ⌂ AC ⌂ **P** VISA ⚫ AE ⓪ ⌂
località Querce al Pino, strada statale 146 ⊠ 53043 Chiusi – ☏ 05 78 27 44 07
– www.ilpatriarca.it – info@ilpatriarca.it – Fax 05 78 27 44 07
23 cam ⌂ – †90/110 € ††140/150 €
Rist I Salotti – vedere selezione ristoranti
Rist La Taverna del Patriarca – Carta 26/43 €
♦ Racchiusa in un parco meraviglioso, la villa ottocentesca è stata edificata su un insediamento di origine etrusca e ottimamente ristrutturata con buon gusto. Specialità
regionali a La Taverna del Patriarca.

XXX **I Salotti** (Katia Maccari) €🔊 ⅃ & 🅰 🦮 P VISA ⚫ AE ① ⑤
località Querce al Pino, strada statale 146 ✉ 53043 Chiusi – ☎ 05 78 27 44 07
– www.ilpatriarca.it – info@ilpatriarca.it – Fax 05 78 27 44 07
Rist – (chiuso dal 10 gennaio al 31 marzo, lunedì e martedì) (chiuso a mezzogiorno) Menu 85/110 € – Carta 62/101 €
Spec. Paccheri della Val d'Orcia con pescato del giorno. Pici fatti a mano con ragù d'anatra muta al coltello. Filetto di manzo chianino flambé fasciato con lardo, scaloppa di fegato grasso e composta di cipolle rosse.
♦ Beau décor e lusso per una cucina contemporanea basata sulla qualità delle materie prime, in elaborazioni che rispettano la natura dei prodotti senza stravolgimenti modaioli.

CHIVASSO – Torino (TO) – 561G5 – 23 692 ab. – alt. 183 m – ✉ 10034   22 **B2**
▶ Roma 684 – Torino 22 – Aosta 103 – Milano 120

🏨 **Ritz** senza rist 📱 & 🅰 🛜 P VISA ⚫ AE ① ⑤
via Roma 17 – ☎ 01 19 10 21 91 – www.ritzchivasso.it – info@ritzchivasso.it
– Fax 01 19 11 60 68
48 cam ⊊ – ♦65/90 € ♦♦75/110 €
♦ Ambiente raccolto e confortevole, dotato delle moderne comodità. La struttura offre camere spaziose arredate classicamente, un ampio salone per riunioni e un comodo parcheggio.

✗ **Locanda del Sole** 🛖 🅰 ⇕ VISA ⚫ AE ① ⑤
via Roma 16 – ☎ 01 19 13 19 68 – giorgiodaniela@alice.it – Fax 01 19 13 19 68
– chiuso una settimana in gennaio, domenica sera e lunedì
Rist – Carta 27/49 €
♦ Si è spostato in una nuova sede la Locanda, ma la proposta gastronomica è rimasta immutata: una cucina casalinga regionale che in estate si potrà apprezzare anche all'aperto.

CIAMPINO – Roma – 563Q19 – Vedere Roma

CICOGNARA – Mantova – Vedere Viadana

CIMA MONTEROSSO – Verbania – Vedere Verbania

CIMA SAPPADA – Belluno – Vedere Sappada

CIMEGO – Trento (TN) – 562E13 – 418 ab. – alt. 557 m – ✉ 38082   30 **A3**
▶ Roma 630 – Trento 64 – Brescia 86 – Sondrio 143

🏠 **Aurora** 🚗 ⅃ 📱 ⚕ 🅰 rist, 🦮 rist, P VISA ⚫ ① ⑤
località Casina dei Pomi 139, strada statale 237 Nord-Est : 1,5 km
– ☎ 04 65 62 10 64 – www.hotelaurora.tn.it – graziano@hotelaurora.tn.it
– Fax 04 65 62 17 71
18 cam ⊊ – ♦34/38 € ♦♦64/72 € – ½ P 46/50 €
Rist – (chiuso lunedì) Carta 21/28 €
♦ A farvi sentire in montagna non sarà l'alta quota, ma lo stile tipicamente montano di questo albergo dall'atmosfera simpatica e vivace; graziose le camere mansardate. Ristorante rinomato per le specialità locali e la polenta in molte varianti.

CINGOLI – Macerata (MC) – 563L21 – 10 410 ab. – alt. 631 m   21 **C2**
– ✉ 62011
▶ Roma 250 – Ancona 52 – Ascoli Piceno 122 – Gubbio 96
🅸 (giugno-settembre) via Ferri 17 ☎ 0733 602444, iat.cingoli@regione.marche.it, 0733 602444

🏠 **Villa Ugolini** senza rist 🚗 🛖 & 🅰 🛜 P VISA ⚫ AE ① ⑤
località Sant'Anastasio 30, Est : 4 km – ☎ 07 33 60 46 92 – www.villaugolini.it
– raffaela.rango@tiscali.it – Fax 07 33 60 16 30
12 cam ⊊ – ♦40 € ♦♦70 €
♦ Piccolo albergo a conduzione familiare ricavato da una villa in pietra del 1600. Camere ampie con mobili in legno scuro. Giardino curato con vista sui colli.

CINISELLO BALSAMO – Milano (MI) – 561F9 – **72 852 ab.** 18 **B2**
– alt. 154 m – ✉ 20092

▶ Roma 583 – Milano 13 – Bergamo 42 – Como 41

Pianta d'insieme di Milano

🏨 **Cosmo Hotel Palace** 🕭 🖪 🖃 🛓 🚶 🗛 🗛 🕅 🕩 🏊 **P** 🚗
via De Sanctis 5 – ℰ *02 61 77 71* 🚾 🚥 🖭 ⑩ 🖢
– www.cosmohotels.it – palace@hotelcosmo.com – Fax 02 61 77 75 55
201 cam ☲ – ♦89/319 € ♦♦89/369 € – ½ P 215 € BO**x**
Rist *– (chiuso sabato e domenica a mezzogiorno)* Carta 37/58 €
◆ Struttura imponente, visibile anche dall'autostrada da cui è facilmente raggiungibile. Interni perfettamente insonorizzati, arredati in stile minimalista. Risorsa particolarmente vocata per una clientela *business*, complice il centro congressi recentemente ampliato.

🏠 **Lincoln** senza rist 🖪 🗛 🕩 **P** 🚾 🚥 🖭 ⑩ 🖢
viale Lincoln 65 – ℰ *026 17 26 57 – www.hotellincoln.it – info@hotellincoln.it*
– Fax 026 18 55 24 BO**k**
20 cam ☲ – ♦77/160 € ♦♦95/190 €
◆ Frequentazione, per lo più abituale, di clientela di lavoro o di passaggio per una risorsa di buon confort, con spazi comuni limitati, ma camere ampie e ben arredate.

CINQUALE – Massa Carrara – 563K12 – **Vedere Montignoso**

CIOCCARO – Asti – 561G6 – **Vedere Penango**

CIPRESSA – Imperia (IM) – 561K5 – **1 161 ab.** – alt. 240 m – ✉ 18017 14 **A3**
▶ Roma 628 – Imperia 19 – San Remo 12 – Savona 83

🍴 **La Torre** 🚾 🚥 🖭 🖢
🍴 *piazza Mazzini 2 –* ℰ *018 39 80 00 – Fax 018 39 80 00 – 16 febbraio-14 ottobre;*
chiuso lunedì
Rist – Carta 21/31 €
◆ Una serie di tornanti vi condurrà alla volta di Cipressa e di una spettacolare vista sul mare. E' nel centro di questo caratteristico paese che si trova la trattoria: accoglienza familiare e cucina di terra.

CIRELLA – Cosenza (CS) – 564H29 – alt. 27 m – ✉ 87020 5 **A1**
▶ Roma 430 – Cosenza 83 – Castrovillari 80 – Catanzaro 143

🏨 **Ducale Villa Ruggeri** 🚘 🗛 🕅 rist **P** 🚾 🚥 🖭 ⑩ 🖢
via Vittorio Veneto 190 – ℰ *098 58 60 51 – www.ducalehotel.net – info@*
ducalehotel.net – Fax 098 58 60 51
22 cam ☲ – ♦45/70 € ♦♦65/90 € – ½ P 75/90 €
Rist *– (giugno-settembre)* Menu 25/30 €
◆ Bella villa settecentesca, dall'800 di proprietà della famiglia che vi gestisce un hotel dagli spazi comuni di tono elegante; camere funzionali; accesso diretto al mare.

🏠 **Fattoria di Arieste** 🧊 🚘 🚘 🗛 🕅
🍴 *strada per Maierà, Est: 1,5 km –* ℰ *09 85 88 90 50 – www.fattoriadiarieste.it*
– info@fattoriadiarieste.it – Fax 09 85 88 90 50
– chiuso dal 15 gennaio al 28 febbraio e novembre
6 cam ☲ – ♦35 € ♦♦60/70 € – ½ P 65 € **Rist** – Menu 20/25 €
◆ Azienda agricola con meravigliosa vista sul golfo di Policastro: amabile accoglienza familiare in colorate ed accoglienti camere. Cucina casalinga e genuina.

CIRÒ MARINA – Crotone (KR) – 564I33 – **14 263 ab.** – ✉ 88811 5 **B1**
▶ Roma 561 – Cosenza 133 – Catanzaro 114 – Crotone 36

🏨 **Il Gabbiano** 🧊 🧊 🚘 🖃 🚶 🖞 rist, 🗛 🕩 🏊 **P** 🚾 🚥 🖭 ⑩ 🖢
località Punta Alice Nord : 2 km – ℰ *096 23 13 39 – www.gabbiano-hotel.it*
– info@gabbiano-hotel.it – Fax 096 23 13 30
50 cam ☲ – ♦70/100 € ♦♦90/140 € – ½ P 110/120 € **Rist** – Carta 25/40 €
◆ Alla fine del lungomare - alle porte del paese - hotel recentemente rinnovato: modernità e confort sia nelle camere sia negli spazi comuni. Due sale di tono elegante nel ristorante, con servizio estivo di fronte alla piscina.

CISANO BERGAMASCO – Bergamo (BG) – 561E10 – 5 767 ab. 19 **C1**
– alt. 268 m – ✉ 24034

▶ Roma 610 – Bergamo 18 – Brescia 69 – Milano 46

🏠 **Fatur**   🚗 🛏 🎿 ♿ cam, 🛁 ⊗ 📶 **P** 🚻 **VISA** ⑩ **AE** ① ⑤
📺 via Roma 2 – ✆ 035 78 12 87 – info@fatur.it – www.fatur.it – Fax 035 78 75 95
– chiuso dall'8 al 20 gennaio e dal 16 al 30 agosto
14 cam ⊑ – 🛏65 € 🛏🛏90 € – ½ P 85 €   **Rist** – (chiuso venerdì) Carta 32/47 €
♦ Ai piedi del Castello, nel centro del paese, questo albergo si presenta con interni ordinati, camere doppie dagli spazi notevoli, arredate in stile funzionale. Accogliente e molto frequentato il ristorante propone i piatti del territorio, rivisitati con fantasia. Servizio in giardino nei mesi estivi.

✕✕ **La Sosta**   ≤ 🚗 **AC P VISA** ⑩ **AE** ① ⑤
🍴 via Sciesa 3, località La Sosta, Ovest : 1,5 km – ✆ 035 78 10 66
– www.ristorantelasosta.it – info@ristorantelasosta.it – Fax 035 78 10 66 – chiuso dieci giorni in febbraio, dal 16 al 24 agosto e mercoledì
Rist – Menu 20/33 € – Carta 28/49 €
♦ Sulla riva del fiume Adda grazie alla sua veranda e alle ampie vetrate, locale di tradizione e di sapore classico. Cucina di respiro ampio con pesce d'acqua dolce.

CISON DI VALMARINO – Treviso (TV) – 562E18 – 2 638 ab. 36 **C2**
– alt. 261 m – ✉ 31030

▶ Roma 582 – Belluno 32 – Trento 114 – Treviso 41

🏨 **CastelBrando** ⚲   ≤ 🔲 ♨ 🏋 **AC** ⊗ ☎ 🏊 **P** 🚗 **VISA** ⑩ **AE** ① ⑤
via Brandolini 29 – ✆ 04 38 97 61 – www.castelbrando.it – hotel@castelbrando.it
– Fax 04 38 97 60 20
47 cam ⊑ – 🛏125 € 🛏🛏175 € – 1 suite – ½ P 115 €
Rist Sansovino – (chiuso lunedì) Carta 43/55 €
Rist La Fucina – (chiuso martedì) (chiuso a mezzogiorno da mercoledì a venerdì) Carta 32/39 €
♦ Sorge in posizione elevata questo complesso storico, fortificato e cinto da mura, le cui origini risalgono al 1200. Grandi spazi e servizi completi, anche per congressi. Elegante atmosfera castellana al ristorante Sansovino. Piatti più semplici e servizio pizzeria alla Fucina.

CISTERNA D'ASTI – Asti (AT) – 561H6 – 1 251 ab. – alt. 357 m 25 **C1**
– ✉ 14010

▶ Roma 626 – Torino 46 – Asti 21 – Cuneo 82

✕ **Garibaldi** con cam   **AC VISA** ⑩ **AE** ① ⑤
🍴 via Italia 1 – ✆ 01 41 97 91 18 – ilgaribaldi.vaudano@libero.it
– Fax 01 41 97 91 18 – chiuso due settimane in gennaio e dal 16 al 30 agosto
7 cam ⊑ – 🛏40 € 🛏🛏60 € – ½ P 50 €   **Rist** – (chiuso mercoledì) Carta 19/28 €
♦ C'è tutta la storia di una famiglia nella raccolta di oggetti d'epoca di uso comune (dalle pentole alle fotografie) esposta in questo originale locale; cucina piemontese.

CISTERNINO – Brindisi (BR) – 564E34 – 12 039 ab. – alt. 393 m 27 **C2**
– ✉ 72014

▶ Roma 524 – Brindisi 56 – Bari 74 – Lecce 87

🏨 **Lo Smeraldo** ⚲   ≤ 🚗 ☐ ✕ 🛏 ♿ ⛷ **AC** ⊗ 📶 🏊 **P**
🍴 contrada Don Peppe Sole 7, località Monti Nord-Est :   **VISA** ⑩ **AE** ① ⑤
3 km – ✆ 08 04 44 80 44 – www.hotellosmeraldo.com – info@
hotellosmeraldo.com – Fax 08 04 44 76 57
82 cam ⊑ – 🛏60 € 🛏🛏90 € – ½ P 65 €   **Rist** – Carta 17/25 €
♦ Si vedono il mare e la costa in lontananza da questa funzionale struttura di taglio moderno, in zona verdeggiante e soleggiata; gestione familiare attenta e ospitale. Varie sale, luminose e signorili, nel ristorante a vocazione banchettistica.

CITARA – Napoli – Vedere Ischia (Isola d') : Forio

CITTADELLA – Padova (PD) – 562F17 – **19 171 ab.** – alt. 49 m
– ✉ 35013 ▌ Italia

> ▶ Roma 527 – Padova 31 – Belluno 94 – Milano 227
> ◉ Cinta muraria★

XXX **2 Mori** con cam   🛌 🛏 ♿ rist, 🅰🅲 📶 **P** 📶 ⊕ 🆎 ⓪ ⚓
borgo Bassano 149 – ℰ 04 99 40 14 22 – www.hotelduemori.it – info@
hotelduemori.it – Fax 04 99 40 02 00
25 cam 🍴 – ₸55 € ₸₸70 € – ½ P 65 €
Rist – *(chiuso dal 1° al 15 gennaio, dal 6 al 26 agosto, domenica sera e lunedì)*
Carta 37/57 €
 ◆ In un edificio eretto sulle fondamenta di un antico convento del XV secolo, sale ristorante dall'arredo elegante ed una scelta in menu tale da accontentare veramente tutti i gusti: carne, pesce, proposte vegetariane, piatti classici, specialità alla griglia, crudi…. Gradevole servizio estivo in giardino.

CITTADELLA DEL CAPO – Cosenza (CS) – 564I29 – alt. 23 m
– ✉ 87020

> ▶ Roma 451 – Cosenza 61 – Castrovillari 65 – Catanzaro 121

🏯 **Palazzo del Capo** ⌖   ⬅ 🛌 🛏 🏊 🍴 ☀ 🅰🅲 🖤 📶 🦵 **P**
via Cristoforo Colombo 5 – ℰ 098 29 56 74   📶 ⊕ 🆎 ⓪ ⚓
– www.palazzodelcapo.it – palazzodelcapo@tiscalinet.it – Fax 098 29 56 76
– chiuso dal 20 dicembre al 6 gennaio
16 cam 🍴 – ₸150/180 € ₸₸230/265 € – ½ P 165/173 €
Rist – *(solo su prenotazione)* Menu 45/50 €
 ◆ Uno scrigno di insospettate sorprese questa residenza storica fortificata sul mare, con torre spagnola nel giardino; eleganti interni d'epoca, servizi di elevato profilo.

CITTÀ DELLA PIEVE – Perugia (PG) – 563N18 – **7 279 ab.**
– alt. 508 m – ✉ 06062

> ▶ Roma 154 – Perugia 41 – Arezzo 76 – Chianciano Terme 22
> 🅸 piazza Matteotti 4 ℰ 0578 299375, Fax 0578 299375

🏨 **Vannucci**   🛌 🛏 🏊 🦵 🛁 ♿ 🅰🅲 📞 📶 ⊕ 🆎 ⓪ ⚓
viale Vanni 1 – ℰ 05 78 29 80 63 – www.hotel-vannucci.com – info@
hotel-vannucci.com – Fax 05 78 29 79 54
30 cam 🍴 – ₸60/100 € ₸₸95/125 € – ½ P 78/93 €
Rist *Zafferano* – *(chiuso dal 2 al 20 novembre e mercoledì)* Menu 35/43 €
– Carta 28/61 €
 ◆ Abbracciata dal verde, la risorsa dispone di camere nuove spaziose e luminose arredate con gusto moderno in chiare tonalità, un centro benessere ed una sala lettura. Accanto ad un elegante locale ben arredato con proposte à la carte di respiro regionale ed internazionale, anche un servizio pizzeria.

🏠 **Relais dei Magi** ⌖   ⬅ 🛌 🛏 🏊 �🦵 🅰🅲 ☀ **P** 📶 ⊕ 🆎 ⓪ ⚓
località le Selve Nuove 45, Sud-Est : 4 km – ℰ 05 78 29 81 33 – www.relaismagi.it
– reception@relaismagi.it – Fax 05 78 29 88 58 – chiuso dal 7 gennaio a febbraio
6 cam 🍴 – ₸126/136 € ₸₸180/195 € – 6 suites – ₸₸320/350 € – ½ P 138 €
Rist – *(chiuso giovedì) (solo per alloggiati)* Menu 40/45 €
 ◆ Occorre percorrere una strada sterrata per giungere a quest'incantevola risorsa che accoglie i propri ospiti in tre diversi edifici. Un soggiorno appartato e raffinato.

🏠 **Agriturismo Madonna delle Grazie** ⌖   ⬅ 🌀 🛏 🏊 ♿ rist,
località Madonna delle Grazie 6, Ovest : 1 km   ☀ **P** 📶 ⊕ 🆎 ⓪ ⚓
– ℰ 05 78 29 98 22 – www.madonnadellegrazie.it – info@madonnadellegrazie.it
– Fax 05 78 29 77 49
10 cam 🍴 – ₸₸100/150 € – ½ P 75/95 €
Rist – *(prenotazione obbligatoria)* Carta 22/29 €
 ◆ Vicino ad importanti città d'arte, immerso nella quiete dei colli tosco-umbri, l'agriturismo propone uno spaccato di vita contadina: perfetto per una vacanza a contatto con la natura, tra passeggiate a piedi, a cavallo e qualche tuffo in piscina. Nella sala ristorante interna o all'aperto, la gustosa cucina regionale.

CITTÀ DI CASTELLO – Perugia (PG) – 563L18 – 39 032 ab. 32 **B1**
– alt. 288 m – ⊠ 06012

- ▶ Roma 258 – Perugia 49 – Arezzo 42 – Ravenna 137
- **i** piazza Matteotti-logge Bufalini ✆ 075 8554922, info@iat.città
  -di-castello.pg.it, Fax 075 8552100
- ▣ Caldese di Celle, ✆ 075 851 01 97

🏨 **Tiferno** senza rist 🛗 AC ↳ ☆ 🐾 🛋 **P** 🚗 VISA 🚭 AE ① ઙ̇
piazza Raffaello Sanzio 13 – ✆ 07 58 55 03 31 – www.hoteltiferno.it – info@
hoteltiferno.it – Fax 07 58 52 11 96
47 cam ⊊ – ♦60/90 € ♦♦95/145 €
♦ Porta l'antico nome della città questa bella struttura ospitata in un edificio d'epoca:
bei soffitti a cassettone e pregevoli mobili antichi. Classiche, invece, le ampie camere.

🏨 **Garden** 🚗 🏠 ⤵ 🐬 🛗 AC ☆ rist, ⁽¶⁾ 🛋 **P** 🚗 VISA 🚭 AE ① ઙ̇
viale Bologni 96 Nord-Est : 1 km – ✆ 07 58 55 05 87 – www.hotelgarden.com
– info@hotelgarden.com – Fax 07 58 52 13 67
59 cam ⊊ – ♦52/75 € ♦♦70/100 € – ½ P 50/70 €
Rist – Menu 20/35 € – Carta 22/45 €
♦ Periferico e tranquillo, adiacente un centro sportivo, hotel di design contemporaneo
con giardino e piscina. Camere ben accessoriate e piccolo centro benessere per ritemprare corpo e mente. Tono elegante nell'ampia e ariosa sala ristorante, recentemente
rinnovata.

🏨 **Le Mura** 🛗 ૬ AC ☆ rist, ⁽¶⁾ 🛋 **P** VISA 🚭 AE ઙ̇
via borgo Farinario 24/26 – ✆ 07 58 52 10 70 – www.hotellemura.it – direzione@
hotellemura.it – Fax 07 58 52 13 50
35 cam – ♦40/60 € ♦♦60/84 €, ⊊ 7 € – ½ P 55/60 €
Rist Raffaello – (chiuso a mezzogiorno) Carta 18/33 €
♦ Ricavato nelle ex manifatture di tabacco, a ridosso delle antiche mura cittadine, struttura di buon confort caratterizzata da un cortile interno che illumina naturalmente la
bella sala da pranzo, impreziosita da ceramiche artistiche riproducenti il profilo della
città.

🍴🍴🍴 **Il Postale** (Marco Bistarelli) 🏠 AC ⟷ **P** VISA 🚭 AE ① ઙ̇
via De Cesare 8 – ✆ 07 58 52 13 56 – www.ristoranteilpostale.it – info@
ristoranteilpostale.it – Fax 07 58 52 13 56 – chiuso sabato a mezzogiorno,
domenica sera e lunedì
Rist – (consigliata la prenotazione) Menu 70/75 € – Carta 50/70 €
Spec. Il minestrone. Risotto mantecato con scalogno fondente, foie gras marinato e cacao. Petto d'anatra e peperoni al timo.
♦ Ex stazione di cavalli, poi tappa postale, quindi capolinea di corriere: ogni trasformazione ha lasciato traccia in una sorta di moderno loft in vetro, legno e acciaio.

🍴🍴 **Il Bersaglio** 🏠 AC ⟷ **P** VISA 🚭 AE ① ઙ̇
viale Orlando 14 – ✆ 07 58 55 55 34 – www.ristoranteilbersaglio.com – info@
ristoranteilbersaglio.com – Fax 07 58 55 55 34 – chiuso due settimane in luglio e
mercoledì
Rist – (consigliata la prenotazione) Menu 19/35 € – Carta 26/38 € 🍃
♦ Locale fuori le mura, recentemente ristrutturato, un classico della città che si propone
con le specialità stagionali della zona: funghi, tartufi bianchi dell'alto Tevere e cacciagione.

a Ronti Sud-Ovest : 18 km – ⊠ 06012 – Città di Castello

🏨 **Palazzo Terranova** – Country House 🌤 ≤ 🚗 🏠 ⤵ 🐬 🐴
località Ronti Vocabolo ૬ cam, ☆ rist, ⁽¶⁾ **P** VISA 🚭 AE ① ઙ̇
Terranova, Nord : 2,5 km – ✆ 07 58 57 00 83 – www.palazzoterranova.com
– info@palazzoterranova.com – Fax 07 58 57 00 14 – 15 marzo-15 novembre
9 cam ⊊ – ♦♦305/570 € – 1 suite **Rist** – Carta 42/80 €
♦ Una lunga strada sterrata in salita verso il paradiso: una signorile villa settecentesca
con arredamento umbro-inglese e incantevoli camere accoglienti, tutte diverse fra loro.
Sala ristorante semplice ed elegante come impone lo stile country più raffinato.

CITTANOVA – Reggio di Calabria (RC) – 564L30 – 10 695 ab. 5 **A3**
– alt. 397 m – ⊠ 89022

- ▶ Roma 661 – Reggio di Calabria 69 – Catanzaro 121 – Lamezia Terme 94

🏠 **Casalnuovo**   🅰 🔟 🍴 rist, ⚑ 🏊 🚗 📶 ⓒⓞ 🅰🅴 ⓞ ⓢ
☎ *viale Merano 103 – ℰ 09 66 65 58 21 – www.hotelcasalnuovo.com – info@hotelcasalnuovo.com – Fax 09 66 65 55 27*
18 cam ⌂ – 🍴42/62 € 🍴🍴57/77 €
Rist – *(chiuso quindici giorni in agosto, sabato e domenica a mezzogiorno)*
Carta 17/26 €
♦ Curato albergo a gestione familiare, ideale come sosta per chi è in viaggio di lavoro ma anche come base d'appoggio per visitare i dintorni. Camere comode ed accoglienti. Sobria e ampia sala ristorante.

CITTÀ SANT'ANGELO – Pescara (PE) – 563O24 – 12 774 ab.   1 B1
– alt. 320 m – ✉ 65013
    ▶ Roma 223 – Pescara 25 – L'Aquila 120 – Chieti 34

in prossimità casello autostrada A 14 Est : 9,5 km : – ✉ 65013 – Città Sant'Angelo

🏨 **Villa Nacalua** senza rist   🚗 🔟 🏦 🈁 🍴 📶 🏊 P 📶 ⓒⓞ 🅰🅴 ⓞ ⓢ
via Dell'Autostrada 5 ✉ 65013 – ℰ 085 95 92 25 – www.nacalua.com – info@nacalua.com – Fax 085 95 92 63
34 cam ⌂ – 🍴114 € 🍴🍴181 € – 2 suites
♦ Elegante hotel di taglio moderno, dotato di eliporto; curatissima l'insonorizzazione, interna ed esterna. Ampie camere ben accessoriate, bagni in marmo con idromassaggio.

🏨 **Giardino dei Principi**   🚗 🈁 🅰 🔟 🍴 rist, 🏊 P 📶 ⓒⓞ 🅰🅴 ⓞ ⓢ
contrada Moscarola-viale Petruzzi 30 ✉ 65013 – ℰ 085 95 02 35 – www.hotelgiardinodeiprincipi.it – info@hotelgiardinodeiprincipi.it – Fax 085 95 02 54
34 cam ⌂ – 🍴50/70 € 🍴🍴85/115 €   **Rist** – Carta 27/38 €
♦ In posizione favorevole, funzionale struttura di nuova concezione, con comodi spazi esterni (giardino, parcheggio privato); parquet nelle camere, con bagni completi. Il ristorante ha una grande, luminosa sala adatta anche per banchetti.

CITTIGLIO – Varese (VA) – 561E7 – 3 751 ab. – alt. 275 m – ✉ 21033   16 A2
    ▶ Roma 650 – Stresa 53 – Bellinzona 52 – Como 45

✗✗ **La Bussola** con cam   🚗 🅰 rist, 🔟 rist, ⚑ P 🚗 🚗
via Marconi 28 – ℰ 03 32 60 22 91   📶 ⓒⓞ 🅰🅴 ⓞ ⓢ
– www.hotellabussola.it – info@hotellabussola.it – Fax 03 32 61 02 50
20 cam ⌂ – 🍴40/60 € 🍴🍴65/95 € – 1 suite – ½ P 60/70 €
Rist – Carta 33/43 € (+10 %)
♦ Un locale che può soddisfare esigenze e gusti diversi: sale eleganti di cui una per la pizzeria serale, salone banchetti, cucina eclettica e camere curate.

CIUK – Sondrio – Vedere Bormio

CIVATE – Lecco (LC) – 561E10 – 3 880 ab. – alt. 269 m – ✉ 23862   18 B1
    ▶ Roma 619 – Como 24 – Bellagio 23 – Lecco 5

✗ **Cascina Edvige**   🈁 🍴 ⇄ P 📶 ⓒⓞ 🅰🅴 ⓢ
via Roncaglio 11 – ℰ 03 41 55 03 50 – www.cascinaedvige.it – edvige.rist@tiscalinet.it – Fax 03 41 21 08 99 – chiuso dal 26 al 30 dicembre, agosto e martedì
Rist – Carta 25/33 €
♦ Ambiente informale per un'autentica trattoria all'interno di una tipica cascina gestita da tre fratelli; in cucina troneggia un enorme ed antico camino dove vengono preparate le carni alla brace. D'estate si cena nel cortile interno.

CIVIDALE DEL FRIULI – Udine (UD) – 562D22 – 11 436 ab.   11 C2
– alt. 138 m – ✉ 33043 ▮ Italia
    ▶ Roma 655 – Udine 16 – Gorizia 30 – Milano 394
    🅸 piazza Paolo Diacono 10 ℰ 0432 710460, turismo@cividale.net, Fax 0432 710423
    ◎ Tempietto★★ – Museo Archeologico★★

Roma senza rist 📶 ⴳ 📶 🅿️ 💳 ⴳ 🅐🅔 🅞 ⴳ
*piazza Picco 17 – ℰ 04 32 73 18 71 – www.hotelroma-cividale.it – info@
hotelroma-cividale.it – Fax 04 32 70 10 33*
53 cam ⴳ – †50/75 € †80/125 €
♦ Tra mari e monti, tra storia e modernità, questo albergo a conduzione familiare recentemente rinnovato saprà ospitarvi in camere funzionali e confortevoli.

Locanda al Castello con cam 🦆 🏞️ 🏡 🅐 🕉 🍸 🐎 🏠 🍴 ⴳ 🏕️
via del Castello 12, Nord-Ovest : 🍸 rist, ⴳ 🅐 🅿️ 💳 🆗 🅐🅔
*1,5 km – ℰ 04 32 73 32 42 – www.alcastello.net – info@alcastello.net
– Fax 04 32 70 09 01*
27 cam ⴳ – †60/85 € †80/150 € – ½ P 70/83 €
Rist – *(chiuso mercoledi)* Carta 25/40 €
♦ Un tipico fogolar friulano domina una delle eleganti sale di questo ristorante ospitato in un antico piccolo castello, dalle mura ricoperte da un mantello d'edera. Cucina italiana e locale. Moderne ed accoglienti le camere, originariamente luogo di riposo e di raccoglimento per la meditazione dei gesuiti.

Al Monastero con cam e senza ⴳ 🅐 🍸 cam, 💳 🆗 🅐🅔 🅞 ⴳ
*via Ristori 9 – ℰ 04 32 70 08 08 – www.almonastero.com – info@
almonastero.com – Fax 04 32 70 08 08 – chiuso domenica sera e lunedi'*
5 cam – †80/120 € **Rist** – Menu 25/40 € – Carta 24/35 €
♦ Grazie al suo enorme affresco, una delle sale è un omaggio al Dio del Vino; la corte esterna è particolarmente suggestiva, ideale per le vostre cene a lume di candela… E per chi desidera prolungare il soggiorno, cinque graziosi appartamenti con soppalco e angolo cottura.

CIVITA CASTELLANA – Viterbo (VT) – 563P19 – 15 931 ab.   12 **B1**
– alt. 145 m – ✉ 01033 ▮ Italia
   ▶ Roma 55 – Viterbo 50 – Perugia 119 – Terni 50
   ◉ Portico ★ del Duomo

Relais Falisco 🕉 🎋 📶 ⴳ 🅐 🍸 🅐 🅿️ 💳 🆗 🅐🅔 🅞 ⴳ
*via Don Minzoni 19 – ℰ 07 61 54 98 – www.relaisfalisco.it – relaisfalisco@
relaisfalisco.it – Fax 07 61 59 84 32*
36 cam ⴳ – †90/105 € †140/160 € – 6 suites
Rist La Scuderia – vedere selezione ristoranti
♦ Il soggiorno in un palazzo signorile con origini secentesche offre atmosfere suggestive sia per il turista sia per chi viaggia per affari. Vasca idromassaggio negli originali sotterranei scavati nel tufo.

Val Sia Rosa 🏞️ 🎋 📶 🅿️ 💳 🆗 🅐🅔 🅞 ⴳ
*via Nepesina al km 1 – ℰ 07 61 51 78 91 – www.valsiarosa.it – valsiarosa@tin.it
– Fax 07 61 51 78 91*
Rist – Carta 26/51 €
♦ Rosa antico e giallo oro, sono caldi colori ad avvolgere le pareti dell'ottocentesca villa che oggi ospita il ristorante. Giovane e dinamica, la gestione. Cucina mediterranea.

La Scuderia – Relais Falisco 📶 🅿️ 💳 🆗 🅐🅔 🅞 ⴳ
*via Don Minzoni 19 – ℰ 07 61 51 67 98 – www.ristorantelascuderia.com
– Fax 07 61 59 19 64 – chiuso dal 1° al 21 agosto, domenica sera e lunedì*
Rist – *(chiuso a mezzogiorno escluso sabato e domenica)* Carta 40/50 €
♦ Un'armoniosa fusione di tipicità ed eleganza in questo caratteristico ristorante ricavato nelle scuderie del palazzo secentesco, all'interno del complesso del Relais Falisco. Piatti esposti a voce.

La Giaretta 📶 🍸 💳 🆗 🅐🅔 🅞 ⴳ
*via Ferretti 108 – ℰ 07 61 51 33 98 – www.civitacastellana.it – Fax 07 61 51 33 98
– chiuso dal 5 al 25 agosto, domenica sera e lunedì*
Rist – Carta 22/33 €
♦ Ogni proposta è presentata a voce in questo sobrio locale situato in zona centrale, che alla cucina laziale affianca qualche piatto di pesce. Seria ed esperta conduzione familiare.

a Quartaccio Nord-Ovest : 5,5 km – ⊠ 01034 – **Fabrica di Roma**

🔠 **Aldero** 🚗 🛐 ⅙ cam, ⚹ 🎐 🆎 ⁽ᵖ⁾ 🏋 🅿 ⱽⁱˢᵃ ⓐⓑ 🆎 ⓞ ⚡
– 𝒞 07 61 51 47 57 – www.aldero.it – info@aldero.it – Fax 07 61 54 94 13
41 cam ⌲ – 🕯80/85 € 🕯🕯95/105 € – 1 suite – ½ P 75/85 €
Rist – (chiuso dal 5 al 20 agosto e domenica) Carta 32/55 €
♦ Lentamente ma con perseveranza, la famiglia apporta ogni anno piccole piacevoli migliorie alla piccola struttura: due le tipologie di camere offerte, parcheggio coperto, sala conferenze. Al ristorante, i piatti della tradizione regionale.

CIVITANOVA MARCHE – Macerata (MC) – 563M23 – 38 706 ab. 21 D2
– ⊠ 62012

▶ Roma 276 – Ancona 47 – Ascoli Piceno 79 – Macerata 27
🅕 corso Umberto I 193𝒞 0733 813967, iat.civitanova@regione.marche.it, Fax 0733 815027

🔠 **Palace** senza rist 🛐 🆎 ⁽ᵖ⁾ 🏊 ⱽⁱˢᵃ ⓐⓑ 🆎 ⓞ ⚡
piazza Rosselli 6 – 𝒞 07 33 81 04 64 – www.royalre.it – palace@royalre.it
– Fax 07 33 81 07 69
37 cam ⌲ – 🕯80/100 € 🕯🕯130 €
♦ Ubicata di fronte alla stazione e recentemente rinnovata, una risorsa che offre un'ospitalità curata nelle sue camere ben insonorizzate e dotate di ogni confort.

🏠 **Aquamarina** 🛐 🆎 ⅗ ⁽ᵖ⁾ ⱽⁱˢᵃ ⓐⓑ 🆎 ⓞ ⚡
viale Matteotti 47 – 𝒞 07 33 81 08 10 – www.hotelaquamarina.it – info@hotelaquamarina.it – Fax 07 33 81 04 85 – chiuso a Capodanno
14 cam ⌲ – 🕯65/75 € 🕯🕯95/110 € – ½ P 60 €
Rist – (luglio-agosto) (solo per alloggiati)
♦ In un piacevole edificio centrale, non lontano dal mare, hotel a gestione familiare, inaugurato nel 1995; stanze di lineare, funzionale semplicità e bagni moderni.

X X **Il Gatto che Ride** 🆎 ⅗ ⱽⁱˢᵃ ⓐⓑ 🆎 ⓞ ⚡
viale Vittorio Veneto 115 – 𝒞 07 33 81 66 67 – www.ilgattocheride.it – info@ilgattocheride.it – Fax 07 33 81 66 67 – chiuso mercoledì
Rist – Carta 29/41 €
♦ Se oltre a contemplare il mare, volete anche assaporarlo, un buon indirizzo è questo centrale e frequentato locale: un'unica sala con arredi recenti e servizio attento.

CIVITAVECCHIA – Roma (RM) – 563P17 – 50 333 ab. – ⊠ 00053 12 A2
▮ Italia

▶ Roma 78 – Viterbo 59 – Grosseto 111 – Napoli 293
⛴ per Golfo Aranci – Sardinia Ferries, call center 899 929 206 – per Cagliari, Olbia ed Arbatax – Tirrenia Navigazione, call center 892 123
🅕 viale Garibaldi 𝒞 0766 25348, iatcivitavecchia@tiscali.it, Fax 0766 23078

🏨 **De la Ville** 🛐 ⚹ 🆎 ⅗ rist, ⁽ᵖ⁾ 🏋 🅿 ⱽⁱˢᵃ ⓐⓑ 🆎 ⓞ ⚡
viale della Repubblica 4 – 𝒞 07 66 58 05 07 – www.roseshotels.it – delaville@roseshotels.it – Fax 076 62 92 82
45 cam ⌲ – 🕯100/145 € 🕯🕯125/180 € – ½ P 88/115 €
Rist – (chiuso agosto) Carta 35/78 €
♦ Bell'edificio ottocentesco, bianco ed elegante custstodisce raffinati interni d'epoca; fresche le camere, arredate con ricercatezza e personalizzate con qualche dipinto alle pareti.

🔠 **Mediterraneo** senza rist 🛐 🆎 🅿 ⱽⁱˢᵃ ⓐⓑ 🆎 ⓞ ⚡
viale Garibaldi 38 – 𝒞 076 62 31 56 – www.roseshotels.it – mediterraneo@roseshotels.it – Fax 076 62 92 62
53 cam ⌲ – 🕯70/110 € 🕯🕯90/130 €
♦ Per una clientela sia turistica che di passaggio, la risorsa si trova sul lungomare e propone camere moderne e confortevoli, alcune al primo piano con piccolo angolo cottura.

XX **La Scaletta**   🅰🅲 🆅🅸🆂🅰 ⓪ 🅰🅴 ① ⬤

lungoporto Gramsci 65 – ℰ 076 62 43 34 – Fax 076 62 43 34 – chiuso 15 giorni in settembre e martedì

Rist – Carta 37/57 €

♦ Nessun dubbio sulla freschezza del pesce proposto, tantomeno sulla connotazione familiare di chi da anni gestisce con successo questo ristorantino tra le mura del Sangallo.

CIVITELLA ALFEDENA – L'Aquila (AQ) – 563Q23 – **296 ab.**   1 B3
– alt. 1 110 m – ✉ 67030

🄳 Roma 162 – Frosinone 76 – L'Aquila 122 – Caserta 122

🏠 **Antico Borgo La Torre**   🏡 🍽 🅿

via Castello – ℰ 08 64 89 01 21 – www.albergolatorre.com – info@ albergolatorre.com – Fax 08 64 89 02 10

24 cam �] – ♦35/45 € ♦♦45/55 € – ½ P 38/45 €

Rist – *(chiuso a mezzogiorno) (solo per alloggiati)* Menu 15/20 €

♦ Nel centro del paese, preservato nella sua integrità storica, due strutture divise dalla torre del '300 che dà il nome all'albergo; camere semplici e rinnovate.

CIVITELLA CASANOVA – Pescara (PE) – 563O23 – **2 040 ab.**   1 B2
– alt. 400 m – ✉ 65010

🄳 Roma 209 – Pescara 33 – L'Aquila 97 – Teramo 100

XX **La Bandiera** con cam 🌿   🍽 & rist, 🅰🅲 🍽 rist, 🅿 🆅🅸🆂🅰 ⓪ 🅰🅴 ① ⬤

contrada Pastini 4, Est : 4 km – ℰ 085 84 52 19 – www.labandiera.it – marcello.spadone@labandiera.it – Fax 085 84 57 89 – chiuso dal 1° al 14 febbraio, dal 1° al 15 luglio, domenica sera e mercoledì

3 cam – ♦♦90 €   **Rist** – Carta 29/55 € ❀

♦ In posizione isolata, un ristorante elegante gestito da un'appassionata famiglia, che vi proporrà i "classici" della cucina abruzzese in chiave moderna.

CIVITELLA DEL LAGO – Terni – 563O18 – **Vedere Baschi**

CIVITELLA DEL TRONTO – Teramo (TE) – 563N23 – **5 291 ab.**   1 A1
– alt. 580 m – ✉ 64010

🄳 Roma 200 – Ascoli Piceno 24 – Ancona 123 – Pescara 75

XX **Zunica 1880** con cam   ≤ 📶 🅰🅲 rist, ⁽ᵗⁱ⁾ 🆅🅸🆂🅰 ⓪ 🅰🅴 ① ⬤

piazza Filippi Pepe 14 – ℰ 086 19 13 19 – www.hotelzunica.it – info@ hotelzunica.it – Fax 08 61 91 81 50

17 cam ☷ – ♦75/110 € ♦♦90/130 € – ½ P 75/110 €

Rist – *(chiuso mercoledì)* Carta 30/42 €

♦ All'interno di un borgo in pietra in cima a un colle, dal quale abbracciare con un'unico sguardo colline, mare e montagna, un locale elegante con una cucina tipica regionale. Più semplici ma comunque confortevoli le camere: valido punto d'appoggio per una vacanza alla scoperta di storia, cultura e gastronomia locali.

CIVITELLA IN VAL DI CHIANA – Arezzo (AR) – 563L17 – **8 773 ab.**   29 C2
– alt. 523 m – ✉ 52040

🄳 Roma 209 – Siena 52 – Arezzo 18 – Firenze 72

X **L'Antico Borgo**   🍽 🆅🅸🆂🅰 ⓪ ⬤

via di Mezzo 35 – ℰ 05 75 44 81 60 – www.antborgo.it – info@antborgo.it – Fax 05 75 44 81 60 – chiuso dal 1° al 20 febbraio, dal 15 al 30 novembre e martedì

Rist – Carta 36/45 €

♦ Nel borgo medioevale che domina la valle, caratteristico ristorante ricavato in un ex locale per la macina delle olive; cucina toscana stagionale.

CIVITELLA MARITTIMA – Grosseto (GR) – 563N15 – **alt. 591 m**   29 C2
– ✉ 58045

🄳 Roma 206 – Grosseto 33 – Perugia 142 – Siena 43

☦ **Locanda nel Cassero** con cam 🕭   ☖ VISA ⓞ AE ⓞ ⑤

via del Cassero 29/31 – 𝒞 05 64 90 06 80 – www.locandanelcassero.com – info@ locandanelcassero.com – Fax 05 64 90 06 80 – chiuso 15 giorni in gennaio o febbraio e dal 14 al 30 novembre
5 cam 🖵 – ♦50/66 € ♦♦80/86 €
Rist – *(chiuso martedì, anche mercoledì e a mezzogiorno da novembre a Pasqua)* (consigliata la prenotazione) Carta 22/35 €
♦ E' incentrata sulla ristorazione questa piacevole, piccola locanda a fianco della chiesa del paese; ambiente caratteristico, conduzione giovane, cucina toscana.

CLAVIERE – Torino (TO) – 561H2 – 167 ab. – alt. 1 760 m – Sport   22 **A2**
invernali : 1 760/2 823 m (Comprensorio Via Lattea ✇6 ✇72) 𝒳 – ✉ 10050
> ▶ Roma 758 – Bardonecchia 31 – Briançon 15 – Milano 230
> 🄸 (chiuso mercoledì) via Nazionale 30 𝒞 0122 878856, claviere@ montagnedoc.it, Fax 0122 878888
> 🄵 , 𝒞 011 239 83 46

☦☦ **'l Gran Bouc**   ⇔ VISA ⓞ AE ⓞ ⑤

via Nazionale 24/a – 𝒞 01 22 87 88 30 – www.granbouc.it – granbouc@ tiscalinet.it – Fax 01 22 87 87 30 – chiuso maggio, novembre e mercoledì in bassa stagione
Rist – Carta 29/45 €
♦ Nato nel 1967 come sala giochi e bar, il locale è suddiviso in due sale di stile diverso, una rustica e l'altra più raffinata, dove gustare piatti nazionali e specialità piemontesi.

CLERAN = KLERANT – Bolzano – Vedere Bressanone

CLES – Trento (TN) – 562C15 – 6 647 ab. – alt. 658 m – ✉ 38023   30 **B2**
> ▶ Roma 626 – Bolzano 68 – Passo di Gavia 73 – Merano 57
> 🄶 Lago di Tovel★★★ Sud-Ovest : 15 km

🏠 **Cles**   🛣 ☖ 🕭 ℁ rist, 🖦 VISA ⓞ AE ⓞ ⑤
☙☙
piazza Navarrino 7 – 𝒞 04 63 42 13 00 – info@albergocles.com – Fax 04 63 42 43 42 – chiuso fdal 15 gennaio al 15 febbraio
37 cam – ♦50/62 € ♦♦68/74 €, 🖵 5 € – ½ P 47/51 €
Rist – *(chiuso domenica escluso luglio e agosto)* (chiuso a mezzogiorno da giugno a settembre) Carta 15/30 €
♦ In Val di Non, la "valle delle mele", un albergo situato nella piazza principale, con giardino interno e spazi funzionali; la stessa gestione familiare da oltre un secolo. Due graziose salette ristorante, una delle quali comunica con il dehors estivo in giardino.

☦☦ **Antica Trattoria** con cam   🕭 & AK ℁ 🕼 ⟷ VISA ⓞ AE ⓞ ⑤

via Roma 13 – 𝒞 04 63 42 16 31 – www.anticatrattoriacles.it – info@anticatrattoriacles.it – Fax 04 63 60 99 45 – chiuso 1 settimana in gennaio e 1 settimana in luglio
8 cam 🖵 – ♦55/65 € ♦♦75/90 € – ½ P 70 €
Rist – *(chiuso sabato)* Carta 36/55 €
♦ Locale completamente ristrutturato, con una stufa in maiolica di fine '800 che ben si inserisce in un contesto di stile contemporaneo, caldo e accogliente. Belle camere.

CLUSANE SUL LAGO – Brescia – 561F12 – Vedere Iseo

CLUSONE – Bergamo (BG) – 561E11 – 8 394 ab. – alt. 648 m   16 **B2**
– ✉ 24023
> ▶ Roma 635 – Bergamo 36 – Brescia 64 – Edolo 74

🏠 **Erica**   ⋞ 🕭 **P** 🖦 VISA ⓞ AE ⓞ ⑤

viale Vittorio Emanuele II, 50 – 𝒞 034 62 16 67 – Fax 034 62 52 68 – chiuso dal 15 febbraio al 15 marzo
23 cam 🖵 – ♦44 € ♦♦72 € – ½ P 60 €   **Rist** – Carta 25/38 €
♦ Ubicato sulla statale, quindi comodo anche per clientela di passaggio, un hotel che dà il meglio di sé nel rinnovato settore camere, con mobilio e accessori di qualità. Ampia e diversificata la zona ristorazione, con sale indipendenti adatte anche a banchetti.

✂ **Commercio e Mas-cì** con cam ⌚ VISA ⬤ AE ① Ⓖ

piazza Paradiso 1 – 𝒞 *034 62 12 67 – www.mas-ci.it – alb.commercioclusone@*
libero.it – Fax 034 62 12 67 – chiuso giugno
21 cam ⌼ – ▮53/73 € ▮▮73/93 € – ½ P 55/75 €
Rist *– (chiuso venerdì)* Carta 26/48 €
♦ Albergo ma soprattutto ristorante del centro storico. Due belle salette con caminetto, intime e accoglienti. Cucina con specialità locali e occasionali "intrusioni" regionali.

COCCAGLIO – Brescia (BS) – 561F11 – 7 596 ab. – alt. 162 m   19 **D2**
– ✉ 25030

▶ Roma 573 – Bergamo 35 – Brescia 20 – Cremona 69

🏘 **Touring** 🍴 🖾 🎳 🎤 🌿 ⚒ ╳ ⊜ ➿ 🔊 AC 🍸 ⁽¹⁾ 🔥 🅿 🚗
strada statale 11, via Vittorio Emanuele 40 VISA ⬤ AE ① Ⓖ
– 𝒞 *03 07 72 10 84 – www.hotel-touring.it – albtour@spidernet.it*
– Fax 030 72 34 53
80 cam ⌼ – ▮75/85 € ▮▮100 € – 3 suites   **Rist** – Carta 28/43 €
♦ Per affari o relax nella Franciacorta, un albergo di ottimo confort con annesso centro sportivo (tra cui un campo da calcio regolamentare, che spesso ospita squadre in ritiro o in trasferta). Raffinata scelta di tessuti d'arredo negli eleganti interni in stile. Al ristorante, ampi e luminosi ambienti curati.

COCCONATO – Asti (AT) – 561G6 – 1 612 ab. – alt. 491 m – ✉ 14023   23 **C2**
▶ Roma 649 – Torino 50 – Alessandria 67 – Asti 32

↖ **Locanda Martelletti** ⪕ 🍴 🛁 cam, ⁽¹⁾ 🔥 VISA ⬤ AE Ⓖ
piazza Statuto 10 – 𝒞 *01 41 90 76 86 – www.locandamartelletti.it – info@*
locandamartelletti.it – Fax 01 41 60 00 33
9 cam ⌼ – ▮60 € ▮▮98 €   **Rist** – Carta 32/46 €
♦ Nella parte alta del paese, spicca l'armonia tra le parti più antiche dell'edificio e le soluzioni più attuali di confort. Colazione servita in un delizioso giardino pensile.

a Maroero Nord : 3,8 km – ✉ 14023 – Cocconato

↖ **Al Vecchio Castagno** senza rist ☜ ⪕ 🍴 🛁 ⚒ 🍸 🅿 🚗
strada Cocconito 1 – 𝒞 *01 41 90 77 94* VISA ⬤ AE ① Ⓖ
– www.cannondoro.it – cannondoro@cannondoro.it – Fax 01 41 90 70 24
– chiuso dal 10 gennaio al 10 febbraio
8 cam ⌼ – ▮65 € ▮▮90/115 €
♦ In una delle zone più panoramiche del Monferrato, accoglienza informale in una caratteristica casa di campagna ristrutturata con cura e buon gusto. Tranquillità e relax.

CODEMONDO – Reggio nell'Emilia – Vedere Reggio nell'Emilia

CODIGORO – Ferrara (FE) – 562H18 – 12 933 ab. – ✉ 44021   9 **D1**
▶ Roma 404 – Ravenna 56 – Bologna 93 – Chioggia 53
🅸 c/o Abbazia di Pomposa, Strada Statale 309 Romea 𝒞 0533 719110, iatpomposa@libero.it

🏨 **Locanda del Passo Pomposa** senza rist 🛁 AC VISA ⬤ AE ① Ⓖ
via Provinciale per Volano 13, Ovest: 2 km ✉ 44020 Pomposa
– 𝒞 *05 33 71 91 31 – www.locandapassopomposa.com – info@*
locandapassopomposa.com – Fax 05 33 71 91 32
20 cam – ▮60/86 € ▮▮90/112 €
♦ In affascinante posizione, sull'argine sinistro del Po di Volano, l'edificio d'epoca dispone di attracco privato, di una torretta di osservazione per il bird watching e d'una piccola biblioteca.

╳╳ **La Capanna di Eraclio** 🎤 AC 🍸 ⇄ 🅿 VISA ⬤ AE ① Ⓖ
località Ponte Vicini, Nord-Ovest : 8 km – 𝒞 *05 33 71 21 54 – Fax 05 33 71 34 10*
– chiuso Natale, dal 15 agosto al 15 settembre, mercoledì e giovedì
Rist – (consigliata la prenotazione) Carta 47/73 €
♦ E' consigliabile farsi spiegare la strada al momento della prenotazione; una volta arrivati, vivrete il piacevole contrasto tra la semplice osteria che propone tradizionali piatti di pesce e la particolare cura delle presentazioni.

CODOGNE – Treviso (TV) – 562 E19 – **5 189 ab.** – ✉ 31013   36 **C2**
▶ Roma 589 – Venezia 71 – Treviso 46 – Pordenone 33

⌂   **Agriturismo Villa Toderini** senza rist   🚗 |≡| ᴀᴄ ↩ 🛁 📞 🅿
          🝙🝙 ᴠɪsᴀ ⚫⚫ ᴀᴇ 💲
via Roma 4/a – ✆ 04 38 79 60 84
– www.villatoderini.com – info@villatoderini.com – Fax 04 38 79 19 34
10 cam – ♦70/90 € ♦♦100/130 €
♦ Lo specchio d'acqua della peschiera riflette la maestosità e l'eleganza della nobile
dimora Ottocentesca, ristrutturata con gusto e grande senso dell'armonia. Ampie
camere con arredi in legno artigianale e confort moderni.

CODROIPO – Udine (UD) – 562 E20 – **14 792 ab.** – alt. 44 m – ✉ 33033   10 **B2**
▶ Roma 612 – Udine 29 – Belluno 93 – Milano 351

🅱🅰   **Ai Gelsi**   🚗 |≡| ᴀᴄ 🛁 rist, 🍴 ᴚᴀ 🅿 ᴠɪsᴀ ⚫⚫ ᴀᴇ ⓘ 💲
via Circonvallazione, Ovest : 12 km – ✆ 04 32 90 70 64 – www.gelsi.com – info@
gelsi.com – Fax 04 32 90 85 12
39 cam – ♦75/80 € ♦♦90/98 €, � 10 € – ½ P 80/100 €
Rist – (chiuso lunedì) Carta 36/56 €
♦ Non lontano dalla storica Villa Manin, un piacevole hotel adatto ad una clientela sia di
passaggio sia turistica; camere semplici nella loro linearità, ma confortevoli. Al ristorante
due sale e un ampio salone per banchetti.

COGNE – Aosta (AO) – 561 F4 – **1 474 ab.** – alt. 1 534 m – Sport   34 **A2**
invernali : 1 534/2 252 m ⛷1 ⛷2, 🎿 – ✉ 11012
▶ Roma 774 – Aosta 27 – Courmayeur 52 – Colle del Gran San Bernardo 60
ℹ via Bourgeois 34 ✆ 0165 74040, info@cogne.org, Fax 0165 749125

🅷🅰🅰🅷   **Bellevue**   ≤ 🚗 🏠 🔲 ⑩ 🏊 |≡| ᴦ. 🛁 rist, 🍴 🅿 🚙 ᴠɪsᴀ ⚫⚫ ᴀᴇ ⓘ 💲
❀   via Gran Paradiso 22 – ✆ 016 57 48 25 – www.hotelbellevue.it – bellevue@
relaischateaux.com – Fax 01 65 74 91 92 – chiuso dal 4 ottobre al 4 dicembre
38 cam ⊃ – ♦150/220 € ♦♦170/320 € – 7 suites – ½ P 160/200 €
Rist Le Petit Restaurant – (chiuso mercoledì e a mezzogiorno escluso sabato-
domenica) (consigliata la prenotazione) 80 € – Carta 60/82 € 🍴🍴
Spec. Tavolozza di foie gras. Risotto al tarassaco (cicoria dei prati), filetto di
coniglio rosolato, emulsione al latte e fieno affumicato. Guancia di vitello brasata, millefoglie di patate e piccole verdure.
♦ Uno dei più affascinanti alberghi dell'arco alpino: l'ospitalità familiare, l'attenzione per
i dettagli, le tradizioni valdostane e il centro benessere raggiungono livelli di eccellenza.
Sontuosa e creativa cucina al ristorante con predilizione per le carni e i formaggi.

🅷🅰🅷   **Miramonti**   ≤ 🚗 🔲 ⑩ 🏊 |≡| 🛁 rist, 🍴 ᴚᴀ 🚙 ᴠɪsᴀ ⚫⚫ ᴀᴇ 💲
viale Cavagnet 31 – ✆ 016 57 40 30 – www.miramonticogne.com – miramonti@
miramonticogne.com – Fax 01 65 74 93 78
45 cam ⊃ – ♦78/150 € ♦♦130/250 € – ½ P 85/145 €
Rist Coeur de Bois – Menu 35 € – Carta 30/41 €
♦ All'ingresso del paese, gestione familiare con eleganti saloni in stile montano e
camere di due tipologie e costi: rinnovate o più "datate". Al moderno centro benessere, doccia tropicale alle essenze di maracuja. Eleganti boiserie nel ristorante; nel menu
specialità di carne e pesce d'acqua dolce.

🅱🅰   **Du Grand Paradis**   🚗 🏊 |≡| 🛁 rist, 🅿 ᴠɪsᴀ ⚫⚫ ᴀᴇ ⓘ 💲
via dottor Grappein 45 – ✆ 016 57 40 70 – www.cognevacanze.com – info@
cognevacanze.com – Fax 01 65 74 95 07 – chiuso novembre
27 cam ⊃ – ♦47/74 € ♦♦82/144 € – ½ P 75/97 €
Rist – (giugno-settembre) Carta 25/38 €
♦ In centro paese, già albergo alla fine dell'800, l'attuale gestione riporta alla luce elementi liberty e atmosfere valdostane. Un romantico rifugio.

🅱🅰   **Sant'Orso**   ≤ 🚗 🏊 🛁 |≡| 🛁 cam, 👫 🛁 🍴 🚙 ᴠɪsᴀ ⚫⚫ ᴀᴇ ⓘ 💲
via Bourgeois 2 – ✆ 016 57 48 22 – www.cognevacanze.com – info@
cognevacanze.com – Fax 01 65 74 95 00 – chiuso dal 23 marzo al 13aprile,
ottobre e novembre
27 cam ⊃ – ♦57/99 € ♦♦104/178 € – ½ P 91/104 €   **Rist** – Carta 25/38 €
♦ Elegante ed accogliente, centrale e silenzioso, un albergo ideale per le famiglie grazie
al parco giochi e alle piste da sci baby, nel prato antistante. Sala ristorante classica, ma
con una carta più elaborata in aggiunta al menu per alloggiati.

La Madonnina del Gran Paradiso ⟨ 🚗 🗗 ⋔ ⅋ ⛳ rist, 🚐
via Laydetré 7 – ℰ 016 57 40 78   💳 ⓪ AE 🔇
– www.lamadonnina.com – hotel@lamadonnina.com – Fax 01 65 74 93 92 – 15
dicembre-marzo e giugno-15 ottobre
22 cam ⌐ – ✝40/70 € ✝✝70/130 € – ½ P 55/90 €
Rist – (chiuso giovedì) Carta 25/34 €
♦ Panoramico albergo immediatamente accanto alle piste di fondo. Accoglienti le zone comuni, tra cui una taverna dai tipici arredi valdostani, e graziose le camere in legno di pino. Conduzione familiare. Anche nella sala ristorante dominano il calore del legno e la caratteristica accoglienza montana.

Le Bouquet senza rist ⟨ 🚗 🗗 ⅊ ⓒ P 🚐 💳 ⓪ 🔇
via Gran Paradiso 61/a – ℰ 01 65 74 96 00 – hotel-lebouquet@tiscalinet.it
– Fax 01 65 74 99 00 – 20 dicembre-10 gennaio e 20 giugno-20 settembre
12 cam ⌐ – ✝90/100 € ✝✝100/125 €
♦ L'atmosfera tipica degli ambienti di montagna e deliziose camere con nomi di fiori in una piccola casa in legno e pietra ai margini del paese, inaugurata nel 1999.

Lo Stambecco senza rist ⟨ 🗗 ⅊ 🆚 P 💳 ⓪ ① 🔇
via des Clementines 21 – ℰ 016 57 40 68 – www.hotelstambecco.com – info@hotelstambecco.com – Fax 016 57 46 84 – giugno-settembre
14 cam ⌐ – ✝60/90 € ✝✝80/120 €
♦ Familiari la conduzione e l'ospitalità in una risorsa nel centro del paese, con ambienti comuni ridotti, ma curati; camere sobrie e confortevoli, bagni funzionali.

✕✕ **Lou Ressignon** ⟡ P 💳 ⓪ 🔇
via des Mines 23 – ℰ 016 57 40 34 – www.louressignon.it – info@louressignon.it.
– Fax 01 65 74 94 60 – chiuso dal 15 al 30 maggio, novembre, lunedì sera e martedì escluso luglio e agosto
Rist – Carta 27/39 €
♦ Simpatica tradizione di famiglia sin dal 1966, la cucina semplice e genuina valorizza i prodotti del territorio valdostano. Nei week-end, musica e allegria animano la taverna.

✕ **Bar a Fromage** 🍴 P 💳 ⓪ AE ① 🔇
rue Grand Paradis 21 – ℰ 01 65 74 96 96 – bellevue@relaischateaux.com
– Fax 01 65 74 91 92 – chiuso dal 4 ottobre al 4 dicembre e giovedì
Rist – (chiuso a mezzogiorno escluso sabato, domenica, lunedì e alta stagione)
Menu 30 € – Carta 40/48 €
♦ Particolare e ricercato, un piccolo ristorante in legno dove il formaggio è re e il legno e lo stile valligiano creano un'atmosfera intima e calda. Shop per vendita formaggi.

a Cretaz Nord : 1,5 km – ✉ 11012 – **Cogne**

Notre Maison ⟨ 🚗 🔲 ⊕ ⋔ 🗗 ⅊ 🆚 rist, 🐾 P 🚗 💳 ⓪ ① 🔇
– ℰ 016 57 41 04 – www.notremaison.it – hotel@notremaison.it
– Fax 01 65 74 91 86 – 20 dicembre-aprile e giugno-settembre
32 cam ⌐ – ✝45/65 € ✝✝130/170 € – ½ P 85/105 € **Rist** – Carta 27/41 €
♦ Una serie di chalet immersi nel verde e collegati tra loro da corridoi (a volte scavati nella roccia): vivaci e variopinte camere con profusione di legno nel tipico stile montano. Calorosa ospitalità familiare. Ancora "rusticità" nell'accogliente sala ristorante.

in Valnontey Sud-Ovest : 3 km – ✉ 11012 – **Cogne**

La Barme ⊛ ⟨ 🚗 ⊕ ⅊ cam, ⋔ 🆚 cam, ⓒ 🚗 💳 ⓪ AE
– ℰ 01 65 74 91 77 – www.hotelcogne.com – labarme@tiscali.it
– Fax 01 65 74 92 13 – chiuso novembre
16 cam ⌐ – ✝45/75 € ✝✝70/95 € – ½ P 47/68 €
Rist – (chiuso lunedì a mezzogiorno in bassa stagione) Carta 25/35 €
♦ All'interno del parco del Gran Paradiso con cascate di ghiaccio, escursioni estive e piste da fondo una tipica casa di montagna del '700 dalla rustica facciata in pietra e legno, dotata di camere semplici ma confortevoli. Arredato nel rispetto del caldo stile valdostano, il ristorante propone piatti tipici regionali.

COGNOLA – Trento – Vedere Trento

COGOLETO – Genova (GE) – 561I7 – **9 075 ab.** – ✉ 16016   **14 B2**
🚗 Roma 527 – Genova 28 – Alessandria 75 – Milano 151
📷 Arenzano, ℰ 010 911 18 17

✗ **Trattoria Benita**   VISA ❿ AE ① ⬥
via Aurelia di Ponente 84 – ℰ 01 09 18 19 16 – chiuso ottobre e martedì
Rist – Carta 29/43 €
♦ Alla periferia del paese, ambiente luminoso ed essenziale in un ristorante semplice, dove si fa cucina esclusivamente di pesce, secondo le disponibilità del mercato.

COGOLLO DEL CENGIO – Vicenza (VI) – 562E16 – **3 438 ab.**   35 **B2**
– alt. 357 m – ✉ 36010
▶ Roma 561 – Trento 58 – Padova 70 – Verona 97

sulla strada statale 350 Nord-Ovest : 3 km :

✗✗ **Trattoria all'Isola**   AC ✤ P VISA ❿ AE ① ⬥
via Schiro 14 ✉ 36010 – ℰ 04 45 88 03 41 – www.trattoriaallisola.com – info@trattoriaallisola.com – Fax 04 45 88 03 41 – chiuso domenica, lunedì a mezzogiorno e mercoledì sera
Rist – (coperti limitati, prenotare) Menu 50 € – Carta 43/61 €
♦ Lungo la statale per Trento, locale dall'atmosfera signorile che presenta un menù del territorio e della tradizione; cucina rivisitata con creatività.

COGÒLO – Trento – 562C14 – **Vedere Peio**

COLFIORITO – Perugia (PG) – 563M20 – alt. 760 m – ✉ 06030   33 **C2**
▶ Roma 182 – Perugia 62 – Ancona 121 – Foligno 26

🏠 **Villa Fiorita**   ≼ 🚗 🎾 🏠 Ⓕ🛏 🛎 🕸 P VISA ❿ ⬥
🕸 *via del Lago 9 – ℰ 07 42 68 13 26 – www.hotelvillafiorita.com – info@hotelvillafiorita.com – Fax 07 42 68 13 27*
38 cam ⌿ – †45/50 € ††70/95 € – 2 suites – ½ P 55/75 €
Rist – (chiuso martedì) Carta 18/33 €
♦ La bellezza naturalistica del piano di Colfiorito è motivo valido per soggiornare in questo albergo dall'accogliente gestione familiare, circondato da un riposante giardino. Semplice, ma luminosa sala ristorante.

COLFOSCO = **KOLFUSCHG** – Bolzano – **Vedere Alta Badia**

COLICO – Lecco (LC) – 561D10 – **6 545 ab.** – alt. 209 m – ✉ 23823   16 **B1**
▶ Roma 661 – Chiavenna 26 – Como 66 – Lecco 41
◉ Lago di Como ★★★

a Olgiasca Sud : 5 km – ✉ 23824 – Colico

✗ **Belvedere** con cam ✤   ≼ AC rist, 🛜 P VISA ❿ ⬥
🕸 *frazione Olgiasca 53 ✉ 23823 – ℰ 03 41 94 03 30*
– www.hotelristorantebelvedere.com – info@hotelristorantebelvedere.com
– Fax 03 41 93 19 00 – chiuso dall'11 gennaio al 2 febbraio
8 cam ⌿ – †50 € ††70 €   **Rist** – (chiuso lunedì) Carta 18/43 €
♦ Su un promontorio con vista lago un esercizio a conduzione familiare. Ambienti dai toni rustici e cucina che permette di gustare specialità di lago e di mare a buoni prezzi.

COL INDES – Belluno – 562D19 – **Vedere Tambre**

COLLALBO = **KLOBENSTEIN** – Bolzano – **Vedere Renon**

COLLE = **KOHLERN** – Bolzano – 562C16 – **Vedere Bolzano**

COLLEBEATO – Brescia (BS) – 561F12 – **4 553 ab.** – alt. 187 m   17 **C1**
– ✉ 25060
▶ Roma 534 – Brescia 8 – Bergamo 54 – Milano 96

a Campiani Ovest : 2 km – ✉ 25060 – **Collebeato**

XXX **Carlo Magno** 🔒 AK ⚡ ⇔ P VISA ⚫ AE ⓪ ⚡
*via Campiani 9 – ☎ 03 02 51 94 62 – www.carlomagno.it – info@carlomagno.it
– Fax 03 02 51 11 07 – chiuso dal 1° al 22 gennaio, dal 3 al 23 agosto, lunedì e
martedì*
Rist – Menu 50/60 € – Carta 40/59 € 🏵
♦ In una possente, austera casa di campagna dell'800, sale di suggestiva eleganza
d'epoca, con travi o pietra a vista, dove gustare piatti del territorio in chiave moderna.

COLLECCHIO – Parma (PR) – 562H12 – **12 190 ab.** – **alt. 106 m** 8 **A3**
– ✉ 43044

🕨 Roma 469 – Parma 11 – Bologna 107 – Milano 126
🔝 La Rocca, ☎ 0521 83 40 37

🏨 **Campus** senza rist 🛏 🕭 AK ⇊ (ᵗⁱᵖ) P VISA ⚫ AE ⓪ ⚡
*via Mulattiera 1 – ☎ 05 21 80 26 80 – www.hotelcampus.com – info@
hotelcampus.com – Fax 05 21 80 26 84 – chiuso dal 20 dicembre al 7 gennaio e
dall 9 al 18 agosto*
55 cam Ⳇ – ♦44/180 € ♦♦54/260 €
♦ Dispone di comodo parcheggio questa periferica struttura di concezione moderna,
inaugurata nel 1999, che offre buoni servizi e spaziose camere confortevoli.

🏨 **Ilga** senza rist 🛏 🕭 AK (ᵗⁱᵖ) 🚗 VISA ⚫ AE ⓪ ⚡
*via Pertini 39 – ☎ 05 21 80 26 45 – www.ilgahotel.it – info@ilgahotel.it
– Fax 05 21 80 24 84 – chiuso dal 5 al 20 agosto*
48 cam Ⳇ – ♦60/75 € ♦♦80/140 €
♦ Ai margini della località, recente e funzionale, è dotato di moderni confort e camere
omogenee; biciclette a disposizione dei clienti per gite in un vicino bosco.

XXX **Villa Maria Luigia-di Ceci** (Ceci) 🍸 🔒 ⚡ ⇔ P
ॐ *via Galaverna 28 – ☎ 05 21 80 54 89* VISA ⚫ AE ⓪ ⚡
*– www.ristorantevillamarialuigia.it – villamarialuigia@iol.it – Fax 05 21 80 57 11
– chiuso dal 15 febbraio al 1° marzo, mercoledì sera e giovedì*
Rist – Menu 45/70 € – Carta 42/64 € 🏵
Spec. Scaloppa di fegato d'oca con asparagi e uovo in camicia. Risotto al gorgonzola piccante con succo di rape rosse, noci caramellate e sedano candito.
Ventresca di tonno rosso con peperoni dolci e acciughe piccanti.
♦ Imponente villa ottocentesca all'interno di un parco, cucina poliedrica che incontra
ogni gusto, dalla tradizione parmense ai piatti più creativi sia di carne che pesce.

a Cafragna Sud-Ovest : 9 km – ✉ 43045 – **Gaiano**

XX **Trattoria di Cafragna** 🔒 ⇔ P VISA ⚫ AE ⓪ ⚡
*via Banzola 4 – ☎ 05 25 23 63 – www.trattoriadicafragna.it – info@
trattoriadicafragna.it – Fax 052 53 98 98 – chiuso dal 24 dicembre al 15 gennaio,
agosto, lunedì e domenica sera,in luglio anche domenica a mezzogiorno*
Rist – Carta 32/47 € 🏵
♦ Si respira aria di tradizione e di buona cucina del territorio in questo ambiente piacevole e accogliente, di sobria eleganza rustica, con servizio estivo all'aperto.

COLLE DI VAL D'ELSA – Siena (SI) – 563L15 – **20 110 ab.** 29 **D1**
– **alt. 223 m** – ✉ 53034 ▮ Toscana

🕨 Roma 255 – Firenze 50 – Siena 24 – Arezzo 88
🖪 via Campana 43 ☎ 0577 922791, proloco.colle@tin.it, Fax 0577 922621

🏨🏨 **Relais della Rovere** ≤ 🚗 🔒 ⊼ 🛏 AK ⚡ ✿ P
via Piemonte 10 – ☎ 05 77 92 46 96 VISA ⚫ AE ⓪ ⚡
*– www.chiantiturismo.com – dellarovere@chiantiturismo.it – Fax 05 77 92 44 89
– 9 aprile-1° novembre*
30 cam Ⳇ – ♦♦206/319 € – ½ P 132/201 €
Rist *Il Cardinale* – ☎ 05 77 92 34 53 *(chiuso a mezzogiorno)* Menu 29/41 €
♦ Eclettica fusione di stili e di design, tra antico e moderno, in un complesso di gran
classe, nato dal recupero di un'antica dimora patrizia e di un'abbazia dell'XI sec. Ristorante con ameno dehors estivo, taverna-enoteca e sala ricavata nelle antiche cantine.

XXXX **Arnolfo** (Gaetano Trovato) con cam 🛜 AK 🕸 🛋 📶 VISA 🐵 AE ① 💰
😂 😂 *via XX Settembre 50/52 – ℰ 05 77 92 05 49 – www.arnolfo.com*
– arnolfo@arnolfo.com – Fax 05 77 92 05 49
– chiuso dal 22 gennaio al 4 marzo e dal 30 luglio al 12 agosto
4 cam ⌂ – †160 € ††190 € – ½ P 195/205 €
Rist – *(chiuso martedì, mercoledì, la sera di Natale e il mezzogiorno di Capodanno) (consigliata la prenotazione)* Menu 95/110 € – Carta 100/123 € 🕸
Spec. Scampi marinati e dorati con fragole e aceto balsamico (primavera). Agnello pomarancino: carré, coscio e carpaccio alle olive taggiasche (primavera). Albicocche, mandorle e gelato alla lavanda (estate).
♦ L'immagine che ogni turista ha della Toscana tra colline, cipressi e la cinta di mura medievali: la ricetta del sogno si sublima nei piatti, carosello dei migliori prodotti regionali, interpretati con fantasia. Rustico-elegante, una bomboniera per eleganza, cura e dimensioni il piccolo albergo.

XXX **L'Antica Trattoria** 🛜 🕸 VISA 🐵 AE ① 💰
piazza Arnolfo 23 – ℰ 05 77 92 37 47 – Fax 05 77 92 37 47
– chiuso dal 23 dicembre al 10 gennaio, dal 23 al 31 agosto e martedì
Rist – Carta 44/64 €
♦ Boiserie e lampadari di Murano in un ristorante caldo ed elegante, che d'estate si espande nel dehors sulla piazza; proposte eclettiche presentate con fantasia.

X **Molino il Moro** AK VISA 🐵 AE ① 💰
via della Ruota 2/4 – ℰ 05 77 92 08 62 – www.dolcitradizionitoscane.it
– gigliolapapa@simail.it – Fax 05 77 92 08 62 – chiuso lunedì e martedì a mezzogiorno
Rist – Carta 30/41 €
♦ Ambiente caratteristico, all'interno di un vecchio mulino, con sale in mattoni e gli strumenti di lavoro di un tempo ancora al loro posto. In cucina i sapori del Mediterraneo.

COLLEPIETRA (STEINEGG) – Bolzano (BZ) – 561C16 – **alt. 820 m**   31 **D3**
– ✉ 39050
🚗 Roma 656 – Bolzano 15 – Milano 314 – Trento 75
🛈 frazione Collepietra 97 ℰ 0471 376574, info@steinegg.com, Fax 0471 376760

🏨 **Steineggerhof** �️ ⩽ 🚗 🔲 🎿 🛏 ⅙ 🕸 📶 P VISA 🐵
😂 *Collepietra 128, Nord-Est : 1 km – ℰ 04 71 37 65 73 – www.steineggerhof.com*
– info@steineggerhof.com – Fax 04 71 37 66 61 – 4 aprile-1° novembre
34 cam ⌂ – †60/85 € ††110/130 € – ½ P 58/70 €   **Rist** – Carta 16/44 €
♦ Per ritemprarsi e rilassarsi nello splendido scenario dolomitico, una panoramica casa tirolese dai tipici interni montani, dove il legno regna sovrano. Curata sala ristorante dal soffitto ligneo.

COLLE SAN PAOLO – Perugia – 563M18 – **Vedere Panicale**

COLLESECCO – Perugia – 563N19 – **Vedere Gualdo Cattaneo**

COLLEVALENZA – Perugia – **Vedere Todi**

COLLI DEL TRONTO – Ascoli Piceno (AP) – 563N23 – **3 241 ab.**   21 **D3**
– **alt. 168 m** – ✉ 63030
🚗 Roma 226 – Ascoli Piceno 24 – Ancona 108 – L'Aquila 115

🏨 **Villa Picena** 🚗 🎿 ⅙ 🛏 ⅙ AK 🕸 rist, 📶 🛎 P VISA 🐵 AE ① 💰
via Salaria 66 – ℰ 07 36 89 24 60 – www.villapicena.it – info@villapicena.it
– Fax 07 36 89 24 60
41 cam ⌂ – †60/90 € ††80/130 € – ½ P 75/95 €   **Rist** – Carta 27/65 €
♦ Nel cuore della vallata del Tronto, la dimora ottocentesca offre ambienti ricchi di fascino e camere arredate con gusto e sobrietà, in sintonia con lo stille della villa. Ricavata nella parte più antica della villa, la sala da pranzo propone menù degustazione e la possibilità di consumare piatti veloci o leggeri.

COLLOREDO DI MONTE ALBANO – Udine (UD) – 562D21   10 **B2**
– 2 156 ab. – alt. 213 m – ⊠ 33010

    🖪 Roma 652 – Udine 15 – Tarvisio 80 – Trieste 85

XX   **La Taverna**   ← 🚗 🏠 🗚 **P** 🚾 ⓒ AE ⓞ ⛾
£3   *piazza Castello 2 – ℰ 04 32 88 90 45 – www.ristorantelataverna.it*
   – ristorantelataverna@yahoo.it – Fax 04 32 88 96 76 – chiuso domenica sera e
   mercoledì
   Rist – Menu 65/70 € – Carta 60/76 € ⅋⅋
   Spec. Linguine all'olio, profumo d'aglio e crostacei d'Istria (autunno). Battuta a
   mano di manzo fassone con puntarelle alle acciughe (inverno). Timballo di
   cioccolato fondente con salsa di pistacchio (autunno).
   ♦ Di fronte al castello, ambiente curato ma informale, sfumature rustiche e camino con
   affaccio sul giardino. Cucina contemporanea che valorizza le materie prime.

a Mels Nord-Ovest : 3 km – ⊠ 33030

XXX   **La di Petrôs**   🏠 & 🗚 ⇆ **P** 🚾 ⓒ AE ⓞ ⛾
   piazza del Tiglio 14 – ℰ 04 32 88 96 26 – petros@quipo.it – Fax 04 32 88 96 26
   – chiuso 1 settimana in gennaio, luglio, martedì, mercoledì a mezzogiorno
   Rist – Menu 48/58 € ⅋⅋
   ♦ Atmosfera elegante nelle sale vecchio stile, arredate con grandi lampadari di vetro,
   poltroncine e divanetti. In cucina, la moglie propone piatti classici dagli spunti moderni.

COLMEGNA – Varese – Vedere Luino

COLOGNA VENETA – Verona (VR) – 562G16 – 8 111 ab. – alt. 24 m   35 **B3**
– ⊠ 37044

    🖪 Roma 482 – Verona 39 – Mantova 62 – Padova 61

XX   **La Torre** con cam   🗚 🚾 ⓒ AE ⓞ ⛾
   via Torcolo 33 – ℰ 04 42 41 01 11 – www.albergoristorantelatorre.it – info@
   albergoristorantelatorre.it – Fax 04 42 41 92 45
   18 cam 🖵 – †45/55 € ††75/85 € – ½ P 60/70 €
   Rist – *(chiuso lunedì)* Menu 30/60 € – Carta 32/63 €
   ♦ Ricavato in una torre cinquecentesca, una suggestiva sala sormontata da soffitti a
   volta con mattoni a vista, nella quale assaporare una cucina che varia a seconda delle
   stagioni. Servizio all'aperto solo per pasti veloci. Al piano superiore, confortevoli camere
   che celano cinque secoli di storia...

COLOGNE – Brescia (BS) – 561F11 – 6 850 ab. – alt. 184 m – ⊠ 25033   19 **D2**
   🖪 Roma 575 – Bergamo 31 – Brescia 27 – Cremona 72

XXX   **Cappuccini** con cam 🏡   🍴 📺 ⓦ ⌗ 🖐 🖵 🍸 rist, ⓣ 🦺 **P**
   via Cappuccini 54, Nord : 1,5 km – ℰ 03 07 15 72 54   🚾 ⓒ AE ⓞ ⛾
   – www.cappuccini.it – info@cappuccini.it – Fax 03 07 15 72 57
   12 cam – †120 € ††200 €, 🖵 15 € – 2 suites – ½ P 160/200 €
   Rist – Menu 45/75 € – Carta 52/88 €
   ♦ L'elegante sala da pranzo propone antiche ricette accanto ad una cucina più creativa.
   Abbracciato da un fresco parco, l'albergo si trova tra le mura di un convento del '500
   ristrutturato con cura ed offre confortevoli ambienti ed un attrezzato centro benessere.

COLOGNO AL SERIO – Bergamo (BG) – 561F11 – 9 806 ab.   19 **C2**
– alt. 156 m – ⊠ 24055

    🖪 Roma 581 – Bergamo 14 – Brescia 45 – Milano 47

🏠🏠🏠   **Antico Borgo la Muratella**   🚗 📺 🖐 & 🗚 🍸 rist, ⓣ 🦺 **P**
   località Muratella, Nord-Est : 2,5 km   🚾 ⓒ AE ⓞ ⛾
   – ℰ 03 54 87 22 33 – www.lamuratella.it – info@lamuratella.it
   – Fax 03 54 87 28 85 – chiuso Natale e due settimane in agosto
   68 cam 🖵 – †180 € ††230 € – ½ P 145 €   **Rist** – Carta 35/59 €
   ♦ Pronti per un viaggio nella storia? La cinquecentesca dimora, appartenente ai Conti di
   Medolago vi attende per un soggiorno di relax o di lavoro in un'atmosfera d'altri tempi;
   giardino, laghetto e curati interni in stile. Soffitti a travi nelle ampie sale del risto-
   rante, utilizzate anche per organizzare banchetti.

COLOGNOLA AI COLLI – Verona (VR) – 562F15 – **7 290 ab.**   37 **B3**
– alt. 177 m – ⊠ 37030

▶ Roma 519 – Verona 17 – Milano 176 – Padova 68

sulla strada statale 11 Sud-Ovest : 2,5 km :

✗✗   **Posta Vecia** con cam   🛜 🝿 Ẳ 🕻 **P** 𝘝𝘐𝘚𝘈 ⬤⬤ ᴁ ⓪ ⛟
via Strà 142 ⊠ 37030 – ℰ 04 57 65 03 61 – www.postavecia.com – info@
postavecia.com – Fax 04 56 15 08 59 – chiuso agosto
11 cam – ✝70/90 € ✝✝95/115 €, ⊊ 10 €
Rist – (chiuso domenica sera e lunedì) Carta 39/66 €
◆ All'interno di un edificio cinquecentesco cinto da un giardino e da un piccolo zoo,
l'ambiente è completamente dedicato alla caccia, dalle foto e dai trofei esposti in sala,
sino ai piatti di selvaggina in menù. Graziose le camere, arredate con mobili d'epoca.

COLOMBARE – Brescia – 561F13 – **Vedere Sirmione**

COLOMBARO – Brescia – 562F11 – **Vedere Corte Franca**

COLONNA DEL GRILLO – Siena – 563M16 – **Vedere Castelnuovo Berardenga**

COLORETO – Parma – **Vedere Parma**

COLORNO – Parma (PR) – 562H13 – **8 353 ab.** – alt. 29 m – ⊠ 43052   8 **B1**

▶ Roma 466 – Parma 16 – Bologna 104 – Brescia 79

🔢 piazza Garibaldi 23 ℰ 0521 313336, ufficio.turistico@comune.colorno.pr.it,
Fax 0521 521370

🏠   **Versailles** senza rist   🛗 ᴴ Ẳ 🝿 ኖ **P** 𝘝𝘐𝘚𝘈 ⬤⬤ ᴁ ⓪ ⛟
via Saragat 3 – ℰ 05 21 31 20 99 – www.hotelversailles.it – info@hotelversailles.it
– Fax 05 21 81 69 60 – chiuso dal 23 dicembre al 10 gennaio ed agosto
48 cam ⊊ – ✝65/87 € ✝✝89/114 €
◆ Nell'ex "Versailles dei Duchi di Parma", un albergo a conduzione familiare, indicato per
clientela turistica e d'affari; camere semplici, ma funzionali.

a Vedole Sud-Ovest : 2 km – ⊠ **43052** – **Colorno**

✗✗   **Al Vedel**   ᴴ Ẳ ⟷ **P** 𝘝𝘐𝘚𝘈 ⬤⬤ ᴁ ⓪ ⛟
😊   via Vedole 68 – ℰ 05 21 81 61 69 – www.alvedel.it – info@alvedel.it
– Fax 05 21 31 20 59 – chiuso dal 24 dicembre al 5 gennaio, luglio, lunedì e
martedì
Rist – Menu 32/35 € – Carta 24/39 € ❀
◆ Da generazioni fedele alla lunga tradizione di ospitalità e alla buona cucina emiliana,
arricchisce ora le proprie elaborazioni con una vena di fantasia. Visitabile la cantina, tra
vini e salumi in stagionatura.

COL SAN MARTINO – Treviso – 562E18 – **Vedere Farra di Soligo**

COLTODINO – Rieti – 563P20 – **Vedere Fara in Sabina**

COMABBIO – Varese (VA) – 561E8 – **1 026 ab.** – alt. 307 m – ⊠ 21020   16 **A2**

▶ Roma 634 – Stresa 35 – Laveno Mombello 20 – Milano 57

sulla strada statale 629 direzione Besozzo al Km 4,5 :

✗   **Cesarino**   ≤ 🝿 ⟷ **P** 𝘝𝘐𝘚𝘈 ⬤⬤ ᴁ ⓪ ⛟
via Labiena 1861 ⊠ 21020 – ℰ 03 31 96 84 72 – www.ristorantecesarino.com
– ristorantecesarino@cheapnet.it – Fax 03 31 96 84 72
– chiuso dal 1° al 20 agosto e mercoledì
Rist – Carta 36/54 €
◆ Fate attenzione a non mancare la stretta ed unica entrata di questo locale familiare di
lunga tradizione, in riva al lago. Proposte del territorio legate alle stagioni.

374

COMACCHIO – Ferrara (FE) – 562H18 – **22 080 ab.** – ⊠ **44022** Italia   9 **D2**

▶ Roma 419 – Ravenna 37 – Bologna 93 – Ferrara 53

🚺 via Mazzini 4 ℰ 0533 314154, comacchio.iat@comune.comacchio.fe.it, Fax 0533 319278

ⓖ Abbazia di Pomposa★★ Nord : 15 km – Regione del Polesine★ Nord

⌂ **Al Ponticello** senza rist   🚗 🖩 ᴴ 🔏 ⚔ 🗚 🕉 ⟨ᵖ⟩ **P** 𝘝𝘐𝘚𝘈 ⓪⑨ ① 🕉
via Cavour 39 – ℰ 05 33 31 40 80 – www.alponticello.it – alponticello@alponticello.it – Fax 05 33 31 40 80
8 cam ⌂ – ♥♥75/90 €
♦ In un edificio d'epoca del centro, affacciato su un canale, una risorsa confortevole e accogliente. Gestione giovane, disponibile ad organizzare escursioni: particolarmente apprezzate quelle in canoa.

XX **La Barcaccia**   🏠 🗚 🕉 𝘝𝘐𝘚𝘈 ⓪⑨ 🄰🄴 ① 🕉
piazza XX Settembre 41 – ℰ 05 33 31 10 81 – www.comacchio.it – trattoriabarcaccia@libero.it – Fax 05 33 31 10 81 – chiuso dal 7 al 15 gennaio, novembre e lunedì
Rist – Menu 42/48 € – Carta 28/46 €
♦ In un'accogliente sala, rinnovata in anni recenti, o nel dehors estivo all'ombra del duomo potrete gustare piatti di pesce. Specialità del luogo e della casa, l'anguilla.

a Porto Garibaldi Est : 5 km – ⊠ **44029**

🚺 (giugno-settembre) via Ugo Bassi 36/38 ℰ 0533 329076, iatportogaribaldi@comune.comacchio.fe.it, Fax 0533 328336

XX **Da Pericle**   🏠 🔏 🗚 🕉 𝘝𝘐𝘚𝘈 ⓪⑨ 🄰🄴 ① 🕉
via dei Mille 103 – ℰ 05 33 32 73 14 – www.ristorantepericle.it – info@ristorantepericle.it – Fax 05 33 32 92 82 – chiuso dal 7 al 18 gennaio, dal 15 al 30 novembre e lunedì
Rist – Carta 30/64 €
♦ Non esitate a prendere posto nella panoramica terrazza al primo piano per restare ammaliati dalla vista. La cucina predilige il pesce, servito in abbondanti porzioni.

a Lido degli Estensi Sud-Est : 7 km – ⊠ **44024**

🚺 (giugno-settembre) via Ariosto 10 ℰ 0533 327464, iatlidoestensi@comune.comacchio.fe.it

🄱🄷 **Logonovo** senza rist   🛄 🖩 🗚 ⟨ᵖ⟩ 🔏 **P** 𝘝𝘐𝘚𝘈 ⓪⑨ 🄰🄴 🕉
viale delle Querce 109 – ℰ 05 33 32 75 20 – www.hotellogonovo.com – logonovo@libero.it – Fax 05 33 32 75 31
45 cam ⌂ – ♥50/60 € ♥♥80/100 €
♦ In zona residenziale, a poca distanza dal mare, l'indirizzo è adatto tanto ai vacanzieri, quanto alla clientela di lavoro. Particolarmente confortevoli le camere al quinto piano, ampie e arredate con gusto.

a Lido di Spina Sud-Est : 9 km – ⊠ **44024**

🚺 (giugno-settembre) viale Leonardo da Vinci 112 ℰ 0533 333656, iatlidospina@comune.comacchio.fe.it

XX **Aroldo**   🏠 🕉 𝘝𝘐𝘚𝘈 ⓪⑨ 🄰🄴 ① 🕉
viale delle Acacie 26 – ℰ 05 33 33 05 36 – www.ristorantearoldo.com – ristorantearoldo@libero.it – Fax 05 33 33 09 48 – chiuso martedì escluso dal 15 maggio al 15 settembre
Rist – Menu 60 € – Carta 36/87 €
♦ Grande ristorante-pizzeria che agli ampi spazi unisce la cura della presentazione dei piatti, classici, locali e di pesce. La veranda è costruita intorno a due pini marittimi e in estate si apre completamente.

COMANO TERME – Trento (TN) – 562D14 – alt. 395 m – ⊠ **38070**   30 **B3**
– Ponte Arche

▶ Roma 586 – Trento 24 – Brescia 103 – Verona 106

a Ponte Arche – alt. 400 m – ⊠ 38071

i via Cesare Battisti 38/d *&* 0465 702626, info@comano.to, Fax 0465 702281

🏨 **Grand Hotel Terme** ⌖ ≤ 🚗 🏊 🔽 🌐 ⅃⅄ ⌶ 🖺 ⌖ ⌖ ⌖ ⌖ **P**
– *&* 04 65 70 14 21 – www.ghtcomano.it – info@
ghtcomano.it – Fax 04 65 70 14 95 – 18 dicembre-18 gennaio e 20 marzo-8 novembre
80 cam ⌖ – ♦100/153 € ♦♦180/288 € – 2 suites – ½ P 98/138 €
Rist – Menu 35 €
♦ Circondata dalla tranquillità del Parco delle Terme, una nuova struttura arredata secondo le linee del design nei suoi interni spaziosi. Benessere e cure termali per il relax. Dalla sala ristorante una splendida vista sul parco con cui conciliare la degustazione di una cucina nazionale.

🏨 **Cattoni-Plaza** ≤ 🚗 🔽 🌐 🈁 ⅃⅄ ⌖ 🖺 ⌖ ⌖ ⌖ rist, 🕿 🛰 **P**
via Battisti 19 – *&* 04 65 70 14 42 — 🚗 **VISA** 🔵 **AE** ⊙ **⑤**
– www.cattonihotelplaza.it – info@cattonihotelplaza.com – Fax 04 65 70 14 44
– 4 dicembre-22 gennaio e 30 marzo-7 novembre
72 cam – ♦50/75 € ♦♦90/125 €, ⌖ 10 € – 1 suite – ½ P 85/90 €
Rist – Menu 28/75 €
♦ Nella verde cornice del parco, l'hotel è stato studiato nei dettagli e dispone di confortevoli camere, piscina coperta, centro benessere ed un'area animazione per i bambini. Nell'elegante sala ristorante ricchi buffet per la colazione, menù sempre diversi e cene a lume di candela.

a Campo Lomaso – alt. 492 m – ⊠ 38070 – Lomaso

🏨 **Villa di Campo** ⌖ ⌖ 🈁 ⅃⅄ ⌖ 🖺 ⌖ rist, **P** **VISA** 🔵 **⑤**
piazza Risorgimento 40 – *&* 04 65 70 00 72 – www.villadicampo.it – info@
villadicampo.it – Fax 04 65 70 07 10 – chiuso febbraio e marzo
33 cam ⌖ – ♦60/80 € ♦♦100/145 € – ½ P 59/96 € **Rist** – Carta 37/55 €
♦ Un edificio ottocentesco ristrutturato, ospita un hotel di recente apertura immerso in un grande parco e dotato di un centro benessere per trattamenti estetici e curativi. Nell'elegante sala ristorante, atmosfere d'altri tempi e prodotti biologici legati ai colori ed ai sapori delle stagioni.

COMELICO SUPERIORE – Belluno (BL) – 562 C19 – 2 634 ab.   36 C1
– alt. 1 210 m – Sport invernali : 1 218/1 656 m ⅃3, ⅃ – ⊠ 32040
▶ Roma 678 – Cortina d'Ampezzo 52 – Belluno 77 – Dobbiaco 32

a Padola Nord-Ovest : 4 km da Candide – ⊠ 32040

🏠 **D'la Varda** ⌖ ≤ 🕿 **P**
via Martini 29 – *&* 043 56 70 31 – www.hotellavarda.it – infolavarda@libero.it
– Fax 04 35 47 91 26 – dicembre-15 aprile e 15 giugno-settembre
22 cam ⌖ – ♦35/42 € ♦♦68/80 € – ½ P 53/58 € **Rist** – Carta 20/28 €
♦ Un idillio per chi ama le cime innevate: semplice e caratteristico, l'hotel si trova proprio di fronte agli impianti di risalita e alle piste. Familiarità e gentilezza sono di casa. Calore, una squisita accoglienza e piatti di cucina creativa al ristorante.

COMISO – Ragusa (RG) – 98837 – Vedere Sicilia alla fine dell'elenco alfabetico
▶ Roma 905 – Palermo 229 – Ragusa 23 – Gela 41

COMMEZZADURA – Trento (TN) – 562 D14 – 903 ab. – alt. 852 m   30 B2
– Sport invernali : 1 400/2 200 m ⅃5 ⅃19 (Comprensorio sciistico Folgarida-Marilleva) ⅃ – ⊠ 38020
▶ Roma 656 – Bolzano 86 – Passo del Tonale 35 – Peio 32
i (dicembre-aprile e giugno-settembre) frazione Mestriago 1 *&* 0463
974840, info@commezzadura.com, Fax 0463 974840

🏨 **Tevini** ⌖ ≤ 🚗 🔽 🈁 🖺 ⌖ 🅰 rist, 🕿 🛰 **P** 🚗 **VISA** 🔵 **AE** **⑤**
località Almazzago – *&* 04 63 97 49 85 – www.hoteltevini.com – info@
hoteltevini.com – Fax 04 63 97 48 92 – dicembre-Pasqua e giugno-settembre
54 cam – solo ½ P 75/155 € **Rist** – Menu 21/25 € – Carta 21/40 €
♦ In Val di Sole, un soggiorno di sicuro confort in un albergo curato; spazi comuni rifiniti in legno e gradevole centro benessere; suggestiva la camera nella torretta. Boiserie e tende di pizzo alle finestre, affacciate sul verde, nella sala ristorante.

COMO 🅿 (CO) – 561E9 – 80 510 ab. – alt. 202 m – ✉ 22100 ▮ Italia   18 **A1**

- ▶ Roma 625 – Bergamo 56 – Milano 48 – Monza 42
- 🄸 piazza Cavour 17 ℰ 031 269712, lakecomo@tin.it, Fax 031 240111
- ▦ Villa d'Este, ℰ 031 20 02 00
- ▦ Monticello, ℰ 031 92 80 55
- ▦ Carimate, ℰ 031 79 02 26
- ▦ La Pinetina, ℰ 031 93 32 02
- ◙ Lago★★★ – Duomo★★ Y – Broletto★★ **A** – Chiesa di San Fedele★ Y
  – Basilica di Sant'Abbondio★ Z – ≼★ su Como e il lago da Villa Olmo
  3 km per ④

Pianta pagina 378

🏨 Grand Hotel di Como   🕸 ⅓ Ƚ3 |🕮| ᚙ ᕁ★ 🆎 ⅔ ⅔ rist, (⁽⁾ 🛪 🅿
via per Cernobbio, 2,5 km per ④ – ℰ *031 51 61*   🚗 💳 ⅏ 🆎 ⓪ ᕚ
– www.grandhoteldicomo.com – info@grandhoteldicomo.com
– Fax 031 51 66 00 – chiuso dal 24 dicembre al 6 gennaio
153 cam ⌑ – ♦160/350 € ♦♦195/390 € – ½ P 170/220 €
Rist *Il Botticelli* – Menu 30/40 € – Carta 45/60 €
◆ La moderna efficienza delle attrezzature si coniuga con la generale raffinatezza degli interni in una struttura di classe. Camere confortevoli ed accessoriate, soprattutto quelle ai piani inferiori, recentemente ristrutturate. Al piano rialzato gli spaziosi ambienti curati del ristorante.

🏨 Terminus   ≼ 🕮 ⅓ Ƚ3 |🕮| ᚙ cam, 🆎 ⅔ rist, (⁽⁾ 🛪 🅿 ᕚ
lungo Lario Trieste 14 – ℰ *031 32 91 11*   💳 ⅏ 🆎 ⓪ ᕚ
– www.albergoterminus.com – info@albergoterminus.it – Fax 031 30 25 50
47 cam ⌑ – ♦142/196 € ♦♦194/350 € – 3 suites   Y**c**
Rist *Bar delle Terme* – ℰ 031 32 92 16 *(chiuso martedì)* Carta 45/60 €
◆ Prestigioso palazzo in stile *liberty*, dagli interni personalizzati ed eleganti, per un soggiorno esclusivo in riva al lago. Camere *superior* moderne e luminose. Ambientazione d'epoca nella raccolta saletta del caffè-ristorante: in estate, godetevi la terrazza panoramica. Cucina classica con qualche specialità lacustre.

🏨 Le Due Corti   ᔓ 🕮 ᚙ cam, 🆎 ⅔ ⅔ 🛪 🅿 💳 ⅏ 🆎 ⓪ ᕚ
piazza Vittoria 12/13 – ℰ *031 32 81 11 –* info@hotelduecorti.it *– Fax 031 32 88 00*
– Chiuso dal 24 dicembre al 6 gennaio   Z**a**
65 cam ⌑ – ♦100/170 € ♦♦154/245 € – ½ P 107/133 €
Rist *Sala Radetzky (chiuso sabato a mezzogiorno)* Carta 36/45 €
◆ Magistrale, raffinato connubio di vecchio e nuovo in un hotel elegante ricavato in un'antica stazione di posta; mobili d'epoca nelle camere, con pareti in pietra a vista. Ristorante di sobria eleganza con arredi in stile.

🏨 Barchetta Excelsior   ≼ |🕮| 🆎 ⅔ ⅔ rist, (⁽⁾ 🛪 💳 ⅏ 🆎 ⓪ ᕚ
piazza Cavour 1 – ℰ *031 32 21 –* www.hotelbarchetta.it *– info2@*
hotelbarchetta.it *– Fax 031 30 26 22*   Y**a**
84 cam ⌑ – ♦129/399 € ♦♦159/399 € – ½ P 105/240 €   **Rist** – Carta 38/76 €
◆ Interni classici e confort in un albergo che troneggia in una centrale piazza affacciata sul lago, di cui infatti si gode la vista da molte camere.

🏨 Larius   🕸 ⅓ Ƚ3 |🕮| ᚙ 🆎 (⁽⁾ 🛪 🅿 💳 ⅏ 🆎 ⓪ ᕚ
via Anzani 12/c, per via Milano – ℰ *03 14 03 81 02 –* www.hlarius.it *– info@*
hlarius.it *– Fax 03 14 03 81 03 – chiuso dal 1° al 16 gennaio*   Z**b**
21 cam ⌑ – ♦78/105 € ♦♦110/145 € – ½ P 78/96 €
Rist *XV Secolo M.M.D.C* – Carta 34/74 €
◆ Storia e modernità coniugate in un mulino ottocentesco rinnovato per far posto ad accoglienti camere, con qualche tocco di *design* negli arredi. La tradizione comasca con rivisitazioni d'epoca al ristorante.

🏨 Tre Re |🕮| ᚙ rist, ᕁ★ 🆎 ⅔ 🅿 💳 ⅏ ᕚ
via Boldoni 20 – ℰ *031 26 53 74 –* www.hoteltrere.com *– info@hoteltrere.com*
– Fax 031 24 13 49 – chiuso dal 18 dicembre al 5 gennaio   Y**d**
41 cam ⌑ – ♦85/105 € ♦♦120/135 € – ½ P 85/100 €   **Rist** – Carta 24/43 €
◆ Albergo confortevole, a conduzione familiare, dispone di comodo parcheggio custodito: una chicca, se si considera che la struttura è in pieno centro, a due passi dal lago. Arredi moderni nelle stanze. Sale da pranzo con elementi (colonne e pitture murali) di un'antica struttura conventuale.

COMO

Ambrosoli (V.)	Z	2
Battisti (Vle Cesare)	Z	3
Carcano (V.)	Y	5
Castelnuovo (V.)	Z	6
Cattaneo (Viale C.)	Z	7
Cavallotti (Viale)	Y	8
Gallio (V. T.)	Y	14
Garibaldi (V.)	Y	15
Giulio Cesare (Vle)	Z	16
Leoni (V. Leone)	Z	18
Lucini (V.)	Z	19
Manzoni (V.)	Y	21
Masia (Viale M.)	Y	22
Piave (V.)	Z	27
Plinio (V.)	Y	26
Recchi (V.)	Y	29
Rosselli (Viale F.)	Y	30
S. Bartolomeo (Pza)	Z	32
S. Rochetto (Pzale)	Y	33
Trento (Largo Lario)	Y	36
Trieste (Largo Lario)	Y	37
Vittorio Emanuele II (V.)	Y	40
Vittorio (Pza)	Y	39
Volta (Pza)	Y	42

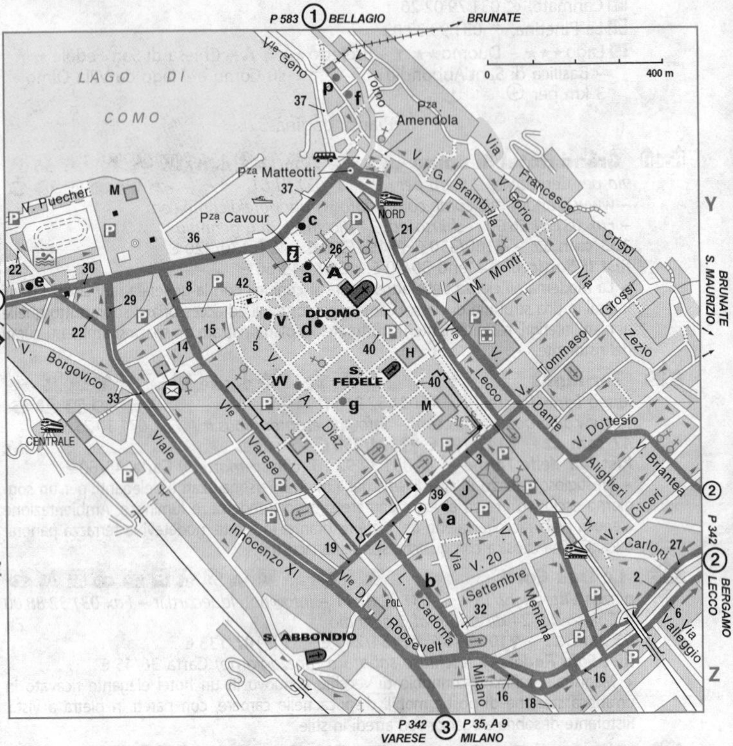

Park Hotel senza rist

viale F.lli Rosselli 20 – ✆ 031 57 26 15 – www.parkhotelcomo.it
– info@parkhotelcomo.it – Fax 031 57 43 02
– marzo-novembre **Ye**

41 cam – 60/82 € 80/115 €, 8 €

◆ Edificio condominiale, si rivaluta negli spazi interni frutto di recenti investimenti. La clientela, soprattutto commerciale, apprezzerà anche i prezzi convenienti.

Firenze senza rist

piazza Volta 16 – ✆ 031 30 03 33 – www.albergofirenze.it
– info@albergofirenze.it – Fax 031 30 01 01
– chiuso dal 22 al 29 dicembre **Yv**

44 cam – 85/115 € 115/140 €

◆ In una centrale piazza pedonale, risorsa adatta ad una clientela sia turistica sia d'affari, dispone di spazi comuni ridotti, ma funzionali, come le luminose camere. Chiedete quelle *superior* con vista sulla bella piazza.

XXX Navedano 🚗 😋 ⇔ P VISA ⚫ AE ① ⑤

*via Pannilani, 1,5 km per ② – ✆ 031 30 80 80 – www.ristorantenavedano.it
– Fax 03 13 31 90 16 – chiuso gennaio, dal 12 al 18 agosto, mercoledì a
mezzogiorno e martedì*
Rist – Carta 67/91 € ⌘

♦ Romantico locale immerso in un tripudio di fiori, dove modernità e rusticità si fondono a perfezione; servizio estivo in terrazza e rivisitazioni di classici in cucina.

XXX La Colombetta AK ✗ VISA ⚫ AE ① ⑤

*via Diaz 40 – ✆ 031 26 27 03 – www.colombetta.it – colombetta@freemail.it
– Fax 031 26 27 03 – chiuso dal 23 dicembre al 4 gennaio e domenica*
Rist – Carta 46/59 € Yw

♦ Fedeli alle proprie origini, le tre sorelle titolari preparano, su prenotazione, piatti sardi che, con quelli di pesce, sono le specialità del loro elegante locale.

XX I Tigli...a lago AK ⇔ VISA ⚫ AE ① ⑤

*via Coloniola 44 – ✆ 031 30 13 34 – www.itiglialago.it – info@itiglialago.it
– Fax 031 30 13 34 – chiuso quindici giorni in gennaio, quindici giorni in agosto
e domenica* Yf
Rist – Menu 28 € (solo a mezzogiorno)/65 € – Carta 48/69 €

♦ Recente apertura, immediati consensi: in un ambiente raccolto ed elegante, sono le proposte di pesce, anche crudo, a regalare una delle esperienze migliori della città.

XX Il Solito Posto AK ⇔ VISA ⚫ AE ① ⑤

⊜ *via Lambertenghi 9 – ✆ 031 27 13 52 – www.ilsolitoposto.net – greco.serena@
yahoo.it – Fax 031 26 53 40* Yg
Rist – Menu 20/38 € – Carta 19/43 €

♦ In pieno centro storico, tra colonne antiche e sassi a vista, le salette mantengono l'aspetto originale di quando il locale fu aperto, sul finire del XIX secolo. Ricette sia tradizionali che rivisitate, carne e pesce.

XX Locanda dell'Oca Bianca con cam 😋 ⅙ cam, ⁽ᵗ⁾ P

via Canturina 251, 5 km per ② – ✆ 031 52 56 05 VISA ⚫ AE ① ⑤
*– www.hotelocabianca.it – locandaocabianca@tiscali.it – Fax 03 15 00 35 25
– chiuso gennaio e dal 10 al 25 agosto*
18 cam ⌑ – †55/65 € ††80/90 € – ½ P 70/90 €
Rist – *(chiuso lunedì) (chiuso a mezzogiorno escluso domenica)* Carta 32/42 €

♦ Calda atmosfera e ambiente curato in un ristorante sulla strada per Cantù, dove d'estate si può godere del servizio all'aperto. Proposte gastronomiche classiche e piatti legati all'alternarsi delle stagioni. Camere ristrutturate: ottimo rapporto qualità/prezzo

XX Er Più AK ✗ ⇔ VISA ⚫ AE ① ⑤

⊜ *via Pastrengo 1, per via Leoni – ✆ 031 27 21 54 – www.erpiucomo.com
– ristorante@erpiucomo.com – Fax 031 27 17 05 – chiuso dal 2 al 10 gennaio,
dal 5 al 30 agosto e martedì* Zc
Rist – Menu 19 € (solo a mezzogiorno) – Carta 37/54 €

♦ Posizione decentrata ma comoda, ambiente luminoso e di discreta eleganza per uno dei ristoranti più popolari della città: un'ampia scelta di specialità ittiche e non solo, conquisterà qualsiasi palato.

XX L'Angolo del Silenzio 😋 AK VISA ⚫ AE ① ⑤

*viale Lecco 25 – ✆ 03 13 37 21 57 – Fax 031 30 24 95 – chiuso dal 10 al 24
gennaio, dal 10 al 24 agosto, lunedì e martedì a mezzogiorno* Yb
Rist – Carta 33/44 €

♦ Esperta gestione per un locale classico, con *dehors* estivo nel cortile. La cucina, di matrice lombarda, è senza fronzoli e fa della concretezza la sua arma vincente: qualche specialità di pesce per i nostalgici del mare.

X Al Giardino 😋 VISA ⚫ AE ① ⑤

*via Monte Grappa 52, per via Valeggio – ✆ 031 26 50 16
– www.algiardinoristorante.com – osteriaalgiardino@alice.it – Fax 031 30 01 43
– chiuso dal 25 al 30 dicembre, dal 16 al 30 giugno e lunedì* Zd
Rist – Carta 28/38 €

♦ Una simpatica osteria, dove siete ben accetti "anche solo per degustare del buon vino in compagnia". Se volete invece qualcosa di più "sostanzioso", dimenticate la dieta per un giorno e concedetevi una ricca cucina casalinga.

X **Namaste** $\boxed{AC}$ $\cancel{\%}$ $\overline{VISA}$ $\textcircled{00}$ $\boxed{AE}$ $\textcircled{0}$ $\textbf{\.{5}}$
⊜ *piazza San Rocco 8, per ③ – ⏱ 031 26 16 42 – www.ristorante-namaste.it*
– indrapal@hotmail.com – Fax 031 26 16 42 – chiuso lunedì
Rist – Carta 20/25 €
♦ La semplicità di un'autentica ambientazione indiana, senza orpelli folcloristici, per provare specialità etniche che vengono da molto lontano: un'alternativa esotica.

X **Osteria Rusticana** $\widehat{rr}$ $\cancel{\%}$ $\Leftrightarrow$ $\overline{VISA}$ $\textcircled{00}$ $\boxed{AE}$ $\textcircled{0}$ $\textbf{\.{5}}$
⊕ *via Carso 69, per via Valeggio – ⏱ 031 30 65 90 – www.momsrl.it – info@*
momsrl.it – Fax 031 30 65 90 – chiuso dal 1° al 7 gennaio, dal 14 al 28 agosto,
domenica e martedì sera
Rist – Menu 30 € – Carta 33/45 €
♦ Il buon gusto è un imperativo tanto dell'ambiente, semplice ma curato nei particolari, quanto della cucina, prevalentemente del territorio che si avvale di materie prime molto buone e di fantasia.

XX **L'Antica Trattoria** $\boxed{AC}$ $\overline{VISA}$ $\textcircled{00}$ $\boxed{AE}$ $\textbf{\.{5}}$
⊜ *via Cadorna 26 – ⏱ 031 24 27 77 – www.lanticatrattoria.co.it – info@*
lanticatrattoria.co.it – Fax 031 24 27 77 – chiuso dal 16 agosto al 5 settembre
e mercoledì Z**b**
Rist – (consigliata la prenotazione) Carta 18/48 €
♦ Locale storico ubicato in centro città: ampia sala luminosa e ricette della tradizione italiana, gastronomia di stagione nonché specialità di carne. Eventuali preparazioni senza glutine per i celiaci.

COMO (Lago di) o LARIO – Como – 561E9█ Italia

CONA – Ferrara – 562H17 – **Vedere Ferrara**

CONCA DEI MARINI – Salerno (SA) – 564F25 – **707 ab.** – ⊠ 84010 6 **B2**
🗗 Roma 272 – Napoli 58 – Amalfi 5 – Salerno 30

🏚 **Belvedere** $\preccurlyeq$ $\boxed{T}$ $\boxed{\$}$ $\boxed{AC}$ $\cancel{\%}$ rist. $\boxed{P}$ $\overline{VISA}$ $\textcircled{00}$ $\boxed{AE}$ $\textcircled{0}$ $\textbf{\.{5}}$
via Smeraldo 19 – ⏱ 089 83 12 82 – www.belvederehotel.it
– belvedere@belvederehotel.it – Fax 089 83 14 39
– aprile-ottobre
36 cam ⌷ – ✝210 € ✝✝230 € – ½ P 150 €
Rist – Carta 56/68 €
♦ E' davvero splendida la vista che si gode da questa struttura lungo la costiera amalfitana, dotata di terrazza con piscina d'acqua di mare; camere di diverse tipologie. Dalla bella sala e dalla veranda del ristorante scorgerete la calma distesa d'acqua blu.

🏚 **Le Terrazze** senza rist 🝐 $\preccurlyeq$ $\boxed{\$}$ $\boxed{AC}$ $\cancel{\%}$ $\boxed{P}$ $\overline{VISA}$ $\textcircled{00}$ $\boxed{AE}$ $\textcircled{0}$ $\textbf{\.{5}}$
via Smeraldo 11 – ⏱ 089 83 12 90 – www.hotelleterrazze.it – info@
hotelleterrazze.it – Fax 089 83 12 96 – 9 aprile-11 ottobre
27 cam ⌷ – ✝110 € ✝✝200 €
♦ A picco sul mare, quasi aggrappato alla roccia, un albergo in fase di rinnovo, con una terrazza panoramica mozzafiato; camere da poco ristrutturate, ampie e luminose.

CONCESIO – Brescia (BS) – 561F12 – **13 142 ab.** – **alt. 218 m** 17 **C1**
– ⊠ 25062
🗗 Roma 544 – Brescia 10 – Bergamo 50 – Milano 91

XXX **Miramonti l'Altro** (Philippe Léveille) $\widehat{rr}$ $\boxed{AC}$ $\cancel{\%}$ $\Leftrightarrow$ $\boxed{P}$
❀❀ *via Crosette 34, località Costorio – ⏱ 03 02 75 10 63* $\overline{VISA}$ $\textcircled{00}$ $\boxed{AE}$ $\textcircled{0}$ $\textbf{\.{5}}$
– www.miramontilaltro.it – info@miramontilaltro.it – Fax 03 02 75 31 89
– chiuso lunedì
Rist – Menu 75/110 € – Carta 71/120 € 🕸
Spec. "Caldo freddo" di cavolfiore e aringa affumicata. Risotto ai funghi e formaggi dolci di montagna. Crescendo d'agnello con finale di carré.
♦ Elegante villa in zona periferica, l'ospitalità dei titolari è celebrata quanto la cucina: spunti bresciani e lacustri, divagazioni marine, ispirazioni francesi.

CONCO – Vicenza (VI) – 562E16 – **2 229 ab.** – **alt. 830 m** – **Sport**   35 **B2**
invernali : 830/1 250 m ✥3, ✥ – ✉ 36062

▶ Roma 556 – Padova 72 – Belluno 94 – Trento 64

🏠 **La Bocchetta**   🚗 ▦ 🏔 🛎 ✆ 🅿 VISA ◍ AE ① ⛷

sulla strada per Asiago località Bocchetta 6, Nord : 5 km – ℰ 04 24 70 00 24
*– www.labocchetta.it – labocchetta@labocchetta.it – Fax 04 24 70 41 17 – chiuso
dal 10 al 20 novembre*
25 cam – †56/60 € ††72/80 €, � 12 € – ½ P 65/80 €
Rist – *(chiuso lunedì a mezzogiorno e martedì)* Carta 25/46 €
◆ Sono in stile tirolese sia la struttura che i caldi interni di questo albergo, che dispone di
belle camere con *boiserie* e tessuti a motivi floreali, alcune intelligentemente soppalcate
per ospitare al meglio le famiglie. Piccola taverna/discoteca per momenti spensierati.

CONCORDIA SULLA SECCHIA – Modena (MO) – 562H14 – **8 643 ab.**   8 **B1**
– **alt. 22 m** – ✉ 41033

▶ Roma 429 – Bologna 68 – Ferrara 63 – Mantova 54

❌❌ **Vicolo del Teatro**   ⛫ AC ✗ VISA ◍ AE ① ⛷

via della Pace 94 – ℰ 053 54 03 30 – *www.vicolodelteatro.it – info@*
*vicolodelteatro.it – Fax 053 54 03 30 – chiuso dal 1° al 23 agosto, sabato a
mezzogiorno, domenica sera e lunedì*
Rist – Menu 50 € – Carta 47/69 €
◆ Elegante locale a conduzione familiare situato accanto al teatro. Sviluppato su due
livelli grazie ad una zona soppalcata, propone una cucina del territorio dagli spunti fantasiosi.

❌ **Trattoria Secchia**   ⛫ ✗ 🅿 VISA ◍ AE ① ⛷

via Chiaviche 85, Nord-Est: 4 km – ℰ 053 54 05 37 – *chiuso dal 7 al 25 gennaio,
agosto, lunedì e martedì*
Rist – Carta 27/33 € ❀
◆ Tipica cucina lombardo-emiliana in una simpatica trattoria di campagna sulle sponde
del Secchia. Conduzione familiare ed una grande passioni per i vini: nazionali, ma non
solo.

CONCOREZZO – Milano (MI) – 561F10 – **14 487 ab.** – **alt. 171 m**   18 **B2**
– ✉ 20049

▶ Roma 587 – Milano 26 – Bergamo 33 – Como 43

❌❌ **Via del Borgo**   ⛫ ⛫ ✤ 🅿 VISA ◍ AE ① ⛷

via Libertà 136 – ℰ 03 96 04 26 15 – *www.viadelborgo.it – info@viadelborgo.it
– Fax 03 96 04 08 23 – chiuso dal 1° al 7 gennaio, 3 settimane in agosto,
domenica e lunedì a mezzogiorno*
Rist – Carta 43/65 € ❀
◆ Nel centro, in una vecchia casa di ringhiera ristrutturata, una sala moderna con
richiami al rustico e servizio estivo sotto il portico; piatti di impronta creativa.

CONDINO – Trento (TN) – 562E13 – **1 512 ab.** – **alt. 444 m** – ✉ 38083   30 **A3**
▶ Roma 598 – Brescia 65 – Milano 155 – Trento 64

🏠 **Rita**   ⩽ 🚗 🛎 ♣♣ AC rist, ✚ ✗ ✆ 🅿 VISA ◍ ① ⛷

via Roma 140 – ℰ 04 65 62 12 25 – *www.hoteldarita.it – info@hotelrita.it
– Fax 04 65 62 15 58 – chiuso dal 20 al 31 agosto*
18 cam ⊐ – †43 € ††70 € – ½ P 47 €
Rist – *(chiuso lunedì sera)* Carta 28/43 €
◆ Completamente ristrutturato nelle zone comuni secondo i criteri di un design decisamente moderno, offre un ampio giardino e camere di taglio classico. Di taglio attuale
anche l'ampio ristorante, con pareti affrescate e cucina locale e innovativa.

Non confondete le posate ❌ e le stelle ✿ !
Le posate definiscono il livello di confort e raffinatezza,
mentre la stella premia le migliori cucine, in ognuna di queste categorie

CONEGLIANO – Treviso (TV) – 562 E18 – 35 652 ab. – alt. 65 m   36 **C2**
– ✉ 31015 Italia

▶ Roma 571 – Belluno 54 – Cortina d'Ampezzo 109 – Milano 310

🎫 via XX Settembre 61 ℰ 0438 21230, iat.conegliano@provincia.treviso.it, Fax 0438 428777

👁 Sacra Conversazione★ nel Duomo – ❋★ dal castello – Affreschi★ nella Scuola dei Battuti

🏠🏠🏠 **Relais le Betulle**   🕭 ♨ 🖃 ⮹ ⮨ ☆☆ 🆈 🅟 ♨ 🛅 🆅🆂🅰 🐾 🅰🅴 🅾 🖕
via Costa Alta 56, Nord-Ovest : 2,5 : km – ℰ 043 82 10 01
– www.relaislebetulle.com – info@relaislebetulle.com – Fax 04 38 42 03 92
39 cam – ♦90 € ♦♦150 €, ⮽ 10 €   **Rist** – Carta 26/45 €
♦ In zona collinare vicino al castello, un edificio recentemente ristrutturato propone confortevoli e luminose camere dal design moderno, quasi tutte dotate di terrazza. Al ristorante, dominano una atmosfera accogliente riscaldata dal rosso mattone delle pareti ed una cucina a base di prodotti tipici.

🏠🏠 **Canon d'Oro**   🖃 ⮨ 🆈 ☆☆ 🅟 🅿 🆅🆂🅰 🐾 🅰🅴 🅾 🖕
via 20 Settembre 131 – ℰ 043 83 42 46 – www.hotelcanondoro.it – info@hotelcanondoro.it – Fax 043 83 42 49
48 cam ⮽ – ♦60/170 € ♦♦80/250 €
Rist – (chiuso domenica sera) Carta 25/35 €
♦ Dispone di una fiorita terrazza giardino questo hotel del centro storico, in un edificio del '500 con loggia e affreschi originali sulla facciata. Nel silenzioso giardino interno, i sapori autentici della gastronomia locale.

🏠🏠 **Sporting Hotel Ragno d'Oro** senza rist 🈂   🚃 🌊 🕭 🍴 🆈
via Diaz 37 – ℰ 04 38 41 23 00   ☆☆ 🅟 🐾 🆅🆂🅰 🐾 🅰🅴 🅾 🖕
– www.hotelragnodoro.it – info@hotelragnodoro.it – Fax 04 38 41 23 10 – chiuso dal 23 dicembre al 6 gennaio e dal 5 al 16 agosto
17 cam – ♦60/75 € ♦♦90/105 €, ⮽ 6 €
♦ In collina, una risorsa con piscina e tennis in giardino, ideale per chi vuole abbinare tranquillità e vicinanza al centro città; prenotate le camere di rinnovo più recente.

🏠🏠 **Città di Conegliano**   🖃 🆈 ☆☆ 🐾 🆅🆂🅰 🐾 🅰🅴 🅾 🖕
😎 via Parrilla 1 – ℰ 043 82 14 40 – www.hcc.it – info@hcc.it – Fax 04 38 41 09 50
– chiuso dal 2 al 24 agosto
57 cam – ♦55/110 € ♦♦75/160 €, ⮽ 10 € – ½ P 75/90 €
Rist – (chiuso venerdì, sabato e domenica) (chiuso a mezzogiorno) (solo per alloggiati) Carta 20/33 €
♦ Funzionale struttura in posizione semicentrale, molto frequentata da una clientela di lavoro; soddisfacente il livello di confort nelle camere, con arredi recenti.

✗✗ **Città di Venezia**   🍴 🆈 🍽 ⟲ 🆅🆂🅰 🐾 🅰🅴 🅾 🖕
😎 via 20 Settembre 77/79 – ℰ 043 82 31 86 – sartor.moreno@libero.it
– Fax 043 82 31 86 – chiuso dal 27 dicembre all'11 gennaio e dal 10 al 24 agosto
Rist – Carta 27/53 €   **Rist Osteria La Bea Venezia** – Carta 20/37 €
♦ Nel salotto cittadino, raffinata atmosfera veneziana nelle sale interne o più fresca nel dehors estivo. Dalla cucina un'appetitosa scelta di piatti di pesce. A "La Bea Venezia" piatti veloci per lo più di carne.

CONERO (Monte) – Ancona – 563 L22 – Vedere Sirolo

CONVENTO – Vedere nome proprio del convento

CONVERSANO – Bari (BA) – 564 E33 – 24 362 ab. – alt. 219 m   27 **C2**
– ✉ 70014

▶ Roma 440 – Bari 31 – Brindisi 87 – Matera 68

🏠🏠 **Grand Hotel d'Aragona**   🚃 🌊 🖃 ⮨ 🆈 🍽 ☆☆ 🅟 🅿
via San Donato 5, strada provinciale per Cozze   🆅🆂🅰 🐾 🅰🅴 🅾 🖕
– ℰ 08 04 95 23 44 – www.grandhoteldaragona.it – info@grandhoteldaragona.it
– Fax 08 04 95 42 65
68 cam ⮽ – ♦85 € ♦♦115 €   **Rist** – Carta 25/37 €
♦ Un grande giardino con piscina circonda questo complesso di concezione moderna, che offre confort adeguato alla categoria sia nelle spaziose aree comuni che nelle camere. Raffinata sala ristorante.

🏠 **Corte Altavilla**   AC 🍴 rist. "¶" 🕍 P VISA ⚫ AE ① ⚫
vico Altavilla 8 – 𝒞 *08 04 95 96 68 – www.cortealtavilla.it – info@cortealtavilla.it
– Fax 08 04 95 17 40*
32 cam ⚏ – ♦73/97 € ♦♦98/130 € – ½ P 74/90 €
Rist – *(chiuso a mezzogiorno)* (prenotazione obbligatoria) *(solo per alloggiati)*
Menu 25/35 €
♦ Più di mille anni di storia, nel centro storico di Conversano, tra i vicoli medievali che accolgono camere, appartamenti e suites di notevole fascino. Gestione affidabile.

🏠 **Agriturismo Montepaolo** ⚘   ⪪ 🍽 🏡 ⤢ 🎾 % P
contrada Montepaolo 2, Nord-Est : 4 km   VISA ⚫ AE ① ⚫
– 𝒞 *08 04 95 50 87 – www.montepaolo.it – info@montepaolo.it
– Fax 08 04 95 50 87*
10 cam ⚏ – ♦71/99 € ♦♦103/133 € – ½ P 72/87 €
Rist – *(chiuso a mezzogiorno)* (prenotazione obbligatoria) Menu 25/30 €
♦ In aperta campagna tra ulivi frutteti e macchia mediterranea, una dimora cinquecentesca meticolosamente restaurata con diversi arredi e pavimenti d'epoca. Sala ristorante risalente al '300, un tempo utilizzata per la vinificazione.

✕✕✕ **Pashà**   🍽 AC ⟷ VISA ⚫ AE ① ⚫
piazza Castello 5-7 – 𝒞 *08 04 95 10 79 – www.pashaconversano.it
– pashaconversano@libero.it – chiuso una settimana in gennaio, una settimana
in ottobre e martedì, da ottobre ad aprile anche domenica sera*
Rist – (prenotare) Carta 47/66 € 🏵
♦ Di fronte al castello normanno, con ingresso attraverso il caffè di famiglia, occorre salire al primo piano per raggiungere la piccola ed elegante sala ristorante.

CORATO – Bari (BA) – 564D31 – **46 551 ab. – alt. 232 m** – ✉ 70033   **26 B2**
▶ Roma 414 – Bari 44 – Barletta 27 – Foggia 97

🏨 **Nicotel Wellness**   ⪪ 🏊 🏞 ⊛ 🏡 🧖 ⚤ ⤢ AC ⇜ % cam. "¶" 🕍 P
⊛ *via Gravina –* 𝒞 *08 08 72 24 30*   ⚫ ⚫
– www.nicotelhotels.com – corato@nicotelhotels.com – Fax 08 08 72 24 30
76 cam ⚏ – ♦75/95 € ♦♦95/130 € – ½ P 66/83 €   **Rist** – Carta 20/35 €
♦ Recente realizzazione frutto di design moderno, lineare ed essenziale, particolarmente adatta ad una clientela sportiva o d'affari, tra centro benessere e business rooms. Analoga atmosfera al ristorante: nessun orpello e cucina protagonista.

sulla strada provinciale 231 km 32,200 Sud : 3 km :

🏠 **Appia Antica**   ⪪ 🛗 ⤢ AC % 🕍 P VISA ⚫ AE ① ⚫
⊛ ✉ *70033 –* 𝒞 *08 08 72 25 04 – www.appiantica.it – info@appiantica.it
– Fax 08 08 72 40 53*
34 cam ⚏ – ♦69/93 € ♦♦95/124 € – ½ P 83/103 €
Rist – *(chiuso domenica sera)* Carta 19/25 €
♦ Una costruzione anni '70 ospita un albergo comodo sia per i turisti sia per la clientela d'affari; interni funzionali e confortevoli, arredi recenti nelle curate camere. Il ristorante dispone di un'accogliente sala d'impostazione classica.

CORCIANO – Perugia (PG) – 563M18 – **16 365 ab. – alt. 308 m**   **32 B2**
– ✉ 06073
▶ Roma 138 – Perugia 11 – Arezzo 71 – Terni 92

🏠 **Palazzo Grande** ⚘   ⟁ ⪪ 🛗 ⤢ AC % rist. 🕻 🕍 P VISA ⚫ AE ⚫
via Palazzo Grande 20, Est : 2 km – 𝒞 *07 56 97 92 60 – www.palazzogrande.com
– info@palazzogrande.com – Fax 07 56 97 91 56*
19 cam ⚏ – ♦135/166 € ♦♦176/228 €
Rist – *(chiuso a mezzogiorno)* (prenotazione obbligatoria) *(solo per alloggiati)*
Menu 40 €
♦ Ambienti eleganti e mobilio d'epoca in un glorioso palazzo Seicentesco con "radici" storiche medioevali e romane. All'esterno, un immenso bosco ed una deliziosa piscina appartata.

a Solomeo Sud : 8 km – ⊠ **06073** – Corciano

↑ **Locanda Solomeo** ⟨⟨ 🖼 🖼 🗵 🕅 🖏 🖼 🖼 🖟 🖟 🖪
piazza Carlo Alberto Dalla Chiesa 1 𝖵𝖨𝖲𝖠 ⓪ 𝖠𝖤 ⓞ 🖙
– 𝒞 07 55 29 31 19 – www.solomeo.it – solomeo@tin.it – Fax 07 55 29 40 90
– *chiuso Natale e dal 10 gennaio al 28 febbraio*
12 cam ⊡ – †75/97 € ††105/135 € – ½ P 93/102 €
Rist – *(chiuso a mezzogiorno)* Carta 25/38 €
♦ Struttura in stile liberty, ristrutturata mantenendo inalterata la bellezza originale. Nel centro della località, camere ampie e "fresche", buon livello di confort.

CORGENO – Varese (VA) – alt. 270 m – ⊠ **21029** 16 **A2**
🏳 Roma 631 – Stresa 35 – Laveno Mombello 25 – Milano 54

XXX **La Cinzianella** con cam 𝒮 ⟨⟨ 🖼 🖼 🖾 🕅 🖏 rist, 🖤 🖼 🖪
via Lago 26 – 𝒞 03 31 94 63 37 – www.lacinzianella.it 𝖵𝖨𝖲𝖠 ⓪ 𝖠𝖤 ⓞ 🖙
– info@lacinzianella.it – Fax 03 31 94 88 90 – *chiuso gennaio*
10 cam ⊡ – †75/85 € ††90/110 € – ½ P 80/90 €
Rist – *(chiuso martedì e mercoledì a mezzogiorno)* Carta 52/65 €
♦ In riva al lago, la sala da pranzo è stata recentemente rinnovata in tono elegante, mentre nella bella stagione si pranza sulla panoramica terrazza. Cucina innovativa, legata al territorio.

CORIANO VERONESE – Verona – Vedere Albaredo d'Adige

CORICA – Cosenza – Vedere Amantea

CORLO – Modena – Vedere Formigine

CORMONS – Gorizia (GO) – 562E22 – **7 646 ab.** – alt. 56 m – ⊠ **34071** 11 **C2**
🏳 Roma 645 – Udine 25 – Gorizia 13 – Milano 384
🗓 Enoteca Comunale piazza 24 Maggio 21 𝒞 0481 630371, Fax 0481 630371

🏨 **Felcaro** 𝒮 🖼 🗵 🕅 🖏 🖼 🖟 🖾 🕅 🖤 🖼 🖪 𝖵𝖨𝖲𝖠 ⓪ 𝖠𝖤 ⓞ 🖙
via San Giovanni 45 – 𝒞 048 16 02 14 – www.hotelfelcaro.it – info@
hotelfelcaro.it – Fax 04 81 63 02 55
59 cam ⊡ – †60/75 € ††110/125 € – ½ P 68/76 €
Rist – *(chiuso tre settimane in gennaio, una settimana in giugno, una settimana in novembre e lunedì)* Carta 24/34 €
♦ In posizione tranquilla, alle pendici della collina sovrastante il paese, la villa ottocentesca offre camere spaziose e confortevoli, alcune delle quali arredate con mobili antichi. Articolato in più sale dall'aspetto rustico, il ristorante propone piatti regionali.

XX **Al Cacciatore-della Subida** 🖼 🖼 🗘 🖪 𝖵𝖨𝖲𝖠 ⓪ 🖙
£3 *località Monte 22, Nord-Est : 2 km* – 𝒞 048 16 05 31 – www.lasubida.it – info@
lasubida.it – Fax 048 16 16 16 – *chiuso febbraio, martedì e mercoledì*
Rist – *(chiuso a mezzogiorno escluso sabato e domenica)* Menu 48/60 €
– Carta 45/57 € 𝄢
Spec. Zlikrofi (tortellini della Valle d'Idria ripieni di patate). Stinco di vitello al forno con patate in tecia. Controfiletto di cervo con mirtilli rossi e rape in agrodolce.
♦ L'ambiente è caratteristico, bucolico e al contempo elegante, la gestione familiare e i piatti si affacciano dalla tradizione per essere reinterpretati con talento in chiave moderna.

XX **Al Giardinetto** con cam 🖼 🕅 cam, 🖪 𝖵𝖨𝖲𝖠 ⓪ 𝖠𝖤 ⓞ 🖙
via Matteotti 54 – 𝒞 048 16 02 57 – www.jre.it – algiardinetto@yahoo.it
– Fax 04 81 63 07 04 – *chiuso 3 settimane in luglio*
3 cam ⊡ – †70 € ††90/95 € **Rist** – *(chiuso lunedì e martedì)* Carta 32/55 €
♦ Oltre un secolo di storia, nel corso del quale si sono succedute ben tre generazioni. Oggi, nelle accoglienti sale e nel dehors potrete gustare piatti ricchi di tradizione e di creatività. Per prolungare il soggiorno, la risorsa mette a disposizione anche piacevoli alloggi.

CORNAIANO = GIRLAN – Bolzano – Vedere Appiano sulla Strada del Vino

CORNAREDO – Milano (MI) – 561F9 – 20 188 ab. – alt. 140 m   18 **A2**
– ✉ 20010

> ▶ Roma 584 – Milano 17 – Bergamo 56 – Brescia 102

🏨 **Le Favaglie**   🚗 🛋 ◻ 🛅 🏊 ♨ 🖃 🛗 ⚙ cam, 🅰🅺 ⅍ ⅋ ⁽ᵗ⁾ 🌄 🚗
via Merendi 26 – ✆ 029 34 84 11   🆅🅸🆂🅰 ⓿ 🅰🅴 ⓞ 🅶
– www.hotelfavaglie.it – info@hotelfavaglie.it – Fax 02 93 48 44 00 – chiuso dal
24 dicembre al 6 gennaio e dall'8 al 23 agosto
112 cam ⌷ – ♦149/269 € ♦♦199/299 €
Rist *Corniolo* – ✆ 02 93 48 44 50 *(chiuso sabato a mezzogiorno e domenica
sera)* Carta 39/57 €

♦ In posizione strategica per il nuovo polo fieristico di Rho-Pero, risorsa recente dal
design minimalista e moderno con dotazioni e confort di ultima generazione. Al ristorante proposte di cucina innovativa e fantasiosa, preparate con cura.

a San Pietro all'Olmo Sud-Ovest : 2 km – ✉ 20010

🍴 **D'O** (Davide Oldani)   🅰🅺 🅿
💱 via Magenta 18 – ✆ 029 36 22 09 – davideoldani@tin.it – Fax 029 36 22 09
– chiuso dal 25 dicembre al 4 gennaio, Pasqua, dal 28 luglio al 28 agosto,
dal 1° al 3 novembre, domenica e lunedì
Rist – (prenotazione obbligatoria) Carta 31/41 €
Spec. Buccia di cedro, pistacchio, semola e riso. Cosce di rana, fave, animelle
e mela (primavera). Zuccotto D'O (autunno).

♦ I prezzi contenuti e la qualità della cucina hanno messo il sugello sulle capacità del
giovane cuoco. In sale semplici e senza pretese, la tradizione lombarda e italiana.

CORNEDO VICENTINO – Vicenza (VI) – 562F16 – 11 048 ab.   35 **B2**
– alt. 200 m – ✉ 36073

> ▶ Roma 541 – Verona 60 – Trento 76 – Venezia 93

sulla strada statale 246 Sud-Est : 4 km :

🍴🍴 **Due Platani** con cam   🛗 🅰🅺 ⅍ ⅋ ⁽ᵗ⁾ 🅿 🆅🅸🆂🅰 ⓿ 🅶
via Campagnola 16 – ✆ 04 45 94 70 07 – www.dueplatani.it – info@dueplatani.it
– Fax 04 45 44 05 09 – chiuso dal 10 al 30 agosto
12 cam – ♦65/90 € ♦♦85/126 €, ⌷ 7 €
Rist – *(chiuso sabato a mezzogiorno e domenica)* Carta 25/36 €

♦ All'esterno le facciate colorate e i tetti spioventi, al di là della soglia un moderno
locale elegante; cucina di terra e di mare con wine bar serale nelle tipiche cantine.

CORNELIANO D'ALBA – Cuneo (CN) – 561H5 – 1 965 ab.   25 **C2**
– alt. 204 m – ✉ 12040

> ▶ Roma 624 – Torino 59 – Asti 36 – Cuneo 63

🏠 **Antico Casale Mattei** senza rist   🚗 🅿 🆅🅸🆂🅰 ⓿ ⓞ 🅶
via Cristoforo Colombo 8 – ✆ 01 73 61 99 20 – www.casalemattei.com – info@
casalemattei.com – Fax 01 73 61 99 20 – chiuso gennaio
5 cam ⌷ – ♦47/60 € ♦♦67/80 €

♦ Ottime camere che rispettano appieno la struttura originale dell'edificio d'origine settecentesca, una camera dispone addirittura di una vera e propria cucina. Caratteristica
balconata affacciata sul cortile interno e gradevole giardino dove, nella bella stagione,
è servita la prima colazione.

CORNIGLIANO LIGURE – Genova – **Vedere Genova**

CORNIOLO – Forlì-Cesena (FO) – 562K17 – **Vedere Santa Sofia**

CORONA – Gorizia – **Vedere Mariano del Friuli**

CORPO DI CAVA – Salerno – 564E26 – **Vedere Cava de' Tirreni**

CORREGGIO – Reggio Emilia (RE) – 562H14 – 21 441 ab. – alt. 33 m   8 **B2**
– ✉ 42015

> ▶ Roma 422 – Bologna 60 – Milano 167 – Verona 88

Dei Medaglioni 🍴 ⚐ 📺 ⚐ ⚐ rist. 🕿 🎄 🅿 VISA ⬤ AE ① 🚭

corso Mazzini 8 – ☏ *05 22 63 22 33 – www.albergodeimedaglioni.com – info@
albergodeimedaglioni.com – Fax 05 22 69 32 58 – chiuso agosto e Natale*
50 cam ⯐ – †90/146 € ††103/167 € – 3 suites
Rist Il Correggio – ☏ 05 22 64 10 00 – Carta 30/47 €

♦ Fascino del passato con tutti i confort del presente negli eleganti interni di un palazzo
sapientemente ristrutturato, conservando originali dettagli in stile *liberty*. Particolarmente
bello il *parquet* che "riscalda" le accoglienti camere. Cucina emiliana e piatti nazionali
al ristorante *Il Correggio*.

President 🏠 🍴 ⚐ cam, 📺 ⚐ ⚐ rist. 🕪 🎄 🅿 🚌 VISA ⬤ AE ① 🚭

via Don Minzoni 61 – ☏ *05 22 63 37 11 – www.hotel-president-correggio.com
– info@hotel-president-correggio.com – Fax 05 22 63 37 77*
84 cam ⯐ – †75/155 € ††93/216 € – 3 suites – ½ P 64/130 €
Rist – ☏ 05 22 64 29 00 *(chiuso dal 24 dicembre al 7 gennaio, dal 5 al 25 agosto
e domenica)* Carta 28/35 €

♦ Una bella hall con colonne vi accoglie in questa moderna struttura di recente realizzazione, dotata di confortevoli camere ben accessoriate; attrezzate sale convegni. Luminoso ristorante con un'originale soffittatura in legno.

✂ Come una volta con cam ⌂ 🚗 🏠 🏊 📺 ⚐ 🅿 VISA ⬤ AE ① 🚭

via Costituzione 75, Est : 2 km zona industriale – ☏ *05 22 63 30 63
– Fax 05 22 73 23 77 – chiuso due settimane in dicembre e due settimane in
agosto*
8 cam ⯐ – †55/65 € ††80/95 € **Rist** – Carta 21/30 €

♦ E' vero che ci si trova in zona industriale, ma questa risorsa è stata ricavata all'interno
di una storica cascina completamente ristrutturata, ambientazione suggestiva.

CORRUBBIO – Verona – Vedere San Pietro in Cariano

CORSANICO – Lucca – 562K12 – Vedere Massarosa

CORSICO – Milano (MI) – 561F9 – 33 824 ab. – ⊠ 20094   18 **B2**
🖪 Roma 593 – Milano 10 – Lodi 46 – Pavia 40

✕✕ Il Vicolo 📺 ⚐ VISA ⬤ 🚭

via XXV Aprile 4a – ☏ *02 45 10 00 57 – www.ilvicoloristorante.it – ilvicolo@
ilvicoloristorante.it – Fax 02 45 10 00 57 – chiuso una settimana in agosto,
domenica sera e lunedì, anche domenica a mezzogiorno in luglio-agosto*
Rist – Menu 45/50 € – Carta 42/50 €

♦ Nel centro della località - alle porte di Milano - un locale in cui modernità strutturale e
gastronomica vanno di pari passo. Creativa cucina di pesce.

CORSIGNANO – Siena – Vedere Siena

CORTACCIA SULLA STRADA DEL VINO   31 **D3**
(KURTATSCH AN DER WEINSTRASSE) – Bolzano (BZ) – 562D15
– 2 131 ab. – alt. 333 m – ⊠ 39040

🖪 Roma 623 – Bolzano 20 – Trento 37
🛈 piazza Schweiggl 8 ☏ 0471 880100, info@suedtiroler-unterland.it, Fax0471
880451

🏠 Schwarz-Adler Turmhotel ≤ 🚗 🏠 🏊 🏠 📶 ⚐ 🕪 🅿 🚗

Kirchgasse 2 – ☏ *04 71 88 06 00 – www.turmhotel.it*   VISA ⬤ AE ① 🚭
*– info@turmhotel.it – Fax 04 71 88 06 01 – chiuso dal 22 al 28 dicembre
e dal 2 al 10 febbraio*
24 cam ⯐ – †75/90 € ††128/178 € – ½ P 78/104 €
Rist – *(solo per alloggiati)*

♦ Piacevole risorsa familiare dotata di camere spaziose, arredate con buon gusto. Gradevoli aree comuni che in estate hanno nella moderna piscina lo sfogo ideale per un soggiorno all'insegna del relax.

XX **Zur Rose** ⟷ 🎴 ⑩ 🎴 ✦

*Endergasse 2 – 𝒞 04 71 88 01 16 – www.baldoarno.com – info@baldoarno.com
– Fax 04 71 88 14 38 – chiuso luglio, domenica e lunedì a mezzogiorno in
settembre-ottobre, domenica e lunedì negli altri mesi*
Rist – Carta 44/54 €
♦ Edificio tipico che regala ambienti caldi, arredati con molto legno, in tipico stile tiro-
lese. Cucina del territorio non priva di influenze mediterranee.

XX **Schwarz Adler** ⟷ 🎴 ⑩ 🎴 ① ✦

*Schweigglplatz 1 – 𝒞 04 71 88 02 24 – www.schwarzadler.it – info@turmhotel.it
– Fax 04 71 88 06 01 – chiuso dal 24 al 29 dicembre e martedì*
Rist – Carta 38/46 €
♦ All'interno di un palazzo d'epoca, la risorsa si propone con una veste rustico-signorile
e "sfoggia" al proprio interno una grande, rovente, griglia. Completano il delizioso qua-
dretto diverse salette arredate in legno ed un'originale cantina a vista, per scegliere
direttamente tra un'articolata varietà di etichette.

CORTALE – Udine – Vedere Reana del Roiale

CORTE DE' CORTESI – Cremona (CR) – 561G12 – 1 017 ab. 17 C3
– alt. 61 m – ✉ 26020

▶ Roma 535 – Brescia 42 – Piacenza 47 – Cremona 16

XX **Il Gabbiano** 🍴 🎴 🎴 ⑩ 🎴 ✦
⊛ *piazza Vittorio Veneto 10 – 𝒞 037 29 51 08 – www.trattoriailgabbiano.it – info@
trattoriailgabbiano.it – Fax 037 29 51 08 – chiuso dal 15 al 30 giugno, mercoledì
sera e giovedì*
Rist – Menu 30 € – Carta 25/40 € 🍴
♦ Salumi, marubini, faraona della nonna e torrone: la trattoria di paese ha conservato la
sua caratteristica atmosfera nella quale ripropone antichi ricettari. Con un tocco di eleganza.

CORTE FRANCA – Brescia (BS) – 562F11 – 5 952 ab. – alt. 214 m 19 D1
– ✉ 25040

▶ Roma 576 – Bergamo 32 – Brescia 28 – Milano 76
🔟 Franciacorta, 𝒞 030 98 41 67

a Colombaro Nord : 2 km – ✉ 25040 – Corte Franca

🏠 **Relaisfranciacorta** ⌖ ≤ 🛁 🏢 🚻 🎴 🍴 rist, ⟨ỵ⟩ 🔧 🅿
via Manzoni 29 – 𝒞 03 09 88 42 34 🎴 ⑩ 🎴 ① ✦
– www.relaisfranciacorta.it – info@relaisfranciacorta.it – Fax 03 09 88 42 24
48 cam ⊇ – †98/158 € ††108/158 € – 2 suites
Rist *La Colombara* – 𝒞 03 09 82 64 61 *(chiuso lunedì e martedì)* Menu 70 €
– Carta 34/66 €
♦ Adagiata su un vasto prato, una cascina seicentesca ristrutturata offre la tranquillità e i
confort adatti ad un soggiorno sia di relax che d'affari; sale per convegni. Al ristorante
suggestivi ambienti di diversa capienza e di tono elegante.

CORTEMILIA – Cuneo (CN) – 561I6 – 2 531 ab. – alt. 247 m – ✉ 12074 25 D2
▶ Roma 613 – Genova 108 – Alessandria 71 – Cuneo 106

🏨 **Villa San Carlo** 🍽 🍴 🔼 🏢 🚻 cam, 🅿 🎴 ⑩ 🎴 ① ✦
*corso Divisioni Alpine 41 – 𝒞 017 38 15 46 – www.hotelsancarlo.it
– info@hotelsancarlo.it – Fax 017 38 12 35
– chiuso dal 15 al 28 dicembre e dal 4 gennaio al 1° marzo*
23 cam ⊇ – †60/80 € ††88/108 €
Rist *San Carlino* – *(chiuso lunedì) (chiuso a mezzogiorno)* (coperti limitati,
prenotare) Menu 42/50 € – Carta 33/42 € 🍴
♦ Il bel giardino sul retro con piscina è certamente il punto di forza della risorsa a conduzione familiare; all'interno, camere accoglienti e ben accessoriate. La cucina si affida
alla tradizione, puntando particolarmente sull'uso delle nocciole, perla di questo territorio.

CORTERANZO – Alessandria – Vedere Murisengo

CORTINA D'AMPEZZO – Belluno (BL) – 562C18 – **6 087 ab.** 36 **C1**
– alt. 1 224 m – Sport invernali : 1 224/2 732 m ⌐6 ⌐31 (Comprensorio Dolomiti superski Cortina d'Ampezzo) ⟨ – ☒ 32043▯ Italia

☑ Roma 672 – Belluno 71 – Bolzano 133 – Innsbruck 165

🅸 piazzetta San Francesco 8 ℰ 0436 3231, cortina@infodolomiti.it, Fax 0436 3235

◉ Posizione pittoresca★★★

◪ Tofana di Mezzo : ☀★★★ 15 mn di funivia – Tondi di Faloria : ☀★★★ 20 mn di funivia – Belvedere Pocol : ☀★★ 6 km per ③ – Dolomiti★★★ per ③

Pianta pagina a lato

🏨 **Cristallo Palace Hotel** ⌖ ≼ 🚗 🛐 🏊 📺 🕭 🛗 🖼 🎾 🗗 占 🕴🏃 🆎
via Rinaldo Menardi 42 ⇆ 🍸 rist, ☎ 🅢 **P** 🚗 𝐕𝐈𝐒𝐀 🐵 𝐀𝐄 ⓞ ⑤
– ℰ 04 36 88 11 11 – www.cristallo.it – info@cristallo.it – Fax 04 36 87 01 10
– dicembre-marzo e luglio-settembre **Z**a
52 cam ⌑ – ††650/766 € – 22 suites – ½ P 405/483 €
Rist *La Veranda del Cristallo* – (20 dicembre-29 marzo e 11 luglio-6 settembre)
Carta 78/135 €

♦ Tanto incantevole la struttura quanto la posizione panoramica; un'atmosfera di classe e di eleganza aleggerà invece negli ambienti. Zona wellness recentemente rinnovata. Chiuso da vetrate che si affacciano sulla valle d'Ampezzo, il ristorante combina la cucina internazionale ai sapori tradizionali.

🏨 **Miramonti Majestic Grand Hotel** ⌖ ≼ 🕭 🛐 📺 🕭 🛗 🗗 🎾
località Pezié 103, 2 km 🛗 🏃 🍸 rist, ☎ 🅢 **P** 🚗 𝐕𝐈𝐒𝐀 🐵 𝐀𝐄 ⓞ ⑤
per ② – ℰ 04 36 42 01 – www.geturhotels.com – miramontimajestic@
geturhotels.com – Fax 04 36 86 70 19 – 15 dicembre-marzo e 28 giugno-agosto
118 cam ⌑ – †540 € ††1020 € – 3 suites – ½ P 600 € **Rist** – Carta 70/90 €

♦ Un'imponente struttura accoglie questo hotel di lunga tradizione, un *must* di Cortina grazie anche alla spettacolare vista, ai suoi saloni enormi e alle lussuose camere in stile. Nel parco anche un laghetto. Dalle finestre dell'elegante ristorante si contempla un sontuoso scenario montano.

🏨 **Park Hotel Faloria** ≼ 🚗 🛐 📺 🕭 🛗 🗗 🕭 🍸 rist, 🕪 **P** 🚗
località Zuel 46, 2,5 km per ② – ℰ 04 36 29 59 𝐕𝐈𝐒𝐀 🐵 𝐀𝐄 ⓞ ⑤
– www.parkhotelfaloria.it. – info@parkhotelfaloria.it. – Fax 04 36 86 64 83
– 1° dicembre- 4 aprile e 15 giugno-15 settembre
31 suites ⌑ – †180/400 € ††220/550 € **Rist** – Carta 50/80 €

♦ Nasce dalla fusione di due chalet dei quali conserva il caratteristico stile montano e ai quali aggiunge eleganza, esclusività e un attrezzato centro benessere. Per un soggiorno di classe. La calda e raffinata atmosfera è riproposta nella sala da pranzo.

🏨 **Ancora** ≼ 🕭 🕪 **P** 𝐕𝐈𝐒𝐀 🐵 𝐀𝐄 ⓞ ⑤
corso Italia 62 – ℰ 04 36 32 61 – www.hotelancoracortina.com – info@
hotelancoracortina.com – Fax 04 36 32 65 – chiuso novembre **Z**t
49 cam ⌑ – †160/250 € ††320/440 € – ½ P 220/330 € **Rist** – Carta 37/54 €

♦ Un vero gioiello, dove tutto, dai mobili antichi ai tessuti e ai dettagli concorre a creare quella sua atmosfera da raffinata casa privata, ricca di charme e di calore. Ideale per cene a lume di candela la romantica sala da pranzo, dove gustare una cucina creativa dalle elaborate presentazioni.

🏨 **Bellevue** 🗗 🕭 占 rist, 🏃 🍸 rist, 🕪 🅢 🚗 𝐕𝐈𝐒𝐀 🐵 𝐀𝐄 ⓞ ⑤
corso Italia 197 – ℰ 04 36 88 34 00 – www.bellevuecortina.com – hotel@
bellevuecortina.com – Fax 04 36 86 75 10 – dicembre-aprile e giugno-ottobre
20 cam ⌑ – †50/330 € ††90/436 € – 44 suites – ††2000 € **Y**a
– ½ P 1040 €
Rist *L'Incontro* – (dicembre-marzo e luglio-settembre; chiuso lunedì)
Carta 48/71 €

♦ Ampie e personalizzate camere, arredate con eleganti stoffe dai motivi floreali e l'incomparabile cornice delle Dolomiti: preparatevi ad essere coccolati… Al ristorante, boiserie, soffitti a cassettoni intarsiati, colorati bouquet alle pareti e i piatti della tradizione ampezzana.

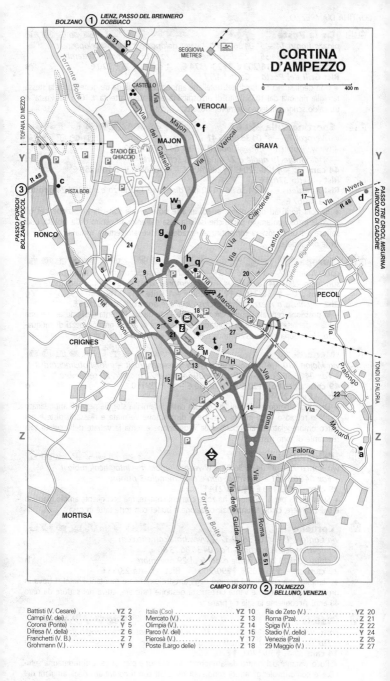

CORTINA D'AMPEZZO

De la Poste   ≤ 徐 ‖ 象 **P** _VISA_ ⦿ _AE_ ⓘ **⑤**

piazza Roma 14 – ℰ 04 36 42 71 – www.delaposte.it – info@delaposte.it
– Fax 04 36 86 84 35 – 22 dicembre-29 marzo e 15 giugno-26 settembre
70 cam ⊆ – †116/203 € ††200/374 € – 4 suites – ½ P 220 €   Zs
Rist _Grill del Posta_ – Carta 54/77 €
♦ Uno degli storici capisaldi dell'hotellerie ampezzana, dove da tre generazioni la stessa famiglia rinnova dal 1835 il rito di un'ospitalità elegante e attenta. Il "Grill del Posta" è un caldo scrigno di legno, sempre affollato.

Sporting Villa Blu ⌾   ≤ 徐 徐 翁 ※ ‖ 象 rist, (ℙ) **P** 噕

via Verocai 73 – ℰ 04 36 86 75 41   _VISA_ ⦿ _AE_ ⓘ **⑤**
– www.villablu.it – info@villablu.it – Fax 04 36 86 81 29
– 21 dicembre-19 aprile e 27 giugno-13 settembre   Yf
44 cam ⊆ – †100/220 € ††280/400 € – 4 suites – ½ P 160/250 €
Rist – Carta 37/63 €
Rist _Amadeus_ – ℰ 04 36 86 74 50 _(26 dicembre-15 marzo e dal 2 al 24 agosto)_
Carta 46/67 €
♦ Balconi fioriti ad ogni piano, arredi in arte povera, una sollecita attenzione per gli ospiti e, in più, un ampio parco che isola la casa dall'animato centro della località. Luci soffuse ed un'atmosfera romantica all'Amadeus, dove ambientare romantiche cene a lume di candela.

Europa   ≤ ‖ 象 rist, (ℙ) **P** _VISA_ ⦿ _AE_ ⓘ **⑤**

corso Italia 207 – ℰ 04 36 32 21 – www.hoteleuropacortina.it – heuropa@
sunrise.it – Fax 04 36 86 82 04 – 19 dicembre-marzo e 15 maggio-settembre
47 cam ⊆ – †136/216 € ††220/380 € – 1 suite – ½ P 160/230 €   Yg
Rist – _(chiuso a mezzogiorno escluso luglio e agosto)_ Carta 51/84 €
♦ In posizione centrale eppure circondato da piste da sci, l'attenta gestione unisce una calda e discreta atmosfera di montagna e l'eleganza di alcuni preziosi pezzi di antiquariato. Una sobria eleganza continua nella rustica ed intima sala da pranzo.

Menardi   ≤ ⅏ 翁 象 (ℙ) **P** _VISA_ ⦿ _AE_ ⓘ **⑤**

via Majon 110 – ℰ 04 36 24 00 – www.hotelmenardi.it – info@hotelmenardi.it
⊜ _– Fax 04 36 86 21 83 – 4 dicembre-30 marzo e 21 maggio-20 settembre_
49 cam ⊆ – †55/120 € ††100/230 € – ½ P 78/150 €   Yp
Rist – Carta 20/40 €
♦ Divenuta albergo negli anni '20, questa casa di famiglia sfoggia pezzi di antiquariato locale e religioso negli interni e mette a disposizione vellutate e rilassanti distese nel parco ombreggiato. Si affacciano sulla vegetazione esterna le vetrate della curata sala ristorante di tono rustico.

Columbia senza rist   ≤ 徐 ‖ ⅏ 象 **P** _VISA_ ⦿ **⑤**

via Ronco 75 – ℰ 04 36 36 07 – www.hcolumbia.it – info@hcolumbia.it
– Fax 04 36 30 01 – dicembre-aprile e 20 maggio-3 ottobre   Yc
25 cam – †70/110 € ††130/214 €, ⊆ 8 €
♦ Sulla strada per il Falzarego, ha zone comuni limitate, ma accoglienti, ampio giardino e belle camere, calde e funzionali; colazione a buffet con torte fatte in casa.

Cornelio   ‖ ⅏ 象 rist, **P** _VISA_ ⦿ ⓘ **⑤**

via Cantore 1 – ℰ 04 36 22 32 – www.hotelcornelio.com
– info@hotelcornelio.com – Fax 04 36 86 73 60
– chiuso dal 15 al 30 aprile e dal 9 al 29 novembre   Yh
20 cam ⊆ – †55/105 € ††90/200 €   **Rist** – Carta 23/53 €
♦ Semplice ma con interni graziosi dagli arredi tipicamente montani, l'hotel si trova in prossimità del centro e vanta un'esperta gestione familiare, attiva nel settore da oltre 40 anni. Accogliente la sala da pranzo.

Natale senza rist   翁 ‖ 象 (ℙ) **P** _VISA_ ⦿ **⑤**

corso Italia 229 – ℰ 04 36 86 12 10 – www.hotelnatale.it – info@hotelnatale.it
– Fax 04 36 86 77 30 – chiuso maggio e novembre   Yw
14 cam ⊆ – †50/120 € ††70/195 €
♦ Poco distante dal centro della rinomata località, una piccola casa di montagna semplice e confortevole; gli arredi sono stati realizzati con il contributo degli artigiani del posto. Deliziosa zona benessere.

⌂ **Oasi** senza rist   🎷 **P** 💳 ⬡ ♿
via Cantore 2 – ℰ 04 36 86 20 19 – www.hoteloasi.it – info@hoteloasi.it
– Fax 04 36 87 94 76 – chiuso dal 28 settembre al 26 ottobre   Y**q**
10 cam ⌨ – †45/80 € ††70/160 €
♦ Piccolo e curato questo accogliente hotel che dagli anni Venti racconta la storia della famiglia. A pochi passi dalla zona pedonale e dalla funivia. Graziosa la sala colazioni.

⌂ **Montana** senza rist   🎷 ⓦ **P** 💳 ⬡ 🅰🅴 ⓞ ♿
corso Italia 94 – ℰ 04 36 86 21 26 – www.cortina-hotel.com – montana@
cortina-hotel.com – Fax 04 36 86 82 11 – chiuso dal 25 maggio al 25 giugno e
dal 10 novembre al 15 dicembre   Z**u**
30 cam ⌨ – †39/72 € ††75/144 €
♦ Risorsa semplice, di piccole dimensioni, dalla cordiale e amichevole ospitalità. In pieno centro storico, questa piccola risorsa offre tutto ciò che serve per una vacanza piacevole e semplice.

🍴🍴 **Tivoli** (Graziano Prest)   ≤ 🍽 **P** 💳 ⬡ 🅰🅴 ⓞ ♿
🐾 localitá Lacedel 34, 2 km per ③ – ℰ 04 36 86 64 00 – www.ristorantetivoli.it
– info@ristorantetivoli.it – Fax 04 36 86 86 19 – dicembre-Pasqua e 15 giugno-
settembre; chiuso lunedì in bassa stagione
Rist – (consigliata la prenotazione) Menu 62/90 € – Carta 67/99 € 🐾
Spec. Tartare di astice con finocchi marinati e maionese di patate. Lasagnetta croccante con finferli, verdure e fonduta al parmigiano e salvia (estate). Guancia di vitello con riso Venere al limone e scampi.
♦ Piccolo chalet di montagna, un locale intimo, semplicemente arredato con richiami allo stile locale e una cucina che esplora ogni angolo d'Italia, pesce compreso.

🍴🍴 **Baita Fraina** con cam 🐾   ≤ 🚗 🍽 👹 ⓦ **P** 💳 ⬡ 🅰🅴 ⓞ ♿
via Fraina 1, località Fraina, 2 km per ② – ℰ 04 36 36 34
– www.baitafraina.it – info@baitafraina.it – Fax 04 36 87 62 35
– 5 dicembre-15 aprile e 20 giugno-25 settembre
6 cam ⌨ – †40/70 € ††80/140 € – ½ P 100/110 €
Rist – (chiuso lunedì in bassa stagione) Carta 36/50 €
♦ Tre accoglienti salette arredate con oggetti e ricordi tramandati da generazioni, dove accomodarsi per gustare curati piatti del territorio. Il personale in sala veste i costumi tradizionali. Per assaporare più a lungo il silenzio e i profumi dei monti, deliziose camere arredate in calde tonalità di colore.

🍴🍴 **Il Meloncino al Caminetto**   ≤ 🍽 🎷 **P** 💳 ⬡ 🅰🅴 ⓞ ♿
località Rumerlo 1, 6 km per ③ – ℰ 04 36 44 32 – www.ilmeloncino.it – info@
ilmeloncino.it – Fax 04 36 44 38 – chiuso giugno, novembre e martedì
Rist – Carta 43/56 €
♦ Particolarmente apprezzato dagli sciatori che a mezzogiorno arrivano fin qui a rinfocillarsi, la sera regna la tranquillità; tra polenta e selvaggina primeggiano i sapori della montagna.

🍴 **Leone e Anna**   💳 ⬡ 🅰🅴 ⓞ
via Alverà 112 – ℰ 04 36 27 68 – www.leoneanna.it – msturlese@libero.it
– Fax 04 36 56 75 – dicembre-aprile e luglio-ottobre; chiuso martedì
Rist – Carta 40/60 €   Y**d**
♦ Anche Cortina annovera un angolo di Sardegna! Questa la peculiarità del locale, un ambiente rustico e raffinato con panche di legno che corrono lungo le pareti. Su ogni tavolo, l'antipasto della casa.

al Passo Giau per ③ : 16,5 km :

🍴🍴 **Da Aurelio** con cam 🐾   ≤ 🍽 🎷 cam, **P** 💳 ⬡ 🅰🅴 ⓞ ♿
🐾 passo Giau 5 ✉ 32020 Colle Santa Lucia – ℰ 04 37 72 01 18
– www.da-aurelio.it – ristoranteaurelio@tin.it – Fax 04 37 72 01 18
– 24 dicembre-15 aprile e luglio-15 settembre
2 cam ⌨ – ††80/150 €   **Rist** – Carta 34/51 €
♦ Un paradisiaco angolo naturale, la calorosa accoglienza, e soprattutto la curata cucina della tradizione rivista in chiave moderna. Terrazza panoramica per il servizio estivo. Due sole le camere, accoglienti e confortevoli per prolungare il vostro soggiorno sulle Dolomiti.

sulla strada statale 51 per ① : 11 km :

✗ **Ospitale** 🛋 **P** **VISA** **⑳** **AE** **⑤**
via Ospitale 1 ✉ *32043 –* ✆ *04 36 45 85 – renzo_alvera@yahoo.it*
*– Fax 04 36 45 85 – dicembre-aprile e giugno-ottobre; chiuso lunedì escluso
Natale, febbraio ed agosto*
Rist – Carta 33/49 €
♦ Il nome è quello della località, ma anche una qualità dell'accoglienza che troverete in questo semplice ristorante rustico e familiare, dove gusterete piatti della tadizione locale.

CORTONA – Arezzo (AR) – 563M17 – 22 426 ab. – alt. 650 m   29 **D2**
– ✉ 52044 █ Toscana

▶ Roma 200 – Perugia 51 – Arezzo 29 – Chianciano Terme 55

🛈 *via Nazionale 42* ✆ *0575 630352, infocortona@apt.arezzo.it, Fax
0575630656*

👁 Museo Diocesano★★ – Palazzo Comunale : sala del Consiglio★ **H** – Museo
dell'Accademia Etrusca★ nel palazzo Pretorio★ **M1** – Tomba della
Santa★ nel santuario di Santa Margherita – Chiesa di Santa Maria del
Calcinaio★ 3 km per ②

🏨🏨 **Villa Marsili** senza rist   ◁ 🛗 **AK** 🕻 **VISA** **⑳** **AE** **①** **⑤**
viale Cesare Battisti 13 – ✆ *05 75 60 52 52 – www.villamarsili.net – info@
villamarsili.net – Fax 05 75 60 56 18 – chiuso gennaio e febbraio*   **b**
26 cam 🖙 – �80/110 € ♦♦130/250 €
♦ Dal restauro di una struttura del '700 è nato nel 2001 un hotel raffinato, dove affreschi e mobili antichi si sposano con soluzioni impiantistiche moderne e funzionali.

🏨🏨 **San Michele** senza rist   🛗 **AK** 🍽 **VISA** **⑳** **AE** **①** **⑤**
via Guelfa 15 – ✆ *05 75 60 43 48 – www.hotelsanmichele.net – info@
hotelsanmichele.net – Fax 05 75 63 01 47 – chiuso dal 5 gennaio al 15 marzo*
43 cam 🖙 – ♦89/150 € ♦♦119/300 €   **a**
♦ In un palazzo cinquecentesco, un albergo che coniuga in giusta misura il fascino di interni d'epoca sapientemente restaurati e il confort offerto nei vari settori.

Italia senza rist ⟦icons⟧
via Ghibellina 5/7 – ℰ 05 75 63 02 54 – www.hotelitaliacortona.com
– hotelitalia@planhotel.com – Fax 05 75 63 05 63   **d**
26 cam ⏥ – †83/121 € ††110/137 €
♦ A pochi metri dalla piazza centrale, palazzo seicentesco restaurato di cui ricordare gli alti soffitti e soprattutto la vista sulla Val di Chiana dalla sala colazioni.

Osteria del Teatro ⟦icons⟧
via Maffei 2 – ℰ 05 75 63 00 56 – www.osteria-del-teatro.it – info@ osteria-del-teatro.it – Fax 05 75 63 05 56 – chiuso dal 7 al 27 novembre e mercoledì   **e**
Rist – Carta 22/39 €
♦ Diverse sale che spaziano dall'eleganza cinquecentesca con camino, ad ambienti più conviviali in stile trattoria, ma sempre accomunate dalla passione per il teatro.

La Grotta ⟦icons⟧
piazzetta Baldelli 3 – ℰ 05 75 63 02 71 – Fax 05 75 63 02 71
– chiuso dal 7 gennaio al 13 febbraio, dal 1° al 7 luglio e martedì   **c**
Rist – (consigliata la prenotazione) Carta 19/33 €
♦ Solida gestione familiare da oltre 20 anni per una centralissima e accogliente trattoria, con servizio estivo in piazzetta; casalinghi piatti del territorio.

Hostaria la Bucaccia ⟦icons⟧
via Ghibellina 17 – ℰ 05 75 60 60 39 – www.labucaccia.it – tipici@labucaccia.it
– Fax 05 75 60 60 39 – chiuso dal 15 al 30 gennaio   **f**
Rist – *(chiuso a mezzogiorno escluso da giugno a ottobre e festivi)* (consigliata la prenotazione) Carta 24/29 € ⟦icon⟧
♦ In un antico palazzo del XIII secolo, edificato su una strada romana il cui lastricato costituisce oggi il pavimento della saletta principale, una cucina squisitamente regionale e casalinga.

Un buon ristorante a prezzo contenuto? Cercate i «Bib Gourmand» ⟦icon⟧.

---

a San Martino Nord : 4,5 km – ⌧ 52044 – Cortona

Il Falconiere Relais ⟦icons⟧
– ℰ 05 75 61 26 79 – www.ilfalconiere.com – info@ ilfalconiere.it – Fax 05 75 61 29 27 – chiuso tre settimane in gennaio o febbraio
19 cam ⏥ – †250/340 € ††270/360 € – ½ P 200/245 €
Rist Il Falconiere – vedere selezione ristoranti
♦ All'interno di una vasta proprietà, una villa seicentesca ricca di fascino e di suggestioni. Camere di raffinata e nobile eleganza, per un soggiorno straordinario.

Il Falconiere ⟦icons⟧
– ℰ 05 75 61 26 79 – www.ilfalconiere.com – info@ilfalconiere.it
– Fax 05 75 61 29 27 – chiuso martedì a mezzogiorno e lunedì (escluso da aprile ad ottobre)
Rist – Menu 70/85 € – Carta 79/100 € ⟦icon⟧
Spec. Fantasia di fegatini con pane casareccio e cipolla al vinsanto. Cappellacci di cinta su crema di fagioli zolfini e rigatino croccante. Fracosta di manzo in crosta di sale con intingolo di pomodori verdi e timo.
♦ A metà collina tra ulivi e cipressi, un posto da favola che non si vorrebbe mai abbandonare. Come non si vorrebbe mai essere sazi della cucina, reinterpretazioni toscane.

a San Pietro a Cegliolo Nord-Ovest : 5 km – ⌧ 52044 – **Cortona**

Relais Villa Baldelli senza rist ⟦icons⟧
– ℰ 05 75 61 24 06 – www.villabaldelli.com – info@ villabaldelli.com – Fax 05 75 61 24 07 – aprile-ottobre
15 cam ⏥ – †130/205 € ††145/225 €
♦ Signorile villa settecentesca impreziosita da un giardino all'italiana e dotata di campo pratica golf. Sontuosi ambienti all'interno, ricchi di tessuti, arredi e atmosfera.

a Farneta Ovest : 10 km – ⊠ **56048 – Cortona**

🏨 **Relais Villa Petrischio** 🐾   ≤ 🎧 ⅃ 🆔 🎬 rist, ⚐ 🅿️
via del Petrischio 25 – 𝒞 *05 75 61 03 16*   📇 🆚 🆎 ⅅ 🐧
– *www.villapetrischio.it* – *info@villapetrischio.it* – *Fax 05 75 61 03 17* – *chiuso
dall'11 gennaio al 3 aprile*
14 cam ⌂ – ♦140/150 € ♦♦185/215 € – 4 suites – ½ P 140/150 €
Rist *Relais Villa Petrischio* – Carta 44/56 €
   ◆ Immersa in un grande parco e costruita sulla collina più alta di Farneta, la villa settecentesca dispone di suggestivi scorci all'aperto e di eleganti camere con mobili d'epoca.
Il raffinato ristorante in veranda offre una particolare vista sulle colline e propone i classici ed antichi sapori della tradizione toscana.

sulla strada provinciale 35 verso Mercatale

🏠 **Villa di Piazzano** – Residenza d'Epoca 🐾   ≤ 🚗 🏡 ⅃ 🈁 🆔 🅿️
località Piazzano 7, Est : 8 km ⊠ *06069 Tuoro sul*   🆚 🆎 ⅅ 🐧
Trasimeno – 𝒞 *075 82 62 26* – *www.villadipiazzano.com* – *info@*
villadipiazzano.com – *Fax 075 82 63 36* – *marzo-novembre*
18 cam ⌂ – ♦130/180 € ♦♦160/340 € – ½ P 115/205 €
Rist – *(chiuso martedì)* Carta 38/55 €
   ◆ Voluta dal Cardinale Passerini come casino di caccia, una splendida villa patrizia del
XVI secolo sita tra le colline della Val di Chiana, il Lago Trasimeno e Cortona. Cucina italiana, con una particolare predilezione per i sapori umbri e toscani.

CORVARA IN BADIA – Bolzano – 562C17 – Vedere Alta Badia

COSENZA 🅿️ (CS) – 564J30 – **71 014 ab.** – **alt. 237 m** – ⊠ **87100** Italia   5 **A2**
▶ Roma 519 – Napoli 313 – Reggio di Calabria 190 – Taranto 205
🚹 corso Mazzini 92 𝒞 0984 27271, Fax 0984 27304
🖼 Tomba d'Isabella d'Aragona★ nel Duomo Z

Pianta pagina a lato

🏨 **Holiday Inn Cosenza**   🈁 🦽 cam, ⚗ 🆔 ⅏ 🎬 rist, 🕼 🅿️ 🚗
via Panebianco – 𝒞 *098 43 11 09* – *www.hicosenza.it*   🆚 🆎 ⅅ 🐧
– *info@hicosenza.it* – *Fax 098 43 12 37*   Y
79 cam ⌂ – ♦84/129 € ♦♦84/139 € – ½ P 60/88 €
Rist *L'Araba Fenice* – Carta 25/48 €
   ◆ Ultimo nato in città, un albergo di taglio moderno con soluzioni di ultima concezione,
annesso ad un centro commerciale. Ideale per un soggiorno d'affari. Al ristorante Araba
Fenice cucina di terra e di mare.

🏨 **Centrale** senza rist   🈁 🦽 🆔 ⅏ 🕼 🅿️ 🛏 🆚 🆎 ⅅ 🐧
via del Tigrai 3 – 𝒞 *098 47 57 50* – *www.hotelcentralecosenza.it* – *h.centrale@*
tin.it – *Fax 098 47 36 84*   Y**s**
44 cam ⌂ – ♦75/115 € ♦♦75/135 €
   ◆ Hotel di taglio moderno e di recentissima ristrutturazione, ricavato da un edificio alto
e stretto. Gli spazi comuni sono ridotti, ma le camere dispongono di ogni confort.

🍴🍴 **L'Arco Vecchio**   🏡 🆔 🆚 🆎 ⅅ 🐧
   piazza Archi di Ciaccio 21, centro storico – 𝒞 *098 47 25 64* – *www.larcovecchio.it*
– *arcovecchio@gmail.com* – *Fax 098 42 88 37* – *chiuso dal 6 al 20 agosto,*
domenica da luglio a settembre, martedì negli altri mesi   Z**c**
Rist – *(consigliata la prenotazione)* Carta 16/26 €
   ◆ Nella suggestiva città vecchia, un rinomato e piacevole ristorante, che propone una
sostanziosa cucina legata alle radici calabresi; servizio estivo all'aperto.

in prossimità uscita A 3 Cosenza Nord - Rende

🏨 **San Francesco**   🈁 ⚗ 🆔 🎬 rist, 🕼 🔺 🅿️ 🆚 🆎 ⅅ 🐧
via Ungaretti 2, contrada Commenda ⊠ *87036 Rende* – 𝒞 *09 84 46 17 21*
– *www.hsf.it* – *hsf@hsf.it* – *Fax 09 84 46 45 20*
107 cam ⌂ – ♦69/74 € ♦♦79/84 € – 13 suites – ½ P 55/57 €
Rist – Carta 24/30 €
   ◆ Risorsa nata negli anni '80, per la sua ubicazione è frequentata soprattutto da clientela di lavoro; arredi e bagni nuovi nella zona notte, ristrutturata di recente. Il ristorante
dispone di due capienti sale classiche.

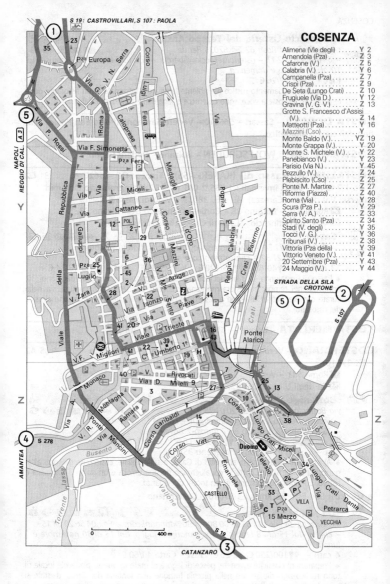

COSENZA

Sant'Agostino senza rist

via Modigliani 49, contrada Roges ⊠ 87036 Rende – ℰ 09 84 46 17 82
– www.hotelsantagostino.it – direzione@santagostinohotel.it
– Fax 09 84 46 53 58

24 cam ⊏⊐ – ♦41/48 € ♦♦62/70 €

♦ Poco fuori dal centro di Rende, un albergo semplice, ma funzionale, dotato di parcheggio privato; arredi essenziali nelle camere, pulite e ben tenute.

X **Il Setaccio-Osteria del Tempo Antico** 🔠 🕸 🅿️

contrada Santa Rosa 62 ✉ 87036 Rende 🆚 ⓜ 🆎 ⓞ 🕹
– ℰ 09 84 83 72 11 – osteriailsetaccio@libero.it – Fax 09 84 40 20 90 – chiuso dal
10 al 20 agosto e domenica
Rist – Carta 19/26 €

♦ Semplice arredamento rustico e ambiente familiare e informale in un ristorante dove
le proposte, esposte a voce, sono caserecce e legate alle tradizioni calabresi.

COSTA DORATA – Sassari – 566E10 – **Vedere Sardegna (Porto San Paolo) alla
fine dell'elenco alfabetico**

COSTALOVARA = WOLFSGRUBEN – Bolzano – **Vedere Renon**

COSTALUNGA (Passo di) (KARERPASS) – Trento (TN) – 562C16   31 **C2**
– alt. 1 745 m – Sport invernali : 1 735/2 041 m ⚡12 (Comprensorio Dolomiti
superski Val di Fassa-Carezza) 🎿 – ✉ 38039 – **Vigo di Fassa** Italia

▶ Roma 674 – Bolzano 28 – Cortina d'Ampezzo 81 – Milano 332
◉ ≤ ★ sul Catinaccio – Lago di Carezza ★★★ Ovest : 2 km

🏨 **Savoy** ≤ 🚗 🔲 🍸 🏦 ✵★ 🕸 rist, 🅿️ 🚗 🆚 ⓜ 🆎 🕹
– ℰ 04 71 61 21 24 – www.hotelsavoy.biz – info@hotelsavoy.biz
– Fax 04 71 61 21 32 – chiuso maggio e novembre
33 cam � – †40/85 € ††75/120 € – ½ P 75/85 €   **Rist** – Carta 18/34 €

♦ Passo di Costalunga - a 3 km dal lago di Carezza - panoramico albergo degli anni '30,
rinnovato nel tempo: atmosfera montana e confort sia negli spazi comuni, sia nelle
curate camere. Soffitti di legno a cassettoni nelle signorili sale d'impostazione classica
del ristorante.

COSTA MERLATA – Brindisi – 564E34 – **Vedere Ostuni**

COSTERMANO – Verona (VR) – 562F14 – 3 249 ab. – alt. 254 m   35 **A2**
– ✉ 37010

▶ Roma 531 – Verona 35 – Brescia 68 – Mantova 69
🏞 Cà degli Ulivi, ℰ 045 627 90 30

🏨 **Boffenigo** ⌖ ≤ 🚗 🍸 🔲 ⓖ 🍸 ⛵ 🍽 ⓜ 🆎 ⇜ 🕸 rist, 🕪 ⛷
via Boffenigo 6 – ℰ 04 57 20 01 78 🅿️ 🚗 🆚 ⓜ 🆎 ⓞ 🕹
– www.boffenigo.it – info@boffenigo.it – Fax 04 56 20 12 47
– 26 dicembre-2 gennaio e 27 marzo-2 novembre
37 cam ⊑ – †100/220 € ††130/240 € – ½ P 85/140 €
Rist – (chiuso a mezzogiorno) Menu 35/60 €

♦ Apprezzabili la bella vista sul golfo di Garda e sulle colline, così come gli spazi all'a-
perto, tra cui la piccola corte in cui albergano persino un'oca e un daino. Tranquillità e
ristoro. Luminosa sala ristorante con tocchi di eleganza.

a Gazzoli Sud-Est : 2,5 km – ✉ 37010 – **Costermano**

XX **Da Nanni** con cam e senza ⊑ 🏦 🔠 🕸 cam, 🅿️ 🆚 ⓜ 🆎 ⓞ 🕹
via Gazzoli 34 – ℰ 04 57 20 00 80 – info@dananni.com – Fax 04 56 20 04 15
– chiuso dal 15 al 28 febbraio, 1 settimana in luglio, dal 15 al 30 novembre e
lunedì
4 cam – ††100/250 €, ⊑ 20 €   **Rist** – Carta 40/60 € ⊛

♦ Preparazioni classiche e venete, pesce di lago e di mare in questo piacevole locale di
tono rustico-signorile situato nella piccola frazione non lontana dal Garda; d'estate si
mangia all'aperto. Belle le nuove eleganti camere arredate con pezzi d'antiquariato.

a Marciaga Nord : 3 km – ✉ 37010 – **Costermano**

🏨 **Madrigale** ⌖ ≤ 🚗 🍴 🔲 🍽 🔠 ⇜ 🕸 ⛷ 🅿️ 🆚 ⓜ 🆎 ⓞ 🕹
via Ghiandare 1 – ℰ 04 56 27 90 01 – www.madrigale.it – madrigale@
madrigale.it – Fax 04 56 27 91 25 – marzo-novembre
59 cam ⊑ – †102/110 € ††190/230 € – 1 suite – ½ P 119/139 €
Rist – (chiuso a mezzogiorno) Carta 33/49 €

♦ Circondato dalle colline e dall'azzurrità del lago, la risorsa garantisce un soggiorno di
relax e perfetta tranquillità nei suoi ampi e freschi ambienti. Un'ottima cucina tipica da
assaporare in una sala moderna e romantica o in un panoramico dehors estivo.

verso San Zeno di Montagna

XXX **La Casa degli Spiriti** ⟨ 🕭 ⅙ P VISA ⬤ AE ① 🔥
*via Monte Baldo 28, Nord-Ovest : 5 km – ℰ 04 56 20 07 66
– www.casadeglispiriti.it – info@casadeglispiriti.it – Fax 04 56 20 07 60 – chiuso
da lunedì a venerdì da novembre a Pasqua*
Rist – Carta 81/121 € 🕸
Rist La Terrazza – *(Pasqua-ottobre)* Carta 59/77 € 🕸
♦ Il nome potrà forse scoraggiare qualche avventore, in realtà questa è la casa della
buona cucina: un viaggio tra sapori scaligeri, lacustri e mediterranei. Inoltre, eccezionali
vini al bicchiere e una vista mozzafiato sul lago. A mezzogiorno, la Terrazza si apre ai
commensali con piatti legati al territorio.

ad Albarè Sud : 3 km – ✉ 37010

X **Tre Camini** 🕭 ⇔ P VISA ⬤ AE ① 🔥
*località Murlongo – ℰ 04 57 20 03 42 – www.trecamini.it – trecamini@tin.it
– Fax 04 56 20 60 98 – chiuso lunedì escluso giugno-settembre*
Rist – Carta 34/43 € 🕸
♦ Antiche massicce mura custodiscono la bella corte interna così come la sala, un locale
rustico e accogliente in cui riscoprire la cucina del territorio, leggera e genuina.

COSTIERA AMALFITANA – Napoli e Salerno – 564F25▮ Italia

COSTIGLIOLE D'ASTI – Asti (AT) – 5 940 ab. – alt. 242 m – ✉ 14055   25 **C2**
▶ Roma 629 – Torino 77 – Acqui Terme 34 – Alessandria 51

🏠 **Langhe e Monferrato** senza rist 🦢 🚗 🕸 🛋 🎣 AC 🗣 🎏 P
via Contessa di Castiglione 1 – ℰ 01 41 96 18 53 VISA ⬤ AE 🔥
*– www.hotelanghe.it – info@hotelanghe.it – Fax 01 41 96 14 99 – chiuso gennaio
e dal 10 al 16 agosto*
58 cam ⛱ – ♦80/105 € ♦♦90/145 €
♦ Tra i boschi e le rinomate colline vinicole, moderna struttura dotata di area congressi
ed un centro estetico dove si pratica la vinoterapia.

COSTIGLIOLE SALUZZO – Cuneo (CN) – 561I4 – 3 135 ab.   22 **B3**
– alt. 476 m – ✉ 12024
▶ Roma 668 – Cuneo 23 – Asti 80 – Sestriere 96

🏠 **Castello Rosso** 🦢 ⟨ 🛝 🕭 ⛲ 🕸 🎏 ⅙ cam, AC 🎣 P
via Ammiraglio Reynaudi 5 – ℰ 01 75 23 00 30 VISA ⬤ AE ① 🔥
– www.castelrosso.com – castellorosso@castellorosso.com – Fax 01 75 23 93 15
25 cam ⛱ – ♦105/120 € ♦♦132/165 € – ½ P 96/113 €
Rist – *(chiuso da 7 al 18 gennaio, domenica sera e lunedì escluso da giugno a
settembre)* Carta 33/43 €
♦ Antico e colorato maniero eretto nel XVI sec. sulla sommità di un colle, oggi avvolto
dai vigneti. Charme e attenzioni all'altezza di chi ricerca confort e buon gusto. Eleganti
sale accolgono il ristorante che propone una cucina eclettica.

COSTOZZA – Vicenza – Vedere Longare

COURMAYEUR – Aosta (AO) – 561E2 – 2 958 ab. – alt. 1 228 m   34 **A2**
– Sport invernali : 1 224/2 624 m ⛷9 ⛷12, ⚘ (Comprensorio in Val Ferret); anche
sci estivo – ✉ 11013▮ Italia
▶ Roma 784 – Aosta 35 – Chamonix 24 – Colle del Gran San Bernardo 70
🅓 piazzale Monte Bianco 13 ℰ 0165 842370, info@aiat-montebianco.com,
Fax 0165 842831
🅕 , ℰ 0165 891 03
◎ Località★★
🅖 Valle d'Aosta★★ : ⟨★★★ per ②

Pianta pagina 398

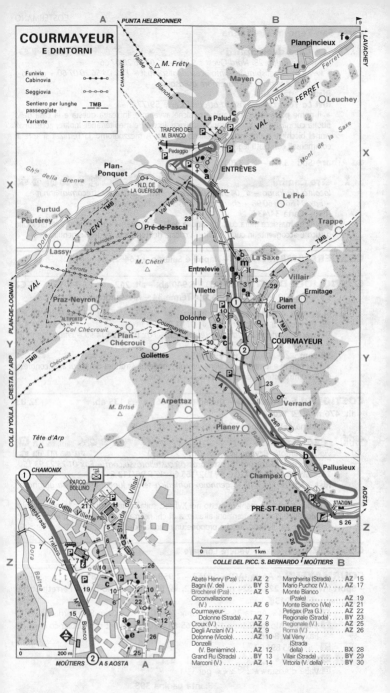

COURMAYEUR
E DINTORNI

Funivia Cabinovia	●–●–●–●
Seggiovia	○–○–○–○
Sentiero per lunghe passeggiate	TMB
Variante	– – –

Grand Hotel Royal e Golf ⟪ ℑ 🌐 🐒 ⅚ ঔ rist, 🕪 🏋 🚗 🛁
via Roma 87 – ℰ 01 65 83 16 11 ⟪ 𝗩𝗜𝗦𝗔 ⓪ AE ① ⑤
– *www.hotelroyalegolf.com* – *ricevimento@hotelroyalegolf.com*
– *Fax 01 65 84 20 93* – *dicembre-aprile e luglio-agosto*   AZa
80 cam – 6 suites – solo ½ P 150/205 €
Rist – *(chiuso a mezzogiorno)* Menu 45 €
♦ Uno dei simboli della villeggiatura mondana: un passato di presenze storiche che si rinnova oggi in ambienti spaziosi ed ovattati. Piccolo, esclusivo centro benessere con piscina e solarium dalla vista mozzafiato. Ampia sala ristorante con menu articolato intorno ai classici nazionali, in parte rivisitati.

Gran Baita ⟪ 🚗 🏠 ℑ 🔲 🐒 🛏 ঔ 🏃 ⅚ rist, 📞 🏋 🚗
strada Larzey 2 – ℰ 01 65 84 40 40   𝗩𝗜𝗦𝗔 ⓪ AE ① ⑤
– *www.sogliahotels.com* – *granbaita@sogliahotels.com* – *Fax 01 65 84 48 05*
– *28 novembre-5 aprile e 26 giugno-agosto*   BYe
53 cam ⚌ – †133/228 € ††196/404 € – ½ P 222 €
Rist – Carta 38/48 €
Rist *La Sapinière* – *(chiuso lunedì)* (prenotazione obbligatoria) Menu 40/60 €
♦ Moderna "baita" di lusso, dai caldi interni con boiserie e pezzi antichi; terrazza panoramica con piscina riscaldata, coperta a metà: per un tuffo anche se fuori nevica. La capiente sala da pranzo offre una fantasiosa cucina regionale. Cucina più creativa e sofisticata, invece, a *La Sapinière*.

Villa Novecento ⟪ 🐒 📚 🛏 ঔ ⅚ rist, 📞 🏋 🅿 🚗
viale Monte Bianco 64 – ℰ 01 65 84 30 00   𝗩𝗜𝗦𝗔 ⓪ AE ① ⑤
– *www.villanovecento.it* – *info@villanovecento.it* – *Fax 01 65 84 40 30*
– *chiuso ottobre e novembre*   BYa
26 cam ⚌ – †136/288 € ††170/360 € – ½ P 105/220 €   **Rist** – Carta 44/54 €
♦ Decorazioni, tessuti e *boiserie* in una piccola bomboniera dall'atmosfera inequivocabilmente valdostana. Bella sala ristorante in linea con il resto della struttura ed interessanti proposte in menu con piatti creativi ed elaborati.

Maison Saint Jean 🔲 🐒 🛏 ⅚ 📞 🅿 🚗 𝗩𝗜𝗦𝗔 ⓪ AE ① ⑤
vicolo Dolonne 18 – ℰ 01 65 84 28 80 – *www.msj.it* – *info@msj.it*
– *Fax 01 65 84 13 90* – *chiuso dall'8 al 28 giugno e dal 4 al 30 novembre*
21 cam ⚌ – †60/120 € ††90/210 € – ½ P 65/140 €   AZc
Rist *Aria* – *(chiuso a mezzogiorno escluso i giorni festivi)* Carta 29/55 € 🍴
♦ Vicino all'elegante nonché commerciale via Roma, e a 300 m dagli impianti di risalita, albergo interamente rinnovato nel caldo stile valdostano: legno e raffinata rusticità. Ristorante con cucina fantasiosa: una simpatica alternativa ai piatti classici valdostani.

Cresta et Duc ⟪ 🐒 🛏 AK rist, ⅚ rist, 📞 🅿 𝗩𝗜𝗦𝗔 ⓪ AE ① ⑤
via Circonvallazione 7 – ℰ 01 65 84 25 85 – *www.crestaetduc.it* – *info@*
crestaetduc.it – *Fax 01 65 84 25 91* – *dicembre-15 aprile e 15 giugno-20*
settembre   AZe
44 cam – †70/250 € ††100/300 € – ½ P 85/175 €   **Rist** – Menu 20/38 €
♦ Al limitare del centro e a 150 metri dagli impianti di risalita, l'hotel è stato completamente ristrutturato negli ultimi mesi mantenendo immutate affabilità e cortesia. Nuovo look e vecchie esperienze gastronomiche al ristorante.

Centrale ⟪ 🚗 🏠 🎿 📚 🛏 ঔ cam, ⅚ rist, 📞 🅿 🚗 𝗩𝗜𝗦𝗔 ⓪ AE ⑤
via Mario Puchoz 7 – ℰ 01 65 84 66 44 – *www.hotelscentrale.it* – *info@*
hotelscentrale.it – *Fax 01 65 84 64 03* – *dicembre-15 maggio e giugno-15 settembre*
32 cam – †94 € ††139 €, ⚌ 10 €   AZt
Rist – *(luglio-agosto)* Menu 26 €
♦ In pieno centro, ma dotata di comodo parcheggio, una risorsa ad andamento familiare, con accoglienti spazi comuni; chiedete le camere rimodernate, con bagni nuovi. Tradizionale cucina d'albergo.

Dei Camosci ⟪ 🚗 🛏 ঔ cam, 📞 🅿 𝗩𝗜𝗦𝗔 ⓪ ① ⑤
località La Saxe – ℰ 01 65 84 23 38 – *www.hoteldeicamosci.com* – *info@*
hoteldeicamosci.com – *Fax 01 65 84 21 24* – *dicembre-aprile e 15 giugno-*
settembre   BYm
23 cam ⚌ – †50/65 € ††75/90 € – ½ P 86 €   **Rist** – Carta 25/40 €
♦ Per un soggiorno tranquillo, ma non lontano dal centro del paese, un albergo a conduzione familiare, rinnovato in anni recenti; buon confort nelle camere. Caratteristica atmosfera montana al ristorante, cucina della tradizione.

ad Entrèves Nord : 4 km – alt. 1 306 m – ✉ 11013

🏨 **Auberge de la Maison** 🦮   ⩽ 🛋 🕥 🕭 🛎 & 🕺 rist, ⁽ᵗᵗ⁾ **P** 🚗
via Passerin d'Entreves 16 – 𝒞 01 65 86 98 11   🆅🅸🆂🅰 ⓒⓞ 🅰🅴 **ⓢ**
*– www.aubergemaison.it – info@aubergemaison.it – Fax 01 65 86 97 59 – chiuso
maggio*   BX**a**
33 cam ⌧ – ♦125/160 € ♦♦140/320 € – ½ P 100/198 €   **Rist** – Carta 39/50 €
♦ Vicino a Courmayeur, ma lontano dai suoi clamori, una generosa ospitalità familiare
associata a tessuti, legno e colori che creano uno studiato effetto di contrapposizione
con la neve e il freddo esterno. Camere grandi ed accoglienti, che non si vorrebbe mai
lasciare. Piacevole vista sul monte Bianco dal ristorante.

🏨 **Pilier d'Angle** 🦮   ⩽ 🕥 🛎 🕺 **P** 🚗 🆅🅸🆂🅰 ⓒⓞ 🅰🅴 ⓞ **ⓢ**
*– 𝒞 01 65 86 97 60 – www.pilierdangle.it – info@pilierdangle.it
– Fax 01 65 86 97 70 – chiuso maggio e ottobre*   BX**v**
27 cam ⌧ – ♦60/120 € ♦♦80/180 € – ½ P 70/125 €
Rist *Taverna del Pilier* – Carta 40/58 €
♦ Vasto impiego di legno scuro - dalle zone comuni alle camere - in un'atmosfera
inconfondibilmente montana: quasi un rifugio sulla sommità di Entrèves. Florilegio di
cucina valdostana nel caratteristico ristorante.

a La Palud Nord : 4,5 km

🍴🍴 **Dente del Gigante** con cam   ⩽ 🕺 **P** 🆅🅸🆂🅰 ⓒⓞ ⓞ **ⓢ**
*strada la Palud 42 – 𝒞 016 58 91 45 – www.dentedelgigante.com – info@
dentedelgigante.com – Fax 016 58 96 39 – chiuso dal 15 maggio al 5 luglio,
ottobre e novembre*   BX**c**
13 cam ⌧ – ♦65/100 € ♦♦96/140 €   **Rist** – Menu 30/60 € – Carta 43/57 € 🕸
♦ Raccolta e piacevole struttura in legno e pietra, ubicata nella parte alta di Courmayeur.
L'entusiasta e intraprendente gestione familiare propone una cucina valdostana rivisitata
in chiave moderna. Dispone anche di accoglienti camere arredate in stile montano.

in Val Ferret

🏠 **Miravalle** 🦮   ⩽ 🕭 🕺 cam, **P** 🆅🅸🆂🅰 ⓒⓞ **ⓢ**
*località Planpincieux, Nord : 7 km – 𝒞 01 65 86 97 77
– www.courmayeur-hotelmiravalle.it – marco@courmayeur-hotelmiravalle.it
– Fax 01 65 86 97 29 – dicembre-aprile e giugno-settembre*   BX**f**
11 cam ⌧ – ♦♦65/132 € – ½ P 55/90 €
Rist – *(chiuso martedì in bassa stagione)* Carta 28/57 €
♦ In posizione appartata, ideale punto di partenza per sentieri estivi e sci da fondo,
gestione familiare con camere semplici in legno. Nella sala ristorante, in tipico stile locale,
piatti che si ispirano alla tradizione valdostana rivisitati con originalità.

🍴🍴🍴 **La Clotze**   🕭 & **P** 🆅🅸🆂🅰 ⓒⓞ 🅰🅴 ⓞ **ⓢ**
*località Planpincieux, Nord : 7 km alt. 1 400 ✉ 11013 – 𝒞 01 65 86 97 20
– www.laclotze.com – info@laclotze.com – Fax 01 65 86 97 20 – chiuso maggio,
dal 20 settembre al 25 ottobre, martedì e mercoledì escluso agosto*
Rist – Carta 51/66 € 🕸   BX**u**
♦ Preceduta da un elegante ingresso, una bella sala in legno dove gustare proposte
regionali "condite" con fantasia ed estro. Cantina a vista, ben fornita.

a Dolonne

🏨 **Ottoz Meublé** senza rist 🦮   ⩽ 🛋 🛎 & **P** 🚗 🆅🅸🆂🅰 ⓒⓞ **ⓢ**
*strada Dolonne 9 – 𝒞 01 65 84 66 81 – www.hotelottoz.it – info@hotelottoz.it
– Fax 01 65 84 66 82 – dicembre-aprile e luglio-15 settembre*   BY**s**
25 cam ⌧ – ♦40/110 € ♦♦60/160 €
♦ Hotel a gestione familiare, nato nel 1994 dalla ristrutturazione di un'antica casa, di cui
conserva in parte i soffitti a volta e le pareti in pietra; stanze funzionali.

🏠 **Stella del Nord** senza rist   ⩽ 🛎 & 🕺 **P** 🚗 🆅🅸🆂🅰 ⓒⓞ ⓞ **ⓢ**
*strada della Vittoria 2 – 𝒞 01 65 84 80 39 – www.stelladelnord.com – info@
stelladelnord.com – Fax 01 65 84 57 80 – dicembre-aprile e luglio-settembre*
13 cam ⌧ – ♦45/100 € ♦♦70/150 €   BY**c**
♦ Albergo all'insegna della semplicità: ambienti gradevoli, recentemente rinnovati, nonché gestione familiare simpatica ed accogliente. Palazzo del ghiaccio e piste da sci
nelle vicinanze.

COVIGLIAIO – Firenze (FI) – 563J15 – alt. 831 m – ✉ 50030   29 **C1**
> ▶ Roma 326 – Bologna 51 – Firenze 52 – Pistoia 67

🏠🏠🏠   **Il Cigno** ⌖   ⟨ 🚗 🏮 ☷ 🍸 rist, **P** 🚻 **VISA** 💿 **AE** ⚓
strada statale 65 della Futa km 49,5 ✉ *50033* – ℰ *055 81 24 81* – *www.ilcigno.it*
– *ilcigno@ilcigno.it* – *Fax 05 58 12 48 68* – *15 marzo-15 novembre*
29 cam ☷ – ♦♦98/174 € – 2 suites – ½ P 74/129 €
Rist *Il Cerro* – *(15 maggio-settembre)* Carta 33/50 €
♦ Risorsa concepibile come l'elegante evoluzione di un agriturismo di lusso. Tutte le camere sono spaziose e dotate di accesso indipendente, spazi comuni accoglienti. Piacevole isolamento e tranquillità. Il monumentale camino "domina la scena" nella sala ristorante elegante e luminosa.

CRANDOLA VALSASSINA – Lecco (LC) – 561D10 – 270 ab.   16 **B2**
– alt. 769 m – ✉ 23832
> ▶ Roma 647 – Como 59 – Lecco 30 – Milano 87

✗✗   **Da Gigi** con cam   ⟨ **VISA** 💿 ⚓
🍽   *piazza IV Novembre 4* – ℰ *03 41 84 01 24* – *dagigi-crandola@libero.it*
– *Fax 03 41 80 17 10* – *chiuso dal 15 al 30 giugno*
8 cam ☷ – ♦40/50 € ♦♦50/60 €, ☷ 7 € – ½ P 40/50 €
Rist – *(chiuso mercoledì escluso luglio-agosto)* Menu 34/38 € – Carta 28/40 €
♦ Per gustare le specialità della Valsassina: un simpatico locale in posizione panoramica con due sale di tono rustico e una cucina attenta ai prodotti del territorio.

CRAVANZANA – Cuneo (CN) – 561I6 – 406 ab. – alt. 583 m   25 **C2**
– ✉ 12050
> ▶ Roma 610 – Genova 122 – Alessandria 74 – Cuneo 48

✗   **Da Maurizio** con cam ⌖   🏮 🍸 **P** **VISA** 💿 **AE** ⚓
via Luigi Einaudi 5 – ℰ *01 73 85 50 19* – *www.ristorantedamaurizio.it*
– *ristorantedamaurizio@libero.it* – *Fax 01 73 85 50 16* – *chiuso dal 12 gennaio*
al 7 febbraio e dal 29 giugno al 10 luglio
12 cam ☷ – ♦45 € ♦♦60 € – ½ P 50/65 €
Rist – *(chiuso i mezzogiorno di mercoledì e giovedì)* Menu 35 € – Carta 25/32 €
♦ Da quattro generazioni saldamente nelle mani della stessa famiglia, la trattoria si sviluppa su due sobrie salette nel centro della piccola località. Cucina piemontese e langarola. Dispone anche di camere accoglienti, con gradevole vista sulle colline circostanti.

CREAZZO – Vicenza (VI) – 562F16 – 10 768 ab. – alt. 112 m – ✉ 36051   37 **A2**
> ▶ Roma 530 – Padova 40 – Verona 51 – Vicenza 7

🏠🏠🏠   **AC Vicenza**   🛗 ⚓ **AC** ⇄ 🍸 rist, 🍴 **å** **VISA** 💿 **AE** ① ⚓
via Carducci 1 – ℰ *04 44 52 36 11* – *www.ac-hotels.com* – *acvicenza@*
ac-hotels.com – *Fax 04 44 52 13 01*
126 cam ☷ – ♦♦75/265 € – ½ P 158 €   **Rist** – Carta 27/37 €
♦ Alle porte di Vicenza, struttura di recente apertura che, come gli altri indirizzi della stessa catena spagnola, vanta modernità e tecnologie encomiabili. Elevato confort nelle belle camere e buona zona congressuale. Ideale per una clientela *business*.

CREMA – Cremona (CR) – 561F11 – 33 213 ab. – alt. 79 m – ✉ 26013   19 **C2**
> ▶ Roma 546 – Piacenza 40 – Bergamo 40 – Brescia 51
> 🚇, ℰ 0373 29 80 16

🏠   **Il Ponte di Rialto** senza rist   🛗 ⚓ **AC** ⇄ 🍸 🛜 **å** **P** 🚗
via Cadorna 5/7 – ℰ *037 38 23 42*   **VISA** 💿 **AE** ① ⚓
– *www.pontedirialto.it* – *info@pontedirialto.it* – *Fax 037 38 35 20*
– *chiuso dal 9 al 23 agosto*
33 cam ☷ – ♦75/92 € ♦♦97/112 €
♦ In un palazzo d'epoca, l'albergo dispone di camere arredate alternativamente in stile classico o con pezzi d'antiquariato ed ospita, inoltre, un'attrezzata sala conferenze.

Palace Hotel senza rist ⌖ AC VISA ⚌ AE ① ✆

via Cresmiero 10 – ✆ 037 38 14 87 – www.palacehotelcrema.com – inns0004@hotelpalace.191.it – Fax 037 38 68 76 – chiuso due settimane in dicembre e due settimane in agosto

45 cam ⌂ – †50/75 € ††70/105 €

♦ Sito in centro storico, tra le mura di un edificio degli anni Settanta, l'hotel offre ambienti semplici e confortevoli ed è particolarmente indicato per una clientela d'affari.

CREMENO – Lecco (LC) – 561E10 – 1 154 ab. – alt. 797 m – Sport invernali : a Piani di Artavaggio : 650/1 910 m ⛷1 ⛷6, ⛷ – ✉ 23814   **16 B2**

🚗 Roma 635 – Bergamo 49 – Como 43 – Lecco 14

Al Clubino 🚗 ☆ P VISA ⚌ AE ① ✆

via Ingegner Combi 15 – ✆ 03 41 99 61 45 – Fax 03 41 99 61 45 – chiuso 10 giorni in giugno, 10 giorni in settembre, lunedì sera e martedì (escluso luglio-agosto)

Rist – Menu 25/40 € – Carta 35/49 €

♦ Locale di tono classico con qualche tocco di raffinatezza, schietta gestione familiare ed esperienza collaudata in cucina con piatti classici sia di carne sia di pesce. Indimenticabili, i dolci!

CREMNAGO – Como (CO) – alt. 335 m – ✉ 22044   **18 B1**

🚗 Roma 605 – Como 17 – Bergamo 44 – Lecco 23

Antica Locanda la Vignetta ☆ & AC ☆ P VISA ⚌ ✆

via Garibaldi 15 – ✆ 031 69 82 12 – Fax 031 69 82 12 – chiuso dal 2 al 26 agosto e martedì

Rist – Carta 29/44 €

♦ Familiari sia la gestione ultraventennale che l'accoglienza in un frequentato, simpatico locale con solida cucina del territorio; servizio estivo sotto un pergolato.

CREMOLINO – Alessandria (AL) – 561I7 – 1 014 ab. – alt. 405 m   **23 C3**
– ✉ 15010

🚗 Roma 559 – Genova 61 – Alessandria 50 – Milano 124

Bel Soggiorno con cam ≤ ☆ P VISA ⚌ AE ✆

via Umberto I, 69 – ✆ 01 43 87 90 12 – www.ristorantebelsoggiorno.it – info@ristorantebelsoggiorno.it – Fax 01 43 87 99 21 – chiuso 15 giorni in gennaio, 15 giorni in luglio e Natale

3 cam ⌂ – †50 € ††70 €

Rist – *(chiuso mercoledì e le sere di lunedì, martedì e giovedì)* Carta 28/50 € ⅜

♦ Da oltre 40 anni fedeltà alle tradizioni culinarie piemontesi, i cui piatti tipici, stagionali, vengono proposti in una piacevole sala con vetrata affacciata sui colli.

CREMONA P (CR) – 561G12 – 71 458 ab. – alt. 45 m – ✉ 26100   **17 C3**
📖 Italia

🚗 Roma 517 – Parma 65 – Piacenza 34 – Bergamo 98

ℹ️ piazza del Comune 5 ✆ 0372 23233, info@aptcremona.it, Fax 0372 534080

📷 Il Torrazzo, ✆ 0372 47 15 63

👁 Piazza del Comune★★ BZ : campanile del Torrazzo★★★, Duomo★★, Battistero★ BZ **L** – Palazzo Fodri★ BZ **D** – Museo Stradivariano ABY

Pianta pagina a lato

Delle Arti senza rist ☆ ⌖ & ⚌⚌ AC ♨ (℣ ♨ VISA ⚌ AE ① ✆

via Bonomelli 8 – ✆ 037 22 31 31 – www.dellearti.com – info@dellearti.com – Fax 037 22 16 54 – chiuso 23 al 31 dicembre e agosto   BZ**a**

33 cam ⌂ – †110/139 € ††160/188 €

♦ Sin dall'esterno si presenta come un design hotel caratterizzato da forme geometriche e colori sobri, prevalentemente scuri. Un'eccezione di modernità nel centro storico.

🏠 **Cremona** senza rist 🎐 ♿ AC 🐕 📶 VISA MC AE ① 🔥
*viale Po 131 – ℰ 037 23 22 20 – www.hotelcremona.it – info@hotelcremona.it
– Fax 03 72 42 26 80* AZ**b**
32 cam ☲ – †50/80 € ††70/110 €
◆ In zona Po, lungo una strada di grande scorrimento, trafficata ma comoda, presenta camere rinnovate con un design moderno: le migliori si trovano al primo piano.

🏠 **Impero** senza rist 🎐 ♿ 🛗 AC 🔥 📶 🧖 VISA MC AE ① 🔥
*piazza Pace 21 – ℰ 03 72 41 30 13 – www.hotelimpero.cr.it – info@
hotelimpero.cr.it – Fax 03 72 45 72 95* BZ**d**
53 cam ☲ – †80/130 € ††120/160 €
◆ Nel cuore del centro storico, in un austero edificio anni '30, albergo rinnovato con camere più tranquille sul retro o con vista su piazza o Torrazzo dagli ultimi piani.

✕✕ **Martinelli** 🏡 ♻ VISA MC AE ① 🔥
*via degli Oscasali 3 – ℰ 037 23 03 50 – www.ristorantemartinelli.it
– ristorantemartinelli@libero.it – Fax 03 72 42 24 50 – chiuso domenica sera e
mercoledì* AZ**a**
Rist – Carta 45/62 €
◆ In un palazzo del '700, trionfo neoclassico di affreschi e cariatidi nei saloni per banchetti; meno decorate, ma eleganti le sale del ristorante; piatti locali e di mare.

CREMONA

Boccaccino (V.) . . . . **BZ** 3
Cadorna (Pza L.) . . . . **AZ** 4
Campi (Cso) . . . . **BZ** 5
Cavour (Cso) . . . . **BZ** 6
Comune (Pza del) . . . . . . **BZ** 7
Garibaldi (Cso) . . . . **AYZ**
Gerominni (V. Felice) . . . . **BY** 9
Ghinaglia (V. F.) . . . . **AY** 12
Ghisleri (V. A.) . . . . **BY** 13

Libertà (Pza della) . . . . . **BY** 14
Mantova (V.) . . . . **BY** 17
Manzoni (V.) . . . . **BY** 18
Marconi (Pza) . . . . **BZ** 19
Marmolada (V.) . . . . **BZ** 22
Matteotti (Cso) . . . . **BYZ**
Mazzini (Cso) . . . . **BZ** 23
Melone (V. Altobello) . . . **BZ** 24
Mercatello (V.) . . . . **BZ** 25
Monteverdi (V. Claudio) . . **BZ** 27
Novati (V.) . . . . **BZ** 28
Risorgimento (Pza) . . . . . **AY** 29

Spalato (V.) . . . . **AY** 35
Stradivari (Pza) . . . . **BZ** 37
S. Maria in Betlem (V.) . . **BZ** 32
S. Rocco (V.) . . . . **BZ** 33
Tofane (V.) . . . . **BZ** 39
Ugolani Dati (V.) . . . . . . **BY** 40
Vacchelli (Cso) . . . . **BZ** 42
Verdi (V.) . . . . **BZ** 43
Vittorio Emanuele II
(Cso) . . . . **AZ** 45
4 Novembre (Pza) . . . . . . **BZ** 46
20 Settembre (Cso) . . . . . **BZ** 48

XX **La Sosta** AC VISA OO AE ① ⑤
via Sicardo 9 – 𝓒 03 72 45 66 56 – www.ristorantelasosta.net – info@
osterialasosta.it – Fax 03 72 53 77 57 – chiuso una settimana in febbraio, due
settimane in agosto, domenica sera e lunedì BZ**b**
Rist – Menu 28/38 € – Carta 32/40 €
♦ Osteria nel nome ma un moderno e colorato locale nell'ambiente. A pochi passi dal
Duomo, i classici della cucina cremonese ed altre specialità nazionali.

XX **La Borgata** AC ⇧ VISA OO AE ⑤
via Bergamo 205 località Migliaro, 2 km per ⑦
– 𝓒 03 72 56 09 60 – Fax 03 72 56 32 31
– chiuso dal 2 al 10 gennaio, agosto, lunedì sera e martedì
Rist – Carta 30/40 €
♦ Clientela di affezionati habitué in un locale decentrato, organizzato su scala familiare;
ambiente di tono moderno per una cucina tradizionale per lo più marinara.

X **La Locanda** con cam AC ⅗ cam, VISA OO AE ① ⑤
via Pallavicino 4 – 𝓒 03 72 45 78 35 – Fax 03 72 45 78 34
– chiuso dal 9 al 31 luglio BYZ**c**
9 cam ⌖ – ♥45/55 € ♥♥65 € – ½ P 55 €
Rist – *(chiuso martedì)* Carta 30/43 €
♦ Conduzione diretta e ambiente semplice in un ristorante con camere sito nel centro
storico; affidabile linea gastronomica basata su piatti di cucina locale e non solo.

CRETAZ – Aosta – 561F4 – Vedere Cogne

CREVOLADOSSOLA – Verbano-Cusio-Ossola (VB) – 561D6 23 **C1**
– 4 763 ab. – alt. 337 m – ✉ 28865
▶ Roma 714 – Stresa 49 – Domodossola 6 – Locarno 48

ad Oira Nord : 2,5 km – ✉ 28865 – Crevoladossola

↑ **Ca' d'Maté** senza rist ≤ 🚗 ⅗
via Valle Formazza 13 – 𝓒 33 57 50 76 09 – www.cadmate.it – cadmate@
virgilio.it – Fax 03 24 24 72 97 – dicembre-febbraio e aprile-settembre
4 cam ⌖ – ♥30/40 € ♥♥60/70 €
♦ Confortevoli camere arredate con mobili antichi, una sala di degustazione vini e
calore familiare entro le mura di questa casa ristrutturata, sita tra il paese e la campagna.

CROCE DI MAGARA – Cosenza – 564J31 – Vedere Camigliatello Silano

---

CROCERA – Cuneo – 561H4 – Vedere Barge

CRODO – Verbano-Cusio-Ossola (VB) – 561D6 – 1 486 ab. – alt. 508 m 23 **C1**
– ✉ 28862
▶ Roma 712 – Stresa 46 – Domodossola 14 – Milano 136
🖸 località Bagni 𝓒 0324 618831, crodo@distrettolaghi.it, Fax 0324 618831

XX **Marconi** 🗭 VISA OO AE ⑤
⊛ *via Pellanda 21 – 𝓒 03 24 61 87 97 – www.ristorantemarconi.com – info@*
ristorantemarconi.it – Fax 03 24 61 87 97 – chiuso martedì
Rist – Menu 20/34 € – Carta 34/48 €
♦ Una giovane coppia conduce questo ristorante con passione e competenza.
Ambiente gradevole, molto frequentato da chi vive in questa zona e apprezza la cucina
del territorio.

a Viceno Nord-Ovest : 4,5 km – **alt. 896 m** – ⊠ **28862 – Crodo**

🏠 **Edelweiss** ⊗   ⟨ 🚗 📺 👁 *L₅* 🔲 ᗕ 🖭 rist, 💱 rist, 🌡 P

  – 𝒞 03 24 61 87 91 – www.albergoedelweiss.com   𝗩𝗜𝗦𝗔 ⓿ 🅰🅴 ⓪ ᗴ
  – info@albergoedelweiss.com – Fax 03 24 60 00 01 – chiuso dal 14 al 27 gennaio
  e dal 2 al 26 novembre
30 cam ⊐ – 📞45/55 € 📞📞75/95 € – ½ P 60/65 €
Rist – (chiuso mercoledì escluso dal 15 giugno al 15 settembre) Carta 25/37 €
  ♦ Imbiancato dalla neve d'inverno, baciato dai raggi di un tiepido sole d'estate, un rifugio di montagna dalla calorosa gestione familiare, moderno e curato, con una piccola
sala giochi. I trofei di caccia alle pareti annunciano la specialità del ristorante: selvaggina;
anche paste fatte in casa e formaggi della valle.

⚍ **Pizzo del Frate** con cam ⊗   ⟨ 🚗 👁 *L₅* 💱 rist, 🌡 P

  località Foppiano, Nord-Ovest : 3,5 km alt. 1 250 m   𝗩𝗜𝗦𝗔 ⓿ 🅰🅴 ᗴ
  – 𝒞 032 46 12 33 – www.pizzodelfrate.it – pizzodelfrate@libero.it
  – Fax 032 46 10 40 – chiuso dal 2 novembre al 5 dicembre
13 cam ⊐ – 📞42/45 € 📞📞64/70 € – ½ P 42/45 €
Rist – (chiuso martedì escluso dal 15 giugno al 15 settembre) Carta 21/40 €
  ♦ Circondato da boschi e pascoli alpini la sala ristorante è arredata nel classico stile
montano e propone piatti ossolani con specialità di selvaggina. Tra le mura di questo
ambiente rustico, anche camere semplici ed accoglienti, ideale punto di appoggio per
escursioni o passeggiate.

CROSA – Vercelli – 561E6 – **Vedere Varallo Sesia**

CROTONE P (KR) – 564J33 – **60 457 ab.** – ⊠ **88900** ▌ Italia   5 B2
  ▶ Roma 593 – Cosenza 112 – Catanzaro 73 – Napoli 387
  ▲ di Isola di Capo Rizzuto Contrada Sant'Anna 𝒞 0962 794388
  🆔 via Torino 148 𝒞 0962 23185

🏠 **Palazzo Foti** senza rist   📶 ᗕ 🔲 💱 📞 P 𝗩𝗜𝗦𝗔 ⓿ 🅰🅴 ⓪ ᗴ

  via Colombo 79 – 𝒞 09 62 90 06 08 – www.palazzofoti.it – info@palazzofoti.it
  – Fax 096 22 14 95
39 cam ⊐ – 📞80/115 € 📞📞130/165 €
  ♦ Sul lungomare del centro città, nuovo albergo dalle linee moderne e design: camere
luminose, dotate di ogni confort.

⚍ **Helios**   🔲 💱 📶 🔲 💱 🔥 P 𝗩𝗜𝗦𝗔 ⓿ 🅰🅴 ⓪ ᗴ

  viale Magna Grecia, traversa via Makalla 2, Sud : 2 km – 𝒞 09 62 90 12 91
  – www.helioshotels.it – info@helioshotels.it – Fax 096 22 79 97
42 cam ⊐ – 📞60/75 € 📞📞85/120 € – ½ P 61/78 €
Rist – (chiuso domenica sera) Carta 22/32 €
  ♦ Fuori città, a pochi passi dalla spiaggia, un confortevole hotel di taglio moderno,
adatto sia a clientela d'affari che turistica estiva; camere con terrazza vista mare. Ampia
e luminosa sala da pranzo.

⚒⚒ **Da Ercole**   🔲 🔲 💱 ⟳ 𝗩𝗜𝗦𝗔 ⓿ 🅰🅴 ⓪ ᗴ

  viale Gramsci 122 – 𝒞 09 62 90 14 25 – www.daercole.com – info@daercole.com
  – Fax 09 62 90 14 25 – chiuso 15 giorni in novembre e domenica (escluso luglio-
agosto)
Rist – Carta 44/60 €
  ♦ Il sapore e il profumo del mar Ionio esaltati nei piatti cucinati da Ercole nel suo acco-
gliente locale classico sul lungomare della località. Una sala è decorata con mosaici.

⚒⚒ **La Sosta da Marcello**   🔲 💱 𝗩𝗜𝗦𝗔 ⓿ 🅰🅴 ⓪ ᗴ

  via Emanuele Di Bartolo, 22 – 𝒞 09 62 90 22 43 – www.lasostadamarcello.it
  – francescobresciani@studioproto.it – Fax 09 62 90 10 83 – chiuso domenica sera
da settembre a giugno, tutto il giorno negli altri mesi
Rist – Carta 38/63 €
  ♦ In una zona residenziale, poco arretrato dal mare, ristorante curato, con fiori freschi
sui tavoli: qui il pesce la fa da padrone, ma fatevi consigliare dal titolare.

CUASSO AL MONTE – Varese (VA) – 561E8 – **3 218 ab.** – **alt. 532 m**   16 A2
– ⊠ **21050**
  ▶ Roma 648 – Como 43 – Lugano 31 – Milano 72

☓☓ Al Vecchio Faggio   🏠 P VISA ⓶ AE ⚄

via Garibaldi 8, località Borgnana, Est : 1 km – ✆ 03 32 93 80 40
– www.vecchiofaggio.com – info@vecchiofaggio.com – chiuso dal 7 al 22
gennaio, dal 15 al 30 giugno e mercoledì
Rist – Menu 35 € – Carta 26/38 €
♦ All'ombra del secolare faggio che domina il parco, un'imperdibile vista sul lago di
Lugano e una cucina legata alla tradizione che sfocia in moderne e fantasiose interpretazioni.

a Cavagnano Sud-Ovest : 2 km – ✉ 21050 – **Cuasso al Monte**

🏠 Alpino   🚗 🏠 📶 & rist, ⚒ cam, P 🚗 VISA ⓶ ⚄

via Cuasso al Piano 1 – ✆ 03 32 93 90 83 – www.hotelalpinovarese.it – info@
hotelalpinovarese.it – Fax 03 32 93 90 94 – chiuso dall'8 al 25 gennaio
19 cam � – ♦50/60 € ♦♦75/90 € – ½ P 65/75 €
Rist – (chiuso lunedì escluso da giugno al 15 settembre) Carta 30/40 €
♦ Una risorsa accogliente nella sua semplicità, per un soggiorno tranquillo e familiare in
una verde località prealpina; camere con arredi essenziali. Ambiente semplice di tono
rustico, con soffitto a cassettoni e grande camino in sala da pranzo.

a Cuasso al Piano Sud-Ovest : 4 km – ✉ 21050

☓☓ Molino del Torchio con cam   ☎ P VISA ⓶ AE ① ⚄

via Molino del Torchio 17 – ✆ 03 32 92 03 18 – www.molinodeltorchio.com
– info@molinodeltorchio.com – Fax 03 32 92 11 82
4 cam – ♦70/90 € ♦♦80/120 €, � 10 € – ½ P 70/90 €
Rist – (chiuso dal 1° al 21 gennaio, lunedì e martedì) Menu 37 €
♦ Recupero di antiche, tradizionali ricette lombarde, con menù fisso settimanale, in un
ambiente che vi riporterà al passato: un suggestivo, vecchio mulino.

CUMA – Napoli – 564E24 – Vedere Pozzuoli

CUNEO P **(CN)** – 561I4 – 54 875 ab. – alt. 543 m – ✉ 12100   22 **B3**

▶ Roma 643 – Alessandria 126 – Briançon 198 – Genova 144
🗊 via Vittorio Amedeo II 8A ✆ 0171 690217, turismoacuneo@tin.it, Fax 0171
602773
📷 I Pioppi, ✆ 0171 41 28 25
📷 , ✆ 071 38 70 41

Pianta pagina a lato

🏠🏠 Palazzo Lovera Hotel   🏯 🖥 📶 & cam, 🏃 AC ⚒ ℗ 🚗

via Roma 37 – ✆ 01 71 69 04 20   VISA ⓶ AE ① ⚄
– www.palazzolovera.com – info@palazzolovera.com – Fax 01 71 60 34 35
47 cam ⊆ – ♦99/130 € ♦♦130/160 € – ½ P 100/120 €   **Yd**
Rist – (chiuso quindici giorni in gennaio e quindici giorni in agosto)
Carta 32/42 €
♦ Nel cuore della città, un palazzo nobiliare del XVI secolo che ebbe illustri ospiti, è oggi
un albergo di prestigio che dispone di spaziose ed eleganti camere in stile. Nuovi sapori
al ristorante dove troverete proposte di cucina tipica piemontese ed una sempre interessante selezione di vini.

🏠🏠 Principe senza rist   🖥 AC ⚒ 🛎 VISA ⓶ AE ① ⚄

piazza Galimberti 5 – ✆ 01 71 69 33 55 – www.hotel-principe.it – info@
hotel-principe.it – Fax 017 16 75 62   **Zc**
50 cam ⊆ – ♦85/135 € ♦♦105/200 €
♦ Dalla piazza principale un ingresso "importante" con scalinata di marmo introduce in
un hotel di lunga storia, rinnovatosi nel tempo, con moderne camere ben accessoriate.

🏠 Royal Superga senza rist   🖥 & ⚒ P VISA ⓶ AE ① ⚄

via Pascal 3 – ✆ 01 71 69 32 23 – www.hotelroyalsuperga.com – info@
hotelroyalsuperga.com – Fax 01 71 69 91 01   **Ya**
29 cam ⊆ – ♦49/100 € ♦♦69/140 €
♦ Riservata e cortese, la nuova dinamica gestione attualmente al timone dell'hotel ha
presto apportato alcune migliorie in termini di confort e tecnologie. Comodi box riservati ai clienti.

CUNEO

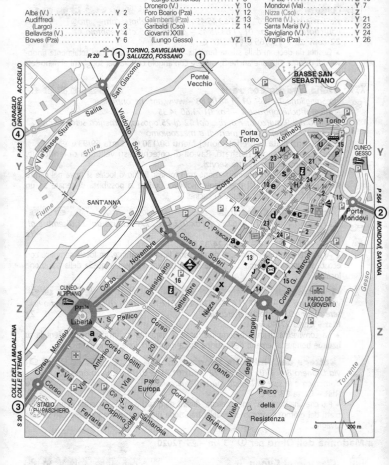

🏠 **Cuneo Hotel** senza rist ⊟ 🌐 ♿ 🚭 VISA ⬤⬤ AE ⓪ ⟲

via Vittorio Amedeo II, 2 – ℰ 01 71 68 19 60 – www.cuneohotel.com
– info@cuneohotel.com – Fax 01 71 69 71 28   **Z**x
21 cam � – ♦60/80 € ♦♦70/90 €

♦ Confort, essenzialità negli arredi secondo le tendenze del moderno stile minimalista e solari tonalità di colore per questa risorsa situata in comoda posizione centrale, ristrutturata con gusto.

🏠 **Fiamma** senza rist 🖂 🌲 📶 VISA ⬤⬤ AE ⟲

via Meucci 36 – ℰ 017 16 66 51 – www.paginegialle.it/hotelfiamma
– chiara.bono1@aliceposta.it – Fax 017 16 66 52   **Z**a
13 cam – ♦55/75 € ♦♦75/90 €, ⊟ 7 €

♦ Piccola struttura a conduzione familiare attenta e precisa, propone camere accoglienti arredate con mobili artigianali in noce. A breve distanza dal complesso ospedaliero cittadino.

407

🏠 **Ligure** senza rist 🖼 🐎 🖼 ↳ ⒱ 🖼 🅿 ⱽⁱˢᵃ ⓌⒺ 🖼

via Savigliano 11 – 𝒞 01 71 63 45 45 – www.ligurehotel.com – info@
ligurehotel.com – Fax 01 71 63 45 45 – chiuso dal 5 all'8 febbraio   Yc
22 cam ⌱ – ♦55/65 € ♦♦75/85 €

♦ Gestita da decenni dalla stessa famiglia, la semplice risorsa è stata totalmente rinnovata di recente. Dispone anche di camere con angolo cottura per soggiorni almeno settimanali.

XXX **Delle Antiche Contrade** 🛖 🖼 ⱽⁱˢᵃ ⓌⒺ 🖼 ⓄⒹ 🖼
🏵

via Savigliano 11 – 𝒞 01 71 48 04 88 – www.antichecontrade.it
– info@antichecontrade.it – Fax 01 71 60 34 35
– chiuso dal 9 marzo al 7 aprile, dal 12 al 25 agosto, domenica sera (escluso
ottobre-dicembre), lunedì, martedì a mezzogiorno   Yc
Rist – (consigliata la prenotazione) Menu 60/130 € – Carta 69/93 € ⌘
Spec. Cappon magro rivisitato. Ravioli di cotechino su vellutata di lenticchie.
Agnello sambucano in due servizi.

♦ Eleganza nell'atmosfera, innovazione tra i fornelli. Il nuovo locale si trova nel centro
storico, a pochi metri dal precedente indirizzo. Curiosa la possibilità di cenare ad un
"tavolo di famiglia" direttamente in cucina.

XX **Osteria della Chiocciola** ⱽⁱˢᵃ ⓌⒺ 🖼 🖼
🍝

via Fossano 1 – 𝒞 017 16 62 77 – Fax 017 16 62 77 – chiuso dal 31 dicembre al
15 gennaio e domenica   Ys
Rist – Menu 18/35 € – Carta 24/33 € ⌘

♦ Al pianterreno c'è l'enoteca, al primo piano la sala ristorante, un locale semplice con
eco di tendenza moderna. La cucina di cui l'osteria va fiera è quella della tradizione
locale.

X **Torrismondi** 🖼 🐎 ⱽⁱˢᵃ ⓌⒺ 🖼

via Coppino 33 – 𝒞 01 71 63 08 61 – Fax 017 16 55 15 – chiuso domenica e le
sere di lunedì, martedì e mercoledì   Zr
Rist – Carta 27/40 €

♦ La convivialità di questo semplice locale è garantita da un'affezionata clientela di
habitué bongustai, amanti della cucina tipica della tradizione piemontese.

X **Bottega dei Vini delle Langhe** ⱽⁱˢᵃ ⓌⒺ 🖼 ⓄⒹ 🖼
🍝

via Dronero 8 – 𝒞 01 71 69 81 78 – Fax 01 71 69 81 78 – chiuso agosto,
domenica e le sere di lunedì, martedì, mercoledì   Ye
Rist – Carta 18/29 €

♦ Più che una "bottega" una "mescita" di vini, da qualche anno convertita in un'osteria. I
piatti del giorno, rigorosamente della tradizione piemontese, vengono elencati su una
lavagna.

a Madonna dell'Olmo per ① : 3 km – ✉ 12020

🏠 **ClassHotel Cuneo** 🖼 🐎 cam, 🖼 ↳ 🐎 rist, ⒱ 🖼 🅿

via Cascina Magnina 3/a – 𝒞 01 71 41 31 88   ⱽⁱˢᵃ ⓌⒺ 🖼 ⓄⒹ 🖼
– www.classhotel.com – info.cuneo@classhotel.com – Fax 01 71 41 14 71
82 cam ⌱ – ♦65/150 € ♦♦74/200 €
Rist Sapori di Cuneo – 𝒞 01 71 41 22 48 (chiuso domenica) Carta 26/35 €

♦ In posizione periferica, nei pressi di un campo da golf, una struttura di concezione
moderna, inaugurata nel 2000; buone e funzionali soluzioni di confort nelle camere.
Sala ristorante moderna e di ampio respiro.

CUOTTO – Napoli – Vedere Ischia (Isola d') : Forio

CUPRA MARITTIMA – Ascoli Piceno (AP) – 563M23 – 5 125 ab.   21 D2
– ✉ 63012█ Italia

🔼 Roma 240 – Ascoli Piceno 47 – Ancona 80 – Macerata 60
ℹ piazza della Libertà 13 𝒞 0735 779193, iat.cupramarittima@provincia.ap.it,
Fax 0735 779193
🖼 Montefiore dell'Aso : polittico★★ del Crivelli nella chiesa Nord-Ovest :
12 km

🏠 **Europa**   🛗 📶 🕏 rist, 🚗 𝚅𝙸𝚂𝙰 ⓦ 🕏
via Gramsci 8 – ☎ *07 35 77 80 33 – www.hoteleuropaweb.it*
– hotelristoranteeuropa@virgilio.it – Fax 07 35 77 80 34
– chiuso dal 7 al 24 novembre
30 cam ⬭ – ♦50 € ♦♦65 € – ½ P 45/60 €   **Rist** *– (chiuso lunedì)* Carta 25/51 €
♦ Una semplice pensione, ideale per una vacanza in famiglia, dispone di camere di gusto sobriamente moderno impreziosite da una decorazione ad arco sulla testiera del letto. La sala ristorante è illuminata da grandi vetrate e propone una cucina tradizionale.

CUREGGIO – Novara (NO) – 2 281 ab. – alt. 289 m – ⊠ 28060   24 **A3**
▶ Roma 657 – Stresa 42 – Milano 80 – Novara 33

🏠 **Agriturismo La Capuccina** 🌲   🍽 🚶 📶 📶 📶 🅿 𝚅𝙸𝚂𝙰 ⓦ 🄰🄴 🕏
via Novara 19/b, località Capuccina – ☎ *03 22 83 99 30 – www.lacapuccina.it*
– info@lacapuccina.it – Fax 03 22 88 36 91
7 cam ⬭ – ♦60 € ♦♦75/80 € – ½ P 60/65 €
Rist *– (chiuso dal 24 dicembre al 14 gennaio) (chiuso a mezzogiorno escluso la domenica)* Menu 26/28 €
♦ Cascina restaurata, in aperta campagna, presenta un'ambientazione rustico-moderna con camere di buon confort. Intorno le attività dell'azienda, coltivazioni e bestiame. Grazioso ristorante con quadri moderni e vecchi utensili di campagna.

CURNO – Bergamo (BG) – 561E10 – 7 408 ab. – alt. 242 m – ⊠ 24035   19 **C1**
▶ Roma 607 – Bergamo 6 – Lecco 28 – Milano 49

🍴🍴 **Trattoria del Tone**   📶 ⇆ 🅿 𝚅𝙸𝚂𝙰 ⓦ 🄰🄴 ⓪ 🕏
via Roma 4 – ☎ *035 61 31 66 – Fax 035 61 31 66 – chiuso 3 settimane in agosto, martedì e mercoledì*
Rist – Carta 31/50 €
♦ Nato come trattoria di paese, si è trasformato in un ristorante di tono, mantenendo la genuinità e la schiettezza della proposta: territorio intelligentemente rivisitato.

CURTATONE – Mantova (MN) – 561G14 – 100 ab. – alt. 26 m   17 **C3**
– ⊠ 46010
▶ Roma 475 – Verona 55 – Bologna 112 – Mantova 8

a Grazie Ovest : 2 km – ⊠ 46010

🍴🍴 **Locanda delle Grazie**   🏠 ⇆ 𝚅𝙸𝚂𝙰 ⓦ 🄰🄴 ⓪ 🕏
via San Pio X 2 – ☎ *03 76 34 80 38 – locandagrazie@libero.it*
– Fax 03 76 34 92 63 – chiuso 1 settimana in gennaio, dal 20 al 30 giugno, dal 20 al 30 agosto e mercoledì
Rist – Menu 25 € bc/35 € bc – Carta 27/36 €
♦ Grazioso locale in una frazione di campagna. Casalinga cucina del territorio, con alcuni piatti di mare, in un ambiente lindo e curato. Gestione familiare, clientela abituale.

CUSAGO – Milano (MI) – 561F9 – 3 186 ab. – alt. 126 m – ⊠ 20090   18 **A2**
▶ Roma 582 – Milano 12 – Novara 45 – Pavia 40

🏨 **Le Moran**   🛗 🕏 cam, 📶 🕏 📶 🔊 🅿 𝚅𝙸𝚂𝙰 ⓦ 🄰🄴 ⓪ 🕏
viale Europa 90, Sud-Est : 2 km – ☎ *02 90 11 98 94 – www.hotel-lemoran.com*
– info@hotel-lemoran.com – Fax 029 01 62 07
78 cam ⬭ – ♦♦100/350 € – 2 suites – ½ P 200 €
Rist *– (chiuso Natale e agosto)* Menu 25/35 €
♦ Struttura di moderna concezione, con ampie ed eleganti zone comuni e camere spaziose (idromassaggio nelle suite). Salone polivalente nella dépendance, campo da calcetto. Signorile sala ristorante al piano interrato.

XX **Da Orlando** (Lorenzo Bordin) 🛆 AC 🕉 ⇄ VISA ⚫ AE ⓪ ⑤

❀ *piazza Soncino 19 – ℰ 02 90 39 03 18 – www.daorlando.com – info@*
daorlando.com – Fax 02 90 39 03 18 – chiuso dal 25 dicembre al 1° gennaio,
dall'8 al 29 agosto, sabato, domenica e lunedì
Rist – Menu 55 € – Carta 41/61 € ✾

Spec. Crudo di cappesante, foie gras d'oca marinato al Porto e capperi caramellati (maggio-settembre). Ravioli di cipolle rosse e patate, testun (formaggio) di capra e salsa di coda di bue (dicembre-marzo). Scaloppa di foie gras
d'oca alle mele e aceto balsamico tradizionale.

♦ Su una scenografica piazza con castello, ambienti classici con tavoli distanziati e accogliente gestione familiare. La cucina si divide equamente tra carne e pesce.

CUSTOZA – Verona – 562F14 – Vedere Sommacampagna

CUTIGLIANO – Pistoia (PT) – 563J14 – 1 664 ab. – alt. 670 m – Sport   28 B1
invernali : 1 600/1 800 m �533 �533, ✗ – ⊠ 51024▮ Toscana

▶ Roma 348 – Firenze 70 – Pisa 72 – Lucca 52

🔢 via Brennero 42/A ℰ 0573 68029, Fax 0573 68200

X **Trattoria da Fagiolino** con cam ❦   ⬿ ⁽ᵗ⁾ VISA ⚫ ⓪ ⑤

❀ *via Carega 1 – ℰ 057 36 80 14 – www.dafagiolino.it – luigiinnocenti@tiscali.it*
– Fax 057 36 82 10 – chiuso novembre
4 cam ⊆ – †55/58 € ††78/85 € – ½ P 61 €
Rist – (chiuso martedì sera e mercoledì) Carta 28/40 €

♦ Funghi e selvaggina, tra i piatti della tradizione locale, ed una calorosa accoglienza
familiare caratterizzano il locale. Cucina completamente a vista dall'ingresso. Moderne e
confortevoli le camere; terrazza panoramica a disposizione per la prima colazione e per
il tempo libero.

CUTROFIANO – Lecce (LE) – 564G36 – 9 351 ab. – ⊠ 73020   27 D3

🏠🏠 **Sangiorgio Resort**   ⏛ 🛆 ⌧ 🗔 ⊛ ⋔ ⌧ 🖫 ⅏ AC ⊬ 🕉 ⏃ 🛆

– ℰ 08 36 54 28 48 – www.sangiorgioresort.it   🅿 VISA ⚫ AE ⓪ ⑤
– info@sangiorgioresort.it – Fax 08 36 54 16 09
16 cam ⊆ – †135/212 € ††210/324 € – 2 suites – ½ P 150/207 €
Rist *Il Chiostro* – Carta 37/59 € ✾

♦ Nato come residenza estiva per le suore del convento di Santa Maria di Leuca, di cui
conserva ancora una cappella consacrata, il resort si estende in orizzontale ed è circondato da una grande proprietà: due piscine distanti l'una dall'altra assicurano agli ospiti
una certa privacy. Stile elegante ed opulento.

DALMINE – Bergamo (BG) – 561F10 – 22 001 ab. – alt. 191 m   19 C1
– ⊠ 24044

▶ Roma 610 – Bergamo 10 – Brescia 63 – Milano 49

X **Al Brodo di Giuggiole**   🛆 VISA ⚫ AE ⓪ ⑤

via Colleoni 10 – ℰ 035 56 65 81 – www.albrododigiuggiole.it – cuoco27@
virgilio.it – Fax 035 56 65 81 – chiuso 1 settimana in gennaio, dal 1° al 7 luglio,
sabato a mezzogiorno e lunedì sera
Rist – Menu 25/35 € – Carta 31/52 €

♦ Preparatevi ad andare in brodo di giuggiole, in questo ristorante con veranda estiva
per romantiche cene a lume di candela. Cucina moderna.

DARFO BOARIO TERME – Brescia (BS) – 561E12 – 14 213 ab.   17 C2
– alt. 221 m – ⊠ 25047

▶ Roma 613 – Brescia 54 – Bergamo 54 – Bolzano 170

🔢 a Boario Terme, piazza Einaudi 2 ℰ 0364 531609, iat.boario@tiscali.it, Fax
0364 532280

a Boario Terme – ⊠ 25041

🖩 Brescia 🖹 🎾 rist, 📞 🕭 🄿 🚗 VISA 🐠 AE ① 🕭
via Zanardelli 6 – 🕾 03 64 53 14 09 – www.hotelbrescia.it – info@hotelbrescia.it – Fax 03 64 53 29 69
51 cam � – †53/56 € ††73/80 € – ½ P 51/61 €
Rist – *(chiuso gennaio)* Carta 30/40 €
♦ Imponente struttura con curati spazi comuni dai toni signorili, accoglienti e funzionali, con decorativi pavimenti a scacchiera; camere sobrie con arredi in stile moderno. Ambiente distinto nelle due sale del ristorante ben illuminate da grandi finestre.

🖩 Diana 🖹 AC 🎾 rist, 📞 🄿 VISA 🐠 🕭
via Manifattura 12 – 🕾 03 64 53 14 03 – www.albergodiana.it – info@albergodiana.it – Fax 03 64 53 30 76 – aprile-novembre
43 cam – †30/55 € ††60/85 €, � 5 € – ½ P 50/60 € **Rist** – Menu 16/22 €
♦ Albergo del centro a pochi passi dalle terme, con un gradevole e raccolto cortiletto interno; al piano terra luci soffuse, grandi quadri alle pareti e comodi divani. Capiente sala ristorante con un bianco soffitto costellato di piccole luci.

🏠 Armonia 🏊 🎴 🖹 🕭 AC rist, 🎾 rist, 📞 🄿 VISA 🐠 AE ① 🕭
via Manifattura 11 – 🕾 03 64 53 18 16 – www.albergoarmonia.it – info@albergoarmonia.it – Fax 03 64 53 18 16
26 cam – †33/35 € ††54/58 €, � 6 € – ½ P 31/49 € **Rist** – Carta 17/22 €
♦ In posizione centrale, ristrutturato pochi anni fa, alberghetto con piccola piscina su una terrazza; ambienti funzionali e camere non grandi, ma accoglienti. Piatti classici e della tradizione presso la sobria e luminosa sala da pranzo dagli arredi lignei.

🍴🍴 La Svolta 🕭 VISA 🐠 AE ① 🕭
viale Repubblica 15 – 🕾 03 64 53 25 80 – www.ristorantepizzerialasvolta.it – contatti@ristorantepizzerialasvolta.it – Fax 03 64 53 63 40 – chiuso mercoledì
Rist – *(chiuso a mezzogiorno)* Carta 22/39 €
♦ Villetta con un ampio terrazzo per il servizio estivo; graziosa e accogliente sala di taglio semplice con tavoli curati. Cucina varia: pesce, piatti locali e pizza.

a Montecchio Sud-Est : 2 km – ⊠ 25047 – Darfo Boario Terme

🍴🍴 La Storia 🕭 AC 🎾 🄿 VISA 🐠 AE ① 🕭
via Fontanelli 1, Est : 2 km – 🕾 03 64 53 87 87 – www.ristorantelastoria.it – info@ristorantelastoria.it – Fax 03 64 53 87 87 – chiuso mercoledì sera
Rist – Carta 17/33 €
♦ Villetta periferica con un piccolo parco giochi per bambini e due ambienti gradevoli in cui provare una cucina con tocchi di originalità, a base di piatti di mare.

DEIVA MARINA – La Spezia (SP) – 561J10 – 1 480 ab. – ⊠ 19013   15 D2
▶ Roma 450 – Genova 74 – Passo del Bracco 14 – Milano 202
🛈 lungomare Cristoforo Colombo 🕾 0187 815858, ufficioturistico@comune.deivamarina.sp.it, Fax 0187 815800

🖩 Clelia 🚗 🕭 🏊 🖹 ⛵ AC 🎾 rist, 📞 🄿 VISA 🐠 AE ① 🕭
corso Italia 23 – 🕾 018 78 26 26 – www.clelia.it – hotel@clelia.it – Fax 01 87 81 62 34 – chiuso dal 6 novembre al 26 dicembre
30 cam ⊜ – †56/108 € ††80/140 € – ½ P 80/135 €
Rist – *(chiuso dal 4 novembre al 15 marzo)* Carta 25/55 €
♦ Gestito direttamente dai proprietari, a 100 m dal mare, bella struttura con piscina circondata da un fresco giardino. Spiaggia convenzionata e solarium. Camere confortevoli e funzionali (vasca idromassaggio in quelle di categoria superiore). Nell'apprezzato ristorante: piatti liguri, molti dei quali a base di pesce.

🏠 Riviera 🚗 AC rist, 🄿 VISA 🐠 AE ① 🕭
località Fornaci 12 – 🕾 01 87 81 58 05 – www.hotelrivieradeivamarina.it – hotelriviera@hotelrivieradeivamarina.it – Fax 01 87 81 64 33 – Pasqua-settembre
28 cam ⊜ – †48/70 € ††68/115 € – ½ P 50/80 € **Rist** – *(solo per alloggiati)*
♦ A pochi passi dalle spiagge, un hotel a conduzione diretta, di recente ristrutturazione; zona comune semplice e camere essenziali, ma accoglienti e personalizzate. Nella fresca sala ristorante caratterizzata da una stupenda vista sul mare, cucina regionale rivisitata e menù degustazione di pesce.

411

🏠 **Eden** 🛗 &. 𝗩𝗜𝗦𝗔 ⑩ 𝕊

corso Italia 39 – ℰ *01 87 81 58 24 – www.edenhotel.com – info@edenhotel.com – Fax 01 87 82 60 07*
16 cam ⊐ – †48/58 € ††63/83 € – ½ P 57/63 €
Rist *– (solo per alloggiati)* Carta 29/36 €
♦ In centro paese, all'interno di una grande struttura, piccolo albergo a gestione familiare, con una piccola e graziosa hall e camere semplici, ma rinnovate e molto piacevoli. In centro paese, all'interno di una grande struttura, piccolo albergo a gestione familiare, con una piccola e graziosa hall e camere semplici, ma rinnovate e molto piacevoli.

DELEBIO – Sondrio (SO) – 561D10 – **3 003 ab.** – alt. 218 m – ✉ **23014**   16 B1
🚗 Roma 674 – Sondrio 34 – Brescia 136 – Milano 106

🍴 **Osteria del Benedet** 𝗔𝗖 ⟷ 𝗩𝗜𝗦𝗔 ⑩ 𝖠𝖤 ⓪ 𝕊

via Roma 2 – ℰ *03 42 69 60 96 – www.osteriadelbenedet.it – osteriadelbenedet@ tiscali.it – Fax 03 42 69 68 71 – chiuso dal 1° al 7 gennaio, dal 10 al 23 agosto, domenica e lunedì dal 15 giugno al 25 agosto, domenica sera e lunedì negli altri mesi*
Rist – Menu 29/39 € – Carta 29/44 € ⊛
♦ Osteria di antica tradizione, si sviluppa oggi in verticale: wine-bar al piano terra e sale al piano superiore. Cucina di ispirazione contemporanea e tradizionale.

DERUTA – Perugia (PG) – 563N19 – **8 364 ab.** – alt. 218 m – ✉ **06053**   32 B2
🚗 Roma 153 – Perugia 20 – Assisi 33 – Orvieto 54

🍴🍴 **L'Antico Forziere** con cam   🚗 🏡 ⅀ 𝗔𝗖 ⅍ rist, 𝗣 𝗩𝗜𝗦𝗔 ⑩ 𝖠𝖤 𝕊

via della Rocca 2 – ℰ *07 59 72 43 14 – www.anticoforziere.it – info@ anticoforziere.it – Fax 07 59 72 93 92 – chiuso dal 10 al 31 gennaio e lunedì*
9 cam ⊐ – †65/75 € ††85/100 €   **Rist** – Carta 30/46 €
♦ Ristorante all'interno di un antico casale con giardino e piscina: ambiente elegante ed accogliente; cucina ricca di spunti creativi.

DESENZANO DEL GARDA – Brescia (BS) – 561F13 – **25 228 ab.**   17 D1
– alt. 96 m – ✉ **25015**▮ Italia

🚗 Roma 528 – Brescia 31 – Mantova 67 – Milano 118
ℹ️ via Porto Vecchio 34 (Palazzo del Turismo) ℰ 030 9141510, iat.desenzano@ tiscali.it, Fax 030 9144209
🏌 Gardagolf, ℰ 0365 67 47 07
🏌 Arzaga, ℰ 030 680 62 66
◉ Ultima Cena★ del Tiepolo nella chiesa parrocchiale – Mosaici romani★ nella Villa Romana

🏨 **Acquaviva** ⪡ 🚗 🏡 ⅀ 🔲 ⊛ ⅍ 𝐿ร 🛗 &. 𝗔𝗖 ⅍ rist, 🕻 𝗣 🚗

𝗩𝗜𝗦𝗔 ⑩ 𝖠𝖤 ⓪ 𝕊
viale Agello 84 – ℰ *03 09 90 15 83 – www.hotelacquaviva.it – info@hotelacquaviva.it – Fax 03 09 11 10 99*
86 cam ⊐ – †90/180 € ††120/280 €   **Rist** – Carta 24/65 €
♦ Fronte lago, l'acqua è il tema dell'albergo dagli ambienti moderni, minimalisti e rilassanti. Curati spazi verdi all'esterno, oggetti d'arte e tonificante centro benessere.

🏨 **Park Hotel** ⪡ 🛗 𝗔𝗖 ⅍ rist, 🕻 𝔖𝔞 🚗 𝗩𝗜𝗦𝗔 ⑩ 𝖠𝖤 ⓪ 𝕊

lungolago Cesare Battisti 19 – ℰ *03 09 14 34 94 – www.parkhotelonline.it – park@cerinihotels.it – Fax 03 09 14 22 80*
53 cam – †115/140 € ††140/185 €, ⊐ 14 € – ½ P 90/110 €
Rist – Carta 38/51 €
♦ Servizio accurato in elegante albergo prospiciente il lago, ristrutturato pochi anni fa, con interni raffinati e camere arredate con gusto; ideale per turismo d'affari. Ambiente sobrio e distinto nella signorile sala da pranzo.

🏨 **Nazionale** senza rist   ⅀ 🛗 𝗔𝗖 🕻 𝔖𝔞 🚗 𝗩𝗜𝗦𝗔 ⑩ 𝖠𝖤 𝕊

via Marconi 23 – ℰ *03 09 15 85 55 – www.nazionaleonline.it – nazionale@ cerinihotels.it – Fax 03 09 14 12 47*
41 cam ⊐ – †90/120 € ††110/160 €
♦ Vicino al centro, storico albergo di Desenzano risorto dopo un completo restauro propone ambienti moderni e rilassanti, colori sobri e grandi docce nei bagni.

Estée senza rist   ⟵ ⌨ 🏊 ⅙ 🛉 🛗 📠 📶 **P** 𝚅𝙸𝚂𝙰 ⓐ 🄰🄴 ⚲
viale dal Molin 33 – 🕾 03 09 14 13 18 – www.hotelestee.it – hotel.estee@inwind.it
– Fax 03 09 14 03 22
24 cam ⊈ – 🛉85/168 € 🛉🛉137/217 €
♦ Di recente apertura, un albergo in posizione panoramica, sede di un attrezzato centro benessere dove curarsi con il metodo sheng; confortevoli camere di buon livello.

Desenzano senza rist   🖹 🄰🄲 💅 📶 🛄 **P** 🛪 𝚅𝙸𝚂𝙰 ⓐ 🄰🄴 ⓞ ⚲
viale Cavour 40/42 – 🕾 03 09 14 14 14 – www.hoteldesenzano.it – info@
hoteldesenzano.it – Fax 03 09 14 02 94
40 cam ⊈ – 🛉65/90 € 🛉🛉100/130 €
♦ Struttura di moderna concezione, non lontana dalla stazione e dal bacino lacustre, con accoglienti e piacevoli zone comuni ornate di tappeti; graziose camere confortevoli.

XXX   **Esplanade** (Massimo Fezzardi)   ⟵ 🏡 🄰🄲 💅 **P** 𝚅𝙸𝚂𝙰 ⓐ 🄰🄴 ⓞ ⚲
🕸   *via Lario 10 – 🕾 03 09 14 33 61 – ristesplanade@yahoo.it – Fax 03 09 14 33 61*
– chiuso mercoledì, le sere di Natale, Capodanno e Pasqua
Rist – Menu 80/90 € – Carta 66/98 € 🍴
Spec. Rotolini d'anguilla con giardiniera all'aceto di dragoncello. Composizione di crudo di mare. Filetto di manzo fassone in crosta di sale e pepe con olio al timo.
♦ Una finestra sul lago. In carta ci sono piatti di carne, ma la specialità è il pesce: elaborato in presentazioni estrose e creative.

XXX   **Antica Hostaria Cavallino**   🏡 ⇄ 𝚅𝙸𝚂𝙰 ⓐ 🄰🄴 ⚲
via Gherla 30 ang. via Murachette – 🕾 03 09 12 02 17
– www.ristorantecavallino.it – info@ristorante/cavallino.it – Fax 03 09 91 27 51
– chiuso dal 5 al 23 novembre, 25 e 26 dicembre, domenica sera e lunedì
Rist – Carta 58/116 € 🍴
♦ Cordiale accoglienza in un elegante locale del centro: distinta e spaziosa sala con tavoli rotondi; gradevole il servizio all'aperto, inappuntabile come quello interno.

DEUTSCHNOFEN = Nova Ponente

DEVINCINA – Trieste – Vedere Sgonigo

DIACCETO – Firenze – 563K16 – Vedere Pelago

DIAMANTE – Cosenza (CS) – 564H29 – **5 377 ab.** – ⊠ 87023   5 **A1**
   ▶ Roma 444 – Cosenza 78 – Castrovillari 88 – Catanzaro 137

Ferretti   ⟵ 🏡 ⌨ 💅 🖹 🄰🄲 💅 rist, 📶 **P** 🛪 𝚅𝙸𝚂𝙰 ⓐ 🄰🄴 ⓞ ⚲
via Poseidone 171 – 🕾 098 58 14 28 – www.ferrettihotel.it – info@ferrettihotel.it
– Fax 098 58 11 14 – giugno-settembre
41 cam ⊈ – 🛉60/110 € 🛉🛉80/160 € – ½ P 70/120 €   **Rist** – Carta 31/44 €
♦ Struttura anni '70 in stile mediterraneo, situata proprio di fronte al mare; all'interno ampi spazi razionali e confortevoli camere ben arredate, quasi tutte vista mare. Gradevole servizio ristorante estivo sulla spiaggia.

DIANO D'ALBA – Cuneo (CN) – 561I6 – **3 083 ab.** – alt. 496 m   25 **C2**
– ⊠ 12055
   ▶ Roma 626 – Cuneo 65 – Torino 72 – Alessandria 73

verso Grinzane Cavour Ovest : 2 km

↑   **Agriturismo La Briccola**   ⟵ **P** 𝚅𝙸𝚂𝙰 ⓐ ⚲
via Farinetti 9 ⊠ 12055 Diano d'Alba – 🕾 01 73 46 85 13 – www.labriccola.com
– labriccola@virgilio.it – chiuso gennaio
4 cam ⊈ – 🛉55/60 € 🛉🛉75/85 € – ½ P 60/70 €
Rist – (chiuso lunedì e martedì) (chiuso a mezzogiorno escluso sabato-domenica) Carta 24/31 €
♦ Cascina di inizio '900 restaurata di recente, in splendida posizione, circondata dai vigneti. Camere personalizzate e vista incantevole sui dintorni.

DIANO MARINA – Imperia (IM) – 561K6 – **6 279 ab.** – ⊠ **18013**   14 **A3**

▶ Roma 608 – Imperia 6 – Genova 109 – Milano 232

🅓 corso Garibaldi 60 ✆ 0183 496956, infodianomarina@rivieradeifiori.travel,
Fax 0183 494365

Grand Hotel Diana Majestic ⌖   ◁ 🚗 🏠 🗓 🗐 ᾃ cam, ᴷ ⤶
🗓 rist, (¹) 🖳 ᾃ 🅿 ᴠᴵˢᴬ ⓒⓞ ᴬᴱ ⓞ ś

via degli Oleandri 15
– ✆ 01 83 40 27 27 – www.dianamajestic.com – grandhotel@dianamajestic.com
– Fax 01 83 40 30 40 – chiuso dal 14 ottobre al 23 dicembre
86 cam ⌷ – ♦♦300 € – ½ P 130/160 €   **Rist** – Menu 36/46 €
♦ Fronte mare, cinto da un profumato giardino-uliveto che accoglie anche due belle
piscine (una riscaldata e con idroterapie), l'albergo offre spaziosi ambienti dotati di
ogni confort e moderne, eleganti, camere. I più conosciuti piatti italiani dalla cucina.

Bellevue et Mediterranée   ◁ 🗓 🖳 🗐 ᴷ 🗓 rist, (¹) 🅿
ᴠᴵˢᴬ ⓒⓞ ᴬᴱ ⓞ ś

via Generale Ardoino 2 – ✆ 01 83 40 93
– www.bellevueetmediterranee.it – postmaster@bellevueetmediterranee.it
– Fax 01 83 40 93 85 – marzo-ottobre
70 cam ⌷ – ♦120/130 € ♦♦150/170 € – ½ P 111/132 €
Rist – (solo per alloggiati)
♦ Da un lato l'Aurelia con la sua mondana frenesia, dall'altro la vista sul mare e sulla
spiaggia. Imponente, signorile e spiccatamente familiare dispone di una piscina riscaldata, con acqua di mare. Ampia e panoramica la sala ristorante, affacciata sul mare.

Gabriella ⌖   🚗 🗓 🖳 ᴷ 🗓 rist, (¹) 🅿 ᴠᴵˢᴬ ⓒⓞ ᴬᴱ ⓞ ś

via dei Gerani 9 – ✆ 01 83 40 31 31 – www.hotelgabriella.com – info@
hotelgabriella.com – Fax 01 83 40 50 55 – chiuso dal 25 ottobre al 15 gennaio
50 cam – ♦55/91 € ♦♦65/158 €, ⌷ 5 € – ½ P 54/95 €   **Rist** – Menu 28 €
♦ Sul mare verso San Bartolomeo, un'imponente struttura circondata da un verde giardino: semplice nelle zone comuni, offre camere spaziose e di recente rinnovo. Biciclette
e risciò ad uso gratuito.

Caravelle ⌖   ◁ 🚗 🗓 🕎 🖳 ᴷ 🗓 rist, (¹) 🅿 🚗 ᴠᴵˢᴬ ⓒⓞ ᴬᴱ ś

via Sausette 34 – ✆ 01 83 40 53 11 – www.hotelcaravelle.net – info@
hotelcaravelle.net – Fax 01 83 40 56 57 – 15 aprile-20 ottobre
53 cam ⌷ – ♦♦106/176 € – ½ P 92/104 €   **Rist** – Menu 35/55 €
♦ La piscina tra le palme appena sopra la spiaggia, il bar con terrazza solarium, talassoterapia, giochi per bambini e biciclette per escursioni nei dintorni: il benessere, qui, non
è un optional! Il moderno ristorante dispone di grandi vetrate che permettono allo
sguardo di spaziare. Specialità marinare.

Torino   🗓 ᴸᵇ 🖳 ᴷ ⤶ 🗓 rist, (¹) ᾃ 🅿 🚗 ᴠᴵˢᴬ ⓒⓞ ᴬᴱ ś

via Milano 72 – ✆ 01 83 49 51 06 – www.hoteltorinodiano.com – info@
htorino.com – Fax 01 83 49 36 02 – chiuso da novembre all'11 gennaio
72 cam ⌷ – ♦70/90 € ♦♦95/145 € – 8 suites – ½ P 80/92 €
Rist – (solo per alloggiati) Menu 25/35 €
♦ Servizio accurato in un signorile hotel del centro, dotato di spazi interni accoglienti e
camere recentemente rinnovate, di buon confort. Nuova sala colazioni con magnifica
vista sul mare, fitness ed area giochi per bambini.

Eden Park   🚗 🏠 🗓 🖳 ᾃ ᴷ 🗓 rist, 🅿 ᴠᴵˢᴬ ⓒⓞ ᴬᴱ ś

via Generale Ardoino 70 – ✆ 01 83 40 37 67 – www.edenparkdiano.it – info@
edenparkdiano.it – Fax 01 83 40 52 68
33 cam ⌷ – ♦128 € ♦♦206 € – ½ P 99/144 €   **Rist** – Carta 35/57 €
♦ E' sufficiente una breve passeggiata attraverso i gradevoli ambienti comuni per arrivare al bel giardino con piscina, proprio in riva al mare. Quanto alle camere, fresche e
luminose, sono tutte arredate con vivaci colori. La sala ristorante offre una gradevole
vista sul giardino, piatti locali ed internazionali.

Jasmin   ◁ 🖳 ⚗ 🗓 rist, (¹) 🅿 ᴠᴵˢᴬ ⓒⓞ ᴬᴱ ⓞ ś

viale Torino 15 – ✆ 01 83 49 53 00 – www.hoteljasmin.com – info@
hoteljasmin.com – Fax 01 83 49 59 64 – chiuso dal 10 ottobre al 22 dicembre
27 cam – ♦50/75 € ♦♦80/110 €, ⌷ 8 € – 3 suites – ½ P 73/88 €
Rist – (solo per alloggiati) Menu 20/30 €
♦ Molte le vetrate musive policrome, alcune anche nelle stanze: accogliente, vivace e
dinamico, grazie all'uso sapiente dei colori, l'hotel si trova direttamente sulla spiaggia.

Arc en Ciel ⤳ ⟨ 🛗 🅰🅲 cam, 🍴 rist, 𝖵𝖨𝖲𝖠 ⓿ 🅰🅴 ⓪ ⚫
viale Torino 39 – 𝒞 01 83 49 52 83 – www.hotelarcenciel.it – info@
hotelarcenciel.it – Fax 01 83 49 69 30 – Pasqua-15 ottobre
50 cam – ▮60/95 € ▮▮90/140 €, ⌷ 11 € – ½ P 79/95 €   **Rist** – Menu 25 €
♦ Circondato da ville di prestigio, l'albergo ha una piccola spiaggia privata fatta di sassi
e scogli e alcune camere sono provviste di un balcone coperto, lambito dal mare.

Metropol   ⟨ 🕱 🛗 🍴 rist, 𝖵𝖨𝖲𝖠 ⓿ 🅰🅴 ⓪ ⚫
via Divina Provvidenza 2 – 𝒞 01 83 49 55 45 – www.hotelmetropol.com
– hotelmetropol@tin.it – Fax 01 83 49 55 46 – chiuso novembre
57 cam ⌷ – ▮50/70 € ▮▮100/140 € – ½ P 94/129 €
Rist – (chiuso da novembre a gennaio) Menu 25/35 €
♦ In posizione panoramica sul golfo, al termine di una breve salita, offre camere semplici ma rinnovate e luminose, spesso con balcone; per la spiaggia una camminata o la
navetta dell'albergo.

Sasso senza rist   🛗 🅰🅲 🅿 𝖵𝖨𝖲𝖠
via Biancheri 17 – 𝒞 01 83 49 43 19 – www.hotelsassoresidence.com – info@
hotelsassoresidence.com – Fax 01 83 49 43 10 – chiuso da ottobre al 21 dicembre
55 cam – ▮35/45 € ▮▮50/76 €, ⌷ 5 €
♦ Collocato nel cuore della cittadina eppure non lontano dal mare, tutte le camere dell'-
hotel sono dotate di balcone. Dispone anche di alcune unità provviste di angolo cottura.

DIGONERA – Belluno – Vedere Rocca Pietore

DIMARO – Trento (TN) – 562D14 – **1 195 ab.** – **alt. 766 m** – **Sport**   30 **B2**
invernali : 1 400/2 200 m (Comprensorio sciistico Folgarida-Marilleva) ⛷ 5 ⛷19 ⛷
– ✉ 38025

▶ Roma 633 – Trento 62 – Bolzano 61 – Madonna di Campiglio 19
🅸 piazza Giovanni Serra 10 𝒞 0463 974529, info@dimarovacanze.it, Fax 0463
970500

Sporthotel Rosatti   ⟨ 🛌 🏐 🍴 🛗 🅿 🚗 𝖵𝖨𝖲𝖠 ⓿ 🅰🅴 ⓪ ⚫
via Campiglio 14 – 𝒞 04 63 97 48 85 – www.sporthotel.it – info@sporthotel.it
– Fax 04 63 97 88 79
32 cam ⌷ – ▮55/130 € ▮▮80/160 € – ½ P 50/100 €   **Rist** – Carta 17/31 €
♦ Abbellito da un grazioso giardino, offre all'interno caldi ambienti con moquette e parquet, perlinato alle pareti e arredi in legno d'abete color miele. Recentemente ampliato
con una dependence. Semplice sala ristorante in legno chiaro.

Kaiserkrone senza rist   🛗 ♿ 🚗 𝖵𝖨𝖲𝖠 ⓿ 🅰🅴 ⚫
piazza Serra 3 – 𝒞 04 63 97 33 26 – www.kaiserkrone.it – info@kaiserkrone.it
– Fax 04 63 97 33 29 – chiuso dal 10 al 20 maggio
7 cam ⌷ – ▮40/70 € ▮▮70/180 €
♦ Accogliente casa ristrutturata con cura, nel centro del paese; interni in stile montano e
camere completamente rifinite in legno. Colazione presso il vivace bar pubblico.

DIOLO – Parma – Vedere Soragna

DOBBIACO (TOBLACH) – Bolzano (BZ) – 562B18 – **3 293 ab.**   31 **D1**
– **alt. 1 243 m** – **Sport invernali : 1 242/1 500 m** ⛷3 (Comprensorio Dolomiti
superski Alta Pusteria) ⛷ – ✉ 39034 ▮ Italia

▶ Roma 705 – Cortina d'Ampezzo 33 – Belluno 104 – Bolzano 105
🅸 via Dolomiti 3 𝒞 0474 972132, info@dobbiaco.it, Fax 0474 972730

Santer   ⟨ 🚗 🏞 🕱 ⊛ 🏐 🛌 🛗 ♨ ♨ 🅿 𝖵𝖨𝖲𝖠 ⓿ ⚫
via Alemagna 4 – 𝒞 04 74 97 21 42 – www.hotel-santer.com – info@
hotel-santer.com – Fax 04 74 97 27 97 – chiuso da novembre al 5 dicembre e dal
15 aprile al 15 maggio
50 cam ⌷ – ▮74/95 € ▮▮110/190 € – ½ P 96/126 €   **Rist** – Carta 26/47 €
♦ Un invitante giardino incornicia questo piacevole albergo vicinissimo agli impianti di
risalita; atmosfera vellutata negli spazi comuni: bel soffitto ligneo, moquette e soffici
divani. Attrezzata beauty farm. Ambiente distinto nella raffinata sala ristorante con
parete divisoria ad archi; cucina del luogo.

415

Park Hotel Bellevue 🛏 🕭 🗓 📶 📶 🏋 🐴 🏊 🛖 🛳 cam, ⟨⟨⟩ P

via Dolomiti 23 – 𝒞 04 74 97 21 01 — VISA ⓪ AE ⓪ 🛳
– www.parkhotel-bellevue.com – info@parkhotel-bellevue.com
– Fax 04 74 97 28 07 – 20 dicembre-Pasqua e giugno-settembre
43 cam ⊑ – †75/120 € ††120/180 € – ½ P 98/145 €   **Rist** – Carta 30/38 €
♦ Albergo di tradizione nel centro della località, immerso in un parco ombreggiato; all'interno ambienti accoglienti, camere recentemente rinnovate e centro fitness con piscina. Ampie finestre nella sala da pranzo: arredi in stile lineare, con un tocco di eleganza.

Cristallo ← 🛏 🗓 📶 📶 🏋 🛖 🏋 ⟨⟨⟩ P 🚗 VISA ⓪ 🛳

via San Giovanni 37 – 𝒞 04 74 97 21 38 – www.hotelcristallo.com
– info@hotelcristallo.com – Fax 04 74 97 27 55
– 21 dicembre-22 marzo e 1° giugno-13 ottobre
36 cam ⊑ – †60/120 € ††102/200 €   **Rist** – Carta 30/36 €
♦ In bella posizione panoramica con vista sulle Dolomiti, graziosa struttura dalla gestione attenta ed ospitale; interni confortevoli e piacevoli camere recentemente ristrutturate. Delizioso centro benessere. Sala ristorante ariosa e molto luminosa.

Villa Monica ← 🛖 🏋 P 🚗 VISA ⓪ 🛳

via F.lli Baur 8 – 𝒞 04 74 97 22 16 – www.hotel-monica.com
– info@hotel-monica.com – Fax 04 74 97 25 57
– 6 dicembre-20 marzo e 15 maggio-28 ottobre
29 cam ⊑ – †54/75 € ††70/150 € – ½ P 73/83 €   **Rist** – Carta 30/35 €
♦ Ritrovare il tempo e la calma, riscoprire i sensi e sentire come si rigenerano il corpo, lo spirito e l'anima… Immergetevi nell'armonia e godete della calorosa accoglienza, in un ambiente confortevole dall'atmosfera rilassata. Cucina gourmet per tutti i gusti.

Urthaler 🛖 P VISA ⓪ AE 🛳

via Herbstenburg 5 – 𝒞 04 74 97 22 41 – www.hotel-urthaler.com – info@
hotel-urthaler.com – Fax 04 74 97 30 50 – chiuso novembre
30 cam ⊑ – †58/65 € ††95/130 € – ½ P 68/72 €
Rist – *(chiuso martedì da marzo a giugno)* Carta 25/32 €
♦ Atmosfera cordiale e gestione familiare in un albergo nel cuore della cittadina: spazi interni con pareti rivestite in legno e soffitto con travi a vista; camere confortevoli. Vi sarà gradito cenare nella sala illuminata dalla calda luce ambrata dei lampadari pendenti.

> Voglia di pranzare all'aperto?
> Scegliete un ristorante con terrazza 🛖

sulla strada statale 49

☓☓ Gratschwirt con cam 🛏 🗓 📶 ⟨⟨⟩ P VISA ⓪ AE ⓪ 🛳
🛑
via Grazze 1, Sud-Ovest : 1,5 km ✉ 39034 – 𝒞 04 74 97 22 93
– www.gratschwirt.com – info@gratschwirt.com – Fax 04 74 97 29 15 – chiuso
aprile-15 maggio e novembre
29 cam – solo ½ P 50/80 €
Rist – *(chiuso martedì)* Menu 21/42 € – Carta 24/35 €
♦ In una casa dalle origini centenarie ai margini della località, un ristorante con camere dagli interni curati dove gustare piatti tipici. Arredi in stile rustico nelle stube.

a Santa Maria (Aufkirchen)Ovest : 2 km – ✉ 39034 – Dobbiaco

Oberhammer 🌿 ← 🛖 📶 P VISA ⓪ 🛳

Santa Maria 5 – 𝒞 04 74 97 21 95 – www.oberhammer.it – hotel@oberhammer.it
– Fax 04 74 97 23 66 – chiuso da novembre al 5 dicembre
21 cam ⊑ – †40/75 € ††68/140 € – ½ P 65/80 €
Rist – *(chiuso lunedì escluso febbraio e dal 15 luglio al 15 settembre)*
Carta 22/32 €
♦ Albergo in bella posizione panoramica, dotato di terrazze esposte al sole; spazi interni in stile locale e camere arredate con un moderno utilizzo del legno. Cucina tipica, servita anche all'aperto durante la bella stagione.

a Monte Rota/ Radsberg (Radsberg)Nord-Ovest : 5 km – **alt. 1 650 m**

🏠 **Alpenhotel Ratsberg-Monte Rota** ⬿ ⬸ 🚗 🛏 🔲 🐾 🍴
via Monte Rota 12 ✉ 39034 – 𝒞 04 74 97 22 13 🆑 rist, 🍴 🅿 🚗
– *www.alpenhotel-ratsberg.com – info@alpenhotel-ratsberg.com*
– *Fax 04 74 97 29 16 – 20 dicembre-15 marzo e 23 maggio-18 ottobre*
29 cam 🛏 – 🛏66/94 € 🛏🛏132/178 € – ½ P 66/89 € **Rist** – Carta 24/35 €
♦ Ideale per le famiglie e per gli amanti dell'assoluta tranquillità, questo hotel a conduzione diretta che domina Dobbiaco e le valli; ambienti interni in stile montano. Per i
pasti, sala da pranzo e servizio estivo all'aperto.

DOGANA – Vedere San Marino (Repubblica di) alla fine dell'elenco alfabetico

---

DOGANA NUOVA – Modena – 562J13 – Vedere Fiumalbo

DOGLIANI – Cuneo (CN) – 561I5 – **4 622 ab. – alt. 295 m** – ✉ 12063   25 **C3**
▶ Roma 613 – Cuneo 42 – Asti 54 – Milano 178

🏠 **Il Giardino** senza rist   🚗 🆑 🅿 🆚🆂🅰 ⬿ 🆎 ① ⑤
*viale Gabetti 106 – 𝒞 01 73 74 20 05 – www.ilgiardinohotel.it – info@
ilgiardinohotel.it – Fax 01 73 74 20 33 – chiuso dal 1° al 10 gennaio*
12 cam 🛏 – 🛏30/45 € 🛏🛏50/65 €
♦ Piccola e dignitosa struttura a gestione familiare, situata a poche centinaia di metri
dal centro della località; camere spaziose con arredi essenziali ma ben tenuti.

🍴🍴 **Il Verso del Ghiottone**   🛏 ♿ ⬿ 🆚🆂🅰 ⬿ ① ⑤
*via Demagistris 5 – 𝒞 01 73 74 20 74 – www.ilversodelghiottone.it
– ilversodelghiottone@libero.it – Fax 01 73 74 20 74 – chiuso gennaio,
luglio, lunedì e martedì*
Rist – *(chiuso a mezzogiorno escluso sabato e domenica)* Carta 32/44 €
♦ Nel cuore del centro storico, un ristorante ricavato in un caseggiato settecentesco. La
cucina offre proposte legate al territorio, ma rivisitate in chiave moderna.

DOGLIO – Perugia – 563N18 – Vedere Monte Castello di Vibio

DOLCEACQUA – Imperia (IM) – 561K4 – **1 988 ab. – alt. 57 m**   14 **A3**
– ✉ 18035
▶ Roma 662 – Imperia 57 – Genova 163 – Milano 286

🏠 **Agriturismo Terre Bianche** ⬿   ⬸ 🚗 🅿 🆚🆂🅰 ⬿ 🆎 ① ⑤
*località Arcagna, Ovest : 9 km – 𝒞 018 43 14 26 – www.terrebianche.com
– terrebianche@terrebianche.com – Fax 018 43 12 30 – chiuso febbraio e
novembre*
8 cam 🛏 – 🛏70/80 € 🛏🛏90/110 € – ½ P 70 €
Rist – *(chiuso a mezzogiorno)* (prenotazione obbligatoria) Menu 25/30 €
♦ L'impagabile vista sul mare e sull'entroterra offerte dalla risorsa, ricompenseranno la
pazienza necessaria per raggiungere la vostra meta. Avvolti dal silenzio e dai profumi
delle colline.

DOLEGNA DEL COLLIO – Gorizia (GO) – 562D22 – **431 ab.**   11 **C2**
– **alt. 88 m** – ✉ 34070
▶ Roma 656 – Udine 25 – Gorizia 25 – Milano 396

🏠 **Agriturismo Venica e Venica-Casa Vino e Vacanze** senza rist ⬿
località Cerò 8, Nord : 1 km   🚗 🍴 🍴 🅿 🆚🆂🅰 ⬿ 🆎 ① ⑤
*✉ 34070 – 𝒞 048 16 01 77 – www.venica.it – venica@venica.it
– Fax 04 81 63 99 06 – aprile-
ottobre*
6 cam – 🛏90/100 € 🛏🛏95/105 €, 🛏 14 €
♦ Immersa nel verde in cui si trovano anche una piscina e campi da tennis, l'azienda
vinicola offre spazi comuni in stile rustico e camere ampie ed accoglienti.

DOLEGNA DEL COLLIO

a Ruttars Sud : 6 km – ⊠ **34070 – Dolegna del Collio**

XXX **Castello di Trussio dell'Aquila d'Oro** (Anna Tuti) 🛱 🕸 ⟷
🕸 *località Trussio 13, a Ruttars – 𝒞 048 16 12 55* **P** 𝚟𝚒𝚜𝚊 ⓿ 𝔸𝔼 ⓿ 💪
*– aquiladoro@tin.it – Fax 048 16 05 45 – chiuso Capodanno, dal 2 al 20 gennaio,
dal 10 al 30 agosto, domenica e lunedì*
Rist – Carta 52/77 € 🏯
Spec. Carpaccio di filetto di bue in salsa di capperi, sarde ed olio d'oliva friulano. Raviolo con sorpresa in sughetto di stinco di vitello e ricotta salata. La guancia di vitello tenera agli aromi.
♦ Elegante ristorante con piacevole servizio estivo in giardino. Ambiente in sintonia con la struttura dove l'eleganza e la cucina si esprimono in armonioso parallelismo.

DOLO – Venezia (VE) – 562F18 – **14 554 ab.** – ⊠ 30031 ▌ Venezia   36 **C3**
  ▶ Roma 510 – Padova 18 – Chioggia 38 – Milano 249
  🄶 Villa Nazionale★ di Strà : Apoteosi della famiglia Pisani★★ del Tiepolo SO :
  6 kmpolo Sud-Ovest : 6 km – Riviera del Brenta★★ Est per la strada S 11

🏠 **Villa Ducale** 🄴 𝔸𝔼 🕸 rist, 𝒞 🆊 **P** 𝚟𝚒𝚜𝚊 ⓿ 𝔸𝔼 ⓿ 💪
*riviera Martiri della Libertà 75, Est : 2 km – 𝒞 04 15 60 80 20 – www.villaducale.it
– info@villaducale.it – Fax 04 15 60 80 04*
11 cam – ✝70/110 € ✝✝80/150 €, ⊆ 10 €
Rist – *(chiuso dal 7 al 31 agosto e martedì)* Carta 40/72 €
♦ La bella villa settecentesca a due km dal centro paese propone camere spaziose ed accoglienti ed è cinta da un piccolo parco abbellito da maestose magnolie. Piacevole atmosfera e storici affreschi nell'elegante sala da pranzo. Linea culinaria tradizionale.

XX **Villa Goetzen** con cam 🛱 𝔸𝔼 🕸 cam, ⟨⟨¹⟩⟩ **P** 𝚟𝚒𝚜𝚊 ⓿ 𝔸𝔼 ⓿ 💪
*via Matteotti 6 – 𝒞 04 15 10 23 00 – www.villagoetzen.it – info@villagoetzen.it
– Fax 041 41 26 00*
12 cam ⊆ – ✝55/80 € ✝✝80/130 €
Rist – *(chiuso agosto, giovedì e domenica sera)* Menu 75 € – Carta 40/50 €
♦ La sala interna, piccola e raffinata, e uno spazio realizzato su una struttura in legno, affacciata direttamente sul Brenta in cui gustare piatti della tradizione a base di pesce. Torte e dolci fatti in casa delizieranno le prime ore del mattino di chi vorrà prolungare il soggiorno in villa.

XX **Villa Nani Mocenigo** 🚗 🛱 ⟷ **P** 𝚟𝚒𝚜𝚊 ⓿ 𝔸𝔼 ⓿ 💪
*via riviera Martiri della Libertà 113 loc. Cesare Musatti – 𝒞 04 15 60 81 39
– www.villananimocenigo.com – info@villananimocenigo.com
– Fax 04 15 60 81 39 – chiuso lunedì*
Rist – *(chiuso a mezzogiorno)* (solo su prenotazione) Carta 55/120 €
♦ Splendida villa veneta settecentesca suddivisa in varie salette dall'antica atmosfera elegante e dalle pareti affrescate; più informali gli ambienti ricavati nelle ex scuderie. Il pesce nel piatto.

DOLOMITI – Belluno, Bolzano e Trento

DOLONNE – Aosta – Vedere Courmayeur

DOMAGNANO – Vedere San Marino (Repubblica di) alla fine dell'elenco alfabetico

DOMODOSSOLA – Verbano-Cusio-Ossola (VB) – 561D6 – **18 475 ab.**   23 **C1**
– alt. 277 m – ⊠ 28845
  ▶ Roma 698 – Stresa 32 – Locarno 78 – Lugano 79
  🄸 piazza Matteotti 24 (stazione ferroviaria) 𝒞 0324 248265, urp@
  comune.domodossola.it, Fax 0324 248265

🏨 **Corona**   🛄 AC ↕ 👖 📶 🏋 VISA ⬤ AE ⓞ 🖱

via Marconi 8 – ℰ 03 24 24 21 14 – www.coronahotel.net – htcorona@tin.it
– Fax 03 24 24 28 42
56 cam � – ☖72/80 € ☖☖90/120 € – ½ P 80 €   **Rist** – Carta 21/31 €
♦ Sito nel centro della località, una risorsa di lunga tradizione e dalla solida conduzione familiare ospita ambienti arredati con signorilità e camere recentemente rinnovate. Nella spaziosa ed elegante sala da paranzo, proposte gastronomiche dai tipici sapori piemontesi.

🏨 **Eurossola**   🛏 🛄 ⅙ rist, 🍴 rist, 📞 🏋 🅿 🚙 📶 VISA ⬤ AE ⓞ 🖱

piazza Matteotti 36 – ℰ 03 24 48 13 26 – www.eurossola.com – info@
eurossola.com – Fax 03 24 24 87 48 – chiuso dal 7 al 31 gennaio
26 cam ⊟ – ☖65/80 € ☖☖100/120 € – ½ P 80/100 €
Rist Terrazza Grill-Da Sergio – (chiuso domenica sera e lunedì) Menu 15/40 €
♦ In posizione centrale e a conduzione familiare, la moderna risorsa dispone di confortevoli camere vivacemente colorate, nonché ampi spazi comuni arredati con sobria eleganza. Nella luminosa sala da pranzo al piano terreno, adatta per allestire banchetti e riunioni, una cucina contemporanea. Servizio estivo all'aperto.

🍴🍴 **La Stella** con cam 🐾   ⇐ 🛏 ⅙ 🍴 cam, 🅿 🚙 VISA ⬤ AE 🖱

borgata Baceno di Vagna 29, strada per Domobianca 1,5 Km – ℰ 03 24 24 84 70
– www.ristorantelastella.com – info@ristorantelastella.com – Fax 03 24 24 84 70
– chiuso una settimana a gennaio e una settimana a novembre
3 cam ⊟ – ☖50 € ☖☖80/120 €
Rist – (consigliata la prenotazione) Carta 30/46 €
♦ Legno e travi a vista conferiscono "calore" e tipicità a questo bel rustico sapientemente ristrutturato. Cucina a base di pesce. Cantina con saletta degustazione.

🍴🍴 **Sciolla** con cam   🛏 VISA ⬤ AE ⓞ 🖱

piazza Convenzione 5 – ℰ 03 24 24 26 33 – www.ristorantesciolla.it – rist.sciolla@
libero.it – Fax 03 24 24 26 33
6 cam ⊟ – ☖30/40 € ☖☖50/60 € – ½ P 55/65 €
Rist – (chiuso dal 10 al 20 gennaio, dal 23 agosto all'11 settembre e mercoledì)
Carta 27/33 €
♦ In un vecchio edificio di origine seicentesca, un ristorante centrale considerato un punto di riferimento nel campo della ristorazione cittadina; cucina del territorio.

🍴 **La Meridiana dal 1968**   VISA ⬤ ⓞ 🖱

via Rosmini 11 – ℰ 03 24 24 08 58 – www.ristorantelameridiana.it – info@
ristorantelameridiana.it – Fax 03 24 24 08 58 – chiuso dal 20 giugno al 10 luglio,
domenica sera e lunedì
Rist – Carta 20/30 €
♦ Pesce e selvaggina in questa trattoria elaborati in due stili: da un lato la tradizione italiana, dall'altra quella spagnola. Ambiente familiare e cordiale nel cuore della località.

DOMUS DE MARIA – Cagliari – 566K8 – Vedere Sardegna alla fine dell'elenco
alfabetico

DONORATICO – Livorno – 563M13 – Vedere Castagneto Carducci

DORGALI – Nuoro – 566G10 – Vedere Sardegna alla fine dell'elenco alfabetico

---

DOSOLO – Mantova (MN) – 561H13 – **3 207 ab.** – **alt. 25 m** – ⊠ 46030   17 **C3**
▶ Roma 449 – Parma 37 – Verona 74 – Mantova 35

🍴🍴 **Corte Brandelli**   🛏 AC ⇧ 🅿 VISA ⬤ AE ⓞ 🖱

via Argini dietro 11/A, Ovest : 2 km – ℰ 037 58 94 97 – www.cortebrandelli.it
– lino.turrini@libero.it – Fax 037 58 94 97 – chiuso dal 24 dicembre al 2 gennaio,
tre settimane in agosto e le sere di giovedì e domenica
Rist – Carta 40/58 €
♦ Cascina in aperta campagna, dall'ambiente tipicamente rustico, ma con tocchi d'eleganza, abbellito da una collezione di attrezzi di cucina e non solo; piatti del territorio.

DOSSOBUONO – Verona – 562F14 – Vedere Villafranca di Verona

DOSSON – Treviso – Vedere Casier

DOVERA – Cremona (CR) – 561H15 – 3 605 ab. – alt. 76 m – ✉ 26010   19 **C2**
- ▶ Roma 554 – Piacenza 43 – Brescia 85 – Cremona 56

XX   **Osteria la Cuccagna**   AC VISA ⓜⓞ AE ⑤
località Barbuzzera, Nord-Ovest : 2,5 km – ℰ 03 73 97 84 47
– www.osterialacuccagna.it – info@osterialacuccagna.it – Fax 03 73 97 84 57
– chiuso dal 27 dicembre al 4 gennaio, dal 7 al 24 agosto, mercoledì e giovedì a mezzogiorno
Rist – Carta 40/54 €
♦ Tra quadri moderni appesi alle pareti, tovagliato all'americana e camerieri in divisa, la vecchia trattoria punta ora a proposte più elaborate, partendo dalla tradizione.

DOZZA – Bologna (BO) – 562I16 – 5 779 ab. – alt. 190 m – ✉ 40060   9 **C2**
- ▶ Roma 392 – Bologna 32 – Ferrara 76 – Forlì 38

🏨   **Monte del Re** ⓢ   ⪿ 🚗 🍽 ⌚ 🅱 👫 AC 🌀 rist, 🕻 🏧 **P**
via Monte del Re 43, Ovest : 3 km – ℰ 05 42 67 84 00   VISA ⓜⓞ AE ⓪ ⑤
– www.montedelre.it – montedelre@tiscali.it – Fax 05 42 67 84 44
38 cam ⌂ – ✚110/220 € ✚✚154/318 €
Rist – ℰ 05 42 67 85 56 (chiuso due settimane in gennaio e lunedì da settembre a marzo) Menu 45/60 € ⌘
♦ Interni raffinati nel bel convento del XIII secolo ristrutturato; notevoli il chiostro coperto e il pozzo originari del '200, nonché la godibile terrazza panoramica. Atmosfera signorile nella sala da pranzo in stile classico.

XX   **Canè** con cam   ⪿ 🍽 🅱 AC 🌀 🕻 **P** VISA ⓜⓞ AE ⓪ ⑤
via XX Settembre 27 – ℰ 05 42 67 81 20 – www.ristorantecanet.it – info@ ristorantecanet.net – Fax 05 42 67 85 22 – chiuso dal 7 gennaio al 6 febbraio
12 cam – ✚65/75 € ✚✚80/84 €, ⌂ 8 € – ½ P 80/85 €
Rist – (chiuso lunedì) Carta 28/42 €
♦ Nel centro storico, ristorante con una sala classica ed elegante e un'altra più caratteristica aperta ai fumatori; servizio estivo sulla bella terrazza. Camere confortevoli.

DRAGA SANT'ELIA – Trieste – Vedere Pesek

DRIZZONA – Cremona (CR) – 561G13 – ✉ 26034   17 **C3**
- ▶ Roma 491 – Parma 44 – Cremona 26 – Mantova 41

a Castelfranco d'Oglio Nord : 1,5 km – ✉ 26034 – Drizzona

🏠   **Agriturismo l'Airone** senza rist ⓢ   🍽 🅱 AC 🕻 🏧 **P**
strada comunale per Isola Dovarese 2 – ℰ 03 75 38 99 02   VISA ⓜⓞ AE ⑤
– www.laironeagriturismo.com – info@laironeagriturismo.com
– Fax 03 75 38 98 87
13 cam ⌂ – ✚55/60 € ✚✚60/70 €
♦ Nel verde della campagna del parco naturale del fiume Oglio, una risorsa accolta da un tipico cascinale ottocentesco, sapientemente ristrutturato. Camere eleganti.

DRO – Trento (TN) – 562E14 – 3 498 ab. – alt. 123 m – ✉ 38074   30 **B3**
- ▶ Roma 576 – Trento 27 – Brescia 86 – Verona 90
- 🈳 via Cesare Battisti 9 c/o Municipio ℰ 0464 545511, Fax 0464 545520

🏠   **Agriturismo Maso Lizzone** senza rist ⓢ   🚗 🍽 🅱 ↩ 🌀 **P**
via Lizzone 3, località Ceniga, Sud : 1,5 km   VISA ⓜⓞ AE ⑤
– ℰ 04 64 50 47 93 – www.masolizzone.com – info@masolizzone.com
– Fax 04 64 50 47 93 – marzo-ottobre
5 cam ⌂ – ✚45/57 € ✚✚75/86 €
♦ Tra ulivi e vigneti, nella campagna trentina, una caratteristica abitazione completamente ristrutturata. Ricca prima colazione self-service e cucina ad uso degli ospiti. Atmosfera familiare e raccolta.

DRONERO – Cuneo (CN) – 561I4 – 7 096 ab. – alt. 619 m – ✉ 12025   22 **B3**
- ▶ Roma 655 – Cuneo 20 – Colle della Maddalena 80 – Torino 84
- 🈳 via 4 Novembre 1 ℰ 0171 917080, iatvallemaira@virgilio.it, Fax 0171917080

🏠 **Cavallo Bianco** [AC] cam, 📶 VISA MC AE DC JCB

🪙 *piazza Manuel 18 – ☎ 01 71 91 65 90 – www.ilcavallobianco.com – cavallo-bianco@libero.it – Fax 01 71 91 65 90*
18 cam ☕ – 👤38/45 € 👥60 € – ½ P 45 €
Rist – *(chiuso martedì)* Carta 17/23 €
♦ Nel centro storico, piccolo albergo a conduzione diretta situato in un palazzo d'epoca ristrutturato; spazi comuni con soffitti a volta affrescati, camere confortevoli. Ampia sala da pranzo con soffitto ad archi.

🍴🍴 **Rosso Rubino** 🚭 VISA MC AE DC JCB

🪙 *piazza Marconi 2 – ☎ 01 71 90 56 78 – ristoranterossorubino@interfree.it – Fax 01 71 90 56 78 – chiuso due settimane in marzo, una settimana in novembre e lunedì (escluso giugno-settembre)*
Rist – Menu 16/30 € – Carta 24/49 €
♦ Una cornice classica ed elegante per questo bel locale: un menù con interessanti proposte anche a prezzo fisso, alcune derivanti dalla tradizione, altre più creative.

DUESANTI – Perugia – Vedere Todi

DUINO AURISINA – Trieste (TS) – 562E22 – 8 633 ab. – ✉ 34013 — 11 D3

▶ Roma 649 – Udine 50 – Gorizia 23 – Grado 32

🏨 **Holiday Inn Trieste Duino** 🌳 [lift] ♿ rist, [AC] 🚭 📶 🎤 [P] VISA MC AE DC JCB

via Duino 78, sull'autostrada A 4 – ☎ 040 20 82 73 – www.alliancealberghi.com – holidayinn.trieste@alliancealberghi.com – Fax 040 20 88 36
77 cam ☕ – 👤115/170 € 👥135/235 € **Rist** – Carta 28/35 €
♦ Raccolta intorno a un giardinetto, una curiosa struttura circolare di moderna concezione, dotata di ingresso sia dal paese che dall'autostrada; adatta per chi viaggia per affari.

🍴 **Gruden** ⛱ 🚭 VISA MC AE DC JCB

🪙 *località San Pelagio 49, Nord : 3 km ✉ 34011 San Pelagio – ☎ 040 20 01 51 – www.myresidence.it – info@myresidence.it – Fax 040 20 08 54 – chiuso settembre, lunedì e martedì*
Rist – Carta 18/27 €
♦ Tradizionale trattoria di mare degli inizi del Novecento, nella quale saranno i profumi di una sapiente e convalidata cucina carsolina a dare il benvenuto.

a Sistiana Sud : 3 km – ✉ 34019

🍴🍴 **Gaudemus** con cam ⛱ [P] VISA MC AE DC JCB

località Sistiana 57 – ☎ 040 29 92 55 – www.gaudemus.com – gaudemus@gaudemus.com – Fax 04 02 90 80 21 – chiuso gennaio e febbraio
11 cam ☕ – 👤50/60 € 👥70/90 € – ½ P 65 €
Rist – *(chiuso domenica e lunedì) (chiuso a mezzogiorno)* Menu 55 € – Carta 40/54 €
♦ Due salette accoglienti, con quadri di artisti locali alle pareti, nelle quali assaporare piatti tipici e di pesce. Nuovo dehors con parete in pietra e giochi d'acqua. Nell'incantevole scenario della baia di Sistiana, antica meta dell'aristocrazia austriaca, offre anche camere semplici dal sapore antico.

DUNA VERDE – Venezia – Vedere Caorle

DUNO – Varese (VA) – 159 ab. – alt. 530 m – ✉ 21030 — 16 A2

▶ Roma 646 – Stresa 59 – Milano 76 – Novara 68

🏠 **Dola** 🌙 ⛱ ♨ VISA MC DC JCB

via Roma 2/4 – ☎ 03 32 62 47 73 – www.doladuno.com – dola@logis.it – Fax 03 32 62 47 73 – chiuso dal 12 gennaio al 12 febbraio
4 cam ☕ – 👤50 € 👥96 € – ½ P 80 €
Rist – *(chiuso lunedì e martedì a mezzogiorno)* Carta 26/34 €
♦ Nel centro di un caratteristico e tranquillo borgo, piccola e accogliente locanda gestita con simpatia e cortesia. Camere gradevoli e sfiziosa gastronomia per pasti simpatici.

EAU ROUSSE – Aosta – Vedere Valsavarenche

EBOLI – Salerno (SA) – 564F27 – **36 234 ab.** – **alt. 125 m** – ✉ 84025   7 **C2**
> ▶ Roma 296 – Potenza 77 – Napoli 85 – Salerno 34

XX   **Il Papavero**   🗚 **P** VISA ☒ ᴬᴱ ① ⚓

(☺)   *corso Garibaldi 112/113* ✉ *84025 Eboli* – ✆ *08 28 33 06 89* – *chiuso domenica sera e lunedì*
Rist – Carta 25/32 €
♦ La storia gastronomica campana si unisce alla fantasia e alla dinamicità dello chef. Il risultato? Carne e pesce si sfidano in piatti dalle originali elaborazioni. Nel centro storico.

EGADI (Isole) – Trapani – 565N1819 – **Vedere Sicilia alla fine dell'elenco alfabetico**

EGNA (NEUMARKT) – Bolzano (BZ) – 562D15 – **4 515 ab.** – **alt. 213 m**   31 **D3**
– ✉ 39044
> ▶ Roma 609 – Bolzano 19 – Trento 42 – Belluno 120

🏠   **Andreas Hofer**   🛏 ⅃ 🖳 ᵭ ⅋ **P** VISA ☒ ⚓

via delle Vecchie fondamenta 21-23 – ✆ *04 71 81 26 53*
– *www.hotelandreashofer.com* – *info@hotelandreashofer.com*
– *Fax 04 71 81 29 53*
32 cam ⌸ – †55 € ††90 € – ½ P 50/55 €
Rist – *(chiuso domenica)* Carta 33/44 €
♦ Nel centro storico e di fronte ai portici, albergo sviluppato su tre costruzioni adiacenti, in un curioso stile veneziano; ampie camere ricavate da alcuni antichi vani. La cucina propone specialità altoatesine.

ELBA (Isola d')★ – Livorno (LI) – 563N12 – **29 019 ab.** – **alt. 1 019 m**   28 **B3**
▌ Toscana

🛬 a Marina di Campo località La Pila (marzo-ottobre) ✆ 0565 976037
🚢 vedere Portoferraio e Rio Marina
🛈 vedere Portoferraio
🛢 Acquabona, ✆ 0565 94 00 66

CAPOLIVERI (LI) – 563N13 – **3 271 ab.** – ✉ 57031
> ▶ Porto Azzurro 5 – Portoferraio 16
> 👁 ⁕★★ dei Tre Mari

X   **Il Chiasso**   🛏 🗚 VISA ☒ ᴬᴱ ⚓

vicolo Nazario Sauro 13 – ✆ *05 65 96 87 09* – *ristoranteilchiasso@supereva.it*
– *Fax 05 65 96 73 57* – *Pasqua-ottobre; chiuso martedì (escluso da giugno a settembre)*
Rist – *(chiuso a mezzogiorno)* Carta 40/65 € 🎋
♦ Il "chiasso" e l'"informalità" del tessuto urbano esterno si riflettono in maniera davvero simpatica in questo ambiente caratteristico. Piatti di mare e di terra.

X   **Da Pilade** con cam   🛏 ᵭ 🗚 🎧 VISA ☒ ① ⚓

località Marina di Mola, Nord 2.5 km – ✆ *05 65 96 86 35* – *www.hoteldapilade.it*
– *info@hoteldapilade.it* – *Fax 05 65 96 89 26* – *28 marzo-20 ottobre*
24 cam – †40/68 € ††80/136 € – ½ P 50/92 €
Rist – *(chiuso a mezzogiorno escluso festivi)* Carta 33/43 €
♦ Sulla strada per Capoliveri, ristorante a conduzione familiare dove gustare piatti tradizionali sia di carne sia di pesce. Ottime specialità alla brace.

a Pareti Sud : 4 km – ✉ 57031 – Capoliveri

🏠   **Dino** 🏖   ≼ 🚲 🛏 ⅋ **P** VISA ☒ ⚓

(☺)   – ✆ *05 65 93 91 03* – *www.hoteldino.com* – *hoteldino@elbalink.it*
– *Fax 05 65 96 81 72* – *Pasqua-ottobre*
30 cam – †95 € ††70/128 €, ⌸ 11 € – ½ P 54/98 €   **Rist** – Carta 21/33 €
♦ Buon rapporto qualità/prezzo per un albergo a gestione familiare e in posizione deliziosa; camere spaziose e luminose, tutte affacciate sul golfo. Piacevole ospitalità. Cucina classica servita in un'ampia sala e in una terrazza esterna.

a Marina di Capoliveri Nord-Est : 4 km – ✉ 57031 – **Capoliveri**

🏨 **Grand Hotel Elba International** ⟨various symbols⟩
Baia della Fontanella 1
– ☏ 05 65 94 61 11 – www.elbainternational.it – info@elbainternational.it
– Fax 05 65 94 66 62 – 24 aprile-11 ottobre
131 cam ☐ – ♦120/250 € ♦♦140/260 € – 5 suites – ½ P 160/190 €
Rist – (2 maggio - 4 ottobre) Carta 24/43 €
♦ Una risorsa perfetta per godere di un indimenticabile soggiorno balneare: ascensore per la spiaggia, incantevole terrazza roof-garden con vista su Porto Azzurro. Grande ed elegante sala ristorante.

a Lido Nord-Ovest : 7,5 km – ✉ 57031 – **Capoliveri**

🏨 **Antares** ⟨various symbols⟩
– ☏ 05 65 94 01 31 – www.elbahotelantares.it – info@elbahotelantares.it
– Fax 05 65 94 00 84 – 27 aprile-7 ottobre
49 cam – solo ½ P 75/140 € **Rist** – (solo per alloggiati)
♦ Immerso nella vegetazione, a ridosso di un'insenatura, questo bianco complesso, con dépendance annessa, si affaccia sul mare; atmosfera gradevole e professionalità.

MARCIANA (LI) – 563N12 – 2 214 ab. – alt. 375 m – ✉ 57030

▶ Porto Azzurro 37 – Portoferraio 28
👁 ≼★
🄶 Monte Capanne★★ : ⋇★★

a Poggio Est : 3 km – alt. 300 m – ✉ 57030

🍴🍴 **Publius** ⟨various symbols⟩
piazza Del Castagneto 11 – ☏ 056 59 92 08 – www.ristorantepublius.it – info@ristorantepublius.it – Fax 05 65 90 41 74 – aprile-novembre; chiuso lunedì a mezzogiorno dal 15 giugno al 15 settembre, tutto il giorno negli altri mesi
Rist – Carta 36/47 €
♦ Sito nell'entroterra, ma con magnifica vista su colline e mare, un locale caratteristico nell'arredo e nei piatti, di carne e pesce, con solide radici isolane e toscane.

a Sant' Andrea Nord-Ovest : 6 km – ✉ 57030 – **Marciana**

🏨 **Gallo Nero** ⟨various symbols⟩
via San Gaetano 20 – ☏ 05 65 90 80 17 – www.hotelgallonero.it – gallonero@elbalink.it – Fax 05 65 90 80 78 – Pasqua-20 ottobre
29 cam – ♦45/117 € ♦♦70/180 € – ½ P 67/100 €
Rist – (chiuso a mezzogiorno escluso da giugno a settembre) (prenotazione obbligatoria) Carta 25/39 €
♦ Suggestiva posizione panoramica, ben sfruttata nella rigogliosa terrazza-giardino con piscina, ove il contesto naturale si fonde con gli spazi comodi e ariosi. Al ristorante luminose finestre e vista a 180º.

🏨 **Barsalini** ⟨various symbols⟩
piazza Capo Sant'Andrea 2 – ☏ 05 65 90 80 13 – www.hotelbarsalini.com – info@hotelbarsalini.com – Fax 05 65 90 89 20 – aprile-20 ottobre
32 cam ☐ – ♦♦85/160 € – ½ P 56/120 € **Rist** – Carta 23/46 €
♦ In zona nota per le belle scogliere e i fondali, terrazza-giardino con piscina e vicinanza al mare; stanze disseminate in dépendance a un piano, quasi tutte con vista sul blu. Sala da pranzo panoramica sul mare, ventilata e luminosa.

🏨 **Cernia Isola Botanica** ⟨various symbols⟩
via S. Gaetano 23 – ☏ 05 65 90 82 10
– www.hotelcernia.it – info@hotelcernia.it – Fax 05 65 90 82 53
– 10 aprile-20 ottobre
27 cam ☐ – ♦60/135 € ♦♦80/220 € **Rist** – Carta 30/52 €
♦ Nati dalla passione dei proprietari, un giardino fiorito e un orto botanico con piscina avvolgono una struttura ricca di personalità e tocchi di classe. Il ristorante è un luogo tranquillo ed elegante ove gustare una cucina di mare.

ELBA (Isola d')

a Spartaia Est : 12 km – ⊠ **57030** – Procchio

🏠🏠🏠 **Desiree** ⌖ ⫷ ⛾ 🗲 🛏 ☶ ⚜ 🆎 🎿 rist, 🕪 🔑 **P** 🆚 ⓒⓓ 🆎 ⓞ 🖕
😑 *via Spartaia 15 – 𝒞 05 65 90 73 11 – www.htdesiree.it – info@htdesiree.it*
– Fax 05 65 90 78 84 – maggio-10 ottobre
76 cam ⌑ – 👤77/160 € 👤👤154/320 € – ½ P 185/205 € **Rist** – Menu 20/60 €
♦ Appartato, in un giardino in riva al mare affacciato sulla baia, si compone di camere spaziose, nuove, con accesso diretto alla spiaggia, in una tranquilla insenatura.

a Procchio Est : 13,5 km – ⊠ **57030**

🏠🏠🏠 **Hotel del Golfo** ⌖ ⫷ ⛾ 🗲 🎿 ⚟ ☶ rist, 🛏 🆎 🎿 rist, 🕪 🔑 **P**
via delle Ginestre 31 – 𝒞 05 65 90 21 🆚 ⓒⓓ 🆎 🖕
😑 *– www.hoteldelgolfo.it – info@hoteldelgolfo.it – Fax 05 65 90 26 66 – aprile-ottobre*
118 cam ⌑ – 👤150/220 € 👤👤270/410 € – 4 suites – ½ P 160/230 €
Rist – Carta 40/65 €
Rist La Capannina – *(chiuso la sera)* Carta 30/58 €
♦ Di lunga tradizione, di recente ristrutturato, aperto sulla baia e inserito in un giardino con piscina con acqua di mare; stanze nel corpo centrale e nelle dépendance. Ristorante panoramico con possibilità di pasti all'aperto.

a Campo all'Aia Est : 15 km – ⊠ **57030** – Procchio

🏠 **Brigantino** ⌖ 🗲 🎍 🎿 ⛾ ⚟ 🎿 rist, **P** 🆚 ⓒⓓ 🆎 ⓞ 🖕
😑 *via Di Campo dell'Aia 281 – 𝒞 05 65 90 74 53 – www.hotelbrigantino.com*
– brigantino@elbalink.it – Fax 05 65 90 79 94 – aprile-10 ottobre
43 cam ⌑ – 👤60/170 € 👤👤80/230 € – ½ P 40/120 €
Rist – *(solo per alloggiati)* Menu 15/40 €
♦ Nel verde e nelle buganvillee, a pochi metri dal mare, un albergo semplice e a conduzione familiare. Interessante indirizzo per una confortevole soluzione economica.

a Pomonte Sud-Ovest : 15 km – ⊠ **57030**

🏠 **Da Sardi** 🛏 🆎 🎿 rist, **P** 🆚 ⓒⓓ 🆎 ⓞ 🖕
😑 *via del Maestrale 1 – 𝒞 05 65 90 60 45 – www.hotelsardi.it – sardi@elbalink.it*
– Fax 05 65 90 62 53 – Natale e marzo-4 novembre
23 cam ⌑ – 👤39/69 € 👤👤70/136 € – ½ P 45/82 € **Rist** – Carta 19/30 €
♦ Edificio rosso mattone in posizione ideale anche per gli amanti del trekking; confortevoli le stanze di recente ristrutturate, alcune con un bel panorama della costa. Al ristorante i piatti della tradizione italiana.

🏠 **Corallo** ⌖ 🗲 🆎 🎿 rist, **P** 🆚 ⓒⓓ 🆎 ⓞ 🖕
via del Passatoio 28 – 𝒞 05 65 90 60 42 – www.elbacorallo.it – info@
elbacorallo.it – Fax 05 65 90 62 70 – marzo-10 novembre
15 cam ⌑ – 👤85 € 👤👤130 € – ½ P 80 € **Rist** – Carta 27/34 €
♦ Piccola struttura di semplice impostazione, con numero di camere non elevato. Gestito da una giovane coppia, ben curato e gradevole. Mare vicino, entroterra invitante. Il ristorante offre una tipica cucina marinara elbana.

MARCIANA MARINA (LI) – 563N12 – **1 894 ab.** – ⊠ **57033**

🖸 Porto Azzurro 29 – Portoferraio 20

🏠🏠 **Gabbiano Azzurro 2** senza rist 🗲 🎿 🛏 ⚟ 🆎 🕪 **P** 🍃
viale Amedeo 94 – 𝒞 05 65 99 70 35 🆚 ⓒⓓ 🖕
– www.hotelgabbianoazzurrodue.it – info@hotelgabbianoazzurrodue.it
– Fax 05 65 99 70 34 – aprile-ottobre
20 cam ⌑ – 👤78/175 € 👤👤104/234 €
♦ Giardino con piscina, grandi spazi moderni dotati di ogni tipo di confort in atmosfera ricercata, luogo di eventi culturali: ospitalità coniugata alla bellezza isolana.

🍴🍴 **Capo Nord** ⫷ 🎍 🆎 🆚 ⓒⓓ 🆎 ⓞ 🖕
al porto, località La Fenicia – 𝒞 05 65 99 69 83 – Fax 05 65 99 69 83 – marzo-novembre
Rist – *(prenotare)* Carta 50/66 €
♦ Un palcoscenico sul mare da cui godere di tramonti unici: sale sobriamente eleganti e proposte a base di pesce.

✄ **La Fenicia**   🏠 🅥🅘🅢🅐 ⓪ 🅐🅔 ⓪ 💰
viale Principe Amedeo – ℰ 05 65 99 66 11 – www.lafenicia.it – giulcosta@tin.it
– Fax 05 65 90 41 07 – chiuso dall'8 gennaio al 28 febbraio e mercoledì (escluso luglio-agosto)
Rist – Carta 27/53 €
♦ Cordialità per il cliente e passione per il proprio lavoro connotano i gestori del locale: sala interna e all'aperto, per piatti elbani di pesce e paste fatte in casa.

MARINA DI CAMPO (LI) – 563N12 – ☒ 57034

🄳 Marciana Marina 13 – Porto Azzurro 26 – Portoferraio 17

🄷🄷 **Riva del Sole**   🛗 🚶 🄰🄲 🛥 📶 📻 📶 🅥🅘🅢🅐 ⓪ 🅐🅔 ⓪ 💰
viale degli Eroi 11 – ℰ 05 65 97 63 16 – www.hotel-rivadelsole.com – info@
hotel-rivadelsole.com – Fax 05 65 97 67 78 – aprile-15 ottobre
59 cam ☐ – ♦56/118 € ♦♦84/208 € – ½ P 114/124 €
Rist – (prenotazione obbligatoria) Carta 25/33 €
♦ Pavimenti in cotto, travi lignee, colori caldi e tenui, arredi classici e lindore. Ampi gli spazi comuni e le stanze: proprio sul lungomare, un riferimento di classe. Ristorante arioso e gradevole con eleganti arredi in legno scuro.

🄷🄷 **Dei Coralli**   🚗 🏠 🛍 🄵🅪 🛥 🛗 🄰🄲 🛥 rist, 📶 🅥🅘🅢🅐 ⓪ 🅐🅔 💰
viale degli Etruschi 567 – ℰ 05 65 97 63 36 – www.gruppoelci.it – hcoralli@tin.it
– Fax 05 65 97 77 48 – 20 aprile-10 ottobre
62 cam ☐ – ♦200 € ♦♦210 € – ½ P 120 €
Rist – (chiuso a mezzogiorno) (solo per alloggiati)
♦ Edificio di moderna concezione, con servizi funzionali e buon livello di ospitalità. Non lontano dal centro cittadino e dal mare dal quale lo separa una fresca pineta.

🄷🄷 **Meridiana** senza rist   🚗 🛗 🅖 🄰🄲 📶 🅥🅘🅢🅐 ⓪ 🅐🅔 ⓪ 💰
viale degli Etruschi 465 – ℰ 05 65 97 63 08 – www.hotelmeridiana.info – mail@
hotelmeridiana.info – Fax 05 65 81 31 13 – Pasqua-15 ottobre
37 cam ☐ – ♦48/145 € ♦♦96/180 €
♦ Inserito tra i verdi conifere di fronte al golfo, l'albergo, semplice e confortevole, offre quiete e spazi freschi; stanze nuove, con belle piastrelle mediterranee.

✄✄ **La Lucciola**   🏠 🅥🅘🅢🅐 ⓪ 💰
viale Nomellini 64 – ℰ 05 65 97 63 95 – www.lalucciola.it – robertoeffe@jumpy.it
– Fax 05 65 97 63 95 – Pasqua-ottobre; chiuso martedì in bassa stagione
Rist – Carta 35/70 €
♦ Tipico, simpatico riferimento per i bagnanti, il locale si "ritocca" e si trasforma per la sera con toni più discreti ed intimi, ma sempre con cucina di pescato giornaliero.

a Fetovaia Ovest : 8 km – ☒ 57034 – Seccheto

🄷🄷 **Montemerlo** 🌸   ≤ 🚗 🛍 🕭 rist, 🄰🄲 🛥 rist, 📶 🅥🅘🅢🅐 ⓪ 💰
– ℰ 05 65 98 80 51 – www.welcometoelba.com – info@welcometoelba.com
– Fax 05 65 98 80 36 – Pasqua-ottobre
38 cam ☐ – ♦78/83 € ♦♦78/166 € – ½ P 46/91 €   **Rist** – (solo per alloggiati)
♦ Stanze confortevoli con arredi classici, ricavate da villette sparse nel giardino e tra gli ulivi. In una posizione arretrata e panoramica, non lontana dalla spiaggia.

🄷 **Galli**   ≤ 🄰🄲 🛥 📶 🅥🅘🅢🅐 ⓪ 💰
🆎 ☒ 57034 – ℰ 05 65 98 80 35 – www.hotelgalli.it – info@hotelgalli.it
– Fax 05 65 98 80 29 – 9 aprile-12 ottobre
29 cam ☐ – ♦40/70 € ♦♦66/165 €
Rist – (chiuso a mezzogiorno) (solo per alloggiati) Menu 17/20 €
♦ Insieme composto e ben ideato di logge, spazi chiusi e aperti sul bel panorama di Fetovaia: in stile isolano la genuinità di una solida gestione familiare.

PORTO AZZURRO – 563N13 – 3 380 ab. – ☒ 57036

✄ **Osteria dei Quattro Gatti**   🏠 🄰🄲 ⟲ 🅥🅘🅢🅐 ⓪ 💰
piazza Mercato 4 – ℰ 952 40 – Fax 056 59 52 40 – febbraio-ottobre;
chiuso lunedì escluso giugno-settembre
Rist – (chiuso a mezzogiorno) (coperti limitati, prenotare) Carta 32/40 €
♦ Tra le viette del centro storico, una "ruspante" osteria con un côté vagamente romantico: gattini in ceramica, centrini e ninnoli vari. In menu: proposte a base di pesce, presentate con un pizzico di fantasia.

ELBA (Isola d')

PORTOFERRAIO (LI) – 563N12 – **11 972 ab.** – ✉ 57037

> ▶ Marciana Marina 20 – Porto Azzurro 15
> ⛴ per Piombino – Toremar, call center 892 123 – Navarma-Moby Lines, call center 199 303 040
> 🛈 calata Italia 26 ✆ 0565 914671, info@aptelba.it, Fax 0565 916350
> ◨ Villa Napoleone di San Martino★ Sud-Ovest : 6 km – Strada per Cavo e Rio Marina : ≤★★

🏨 **Villa Ombrosa** ≤ 🏡 🛗 AC 🍴 rist, P VISA ◉ ⚓
via De Gasperi 9 – ✆ 05 65 91 43 63 – www.villaombrosa.it – info@villaombrosa.it – Fax 05 65 91 56 72
38 cam ⬡ – †55/126 € ††82/190 € – ½ P 52/122 €   **Rist** – Menu 20/35 €
♦ Rinnovato da poco e ubicato sulla discesa che conduce al centro cittadino, vicino alla zona dei lidi, con verde e quieto entroterra; camere di stile moderno. Due ambienti per la tavola, il più caratteristico ricorda una piacevole taverna.

✕✕ **Stella Marina** 🏡 AC VISA ◉ AE ① ⚓
via Vittorio Emanuele II° 1 – ✆ 05 65 91 59 83 – www.ristorantestellamarina.com – info@ristorantestellamarina.com – Fax 05 65 91 59 83 – chiuso dal 17 al 30 novembre e domenica a mezzogiorno in luglio-agosto
Rist – Carta 38/55 € ♨
♦ La posizione sul porto di questo ristorantino è strategica, la cucina di mare affidabile e gustosa. Apprezzabili anche la cantina e il servizio.

a San Giovanni Sud : 3 km – ✉ 57037 – PORTOFERRAIO

🏨 **Airone del Parco & delle Terme** ⚘ ≤ 🚗 🏡 ⽊ ♨ 🍴 ✕✕ 🛗
– ✆ 05 65 92 91 11 ✻★ AC ⥮ 🔊 P VISA ◉ AE ① ⚓
– www.tivigest.com – airone@tivigest.com – Fax 05 65 91 74 84 – aprile-ottobre
85 cam ⬡ – †70/100 € ††120/160 € – ½ P 120/173 €
Rist – (chiuso a mezzogiorno escluso giugno-settembre) Menu 30/50 €
♦ Sul golfo, posta tra l'ampio giardino e la spiaggia, una struttura curatissima nei servizi offerti alla clientela. Possibili gite in barca ai vari lidi isolani. Sala ristorante d'impostazione tradizionale e servizio all'aperto.

ad Acquaviva Ovest : 4 km – ✉ 57037 – Portoferraio

🏨 **Acquaviva Park Hotel** ⚘ ≤ 🏡 ♨ 🍴 rist, P VISA AE ① ⚓
– ✆ 05 65 91 53 92 – www.acquavivaparkhotel.com – info@acquavivaparkhotel.com – Fax 05 65 91 69 03 – aprile-settembre
38 cam ⬡ – †60/120 € ††70/190 € – ½ P 95/105 €
Rist – (solo per alloggiati)
♦ La panoramica posizione collinare, affacciata sul mare, offre percorsi nel bosco e nella macchia. Confort e tranquillità in una costruzione alquanto recente.

a Viticcio Ovest : 5 km – ✉ 57037 – Portoferraio

🏨 **Viticcio** 🚗 🏡 ⚓ cam, 🍴 rist, P VISA ◉ ⚓
– ✆ 05 65 93 90 58 – www.hotelviticcio.it – mailbox@hotelviticcio.it – Fax 05 65 93 90 32 – aprile-ottobre
32 cam ⬡ – †99 € ††199 € – ½ P 135 €
Rist – (chiuso a mezzogiorno escluso dal 22 giugno al 31 agosto) Menu 30/33 €
♦ Giardino-solarium con vista costa e mare per una struttura in stile mediterraneo, a strapiombo sul mare. Intonacato di bianco con infissi blu come il mare. Sala da pranzo luminosa e servizio a buffet per il pranzo.

a Picchiaie Sud-Est : 7,5 km – ✉ 57037 – Portoferraio

🏨 **Relais delle Picchiaie** ⚘ ≤ 🚗 ♨ ♨ 🏡 🔥 ✕✕ AC 🍴 rist, 📶 🔊
– ✆ 05 65 93 31 10 – www.relaisdellepicchiaie.it P VISA ◉ AE ① ⚓
– mail@relaisdellepicchiaie.it – Fax 05 65 93 31 86 – dicembre-8 gennaio e aprile-ottobre
47 cam ⬡ – †190/250 € ††290/340 € – 2 suites – ½ P 230/280 €
Rist – (chiuso a mezzogiorno) Carta 52/71 €
♦ Albergo in posizione dominante con splendida vista sul mare e sulla costa. Abbracciato da un ampio parco, il relais propone un piccolo centro benessere ed ambienti di elegante rusticità. Raffinata sala ristorante, con volte in mattoni e travi in legno.

a Biodola Ovest : 9 km – ✉ **57037 – Portoferraio**

Hermitage ॐ ≤ 🕭 🍴 🌐 🕆 ♨ ✕ ❘ 📶 🄰🄲 ♨ rist, 🍴 ♨ **P**
– 𝒞 05 65 97 48 11 – www.hotelhermitage.it   VISA ⓪ AE ♦
– info@hotelhermitage.it – Fax 05 65 96 99 84 – aprile-ottobre
127 cam 🍴 – ❙180/305 € ❙❙330/590 € – 2 suites – ½ P 190/320 €
Rist – Carta 44/68 €
♦ Un hotel esclusivo ed elegante, un parco-giardino con piscina di acqua di mare, campo da golf (6 buche) ed attrezzata beauty farm: una struttura ineccepibile, completata dall'amenità della posizione. Ristorante bordo spiaggia e in giardino, sotto pagode di legno.

Biodola ॐ ≤ 🛏 🕆 🍴 ✕ ❘ 📶 🄰🄲 ♨ rist, 🍴 **P** VISA ⓪ AE ♦
via Biodola 21 – 𝒞 05 65 97 48 12 – www.biodola.it – info@biodola.it
– Fax 05 65 96 98 52 – aprile-ottobre
88 cam 🍴 – ❙150/220 € ❙❙270/410 € – ½ P 160/230 €
Rist – Carta 41/53 €
♦ Struttura affacciata su una delle piu belle baie dell'isola: ampi spazi e leggiadri arredi nelle zone comuni. Camere di stile più classico ed elegante.

a Scaglieri Ovest : 9 km – ✉ **57037 – Portoferraio**

Danila ॐ 🛏 🄰🄲 ♨ rist, **P** VISA ⓪ AE ♦
golfo della Biodola – 𝒞 05 65 96 99 15 – www.hoteldanila.it
– info@hoteldanila.it – Fax 05 65 96 98 65
– 15 marzo-20 ottobre
27 cam 🍴 – ❙❙80/216 € – ½ P 70/117 €
Rist – Menu 25/60 €
♦ Gestione familiare per questo "piccolo villaggio" che si snoda nel verde affacciato sul golfo. Camere disposte su vari livelli, piacevoli angoli relax all'aperto. Nella luminosa sala ristorante, i sapori del territorio.

ad Ottone Sud-Est : 11 km – ✉ **57037 – Portoferraio**

Villa Ottone ॐ ≤ 🕭 🕆 🍴 ♨ ♨ ✕ ❘ ♨ 📶 🄰🄲 ↯ ♨ rist, 🍴 **P**
– 𝒞 05 65 93 30 42 – www.villaottone.com – hotel@   VISA ⓪ AE ⓪ ♦
villaottone.com – Fax 05 65 93 32 57 – 24 aprile-15 ottobre
71 cam 🍴 – ❙306/542 € ❙❙350/620 € – 5 suites – ½ P 200/335 €
Rist – (consigliata la prenotazione) Carta 50/125 €
♦ Villa storica in stile neoclassico, all'interno di un parco secolare affacciato direttamente sulla spiaggia privata; camere e suites sono ricche di fascino e decorate con affreschi originali. Il ristorante offre sistemazioni diverse e proposte gastronomiche altrettanto eterogenee.

Rıo Marına (LI) – 563N13 – **2 159 ab.** – ✉ **57038**

🚲 Porto Azzurro 12 – Portoferraio 20
⛴ per Piombino – Toremar, call center 892 123

❌ **La Canocchia** 🄰🄲 ↻ VISA ⓪ ⓪ ♦
via Palestro 2/4 – 𝒞 05 65 96 24 32 – Fax 05 65 96 24 32
– febbraio-ottobre; chiuso lunedì in bassa stagione
Rist – Carta 37/70 €
♦ Centro cittadino, di fronte ad un giardino pubblico; due sale e cura per la clientela in un locale a gestione familiare con specialità marinare e del territorio.

a Cavo Nord : 7,5 km – ✉ **57038**

Pierolli 🛏 ♨ **P** VISA ⓪ AE ⓪ ♦
⊛ lungomare Kennedy 1 – 𝒞 05 65 93 11 88 – www.hotelpierolli.it
– info@hotelpierolli.it – Fax 05 65 93 10 44 – aprile-ottobre
22 cam 🍴 – ❙41/80 € ❙❙70/150 € – ½ P 87/92 €
Rist – Carta 20/36 €
♦ Gestito dalla proprietà, un indirizzo semplice e pulito, a pochi minuti di aliscafo da Piombino e in una posizione tranquilla vicino alla passeggiata e al porticciolo. Dalla vicina banchina il pesce del giorno, dalla cucina i sapori mediterranei.

ELBA (Isola d')

RIO NELL'ELBA (LI) – 563N13 – **1 007 ab.** – **alt. 165 m** – ⊠ 57039

▶ Porto Azzurro 8 – Porto Ferraio 15

a Bagnaia Sud-Est : 12 km – ⊠ 57037 – Rio nell'Elba

🏨 **Locanda del Volterraio** ॐ ⟋ ⯃ 🐭 ☆ 🕭 ♨ 🐾 ᾈ 🎵 ♔ 🏨 ⌁
località Bagnaia-Residenza Sant'Anna – 🕿 05 65 96 12 36 [VISA] [MC] [AE] ᾂ
– www.volterraio.it – locanda@volterraio.it – Fax 05 65 96 12 89 – aprile-
settembre
18 cam ⌁ – ♦140/160 € ♦♦200/250 € – ½ P 122/140 € **Rist** – Carta 26/54 €
♦ Recente complesso residenziale di moderna concezione, immerso nel verde fra uliveti
e giardini fioriti, non lontano dalla spiaggia; ampie le camere di lineare sobrietà. Recente
complesso residenziale di moderna concezione, immerso nel verde fra uliveti e giardini
fioriti, non lontano dalla spiaggia; ampie le camere di lineare sobrietà.

EMPOLI – Firenze (FI) – 563K14 – **45 556 ab.** – **alt. 27 m** – ⊠ 50053   28 **B1**
🍴 Toscana

▶ Roma 294 – Firenze 30 – Livorno 62 – Siena 68

✗✗ **Cucina Sant'Andrea** 🕭 ⇆ [VISA] [MC] [AE] ⓘ ᾂ
via Salvagnoli 47 – 🕿 057 17 36 57 – cucinasantandrea@tin.it
– Fax 05 71 53 69 50 – chiuso dal 10 al 28 agosto e lunedì
Rist – Carta 29/52 €
♦ Bel locale "appoggiato" alla vecchia cinta muraria; sala con arredi di stile moderno,
piatti nazionali e locali, anche di pesce.

ENNA ℙ – 565O24 – Vedere Sicilia alla fine dell'elenco alfabetico

ENTRACQUE – Cuneo (CN) – 561J4 – **828 ab.** – **alt. 904 m** – Sport   22 **B3**
invernali : ✦4, ✤ – ⊠ 12010

▶ Roma 667 – Cuneo 24 – Milano 240 – Colle di Tenda 40
🚩 piazza Giustizia e Libertà 3 🕿 0171 978616, Fax 0171 978637

🏠 **Miramonti** ⩹ ⟋ ♔ rist. 🕭 ℙ [VISA] [MC] [AE] ⓘ ᾂ
🐾 viale Kennedy 2 – 🕿 01 71 97 82 22 – www.paginegialle.it/miramonti albergo
– miramontientracque@libero.it – Fax 01 71 97 89 63
– chiuso dal 10 al 25 novembre
18 cam – ♦35/48 € ♦♦55/65 €, ⌁ 5 € – ½ P 43/54 €
Rist (24 dicembre-Pasqua e giugno-settembre) (solo per alloggiati) Menu 12/15 €
♦ Caratteristica e piacevole casa di montagna, con giardinetto antistante e balconi punteggiati di fiori; la conduzione, familiare, è immutata nel tempo e così pure l'offerta di
camere semplici e sempre ordinate. All'insegna della semplicità anche la sala destinata
alla ristorazione, aperta solo in alta stagione.

ENTRÈVES – Aosta – 561E2 – Vedere Courmayeur

EOLIE (Isole) – Messina – 565L2627 – Vedere Sicilia alla fine dell'elenco
alfabetico

EPPAN AN DER WEINSTRASSE = Appiano sulla Strada del Vino

ERACLEA – Venezia (VE) – 562F20 – **12 661 ab.** – ⊠ 30020   36 **D2**
▶ Roma 569 – Udine 79 – Venezia 46 – Belluno 102
🚩 via Marinella 56 🕿 0421 66134, infoeracleamare@tin.it, Fax 0421 66500

a Torre di Fine Sud-Est : 8 km – ⊠ 30020

✗ **Da Luigi** con cam ॐ [MC] ♔ ℙ [VISA] [MC] [AE] ᾂ
🐾 via Dante 25 – 🕿 04 21 23 74 07 – Fax 04 21 23 74 47 – chiuso dal 20 settembre
al 20 ottobre
10 cam ⌁ – ♦28/60 € ♦♦56/60 €
Rist – (chiuso mercoledì escluso giugno-agosto) Carta 21/40 €
♦ Specialità di mare alla griglia per questa piacevole trattoria con camere; grande tradizione, famiglia in cucina e in sala e attenzione alla qualità delle materie prime.

ad Eraclea Mare Sud-Est : 10 km – ⊠ **30020**

🕍 **Park Hotel Pineta** ⌂   𝄞 ⍑ ⌸ 🆒 ⚿ 🐾 P 🚗 VISA ⊚ ⚓
via della Pineta 30 – 𝒞 042 16 60 63 – www.parkhotelpineta.com – parkhotel@
parkhotelpineta.com – Fax 042 16 61 96 – 15 maggio-25 settembre
44 cam ⌑ – †75/110 € ††115/145 € – 14 suites – ½ P 73/93 €
Rist – Carta 22/31 €
♦ A pochi passi dal mare, avvolto dalla tranquillità di una pineta, la struttura principale
con le sue tre dependance garantisce un soggiorno confortevole, ideale per famiglie.

ERBA – Como (CO) – 561E9 – 16 901 ab. – alt. 323 m – ⊠ 22036   18 **B1**
   ▶ Roma 622 – Como 14 – Lecco 15 – Milano 44

🏯 **Castello di Casiglio**   𝄞 ⍑ 🏢 ⌸ 🆒 ⚿ rist, 🛈 ⛤ P
via Cantù 21 verso Albavilla, Ovest : 1 km   VISA ⊚ AE ① ⚓
– 𝒞 031 62 72 88 – www.hotelcastellodicasiglio.it – info@hotelcastellodicasiglio.it
– Fax 031 62 96 49 – chiuso gennaio e febbraio
45 cam ⌑ – †110/140 € ††160/280 € – ½ P 125/175 €   **Rist** – Carta 42/62 €
♦ Abbracciato da un parco secolare, l'antico castello è oggi una suggestiva residenza
adatta ad un soggiorno di relax, ma anche luogo ideale per attività congressuali e meeting. Al ristorante, ampie sale che si prestano soprattutto a tavole particolarmente
numerose.

🏯 **Leonardo da Vinci**   🚗 🔲 🏢 𝄞 ⌦ 🏢 ⌸ 🆒 🛈 ⛤ P
via Leonardo da Vinci 6 – 𝒞 031 61 15 56   VISA ⊚ AE ① ⚓
– www.hotelleonardodavinci.com – info@hotelleonardodavinci.com
– Fax 031 61 14 23
71 cam ⌑ – †85 € ††120 € – ½ P 86 €
Rist – (chiuso domenica sera) Carta 37/48 €
♦ Grande struttura di stile moderno, poco fuori della città, dotata di ogni confort e
adatta per esigenze di lavoro e congressi; stanze e spazi comuni ampi ed eleganti. Servizio e atmosfera ricercati nel ristorante e nella sala per meeting e banchetti.

ERBUSCO – Brescia (BS) – 561F11 – 7 194 ab. – alt. 251 m – ⊠ 25030   19 **D2**
   ▶ Roma 578 – Bergamo 35 – Brescia 22 – Milano 69

🏨 **L'Albereta** ⌂   🚗 🔲 🏢 𝄞 ⌦ ⍟ 🌳 🆒 ⇄ rist, 🛈 ⛤ P 🚗
via Vittorio Emanuele II 23, Nord : 1,5 km   VISA ⊚ AE ① ⚓
– 𝒞 03 07 76 05 50 – www.albereta.it – info@albereta.it – Fax 03 07 76 05 73
57 cam – †175/360 € ††240/610 €, ⌑ 30 € – 9 suites
Rist Gualtiero Marchesi – (chiuso dal 7 gennaio al 7 febbraio, domenica sera
e lunedì) Menu 100/180 € – Carta 93/131 € ⌘
♦ Circondata da vigneti e da un parco secolare di cedri, querce e castagni, quest' antica
dimora padronale è situata sulla sommità di una collina da cui si gode una splendida
vista sul lago d'Iseo. Ampie stanze e suite personalizzate per un soggiorno esclusivo.

🕍 **La Mongolfiera dei Sodi**   🏠 ⌸ VISA ⊚ AE ① ⚓
via Cavour 7 – 𝒞 03 07 26 83 03 – www.mongolfiera.it – vorreisapere@
mongolfiera.it – chiuso dal 1° all'10 gennaio, dal 2 al 21 agosto, giovedì, le sere
del 24-25-26 dicembre e Pasqua
Rist – Carta 37/73 € ⌘
♦ Una bella cascina del Seicento riconvertita in un tipico, ma distinto locale: quattro
salette comunicanti e portico estivo, familiare cucina del territorio e specialità toscane
(in onore alle origini dei gestori).

ERICE – Trapani – 565M19 – **Vedere Sicilia alla fine dell'elenco alfabetico**

ESTE – Padova (PD) – 562G16 – **16 783 ab. – alt. 15 m** – ⊠ 35042 ▌ Italia   35 **B3**
   ▶ Roma 480 – Padova 33 – Ferrara 64 – Mantova 76
   🔃 via Negri 9 𝒞 0429 600462, iateste@virgilio.it, Fax 049 611105
   📷 Museo Nazionale Atestino★ – Mura★

🏠 **Beatrice d'Este** 🔤 ✗ rist. "📶" 👥 **P** *VISA* 🌐 ① ⚡
viale delle Rimembranze 1 – 𝒞 04 29 60 05 33 – www.hotelbeatricedeste.it
– hotelbeatricedeste@virgilio.it – Fax 04 29 60 19 57
30 cam – †50/65 € ††80/85 €, ⊊ 8 € – ½ P 55/60 €
Rist – *(chiuso domenica) (chiuso a mezzogiorno)* Carta 24/29 €
♦ Accanto all'omonimo Castello, una costruzione d'impronta moderna e recentemente ristrutturata: ideale base per visitare i dintorni e i Colli Euganei. Buon rapporto qualità/prezzo per il ristorante di sapore familiare e tranquillo.

ETROUBLES – Aosta (AO) – 561E3 – 461 ab. – alt. 1 280 m – ✉ 11014   34 **A2**
▶ Roma 760 – Aosta 14 – Colle del Gran San Bernardo 18 – Milano 198
🗓 strada Nazionale Gran San Bernardo 13 località Gran San Bernardo 𝒞 0165
78559, info@gransanbernardo.com, Fax 0165 78568

✗ **Croix Blanche** 🏠 **P** *VISA* 🌐 ⚡
via Nazionale Gran San Bernardo 10 – 𝒞 016 57 82 38 – croix.blanche@libero.it
– Fax 016 57 82 19 – chiuso dal 27 aprile al 19 maggio, dal 3 novembre
al 3 dicembre e martedì (escluso luglio-agosto)
Rist – Menu 22/40 € – Carta 25/44 €
♦ In una locanda del XVII secolo, con tipici tetti in losa del posto e ubicazione strategica verso il Gran San Bernardo: ambiente rustico, sapori locali e nazionali.

FABBRICA CURONE – Alessandria (AL) – 561H9 – 808 ab.   23 **D2**
– alt. 480 m – ✉ 15050
▶ Roma 545 – Alessandria 55 – Genova 79 – Milano 97

✗ **La Genzianella** con cam 🍽 🏠 **P** *VISA* 🌐 ① ⚡
frazione Selvapiana 7, Sud-Est : 4 km – 𝒞 01 31 78 01 35
– www.genzianella-selvapiana.it – info@genzianella-selvapiana.it
– Fax 01 31 78 00 04 – chiuso 3 settimane in settembre, lunedì e martedì (escluso
luglio-agosto)
10 cam – †45 € ††65 €, ⊊ 10 € – ½ P 45 €   **Rist** – Carta 24/32 €
♦ Ideale per una gita in montagna, piacevole ristorante familiare che propone un menu degustazione d'ispirazione regionale. La struttura dispone anche di camere semplici e curate.

FABBRICO – Reggio Emilia (RE) – 562H14 – 5 803 ab. – alt. 25 m   8 **B2**
– ✉ 42042
▶ Roma 438 – Bologna 81 – Mantova 37 – Modena 43

🏠 **San Genesio** senza rist ⚡ 🔤 ✗ "📶" **P** *VISA* 🌐 AE ① ⚡
via Piave 35 – 𝒞 05 22 66 52 40 – www.hotelsangenesio.it – hotelsangenesio@
virgilio.it – Fax 05 22 65 00 33 – chiuso dal 23 dicembre al 7 gennaio ed agosto
18 cam ⊊ – †60/70 € ††95/115 € – 2 suites
♦ Ideale "fil rouge" con il patrono e la chiesetta del Santo sita in campagna, un edificio d'inizio secolo scorso aggiornato nel confort ma fedele nello stile degli arredi.

FABRIANO – Ancona (AN) – 563L20 – 30 543 ab. – alt. 325 m   20 **B2**
– ✉ 60044 ▮ Italia
▶ Roma 216 – Perugia 72 – Ancona 76 – Foligno 58
🗓 piazza del Comune 4 𝒞 0732 625067, iat.fabriano@regione.marche.it, Fax
0732 629791
◉ Piazza del Comune★ – Piazza del Duomo★
🅖 Grotte di Frasassi★★ Nord : 11 km

🏠 **Gentile da Fabriano** 🛏 🛗 🔤 ✗ 📞 👥 **P** *VISA* 🌐 AE ① ⚡
via Di Vittorio 13 – 𝒞 07 32 62 71 90 – www.hotelgentile.it – info@hotelgentile.it
– Fax 07 32 62 71 90
122 cam ⊊ – †70/80 € ††110/120 € – 8 suites
Rist – *(chiuso Natale, dal 6 al 20 agosto e a mezzogiorno (escluso domenica))*
Carta 33/48 €
♦ Circondato da un piccolo giardino, l'hotel è un complesso moderno dotato di spaziose camere arredate in calde tonalità. Disponibili anche sale riunioni di diversa capienza. Ampia sala ristorante, ideale per banchetti nel fine settimana, che propone una cucina classica dove gustare prodotti tipici regionali.

Hotel 2000 senza rist 🛋 AC 🛉 🎮 P 🚾 ⚫ AE ① ❺
viale Zonghi 29 – ℰ 07 32 25 11 60 – www.2000hotel.it – info@2000hotel.it
– Fax 07 32 25 11 61   **12 cam** ⌂ – †60/65 € ††80/90 €
♦ Ricavato da un antico palazzo, il piccolo hotel è situato a pochi passi dal centro storico e dispone di camere luminose arredate in modo semplice e moderno.

Agriturismo Gocce di Camarzano senza rist 🦌   ≤ 🚗 🛴 P
località Camarzano, strada verso Moscano, Nord-Est : 3,5 km   🚾
– ℰ 336 64 90 28 – www.goccedicamarzano.com – goccedicamarzano@libero.it
– Fax 07 32 62 81 72   **6 cam** – †50/70 € ††70/90 €, ⌂ 5 €
♦ Bella villa secentesca circondata dalle verdi colline marchigiane, dispone di spaziose camere arredate con letti in legno e di una piacevole sala lettura.

sulla strada statale 76 in prossimità uscita Fabriano Est

Villa Marchese del Grillo con cam 🦌   🚗 🏠 🛋 🛴 🎮 P
località Rocchetta Bassa, Nord-Est : 6 km ⌂ 60044   🚾 ⚫ AE ① ❺
– ℰ 07 32 62 56 90 – www.marchesedelgrillo.com – info@marchesedelgrillo.com
– Fax 07 32 62 79 58
20 cam ⌂ – †80/100 € ††105/160 € – 5 suites
Rist *– (chiuso dal 2 al 20 gennaio, 1 settimana ad agosto, domenica sera e
lunedì)* Menu 45/80 € – Carta 35/45 € 🕸
♦ Ricavato dalle cantine della villa, è un punto di riferimento dove assaporare la tipica cucina locale ed innovative rivisitazioni di piatti storici. Circondata dal parco, è ideale per un soggiorno all'insegna della tranquillità ed ospita spaziose camere arredate in stile.

FAENZA – Ravenna (RA) – 562 J17 – **54 315 ab.** – alt. 35 m – ⌂ 48018 🏴 Italia   9 **C2**
🔁 Roma 368 – Bologna 58 – Ravenna 35 – Firenze 104
🛈 piazza del Popolo 1 ℰ 0546 25231, prolocofaenza@racine.ra.it, Fax 0546 25231
◉ Museo Internazionale della Ceramica ★★

Cavallino   🛋 AC 🛉 rist, 🎮 🛴 P 🚾 ⚫ AE ① ❺
*via Forlivese 185 – ℰ 05 46 63 44 11 – www.cavallinohotel.it – info@
cavallinohotel.it – Fax 05 46 63 44 40*
80 cam ⌂ – †45/168 € ††55/170 € – ½ P 45/100 €
Rist *– (chiuso dal 1° al 26 agosto)* Carta 20/39 €
♦ Un complesso alberghiero decentrato, in direzione Forlì, e posizionato lungo la via Emilia; si dorme però tranquilli e le attrezzature di cui dispone sono complete. Una comoda soluzione per pasti sostanziosi.

Relais Villa Abbondanzi   🚗 🏠 🏊 🛁 🛴 rist, AC 🛉 🎮
via Emilia Ponente 23, Ovest: 1 km – ℰ 05 46 62 26 72   🚾 ⚫ AE ① ❺
– www.villa-abbondanzi.com – info@villa-abbondanzi.com – Fax 05 46 62 18 42
13 cam ⌂ – †118/191 € ††138/213 €
Rist Relais Villa Abbondanzi *(chiuso lunedì e martedì a mezzogiorno)* Carta 35/70 €
♦ Villa dei primi Ottocento, recentemente rinnovata, abbracciata da curati giardini con piscina. Piccolo centro benessere per momenti di piacevole relax. Interessanti proposte di pesce al ristorante.

al casello autostrada A 14 Nord-Est : 2 km :

ClassHotel Faenza   🛋 🛁 cam, AC ↔ 🛉 rist, 🎮 🛴 P
via San Silvestro 171 ⌂ 48018 Faenza – ℰ 054 64 66 62   🚾 ⚫ AE ① ❺
– www.classhotel.com – info.faenza@classhotel.com – Fax 054 64 66 76
69 cam ⌂ – †63/120 € ††84/150 €   **Rist** *– (chiuso domenica)* Carta 26/37 €
♦ Posizionato strategicamente alle porte di Faenza e nei pressi del casello autostradale, hotel ideale per una clientela d'affari o di passaggio. Camere accoglienti, dotate di buoni confort.

FAGAGNA – Udine (UD) – 562 D21 – **6 057 ab.** – alt. 177 m – ⌂ 33034   10 **B2**
🔁 Roma 634 – Udine 14 – Gemona del Friuli 30 – Pordenone 54

Al Castello   ≤ 🏠 🛉 🎮 P 🚾 ⚫ AE ① ❺
*via San Bartolomeo 18 – ℰ 04 32 80 01 85 – www.ristorantealcastello.com – info@
ristorantealcastello.com – Fax 04 32 80 01 85 – chiuso dal 14 al 28 gennaio e lunedì*
Rist – Menu 25/32 € – Carta 28/38 €
♦ Nella parte alta della località, poco distante dal castello che ricorda nel nome; all'interno l'atmosfera coniuga rusticità ed eleganza, la tradizione della linea gastronomica e la modernità delle presentazioni.

FAGNANO – Verona – Vedere Trevenzuolo

FAGNANO OLONA – Varese (VA) – 561F8 – 10 453 ab. – alt. 265 m   18 **A2**
– ⊠ 21054

▶ Roma 612 – Milano 40 – Bergamo 80 – Stresa 56

XX **Menzaghi**   🎿 ⟺ 🚾 🚗 🅰🅴 ① 👍
via San Giovanni 74 – 𝒞 03 31 36 17 02 – www.ristorantemenzaghi.com
– ri.menzaghi@libero.it – Fax 03 31 36 17 02 – chiuso dal 15 al 31 agosto,
domenica sera e lunedì
Rist – Carta 23/48 €
♦ L'accesso avviene tramite un ampio disimpegno, con numerose bottiglie in bellavista,
da cui si accede alla sala di taglio rustico-signorile. Menù vario e invitante.

FAIANO – Salerno – Vedere Pontecagnano

FAI DELLA PAGANELLA – Trento (TN) – 562D15 – 906 ab.   30 **B2**
– alt. 958 m – Sport invernali : 957/2 125 m 🎿 2 🎿16 (Consorzio Paganella-
Dolomiti) – ⊠ 38010

▶ Roma 616 – Trento 33 – Bolzano 55 – Milano 222
🅸 via Villa 1 𝒞 0461 583130, infofai@esperienzatrentino.it Fax 0461 583410

🏨 **Arcobaleno**   ≤ 🐾 🎿 🛎 🅰🅲 rist, 🎿 🐾 🅿 🚗 🚾 🚗 🅰🅴 ① 👍
via Cesare Battisti 29 – 𝒞 04 61 58 33 06 – www.hotelarcobaleno.it – info@
hotelarcobaleno.it – Fax 04 61 58 35 35 – chiuso novembre
38 cam ⊊ – ♦40/50 € ♦♦70/90 € – ½ P 45/66 €   **Rist** – Carta 22/34 €
♦ All'uscita della località, verso Andalo, questa struttura di taglio moderno offre camere
sobrie e luminose, con balconi godibili e panoramici. Bel centro benessere. Ristorante
con tavoli ben distanziati e finestroni sul paesaggio montano.

🏠 **Negritella** 🌲   ≤ 🎿 rist, 🅿
via Benedetto Tonidandel 29 – 𝒞 04 61 58 31 45 – www.hotelnegritella.it – info@
hotelnegritella.it – Fax 04 61 58 31 45 – dicembre-Pasqua e giugno-settembre
20 cam ⊊ – ♦52 € ♦♦90 € – ½ P 55/62 €
Rist – (chiuso a mezzogiorno da dicembre a Pasqua) Carta 23/32 €
♦ Bell'albergo a conduzione diretta, curato e ben tenuto, con una gradevole atmosfera
familiare; spazi comuni contenuti, ma sufficienti e ben distribuiti. Buffet di verdure e
piatti tipici trentini.

FALCADE – Belluno (BL) – 562C17 – 2 233 ab. – alt. 1 145 m – Sport   35 **B1**
invernali : 1 100/2 513 m 🎿 8 (Comprensorio Dolomiti superski Tre Valli) 🎿
– ⊠ 32020

▶ Roma 667 – Belluno 52 – Cortina d'Ampezzo 59 – Bolzano 64
🅸 corso Roma 1 𝒞 0437 599241, falcade@infodolomiti.it, Fax 0437 599242

🏨 **Belvedere**   ≤ 🐾 🎿 🛎 🛎 ⅙ 🎿 rist, 🐾 🅿 🚾 🚗 🅰🅴 ① 👍
via Garibaldi 28 – 𝒞 04 37 59 90 21 – www.belvederehotel.info – info@
belvederehotel.info – Fax 04 37 59 90 81 – dicembre-Pasqua e giugno-settembre
37 cam ⊊ – ♦♦80/160 € – ½ P 49/110 €   **Rist** – Carta 24/44 €
♦ Tripudio di legni per questa deliziosa e tipica casa di montagna già piacevole dall'e-
sterno: in posizione isolata e quieta, non lontano dalle piste, buon gusto e calore. Caratteristiche stube d'epoca costituiscono splendidi inviti per gustare la buona cucina del
territorio.

🏨 **Sport Hotel Cristal**   🛎 ⅙ 🎿 rist, 🅿 🚾 🚗 👍
corso Roma 10/a – 𝒞 04 37 50 73 56 – www.sporthotelcristal.ne – info@
sporthotelcristal.ne – Fax 04 37 50 91 19 – 6 dicembre-marzo e 15 giugno-14 settembre
46 cam ⊊ – ♦43/63 € ♦♦70/110 € – ½ P 42/73 €   **Rist** – Carta 23/42 €
♦ I prati tutt'intorno si trasformano in estate in una splendida spiaggia baciata dal sole e
da una piacevole brezza; all'interno ambienti riscaldati dal tepore del legno e da luminose stoffe carminio. Al ristorante il rosso lascia il posto al blu per una rilassante pausa
alla scoperta dei sapori della regione.

FALCONARA MARITTIMA – Ancona (AN) – 563 L22 – 28 354 ab.   21 C1
– ✉ 60015

> ▶ Roma 279 – Ancona 13 – Macerata 61 – Pesaro 63
> ✈ Ovest : 0,5 km ✆ 071 2827233
> ℹ (giugno-settembre) via Flaminia 548/a ✆ 071 910458, iat.falconara@
> libero.it, Fax 071 9166532

🏠 **Touring** ♨   🍸 🛗 🕎 🥄 🥄 **P** 🚗 **VISA** ☯ **AE** ⓪ ⚡
via degli Spagnoli 18 – ✆ 07 19 16 00 05 – www.touringhotel.it – info@
touringhotel.it – Fax 071 91 30 00
77 cam ☲ – †61/88 € ††86/122 € – ½ P 65/74 €
Rist Il Camino – vedere selezione ristoranti
◆ Ideale soprattutto per clienti di lavoro, l'albergo, di stampo moderno e non vicino al
mare, ma verso Falconara alta, è dotato di confort e di stanze abbastanza spaziose.

🍴🍴🍴 **Villa Amalia** con cam   🕎 📶 🥄 **VISA** ☯ **AE** ⓪ ⚡
via degli Spagnoli 4 – ✆ 07 19 16 05 50 – www.villaamalia.it – info@
villaamalia.it – Fax 071 91 20 45 – chiuso 15 giorni in gennaio e 15 giorni in
settembre
7 cam ☲ – †75/90 € ††100/120 €
Rist – (chiuso domenica sera e lunedì) Carta 48/59 €
◆ Villino d'inizio '900, a pochi metri dalla marina, tre sale di sobria eleganza e una
veranda estiva: piatti tradizionali o creativi sempre a base di pesce dell'Adriatico. Le
camere hanno ingresso indipendente dal cortile.

🍴🍴 **Il Camino** – Hotel Touring   🕎 📶 ↔ **VISA** ☯ **AE** ⓪ ⚡
⊜ via Tito Speri 2 – ✆ 07 19 17 16 47 – www.ristoranteilcamino.it – info@
ristoranteilcamino.it – Fax 07 19 17 16 47 – chiuso domenica sera e lunedì a
mezzogiorno escluso agosto
Rist – Carta 20/43 €
◆ Situato nella stessa struttura dell'hotel Touring, ma con accesso indipendente, offre
un primo grande ambiente classico con tanto di camino e una saletta più intima e
rustica.

FALZES (PFALZEN) – Bolzano (BZ) – 562 B17 – 2 313 ab. – alt. 1 022 m   31 C1
– Sport invernali : 1 022/2 275 m ✦ 19 ✦ 12 (Comprensorio Dolomiti superski Plan
de Corones) ✦ – ✉ 39030

> ▶ Roma 711 – Cortina d'Ampezzo 64 – Bolzano 65 – Brunico 5
> ℹ piazza del Municipio, Rathaus Plaz 1 ✆ 0474 528159, info@falzes.net,Fax
> 0474 528413

ad Issengo (Issing)Nord-Ovest : 1,5 km – ✉ 39030 – Falzes

🍴🍴 **Al Tanzer** con cam ♨   🍴 🕎 📶 ♨ **P** **VISA** ☯ **AE** ⓪ ⚡
via del Paese 1 – ✆ 04 74 56 53 66 – www.tanzer.it – info@tanzer.it
– Fax 04 74 56 56 46 – chiuso dal 15 aprile al 10 maggio e dal 9 al 28 novembre
20 cam ☲ – †47/80 € ††94/160 € – ½ P 62/80 €
Rist – (chiuso martedì e mercoledì a mezzogiorno) Carta 41/55 €
◆ Ambiente ovattato, caratteristico e molto grazioso, in eleganti stube, per una cucina
d'impronta altoatesina, ma trasformata con fantasia; possibilità di alloggio.

a Molini (Mühlen)Nord-Ovest : 2 km – ✉ 39030 – Chienes

🍴🍴🍴 **Schöneck** (Karl Baumgartner)   ↔ 🍴 🕎 ↔ **P** **VISA** ☯ **AE** ⓪ ⚡
🕸 via Schloss Schöneck 11 – ✆ 04 74 56 55 50 – www.schoeneck.it
– info@schoeneck.it – Fax 04 74 56 41 67 – chiuso dal 31 marzo al 7 aprile,
dal 22 giugno al 6 luglio, dal 2 al 10 novembre, lunedì, martedì a mezzogiorno
Rist – Carta 47/80 € ⚜
Spec. Variazione di pesci gratinati con pangrattato agli aromi, salsa di cipolle
e arance, purea di melanzane e verdure. Filetto di manzo in crosta di midollo,
salsa al vino rosso, gratin di patate e verdure novelle. Strudel caldo di mele e
banane con zabaione di amaretto e gelato di cioccolato bianco.
◆ Se la bellezza del locale si completa con una calorosa ospitalità, la cucina basta a se
stessa: prodotti, cotture e accostamenti, difficile stabilire dove il cuoco eccella.

FANNA – Pordenone (PN) – 562D20 – **1 556 ab.** – alt. 272 m – ✉ 33092   10 **B2**

🚹 Roma 620 – Udine 50 – Belluno 75 – Pordenone 29

🏠 **Al Giardino**   🚲 ఉ 🆔 📞 🚿 **P** 🆚 ⓐⓔ ⓘ ☉
😊 *via Circonvallazione Nuova 3 – ℰ 042 77 71 78 – www.algiardino.com – info@
algiardino.com – Fax 04 27 77 80 55
– chiuso dal 10 gennaio al 10 febbraio*
25 cam 🖵 – ♦60/100 € ♦♦90/120 € – ½ P 65 €
Rist – *(chiuso martedì)* Carta 20/30 €
♦ Il nome prelude all'indovinata cornice verde della struttura, ornata da specchi d'acqua
concepiti quasi alla maniera orientale; tutto spicca per l'estrema cura. Una sala con vocazione banchettistica aggiunta ad una più raccolta e alla veranda estiva.

FANO – Pesaro e Urbino (PS) – 563K21 – **60 603 ab.** – ✉ 61032▮ Italia   20 **B1**

🚹 Roma 289 – Ancona 65 – Perugia 123 – Pesaro 11

🄓 viale Cesare Battisti 10 ℰ 0721 803534, iat.fano@regione.marche.it,Fax
0721 824292

👁 Corte Malatestiana★ Z **M** – Dipinti del Perugino★nella chiesa di Santa
Maria Nuova Z

🏠 **Elisabeth Due**   ⟨ 📶 🏃 🆔 🚿 📞 **P** 🆚 ⓐⓔ ⓘ ☉
*piazzale Amendola 2 – ℰ 07 21 82 31 46 – www.hotelelisabethdue.it – info@
hotelelisabethdue.it – Fax 07 21 82 31 47*
32 cam – ♦107 € ♦♦140 €, 🖵 12 € – 4 suites – ½ P 75 €
Rist *Il Galeone* – *(chiuso domenica sera e lunedì a mezzogiorno)* Carta 34/56 €
♦ Situato sulla passeggiata principale del lido, l'albergo vanta una meravigliosa vista sul-
l'Adriatico ed offre camere e spazi comuni arredati in stile moderno e confortevoli. L'elegante ristorante propone una cucina nazionale, ideale per gustare soprattutto specialità
di mare.

🏠 **Corallo**   🔟 📶 🆔 🚿 📞 🚿 **P** 🆚 ⓐⓔ ⓘ ☉
*via Leonardo da Vinci 3 – ℰ 07 21 80 42 00 – www.hotelcorallo-fano.it
– info@hotelcorallo-fano.it – Fax 07 21 80 36 37
– chiuso dal 24 dicembre al 6 gennaio*
38 cam – ♦45/55 € ♦♦70/80 €, 🖵 9 € – 3 suites – ½ P 60/78 €
Rist – *(chiuso a mezzogiorno da gennaio a marzo)* Carta 27/42 €
♦ Gestione seria e attenta alle migliore per una struttura dall'atmosfera piacevole e
tranquilla, situata non lontano dal lungomare. Ideale per clientela d'affari. Ampia sala
ristorazione dove gustare la cucina locale e specialità a base di pesce.

🏠 **Angela**   ⟨ 📶 📶 🆔 cam, 🚿 📞 🆚 ⓐⓔ ⓘ ☉
*viale Adriatico 13 – ℰ 07 21 80 12 39 – www.hotelangela.it – info@hotelangela.it
– Fax 07 21 80 31 02 – chiuso dal 20 dicembre al 10 gennaio*
37 cam – ♦51/57 € ♦♦73/85 €, 🖵 6,50 € – ½ P 68 €   **Rist** – Carta 29/65 €
♦ Ubicato direttamente sul mare, l'hotel vanta una gestione familiare, graziosi spazi
comuni, camere semplici e funzionali ed un fresco giardino. La cucina propone specialità
regionali e soprattutto di pesce.

🏠 **Villa Giulia** senza rist 🌳   ⟨ 🚲 🚿 **P** 🆚 ⓐⓔ
*via di Villa Giulia, località San Biagio 40 – ℰ 07 21 82 31 59
– www.relaisvillagiulia.com – info@relaisvillagiulia.com – Fax 07 21 83 70 76
– chiuso gennaio e febbraio*
6 cam 🖵 – ♦85/140 € ♦♦140/190 €
♦ Rilassante e confortevole struttura ricavata dall'antica residenza napoleonica immersa
nel verde, propone camere arredate secondo lo stile originale.

🍴 **Casa Nolfi**   🚿 🆔 🆚 ⓐⓔ ⓘ ☉
*via Gasparoli 59 – ℰ 07 21 82 70 66 – www.casanolfi.it
– info@casanolfi.it – Fax 07 21 82 70 66
– chiuso domenica sera e lunedì (escluso luglio e agosto)*
Rist – *(chiuso a mezzogiorno dal 15 giugno al 15 settembre)* Menu 35/55 €
– Carta 44/59 €
♦ Piacevole locale in pieno centro storico, offre un'atmosfera moderna dove poter
gustare sapori locali e, prevalentemente, specialità di pesce.

FARA FILIORUM PETRI – Chieti (CH) – 563P24 – **1 917 ab.**   2 **C2**
– alt. 210 m – ✉ 66010
> ▶ Roma 205 – Pescara 36 – Chieti 18 – L'Aquila 97

XX **Casa D'Angelo**   🏠 ⅙ ❄ ⇔ 🅿 ⅦⅩⅩ Ⅹ Ⅹ Ⅹ Ⅹ Ⅹ
via San Nicola 5 – ✆ 087 17 02 96 – rist.casadangelo@libero.it – Fax 087 17 02 82
– chiuso dal 1° al 24 novembre, domenica sera e lunedì
Rist – Menu 37 € – Carta 28/38 € ⅛
◆ La vecchia casa di famiglia, un locale intimo e raffinato cui si aggiunge la sapienza di
una gestione dalla lunga esperienza. Piatti del territorio vivacizzati dalla fantasia dello
chef.

FARA IN SABINA – Rieti (RI) – 563P20 – **11 466 ab.** – alt. 484 m   12 **B1**
– ✉ 02032
> ▶ Roma 55 – Rieti 36 – Terni 65 – Viterbo 83

a **Coltodino** Sud-Ovest : 4 km – ✉ 02030

⏚ **Agriturismo Ille-Roif** ⅙   ⬉ 🛋 🏠 ⅀ ⑊ ⅩⅩ ⅙ 🄰🄲 rist, Ⅹ rist, ⅏
località Talocci, Ovest : 5,5 km – ✆ 07 65 38 67 49   🅿 ⅦⅩⅩ Ⅹ Ⅹ Ⅹ Ⅹ
– www.ille-roif.it – ille-roif@linet.it – Fax 07 65 38 67 83 – chiuso dal 7 al 31
gennaio
12 cam ⅏ – ⅊120/150 € ⅊⅊150/200 € – ½ P 100/150 €
Rist – *(chiuso a mezzogiorno)* (consigliata la prenotazione) Menu 25/35 €
◆ Originale, stravagante e colorato: a questo agriturismo sono state messe le ali alla fantasia e chi vi soggiorna non potrà che volare con essa per scoprire spazi e forme forse
persino bizzarri! Prendere posto tra tavoli e sedie oppure mangiare su un'altalena e fare
di un gioco infantile il pasto più divertente?

FARA VICENTINO – Vicenza (VI) – 562E16 – **3 888 ab.** – alt. 202 m   35 **B2**
– ✉ 36030
> ▶ Roma 539 – Padova 58 – Trento 72 – Treviso 66

⏚ **Agriturismo Le Colline dell'Uva**   ⬉ 🛋 Ⅹ rist, ⅏ 🅿
⊜ *via Alteo 15, Nord-Est : 1,5 km – ✆ 04 45 89 76 51*   ⅦⅩⅩ Ⅹ Ⅹ Ⅹ Ⅹ
– www.lecollinedelluva.com – lecollinedelluva@hotmail.com – Fax 04 45 89 76 51
5 cam ⅏ – ⅊54/60 € ⅊⅊89/95 €
Rist – *(chiuso a mezzogiorno) (solo per alloggiati)* Menu 20/35 €
◆ Sulle colline vicentine, una casa colonica completamente ristrutturata: interni curati e
camere arredate con gusto; per una vacanza in campagna senza rinunciare al confort.

FARNETA – Arezzo – 563M17 – **Vedere Cortona**

FARRA DI SOLIGO – Treviso (TV) – 562E18 – **8 113 ab.** – alt. 163 m   36 **C2**
– ✉ 31010
> ▶ Roma 590 – Belluno 40 – Treviso 35 – Venezia 72

a **Soligo** Est : 3 km – ✉ 31010

X **Casa Rossa**   ⬉ 🛋 🏠 🅿 ⅦⅩⅩ Ⅹ Ⅹ Ⅹ Ⅹ
località San Gallo – ✆ 04 38 84 01 31 – www.itinerarium.eu/casarossa
– casarossa@itinerarium.eu – Fax 04 38 84 00 16 – chiuso dal 15 gennaio
al 13 febbraio, mercoledì e giovedì, da giugno a settembre aperto giovedì sera
Rist – Carta 32/41 €
◆ Una casa colonica in posizione panoramica tra i vigneti della tenuta San Gallo; servizio
estivo in terrazza-giardino e cucina del territorio con specialità allo spiedo.

a **Col San Martino** Sud-Ovest : 3 km – ✉ 31010

XX **Locanda Marinelli** con cam ⅙   ⬉ 🏠 Ⅹ cam, 🅿 ⅦⅩⅩ Ⅹ Ⅹ Ⅹ Ⅹ
via Castella 5 – ✆ 04 38 98 70 38 – www.locandamarinelli.it – info@
locandamarinelli.it – Fax 04 38 89 87 73 – chiuso dieci giorni in febbraio, quindici
giorni in giugno e martedì
3 cam ⅏ – ⅊50/60 € ⅊⅊60/80 €   **Rist** – Carta 33/54 €
◆ Nella quiete di una tranquilla frazione tra i vigneti di Prosecco, due giovani cuochi
propongono una cucina innovativa a base di ottimi prodotti. Bella terrazza panoramica.

✗ **Locanda da Condo**　　　🏠 🕸️ 🏢 VISA ⓿ AE ① ✆
*via Fontana 134 – ℰ 04 38 89 81 06 – www.locandadacondo.it – info@
locandadacondo.it – Fax 04 38 98 97 01 – chiuso luglio, martedì sera e mercoledì*
Rist – Carta 24/30 €
♦ Un'antica locanda che una famiglia gestisce da almeno tre generazioni. Diverse sale
ricche di fascino tutte accomunate dallo stile tipico di una trattoria. Cucina veneta.

FASANO – Brindisi (BR) – 564E34 – 38 836 ab. – alt. 111 m – ✉ 72015　　27 **C2**
▶ Roma 507 – Bari 60 – Brindisi 56 – Lecce 96
🚹 piazza Ciaia 10 ℰ 080 4413086, Fax 080 4413086
◀ Regione dei Trulli★★★ Sud

⋔ **Agriturismo Masseria Marzalossa**　　🚗 ⌱ AC 🕸️ 📞 P
contrada Pezze Vicine 65, Sud-Est : 2,5 km　　　VISA ⓿ AE ✆
*– ℰ 08 04 41 37 80 – www.marzalossa.com – masseriamarzalossa@
marzalossa.com – Fax 08 04 41 37 80 – chiuso dal 7 al 20 novembre*
12 cam ⌿ – ❙125/154 € ❙❙160/218 € – 3 suites
Rist – *(chiuso a mezzogiorno) (solo per alloggiati solo su prenotazione)*
Menu 45 €
♦ Silenzio e vigneti preservano la raffinata atmosfera della maestosa masseria secentesca,
un gioiello per forme e materiali, a partire dalla bella piscina, incastonata tra alberi e
colonne. Molti dei prodotti usati in cucina vengono dalle coltivazioni della masseria stessa.

✗ **Rifugio dei Ghiottoni**　　　　AC VISA ⓿ AE ✆
🔗 *via Nazionale dei Trulli 116 – ℰ 08 04 41 48 00 – Fax 08 04 41 48 00 – chiuso dal
1° al 20 luglio e mercoledì*
🔗 **Rist** – Menu 22/40 € – Carta 21/31 €
♦ E' il rifugio di chi cerca sapori caserecci di una cucina della tradizione regionale basata
su prodotti ittici e proposte locali da riscoprire e assaporare in un ambiente di piacevole familiarità.

Contrada San Marco Sud-Est : 5 km – ✉ 72015 – **Fasano**

⋔ **Agriturismo Borgo San Marco** 🍃　　🚗 🏠 ⌱ AC 🕸️ P
contrada Sant'Angelo 33 – ℰ 08 04 39 57 57　　　VISA ⓿ AE ① ✆
*– www.borgosanmarco.it – info@borgosanmarco.it – Fax 08 04 39 57 57 – aprile-
9 novembre*
14 cam ⌿ – ❙105/135 € ❙❙170/190 €
Rist – *(solo per alloggiati)* Menu 35 € bc/40 € bc
♦ Nel verde di una lussureggiante piana coltivata ad ulivi, il passato si fa riconoscere in
più punti: la macina per le olive, le mura di fortificazione, la chiesetta affrescata. Freschi
angoli per il relax.

a Selva Ovest : 5 km – alt. 396 m – ✉ 72015 – **Selva di Fasano**

🏨 **Sierra Silvana** 🍃　　🚗 ⌱ 🕸️ 🛏️ ⅙ cam, ⚘ AC 🕸️ rist, 📞 ⚙️ P
via Don Bartolo Boggia 5 – ℰ 08 04 33 13 22　　　VISA ⓿ AE ① ✆
– www.gesthotels.com – info@sierrasilvana.com – Fax 08 04 33 12 07
127 cam ⌿ – ❙92/128 € ❙❙110/170 € – ½ P 74/105 €
Rist – *(chiuso dal 2 gennaio al 31 marzo) (solo per alloggiati)* Carta 25/33 €
♦ In una delle zone più attraenti della Puglia, un complesso di moderne palazzine e
qualche trullo in un giardino mediterraneo; arredi in midollino e bambù, validi spazi.
Per ristorante un gazebo con buganvillee ed eleganti sale con bei soffitti a tendaggi.

a Speziale Sud-Est : 10 km – alt. 84 m – ✉ 72015 – **Montalbano di Fasano**

⋔ **Agriturismo Masseria Narducci**　　🚗 AC 🕸️ P VISA ⓿ ✆
🔗 *via Lecce 144 – ℰ 08 04 81 01 85 – www.agriturismonarducci.it – info@
agriturismonarducci.it – Fax 08 04 81 01 85 – chiuso novembre*
9 cam ⌿ – ❙55/75 € ❙❙80/110 € – ½ P 65/80 €
Rist – *(chiuso domenica sera) (chiuso a mezzogiorno escluso la domenica)* (prenotazione obbligatoria) Carta 21/33 €
♦ Caratteristico e familiare, all'ingresso della proprietà si trova anche un piccolo nego-
zietto per la vendita di prodotti tipici, tipica masseria con giardino-solarium e un'antica
atmosfera rurale.

FASANO DEL GARDA – Brescia – Vedere Gardone Riviera

FAVIGNANA (Isola di) – Trapani – 565N18 – Vedere Sicilia (Egadi, isole) alla fine dell'elenco alfabetico

FELINO – Parma (PR) – 562H12 – 7 521 ab. – alt. 187 m – ⊠ 43035   8 **A3**
▶ Roma 469 – Parma 17 – Cremona 74 – La Spezia 113

ⓧⓧ **La Cantinetta** (Roberto Pongolini) con cam e senza ⌷   ⌂ 🅰🅲 ⇆ 🅿
❀   *via Calestano 14 – ℰ 05 21 83 11 25*   🆅🆂🅰 ⓸ ⓺ ⑤
     – www.lacantinettadifelino.it – info@lacantinettadifelino.it – Fax 05 21 83 11 25
     – chiuso Natale, agosto, lunedì e domenica sera; in luglio anche domenica a
     mezzogiorno
     2 cam – ⅋55/70 € ⅋⅋90/110 €   **Rist** – Carta 57/75 € ⅋⅋
     Spec. Finestra sul mare (antipasto di pesce crudo). Spaghetti freschi al fumo con
     tonno e fave (primavera). Torretta di maialino nero, mela e Calvados (inverno).
     ♦ La cucina di mare si disancora dalle preparazioni più tradizionali per diventare estro e
     creatività allo stato puro... Talvolta, perfino, provocazione! Possibilità di alloggio.

ⓧ   **Antica Osteria da Bianchini**   ⌂ 🆅🆂🅰 ⓸ 🅰🅴 ⓸ ⑤
🐖   *via Marconi 4/a – ℰ 05 21 83 11 65 – dabianchini@virgilio.it – chiuso dal 1° al 15*
     gennaio, lunedì e martedì
🐖   **Rist** – Carta 21/33 €
     ♦ L'ingresso è quello di una salumeria, accanto le due sale arredate nello stile di una
     tipica osteria di paese, dove trovare salumi, paste fresche, diversi tipi di carne e crostate.

a Barbiano Sud : 4 km – ⊠ 43035

ⓧ   **Trattoria Leoni**   ⌂ ❄ 🅿 🆅🆂🅰 ⓸ 🅰🅴 ⓸ ⑤
🐖   *via Ricò 42 – ℰ 05 21 83 11 96 – www.trattorialeoni.it – leoni@trattorialeoni.it*
     – Fax 05 21 83 66 41 – chiuso dal 1° al 20 gennaio e lunedì
     Rist – Menu 30 € – Carta 23/38 €
     ♦ In una cornice di affascinanti dolci colline, la classica sala propone piatti parmigiani che
     si aprono a suggestioni di montagna, funghi e cacciagione; imperdibile panorama estivo.

a Casale Nord : 2,5 km – ⊠ 46034 – GOVERNOLO

ⓧ   **La Porta di Felino**   ⌂ ❄ 🆅🆂🅰 ⓸ 🅰🅴 ⓸ ⑤
🐖   *via Casale 28/B – ℰ 05 21 83 68 39 – paolacabassa@yahoo.it*
     – Fax 05 21 33 56 23 – chiuso domenica sera e mercoledì
     Rist – (consigliata la prenotazione) Carta 28/36 €
     ♦ Trattoria di campagna dallo stile luminoso e leggero con un dehors estivo affacciato
     sulla corte interna, dove accomodarsi per gustare una schietta e saporita cucina emiliana.

FELTRE – Belluno (BL) – 562D17 – 19 841 ab. – alt. 324 m – ⊠ 32032   35 **B2**
🏳 Italia

▶ Roma 593 – Belluno 32 – Milano 288 – Padova 93
🖪 piazzetta Trento e Trieste 9 ℰ 043 2540, feltre@infodolomiti.it, Fax043
2839
◙ Piazza Maggiore★ – Via Mezzaterra★

🏨   **Doriguzzi** senza rist   🛗 ⁽ᵗ⁾ 🅿 🚗 🆅🆂🅰 ⓸ 🅰🅴 ⓸ ⑤
     viale Piave 2 – ℰ 04 39 20 03 – www.hoteldoriguzzi.it – hoteldoriguzzi@virgilio.it
     – Fax 043 98 36 60 – chiuso dal 23 al 26 dicembre
     25 cam ⌷ – ⅋55/60 € ⅋⅋70/80 €
     ♦ Accogliente struttura vicino al centro storico, è un valido punto di riferimento soprat-
     tutto per una clientela di lavoro grazie agli ambienti ben accessoriati e moderni a dispo-
     sizione degli ospiti.

🏠   **La Casona**   ♿ 🅰🅲 ❄ ⁽ᵗ⁾ 🅿 🚗 🆅🆂🅰 ⓸ 🅰🅴 ⓸ ⑤
     via Segusini 17 località Boscariz – ℰ 04 39 30 27 30 – www.lacasona.it – info@
     lacasona.it – Fax 04 39 31 73 99
     22 cam ⌷ – ⅋50/70 € ⅋⅋70/100 € – ½ P 47/57 €   **Rist** – Carta 23/46 €
     ♦ Alle spalle dell'ospedale e del campo sportivo, piccola risorsa di recente costruzione
     che propone ambienti moderni negli arredi, camere confortevoli e ben equipaggiate. Al
     ristorante più sale di tono leggermente rustico con interessante menu e specialità
     alla griglia.

FENEGRÒ – Como (CO) – 2 627 ab. – alt. 290 m – ✉ 22070   18 **A1**
> ▶ Roma 604 – Como 26 – Milano 34 – Saronno 10

✕✕   **In**   🔠 ⇔ 🅿 🆅🆂🅰 ⓪ 🆎 🔶
via Monte Grappa 20 – ℰ 031 93 57 02 – www.ristorante-in.com
– Fax 031 93 57 02 – chiuso dal 26 dicembre al 4 gennaio, agosto, domenica sera e lunedì
Rist – Carta 30/45 €
♦ Un locale di tono moderno e accogliente, con interni signorili e un'atmosfera comunque familiare; un po' fuori paese, piatti di mare, ora più classici ora rivisitati.

FENER – Belluno (BL) – 562E17 – alt. 198 m – ✉ 32031   36 **C2**
> ▶ Roma 564 – Belluno 42 – Milano 269 – Padova 63

🏨   **Tegorzo**   ✕ 🛏 ♿ cam, 🔠 rist, 🞥 rist, ⁽ᵖ⁾ 🔾 🅿 🆅🆂🅰 ⓪ 🆎 ⓪ 🔶
via Nazionale 25 – ℰ 04 39 77 97 40 – www.hoteltegorzo.it – info@hoteltegorzo.it – Fax 04 39 77 97 06
30 cam 🖵 – ♦50/60 € ♦♦75/90 € – ½ P 45/70 €
Rist – *(chiuso domenica sera)* Carta 22/30 €
♦ Ubicato nella prima periferia della località, un hotel a gestione familiare rinnovatosi negli anni, semplice e confortevole. Bel giardino e campo da tennis. Ristorante con proposte di cucina casereccia.

FENIS – Aosta (AO) – 561E4 – 1 607 ab. – alt. 537 m – ✉ 11020 ▮ Italia   34 **B2**
> ▶ Roma 722 – Aosta 20 – Breuil-Cervinia 36 – Torino 82

🏨   **Comtes de Challant** 🕭   🛏 ♿ 🔠 rist, 🞥 🔾 🅿 🚗
frazione Chez Sapin 95 – ℰ 01 65 76 43 53   🆅🆂🅰 ⓪ 🆎 ⓪ 🔶
– www.hcdc.it – info@hcdc.it – Fax 01 65 76 47 62 – chiuso dal 7 al 30 gennaio
28 cam 🖵 – ♦52/65 € ♦♦84/100 € – ½ P 60/76 €
Rist – *(chiuso lunedì escluso dal 20 luglio al 15 settembre)* Carta 23/56 €
♦ Ubicazione tranquilla, di fronte al suggestivo maniero medievale, per questa tipica costruzione di montagna dotata di bei terrazzi nonchè di camere confortevoli ed accoglienti. Proposte sia valdostane sia nazionali in un classico ristorante d'albergo.

FERENTILLO – Terni (TR) – 563O20 – 1 926 ab. – alt. 252 m – ✉ 05034   33 **C3**
▮ Italia
> ▶ Roma 122 – Terni 18 – Rieti 54

⌂   **Abbazia San Pietro in Valle** 🕭   ≤ 🚗 🔾 🅿 🆅🆂🅰 ⓪ 🆎 🔶
strada statale 209 Valnerina km 20, Nord-Est : 3,5 km – ℰ 07 44 78 01 29
– www.sanpietroinvalle.com – abbazia@sanpietroinvalle.com
– Fax 07 44 38 01 21 – Pasqua-2 novembre
21 cam 🖵 – ♦98/109 € ♦♦129/139 €
Rist Il Cantico – vedere selezione ristoranti
♦ Nel cuore del misticismo umbro, un'esperienza irripetibile all'interno di un'abbazia d'origne longobarda del IX sec. Camere semplici in linea con lo spirito del luogo.

✕✕   **Il Cantico** – Abbazia San Pietro in Valle   🞥 ♿ 🅿 🆅🆂🅰 ⓪ 🆎 ⓪ 🔶
strada statale 209 Valnerina km 20, Nord-Est : 3,5 km – ℰ 07 44 78 00 05
– www.ilcantico.it – ristorante.ilcantico@virgilio.it – Fax 07 44 78 00 05 – chiuso gennaio-febbraio
Rist – *(consigliata la prenotazione)* Menu 35/55 € – Carta 37/47 € 🕸 (+10 %)
♦ Nelle cantine di quello che nel XVII secolo era un corpo di guardia, una cucina suggestiva come la struttura che la ospita: prodotti tradizionali umbri in piatti creativi e sorprendenti. Terrazza coperta.

✕✕   **Piermarini**   🚗 ♿ 🔠 ⇔ 🅿 🆅🆂🅰 ⓪ 🆎 ⓪ 🔶
via Ancaiano 23 – ℰ 07 44 78 07 14 – www.saporipiermarini.it – info@saporipiermarini.it – Fax 07 44 38 01 84 – chiuso domenica sera e lunedì
Rist – *(chiuso a mezzogiorno)* Carta 25/42 €
♦ Poco fuori dal centro, giardino, veranda e sale sono l'elegante cornice di una cucina spesso incentrata sul tartufo, coltivato direttamente dai titolari del ristorante.

FERENTINO – Frosinone (FR) – 563Q21 – 20 270 ab. – alt. 393 m   13 **C2**
– ✉ 03013

▶ Roma 75 – Frosinone 14 – Fiuggi 23 – Latina 66

G Anagni : cripta★★★ nella cattedrale★★, quartiere medioevale★, volta★ del palazzo Comunale Nord-Ovest : 15 km

🏨 Bassetto |♨| |点| 🅰🅲 ⅏ 🕻 🕍 **P** 🆅🆂🅰 ⑳ 🅰🅴 ⓪ ⚲
via Casilina Sud al km 74,600 – 𝒞 07 75 24 49 31 – www.hotelbassetto.it – info@hotelbassetto.it – Fax 07 75 24 43 99
99 cam ⌑ – †60/90 € ††80/140 € – ½ P 60/90 €
Rist – Menu 40 € – Carta 30/55 €
♦ Un esercizio storico da queste parti, ubicato sulla statale Casilina, ampliato e rinnovato in tempi recenti e con una gestione familiare ormai consolidata e capace. Un'ampia sala ristorante e ricette della consuetudine ciociara.

FERIOLO – Verbano-Cusio-Ossola (VB) – 561E7 – alt. 195 m – ✉ 28831   24 **A1**
▶ Roma 664 – Stresa 7 – Domodossola 35 – Locarno 48

🏨 Carillon senza rist   ≤ 🚄 |♨| **P** 🆅🆂🅰 ⑳ ⓪ ⚲
strada nazionale del Sempione 2 – 𝒞 032 32 81 15 – www.hotelcarillon.it – info@hotelcarillon.it – Fax 032 32 85 50 – 25 marzo-20 ottobre
32 cam ⌑ – †75/90 € ††100/110 €
♦ Posizionato direttamente sul lago, l'hotel vanta spaziose camere con vista panoramica, dagli arredi moderni recentemente rinnovati ed una spiaggia privata.

XX Il Battello del Golfo   ≤ 🅰🅲 🆅🆂🅰 ⑳ 🅰🅴 ⓪ ⚲
strada statale n. 33 – 𝒞 032 32 81 22 – www.battellodelgolfo.com – battellodelgolfo@libero.it – Fax 032 32 81 22 – chiuso martedì (escluso luglio-agosto), anche lunedì da novembre a febbraio
Rist – Carta 31/45 € (+10 %)
♦ Il locale vanta una discreta eleganza ed è un curioso adattamento di una barca trasportata ad hoc dal lago di Como ed ancorata a riva. Cucina stagionale, regionale e di lago.

XX Serenella con cam   🌇 🅰🅲 cam, **P** 🆅🆂🅰 ⑳ 🅰🅴 ⓪ ⚲
via 42 Martiri, 5 – 𝒞 032 32 81 12 – www.hotelserenella.net – info@hotelserenella.net – Fax 032 32 83 50 – chiuso gennaio
14 cam ⌑ – ††80/120 € – ½ P 60/80 €
Rist – (chiuso mercoledì da ottobre ad aprile) Carta 37/49 €
♦ La sala ristorante è molto raccolta e presenta menù stagionali regionali e di lago, inoltre la terrazza in giardino è particolarmente indicata per ricevimenti e banchetti. Poco distante dal lago, l'hotel dispone di camere recentemente rinnovate con un taglio moderno e di una spiaggia privata.

FERMIGNANO – Pesaro e Urbino (PS) – 563K19 – 7 897 ab.   20 **B1**
– alt. 199 m – ✉ 61033

▶ Roma 258 – Rimini 70 – Ancona 99 – Gubbio 49

🏨 Bucci senza rist   点 🅰🅲 ⅏ **P** 🍴 🆅🆂🅰 ⑳ ⓪ ⚲
via dell'Industria 13, Nord-Est : 3,6 km – 𝒞 07 22 35 60 50 – Fax 07 22 35 60 50 – chiuso dal 1° al 15 settembre
16 cam ⌑ – †35/60 € ††50/100 €
♦ A qualche chilometro da Urbino, un piccolo albergo dotato di stanze spaziose e confortevoli; per escursioni nella vallata del fiume Metauro, un comodo riferimento.

FERMO – Ascoli Piceno (AP) – 563M23 – 36 655 ab. – alt. 321 m   21 **D2**
– ✉ 63023 ▮ Italia

▶ Roma 263 – Ascoli Piceno 75 – Ancona 69 – Macerata 41

🛈 piazza del Popolo 6 𝒞 0734 228738, iat.fermo@regione.marche.it, Fax0734 228325

◎ Posizione pittoresca★ – ≤★★ dalla piazza del Duomo★ – Facciata★ del Duomo

sulla strada statale 16-Adriatica

ⓘⓘⓘ **Royal** ← 🐦 🈁 & cam, ⚓ 🆎 ⚡ 📶 🈺 ᴠɪꜱᴀ ⬤⬤ 🆎 ⓘ 💲
piazza Piccolomini 3, al lido, Nord-Est : 8 km ⊠ *63023 –* 𝒞 *07 34 64 22 44*
– www.royalre.it – royal@royalre.it – Fax 07 34 64 22 54
56 cam ⌨ – †85/100 € ††120/150 € – ½ P 90 €
Rist *Nautilus* – Menu 35/40 €
♦ Terrazza solarium con piccola piscina su questa bianca costruzione di stile moderno
sita sul limitare della spiaggia: materiali pregiati, arredi di design, ogni confort. Tenuta
impeccabile nell'arioso ristorante, elegante e moderno.

XX **Emilio** (Danilo Bei) 🐦 ᴠɪꜱᴀ ⬤⬤ 🆎 ⓘ 💲
🏵 *via Girardi 1, località Casabianca, Nord-Est : 12 km –* 𝒞 *07 34 64 03 65*
– www.ristoranteemilio.it – ristoranteemilio@libero.it – Fax 07 34 64 91 33
– chiuso dal 23 dicembre al 3 gennaio, dal 25 al 31 agosto e lunedì
Rist – *(chiuso a mezzogiorno)* Carta 53/81 €
Spec. Frittura mista di pesce dell'Adriatico. Ravioli ripieni di pesce con zucchine e vongole. Guazzetto sfilettato con pomodoro fresco e aromi.
♦ Un po' nascosto all'incrocio con semaforo, nelle sale del locale spiccano opere d'arte
contemporanea. Piatti di pesce a seguire la falsariga delle tradizioni adriatiche.

X **Osteria il Galeone** 🐦 🍴 ᴠɪꜱᴀ ⬤⬤ 🆎 ⓘ 💲
via Piave 10, località Torre di Palme, Sud-Est : 12 km – 𝒞 *073 45 36 31*
– www.ilgaleoneosteria.it – info@ilgaleoneosteria.it – Fax 073 45 36 31 – chiuso
dal 23 dicembre all'8 gennaio e lunedì (escluso giugno-agosto)
Rist – *(chiuso a mezzogiorno escluso i giorni festivi)* Carta 32/64 €
♦ Un piccolo gioiellino della ristorazione: nel centro del borgo medievale, gustose specialità regionali che si accordano con la ciclicità delle stagioni. Servizio attento e competente. Terrazza estiva con vista mare.

FERNO – Varese (VA) – **561F8** – **6 479 ab.** – **alt. 211 m** – ⊠ **21010** 18 **A2**
🚗 Roma 626 – Milano 45 – Stresa 49 – Como 49

XXX **La Piazzetta** (Maura Gosio) ⟳ ᴠɪꜱᴀ ⬤⬤ 🆎 ⓘ 💲
🏵 *piazza Mons. Bonetta 1 –* 𝒞 *03 31 24 15 36 – www.lapiazzetta.eu*
– info@rist-lapiazzetta.eu – Fax 03 31 24 15 36
– chiuso dall'8 al 24 gennaio, dal 6 al 31 agosto e lunedì
Rist – Menu 85 € – Carta 67/92 €
Spec. Bourguignonne fredda di fassone piemontese. Tortelli di ossobuco
con crema di riso allo zafferano. Guancia di vitello brasata con verdure al vapore.
♦ In una caratteristica e centrale piazzetta, si mangia in sale dagli arredi classici ed eleganti. Tecnica e prodotti genuini si alleano per creare una cucina modernamente creativa.

FERRARA Ⓟ **(FE)** – **562H16** – **131 135 ab.** – **alt. 10 m** – ⊠ **44100** 🗾 Italia 9 **C1**
🚗 Roma 423 – Bologna 51 – Milano 252 – Padova 73
🄸 c/o Castello Estense, 𝒞 0532 209370, infotur@provincia.fe.it, Fax 0532 212266
🄵 𝒞 0532 70 85 20
🄾 Duomo★★ BYZ – Castello Estense★ BY **B** – Palazzo Schifanoia★ BZ **E** :
affreschi★★ – Palazzo dei Diamanti★ BY : pinacoteca nazionale★,
affreschi★★ nella sala d'onore – Corso Ercole I d'Este★ BY – Palazzo di
Ludovico il Moro★ BZ **M1** – Casa Romei★ BZ – Palazzina di Marfisa
d'Este★ BZ **N**

Pianta pagina a lato

ⓘⓘⓘ **Duchessa Isabella** 🚗 🐦 🈁 🆎 Ⓟ ᴠɪꜱᴀ ⬤⬤ 🆎 ⓘ 💲
via Palestro 70 – 𝒞 *05 32 20 21 21 – www.duchessaisabella.it – isabella@* BY**a**
relaischateaux.com – Fax 05 32 20 26 38 – chiuso agosto
27 cam ⌨ – †196/268 € ††299 € – 1 suite – ½ P 210 €
Rist – *(chiuso le sere di domenica e lunedì)* Carta 86/104 € (+20 %)
♦ Relais di infinito charme, elegante, arredato con pregiati tessuti, mobili ed oggetti
antichi, autentica passione della titolare che cura altresì ogni più piccolo dettaglio: uno
splendido omaggio alla sovrana d'Este. Soffittature a cassettoni con fregi in oro e dipinti:
la precisione del servizio anche al ristorante.

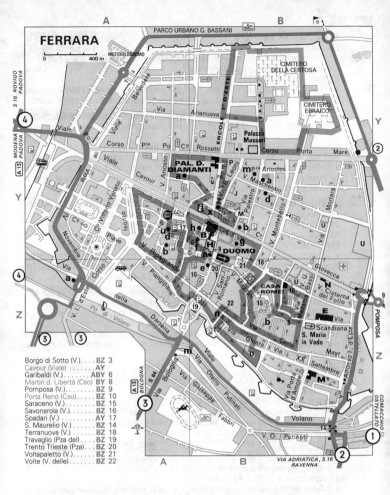

FERRARA

PARCO URBANO G. BASSANI

Annunziata senza rist ⊞ AC ⟨⟨ᵖ⟩⟩ 🏊 VISA 🐚 AE ① 👌

piazza Repubblica 5 – ℰ 05 32 20 11 11 – www.annunziata.it
– info@annunziata.it – Fax 05 32 20 32 33   BY**f**
24 cam ⊊ – †80/180 € ††130/250 €
– 1 suite

♦ In pieno centro storico, proprio di fronte al castello, albergo con un buon livello di confort. Per chi desidera maggior autonomia, in una vicina dependance, propone camere più spaziose.

Orologio senza rist ⊞ & AC ⇄ ⟨⟨ᵖ⟩⟩ 🏊 VISA 🐚 AE ① 👌

via Darsena 67 – ℰ 05 32 76 95 76 – www.hotelorologio.com
– info@hotelorologio.com – Fax 05 32 76 95 44   AZ**a**
46 cam ⊊ – †85/135 € ††115/185 €
– 2 suites

♦ Spaziose, confortevoli, arredate con mobili in legno sbiancato di stile classico, le camere così come l'intera struttura sono piacevolmente realizzate secondo criteri di moderna ispirazione.

Principessa Leonora senza rist 🚗 ⛱ 🛗 ♿ AC 📶 ♨
via Mascheraio 39 – ✆ *05 32 20 60 20* VISA ☎ AE ① ⑤
– www.principessaleonora.it – info@principessaleonora.it – Fax 05 32 24 27 07
– chiuso dal 7 gennaio al 10 febbraio BY**d**
22 cam ⇱ – 🛏116/177 € 🛏🛏190 €
♦ Tributo alla storica figura femminile, il palazzo gentilizio e i due edifici minori ospitano ricercate stanze personalizzate e d espongono una collezione di riproduzioni di arazzi.

Ferrara 🛗 ♿ AC ✂ rist, ☎ ♨ VISA ☎ AE ① ⑤
largo Castello 36 – ✆ *05 32 20 50 48 – www.hotelferrara.com – info@*
hotelferrara.com – Fax 05 32 24 23 72 BY**h**
52 cam ⇱ – 🛏110/140 € 🛏🛏160/210 € – 10 suites – ½ P 115/140 €
Rist Big Night-da Giovanni – vedere selezione ristoranti
♦ Di fronte al castello, una nuova risorsa che offre camere moderne con parziale vista sul maniero antistante. Gestione professionale e dinamica. Curiosa presenza di canestri di frutta in prossimità dell'ascensore.

Il Duca D'Este 🛗 ♿ cam, AC ☎ ♨ P VISA ☎ AE ① ⑤
🍃 *via Bologna 258, per* ③ *–* ✆ *05 32 97 76 76 – info@*
ilducadeste.it – Fax 05 32 90 57 86 – chiuso dal 10 al 16 agosto
73 cam ⇱ – 🛏65/200 € 🛏🛏90/260 € – 4 suites – ½ P 60/130 €
Rist – Carta 20/43 €
♦ Semplice e caratteristico nella sua architettura di ispirazione contemporanea: costruito in mattoni rossi ha una pianta leggermente curva e confortevoli ambienti luminosi. Tra eleganza e tecnologia. Cucina di ispirazione classica con specialità emiliane.

Corte Estense senza rist 🛗 ♿ AC 🚗 VISA ☎ AE ① ⑤
via Correggiari 4/a – ✆ *05 32 24 21 76 – www.corteestense.it – info@corteestense.com*
– Fax 05 32 24 64 05 – chiuso 1 settimana in dicembre e 2 in agosto BZ**e**
18 cam ⇱ – 🛏70/110 € 🛏🛏90/160 €
♦ A pochi passi dalla Cattedrale e dal Castello, il restauro dell'antico palazzo realizzato attorno ad una corte interna offre soluzioni di confort moderni accanto ad un tuffo nella storia.

Carlton senza rist 🛗 ♿ AC 📶 ♨ 🚗 VISA ☎ AE ① ⑤
via Garibaldi 93 – ✆ *05 32 21 11 30 – www.hotelcarlton.net – info@*
hotelcarlton.net – Fax 05 32 20 57 66 AY**u**
58 cam ⇱ – 🛏62/95 € 🛏🛏83/155 €
♦ Ristrutturato in un moderno stile minimalista, offre ambienti luminosi e particolarmente ricchi di confort e camere dai pratici armadi a giorno e pareti dalle tinte pastello. Nel cuore del centro storico.

Europa senza rist 🛗 ♿ AC 📶 P VISA ☎ AE ① ⑤
corso della Giovecca 49 – ✆ *05 32 20 54 56 – www.hoteleuropaferrara.com*
– info@hoteleuropaferrara.com – Fax 05 32 21 21 20 BY**b**
43 cam ⇱ – 🛏62/76 € 🛏🛏92/118 €
♦ Palazzo del '700 con alcuni affreschi originali negli ambienti; affacciate sulla piazza le camere più ampie, arredate con mobili d'epoca, altre più piccole, ma piacevoli, danno invece sul cortile.

Lucrezia Borgia 🛗 ♿ cam, AC ✂ rist, 📶 ♨ P 🚗 VISA ☎ AE ① ⑤
🍃 *via Franchi Bononi 34, per* ③ *–* ✆ *05 32 90 90 33 – www.hotellucreziaborgia.it*
– info@hotellucreziaborgia.it – Fax 05 32 90 92 21
52 cam ⇱ – 🛏60/90 € 🛏🛏90/140 € – ½ P 90 €
Rist – *(chiuso due settimane in agosto e domenica) (chiuso a mezzogiorno)*
Menu 19/27 €
♦ Recentemente ampliatosi con l'aggiunta di una nuova ala, l'albergo dispone di spazi comuni ridotti, ma piacevoli, con boiserie e arredi in stile, camere semplici e funzionali. Curata anche la parte ristorante, con calde tonalità ed una bella veranda dal particolare soffitto in legno.

De Prati senza rist ✑ 🛗 ♿ AC 📶 VISA ☎ AE ① ⑤
via Padiglioni 5 – ✆ *05 32 24 19 05 – www.hoteldeprati.com – info@*
hoteldeprati.com – Fax 05 32 24 19 66 – chiuso dal 23 al 27 dicembre
16 cam ⇱ – 🛏49/85 € 🛏🛏75/120 € – 1 suite BY**z**
♦ In questa casa centrale, già locanda agli inizi del '900, soggiornavano uomini di cultura e di teatro; oggi è un hotel rinnovato che ospita, a rotazione, opere di artisti contemporanei.

↑ **Locanda il Bagattino** senza rist   📶 📶 ❄️ ⚡ 🎮 VISA ⦿ ⛎

corso Porta Reno 24 – ℰ 05 32 24 18 87 – www.ilbagattino.it – info@
ilbagattino.it – Fax 05 32 21 75 46   BY**n**
6 cam ⌑ – ♦65/75 € ♦♦95/120 €
♦ In ricordo della dodicesima parte di una moneta in circolazione nel XIII secolo, la
locanda si trova all'interno di un palazzo d'epoca: atmosfera di charme e una camera
con terrazzino.

↑ **Locanda d'Elite** senza rist   📶 ❄️ ⚡ VISA ⦿ 📶 ⦿ ⛎

via Francesco del Cossa 9 – ℰ 05 32 20 10 53 – www.delite.it – residence@
delite.it – Fax 05 32 21 48 29   AY**a**
7 cam ⌑ – ♦70/100 € ♦♦100/130 €
♦ Per la colazione o per un momento di assoluto relax, con la bella stagione, troverete
senz'altro il tempo di fermarvi nel grazioso cortile interno. In posizione centrale, poco
distante dal Castello.

↑ **Dolcemela** senza rist ॐ   ♿ 📶 ⚡ 🚗 VISA ⦿ ⛎

via della Sacca 35 – ℰ 05 32 76 96 24 – www.dolcemela.it – b&b@dolcemela.it
– Fax 05 32 71 10 07   AY**b**
7 cam ⌑ – ♦60/100 € ♦♦80/120 €
♦ Una casa dall'architettura bassa, atipica rispetto alle altre costruzioni del ferrarese, raccolta intorno a un patio interno. Spaziose e curate le camere, arredate con mobili artigianali. Bella la saletta per le colazioni.

↑ **Locanda Borgonuovo** senza rist ॐ   📶 ⚡ 🔥 🅿️ VISA ⦿ 📶 ⛎

via Cairoli 29 – ℰ 05 32 21 11 00 – www.borgonuovo.com – info@
borgonuovo.com – Fax 05 32 24 63 28   BY**g**
4 cam ⌑ – ♦60/70 € ♦♦90/110 € – 3 suites
♦ Ottima accoglienza e arredi in stile ma è indubbiamente la colazione il punto forte
della locanda: quasi "personalizzata" secondo i vostri gusti, d'estate servita in una piccola corte interna.

↑ **La Duchessina** senza rist ॐ   📶 🅿️ VISA ⦿ 📶 ⦿ ⛎

vicolo del Voltino 11 – ℰ 05 32 20 69 81 – www.laduchessina.it – info@
laduchessina.it – Fax 05 32 20 26 38   BY**m**
5 cam ⌑ – ♦95 € ♦♦150 €
♦ In un vicolo trecentesco si affaccia una locanda dipinta di rosa, romantica e modernamente concepita; poche stanze per un'atmosfera curatissima, da casa delle bambole.

↑ **Corte dei Gioghi** senza rist   🚃 🚬 📶 ⚡ 🅿️ VISA ⦿ 📶 ⛎

via Pellegrina 8, 2 km per ② – ℰ 05 32 74 50 49 – www.cortedeigioghi.com
– info@cortedeigioghi.com – Fax 05 32 74 50 50
7 cam ⌑ – ♦60/70 € ♦♦80/90 € – 1 suite
♦ Spaziose, arredate con gusto rustico le camere ricavate nel vecchio fienile della casa
colonica; più moderne quelle realizzate nella nuova strattura attigua. Spazio all'esterno
per colazioni estive.

XX **Il Don Giovanni** (Pierluigi Di Diego)   ♿ 📶 VISA ⦿ ⦿ ⛎
ॐ *corso Ercole I D'Este 1 – ℰ 05 32 24 33 63 – www.ildongiovanni.com – ildongio@*
tin.it – Fax 05 32 24 33 63 – chiuso agosto, domenica sera e lunedì   BY**x**
Rist – *(chiuso a mezzogiorno escluso domenica)* (consigliata la prenotazione)
Carta 59/87 € 🕸
Spec. Terrina di canocchie con pomodori confit ai tre pesti. Spaghetti alla chitarra leggermente piccanti con vongole e verze. Cassatina di pomodori verdi
con gel al pepe verde, lime e coriandolo.
♦ Nella corte interna e coperta di un suggestivo palazzo a due passi dalla fortezza, un
piccolo ristorante semplice e moderno con cantina attigua; cucina creativa ed elaborata.

XX **Big Night-da Giovanni** – Hotel Ferrara   🍴 ♿ 📶 VISA ⦿ 📶 ⦿ ⛎
via largo Castello 38 – ℰ 05 32 24 23 67 – bignight.info@gmail.com
– Fax 05 32 24 23 72   BY**f**
Rist – (consigliata la prenotazione) Menu 25/60 € – Carta 37/57 €
♦ Originale ubicazione all'interno di un cortile per questo apprezzato ristorante che propone piatti sia di terra che di mare. Dalle grandi vetrate è possibile godere della vista
sul castello.

XX **Quel Fantastico Giovedì**   🏠 AC ❄ VISA ◉◎ AE ⓪ ⑤

via Castelnuovo 9 – ℰ 05 32 76 05 70 – farinelli.mara@libero.it
– Fax 05 32 76 05 70 – chiuso dal 20 al 30 gennaio, dal 20 luglio al 20 agosto e
mercoledì   BZ**n**
Rist – (consigliata la prenotazione) Carta 33/47 €
♦ Una sala più classica ed una moderna dai colori accesi: un piccolo indirizzo d'atmosfera, curato nel servizio e nella cucina, che propone piatti creativi o più legati alle tradizioni. Dispone anche di uno spazio all'aperto.

XX **Max**   🏠 AC ❄ VISA ◉◎ AE ⑤

piazza Repubblica 16 – ℰ 05 32 20 93 09 – ristorantemax@tiscali.it
– Fax 05 32 20 93 09 – chiuso una settimana in gennaio, due settimane in
agosto, domenica a mezzogiorno e lunedì   BY**h**
Rist – Carta 47/64 €
♦ Risorsa di nuova generazione che, proprio nel cuore storico della località, si sta imponendo per i sapori di mare; qualche tavolo anche all'aperto, da dove si può ammirare la maestosità del castello.

X **Zafferano**   🖐 AC ❄ VISA ◉◎ AE ⓪ ⑤

via Fondobanchetto 2/A – ℰ 05 32 76 34 92 – www.zafferanoristorante.it – info@
zafferanoristorante.it – Fax 05 32 76 34 92 – chiuso martedì a mezzogiorno e
lunedì   BZ**b**
Rist – Menu 50 € – Carta 33/53 €
♦ Edificio quattrocentesco in un angolo del centro storico poco bazzicato dai turisti.
Ambiente caldo con tavoli ravvicinati per una cucina che esplora i sapori d'oggi.

X **Borgomatto**   AC ❄ VISA ◉◎ AE ⓪ ⑤

via Concia 2 – ℰ 05 32 24 05 54 – www.borgomatto.it – posta@borgomatto.it
– Fax 05 32 21 76 67 – chiuso 1 settimana in febbraio, 2 settimane in luglio,
sabato a mezzogiorno e lunedì   AY**d**
Rist – (consigliata la prenotazione) Carta 32/43 €
♦ Nascosto in una viuzza del centro storico, un ambiente rustico per le due salette
dai soffitti con travi a vista dove assaporare piatti del territorio presentati in chiave
moderna.

X **La Borsa Wine-Bar**   🏠 🖐 AC VISA ◉◎ ⓪ ⑤

corso Ercole D'Este I° 1 – ℰ 05 32 24 33 63 – www.ildongiovanni.com
– ildongio@tin.it – Fax 05 32 24 33 63 – chiuso dal 14 al 17 agosto, lunedì negli
altri mesi, domenica in luglio-agosto   BY**x**
Rist – Carta 33/47 €
♦ Piacevole e ricco di fascino, un indirizzo informale dove fare una sosta per un piatto,
caldo o freddo, così come per una selezione di formaggi e salumi. Benvenuti nella ex
sede della Borsa di Commercio.

X **Antica Trattoria Volano**   AC ❄ ⇄ VISA ◉◎ AE ⓪ ⑤

viale Volano 20 – ℰ 05 32 76 14 21 – anticatrattoriavolano@interfree.it
– Fax 05 32 79 84 36 – chiuso giovedì   ABZ**m**
Rist – Carta 26/42 € (+10 %)
♦ Fuori dalle mura, sul Po di Volano, un'antica e schietta espressione casalinga impermeabile alle mode nel contesto di un ambiente moderno, semplice e caratteristico.

a Ponte Gradella Est : 3 km per via Giovecca *BYZ* – ✉ 44100

🏠 **Locanda Corte Arcangeli**   🚗 🏠 ⊼ 🛝 AC rist. 🕾 P
via Pontegradella 503 – ℰ 05 32 70 50 52   VISA ◉◎ AE ⓪ ⑤
– www.cortearcangeli.it – info@cortearcangeli.it – Fax 05 32 75 26 06
7 cam ⊇ – †50/80 € ††75/85 € – ½ P 58/68 €
Rist – (prenotazione obbligatoria) Carta 25/50 €
♦ Antico monastero rinascimentale, divenuta villa di campagna della famiglia Savonarola, la locanda propone ambienti rustico-eleganti e camere personalizzate con arredi
d'epoca. Relax, ottimi servizi ed un abbondante breakfast. Al ristorante: specialità emiliane con inserimenti umbri, in omaggio alle origini del titolare.

a Porotto Ovest : 5 km – ⊠ **44100**

↑ **Agriturismo alla Cedrara** senza rist 🏠   🚗 ♣♣ AC ⇄ ☎ P
via Aranova 104 – ☎ 05 32 59 30 33   VISA ⓪ AE ① ⑤
– *www.allacedrara.it* – *info@allacedrara.it* – *Fax 05 32 77 22 93*
8 cam ⊊ – ♦40/45 € ♦♦65/75 €
♦ Completamente ristrutturato, il vecchio fienile è ora un confortevole e curato agriturismo dalle belle camere arredate con pezzi antichi e di pregio. Barbecue, cucina e un grande giardino a disposizione di ogni cliente.

a Gaibanella per ② : 8 km – ⊠ **44040**

↑ **Locanda della Luna** senza rist 🏠   🚗 ⚂ AC ☎ P
via Ravenna 571/5 – ☎ 05 32 71 90 65   VISA ⓪ AE ① ⑤
– *www.locandadellaluna.it* – *info@locandadellaluna.it* – *Fax 05 32 71 71 19*
– *chiuso dal 1° al 15 gennaio e dal 1° al 15 agosto*
4 cam ⊊ – ♦89/98 € ♦♦113/129 € – 2 suites – ♦♦165/216 €
♦ Al piano superiore abita la titolare, al piano terra, la villa ottocentesca è stata convertita in bed and breakfast dalle camere moderne e raffinate. All'esterno, curato giardino con zona relax e piscina.

a Cona per ① : 9 km – ⊠ **44020**

✗✗ **Nelle Terre dell'Ariosto** 🏠 ♿ VISA ⓪ AE ⑤
via Comacchio 831 – ☎ 05 32 25 93 33 – *www.nelleterredellariosto.com*
– *mazza.fe@alice.it* – *Fax 05 32 25 93 33* – *chiuso lunedì*
Rist – *(chiuso a mezzogiorno)* (consigliata la prenotazione) Carta 49/59 €
Rist *La Caciotteria* – *(chiuso a mezzogiorno)* (consigliata la prenotazione)
Menu 14/25 €
♦ In sala una collezione di oggetti di uso comune e una di minerali; a centrotavola piccole sculture, tutte diverse tra loro. La cucina spazia dalla cucina estense del '500 a piatti di pesce e cacciagione. Accanto al ristorante, la Caciotteria propone una cucina più semplice ispirata al territorio.

a Gaibana per ② : 10 km – ⊠ **44040**

✗✗ **Trattoria Lanzagallo** AC ♿ P VISA ⓪ ① ⑤
via Ravenna 1048 – ☎ 05 32 71 80 01 – *Fax 05 32 71 80 01* – *chiuso 2 settimane in gennaio, 2 in luglio, dal 15 al 31 agosto, domenica e lunedì*
Rist – Carta 31/45 €
♦ Un paese di campagna, un'unica sala classica dagli alti soffitti dove ritrovare una cucina che si ispira soprattutto ai sapori di mare, proposti in piatti semplici e fragranti.

a Ravalle per ④ : 16 km – ⊠ **44040**

✗✗ **L'Antico Giardino** 🏠 AC P VISA ⓪ AE ⑤
via Martelli 28 – ☎ 05 32 41 21 00 – *Fax 05 32 41 25 87* – *chiuso lunedì e martedì a mezzogiorno*
Rist – Carta 37/54 € 🌿
♦ Una cucina ricca di spunti fantasiosi, che mostra una predilezione per i sapori della terra, carne, funghi e tartufi particolarmente. Moderna anche l'atmosfera all'interno della villetta, nel centro della località.

FERRAZZETTE – Verona – Vedere San Martino Buon Albergo

FERRO DI CAVALLO – Perugia – 563M19 – Vedere Perugia

FETOVAIA – Livorno – 563N12 – Vedere Elba (Isola d') : Marina di Campo

---

FIANO ROMANO – Roma (RM) – 563P19 – 9 028 ab. – alt. 107 m   **12 B2**
– ⊠ **00065**

▶ Roma 39 – L'Aquila 110 – Terni 81 – Viterbo 81

in prossimità casello autostrada A 1 di Fiano Romano Sud : 5 km :

 Parkhotel ⌂   🚗 🏠 🛋 ⚹ cam, 🆎 ↵ 💇 rist, 📞 🔱 **🅿**
via Milano 33 – 🕿 *07 65 45 30 80*   🆅🅸🆂🅰 ⓪ 🅰🅴 ⓪ ⓢ
– *www.parkhotelromanord.it* – *info@parkhotelromanord.it* – *Fax 07 65 45 30 18*
93 cam ⊊ – †90/120 € ††90/140 € – ½ P 70/100 €   **Rist** – Carta 30/53 €
♦ Tradizionale e moderno, non privo di una sobria eleganza, propone camere standard
e funzionali nel corpo principale, più eleganti e spaziose nella dependance. Per tutti un
bel giardino con piscina. Cucina romana ai tavoli della graziosa sala da pranzo, affacciata
sul verde.

FIASCHERINO – La Spezia – 561J11 – **Vedere Lerici**

FICULLE – Terni (TR) – 563N18 – **1 716 ab. – alt. 437 m** – ✉ 05016   **32 A2**
▶ Roma 136 – Perugia 59 – Viterbo 66 – Siena 108

sulla strada per Parrano Nord :14 km

 La Casella ⌂   ≤ 🕭 🛋 🏠 💇 rist, 🔱 **🅿** 🆅🅸🆂🅰 ⓪ 🅰🅴 ⓪ ⓢ
località La casella , Sud : 6 km – 🕿 *076 38 66 84* – *www.lacasella.it* – *lacasella@
tin.it* – *Fax 076 38 66 84*
32 cam – †95/115 € ††140/180 € – P 110/120 €
Rist – *(consigliata la prenotazione)* Menu 25/35 € bc
♦ Un ex feudo immerso tra querce e lecci dove pare che il tempo si sia fermato. La
quiete della campagna, la scuderia e la scuola di equitazione, la bella casa e la piscina.
Il ristorante propone una genuina e saporita cucina di casa.

FIÈ ALLO SCILIAR (VÖLS AM SCHLERN) – Bolzano (BZ) – 562C16   **31 D3**
– **3 075 ab. – alt. 880 m – Sport invernali : 1 800/2 300 m** 🎿 2 🎿19 **(Comprensorio
Dolomiti superski Alpe di Siusi)** 🎿 – ✉ 39050
▶ Roma 657 – Bolzano 16 – Bressanone 40 – Milano 315
🛈 via Bolzano 4 🕿 0471 725047, info@voels.it, Fax 0471 725488

🏨 **Emmy** ⌂   ≤ 🏠 🛋 🌐 🏠 🛁 📶 & cam, 🆎 rist, 💇 rist, 📞 🚗
via Putzes 5 – 🕿 *04 71 72 50 06* – *www.hotel-emmy.com*   🆅🅸🆂🅰 ⓪ ⓢ
– *info@hotel-emmy.com* – *Fax 04 71 72 54 84*
– *chiuso dal 4 novembre al 17 dicembre*
45 cam ⊊ – †100/180 € ††173/290 € – ½ P 89/145 €
Rist – Menu 28/48 € – Carta 32/55 €
♦ Fra i monti, notevole centro salute in un hotel tra i primi ad aver offerto trattamenti di
ossigenoterapia; quieta posizione panoramica, stanze ampie, comode e signorili. Diverse
sale compongono un ristorante che gode di buona fama.

🏨 **Turm** ⌂   ≤ 🚗 🛋 🌐 🏠 🛁 📶 💇 rist, 🚙 🆅🅸🆂🅰 ⓪ ⓢ
piazza della Chiesa 9 – 🕿 *04 71 72 50 14* – *www.hotelturm.it* – *info@hotelturm.it*
– *Fax 04 71 72 54 74* – *chiuso dal 12 novembre al 21 dicembre*
e dal 1° al 18 aprile
40 cam ⊊ – †104/150 € ††180/320 € – 11 suites – ½ P 120/180 €
Rist – *(chiuso giovedì)* Carta 45/60 €
♦ Antico edificio medievale e allo stesso tempo moderno hotel romantico, con raccolta
di quadri d'autore. Le nuove camere sono ricche di fascino, così come la zona benessere. Al ristorante, cucina della tradizione rielaborata in chiave moderna.

 Heubad ⌂   ≤ 🚗 🏠 🛋 🌐 🏠 🛁 **🅿** 🚗 🆅🅸🆂🅰 ⓪ ⓢ
via Sciliar 12 – 🕿 *04 71 72 50 20* – *www.heubad.info*
– *info@hotelheubad.com* – *Fax 04 71 72 54 25*
– *chiuso dal 2 novembre al 19 dicembre e dal 19 al 30 aprile*
42 cam ⊊ – ††54/87 € – ½ P 65/98 €
Rist – *(chiuso mercoledì escluso in alta stagione)* Carta 27/42 €
♦ Da menzionare certamente i bagni di fieno, metodo di cura qui praticato ormai da
100 anni e da cui l'hotel trae il nome: per farsi viziare in un'atmosfera di coccolante
relax. Cucina locale servita in diversi ambienti raccolti, tra cui tre stube originali.

Völser Hof ≤ ⌂ ⌂ ⌂ ⌂ ⌂ ⌂ rist. **P** VISA ☺

via del Castello 1 – ℰ 04 71 72 54 21 – www.voelserhof.it – info@voelserhof.it
– Fax 04 71 72 56 02 – chiuso dal 26 marzo al 24 aprile e dal 10 novembre
al 20 dicembre
27 cam � – †49/85 € ††98/160 € – ½ P 74/105 € **Rist** – Carta 23/64 €
♦ Gestione giovane e motivata in un tipico albergo di montagna dai graziosi ambienti
comuni; le camere sono spaziose e confortevoli. Per i pasti sala da pranzo riccamente
drappeggiata di tendaggi oppure piccola e calda stube.

FIERA DI PRIMIERO – Trento (TN) – 562D17 – 561 ab. – alt. 717 m   31 C2
– Sport invernali : Vedere San Martino di Castrozza – ✉ 38054

▶ Roma 616 – Belluno 65 – Bolzano 99 – Milano 314

🛈 via Dante 6 ℰ 0439 62407, infoprimiero@sanmartino.com, Fax 0439 62992

Iris Park Hotel ≤ ⌂ ⌂ ☺ ⌂ ⌂ ⌂ ⌂ ⌂ ⌂ **P** ⌂

via Roma 26, località Tonadico – ℰ 04 39 76 20 00   VISA ☺ AE ① ☺
– www.brunethotels.com – info@parkhoteliris.com – Fax 04 39 76 22 04
– 5 dicembre-3 maggio e giugno-23 novembre
53 cam ⌂ – †73/99 € ††146/198 € – ½ P 73/99 € **Rist** – Carta 24/31 €
♦ Lungo la strada principale, hotel che presenta un ambiente montano davvero signorile, confortevole e personalizzato. Camere di varie tipologie, valido centro benessere.
Calda atmosfera nell'elegante sala ristorante.

Tressane ⌂ ⌂ ☺ ⌂ ⌂ ⌂ ⌂ ⌂ ⌂ ⌂ **P** ⌂ VISA ☺ AE ① ☺

via Roma 30, località Tonadico – ℰ 04 39 76 22 05 – www.hoteltressane.it
– info@hoteltressane.it – Fax 04 39 76 22 04
– chiuso 10 giorni in novembre e 3 settimane in maggio
37 cam ⌂ – †65/85 € ††130/178 € – 3 suites – ½ P 73/99 €
Rist – Carta 24/31 €
♦ Posizionata di fianco all'Iris Park Hotel, con cui condivide il centro benessere, una gradevole risorsa montana completamente rinnovata. Ristorante di taglio rustico con elementi di signorilità.

Luis ⌂ ⌂ ⌂ ⌂ ⌂ ⌂ **P** ⌂ VISA ☺ ① ☺

viale Piave 20 – ℰ 04 39 76 30 40 – www.hotelluis.it – info@hotelluis.it
– Fax 04 39 76 59 10 – dicembre-marzo e giugno-ottobre
30 cam ⌂ – †70/140 € ††100/190 € – ½ P 75/115 €
Rist – (solo per alloggiati) Menu 20/40 €
♦ Villa Liberty alle porte della località, originali decori nelle zone comuni mentre le
camere sono più tradizionali, centro benessere e gradevole giardino estivo. Ristorante
classico con ambiente elegante.

Relais Orsingher ⌂ ⌂ ⌂ & cam, ⌂ rist. ⌂ ⌂ **P**

via Guadagnini 14 – ℰ 043 96 28 16   VISA ☺ AE ① ☺
– www.hotelrelaisorsingher.it – info@hotelrelaisorsinger.it – Fax 043 96 48 41
– chiuso dal 10 ottobre al 5 dicembre e dal 12 aprile al 20 maggio
50 cam ⌂ – †60/80 € ††85/140 € – ½ P 90 € **Rist** – Menu 20/45 €
♦ Complesso alberghiero di recente apertura che presenta un insieme composito,
capace di armonizzare elementi "d'epoca" con design moderno. Il confort è assolutamente attuale. Ristorante ampio, dalle tinte chiare, con proposte classiche.

Mirabello ≤ ⌂ ⌂ ⌂ & ⌂ ⌂ **P** VISA ☺ AE ① ☺

viale Montegrappa 2 – ℰ 043 96 42 41 – www.hotelmirabello.it – info@hotelmirabello.it
– Fax 04 39 76 23 66 – 20 dicembre-Pasqua e 15 maggio-15 ottobre
51 cam ⌂ – †60/120 € ††80/140 € – ½ P 88/114 €
Rist – (solo per alloggiati) Menu 15/30 €
♦ Centrale, accanto al torrente, un'imponente struttura d'impostazione classica, gestita
dai proprietari stessi; offre, tra l'altro, una scenografica piscina coperta.

La Perla ⌂ ⌂ & ⌂ ⌂ ⌂ rist. ⌂ ⌂ VISA ☺ AE ① ☺

via Venezia 2, frazione Transacqua – ℰ 04 39 76 21 15 – www.hotelaperla.it
– info@hotelaperla.it – Fax 04 39 76 28 39
64 cam ⌂ – †35/65 € ††60/100 € – ½ P 47/75 € **Rist** – Carta 16/45 €
♦ In una piccola e tranquilla frazione poco distante dal centro di Primiero, una casa di
recente ripotenziata e costituita da due corpi: atmosfera familiare, confortevole. Ampia
sala da pranzo con soffitti e pareti impreziositi da pannelli in legno lavorato.

✗ **Chalet Piereni** con cam ≤ ⟨icons⟩ rist, **P** **VISA** ⊚ ⓘ ⑤
🍴 *località Piereni 8, a Val Canali* ⊠ *38054 – ℰ 043 96 23 48 – www.chaletpiereni.it*
– info@chaletpiereni.it – Fax 043 96 47 92 – chiuso dal 10 gennaio a Pasqua
23 cam ⊐ – ♦45/55 € ♦♦80/100 € – ½ P 60/65 €
Rist – *(chiuso mercoledì in bassa stagione)* Carta 21/34 €
♦ Terrazza sulle Dolomiti, tra boschi punteggiati da piccole e vecchie malghe; in sala, tra eleganza e ricercatezza, i piatti della tradizione trentina: semplici, gustosi e celebri. Verdi pascoli, incantevoli scorci e silenzio dalle finestre delle camere.

FIESOLE – Firenze (FI) – 563K15 – **14 236 ab.** – alt. 295 m – ⊠ 50014   29 **D3**
🏳 Toscana

▶ Roma 285 – Firenze 8 – Arezzo 89 – Livorno 124

ℹ *via Portigiani 3/5 ℰ 055 598720, info.turismo@comune.fiesole.fi.it, Fax 055 598822*

◉ Paesaggio★★★ – ≤★★ su Firenze – Convento di San
Francesco★ – Duomo★ : interno★ e opere★ di Mino da Fiesole – Zona
archeologica : sito★, Teatro romano★, museo★ – Madonna con Bambino
e Santi★ del Beato Angelico nella chiesa di San Domenico Sud-Ovest :
2,5 km BR (pianta di Firenze)

Pianta di Firenze : percorsi di attraversamento

🏛 **Villa San Michele** ≤ ⟨icons⟩ rist, ⟨icons⟩ **P**
via Doccia 4 – ℰ 05 55 67 82 00 – www.villasanmichele.com **VISA** ⊚ **AE** ⓘ ⑤
– info@villasanmichele.net – Fax 05 55 67 82 50 – 3 aprile-15 novembre   BR**b**
46 cam ⊐ – ♦737 € ♦♦946/1177 € – 6 suites – ½ P 568/688 €
Rist – Carta 82/149 €
♦ Elegante costruzione quattrocentesca con parco e giardino: atmosfera di charme nell'ex monastero con bella facciata e maestoso panorama. Si organizzano corsi di cucina. Doppia soluzione per la ristorazione: nei mesi estivi è allestita la terrazza protesa su Firenze, in bassa stagione ci si sposta nel chiostro interno.

🏛 **Villa Fiesole** ≤ ⟨icons⟩ rist, ⟨icons⟩ **P** **VISA** ⊚ **AE** ⓘ ⑤
via Beato Angelico 35 – ℰ 055 59 72 52 – www.villafiesole.it – info@villafiesole.it
– Fax 055 59 91 33   BR**b**
32 cam ⊐ – ♦100/290 € ♦♦110/350 €
Rist – *(solo per alloggiati)* Carta 43/87 €
♦ Una serra ristrutturata e una tipica villa toscana dell'800, con soffitti affrescati: riuscita soluzione per un hotel signorile. Possibilità di seguire corsi di cucina.

🏠 **Villa dei Bosconi** senza rist ⟨icons⟩ **P** **VISA** ⊚ **AE** ⓘ ⑤
via Francesco Ferrucci 51, Nord 1,5 km – ℰ 05 55 95 78 – www.villadeibosconi.it
– villadeibosconi@fiesolehotels.com – Fax 05 55 97 84 48   BR
21 cam ⊐ – ♦90/180 € ♦♦100/180 €
♦ Tranquillo e accogliente albergo, condotto con professionalità, dispone di ottimi spazi all'aperto, camere di taglio moderno e una bella piscina con solarium recentemente inaugurata.

🏠 **Pensione Bencistà** ≤ ⟨icons⟩ rist, **P** **VISA** ⊚ ⑤
🍴 *via Benedetto da Maiano 4 – ℰ 05 55 91 63 – www.bencista.com – info@*
bencista.com – Fax 05 55 91 63 – marzo-novembre   BR**c**
40 cam ⊐ – ♦110/120 € ♦♦143/158 € – 2 suites – ½ P 83/92 €
Rist – Menu 20/35 €
♦ Di origini trecentesche, una vecchia villa fra gli oliveti, cinta da ampio parco-giardino a terrazza con panorama sulla città; atmosfera familiare e arredi d'epoca. Nella semplice e candida sala da pranzo, la cucina tipica toscana dalla prima colazione alla cena.

a Montebeni Est : 5 km FT – ⊠ 50014 – Fiesole

✗ **Tullio a Montebeni** ⟨icons⟩ **VISA** ⊚ **AE** ⓘ ⑤
😊 *via Ontignano 48 – ℰ 055 69 73 54 – chiuso agosto, lunedì*
Rist – *(chiuso a mezzogiorno in novembre)* Carta 26/54 €
♦ Tutto ha avuto inizio da una bottega di paese, qualche piatto caldo per ristorare contadini e cacciatori della zona; oggi la cucina ripropone i medesimi sapori e vini di propria produzione.

L'infini pluriel

Route du Fort-de-Brégançon - 83250 La Londe-les-Maures - Tél. 33 (0)4 94 01 53 53
Fax 33 (0)4 94 01 53 54 - domaines-ott.com - ott.particuliers@domaines-ott.com

ViaMichelin

Click...fai le tue scelte
Click...organizza i tuoi viaggi

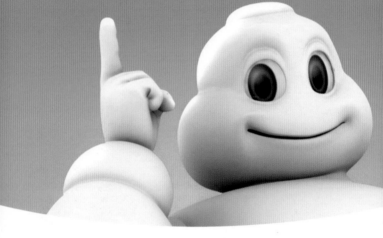

PRENOTA I TUOI ALBERGHI SU

www.ViaMichelin.com

Preparando i tuoi viaggi sul sito di ViaMichelin ottimizzerai i tuoi spostamenti. Puoi paragonare diversi tipi di itinerari, selezionare tappe gastronomiche, scoprire luoghi da non perdere e, per maggiore comodità, puoi anche prenotare direttamente on line l'albergo che preferisci e verificarne la disponibilità in tempo reale, scegliendo tra 60.000 strutture in Europa.

- *No spese di prenotazione*
- *No spese di annullamento*
- *No addebiti sulla carta di credito*
- *I migliori prezzi sul mercato*
- *Possibilità di scegliere tra gli alberghi delle Guide Michelin*

BUCH CORPORATE - www.buchro.fr

MICHELIN
Il modo migliore di avanzare

ad Olmo Nord-Est : 9 km *FT* – ⌧ 50014 – Fiesole

🏠 **Dino** ⪪ ✵ ✵ 🅿 🚗 💳 ⓒ 🄰🄴 ⓞ ⑤
☺ via Faentina 329 – ℰ 055 54 89 32 – www.hotel-dino.it – info@hotel-dino.it
– Fax 055 54 89 34
18 cam – †60 € ††80 €, ⊊ 5 € – ½ P 60 €
Rist – *(chiuso mercoledì)* Carta 15/25 € (+12 %)
♦ Tutto è all'insegna dell'accurata semplicità in quest'angolo di tranquilla collina: un albergo familiare, ben gestito, stanze con arredi sul rustico, ben tenute. Capiente sala ristorante e cucina di impronta locale. Nei fine settimana anche pizzeria.

FIESSO D'ARTICO – Venezia (VE) – 562F18 – 6 349 ab. – ⌧ 30032   36 **C3**
▌Venezia

▶ Roma 508 – Padova 15 – Milano 247 – Treviso 42

🏨 **Villa Giulietta** senza rist ⇄ 🅖 🄰🄲 ✵ ⁾⁾ 🅿 💳 ⓒ 🄰🄴 ⓞ ⑤
via Riviera del Brenta 169 – ℰ 04 15 16 15 00 – www.villagiulietta.it – info@villagiulietta.it – Fax 04 15 16 12 12
56 cam ⊊ – †55/110 € ††90/210 €
♦ Tutte le camere di questa risorsa sono disposte sul retro. Lineare e moderna all'esterno e negli interni, è una bassa struttura situata sulla direttrice tra Padova e Venezia.

FILANDARI – Vibo Valentia (VV) – 564L30 – 1 892 ab. – alt. 440 m   5 **A2**
– ⌧ 89851

▶ Roma 594 – Reggio di Calabria 89 – Catanzaro 81 – Cosenza 111

a Mesiano Nord-Ovest : 3 km – ⌧ 89851 – Filandari

✗ **Frammichè** 🕌 🅿
☺ contrada Ceraso – ℰ 33 88 70 74 76 – tumiati.grazia@libero.it – Fax 096 39 32 09
– chiuso a mezzogiorno (escluso domenica da ottobre a giugno), lunedì
, domenica da luglio a settembre
Rist – Menu 30 €
♦ Grande successo per questo piccolo casolare in tranquilla posizione campestre. Particolarmente grazioso il dehors estivo, dove antiche ricette riaffioreranno dall'oblio.

FILICUDI – Messina – 565L25 – Vedere Sicilia (Eolie, isole) alla fine dell'elenco alfabetico

---

FINALE EMILIA – Modena (MO) – 562H15 – 15 195 ab. – alt. 15 m   9 **C2**
– ⌧ 41034

▶ Roma 417 – Bologna 49 – Modena 46 – Padova 102

🏠 **Casa Magagnoli** senza rist ⇄ 🕴 🄰🄲 ⁾⁾ 💳 ⓒ 🄰🄴 ⑤
piazza Garibaldi 10 – ℰ 05 35 76 00 46 – www.casamagagnoli.com – info@casamagagnoli.com – Fax 053 59 11 35 – chiuso una settimana in gennaio
e una settimana in agosto
13 cam ⊊ – †60/75 € ††80/95 €
♦ Nell'Ottocento ospitò un pioniere dell'arte fotografica, oggi invece dedica ogni camera, arredata con gusto minimalista, ai personaggi di Finale ricordati tra gli annali della storia.

✗ **Osteria la Fefa** con cam 🄰🄲 ✵ cam, ⓒ 💳 ⓒ 🄰🄴 ⑤
via Trento-Trieste 9/C – ℰ 05 35 78 02 02 – www.osterialafefa.it – info@osterialafefa.it – Fax 053 59 17 63 – chiuso due settimane in gennaio, due settimane in luglio e martedì
8 cam ⊊ – †50/65 € ††80 €
Rist – (consigliata la prenotazione) Carta 32/40 € ⅏
♦ Il nomignolo ricorda la signora che gestì il locale agli inizi del secolo scorso; nelle salette dall'antico pavimento in mattoni potrete invece ricordare la storia della cucina locale. Raffinate le stanze, arredate con mobili in legno di ciliegio e lenzuola di lino.

FINALE LIGURE – Savona (SV) – 561J7 – 11 901 ab. – ✉ 17024 Italia   14 **B2**

■ Roma 571 – Genova 72 – Cuneo 116 – Imperia 52

🖼 via San Pietro 14 ℰ 019 681019, finaleligure@inforiviera.it, Fax 019681804

◉ Finale Borgo★ Nord-Ovest : 2 km

🖼 Castel San Giovanni : ≼★ 1 h a piedi AR (da via del Municipio)

🏨🏨🏨 **Punta Est**   ≼ 🚋 🕭 🖙 ⅃ 🖹 ﷼ ⅍ rist, 🎙 🖄 🅿 ⅦⅠⅤ ⅏ 🅰🅴 🖒
via Aurelia 1 – ℰ 019 60 06 11 – www.puntaest.com – info@puntaest.com
– Fax 019 60 06 11 – 20 aprile-ottobre
42 cam ⅏ – ♦110/220 € ♦♦180/320 € – 3 suites – ½ P 125/205 €
Rist – (maggio-settembre) Carta 45/60 €
◆ Antica dimora settecentesca in un parco ombreggiato da pini secolari e da palme; tutti da scoprire i deliziosi spazi esterni, tra cui una caverna naturale con stalagmiti. Elegante sala da pranzo: soffitti a travi lignee, archi, camino centrale, dehors panoramico.

🏨🏨 **Villa Italia-Careni**   ⅙ 🖹 ⅍ cam, ⅍★ ﷼ ⅍ rist, 🚗 ⅦⅠⅤ ⅏ ⓞ 🖒
via Torino 111 – ℰ 019 69 06 17 – www.hotelcareni.it – info@hotelvillaitalia.it
– Fax 019 68 00 24 – chiuso da ottobre al 28 dicembre
70 cam – ♦100/120 €, ⅏ 12 € – ½ P 50/110 €
Rist – (solo per alloggiati) Menu 30 €
◆ Posizione centrale, ma a due passi dal mare per due strutture vicine, recentemente rinnovate, con "freschi" interni in tonalità pastello; gradevoli le due terrazze solarium.

🏨🏨 **Medusa**   🖙 🖹 ⅍ cam, ⅍★ ﷼ ⅍ 🅿 ⅦⅠⅤ ⅏ 🅰🅴 ⓞ 🖒
vico Bricchieri 7 – ℰ 019 69 25 45 – www.medusahotel.it – mail@medusahotel.it
– Fax 019 69 56 79
32 cam ⅏ – ♦52/92 € ♦♦78/150 € – ½ P 60/95 €
Rist – (chiuso novembre) (solo per alloggiati)
◆ Edificio di origine settecentesca nel centro della località, ma non distante dal lungomare; offre un numero contenuto di stanze, rinnovate, e un sereno ambiente familiare. Ristorante dai toni rustici con proposte di mare e di terra.

🏨 **Internazionale**   🖹 ⅍★ ﷼ ⅍ rist, 🎙 ⅦⅠⅤ ⅏ 🅰🅴 🖒
via Concezione 3 – ℰ 019 69 20 54 – www.internazionalehotel.it – info@
internazionalehotel.it – Fax 019 69 20 53 – chiuso dal 3 novembre al 28 dicembre
32 cam – ♦65/90 € ♦♦80/125 €, ⅏ 15 € – ½ P 50/105 €
Rist – (solo per alloggiati) Menu 30/40 €
◆ Gestione familiare per la struttura di moderna concezione, in zona centrale lungo la passeggiata fronte mare; arredi classici anche nelle camere, comode e funzionali. Luminosa sala da pranzo, sobria nell'impostazione.

🏨 **Rosita** 🐾   🖙 ⅍ rist, 🎙 🅿 ⅦⅠⅤ ⅏ 🖒
via Mànie 67, Nord-Est : 3 km – ℰ 019 60 24 37 – www.hotelrosita.it – info@
hotelrosita.it – Fax 019 60 17 62 – chiuso dal 7 al 30 gennaio, 20 giorni a
febbraio e novembre
12 cam ⅏ – ♦45/65 € ♦♦65/90 € – ½ P 45/65 €
Rist – (chiuso martedì e mercoledì) (chiuso a mezzogiorno escluso sabato-domenica) Carta 26/43 €
◆ Panorama sul golfo, in ambiente familiare e tranquillo, per un piccolo albergo nella zona collinare vicina ad una verde oasi protetta dell'entroterra. Camere accoglienti. Piacevole il servizio ristorante estivo in terrazza con vista mare.

✕ **La Lampara**   ⅦⅠⅤ ⅏ 🖒
vico Tubino 4 – ℰ 019 69 24 30 – chiuso da novembre al 15 dicembre e mercoledì
Rist – Carta 45/70 €
◆ Ambiente rustico-marinaro per una trattoria situata in piena zona centrale; due salette, di cui una più raccolta, e classiche specialità di pesce.

a Finalborgo Nord-Ovest : 2 km – ✉ 17024

✕✕ **Ai Torchi**   ⅍ ⅦⅠⅤ ⅏ 🅰🅴 ⓞ 🖒
via dell'Annunziata 12 – ℰ 019 69 05 31 – aitorchi@virgilio.it – Fax 019 69 05 31
– chiuso dal 7 gennaio al 10 febbraio e martedì (escluso agosto)
Rist – Carta 45/78 €
◆ Antico frantoio in un palazzo del centro storico: in sala sono ancora presenti la macina in pietra e il torchio in legno. Atmosfera e servizio curati, cucina marinara.

450

FINO DEL MONTE – Bergamo (BG) – 561E11 – 1 148 ab. – alt. 670 m   16 **B2**
– ✉ 24020

▶ Roma 600 – Bergamo 38 – Brescia 61 – Milano 85

🏠 **Garden** 🏖   🛋 |🕴| ⅙ rist, 🌣 cam, 🌣 ♨ 🄿 🚗 𝖵𝖨𝖲𝖠 ⓂⓄ 🄰🄴 ① 👁
via Papa Giovanni XXIII, 1 – ℰ *034 67 23 69* – *www.fratelliferrari.com* – *garden@
fratelliferrari.com* – *Fax 034 67 16 41* – *chiuso due settimane in gennaio*
20 cam ⥢ – †45/70 € ††120 €
Rist – *(chiuso domenica sera e lunedì)* Carta 34/58 € 🕭
• In un angolo verdeggiante, tra l'Altopiano di Clusone e la Conca della Presolana, una
comoda struttura alberghiera, nota da tempo, ma in recente fase di rinnovo. Semplice e colorato ristorante disposto su due salette classiche dove gustare anche ottimi piatti di pesce.

FIORANO AL SERIO – Bergamo (BG) – 561E11 – 2 636 ab.   19 **D1**
– alt. 395 m – ✉ 24020

▶ Roma 597 – Bergamo 22 – Brescia 65 – Milano 70

✕✕ **Trattoria del Sole**   🏠 𝖵𝖨𝖲𝖠 ⓂⓄ ① 👁
piazza San Giorgio 20 – ℰ *035 71 14 43* – *chiuso dal 1° al 10 gennaio, agosto,
martedì sera e mercoledì*
Rist – Menu 50 € – Carta 36/64 €
• Raccolto, intimo e rilassante, una botte in legno coniuga rusticità ed eleganza. Dalla
cucina piatti talora ricercati, nelle belle cantine la possibilità di soffermarsi per una degustazione.

FIORANO MODENESE – Modena (MO) – 562I14 – 16 346 ab.   8 **B2**
– alt. 155 m – ✉ 41042

▶ Roma 421 – Bologna 57 – Modena 15 – Reggio nell'Emilia 35

🏨 **My One Hotel Executive** |🕴| 🄰🄲 🌣 🌣 ♨ 🄿 🚗 𝖵𝖨𝖲𝖠 ⓂⓄ 🄰🄴 ① 👁
circondariale San Francesco 2 – ℰ *05 36 83 20 10* – *www.myonehotel.it*
executive@myonehotel.it – *Fax 05 36 83 02 29* – *chiuso Natale e dal 10 al 16 agosto*
60 cam ⥢ – †44/160 € ††54/220 €
Rist Exè ℰ 05 36 83 26 73 *(chiuso sabato a mezzogiorno e domenica)* Carta 40/70 €
• Nel cuore dell'area dell'industria ceramica, questo elegante hotel dispone di ambienti
spaziosi e luminosi, arredati con mobili color crema e raffinati tessuti ricercati. Ristorante
dotato anche di una capiente sala a vocazione banchettistica.

🏠 **Alexander** *senza rist* |🕴| ⅙ 🄰🄲 🌣 🌣 ♨ 🄿 𝖵𝖨𝖲𝖠 ⓂⓄ 🄰🄴 ① 👁
via della Resistenza 46, località Spezzano, Ovest : 3 km ✉ *41040 Spezzano*
– ℰ *05 36 84 59 11* – *www.alexander-hotel.it* – *info@alexander-hotel.it*
– *Fax 05 36 84 51 83* – *chiuso dal 10 al 20 agosto*
48 cam – †55/78 € ††75/98 €, ⥢ 7 €
• In quello che anticamente era luogo di villeggiatura di nobili famiglie locali ed oggi un'a-
rea a forte vocazione industriale, una struttura moderna ideale per una clientela business.

FIORENZUOLA D'ARDA – Piacenza (PC) – 562H11 – 13 746 ab.   8 **A2**
– alt. 82 m – ✉ 29017

▶ Roma 495 – Piacenza 24 – Cremona 31 – Milano 87

🏠 **Concordia** *senza rist*   🌣 𝖵𝖨𝖲𝖠 ⓂⓄ 🄰🄴 ① 👁
via XX Settembre 54 – ℰ *05 23 98 28 27* – *www.hotelconcordiapc.com* – *info@
hotelconcordiapc.com* – *Fax 05 23 98 48 41* – *chiuso dal 15 al 30 agosto*
18 cam ⥢ – †55 € ††75 € – 2 suites
• Gestione familiare, tranquillità ed una gentile accoglienza per questo albergo situato
in pieno centro storico. L'ambiente è piacevole ed intimo, le stanze eleganti e in stile.

✕ **Mathis** *con cam*   🄰🄲 rist, 🌣 🄿 𝖵𝖨𝖲𝖠 ⓂⓄ 🄰🄴 ① 👁
via Matteotti 68 – ℰ *05 23 98 28 50* – *www.mathis.it* – *info@mathis.it*
– *Fax 05 23 98 10 98* – *chiuso dal 13 al 19 agosto*
16 cam ⥢ – †60 € ††80 € – ½ P 58 €
Rist – *(chiuso domenica sera e lunedì)* Carta 29/31 €
• Rustico ed informale, il locale è stato realizzato all'interno di una struttura degli inizi
del secolo scorso e propone ricette classiche e piacentine. Il nome ricorda un vecchio
modello di torpedo. Confortevoli e tranquille le camere. Piacevole anche la tavernetta,
dove ritrovarsi per una chiacchierata.

Ponte Veccio

FIRENZE

Carta Michelin : n° **563**K15
Popolazione : 367 259 ab
Altitudine : 49 m
Codice Postale : ✉ 50100

Toscana, Firenze
Roma 285 – Bologna 129
– Milano 298
Carta regionale : 29 **D3**

INFORMAZIONI PRATICHE

🚺 Uffici Informazioni turistiche

via Cavour1 r , ✉50129, 𝒞055 290832, Fax 055 2760383

piazza della Stazione 4, ✉ 50123, 𝒞055 212245, turismo3@comune.fi.it, Fax 055 2381226

Aeroporto

✈ Amerigo Vespucci Nord-Ovest: 4 km AR 𝒞 055 3061300, Fax 055 318716

Golf

🏌 Parco di Firenze, 𝒞 055 78 56 27

🏌 Dell'Ugolino, 𝒞 055 230 10 09

Fiere

13.01 - 16.01 : Pitti immagine uomo

22.01 - 24.01 : Pitti immagine bimbo

16.06 - 19.06 : Pitti immagine uomo

25.06 - 27.06 : Pitti immagine bimbo

◉ LUOGHI DI INTERESSE

IL CENTRO

Piazza del Duomo★★★ - Piazza della Signoria★★ : Palazzo Vecchio★★★ - S. Lorenzo e Tombe Medicee★★★ - S. Maria Novella★★ : affreschi★★★ del Ghirlandaio - Palazzo Medici Riccardi★★ : affreschi★★★ di Benozzo Gozzoli - S. Croce★★ - Ponte Vecchio★★ - Orsanmichele★ : Tabernacolo★★ dell'Orcagna - SS. Annunziata★ - Ospedale degli Innocenti★ : Tondi★★ di Andrea della Robbia

OLTRARNO

Palazzo Pitti★★ : Giardino di Boboli★ - S. Maria del Carmine: Cappella Brancacci★★★ (affreschi di Masaccio e Masolino) - S. Spirito★
- Panorama★★★ da Piazzale Michelangelo - S. Miniato al Monte★★

I MUSEI

Galleria degli Uffizi★★★ - Museo del Bargello★★★ - Galleria dell'Accademia★★ : opere★★★ di Michelangelo - Palazzo Pitti★★ : Galleria Palatina★★★ - S. Marco★★ : opere★★★ del Beato Angelico - Museo dell'Opera del Duomo★★ - Museo Archeologico★★ - Opificio delle Pietre Dure★

ACQUISTI

Articoli di cartoleria: Piazza della Signoria, Via de' Tornabuoni, Piazza Pitti - Ricami: Borgo Ognissanti - Articoli in pelle: ovunque, e alla Scuola del cuoio di S. Croce - Moda: Via de' Pucci e Via de' Tornabuoni - Gioielli: Via de' Tornabuoni e Ponte Vecchio

DINTORNI

Certosa del Galluzzo★★ - Ville Medicee★

FIRENZE

PERCORSI DI
ATTRAVERSAMENTO E DI
CIRCONVALLAZIONE

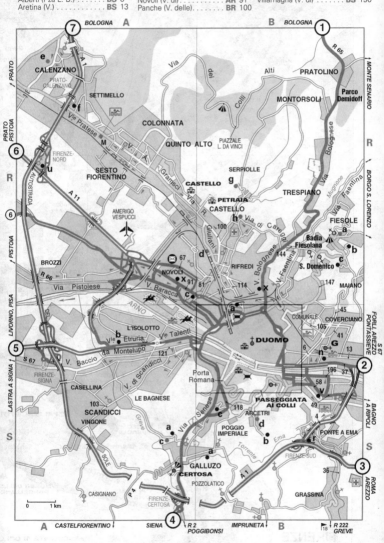

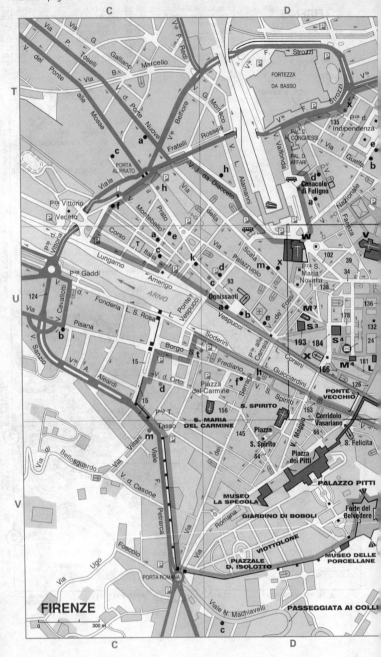

FIRENZE

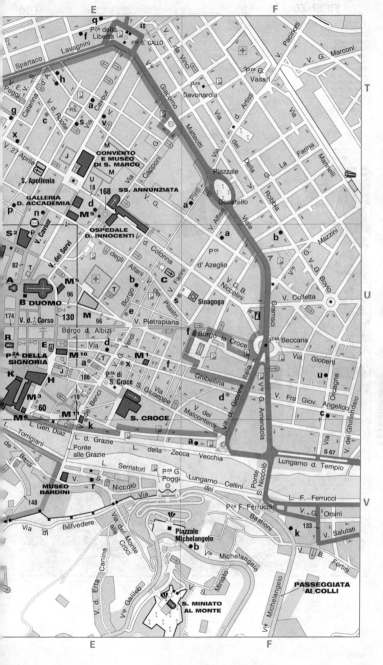

FIRENZE

Circolazione regolamentata nel centro città

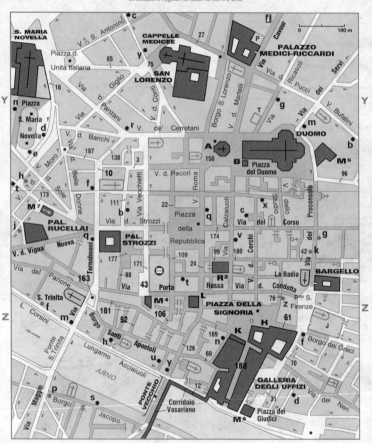

INDICE DELLE STRADE DI FIRENZE

The Westin Excelsior ▥ ▤ ♿ cam, ♨♨ AC ✦ ☎ 🛁

piazza Ognissanti 3 ✉ *50123* – ℰ *05 52 71 51* VISA ⊕⊕ AE ① 🛁
– www.westin.com/excelsiorflorence – excelsiorflorence@westin.com
– Fax 055 21 02 78 DU**b**
171 cam – †650/938 € ††900/1108 €, ⊑ 39 € – 9 suites
Rist Orvm – ℰ *055 27 15 27 85* – Carta 54/70 €
♦ Saloni e salette di questo aristocratico palazzo, affacciato sull'Arno, sono dedicati alla storia e ricchi di luce e di eleganza; confortevoli e raffinate le camere, arredate in porpora. Quadri alle pareti, soffitti a cassettoni, marmi di Carrara e sapori fiorentini nella sfarzosa sala da pranzo.

Grand Hotel ▦ ▥ ▤ ♨♨ AC ✦ ❀ ☎ VISA ⊕⊕ AE ① 🛁

piazza Ognissanti 1 ✉ *50123* – ℰ *05 52 71 61* – *www.luxurycollection.com*
/grandflorence – grandflorence@luxurycollection.com
– Fax 055 21 74 00 DU**a**
94 cam – †680/1023 € ††930/1153 €, ⊑ 39 € – 13 suites
Rist Incanto Café Restaurant – ℰ *055 27 16 37 67* – Carta 70/110 €
♦ Pensato per chi cerca eleganza e discrezione e racchiuso tra mura ottocentesche, un frammento di Rinascimento fiorentino per rivivere il sontuoso e glorioso passato della città. Più moderna l'atmosfera al ristorante, la cui cucina propone i sapori del Mediterraneo. Terrazza sulla piazza per le sere più calde.

Four Seasons Hotel Firenze ⟠ ♨ ➔ ⊕ ❀ ▥ ▤ ♿ AC ✦ ❀

borgo Pinti 99 ✉ *50121* – ℰ *05 52 62 61* (℗) 🔆 VISA ⊕⊕ AE ① 🛁
– www.fourseasons.com/florence – concierge.firenze@fourseasons.com
– Fax 05 52 62 65 00 FT**a**
117 cam – †† 550/850 €, ⊑ 32 € – 46 suites **Rist Pelagio** – Carta 74/120 €
♦ Immerso in un delizioso parco botanico, l'hotel si compone di due edifici: "Palazzo della Gherardesca" e il "Conventino". L'eleganza è di casa in entrambe le strutture: affreschi, bassorilievi, stucchi e pareti con carta orientale in seta. *Excursus* nell'arte e soggiorno esclusivo.

Savoy ⟠ ▥ ▤ ♿ ♨♨ AC ❀ (℗) 🔆 VISA ⊕⊕ AE ① 🛁

piazza della Repubblica 7 ✉ *50123* – ℰ *05 52 73 51*
– www.roccofortecollection.com – reservations.savoy@roccofortecollection.com
– Fax 05 52 73 58 88 Z**q**
102 cam – †440 € ††561 €, ⊑ 32 € – 14 suites
Rist L'Incontro – ℰ *05 52 73 58 91* – Carta 60/100 €
♦ Elegante hotel di storica data, situato nelle vicinanze del Duomo, dei musei e delle grandi firme della moda, dispone di camere ampie e confortevoli, impreziosite da bagni musivi. Piatti fiorentini ed una speciale atmosfera al ristorante che d'estate si apre sulla piazza.

Montebello Splendid ⟠ ⟠ ▥ ▤ AC ✦ ❀ rist. (℗) 🔆

via Garibaldi 14 ✉ *50123* – ℰ *05 52 74 71* VISA ⊕⊕ AE ① 🛁
– www.montebellosplendid.com – info@montebellosplendid.com
– Fax 05 52 74 77 00 CU**e**
60 cam ⊑ – †190/320 € ††230/580 € – ½ P 160/350 €
Rist – Carta 43/75 €
♦ Tra strade caratteristiche e palazzi storici, questo sontuoso e signorile palazzo vi accoglierà tra i marmi policromi dei suoi ambienti e nel grazioso giardino interno. .

Villa La Vedetta ≼ ⟠ ⟠ ▤ ♿ ♨♨ AC ✦ rist. (℗) P

viale Michelangiolo 78 ✉ *50125* – ℰ *055 68 16 31* VISA ⊕⊕ AE ① 🛁
– www.concertohotels.com – info@villalavedettahotel.com
– Fax 05 56 58 25 44 FV**b**
11 cam – ††299/980 €, ⊑ 25 € – 7 suites – ††599/1600 €
Rist Onice Lounge & Restaurant – *(chiuso 2 settimane in gennaio e lunedì)*
Carta 85/146 € ❀
♦ In cima ad una collina, la villa patrizia dispone di un grande terrazzo che offre una rara vista sulla città. All'interno vi attendono ampi ed eleganti spazi e camere tutte diverse. Sedie in raso, tavoli in cristallo e due grandi finestre condurranno dalla sala del ristorante direttamente in giardino.

ṁṁ Relais Santa Croce
🗲 ⚞️ 🄐 ½ 🕉 📞 🆅🆂🅰 🆎 ① 🖒

via Ghibellina 87 ⊠ 50122 – ℰ 05 52 34 22 30

– www.relaissantacroce.com – info@relaissantacroce.com – Fax 05 52 34 11 95

20 cam � – 👤414/545 € 👤👤460/605 € – 4 suites – 👤1500/3000 €   EU**x**

– ½ P 300/372 €

Rist – Menu 70 €

♦ Lusso ed eleganza nel cuore di Firenze, un'atmosfera unica tra tradizione e modernità, nella quale mobili d'epoca si accostano a tessuti preziosi e ad elementi di design. Tempo, esperienza e passione gli ingredienti essenziali per realizzare piatti semplici e gustosi di antiche ricette toscane.

ṁṁ Helvetia e Bristol
🗲 🄐 🕉 📞 🆅🆂🅰 🆎 ① 🖒

via dei Pesciони 2 ⊠ 50123 – ℰ 05 52 66 51 – www.royaldemeure.com

– information.hbf@royaldemeure.com – Fax 055 28 83 53   Z**b**

52 cam – 👤212/352 € 👤👤278/638 €, ⊒ 26 € – 15 suites

Rist Hostaria Bibendum – Carta 49/63 €

♦ Accanto al Duomo e a Palazzo Strozzi, il fascino del passato rivive anche in questa elegante dimora dell'800, con camere tuttw differenti, arredate con quadri d'epoca e pezzi d'antiquariato. Sapori toscani e piatti creati dalla fantasia nella piccola ed elegante sala da pranzo.

ṁṁ Regency
🗲 🗲 🗲 🄐 🕉 📞 🆅🆂🅰 🆎 ① 🖒

piazza Massimo D'Azeglio 3 ⊠ 50121 – ℰ 055 24 52 47

– www.regency-hotel.com – info@regency-hotel.com

– Fax 05 52 34 67 35   FU**a**

31 cam ⊒ – 👤334/424 € 👤👤350/566 € – 3 suites

Rist Relais le Jardin – Carta 51/70 €

♦ Nata per dare ospitalità agli uomini della storia politica fiorentina, offre confort e tranquillità nei suoi eleganti e discreti spazi in cui conserva il fascino del passato. Due le sale al ristorante: una raccolta ed affacciata sul giardino, l'altra più ricca negli arredi e riscaldata dalla boiserie.

ṁṁ Albani
🗲 🗲 🗲 🕉 🄐 ½ 🕉 rist, 🕉 🆅🆂🅰 🆎 ① 🖒

via Fiume 12 ⊠ 50123 – ℰ 05 52 60 30 – www.albanihotels.icom

– info.flo@albanihotels.com – Fax 055 21 10 45   DT**a**

103 cam ⊒ – 👤150/365 € 👤👤200/450 € – ½ P 130/275 €

Rist – (solo per alloggiati) Carta 34/54 €

♦ Elegante ed imponente palazzo del primo Novecento nei pressi della stazione, offre ambienti di raffinata eleganza neoclassica e ricchi di colore, dove non mancano cenni di arte e design.

ṁṁ Grand Hotel Minerva
🗲 🗲 🕉 🄐 ½ 🕉 rist, 🕉 🕉 🆅🆂🅰 🆎 ① 🖒

piazza Santa Maria Novella 16 ⊠ 50123

– ℰ 05 52 72 30 – www.certohotels.com

– info@grandhotelminerva.com – Fax 055 26 82 81   Y**n**

102 cam – 👤145/300 € 👤👤155/500 €, ⊒ 15 € – 14 suites

Rist I Chiostri – (chiuso domenica) Carta 40/75 €

♦ E' uno degli hotel più antichi della città ed offre un'accogliente atmosfera impreziosita da opere d'arte, camere arredate con eleganza ed una terrazza con piscina e splendida vista. Illuminato da finestre che si affacciano sul giardino interno, il ristorante propone i piatti della tradizione mediterranea.

ṁṁ Hilton Florence Metropole
🗲 🕉 🄐 ½ 🕉 📞 🕉 🅿 🗲

via del Cavallaccio 36 ⊠ 50142 – ℰ 05 57 87 11   🆅🆂🅰 🆎 ① 🖒

– www.florencemetropole.hilton.com

– res.florencemetropole@hilton.com – Fax 055 78 71 80 20   AS**b**

208 cam – 👤130/340 € 👤👤150/370 €, ⊒ 15 € – 4 suites

Rist – (solo per alloggiati)

♦ Moderna e facilmente raggiungibile dall'aeroporto, l'hotel mette a disposizione dei suoi ospiti camere e spazi comuni arredati con gusto minimalista ed un capiente centro congressi. Al primo piano, ampio ristorante dal moderno design, piacevolmente illuminato da ampie finestre.

461

Lungarno 〈 🛎 AC ⇄ 🎿 rist. 🍴 🏋 VISA 🌐 AE ① 🅖

borgo San Jacopo 14 ⊠ *50125 – 𝒞 05 52 72 61 – www.lungarnohotels.com*
– lungarnohotels@lungarnohotels.com – Fax 055 26 84 37 **Zs**
73 cam – 👥341/660 €, ⊆ 25 €
Rist *Borgo San Jacopo* – 𝒞 055 28 16 61 *(chiuso dal 29 luglio al 3 settembre e martedì) (chiuso a mezzogiorno)* Carta 57/70 €

♦ Particolare e suggestiva la posizione sull'Arno di questo hotel che offre eleganti ambienti, tutti caratterizzati da un piccolo particolare. Pregevole la collezione di quadri moderni. Nella moderna sala da pranzo, tenui colori ed una splendida vista sul fiume e su Ponte Vecchio.

J.K. Place senza rist 〈 🛎 🏋 AC 🍴 VISA 🌐 AE

piazza Santa Maria Novella 7 ⊠ *50123 – 𝒞 05 52 64 51 81 – www.jkplace.com*
– info@jkplace.com – Fax 05 52 65 83 87 **Ye**
19 cam ⊆ – 👤250/350 € 👥250/500 € – 1 suite

♦ Il concetto di *hôtellerie* di alto livello trova qui la propria materializzazione: quasi una casa privata, dove si spengono i rumori della città e si accendono i camini. Corridoi pavimentati con tavole di legno, poltrone *animalier*, suggestioni inglesi e citazioni anni '70 in un ben riuscito gioco di armonici contrasti.

Continentale senza rist 🏗 🎣 🛎 🕭 AC ⇄ 🍴 VISA 🌐 AE ① 🅖

vicolo dell'Oro 6 r ⊠ *50123 – 𝒞 05 52 72 62 – www.lungarnohotels.com*
– continentale@lungarnohotels.com – Fax 055 28 31 39 **Zy**
42 cam ⊆ – 👥340/640 € – 1 suite

♦ Hotel di moderna eleganza, sorto intorno ad una torre medievale e con una splendida vista su Ponte Vecchio; all'interno, ambienti in design dai vivaci e caldi colori.

Hilton Garden Inn Florence Novoli 🛎 🕭 AC ⇄ 🎿 🍴 🛜

via Sandro Pertini 2/9, Novoli ⊠ *50127*
– 𝒞 05 54 24 01 – www.florencenovoli.stayhgi.com – flrnv-salesadm@hilton.com
– Fax 055 42 40 20 20 **ARx**
121 cam – 👤110/210 € 👥130/210 €, ⊆ 12 € – ½ P 107/147 €
Rist *City* – Carta 45/57 €

♦ Moderna struttura a ridosso dell'autostrada, ideale per una clientela d'affari, presenta spazi comuni luminosi e di grande respiro. Camere confortevoli arredate in squisito stile moderno. Accessori dell'ultima generazione.

AC Firenze 🎣 🛎 🕭 AC 🎿 rist. 🍴 🏋 P 🚗 VISA 🌐 AE ① 🅖

via Luciano Bausi 5 ⊠ *50144 – 𝒞 05 53 12 01 11 – www.ac-hotels.com*
– acfirenze@ac-hotels.com – Fax 05 53 12 01 12 **CTc**
117 cam ⊆ – 👥128/432 € – 1 suite **Rist** – Carta 50/80 €

♦ Hotel moderno e personalizzato, aperto da poco più di un anno nei pressi della Fortezza da Basso, dispone di una hall ampia e luminosa e confortevoli camere di ultima generazione.

Santa Maria Novella senza rist 〈 🛎 🕭 AC 🍴 VISA 🌐 AE ① 🅖

piazza Santa Maria Novella 1 ⊠ *50123 – 𝒞 055 27 18 40*
– www.hotelsantamarianovella.it – info@hotelsantamarianovella.it
– Fax 055 27 18 41 99 **Yd**
71 cam ⊆ – 👤150/290 € 👥178/450 €

♦ Affacciato sull'omonima artistica piazza, riserva agli ospiti un'accogliente atmosfera, spazi comuni suddivisi in piccoli salottini ed eleganti camere tutte diverse per colori e arredi.

Gallery Hotel Art 🛎 🕭 AC ⇄ 🎿 rist. 🍴 VISA 🌐 AE ① 🅖

vicolo dell'Oro 5 ⊠ *50123 – 𝒞 05 52 72 63 – www.lungarnohotels.com*
– gallery@lungarnohotels.com – Fax 055 26 85 57 **Zu**
69 cam ⊆ – 👥330/517 € – 5 suites
Rist *The Fusion Bar-Shozan Gallery* – 𝒞 055 27 26 69 87 *(chiuso agosto)* Carta 39/67 €

♦ Legni africani nelle stanze, bagni ricoperti da pietre mediorentali, scorci di Firenze alle pareti: quasi un museo, dove l'arte cosmopolita crea un'atmosfera indiscutibilmente moderna. Nello stesso stile contemporaneo il ristorante dove la cucina "fusion" regna incontrastata, alla ricerca di innovazione e creatività.

Brunelleschi ⟨ 📶 🅰🅲 ↳ ⌘ rist, 🕻 🐦 🄰 VISA ⦿ AE ① 🚲

piazza Santa Elisabetta 3 ☒ 50122 – 𝒞 05 52 73 70 – www.hotelbrunelleschi.it
– info@hotelbrunelleschi.it – Fax 055 21 96 53 Z**c**
96 cam 🍴 – ♦145/255 € ♦♦215/400 € – ½ P 143/235 €
Rist – *(chiuso domenica) (solo per alloggiati)* Menu 35/50 €
♦ Sarà la bizantina torre della Pagliazza, una delle costruzioni più antiche della città, ad ospitarvi. Nelle fondamenta, un piccolo museo conserva cimeli di epoca romana.

Starhotels Michelangelo 📶 🅰🅲 ↳ ⌘ 🕪 🄰 VISA ⦿ AE ① 🚲

viale Fratelli Rosselli 2 ☒ 50123 – 𝒞 055 27 84 – www.starhotels.com
– michelangelo.fi@starhotels.com – Fax 05 52 38 22 32 CT**f**
119 cam 🍴 – ♦♦110/490 € – 2 suites   **Rist** *(solo per alloggiati)*
♦ Situato di fronte al Parco delle Cascine, offre spaziosi ambienti moderni e funzionali, camere confortevoli con dotazioni di ottimo livello e sale riunioni ben attrezzate. Sobria sala da pranzo al piano interrato.

Monna Lisa senza rist 🚗 🄵🅱 📶 🕭 🅰🅲 🄰 VISA ⦿ AE

via Borgo Pinti 27 ☒ 50121 – 𝒞 05 52 47 97 51 – www.monnalisa.it – hotel@
monnalisa.it – Fax 05 52 47 97 55 EU**b**
45 cam 🍴 – ♦152/250 € ♦♦226/380 €
♦ Nel centro storico, un palazzo di origini medievali con un imponente scalone, pavimenti in cotto e soffitti a cassettoni che ospita camere e spazi comuni arredati in stile rinascimentale.

Palazzo Magnani Feroni senza rist 🄵🅱 🅰🅲 ↳ ⌘ 🕪 🏎

borgo San Frediano 5 ☒ 50124 – 𝒞 05 52 39 95 44 VISA ⦿ AE ① 🚲
– www.palazzomagnaniferoni.it – info@florencepalace.it – Fax 05 52 60 89 08
12 suites 🍴 – ♦♦450/750 € DU**f**
♦ Solo lussuose suite in questo palazzo cinquecentesco che ha ospitato i fastosi ricevimenti del Ministro di Francia. Vista panoramica dalla terrazza, che d'estate si trasforma in bar.

Borghese Palace Art Hotel senza rist 🏠 🄵🅱 📶 🕭 🅰🅲 🕻

via Ghibellina 174/r ☒ 50122 – 𝒞 055 28 43 63 VISA ⦿ AE ① 🚲
– www.borghesepalace.it – hotelmanager@borghesepalace.it
– Fax 05 52 30 20 99 EV**d**
25 cam 🍴 – ♦110/200 € ♦♦120/350 €
♦ Nell'ottocentesco palazzo che fu residenza di Carolina Bonaparte, hotel di recente apertura in cui si fondono l'eleganza classica ed i moderni arredi. Bella e caratteristica la zona relax.

Londra 🏠 🄵🅱 📶 🕭 🅰🅲 ↳ ⌘ rist, 🕪 🄰 🏎 VISA ⦿ AE ① 🚲

via Jacopo da Diacceto 18 ☒ 50123 – 𝒞 05 52 73 90 – www.concertohotels.com
– info@hotellondra.com – Fax 055 21 06 82 DT**h**
166 cam 🍴 – ♦170/280 € ♦♦210/395 € – ½ P 140/232 €
Rist – Carta 34/62 €
♦ A breve distanza dal polo congressuale e fieristico così come dai principali monumenti della città, offre accoglienti camere con balcone e spazi idonei ad ospitare riunioni di lavoro. La moderna la sala da pranzo dispone anche di salette dedicate ai fumatori.

Sofitel Firenze 📶 🕭 🅰🅲 ↳ ⌘ 🕪 VISA ⦿ AE ① 🚲

via de' Cerretani 10 ☒ 50123 – 𝒞 05 52 38 13 01 – www.sofitel.com
– h1539-re1@accor.com – Fax 05 52 38 13 12 Y**r**
83 cam – ♦♦206/432 €, 🍴 23 € – 1 suite – ½ P 169/282 €
Rist *Il Patio* – Carta 36/56 €
♦ Cura ed eleganza per questo palazzo settecentesco situato a pochi passi dal Duomo dove troverete una cortese accoglienza e moderne camere ben insonorizzate. Il soffitto della sala da pranzo è una vetrata, le pareti dei paesaggi dipinti, la cucina classica e sempre piacevole.

Starhotels Tuscany 📶 🕭 🅰🅲 ↳ ⌘ 🕪 🄰 🄿 VISA ⦿ AE ① 🚲

via Di Novoli 59 ☒ 50127 – 𝒞 055 43 14 41 – www.starhotels.com – tuscany.fi@
starhotels.it – Fax 05 54 37 82 57 AR**c**
103 cam 🍴 – ♦♦100/400 €   **Rist** – *(solo per alloggiati)*
♦ Recentemente ristrutturato ed ammodernato, offre spaziosi ambienti moderni, personalizzati e caratterizzati dall'attenzione per i particolari. Ideale per una clientela commerciale. Design contemporaneo, scure tonalità di colore ed i sapori regionali al ristorante.

De la Ville senza rist 🏨 🗚 ☎ 🛜 🕭 VISA ⑳ AE ① ⑤

piazza Antinori 1 ⊠ 50123 – ☎ 05 52 38 18 05 – www.hoteldelaville.it – info@
hoteldelaville.it – Fax 05 52 38 18 09 Y**f**
68 cam ⊆ – ♦145/300 € ♦♦160/570 € – 4 suites

♦ Nella via dello shopping elegante, hotel di grande signorilità: il settore notte, completamente ristrutturato, presenta spaziose camere in stile nelle quali dominano le tonalità
del blu.

UNA Hotel Vittoria 🏨 🕭 🗚 ↔ 🎬 rist, 🕭 😹 🚗

via Pisana 59 ⊠ 50143 – ☎ 05 52 27 71 VISA ⑳ AE ① ⑤
– www.unahotels.it – una.vittoria@unahotels.it – Fax 05 52 27 72 CU**b**
84 cam ⊆ – ♦111/227 € ♦♦111/267 €
Rist – (solo per alloggiati) Carta 30/72 €

♦ Albergo di ultima generazione dalle forme bizzarre, una miscela di confort, colori
ed innovazione. La fantasia ha avuto pochi limiti e il risultato è assolutamente particolare, unico.

Adler Cavalieri senza rist 🌀 🖪 🏨 🕭 🛉 🗚 🕭 😹 VISA ⑳ AE ① ⑤

via della Scala 40 ⊠ 50123 – ☎ 055 27 78 10 – www.hoteladlercavalieri.com
– info@hoteladlercavalieri.com – Fax 055 27 78 15 09 DU**x**
60 cam – ♦115/255 € ♦♦150/340 €

♦ Albergo di equilibrata eleganza in prossimità della stazione. Ottimamente insonorizzato, dispone di camere luminose e di accoglienti spazi comuni dove il legno è stato
ampiamente usato.

Grand Hotel Adriatico 🚙 🏨 🕭 cam, 🗚 ↔ 🎬 🕭 😹 🅿

via Maso Finiguerra 9 ⊠ 50123 – ☎ 05 52 79 31 VISA ⑳ AE ① ⑤
– www.hoteladriatico.it – info@hoteladriatico.it – Fax 055 28 96 61 DU**d**
126 cam ⊆ – ♦130/230 € ♦♦150/350 €
Rist – (chiuso domenica) Carta 33/45 €

♦ In comoda posizione centrale per chi si trova a Firenze per lavoro o per piacere,
dispone di parcheggio privato, un'ampia hall e camere moderne e funzionali di sobria
eleganza. Due sale tranquille ed accoglienti ed un piacevole giardino vi ospiteranno
per gustare proposte toscane e nazionali.

Lorenzo il Magnifico senza rist 🚙 🏨 🕭 🗚 🕭 😹 🅿

via Lorenzo il Magnifico 25 ⊠ 50129 VISA ⑳ AE ① ⑤
– ☎ 05 54 63 08 78 – www.lorenzoilmagnifico.net – info@lorenzoilmagnifico.net
– Fax 055 48 61 68 ET**f**
37 cam ⊆ – ♦110/185 € ♦♦130/210 € – 1 suite

♦ Cinta da un piccolo giardino, un'elegante villa che nel tempo ospitò anche un convento. Oggi dispone di spazi accoglienti dove l'atmosfera del passato sposa le moderne
tecnologie.

Pierre senza rist 🏨 🕭 🗚 🎬 🕭 VISA ⑳ AE ① ⑤

via Dè Lamberti 5 ⊠ 50123 – ☎ 055 21 62 18 – www.remarhotels.com – pierre@
remarhotels.com – Fax 05 52 39 65 73 Z**t**
44 cam ⊆ – ♦150/265 € ♦♦205/410 €

♦ L'eleganza si affaccia ovunque in questo hotel sito in pieno centro e recentemente
ampliato; caldi e confortevoli gli ambienti, arredati in stile ma dotati di accessori
moderni.

Berchielli senza rist ← 🏨 🗚 ↔ 🎬 🕭 😹 VISA ⑳ AE ① ⑤

lungarno Acciaiuoli 14 ⊠ 50123 – ☎ 055 26 40 61 – www.berchielli.it – info@
berchielli.it – Fax 055 21 86 36 Z**h**
76 cam ⊆ – ♦140/285 € ♦♦180/390 €

♦ Vetrate artistiche policrome, impagabili viste sull'Arno e su Ponte Vecchio e camere
accoglienti dalle calde tonalità di colore: una finestra affacciata sulla storia di Firenze.

Il Guelfo Bianco senza rist 🏨 🕭 🗚 🎬 🕭 VISA ⑳ AE ① ⑤

via Cavour 29 ⊠ 50129 – ☎ 055 28 83 30 – www.ilguelfobianco.it – info@
ilguelfobianco.it – Fax 055 29 52 03 ET**n**
40 cam ⊆ – ♦120/155 € ♦♦150/250 €

♦ Nel cuore della Firenze medicea, indirizzo valido per il turista e per chi viaggia per
affari, offre camere confortevoli, alcune con soffitto affrescato, e spazi comuni di gusto
moderno.

San Gallo Palace senza rist   🕭 📾 ↵ 🛜 📞 🛜 🚾 📶 🖭 ① 🛧

via Lorenzo il Magnifico 2 ⊠ 50129 – ℰ 055 46 38 71 – www.sangallopalace.it
– info@sangallopalace.it – Fax 05 54 63 87 04   ET**q**
54 cam � – ♦115/230 € ♦♦175/350 € – 2 suites
♦ Di recente apertura, il palazzo si affaccia sull'omonima porta e dispone di una signorile hall, confortevoli spazi comuni e moderne camere di sobria eleganza, tutte doppie.

Calzaiuoli senza rist   🕭 📾 📞 🛜 🚾 📶 🖭 ① 🛧

via Calzaiuoli 6 ⊠ 50122 – ℰ 055 21 24 56 – www.calzaiuoli.it – info@
calzaiuoli.it – Fax 055 26 83 10   Z**v**
45 cam ⊷ – ♦140/300 € ♦♦140/400 €
♦ In pieno centro storico, tra piazza del Duomo e piazza della Signoria, sorge sulle vestigia di una torre medievale; al suo interno, spazi comuni di modeste dimensioni e
camere confortevoli.

Rivoli   🛥 📺 🕭 cam, 📾 ↵ 🛜 📞 🛜 🚾 📶 🖭 ① 🛧

via della Scala 33 ⊠ 50123 – ℰ 05 52 78 61 – www.hotelrivoli.it – info@
hotelrivoli.it – Fax 055 29 40 41   DU**m**
80 cam ⊷ – ♦230 € ♦♦350 €   **Rist** – Carta 29/37 €
♦ Vicino a S. Maria Novella, questo convento quattrocentesco è oggi un hotel dotato di
ambienti con soffitti a volta o a cassettoni e di un gradevole patio con vasca idromassaggio riscalda. Vicino a S. Maria Novella, questo convento quattrocentesco è oggi un
hotel dotato di ambienti con soffitti a volta o a cassettoni e di un gradevole patio con
vasca idromassaggio riscaldata.

Executive senza rist   🕭 🕭 📾 🛜 📞 🛜 🚾 📶 🖭 ① 🛧

via Curtatone 5 ⊠ 50123 – ℰ 055 21 74 51 – www.hotelexecutive.it – info@
hotelexecutive.it – Fax 055 26 83 46   CU**k**
46 cam ⊷ – ♦130/220 € ♦♦180/360 € – 2 suites
♦ Recentemente ampliato e sempre maestoso questo palazzo dell'800 ospita ampi spazi
comuni e lussuose camere copn affreschi ai soffitti, camini in marmo, stampe e mobili
d'epoca.

Athenaeum   🕥 🕭 🕭 rist, 📾 🛜 rist, 📞 🛜 🚐 🚾 📶 🖭 ① 🛧

via Cavour 88 ⊠ 50129 – ℰ 055 58 94 56 – www.hotelathenaeum.com – info@
hotelathenaeum.com – Fax 055 56 14 08
60 cam ⊷ – ♦110/260 € ♦♦130/390 € – ½ P 110/215 €
Rist – (chiuso sabato a mezzogiorno e domenica) Carta 35/51 €
♦ Ambiente moderno e di tendenza con camere dall'arredo essenziale, in sintonia con il
resto della casa, ma sempre di tradizione artigiana. Garage privato. Design contemporaneo anche al ristorante che vanta una cucina Toscana. Patio interno per piacevoli cene
estive.

Villa Belvedere senza rist 🏖   ← 🐕 🏊 🎾 🕭 🕭 📾 🛜 🅿

via Benedetto Castelli 3 ⊠ 50124 – ℰ 055 22 25 01   🚾 📶 🖭 ① 🛧
– www.villabelvederefirenze.it – reception@villabelvederefirenze.it
– Fax 055 22 31 63 – marzo-20 novembre   BS**c**
26 cam ⊷ – ♦80/130 € ♦♦100/200 €
♦ Al centro di uno splendido giardino con piscina, dal quale si possono ammirare la
città e le colline tutt'intorno, la villa assicura tranquillità ed ambienti signorili, ma familiari.

Cellai senza rist   📾 📞 🚾 📶 🖭 ① 🛧

via 27 Aprile 14 ⊠ 50129 – ℰ 055 48 92 91 – www.hotelcellai.it – info@
hotelcellai.it – Fax 055 47 03 87   ET**x**
68 cam ⊷ – ♦110/160 € ♦♦129/235 €
♦ Ambienti accoglienti, mobilio d'epoca, una splendida vista sui colli fiorentini e mostre
temporanee in questa struttura poco distante dai maggiori centri di interesse culturale.

Porta Faenza senza rist   🕭 🕭 📾 🛜 🚾 📶 🖭 ① 🛧

via Faenza 77 ⊠ 50123 – ℰ 055 28 41 19 – www.hotelportafaenza.it – info@
hotelportafaenza.it – Fax 055 21 01 01   DT**d**
25 cam ⊷ – ♦70/220 € ♦♦90/230 €
♦ Piccolo ma grazioso hotel ricavato in un palazzo del Settecento poco distante dal
Palazzo dei Congressi, offre camere piacevoli e molto curate ed un'impeccabile e cortese ospitalità.

🏨 **Inpiazzadellasignoria** senza rist ⇅ [AC] 🚭 📶 VISA MC [AE] ◐ Ś
via de' Magazzini 2 ✉ 50122 – ☎ 05 52 39 95 46 – www.inpiazzadellasignoria.com – info@inpiazzadellasignoria.com – Fax 05 52 67 66 16 Z**z**
12 cam ☕ – 👤160/220 € 👥220/290 €
◆ Elegante e ricca di personalità, una piccola residenza che vuole regalare agli ospiti la magia della Firenze rinascimentale: varcate una porta o affacciatevi ad una finestra e non avrete dubbi.

🏨 **Palazzo Benci** senza rist 🛋 ⇅ [AC] 🚭 📶 🏢 VISA MC [AE] ◐ Ś
piazza Madonna degli Aldobrandini 3 ✉ 50123 – ☎ 055 21 38 48 – www.palazzobenci.com – info@palazzobenci.com – Fax 055 28 83 08
35 cam ☕ – 👤83/140 € 👥130/195 € Y**y**
◆ Risultato del restauro della cinquecentesca residenza della famiglia Benci, questo storico palazzo custodisce confortevoli camere di moderna eleganza ed un grazioso cortile interno.

🏨 **Botticelli** senza rist ⇅ ♿ [AC] VISA MC [AE] ◐ Ś
via Taddea 8 ✉ 50123 – ☎ 055 29 09 05 – www.hotelbotticelli.it – info@hotelbotticelli.it – Fax 055 29 43 22 ET**p**
34 cam ☕ – 👤70/150 € 👥120/240 €
◆ Poco distante dal mercato di S.Lorenzo e dalla cattedrale, l'hotel si trova in un palazzo del '500 nelle cui zone comuni conserva volte affrescate; camere graziose ed una piccola terrazza coperta.

🏨 **Albergotto** senza rist [AC] 🚭 📶 VISA MC [AE] Ś
via Dè Tornabuoni 13 ✉ 50123 – ☎ 05 52 39 64 64 – www.albergotto.com – info@albergotto.com – Fax 05 52 39 81 08 Z**q**
22 cam ☕ – 👤81/270 € 👥155/335 €
◆ Nel 1860 anche il romanziere inglese George Eliot scelse questo albergo durante il suo viaggio in Italia. Sito in un palazzo del centro, offre oggi piacevoli ed eleganti camere.

🏨 **Relais Uffizi** senza rist 🐚 ⇅ [AC] 📶 VISA MC [AE] Ś
chiasso de' Baroncelli-chiasso del Buco 16 ✉ 50122 – ☎ 05 52 67 62 39 – www.relaisuffizi.it – info@relaisuffizi.it – Fax 05 52 65 79 09 Z**n**
12 cam ☕ – 👤80/120 € 👥160/250 €
◆ Palazzo medievale dalla calda atmosfera e ricco di eco storiche, con camere semplici ma accoglienti e grandi finestre affacciate direttamente su Piazza della Signoria. Recentemente ampliato.

🏨 **Loggiato dei Serviti** senza rist ⇅ ♿ [AC] 📶 VISA MC [AE] ◐ Ś
piazza strada statale Annunziata 3 ✉ 50122 – ☎ 055 28 95 92 – www.loggiadeiservitihotel.it – info@loggiatodeiservitihotel.it – Fax 055 28 95 95 ET**d**
36 cam ☕ – 👤75/150 € 👥95/240 € – 2 suites
◆ Costruito dai Padri serviti nel 1527, l'hotel offre tranquillità, confort ed una discreta eleganza e conserva anche negli interni le sue affascinanti caratteristiche originali.

🏨 **De Rose Palace** senza rist ⇅ [AC] 📶 VISA MC [AE] ◐ Ś
via Solferino 5 ✉ 50123 – ☎ 05 52 39 68 18 – www.hotelderose.it – firenze@hotelderose.it – Fax 055 26 82 49 CU**c**
18 cam ☕ – 👤90/200 € 👥120/220 €
◆ Ospitato in un palazzo fiorentino nei pressi del teatro Comunale, offre eleganti e spaziose camere, alcune con arredo ricercato ed una piacevole atmosfera familiare.

🏨 **Caravaggio** senza rist ⇅ ♿ 🏃 [AC] 📶 VISA MC [AE] Ś
piazza Indipendenza 5 ✉ 50129 – ☎ 055 49 63 10 – www.hotelcaravaggio.it – info@hotelcaravaggio.it – Fax 05 54 63 33 97 DT**e**
37 cam ☕ – 👤80/320 € 👥90/360 €
◆ Camere spaziose e ben arredate, accoglienza familiare ed una moderna saletta per la colazione a buffet in questo edificio del XIX secolo, sorto sulle ceneri di tre vecchie pensioni.

🏨 **Classic** senza rist   🚗 📶 AC 📶 P VISA ⚏ AE ⚐

viale Machiavelli 25 ⊠ 50125 – ☏ 055 22 93 51

– www.classichotel.it – info@classichotel.it

– Fax 055 22 93 53   DV**c**

20 cam – ♦110/125 € ♦♦160 €, ☲ 8 €

◆ Dietro al giardino di Boboli e circondato da alberi secolari, questo villino ottocentesco è stato convertito in un hotel accogliente con graziose camere arredate in stile. Sala colazioni dalle volte fiorite.

🏨 **Malaspina** senza rist   📶 🕭 AC 📶 📶 VISA ⚏ AE ⚐ ⚐

piazza dell'Indipendenza 24 ⊠ 50129 – ☏ 055 48 98 69

– www.malaspinahotel.it – info@malaspinahotel.it

– Fax 055 47 48 09   ET**g**

31 cam ☲ – ♦60/155 € ♦♦70/235 €

◆ Nel XIII secolo i Malaspina ospitarono Dante presso il castello di Fosdinovo. La tradizione dell'accoglienza continua oggi in una dimora novecentesca e nei suoi ambienti arredati in stile.

🏨 **Della Robbia** senza rist   📶 AC 🕭 P VISA ⚏ AE ⚐ ⚐

via dei della Robbia 7/9 ⊠ 50132 – ☏ 05 52 63 85 70

– www.hoteldellarobbia.it – info@hoteldellarobbia.it – Fax 05 52 46 63 71

– chiuso agosto   FU**b**

19 cam ☲ – ♦100/149 € ♦♦119/210 €

◆ Pratico ed utile indirizzo per chi sceglie un soggiorno alla scoperta della cultura artistica fiorentina: costruito nel primo Novecento, il villino sfoggia suggestioni liberty nei signorili interni.

🏨 **Grifone** senza rist   📶 AC 📶 📶 P VISA ⚏ AE ⚐ ⚐

via Pilati 20/22 ⊠ 50136 – ☏ 055 62 33 00

– www.hotelgrifonefirenze.com – info@hotelgrifonefirenze.com

– Fax 055 67 76 28   BS**n**

83 cam ☲ – ♦83/130 € ♦♦122/190 €

◆ Ben collegato al Palaffari, l'albergo è frequentato per lo più da una clientela business e dispone di un ampio parcheggio gratuito e di moderne camere ben accessoriate.

🏨 **River** senza rist   ≤ 📶 AC 📶 VISA ⚏ AE ⚐ ⚐

lungarno della Zecca Vecchia 18 ⊠ 50122 – ☏ 05 52 34 35 29

– www.lhphotels.com – river@lhphotels.com – Fax 05 52 34 35 31   FV**a**

38 cam ☲ – ♦♦220 €

◆ Palazzina dell'Ottocento, propone camere spaziose e confortevoli, quelle all'ultimo piano dispongono di un piacevole terrazzino dal quale contemplare il fiume ed il quartiere di Santa Croce.

🏨 **Benivieni** senza rist   📶 AC 📶 📶 VISA ⚏ AE ⚐

via delle Oche 5 ⊠ 50122 – ☏ 05 52 38 21 33

– www.hotelbenivieni.it – info@hotelbenivieni.it – Fax 05 52 39 82 48   Z**x**

15 cam ☲ – ♦♦110/220 €

◆ Palazzo del XV secolo che dalla seconda metà dell'800 ospitò un oratorio ebraico. Luminosa hall, camere ampie e confortevoli, piccolo giardino d'inverno nella corte interna coperta.

🏨 **Galileo** senza rist   📶 AC 📶 VISA ⚏ AE ⚐ ⚐

via Nazionale 22/a ⊠ 50123 – ☏ 055 49 66 45

– www.galileohotel.it – info@galileohotel.it – Fax 055 49 64 47   DT**b**

31 cam ☲ – ♦70/160 € ♦♦90/200 €

◆ Piccolo hotel dove rilassarsi dopo una giornata trascorsa alla scoperta dell'affascinante artistico passato di Firenze: le camere sono confortevoli e curate, cortese e attenta l'ospitalità.

🏨 **Rosary Garden** senza rist   📶 AC 📶 P VISA ⚏ AE ⚐ ⚐

via di Ripoli 169 ⊠ 50126 – ☏ 05 56 80 01 36

– www.rosarygarden.it – info@rosarygarden.it – Fax 05 56 80 04 58   BS**v**

13 cam ☲ – ♦89/180 € ♦♦115/220 €

◆ Intimo e piacevole hotel alla periferia della città, dall'atmosfera piuttosto inglese, propone confortevoli ed eleganti camere; un must il tè delle cinque, servito con torte e cantucci.

Goldoni senza rist   🔤 VISA ☉ AE ① 🍴

via borgo Ognissanti 8 ⊠ 50123 – ✆ 055 28 40 80 – www.hotelgoldoni.com
– info@hotelgoldoni.com – Fax 055 28 25 76   DU**e**
20 cam ☕ – ♦80/160 € ♦♦100/220 €
♦ Al primo piano di un settecentesco palazzo a pochi minuti di strada a piedi da Ponte Vecchio, l'hotel ha avuto il piacere di ospitare anche Mozart. Ampie e confortevoli camere.

David senza rist   🚗 🔤 "¡" P VISA ☉ AE 🍴

viale Michelangiolo 1 ⊠ 50125 – ✆ 05 56 81 16 95 – www.davidhotel.it – info@
davidhotel.it – Fax 055 68 06 02   FV**k**
25 cam ☕ – ♦90/110 € ♦♦110/170 €
♦ Il piacere di essere accolti in una villa che conserva intatta la sua antica atmosfera; colazione a buffet, graziose camere con vista sul giardino e la cortesia di una conduzione familiare.

Bonifacio senza rist   🔤 "¡" VISA ☉ AE ① 🍴

via Bonifacio Lupi 21 ⊠ 50129 – ✆ 05 54 62 71 33 – www.hotelbonifacio.it
– hbf.florence@hotelbonifacio.it – Fax 05 54 62 71 32   ET**h**
19 cam ☕ – ♦70/110 € ♦♦90/190 €
♦ A pochi passi dal Duomo, in un palazzo dell'800, l'albergo è stato recentemente rinnovato e dispone di ambienti confortevoli. Con la bella stagione la colazione è allestita all'aperto.

Unicorno senza rist   🔤 "¡" VISA ☉ AE ① 🍴

via dei Fossi 27 ⊠ 50123 – ✆ 055 28 73 13 – www.hotelunicorno.it – info@
hotelunicorno.it – Fax 055 26 83 32   Y**t**
27 cam ☕ – ♦115/150 € ♦♦140/200 €
♦ Nei pressi di piazza S.Maria Novella, un albergo che dispone di zone comuni contenute, ma di camere spaziose e confortevoli, con parquet e arredi recenti.

Fiorino senza rist   🔤 "¡" VISA ☉ AE 🍴

via Osteria del Guanto 6 ⊠ 50122 – ✆ 055 21 05 79 – www.hotelfiorino.it
– prenotazioni@hotelfiorino.it – Fax 055 26 89 80   Z**d**
23 cam ☕ – ♦75/130 € ♦♦95/160 €
♦ Accoglienza cortese e familiare, passione per l'ospitalità e arredi semplici in questo piccolo albergo che occupa tre piani di un edificio alle spalle degli Uffizi e di palazzo Vecchio.

Orcagna senza rist   🔤 "¡" 🚗 VISA ☉ AE ① 🍴

via Orcagna 57 ⊠ 50121 – ✆ 055 66 99 59 – www.hotelorcagnafirenze.it
– info@hotelorcagnafirenze.it – Fax 055 67 05 00   FU**u**
18 cam ☕ – ♦60/90 € ♦♦75/130 €
♦ Piccolo ed informale, l'hotel si trova in una zona tranquilla, a due passi da Santa Croce, e propone camere semplici e molto curate. Graziosa la sala colazioni.

Silla senza rist   🔤 "¡" 🏠 VISA ☉ AE ① 🍴

via dei Renai 5 ⊠ 50125 – ✆ 05 52 34 28 88 – www.hotelsilla.it – hotelsilla@
hotelsilla.it – Fax 05 52 34 14 37   EV**r**
36 cam ☕ – ♦120/160 € ♦♦130/190 €
♦ E' gradevole consumare d'estate la prima colazione o anche solo rilassarsi sull'ampia terrazza di questo albergo di ambiente familiare sito sulla riva sinistra dell'Arno.

Palazzo Niccolini al Duomo senza rist   🔤 VISA ☉ AE ① 🍴

via dei Servi 2 ⊠ 50122 – ✆ 055 28 24 12 – www.niccolinidomepalace.it
– info@niccolinidomepalace.com – Fax 055 29 09 79   Y**m**
7 cam ☕ – ♦190/220 € ♦♦200/240 € – 3 suites – ♦♦350/500 €
♦ Nel Quattrocento, in questo palazzo accanto al Duomo Donatello aveva la sua bottega. Oggi, potrete trovare camere molto ampie e di charme, con soffitti affrescati e arredi di pregio.

Antica Dimora Firenze senza rist   🔤 "¡"

via Sangallo 72 – ✆ 05 54 62 72 96 – www.anticadimorafirenze.it – info@
anticadimorafirenze.it – Fax 05 54 63 44 50   ET**s**
6 cam ☕ – ♦110/145 €
♦ Confortevole ed elegante, offre camere arredate con mobili d'epoca, sete, lini e letti a baldacchino, tutte differenti fra loro per il colore e per le piacevoli personalizzazioni.

⚑ **Antica Torre di via Tornabuoni N. 1** senza rist ｜AC ((ʼ))
via Tornabuoni 1 ✉ *50123 –* ℰ *05 52 65 81 61* 🅅🅸🆂🅰 ⓿ 🄰🄴 ⓪ ⮏
– www.tornabuoni.com – info@tornabuoni1.com – Fax 055 21 88 41
12 cam ⌂ – ♦160/220 € ♦♦240/290 € Zm
♦ Nella torre agli ultimi piani di un palazzo medievale, offre camere spaziose e luminose, ma il suo punto di forza sono certamente le due terrazze dalle quali si domina
Firenze.

⚑ **Novecento** senza rist AC 🍽 🅅🅸🆂🅰 ⓿
via Ricasoli 10 ✉ *50122 –* ℰ *055 21 41 38 – www.bbnovecentofirenze.it – info@
bbnovecentofirenze.it – Fax 055 52 71 79 54* Yg
6 cam ⌂ – ♦75/130 € ♦♦100/160 €
♦ Piccolo affittacamere accanto al Duomo, propone camere semplici e molto confortevoli ed una graziosa ed intima sala colazioni. Dalla terrazza si può ammirare Santa Maria
del Fiore.

⚑ **Villa la Sosta** senza rist ⇰ AC 🍽 ((ʼ)) 🅿 🅅🅸🆂🅰 ⓿ ⮏
via Bolognese 83 ✉ *50139 –* ℰ *055 49 50 73 – www.villalasosta.com – info@
villalasosta.com – Fax 055 49 50 73* BRx
5 cam ⌂ – ♦85/105 € ♦♦94/130 €
♦ E' una signorile villa di periferia ad ospitare questo bed & breakfast. All'interno,
camere molto carine ed una mansarda con biblioteca. Grazioso giardino per le colazioni
estive.

⚑ **Le Residenze Johlea** senza rist ｜AC 🍽 ((ʼ))
via Sangallo 76/80 n ✉ *50129 –* ℰ *05 54 63 32 92 – www.johanna.it – johlea@
johanna.it – Fax 05 54 63 45 52* ETa
12 cam ⌂ – ♦70/110 € ♦♦95/155 €
♦ Cortesia, signorilità, tocco femminile e bei mobili d'epoca in due piccole, calde bom-
boniere; eleganti le camere, tutte differenti tra loro grazie a ricercate personalizzazioni.

⚑ **Tourist House Ghiberti** senza rist 🐕 AC ((ʼ)) 🅅🅸🆂🅰 ⓿ ⮏
via Bufalini 1 ✉ *50122 –* ℰ *055 28 48 58 – www.touristhouseghiberti.com*
– thghiberti@tiscali.it – Fax 055 26 41 70 Yb
5 cam ⌂ – ♦62/138 € ♦♦78/158 €
♦ Al primo piano di un palazzo a pochi passi dal Duomo, una risorsa con cinque camere
arredate con gusto moderno da una giovane coppia. Internet gratuito in camera e
sauna.

⚑ **Residenza Giulia** senza rist AC ((ʼ)) 🅅🅸🆂🅰 ⓿ 🄰🄴 ⮏
via delle Porte Nuove 19 ✉ *50144 –* ℰ *05 53 21 66 46*
– www.residenzagiulia.com – anna@residenzagiulia.com – Fax 05 53 24 51 49
5 cam ⌂ – ♦45/110 € ♦♦50/120 € CTa
♦ All'ultimo piano di un palazzo a cinque minuti dal Duomo, offre la piacevole atmosfera di una residenza privata e camere graziose, molte con terrazza. Giovane ed ospitale la gestione.

⚑ **Relais Il Campanile** senza rist AC 🍽 ((ʼ)) 🅅🅸🆂🅰 ⓿ 🄰🄴 ⮏
via Ricasoli 10 ✉ *50122 –* ℰ *055 21 16 88 – www.relaiscampanile.it – info@
relaiscampanile.it – Fax 05 52 67 59 89* Yg
6 cam ⌂ – ♦45/65 € ♦♦85/115 €
♦ Nato nel 2001 al primo piano di un palazzo del Seicento a pochi passi dai negozi e
dai musei del centro, offre camere carine, arredate con letti in ferro battuto da artigiani
fiorentini.

⚑ **Villino il Magnifico** senza rist AC ((ʼ)) 🅅🅸🆂🅰 ⓿ 🄰🄴 ⓪ ⮏
via Orcagna 24/26 ✉ *50121 –* ℰ *05 56 26 60 53 – www.villinoilmagnifico.com*
– info@villinoilmagnifico.com – Fax 055 67 42 83 FUc
6 cam ⌂ – ♦♦50/110 €
♦ Poco distante dal centro, il villino è comodamente raggiungibile in auto o con i mezzi
pubblici ed offre confortevoli camere con arredi d'epoca ed una graziosa sala colazioni.

⚑ **Locanda di Firenze** senza rist ｜AC 🍽 ((ʼ)) 🅅🅸🆂🅰 ⓿ ⓪ ⮏
via Faenza 12 ✉ *50123 –* ℰ *055 28 43 40 – www.locandadifirenze.com*
– locandadifirenze@yahoo.it – Fax 055 28 43 52 Yc
6 cam ⌂ – ♦70/110 € ♦♦80/120 €
♦ Sei piacevoli camere al terzo piano di un palazzo del Settecento, situate direttamente
nel pulsante cuore culturale della città. Tranquillo ed elegante.

�‏↑ **Residenza Hannah e Johanna** senza rist ♨   🔊 🅰🅲 ✥ 📶
via Bonifacio Lupi 14 ⊠ *50129 –* ☎ *055 48 18 96*
– www.johanna.it – lupi@johanna.it – Fax 055 48 27 21   ET**h**
10 cam ⊋ *–* 🛏70 € 🛏🛏95 €
♦ Al primo piano di un palazzo dell'800, la residenza - completamente rinnovata - non
smette di crescere in termini di confort ed ospitalità. Camere spaziose ed accoglienti,
nonché una deliziosa saletta breakfast per propiziarsi la giornata.

↑ **Residenza Johanna** senza rist   ✥ 📶 🅿
via Cinque Giornate 12 ⊠ *50129 –* ☎ *055 47 33 77*
– www.johanna.it – cinquegiornate@johanna.it
– Fax 055 47 33 77   BRS**a**
6 cam ⊋ *–* 🛏🛏85 €
♦ Piccola dimora dall'atmosfera familiare ma al contempo signorile, propone solo
sei stanze, graziose e curate nell'arredo e nell'accostamento dei colori; prenotare per il
parcheggio interno.

XXXXX **Enoteca Pinchiorri** (Annie Féolde)   🍴 🅰🅲 ⇔ 🆅🅸🆂🅰 ⓞⓞ 🅰🅴 🖕
✿✿✿ *via Ghibellina 87* ⊠ *50122 –* ☎ *055 24 27 77*
– www.enotecapinchiorri.com – ristorante@enotecapinchiorri.com
– Fax 055 24 49 83
– chiuso dal 15 al 27 dicembre, 3 settimane in agosto, domenica e lunedì
Rist *– (chiuso a mezzogiorno escluso giovedì-venerdì-sabato)*   EU**x**
Menu 200/300 € – Carta 225/295 € ♨
Spec. Agnolotti di polenta con code di scampi, pomodorini canditi, olive nere
e origano. Spalla d'agnello gratinata alle erbe con scalogni in agrodolce e
patate glassate. Spirale di limone, purea di more su disco di cocco e sorbetto
al limone ricoperto di perle alle more.
♦ Scenografico sin dall'ingresso, è il tesoro gastronomico di Firenze: l'arte si mescola alla
cucina in un moltiplicarsi di citazioni toscane e creative ; leggendaria cantina.

XXX **Don Chisciotte**   🅰🅲 ✥ ⇔ 🆅🅸🆂🅰 ⓞⓞ 🅰🅴 ⓞ 🖕
via Ridolfi 4 r ⊠ *50129 –* ☎ *055 47 54 30*
– www.ristorantedonchisciotte.it – info@ristorantedonchisciotte.it
– Fax 055 48 53 05 – chiuso agosto, domenica, lunedì a mezzogiorno
Rist – Carta 41/68 €   DT**x**
♦ Presso la Fortezza da basso, un ambiente di sobria eleganza in cui ritrovare creative
interpretazioni che prendono spunto dalla tradizione toscana. Buona scelta di vini.

XXX **Cibrèo**   🖕 🅰🅲 ⇔ 🆅🅸🆂🅰 ⓞⓞ 🅰🅴 ⓞ 🖕
via A. Del Verrocchio 8/r ⊠ *50122 –* ☎ *05 52 34 11 00*
– cibreo.fi@tin.it – Fax 055 24 49 66
*– chiuso dal 31 dicembre al 7 gennaio, dal 29 luglio al 3 settembre, domenica
e lunedì*   FU**f**
Rist – Menu 71 €
♦ Ambiente d'informale eleganza e sempre alla moda, dove regnano un servizio giovane e spigliato ed una cucina curata e fantasiosa ma sempre legata alla tradizione.

XXX **Rossini**   🖕 🅰🅲 🆅🅸🆂🅰 ⓞⓞ 🅰🅴 ⓞ 🖕
lungarno Corsini 4 ⊠ *50123 –* ☎ *05 52 39 92 24 – www.ristoranterossini.it*
– info@ristoranterossini.it – Fax 05 52 71 79 90 – chiuso mercoledì   Z**f**
Rist – Menu 100 € – Carta 86/122 €
♦ La breve distanza da Ponte Vecchio ed il background storico-letterario sono la cornice
di questo raffinato ristorante, dove la cucina tradizionale incontra nuovi accostamenti.

XXX **Alle Murate**   🅰🅲 ✥ 🆅🅸🆂🅰 ⓞⓞ 🅰🅴 ⓞ 🖕
via del Proconsolo 16 r ⊠ *50122 –* ☎ *055 24 06 18*
– www.allemurate.it – info@allemurate.it – Fax 055 28 89 50
– chiuso Natale, dal 16 febbraio al 10 marzo e lunedì   Z**g**
Rist *– (chiuso a mezzogiorno)* Menu 60/90 € – Carta 66/101 €
♦ Soffitti dalle volte affrescate, resti archeologici ed una moderna, ricercata eleganza:
un locale particolare dove ambientare una cena a lume di candela. Cucina contemporanea.

🍴🍴🍴 **Ora D'Aria** [A/C] [VISA] [MC] [AE] $

Via Ghibellina 3/C r ✉ 50126 – ☎ 05 52 00 16 99 – www.oradariaristorante.com – prenotazioni@oradariaristorante.com – Fax 05 52 00 16 99 – chiuso dal 1° al 7 gennaio, agosto e domenica FU**d**

Rist – *(chiuso a mezzogiorno)* (prenotazione obbligatoria) Menu 50/65 € – Carta 52/68 €

◆ E' il nome a spiegare la posizione e ad evocare l'intento della cucina: in prossimità del vecchio carcere, si propone di offrire una rilassante e piacevole pausa alla quotidiana frenesia.

🍴🍴🍴 **Taverna del Bronzino** [A/C] [VISA] [MC] [AE] $

via delle Ruote 25/27 r ✉ 50129 – ☎ 055 49 52 20 – tavernadelbronzino@rabottiumberto.191.it – Fax 05 54 62 00 76 – chiuso Natale, Pasqua, agosto e domenica ET**c**

Rist – Carta 53/68 € 🍇

◆ Nel contestodi un palazzo cinquecentesco, cortesia e ospitalità si fondono con la signorilità dell'ambiente e la passione per la cucina. Piatti ancorati alla tradizione toscana.

🍴🍴 **Baccarossa** [A/C] [VISA] [MC] [AE] $

via Ghibellina 46/r ✉ 50122 – ☎ 055 24 06 20 – www.baccarossa.it – info@baccarossa.it – Fax 05 52 00 99 56 – chiuso 25-26 dicembre e lunedì

Rist – *(chiuso a mezzogiorno)* Carta 58/85 € EU**f**

◆ Tavoli in legno, vivaci colori ed eleganza in questa enoteca-*bistrot* che propone una saporita cucina mediterranea, esclusivamente a base di pesce.

🍴🍴 **Buca Mario** [VISA] [MC] [AE] [D] $

piazza Degli Ottaviani 16 r ✉ 50123 – ☎ 055 21 41 79 – www.bucamario.it – bucamario@bucamario.it – Fax 05 52 64 73 36 – chiuso dall'11 al 22 dicembre dal 18 al 30 agosto Y**h**

Rist – *(chiuso a mezzogiorno escluso sabato e domenica)* Carta 45/68 €

◆ Nelle cantine di Palazzo Niccolini, storico locale aperto nel 1886 e molto frequentato da una clientela turistica che apprezza le specialità della tipica cucina toscana.

🍴🍴 **Pane e Vino** [A/C] 🚭 [VISA] [MC] [D] $

☺ *piazza di Cestello 3 rosso ✉ 50125 – ☎ 05 52 47 69 56 – www.ristorantepaneevino.it – paneevino@yahoo.it – Fax 05 52 47 69 56 – chiuso dal 10 al 24 agosto e domenica* CDU**t**

Rist – *(chiuso a mezzogiorno)* Carta 34/48 €

◆ Familiare e curato, provvisto di un curioso soppalco in legno, questo piacevole locale propone una cucina della tradizione regionale, rivisitata con fantasia.

🍴🍴 **dei Frescobaldi** [A/C] 🚭 [VISA] [MC] $

via dè Magazzini 2/4 r ✉ 50122 – ☎ 055 28 47 24 – www.deifrescobaldi.it – ristorantefirenze@frescobaldi.it – Fax 05 52 65 65 35 – chiuso dal 1° al 7 gennaio, dal 10 al 31 agosto, domenica e lunedì a mezzogiorno Z**z**

Rist – (prenotazione obbligatoria) Carta 38/51 € 🍇

◆ Per questi produttori di vino, il salto alla ristorazione è stato un'avventura. Ecco il risultato: due accoglienti salette tra sasso e legno a vista dove gustare piatti regionali e non solo.

🍴🍴 **Angels** [A/C] [VISA] [MC] [AE] [D] $

via del Proconsolo 29/31 ✉ 50123 – ☎ 05 52 39 87 62 – www.ristoranteangels.it – info@ristoranteangels.it – Fax 05 52 39 81 23 – chiuso Natale e dal 10 al 25 agosto Z**k**

Rist – Carta 40/66 € 🍇

◆ Un ambiente moderno e in stile, seppur inserito in una cornice storica, ideale per una clientela giovane. Cucina mediterranea e proposte semplici a pranzo. American bar.

🍴🍴 **Il Guscio** ♿ [A/C] 🚭 [P] [VISA] [MC] [AE] $

via dell'Orto 49 ✉ 50124 – ☎ 055 22 44 21 – www.il-guscio.it – fgozzini@tiscali.it – Fax 055 22 44 21 – chiuso agosto e domenica; anche sabato in luglio

Rist – *(chiuso a mezzogiorno)* Carta 33/37 € 🍇 CU**d**

◆ Gestito da diversi anni da una famiglia dalla grande passione per i vini, il locale propone una cucina legata alla tradizione del territorio, semplice ma sfiziosa.

Fiorenza
🖾 VISA 🚫 AE ① ♿

via Reginaldo Giuliani 51 r ⊠ 50141 – ℰ 055 41 28 47 – valerio.bertoli@libero.it
– Fax 055 41 69 03 – chiuso agosto, sabato a mezzogiorno e domenica
Rist – Carta 30/51 €
BR**d**

• Piccola ed accogliente trattoria, frequentata da fiorentini e da una clientela di lavoro che, alle tradizionali proposte regionali, abbina, nel week-end, una cucina di pesce.

Il Santo Bevitore
⇩ VISA 🚫 ♿

via Santo Spirito 64/66 r ⊠ 50125 – ℰ 055 21 12 64 – www.ilsantobevitore.com
– info@ilsantobevitore.com – Fax 055 21 12 64 – chiuso dal 10 al 20 agosto e
domenica a mezzogiorno
DU**h**
Rist – Carta 24/45 €

• Locale giovane ed accogliente, in buona posizione nel quartiere di Sanfrediano. Cucina della tradizione toscana, ma a cena anche tocchi di creatività. Buon rapporto qualità-prezzo.

Osteria Caffè Italiano
🖾 ⇩ VISA 🚫 ♿

via Isola delle Stinche 11 ⊠ 50122 – ℰ 055 28 93 68 – www.caffeitaliano.it
– info@caffeitaliano.it – Fax 055 28 89 50 – chiuso lunedì
EU**a**
Rist – Carta 34/45 € ⅋ (+15 %)

• Caratteristico e informale. Situato nel trecentesco palazzo Salviati, il locale si compone di accoglienti salette nelle quali gustare una cucina non solo regionale. Ottima lista vini.

Trattoria Cibrèo-Cibreino
🖾 VISA 🚫 AE ① ♿

via dei Macci 122/r ⊠ 50122 – ℰ 05 52 34 11 00 – cibreo.fi@tin.it – chiuso dal
31 dicembre al 7 gennaio, dal 29 luglio al 3 settembre, domenica e lunedì
Rist – Carta 26/33 €
FU**f**

• Superata la fila per entrare, troverete graziose sale molto semplici ed informali, arredate con tavoli piccoli, ed una sfiziosa cucina tradizionale a prezzi concorrenziali.

Zibibbo
🖾 ⇩ VISA 🚫 AE ① ♿

via di Terzollina 3r ⊠ 50139 – ℰ 055 43 33 83 – www.trattoriazibibbo.com
– trattoriazibibbo@libero.it – Fax 05 54 28 90 70 – chiuso una settimana in
agosto, sabato a mezzogiorno e domenica
BR**h**
Rist – Carta 39/55 €

• Decentrato ma piacevole e molto apprezzato dalla clientela locale, numerosa anche a pranzo. Piccola zona d'ingresso con bar, cucina leggermente eclettica e calorosa ospitalità.

Ruth's
🖾 VISA 🚫 AE ♿

via Farini 2 ⊠ 50121 – ℰ 05 52 48 08 88 – www.kosheruth.com – info@
kosheruth.com – Fax 05 52 48 08 88 – chiuso venerdì sera, sabato a mezzogiorno
e le festività ebraiche
EU**s**
Rist – Menu 15/25 € – Carta 21/36 €

• Accanto alla Sinagoga, un caposaldo della ristorazione etnica, originale alternativa ai sapori di casa dove sperimentare una fantasiosa cucina ebraica kosher, vegetariana e di pesce.

Il Profeta
🖾 ⅍ ⇩ VISA 🚫 AE ① ♿

borgo Ognissanti 93 r ⊠ 50123 – ℰ 055 21 22 65 – www.ristoranteilprofeta.com
– ristoranteilprofeta@hotmail.com – Fax 055 21 22 65
– chiuso dal 10 al 25 dicembre e domenica (escluso da aprile a giugno e
settembre-ottobre)
DU**c**
Rist – Carta 31/52 € (+10 %)

• Semplice ed accogliente trattoria situata nel centro storico, propone piatti legati soprattutto alla tradizione toscana ed un servizio attento e ben organizzato. Prezzi onesti.

Baldini
🖾 ⅍ VISA 🚫 AE ♿

via il Prato 96 r ⊠ 50123 – ℰ 055 28 76 63 – Fax 055 28 76 63 – chiuso dal 24
dicembre al 3 gennaio, dal 1° al 20 agosto, sabato e domenica sera, in giugno-
luglio anche domenica a mezzogiorno
CT**h**
Rist – Carta 25/35 €

• Semplice e familiare trattoria, nei pressi della Porta al Prato, si articola in due salette informali nelle quali gustare una cucina genuina, piatti tipici fiorentini ma anche nazionali.

X **La Giostra**   AK VISA ⚫⚫ AE ① 👌

borgo Pinti 10 r ⊠ *50121 –* ℰ *055 24 13 41 – www.ristorantelagiostra.com*
– info@ristorantelagiostra.com – Fax 05 52 26 87 81   EU**e**
Rist *– (chiuso i mezzogiorno di sabato-domenica)* Menu 38 € – Carta 40/55 €
♦ Piccolo ristorante dalla doppia personalità ma con salde radici nella tradizione regionale: affollato all'ora di pranzo, intimo e d'atmosfera a cena. Grande savoir faire e competenza.

X **Alla Vecchia Bettola**   AK 𝒮𝒳

⊛ *viale Vasco Pratolini 3/7 n* ⊠ *50124 –* ℰ *055 22 41 58*
– www.allavecchiabettola.it – maremmamax@hotmail.it – Fax 05 52 27 63 60
– chiuso dal 23 dicembre al 2 gennaio, agosto, domenica e lunedì
Rist – Carta 21/42 €   CV**m**
♦ Caratteristica ed informale trattoria di S.Frediano, con tavoloni di marmo e fiasco di
chianti a consumo, dove la cucina è fiorentina e casalinga. Atmosfera ospitale e servizio
veloce.

X **Il Latini**   AK VISA ⚫⚫ ① 👌

⊛ *via dei Palchetti 6 r* ⊠ *50123 –* ℰ *055 21 09 16 – www.illatini.com*
– info@illatini.com – Fax 055 28 97 94
– chiuso dal 24 dicembre al 5 gennaio e lunedì   Z**j**
Rist – Carta 35/45 €
♦ Turisti e gente del posto fanno la coda anche a mezzogiorno per mangiare in questa
trattoria, apprezzata tanto per la cucina quanto per l'esuberante ed informale atmosfera.

X **Del Fagioli**   AK 𝒮𝒳

⊛ *corso Tintori 47 r* ⊠ *50122 –* ℰ *055 24 42 85 – www.localistorici.it*
– Fax 055 24 42 85 – chiuso agosto, sabato e domenica   EV**k**
Rist – Carta 22/26 €
♦ Tipica trattoria toscana, dove i piatti della "casa" affondano le proprie radici nella più
schietta tradizione gastronomica fiorentina. In alternativa alla carta, un menu del giorno
fa capolino dalla cucina. La calorosa accoglienza nonché i prezzi contenuti sono ulteriori
motivi per fermarsi e gustare...

X **Cammillo**   AK VISA ⚫⚫ AE 👌

borgo Sant'Jacopo 57 r ⊠ *50125 –* ℰ *055 21 24 27 – cammillo@nomax.it*
– Fax 055 21 29 63 – chiuso dal 23 dicembre al 6 gennaio,
dal 28 luglio al 26 agosto, martedì e mercoledì   Z**p**
Rist – Carta 38/57 €
♦ Trattoria dalla conduzione diretta, attiva da ben sessant'anni, che trova consensi tra i
concittadini: dalla cucina giungono piatti della tradizione, alcuni a base di pesce.

ad Arcetri Sud : 5 km *BS* – ⊠ **50125**

🏠🏠 **Villa Le Piazzole** ॐ   ≤ 🚗 🎋 ⅃ 🏕 AK 𝒮𝒳 rist, 🍸 🔦 🅿

via Suor Maria Celeste 28 – ℰ *055 22 35 20*   VISA ⚫⚫ AE ① 👌
– www.lepiazzole.com – lepiazzole@gmail.com – Fax 055 22 34 95
– chiuso dal 20 dicembre all'8 gennaio   BS**b**
14 cam � – †140/200 € ††190/270 €
Rist *– (prenotazione obbligatoria) (solo per alloggiati)* Menu 35/95 €
♦ Un accurato restauro ha ridato fascino e atmosfera ad una casa nobiliare del
XVI secolo: camere spaziose e sorprendente vista sulle colline del Chianti. I più moderni
confort di una struttura di lusso accompagnati a qualità, discrezione e tranquillità di una
dimora privata. Per un soggiorno riuscito!

XX **Omero**   ≤ 🍴 VISA ⚫⚫ AE ① 👌

via Pian de' Giullari 49 – ℰ *055 22 00 53 – www.ristoranteomero.it*
– omero@ristoranteomero.it – Fax 05 52 33 61 83
– chiuso dall'11 al 31 agosto e martedì   BS**d**
Rist – Carta 39/49 € 🌿
♦ Curato ristorante con vista sui colli, da trent'anni gestito dalla medesima famiglia.
Curioso e caratteristico l'ambiente dove gustare la cucina tipica. Servizio estivo serale in
terrazza.

a Galluzzo Sud : 6,5 km *BS* – ✉ **50124**

🏨 **Marignolle Relais & Charme** senza rist ⚘   ⟨ 🚗 ⤳ 👫 🚹 📶
via di San Quirichino 16, località Marignolle   ✂ 📶 **P** *VISA* ⓜ ⒶⒺ ① 👍
– ✆ 05 52 28 69 10 – www.marignolle.com – info@marignolle.com
– Fax 05 52 04 73 96   ASa
7 cam ⌑ – 👤115/225 € 👥👥130/275 €
♦ In posizione incantevole sui colli, questa signorile residenza offre molte attenzioni e
stanze tutte diverse, dai raffinati accostamenti di tessuti; piscina panoramica nel verde.

🏠 **Residenza la Torricella** senza rist ⚘   ⤳ 📶 **P** *VISA* ⓜ 👍
via Vecchia di Pozzolatico 25 – ✆ 05 52 32 18 18 – www.farmholidaylatorricella.it
– latorricella@tiscalinet.it – Fax 05 52 04 74 02
– chiuso dal 20 gennaio al 20 marzo e dal 20 novembre al 20 dicembre
8 cam ⌑ – 👤80/100 € 👥👥100/130 €   BSa
♦ Circondata dai colli e dalla tranquillità della campagna, questa antica casa colonica
offre una affabile accoglienza familiare, camere personalizzate, giardini e terrazze.

🍴 **Trattoria Bibe**   🏡 **P** *VISA* ⓜ ⒶⒺ 👍
via delle Bagnese 15 – ✆ 05 52 04 90 85 – www.trattoriabibe.com
– trattoriabibe@freemail.it – Fax 05 52 04 71 67
– chiuso dal 21 gennaio all'8 febbraio, dal 10 al 25 novembre   ASc
Rist – (chiuso a mezzogiorno escluso sabato e domenica) Carta 22/34 €
♦ Anche Montale immortalò nei suoi versi questa trattoria: rustica e alla mano, gestita
dalla stessa famiglia da quasi due secoli, dove trovare piatti tipici. Servizio estivo all'a-
perto.

a Serpiolle Nord : 8 km *BR* – ✉ **50100** – Firenze

🍴🍴 **Lo Strettoio**   🏡 ✂ ⟳ **P** *VISA* ⓜ ⒶⒺ 👍
via di Serpiolle 7 – ✆ 05 54 25 00 44 – www.lostrettoio.com – info@
lostrettoio.com – Fax 05 54 25 00 44 – chiuso agosto, domenica sera e lunedì
Rist – Carta 44/56 €   BRg
♦ La sola magnifica vista sulla città che avrete da questa maestosa villa secentesca vale
il viaggio. Nascosto tra gli olivi, rustico ma signorile, il locale offre una cucina tradizionale rivisitata.

sull'autostrada al raccordo A 1 - A 11 Firenze Nord Nord-Ovest : 10 km *AR* :

🏨 **Unaway Firenze Nord**   🏢 ⛬ Ⓐ 👫 ✂ rist 📶 🏋 **P**
✉ 50013 Campi Bisenzio – ✆ 055 44 71 11   *VISA* ⓜ ⒶⒺ ① 👍
– www.unawayhotels.it – una.firenzenord@unawayhotels.it
– Fax 05 54 21 90 15   ARu
151 cam ⌑ – 👤89/167 € 👥👥89/196 €
Rist – Carta 27/56 €
♦ Ideale per una clientela di lavoro o di passaggio, grande struttura di recente costruzione, moderna ed ordinata, che dispone di confortevoli camere doppie ad eventuale
uso singola. Il ristorante offre a mezzogiorno servizio self-service, di sera servizio alla
carta.

in prossimità casello autostrada A1 Firenze Sud Sud-Est : 6 km *BS* :

🏨🏨 **Sheraton Firenze Hotel**   ⤳ ✂ 🏢 ⛬ Ⓐ 👫 ✂ 📶 🏋 **P** 🚗
via G. Agnelli 33 ✉ 50126 – ✆ 05 56 49 01   *VISA* ⓜ ⒶⒺ ① 👍
– www.sheraton.it – reservation@sheratonfirenze.it – Fax 055 68 07 47
325 cam ⌑ – 👤170/240 € 👥👥200/270 €   BSr
Rist *Primavera* – Carta 35/58 €
♦ Facilmente raggiungibile dall'autostrada, grande complesso elegante e moderno,
dotato di spazi attrezzati per ospitare conferenze e riunioni, spaziose camere e servizio
navetta per la città. Sobrio ed accogliente, il ristorante propone specialità internazionali
e regionali.

FISCHLEINBODEN = Campo Fiscalino

FISCIANO – Salerno (SA) – 564E26 – 12 790 ab. – alt. 300 m – ✉ 84084   6 **B2**
- ▶ Roma 260 – Napoli 63 – Latina 113 – Salerno 16

a Gaiano Sud-Est : 2 km – ✉ 84084 – Fisciano

↑ **Agriturismo Barone Antonio Negri** ⤜   ≤ ⛵ ⛲ 🐾 ⎕ cam,
via Teggiano 8 – ✆ *089 95 85 61*   🚶 ❄ rist, **P** **VISA** ⑩ ⑤
– www.agrineri.it – info@agrineri.it – Fax 089 89 11 80
6 cam ⌗ – ♦55/65 € ♦♦90/110 € – ½ P 65/75 €
Rist – (prenotazione obbligatoria) Menu 25/30 €
♦ In prossimità dei Monti Picentini, piacevole agriturismo biologico - in posizione tranquilla e dominante - abbracciato da un bel giardino con piscina e caratterizzato da spaziose camere in stile rustico. Al ristorante: gustosa cucina casalinga basata su ottime materie prime, molte delle quali rigorosamente "bio".

FIUGGI – Frosinone (FR) – 563Q21 – 9 011 ab. – alt. 747 m – ✉ 03014   13 **C2**
- ▶ Roma 82 – Frosinone 33 – Avezzano 94 – Latina 88
- 🖼, ✆ 0775 51 52 50

✗✗ **La Torre**   🏠 🄰🄲 ❄ ⇔ **VISA** ⑩ 🄰🄴 ⑩ ⑤
piazza Trento e Trieste 29 – ✆ *07 75 51 53 82 – www.ristorantelatorre.biz*
– acimine@tin.it – Fax 07 75 54 72 12 – chiuso dal 9 al 24 gennaio,
dal 27 giugno al 3 luglio, domenica sera, lunedì a mezzogiorno e martedì
Rist – Menu 35/40 € – Carta 34/46 €
♦ Ristorante moderno, situato nella "vecchia" Fiuggi, consta di due sale e qualche tavolino all'aperto. In menu: piatti creativi accompagnati prevalentemente da vini regionali.

✗ **La Locanda**   ❄ **VISA** ⑩ 🄰🄴 ⑤
⇔ *via Padre Stanislao 4 –* ✆ *07 75 50 58 55 – www.lalocandafiuggi.com*
– info@lalocandafiuggi.com – Fax 07 75 50 58 55
– chiuso febbraio, dal 25 giugno al 7 luglio e lunedì
Rist – Carta 19/32 €
♦ Troverete i sapori della tradizione ciociara nella rustica e caratteristica sala di questo ristorante, accolto nelle cantine di un edificio del '400. Cucina del territorio.

a Fiuggi Fonte Sud : 4 km – **alt. 621 m** – ✉ 03014
- 🄳 piazza Frascara 4 ✆ 0775 515019, iat.fiuggi@apt.frosinone.it, Fax 0775 548604

🏨🏨🏨🏨 **Grand Hotel Palazzo della Fonte** ⤜   ≤ ⚘ ⛲ 🖫 🌐 🐾 🎿
via dei Villini 7   ✗ 🖿 🄰🄲 ❄ rist, ☏ 🅐 **P** **VISA** ⑩ 🄰🄴 ⑩ ⑤
– ✆ *07 75 50 81 – www.palazzodellafonte.com – information@*
palazzodellafonte.com – Fax 07 75 50 67 52 – chiuso dal 7 al 28 gennaio
153 cam ⌗ – ♦320/420 € ♦♦360/460 € – ½ P 278 €   **Rist** – Carta 47/93 €
♦ Sulla cima di un colle, un parco con piscina e una struttura liberty, già affascinante hotel dal 1912; stucchi e decorazioni, camere raffinate e splendidi bagni marmorei. Al ristorante ambienti che accolsero reali e personalità famose.

🏨🏨 **Fiuggi Terme**   ⛵ ⛲ ✗ 🖿 ⎕ 🄰🄲 ❄ rist, ☏ 🅐 **P** **VISA** ⑩ 🄰🄴 ⑩ ⑤
via Capo i Prati 9 – ✆ *07 75 51 52 12 – www.hotelfiuggiterme.it – info@*
hotelfiuggiterme.it – Fax 07 75 50 65 66
64 cam ⌗ – ♦75/150 € ♦♦120/240 € – 4 suites – ½ P 80/160 €
Rist – Carta 33/43 €
♦ Leggermente periferico, un gradevole edificio bianco, luminoso e imponente, ma sobrio; interamente rinnovato, offre confort e stanze con arredi ricercati nell'estetica. Il ristorante presenta un'atmosfera molto curata, di classe.

🏨🏨 **Ambasciatori**   🖿 🚶 🄰🄲 ❄ ☏ 🅐 **P** **VISA** ⑩ 🄰🄴 ⑩ ⑤
via dei Villini 8 – ✆ *07 75 51 43 51 – www.albergoambasciatori.it – info@*
albergoambasciatori.it – Fax 07 75 50 42 82 – chiuso dal 7 gennaio a febbraio
86 cam ⌗ – ♦70/130 € ♦♦130/180 € – ½ P 95/130 €
Rist – (maggio-ottobre) (solo per alloggiati) (chiuso a mezzogiorno) 30/60 €
♦ Centrale, vicino a terme e negozi, due grandi terrazze consentono di evadere dal rumore. Marmi lucenti nella hall, camere d'impostazione classica. Diverse sale ristorante, la più grande con soffitti a lucernari in vetro colorato.

🏠 **San Giorgio** 🚑 🛉 🕌 🔏 📶 🔊 P 📶 🚹 📶 ⚠️ ⓪ ⚡

via Prenestina 31 – ☎ 07 75 51 53 13 – www.hotel-sangiorgio.it
– hotelsangiorgio@libero.it – Fax 07 75 51 50 12 – aprile-novembre

85 cam � – 🛉80/120 € 🛉🛉110/160 € – ½ P 85 € **Rist** – Carta 30/38 €

♦ Tradizionale riferimento per la clientela termale, con il vantaggio di avere un giardino ombreggiato in pieno centro, un hotel oggi orientato anche ad habitué di lavoro. Sala da pranzo piuttosto ampia, anche a vocazione banchettistica.

🏠 **Argentina** 🔊 🛉 🕌 🔏 🔊 📶 P 📶 🚹 📶 ⚠️ ⓪ ⚡

via Vallombrosa 22 – ☎ 07 75 51 51 17 – www.albergoargentina.it
– hotel.argentina@libero.it – Fax 07 75 51 57 48
– chiuso dal 10 novembre al 25 marzo

54 cam ⊟ – 🛉50/75 € 🛉🛉60/80 € – ½ P 60 €
Rist – (solo per alloggiati) Menu 23/50 €

♦ Cinto dal verde di un piccolo parco ombreggiato che lo rende tranquillo, seppur ubicato a pochi passi dalle Fonti Bonifacio, un albergo semplice, a conduzione familiare.

🏠 **Belsito** 🚑 🛉 🔏 rist, P 🚹 📶 ⚠️ ⚡
☎ via Fiume 4 – ☎ 07 75 51 50 38 – www.hotelbelsitofiuggi.com – lidiaprincipia@
virgilio.it – Fax 07 75 51 50 38 – maggio-ottobre

34 cam ⊟ – 🛉35/45 € 🛉🛉45/55 € – ½ P 42 €
Rist – (solo per alloggiati) Menu 20/22 €

♦ Sito in centro, in una via di scarso traffico, un indirizzo comodo e interessante; piccolo spazio antistante, per briscolate serali all'aperto. Cortesia e familiarità.

FIUMALBO – Modena (MO) – 562J13 – 1 340 ab. – alt. 935 m   8 **B2**
– ✉ 41022

▶ Roma 369 – Pisa 95 – Bologna 104 – Lucca 73

a Dogana Nuova Sud : 2 km – ✉ 41022

🏠 **Val del Rio** 🍃 🛁 🛉 ⚡ 🔏 cam, P 📶 🚹 📶 ⚠️ ⓪ ⚡

via Giardini 221 – ☎ 053 67 39 01 – nardini@msw.it – Fax 053 67 30 44 – chiuso dal 1° al 15 maggio

30 cam – 🛉40/50 € 🛉🛉80/90 €, ⊟ 7 € – ½ P 60/65 € **Rist** – Carta 26/37 €

♦ Circondato da sentieri che vi condurranno alle più alte cime dell'Appennino, l'hotel offre un'atmosfera familiare, ambienti in stile montano e camere rinnovate. Boiserie e drappeggi nell'ampia ed elegante sala da pranzo, dove troverete le specialità della cucina regionale. Per cene informali, la moderna pizzeria.

🏠 **Bristol** 🍃 🚑 🔏 cam, P 📶 🚹 📶 ⚠️ ⓪ ⚡

via Giardini 274 – ☎ 053 67 39 12 – www.hotelbristol.tv – hotelbristol@
abetone.com – Fax 053 67 41 36 – chiuso ottobre e novembre

24 cam ⊟ – 🛉35/48 € 🛉🛉65/82 € – ½ P 45/65 € **Rist** – Carta 26/32 €

♦ Situato all'inizio della Val di Luce, un elegante hotel realizzato in tipico stile montano che dispone di moderne e confortevoli camere. Ideale punto di partenza per escursioni estive. Accomodatevi nell'accogliente sala da pranzo per gustare i piatti della tradizione emiliana.

FIUME VENETO – Pordenone (PN) – 562E20 – 10 515 ab. – alt. 20 m   10 **B3**
– ✉ 33080

▶ Roma 590 – Udine 51 – Pordenone 6 – Portogruaro 20

🍴🍴 **L'Ultimo Mulino** con cam 🌿 🔊 🕌 🕌 ⚡ 🔏 P 📶 🚹 📶 ⚠️ ⚡

via Molino 45, località Bannia , Sud-Est : 3,5 km – ☎ 04 34 95 79 11
– www.lultimomulino.com – info@lultimomulino.com – Fax 04 34 95 84 83
– chiuso dal 4 al 19 gennaio e dal 9 al 24 agosto

8 cam ⊟ – 🛉120/130 € 🛉🛉190/200 €
Rist – (chiuso domenica sera e lunedì) Carta 43/82 €

♦ Circondato dal pacifico rumore dei torrenti, un mulino secentesco dalle pareti in pietra grezza, familiare e accogliente, in cui regna il calore della residenza di campagna. Specialità di pesce. Sobrie e gradevoli le camere, arredate con vena romantica e accessoriate con moderni confort.

FIUMICELLO DI SANTA VENERE – Potenza – 564H29 – Vedere Maratea

▶ Roma 31 – Anzio 52 – Civitavecchia 66 – Latina 78

✈ Leonardo da Vinci, Nord-Est : 3,5 km ☎ 06 65951

⛴ per Arbatax e Golfo Aranci – Tirrenia Navigazione, call center 892 123

Hilton Rome Airport   🔲 🏠 ⅃ᵆ ※ 🛗 AK ⅃⊬ ※ ⁽ℹ⁾ ⅍ 🅿

via Arturo Ferrarin 2 ✉ 00050 – ☎ 066 52 58   VISA ✪ AE ① ⑤

– www.hilton.com – sales.romeairport@hilton.com – Fax 06 65 25 65 25

517 cam ⌂ – †198/365 € ††198/410 € – 2 suites   **Rist** – Carta 40/69 €

♦ Non vi è un'unica grande hall bensì tante piccole salette, le stanze sono particolarmente ampie, ma anche eleganti. Maestosa e moderna, la struttura si propone a una clientela internazionale e business.

Courtyard Marriott Rome Airport   🚗 ⅃ ⅃ᵆ 🛗 ও 🚶 AK ⅃⊬

via Portuense 2470 – ☎ 06 99 93 51   ※ ⁽ℹ⁾ ⅍ 🅿 VISA ✪ AE ① ⑤

– www.gwhotels.it – info@romeairporthotel.it – Fax 06 99 93 58 88

187 cam ⌂ – †110/260 € ††140/380 € – ½ P 100/200 €

Rist – Carta 37/61 €

♦ Moderno complesso di carattere internazionale, si trova nei pressi del principale scalo aeroportuale romano e propone camere tutte identiche tra loro per eleganza d'arredo e confort. .

Hilton Garden Inn   ⅃ᵆ 🛗 ও AK ⅃⊬ ※ ⁽ℹ⁾ 🅿 VISA ✪ AE ① ⑤

via Vittorio Bragadin 2 – ☎ 06 65 25 90 00 – www.hilton.com

– sales.romeairport@hilton.com

282 cam ⌂ – ††165/330 €   **Rist** – Carta 30/47 €

♦ Camere con attenzioni ergonomiche e materassi ad acqua regolabili per questa grande e moderna struttura. Da qui, in soli cinque minuti, una navetta vi porterà al terminal dell'aeroporto così come al polo fieristico. Piatti semplici e veloci, panini e qualche prelibatezza italiana al ristorante.

✗✗   **Pascucci al Porticciolo**   🍴 AK ※ VISA ✪ AE ① ⑤

viale Traiano 85 – ☎ 06 65 02 92 04 – www.alporticciolo.net – info@alporticciolo.net – Fax 06 65 02 92 04

Rist – (chiuso a mezzogiorno escluso nel periodo invernale) Carta 48/73 €

♦ La sala allegra e colorata preannuncia i virtuosismi tra i quali si sbizzarrisce la cucina: ecco allora i prodotti di ricerca e le emozioni del giovane chef danno vita a piatti estrosi.

✗✗   **Bastianelli al Molo**   ← 🍴 ⇔ VISA ✪ AE ① ⑤

via Torre Clementina 312 – ☎ 066 50 53 58 – www.bastianellialmolo.com

– info@bastianellialmolo.com – Fax 066 50 72 10 – chiuso lunedì

Rist – Menu 75/110 € 🔱

♦ E' proprio il mare quello che si può vedere dalle finestre di questa bassa nivea costruzione in stile mediterraneo, mentre d'estate si mangia quasi sugli scogli. Dalla cucina, esclusivamente il pesce.

✗✗   **Bastianelli dal 1929**   🍴 AK ⇔ VISA ✪ AE ① ⑤

via Torre Clementina 86/88 – ☎ 066 50 50 95 – www.ristorantebastianelli.it

– ristorazioni93@libero.it – Fax 066 50 71 13

Rist – Carta 40/60 €

♦ Non ci sono sperimentazioni in cucina, ogni piatto è riproposto secondo la sua ricetta tradizionale, verificando la qualità di ogni prodotto; l'espositore del pescato all'ingresso sarà la prova!

▶ Roma 200 – L'Aquila 182 – Ancona 88 – Gubbio 56

✗   **Graziella**   AK ※ VISA ✪ ① ⑤

piazza Vittoria 16 – ☎ 073 75 44 28 – Fax 073 75 44 28 – chiuso dal 20 al 30 giugno, dal 25 settembre al 5 ottobre e mercoledì escluso luglio ed agosto

Rist – Carta 24/29 €

♦ In un ambiente di familiare ospitalità, la signora Graziella, cuoca e custode delle tradizioni locali, prepara da sempre tutto in casa, a partire dalle paste fresche.

FIVIZZANO – Massa Carrara (MS) – 563J12 – **9 112 ab.** – **alt. 373 m**   28 **A1**
– ✉ 54013

▶ Roma 437 – La Spezia 40 – Firenze 163 – Massa 41

🏠 **Il Giardinetto**   🛋 🕉 VISA 👄 👍
🐝 via Roma 155 – ℰ 058 59 20 60 – www.hotelilgiardinetto.com
– hotelilgiardinetto@libero.it – Fax 058 59 20 60 – chiuso dal 4 al 30 ottobre
13 cam – 🛏30 € 🛏🛏50 €, ☕ 4 € – ½ P 50 €
Rist – (chiuso lunedì da novembre a giugno) Carta 20/28 €
◆ Con oltre cento anni di storia, un albergo familiare, nel centro della località; offre una gradevole terrazza-giardino ombreggiata e un ambiente ove si respira il passato. Due sale da pranzo con una veranda a vetrate e sfogo sul verde esterno.

FOGGIA Ⓟ (FG) – 564C28 – **154 792 ab.** – **alt. 70 m** – ✉ 71100▯ Italia   26 **A2**
▶ Roma 363 – Bari 132 – Napoli 175 – Pescara 180
🛫 Gino Lisa viale Aviatori - ℰ 0881 650542 - per Isole Tremiti
ℹ via Perrone 17 ℰ 0881 723141, aptfoggia@pugliaturismo.com, Fax 0881725536

Pianta pagina a lato

🏩 **Mercure Cicolella**   📶 AK 📶 🛁 VISA 👄 AE ⓞ 👍
viale 24 Maggio 60 – ℰ 08 81 56 61 11 – www.hotelcicolella.it – info@
hotelcicolella.it – Fax 08 81 77 89 84   **Yc**
102 cam ☕ – 🛏140/170 € 🛏🛏200/240 € – ½ P 165 €
Rist Cicolella al Viale – (chiuso due settimane in dicembre-gennaio e due settimane in agosto) Carta 35/45 €
◆ Prestigioso hotel d'inizio secolo scorso, in centro città e nei pressi della stazione ferroviaria; da sempre ideale ed elegante riferimento per uomini d'affari e turisti.

🏩 **White House** senza rist   📶 🚣 ⚓ AK 📶 VISA 👄 AE ⓞ 👍
via Monte Sabotino 24 – ℰ 08 81 72 16 44 – www.whitehousehotel.it – info@
whitehousehotel.it – Fax 08 81 72 16 46   **Yb**
40 cam ☕ – 🛏85/119 € 🛏🛏110/176 €
◆ Nella zona centrale e vicina alla stazione, un indirizzo di classe, dall'atmosfera calda e accogliente, dotato di buoni confort. Curati e raccolti spazi comuni.

🏠 **Atleti** senza rist   📶 AK rist, 🕉 📶 🅿 VISA 👄 AE ⓞ 👍
via Bari al km 2,3, 2,5 km per ③ – ℰ 08 81 63 01 00 – www.hotelatleti.it – info@
hotelatleti.it – Fax 08 81 63 01 01
64 cam ☕ – 🛏55/70 € 🛏🛏80/93 €
◆ Nei pressi della zona industriale e della Fiera, albergo di stampo classico con arredi sobri e funzionali, tanto negli spazi comuni che nelle camere. Sala da pranzo dall'ambiente semplice.

XXX **Il Ventaglio**   🏡 AK 🕉 👄 AE ⓞ 👍
via Postiglione 6 – ℰ 08 81 66 15 00 – www.ristoranteventaglio.it
– info@ristoranteventaglio.it – Fax 08 81 66 15 00
– chiuso dal 1° al 7 gennaio, dal 8 al 23 agosto, sabato-domenica da giugno ad agosto e domenica sera-lunedì negli altri mesi   **Xd**
Rist – Carta 40/53 € ❀
◆ Madre e figlio continuano a guidare con passione e competenza un locale di lunga memoria. Ambiente curato e piatti che stuzzicano per il mix di fantasia e tradizione.

XX **In Fiera**   🛋 🏡 ⅙ cam, AK 🕉 🅿 VISA 👄 AE ⓞ 👍
viale Fortore 155, angolo via Bari – ℰ 08 81 63 21 66 – www.hotelcicolella.it
– ristoranteinfiera@libero.it – Fax 08 81 63 21 67 – chiuso dal 10 al 20 agosto, lunedì e da giugno a settembre anche domenica a mezzogiorno   **Xr**
Rist – Carta 25/35 €
◆ Adiacente alla fiera, luminoso locale dotato di spazi ariosi e di un ampio giardino ottimamente sfruttato nei mesi estivi. In menu proposte di mare e di terra.

XX **Giordano-Da Pompeo**   AK 🕉
🐝 vico al Piano 14 – ℰ 08 81 72 46 40 – Fax 08 81 72 46 40
– chiuso dal 14 al 30 agosto e domenica   **Ya**
Rist – Carta 21/33 €
◆ Nel cuore della città, ristorante con cucina a vista e proposte legate al territorio, elaborate a partire da prodotti scelti in base all'offerta quotidiana del mercato.

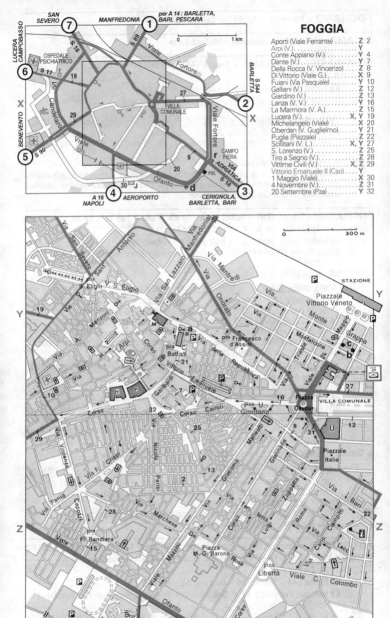

FOGGIA

479

FOGNANO – Ravenna – 562F17 – Vedere Brisighella

FOIANA = **VOLLAN** – Bolzano – Vedere Lana

FOIANO DELLA CHIANA – Arezzo (AR) – 563M17 – **8 676 ab.**　29 **D2**
– alt. 318 m – ⊠ 52045
> ◨ Roma 187 – Siena 55 – Arezzo 30 – Perugia 59

a Pozzo Nord : 4,5 km – ⊠ 52045 – Foiano della Chiana

⋔　**Villa Fontelunga** senza rist ⊱　　⟨ ⌷ ⌱ ⚏ ⟨⟩ ⓟ
via Cunicchio 5 – ℰ 05 75 66 04 10　　ᴠɪꜱᴀ ⊙⊙ ᴀᴇ ⊙ ⚫
– www.fontelunga.com – info@fontelunga.com – Fax 05 75 66 19 63 – 21 marzo-5 novembre
9 cam � – ♥♥160/380 €
◆ Signorile residenza di campagna in posizione tranquilla e panoramica, ristrutturata con buongusto e tratti di raffinatezza. Giardino con scenografica piscina. Struttura apprezzata da una clientela internazionale.

FOLGARIA – Trento (TN) – 562E15 – **3 118 ab.** – alt. 1 168 m – Sport　30 **B3**
invernali : 1 168/2 007 m ⚶14, ⚵ – ⊠ 38064
> ◨ Roma 582 – Trento 29 – Bolzano 87 – Milano 236
> ⓘ via Roma 67 ℰ 0464 721133, info@montagnaconamore.it, Fax 0464 720250
> ◩ , ℰ 0464 72 04 80

🏠　**Villa Wilma** ⊱　　⟨ ⌷ ⌸ ⚏ rist, ⚏ ⟨⟩ ⓟ ᴠɪꜱᴀ ⊙⊙ ⚫
via della Pace 12 – ℰ 04 64 72 12 78 – www.villawilma.it – villawilma@tin.it
– Fax 04 64 72 00 54 – dicembre-marzo e 15 giugno-20 settembre
24 cam � – ♥46/68 € ♥♥76/98 € – ½ P 50/76 €　**Rist** – Carta 26/36 €
◆ Una bella casa in classico stile tirolese con balconi in legno e circondata da una verdeggiante tranquillità; gestione seria e sempre molto attenta. Sala ristorante calda e accogliente, per lo più frequentata dagli ospiti qui alloggiati.

🏠　**Rosalpina** ⊱　　⟨ ⌷ ⌸ ⚒ ⚏ rist, ⚏ ⓟ ᴠɪꜱᴀ ⊙⊙ ⚫
⌘⌘　*via strada Nuova 8 – ℰ 04 64 72 12 40 – www.hrosalpina.com – info@*
hrosalpina.com – Fax 04 64 72 37 03 – dicembre-aprile e giugno-settembre
26 cam � – ♥40/75 € ♥♥70/120 € – 4 suites – ½ P 45/78 €
Rist – Menu 16/26 €
◆ Valida gestione familiare per questa casa gradevole già dall'esterno, tranquilla e raggiungibile dal centro; offre un confortevole ambiente e una caratteristica taverna. Ristorante in stile rustico-contemporaneo.

a Guardia Sud-Ovest : 11,5 km – **alt. 875 m** – ⊠ 38064 – Folgaria

🍴　**Grott Stube**　　　　　　　　⚏ ⊙
– ℰ 04 64 72 01 90 – www.grott.net – info@grott.net – Fax 04 64 72 01 90
– chiuso lunedì escluso da Natale al 6 gennaio e in luglio-agosto
Rist – Carta 31/44 €
◆ Piccolo ristorante con stube al primo piano, condotto dal titolare che segue personalmente la cucina. Piatti della tradizione, proposti con estro.

FOLGARIDA – Trento (TN) – 562D14 – alt. 1 302 m – Sport invernali :　30 **B2**
1 300/2 180 m ⚶5 ⚶19 (Comprensorio sciistico Folgarida-Marilleva) ⚵
– ⊠ 38025 – Dimaro
> ◨ Roma 644 – Trento 66 – Bolzano 63 – Verona 158
> ⓘ piazzale Folgarida 18 ℰ 0463 986113, folgarida@valdisole.net, Fax 0463 986594

🏠　**Alp Hotel Taller** ⊱　　⛄ ⊙ ⚏ ⌸ ⚏ ⚏ ⓟ ᴠɪꜱᴀ ⊙⊙ ᴀᴇ ⊙ ⚫
strada del Roccolo 39 – ℰ 04 63 98 62 34 – www.hoteltaller.it – info@
hoteltaller.it – Fax 04 63 98 62 19 – dicembre - Pasqua e luglio - settembre
34 cam � – ♥62/137 € ♥♥104/268 € – ½ P 92/142 €　**Rist** – Carta 31/43 €
◆ Nella parte alta della località, di fronte al palazzo del ghiaccio, l'hotel dispone di ampi spazi comuni, centro benessere completo e camere luminose. La conduzione è appassionata anche nella gestione del ristorante, in raffinato stile rustico.

FOLIGNO – Perugia (PG) – 563N20 – 53 060 ab. – alt. 234 m – ⊠ 06034   33 C2
▌ Italia

🚩 Roma 158 – Perugia 36 – Ancona 134 – Assisi 18

🛈 corso Cavour 126 ℰ 0742 354459, info@iat.foligno.pg.it, Fax 0742 340545

🅶 Spello★ : affreschi★★ nella chiesa di Santa Maria Maggiore Nord-Ovest :
6 km – Montefalco★ : ✾★★★ dalla torre Comunale, affreschi★ nella
chiesa di San Francesco (museo), affresco★ di Benozzo Gozzoli nella chiesa
di San Fortunato Sud-Ovest : 12 km

🏨 **Casa Mancia** senza rist   🚗 ⌫ 🕭 🎧 📶 🔥 🅿 🆚 ⭐ 🅰🅴 ① 🐾
via dei Trinci 44 – ℰ 074 22 22 65 – www.casamancia.com – info@
casamancia.com – Fax 074 22 07 95
16 cam ⌫ – ♦60/65 € ♦♦85/110 €
♦ A poca distanza dall'uscita Foligno Nord della superstrada, un albergo ricavato da un
nucleo del '400, ampliato in epoche successive con una torre del '500 ed una chiesa del
'700. Parquet, travi in legno ed arredamenti lineari giocano a ricreare il fascino di una
residenza storica.

🏨 **Le Mura**   🕭 🎧 🎾 cam, 🔥 🆚 ⭐ 🅰🅴 ① 🐾
🕭 via Bolletta 27 – ℰ 07 42 35 73 44 – www.lemura.net – albergo@lemura.net
– Fax 07 42 35 33 27
36 cam ⌫ – ♦45/85 € ♦♦50/95 € – ½ P 41/59 €
Rist *Le Mura* – (chiuso martedì) Carta 19/28 €
♦ Nome già eloquente sull'ubicazione: a ridosso della chiesa romanica di S. Giacomo e
all'interno delle mura medievali. Ottimo livello di confort nelle zone comuni ma, soprattutto, nella camere: spaziose ed impeccabili. Ristorante rinomato per le specialità umbre;
tipiche soffittature lignee.

🏠 **Express by Holiday Inn** senza rist   📧 🕭 🎧 📶 🔥 🅿
via M. Arcamone 16 – ℰ 07 42 32 16 66   🆚 ⭐ 🅰🅴 ① 🐾
– www.hiexpress.it/folignoex – info@hotelfoligno.191.it – Fax 07 42 32 16 40
88 cam ⌫ – ♦55/110 € ♦♦70/110 €
♦ In posizione periferica, di facile accesso dalla superstrada, offre camere prive di personalizzazioni, in linea con gli standard della catena, comunque comode e funzionali.

🍴🍴 **Villa Roncalli** con cam 🌷   🍴 🕭 ⌫ 🎾 🅿 🆚 ⭐ 🅰🅴 🐾
via Roma 25, Sud : 1 km – ℰ 07 42 39 10 91 – Fax 07 42 39 10 01
10 cam ⌫ – ♦55/65 € ♦♦75/85 €
Rist – (chiuso a mezzogiorno escluso giorni festivi) Carta 35/45 €
♦ In una villa del 1600 con un grazioso parco, si cena sotto le volte affrescate: pochi
tavoli, arredi d'epoca e fiori freschi recisi. Il servizio è attento e garbato; la cucina è
gustosa e basata su prodotti selezionati. Volete essere i personaggi di questo quadro
elegante?

sulla strada statale 77 Nord-Est : 10 km

🏨 **Guesia**   🚗 ⌫ 🛁 📧 🕭 🎧 🎾 rist, 🔥 🅿 🆚 ⭐ 🅰🅴 ① 🐾
località Ponte Santa Lucia 46 ⊠ 06030 Foligno – ℰ 07 42 31 15 15
– www.guesia.com – info@guesia.com – Fax 07 42 66 02 16
19 cam ⌫ – ♦55/75 € ♦♦80/120 € – ½ P 80 €
Rist – (chiuso due settimane in novembre e lunedì) Carta 22/46 €
♦ A circa 10 km dalla città, l'hotel si affaccia sulla strada con una grande insegna luminosa e con un bar pubblico. Struttura polivalente di ampio respiro, le camere sono di
buon livello e la tenuta ovunque impeccabile. Ampie sale ristorante, affacciate sul
verde esterno.

FOLLINA – Treviso (TV) – 562E18 – 3 896 ab. – alt. 200 m – ⊠ 31051   36 C2
🚩 Roma 590 – Belluno 30 – Trento 119 – Treviso 36

🏛 **Villa Abbazia**   🚗 🎧 🔥 🎾 rist, 🕭 🅿 🚗 🆚 ⭐ 🅰🅴 ① 🐾
via Martiri della Libertà – ℰ 04 38 97 12 77 – www.hotelabbazia.it – abbazia@
relaischateaux.com – Fax 04 38 97 00 01 – chiuso dal 7 gennaio al 13 febbraio
18 cam ⌫ – ♦180/215 € ♦♦235/295 € – 6 suites – ♦♦ 375/500 €
– ½ P 163/213 €
Rist La Corte – vedere selezione ristoranti
♦ Un piccolo giardino fiorito, un delizioso rifugio nel contesto di una villa padronale del
'600; ovunque, la ricercatezza dei particolari, il buon gusto e la signorilità.

🏨 **Dei Chiostri** senza rist 　🛗 &. 🆔 ⅋⅌ 🗡️(ঞ) 🅿️ 🛋️ ⅏ 🆎 ⓞ ⅾ
*piazza 4 Novembre 20 – ℰ 04 38 97 18 05 – www.hoteldeichiostri.com – info@
hoteldeichiostri.com – Fax 04 38 97 42 17 – chiuso dal 7 gennaio al 13 febbraio*
15 cam – †80/125 € ††140/165 €
♦ All'interno di un palazzo adiacente al municipio, struttura dotata di spazi comuni limitati ma di piacevoli personalizzazioni e molto buon gusto nelle camere.

XXX **La Corte** – Villa Abbazia 　🏠 🆔 ⅋⅌ 🔄 🆅🆂🅰 ⓒⓞ 🆎 ⓞ ⅾ
*via Roma 24 – ℰ 04 38 97 17 61 – www.hotelabbazia.it – info@hotelabbazia.it
– Fax 04 38 97 00 01 – chiuso dal 7 gennaio al 28 febbraio e martedì a
mezzogiorno; anche domenica sera in giugno-luglio*
Rist – (chiuso a mezzogiorno) Menu 30/75 € – Carta 52/64 €
♦ Nel medesimo ambito dell'hotel Villa Abbazia, ma da esso indipendente, un ristorante con salette raffinate ed una squisita cucina creativa. Servizio attento e professionale.

a Pedeguarda Sud-Est : 3 km – ✉ 31050

🏨 **Villa Guarda** senza rist 　🚘 🆔 🕻(ঞ) 🅿️ 🆅🆂🅰 ⓒⓞ 🆎 ⓞ ⅾ
🏡 *via San Nicolò 47 – ℰ 04 38 98 08 34 – www.villaguarda.it – info@villaguarda.it
– Fax 04 38 98 08 54 – chiuso dal 1° al 15 agosto*
20 cam – †50 € ††75 €, ⤓ 5 €
♦ Sorge in posizione tranquilla e verdeggiante questo albergo con camere piacevoli e spaziose: arredi di qualità e validi confort. Grazioso giardino con pergolato.

FOLLONICA – Grosseto (GR) – 563N14 – 21 439 ab. – ✉ 58022 　　28 **B3**
📗 Toscana

　🔼 Roma 234 – Grosseto 47 – Firenze 152 – Livorno 91
　🛈 via Roma 5 ℰ 0566 52012, infofollonica@lamaremma.info, Fax 0566 53833
　🖪 Toscana, ℰ 0566 82 04 71

XX **Il Veliero** 　🆔 🅿️. 🆅🆂🅰 ⓒⓞ 🆎 ⓞ ⅾ
*via delle Collacchie 20, località Puntone Vecchio, Sud-Est : 3 km
– ℰ 05 66 86 62 19 – www.ristoranteilveliero.eu – info@ristoranteilveliero.it
– Fax 05 66 86 77 00 – chiuso dal 15 gennaio al 15 febbraio, mercoledì da
settembre a giugno, i mezzogiorno di mercoledì e giovedì in luglio-agosto*
Rist – Menu 30/50 € – Carta 37/56 €
♦ Conduzione familiare e corretta proporzione qualità/prezzo per un classico ristorante con piatti tipicamente marinari, sito sulla via che conduce verso Punta Ala.

FONDI – Latina (LT) – 563R22 – 34 493 ab. – ✉ 04022 　　13 **D3**
　🔼 Roma 131 – Frosinone 60 – Latina 59 – Napoli 110

XX **Vicolo di Mblò** 　🆔 🆅🆂🅰 ⓒⓞ 🆎 ⓞ ⅾ
*corso Appio Claudio 11 – ℰ 07 71 50 23 85 – www.mblo.it – info@mblo.it
– Fax 07 71 50 23 85 – chiuso dal 23 al 30 dicembre e martedì*
Rist – Carta 31/38 €
♦ Proprio al termine del corso pedonale, dove si erge la torre con castello, un antico edificio di origine gonzaghesca nelle cui stalle è nato un ristorante caratteristico.

FONDO – Trento (TN) – 562C15 – 1 441 ab. – alt. 988 m – ✉ 38013 　　30 **B2**
　🔼 Roma 637 – Bolzano 36 – Merano 39 – Milano 294
　🛈 piazza San Giovanni 14 ℰ 0463 830133, info@valledinon.tn.it, Fax 0463
　830161

🏨 **Lady Maria** 　🚘 🔲 ⓒⓞ 🍴 ৳₆ 🛗 🆔 rist. ⅋⅌ rist. (ঞ) 🕸️ 🅿️
⓪ *via Garibaldi 20 – ℰ 04 63 83 03 80* 　🆅🆂🅰 ⓒⓞ 🆎 ⓞ ⅾ
*– www.ladymariahotel.com – info@ladymariahotel.com – Fax 04 63 83 10 13
– chiuso dal 15 al 30 novembre*
43 cam ⤓ – †40/60 € ††60/120 € – ½ P 55/85 € 　**Rist** – Carta 21/26 €
♦ Una struttura a seria conduzione familiare. Ambientazione e arredi tipicamente montani, con grande uso di legno, gradevole zona relax e camere funzionali. Specialità della cucina trentina, servite in un ambiente luminoso.

FONDOTOCE – Verbania – 561E7 – Vedere Verbania

FONTANA BIANCA (Lago di) = WEISSBRUNNER SEE – Bolzano – 562C14
– Vedere UltimoSanta Gertrude

FONTANAFREDDA – Pordenone (PN) – 562E19 – 9 871 ab.   10 A3
– ✉ 33074

▶ Roma 596 – Belluno 60 – Pordenone 9 – Portogruaro 36

Luna senza rist   🚗 AC 🛇 🗘 📶 🏖 **P** 🚾 ⚫ AE 💲

via B. Osoppo 127, località Vigonovo – ✆ 04 34 56 55 35 – www.hoteluna.net
– info@hoteluna.net – Fax 04 34 56 55 37 – chiuso dal 24 dicembre all'8 gennaio
36 cam ♙ – †50/60 € ††75/80 € – 2 suites
♦ Alle porte del paese e circondata da località di interesse storico, la struttura si sviluppa
orizzontalmente ed è ideale per una clientela d'affari. Camere ampie e confortevoli.

FONTANE – Treviso – Vedere Villorba

FONTANEFREDDE (KALTENBRUNN) – Bolzano (BZ) – 562D16   31 D3
– alt. 950 m – ✉ 39040

▶ Roma 638 – Bolzano 32 – Belluno 102 – Milano 296

Pausa   ≤ 🏖 🛇 🖨 🗘 rist, **P** 🚾 ⚫ AE ① 💲

strada statale, Nord-Ovest : 1 km – ✆ 04 71 88 70 35 – www.hotelpausa.com
– hotel.pausa@dnet.it – Fax 04 71 88 70 38 – chiuso dal 10 al 25 gennaio e dal
10 al 25 giugno
30 cam – †30/40 € ††54/64 €, ♙ 8 € – ½ P 38/48 €
Rist – (chiuso martedì sera e mercoledì escluso agosto e periodo natalizio)
Carta 17/23 €
♦ Sulla direttrice per le Valli di Fiemme e di Fassa, una graziosa risorsa ben gestita, con
camere anche mansardate e begli arredi in legno. Una tradizionale "pausa" gastronomica a base di cucina casereccia e piatti locali.

FONTANELLE – Treviso (TV) – 562E19 – 5 537 ab. – alt. 19 m   36 C2
– ✉ 31043

▶ Roma 580 – Belluno 58 – Portogruaro 36 – Treviso 36

La Giraffa   🚗 🏖 AC 🗘 **P** 🚾 ⚫ AE 💲

via Roma 20 – ✆ 04 22 80 93 03 – www.paginegialle.it/lagiraffa – alerorat@tin.it
– Fax 04 22 74 90 18 – chiuso lunedì sera e martedì
Rist – Menu 35/48 € – Carta 26/40 €
♦ Uno dei primi ristoranti della zona a proporre pesce, oggi la tradizione si è rinforzata
con la passione e i viaggi in Giappone del cuoco-patron. Bella cucina a vista.

FONTANELLE – Cuneo – 561J4 – Vedere Boves

FONTANETO D'AGOGNA – Novara (NO) – 561F7 – 2 618 ab.   24 A3
– alt. 260 m – ✉ 28010

▶ Roma 630 – Stresa 30 – Milano 71 – Novara 33

Hostaria della Macina   🚗 AC 🛇 **P** 🚾 ⚫ AE ① 💲

via Borgomanero 7, località Molino Nuovo – ✆ 03 22 86 35 82
– www.hostariadellamacina.it – hos_macina@libero.it – Fax 03 22 86 35 82
– chiuso dal 1° al 15 gennaio, dal 15 luglio al 1° agosto, lunedì sera e martedì
Rist – Carta 22/33 € 🍴
♦ Un ex mulino, oggi poco riconoscibile, trasformato in una piacevole trattoria, di solida
gestione, con proposte tradizionali e specialità della casa legate alle stagioni.

FONTEBLANDA – Grosseto (GR) – 563O15 – ✉ 58010   29 C3

▶ Roma 163 – Grosseto 24 – Civitavecchia 87 – Firenze 164

🚉 Maremma, ✆ 0564 41 52 99

Rombino senza rist   🔀 🖨 ⛓ AC 🛇 🗘 **P** 🚾 ⚫ AE 💲

via Aurelia Vecchia 40 – ✆ 05 64 88 55 16 – www.hotelrombino.it – info@
hotelrombino.it – Fax 05 64 88 55 24 – chiuso novembre
40 cam ♙ – †50/110 € ††70/110 €
♦ Nel cuore della Maremma, fra Talamone e il Monte Argentario, un hotel a conduzione
familiare, rinnovato qualche anno fa, con camere confortevoli e spiaggia non lontana.

a Talamone Sud-Ovest : 4 km – ⊠ 58010

🏨 **Baia di Talamone** senza rist   ⟨≲ 🛗 🄰🄲 **P** 🆅🆂🅰 🐵 ⚓
*via della Marina 23 – 𝒞 05 64 88 73 10 – www.hbt.it – info@
hotelbaiaditalamone.it – Fax 05 64 88 73 89 – Pasqua-ottobre*
16 cam ☲ – †40/100 € ††60/130 € – 3 suites
◆ Affacciata sul porticciolo turistico, una bella struttura color salmone, contenuta ma comoda soprattutto a partire dall'ampio parcheggio; diverse stanze con salottino.

FOPPOLO – Bergamo (BG) – 561D11 – 210 ab. – alt. 1 515 m – Sport   16 **B1**
invernali : 1 570/2 200 m ≰16, ⚲ – ⊠ 24010

▶ Roma 659 – Sondrio 93 – Bergamo 58 – Brescia 110
🖥 via Moia 24 t°0345 74101, info@bremboski.it, Fax 0345 74700

✂ **K 2**   ⟨≲ **P** 🆅🆂🅰 🐵 🄰🄴 ① ⚓
*via Foppelle 42 – 𝒞 034 57 41 05 – www.ristoranteK2.com – kibok2@libero.it
– Fax 034 57 43 33 – chiuso maggio-giugno ed ottobre-novembre (escluso
sabato-domenica)*
Rist – Menu 30/40 € – Carta 27/35 €
◆ Nella parte alta della località, ristorante a conduzione familiare dalle piacevoli e calde sale rivestite in caldo legno chiaro. Nel menu una pletora di piatti regionali con proposte anche di cacciagione.

FORIO – Napoli – 564E23 – Vedere Ischia (Isola d')

FORLÌ 🄿 (FO) – 562J18 – 110 209 ab. – alt. 34 m – ⊠ 47100 ▮ Italia   9 **D2**

▶ Roma 354 – Ravenna 29 – Rimini 54 – Bologna 63
🖥 piazza XC Pacifici 2 𝒞 0543 712435, iat@cofu.it, Fax 0543712450
🖼 I Fiordalisi, 𝒞 0543 895 53

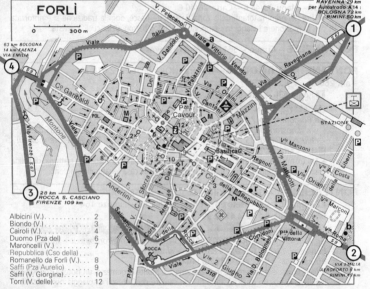

🏨 Globus City   🔲 ⅃ᴓ 🖳 ㄥ 🔄 ⍓ 🕪 🔏 **P** VISA ⓪ AE ① ☉

via Traiano Imperatore 4, 3,5 km per ① – ℰ 05 43 72 22 15
– www.baldisserihotels.it – info@hotelglobus.it – Fax 05 43 77 46 27
98 cam 🖵 – †75/180 € ††95/280 € – 2 suites   **Rist** – Carta 33/43 €
♦ Hotel di stile classico tra la città e il casello autostradale; una hall di grande respiro
con angolo bar vi accoglie in un ambiente dal confort omogeneo, anche nelle camere.
Comodo ristorante con due ampie sale, cucina classica con alcune proposte locali.

🏨 Della Città et De La Ville   🚗 🖳 ㄥ 🔄 ⍓ rist, 🕪 🔏 **P** 🛏

corso Repubblica 117 – ℰ 054 32 82 97   VISA ⓪ AE ① ☉
– www.hoteldellacitta.it – direzione@hoteldellacitta.fo.it – Fax 054 33 06 30
57 cam 🖵 – †60/110 € ††70/180 € – ½ P 120 €   **r**
Rist – (chiuso agosto e domenica sera) Carta 26/34 €
♦ Interni completamente rinnovati in questo hotel del centro, disegnato da Giò Ponti,
con camere spaziose e arredate con grande utilizzo di legno. Al primo piano dell'edificio, il ristorante offre piatti che spaziano dalla cucina italiana a quella tipica romagnola.

🏨 Masini senza rist   🖳 ㄥ 🔄 ⍓ 🕪 🔏 VISA ⓪ AE ① ☉

corso Garibaldi 28 – ℰ 054 32 80 72 – www.hotelmasini.com – info@
hotelmasini.it – Fax 05 43 45 63 29   **c**
51 cam 🖵 – †60/120 € ††75/180 €
♦ Hotel del centro che da fine '800 continua ininterrottamente a proporsi come riferimento cittadino e che oggi offre spazi funzionali e confortevoli, di taglio contemporaneo.

🏨 Michelangelo senza rist   🖳 🔄 ⍓ 🕪 **P** VISA ⓪ AE ① ☉

via Buonarroti 4/6 – ℰ 05 43 40 02 33 – www.hotelmichelangelo.fc.it – info@
hotelmichelangelo.fc.it – Fax 05 43 40 06 15   **b**
39 cam 🖵 – †79/105 € ††89/135 €
♦ Poco fuori dal centro storico, un albergo con vetrate a specchio; le camere sono
ampie e ben accessoriate anche se non recenti. Comodo per la clientela di lavoro.

🏨 Executive Hotel senza rist   ⅃ᴓ 🖳 ㄥ ⁙ 🔄 ⍓ 🕪 **P**

viale Vittorio Veneto 3/e – ℰ 054 32 20 38   VISA ⓪ AE ① ☉
– www.executiveforli.it – info@executiveforli.it – Fax 054 32 11 84   **a**
84 cam 🖵 – †50/169 € ††60/189 €
♦ Semicentrale e facilmente raggiungibile dall'autostrada, un design hotel dagli arredi
piani, moderni ed essenziali ispirati alle esigenze di immediatezza e fruibilità.

✗✗ Casa Rusticale dei Cavalieri Templari   🚗 ㄥ 🔄 ⇄ **P**

viale Bologna 275, 1 km per ④ – ℰ 05 43 70 18 88   VISA ⓪ AE ① ☉
– osteriadeitemplari@libero.it – Fax 05 43 70 18 88
– chiuso dal 24 dicembre al 3 gennaio, agosto, domenica e lunedì
Rist – Menu 22/40 € – Carta 33/41 €
♦ "Hospitale" di S. Bartolo dei Cavalieri Templari sin dal XIII secolo, il bel locale continua
la tradizione di accoglienza e ottima cucina romagnola sotto l'egida di tre donne.

FORMIA – Latina (LT) – 563S22 – 36 257 ab. – ✉ 04023   13 **D3**
   ▶ Roma 153 – Frosinone 90 – Caserta 71 – Latina 76
   🚢 per Ponza – Caremar, call center 892 123
   🛈 viale Unità d'Italia 30/34 ℰ 0771 771490, Fax 0771 323275

🏨 Grande Albergo Miramare   ≤ 🚗 🏊 🖳 🔄 rist, ⍓ 🕪 🔏 **P**

via Appia 44, Est : 2 km – ℰ 07 71 32 00 47   VISA ⓪ AE ① ☉
– www.grandealbergomiramare.it – info@grandealbergomiramare.it
– Fax 07 71 32 00 50
58 cam – †85/105 € ††105/138 €, 🖵 9 € – 1 suite – ½ P 115/125 €
Rist – Carta 23/42 €
♦ Serie di dependance tra i pini e il mare per un soggiorno di tono poco alberghiero e
di esclusiva riservatezza. Le camere più affascinanti si affacciano sul golfo. Ampie sale al
ristorante dal fascino retrò.

FORMIA

🏨 **Fagiano Palace** 🕸   ← 🚗 🛜 ※ 📶 ⪼ AC ※ rist. ⚓ P
via Appia 80, Est : 3 km – ℰ 07 71 72 09 00   VISA ●● AE ① ⑤
– *www.grandhotelfagiano.it – info@grandhotelfagiano.it – Fax 07 71 72 35 17*
51 cam ⊊ – 🛏80/95 € 🛏🛏95/105 € – ½ P 90/95 € **Rist** – Carta 25/54 €
♦ Verso Napoli, anonima struttura all'esterno ma dotata di buone camere in genere spaziose. Preferite quelle lato mare con grande terrazzo. Nell'elegante sala interna o sul terrazzo, il mare ruba ogni attenzione al ristorante.

🏨 **Appia Grand Hotel**   🚗 ⛱ 📶 ⪼ AC ※ 🛰 ⚓ P 🚗
via Appia, angolo Mergataro, Est : 3 km   VISA ●● AE ⑤
– *ℰ 07 71 72 60 41 – www.agh.it – agh@agh.it – Fax 07 71 72 21 56*
73 cam ⊊ – 🛏85/110 € 🛏🛏100/150 € – ½ P 76/100 €
Rist – *(aprile-ottobre)* Carta 33/43 €
♦ Moderna struttura lungo la strada per Napoli, è la grande piscina l'elemento più notevole dell'albergo. Le camere sono sobrie e arredate con semplicità. Ambientazione contemporanea ed elegante nelle due ampie sale ristorante.

✕✕✕ **Castello Miramare** con cam 🕸   ← 🕭 🛜 AC ⚓ P
via Balze di Pagnano – ℰ 07 71 70 01 38   VISA ●● AE ① ⑤
– *www.hotelcastellomiramare.it – info@hotelcastellomiramare.it*
– *Fax 07 71 70 01 39*
10 cam – 🛏85/105 € 🛏🛏105/125 €, ⊊ 10 € – ½ P 105/125 €
Rist – Carta 32/67 €
♦ Nella parte alta della località, un maniero d'inizio '900 circondato da un giardino di ulivi. Non dimenticate di prenotare i pochi posti del terrazzo per una cena panoramica.

✕✕ **Italo**   AC P VISA ●● AE ① ⑤
via Unità d'Italia 96, Ovest : 2 km – ℰ 07 71 77 12 64 – www.restoranteitalo.com
– *ristorante.italo@tiscalinet.it – Fax 077 12 15 29*
– *chiuso dal 21 dicembre al 4 gennaio e martedì, da novembre a marzo anche lunedì*
Rist – Carta 36/48 €
♦ Per ogni esigenza, gastronomica, banchettistica o di semplice eleganza, un punto di riferimento di tutto rispetto qui a Formia; lungo la strada che affianca la costa.

✕✕ **Chinappi**   🛜 AC P VISA ●● ⑤
via Anfiteatro 8 – ℰ 07 71 79 00 02 – www.chinappi.it – chinappi@chinappi.it
– *chiuso dal 15 al 30 novembre e lunedì escluso giugno-settembre*
Rist – Menu 25/70 € – Carta 34/44 €
♦ Rimane l'ottima pizza a ricordare gli inizi risalenti a mezzo secolo fa. In costante crescita gastronomica, la qualità del pesce e delle paste è tra le migliori del golfo.

✕✕ **Da Veneziano**   🛜 AC ⇄ VISA ●● AE ① ⑤
via Abate Tosti 120 – ℰ 07 71 77 18 18 – ristveneziano@tin.it
– *Fax 07 71 77 18 18 – chiuso dal 23 dicembre al 4 gennaio e lunedì*
Rist – Carta 30/45 €
♦ Al primo piano di un edificio rosa che si affaccia sulla piazza del mercato e sul lungomare, il ristorante prosegue la tradizione gastronomica marinara di famiglia.

FORMICA – Modena (MO) – Vedere Savignano sul Panaro

FORMIGINE – Modena (MO) – 562I14 – 30 655 ab. – alt. 82 m   8 B2
– ✉ 41043
▶ Roma 415 – Bologna 48 – Milano 181 – Modena 11

🏨 **La Fenice** senza rist   📶 ⭐ AC 🛰 ⚓ P 🚗 VISA ●● AE ① ⑤
via Gatti 3/73 – ℰ 059 57 33 44 – www.fenicehotel.it – info@fenicehotel.it
– *Fax 059 57 34 55*
48 cam ⊊ – 🛏50/60 € 🛏🛏70/90 €
♦ Adiacente allo storico percorso che conduce all'Appennino, l'albergo si trova in zona residenziale e commerciale e propone camere dall'arredo classico. Ampia sala per colazioni a buffet.

a Corlo Ovest : 3 km – ✉ 41043

🏨 Due Pini   📻 🕷 🎇 🗐 🕹 🝔 AC 🚬 rist, "🖗" 🏖 🄿 VISA ⓪ AE ⓪ 🕏
via Radici in Piano 177, Est : 0,5 km – 𝒞 059 57 26 97 – www.hotelduepini.it – info@hotelduepini.it – Fax 059 55 69 04 – chiuso dal 24 al 26 dicembre e dal 10 al 16 agosto
56 cam – 📞48/80 € 📞📞75/120 €, � 8 €
Rist – *(chiuso sabato e domenica)* Carta 23/45 €
♦ Ristrutturati, ampliati e dotati delle attuali tecnologie, tre antichi edifici di epoche differenti ospitano questo hotel, confortevole e moderno, circondato da un piccolo parco. Bella sala con ampi tavoli tondi, camino e finestre con tendaggi civettuoli.

FORMIGLIANA – Vercelli (VC) – 563 ab. – alt. 167 m – ✉ 13030   23 C2
▶ Roma 651 – Stresa 86 – Milano 80 – Torino 69

✗✗ Franz   🝔 AC ⇕ VISA ⓪ AE 🕏
via Roma 35 – 𝒞 01 61 87 70 05 – chiuso agosto, lunedì e martedì
Rist – Carta 28/70 €
♦ Un locale d'impronta classica, periodicamente rinnovato e molto ben tenuto, gestito da una famiglia allargata, con accenti femminili. Cucina quasi esclusivamente di mare.

FORNI DI SOPRA – Udine (UD) – 562C19 – 1 094 ab. – alt. 907 m   10 A1
– Sport invernali : 907/2 073 m ✦5, ✦ – ✉ 33024
▶ Roma 676 – Cortina d'Ampezzo 64 – Belluno 75 – Milano 418
🄳 via Cadore 1 𝒞 0433 886767, Fax 0433 886686

🏨 Edelweiss   ≼ 📻 🗐 🝔 cam, ⁂ 🎇 🄿 VISA ⓪ AE ⓪ 🕏
via Nazionale 19 – 𝒞 043 38 80 16 – www.edelweiss-forni.it – info@edelweiss-forni.it – Fax 043 38 80 17 – chiuso ottobre e novembre
27 cam � – 📞📞70/90 € – ½ P 40/65 €   **Rist** – Carta 23/35 €
♦ Nel Parco delle Dolomiti Friulane, albergo a conduzione familiare che offre camere di differenti tipologie e un bel giardino atrezzato dove si trova anche un campo da bocce. Tipica cucina d'albergo nella quale predominano erbe spontanee e i prodotti della Carnia.

🏨 Nuoitas ⑤   ≼ 📻 🍽 🝔 cam, 🎇 🄿 VISA ⓪ 🕏
località Nuoitas, Nord-Ovest : 2,8 km – 𝒞 043 38 83 87 – www.nuoitas.it – polentaefrico@libero.it – Fax 04 33 88 69 56
– *Chiuso 15 giorni a maggio e 15 giorni a ottobre*
18 cam � – 📞40/70 € 📞📞60/80 € – ½ P 50 €
Rist – *(chiuso martedì in aprile-maggio e ottobre-novembre)* Carta 17/25 €
♦ In posizione incantevole, immersa in una verdeggiante cornice di silenzi e tranquillità, una risorsa dagli spazi rustici, semplici e accoglienti, ricchi di un calore familiare. "Nuoitas" significa "polenta e frico": la specialità del ristorante.

FORNO DI ZOLDO – Belluno (BL) – 562C18 – 2 820 ab. – alt. 848 m   36 C1
– ✉ 32012
▶ Roma 638 – Belluno 34 – Cortina d'Ampezzo 42 – Milano 380
🄳 via Roma 1 𝒞 0437 787349, fornodizoldo@infodolomiti.it, Fax 0437 787340

a Mezzocanale Sud-Est : 10 km – **alt. 620 m** – ✉ 32013 – Forno di Zoldo

✗ Mezzocanale-da Ninetta   🎇 ⇕ 🄿 VISA ⓪ AE ⓪ 🕏
via Canale 22 – 𝒞 043 77 82 40 – Fax 043 77 83 79 – chiuso dal 15 al 25 giugno, settembre, martedì sera e mercoledì
Rist – Carta 23/32 €
♦ Piacevole punto di ristoro lungo la strada per Forno di Zoldo: il grande camino sempre acceso a riscaldare l'ambiente, una cortese accoglienza familiare e le specialità della cucina dolomitica.

FORNOVO DI TARO – Parma (PR) – 562H12 – 6 109 ab. – alt. 140 m   8 B2
– ✉ 43045
▶ Roma 481 – Parma 22 – La Spezia 89 – Milano 131

XX **Osteria Baraccone**　　　　　　　　　　AC 🚫 VISA ⓜ AE ♿
piazza del Mercato 5 – 📞 *05 25 34 27 – Fax 05 25 40 01 85*
– chiuso dal 23 dicembre al 7 gennaio, agosto, domenica sera e lunedì
Rist – Carta 28/40 €
♦ Almeno due secoli di storia sia per l'edificio sia per l'attività, eppure in cucina poco è
cambiato: oggi come allora si preparano ancora pochi piatti, specialità parmigiane e
carne.

FORTE DEI MARMI – Lucca (LU) – 563K12 – 8 295 ab. – ✉ 55042　　28 **A1**
🏛 Toscana

▶ Roma 378 – Pisa 35 – La Spezia 42 – Firenze 104
🛈 viale Achille Franceschi 8/b 📞 0584 80091, forteinfo@comunefdm.it, Fax
0584 83214
🖼 Versilia, 📞 0584 88 15 74

🏨 **Grand Hotel Imperiale**　　🏔 🏊 🎾 ♨ 🖥 👥 ♿ AC 🚫 📶 🚗
via Mazzini 20 – 📞 *058 47 82 71*　　　　　　　　　　　VISA ⓜ AE ♿
– www.grandhotelimperiale.it – info@grandhotelimperiale.it – Fax 05 84 78 27 99
18 cam ⊇ – ♦♦385/700 € – 28 suites – ♦♦600/2000 € – ½ P 263/420 €
Rist *– (solo per alloggiati)* Carta 60/105 €
♦ Atmosfera e servizio impeccabile sono i principali *atout* di questo nuovo albergo,
dove il lusso si declina nei dettagli dipinti color oro e nell'attrezzatissima *beauty farm*.
L'indirizzo giusto per chi ama l'esclusività.

🏨 **Augustus**　　　　🚗 🏊 ♨ 🖥 👫 AC 🚫 rist, 📶 🧖 🅿 VISA ⓜ AE ⓞ ♿
viale Morin 169 – 📞 *05 84 78 72 00 – www.augustus-hotel.it*
– augustus@versilia.toscana.it – Fax 05 84 78 71 02 – 9 aprile-4 ottobre
70 cam ⊇ – ♦350/480 € ♦♦350/480 € – 7 suites – ½ P 345/405 €
Rist *– (solo per alloggiati)* Carta 54/85 €
Rist *Bambaissa –* 📞 05 84 78 72 39 Carta 54/100 €
♦ Meta favorita del turismo d'élite anni '60, gli interni conservano ancora il fascino retrò
del tempo che fu. Intorno, un curato giardino e camere in ville indipendenti per una
maggiore privacy. Cucina creativa servita in un'ampia, luminosa, sala. La cucina si ispira
alle tradizioni.

🏨 **Byron**　　　　　　　🚗 🏔 🏊 🖥 AC 🚫 📶 🅿 VISA ⓜ AE ⓞ ♿
viale Morin 46 – 📞 *05 84 78 70 52 – www.hotelbyron.net – info@hotelbyron.net*
– Fax 05 84 78 71 52
29 cam ⊇ – ♦200/320 € ♦♦250/600 € – 2 suites – ½ P 315 €
Rist *La Magnolia – (chiuso dal 30 ottobre all'8 dicembre e lunedì)* Carta 58/87 €
♦ Eccellente risultato dell'unione di due ville di fine '800, anche dopo la sua conversione
in albergo ha mantenuto l'atmosfera discreta e riservata di una dimora privata. Giardino
con piscina. In ogni stagione elaborate composizioni prendono vita dall'estro del giovane cuoco. D'estate si cena a bordo piscina.

🏨 **Augustus Lido** *senza rist*　　　🔇 🖥 👫 AC 🚫 rist, 📶 🅿 VISA ⓜ AE ⓞ ♿
viale Morin 72 – 📞 *05 84 78 74 42 – www.augustus-hotel.it*
– augustus@versilia.toscana.it – Fax 05 84 78 71 02
– 9 aprile-4 ottobre
19 cam ⊇ – ♦390/480 € ♦♦480/580 € – 2 suites
♦ Signorile residenza appartenuta alla famiglia Agnelli, è ora un albergo di lusso che
conserva nei suoi ambienti l'originale atmosfera familiare e riservata; un tocco inglese e
diversi arredi d'epoca.

🏨 **Villa Roma Imperiale** *senza rist* ⌾　　🚗 🏊 🖥 ♿ 👫 AC 🚫 📶 🅿
via Corsica 9 – 📞 *058 47 88 30*　　　　　　　　　VISA ⓜ AE ⓞ ♿
– www.villaromaimperiale.com – info@villaromaimperiale.com
– Fax 058 48 08 41 – 9 aprile-settembre
27 cam – ♦200/800 € ♦♦300/800 €, ⊇ 20 € – 5 suites
♦ Villa anni Venti di impeccabile tenuta, con interni sobri ed eleganti giocati sulle sfumature del colore sabbia; tutt'intorno un tranquillo giardino con piscina riscaldata.

California Park Hotel 🕭 ⟋ ⌇ ⎀ & cam, 🅰🅲 cam, ☏ 🛅 🅿
via Colombo 32 – 📞 *05 84 78 71 21* 🆅🅸🆂🅰 ⓿ 🅰🅴 ⓪ ⚡
– www.californiaparkhotel.com – info@californiaparkhotel.com
– Fax 05 84 78 72 68 – aprile-ottobre
40 cam ⊇ – ♦180/380 € ♦♦230/450 € – 3 suites – ½ P 260 €
Rist – *(solo per alloggiati)* Menu 30/60 €
◆ Poliedrico complesso dall'aspetto estivo e mediterraneo, comprendente il corpo principale e dependance di forme diverse ma nella medesima tinta di colore. Moderno e funzionale.

Hermitage 🕭 ⟋ ⌂ ⌇ ⎀ ⋔ 🅰🅲 ⚘ ☏ 🅿 🆅🅸🆂🅰 ⓿ 🅰🅴 ⓪ ⚡
via Cesare Battisti 50 – 📞 *05 84 78 71 44 – www.albergohermitage.it*
– hermitage@versilia.toscana.it – Fax 05 84 78 70 44
– maggio-settembre
57 cam – ♦130/270 € ♦♦200/455 €, ⊇ 23 € – 3 suites – ½ P 137/286 €
Rist – *(solo per alloggiati)* Menu 47/57 €
◆ Tra il verde dei pini e dei lecci, cinto da un giardino con piscina, un albergo piacevole, sito in una zona quieta della località. Simpatica area giochi per i bambini e comoda navetta per la spiaggia.

Ritz ⟋ ⌂ ⌇ ⎀ ⋔ 🅰🅲 cam, ⚘ ☏ 🅿 🆅🅸🆂🅰 ⓿ 🅰🅴 ⓪ ⚡
via Flavio Gioia 2 – 📞 *05 84 78 75 31 – www.ritzfortedeimarmi.com*
– reservations@ritzfortedeimarmi.com – Fax 05 84 78 75 22
29 cam ⊇ – ♦120/350 € ♦♦165/550 € – 1 suite – ½ P 180/320 €
Rist – *(chiuso dall'8 al 27 dicembre)* Menu 45/60 €
◆ Centrale e contemporaneamente fronte mare, elegante edificio liberty degli anni '30 annovera interni rinnovati in tempi diversi tanto da conferire stili altrettanto eterogenei. Ristorante circondato dal verde, non lontano dal mare.

Il Negresco ⟋ ⌇ ⎀ ⋔ 🅰🅲 ⚘ ☏ 🛅 🅿 🆅🅸🆂🅰 ⓿ 🅰🅴 ⓪ ⚡
viale Italico 82 – 📞 *058 47 88 20 – www.hotelilnegresco.com*
– info@hotelilnegresco.com – Fax 05 84 78 75 35
40 cam ⊇ – ♦112/443 € ♦♦152/600 € – ½ P 111/335 €
Rist – Carta 43/72 €
◆ Di recente completamente rinnovato, un piacevole hotel situato proprio sul lungomare; toni chiari, solari e avvolgenti, ambienti eleganti, luminosi. Per un mondano relax. Sala ristorante curata ed elegante, in cui prevalgono colori caldi.

President ⟋ ⌇ ⋔ 🅰🅲 ⚘ rist, ☏ 🅿 🆅🅸🆂🅰 ⓿ 🅰🅴 ⚡
via Caio Duilio ang. viale Morin – 📞 *05 84 78 74 21 – www.presidentforte.it*
– info@presidentforte.it – Fax 05 84 78 75 19 – Pasqua-settembre
44 cam – ♦200 € ♦♦240 €, ⊇ 15 € – ½ P 200 €
Rist – *(solo per alloggiati)* Menu 50 €
◆ In zona verde e residenziale, nel cuore di Forte dei Marmi, a pochi passi dal mare, una struttura moderna con interni signorili e spaziose zone comuni.

St. Mauritius ⟋ ⌇ ⎀ & cam, ⋔ 🅰🅲 ⚘ ☏ 🅿 🆅🅸🆂🅰 ⓿ 🅰🅴 ⓪ ⚡
via 20 Settembre 28 – 📞 *05 84 78 71 31 – www.stmauritiushotel.com*
– info@stmauritiushotel.com – Fax 05 84 78 71 57 – aprile-15 ottobre
56 cam – ♦103/160 € ♦♦136/230 €, ⊇ 18 € – ½ P 140/180 €
Rist – *(solo per alloggiati)* Carta 31/36 €
◆ Punto di forza della risorsa è il bel giardino con piscina da cui è cinta; sita nelle vie interne della località, costituisce un valido indirizzo per confort e ospitalità.

Raffaelli Park Hotel ⟋ ⌇ ⎀ 🅰🅲 ⚘ rist, ☏ 🛅 🅿
via Mazzini 37 – 📞 *05 84 78 72 94* 🆅🅸🆂🅰 ⓿ 🅰🅴 ⓪ ⚡
– www.raffaelli.com – parkhotel@raffaelli.com – Fax 05 84 78 74 18 – chiuso dal 19 dicembre al 9 gennaio
28 cam ⊇ – ♦♦140/320 € – ½ P 165/175 €
Rist – *(aprile-ottobre)* Menu 30/45 €
◆ Immerso nel verde e prossimo al mare e al centro, il verde che circonda il complesso alberghiero è il miglior biglietto da visita. Piscina sulla spiaggia. Semplice ristorante con servizio estivo all'aperto, nel verde.

🏨 Mignon   🚗 ☌ 🏠 ⫶⃝ 🛗 🅰🅒 ✗ rist. **P** 🆅🅸🆂🅰 ⊙⊙ 🅰🅴 ⓞ ♿

via Carducci 58 – ☏ 05 84 78 74 95 – www.hotelmignon.it – info@hotelmignon.it – Fax 05 84 78 74 94 – marzo-novembre
34 cam ⊑ – ♦90/155 € ♦♦120/230 € – ½ P 85/134 €
Rist – *(solo per alloggiati)* Menu 35/55 €
♦ Il verde della pineta e un grazioso giardino su cui s'affaccia l'ariosa veranda connotano questa piccola chicca: sapori quasi coloniali, signorilità e buon gusto ovunque.

🏨 Mirabeau   ☌ 🏠 ⫶⃝ 🛗 ⩇ & cam. ⇄ 🅰🅒 ✗ rist. ℻ **P** 🆅🅸🆂🅰 ⊙⊙ ⓞ ♿

viale Morin 135 – ☏ 05 84 78 78 13 – www.hotelmirabeau.it – info@hotelmirabeau.it – Fax 05 84 78 75 61 – maggio-ottobre
40 cam ⊑ – ♦120/220 € ♦♦190/360 € – 3 suites – ½ P 190 €
Rist – *(solo per alloggiati)* Menu 35/45 €
♦ Ubicato in una zona residenziale, albergo che ha subito una recente e totale ristrutturazione; dispone di una piacevole piscina e di un giardino. Conduzione familiare.

🏨 Piccolo Hotel   🚗 ☌ ⩇ ⇄ 🅰🅒 ✗ rist. ℻ **P** 🆅🅸🆂🅰 ⊙⊙ 🅰🅴 ♿

viale Morin 24 – ☏ 05 84 78 74 33 – www.albergopiccolohotel.it – piccoloh@versilia.toscana.it – Fax 05 84 78 75 03 – aprile-settembre
33 cam ⊑ – ♦110/200 € ♦♦160/280 € – ½ P 150/175 €
Rist – *(maggio-settembre) (solo per alloggiati)* Carta 35/50 €
♦ In comoda posizione, vicino alla spiaggia e con accesso anche dal lungomare, un hotel a gestione familiare, che offre un valido livello di confort e sobria eleganza.

🏨 Kyrton &   🚗 ☌ 🏠 ⩇ & cam. ⇄ 🅰🅒 ℻ **P** 🆅🅸🆂🅰 ⊙⊙ 🅰🅴 ⓞ ♿

via Raffaelli 16 – ☏ 05 84 78 74 61 – www.hotelkyrton.it – info@hotelkyrton.it – Fax 058 48 96 32 – aprile-settembre
33 cam – ♦45/145 € ♦♦80/195 €, ⊑ 10 € – ½ P 130/139 €
Rist – *(solo per alloggiati)*
♦ Grazie ad un rinnovamento piuttosto recente, questa semplice risorsa a gestione familiare si presenta linda e ben tenuta. Nel verde e nella quiete, ideale per famiglie.

🏨 Tarabella &   🚗 ☌ ⩇ & cam. 🅰🅒 ✗ ℻ **P** 🆅🅸🆂🅰 ⊙⊙ 🅰🅴 ⓞ ♿

viale Versilia 13/b – ☏ 05 84 78 70 70 – www.tarabellahotel.it – matteo@tarabellahotel.it – Fax 05 84 78 72 60 – Pasqua-ottobre
32 cam – ♦70/115 € ♦♦90/190 €, ⊑ 10 € – ½ P 70/125 €
Rist – *(solo per alloggiati)*
♦ Piacevole edificio niveo con qualche decorazione dipinta, un piccolo giardino lo circonda. E' una risorsa dal sapore familiare, confortevole e tranquilla, con una sala giochi per i bambini.

🏨 Sonia   🚗 ⇄ 🅰🅒 cam. ✗ ℡ 🆅🅸🆂🅰 ⊙⊙ 🅰🅴 ⓞ ♿

via Matteotti 42 – ☏ 05 84 78 71 46 – www.hotel-sonia.it – albergosonia@jumpy.it – Fax 05 84 78 74 09
20 cam ⊑ – ♦60/180 € ♦♦90/200 € – ½ P 120 €
Rist – *(solo per alloggiati)* Menu 35/60 €
♦ Femminile e familiare la conduzione di questo semplice e piacevole indirizzo a metà strada tra il centro della località e il mare: una casa di inizio '900, curata in ogni particolare. Nella semplice sala da pranzo, un piccolo cimelio d'epoca.

🏠 Le Pleiadi &   🚗 ⫶⃝ ⇄ 🅰🅒 cam. ✗ **P** 🆅🅸🆂🅰 ⊙⊙ 🅰🅴 ⓞ ♿

via Civitali 51 – ☏ 05 84 88 11 88 – www.hotellepleiadi.it – info@hotellepleiadi.it – Fax 05 84 88 16 53 – aprile-10 ottobre
30 cam ⊑ – ♦100/120 € ♦♦160/220 € – ½ P 95/115 €
Rist – *(solo per alloggiati)* Menu 35/50 €
♦ Pini marittimi ad alto fusto lo circondano e in parte lo nascondono. Nella quiete delle vie più interne, a breve distanza dal mare, camere fresche e recenti e la semplicità di una gestione familiare.

Non confondete le posate ✗ e le stelle ✿ !
Le posate definiscono il livello di confort e raffinatezza,
mentre la stella premia le migliori cucine, in ognuna di queste categorie

XXX **Lorenzo** [AC] ✂ ⛭ VISA [MC] [AE] ⦿ $

✿ *via Carducci 61 – ☎ 058 48 96 71 – Fax 05 84 87 40 30 – chiuso dal 15 dicembre al 31 gennaio e lunedì*

Rist – *(chiuso a mezzogiorno in luglio-agosto)* Menu 90 € – Carta 67/97 € 🍇 (+10 %)

Spec. Natura di calamaretti al forno. Zuppa chiara di pesce. San Pietro dorato in guazzetto di vongole veraci e crostacei.

◆ Lorenzo è un personaggio, intramontabile, quanto la sua cucina, che da sempre conta sulla qualità del pescato. Subito dopo, per fama, viene l'insegna -caricatura di un vignettista- una delle più celebri fra i ristoranti.

XXX **Bistrot** ☂ VISA [MC] [AE] ⦿ $

viale Franceschi 14 – ☎ 058 48 98 79 – www.bistrotforte.it – bistrot@bistrotforte.it – Fax 058 48 99 63 – chiuso dal 15 al 26 dicembre e martedì

Rist – *(chiuso a mezzogiorno escluso sabato e domenica)* (consigliata la prenotazione) Carta 73/103 € 🍇

◆ Una vecchia gloria della cucina, rinata ed elegante, gestita con entusiasmo e professionalità; la cucina propone piatti a base di pesce e non solo. Suggestiva la cantina con tavoli per degustazioni.

in prossimità casello autostrada A 12 - Versilia

🏨 **Versilia Holidays** ⛱ ☂ 🏊 🎾 [elevator] ♿ [AC] ✂ rist, 📶 [SA] [P]

via G.B. Vico 142 ✉ 55042 – ☎ 05 84 78 71 00 VISA [MC] [AE] ⦿ $

– www.versiliaholidays.com – info@versiliaholidays.com – Fax 05 84 78 74 68

80 cam ☕ – 🛉95/200 € 🛉🛉130/250 € – ½ P 80/175 €

Rist ***La Vela*** – Carta 27/54 €

◆ Un complesso moderno, comodo da raggiungere nei pressi del casello autostradale. A dispetto del nome è particolarmente indicato per una clientela commerciale. Camere semplici. Il nome del ristorante allude al tendone -quasi un circo- in cui viene ospitato.

FORTUNAGO – Pavia (PV) – 404 ab. – alt. 483 m – ✉ 27040 16 B3

[D] Roma 585 – Alessandria 66 – Milano 78 – Pavia 41

⌂ **Agriturismo Cascina Casareggio** 🌿 ⚘ ☂ 🏊 ✂ rist, [SA] [P]

località Casareggio, Ovest : 5 km – ☎ 03 83 87 52 28 VISA $

– www.cascinacasareggio.it – segreteria@cascinacasareggio.it

– Fax 03 83 87 56 37

14 cam ☕ – 🛉50/60 € 🛉🛉80/90 € – ½ P 60 €

Rist – *(chiuso lunedì e martedì)* Menu 30/50 €

◆ In posizione isolata e tranquilla, l'agriturismo è circondato da un parco ed offre camere discretamente accoglienti ed una invitante piscina. Ideale per week-end rilassanti. Piacevoli e curate le sale del ristorante, dove gustare una cucina casalinga e regionale.

FORZA D'AGRÒ – Messina – 565N27 – Vedere Sicilia alla fine dell'elenco alfabetico

---

FOSSALTA MAGGIORE – Treviso (TV) – 562E19 – ✉ 31040 – Chiarano 35 A1

[D] Roma 568 – Venezia 53 – Milano 307 – Pordenone 34

XX **Tajer d'Oro** [AC] ✂ ⛭ [P] VISA [MC] [AE] ⦿ $

via Roma 161 – ☎ 04 22 74 63 92 – www.tajerdoro.info – info@tajerdoro.info – Fax 04 22 74 61 22 – chiuso dal 23 luglio al 7 agosto, martedì a mezzogiorno e lunedì

Rist – Carta 39/50 €

◆ La vetrina del pesce all'ingresso è il miglior biglietto da visita di questo locale che presenta un ambiente curato con arredamento stile marina inglese.

FRABOSA SOPRANA – Cuneo (CN) – 561J5 – 841 ab. – alt. 891 m – Sport invernali : 900/1 800 m ⛷5 – ✉ 12082 22 B3

[D] Roma 632 – Cuneo 35 – Milano 228 – Savona 87

[i] piazza Municipio ☎ 0174 244010, comunedifrabosasoprana.c@tin.it, Fax0174 244163

⚅ Miramonti ♨ ≤ 🐾 ❄ 🍴 ⚕ ↔ ❄ rist, "♱" 🚿 **P** 🚗 **VISA** ⚫ ⚅

via Roma 84 – ℰ 01 74 24 45 33 – www.miramonti.cn.it – info@miramonti.cn.it
– Fax 01 74 24 45 34 – chiuso dal 22 marzo al 24 aprile e ottobre
48 cam – ✝50/65 € ✝✝85/110 €, ☲ 8 € – ½ P 57/85 € **Rist** – Menu 25/40 €
♦ Risorsa situata in un piccolo parco tranquillo, specializzata nell'ospitare congressi e corsi di formazione inerenti la medicina olistica, shiatsu, yoga. Struttura accogliente e familiare con un occhio di riguardo per gli ospiti più piccoli. Cucina per veri buongustai e menù speciali per bambini.

FRANCAVILLA AL MARE – Chieti (CH) – 563O24 – 23 488 ab. 2 C1
– ✉ 66023

🚊 Roma 216 – Pescara 7 – L'Aquila 115 – Chieti 19
🚹 piazza Sirena ℰ 085 816649, iat.francavilla@abruzzoturismo.it, Fax 085 816649

⚅ Sporting Hotel Villa Maria ♨ ≤ 🐾 🍴 ⚕ 🍴 ❄ rist, "♱" 🚿 **P** **VISA** ⚫ **AE** ⓞ ⚅

contrada Pretaro , Nord-
Ovest : 3 km – ℰ 085 45 00 51 – www.sportingvillamaria.it – villamaria@ sportingvillamaria.it – Fax 085 69 30 42
87 cam ☲ – ✝85/120 € ✝✝115/180 € – 1 suite – ½ P 83/115 €
Rist – Carta 31/49 €
♦ Attrezzata zona relax con doccia emozionale e una sala colazioni panoramica per lasciarsi svegliare dai riflessi del mare: il recente rinnovo garantirà un piacevole soggiorno nella quiete di un grande parco. In un'atmosfera intima e raffinata, la sobrietà si coniuga alla valorizzazione del territorio.

⚅ Punta de l'Est ≤ ↔ 🍴 ⚕ "♱" **P** **VISA** ⚫ **AE** ⓞ ⚅

viale Alcione 188 – ℰ 08 54 98 20 76 – www.puntadelest.it – info@puntadelest.it
– Fax 08 54 98 16 89 – 23 aprile-ottobre
52 cam – ✝50/100 € ✝✝65/180 € – ½ P 80/120 €
Rist – (solo per alloggiati) Carta 25/34 €
♦ Due villette comunicanti, graziose a vedersi, posizionate direttamente sulla spiaggia; camere semplici, completamente rinnovate, e una solida gestione diretta.

❌❌ Il Brigantino - Chiavaroli 🍴 **VISA** ⚫ **AE** ⚅

viale Alcione 101 – ℰ 085 81 09 29 – Fax 08 54 91 85 46 – chiuso domenica sera (escluso luglio-agosto) e lunedì
Rist – Carta 26/68 €
♦ Recentemente ampliato con una nuova veranda, questo ristorante sul lungomare vanta un'affidabile ed esperta gestione e piatti che si ispirano principalmente al mare.

❌❌ La Nave ≤ 🍴 🍴 ⇔ **VISA** ⚫ **AE** ⓞ ⚅

viale Kennedy 2 – ℰ 085 81 71 15 – ristorantelanave@virgilio.it
– Fax 085 81 56 88 – chiuso mercoledì escluso luglio-agosto
Rist – Carta 35/63 €
♦ Una sorta di Titanic felliniano arenato sulla spiaggia di Francavilla questa nave-ristorante; sul "ponte", il servizio estivo, nei piatti, le fragranze del mare presentate a voce.

FRANZENSFESTE = Fortezza

FRAORE – Parma – Vedere Parma

FRASCATI – Roma (RM) – 563Q20 – 19 882 ab. – alt. 322 m – ✉ 00044 12 B2
▌ Roma

🚊 Roma 19 – Castel Gandolfo 10 – Fiuggi 66 – Frosinone 68
🚹 piazza Marconi 1 ℰ 06 9420331, iatfrascati@libero.it, Fax 06 9425498
◎ Villa Aldobrandini★
⚆ Castelli romani★★ Sud, Sud-Ovest per la strada S 216 e ritorno per la via dei Laghi (circuito di 60 km)

🏨 **Flora** senza rist   🚗 🛗 🚶‍♂️ 🅰️🅲 📶 🅿️ 🆅🅸🆂🅰 ⬦ 🅰🅴 ⓘ ⑤
viale Vittorio Veneto 8 – ℰ 069 41 61 10 – www.hotel-flora.it – info@hotel-flora.it
– Fax 069 41 65 46
37 cam ☲ – ♟100/110 € ♟♟135/180 €
♦ Un soggiorno in questo villino ottocentesco a due passi dal centro vi farà certamente
assaporare l'aristocratica atmosfera di quando Frascato era meta di villeggiatura della
nobiltà romana.

🏨 **Colonna** senza rist   ♿ 🚶‍♂️ 🅰️🅲 ❄️ 🤙 🚗 🆅🅸🆂🅰 ⬦ 🅰🅴 ⓘ ⑤
piazza del Gesù 12 – ℰ 06 94 01 80 88 – www.hotelcolonna.it – hotelcolonna@
hotelcolonna.it – Fax 06 94 01 87 30
20 cam ☲ – ♟80/105 € ♟♟105/130 €
♦ Siete nel centro storico ma il palazzo che ospita l'albergo è di epoca più recente,
ideale per chi vuole scoprire le ricchezze artistiche di Frascati senza rinunciare al confort
moderno.

🏠 **Cacciani**   ≤ 🛗 📶 🆅🅸🆂🅰 ⬦ 🅰🅴 ⓘ ⑤
via Diaz 15 – ℰ 069 40 19 91 – www.cacciani.it – info@cacciani.it
– Fax 069 42 04 40
22 cam ☲ – ♟74/90 € ♟♟85/110 €
Rist Cacciani – vedere selezione ristoranti
♦ In posizione centrale, è un albergo semplice pensato per una clientela di lavoro ed
offre una bella vista sui dintorni e su villa Aldobrandini; qualche camera con terrazza
panoramica.

✗✗ **Cacciani**   ≤ 🍽 🆅🅸🆂🅰 ⬦ 🅰🅴 ⓘ ⑤
via Diaz 13 – ℰ 069 40 19 91 – www.cacciani.it – info@cacciani.it
– Fax 069 42 04 40 – chiuso dal 7 al 14 gennaio, dal 16 al 26 agosto, domenica
sera (escluso da giugno a settembre) e lunedì
Rist – Carta 42/55 € ㏒
♦ Molte generazioni hanno contribuito al successo di questo locale, le cui proposte spaziano dai classici laziali a piatti più innovativi. Terrazza panoramica per il servizio estivo.

✗ **Zarazà**   🍽 🆅🅸🆂🅰 ⬦ ⑤
viale Regina Margherita 45 – ℰ 069 42 20 53 – rist.zaraza@libero.it
– Fax 069 42 20 53 – chiuso tre settimane in agosto, domenica sera (escluso da
giugno a settembre) e lunedì
Rist – Carta 24/29 €
♦ Locale a gestione familiare che nell'insegna ricorda il soprannome del nonno; semplice ma ben tenuto, propone l'autentica cucina popolare laziale. D'estate il servizio è
all'aperto.

FRATTA – Forlì-Cesena (040) – 562J18 – Vedere Bertinoro

FRATTA TODINA – Perugia (PG) – 563N19 – 1 789 ab. – alt. 214 m   32 **B2**
– ✉ 06054
   🄳 Roma 139 – Perugia 43 – Assisi 55 – Orvieto 43

🏠 **La Palazzetta del Vescovo** ⌂   ≤ 🚗 ☲ ♿ cam, ⇄ ❄️ 📶 🅿️
via Clausura 17, località Spineta , Ovest: 3 km   🆅🅸🆂🅰 ⬦ ⑤
– ℰ 07 58 74 51 83 – www.lapalazzettadelvescovo.com
– info@lapalazzettadelvescovo.com – Fax 07 58 74 50 42
– chiuso dal 15 gennaio al 28 febbraio
9 cam ☲ – ♟147 € ♟♟210/230 € – ½ P 140/185 €
Rist – (chiuso a mezzogiorno) (solo per alloggiati) Menu 38/55 € ㏒
♦ Elegante e ricca di fascino, arredata con mobili antichi, attenzione ai particolari e una
calda armonia di colori; nel rigoglioso giardino, essenze mediterranee e un'ampia
piscina a raso.

FREIBERG – Bolzano – Vedere Merano

FREIENFELD = Campo di Trens

FRONTONE – Pesaro e Urbino (PS) – 563L20 – 1 342 ab. – alt. 416 m   20 **B2**
– ✉ 61040
   🄳 Roma 227 – Rimini 87 – Ancona 92 – Perugia 77

⚲ **Locanda del Castello** senza rist   𝔸𝕂 ⚡ 𝚅𝙸𝚂𝙰 ⓸ 𝔸𝙴 ⓞ ᕼ
*piazza della Rocca 5 – ℰ 07 21 79 06 61 – www.locandadelcastello.it – info@
locandadelcastello.it – Fax 07 21 78 63 14*
6 cam ⌂ – ♦55/60 € ♦♦65/70 €
♦ Poche camere semplici e funzionali e un grazioso appartamento nel vicolo sul retro. Il
castello è lì a due passi, la quiete e il relax ovunque.

✗ **Taverna della Rocca**   𝔸𝕂 ⚡ 𝚅𝙸𝚂𝙰 ⓸ 𝔸𝙴 ⓞ ᕼ
⊛ *via Leopardi 20/22, al castello – ℰ 07 21 78 62 18 – Fax 07 21 78 62 18 – chiuso
dal 1° al 20 ottobre e mercoledì*
Rist – Carta 18/22 €
♦ Una vera taverna, con bar, sita nei pressi del castello di questo antico borgo arroccato; schietta cucina del territorio e pomeridiano servizio da osteria, con salumi.

FROSINONE ℙ (FR) – 563R22 – 48 606 ab. – alt. 291 m – ⊠ 03100   13 **C2**

◨ Roma 83 – Avezzano 78 – Latina 55 – Napoli 144

🛈 via Aldo Moro 467/469 ℰ 0775 83381, info@apt.frosinone.it, Fax
0775833837

◉ Abbazia di Casamari★★ Est : 15 km

🏨 **Cesari**   🖨 𝔸𝕂 ⚡ 🗣 🏋 ℙ 𝚅𝙸𝚂𝙰 ⓸ 𝔸𝙴 ⓞ ᕼ
*in prossimità casello autostrada A 1 – ℰ 07 75 29 15 81 – www.flashnet.it
– hotelcesari@libero.it – Fax 07 75 29 33 22*
60 cam ⌂ – ♦75/85 € ♦♦100 € – ½ P 80 €   **Rist** – Carta 28/43 €
♦ Un tradizionale hotel, ideale per soste nel corso di spostamenti veloci e di lavoro, proprio dinanzi al casello autostradale; in parte da poco rinnovato nel settore notte. Una
vasta offerta di pesce, da gustare accomodati nella capiente sala ristorante.

🏨 **Henry**   🚅 🖨 𝔸𝕂 ⚡ rist, 🗣 🏋 ℙ 𝚅𝙸𝚂𝙰 ⓸ 𝔸𝙴 ⓞ ᕼ
*via F. Calvosa 10 – ℰ 07 75 21 12 22 – www.henryhotel.it – info@henryhotel.it
– Fax 07 75 85 37 13*
63 cam ⌂ – ♦55/120 € ♦♦60/150 € – ½ P 70/90 €
Rist – (chiuso dal 10 al 18 agosto) Carta 31/49 €
♦ Comoda posizione tra casello e città, per un albergo dotato di ampio parcheggio e di
spaziose zone comuni; si propone con andamento classico e servizi per il congressuale.
Valida cucina, all'interno di una sala circolare delimitata da pareti-finestre.

🏨 **Astor**   🖨 𝔸𝕂 ⇄ ⚡ rist, 🗣 🏋 ℙ 🛏 𝚅𝙸𝚂𝙰 ⓸ 𝔸𝙴 ⓞ ᕼ
*via Marco Tullio Cicerone 200 – ℰ 07 75 27 01 32 – www.astorhotel.fr.it
– astor_hotel@libero.it – Fax 07 75 27 01 35*
54 cam ⌂ – ♦57/67 € ♦♦85 € – ½ P 65 €   **Rist** – Carta 24/33 €
♦ Interessante indirizzo per un soggiorno in Ciociaria all'insegna del confort, della tranquillità e dell'intimità. Cucina improntata alle tradizioni gastronomiche locali, nell'elegante sala da pranzo.

🏠 **Memmina**   🍴 🖨 ⚡ 🗣 🏋 ℙ 🛏 𝚅𝙸𝚂𝙰 ⓸ 𝔸𝙴 ⓞ ᕼ
⊛ *via Maria 172 – ℰ 07 75 87 35 48 – www.albergomemmina.it – info@
albergomemmina.it – Fax 07 75 27 01 38 – chiuso 25-26 dicembre e 1° gennaio*
37 cam ⌂ – ♦50/65 € ♦♦65/75 € – ½ P 45/55 €   **Rist** – Menu 18/25 €
♦ Un nuovo albergo, ubicato lungo la via che porta a Sora; è rimasto il vecchio bar che
lo precedeva, ma oggi, vi si aggiunge un ambiente semplice e tuttavia confortevole. Servizio self-service, per pasti veloci, o ristorante con piatti locali.

✗✗✗ **Palombella**   🍴 𝔸𝕂 ⇔ ℙ 𝚅𝙸𝚂𝙰 ⓸ 𝔸𝙴 ⓞ ᕼ
⊛ *via Maria 234 – ℰ 07 75 87 21 63 – www.palombella.com – info@
palombella.com – Fax 07 75 27 04 02*
Rist – Carta 21/29 €
♦ Esternamente, un tentativo di ricreare uno stile neoclassico-liberty; all'interno, tra
vetrate colorate e colonne, un tripudio di specchi, marmi intarsiati, gessi e legni.

FROSSASCO – Torino (TO) – 561?P47H4 – 2 795 ab. – alt. 389 m   22 **B2**
– ⊠ 10060

◨ Roma 665 – Torino 36 – Asti 79 – Cuneo 71

La Locanda della Maison Verte ◎ 🕰 🎋 ☴ 🔊 ⌂ ▤ ♿

via Rossi 34, per via XX — 🆎 cam, ⇄ ꔛ ⅏ 🅿 💳 🐵 🆎 ⓪ ♿
Settembre – ℰ 01 21 35 46 10 – www.maisonvertehotel.com – information@
maisonvertehotel.com – Fax 01 21 35 46 14 – chiuso dal 1° al 7 gennaio
28 cam ⌂ – **†**70/80 € **††**90/108 € – 1 suite – ½ P 65/70 €
Rist – Carta 20/32 €
◆ Una maison pensata per la salute, la bellezza ed il relax. Avvolta da un parco con piscina, offre ampie camere ed una calda atmosfera dettata dall'uso di pietre e cotto. Affacciato sul giardino, il ristorante propone intime ed accoglienti sale, nelle quali convivono estro e discrezione.

Adriano Mesa ♿ 💳 🐵 ♿

via Principe Amedeo 57 – ℰ 01 21 35 34 55 – adriano.mesa@virgilio.it
– Fax 01 21 35 34 55 – chiuso lunedì
Rist – (consigliata la prenotazione) Menu 35/50 €
◆ Un solo menu degustazione: scelta limitata quindi per il cliente, ma garanzia assicurata di qualità e freschezza in una sorprendente carrellata di piatti piemontesi e creativi.

FUCECCHIO – Firenze (FI) – 563K14 – 21 621 ab. – alt. 25 m   28 **B1**
– ✉ 50054

▶ Roma 302 – Firenze 38 – Pisa 49 – Livorno 52

a Ponte a Cappiano Nord-Ovest : 4 km – ✉ 50050

Le Vedute 🎋 🆎 🅿 💳 🐵 🆎 ⓪ ♿

via Romana Lucchese 121, località Le Vedute – ℰ 05 71 29 74 98
– www.ristorantelevedute.it – info@ristorantelevedute.it – Fax 05 71 29 72 01
– chiuso dal 1° al 7 gennaio, agosto, sabato a mezzogiorno e lunedì
Rist – Carta 26/55 € (+12 %)
◆ Un bel ristorante classico, sito fuori paese, al primo piano di una grande struttura; molto curato dal titolare, offre validi piatti, anche di pescato e locali.

FUMANE – Verona (VR) – 562F14 – 3 891 ab. – alt. 196 m – ✉ 37022   37 **A2**
▶ Roma 515 – Verona 18 – Brescia 69 – Mantova 52

Costa degli Ulivi ◎ ⟨ 🛋 🎋 ☴ 🍽 🔊 ⇄ 🎾 rist, 🅿 💳 🐵 ♿

via Costa 5 – ℰ 04 56 83 80 88 – www.costadegliulivi.com – reception@
costadegliulivi.com – Fax 04 56 83 80 17 – chiuso dal 10 al 31 gennaio
20 cam ⌂ – **†**70/90 € **††**110/120 € – ½ P 73/78 €
Rist – (chiuso mercoledì) Carta 20/32 €
◆ Vecchio casolare di campagna cinto da una vasta proprietà; all'interno camere semplici arredate con mobili rustici in legno, luminose quelle nuove affacciate sui vigneti. Polenta abbrustolita con soppressa e lardo, pasta e fagioli, grigliate miste e dolci casalinghi nell'ampia sala verandata del ristorante.

Enoteca della Valpolicella con cam ◎ ꔛ 🅿 💳 🐵 🆎 ⓪ ♿

via Osan 45 – ℰ 04 56 83 91 46 – www.valpolicella.it/tavole – enoteca@
valpolicella.it – Fax 04 56 83 13 50 – chiuso domenica sera e lunedì
5 cam ⌂ – **†**70 € **††**90 €   **Rist** – Carta 34/43 € 🏵
◆ Nel contesto di un villaggio tipico, un antico edificio rurale avvolto dai vigneti della Valpolicella, oggi enoteca-trattoria dall'atmosfera rustica e curata dove gustare sapori del posto. A pochi passi dall'Enoteca, graziose camere, tutte diverse fra loro, ricavate in uno stabile del Seicento.

FUMONE – Frosinone (FR) – 563Q21 – 2 151 ab. – alt. 783 m   13 **C2**
– ✉ 03010

▶ Roma 95 – Frosinone 24 – Avezzano 87 – Latina 65

La Vecchia Mola 🆎 🎾 🅿 💳 🐵 🆎 ⓪ ♿

via Vicinale Piè del Monte Fumone, Sud : 3 km – ℰ 077 54 97 71
– Fax 077 54 97 71 – chiuso dal 16 agosto al 4 settembre, domenica sera
e lunedì
Rist – (chiuso a mezzogiorno escluso domenica) Carta 33/48 €
◆ Quasi una fiaba la storia di questo locale, nato in una piccola borgata di campagna e via via trasformatosi in un posto raffinato con un'unica grande passione: solo pesce di ottima qualità.

FUNES (VILLNOSS) – Bolzano (BZ) – 562C17 – 2 372 ab. – alt. 1 159 m   31 **C1**
– ✉ 39040

▶ Roma 680 – Bolzano 38 – Bressanone 19 – Milano 337
🖬 frazione San Pietro 11 ✆ 0472 840180, info@villnoess.com, Fax 0472
840312

🏨 **Sport Hotel Tyrol** ⌖   ≤ 🚗 🏊 🏠 🗐 & cam, ❄ rist, **P** **VISA** 🌚 ⑤
località Santa Maddalena 105 – ✆ 04 72 84 01 04 – www.tyrol-hotel.eu – info@
tyrol-hotel.eu – Fax 04 72 84 05 36 – Natale-marzo e 20 maggio-4 novembre
28 cam ⌷ – †56/86 € ††100/150 € – ½ P 70/90 €   **Rist** – Carta 27/41 €
♦ Immerso nei verdi prati e cinto dai monti: per godersi la tranquillità e la panoramicità
del luogo, in un ambiente ricco di opere d'arte in legno create dal proprietario. Sale da
pranzo rinnovate con molto legno.

🏠 **Kabis** ⌖   ≤ 🚗 🏡 🏊 🏠 🗐 ⋕⋕ ❄ rist, **P** 🚘 **VISA** 🌚 **AE** ① ⑤
località San Pietro 9 – ✆ 04 72 84 06 53 – www.hotel-kabis.com – hotel.kabis@
rolmail.net – Fax 04 72 84 03 95 – maggio-5 novembre
31 cam ⌷ – †52/64 € ††110/125 € – ½ P 66/70 €
Rist – (chiuso mercoledì escluso da luglio a settembre) Menu 25/30 €
♦ Nel centro del paese, una risorsa di antica tradizione, con interni in stile tirolese,
avvolta da una suggestiva cornice naturale. Ampio ristorante con legno per pavimento
e mobilio, ceramica per la stufa. Ottimo gelato preparato dal patron.

FUNO – Bologna – Vedere Argelato

FURLO (Gola del) – Pesaro e Urbino (PS) – 563L20 – alt. 177 m   20 **B1**
▶ Roma 259 – Rimini 87 – Ancona 97 – Fano 38

XX **Anticofurlo** con cam   🏡 ⋕⋕ ℅ **P** **VISA** 🌚 **AE** ① ⑤
via Furlo 66 ✉ 61041 Acqualagna – ✆ 07 21 70 00 96 – www.anticofurlo.it
– info@anticofurlo.it – Fax 07 21 70 01 17
7 cam ⌷ – †42/55 € ††70/95 € – ½ P 60/70 €
Rist – (chiuso lunedì sera escluso agosto e novembre) Carta 37/72 € 🕸
♦ Rinato a seguito di un restauro completo, al suo interno regna un'atmosfera informale, mentre nel piatto i tradizionali sapori regionali sono rivisitati dalla creatività.
Camere rinnovate all'insegna del moderno confort e arredate con mobili antichi.

FURORE – Salerno (SA) – 564F25 – 873 ab. – alt. 300 m – ✉ 84010   6 **B2**
📗 Italia

▶ Roma 264 – Napoli 55 – Salerno 35 – Sorrento 40
◉ Vallone★★

🏨🏨 **Furore Inn Resort** ⌖   ≤ 🚗 🏡 🏊 🌚 🏠 🏊 ❄ 🏥 🆔 ❄ rist, 🛁
via dell'Amore, contrada Sant'Elia   **P** **VISA** 🌚 **AE** ① ⑤
– ✆ 08 98 30 47 11 – www.furoreinn.it – information@furoreinn.it
– Fax 08 98 30 47 77 – 26 marzo-8 novembre
22 cam ⌷ – †180/320 € ††260/460 € – 4 suites – ½ P 230/290 €
Rist La Volpe Pescatrice – ✆ 08 98 30 47 85 (aprile-ottobre) Carta 71/93 € 🕸
Rist Italian Touch – ✆ 089 83 04 70 (marzo-novembre) Carta 74/96 €
♦ Eleganza e confort, tradizione e modernità si fondono mirabilmente in questa bella
struttura dotata di una terrazza panoramica con piscina e di un'attrezzata beauty farm.
Cucina del territorio - più leggera a pranzo - alla raffinata La Volpe Pescatrice. All'Italian
Touch : atmosfera arabeggiante e piatti mediterranei.

🏠 **Hostaria di Bacco**   ≤ 🏡 🆔 ❄ **P** **VISA** 🌚 **AE** ① ⑤
⌖ via G.B. Lama 9 – ✆ 089 83 03 60 – www.baccofurore.it – info@baccofurore.it
– Fax 089 83 03 52 – chiuso 24-25 dicembre e dal 9 al 20 novembre
20 cam – †60/70 € ††80/100 €, ⌷ 10 € – ½ P 85 €
Rist – (chiuso venerdì in bassa stagione) Carta 25/48 €
♦ Chi voglia scoprire il volto segreto della Costiera, si arrampichi fin qua: dove nel 1930
sorgeva una semplice osteria quasi a picco sul mare, oggi c'è un nido incantevole. Servizio ristorante estivo in terrazza panoramica.

⛫ **Agriturismo Sant'Alfonso** ⬙ ← 🛢 🏡 AC cam, 🍴 cam, 📶
via S. Alfonso 6 – ☏ 089 83 05 15 — VISA ⓒⓞ AE ① ⑤
– www.agriturismosantalfonso.it – info@agriturismosantalfonso.it
– Fax 089 83 05 15 – chiuso dal 15 gennaio al 15 febbraio
9 cam ⊇ – †† 65/100 € – ½ P 65/70 €
Rist – (prenotazione obbligatoria) Carta 19/29 €
♦ Tra i tipici terrazzamenti della Costiera, un ex convento dell'800, ora agriturismo; conserva cappella, ceramiche, affreschi e forno a legna di quel periodo. Camere semplici. Prodotti di stagione, il vino dell'azienda ed il profumo elle erbe aromatiche in sala o in terrazza.

GABBIANO – Firenze – Vedere Scarperia

GABICCE MARE – Pesaro e Urbino (PS) – 563 K20 – **5 579 ab.**　　　　20 **B1**
– ✉ 61011
▶ Roma 316 – Rimini 23 – Ancona 93 – Forlì 70
🛈 viale della Vittoria 42 ☏ 0541 954424, iat.gabicce@regione.marche.it, Fax 0541 953500

🏨🏨🏨 **Grand Hotel Michelacci** 　🛢 🛢 ⓢ 🏊 🎐 ⧉ AC 🍴 rist, 📞 🛗 ℗
piazza Giardini Unità d'Italia 1 – ☏ 05 41 95 43 61 　　VISA ⓒⓞ AE ① ⑤
– www.michelacci.com – info@michelacci.com – Fax 05 41 95 45 44
140 cam ⊇ – † 124/168 € †† 244/268 € – 10 suites – ½ P 136/168 €
Rist – Carta 44/66 €
♦ Nel cuore della città, l'elegante risorsa si affaccia sul golfo ed offre ambienti curati nei dettagli, una piscina termale, un moderno centro benessere ed una sala congressi.

🏨🏨🏨 **Alexander** 　　← 🛢 🛢 🏊 ⧉ ⧉ AC 🍴 rist, 📞 🛗 ℗ VISA ⓒⓞ AE ⑤
via Panoramica 35 – ☏ 05 41 95 41 66 – www.alexanderhotel.it – info@
alexanderhotel.it – Fax 05 41 96 01 44 – aprile-settembre
48 cam ⊇ – † 70/90 € †† 120/160 € – ½ P 95/105 €
Rist – (solo per alloggiati) Menu 35/40 €
♦ Ubicata tra mare e collina, una struttura classica con ambienti di moderna eleganza, area fitness, sala biliardo, animazione ed attrezzature per le vacanze dei più piccoli.

🏨🏨🏨 **Sans Souci** 　　← 🛢 🛢 🏊 🛁 ⧉ 🅰 ⧉ AC 🍴 rist, 📞 ℗
viale Mare 9 – ☏ 05 41 95 01 64 – www.parkhotels.it 　　VISA ⓒⓞ AE ① ⑤
– sanssouci@parkhotels.it – Fax 05 41 95 26 12
88 cam ⊇ – † 62/160 € †† 95/185 € – 4 suites – ½ P 68/110 €
Rist – Carta 18/45 €
♦ In posizione panoramica, questo moderno hotel, recentemente rinnovato, domina la costa ed offre ambienti dai semplici arredi di gusto moderno ed una dependance.

🏨🏨 **Venus** 　　← 🛢 🛢 🏊 🛁 ⧉ ⧉ AC 🍴 rist, 📶 ℗ VISA ⓒⓞ ⑤
via Panoramica 29 – ☏ 05 41 96 26 01 – www.hotelvenus.it – venus@
gabiccemare.com – Fax 05 41 95 22 20 – aprile-settembre
50 cam ⊇ – † 54/102 € †† 88/152 € – ½ P 54/86 €
Rist – (solo per alloggiati) Menu 20/30 €
♦ Ambienti spaziosi dal sobrio arredo, sauna, palestra e due piscine in questa grande risorsa ubicata in zona residenziale a pochi passi dal centro.

🏨🏨 **Majestic** 　　← 🛢 🛁 ⧉ ⧉ AC 🍴 rist, ℗ VISA ⓒⓞ AE ⑤
via Balneare 10 – ☏ 05 41 95 37 44 – www.majestichotel.it – majestic@
gabiccemare.com – Fax 05 41 96 13 58 – maggio-settembre
55 cam – † 50/80 € †† 90/135 €, ⊇ 8 € – ½ P 93 €
Rist – (solo per alloggiati) Carta 31/53 €
♦ Nella zona alta della località, una piscina separa la struttura principale dalla dependance, entrambi con interni ampi e signorili; possibilità di grigliate in spiaggia.

🏨🏨 **Losanna** 　　🛢 🛢 ⧉ AC 🍴 rist, ℗ VISA ⓒⓞ AE ⑤
piazza Giardini Unità d'Italia 3 – ☏ 05 41 95 03 67
– www.hotel-losanna-gabiccemare.it – losanna@gabiccemare.com
– Fax 05 41 96 01 20 – 10 maggio-settembre
63 cam – † 60/80 € †† 90/110 €, ⊇ 8 € – ½ P 85/100 €
Rist – (solo per alloggiati)
♦ In posizione centrale e vicina al mare, la risorsa offre ambienti comuni arredati nei toni del giallo e del blu, camere semplici e con balcone, sala lettura e da biliardo. Ricco buffet di verdure e di antipasti a pranzo e a cena.

🏠 **Thea** 🏢 ⚡ ☖ AC ⚡ rist, 🚗 VISA ◑ AE ① ⚐
via Vittorio Veneto 11 – ℰ 05 41 95 00 52 – www.hotelthea.it – info@hotelthea.it
– Fax 05 41 95 45 18 – Pasqua-10 ottobre
37 cam ⊑ – ♦39/59 € ♦♦68/106 € – ½ P 45/65 €
Rist – *(giugno-settembre)* Carta 25/33 €
• Direttamente sul mare con accessso diretto alla spiaggia, l'hotel mette a disposizione degli ospiti ambienti recentemente rinnovati negli arredi e camere con eco orientali. Sala da pranzo al primo piano con vista sulla distesa blu del mare.

🏠 **Marinella** ⚐ 🐱 ᏝᎼ 🏢 ⚡ ☖ AC ⚡ rist, 🍴 🚗 VISA ◑ ① ⚐
🍴 *via Vittorio Veneto 127 – ℰ 05 41 95 45 71 – www.gabiccemarevacanze.com*
– marinella@gabiccemarevacanze.com – Fax 05 41 95 04 26 – Pasqua-settembre
48 cam ⊑ – ♦60/90 € ♦♦120/180 € – 6 suites – ½ P 75/110 €
Rist – *(solo per alloggiati)* Menu 15/25 €
• In pieno centro, la risorsa è gestita da una famiglia di provata esperienza, dispone di camere semplici ed ampie ed è un ideale punto di appoggio per escursioni nei dintorni. In giardino o in veranda, a cena vi attende un ricco buffet.

🍴 **Il Traghetto** 🏠 AC ⚡ VISA ◑ AE ⚐
via del Porto 27 – ℰ 05 41 95 81 51 – Fax 05 41 96 36 22
– chiuso dal 20 dicembre al 3 febbraio e martedì (escluso agosto)
Rist – Carta 34/57 €
• Dotata di uno spazio riservato ai fumatori, il ristorante propone una gustosa cucina regionale e di pesce cui sapientemente accostare un buon bicchiere di vino.

a Gabicce Monte Est : 2,5 km – **alt. 144 m** – ⊠ 61011 – **Gabicce Mare**

🏨 **Posillipo** ⚐ ⚐ 🏠 🏠 ⚒ ᏝᎼ 🏢 ⚡ ☖ AC ⚡ 🍴 ᏝᎵ 🄿 VISA ◑ AE ① ⚐
*via dell'Orizzonte 1 – ℰ 05 41 95 33 73 – www.hotelposillipo.com – info@
hotelposillipo.com – Fax 05 41 95 30 95 – marzo-ottobre*
33 cam ⊑ – ♦80/150 € ♦♦120/190 € – ½ P 95/130 €
Rist – *(chiuso lunedì) (chiuso a mezzogiorno escluso domenica da marzo a maggio e da settembre ad ottobre)* Carta 38/81 € 🕮
• In cima al colle di Gabicce, sovrasta il verde e il mare, dispone di ampie camere arredate con sobria modernità e rilassanti spazi comuni tra cui una piscina. A paranzo o a cena, si può gustare il menù di pesce sulle grandi terrazze panoramiche.

🍴 **Osteria della Miseria** 🄿 VISA ◑ AE ① ⚐
via Dei Mandorli 2 – ℰ 05 41 95 83 08 – www.osteria.ws – info@osteria.ws
– Fax 05 41 83 82 24 – chiuso lunedì
Rist – *(chiuso a mezzogiorno escluso domenica da ottobre a gennaio)*
Carta 27/33 €
• Una moderna osteria con pareti tappezzate da foto in bianco e nero che ritraggono musicisti di blues e di jazz, dove assaporare una semplice ma attenta cucina regionale.

GADANA – Pesaro e Urbino – Vedere Urbino

GAETA – Latina (LT) – 563S23 – **20 683 ab.** – ⊠ 04024 ▮ Italia   13 **D3**
▶ Roma 141 – Frosinone 99 – Caserta 79 – Latina 74
🆔 via Faliberto 5 ℰ 0771 461165, Fax 0771 450779
◉ Golfo★ – Duomo : Candelabro pasquale★

🏨 **Villa Irlanda Grand Hotel** ᑫ ⚒ 🏢 ☖ cam, AC ⚡ 🍴 ᏝᎵ 🄿
lungomare Caboto 6, Nord : 4 km – ℰ 07 71 71 25 81 VISA ◑ AE ① ⚐
– www.villairlanda.com – villairlanda@villairlanda.com – Fax 07 71 71 21 72
43 cam ⊑ – ♦76/184 € ♦♦123/184 € – 5 suites – ½ P 97/127 €
Rist – Carta 40/60 €
• A partire dalla piscina, in un parco con villa e convento d'inizio secolo, sino ai resti di una domus romana, un complesso di gran fascino, tra il mare e le prime alture. Sala da pranzo di armonica bellezza, ricavata da un'antica chiesa, ancora con il ciborio.

🍴 **Trattoria la Cianciola** AC VISA ◑ AE ① ⚐
🍴 *vico 2 Buonomo 16 – ℰ 07 71 46 61 90 – Fax 07 71 46 47 84 – chiuso novembre*
e lunedì escluso agosto
Rist – Carta 20/30 €
• Il nome evoca l'antica pesca fatta dalle imbarcazioni con le lampare; oggi, un'eco nostalgica in uno stretto vicolo affacciato sul lungomare. Menù, come ovvio, di pesce.

sulla strada statale 213

🏨 **Grand Hotel Le Rocce** ⟨ 🚗 🏠 AC 🍴 P VISA ⓪ AE ① 🔥
via Flacca km 23,300, Ovest : 6,8 km ⊠ *04024 –* 𝒞 *07 71 74 09 85*
– www.lerocce.com – info@lerocce.com – Fax 07 71 74 16 33 – maggio-settembre
57 cam ⯑ – ♦125/220 € ♦♦210/300 € – ½ P 145/192 €
Rist – *(chiuso a mezzogiorno)* Carta 35/77 €
♦ Davvero una magnifica ambientazione, fra una natura rigogliosa e un'acqua cristallina, con una serie di ariose terrazze fiorite sul mare e strutture d'un bianco intenso. Sala da pranzo di rustica e sobria eleganza; incantevole vista dal dehors estivo.

🏨 **Grand Hotel Il Ninfeo** ⟨ 🚗 AC 🍴 ⯑ P VISA ⓪ AE ① 🔥
via Flacca km 22,700, Ovest : 7,4 km ⊠ *04024 –* 𝒞 *07 71 74 22 91*
– www.grandhotelilninfeo.it – info@grandhotelilninfeo.it – Fax 07 71 74 07 36
– aprile-ottobre
40 cam – ♦65/113 € ♦♦89/185 €, ⯑ 10 € – ½ P 115/150 €
Rist – Carta 25/56 €
♦ Proprio sulla spiaggia dell'incantevole insenatura di S. Vito, una bella struttura digradante sul mare attraverso la vegetazione; ambienti nuovi e luminosi, ben curati. Un vero quadro sulla marina blu la suggestiva sala ristorante.

GAGGIANO – Milano (MI) – 561F9 – 8 268 ab. – alt. 116 m – ⊠ 20083   18 **A2**
▶ Roma 580 – Alessandria 92 – Milano 14 – Novara 37

a Vigano Sud : 3 km – ⊠ 20083 – **Gaggiano**

🍴🍴 **Antica Trattoria del Gallo** 🚗 🏠 ⅃ AC P VISA ⓪ AE ① 🔥
via Kennedy 1/3 – 𝒞 *029 08 52 76 – trattoria.gallo@tiscalinet.it*
– Fax 02 90 84 42 10 – chiuso dal 25 dicembre al 10 gennaio, agosto, lunedì e martedì
Rist – Carta 37/47 € ⯑
♦ Nato a fine '800, un locale di vecchia tradizione rurale, rinnovato nelle strutture, con servizio estivo in giardino: i piatti mantengono salde matrici territoriali.

GAGGIO MONTANO – Bologna (BO) – 562J14 – 4 887 ab. – alt. 682 m   8 **B2**
– ⊠ 40041
▶ Roma 353 – Bologna 61 – Lucca 85 – Modena 76

🏠 **Agriturismo Ca' di Fos** 🐾 ⟨ 🚗 🏠 ⅃ P
via Ronchidoso 731, Ovest : 3 km – 𝒞 *053 43 70 29*
– www.agriturismo-cadifos.com – info@agriturismo-cadifos.com
– Fax 053 43 70 29 – chiuso gennaio e febbraio
8 cam – solo ½ P 50 €   **Rist** – (prenotazione obbligatoria) Menu 25/30 €
♦ In una zona montana, nelle vicinanze di Porretta Terme e con piacevole vista dei colli bolognesi, una piccola e accogliente struttura agrituristica, davvero ben tenuta. Ottimo il servizio ristorante gestito dalla proprietaria, cuoca "di un tempo".

GAIANO – Salerno – 564E26 – **Vedere Fisciano**

GAIBANA – Ferrara – 562H16 – **Vedere Ferrara**

GAIBANELLA – Ferrara – 562H17 – **Vedere Ferrara**

GAIOLE IN CHIANTI – Siena (SI) – 563L16 – 2 599 ab. – alt. 356 m   29 **C2**
– ⊠ 53013 ▊ Toscana
▶ Roma 252 – Firenze 60 – Siena 28 – Arezzo 56
🛈 via Galilei 11 𝒞 0577 749411, prolocogaiole@libero.it, Fax 0577 749411

Castello di Spaltenna ⚜ ← 🐕 🍽 🎿 🏊 ♨ ⚽ 🎾 AC 🛜 ⛷
località Spaltenna 13 – 🕿 05 77 74 94 83   P VISA ☒ AE ① ♿
– *www.spaltenna.it* – *info@spaltenna.it* – *Fax 05 77 74 92 69*
– *aprile- 5 novembre*
35 cam ☲ – ♦165/195 € ♦♦195/330 € – 4 suites – ½ P 158/225 €
Rist *Il Pievano* – Menu 40/60 € – Carta 42/69 €
♦ Incorniciato dal tipico paesaggio toscano, l'albergo racconta di sè dalle antiche mura ed ospita ambienti confortevoli e caratteristici; attrezzature sportive e per il relax. Nel chiostro, romantiche cene a lume di candela.

L'Ultimo Mulino ⚜   🍽 🎿 ♿ ♨ AC 🛜 P VISA ☒ AE ① ♿
località La Ripresa di Vistarenni 43, Ovest : 6 km – 🕿 05 77 73 85 20
– *www.ultimomulino.it* – *info@ultimomulino.it* – *Fax 05 77 73 86 59*
– *aprile-10 novembre*
13 cam – ♦113/143 € ♦♦143/204 €, ☲ 10 € – ½ P 99 €
Rist – *(chiuso a mezzogiorno) (solo per alloggiati)* Menu 39 €
♦ Celato dalla tranquillità dei boschi, l'hotel nasce dal restauro di un antico mulino medievale arredato in stile e dotato di confort moderni negli ambienti.

La Fonte del Cieco senza rist   VISA ☒ AE ① ♿
via Ricasoli 18 – 🕿 05 77 74 40 28 – *www.lafontedelcieco.it* – *info@*
lafontedelcieco.it – *Fax 05 77 74 44 07* – *chiuso febbraio*
8 cam ☲ – ♦65/70 € ♦♦90/100 €
♦ Situato sulla piazza centrale del paese, è un caratteristico edificio dei primi del Novecento sorto sopra ad una sorgente d'acqua ed offre camere recentrtemente rinnovate.

✕✕ **Badia a Coltibuono**   🍽 ✿ P VISA ☒ ♿
località Coltibuono, Nord-Est : 5,5 km – 🕿 05 77 74 90 31 – *www.coltibuono.com*
– *ristbadia@coltibuono.com* – *Fax 05 77 74 90 31*
– *chiuso dal 10 gennaio al 10 marzo e lunedì (escluso maggio-ottobre)*
Rist – Menu 49 € bc – Carta 35/44 €
♦ Fondata quale luogo di culto e di meditazione, oggi la badia è un ambiente sobriamente elegante dove assaporare i profumi della terra del Chianti.

sulla strada statale 408 Sud : 12 km – ✉ 53013 – **Gaiole in Chianti**

Le Pozze di Lecchi ⚜   🍽 🍴 🎿 ♨ ⬛ ♿ AC ⚽ rist, P
località Molinaccio al km 21, Sud-Ovest : 6,3 km   VISA ☒ AE ① ♿
– 🕿 05 77 74 62 12 – *www.lepozzedilecchi.it* – *info@lepozzedilecchi.it*
– *Fax 05 77 74 62 14* – *chiuso dall'11 gennaio al 14 marzo e dal 6 al 30 novembre*
14 cam ☲ – ♦♦183/335 € – ½ P 128/208 €   **Rist** – Carta 32/67 €
♦ Ideale per un soggiorno di tranquillità, l'hotel è il risultato del restauro di un mulino. Negli ambienti, attenzione nelle rifiniture degli arredi, travi cotto e arte povera. Piccola sala dall'atmosfera classica con proposte di cucina regionale.

↑ **Borgo Argenina** senza rist   ← 🍽 ⚽ 🐕 P VISA ☒ AE ① ♿
località Argenina, San Marcellino Monti. Al km 14, Sud : 12 km
– 🕿 05 77 74 71 17 – *www.borgoargenina.it* – *info@borgoargenina.it*
– *Fax 05 77 74 72 28* – *4 marzo-9 novembre*
10 cam ☲ – ♦♦170/240 € – 5 suites
♦ Circondato da verdi colline che ne preservano la tranquillità, offre ambienti arredati nello stile del primo Novecento, cucina con camino e camere confortevoli ma semplici.

a San Sano Sud-Ovest : 9,5 km – ✉ 53013 – **Lecchi**

↑ **Castellare de' Noveschi** ⚜   ⚽ rist, 🐕 VISA ☒ ♿
località San Sano 12 ✉ 53013 San Sano – 🕿 05 77 74 60 10
– *www.castellaredenoveschi.com* – *info@castellaredenoveschi.com*
– *Fax 05 77 74 69 05*
1 cam ☲ – ♦♦180/300 € – 3 suites – ♦♦200/350 €
Rist – *(solo per alloggiati)* Menu 25/60 €
♦ Rievoca la storia degli illustri personaggi che qui hanno vissuto questo originale relais nel cuore del Chianti, realizzato in una torre del Duecento. Nelle cantine, la possibilità di rilassarsi con la vinoterapia. Il ristorante celebra i piatti della tradizione toscana.

GAIONE – Parma – 562H12 – Vedere Parma

GALATINA – Lecce (LE) – 564G36 – 27 815 ab. – alt. 78 m – ✉ 73013   27 **D3**

▌ Italia

▶ Roma 588 – Brindisi 58 – Gallipoli 22 – Lecce 20

🏨 **Palazzo Baldi** senza rist   � 🄰🄲 📞 🆊 ⁇ 🆅🆂🄰 🆇🆇 🄰🄴 🅾 🔾
corte Baldi 2 – 𝒞 08 36 56 83 45 – www.hotelpalazzobaldi.com – hbaldi@tin.it
– Fax 08 36 56 48 35
14 cam ⤢ – †70/120 € ††120/180 € – 3 suites
♦ In pieno centro, un'elegante residenza vescovile di origini cinquecentesche custodisce camere di differenti tipologie con arredi in stile, arricchiti con inserti in ceramica.

GALLARATE – Varese (VA) – 561F8 – 48 472 ab. – alt. 238 m   18 **A2**
– ✉ 21013

▶ Roma 617 – Stresa 43 – Milano 40 – Como 50

🏠 **Astoria** senza rist   🔃 🄰🄲 ⁇ 🆅🆂🄰 🆇🆇 🄰🄴 🔾
piazza Risorgimento 9/A – 𝒞 03 31 79 10 43 – www.astoria.ws – hotel@
astoria.ws – Fax 03 31 77 26 71
50 cam ⤢ – †90/150 € ††110/220 €
♦ Ubicato nel centro del paese, costituisce un valido punto d'appoggio per il vicino aeroporto di Malpensa; camere pulite e ordinate, arredi sobri e confortevoli.

❌❌ **Vicolo dei Tetti**   🄰🄲 🆅🆂🄰 🆇🆇 🄰🄴 🔾
vicolo dei Tetti 2 Gallarate – 𝒞 03 31 78 33 97 – www.vicolodeitetti.it
– info@vicolodeitetti.it – Fax 03 31 78 33 97
– Chiuso dall'8 al 14 gennaio, dal 13 al 19 agosto, lunedì
Rist – (chiuso a mezzogiorno sabato e domenica) (consigliata la prenotazione)
Carta 38/50 € 🕸
♦ Locale carino e accogliente nel centro a Gallarate, nel vicolo omonimo. All'interno pochi tavoli e piccolo banco bar per degustazione vini; al piano superiore, la sala rustica ma signorile si propone come palcoscenico per una cucina creativa.

❌ **Trattoria del Ponte**   🄰🄲 🄿 🆅🆂🄰 🆇🆇 🄰🄴 �🔾 🔾
corso Sempione 99 – 𝒞 03 31 77 72 92 – www.trattoriadelponte.com – info@
trattoriadelponte.com – Fax 03 31 78 96 59 – chiuso mercoledì
Rist – Carta 28/56 €
♦ Frequentata trattoria non molto distante dal centro. Le specialità profumano di mare e valgono una cena, ma per chi ha fretta c'è un'ottima lista di pizze.

GALLIANO – Firenze – 563J15 – Vedere Barberino di Mugello

GALLIATE LOMBARDO – Varese (VA) – 839 ab. – alt. 335 m   18 **A1**
– ✉ 21020

▶ Roma 639 – Stresa 41 – Como 34 – Lugano 47

❌❌ **Antica Trattoria Monte Costone** (Ilario Vinciguerra)   🏡 🄰🄲 🕸
� via IV Novembre 10 – 𝒞 03 32 94 71 04   ⤾ 🆅🆂🄰 🆇🆇 🔾
– www.ilariovinciguerra.it – info@ilariovinciguerra.it – chiuso 3 settimane in
gennaio e martedì
Rist – (chiuso a mezzogiorno escluso sabato e i giorni festivi) (consigliata la prenotazione) Menu 65/85 € – Carta 58/78 € 🕸
Spec. Terrina di fegato d'anatra con composta di frutta. "Profumo": tartare di gamberi rossi e gin tonic. Lavori in corso (degustazione di dolci).
♦ Giovane gestione per questa interessante realtà gastronomica: gradevole servizio estivo sulla bella terrazza e pochi coperti. La tavola conquista il palato con piatti creativi, su base mediterranea.

GALLIERA VENETA – Padova (PD) – 562F17 – 6 803 ab. – alt. 30 m   37 **B1**
– ✉ 35015

▶ Roma 535 – Padova 37 – Trento 109 – Treviso 32

❌❌ **Al Palazzon**   🏡 🄰🄲 ⤾ 🄿 🆅🆂🄰 🆇🆇 🄰🄴 🔾
via Cà Onorai 2 località Mottinello Nuovo – 𝒞 04 95 96 50 20 – www.alpalazzon.it
– alpalazzon@libero.it – Fax 04 95 96 59 31 – chiuso agosto e lunedì
Rist – Carta 27/40 €
♦ In una grande casa di campagna, locale a conduzione familiare: sale dai toni rustici e di discreta eleganza, nonché un menu equamente diviso tra piatti di carne e di pesce.

GALLIO – Vicenza (VI) – 562E16 – 2 378 ab. – alt. 1 090 m – Sport 35 **B2**
invernali : 1 090/1 730 m ⚡47 (Altopiano di Asiago) ⚞ – ✉ 36032

▶ Roma 577 – Trento 68 – Belluno 88 – Padova 94

🏨 **Gaarten** ⪡ 🖥 ⊕ 🏂 🖵 ⚡ rist, ⚡ rist, ⚟ 🔌 🅿 🚗 VISA 🚘 AE ⓪ ⚞
via Kanotole 13/15 – 𝒞 04 24 44 51 02 – www.gaartenhotel.it – info@
gaartenhotel.it – Fax 04 24 44 54 52
45 cam ⌷ – ♦80/130 € ♦♦140/210 € – ½ P 90/125 € **Rist** – Carta 24/51 €
♦ Risorsa polifunzionale d'impostazione moderna, decisamente confortevole e ideale
per congressi in altura. Grazie alla nuova SPA, la struttura risulta anche indicata
per vacanze *relax*: "essere o benessere"? Cucina internazionale nel rispetto e nell'attenta
valorizzazione dei prodotti tipici.

GALLIPOLI – Lecce (LE) – 564G35 – 20 461 ab. – ✉ 73014 ▯ Italia 27 **D3**

▶ Roma 628 – Brindisi 78 – Bari 190 – Lecce 37

🅷 piazza Imbriani 10 𝒞 0833 262529, gallipoli@pugliaturismo.com, Fax 0833
265199

◉ Interno★ della chiesa della Purissima

🏨 **Palazzo del Corso** senza rist 🛴 ⚟ 🆔 ⚡ ⚟ 🅿 🚗
corso Roma 145 – 𝒞 08 33 26 40 40 VISA 🚘 AE ⓪ ⚞
– www.hotelpalazzodelcorso.it – info@hotelpalazzodelcorso.it
– Fax 08 33 26 50 52 – chiuso dal 10 dicembre al 14 gennaio
7 cam – ♦175/305 € ♦♦220/330 €, ⌷ 15 € – 3 suites – ♦♦350/495 €
♦ A pochi passi dal centro storico, un palazzo ottocentesco dagli eleganti ambienti arredati con tessuti e mobilia di pregio ed un roof-garden con buffet caldi e freddi.

🏠 **Palazzo Mosco Inn** senza rist 🆔 📞 VISA 🚘 AE ⓪ ⚞
via Micetti 26 – 𝒞 08 33 26 65 62 – www.palazzomoscoinn.it – info@
palazzomoscoinn.it – Fax 08 33 26 51 08 – aprile-novembre
10 cam – ♦155/185 € ♦♦175/200 €, ⌷ 10 € – 1 suite
♦ Tra vicoli e palazzi storici, un edificio dell'Ottocento ospita nei suoi ambienti dai
mosaici originali, camere arredate con gusto e una terrazza solarium con vista sul golfo.

🏠 **Relais Corte Palmieri** senza rist 🆔 📞 🚗 VISA 🚘 AE ⓪ ⚞
corte Palmieri 3 – 𝒞 08 33 26 53 18 – www.relaiscortepalmieri.it – info@
relaiscortepalmieri.it – Fax 08 33 26 50 52 – aprile-novembre
16 cam – ♦155/185 € ♦♦175/200 €, ⌷ 10 € – 3 suites
♦ Un gioiello nel cuore di Gallipoli: in un palazzo del '700 restaurato nel pieno rispetto
della struttura originaria, una risorsa unica, curata e ricca di personalizzazioni.

✕✕ **La Puritate** 🆔 VISA 🚘 AE ⓪ ⚞
via Sant'Elia 18 – 𝒞 08 33 26 42 05 – chiuso ottobre e mercoledì escluso da
giugno a settembre
Rist – Carta 31/48 €
♦ Sulla passeggiata che costeggia le mura, il ristorante dispone di un'elegante veranda
in legno e una cucina con proposte esclusivamente a base di pesce.

✕✕ **Il Bastione** ⪡ 🛖 VISA 🚘 AE ⓪ ⚞
riviera Nazario Sauro 28 – 𝒞 08 33 26 38 36 – andreaquintana@live.it
– Fax 08 33 26 38 36
Rist – Carta 29/51 €
♦ Vicino alle mura del centro storico, un piacevole locale con vista sul mare dispone di
una sala dagli alti soffitti e di una veranda in legno dove gustare piatti di pesce.

sulla strada Litoranea Sud-Est : 6 km :

🏨 **Grand Hotel Costa Brada** ⚓ ⪡ 🚲 🏠 🛖 🎿 🖥 🏂 🛴 🖵 🏊
litoranea per Santa Maria di 🆔 ⚡ ⚟ 🔌 🅿 🚗 VISA 🚘 AE ⓪ ⚞
Leuca – 𝒞 08 33 20 25 51 – www.grandhotelcostabrada.it – info@
grandhotelcostabrada.it – Fax 08 33 20 25 55
75 cam ⌷ – ♦300/330 € ♦♦400/440 € **Rist** – Carta 46/68 €
♦ Direttamente sulla spiaggia, una struttura dalle bianche pareti, dispone di ampie zone
comuni, camere confortevoli dagli arredi curati ed un attrezzato centro benessere. I tradizionali sapori mediterranei trovano consenso nell'elegante sala da pranzo.

Ⓗ **Ecoresort Le Sirenè** 🏖   🚗 🐾 ☂ 🍴 🍽 📶 AC 🍸 rist, ⚒ **P**
        litoranea per Santa Maria di Leuca   **VISA** ⚫ AE ⓪ **$**
        – 𝒞 *08 33 20 25 36 – www.attiliocaroli.it – lesirenuse@attiliocaroli.it*
        – *Fax 08 33 20 25 39*
        120 cam ⌂ – **†**110 € – **††**140 € – ½ P 75/120 €
        Rist – *(aprile-ottobre)* Menu 22/26 €
        ◆ Frontemare, circondato da una gradevole pineta, la risorsa dispone di ambienti dai sobri arredi, ideali per un soggiorno votato allo sport o al relax. Nella spaziosa sala ristorante, specialità gastronomiche legate alla tradizione salentina.

⌂ **Masseria Li Foggi** senza rist   🚗 AC 📶 **P** **VISA** ⚫ **$**
        contrada Li Foggi – 𝒞 *08 33 27 72 17 – www.kalekora.it – masserialifoggi@*
        kalekora.it – Fax 08 33 27 72 17 – 16 aprile-12 ottobre
        8 suites ⌂ – **†**83/190 € **††**116/250 €
        ◆ Circondata da curati giardini con colture di ulivi ed in posizione isolata, un'antica masseria ospita eleganti appartamenti con arredi di buon gusto ed equilibrio di colori.

GALLODORO – Messina – 565N27 – **Vedere Sicilia alla fine dell'elenco alfabetico**

GALLUZZO – Firenze – 563K15 – **Vedere Firenze**

GALZIGNANO TERME – Padova (PD) – 562G17 – **4 252 ab.**   35 **B3**
– **alt. 22 m** – ✉ 35030
        🚹 Roma 477 – Padova 20 – Mantova 94 – Milano 255
        📷 , 𝒞 049 919 51 00

verso Battaglia Terme Sud-Est : 3,5 km :

ⒽⒽ **Sporting Hotel Terme** 🏖   ← 🚗 ☂ 🔲 ♨ ⛵ ⛳ 🍸 🍴 🖥 🛎
        viale delle Terme 82 ✉ 35030   🚹🚹 AC 🍸 rist, **P** **VISA** ⚫ AE **$**
        – 𝒞 *04 99 19 50 00 – www.galzignano.it – reservations@galzignano.it*
        – *Fax 04 99 19 52 51 – chiuso dal 8 al 22 dicembre*
        105 cam ⌂ – **†**98/152 € **††**160/296 € – 5 suites – ½ P 110/148 €
        Rist – Menu 27/35 €
        ◆ Alle falde dei colli Euganei, poco lontano da Padova e Venezia, una struttura di concezione moderna, di recente rinnovata nella zona notte. Piscina coperta con angolo bar.

ⒽⒽ **Splendid Hotel Terme** 🏖   ← 🚗 ☂ 🔲 ♨ ⛵ ⛳ 🍸 🍴 🖥 🛎
        viale delle Terme 82 ✉ 35030   🚹🚹 AC 🍸 rist, **P** 🚗 **VISA** ⚫ AE ⓪ **$**
        – 𝒞 *04 99 19 60 00 – www.galzignano.it – reservations@galzignano.it*
        – *Fax 04 99 19 62 50 – 20 marzo-ottobre e 26 dicembre-5 gennaio*
        85 cam ⌂ – **†**88/146 € **††**128/264 € – 6 suites – ½ P 98/132 €
        Rist – Menu 25/37 €
        ◆ Giardino ombreggiato con piscina termale per una grande risorsa alberghiera sempre inserita nel contesto delle Terme; confortevoli camere eleganti, nuove e accessoriate.

Ⓗ **Majestic Hotel Terme** 🏖   ← 🚗 ☂ 🔲 ♨ ⛵ ⛳ 🍸 🍴 🖥 🛎 🚹
        viale delle Terme 84 ✉ 35030   AC 🍸 rist, ⚒ **P** **VISA** ⚫ AE **$**
        – 𝒞 *04 99 19 40 00 – www.galzignano.it – reservations@galzignano.it*
        – *Fax 04 99 19 42 50 – chiuso gennaio e febbraio e dall 2 novembre*
        al 22 dicembre
        106 cam – 8 suites – solo ½ P 86/110 €   **Rist** – Menu 25/32 €
        ◆ Veste classica per questa bella struttura che, con lo Splendid Hotel, divide il giardino ombreggiato con piscina termale; valida disposizione degli spazi comuni.

GAMBARA – Brescia (BS) – 561G12 – **4 607 ab.** – **alt. 51 m** – ✉ 25020   17 **C3**
        🚹 Roma 530 – Brescia 42 – Cremona 29 – Mantova 63

Ⓗ **Gambara** senza rist   🛎 AC 📶 ⚒ **P** **VISA** ⚫ AE ⓪ **$**
🍽 *via campo Fiera 22* – 𝒞 *03 09 95 62 60 – www.hotelgambara.it – info@*
        hotelgambara.it – Fax 03 09 95 62 71
        13 cam ⌂ – **†**55/60 € **††**75/85 €
        ◆ La tradizione alberghiera di questo edificio risale ai primi del '900; da poco rinnovato, assicura confort e atmosfera in un ambiente familiare. Belle camere personalizzate.

GAMBARARE – Venezia – **Vedere Mira**

GAMBARIE D'ASPROMONTE – Reggio di Calabria (RC) – 564M29   5 **A3**
– alt. 1 300 m – ✉ 89050

▶ Roma 672 – Reggio di Calabria 43 – Catanzaro 151 – Lamezia Terme 126

🏠 **Centrale**   📶 ⚗ 🛁 🅅🅸🅂🅰 ⓪ 🄰🄴 ① ♿

⊕ piazza Mangeruca 23 – ℰ 09 65 74 31 33 – www.hotelcentrale.net – info@
hotelcentrale.net – Fax 09 65 74 31 41

48 cam �*2* – †60/70 € ††70/80 € – ½ P 60/70 €   **Rist** – Carta 21/27 €

♦ Nel centro della località, un esercizio semplice e ben tenuto, stanze spaziose con mobili in legno. Gestione ospitale, possibilità di escursioni guidate in mountain-bike. Piatti da gustare in due sale ristorante, la più piccola ristrutturata di recente.

🏠 **Park hotel Bellavista**   🚗 🆃 ⅙ ⚗ cam, 🅿 🅅🅸🅂🅰 ⓪ ♿

⊕ via delle Albe – ℰ 09 65 74 41 43 – www.bellavistapark.it – info@bellavistapark.it
– Fax 09 65 74 31 33

13 cam ⊊ – †70/90 € ††90/110 €   **Rist** – (solo per alloggiati) Menu 20/30 €

♦ Un curato giardino incornicia questa moderna struttura di recente costruzione: zone comuni e camere dagli arredi caldi e contemporanei. Cucina tipica montana al ristorante.

GAMBASSI TERME – Firenze (FI) – 563L14 – 4 792 ab. – alt. 332 m   28 **B2**
– ✉ 50050

▶ Roma 285 – Firenze 59 – Siena 53 – Pisa 73

🏠 **Villa Bianca** ⚘   🐾 🈲 🛁 ⅙ 🄰🄺 🐾 🅿 🅅🅸🅂🅰 ⓪ 🄰🄴 ① ♿

via Gramsci 113 – ℰ 05 71 63 80 75 – www.villabiancahotel.it – info@
villabiancahotel.it – Fax 05 71 63 92 44

8 cam ⊊ – †70/95 € ††120/159 € – ½ P 90/110 €
Rist Gambasinus – (chiuso dal 7 gennaio al 1° marzo) Carta 28/36 €

♦ Sobria e raffinata. Si accede da una piccola elegante hall per arrivare alle camere, tutte personalizzate e arredate con buon gusto e molta attenzione ai particolari. Immersa in un parco con piscina. I sapori del territorio al ristorante che evoca, nel nome, l'arte di antichi vetrai. Bella veranda esterna.

GAMBELLARA – Vicenza (VI) – 562F16 – 3 267 ab. – alt. 70 m   35 **B3**
– ✉ 36053

▶ Roma 532 – Verona 37 – Padova 56 – Venezia 89

🍴 **Antica Osteria al Castello**   🄰🄺 ⇔ 🅿 🅅🅸🅂🅰 ⓪ 🄰🄴 ① ♿

via Castello 23, località Sorio, Sud : 1 km – ℰ 04 44 44 40 85
– www.anticaosteriaalcastello.com – Info@anticaosteriaalcastello.com
– Fax 04 44 44 40 85 – chiuso domenica

Rist – Carta 36/40 €

♦ Trattoria di tradizione familiare, un po' defilato, composto da due salette raccolte, in una delle quali scoppietta un bel camino. Dalla cucina, ricette della tradizione locale e non solo. Ottime le specialità a base di maiale.

GAMBOLÒ – Pavia (PV) – 561G8 – 8 737 ab. – alt. 104 m – ✉ 27025   16 **A3**
▶ Roma 586 – Alessandria 71 – Milano 43 – Novara 36

🍴 **Da Carla**   🈲 🄰🄺 ⚗ 🅿 🅅🅸🅂🅰 ⓪ 🄰🄴 ① ♿

frazione Molino d'Isella 3, Est : 6 km – ℰ 03 81 93 95 82
– www.trattoriadacarla.com – info@trattoriadacarla.com – Fax 03 81 93 00 06
– chiuso dal 16 al 31 agosto e mercoledì

Rist – Menu 40 € – Carta 32/45 €

♦ Due accoglienti sale con soffitti in legno, pareti bianche e camino: una trattoria di campagna, nei pressi di un pittoresco canale, con piatti a base di oca e rane, ma anche pesce e prodotti di nicchia.

GARBAGNATE MILANESE – Milano (MI) – 561F9 – 27 189 ab.   18 **B2**
– alt. 179 m – ✉ 20024

▶ Roma 588 – Milano 16 – Como 33 – Novara 48

XXX La Refezione AC ⟷ P VISA ◎ AE ⑤

*via Milano 166 – ℰ 029 95 89 42 – www.larefezione.it – refezione@alice.it
– Fax 02 99 02 00 33 – chiuso dal 25 dicembre al 6 gennaio, agosto, domenica e
lunedì a mezzogiorno*
Rist – Menu 45/50 € – Carta 42/67 €
♦ Una fantasiosa cucina per l'elegante "club-house" all'interno di un centro sportivo;
lasciatevi guidare dall'esperto titolare e dalla sua giovane équipe di collaboratori.

GARDA – Verona (VR) – 562F14 – 3 707 ab. – alt. 68 m – ✉ 37016   35 A2
🔲 Italia

▶ Roma 527 – Verona 30 – Brescia 64 – Mantova 65
🛈 piazza Donatori di Sangue 1 ℰ 045 6270384, iatgarda@provincia.vr.it, Fax
0457256720
🔲 Cà degli Ulivi, ℰ 045 627 90 30
◉ Punta di San Vigilio★★ Ovest : 3 km

🏨 Regina Adelaide 🛁 ⌛ 🔲 ⑩ ⅏ ⅙ 🛗 ⅋ cam, AC ⅍ rist, ⌘ ⅍

via San Francesco d'Assisi 23 – ℰ 04 57 25 59 77 P VISA ◎ AE ⑤
– www.regina-adelaide.it – hotel@regina-adelaide.it – Fax 04 57 25 62 63
49 cam ⛌ – †158/231 € ††196/294 € – 10 suites – ½ P 141/175 €
Rist – Carta 41/53 € ⅌
♦ Recente rinnovo per uno tra gli alberghi più blasonati del Garda, dotato di ampi spazi
comuni, eleganti, giardino con piscina, varie attrezzature per il benessere, ottime
camere. Curato settore ristorante; ambienti luminosi con grandi vetrate e dehors estivo.

🏨 Poiano ⅏ ≤ 🛁 ⌛ ⌛ ⅏ ⅍ 🛗 ⅍ AC ⅍ ⌘ ⅍ P

via Fioria 7, Est : 2 km – ℰ 04 57 20 01 00 VISA ◎ AE ⓞ ⑤
– www.poiano.com – hotel@poiano.com – Fax 04 57 20 09 00 – marzo-ottobre
120 cam ⛌ – ††98/198 € – ½ P 65/114 €   **Rist** – Menu 20/38 €
♦ In collina, tra il verde della vegetazione mediterranea, eppure non molto distante dal
lago, enorme e tranquilla struttura a vocazione sia congressuale che vacanziera. Servizio
ristorante all'aperto, nella rilassante atmosfera dell'entroterra lacustre.

🏠 Gabbiano senza rist ⅏ 🛁 ⌛ 🛗 ⅍ ⌘ VISA ◎ ⑤

*via dei Cipressi 24 – ℰ 04 57 25 66 55 – www.hotelgabbianogarda.com – info@
hotelgabbianogarda.com – Fax 04 57 25 53 63 – aprile-settembre*
32 cam ⛌ – †50 € ††80/100 €
♦ Essenzialità e semplicità contraddistinguono questa risorsa dalla discreta gestione
familiare, ideale per un soggiorno di relax nei pressi del lago. In zona residenziale.

🏠 Benaco senza rist ⅋ AC ⅍ ⅍ ⌘ P VISA ◎ ⑤

*corso Italia 126 – ℰ 04 57 25 52 83 – www.hotelbenacogarda.it – info@
hotelbenacogarda.it – Fax 04 56 27 81 96 – chiuso dal 13 gennaio al 9 marzo*
16 cam ⛌ – †50/70 € ††70/120 €
♦ Moderno, con qualche accenno di design nelle zone comuni, questo grazioso hotel a
due passi dal lago e dal centro propone camere signorili arredate con mobili in legno
scuro.

🏠 All'Ancora ≤ ⅍ 🛗 AC ⅋ ⌘ VISA ◎ AE ⓞ ⑤

*via Manzoni 7 – ℰ 04 57 25 52 02 – www.allancora.com – info@allancora.com
– Fax 04 56 27 98 63 – 15 marzo-dicembre*
18 cam ⛌ – †26/48 € ††52/90 € – ½ P 38/57 €   **Rist** – Carta 17/39 €
♦ Ubicazione centralissima, a pochi metri dal lago; soluzione per un soggiorno senza
pretese, ma con rara cura del cliente. Ottima la tenuta e simpatia nella gestione. Nell'accogliente sala da pranzo, fiori freschi a centrotavola.

🏠 La Vittoria senza rist 🛗 ⅋ AC ⅋ ⅍ VISA ◎ AE ⓞ ⑤

*lungolago regina Adelaide 58 – ℰ 04 56 27 04 73 – www.hotellavittoria.it
– info@hotellavittoria.it – Fax 04 56 27 91 71 – 29 marzo-4 novembre*
12 cam ⛌ – †52/106 € ††76/156 €
♦ Recentemente aperto, occupa gli ambienti di una villa ristrutturata, situata fronte lago;
dispone di camere spaziose e ben arredate con alcuni mobili d'epoca. Quasi signorili.

GARDA (Lago di) o BENACO – Brescia, Trento e Verona – 561F13 🔲 Italia

GARDONE RIVIERA – Brescia (BS) – 561F13 – **2 665 ab.** – alt. 85 m   17 **C2**
– ⊠ 25083 ▮ Italia

  ▶ Roma 551 – Brescia 34 – Bergamo 88 – Mantova 90

  🖍 corso Repubblica 8 ✆ 0365 20347, iat.gardoneriviera@tiscali.it, Fax0365
    20347

  🖬 Bogliaco, ✆ 0365 64 30 06

  ◉ Posizione pittoresca★★ – Tenuta del Vittoriale★ (residenza e tomba di
    Gabriele d'Annunzio) Nord-Est : 1 km

🏠🏠🏠 **Grand Hotel**   ⬅ 🚗 🕍 ⚒ 🔊 ▮ 🕭 🔲 ⚙ rist, 🔊 🅿
corso Zanardelli 84 – ✆ 036 52 02 61   🔲 ◍ 🔲 ◑ 🖢
– *www.grangardone.it* – *ghg@grangardone.it* – *Fax 036 52 26 95*
– *4 aprile- 18 ottobre*
168 cam � – ♦116/148 € ♦♦190/254 € – ½ P 125/152 €
Rist – Carta 42/59 €

◆ Hotel storico dell'ospitalità gardesana, creato nel 1886; oggi unisce confort moderni alla magica posizione con terrazza-giardino fiorita sul lago e piscina riscaldata. Fascino e prestigio d'altri tempi anche nel ristorante con una veranda affacciata sul lago.

🏠🏠 **Villa Sofia** senza rist   ⬅ 🚗 ⚒ ▮ 🕭 🔲 🅿 🔲 ◍ 🔲 ◑ 🖢
via Cornella 9 – ✆ 036 52 27 29 – *www.savoypalace.it* – *villasofia@savoypalace.it*
– *Fax 036 52 23 69* – *aprile-ottobre*
34 cam ⊇ – ♦95/176 € ♦♦123/265 €

◆ Villa d'inizio '900 in posizione dominante e panoramica. Tanto verde ben curato vicino alle piscine, confort elevato e accoglienza cordiale nei caldi ambienti interni.

🏠🏠 **Savoy Palace**   ⬅ 🚗 ⚒ 🔊 🏊 ▮ 🕭 rist, 🔲 ⚙ rist, "🍴" 🔊 🚗
via Zanardelli 2/4 – ✆ 03 65 29 05 88   🔲 ◍ 🔲 ◑ 🖢
– *www.savoypalace.it* – *info@savoypalace.it* – *Fax 03 65 29 05 56* – *aprile-ottobre*
60 cam ⊇ – ♦110/184 € ♦♦133/300 € – ½ P 97/180 €   **Rist** – Carta 40/50 €

◆ Accorto il progetto di recente restauro che ha ravvivato una pietra miliare dell'hotellerie locale: il risultato, in un giardino con piscina sul lungolago, è encomiabile. Nella sala da pranzo resiste, nonostante il rinnovo, l'atmosfera d'altri tempi.

🏠🏠 **Villa Capri** senza rist   ⬅ 🕭 ⚒ ▮ 🔲 ⚙ "🍴" 🅿 🔲 ◍ 🖢
corso Zanardelli 172 – ✆ 036 52 15 37 – *www.hotelvillacapri.com* – *info@*
hotelvillacapri.com – *Fax 036 52 27 20* – *aprile-ottobre*
45 cam ⊇ – ♦110/120 € ♦♦185/240 €

◆ Magnifico parco in riva al lago con piscina e bella, raffinata struttura chiara, da poco rinnovata, annessa al corpo originario costituito da una incantevole villa d'epoca.

🏠 **Bellevue** senza rist   ⬅ 🚗 ⚒ ▮ 🔲 🕭 🅿 🔲 ◍ 🖢
corso Zanardelli 87 – ✆ 03 65 29 00 88 – *www.hotelbellevuegardone.com*
– *info@hotelbellevuegardone.com* – *Fax 03 65 29 00 80* – *aprile-10 ottobre*
30 cam ⊇ – ♦70/80 € ♦♦120/125 €

◆ A monte della strada, un albergo d'inizio secolo, molto ben tenuto e con stanze confortevoli. Curatissima e gradevole la parte esterna: un giardino fiorito con piscina.

🏠 **Dimora Bolsone** senza rist ⚘   ⬅ 🕭 ⚙ ⚙ 🅿 🔲 ◍ 🖢
via Panoramica 23, Nord-Ovest : 2,5 km – ✆ 036 52 10 22 – *www.dimorabolsone.it*
– *info@dimorabolsone.it* – *Fax 03 65 29 30 42* – *marzo-6 novembre*
5 cam ⊇ – ♦170/190 € ♦♦200/210 €

◆ Storico casale di campagna, le cui origini risalgono al XV sec., inserito in un grande parco che arriva a lambire il Vittoriale. "Giardino dei sensi" con piante di ogni tipo.

✗✗✗ **Villa Fiordaliso** (Riccardo Camanini) con cam   ⬅ 🕭 🕍 🔲 cam, ⚙
  ✿   *corso Zanardelli 150* – ✆ 036 52 01 58   🅿 🔲 ◍ 🔲 ◑ 🖢
www.villafiordaliso.it – *info@villafiordaliso.it* – *Fax 03 65 29 00 11* – *marzo-ottobre*
2 cam ⊇ – ♦♦330/450 € – 3 suites – ♦♦450/600 €
Rist – *(chiuso lunedì e martedì a mezzogiorno)* Menu 110 € – Carta 65/85 € ⅜
Spec. Anguilla affumicata, semi di lino e yogurt di capra. Risotto con stracchino, olio d'argan e sardine allo spiedo. Torta di rose cotta al momento, cremino di liquore all'uovo e limoni canditi del Garda.

◆ Splendida e amena villa liberty in riva al lago: cucina creativa, indimenticabile servizio all'aperto e suggestivi interni. In camere moderne o d'epoca, il soggiorno è comunque lussuoso.

XX **Agli Angeli** con cam ⏶ VISA ⬤ ⓢ
piazza Garibaldi 2, località Vittoriale – 𝒞 036 52 08 32 – *www.agliangeli.com*
– *info@agliangeli.com* – Fax 036 52 07 46 – *marzo-ottobre*
16 cam ⌑ – ♦50/70 € ♦♦90/150 € – 2 suites
Rist – *(chiuso martedì) (chiuso a mezzogiorno in luglio e agosto)* Carta 32/48 €
♦ A Gardone alta, a due passi dal Vittoriale e in pieno centro storico, questa trattoria a conduzione familiare propone una cucina casereccia e lacustre. Le camere si affacciano sulla piazzetta e sulle strade del borgo.

Fasano del Garda Nord-Est : 2 km – ✉ 25083

🏠🏠🏠 **Grand Hotel Fasano e Villa Principe** ≤ 🚕 ⏶ 🎿 📺 ⑩ 🐎
corso Zanardelli 190 𝟦 ⫶🔔 ⌕ 📶 ⅋ rist, ⑩⑩ 🔒 **P** VISA ⬤ ⓢ
– 𝒞 03 65 29 02 20 – *www.ghf.it* – *info@ghf.it* – Fax 03 65 29 02 21
– *9 aprile-11 ottobre*
75 cam – ♦120/190 € ♦♦200/410 €, ⌑ 17 € – ½ P 250 €
Rist *Il Fagiano* – *(chiuso a mezzogiorno)* Carta 48/69 €
♦ Ex residenza di caccia della Casa Imperiale d'Austria, trae nome dalla "fasanerie" e ospita nel parco Villa Principe; terrazza-giardino sul lago, nuovo spazio wellness. Atmosfera di sobria eleganza nella sala ristorante, per gustare piatti anche lacustri.

🏠🏠 **Villa del Sogno** ⑄ ≤ ⑅ 🚕 ⏶ ⅋ ⫶🔔 ⌕ 📶 ⅋ ⑩⑩ 🔒 **P**
corso Zanardelli 107 – 𝒞 03 65 29 01 81 ⬤ AE ⓞ ⓢ
– *www.villadelsogno.it* – *info@villadelsogno.it* – Fax 03 65 29 02 30
– *aprile-16 ottobre*
32 cam ⌑ – ♦203/385 € ♦♦290/550 € – 3 suites – ½ P 195/275 €
Rist – *(chiuso a mezzogiorno)* Carta 55/80 € 🍷
♦ Sulla sommità di una collina con splendido parco, D'Annunzio definì il terrazzo di Villa Sogno "il più bello del Benaco". Splendide camere classiche, veneziane o liberty Ambiente "fin de siècle" nella sala da pranzo, con soffitto decorato e bel pavimento ligneo.

GARGANO (Promontorio del) – Foggia – 564B28

GARGNANO – Brescia (BS) – 561E13 – 3 037 ab. – alt. 98 m – ✉ 25084 **17 C2**
▌ Italia

  ▶ Roma 563 – Verona 51 – Bergamo 100 – Brescia 46
  🏐 Bogliaco, 𝒞 0365 64 30 06

🏠🏠🏠 **Grand Hotel a Villa Feltrinelli** ⑄ ⑅ 🚕 ⏶ 𝟦 📶 ⅋ cam, 📺
✿ *via Rimembranze 38/40* 𝟦 ⅋ ⑩⑩ 🔒 **P** VISA ⬤ AE ⓞ ⓢ
– 𝒞 03 65 79 80 00 – *www.villafeltrinelli.com* – *grandhotel@villafeltrinelli.com*
– Fax 03 65 79 80 01 – *aprile-ottobre*
17 cam ⌑ – ♦♦1100/2400 € – 4 suites
Rist – (prenotare) Menu 130/180 € – Carta 125/160 € solo la sera (+5 %)
Spec. Zuppetta di pesci di scoglio con calamaretti spillo farciti con piselli e limone. Maialino da latte laccato con miele e semi di finocchio, rape rosse in agrodolce e misticanza di foglie acidule. Crespella di latte gratinata e farcita con spuma allo yogurt e zenzero, sciroppo al rosmarino.
♦ Soggiorno fiabesco in riva al lago: arredi d'epoca, boiserie, vetrate policrome ed affreschi in questa meravigliosa villa storica circondata da un incantevole parco. Nei raffinati interni Belle Epoque o in terrazza, la cucina si fa inventiva e sorprendente.

🏠🏠 **Villa Giulia** ⑄ ≤ 🚕 🚕 ⏶ 🐎 𝟦 📺 ⅋ 🐾 **P** VISA ⬤ AE ⓢ
viale Rimembranza 20 – 𝒞 036 57 10 22 – *www.villagiulia.it* – *info@villagiulia.it*
– Fax 036 57 27 74 – *aprile-ottobre*
22 cam ⌑ – ♦130/140 € ♦♦220/330 € – 1 suite
Rist – *(chiuso mercoledì sera)* Carta 43/60 €
♦ Villa di fine '800 in riva al lago vanta uno splendido giardino-terrazza. Diverse camere con arredi originali d'epoca, ma confort moderni. In riva al lago, il ristorante propone la cucina regionale e quella italiana.

🏠 Meandro ⟨ 🚗 🔲 🀄 📶 🍴 rist. 🍴 P VISA ⓂⓄ AE ① 🔥
*via Repubblica 40 – ☎ 036 57 11 28 – www.hotelmeandro.it – info@
hotelmeandro.it – Fax 036 57 20 12 – marzo-15 dicembre*
44 cam ⊇ – †65/120 € ††78/160 € – ½ P 53/95 €   **Rist** – Carta 18/35 €
♦ Una bassa costruzione, un po' arretrata rispetto al lago, ma con una bella vista e attorniata dal verde, in prossimità di una spiaggia pubblica. Camere rinnovate. Nuova sala da pranzo affacciata sul delizioso panorama circostante.

🏠 Riviera senza rist ⟨ 🔲 🀄 📶 VISA ⓂⓄ 🔥
*via Roma 1 – ☎ 036 57 22 92 – www.garniriviera.it – info@garniriviera.it
– Fax 03 65 79 15 61 – Pasqua-ottobre*
20 cam ⊇ – †48/80 € ††58/90 €
♦ Indirizzo prezioso per diverse ragioni a partire dal caratteristico terrazzo vista lago dove vengono servite le colazioni, per arrivare alle camere graziose e curate.

🏠 Palazzina ⟨ 🚗 🔲 🀄 📶 P VISA ⓂⓄ AE ① 🔥
*via Libertà 10 – ☎ 036 57 11 18 – www.hotelpalazzina.it – info@hotelpalazzina.it
– Fax 036 57 15 28 – aprile-4 ottobre*
25 cam ⊇ – †52/61 € ††80/114 € – ½ P 48/65 €
Rist – *(chiuso a mezzogiorno)* Carta 22/37 €
♦ Sopraelevato rispetto al paese, un albergo dotato di piscina su terrazza panoramica protesa sul blu; conduzione familiare e clientela per lo più abituale. Suggestiva anche l'atmosfera al ristorante grazie alla particolare vista sul lago e sui monti che offre ai commensali.

🍴🍴🍴 La Tortuga (Maria Cozzaglio) AE 📶 VISA ⓂⓄ 🔥
*via XXIV Maggio 5 – ☎ 036 57 12 51 – la.tortuga@alice.it – Fax 036 57 19 38
– chiuso dal 15 novembre al 1° marzo, martedì e a mezzogiorno (escluso
domenica da settembre a giugno)*
Rist – Menu 60/70 € – Carta 58/83 € 🍷
Spec. Piccole fantasie di pesce di lago. Costolette d'agnello al profumo di rosmarino e timo. Torta tiepida di pere con salse di frutta e gelato al fior di latte.
♦ Nel centro storico, piccolo ed intimo locale con elementi di arredo rustico. La cucina soddisfa gli appassionati del pesce di lago ma anche di mare e qualche piatto di carne.

a Villa Sud : 1 km – ✉ 25084 – Gargnano

🏠 Baia d'Oro senza rist 🌿 ⟨ AE 🚗 ⓂⓄ
*via Gamberera 13 – ☎ 036 57 11 71 – www.hotelbaiadoro.it – info@
hotelbaiadoro.it – Fax 036 57 25 68 – 15 marzo-15 ottobre*
13 cam ⊇ – †90 € ††125 €
♦ Tra le viuzze del centro storico, una graziosa locanda che assomiglia tanto ad una casa privata e molto poco ad un albergo: un gioiellino con una romantica terrazza sul lago.

GARGONZA – Arezzo – 563M17 – Vedere Monte San Savino

GARLENDA – Savona (SV) – 561J6 – 890 ab. – alt. 70 m – ✉ 17033   14 **A2**
🚗 Roma 592 – Imperia 37 – Albenga 10 – Genova 93
🔎 (maggio-settembre) via Roma 1 ☎ 0182 582114, garlenda@inforiviera.it
🔢, ☎ 0182 58 00 12

🏠🏠🏠 La Meridiana 🌿 🚗 🀄 🔲 🀄 📶 ✝ AE 📶 rist. 🍴 ♨ P
via ai Castelli – ☎ 01 82 58 02 71 VISA ⓂⓄ AE ① 🔥
*– www.lameridiana.eu – meridiana@relaischateaux.com – Fax 01 82 58 01 50
– marzo-novembre*
12 cam – ††220/350 €, ⊇ 24 € – 16 suites – ††390/850 €
Rist Il Rosmarino – *(chiuso lunedì) (chiuso a mezzogiorno)* (consigliata la prenotazione) Menu 70/110 € – Carta 65/109 € 🍷
Rist Il Bistrot – Menu 35/55 € – Carta 36/70 €
♦ Ospitalità ad alti livelli per una deliziosa residenza di campagna, curata negli interni e negli esterni, con camere personalizzate: ovunque, eleganza e buon gusto. Dehors sul giardino, argenterie d'epoca e quadri antichi per la raffinata sale del ristorante Il Rosmarino. Specialità liguri a Il Bistrot.

Hermitage
🛏 AC ✋ cam, (⁽ᵗ⁾ 🔊 P 🚗 VISA ⓪ AE ① 👍

via Roma 152 – ✆ *01 82 58 29 76* – *www.hotelhermitage.info* – *info@hotelhermitage.info* – *Fax 01 82 58 29 75* – *chiuso gennaio*
11 cam – †67/76 € ††80/125 €, ⌚ 10 € – ½ P 75/90 €
Rist – *(chiuso lunedì) (chiuso a mezzogiorno escluso domenica)* Carta 30/50 €
♦ Comode stanze per un ambiente curato e familiare, situato in un giardino alberato, poco fuori dal centro; ideale per golfisti che desiderino sostare nei pressi del campo. Menù da provare nell'accogliente sala interna o nell'ampia veranda.

GATTEO A MARE – Forlì-Cesena (FO) – 562J19 – 5 992 ab. – ✉ 47043   9 D2
▶ Roma 353 – Ravenna 35 – Rimini 18 – Bologna 102
ℹ piazza della Libertà 10 ✆ 0547 86083, iat@gatteo.fo.it, Fax 054785393

Flamingo
⟨ 🏊 🛁 ✋ 🚪 AC ✋ rist, (⁽ᵗ⁾ 🚗 VISA ⓪ AE 👍

viale Giulio Cesare 31 – ✆ *054 78 71 71* – *www.hotel-flamingo.net* – *flamingo@hotel-flamingo.com* – *Fax 05 47 68 05 32* – *Pasqua-ottobre*
48 cam – †65/90 € ††99/105 €, ⌚ 10 € – ½ P 65/94 €
Rist – *(solo per alloggiati)*
♦ La struttura, a pochi metri dalla spiaggia, offre camere nuove, graziose e confortevoli nonostante la bizzarra architettura esterna.

Estense
🚪 AC ✋ rist, (⁽ᵗ⁾ P VISA ⓪ AE 👍

via Gramsci 30 – ✆ *054 78 70 68* – *www.hotelestense.net* – *tonielli@hotelestense.net* – *Fax 054 78 74 89* – *chiuso novembre*
38 cam – †30/50 € ††60/100 €, ⌚ 6 € – ½ P 45/60 €   **Rist** – Carta 18/22 €
♦ Edificio dagli interni luminosi e chiari con spazi comuni recentemente ristrutturati e camere semplici ed accoglienti. Sala da pranzo molto semplice con proposte gastronomiche ed enologiche di portata nazionale.

Imperiale
🚪 🏃 AC ✋ rist, (⁽ᵗ⁾ P VISA ⓪ AE ① 👍

viale Giulio Cesare 82 – ✆ *054 78 68 75* – *www.hotelimperiale.net* – *info@hotelimperiale.net* – *Fax 054 78 68 75* – *maggio-settembre*
34 cam ⌚ – †50/70 € ††90/140 € – ½ P 75 €
Rist – *(solo per alloggiati)* Carta 20/30 €
♦ Locale a gestione familiare, dove lo stile liberty si coglie tanto nella struttura esterna, quanto negli spazi comuni. Camere semplici, arredate nei caldi colori mediterranei. Nel menù un ampio ventaglio di scelte che spaziano dalla cucina tradizionale a quella creativa, all'insegna del benessere e della freschezza.

GATTINARA – Vercelli (VC) – 561F7 – 8 546 ab. – alt. 265 m   23 C2
– ✉ 13045
▶ Roma 665 – Stresa 38 – Biella 30 – Milano 87

Barone di Gattinara senza rist
🛏 🚪 AC (⁽ᵗ⁾ 🔊 P VISA ⓪ AE 👍

corso Valsesia 238 – ✆ *01 63 82 72 85* – *www.baronedigattinara.it* – *info@baronedigattinara.it* – *Fax 01 63 82 55 35* – *chiuso dal 21 dicembre al 6 gennaio e dal 10 al 24 agosto*
22 cam ⌚ – †82/91 € ††104/108 €
♦ Villa padronale, ubicata in zona periferica, la cui storia è stata sapientemente armonizzata con la modernità degli arredi. Camere ampie, due con soffitti affrescati.

XX Carpe Diem
👍 AC ✋ P VISA ⓪ AE ① 👍

corso Garibaldi 244 – ✆ *01 63 82 37 78* – *www.ristorantecarpediem.it* – *info@ristorantecarpediem.it* – *Fax 01 63 82 37 78* – *chiuso dal 7 a 16 gennaio, dal 1° al 15 agosto e lunedì*
Rist – Carta 30/48 € 🌿
♦ Locale classico in una bella villa circondata da un lussureggiante parco. Professionalità ed esperienza garantiscono un servizio di qualità in ogni evenienza.

XX Il Vigneto con cam
AC rist, 🚗 VISA ⓪ AE 👍

piazza Paolotti 2 – ✆ *01 63 83 48 03* – *www.ristoranteilvigneto.it* – *info@ristoranteilvigneto.it* – *Fax 01 63 83 48 03* – *chiuso dal 1° al 15 gennaio e lunedì*
12 cam – †60/70 € ††84/95 € – ½ P 72/85 €   **Rist** – Carta 32/44 €
♦ Locale signorile che può contare su una sala ristorante raccolta e curata e su un ampio salone dedicato ai banchetti al primo piano. Cucina affidabile e senza sorprese.

GAVI – Alessandria (AL) – 561H8 – 4 565 ab. – alt. 215 m – ⊠ 15066   23 **C3**
  ▯ Roma 554 – Alessandria 34 – Genova 48 – Acqui Terme 42
  ▱ Colline del gavi, ℰ 0143 34 22 64

L'Ostelliere ⬠   ⟨ 🚪 🍴 🔥 ⚕ 🕍 ♿ 🤖 🆎 ♨ rist. 📞 🛎 🅿 🚗
frazione Monterotondo, 56, Nord-Est : 4 km   VISA ◉◉ AE ⓪ 🍴
– ℰ 01 43 60 78 01 – www.ostelliere.it – info@ostelliere.it – Fax 01 43 60 78 11
– chiuso dicembre-febbraio
15 cam ⊆ – †120/160 € ††140/230 € – 13 suites – ††240/695 €
Rist La Gallina – vedere selezione ristoranti
◆ Arredi di calda e moderna eleganza arricchiscono di confort e di charme questa
risorsa d'atmosfera, caratteristicamente situata all'interno dell'azienda vinicola.

XX **Cantine del Gavi**   VISA ◉◉ AE ⓪ 🍴
*via Mameli 69 – ℰ 01 43 64 24 58 – Fax 01 43 64 24 58 – chiuso dal 25 dicembre
al 25 gennaio, 25 giorni in luglio, lunedì e martedì a mezzogiorno*
Rist – Carta 40/50 € 🍴
◆ Nel cuore di Gavi, il ristorante si divide in due sale di cui una, più intima, vanta uno
stupendo soffitto affrescato. L'atmosfera è rustico-signorile, la cucina propone piatti del
territorio con alcune ricette tradizionali ed un'attenzione encomiabile per i prodotti
locali.

XX **La Gallina** – Hotel L'Ostelliere   ⟨ 🆎 ♨ ♿ VISA ◉◉ AE ⓪ 🍴
frazione Monterotondo, 56, Nord-Est : 4 km – ℰ 01 43 68 51 32
– www.la-gallina.it – info@la-gallina.it – Fax 01 43 60 78 01 – chiuso dicembre-
febbraio e mercoledì
Rist – (chiuso a mezzogiorno escluso i giorni festivi) Carta 43/69 € 🍴
◆ Ricavata nell'antico fienile, elegante sala in cui nuovo e antico si fondono armoniosamente. Piacevole terrazza panoramica, per una cucina interessante.

> Le «promesse», segnalate in rosso nelle nostre selezioni,
> distinguono i ristoranti suscettibili di accedere alla categoria superiore,
> vale a dire una stella in più.
> Le troverete nella lista dei ristoranti stellati, all'inizio della guida.

GAVINANA – Pistoia (PT) – 563J14 – alt. 820 m – ⊠ 51025▮ Toscana   28 **B1**
  ▯ Roma 337 – Firenze 60 – Pisa 75 – Bologna 87

🏠 **Franceschi**   ⟨ 🛏 ♨ 🛜 VISA ◉◉ AE 🍴
*piazza Ferrucci 121 – ℰ 057 36 64 44 – www.albergofranceschi.it – ristfran@tin.it
– Fax 05 73 63 89 59 – chiuso dal 10 al 30 novembre*
28 cam ⊆ – †40/51 € ††55/78 € – ½ P 42/52 €   **Rist** – Carta 22/32 €
◆ Antiche origini per questo bianco edificio, posizionato nel cuore di un paesino medievale; rinnovato totalmente all'interno, offre un'atmosfera accogliente e familiare. Sala da
pranzo di taglio moderno, con un camino in uno stile d'altri tempi.

GAVIRATE – Varese (VA) – 561E8 – 9 379 ab. – alt. 261 m – ⊠ 21026   16 **A2**
  ▯ Roma 641 – Stresa 53 – Milano 66 – Varese 10

X **Tipamasaro**   🛜 🅿
  Rist *via Cavour 31 – ℰ 03 32 74 35 24 – Fax 03 32 74 35 24 – chiuso dal 10
al 25 luglio e lunedì*
Rist – Carta 22/34 €
◆ A metà strada tra il centro storico e il lago, l'intera famiglia si dedica con passione al
locale: un ambiente simpatico e un fresco gazebo estivo per riscoprire l'appetitosa
cucina locale.

GAVOI – Nuoro – 566G9 – Vedere Sardegna alla fine dell'elenco alfabetico

---

GAVORRANO – Grosseto (GR) – 563N14 – 8 439 ab. – alt. 273 m   29 **C3**
– ⊠ 58023
  ▯ Roma 213 – Grosseto 35 – Firenze 177 – Livorno 110

a Caldana Sud : 8 km – ⊠ **58020**

↑ **Agriturismo Montebelli** 🐾   🐕 🛋 🎏 ✕ ✕ rist. **P**
località Molinetto, Est : 2 km – ℰ *05 66 88 71 00*   **VISA** ⦿ **AE** ① ⛛
– *www.montebelli.com* – *info@montebelli.com* – *Fax 056 68 14 39*
– *19 marzo-5 novembre*
21 cam � – ♦110/165 € ♦♦160/240 € – 2 suites – ½ P 133/160 €
Rist – Menu 35/45 €
♦ Imponente struttura agrituristica raggiungibile percorrendo un lungo sterrato, circondata da un grande parco. Ottima accoglienza, camere ben attrezzate. Al ristorante viene proposta una cucina semplice e genuina.

GAZZO – Padova (PD) – 562F17 – 3 615 ab. – alt. 36 m – ⊠ 35010   37 **B1**
▶ Roma 513 – Padova 27 – Treviso 52 – Vicenza 17

🏠🏠🏠 **Villa Tacchi**   🚗 🐕 🛋 🎐 ⛛ 🔲 ✕ rist. 🕯 🦺 **P** **VISA** ⦿ **AE** ① ⛛
via Dante 30 A, località Villalta, Ovest : 3 km – ℰ *04 99 42 61 11*
– *www.antichedimore.com* – *villa.tacchi@antichedimore.com*
– *Fax 04 99 42 60 68*
49 cam ⊠ – ♦75/150 € ♦♦140/220 € – ½ P 100/140 €
Rist – Carta 38/48 €
♦ Una splendida villa del XVII sec. circondata da un grande parco con alberi secolari e splendide fontane. Camere calde ed accoglienti, nonché spazi comuni con raffinati arredi, soffitti con travi di legno e pavimenti in marmo rosa di Verona.

GAZZO – Imperia – Vedere Borghetto d'Arroscia

GAZZOLA – Piacenza (PC) – 562H10 – 1 795 ab. – alt. 222 m – ⊠ 29010   8 **A2**
▶ Roma 528 – Piacenza 20 – Cremona 64 – Milano 87

a Rivalta Trebbia Est : 3,5 km – ⊠ 29010 – Gazzola

↑ **Agriturismo Croara Vecchia** senza rist 🐾   🚗 🛋 🦺 **AC** **P**
località Croara Vecchia, Sud : 1,5 km – ℰ *33 32 19 38 45*   **VISA** ⦿ ① ⛛
– *www.croaravecchia.it* – *gmilanopc@tin.it* – *Fax 05 23 97 71 53* – *7 marzo-novembre*
11 cam ⊠ – ♦80/85 € ♦♦90/99 €
♦ Fino al 1810 fu un convento, poi divenne un'azienda agricola che oggi ospita graziose camere, tutte identificabili dal nome di un fiore. In un prato sempre curato, che domina il fiume, la bella piscina.

GAZZOLI – Verona – 562F14 – Vedere Costermano

GELA – Caltanissetta – 565P24 – Vedere Sicilia alla fine dell'elenco alfabetico

---

GEMONA DEL FRIULI – Udine (UD) – 562D21 – 11 115 ab.   10 **B2**
– alt. 272 m – ⊠ 33013
▶ Roma 665 – Udine 26 – Milano 404 – Tarvisio 64
🛈 via Caneva 15 ℰ 0432 981441, apt@tarvisiano.,org

🏠 **Pittini** senza rist   🛋 **AC** **P** 🚗 **VISA** ⦿ **AE** ⛛
piazzale della Stazione 10 – ℰ *04 32 97 11 95* – *www.hotelpittini.com* – *info@ hotelpittini.com* – *Fax 04 32 97 13 80*
16 cam – ♦48 € ♦♦68 €, ⊠ 3 €
♦ Intimo e semplice, si trova proprio di fronte alla stazione ferroviaria e propone camere arredate in legno colorato, spaziose e piacevoli; piccola e sobria la sala colazioni.

GENGA – Ancona (AN) – 1 998 ab. – alt. 322 m – ⊠ 60040   20 **B2**

▶ Roma 224 – Ancona 66 – Gubbio 44 – Macerata 72

🏨 **Le Grotte**   ← 🛥 & ㏗ ↳ ⚄ ☏ **P** 𝗩𝗜𝗦𝗔 ⓿ 𝗔𝗘 ⚅

località Pontebovesecco, Sud : 2 km – ☏ 07 32 97 30 35 – www.hotellegrotte.it
– info@hotellegrotte.it – Fax 07 32 97 20 23 – chiuso gennaio
24 cam � – †66 € ††99 € – ½ P 66 €
Rist – (chiuso domenica sera e lunedì) Carta 25/38 €

♦ Circondato da un generoso giardino dove passeggiare per ritrovare la tranquillità,
l'hotel è dotato di camere ed aree comuni spaziose ed arredate con cura. Un ristorante
dalla lunga tradizione gastronomica dove gustare ottimi piatti di cucina regionale. E'
possibile organizzare colazioni di lavoro e cerimonie.

GENOVA **P** (GE) – 561|8 – 601 338 ab. – ⊠ 16100 ▌ Italia   15 **C2**

▶ Roma 501 – Milano 142 – Nice 194 – Torino 170

🛫 Cristoforo Colombo di Sestri Ponente per ④ : 6 km ☏ 010 60151

⛴ per Cagliari, Olbia, Arbatax e Porto Torres – Tirrenia Navigazione, call
center 892 123 – per Porto Torres, Olbia e per Palermo – Grimaldi-Grandi
Navi Veloci, call center 010 2094591

🛈 stazione Principe, piazza Acquaverde ⊠ 16126 ☏ 010
2462633, genovaturismoprincipe@comune.genova.it Fax 010 2462633
Aeroporto Cristoforo Colombo ⊠ 16154 ☏ 010 6015247,
genovaturismoaeroporto@comune.genova.it , Fax 010 6015247
(Stagionale) Stazione Marittima-Terminal Crociere, Ponte dei Mille ⊠ 16126
Manifestazioni locali
03.10 - 11.10 : salone nautico internazionale

◉ Porto★★★ AXY – Cattedrale di San Lorenzo★★ – Via Garibaldi e Musei di
Strada Nuova★★ FY – Palazzo Reale★★ EX – Palazzo del
Principe★★ – Galleria Nazionale di palazzo Spinola★★ – Acquario★★★ AY
– Villetta Di Negro CXY : ←★ sulla città e sul mare, museo Chiossone★
M1 – ←★ sulla città dal Castelletto BX per ascensore – Cimitero di
Staglieno★ F

🅖 Riviera di Levante★★★ Est e Sud-Est

Piante pagine 514-517

🏨🏨🏨 **Starhotels President**   ♨ 🕏 & ☇ ㏗ ↳ ⚄ ⍦ 🛁 🚗

corte Lambruschini 4 ⊠ 16129 – ☏ 010 57 27   𝗩𝗜𝗦𝗔 ⓿ 𝗔𝗘 ⓪ ⚅
– www.starhotels.com – president.ge@starhotels.it – Fax 01 05 53 18 20
191 cam ⊔ – ††100/510 €   **Rist La Corte** – Carta 35/50 €   DZ**c**
♦ Nel centro direzionale Corte Lambruschini, una torre di vetro e cemento ospita uno
degli alberghi più moderni e di miglior confort della città; ampio centro congressi.

🏨🏨🏨 **Bentley**   ♨ 🕏 & ㏗ ⍦ rist. ☏ 🛁 𝗩𝗜𝗦𝗔 ⓿ 𝗔𝗘 ⓪ ⚅

via Corsica 4 ⊠ 16128 – ☏ 01 05 31 51 11 – www.bentley.thi.it – bentley@thi.it
– Fax 01 05 31 58 00   CZ**a**
99 cam ⊔ – †285/525 € ††335/605 € – 2 suites – ½ P 216/351 €
Rist Grace – Carta 52/74 €

♦ In un bel palazzo di inizio '900, nel prestigioso quartiere Carignano, hotel di lusso
caratterizzato da spazi moderni e da camere confortevoli dove predominano colori ricercati ed eleganti: platino, titanio e rame. Al rist. Grace: piatti liguri e mediterranei, rivisitati
in chiave moderna.

🏨🏨🏨 **NH Marina**   ☶ & ㏗ ↳ ⍦ rist. ⍟ 🛁 🚗 𝗩𝗜𝗦𝗔 ⓿ 𝗔𝗘 ⓪ ⚅

molo Ponte Calvi 5 ⊠ 16124 – ☏ 01 02 53 91 – www.nh-hotels.it
– jhgenovamarina@nh-hotels.com – Fax 01 02 51 13 20   AY**c**
133 cam ⊔ – †205/450 € ††245/500 € – 7 suites
Rist Il Gozzo – Carta 40/52 €

♦ Ardesia, mogano e acero sono il leitmotiv degli eleganti, caldi interni di questo
moderno, ideale "vascello", costruito sul Molo Calvi, di cui restano tracce nella hall.
Decorazioni che evocano vele e navi nel ristorante "a prua" dell'hotel; dehors estivo.

City Hotel
🏨 AC ↳ ⚕ rist, 🛎 ⚡ 🚗 VISA ⓥ AE ① 🌣

via San Sebastiano 6 ⊠ 16123 – ℰ 010 58 47 07 – www.bwcityhotel-ge.it
– city.ge@bestwestern.it – Fax 010 58 63 01 **CYe**
65 cam ⊂⊐ – ♦165/330 € ♦♦215/440 €

Rist Le Rune – vedere selezione ristoranti

♦ Vicino a piazza De Ferrari, confort omogeneo per un hotel con zone comuni di taglio classico, tocchi di eleganza, camere sobrie e suite panoramiche all'ultimo piano.

Bristol Palace
🏨 ⚕ AC ⚕ 🛎 ⚡ 🚗 VISA ⓥ AE ① 🌣

via 20 Settembre 35 ⊠ 16121 – ℰ 010 59 25 41 – www.hotelbristolpalace.com
– info@hotelbristolpalace.com – Fax 010 56 17 56 **CYn**
133 cam ⊂⊐ – ♦125/340 € ♦♦140/490 € – 5 suites

Rist – (solo per alloggiati) Carta 34/62 €

♦ Raffinatezza d'altri tempi in caratteristici ambienti fine '800, epoca cui risale il centrale palazzo che li ospita, raccolti intorno ad un originale scalone ellittico. Affreschi e stucchi al soffitto ed ambientazione in stile nella piccola sala ristorante.

Moderno Verdi
🏨 ⚹ cam, AC ⚕ rist, ⚡ 🚗 VISA ⓥ AE ① 🌣

piazza Verdi 5 ⊠ 16121 – ℰ 01 05 53 21 04 – www.modernoverdi.it – info@
modernoverdi.it – Fax 010 58 15 62 **DYb**
87 cam ⊂⊐ – ♦90/300 € ♦♦100/360 €

Rist – (chiuso dal 20 dicembre al 20 gennaio, agosto, venerdì, sabato, domenica) (chiuso a mezzogiorno) (solo per alloggiati) Carta 30/45 €

♦ In un palazzo d'epoca di fronte alla stazione Brignole, atmosfera retrò negli interni classici, con dettagli liberty, di un hotel ristrutturato; curate camere in stile.

NH Plaza
🏨 ⚹ AC ↳ ⚕ rist, 🛎 ⚡ VISA ⓥ AE ① 🌣

via Martin Piaggio 11 ⊠ 16122 – ℰ 01 08 31 61 – www.nh-hotels.it
– jhgenova@nh-hotels.com – Fax 01 08 39 18 50 **CYq**
143 cam ⊂⊐ – ♦165/300 € ♦♦195/350 € – ½ P 207 € **Rist** – Carta 34/60 €

♦ Risorsa di riferimento per una clientela d'affari e non, l'hotel si propone con un'originale soluzione architettonica rappresentata da una hall che collega due edifici ottocenteschi. Ristorante d'impronta classica, attento ai sapori locali.

Metropoli senza rist
🏨 AC ⚕ ⚡ VISA ⓥ AE ① 🌣

piazza Fontane Marose ⊠ 16123 – ℰ 01 02 46 88 88 – www.bestwestern.it
/metropoli_ge – metropoli.ge@bestwestern.it – Fax 01 02 46 86 86 **BYc**
48 cam ⊂⊐ – ♦99/198 € ♦♦112/240 €

♦ A due passi dall'antica "Via Aurea" sorge questa piacevole struttura dotata di confortevoli camere, dove la predominanza dei colori pastello fa risaltare i mobili in noce e il caldo parquet. L'accogliente hall è suddivisa in eleganti e comodi salotti, impreziositi da splendidi quadri di artisti contemporanei.

Galles senza rist
🏨 AC ⚡ VISA ⓥ AE 🌣

via Bersaglieri d'Italia 13 ⊠ 16126 – ℰ 01 02 46 28 20
– www.hotelgallesgenova.com – info@hotelgallesgenova.com
– Fax 01 02 46 28 22 **AXs**
21 cam ⊂⊐ – ♦♦70/175 €

♦ Nelle adiacenze della stazione di Principe, un hotel piccolo e raccolto, con buone soluzioni di confort in ogni settore, dotato di un'ampia e bella hall.

Alexander senza rist
🏨 AC VISA ⓥ AE 🌣

via Bersaglieri d'Italia 19 ⊠ 16126 – ℰ 010 26 13 71
– www.hotelalexander-genova.it – info@hotelalexander-genova.it
– Fax 010 26 52 57 **AXu**
35 cam – ♦50/90 € ♦♦70/120 €, ⊂⊐ 8 €

♦ Non lontano dall'ex stazione marittima Ponte dei Mille e dall'acquario, un albergo di taglio classico moderno, con spazi comuni confortevoli.

Columbus Sea senza rist
≤ 🏨 ⚹ AC 🛎 ⚡ P VISA ⓥ AE ① 🌣

via Milano 63 ⊠ 16126 – ℰ 010 26 50 51 – www.columbussea.com – info@
columbussea.com – Fax 010 25 52 26 **Ea**
80 cam ⊂⊐ – ♦102/204 € ♦♦128/255 €

♦ Stile genovese con pietre bianche e nere in versione moderna in una struttura vicina all'autostrada, con ampio e suggestivo panorama sul porto; interni sobri.

Viale Sauli senza rist |$| AC (\") VISA CO AE (1) S
viale Sauli 5 ⊠ 16121 – ☏ 010 56 13 97
– www.hotelsauli.it – info@hotelsauli.it – Fax 010 59 00 92   CYf
56 cam ☑ – ♦55/110 € ♦♦80/160 €
♦ Non lontano dalla stazione di Brignole, albergo dotato di spazi comuni ridotti, camere con arredi essenziali e un buon rapporto qualità/prezzo per la città.

Locanda di Palazzo Cicala senza rist |$| AC ⚡ (")
piazza San Lorenzo 16 ⊠ 16123 – ☏ 01 02 51 88 24   VISA CO AE (1) S
– www.palazzocicala.it – info@palazzocicala.it
– Fax 01 02 46 74 14   BYg
11 cam ☑ – ♦133/360 € ♦♦180/390 €
♦ Nel cuore della città storica, proprio dinnanzi al Duomo. Tra high-tech e stile moresco, l'armonia del design moderno in un palazzo cinquecentesco con pc in tutte le camere.

Il rosso è il colore di chi sa distinguersi; i nostri punti di riferimento!

514

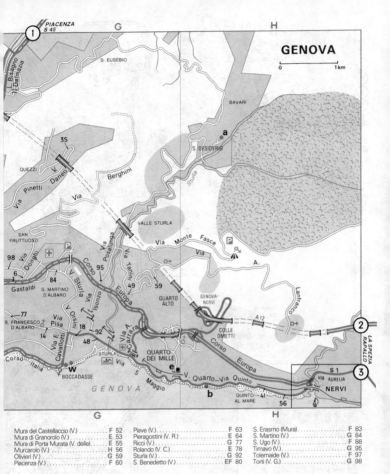

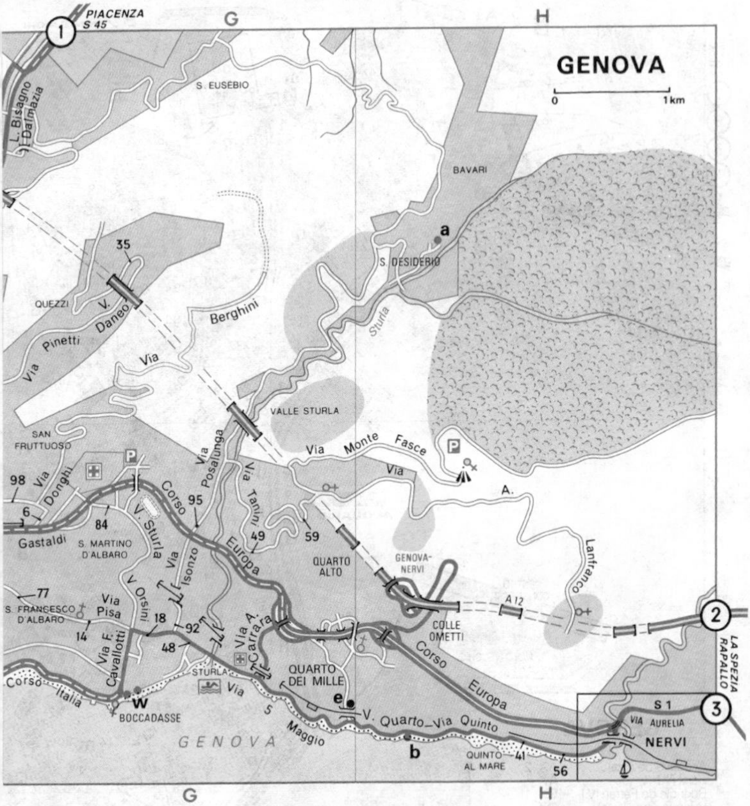
GENOVA
0
1 km
PIACENZA S 45
G
H
S. EUSEBIO
BAVARI
S. DESIDERIO
QUEZZI
V. Daneo
Via Pinetti
Via Berghini
VALLE STURLA
Sturla
Via Monte Fasce
Via
A.
Lanfranco
SAN FRUTTUOSO
Via Donghi
Corso Europa
Via Posalunga
Via Tanini
V. Sturla
Gastaldi
S. MARTINO D'ALBARO
Via Isonzo
V. Orsini
QUARTO ALTO
GENOVA-NERVI
A 12
COLLE OMETTI
S. FRANCESCO D'ALBARO
Via Pisa
Via F. Cavallotti
Via A. Carrara
STURLA
QUARTO DEI MILLE
Corso Europa
Corso Italia
BOCCADASSE
Via 5 Maggio
V. Quarto
Via Quinto
QUINTO AL MARE
S 1
VIA AURELIA
NERVI
LA SPEZIA RAPALLO
GENOVA
L. Bisagno
V. Dalmazia
35
98
6
84
95
49
59
77
14
18
92
48
41
56
a
b
e
w
1
2
3

🍴🍴🍴 **La Bitta nella Pergola** (Rosa Visciano) [A/C] 🚭 ⇔ VISA [MC] [AE] [D] $

✿ *via Casaregis 52/r ✉ 16129 – ☎ 010 58 85 43 – www.labittanellapergola.com – labittanellapergola@libero.it – Fax 010 58 85 43 – chiuso dal 1° al 10 gennaio, dall'8 al 28 agosto, domenica e lunedì* DZ**a**

Rist – Carta 47/77 € 🍇

Spec. Spezzatino di baccalà, crema parmantier e tartufo. Ravioli di ricotta e scamorza affumicata con salsa di pomodoro e basilico. Spigola con verdure stufate, pinoli ed uvetta.

◆ Lo stile marinaro dell'elegante sala è il biglietto da visita della cucina: piatti di mare in versione ligure, creatività e qualche accenno campano.

🍴🍴🍴 **Da Giacomo** ☂ [A/C] ⇔ [P] VISA [MC] [AE] [D] $

corso Italia 1 r ✉ 16145 – ☎ 010 31 10 41 – www.ristorantedagiacomo.it – info@ristorantedagiacomo.it – Fax 01 03 62 96 47 – chiuso sabato a mezzogiorno e domenica F**e**

Rist – Carta 40/59 € 🍇

◆ Ristorante di grande tradizione, rilevato e rilanciato da due seri ed esperti professionisti. Completamente ristrutturato, presenta un ambiente elegante e una valida cucina.

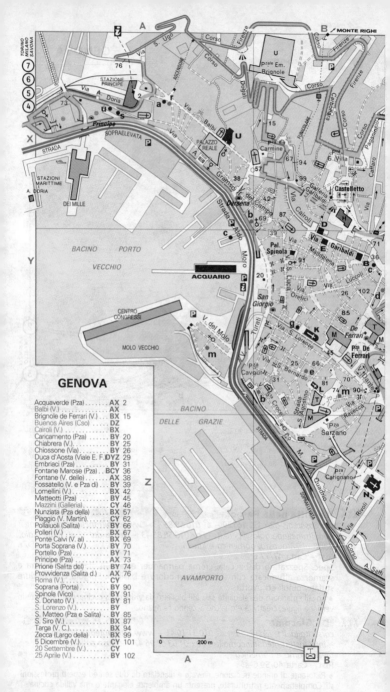

GENOVA

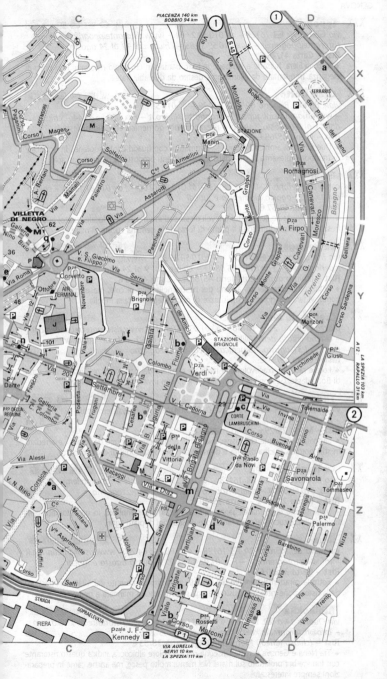

X

VILLETTA
DI NEGRO

62
M

36

e
Via Roma

46

n
101

Dante

P
ZO DELLA
REGIONE

Via Alessi

V. N. Bixio

STRADA
SOPRAELEVATA

FIERA

Corso Paganini

Magenta

M

Corso

Solferino

C.so

Via Bartani

A

Galleria
Nino Bixio

M

q

V. S. Giacomo
e. Filippo

Corvetto

Ottobre

AIR
TERMINAL

Novembre

Viale

Via

Galleria
C. Colombo

Podestà

Frugoni

Cesarea

Corsica

Mentana

C°

V. L. Ruffini

V.le Aspromonte

Corso

A. Saffi

Pzale J. F.
Kennedy

Mameli

Palestro

Assarotti

Via

Peschiera

Via

Serra

Pza
Brignole

Galata

Via

Colombo

Settembre

Liguria

Pza
della
Vittoria

Malaggi

M

Via Diaz

m

POL

V. A. Volta

Saffi

Corso

A.

Viale

b

Corso

n

C.so Armellini

Pza
Manin

STAZIONE

Monte Grappa

Corso

Corso

Monte Grappa

Pza
Romagnosi

Pza
A. Firpo

Canevari

Canevari

Moresco

Bisagno

G.

Torrente

Corso Sardegna

Galliera

Corso

FERRARIS

V. G. di Prà

V. del Piano

Via

Pza
Manzoni

Pza
Archimede

Pza
Giusti

V. E. de Amicis

STAZIONE
BRIGNOLE

Pza
Verdi

Fiume

f

b

V. Cadorna

29

c

CORTE
LAMBRUSCHINI

Corso

Inurea

Buenos

Via

Torino

Tolemaide

Aires

Pza Paolo
da Novi

Via

Liberta

Pisacane

Via della C.

Partigiane

d

Via

Cecchi

Pza
Rossetti
Marconi

Cesareno

Pza
Savonarola

Tommaseo

Pza
Palermo

Barabino

Nizza

Via

Trento

Via Brigata Bisagno

A. 12
LA SPEZIA 103 km
RAPALLO 31 km

Y

2

Z

517

XXX **Ippogrifo** [AC] ⇔ [VISA] [MC] [AE] [D] $

via Gestro 9/r ✉ 16129 – ☎ 010 59 27 64 – www.ristoranteippogrifo.it – info@ristoranteippogrifo.it – Fax 010 59 31 85 – chiuso dal 12 al 24 agosto

Rist – Carta 41/75 € DZ**n**

◆ In zona Fiera, boiserie e lampade in ferro battuto in un ampio ristorante non privo di eleganza, frequentato da estimatori e gestito da due abili fratelli.

XXX **Gran Gotto** ♿ [AC] [VISA] [MC] [AE] [D] $

viale Brigate Bisagno 69/r ✉ 16129 – ☎ 010 58 36 44 – www.mangiareinliguria.it – grangotto@libero.it – Fax 010 56 43 44 – chiuso dall'11 al 29 agosto, sabato a mezzogiorno, domenica ed i giorni festivi

Rist – Menu 45/65 € – Carta 43/71 € DZ**m**

◆ Due luminosi ambienti (nuova sala fumatori) con quadri contemporanei, in un locale di tradizione, presente in città dal 1938; invoglianti proposte di pesce e non solo.

XXX **Edilio** [AC] ⇔ [P] [VISA] [MC] $

corso De Stefanis 104/r ✉ 16139 – ☎ 010 81 12 60 – Fax 010 81 12 60 – chiuso dal 1° al 22 agosto, domenica e lunedì DX**a**

Rist – Carta 40/57 €

◆ Vicino allo stadio, legni scuri e tavoli distanziati in un piacevole locale curato; qualità e freschezza dei prodotti sono il punto di forza della genuina cucina di mare.

XXX **Le Perlage** [AC] 🚭 [VISA] [MC] [AE] [D] $

via Mascherpa 4/r ✉ 16129 – ☎ 010 58 85 51 – www.leperlage.com – info@leperlage.com – Fax 01 05 95 08 07 – chiuso dal 9 al 24 agosto DZ**b**

Rist – *(chiuso domenica)* Menu 45/80 € – Carta 42/60 €

◆ Ottimo indirizzo per gli amanti del pesce: nelle due piccole, ma eleganti salette, il *patron* vi farà assaggiare le squisitezze di mare preparate dalla moglie.

XX **Creuza de Ma** [VISA] [MC] [AE] [D] $

piazza Nettuno 2 ✉ 16146 – ☎ 01 03 77 00 91 – www.ristorantecreuzadema.it – osteria-creuza-dema@libero.it – Fax 01 03 77 00 91 – chiuso Capodanno, dal 15 al 31 agosto, domenica, lunedì a mezzogiorno G**w**

Rist – Carta 43/57 €

◆ Locale raccolto, piacevolmente familiare e curato nei particolari, nell'incantevole zona di Boccadasse. Gestione al femminile e menu con invitanti proposte di mare.

XX **Tiflis** ☂ [AC] [VISA] [MC] $

vico del Fico 35R ✉ 16128 – ☎ 010 25 64 79 – tiflis@systhema.com – Fax 01 02 46 59 97 – chiuso agosto BY**m**

Rist – Menu 25/29 € – Carta 34/42 €

◆ Simpatico ristorante che, rispecchiando le origini estoni di uno dei titolari, è arredato in stile nordico. Cucina di terra e di mare con ottimi spiedoni di carne o pesce.

XX **Le Rune** – City Hotel [AC] ⇔ [VISA] [MC] [AE] $

vico Domoculta 14/r ✉ 16123 – ☎ 010 59 49 51 – info@ristorantelerune.it – Fax 010 58 63 01 – chiuso sabato e domenica a mezzogiorno BY**d**

Rist – Menu 28/38 € – Carta 35/49 €

◆ Varie salette di sobria eleganza, raffinate nella loro semplicità, in un ristorante centrale, dalla cui cucina escono fantasiose rivisitazioni di piatti liguri.

XX **Rina** [AC] [VISA] [MC] [AE] [D] $

via Mura delle Grazie 3/r ✉ 16128 – ☎ 01 02 46 64 75 – www.ristorantedarina.it – info@ritstoranterina.it – Fax 01 02 47 85 09 – chiuso agosto e lunedì

Rist – Carta 36/60 € BY**b**

◆ Sotto le caratteristiche volte del '400 di una trattoria presente dal 1946, un "classico" della ristorazione cittadina, gusterete una schietta cucina marinara e genovese.

XX **Albikokka** ☂ [AC] [VISA] [MC] [AE] [D] $

via Quarto 14 a ✉ 16148 – ☎ 01 03 07 66 30 – www.ristorantealbikokka.com – info@ristorantealbikokka.com – Fax 01 03 77 28 62 H**b**

Rist – *(chiuso lunedì)* Menu 35/50 € – Carta 38/53 €

◆ Tra Nervi e Genova cercate l'insegna dal bel colore albicocca, indica questo ristorante con lounge-bar proiettato sul mare. Nel menu: molto pesce, ma anche carne in preparazioni sempre interessanti.

X **Al Veliero**   `AC ⟷ VISA ◉◎ AE ① ⑤`
*via Ponte Calvi 10/r ⊠ 16124 – ℰ 01 02 46 57 73 – Fax 01 02 77 07 22 – chiuso
dal 10 al 20 gennaio, dal 10 agosto al 10 settembre e lunedì*   ABX**b**
Rist – Carta 25/45 €
♦ Al limitare del centro storico, un ristorante in sobrio stile "marina", dove apprezzare
specialità di pesce preparate secondo la disponibilità giornaliera.

X **Da Tiziano**   `AC VISA ◉◎ AE ① ⑤`
*via Granello 27/r ⊠ 16121 – ℰ 010 54 15 40 – www.datiziano.net
– ristorantedatiziano@hotmail.it – Fax 010 54 15 40 – chiuso sabato a
mezzogiorno e domenica*   CZ**b**
Rist – Carta 35/52 €
♦ Una trattoria semplice, ma piacevole, dove da pochi anni si è insediato un ristoratore
con esperienza ormai quarantennale; proposte culinarie liguri e di pesce.

X **Pintori**   `VISA ◉◎ ⑤`
*via San Bernardo 68/r ⊠ 16123 – ℰ 01 02 75 75 07 – pintorio@fastwebnet.it
– Fax 01 02 75 75 07 – chiuso 25-26 dicembre, 1 settimana in settembre,
domenica e lunedì escluso dicembre e agosto*   BY**e**
Rist – Carta 28/36 €
♦ Interessanti sia la cucina, sarda e ligure, che la ricca cantina di una simpatica, familiare
trattoria rustica in un antico palazzo nei "carruggi" della città vecchia.

X **Sola**   `AC ⟷ VISA ◉◎ AE ① ⑤`
*via Carlo Barabino 120/r ⊠ 16129 – ℰ 010 59 45 13 – www.vinotecasola.it
– enotecasola@gmail.com – Fax 010 59 45 13 – chiuso agosto e domenica*
Rist – Carta 28/43 € ⅏   DZ**d**
♦ Un piccolo locale stile bistrot, nato come enoteca e poi trasformatosi anche in ristorante: un indirizzo ideale per chi ama il vino e la cucina ligure casalinga.

X **Antica Osteria di Vico Palla**   `AC VISA ◉◎ AE ① ⑤`
😊 *vico Palla 15/r ⊠ 16128 – ℰ 01 02 46 65 75 – acap29@libero.it
– Fax 01 03 62 44 58 – chiuso Natale, Capodanno, dal 10 al 20 agosto e lunedì*
Rist – Carta 29/40 €   AY**m**
♦ Adiacente all'acquario e alla moderna zona del Porto vecchio, locale dalla simpatica
accoglienza familiare con una cucina locale dalle fragranti proposte esposte ogni giorno
su una lavagnetta all'ingresso.

X **Santa Chiara**   `← 🕍 VISA ◉◎ AE ① ⑤`
*via Capo Santa Chiara 69/r, a Boccadasse ⊠ 16146 – ℰ 01 03 77 00 81 – chiuso
dal 20 dicembre al 7 gennaio, dal 5 al 25 agosto e domenica*   G**w**
Rist – Menu 40 € – Carta 46/52 €
♦ Il mare da ammirare, d'estate anche in terrazza, e da gustare in un sobrio ristorante,
ricavato in una vecchia costruzione affacciata sul porticciolo di Boccadasse.

X **Lupo Antica Trattoria**   `AC VISA ◉◎ AE ① ⑤`
*vico Monachette 20/r ⊠ 16126 – ℰ 010 26 70 36 – www.lupoanticatrattoria.it
– info@lupoanticatrattoria.it – Fax 010 26 70 36 – chiuso Natale, dal 20 luglio al
10 agosto e mercoledì*   AX**r**
Rist – Carta 32/65 € (+10 %)
♦ In zona Principe, piacevole trattoria di tono signorile suddivisa in più salette colorate
dai quadri alle pareti. Menu invitante, con piatti genovesi e creazioni d'autore.

verso Molassana per ① : 6 km :

XX **La Pineta**   `🕍 P. VISA ◉◎ AE ① ⑤`
*via Gualco 82, a Struppa ⊠ 16165 – ℰ 010 80 27 72 – Fax 010 80 27 72 – chiuso
dal 21 al 28 febbraio, agosto, domenica sera e lunedì*
Rist – Carta 35/40 €
♦ Un gran camino troneggia in questa luminosa e calda trattoria con bel dehors verdeggiante e panoramico; cucina casalinga tradizionale e specialità alla brace.

> Un albergo di fascino per un piacevolissimo soggiorno?
> Prenotate un hotel segnalato in rosso: 🏠 … 🏨🏨🏨.

all'aeroporto Cristoforo Colombo per ④ : 6 km E :

🏨🏨 Sheraton Genova ≼ 🕸 ⅃₆ 🗐 ⅃ 🇦🇨 ⅃⁄ ™ 🖄 🅿 🚗

via Pioneri e Aviatori d'Italia 44 ⊠ *16154* 🆅🇮🇸🇦 ⬤⬤ 🇦🇪 ⓪ 🚲
– ℰ 01 06 54 91 – www.sheratongenova.com – direzione@sheratongenova.com
– Fax 01 06 54 90 55
283 cam ⌂ – ♦140/290 € ♦♦175/330 € – 2 suites
Rist *Il Portico* – *(chiuso a mezzogiorno)* Carta 46/59 €
♦ Originale contrasto tra la modernità della struttura e delle installazioni e la classicità dei raffinati interni di un hotel in zona aeroportuale. Ampio centro congressi. "Caldo" ed elegante Il Portico, genere bistrot l'Albatross (aperto a pranzo e a cena).

a Quarto dei Mille per ② o ③ : 7 km *GH* – ⊠ 16148

🏠 Iris *senza rist* 🗐 🇦🇨 ™ 🖄 🅿 🆅🇮🇸🇦 ⬤⬤ 🇦🇪 ⓪ 🚲

via Rossetti 3/5 – ℰ 01 03 76 07 03 – www.hoteliris.it – info@hoteliris.it
– Fax 01 03 77 39 14 **Ge**
25 cam ⌂ – ♦60/85 € ♦♦90/115 €
♦ Struttura totalmente rinnovata, a un centinaio di metri dal mare, che dispone di un solarium attrezzato e di un comodo parcheggio; camere piacevoli e con buone dotazioni.

a Cornigliano Ligure per ④ : 7 km – ⊠ 16152

✗✗ Da Marino 🇦🇨 🆅🇮🇸🇦 ⬤⬤ 🇦🇪 ⓪ 🚲

via Rolla 36/r – ℰ 01 06 51 88 91 – Fax 01 06 51 88 91 – chiuso agosto, sabato e domenica
Rist – *(prenotazione obbligatoria la sera)* Carta 35/53 €
♦ Decorazioni semplici, ma raffinate in un ristorante di tradizione, molto frequentato da clientela abituale di lavoro; cucina ligure e di mare, con variazioni giornaliere.

a San Desiderio Nord-Est : 8 km per via Timavo *H* – ⊠ 16133

✗✗ Bruxaboschi 🏠 🆅🇮🇸🇦 ⬤⬤ 🇦🇪 ⓪ 🚲

via Francesco Mignone 8 – ℰ 01 03 45 03 02 – www.bruxaboschi.com – info@ bruxaboschi.com – Fax 01 03 45 14 29 – chiuso dal 24 dicembre al 5 gennaio e agosto **Ha**
Rist – *(chiuso domenica sera e lunedì)* (prenotazione obbligatoria a mezzogiorno) Carta 24/45 € 🏵
♦ Dal 1862 la tradizione si è perpetuata di generazione in generazione in una trattoria con servizio estivo in terrazza; cucina del territorio e inserimenti di pesce.

a Sestri Ponente per ④ : 10 km – ⊠ 16154

✗✗ Baldin 🇦🇨 ⇔ 🆅🇮🇸🇦 ⬤⬤ 🇦🇪 ⓪ 🚲

piazza Tazzoli 20/r – ℰ 01 06 53 14 00 – www.ristorantebaldini.com
– ristorante.baldin@libero.it – Fax 01 06 50 48 18 – chiuso domenica e lunedì
Rist – Menu 28/88 € – Carta 41/54 €
♦ Volte a vela, *parquet* scuro e *boiserie* di betulla in un accogliente locale moderno-minimalista. Dalla cucina: proposte di mare in sapiente equilibrio fra tradizione e creatività.

✗✗ Toe Drûe 🇦🇨 ⅏ 🆅🇮🇸🇦 ⬤⬤ 🇦🇪 ⓪ 🚲

via Corsi 44/r – ℰ 01 06 50 01 00 – www.toedrue.it – info@toedrue.it
– Fax 01 06 50 01 00 – chiuso dal 1° al 6 gennaio, agosto, sabato a mezzogiorno e domenica
Rist – Carta 39/60 €
♦ C'è un fonte battesimale dell'800 nell'ingresso di questa trattoria alla moda, d'atmosfera romantica, nonostante sia nella zona industriale; cucina ligure rivisitata.

✗ La Cantina delle Toe 🇦🇨 ⅏ 🆅🇮🇸🇦 ⬤⬤ 🇦🇪 ⓪ 🚲

via Corsi 40/r – ℰ 01 06 00 19 91 – www.toedrue.it – info@toedrue.it
– chiuso 20 giorni in gennaio
Rist – *(chiuso a mezzogiorno escluso agosto)* Carta 27/38 €
♦ Wine bar con uso di cucina dall'ambiente semplice e informale. Tavoli in legno, salumi e formaggi e una scelta stringata di piatti del giorno ispirati alla tradizione ligure.

a Voltri per ④ : *18 km* – ✉ **16158**

XX **Il Gigante**   🄰🄲 %̶ 🆅🅸🆂🅰 ⊙⊙ 🄰🄴 🛵
via Lemerle 12/r ✉ *16158* – 𝒞 *01 06 13 26 68* – *www.ristoranteilgigante.it*
– chiuso dal 5 al 11 gennaio, dal 1° al 15 settembre, domenica sera e lunedì
Rist – Carta 32/57 €
♦ Un ex olimpionico di pallanuoto appassionato di pesca gestisce questo simpatico
locale: due salette di taglio classico e sobria semplicità e piatti, ovviamente, di mare.

X **Ostaia da ü Santü**   ≼ 🍴 %̶ 🄿 🆅🅸🆂🅰 ⊙⊙ 🛵
(😊) *via al Santuario delle Grazie 33, Nord : 1,5 km* – 𝒞 *01 06 13 04 77*
– gbbarbieri@tin.it – Fax 01 06 13 34 80
– chiuso dal 25 dicembre al 31 gennaio, dal 16 al 30 settembre, domenica sera,
lunedì, martedì e le sere di mercoledì e giovedì da ottobre a giugno
Rist – Carta 24/29 €
♦ La breve passeggiata a piedi lungo una stradina di campagna sarà l'anticipo di quello
che troverete all'osteria: una gustosa cucina casalinga che farà riscoprire antichi sapori.
Piacevole pergolato per il servizio estivo.

GENZANO DI ROMA – Roma (RM) – 563Q20 – 22 334 ab.   12 **B2**
– alt. 435 m – ✉ 00045
　　　🄳 Roma 28 – Anzio 33 – Castel Gandolfo 7 – Frosinone 71

🏠 **Villa Robinia**   🚗 🍴 ♿ %̶ 🄿 🆅🅸🆂🅰 ⊙⊙ 🄰🄴 ⓞ 🛵
(😊) *viale Fratelli Rosselli 19* – 𝒞 *069 36 44 00* – *www.hotelvillarobinia.it*
– hotelvillarobinia@inwind.it – Fax 069 39 64 09
31 cam ⌂ – †50/55 € ††65/70 € – ½ P 50/55 €
Rist – *(chiuso a mezzogiorno escluso luglio-agosto)* Carta 15/39 €
♦ All'ingresso del paese venendo da Ariccia, un albergo semplice e familiare, adatto sia
ai turisti che ad una clientela di lavoro; grazioso il piccolo giardino per i momenti di
relax. Per il pasto potrete scegliere tra una moderna sala ed un locale pizzeria con
forno a legna. Cucina regionale e nazionale.

XX **Enoteca La Grotta**   🍴 🄰🄲 %̶ 🆅🅸🆂🅰 ⊙⊙ 🄰🄴 🛵
via Belardi 31 – 𝒞 *069 36 42 24* – *Fax 069 36 42 24* – *chiuso dal 16 al 21 agosto*
e mercoledì
Rist – Carta 33/42 € 🍷
♦ E' lungo la strada dell'Infiorata che si affaccia la piccola enoteca, dalla quale si accede
all'unica saletta dove accomodarsi a gustare i sapori del Mediterraneo e piatti creativi.

GERACE – Reggio di Calabria (RC) – 564M30 – 2 950 ab. – alt. 475 m   5 **A3**
– ✉ 89040
　　　🄳 Roma 695 – Reggio di Calabria 96 – Catanzaro 107 – Crotone 160

🏨 **La Casa di Gianna e Palazzo Sant'Anna** ⚘   🍴 ♿ rist,
via Paolo Frascà 4   🄰🄲 cam, %̶ rist, 🕻 🆅🅸🆂🅰 ⊙⊙ 🄰🄴 ⓞ 🛵
– 𝒞 09 64 35 50 24 – *www.lacasadigianna.it* – *info@lacasadigianna.it*
– Fax 09 64 35 50 81 – *chiuso novembre*
10 cam ⌂ – †80/100 € ††100/130 € – ½ P 83/88 €　**Rist** – Carta 24/35 €
♦ Due strutture autonome a poca distanza tra loro nel cuore di un bellissimo borgo: eleganti camere in stile, sia nel vecchio convento (in posizione panoramica) sia nelle antiche
case. La cucina locale su tavole dalle ricche tovaglie, servizio più informale in veranda.

🏨 **La Casa nel Borgo** senza rist   ≼ 🄰🄲 🆅🅸🆂🅰 ⊙⊙ 🄰🄴 🛵
via Nazionale 66, Sud : 1 km – 𝒞 *09 64 35 51 50* – *www.lacasanelborgo.it*
– info@lacasanelborgo.it – Fax 09 64 35 50 81 – *chiuso novembre*
13 cam ⌂ – †60/80 € ††100/130 €
♦ In località Borgo, a circa un chilometro dal centro storico, una bella casa di taglio
rustico-elegante caratterizzata da accessori in legno massiccio e letti in ferro battuto.

GERENZANO – Varese (VA) – 561F9 – 9 174 ab. – alt. 225 m   18 **A2**
– ✉ 21040
　　　🄳 Roma 603 – Milano 26 – Como 24 – Lugano 53

🏨 **Concorde** senza rist   🛗 AC ⇆ 👄 🆚 🚗 VISA ⑳ AE ① 👌
via Clerici 97/A – 𝒞 029 68 23 17 – www.hconcorde.com – info@hconcorde.com
– Fax 029 68 10 02
44 cam ⌂ – 🛏55/195 € 🛏🛏65/255 €
♦ Un buon punto di riferimento per una clientela di lavoro, data la vicinanza alle auto-strade, agli aeroporti, a Milano e Varese; una classica e confortevole risorsa.

GEROLA ALTA – Sondrio (SO) – 561D10 – 242 ab. – alt. 1 050 m   16 B1
– ✉ 23010

▶ Roma 689 – Sondrio 39 – Lecco 71 – Lugano 85

🏠 **Pineta** ⌂   ≼ 🚗 🍴 📶 P VISA ⑳ 👌
località di Fenile, Sud-Est : 3 km alt. 1 350 – 𝒞 03 42 69 00 50
– www.albergopineta.com – albergopineta@tin.it – Fax 03 42 69 05 00 – chiuso novembre
20 cam ⌂ – 🛏40 € 🛏🛏68 € – ½ P 52 €
Rist – (chiuso martedì escluso da giugno a settembre) Carta 26/35 €
♦ Marito valligiano e moglie inglese gestiscono questo piccolo albergo in stile montano, semplice e ben tenuto, comodo punto di partenza per escursioni. Al ristorante atmo-sfera da baita e pochi piatti, scelti con cura fra quelli di una genuina cucina locale.

GHEDI – Brescia (BS) – 561F12 – 16 344 ab. – alt. 85 m – ✉ 25016   17 C2
▶ Roma 525 – Brescia 21 – Mantova 56 – Milano 118

✄   **Trattoria Santi**   🚗 🍴 🍴 ⇔ P VISA ⑳ 👌
🔗   via Calvisano 73, Sud-Est : 4 km – 𝒞 030 90 13 45 – www.trattoriasanti.it
– Fax 030 90 13 45 – chiuso gennaio, martedì sera e mercoledì
Rist – Carta 17/24 €
♦ Dal 1919 un'autentica osteria di campagna invita a riscoprire la genuinità della tradi-zione agreste. In menu: casonsei, grigliate di carne e tante altre specialità.

GHIFFA – Verbano-Cusio-Ossola (VB) – 561E7 – 2 370 ab. – alt. 202 m   24 B1
– ✉ 28823

▶ Roma 679 – Stresa 22 – Locarno 33 – Milano 102

🏨 **Ghiffa**   ≼ 🚗 🍴 🏊 🛗 AC 🍴 rist. 📶 P VISA ⑳ AE ① 👌
corso Belvedere 88 – 𝒞 032 35 92 85 – www.hotelghiffa.com – info@
hotelghiffa.com – Fax 032 35 95 85 – aprile-15 ottobre
39 cam ⌂ – 🛏100/150 € 🛏🛏130/240 € – ½ P 155 €   **Rist** – Carta 34/55 €
♦ Bella struttura di fine '800, signorile, lambita dalle acque del lago e dotata di terrazza-giardino con piscina riscaldata; ottimi i confort e la conduzione professionale. Pavimento in parquet nella sala da pranzo con grandi vetrate aperte sulla terrazza.

GHIRLANDA – Grosseto – Vedere Massa Marittima

GIARDINI NAXOS – Messina – 565N27 – Vedere Sicilia alla fine dell'elenco alfabetico

GIAU (Passo di) – Belluno – 562C18 – Vedere Cortina d'Ampezzo

GIFFONI SEI CASALI – Salerno (SA) – 564E26 – 4 539 ab. – alt. 178 m   7 C2
– ✉ 84090

▶ Roma 281 – Foggia 176 – Napoli 77 – Latina 127

a Sieti Nord : 2 km – ✉ 84090

🏠 **Palazzo Pennasilico** senza rist ⌂   ≼ ᴌ 🍴 P
via le Piazze 27 – 𝒞 089 88 18 22 – www.palazzopennasilico.it – info@
palazzopennasilico.it – Fax 089 88 18 22 – marzo-dicembre
2 cam ⌂ – 🛏110 € 🛏🛏130 € – 2 suites – 🛏🛏160/250 €
♦ Ospitalità calorosa ed informale, non priva di una certa eleganza, all'interno di un palazzo d'epoca nel cuore del raccolto e tranquillissimo borgo. Camere molto conforte-voli.

GIGLIO (Isola di) – Grosseto (GR) – 563O14 – **1 574 ab.** Toscana   **29 C3**

GIGLIO PORTO (GR) – 563O14 – ✉ **58012**

> 🚢 per Porto Santo Stefano – Toremar, call center 892 123 - Mareviglio ☎ 0564 812920

🏨 **Arenella** senza rist ⚜   ≤ 🚗 AC P VISA ⚹ AE 💲
via Arenella 5, Nord-Ovest : 2,5 km – ☎ 05 64 80 93 40 – www.hotelranella.com
– arenella@hotelrenella.com – Fax 05 64 80 94 43 – chiuso gennaio e febbraio
30 cam ⚌ – †60/150 € ††80/176 €
♦ Un hotel recentemente rinnovato, luminoso e dalle linee moderne ma sobrie dispone di spazi funzionali e confortevoli, particolarmente adatto ad una clientela business.

🏨 **Castello Monticello**   ≤ 🚗 ※ ⚹⚹ AC cam, ⚹ rist, P
bivio per Arenella, Nord : 1 km – ☎ 05 64 80 92 52   VISA ⚹ ① 💲
– www.hotelcastellomonticello.com – info@hotelcastellomonticello.com
– Fax 05 64 80 94 73 – 20 marzo-ottobre
26 cam ⚌ – †60/75 € ††100/160 € – ½ P 80/100 €
Rist – (solo per alloggiati) Menu 30/35 €
♦ In posizione elevata rispetto al paese, una villa-castello arredata in legno scuro con camere e terrazza che si affacciano direttamente sul mare.

🏠 **Bahamas** senza rist ⚜   ≤ AC ⚹ P VISA ⚹ 💲
via Cardinale Oreglia 22 – ☎ 05 64 80 92 54 – www.bahamashotel.it – hotelb@
tiscali.it – Fax 05 64 80 88 25 – chiuso dal 20 al 26 dicembre
28 cam ⚌ – †55/75 € ††70/105 €
♦ Alle spalle della chiesa, una struttura bianca a conduzione familiare dagli arredamenti lineari con camere semplici e luminose e terrazzini con vista.

✕ **La Vecchia Pergola**   ≤ ⚹ VISA ⚹ 💲
via Thaon de Revel 31 – ☎ 05 64 80 90 80 – Fax 05 64 80 90 80 – marzo-ottobre;
chiuso mercoledì
Rist – Carta 27/41 €
♦ La risorsa a gestione familiare, consta di un'unica sala e di una terrazza, con vista contemporaneamente sul paese e sul porto, dove assaggiare prelibatezze di mare.

a Giglio Castello Nord-Ovest : 6 km – ✉ **58012** – **GIGLIO ISOLA**

✕ **Da Maria**   VISA ⚹ AE ① 💲
via della Casa Matta – ☎ 05 64 80 60 62 – Fax 05 64 80 61 05 – chiuso gennaio,
febbraio e mercoledì
Rist – Carta 41/51 €
♦ Nel centro medievale del Castello, una casa d'epoca dai toni rustici ospita un ristorante a conduzione familiare con proposte del territorio e soprattutto specialità di pesce.

a Campese Nord-Ovest : 8,5 km – ✉ **58012**

🏨 **Campese** ⚜   ≤ AC ⚹ rist, P VISA ⚹ 💲
via Della Torre 18 – ☎ 05 64 80 40 03 – www.hotelcampese.com – welcome@
hotelcampese.com – Fax 05 64 80 40 93 – Pasqua-settembre
39 cam ⚌ – †80 € ††130 € – ½ P 95/100 €   **Rist** – Carta 25/61 €
♦ Direttamente sulla spiaggia, l'hotel vanta ampi ambienti di tono classico con soluzioni d'arredo lineari in legno in tinte chiare e sfumature azzurre. In posizione panoramica, affacciato sul mare, il ristorante propone una cucina locale, di mare e di terra.

GIGNOD – Aosta (AO) – 561E3 – **1 268 ab.** – alt. 994 m – ✉ **11010**   **34 A2**
🚗 Roma 753 – Aosta 7 – Colle del Gran San Bernardo 25
🏧 Aosta Arsanières, ☎ 0165 560 20

✕✕ **La Clusaz** con cam   ⚹ rist, P VISA ⚹ AE ① 💲
località La Clusaz, Nord-Ovest : 4,5 km – ☎ 016 55 60 75 – www.laclusaz.it
– info@laclusaz.it – Fax 016 55 64 26 – chiuso dal 10 maggio al 10 giugno e dal
3 novembre al 3 dicembre
14 cam – †50/55 € ††67/115 €, ⚌ 7 € – ½ P 62/85 €
Rist – (chiuso martedì e mercoledì a mezzogiorno) Menu 32/50 €
– Carta 37/49 € ⚘
♦ In un ostello di epoca medievale con facciata affrescata, un tradizionale e caratteristico ristorante dove trovare una cucina creativa con salde radici nella tradizione. Camere semplici e confortevoli, più graziose le due con spunti letterari.

GIOIA DEL COLLE – Bari (BA) – 564E32 – 27 682 ab. – alt. 358 m   27 **C2**
– ✉ 70023

> ▶ Roma 443 – Bari 39 – Brindisi 107 – Taranto 35

🏨 **Svevo**   🚗 🛎 🏃 AC 🍴 🎐 ⚂ 🅿 🚘 VISA ⓪ AE ① ⚅
via per Santeramo 319 – ✆ 08 03 48 27 39 – www.hotelsvevo.it – hsvevo@
hotelsvevo.it – Fax 08 03 48 27 97
78 cam ☲ – †63/75 € ††90/110 € – ½ P 65/75 €   **Rist** – Carta 25/35 €
♦ Nel cuore dell'antica Puglia Peuceta, uno stile iper moderno; poco distante dal casello
autostradale, dalla stazione e dall'aeroporto. Stanze spaziose e confortevoli. Modernità
quasi da astronave spaziale per la sala ristorante.

🏨 **Villa Duse** senza rist   🛎 ⚅ 🏃 AC 🎐 ⚂ 🅿 VISA ⓪ AE ① ⚅
strada statale 100 km 39 – ✆ 08 03 48 12 12 – www.villaduse.it – info@
villaduse.it – Fax 08 03 48 21 12
30 cam ☲ – †75/100 € ††95/120 € – ½ P 75/108 €
♦ Omaggio alla Duse, tra le muse ispiratrici di D'Annunzio che da qui decollò in missione nel 1917, una villa in stile neoclassico moderno, funzionale e vicina al centro.

GIOVI – Arezzo – 563L17 – Vedere Arezzo

GIOVINAZZO – Bari (BA) – 564D32 – 20 905 ab. – ✉ 70054 ▌ Italia   26 **B2**
> ▶ Roma 432 – Bari 21 – Barletta 37 – Foggia 115
> ◪ Cattedrale ★ di Bitonto Sud : 9 km

🏨 **President**   🚗 🛎 ⛲ 🛎 ⚅ 🏃 AC 🍴 rist, 🎐 ⚂ 🅿 VISA ⓪ AE ① ⚅
strada statale 16 km 787, Est : 3 km – ✆ 08 03 94 17 97
– www.presidentgiovinazzo.it – info@presidentgiovinazzo.it – Fax 08 03 94 30 41
70 cam ☲ – †80/180 € ††140/220 € – 2 suites – ½ P 80/125 €
Rist Medì – (chiuso domenica) Carta 31/40 €
♦ Lungo la litoranea per Bari, moderno albergo dal curato design e rilassanti colori nelle
sfumature dell'acero, alcune camere offrono anche la vista mare. All'ultimo piano, ristorante panoramico con proposte creative.

GIOVO – Trento (TN) – 562D15 – 2 464 ab. – alt. 496 m – ✉ 38030   30 **B2**
> ▶ Roma 593 – Trento 14 – Bolzano 52 – Vicenza 102

✗✗ **Maso Franch** (Markus Baumgartner) con cam   ≤ 🚗 🎐 ⚅ 🍴 rist, 🎐
☆   località Maso Franch 2, Ovest: 3 km   🅿 🚗 VISA ⓪ AE ① ⚅
– ✆ 04 61 24 55 33 – www.masofranch.it – info@masofranch.it
– Fax 04 61 24 25 56 – chiuso 15 giorni in gennaio e 15 giorni in luglio
12 cam ☲ – †95/100 € ††120/150 € – ½ P 100/115 €
Rist – (chiuso martedì) (prenotare) Menu 52/64 € – Carta 44/75 €
Spec. Verdure variamente farcite con panna cotta di mozzarella di bufala
(estate). Ravioli rossi farciti con tonno su crema di piselli verdi, uova di quaglia
e bottarga di tonno. Sella di cerbiatto su salsa di vino rosso e rabarbaro, lasagnetta di mela e timo, gnocchetti di ricotta.
♦ Troverete ben poco dell'antico nella struttura moderna in questa struttura moderna; quel che rimane
sono certamente i profumi di una cucina fedele al territorio, nella quale non mancano
spunti innovativi. Linee minimaliste anche nelle stanze, avvolte dalla tranquillità della
Val di Cembra.

a Palù Ovest : 2 km – ✉ 38030 – Palù di Giovo

🏠 **Agriturismo Maso Pomarolli** 🌿   ≤ 🚗 🛏 ⚅ cam, 🅿
località Maso Pomarolli 10 – ✆ 04 61 68 45 71   VISA ⓪ AE ① ⚅
– www.agriturmasopomarolli.it – info@agriturmasopomarolli.it
– Fax 04 61 68 45 70 – chiuso dal 12 gennaio al 23 febbraio
8 cam ☲ – †40/50 € ††65/70 € – ½ P 50 €
Rist – (chiuso a mezzogiorno) (solo per alloggiati)
♦ Piccolo agriturismo di recente costruzione, ubicato tra distese di alberi da frutto,
ospita funzionali camere dagli arredi rustici con vista sui monti e sulla valle di Cembra.

GIULIANOVA LIDO – Teramo (TE) – 563N23 – 21 634 ab. – ✉ 64021   1 **B1**
> ▶ Roma 209 – Ascoli Piceno 50 – Pescara 47 – Ancona 113
> ℹ via Mamiani 2 ✆ 085 8003013, iat.giulianova@abruzzoturismo.it, Fax 085
> 8003013

Sea Park Resort 🛏 ⚒ 🏊 ₤₆ ⚘ ✦ⁱ AC ⚕ ⁽ⁱ⁾ 🛎 🚗 VISA ⓪ AE ① ⑤

via Arenzano – ☎ *08 58 02 53 23* – *www.seaparkresort.com* – *info@seaparkresort.com* – *Fax 08 58 02 70 80*

50 cam ⚌ – †80/127 € ††98/175 € – ½ P 98/117 €

Rist – *(chiuso a mezzogiorno)* Carta 28/44 €

• In una via parallela al lungomare, un hotel dalla cortese gestione e con una struttura originale tra terrazze pensili, piscina, palestra e confortevoli camere di tono moderno. Al ristorante, un ricco buffet di verdure calde e fredde, i prodotti classici nazionali e proposte di pesce.

Cristallo < 🚗 📶 ₤ ✦ⁱ AC ⚕ ⁽ⁱ⁾ 🛎 VISA ⓪

lungomare Zara 73 – ☎ *08 58 00 37 80* – *www.hcristallo.it* – *info@hcristallo.it* – *Fax 08 58 00 59 53*

55 cam ⚌ – †75/95 € ††115/150 € – ½ P 85/145 €

Rist – *(chiuso dal 24 dicembre al 2 gennaio)* Carta 40/55 €

• Frontemare, l'hotel offre luminosi spazi comuni arredati con gusto moderno in calde tonalità di colore e camere confortevoli, adatte ad una clientela d'affari e turistica. Presso l'elegante sala ristorante, una cucina regionale, rielaborata con gusto.

Grand Hotel Don Juan < 🚗 ⚒ ⚕ 📶 ₤ ✦ⁱ AC ⚕ rist, ⁽ⁱ⁾ 🛎

lungomare Zara 97 – ☎ *08 58 00 83 41*   P VISA ⓪ AE ① ⑤

– *www.grandhoteldonjuan.it* – *info@grandhoteldonjuan.it* – *Fax 08 58 00 48 05*

139 cam ⚌ – †54/140 € ††80/290 € – 6 suites – ½ P 67/152 €

Rist – Carta 25/70 €

• Circondato da pini marittimi, l'hotel in stile mediterraneo - fronte mare - dispone di camere spaziose, dotate dei più moderni confort. Animazione diurna e serale. Presso la luminosa sala ristorante dalle ampie finestre che si affacciano sul giardino, cucina tradizionale ed internazionale.

Parco dei Principi 🚗 ⚒ 📶 ₤ cam, ✦ⁱ AC ⚕ rist, ⁽ⁱ⁾ P 🚗

lungomare Zara – ☎ *08 58 00 89 35*   VISA ⓪ AE ① ⑤

– *www.giulianovaparcodeiprincipi.it* – *info@giulianovaparcodeiprincipi.it* – *Fax 08 58 00 87 73*

87 cam ⚌ – †60/90 € ††90/150 € – ½ P 100/115 €

Rist – *(chiuso a mezzogiorno escluso da maggio a settembre)* Carta 28/56 €

• Sul lungomare, hotel moderno ed elegante circondato da un'ampia pineta con piscine e parco giochi per i piccoli ospiti. Ambienti comuni spaziosi e camere accoglienti, dotate tutte di un balcone con vista mare o collina. Al ristorante: cucina nazionale ed internazionale.

Europa < ⚒ 📶 ₤ cam, ✦ⁱ AC ⚕ rist, ⁽ⁱ⁾ 🛎 🚗 VISA ⓪ AE ① ⑤

lungomare Zara 57 – ☎ *08 58 00 36 00* – *www.htleuropa.it* – *info@htleuropa.it* – *Fax 08 58 00 00 91*

72 cam ⚌ – †59/84 € ††79/106 € – ½ P 74/109 €

Rist – *(chiuso a mezzogiorno) (solo per alloggiati)* Menu 18/40 €

• In posizione centrale e davanti al mare, la clientela d'affari apprezzerà l'efficienza dei servizi mentre quella balneare sarà conquistata dalla singolare piscina in spiaggia. Presso le ampie sale del ristorante è possibile anche allestire banchetti.

Promenade < 🏖 ⚒ 📶 ₤ cam, ✦ⁱ AC ⚕ P VISA ⓪ ⑤

lungomare Zara 119 – ☎ *08 58 00 33 38* – *www.hotelpromenade.com* – *info@hotelpromenade.com* – *Fax 08 58 00 59 83* – *15 maggio-settembre*

70 cam – †50/90 € ††58/106 €, ⚌ 8 €

Rist – *(solo per alloggiati)* Menu 17/20 €

• A pochi passi dal centro, l'hotel è adatto per delle vacanze in famiglia, circondato da una pineta con giochi per bambini, dispone di camere semplici ed una terrazza-solarium. Presso l'ampia e luminosa sala ristorante, buffet di antipasti e verdure e la cucina tipica italiana.

Da Beccaceci AC VISA ⓪ AE ① ⑤

via Zola 18 – ☎ *08 58 00 35 50* – *www.ristorantebeccaceci.com* – *info@ristorantebeccaceci.com* – *Fax 08 58 00 70 73* – *chiuso dal 30 dicembre al 12 gennaio, martedì a mezzogiorno e lunedì in luglio-agosto, domenica sera e lunedì negli altri mesi*

Rist – Menu 54/72 € – Carta 35/81 € ❀

• Nei pressi della stazione, un elegante locale di comprovata esperienza e grande fama dove vengono proposte gustose paste e soprattutto specialità di pesce in piatti semplici.

GIUSTINO – Trento – 562D14 – Vedere Pinzolo

GIZZERIA LIDO – Catanzaro (CZ) – 564K30 – **3 648 ab.** – ✉ 88048   5 **A2**
>   🖪 Roma 576 – Cosenza 60 – Catanzaro 39 – Lamezia Terme (Nicastro) 13

sulla strada statale 18

🏠 **La Lampara**   ≤ 🛋 ⚠️ rist. 🖾 🛇 🕪 **P** 🎟 **⊛ AE ① ⚡**
località Caposuvero, Nord-Ovest : 6 km ✉ 88040 – 𝒞 09 68 46 61 93
– www.lalampararistorante.it – info@lalampararistorante.it – Fax 09 68 46 64 08
– chiuso dal 22 dicembre al 5 gennaio
11 cam ⌷ – 🕈80/90 € 🕈🕈110/120 €
Rist – (chiuso martedì escluso da giugno a settembre) Carta 45/80 €
♦ Moderna struttura alberghiera ubicata praticamente sulla spiaggia e per questo meglio richiedere una stanza fronte mare e con balcone. Elegante sala da pranzo dove apprezzare la cucina marinara che d'estate viene proposta anche in terrazza.

🏠 **Palmed**   ≤ 🖾 🛇 🕪 🛋 **P** 🚗 🎟 **⊛ AE ① ⚡**
via Nazionale 35, Nord-Ovest : 2 km ✉ 88040 – 𝒞 09 68 46 63 83
– www.palmedhotel.com – info@palmedhotel.com – Fax 09 68 46 63 83
20 cam ⌷ – 🕈70/72 € 🕈🕈85/100 €
Rist Pesce Fresco – vedere selezione ristoranti
♦ Nuova denominazione per l'hotel collegato al ristorante Pesce Fresco. Rinnovato totalmente presenta camere adatte anche alla clientela d'affari, da preferire quelle sul mare.

✗✗ **Pesce Fresco** – Hotel Palmed   ⚠️ 🖾 **P** 🎟 **⊛ AE ① ⚡**
via Nazionale, Nord-Ovest : 2 km ✉ 88040 – 𝒞 09 68 46 62 00
– Fax 09 68 46 62 00 – chiuso domenica sera
Rist – Carta 32/55 €
♦ Il nome è già una garanzia: fresco pescato giornaliero alla base dei piatti, seppur non manchino le carni. In posizione comoda, sulla statale ma non lontano dal mare.

GLORENZA (GLURNS) – Bolzano (BZ) – 562C13 – **884 ab.** – **alt. 920 m**   30 **A2**
– ✉ 39024
>   🖪 Roma 720 – Sondrio 119 – Bolzano 83 – Milano 260
>   🛈 Palazzo Comunale 𝒞 0473 831097, glurns@suedtirol.com, Fax 0473 835224

🏠 **Posta**   🚗 🕉 📶 🛇 rist. **P** 🎟 **⊛ AE ⚡**
via Flora 15 – 𝒞 04 73 83 12 08 – www.hotel-post-glurns.com
– Fax 04 73 83 04 32 – chiuso dal 6 gennaio a Pasqua
30 cam ⌷ – 🕈40/50 € 🕈🕈80/100 € – ½ P 58/68 €   **Rist** – Carta 22/66 €
♦ All'interno della cinta muraria di una cittadina pittoresca, un albergo di antichissime tradizioni con un fascino che trapela sia dagli spazi comuni che dalle stanze. Ambienti caratteristici nelle sale ristorante e nelle stube originarie.

GLURNS = Glorenza

GODIA – Udine – Vedere Udine

GOITO – Mantova (MN) – 561G14 – **9 835 ab.** – **alt. 30 m** – ✉ 46044   17 **C2**
>   🖪 Roma 487 – Verona 38 – Brescia 50 – Mantova 16

✗✗✗ **Al Bersagliere** (Silvana Antonutti)   🚗 🛋 🖾 ⇄ **P** 🎟 **⊛ AE ① ⚡**
❁ via Statale Goitese 260 – 𝒞 037 66 00 07 – www.albersaglieregoito.it – info@
albersaglieregoito.it – Fax 03 76 68 95 89 – chiuso 24-25 dicembre, 20 giorni in
agosto, lunedì e martedì
Rist – Menu 75/110 € – Carta 76/112 € 🏵
Spec. Lumache gratinate al burro d'erbe e spinaci. Spaghetti alla chitarra con bottarga, cipollotti, pomodori ed olive. Suprema di faraona con insalata di mele verdi, uvetta, mandorle e ribes rosso.
♦ Sale eleganti e luminose protese sul Mincio: non mancano i classici mantovani, ma la cucina è ormai una vetrina dei più celebri piatti e prodotti nazionali.

GOLFO ARANCI – Olbia-Tempio (104) – 566E10 – **Vedere Sardegna** alla fine dell'elenco alfabetico

GONELLA – Asti – Vedere Antignano d'Asti

GORGO AL MONTICANO – Treviso (TV) – 562E19 – 3 935 ab.   35 A1
– alt. 11 m – ⊠ 31040
> ▶ Roma 574 – Venezia 60 – Treviso 32 – Trieste 116

🏠🏠 **Villa Revedin** ⊗   🕮 📶 🅰🅲 🌮 📶 🆒 🅿 ₘₐ ⓪ 🅰🅴 ⓪ 🔆
via Palazzi 4 – ℰ 04 22 80 00 33 – www.villarevedin.it – info@villarevedin.it
– Fax 04 22 80 02 72 – chiuso una settimana in agosto
32 cam – ♦59/70 € ♦♦87/103 €, ⌘ 8 € – ½ P 77/92 €
Rist Villa Revedin – vedere selezione ristoranti
♦ Antica dimora dei nobili Foscarini, villa veneta del XVII secolo in un parco secolare,
ampio, tranquillo: un'atmosfera raffinata e rilassante per sostare nella storia.

✗✗ **Villa Revedin**   🕮 🅰🅲 🌮 🅿 ₘₐ ⓪ 🅰🅴 ⓪ 🔆
via Palazzi 4 – ℰ 04 22 80 00 33 – www.villarevedin.it – info@villarevedin.it
– Fax 04 22 80 02 72 – chiuso 15 giorni in gennaio, 15 giorni in agosto,
domenica sera e lunedì
Rist – Carta 32/42 €
♦ Arredi in stile marina inglese fanno da sfondo ad un ricco buffet di pesce del giorno,
mentre una sala attigua e più classica soddisfa le domande di gruppi numerosi.

GORINO VENETO – Ferrara (FE) – 562H19 – ⊠ 44020 – Ariano nel   9 D1
Polesine
> ▶ Roma 436 – Ravenna 82 – Ferrara 78 – Rovigo 62

✗✗ **Stella del Mare**   🅰🅲 🌮 🅿 ₘₐ 🆒 🅰🅴 ⓪ 🔆
via Po 36 – ℰ 04 26 38 83 23 – www.ristorantestelladelmare.com – stelladim@
deltapocard.it – Fax 04 26 38 87 97 – chiuso lunedì e martedì
Rist – (consigliata la prenotazione) Carta 43/60 €
♦ Il paese è raggiungibile da Gorino attraversando un ponte di barche a pagamento,
ben poche case e un locale molto noto nei dintorni per le sue gustose specialita che
esplorano il panorama ittico.

GORIZIA ℙ (GO) – 562E22 – 36 041 ab. – alt. 86 m – ⊠ 34170   11 D2
> ▶ Roma 649 – Udine 35 – Ljubljana 113 – Milano 388
> 🛫 di Ronchi dei Legionari Sud-Ovest : 25 km ℰ 0481 773224
> 🅸 corso Italia 9 (Teatro) ℰ 0481 535764 , info.gorizia@turismo.fvg.it, Fax 0481
> 539294
> 🖼 San Floriano, ℰ 0481 88 42 52

🏠🏠 **Grand Hotel Entourage**   🖥 🕭 cam, 🅰🅲 ↔ 🌮 🆚 ₘₐ 🅰🅴 ⓪ 🔆
Piazza Sant'Antonio 2 – ℰ 04 81 55 02 35 – www.entouragegorizia.com – info@
grandhotelentourage.it – Fax 048 13 01 38
40 cam ⌘ – ♦90/125 € ♦♦160/200 € – 4 suites – ½ P 105/125 €
Rist – (chiuso agosto e lunedì) Menu 25/35 €
♦ Nel cinquecentesco palazzo dei Conti Strassoldo, avvolto da un'atmosfera di raffinata
tranquillità, ampie ed eleganti camere di gusto classico e una corte interna ricca di storia. Ricavato in caratteristici ambienti dalle pareti con pietre a vista, il ristorante offre i
sapori della tradizione.

🏠🏠 **Internazionale**   🖹 🕭 𝄞 🅰🅲 ↔ 🖥 🕭 rist, 🅰🅲 🌮 rist, 🕨 🆚 🅿
⊛   ₘₐ 🆒 🅰🅴 ⓪ 🔆
via Trieste 173 – ℰ 04 81 52 41 80
– www.hotelinternazionalegorizia.it – info@hotelinternazionalegorizia.it
– Fax 04 81 52 51 05
50 cam – ♦60/70 € ♦♦80/90 € – ½ P 50/55 €   **Rist** – Menu 10/18 €
♦ Alle porte della città, l'hotel è stato completamente ristrutturato ed offre un soggiorno
confortevole nei suoi ambienti classici e presso il centro benessere ben attrezzato.
Atmosfere eleganti e sapori stagionali di terra e di mare nell'accogliente ristorante.

🏠🏠 **Gorizia Palace**   🖥 🕭 🅰🅲 🌮 rist, 🕨 🆚 ₘₐ 🆚 🅰🅴 ⓪ 🔆
corso Italia 63 – ℰ 048 18 21 66 – www.goriziapalace.com – info@
goriziapalace.com – Fax 048 13 16 58
70 cam – ♦70/115 € ♦♦85/160 € – ½ P 70/105 €
Rist – (chiuso dal 10 al 23 agosto e domenica) Carta 26/34 €
♦ Moderno albergo situato in posizione centrale e tranquilla, dispone di ambienti funzionali e confortevoli, ideali tanto per soggiorni di relax quanto per incontri di lavoro.

✕✕ **Majda**　　　🍴 � 👫 🔥 AK VISA ⚫⚫ AE ① ✆
☺☺ *via Duca D'Aosta 71/73 –* ☎ *048 13 08 71 – Fax 04 81 53 09 06 – chiuso 20 giorni in agosto, domenica e i mezzogiorno di martedì e sabato*
Rist – *(chiuso a mezzogiorno in luglio-agosto)* Menu 20/40 € – Carta 35/45 €
♦ Gestione al femminile per questo ristorante dalla quarantennale esperienza, ricavato negli spazi di una vecchia fattoria, dove gustare la cucina del territorio, di mare e di terra. Sala enoteca.

✕ **Rosenbar**　　　🍴 VISA ⚫⚫ AE ① ✆
via Duca d'Aosta 96 – ☎ *04 81 52 27 00 – www.rosenbar.it – rosenbar@activeweb.it – Fax 04 81 52 27 00 – chiuso domenica e lunedì*
Rist – Menu 35/50 € – Carta 33/45 €
♦ Piacevole e affermato bistrot dai toni forse un po' scuri, propone un menù giornaliero di impostazione classica, rivisitata in chiave moderna. Bel giardino estivo.

GOVONE – Cuneo (CN) – 561H6 – **1 971 ab.** – **alt. 301 m** – ✉ 12040　　　25 **C2**
🚗 Roma 634 – Cuneo 76 – Genova 134 – Novara 115

⌂ **Il Molino** senza rist　　　≼ 🌿 🎇 **P.** VISA ⚫⚫ AE ① ✆
via xx settembre 15 – ☎ *01 73 62 16 38 – www.ilmolinoalba.it – info@ilmolinoalba.it – Fax 01 73 62 16 38 – chiuso gennaio e febbraio*
6 cam ⌸ – †55/75 € ††80/100 €
♦ Un'atmosfera d'altri tempi aleggia negli ambienti di questo mulino ottocentesco che ospita eleganti camere in stile, tutte dotate di un balcone che garantisce un'impareggiabile vista panoramica. Adiacente al castello sabaudo.

✕✕✕ **Il San Pietro**　　　**P.** VISA ⚫⚫ ✆
strada per Priocca 3, frazione San Pietro – ☎ *017 35 84 45 – chiuso agosto e mercoledì*
Rist – *(chiuso a mezzogiorno escluso sabato-domenica)* Menu 50 €
– Carta 43/58 €
♦ L'ingresso presieduto da un intimo champagne bar e due sale sovrapposte per questo nuovo, accogliente ed elegante locale dalla seria conduzione, dove riscoprire una cucina di mare.

GOZZANO – Novara (NO) – 561E7 – **alt. 359 m**　　　24 **A2**
🚗 Roma 653 – Stresa 32 – Domodossola 53 – Milano 76
◙ Santuario della Madonna del Sasso★★ Nord-Ovest : 12,5 km

GRADARA – Pesaro e Urbino (PS) – 563K20 – **3 613 ab.** – **alt. 142 m**　　　20 **B1**
– ✉ 61012 Italia
🚗 Roma 315 – Rimini 28 – Ancona 89 – Forlì 76
◙ Rocca★

🏠 **Villa Matarazzo** senza rist 🌬　　　≼ 🐕 ⏚ 🖥 👫 AK 🎇 🛁 **P**
via Farneto 1, località Fanano – ☎ *05 41 96 46 45*　　　VISA ⚫⚫ AE ① ✆
*– www.villamatarazzo.com – info@villamatarazzo.com – Fax 05 41 82 30 56
– chiuso gennaio*
15 cam ⌸ – †100/145 € ††155/235 €
♦ Su un colle di fronte al castello di Gradara, una serie di terrazze con vista panoramica su mare e costa; un complesso esclusivo, raffinato, piccolo paradiso nella natura.

✕✕✕ **La Botte**　　　🍴 🍴 ⇕ VISA ⚫⚫ AE ① ✆
☺☺ *piazza V Novembre 11 –* ☎ *05 41 96 44 04 – www.labottegradara.it – labotte@gradara.com – Fax 05 41 96 44 04 – chiuso novembre e mercoledì (escluso da giugno ad agosto)*
Rist – Carta 29/38 €
Rist *Osteria del Borgo* – *(chiuso a mezzogiorno)* Carta 19/30 €
♦ Nell'entroterra marchigiano, tra muri antichi che sussurrano il passato, un ristorante tipico che propone una gustosa cucina locale. In alcuni giorni della settimana si propongono dei menu medioevali in costume. Servizio estivo in giardino. Atmosfera più informale all'*Osteria del Borgo* (anche enoteca).

GRADISCA D'ISONZO – Gorizia (GO) – 562E22 – **6 778 ab.**　　　11 **C3**
– **alt. 32 m** – ✉ 34072
🚗 Roma 639 – Udine 33 – Gorizia 12 – Milano 378

ARMANDO TESTA

LAVAZZA

THE ITALIAN
espresso experience

Al Ponte 🖆 🕉 📶 ⅃ ♿ ∱ 📭 ⅃ «ʳ» 🏊 **P** 𝘝𝘐𝘚𝘈 ⓞⓞ 🄰🄴 ⓞ 💪
*viale Trieste 124, Sud-Ovest : 2 km – 𝒞 04 81 96 11 16 – www.albergoalponte.it
– info@albergoalponte.it – Fax 048 19 37 95 – chiuso dal 22 al 28 dicembre*
42 cam – †70/120 € ††100/160 €, �'s 12 €
Rist Al Ponte – vedere selezione ristoranti
♦ Nel cuore di pregiati vigneti della regione, l'hotel garantisce tranquillità ed una piacevole atmosfera familiare, camere moderne e confortevoli e un rilassante centro benessere.

Franz senza rist 🖃 ♿ 📶 🕉 rist, «ʳ» 🏊 **P** 𝘝𝘐𝘚𝘈 ⓞⓞ 🄰🄴 ⓞ 💪
*viale Trieste 45 – 𝒞 048 19 92 11 – www.hotelfranz.it – info@hotelfranz.it
– Fax 04 81 96 05 10*
50 cam �'s – †50/90 € ††60/110 €
♦ Poco distante dal centro e curato nei dettagli, offre camere confortevoli e buone
infrastrutture per meeting. Ideale per una clientela d'affari.

🍴🍴 **Al Ponte** 🎬 📶 🕉 ⇦ **P** 𝘝𝘐𝘚𝘈 ⓞⓞ 🄰🄴 💪
*viale Trieste 122, Sud-Ovest : 2 km – 𝒞 048 19 92 13
– www.albergoalponte.it – info@albergoalponte.it
– chiuso dal 7 al 14 gennaio, dal 25 luglio al 10 agosto, domenica sera e lunedì*
Rist – Carta 32/44 €
♦ Tre sale di un gusto che spazia dal rustico al moderno per questo ristorante. Cucina
locale di lunga tradizione, bella scelta di vini regionali, servizio estivo sotto un pergolato.

🍴🍴 **Avenanti** 📶 𝘝𝘐𝘚𝘈 ⓞⓞ 🄰🄴 💪
*viale Trieste 45 – 𝒞 04 81 96 15 51 – crisaven@libero.it – Fax 04 81 96 15 51
– chiuso 1 settimana in gennaio, 10 giorni in agosto, domenica, lunedì a
mezzogiorno*
Rist – Menu 55 € – Carta 38/55 €
♦ Ambiente accogliente e grande professionalità per una cucina dalle interessanti proposte, soprattutto di pesce.

GRADO – Gorizia (GO) – 562E22 – **8 818 ab.** – ✉ 34073 Italia   11 **C3**
🚗 Roma 646 – Udine 50 – Gorizia 43 – Milano 385
🛈 viale Dante Alighieri 72 𝒞 0431 877111, info.grado@turismo.fvg.it, Fax0431
83509
📱, 𝒞 0431 89 68 96
⊙ Quartiere antico★ : postergale★ nel Duomo

🏨 **Grand Hotel Astoria** 🏊 📶 ⅃ 🖃 ♿ ∱ 📶 «ʳ» 🏊 🚗
largo San Grisogono 3 – 𝒞 043 18 35 50 𝘝𝘐𝘚𝘈 ⓞⓞ 🄰🄴 ⓞ 💪
*– www.hotelastoria.it – info@hotelastoria.it – Fax 043 18 33 55
– chiuso dal 2 gennaio al 13 marzo*
119 cam �'s – †86 € ††150/172 € – 5 suites – ½ P 83/100 €
Rist – Carta 28/42 €
♦ Albergo storico nella tradizione turistica dell'"Isola del Sole", gode di una posizione
privilegiata: vicino al centro e alla spiaggia. Camere tranquillle e confortevoli. Ristorante
sulla terrazza roof-garden, per godere di una vista davvero esclusiva.

Savoy 🖆 🏊 📶 ⊛ 🕉 📭 🖃 ♿ ∱ 📶 🕉 rist, ⓒⁿ **P** 𝘝𝘐𝘚𝘈 ⓞⓞ 🄰🄴 ⓞ 💪
*via Carducci 33 – 𝒞 04 31 89 71 11 – www.hotelsavoy-grado.it – reservation@
hotelsavoy-grado.it – Fax 043 18 33 05 – 20 marzo-2 novembre*
79 cam �'s – †110/148 € ††200/220 € – 6 suites – ½ P 115/125 €
Rist – (solo per alloggiati) Carta 36/54 €
♦ Nel cuore di Grado, sorge questo bel gioiello di confort e ospitalità; diversificata possibilità di camere ed appartamenti per soddisfare qualsiasi tipo di clientela.

Fonzari senza rist 🏊 📭 ∱ 📶 🏊 🚗 𝘝𝘐𝘚𝘈 ⓞⓞ 🄰🄴 ⓞ 💪
*piazza Biagio Marin – 𝒞 04 31 87 63 60 – www.hotelfonzari.com – info@
hotelfonzari.com – Fax 04 31 87 77 46 – aprile-ottobre*
57 suites �'s – ††145/200 €
♦ Composta da suite dotate di ampie terrazze e piscina all'ultimo piano per nuotate e
relax con vista a 360°, una risorsa moderna, sorta sulle ceneri di un omonimo Grand
Hotel.

Abbazia 🖾 🖃 AC 🍽 rist, "🎉 ⏎⏎ VISA ⚫⚫ AE ❶ ⭑

via Colombo 12 – 🕿 *043 18 00 38 – www.hotel-abbazia.com – info@
hotel-abbazia.com – Fax 043 18 17 22 – aprile-ottobre*
51 cam � – †50/88 € ††90/146 € – ½ P 75/105 €   **Rist** – Carta 21/45 €
♦ In prossimità della spiaggia, ai margini della zona pedonale, calda e distinta casa di
tono familiare gestita con altrettanta signorilità. Camere confortevoli e un'ampia piscina.
Il ristorante in estate si trasferisce nella veranda a vetri decorati.

Metropole senza rist 🖃 AC 🍽 rist, "🎉 VISA ⚫⚫ AE ❶ ⭑

piazza San Marco 15 – 🕿 *04 31 87 62 07 – www.gradohotel.com – info@
gradohotel.com – Fax 04 31 87 62 23 – chiuso dal 10 gennaio al 10 febbraio*
19 cam � – †78/100 € ††132/140 €
♦ Mitico albergo di Grado, meta di vacanze degli Asburgo e della nobiltà mitteleuropea:
ora del tutto rinnovato dopo anni di inattività, con giovane, capace gestione.

Villa Venezia 🖃 ⅙ AC 🍽 rist, VISA ⚫⚫ AE ❶ ⭑

via Venezia 6 – 🕿 *04 31 87 71 18 – www.gradohotel.com – villavenezia@
gradohotel.com – Fax 04 31 87 71 26 – aprile-ottobre*
25 cam ⊝ – †60/74 € ††90/138 € – ½ P 62/85 €
Rist – *(solo per alloggiati)* Menu 15/25 €
♦ Albergo dai confort moderni, completamente rinnovato, nelle vicinanze della zona
pedonale. Per i più esigenti c'è anche il solarium con idromassaggio al quinto piano.

Diana 🖃 AC cam, ☎ P VISA ⚫⚫ AE ❶ ⭑

via Verdi 1 – 🕿 *043 18 22 47 – www.hoteldiana.it – info@hoteldiana.it
– Fax 043 18 33 30 – aprile-ottobre*
63 cam ⊝ – †55/75 € ††100/110 € – ½ P 80 €
Rist – *(chiuso a mezzogiorno)* Carta 27/35 €
♦ Nelle camere e negli eleganti spazi comuni domina una rilassante tonalità verde. Da
oltre cinquant'anni una lunga tradizione familiare su una delle vie pedonali a vocazione
commerciale. Proposte d'albergo con divagazioni marine, al ristorante.

Eden ⇐ 🖃 AC 🍽 "🎉 P VISA ⚫⚫ AE ⭑

via Marco Polo 2 – 🕿 *043 18 01 36 – www.hoteledengrado.it – info@
hoteledengrado.it – Fax 043 18 20 87 – Pasqua-15 ottobre*
39 cam – †50/55 € ††81/91 €, ⊝ 8 € – ½ P 70 €
Rist – *(maggio-settembre) (solo per alloggiati)* Menu 23 €
♦ Risorsa d'impostazione moderna, nei pressi del Palazzo dei Congressi e del Parco delle
Rose: lunga e attenta tradizione familiare e accoglienti ambienti dai toni classici.

Antares senza rist 🕸 Ⅰ⅙ 🖃 AC P

via delle Scuole 4 – 🕿 *043 18 49 61 – www.antareshotel.info – info@
antareshotel.info – Fax 043 18 23 85 – chiuso dal 10 dicembre al 20 febbraio*
19 cam ⊝ – †75/90 € ††100/130 €
♦ Ai margini del centro storico, nei pressi del mare, una comoda struttura di dimensioni
contenute; camere tradizionali e spazi corretti uniti ad una valida gestione.

Villa Rosa senza rist 🖃 AC ☎ P VISA ⚫⚫ AE ❶ ⭑

via Carducci 12 – 🕿 *043 18 11 00 – www.hotelvillarosa-grado.it – info@
hoteldiana.it – Fax 043 18 33 30 – aprile-ottobre*
25 cam ⊝ – †48/68 € ††80/96 €
♦ Tra la Riva prospiciente l'Isola della Schiusa e il Lungomare verso la spiaggia principale, sorge questa piccola risorsa - a conduzione familiare - gradevole e accogliente.

Park Spiaggia senza rist 🖃 AC 🍽 rist, "🎉 VISA ⚫⚫ ⭑

via Mazzini 1 – 🕿 *043 18 23 66 – www.hotelparkspiaggia.it – info@
hotelparkspiaggia.it – Fax 043 18 58 11 – 10 maggio-10 ottobre*
28 cam ⊝ – †50/60 € ††80/104 €
♦ Nella zona pedonale, che a sera diviene un mondano passeggio, non lontano dalla
grande e attrezzata spiaggia privata della località, l'hotel vanta spazi confortevoli arredati con semplicità.

XX All'Androna 🕏 AC VISA ⚫⚫ AE ❶ ⭑

calle Porta Piccola 6 – 🕿 *043 18 09 50 – www.androna.it – info@androna.it
– Fax 043 18 09 50 – chiuso martedì da ottobre ad aprile*
Rist – Menu 35/60 € – Carta 41/61 €
♦ Un rustico curato ed elegante, tra le strette calli della località, dove fermarsi a gustare
la cucina di due fratelli: solo piatti di mare, freschi e ricchi di creatività.

✗ **De Toni** 🛱 AC VISA ◎ AE ⑤
piazza Duca d'Aosta 37 – ℰ 043 18 01 04 – www.trattoriadetoni.it – info@
trattoriadetoni.it – Fax 04 31 36 14 17 – chiuso gennaio e mercoledì
Rist – Menu 30/60 € – Carta 33/52 €
♦ Nel centro storico, sulla via pedonale, ristorante familiare di lunga esperienza. Ricette
gradesi e specialità di pesce, da gustare in un ambiente particolarmente curato.

✗ **Alla Buona Vite** con cam 🛱 P VISA ◎ AE ① ⑤
via Dossi, località Boscat, Nord : 10 km – ℰ 043 18 80 90 – www.girardi-boscat.it
– info@girardi-boscat.it – Fax 043 18 83 05 – chiuso dicembre, gennaio e giovedì
(escluso giugno-settembre)
4 cam ⚏ – ♦♦70/80 € **Rist** – Carta 35/50 €
♦ Superata la laguna prendete la prima strada a destra, per raggiungere questa trattoria
gestita da una famiglia di viticoltori. Servizio estivo accanto al piccolo parco-giochi.
Dispone anche di confortevoli appartamenti per chi desidera prolungare il soggiorno,
immersi nella natura.

alla pineta Est : 4 km :

🏠 **Mar del Plata** 🚗 ⛵ 🛗 ❄ rist, 🛉 P VISA ◎ AE ① ⑤
viale Andromeda 5 – ℰ 043 18 10 81 – www.hotelmardelplata.it – info@
hotelmardelplata.it – Fax 043 18 54 00 – Pasqua - settembre
35 cam ⚏ – ♦58/74 € ♦♦92/128 € – ½ P 75 € **Rist** – Menu 25/35 €
♦ Non lontano dal campo da golf, in posizione tranquilla e verdeggiante, un giardino
con piscina ed una terrazza per le colazioni: hotel a conduzione familiare per una
vacanza di relax. Finestre direttamente aperte sulla natura circostante e ambiente tranquillo al ristorante.

GRADOLI – Viterbo (VT) – 563O17 – **1 495 ab.** – **alt. 470 m** – ⊠ 01010   12 **A1**
🛣 Roma 130 – Viterbo 42 – Siena 112

✗✗ **La Ripetta** con cam 🛱 🛗 ❄ P VISA ◎ AE ① ⑤
via Roma 38 – ℰ 07 61 45 61 00 – www.laripetta.com – info@laripetta.com
– Fax 07 61 45 68 17 – chiuso dal 15 al 30 novembre
16 cam ⚏ – ♦40/45 € ♦♦65/75 € – ½ P 55/65 €
Rist – *(chiuso lunedì e martedì a mezzogiorno)* Carta 27/52 €
♦ All'ingresso della località, lungo la strada principale, un ristorante dove gustare fragranti piatti di pesce, sia di lago che di mare. Servizio estivo su una grande terrazza. In
uno stabile attiguo e indipendente, propone camere semplici arredate con mobili in
rovere.

GRANCONA – Vicenza (VI) – 562F16 – **1 700 ab.** – **alt. 36 m** – ⊠ 36040   35 **B3**
🛣 Roma 553 – Padova 54 – Verona 42 – Vicenza 24

a Pederiva Est : 1,5 km – ⊠ 36040 – **GRANCONA**

✗ **Isetta** con cam 🛱 ⛃ rist, AC P VISA ◎ AE ⑤
via Pederiva 96 – ℰ 04 44 88 95 21 – www.trattoriaalbergoisetta.it –
trattoriaalbergoisetta.it – Fax 04 44 88 99 92 – chiuso dall'11 al 17 agosto
9 cam – ♦36/46 € ♦♦46/56 €, ⚏ 10 €
Rist – *(chiuso martedì sera e mercoledì)* Carta 33/40 €
♦ Dalla madre Isetta, l'attuale gestore ha appreso l'amore per le tradizioni nostrane;
dalla cucina a vista, con camino, escono succulente carni alla griglia.

sulla strata statale per San Vito Nord-Est : 3 km :

✗✗ **Vecchia Ostaria Toni Cuco** 🛱 ❄ P VISA ⑤
via Arcisi 12 ⊠ 36040 – ℰ 04 44 88 95 48 – www.vecchiaosteriatonicuco.it
– info@autobren.it – Fax 04 44 60 13 50 – chiuso agosto, lunedì sera e martedì
Rist – Carta 27/35 €
♦ Si percorrono alcuni chilometri in salita prima di arrivare in questo locale, rustico
eppure d'insospettabile eleganza, dove gustare carni alla brace e fantasiose rivisitazioni
di ricette vicentine.

GRANDZON – Aosta – 561E4 – **Vedere Verrayes**

GRANIGA – Verbania – 561D6 – **Vedere Bognanco (Fonti)**

GRAN SAN BERNARDO (Passo del) – Aosta (AO) – 561E3   34 A2
– alt. 2 469 m

> ▶ Roma 778 – Aosta 41 – Genève 148 – Milano 216

🏨 **Italia** 🍃   **P.** 𝖵𝖨𝖲𝖠 ⓒⓓ 𝖠𝖤 ⚡
⊠ 11010 Saint Rhémy – ℰ 01 65 78 09 08 – www.gransanbernardo.it – info@
gransanbernardo.it – Fax 01 65 78 00 63 – giugno-25 settembre
16 cam – †50/55 € ††80/100 €, � 8 € – ½ P 65/75 €   **Rist** – Carta 22/35 €
◆ Per i più ardimentosi amanti della vera montagna, sferzata dai venti e dalla neve
anche in estate, un albergo alpino offre dal 1933 caratteristici interni in legno. Calda l'atmosfera al ristorante, articolato in tre sale, dove troverete i classici della cucina valdostana.

GRAPPA (Monte) – Belluno, Treviso e Vicenza – alt. 1 775 m▮ Italia
🔘 Monte★★★

GRAVEDONA – Como (CO) – 428D9 – 2 623 ab. – alt. 202 m   16 B1
– ⊠ 22015

> ▶ Roma 683 – Como 54 – Sondrio 52 – Lugano 46

🏨 **La Villa** 🚗 🏠 ⛵ 🛏 ⚙ ⚜ **P.** 𝖵𝖨𝖲𝖠 ⓒⓓ 𝖠𝖤 ⚡
via Regina Ponente 21 – ℰ 034 48 90 17 – www.hotel-la-villa.com – hotellavilla@
tiscalinet.it – Fax 034 48 90 27 – chiuso dal 20 dicembre al 31 gennaio
14 cam � – †65/85 € ††90/102 € – ½ P 72 €
Rist – (chiuso da novembre al 15 marzo) (chiuso a mezzogiorno) Carta 27/35 €
◆ Un vecchio albergo portato a nuova vita nel confort dei tempi moderni, ma con il
fascino di una deliziosa casa d'epoca; lo circonda un godibile giardino con bella piscina.
Sala da pranzo di taglio e atmosfera moderni, con pareti a vetrate affacciate sul verde.

GRAVINA IN PUGLIA – Bari (BA) – 564E31 – 42 574 ab. – alt. 350 m   26 B2
– ⊠ 70024

> ▶ Roma 417 – Bari 58 – Altamura 12 – Matera 30

✗ **Madonna della Stella** con cam 🍃   ⬳ 🚗 🏠 𝖠𝖢 ⚙ cam, **P.**
via Madonna della Stella – ℰ 08 03 25 63 83   𝖵𝖨𝖲𝖠 ⓒⓓ 𝖠𝖤 ⓞ ⚡
– www.ristorantemadonnadellastella.it – info@madonnadellastella.org
– Fax 08 03 22 33 02
10 cam �⊐ – †40 € ††60 €   **Rist** – (chiuso martedì) Carta 24/34 €
◆ La sala scavata nella roccia naturale, il bianco e antico villaggio di fronte sarà il suggestivo ritratto da contemplare, dalla sapienza dei due fratelli i sapori e le tradizioni di un
passato mai dimenticato! Una suggestiva struttura in tufo ospita le graziose semplici
camere.

GRAZIE – Mantova – 561G14 – Vedere Curtatone

GREMIASCO – Alessandria (AL) – 561H9 – 369 ab. – alt. 395 m   23 D2
– ⊠ 15056

> ▶ Roma 563 – Alessandria 52 – Genova 70 – Piacenza 92

✗✗ **Belvedere** 🛜 ⚙ 𝖠𝖢 ⚙ **P.** 𝖵𝖨𝖲𝖠 ⓒⓓ 𝖠𝖤 ⓞ ⚡
⊗⊗ via Dusio 5 – ℰ 01 31 78 71 59 – www.belvederegremiasco.it
– Fax 01 31 78 79 00 – chiuso martedì
Rist – Carta 16/25 €
◆ In una gradevole abitazione sulle pendici di una collina, un locale ricavato da una vec-
chia osteria; menù che ripercorre creativamente le tradizioni del posto.

GRESSONEY LA TRINITÉ – Aosta (AO) – 561E5 – 302 ab.   34 B2
– alt. 1 639 m – Sport invernali : 1 618/2 970 m ⅋3 ⅊5 ⅋ – ⊠ 11020

> ▶ Roma 733 – Aosta 86 – Ivrea 58 – Milano 171

> 🛈 località Edelboden Superiore ℰ 0125 366143, infogressoneytrinite@libero.it,
> Fax 0125 366323

Jolanda Sport ⟨⟩ ⟪⟫ ⟨⟩ ⟨⟩ ⟨⟩ 🛅 📶 VISA ⑳ AE ⟨⟩

località Edelboden Superiore 31 – ℰ *01 25 36 61 40*
– *www.hoteljolandasport.com* – *info@hoteljolandasport.com*
– *Fax 01 25 36 62 02* – *chiuso maggio, ottobre e novembre*
33 cam ⌁ – †90/150 € ††130/200 € – ½ P 90/120 €
Rist – *(chiuso a mezzogiorno da ottobre a maggio)* Carta 31/40 €
♦ Alla partenza della seggiovia di Punta Jolanda, costruita negli anni '50 dal papà dell'attuale proprietaria, una risorsa di lunga tradizione, perfettamente rinnovata. Di recente ampliata la capiente sala per ristorarsi con la gastronomia locale.

Lysjoch ⟨⟩ ⟨⟩ ⟪⟫ ⟨⟩ ⟨⟩ 🛅 📶 VISA ⑳ ⟨⟩

località Fohre – ℰ *01 25 36 61 50* – *www.hotellysjoch.com*
– *info@hotellysjoch.com* – *Fax 01 25 36 63 65*
– *dicembre-aprile e 25 giugno-15 settembre*
12 cam ⌁ – †48/60 € ††96/120 € – ½ P 60/85 €
Rist – *(chiuso a mezzogiorno) (solo per alloggiati)*
♦ Direttamente sulle piste, in questa località a nord di Gressoney La Trinité, piccola struttura con un ambiente familiare e accogliente, reso ancor più caldo dal legno.

GRESSONEY SAINT JEAN – Aosta (AO) – 561E5 – 793 ab.   34 **B2**
– **alt. 1 385 m** – **Sport invernali : 1 385/2 020 m** ⧶3, ⧶ – ✉ **11025**

▶ Roma 727 – Aosta 80 – Ivrea 52 – Milano 165
ℹ Villa Deslex ℰ 0125 355185, info@aiatmonterosawalser.it, Fax 0125 355895
🏔 Monte Rosa, ℰ 0125 35 63 14

Gressoney ⟨⟩ ⟨⟩ ⟪⟫ ⟨⟩ ⟨⟩ ⟨⟩ 🛅 ⟨⟩ VISA ⑳ AE ⓞ ⟨⟩

via Lys 3 – ℰ *01 25 35 59 86* – *www.hotelgressoney.eu* – *info@hotelgressoney.eu*
– *Fax 01 25 35 64 27* – *8 dicembre-29 marzo e 15 giugno-15 settembre*
25 cam ⌁ – †91/150 € ††140/230 € – ½ P 100/135 €   **Rist** – Menu 20/35 €
♦ Costruzione nuova, confortevole, in un puro stile montano e vicina al fiume Lys; una bella serra, non grande, attorno alla quale si sviluppa internamente tutto l'albergo. Elegantemente curato l'ambiente del ristorante.

Gran Baita ⟨⟩ ⟨⟩ ⟪⟫ ⟨⟩ ⟨⟩ ⟨⟩ rist, 🛅 VISA ⑳ ⟨⟩

strada Castello Savoia 26, località Gresmatten – ℰ *01 25 35 64 41*
– *www.hotelgranbaita.it* – *info@hotelgranbaita.it* – *Fax 01 25 35 64 41*
– *dicembre-aprile e 25 giugno-7 settembre*
12 cam ⌁ – †90/150 € – ½ P 84/98 €
Rist – *(chiuso a mezzogiorno escluso luglio)* Carta 31/52 €
♦ Non lontano dal Castello di Savoia e dalla passeggiata della Regina Margherita, spazi comuni accoglienti ed un'antica veranda, adibita a sala lettura (a disposizione degli ospiti: libri su Gressoney e la sua cultura *Walser*). Al ristorante: cucina locale e proposte nazionali, con attenzione alle esigenze vegetariane.

Il Braciere ⟨⟩ 🛅 VISA ⑳ AE ⟨⟩

località Ondrò Verdebio 2 – ℰ *01 25 35 55 26* – *il_braciere@libero.it*
– *Fax 01 25 35 55 26* – *chiuso dal 3 al 30 giugno, dal 12 al 23 dicembre,*
mercoledì (escluso luglio-agosto) e sabato-domenica in novembre
Rist – Carta 31/44 €
♦ Cucina valligiana e piemontese e specialità alla griglia dalle porzioni abbondanti in questo caratteristico locale alle porte del paese. Piccola saletta con finestra panoramica.

GREVE IN CHIANTI – Firenze (FI) – 563L15 – 13 206 ab. – alt. 241 m   29 **D3**
– ✉ **50022** Toscana

▶ Roma 260 – Firenze 31 – Siena 43 – Arezzo 64
ℹ viale Giovanni da Verrazzano 59 ℰ 055 8546287, info@chiantiechianti.it, Fax 055 8544240

Agriturismo Villa Vignamaggio *senza rist* ⟨⟩ ⟨⟩ ⟨⟩ ⟨⟩ ⟨⟩ 🛅 ⟨⟩

strada per Lamole, Sud-Est : 4 km   📶 ⟨⟩ 🛅 VISA ⑳ ⓞ ⟨⟩
– ℰ *055 85 46 61* – *www.vignamaggio.com* – *agriturismo@vignamaggio.com*
– *Fax 05 58 54 66 76* – *15 marzo-10 dicembre*
9 cam – †120/140 € ††150/200 €, ⌁ 12 € – 16 suites – ††250/450 €
♦ Un elegante podere ubicato fra vigneti e uliveti del Chianti, una villa-fattoria quattrocentesca che racchiude la memoria del Rinascimento toscano, un'ospitalità da sogno.

a Panzano Sud : 6 km – **alt. 478 m** – ⊠ 50020

🏠 **Villa Sangiovese** ⪡ 🍴 🏠 ⤱ 💱 VISA 🌀 ✥
piazza Bucciarelli 5 – ✆ 055 85 24 61 – www.villasangiovese.it – info@
villasangiovese.it – Fax 055 85 24 63 – chiuso da Natale a febbraio
19 cam � – ♦95/113 € ♦♦113/165 € – 2 suites
Rist – *(chiuso mercoledì)* Carta 23/37 €
◆ Gestione svizzera per una signorile villa ottocentesca, con annessa casa colonica, sita nel centro del paese e con una visuale di ampio respiro sui bei colli circostanti. Servizio ristorante estivo in terrazza-giardino panoramica.

🏠 **Villa le Barone** ⟍ ⪡ 🍴 ⤱ 💱 AC rist. 💱 📶 P VISA 🌀 AE ✥
Via San Leonino 19, Est : 1,5 km – ✆ 055 85 26 21 – www.villalebarone.com
– info@villalebarone.com – Fax 055 85 22 77 – aprile-ottobre
30 cam ⊊ – ♦115/260 € ♦♦175/335 € – ½ P 100/185 €
Rist – *(chiuso a mezzogiorno) (solo per alloggiati)* Menu 39 €
◆ In un'antica dimora di campagna, una villa padronale di proprietà dei Della Robbia: tra uliveti e vigne, cuore del Chianti Classico, distensione e atmosfera di classe.

a Strada in Chianti Nord : 9 km – ⊠ 50027

🍴🍴 **Il Caminetto del Chianti** 🍴 🏠 P VISA 🌀 AE ① ✥
via della Montagnola 52, Nord : 1 km – ✆ 05 58 58 89 09
– susanna.zucchi@chiantipop.net – Fax 05 58 58 60 62
– chiuso martedì e mercoledì a mezzogiorno, in luglio-agosto chiuso a
mezzogiorno (escluso domenica)
Rist – Carta 25/36 € 🌿
◆ Fuori dal centro della località, lungo la strada che porta a Firenze, un ristorante con piatti in prevalenza toscani, da gustare in sale curate e riscaldate anche dal camino.

a La Panca Nord-Est : 10 km – ⊠ 50022 – **Greve in Chianti**

🍴🍴 **Le Cernacchie** 🍴 🏠 💱 VISA 🌀 AE ① ✥
via Cintola Alta 11 – ✆ 05 58 54 79 68
– www.lecernacchie.com – lecernacchie@tin.it – Fax 05 58 54 79 68
– chiuso dal 23 febbraio al 7 marzo, domenica sera e lunedì
Rist – Carta 31/46 €
◆ Semplice e caratteristico indirizzo animato dalla calorosa familiarità della gestione. Particolarmente apprezzabile il panoramico spazio all'esterno. Cucina della tradizione.

GREZZANA – Verona (VR) – 562F15 – 10 324 ab. – alt. 166 m   37 **A2**
– ⊠ 37023
▶ Roma 514 – Verona 12 – Milano 168 – Venezia 125

🏠 **La Pergola** 🏠 ⤱ ♿ cam. AC ⇆ 📶 P 🚗 VISA 🌀 AE ✥
🍝
🍽 *via La Guardia 1 – ✆ 045 90 70 71 – www.hotellapergolaverona.it*
– hotel.lapergola@virgilio.it – Fax 045 90 71 11
35 cam – ♦47/58 € ♦♦70/77 €, ⊊ 9 € – ½ P 52/59 €
Rist – *(chiuso dal 25 dicembre al 6 gennaio) (chiuso a mezzogiorno)*
Carta 18/36 €
◆ Protetto sul retro dal verde, questo albergo familiare è ideale soprattutto per una clientela di lavoro; camere classiche e ben illuminate da ampie finestre nonché una bella hall con salottino moderno. Ampia sala da pranzo di tono moderno; decorazioni alle pareti e soffitti futuristici.

GRIGNANO – Trieste (TS) – 562E23 – **Vedere Trieste**

GRINZANE CAVOUR – Cuneo (CN) – 561I5 – 1 786 ab. – alt. 260 m   25 **C2**
– ⊠ 12060
▶ Roma 649 – Cuneo 62 – Torino 74 – Genova 149

Casa Pavesi senza rist ← 🚗 🏢 🏧 📶 💳 ⓞ 🛗

via IV Novembre 4 – ℰ 01 73 23 11 49 – www.hotelcasapavesi.it – info@hotelcasapavesi.it – Fax 01 73 23 09 83 – chiuso dal 21 dicembre al 6 gennaio e dal 3 al 31 agosto

12 cam ⌑ – †130/150 € ††140/180 €

◆ Vicino al celebre castello, una casa ottocentesca restaurata. Il risultato è una bomboniera, salotti con boiserie e atmosfera inglese. Cura ed eleganza in camera e bagni.

GRISIGNANO DI ZOCCO – Vicenza (VI) – 562F17 – 4 260 ab. 37 B2
– alt. 23 m – ✉ 36040

▶ Roma 499 – Padova 17 – Bassano del Grappa 48 – Venezia 57

Magnolia 🛗 🏧 📶 💳 📶 🏢 🚗 💳

via Mazzini 1 – ℰ 04 44 41 42 22 – www.hmagnolia.com – info@hmagnolia.com – Fax 04 44 41 42 27

29 cam ⌑ – †85 € ††135 €

Rist – (chiuso dal 25 dicembre al 6 gennaio, agosto, venerdì sera, sabato e domenica) Carta 20/36 €

◆ Frequentato da clientela d'affari, quasi unicamente abituale, un albergo di stile classico, comodo e con camere spaziose, sulla statale Padova-Vicenza, vicino al casello. Confortevole e moderna anche l'area ristorante.

GRÖDNER JOCH = Gardena Passo di

GROLE – Mantova – Vedere Castiglione delle Stiviere

GROSIO – Sondrio (SO) – 561D12 – 4 816 ab. – alt. 653 m – ✉ 23033 17 C1
▶ Roma 739 – Sondrio 40 – Milano 178 – Passo dello Stelvio 44

Sassella con cam 🛗 🏧 📶 🏢 💳 📶 ⓞ 🛗

via Roma 2 – ℰ 03 42 84 72 72 – www.hotelsassella.it – jim@hotelsassella.it – Fax 03 42 84 75 50

22 cam ⌑ – †48/58 € ††78/82 € – ½ P 58/68 €

Rist – Menu 15/33 € – Carta 25/33 € ❀

◆ Stessa famiglia dal 1908 per questo storico ristoro, con camere, dell'alta Valtellina: proposte culinarie che riflettono il territorio, grande ospitalità e savoir-faire.

GROSOTTO – Sondrio (SO) – 561D12 – 1 645 ab. – alt. 590 m 17 C1
– ✉ 23034

▶ Roma 712 – Milano 183 – Sondrio 41

Le Corti senza rist 🛗 🏧 💳 🏢 🚗 📶 💳 ⓞ 🛗

via Patrioti 73 – ℰ 03 42 84 86 24 – www.le-corti.it – garnilecorti@libero.it – Fax 03 42 84 86 24

14 cam ⌑ – †40/50 € ††64/74 €

◆ Grazioso albergo, in centro paese, suddiviso in due edifici distanti un centinaio di metri. Camere spaziose con comodi arredi: risorsa ideale per le famiglie.

GROSSETO 🄿 (GR) – 563N15 – 73 759 ab. – alt. 10 m – ✉ 58100 29 C3
▮ Toscana

▶ Roma 187 – Livorno 134 – Milano 428 – Perugia 176

ℹ viale Monterosa 206 ℰ 0564 462611, info@lamaremma.info, Fax 0564 454606

◎ Museo Archeologico e d'Arte della Maremma★

 Airone 🐾 🛗 💳 cam, 🏧 📶 💳 🏢 🚗 📶 💳 ⓞ 🛗

via Senese 35 – ℰ 05 64 41 24 41 – www.hotelairone.eu – info@hotelairone.eu – Fax 05 64 41 83 70

68 cam ⌑ – †70/80 € ††130/150 € – 1 suite – ½ P 95/105 €

Rist – (chiuso agosto) (chiuso a mezzogiorno) Carta 23/40 €

◆ Ideale per una clientela d'affari ma non solo, (in auto) dista pochi minuti dal centro storico e dalla superstrada. Confort moderno con soluzioni d'arredo di design.

Granduca 🏨   🛗 👓 🅰🅲 rist, (¶) 🛗 🅿 💳 ⓔⓔ 🅰🅴 ① 🛗

via Senese 170 – 𝒞 05 64 45 38 33 – www.hotelgranduca.com – info@
hotelgranduca.com – Fax 05 64 45 38 43
71 cam ⚏ – 🛏75/90 € 🛏🛏95/130 € – 1 suite – ½ P 90/110 €
Rist – (chiuso a mezzogiorno) Carta 29/43 €
♦ In posizione semiperiferica ma comoda, struttura di stile moderno il cui ingresso, sul
piazzale, è segnalato da una fontana; ampi spazi, ideale per la clientela d'affari. Sapore
attuale anche per gli ambienti del ristorante, vasti e usati anche per banchetti.

Bastiani Grand Hotel senza rist 🏨 🅰🅲 👓 (¶) 💳 ⓔⓔ 🅰🅴 ① 🛗

piazza Gioberti 64 – 𝒞 056 42 00 47 – www.hotelbastiani.com – info@
hotelbastiani.com – Fax 056 42 93 21
48 cam ⚏ – 🛏87/108 € 🛏🛏128/151 €
♦ Nel cuore della località, all'interno della cinta muraria medicea, una gradevole risorsa
in un signorile palazzo d'epoca. Camere in stile classico, abbastanza ampie e confortevoli.

Canapone 🏵 🅰🅲 👓 💳 ⓔⓔ 🅰🅴 🛗

piazza Dante 3 – 𝒞 056 42 45 46 – eno.canapino@virgilio.it – Fax 056 42 85 35
– chiuso dal 22 al 31 gennaio, dal 5 al 19 agosto, domenica e mercoledì sera da
ottobre a giugno
Rist – (consigliata la prenotazione) Menu 53/64 € – Carta 43/67 € 🏵
Rist *Enoteca Canapino* – (chiuso la sera) Carta 20/33 € 🏵
♦ Nel cuore del centro storico della "capitale" della Maremma, un ristorante completa-
mente ristrutturato che oggi si presenta con un aspetto elegante e raffinato. All'Enoteca
Canapino una buona scelta di piatti tradizionali a prezzo contenuto.

Buca San Lorenzo-da Claudio 💳 ⓔⓔ 🛗

via Manetti 1 – 𝒞 056 42 51 42 – www.bucasanlorenzo.com – Fax 056 42 51 42
– chiuso dal 6 al 20 gennaio, dal 7 al 21 luglio, domenica e lunedì
Rist – (consigliata la prenotazione la sera) Carta 31/54 €
♦ Ricavato nelle mura medicee, un punto di riferimento molto quotato nella città; specialità marinare e locali proposte a voce, servite in ambiente curato ed elegante.

Antico Borgo 🅰🅲 🛗

via Garibaldi 52 – 𝒞 056 42 06 25 – lu.bernacchi@tiscali.it – chiuso lunedì
Rist – (consigliata la prenotazione) Carta 30/48 €
♦ La formula è apparentemente semplice: una piccola trattoria all'interno delle mura
medicee, pochi tavoli e una cucina schietta, strutturata su materie prime di eccellente
qualità. Il risultato: squisito!

sulla Strada Statale 1 - Aurelia, km 712,80 uscita Vallemaggiore Sud :
9 km – ✉ 58010 – Rispescia

Agriturismo Poggio degli Ulivi senza rist 🐾 🚗 ⌫ 🅰🅲 👓 🅿

strada Vallemaggiore 174, Est : 4 km – 𝒞 05 64 40 51 34
– www.poggiodegliulivi.it – info@poggiodegliulivi.it – Fax 05 64 40 58 33
5 cam – 🛏🛏60/110 €, ⚏ 6 €
♦ Isolata, ma prossima all'Aurelia e al mare, una casa moderna dotata di camere confortevoli con angolo cottura. Ideale per bambini: giochi da giardino, lago per pesca, piscina.

GROSSETO (Marina di) – Grosseto (GR) – 563N14 – ✉ 58046   29 **C3**
▶ Roma 196 – Grosseto 14 – Firenze 153 – Livorno 125

Rosmarina 🚗 🛗 🏨 & cam, 🅰🅲 👓 🅿 💳 ⓔⓔ 🅰🅴 🛗

via delle Colonie 33/35 – 𝒞 056 43 44 08 – www.rosmarina.it – info@rosmarina.it
– Fax 056 43 46 84
38 cam – 🛏70/100 € 🛏🛏90/140 € – ½ P 105 €   **Rist** – Carta 29/38 €
♦ A pochi passi dal litorale marino, in una zona molto tranquilla, la risorsa è totalmente
immersa nella lussureggiante cornice della pineta maremmana. Quadri d'autore nelle
zone comuni personalizzano la struttura. Ristorante ubicato nel seminterrato, rinnovato
da poco, sala curata e cucina locale.

GROTTA... GROTTE – Vedere nome proprio della o delle grotte

GROTTAFERRATA – Roma (RM) – 563Q20 – **19 004 ab.** – **alt. 329 m**   12 **B2**
– ⊠ 00046 Roma

▶ Roma 21 – Anzio 44 – Frascati 3 – Frosinone 71

⌂⌂⌂ **Park Hotel Villa Grazioli** ॐ   ≤ 🚗 🏠 ☒ 🍴 AC (°) ♨ 🅿
via Umberto Pavoni 19 – ℰ 069 45 40 01   VISA ⑳ AE ① 🍴
– www.villagrazioli.com – info@villagrazioli.com – Fax 069 41 35 06
56 cam ⌂ – ♦180/300 € ♦♦200/330 € – 2 suites
Rist *Acquaviva* – Carta 45/103 €
♦ E' appartenuta al cardinale Carafa questa villa cinquecentesca in splendida posizione
panoramica che oggi può ancora sfoggiare affreschi originali al piano terra e giardini
all'italiana. Ristorante di tono elegante, affacciato su un giardino pensile, dove vengono
proposti i piatti della tradizione mediterranea.

⌂⌂⌂ **Grand Hotel Villa Fiorio**   🛋 🏠 ☒ ⅙ rist, AC 🍴 rist, (°) ♨ 🅿
viale Dusmet 25 – ℰ 06 94 54 80 07   VISA ⑳ AE ① 🍴
– www.villafiorio.it – info@villafiorio.it – Fax 06 94 54 80 09
24 cam ⌂ – ♦95/130 € ♦♦110/180 € – 1 suite – ½ P 120 €
Rist – Carta 30/98 € (+10 %)
♦ Imponente villa nobiliare di inizio Novecento, circondata da un parco secolare con
piscina, le cui camere ai piani superiori offriranno una superba vista sulla capitale. Affacciato sul verde degli alberi, un ristorante di sobria raffinatezza.

⌂A **Al Fico-La locanda dei Ciocca** senza rist   🛋 🖢 AC ऒ ((°)) ♨ 🅿
via Anagnina 134 – ℰ 06 94 31 53 90 – www.alfico.it   VISA ⑳ AE ① 🍴
– info@alfico.it – Fax 069 41 01 33
21 cam ⌂ – ♦115/145 € ♦♦170/210 €
♦ Calda atmosfera rustica fra travi a vista e camini, quiete, camere in stile e personalizzate: una locanda dove riscoprire il relax. Particolarmente curata la prima colazione.

⌂A **Locanda dello Spuntino**   🛋 AC ऒ (°) VISA ⑳ AE ① 🍴
via Cicerone 22 – ℰ 06 94 31 59 85 – www.locandadellospuntino.com – info@
locandadellospuntino.com – Fax 069 45 61 03
10 cam ⌂ – ♦♦150/165 €
Rist Taverna dello Spuntino – vedere selezione ristoranti
♦ Divani e caminetti rendono piacevole l'ingresso di questa locanda, ma tutta la cura è
riservata alle camere, dal parquet ai bagni in travertino con intarsi in marmo e mosaici.

XX **Taverna dello Spuntino** – Locanda dello Spuntino   AC ऒ
via Cicerone 20/22 – ℰ 069 45 93 66   VISA ⑳ 🍴
– www.tavernadellospuntino.com – info@tavernadellospuntino.com
– Fax 069 45 61 03
Rist – Menu 35 € – Carta 35/55 € ॐ
♦ E' tutto all'interno la peculiarità di questa trattoria romana: scenografiche sale sotto
archi in mattoni ed una coreografica esposizione di prosciutti, fiaschi di vino, frutta e
antipasti.

XX **La Cavola d'Oro**   🏠 AC ऒ 🅿 VISA ⑳ AE 🍴
via Anagnina 35, Ovest : 1,5 km – ℰ 06 94 31 57 55 – www.lacavoladoro.com
– info@lacavoladoro.it – Fax 06 94 31 57 55 – chiuso 15 giorni in agosto e lunedì
Rist – Menu 35/40 € – Carta 27/42 €
♦ Facile da raggiungere, lungo la strada per Roma, locale classico con camino e soffitti
lignei nelle curate sale interne; piatti regionali, assortimento di antipasti e carni alla griglia.

XX **Nando**   AC ऒ VISA ⑳ AE ① 🍴
via Roma 4 – ℰ 069 45 99 89 – www.ristorantenando.it – info@
ristorantenando.it – Fax 069 45 99 89 – chiuso lunedì
Rist – Carta 35/53 € ॐ
♦ Due piccole sale ricche di decorazioni: da vedere la curiosa collezione di cavatappi e
la caratteristica cantina (possibilità di degustazione); la cucina, regionale, guarda anche
alla creatività.

GROTTAGLIE – Taranto (TA) – 564F34 – **32 375 ab.** – **alt. 133 m**   27 **C2**
– ⊠ 74023

▶ Roma 514 – Brindisi 49 – Bari 96 – Taranto 22

Gill senza rist   📶 AC ⁽ᵗ⁾ ṡà VISA ◐◐ AE ① ⑤
via Brodolini 75 – ℰ 09 95 63 82 07 – www.gillhotel.it – info@gillhotel.it
– Fax 09 95 63 87 56
48 cam ⌂ – †50/55 € ††70/75 €
♦ Piccolo piacevole indirizzo nei pressi del centro tra le mura di un grande palazzo vocato alla semplicità e ad un'ospitalità dal sapore familiare. Carine le camere nuove.

GROTTAMMARE – Ascoli Piceno (AP) – 563N23 – 14 596 ab.   21 D3
– ⊠ 63013

▶ Roma 236 – Ascoli Piceno 43 – Ancona 84 – Macerata 64
🛈 piazzale Pericle Fazzini 6 ℰ 0735 631087, iat.grottammare@
regione.marche.it, Fax 0735 631087

La Torretta sul Borgo senza rist ⌂   AC ⁽ᵗ⁾ VISA ◐◐ ① ⑤
via Camilla Peretti 2 – ℰ 07 35 73 68 64 – www.latorrettasulborgo.it – info@
latorrettasulborgo.it – Fax 07 35 73 68 64
6 cam ⌂ – †40/65 € ††55/80 €
♦ Un'attenta opera di restauro ha mantenuto le caratteristiche di questa bella casa nel centro del borgo antico: ambienti rustici e camere personalizzate.

Borgo Antico   🏠 ⇔ VISA ◐◐ AE ① ⑤
via Santa Lucia 1, Grottammare Alta – ℰ 07 35 63 43 57 – info@
borgoanticoristorante.it – Fax 07 35 77 82 55 – chiuso martedì (escluso giugno-settembre)
Rist – *(chiuso a mezzogiorno)* Menu 25/37 € – Carta 31/51 €
♦ Città alta. In un antico frantoio, cura per le materie prime e l'elaborazione dei cibi; panorama, estivo, dai tavoli nella piazzetta esterna. Complice, una giovane coppia.

Osteria dell'Arancio   🏠 ⇔ VISA ◐◐ AE ① ⑤
piazza Peretti, Grottammare Alta – ℰ 07 35 63 10 59 – www.osteriadellarancio.it
– osteriadellarancio@tiscali.it – chiuso 24-25 dicembre e mercoledì
Rist – *(chiuso a mezzogiorno escluso domenica e i giorni festivi dal 15 settembre al 15 giugno)* Carta 38/50 € 🍽
♦ Nella piazzetta di Grottammare Alta, una vecchia insegna recita ancora "Tabacchi e alimentari": oggi, un locale caratteristico con menù tipico, fisso, abbinato ai vini.

verso San Benedetto del Tronto

Parco dei Principi   🏊 ⚓ 📶 ⛹ AC 🌿 rist, ⁽ᵗ⁾ ṡà P
lungomare De Gasperi 90, Sud : 1 km ⊠ 63013   VISA ◐◐ AE ① ⑤
– ℰ 07 35 73 50 66 – www.hotelparcodeiprincipi.it – htlparcodeiprincipi@
tiscalinet.it – Fax 07 35 73 50 80 – chiuso dal 21 dicembre al 15 gennaio
64 cam ⌂ – †65/140 € ††95/160 € – ½ P 57/84 €
Rist – *(chiuso sabato e domenica) (chiuso a mezzogiorno escluso da giugno a settembre)* Carta 18/55 €
♦ Nel contesto di un paesaggio tropicale, avvolto da un parco in cui si collocano campi da gioco e persino una vivace voliera, dispone di ambienti in stile mediterraneo e spazi ad hoc per i più piccoli.

Roma   ≤ 🏊 📶 AC 🌿 rist, P VISA ◐◐ AE ⑤
lungomare De Gasperi 60 – ℰ 07 35 63 11 45
– www.hotelromagrottammare.com – info@hotelromagrottammare.com
– Fax 07 35 63 32 49 – Pasqua-15 novembre
59 cam ⌂ – †50/65 € ††80/95 € – ½ P 69/83 €   **Rist** – Carta 20/35 €
♦ Nel corso del 2003 l'albergo è stato riaperto dopo aver subito un rinnovo completo. Oggi si presenta come una struttura fresca e attuale, sul lungomare con piccolo giardino.

Tropical   🏠 ⇔ VISA ◐◐ ① ⑤
lungomare De Gasperi 59, Sud : 2 km ⊠ 63013 – ℰ 07 35 58 10 00
– www.ristorantetropical.com – info@ristorantetropical.com – Fax 07 35 58 13 02
– chiuso dal 24 dicembre al 15 gennaio, domenica sera e lunedì
Rist – Carta 32/55 €
♦ Proprio al limitare della spiaggia, gestita dallo stesso titolare e a cui si può accedere dalla bella veranda esterna; per scorpacciate di pesce, fresco e gustoso.

XX **Lacchè**　　　　　　　　　　　　🏠 & AK 🍴 VISA ⓪ AE ① &
via Procida 1/3, Sud : 2,5 km ✉ *63013 –* ☎ *07 35 58 27 28 – lacche@
ristorantiitaliani.it – Fax 07 35 59 48 14 – chiuso dal 24 dicembre al 6 gennaio e
lunedì*
Rist – Carta 32/45 €
♦ Menù a voce, sulla base del mercato ittico giornaliero, e alla carta: uno degli indirizzi
più "gettonati" in paese, ove lasciarsi sedurre da sapori strettamente marini.

GROTTE DI CASTRO – Viterbo (VT) – 563N17 – 2 917 ab.　　12 A1
– alt. 463 m – ✉ **01025**
▶ Roma 140 – Viterbo 47 – Grosseto 100 – Orvieto 27

🏠　**Agriturismo Castello di Santa Cristina** senza rist ⚘　　🔏 🍴
località Santa Cristina Ovest : 3,5 km　　　🍴 📶 P VISA ⓪ AE &
– ☎ *076 37 80 11 – www.santacristina.it – info@santacristina.it*
– Fax 076 37 80 11 – chiuso dal 15 gennaio al 28 febbraio
21 cam – ♦70/100 € ♦♦100/130 €, ☞ 7 €
♦ Nel cuore della Tuscia antica, un signorile casale settecentesco arredato con gusto
con mobili d'epoca. Tra le attività fruibili, il maneggio e la possibilità di organizzare gite
ed escursioni.

GRUGLIASCO – Torino (TO) – 561G4 – 40 344 ab. – alt. 293 m　　22 A1
– ✉ **10095**
▶ Roma 672 – Torino 10 – Asti 68 – Cuneo 97

XX **L'Antico Telegrafo**　　　　　　　　🏠 VISA ⓪ &
via G. Lupo 29 – ☎ *011 78 60 48 – lanticotelegrafo@virgilio.it – chiuso agosto,
domenica sera e lunedì*　　　　　　　　　　　　　　　FTt
Rist – Menu 26/38 € – Carta 33/49 €
♦ Sono due cugini a gestire questo ristorante sito al primo piano di un edificio in centro
che propone piatti di carne e di pesce; sul retro, un dehors circondato da frutteti.

GRUMELLO DEL MONTE – Bergamo (BG) – 561F11 – 6 471 ab.　19 D1
– alt. 208 m – ✉ **24064**
▶ Roma 598 – Milano 68 – Bergamo 22 – Brescia 42

🏠🏠　**Fontana Santa**　　　　⛶ 🏠 🍴 cam, 📶 🔏 P 🚗 VISA ⓪ AE &
via Fontana Santa – ☎ *035 83 38 71 – www.fontanasanta.it – info@
fontanasanta.it – Fax 035 83 43 87 – chiuso 2 settimane in agosto*
17 cam ☞ **–** ♦60 € ♦♦100 €　**Rist** *Al Grottino* – Carta 38/52 €
♦ In un suggestivo contesto paesaggistico, tra colline e vigneti, sorge questa bella struttura ricavata dalla sapiente ristrutturazione di un vecchio cascinale. Nelle camere la
modernità dei confort flirta con la rusticità dei soffitti con travi a vista. *Al Grottino*, delizie
mediterranee, soprattutto a base di pesce.

XX **La Cascina Fiorita**　　　　　◁ 🏠 & ⇔ P VISA ⓪ AE &
via Mainoni d'Intignano 11 – ☎ *035 83 00 05 – www.lacascinafiorita.com
– info@lacascinafiorita.com – chiuso dal 1° al 7 gennaio e 3 settimane in agosto*
Rist – Carta 38/49 €
♦ In posizione panoramica sui colli, il locale si trova in un antico casolare quasi totalmente ristrutturato, dispone d'una sala fumatori e propone la classica cucina nazionale.

GSIES = Valle di Casies

GUALDO CATTANEO – Perugia (PG) – 563N19 – 6 165 ab.　32 B2
– alt. 535 m – ✉ **06035**
▶ Roma 160 – Perugia 48 – Assisi 28 – Foligno 32

a Collesecco Sud-Ovest : 9 km – ✉ **06030**

X　**La Vecchia Cucina**　　　　　🏠 🍴 P VISA ⓪ AE ① &
👄　*via delle Scuole 2 frazione Marcellano –* ☎ *074 29 72 37 – Fax 074 29 74 09 97
– chiuso dal 24 al 27 dicembre e da 6 al 31 agosto*
Rist – Carta 21/29 €
♦ Nella villetta di una piccola frazione, ove la campagna umbra dà il meglio di sé, una
sala colorata e allegra per portarsi a casa un ricordo gastronomico locale.

539

a Saragano Ovest: 5 km – ⊠ 06035

⌂ ↑ **Agriturismo la Ghirlanda** ⑤   ← 🛲 🏠 ☕ ⌖ ⁽ℙ⁾ 🅿

Via del Poggio 4 – ☏ 074 29 87 31   🆅🆂🅰 ⓪⓪ 🅰🅴 ⓪ ⑤
– www.laghirlanda.it – info@laghirlanda.it – chiuso dal 10 gennaio al 23 marzo
10 cam ⌷ – ✝80/91 € ✝✝110/132 € – 3 suites – ½ P 80/91 €
Rist – (prenotazione obbligatoria) *(solo per alloggiati)* Menu 25/30 €
♦ Una struttura ricca di charme: una casa patronale di fine '800 nel verde e nella tranquillità delle colline umbre. Ambienti personalizzati con mobili d'epoca e camere con caminetto. Ristorante con menu fisso e specialità locali. Servizio estivo all'aperto.

GUARDAMIGLIO – Lodi (LO) – 561G11 – 2 649 ab. – alt. 49 m   16 **B3**
– ⊠ 26862

▶ Roma 520 – Piacenza 9 – Cremona 46 – Lodi 36

🏨 **Nord** senza rist   & 🅰🅲 ↤ ⑤ 🅿 🆅🆂🅰 ⓪⓪ 🅰🅴 ⓪ ⑤
via I Maggio 3 – ☏ 037 75 12 23 – www.hotelnord.it – info@hotelnord.it
– Fax 03 77 51 93 49
80 cam ⌷ – ✝105/155 € ✝✝125/155 €
♦ Hotel di recente apertura, a due passi dall'uscita autostradale Piacenza Nord, impostato secondo uno stile moderno e confortevole. Ampio e comodo parcheggio interno.

✕✕ **Hostaria il Cavallo**   🅰🅲 🍴 🆅🆂🅰 ⓪⓪ 🅰🅴 ⓪ ⑤
via Dante 48, località Valloria, Est : 4 km – ☏ 037 75 10 16 – Fax 037 75 10 16
– chiuso dal 7 al 14 gennaio, dal 5 al 29 agosto e martedì
Rist – Carta 35/61 €
♦ Due sale di dimensioni analoghe e d'impostazione classica, entrambe godono di una buona illuminazione naturale. In cucina piatti classici con prevalenza di pesce.

GUARDIA – Trento – 562E15 – Vedere Folgaria

GUARDIAGRELE – Chieti (CH) – 563P24 – 9 630 ab. – alt. 577 m   2 **C2**
– ⊠ 66016

▶ Roma 230 – Pescara 41 – Chieti 25 – Lanciano 23

✕✕✕ **Villa Maiella** con cam   🛗 & cam, 🅰🅲 🍴 ⁽ℙ⁾ 🕍 🅿 🆅🆂🅰 ⓪⓪ 🅰🅴 ⓪ ⑤
via Sette Dolori 30, Sud-Ovest : 1,5 km – ☏ 08 71 80 93 19 – www.villamaiella.it
– info@villamaiella.it – Fax 08 71 80 93 62
14 cam ⌷ – ✝52/60 € ✝✝99/110 €
Rist – (chiuso 10 giorni in gennaio, 15 giorni in luglio, domenica sera e lunedì)
Menu 45 € – Carta 26/52 € 🍷
♦ L'estro creativo e l'esperienza dei giovani proprietari di questo locale al limitare del Parco della Maiella sono ormai noti; ora si aggiunge lo spettacolare servizio estivo su una panoramica terrazza... Confortevoli e luminose le camere, realizzate secondo le moderne tecnologie.

✕✕ **Ta Pù**   🅰🅲 🍴 🆅🆂🅰 ⓪⓪ 🅰🅴 ⓪ ⑤
via Modesto della Porta 37 – ☏ 087 18 31 40 – Fax 087 18 31 40 – chiuso lunedì
escluso agosto
Rist – Menu 35/55 € – Carta 41/63 € 🍷
♦ Leccornie locali, prodotti stagionali e creatività all'interno di una sala di forma allungata, accolta sotto un soffitto ad archi; da poco è stato aggiunto anche un allegro *wine bar*, ideale per degustazione vini e veloci spuntini.

GUARDISTALLO – Pisa (PI) – 563M13 – 1 061 ab. – alt. 294 m   28 **B2**
– ⊠ 56040

▶ Roma 276 – Pisa 65 – Grosseto 100 – Livorno 44

a Casino di Terra Nord-Est : 5 km – ⊠ 56040

✕✕ **Mocajo**   🏠 & 🅰🅲 🅿 🆅🆂🅰 ⓪⓪ 🅰🅴 ⓪ ⑤
strada statale 68 – ☏ 05 86 65 50 18 – www.ristorantemocajo.it – info@
ristorantemocajo.it – Fax 05 86 65 50 18 – chiuso dal 15 gennaio al 15 febbraio e
mercoledì (escluso agosto)
Rist – Menu 35/45 € – Carta 37/47 €
♦ Sulla statale Cecina-Volterra, un locale che dà il meglio all'interno: ambiente di tono, con piatti del territorio. Solida gestione familiare, alla seconda generazione.

GUARENE – Cuneo (CN) – 561H6 – **3 137 ab.** – **alt. 360 m** – ⊠ 12050   25 **C2**
- ▶ Roma 649 – Torino 57 – Asti 32 – Cuneo 68

※※ **Osteria la Madernassa**   🚗 🏡 ⅃ 🛇 ⇔ 🅿 𝗩𝗜𝗦𝗔 ⓒⓞ 🅰🅴 ⓪ 💪
località Lora 2, Ovest : 2,5 km – 𝒞 01 73 61 17 16 – www.osterialamadernassa.it
– info@osterialamadernassa.it – Fax 01 73 28 54 25
– chiuso dal 9 gennaio al 12 febbraio e martedì
Rist – Menu 33/48 € – Carta 28/54 € 🏶
♦ Nel locale polivalente al piano terra vengono allestite delle mostre temporanee, al piano superiore due sale eleganti e moderne per una cucina del territorio, in chiave moderna.

GUBBIO – Perugia (PG) – 563L19 – **32 393 ab.** – **alt. 529 m** – ⊠ 06024   32 **B1**
📗 Italia
- ▶ Roma 217 – Perugia 40 – Ancona 109 – Arezzo 92
- 🅳 via della Repubblica 15 𝒞 075 9220693, info@iat.gubbio.pg.it, Fax 075 9273409
- ◎ Città vecchia★★ – Palazzo dei Consoli★★ **B** – Palazzo Ducale★ – Affreschi★ di Ottaviano Nelli nella chiesa di San Francesco – Affresco★ di Ottaviano Nelli nella chiesa di Santa Maria Nuova

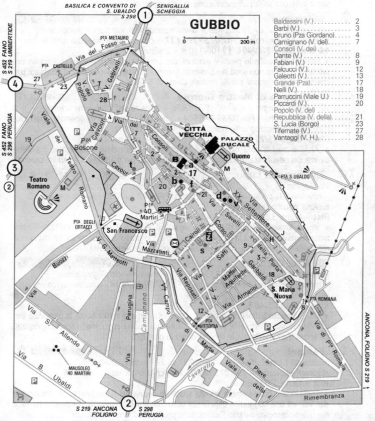

Baldassini (V.) 2
Barbi (V.) 3
Bruno (Pza Giordano) 4
Camignano (V. del) 7
Consoli (V. dei) . . . .
Dante (V.) 8
Fabiani (V.) 9
Falcucci (V.) 12
Galeotti (V.) 13
Grande (Pza) 17
Nelli (V.) 18
Parruccini (Viale U.) 19
Piccardi (V.) 20
Popolo (V. del)
Repubblica (V. della) 21
S. Lucia (Borgo) 23
Tifernate (V.) 27
Vantaggi (V. H.) 28

Park Hotel ai Cappuccini ⚐　◁ 🔲 🖂 🔲 🅿️ 🔲 🔲 🔲 🔲 🔲

via Tifernate, per ④　　　🔲 🔲 rist, "📶" 🔲 🅿️ 🚗 🔲 🔲
– ℰ 075 92 34 – www.parkhotelaicappuccini.it – info@parkhotelaicappuccini.it
– Fax 07 59 22 03 23
95 cam ⌷ – 🛏180/210 € 🛏🛏230/320 € – ½ P 155/200 €　**Rist** – Carta 35/50 €
◆ Pur conservando il fascino dell'antica struttura, un ex convento (completamente
ristrutturato) propone i più elevati confort per ospitare al meglio il cliente: eleganti aree
comuni impreziosite da antichi arazzi, ceramiche ed affreschi. Opere d'arte moderna e
arredi d'epoca fanno da cornice ad una cucina locale.

Relais Ducale senza rist ⚐　　　🔲 🔲 🔲 🔲 🔲 🔲 🔲 🔲 🔲 🔲

via Galeotti 19 – ℰ 07 59 22 01 57 – www.mencarelligroup.com – info@
relaisducale.com – Fax 07 59 22 01 59　　　　　　　　　　　　　　　　**a**
30 cam ⌷ – 🛏110/130 € 🛏🛏155/290 €
◆ Nella parte più nobile di Gubbio, giardino pensile con vista città e colline per un hotel
di classe, ricavato da un complesso di tre antichi palazzi del centro storico. Ottima accoglienza: affabile e cordiale.

Bosone Palace senza rist　　　　　🔲 🔲 🔲 "📶" 🔲 🔲 🔲 🔲 🔲

via 20 Settembre 22 – ℰ 07 59 22 06 88 – www.mencarelligroup.com – bosone@
mencarelligroup.com – Fax 07 59 22 05 52 – chiuso dal 10 gennaio al 1° marzo
28 cam ⌷ – 🛏80/90 € 🛏🛏110/199 € – 2 suites　　　　　　　　　　**d**
◆ Nello storico palazzo Raffaelli, tessuti rossi e un'imponente scala portano alle camere,
graziosamente arredate con mobili stile '700 (qualcuna con vista sul centro). Due sontuose suite con soffitti affrescati, come la sala colazioni.

Gattapone senza rist　　　　◁ 🔲 🔲 "📶" 🔲 🔲 🔲 🔲 🔲

via Beni 13 – ℰ 07 59 27 24 89 – www.mencarelligroup.com – gattapone@
mencarelligroup.com – Fax 07 59 27 24 17 – chiuso dall'8 gennaio all'8 febbraio
16 cam ⌷ – 🛏80/90 € 🛏🛏100/110 € – 2 suites　　　　　　　　　　**b**
◆ Edificio medievale in pietra e mattoni, con persiane ad arco, e spazi comuni un po'
ridotti. Le camere non sono decisamente grandi, ma propongono deliziosi scorci sui pittoreschi vicoli eugubini e sulla centrale chiesa di S. Giovanni.

La Fornace di Mastro Giorgio　　　　　🔲 🔲 🔲 🔲

via Mastro Giorgio 2 – ℰ 07 59 22 18 36 – www.rosatihotels.com – info@
rosatihotels.com – Fax 07 59 27 66 04 – chiuso 2 settimane in gennaio, martedì,
mercoledì a mezzogiorno (escluso da giugno a ottobre)　　　　　　　　**v**
Rist – Carta 43/75 € 🍴
◆ Archi e travi a vista nell'elegante fornace trecentesca dove nacquero le maioliche
dipinte del celebre Mastro Giorgio. Wine bar adiacente per piatti veloci e vendita prodotti.

Taverna del Lupo　　　　　🔲 🔲 🔲 🔲 🔲 🔲 🔲

via Ansidei 21 – ℰ 07 59 27 43 68 – www.mencarelligroup.com
– tavernadellupo@mencarelligroup.com – Fax 07 59 27 12 69 – chiuso lunedì
escluso agosto-settembre　　　　　　　　　　　　　　　　　　　**f**
Rist – Menu 32/40 € – Carta 40/56 € 🍴
◆ Storico locale nel cuore di Gubbio, "legato" al Santo di Assisi e al feroce lupo, il ristorante fa della semplicità la propria bandiera ma è in grado di proporre anche una cucina
moderatamente creativa. Antichi ambienti e grande professionalità.

Bosone Garden　　　　　🔲 🔲 🔲 🔲 🔲 🔲 🔲

via Mastro Giorgio 1 – ℰ 07 59 22 12 46 – www.mencarelligroup.com
– mencarelli@mencarelligroup.com – Fax 07 59 27 78 14 – chiuso mercoledì
escluso luglio-agosto　　　　　　　　　　　　　　　　　　　　**d**
Rist – Carta 25/48 €
◆ Sito in Palazzo Raffaelli e composto da tre sale con alte volti a botte, la principale con
grande camino, il ristorante propone un'autentica cucina eugubina in spazi impreziositi
da arredi d'epoca. Piacevole servizio estivo in giardino.

Fabiani　　　　　🔲 🔲 🔲 🔲 🔲 🔲 🔲

piazza 40 Martiri 26 A/B – ℰ 07 59 27 46 39 – www.ristorantefabiani.it – info@
ristorantefabiani.it – Fax 07 59 22 06 38 – chiuso gennaio e martedì
Rist – Carta 23/33 €　　　　　　　　　　　　　　　　　　　　**t**
◆ Tradizione culinaria umbra ed alta scuola di cucina del Rinascimento si sposano per
dar vita ad una suggestiva esperienza gastronomica in questo ristorante che ha sede
nel quattrocentesco palazzo Fabiani. Stile, prestigio ed atmosfera.

✂ ☎ **Grotta dell'Angelo** con cam ⛲ 🍴 rist, ＶＩＳＡ 🆎 🆔 ✆
via Gioia 47 – ℰ 07 59 27 34 38 – www.grottadellangelo.it
– info@grottadellangelo.it – Fax 07 59 27 34 38
– chiuso dal 7 gennaio al 7 febbraio   s
18 cam – ✝38/45 € ✝✝55/60 €, ⊡ 5 € – ½ P 55/60 €
Rist – Menu 15/30 € – Carta 25/36 €
♦ Sotto antiche volte medioevali, diverse salette: in una di esse troneggia un camino
con griglia che accoglie gustose fiorentine, vera specialità della casa. L'ambiente è volutamente rustico; il menu ben articolato, varia quotidianamente. Piacevole il fresco pergolato per il servizio estivo.

a Monte Ingino per ① : 5 km – alt. 827 m – ✉ 06024

🏠 **La Rocca** senza rist ✆ ⩽ ＶＩＳＡ 🆎 ✆
via Monte Ingino 15 – ℰ 07 59 22 12 22 – www.laroccahotel.net
– Fax 07 59 22 12 22 – chiuso dall'8 gennaio al 15 marzo
12 cam ⊡ – ✝80 € ✝✝100 €
♦ Ambiente piacevolmente sobrio e sommesso per un hotel in posizione dominante
sulla città, vicino alla Basilica di S. Ubaldo e sul Colle celebrato dai versi danteschi.

a Pisciano Nord-Ovest : 14 km – alt. 640 m – ✉ 06024 – Gubbio

🏠 **Agriturismo Le Cinciallegre** ✆ ⩽ 🌳 🍴 rist, ⓟ
frazione Pisciano 7 – ℰ 07 59 25 59 57   ＶＩＳＡ 🆎 🆎 🆔 ✆
– www.lecinciallegre.it – cince@lecinciallegre.it – Fax 07 59 27 23 31
– chiuso dal 15 dicembre al 13 marzo
7 cam ⊡ – ✝50 € ✝✝100 € – ½ P 75 €
Rist – (chiuso a mezzogiorno) (solo per alloggiati)
♦ Un antico casale ristrutturato e, poi, colline e boschi per staccare la spina dalla frenesia della vita odierna. Stanze semplici ma decorose, alcune con patio privato. In giardino, barbecue e cucina in muratura a disposizione dei clienti che gradiscono cucinare
da soli.

a Scritto Sud : 14 km – ✉ 06020

🏠 **Agriturismo Castello di Petroia** ✆ 🌳 🍴 rist, ⓟ
località Scritto – ℰ 075 92 02 87 – www.petroia.it   ＶＩＳＡ 🆎 🆎 🆔 ✆
– info@petroia.it – Fax 075 92 01 08 – aprile-dicembre
10 cam ⊡ – ✝90/115 € ✝✝130/155 € – 3 suites – ½ P 95/115 €
Rist – (chiuso a mezzogiorno) (solo per alloggiati) Menu 30/38 €
♦ Incantevole castello medioevale, circondato da una lussureggiante natura, e pregno di
storia (nel 1422 vi nacque Federico da Montefeltro). Ambienti comuni raffinati con soffitti a cassettoni e grandi caminetti. La camera più particolare è nella torre, ma anche le
altre vantano arredi in stile. Un tuffo nel passato!

SANTA CRISTINA Sud-Ovest : 21,5 km – ✉ 06024 – Gubbio

🏠 **Locanda del Gallo** – Country House ✆ ⩽ 🌳 ⛲ 🎇 🍴 rist, ⓟ
località Santa Cristina – ℰ 07 59 22 99 12   ＶＩＳＡ 🆎 ✆
– www.locandadelgallo.it – info@locandadelgallo.it – Fax 07 59 22 99 12
– chiuso dal 7 gennaio al 9 aprile
10 cam ⊡ – ✝90/105 € ✝✝120/140 € – ½ P 80/90 €
Rist – (chiuso a mezzogiorno) (solo per alloggiati) Menu 25/28 €
♦ Antica magione nobiliare, immersa nel verde della campagna umbra; ideale per
vacanze solitarie lontano da centri abitati. Camere con arredi indonesiani in tek.

GUDON = GUFIDAUN – Bolzano – Vedere Chiusa

GUGLIONESI – Campobasso (CB) – 563Q26 – 5 272 ab. – alt. 370 m   2 D2
– ✉ 86034

▶ Roma 271 – Campobasso 59 – Foggia 103 – Isernia 103

verso Termoli Nord-Est : 5,5 km :

XX **Ribo** con cam   🛜 AC ℅ 🕴 P VISA ⚌ AE ⓸ Ꮬ
contrada Malecoste 7 ⊠ 86034 – ℰ 08 75 68 06 55 – www.ribomolise.it – info@
ribomolise.it – Fax 08 75 68 06 55
9 cam ⊑ – ♦50 € ♦♦80 €
Rist – (chiuso gennaio, domenica sera e lunedì) (consigliata la prenotazione)
Menu 35/50 € – Carta 30/55 €
♦ Il rosso e il nero, Bobo e Rita, due figure veraci e "politiche"; in campagna, sulle colline
molisane. E, nei piatti, una grande passione e maniacale ricerca della qualità.

X **Terra Mia**   Ꮬ AC ℅ VISA ⚌ AE ⓸ Ꮬ
contrada Malecoste 7 ⊠ 86034 – ℰ 08 75 68 06 55 – www.ribomolise.it – info@
ribomolise.it – Fax 08 75 68 06 55 – chiuso domenica sera e lunedì
Rist – (chiuso a mezzogiorno) (consigliata la prenotazione) Carta 27/39 € ⅋
♦ Caratteristico e moderno bistrot dove assaporare una gustosa selezione di salumi,
nonché formaggi, ed occasionalmente ascoltare un pò di musica. Ampia scelta di vini
anche al calice.

GUIDONIA MONTECELIO – Roma (RM) – 69 617 ab. – alt. 95 m   12 B2
– ⊠ 00012
▶ Roma 33 – Frosinone 81 – Rieti 69 – Tivoli 15

GUIDONIA

🏠 **Fabio Hotel** senza rist   🛏 ⅃Ꮬ Ⴠ AC P ⿻ VISA ⚌ AE ⓸ Ꮬ
via Colle Ferro 39/A ⊠ 00012 – ℰ 07 74 30 08 21 – www.fabiohotel.it – info@
fabiohotel.it – Fax 07 74 30 95 53
26 cam ⊑ – ♦60/77 € ♦♦72/120 €
♦ Nei pressi della stazione, questo albergo di recente costruzione dispone di camere
accoglienti e confortevoli. Comodo per raggiungere la capitale.

HAFLING = Avelengo

IDRO – Brescia (BS) – 561E13 – 1 665 ab. – alt. 391 m – ⊠ 25074   17 C2
▶ Roma 577 – Brescia 45 – Milano 135 – Salò 33

XX **Alpino** con cam �   ≤ 🛋 ℅ 🕴 ⿻ VISA ⚌ AE ⓸ Ꮬ
via Lungolago 14, località Crone – ℰ 036 58 31 46 – www.hotelalpino.net
– info@hotelalpino.net – Fax 03 65 83 98 87 – chiuso dal 7 gennaio al 20 febbraio
24 cam – ♦35/42 € ♦♦54/68 €, ⊑ 9 € – ½ P 50/57 €
Rist – (chiuso martedì) (chiuso a mezzogiorno escluso sabato, domenica e giorni
festivi) Carta 27/36 € ⅋
♦ Sul lago, edificio con un'ala in pietra viva e l'altra esternamente dipinta di rosa: due
sale interne, di cui una con camino, per piatti anche locali e di pesce lacustre.

IGEA MARINA – Rimini – 563J19 – Vedere Bellaria Igea Marina

ILLASI – Verona (VR) – 562F15 – 5 049 ab. – alt. 174 m – ⊠ 37031   37 B2
▶ Roma 517 – Verona 20 – Padova 74 – Vicenza 44

a Cellore Nord : 1,5 km – ⊠ 37030

X **Dalla Lisetta**   🛜 AC ℅ ⇔ P VISA ⚌ AE ⓸ Ꮬ
🞊 via Mezzavilla 12 – ℰ 04 57 83 40 59 – ristdallalisetta@tin.it – Fax 04 57 83 40 59
– chiuso dal 4 al 19 agosto, domenica sera e martedì
Rist – Carta 20/25 €
♦ Lisetta è la capostipite, l'ormai leggendaria fondatrice di questa classica trattoria che
esiste già da 40 anni e che continua ad offrire piatti del territorio; servizio estivo nel cortiletto.

IMOLA – Bologna (BO) – 562I17 – 65 832 ab. – alt. 47 m – ⊠ 40026   9 C2
▶ Roma 384 – Bologna 35 – Ferrara 81 – Firenze 98
🖬 via Mazzini 14/16 ℰ 0542 602207, iat@comune.imola.bo.it, Fax 0542
602310

Donatello Imola 🔊 🏊 ⅃₆ 🛄 ㅑ 🎧 🏂 rist. ⁽ᵗ⁾ 🕍 🅿 🚗
via Rossini 25 – 𝒞 05 42 68 08 00   VISA ⓒⓞ AE ① ⑤
– www.imolahotel.it – info@imolahotel.it – Fax 05 42 68 05 14
130 cam ⌇ – ♦70/160 € ♦♦90/180 €
Rist *Il Veliero* – *(chiuso dal 10 al 25 agosto e martedì) (chiuso a mezzogiorno escluso da venerdì a domenica)* Menu 15/28 € – Carta 20/41 €
• Recentemente ristrutturato, l'inventiva dell'architetto meglio ha avuto modo di esprimersi nelle camere al decimo piano. Nell'area residenziale della zona periferica sud della località. Al ristorante, un ambiente piacevolmente classico con ambienti curati. Cucina tradizionale.

XXXX **San Domenico** (Valentino Marcattilii)   AE VISA ⓒⓞ AE ① ⑤
🕸 🕸 via Sacchi 1 – 𝒞 054 22 90 00 – www.sandomenico.it – sandomenico@
sandomenico.it – Fax 054 23 90 00 – *chiuso domenica sera e lunedì, da giugno ad agosto anche i mezzogiorno di sabato-domenica*
Rist – Menu 100/125 € – Carta 92/134 € 🍷
Spec. Spiedino di cappesante all'erba limone con indivia caramellata e olio agli agrumi. Uovo in raviolo "san Domenico" con burro di malga, parmigiano dolce e tartufo. Torta fiorentina "Nino Bergese" con salsa profiterole.
• Affacciato su un'elegante piazza del centro storico, una successione di sale moltiplica i piaceri di una cucina regionale e creativa, di terra e di mare.

XX **Osteria Callegherie**   AE 🏂 🛟 VISA ⓒⓞ AE ① ⑤
via Callegherie 13 – 𝒞 054 23 35 07 – www.callegherie.it – osteria@callegherie.it
– Fax 054 23 35 07 – *chiuso 10 giorni in gennaio, 2 settimane in agosto, sabato a mezzogiorno (anche la sera in luglio-agosto) e domenica*
Rist – Menu 27/38 € – Carta 33/51 €
• Locale moderno a forma di L, arredato in tonalità chiare e dall'illuminazione piuttosto soft, indiscutibilmente di grande effetto la sera. La cucina propone sapori estrosi e gustosi.

XX **Naldi**   🛋 AE VISA ⓒⓞ AE ① ⑤
via Santerno 13 – 𝒞 054 22 95 81 – www.ristorantenaldi.com – ristorante.naldi@
tin.it – Fax 054 22 22 91 – *chiuso dal 1° al 7 gennaio, dal 7 al 21 agosto e domenica*
Rist – Menu 27/40 € – Carta 32/43 €
• Uno dei punti fermi della tradizione gastronomica imolese a circa 1 km dal cuore della città. Carne e pesce tra le proposte, rielaborate con gusto e creatività.

XX **Hostaria 900**   🛋 AE 🏂 🅿 VISA ⓒⓞ AE ① ⑤
viale Dante 20 – 𝒞 054 22 42 11 – www.hostaria900.it – hostaria900@tin.it
– Fax 05 42 61 23 56 – *chiuso 10 giorni in gennaio, 10 giorni in agosto, sabato a mezzogiorno e domenica*
Rist – Menu 13/32 € – Carta 32/40 € 🍷
• Villa d'inizio '900 in mattoni rossi, appena fuori dal centro, circondata dal giardino rigoglioso che d'estate accoglie il servizio all'aperto. All'interno due comode sale.

X **Osteria del Vicolo Nuovo**   AE 🏂 VISA ⓒⓞ AE ① ⑤
vicolo Codronchi 6 – 𝒞 054 23 25 52 – www.vicolonuovo.it – ambra@
vicolonuovo.it – Fax 05 42 61 36 28 – *chiuso dal 15 luglio al 20 agosto, domenica e lunedì*
Rist – Menu 25/32 € – Carta 29/39 € 🍷
• Varcato un piccolo ingresso, ecco la prima sala, adorna di legni e richiami al tempo che fu, la seconda è ancor più suggestiva. Cucina eclettica, pura gestione familiare.

X **E Parlamintè**   🛋 AE 🛟 VISA ⓒⓞ AE ① ⑤
via Mameli 33 – 𝒞 054 23 01 44 – www.eparlaminte.com
– parlaminte@katamail.com – Fax 05 42 61 02 06
– *chiuso dal 25 dicembre al 6 gennaio, dal 15 luglio al 20 agosto, domenica sera e lunedì; da maggio ad agosto anche domenica a mezzogiorno*
Rist – Menu 20/25 € – Carta 25/34 €
• Una parte della storia politica italiana è passata di qui, a discutere sotto le stesse travi dell'800 ove, oggi, si gustano il pesce e i piatti della tradizione emiliana.

in prossimità casello autostrada A 14 Nord : 4 km :

Molino Rosso 🚗 🍴 🎿 🍽 🛗 ⚓ cam, 🅺 ⚡ 🍸 rist, 📶 🏋 **P** 🚙
strada statale Selice 49 ✉ *40026 –* 🕿 *054 26 31 11* 🆅🅸🆂🅰 🇴🇴 🅰🅴 🅾 💰
– www.molinorosso.it – info@molinorosso.it – Fax 05 42 63 11 63
120 cam 🛏 – 🍴50/150 € 🍴🍴80/230 € – ½ P 60/150 €
Rist – *(chiuso dal 24 al 27 dicembre e il 1° gennaio)* Carta 30/66 €
♦ Comodo soprattutto per chi desideri trovare alloggio all'uscita dell'autostrada, albergo con stanze di differenti tipologie, distribuite in tre edifici. Vaste sale da pranzo: alcune più raccolte, una a vocazione banchettistica.

IMPERIA **P** (IM) – 561K6 – 39 765 ab. – ✉ 18100   14 **A3**
▶ Roma 615 – Genova 116 – Milano 239 – San Remo 23
🄸 viale Matteotti 37 🕿 0183 660140, infoimperia@rivieradeifiori.travel, Fax 0183 666510

Pianta pagina a lato

ad Oneglia – ✉ 18100

Rossini al Teatro senza rist 🏠 🛗 🅺 📶 🏋 🚙 🆅🅸🆂🅰 🇴🇴 🅰🅴 🅾 💰
piazza Rossini 14 – 🕿 *018 37 40 00 – www.hotel-rossini.it – a.tita@hotel-rossini.it*
– Fax 018 37 40 01   AZ**b**
48 cam 🛏 – 🍴70/134 € 🍴🍴95/235 €
♦ Sorto sulle vestigia dell'antico teatro, moderno hotel di design, all'avanguardia per dotazioni, dispone di camere decisamente confortevoli. Ascensore panoramico.

XXX Agrodolce (Andrea Sarri) 🏠 🅺 🆅🅸🆂🅰 🇴🇴 🅰🅴 💰
❀ *via De Geneys 34 –* 🕿 *01 83 29 37 02 – www.ristoranteagrodolce.it*
– posta@ristoranteagrodolce.it – Fax 01 83 29 37 02
– chiuso 1 settimana a febbraio, 15 giorni a ottobre   AZ**d**
Rist – Menu 65 € – Carta 68/94 €
Spec. Baccalà islandese appena scottato, crema di piselli dolci, porri stufati e limone candito. Cappelletti alle patate con vongole veraci, calamaretti spillo e pesto delicato. Tiramisù in piedi.
♦ L'ubicazione è comune a tanti, sotto i portici del porto di Imperia, l'ingresso è duplice e altrettante sono le sale, entrambe bianche con soffitto a volta e quadri moderni alle pareti. La cucina è soprattutto di pesce.

XX Salvo-Cacciatori 🅺 🆅🅸🆂🅰 🇴🇴 🅰🅴 🅾 💰
via Vieusseux 12 – 🕿 *01 83 29 37 63 – www.ristorantesalvocacciatori.it – info@ristorantesalvocacciatori.it – Fax 01 83 76 55 00 – chiuso dal 23 luglio al 7 agosto, domenica sera e lunedì*   AZ**e**
Rist – Carta 28/48 €
♦ Pesce e sapori liguri in questo elegante ristorante di fama storica (nato come piccola osteria annessa alla mescita di vini), recentemente ristrutturato. Ambiente nuovo, ma cucina invariata: sempre valida nelle proposte.

X Pane e Vino 🏠 🅺 🆅🅸🆂🅰 🇴🇴 🅰🅴 🅾 💰
☺ *via de Geneys 52 –* 🕿 *01 83 29 00 44 – limarelli.lu@tiscali.it – Fax 01 83 29 00 44*
– chiuso quindici giorni in maggio e dicembre, mercoledì e i mezzogiorno di domenica e festivi   AZ**c**
Rist – Carta 23/50 €
♦ Semplice e familiare, di fatto una trattoria di mare, il locale è composto da un'unica sala disadorna salvo l'esposizione di bottiglie lungo le pareti. I piatti spaziano in tutto il panorama nazionale. Sotto i portici d'estate.

a Porto Maurizio – ✉ 18100

Croce di Malta ≤ 🛗 🅺 🍸 rist, 📶 🏋 **P** 🆅🅸🆂🅰 🇴🇴 🅰🅴 🅾 💰
via Scarincio 148 – 🕿 *01 83 66 70 20 – www.hotelcrocedimalta.com – info@hotelcrocedimalta.com – Fax 018 36 36 87*   BZ**a**
39 cam 🛏 – 🍴65/90 € 🍴🍴90/130 € – ½ P 65/80 €
Rist – *(chiuso a mezzogiorno da ottobre a maggio)* Menu 25/30 €
♦ Richiama nel nome all'antico "Borgo Marina" di Porto Maurizio, dove sorgeva la chiesa dei Cavalieri Maltesi. Maggiormente vocato ad una clientela commerciale, una risorsa moderna, a pochi passi dal mare. Spaziosa e dalle linee sobrie la sala da pranzo.

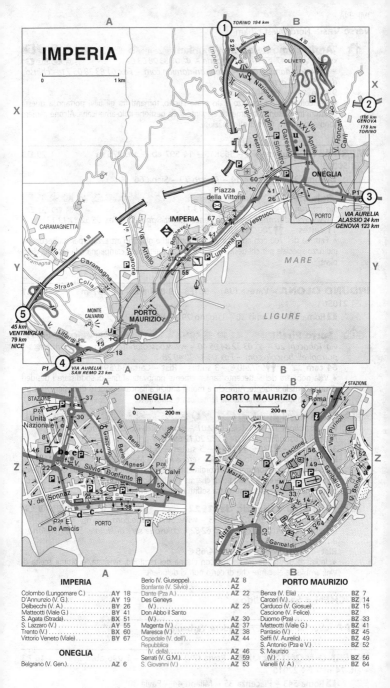

IMPERIA

0   1 km

TORINO 194 km

S 28

OLIVETO

116 km
GENOVA
178 km
TORINO

CARAMAGNETTA

IMPERIA

ONEGLIA

VIA AURELIA
ALASSIO 24 km
GENOVA 123 km

MARE

PORTO
MAURIZIO

MONTE
CALVARIO

LIGURE

45 km
VENTIMIGLIA
79 km
NICE

VIA AURELIA
SAN REMO 23 km

A   ONEGLIA   0   200 m

STAZIONE

Pza
Unità
Nazionale

V. Silvio Bonfante

Pza
U. Calvi

V. de Sonnaz

Pza E
De Amicis

PORTO

B   PORTO MAURIZIO   0   200 m

Pza
Roma

STAZIONE

Cascione

Cº Garibaldi

---

verso Vasia Nord-Ovest : 7 km

⌂ **Agriturismo Relais San Damian** senza rist ⌖   🚗 ⏚ ⌘ 📞 🅿
strada Vasia 47 ✉ *18100 Imperia –* 𝒞 *01 83 28 03 09*   𝖵𝖨𝖲𝖠 ⓜⓞ 𝔸𝔼 ⚡
– www.san-damian.com – info@san-damian.com – Fax 01 83 28 05 71 – chiuso dal 15 al 31 gennaio
9 cam ⊡ – ♥♥140/160 €
♦ Tra coltivazioni a terrazzo e un prato curato, tornanti fra gli ulivi portano a questa struttura in mattoni sobriamente elegante dalla gestione italo-americana. Alcune camere sono soppalcate, tutte molto spaziose.

IMPRUNETA – Firenze (FI) – 563K15 – **14 597 ab.** – **alt. 275 m**   29 **D3**
– ✉ 50023

▶ Roma 276 – Firenze 14 – Arezzo 79 – Siena 66

⌂ **Relais Villa L' Olmo** senza rist ⌖   ⟵ 🚗 ⏚ ⚘ 🄰🄲 ⌘ 📞 🅿
via Imprunetana 19 – 𝒞 *05 52 31 13 11*   𝖵𝖨𝖲𝖠 ⓜⓞ 𝔸𝔼 ⚡
– www.relaisfarmholiday.it – florence.chianti@dada.it – Fax 05 52 31 13 13
11 suites – ♥♥200/240 €, ⊡ 10 €
♦ Fattoria del '700 con appartamenti accoglienti e giardino attrezzato per barbecue: un indirizzo speciale per chi desidera vivere la tranquillità della campagna o la raccolta delle olive

INDUNO OLONA – Varese (VA) – 561E8 – **9 898 ab.** – **alt. 397 m**   18 **A1**
– ✉ 21056

▶ Roma 638 – Como 30 – Lugano 29 – Milano 60

🏨 **Porro Pirelli**   🚗 ⏚ 🕥 🛏 ⚗ rist. 📞 ⚘ 🅿 ⚘ 𝖵𝖨𝖲𝖠 ⓜⓞ 𝔸𝔼 ⓞ ⚡
via Tabacchi 20 – 𝒞 *03 32 84 05 40 – www.boscolohotels.com – reservation@ porropirelli.boscolo.com – Fax 03 32 20 40 28*
64 cam ⊡ – ♥♥95/240 € – 3 suites   **Rist** – Carta 34/59 €
♦ Villa nobiliare del Settecento sapientemente rinnovata al fine di soddisfare i desideri di una clientela esigente. Affreschi e mobili antichi affiancano oggetti di design. Al risto-rante per apprezzare una cucina fantasiosa e innovativa.

🏨 **Villa Castiglioni**   ⚘ ⚘ 🄰🄲 cam, ⌘ ⚘ ⚗ 🅿 𝖵𝖨𝖲𝖠 ⓜⓞ 𝔸𝔼 ⓞ ⚡
via Castiglioni 1 – 𝒞 *03 32 20 02 01 – www.hotelvillacastiglioni.it – info@ hotelvillacastiglioni.it – Fax 03 32 20 12 69*
30 cam ⊡ – ♥130 € ♥♥180 € – 5 suites – ½ P 115 €
Rist *Al Bersò* – *(chiuso domenica sera e lunedì)* Menu 25/35 € – Carta 31/48 €
♦ Soggiorno di personaggi del Risorgimento italiano e molti altri, una villa ottocentesca con parco secolare, oggi rifugio di charme per una sosta fra storia ed eleganza. Sale da pranzo ricche di fascino antico, tra soffitti decorati e arredi d'epoca.

⚘⚘⚘ **Olona-da Venanzio dal 1922**   🚗 ⚘ ⌘ 🅿 𝖵𝖨𝖲𝖠 ⓜⓞ 𝔸𝔼 ⓞ ⚡
via Olona 38 – 𝒞 *03 32 20 03 33 – www.davenanzio.com – info@ davenanzio.com – Fax 03 32 20 62 82 – chiuso le sere di Natale, Santo Stefano e Capodanno*
Rist – Menu 34/60 € – Carta 44/68 € ⚘
♦ Indirizzo di grande tradizione, con cucina del territorio, rivisitata, e ottima scelta di vini; ambiente elegante che di certo non vi deluderà.

INNICHEN = San Candido

INTRA – Verbania – 561E7 – Vedere Verbania

INVERNO-MONTELEONE – Pavia (PV) – 561G10 – **1 096 ab.**   16 **B3**
– **alt. 74 m** – ✉ 27010

▶ Roma 543 – Piacenza 35 – Milano 44 – Pavia 30

MONTELEONE (PV) – ⊠ 27010

☼ Trattoria Righini   AC P

via Miradolo 108 – ✆ 038 27 30 32 – Fax 03 82 75 89 42
– chiuso dal 7 al 30 gennaio, agosto, lunedì, martedì, i mezzogiorno di giovedì-
venerdì e le sere di mercoledì-domenica
Rist – Menu 18 € bc/37 € bc

♦ Il contagioso buon umore, la speciale e calorosa accoglienza, abbondanti porzioni di piatti tipici del posto: non potrete che alzarvi da tavola sazi, allegri e con un "a presto"!

INVORIO – Novara (NO) – 561E7 – 3 958 ab. – alt. 416 m – ⊠ 28045   24 A2

▶ Roma 649 – Stresa 20 – Novara 42 – Varese 40

⌂ Sciarane senza rist   🛗 & AC ⟷ ⟨ᵗᵖ⟩ 🏊 P VISA ⯑ AE ⬧

*viale Europa 21 – ✆ 03 22 25 40 14 – www.hotelsciarane.it – info@
hotelsciarane.it – Fax 03 22 25 46 55*
33 cam ⊇ – †65/130 € ††100/160 €

♦ Il nome deriva da una varietà di castagne tipiche della zona, la struttura invece è nuova e di taglio decisamente moderno. Camere di buon confort, spazi comuni ridotti.

☼☼ Villa Germana   🚗 🍽 🏊 P VISA ⯑ ⬧

via Monte Rosa 9 – ✆ 03 22 25 40 08
– villagermana@libero.it – Fax 03 22 25 45 13
– chiuso dal 15 gennaio al 15 febbraio e mercoledì
Rist – Carta 28/39 €

♦ Villetta del centro gestita da una coppia appassionata: bella terrazza esterna con gri-glia e sala con camino di tono signorile. La cucina viene presentata con fantasia.

ISCHIA (Isola di) – Napoli (NA) – 564E23 – 47 485 ab. ▮ Italia   6 A2

🚢 per Napoli, Pozzuoli e Procida – Caremar, 892 123 – per Pozzuoli e Napoli – Medmar ✆ 081 3334411

ISOLA D'ISCHIA

549

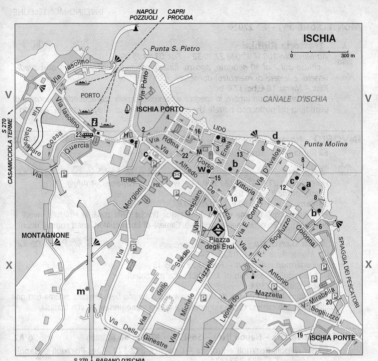

ISCHIA

CASAMICCIOLA TERME

LACCO AMENO

BARANO (NA) – 564E23 – 9 242 ab. – alt. 224 m – ⊠ 80070 – **BARANO D'ISCHIA**

◙ Monte Epomeo★★★ 4 km Nord-Ovest fino a Fontana e poi 1 h e 30 mn a piedi AR

a Maronti Sud : 4 km – ⊠ 80070 – **Barano d'Ischia**

Parco Smeraldo Terme ⚓   ≼ ⊐ 🖫 🌐 ⚓ ♨ ✕ 🕮 🎧 🏔
spiaggia dei Maronti – ☎ 081 99 01 27   🅿 VISA ☻ ⚓
– www.hotelparcosmeraldo.com – info@hotelparcosmeraldo.com
– Fax 081 90 50 22 – 4 aprile-1° novembre   Ua
67 cam ⌑ – ♦100/155 € ♦♦186/296 € – ½ P 103/158 €
Rist – (solo per alloggiati)
♦ A ridosso della rinomata spiaggia dei Maronti, albergo dal confort concreto con una terrazza fiorita in cui si colloca una piscina termale e un nuovo centro termale.

San Giorgio Terme ⚓   ≼ ⊐ ♨ 🕮 🎧 🅿 VISA ☻ ⚓
spiaggia dei Maronti – ☎ 081 99 00 98 – www.hotelsangiorgio.com – info@
hotelsangiorgio.com – Fax 081 90 65 15 – 4 aprile-ottobre   Ub
80 cam ⌑ – ♦69/107 € ♦♦126/190 € – ½ P 83/105 €
Rist – (solo per alloggiati)
♦ Leggermente elevata rispetto al mare, una breve salita conduce alla moderna risorsa dai vivaci colori, nata dalla fusione di due strutture collegate tra loro; dalla fiorita terrazza, un panorama mozzafiato.

CASAMICCIOLA TERME (NA) – 7 835 ab. – ⊠ 80074

Terme Manzi Hotel & SPA   🛖 ⊐ 🖫 🌐 🎐 🎧 ♨ 🕮 🚻 🕮
piazza Bagni 4 – ☎ 081 99 47 22   ✕ rist, 🏔 🅿 VISA ☻ AE ① ⚓
– www.politohotels.com – info@manziterme.it – Fax 081 90 03 11 – aprile-ottobre
61 cam ⌑ – ♦160/250 € ♦♦250/460 € – 1 suite – ½ P 295 €
Rist – Carta 70/95 €
Rist Il Mosaico – ☎ 081 99 47 22 (chiuso martedì e a mezzogiorno) (consigliata la prenotazione) Carta 66/96 €
Spec. Gamberi rossi al frutto della passione e arance, riso alla vaniglia e pesche gialle. Il maiale nero casertano: la coscia con mela annurca, lo stinco in cannolo e la guancia alla liquirizia. La dolce vita...napoletana.
♦ Sui resti della prima fonte termale scoperta sull'isola e intorno ad una corte decorata con fontane e statue classiche, hotel dallo stile eclettico rinnovato con sfarzo e materiali preziosi. Elegante il ristorante dell'hotel, aperto su una bella terrazza. Il Mosaico propone piatti del territorio in veste creativa.

FORIO (NA) – 564E23 – 15 435 ab. – ⊠ 80075

◙ Spiaggia di Citara★

Mezzatorre Resort & Spa ⚓   ≼ 🎐 🛖 ⊐ 🖫 🌐 🎧 ♨ ✕ 🕮
via Mezzatorre 23, località San   🕮 ✕ rist, 🅿 VISA ☻ AE ① ⚓
Montano Nord : 3 km – ☎ 081 98 61 11 – www.mezzatorre.it – info@
mezzatorre.it – Fax 081 98 60 15 – aprile-ottobre   Zc
59 cam ⌑ – ♦410/530 € ♦♦440/560 € – 8 suites – ½ P 260/320 €
Rist Chandelier – (chiuso a mezzogiorno) (consigliata la prenotazione)
Carta 75/127 €
Rist Sciue Sciue – ☎ 081 98 61 11 (giugno-settembre) Carta 53/118 €
♦ Su un'estesa area a tratti scoscesa, l'elegante complesso sorge intorno all'antica torre saracena del XVI secolo: tinte vivaci e piscina con acqua di mare nel parco. Un'antica collezione di candelabri nell'elegante sala da pranzo nella costruzione attigua alla torre. A bordo piscina o in riva al mare per uno spuntino.

Zaro ⚓   ≼ 🎐 ⊐ 🕮 🚻 🕮 ✕ 🅿 VISA ☻ AE ① ⚓
via Tommaso Cigliano 85, località San Francesco – ☎ 081 98 71 10
– www.hotelzaro.it – Fax 081 98 93 95 – aprile-ottobre
61 cam ⌑ – ♦90/110 € ♦♦110/120 € – ½ P 80/90 €   Ua
Rist – Carta 20/30 €
♦ Ha un grande giardino con una curiosa piscina su due piani, la più piccola delle quali, quella superiore, riscaldata. Suggestiva anche la posizione, leggermente dominante rispetto alla baia.

⌂ **Agriturismo Il Vitigno** ⌂   ⟨ 🍴 🏠 ⚱ 🍽 rist. **P**
🍴
via Bocca 31 – ℰ 081 99 83 07 – www.agriturismoilvitigno.it – info@
agriturismoilvitigno.it – Fax 081 99 83 07 – marzo-novembre   U**r**
10 cam ⌨ – ❄❄80/100 € – ½ P 50/60 €
Rist – (chiuso a mezzogiorno) (prenotazione obbligatoria) Menu 15 €
♦ Un cancello in ferro protegge la privacy di questo semplice eppure suggestivo agriturismo al termine di una stretta stradina; uva, olive e ortaggi dettano le fragranze del
giardino. Di impronta casalinga e regionale, la cucina è servita sotto un pergolato o in
un'elegante sala tra ceramiche e ferro battuto.

✗✗ **Umberto a Mare** con cam ⌂   ⟨ 🏠 **VISA** ⚙ **AE** ⚡
via Soccorso 2 – ℰ 081 99 71 71 – www.umbertoamare.it – info@
umbertoamare.it – Fax 081 99 71 71 – chiuso dal 7 gennaio a marzo
11 cam ⌨ – ❄60/80 € ❄❄100/160 € – ½ P 100/115 €   U**z**
Rist – (chiuso a mezzogiorno) (consigliata la prenotazione) Carta 57/79 € 🥢
♦ Resterà indelebile una cena sulla terrazza, una ringhiera a strapiombo sul mare, per
gustare una cucina in continua evoluzione eppure sempre fedele ad una tradizione di
famiglia.

✗✗ **Il Saturnino**   ⟨ ⚡ **VISA** ⚙ **AE** ① ⚡
via Marina sul Porto di Forio d'ischia – ℰ 081 99 82 96 – malvisiello@lischia.it
– Fax 081 99 82 96 – chiuso dal 10 gennaio a febbraio e martedì (escluso da
giugno a settembre)   U**k**
Rist – (chiuso la sera escluso sabato, da novembre a marzo) (consigliata la
prenotazione) Carta 36/55 €
♦ Vicino alla torre saracena, un locale semplice da cui contemplare la vista della baia del
porto e gustare il pescato in piatti immediati e di gustosa semplicità.

✗ **Da "Peppina" di Renato**   🏠 ⟡ **P** **VISA** ⚙ **AE** ① ⚡
via Montecorvo 42 – ℰ 081 99 83 12 – www.trattoriadapeppinadirenato.it
– dapeppina@pointel.it – Fax 081 99 83 12 – 15 marzo-15 dicembre; chiuso a
mezzogiorno (escluso domenica in giugno-agosto) e mercoledì (escluso giugno-
settembre)   U**p**
Rist – (chiuso a mezzogiorno) (consigliata la prenotazione) Carta 27/41 €
♦ Occorre essere prudenti lungo la stretta strada ma la tipicità del posto costruita su tradizione e originalità sarà una gradita ricompensa; in una grotta tufacea, la cantina-enoteca. Piatti locali a partire dai prodotti dell'orto.

Le «promesse», segnalate in rosso nelle nostre selezioni,
distinguono i ristoranti suscettibili di accedere alla categoria superiore,
vale a dire una stella in più.
Le troverete nella lista dei ristoranti stellati, all'inizio della guida.

---

a Citara Sud : 2,5 km – ✉ **80075 – Forio**

🏨 **Capizzo** ⌂   ⟨ 🍴 ⚱ **AC** ⚡ rist. **P** **VISA** ⚙ **AE** ① ⚡
via Provinciale Panza 189 – ℰ 081 90 71 68 – www.hotelcapizzo.it – info@
hotelcapizzo.it – Fax 081 90 90 19 – 4 aprile-ottobre   U**e**
34 cam ⌨ – ❄70/95 € ❄❄105/135 € – ½ P 84/104 €
Rist – (solo per alloggiati)
♦ Splendida cornice per cogliere lo spettacolo di splendidi tramonti sulla baia, un taglio
moderno caratterizza il taglio degli ambienti, freschi e luminosi. All'esterno, ampi spazi
per il relax.

🏨 **Providence Terme** ⌂   ⟨ 🍴 ⚱ 🍴 ⚴ ⬛ **AC** ⚡ rist. **P** **VISA** ⚙ ① ⚡
via Giovanni Mazzella 1 – ℰ 081 99 74 77 – www.hotelprovidence.it – info@
hotelprovidence.it – Fax 081 99 80 07 – 8 aprile-ottobre   U**g**
68 cam – ❄72/82 € ❄❄122/152 €, ⌨ 10 € – ½ P 82/87 €   **Rist** – Carta 30/40 €
♦ Si affaccia sulla spiaggia di Citara la bella struttura in stile mediterraneo che dispone
anche di una grande terrazza-solarium con piscina termale e di uno spazio dedicato al
benessere. Una bella vista sulla baia, cucina casereccia e pizze nella lumnosa sala da
pranzo.

XXX   **Il Melograno** (Libera Iovine)   🚗 🏠 **P** 📷 🏧 **AE** ① ⑤
☼   *via Giovanni Mazzella 110 – 𝒞 081 99 84 50 – www.ilmelogranoischia.it – info@*
ilmelogranoischia.it – Fax 081 99 84 50 – chiuso dal 7 gennaio al 15 marzo,
lunedì in ottobre, anche martedì e mercoledì a mezzogiorno da novembre a
gennaio   **Ug**
Rist – (consigliata la prenotazione) Carta 62/91 €
Spec. Crudo di pesce bianco e crostacei con insalata di frutta di stagione. Paccheri di Gragnano al ristretto di zuppa di pesce con briciole di tarallo napoletano. Voglie al cioccolato: bianco e limoni, al latte e nocciole, fondente e birra.
♦ In una villa con delizioso giardino, si mangia nella sala con camino o sotto il portico.
La cucina valorizza il pescato in preparazioni semplici, ma attente alle presentazioni.

a Cuotto Sud : 3 km – ⊠ 80075 – **Forio**

🏨   **Paradiso Terme e Garden Resort** ⚘   ← 🚗 🏠 ⏚ 🔲 ⚙ 🐕
   via San Giuseppe 10   ⏛ ⚱ 💆 🛗 🛠 ⚙ 🛡 **P** 📷 🏧 **AE** ① ⑤
   – 𝒞 081 90 70 14 – www.hotelparadisoterme.it – info@hotelparadisoterme.it
   – Fax 081 90 79 13 – aprile-ottobre   **Ux**
50 cam ⊑ – ⚭180/220 € – ½ P 130/160 €
Rist – (chiuso a mezzogiorno) (solo per alloggiati)
♦ Terme e Garden, due complessi distinti: signorile e maggiormente completo nei servizi il primo, adatto ad una vacanza con la famiglia il secondo. Dispone di una curativa
piscina con acqua termale.

a Panza Sud : 4,5 km – **alt. 155 m** – ⊠ 80070

🏠   **Punta Chiarito** ⚘   ← 🏠 ⏚ 🌢 🛗 ⚙ rist. ⚟ **P** 📷 🏧 **AE** ① ⑤
   via Sorgeto 51, Sud : 1 km – 𝒞 081 90 81 02 – www.puntachiarito.it
   – puntachiarito@pointel.it – Fax 081 90 92 77
   – 27 dicembre-10 gennaio e 6 aprile-30 ottobre   **Ud**
28 cam ⊑ – ⚭127/180 € ⚭⚭170/240 € – ½ P 95/140 €
Rist – (consigliata la prenotazione la sera) Carta 29/64 €
♦ Ripida e stretta la strada per raggiungere la panoramica struttura, piacevolmente inserita fra la roccia e la vegetazione di un incantevole promontorio. Celata in una grotta
naturale una picccola piscina termale. Due salette, una veranda e una magnifica vista
sulla costa e sul mare per i vostri pasti.

X   **Da Leopoldo**   ← 🏠 ⏰ **P** 📷 🏧 **AE** ① ⑤
   via Scannella 12, Ovest : 0,5 km – 𝒞 081 90 70 86 – Fax 081 90 70 86 – aprile-
ottobre   **Uh**
Rist – (chiuso a mezzogiorno) Carta 25/42 €
♦ Piacevole e familiare trattoria, sempre molto frequentata, propone una cucina regionale e casalinga ormai consolidata e di successo. In un'antica cisterna per la raccolta del-
l'acqua è stata ricavata un'enoteca.

ISCHIA 📷 **(NA) – 564 E23 – 17 992 ab. –** ⊠ **80077**

   🛈 *via Iasolino-Banchina Redentore 𝒞 081 5074231, az-turismo@*
   infoischiaprocida.it, Fax 081 5074230
   ◙ *Castello* ★★

🏨   **Grand Hotel Punta Molino Beach Resort & Spa** ⚘   ← ♨
   🏠 ⏚ 🔲 ⚙ 🌢 💆 ⚱ 🛗 🛁 🛗 ↜ ⚙ ⚟ 🛡 **P** 📷 🏧 **AE** ① ⑤
   lungomare Cristoforo Colombo 23 – 𝒞 081 99 15 44 – www.puntamolino.it
   – reservations@puntamolino.it – Fax 081 99 15 62 – 20 aprile-20 ottobre
89 cam ⊑ – ⚭200/300 € ⚭⚭320/450 € – 2 suites – ½ P   **Xb**
220/245 €
Rist – (solo per alloggiati) Carta 70/100 €
Rist Le Gourmet à la Carte – (giugno-settembre) (chiuso a mezzogiorno) (prenotazione obbligatoria) Carta 80/100 €
♦ Nella soleggiata nonché omonima Baia di Punta Molino, signorile ed esclusiva struttura piacevolmente circondata dal mare e dalla quiete di un vasto parco di pini, dispone
di lussuose camere arredate in elegante stile fine secolo napoletano. *Le Gourmet à la
Carte*: raffinata cucina di terra e di mare.

ISCHIA (Isola di)

🏨 Grand Hotel Excelsior ॐ ≼ 🐕 🏛 🏞 🏊 🖼 🕐 🏊 🏋 ♨ 🕌
via Emanuele ⚓ cam, 🆎 ⇄ ✂ rist, 🕐 🏊 🄿 VISA ⚫ AE ① 🆑
Gianturco 19 – ☎ *081 99 15 22 – www.excelsiorischia.it – excelsior@leohotels.it*
– Fax 081 98 41 00 – 9 aprile-18 ottobre   **Xa**
86 cam �P – ♦180/230 € ♦♦240/320 € – ½ P 180/400 €   **Rist** – Menu 40/80 €
♦ Tra la vegetazione, l'imponente struttura dall'architettura mediterranea fa capolino sul mare con le sue eleganti camere dai colori freschi e marini accentuati da belle maioliche. Completa zona benessere. La cucina regionale nell'elegante sala e in terrazza.

🏨 Il Moresco ॐ ≼ 🐕 🏛 🏊 🖼 🕐 🏊 🏋 ♨ 🕌 ⇄ ✂
via Emanuele Gianturco 16 – ☎ *081 98 13 55*   VISA ⚫ AE ① 🆑
– www.ilmoresco.it – moresco@leohotels.it – Fax 081 99 23 38
– 24 aprile-11 ottobre   **Xc**
67 cam ⊊ – ♦200/230 € ♦♦280/460 € – 3 suites – ½ P 160/250 €
Rist – (consigliata la prenotazione) Carta 46/68 €
♦ Nasce come dimora privata questa casa dal fascino esclusivo: la piscina coperta è stata realizzata dove era prevista la serra e la zona benessere è negli ex alloggi del personale. All'ombra del pergolato o nella sala interna, le fragranze del Mediterraneo.

🏨 Le Querce ॐ ≼ 🐕 🏛 🏊 🖼 🕐 🏊 🏋 🆎 ✂ 🕐 🄿
via Baldassarre Cossa 29 – ☎ *081 98 23 78*   VISA ⚫ AE ① 🆑
– www.lequerce.it – info@albergolequerce.it – Fax 081 99 32 61
– 15 marzo-15 novembre   **Uf**
75 cam ⊊ – ♦135/185 € ♦♦170/270 € – ½ P 145/195 €
Rist – (solo per alloggiati)
♦ La posizione dominante garantisce la spettacolare vista che si estende sulla costa e sulla città; diverse terrazze collegano edifici attigui, su una di queste una grande piscina.

🏨 NH ISCHIA ॐ 🐕 🏊 🖼 🕐 🏊 🏋 🕐 🖼 ⚓ 🏋 🆎 rist, 🏊 🄿
via Alfredo De Luca 42 – ☎ *08 15 07 01 11*   VISA ⚫ AE ① 🆑
– www.nh-hotels.com – jhischia@nh-hotels.com – Fax 081 99 31 56 – chiuso dal 7 gennaio al 9 aprile   **Vc**
192 cam ⊊ – ♦100/160 € ♦♦170/250 € – 2 suites   **Rist** – Carta 31/41 €
♦ Centrale eppure in posizione tranquilla, chi arriva a Ischia Porto può arrivarci addirittura a piedi! Si tratta di una struttura dal respiro internazionale con spazi congressuali e zona termale. Ristorante di tono elegante.

🏨 Floridiana Terme 🏊 🖼 🕐 🏋 ♨ 🖼 🆎 ✂ 🄿 VISA ⚫ AE ① 🆑
corso Vittoria Colonna 153 – ☎ *081 99 10 14 – www.hotelfloridianaischia.com*
– hotelfloridiana@libero.it – Fax 081 98 10 14 – aprile- ottobre   **Vb**
70 cam ⊊ – ♦100/125 € ♦♦170/220 € – ½ P 100/120 €
Rist – (solo per alloggiati)
♦ Villa d'inizio Novecento dalla gestione attenta e competente. Gli spaziosi ambienti comuni sono caratterizzati da dipinti murali che ne dilatano gli spazi, le camere fresche e luminose.

🏨 Central Park Hotel Terme 🏊 🖼 🕐 🏋 ♨ 🖼 🆎 ✂ rist, 🄿
via Alfredo De Luca 6 – ☎ *081 99 35 17*   VISA ⚫ AE ① 🆑
– www.centralparkhotel.it – info@centralparkhotel.it – Fax 081 98 42 15
– Pasqua-ottobre   **Xn**
52 cam – ♦120 € ♦♦180 €, ⊊ 15 € – ½ P 130 €   **Rist** – Menu 35/50 €
♦ Avvolta da un rigoglioso giardino, annovera un articolato complesso termale con una vasca termo minerale utilizzata per i trattamenti; all'esterno una bella piscina per i momenti di relax. Per i pasti, accomodatevi in un ambiente piacevolmente familiare, buffet di antipasti la sera.

🏨 La Villarosa ॐ 🏊 🏛 🏊 🖼 🖼 🆎 ✂ rist, VISA ⚫ AE 🆑
via Giacinto Gigante 5 – ☎ *081 99 13 16 – www.dicohotels.it – lavillarosa@*
dicohotels.it – Fax 081 99 24 25 – aprile-ottobre   **VXw**
37 cam ⊊ – ♦65/112 € ♦♦140/200 € – ½ P 75/110 €
Rist – (solo per alloggiati) Carta 25/35 €
♦ In pieno centro ma varcata la soglia del giardino sarete come inghiottiti da un'atmosfera d'altri tempi, un insieme di ambienti dal fascino antico, un susseguirsi di sale e salette tutte diverse fra loro.

🏨 Solemar Terme ⓢ ⟨ ⌁ 🏠 ♨ 🖥 AC 🍴 rist, P VISA ⓜ AE ① ⓢ
via Battistessa 49 – ☎ *081 99 18 22 – www.hotelsolemar.it – info@hotelsolemar.it*
– Fax 081 99 10 47 – aprile-ottobre Va
78 cam �^ – ♦120/170 € ♦♦160/240 € – ½ P 80/130 €
Rist – *(solo per alloggiati)*
◆ Frequentato particolarmente da famiglie con bambini proprio per la sua tranquilla posizione sulla spiaggia, risorsa particolarmente vocata alla balneazione. Ospita anche un centro termale.

🏠 Villa Hermosa AC 🍴 rist, VISA ⓜ AE ① ⓢ
via Osservatorio 4 – ☎ *081 99 20 78 – www.villahermosa.it*
– info@villahermosa.it – Fax 081 99 20 78 – Pasqua-ottobre Vf
20 cam – �^ ♦60/80 € ♦♦100/120 € – ½ P 70/75 €
Rist – *(solo per alloggiati)* Menu 20/25 €
◆ Atmosfera e ospitalità squisitamente familiari per questa semplice risorsa centrale, poco lontano dal porto; una clientela abituale e interni accoglienti e luminosi.

🍴🍴 Alberto ⟨ VISA ⓜ AE ① ⓢ
lungomare C. Colombo 8 – ☎ *081 98 12 59 – www.albertoischia.it*
– gianni@albertoischia.it – 26 dicembre-6 gennaio e 20 marzo-4 novembre
Rist – *(consigliata la prenotazione la sera)* Menu 65 € Vd
– Carta 55/86 € 🍴
◆ Quasi una palafitta sulla spiaggia risalente ai primi anni '50, una sola sala verandata aperta sui tre lati per gustare una cucina di mare tradizionale reinterpretata con fantasia.

🍴 Damiano ⟨ P VISA ⓜ ① ⓢ
via Variante Esterna strada statale 270 – ☎ *081 98 30 32 – aprile-settembre;*
Rist – *(chiuso a mezzogiorno)* Carta 39/64 € Xm
◆ Lasciata l'auto, alcuni gradini conducono alla veranda dalle grandi finestre affacciate sulla città e sulla costa. Semplici le proposte della cucina basata soprattutto su aragoste e coniglio di fosso. Andamento familiare.

LACCO AMENO (NA) – 564E23 – **4 548 ab.** – ✉ **80076**

🏨🏨 L'Albergo della Regina Isabella ⟨ 🛋 🏠 ⌁ 🖫 ♨ 🏠 ♨ ♨
piazza Restituta 1 🖥 AC 🍴 rist, 🍴 ⚓ P VISA ⓜ AE ① ⓢ
– ☎ *081 99 43 22 – www.reginaisabella.it – info@reginaisabella.it*
– Fax 081 99 01 90 – 27 dicembre-6 gennaio e 4 aprile-7 novembre
129 cam �^ – ♦310/380 € ♦♦560/1380 € – 3 suites – ½ P 340/750 € Za
Rist – Carta 38/133 €
◆ Piastrelle di Capodimonte, lampadari in vetro di Murano, prezioso mobilio antico, una nuova ala *Royal* con servizi personalizzati e di gran confort ed un prestigioso centro termale. Per un'elegante vacanza di relax. Tradizionale e raffinata la sala destinata alla ristorazione, per cene formali.

🏨🏨 San Montano ⓢ ⟨ 🛋 🏠 ⌁ 🏠 ♨ ♨ 🍴 🖥 AC 🍴 rist, P
via Nuova Montevico 26 – ☎ *081 99 40 33* VISA ⓜ AE ① ⓢ
– www.sanmontano.com – info@sanmontano.com – Fax 081 98 02 42
– 23 aprile-3 novembre Zb
71 cam �^ – ♦120/220 € ♦♦140/500 € – ½ P 110/290 €
Rist – Carta 55/105 €
◆ Incantevole tanto l'esterno con le sue terrazze e i numerosi angoli di relax, tra i quali spicca una vasca idromassaggio incastonata fra le rocce e la vista a 360° sulla costa. In sala o sull'incantevole terrazza potrete gustare anche specialità di pesce.

🏨 Grazia Terme ⓢ ⟨ 🛋 🏠 ⌁ 🏠 ♨ 🍴 🍴 🖥 AC 🍴 rist, 🖐 ⚓
via Borbonica 2 – ☎ *081 99 43 33* P VISA ⓜ AE ① ⓢ
– www.hotelgrazia.it – info@hotelgrazia.it – Fax 081 99 41 53
– aprile-ottobre Uy
80 cam �^ – ♦105/120 € ♦♦190/210 € – ½ P 110/130 €
Rist – *(solo per alloggiati)* Menu 25/45 €
◆ Sulla via Borbonica, la risorsa si sviluppa su diversi corpi raccolti intorno ad un grande giardino con piscina; dispone anche di una zona termale completa nell'offerta.

🏠 **Villa Angelica**　　　🏖 🔺 🅰️🅲 💇 📶 📶 💳 💳 🅰️🅴 ⓘ ᴖ
via 4 Novembre 28 – ☎ 081 99 45 24 – www.villaangelica.it – angelica@pointel.it
– Fax 081 98 01 84 – 15 marzo-ottobre　　　　　　　　　　　　　　Z**t**
20 cam ⊑ – †60/85 € ††110/140 € – ½ P 75/100 €
Rist – *(solo per alloggiati)*
◆ Raccolto attorno ad un piccolo rigoglioso giardino nel quale è stata realizzata anche una piscina, semplice struttura ad andamento familiare che si cinge del fascino di una casa privata.

SANT'ANGELO 💳 **(NA)** – ✉ 80070

👁 Serrara Fontana : ⟨ ★★ su Sant'Angelo Nord : 5 km

🏨 **Park Hotel Miramare** 💇　　　⟨ 📶 🅰️🅲 cam, 💇 📶 💳 💳 🅰️🅴 ᴖ
via Comandante Maddalena 29 – ☎ 081 99 92 19 – www.hotelmiramare.it
– hotel@hotelmiramare.it – Fax 081 99 93 25 – aprile-4 novembre　　　　U**n**
55 cam ⊑ – †130/280 € ††220/415 € – 2 suites – ½ P 148/253 €
Rist – Carta 50/67 €
◆ Uno stile mediterraneo basato su piacevoli giochi di colore che fanno risaltare le maioliche utilizzate e una discesa diretta al mare e alle piattaforme sulla scogliera. Originale e signorile. Ristorante di taglio elegante, affacciato sul mare grazie alle grandi terrazze ben arredate.

🏨 **Casa Celestino** 💇　　　⟨ 📶 🅰️🅲 cam, 💇 rist, 💳 💳 ᴖ
via Chiaia di Rose 20 – ☎ 081 99 92 13 – www.hotelcelestino.it – info@
hotelcelestino.it – Fax 081 99 98 05 – 21 aprile-15 ottobre　　　　　　U**t**
19 cam ⊑ – †110/140 € ††210/270 € – 1 suite – ½ P 140/170 €
Rist – *(chiuso a mezzogiorno in luglio e agosto)* Carta 28/55 €
◆ Nel centro storico pedonalizzato una bella casa di stile mediterraneo, interamente rinnovata con eleganti maioliche dove godere la tranquillità di questi luoghi. Ristorante dal design moderno e dal look marinaro con terrazza sulla scogliera.

🏨 **La Palma** 💇　　　⟨ 📶 🅰️🅲 rist, 💇 rist, 💳 💳 🅰️🅴 ⓘ ᴖ
via Comandante Maddalena 15 – ☎ 081 99 92 15 – www.lapalmatropical.it
– contact@lapalmatropical.it – Fax 081 99 95 26 – chiuso dal 10 gennaio a
marzo　　　　　　　　　　　　　　　　　　　　　　　　　U**v**
43 cam ⊑ – †85/100 € ††150/180 € – ½ P 120/140 €　　**Rist** – Carta 45/58 €
◆ In zona centrale e tuttavia panoramica e rilassante affacciata sul mare, simpatica e accogliente struttura dall'aspetto mediterraneo fatta di terrazze fiorite. Alcune camere sono arredate con vecchi mobili sorrentini.

🏠 **Casa Sofia** senza rist　　　⟨ 💇 💳 💳 ᴖ
via Sant'Angelo 29/B – ☎ 081 99 93 10 – www.hotelcasasofia.com – info@
hotelcasasofia.com – Fax 081 90 49 28 – 15 marzo-10 novembre　　　U**v**
11 cam ⊑ – †65 € ††100 €
◆ Professionalità e cortesia, l'attenzione per l'ospite sempre costante, dispone di una bella terrazza e di un salotto con libreria a disposizione degli alloggiati. In cima ad una ripida stradina pedonale.

🏠 **Loreley** 💇　　　⟨ 🔺 🅰️🅲 💇 rist, 💳 💳 🅰️🅴 ⓘ ᴖ
via Sant'Angelo 50 – ☎ 081 99 93 13 – www.hotelloreley.it – info@hotelloreley.it
– Fax 081 99 90 65 – 18 aprile-17 ottobre　　　　　　　　　　　U**s**
30 cam ⊑ – †68/90 € ††106/150 € – ½ P 67/89 €　　**Rist** – *(solo per alloggiati)*
◆ Raggiungibile a piedi o preferibilmente con le strutture elettriche della società, arrivati a destinazione si è ripagati da una bella vista e una assoluta tranquillità. Piscina alimentata da acque termali.

🍴 **Lo Scoglio**　　　⟨ 📶 💳 💳 🅰️🅴 ⓘ ᴖ
via Cava Ruffano 58 – ☎ 081 99 95 29 – lo.scoglio@libero.it – Fax 081 99 94 19
– aprile-novembre　　　　　　　　　　　　　　　　　　　　U**q**
Rist – *(consigliata la prenotazione la sera)* Carta 22/39 €
◆ Su uno scoglio che si erge in riva al mare, prenotate per tempo il vostro tavolo in terrazza, è piccola e sempre molto richiesta: una sosta panoramica prima di visitare l'istmo più famoso dell'isola.

ISEO – Brescia (BS) – 561F12 – 8 619 ab. – alt. 198 m – ⊠ 25049   19 **D1**

- ▶ Roma 581 – Brescia 22 – Bergamo 39 – Milano 80
- 𝑖 lungolago Marconi 2/c-d – ℰ 030 980209, iat.iseo@tiscali.it, Fax 030 981361
- ◎ Lago ★
- ◸ Monte Isola ★★ : ✳★★ dal santuario della Madonna della Ceriola (in battello)

Iseolago 🏠   cam, ⚏ AC ↯ 🛇 ⚑ 📶 🅿
via Colombera 2, Ovest : 1 km – ℰ *03 09 88 91*   VISA ⓿ AE ① ⑤
– www.iseolagohotel.it – info@iseolagohotel.it – Fax 03 09 88 92 99
64 cam ⚏ – ♦95/116 € ♦♦139/179 € – 2 suites – ½ P 96/116 €
Rist L'Alzavola – *(chiuso dal 1° al 7 gennaio)* Menu 26/39 € – Carta 35/63 €
♦ Recente ed elegante complesso alberghiero, inserito nel verde di un vasto impianto turistico alle porte della località, con accesso diretto al lago, camere gradevoli. Ristorante con begli ambienti di classe e una deliziosa saletta riservata.

Araba Fenice   rist, 🛇 ⚑ 📶 🅿
località Pilzone D'Iseo, Nord-Est : 1,5 km   VISA ⓿ AE ① ⑤
– ℰ 03 09 82 20 04 – www.arabafenicehotel.it
– info@arabafenicehotel.it – Fax 03 09 86 85 36
– chiuso dal 18 dicembre al 10 gennaio
43 cam ⚏ – ♦70/80 € ♦♦105/125 € – ½ P 73/83 €
Rist Bella Iseo – ℰ 03 09 86 85 37 *(chiuso dal 10 ottobre al 4 novembre)*
Carta 28/45 €
♦ Albergo completamente ristrutturato e rinnovato, presenta oggi interni molto signorili soprattutto negli spazi comuni. Le camere sono ampie e hanno arredi standard. Ristorante di tono elegante con terrazza esterna.

XX Il Paiolo   AC VISA ⓿ AE ① ⑤
piazza Mazzini 9 – ℰ *03 09 82 10 74 – Fax 03 09 82 10 74*
– chiuso dal 15 al 28 febbraio, dal 26 agosto al 9 settembre e martedì
Rist – Carta 25/38 €
♦ E' con entusiasmo che un parmense di Busseto gestisce un localino davvero curato, in pieno centro storico: specialità della casa è il culatello, la cucina è del territorio.

X Al Castello   VISA ⓿ AE ① ⑤
via Mirolte 53 – ℰ *030 98 12 85 – Fax 030 98 12 85*
– chiuso dal 15 febbraio al 1° marzo, dal 28 settembre al 15 ottobre, martedì ed a mezzogiorno (escluso i giorni festivi)
Rist – Carta 28/41 €
♦ Vicino al Castello Oldofredi, e ricavato nelle cantine di un palazzo del '600, ambiente caratteristico, con servizio estivo all'aperto e piatti locali o alla griglia.

X Il Volto   AC VISA ⓿ AE ① ⑤
via Mirolte 33 – ℰ *030 98 14 62 – ilvolto@libero.it – Fax 030 98 14 70*
– chiuso 10 giorni in gennaio o febbraio, 10 giorni in luglio, mercoledì, giovedì a mezzogiorno
Rist – Menu 35/40 € – Carta 39/68 €
♦ Ristorante informale e semplice nel grazioso centro storico: gustose specialità regionale accompagnate da invenzioni creative imbandiscono la tavola. Ottima scelta enologica.

sulla strada provinciale per Polaveno

I Due Roccoli 🏠   rist, ⚑ 🅿 VISA ⓿ AE ① ⑤
via Silvio Bonomelli, Est : 6 km ⊠ *25049 –* ℰ *03 09 82 29 77*
– www.idueroccoli.com – relais@idueroccoli.com – Fax 03 09 82 29 80
– 25 marzo-ottobre
19 cam – ♦100 € ♦♦130/180 €, ⚏ 10 € – ½ P 105/120 €
Rist – Carta 38/48 €
♦ All'interno di una vasta proprietà affacciata sul lago, un'antica ed elegante residenza di campagna con parco, adeguata alle più attuali esigenze e con locali curati. Ristorante raffinato, con angoli intimi, camino moderno e uno spazio all'aperto, "sull'aia".

a Clusane sul Lago Ovest : 5 km – ✉ 25049

🏠🏠 Relais Mirabella 🐾 ⟨⟨ 🚗 🏠 🍽 📶 ఈ cam, 🔟 ✂ rist, 🌙 🕸 ⚓ **P**

via Mirabella 34, Sud : 1,5 km – 🕿 *03 09 89 80 51* 🆚 ⑩ 🔠 ⓪ ⑤
– www.relaismirabella.it – mirabella@relaismirabella.it – Fax 03 09 89 80 52
– aprile-ottobre
28 cam ☞ – ♦102/120 € ♦♦134/164 € – 1 suite – ½ P 107 €
Rist La Catilina – vedere selezione ristoranti
Rist *Il Conte di Carmagnola – (aprile-ottobre)* Carta 32/51 €
♦ Un borgo di antiche case coloniche, ora un'elegante oasi di tranquillità con eccezionale vista sul lago, giardino e piscina; chiedete le camere con terrazzino panoramico. Raffinato e d'atmosfera, il ristorante dispone di sala interna e dehors estivo.

✗✗ Punta-da Dino 🏠 **P** 🆚 ⑩ 🔠 ⑤

via Punta 39 – 🕿 *030 98 90 37 – Fax 030 98 90 37 – chiuso novembre e mercoledì (escluso luglio-agosto)*
Rist – Carta 23/35 €
♦ Solida gestione familiare per un locale moderno e accogliente, con dehors estivo; le proposte sono ovviamente incentrate sul pesce di lago, ma non disdegnano la carne.

✗✗ La Catilina – Relais Mirabella ⟨⟨ 🏠 🔟 ✂ ⇔ **P** 🆚 ⑩ 🔠 ⓪ ⑤

via Mirabella 38, Sud : 2 km – 🕿 *03 09 82 92 42 – mirabella@relaismirabella.it – Fax 03 09 82 92 42 – chiuso gennaio e lunedì*
Rist – *(chiuso a mezzogiorno)* (consigliata la prenotazione) Carta 32/51 €
♦ Si domina il lago da questo ristorante, con terrazza coperta dove si mangia nella bella stagione; cucina del territorio, non manca la famosa "tinca alla clusanese".

✗ Al Porto 🔟 ⇔ 🆚 ⑩ 🔠 ⓪ ⑤

piazza Porto dei Pescatori 12 – 🕿 *030 98 90 14 – www.alportoclusane.it – info@alportoclusane.it – Fax 03 09 82 90 90 – chiuso mercoledì*
Rist – Carta 28/39 €
♦ Un ristorante con oltre 100 anni di storia: in una villetta fine secolo, di fronte all'antico porticciolo, calde salette di buon gusto, cucina locale e lacustre.

ISERA – Trento (TN) – 562E15 – 2 460 ab. – ✉ 38060 30 B3
🖪 Roma 575 – Trento 29 – Verona 75 – Schio 52

✗ Locanda delle Tre Chiavi 🏠 **P** 🆚 ⑩ 🔠 ⓪ ⑤
🏠
via Vannetti 8 – 🕿 *04 64 42 37 21 – www.locandadelletrechiavi.it – info@locandadelletrechiavi.it – Fax 04 64 42 37 21 – chiuso una settimana in gennaio, 15 giorni in giugno, domenica sera e lunedì*
Rist – Menu 22/35 € – Carta 33/42 €
♦ Questo edificio settecentesco è oggi una tipica osteria gestita con passione da un'abile famiglia di ristoratori. Tra vini e formaggi, la cucina è esclusivamente trentina.

✗ Casa del Vino 🏠 🆚 ⑩ 🔠 ⓪ ⑤
🍃
piazza San Vincenzo 1 – 🕿 *04 64 48 60 57 – www.casadelvino.info*
🏠 *– info.casadelvino@tiscali.it – Fax 04 64 40 03 71*
Rist – Menu 20/40 € – Carta 24/34 €
♦ Ogni giorno un menù diverso, dal quale è possibile scegliere anche solo alcuni piatti: un ambiente piacevole ed informale per scoprire i sapori della Valle, dai primi ai dolci.

ISERNIA **P** (IS) – 564C24 – 21 361 ab. – alt. 457 m – ✉ 86170 2 C3
🖪 Roma 177 – Avezzano 130 – Benevento 82 – Campobasso 50
🖪 via Farinacci 9 🕿 0865 3992, eptisernia@molisedati.it, Fax 0865 50771

🏠🏠 Grand Hotel Europa 📶 🍽 ఈ rist, 🔟 ✂ rist, 📶 ⚓ **P** 🚗

viale dei Pentri 76, strada statale per Campobasso, 🆚 ⑩ 🔠 ⓪ ⑤
svincolo Isernia Nord – 🕿 *08 65 21 26 – www.grandhotel-europa.it – info@grandhotel-europa.it – Fax 08 65 41 32 43*
152 cam ☞ – ♦100 € ♦♦110 € – ½ P 78 € **Rist** *Pantagruel* – Carta 23/46 €
♦ Hotel d'impostazione moderna, recentemente ampliato con nuove camere e caratterizzato da una bella terrazza con piscina. Per una clientela commerciale e turistica. Ambienti di gusto contemporaneo e sapori tipici molisani al ristorante.

a Pesche Est : 3 km – ✉ **86090**

🏠 **Santa Maria del Bagno** ⟨≤ 📱 🎿 **P** 💳 ⓜ 🅰🅴 ⓞ ⚡
viale Santa Maria del Bagno 1 – ℰ *08 65 46 01 36* – *Fax 08 65 46 01 29*
43 cam – 🛏42/47 € 🛏🛏58/63 €, ⌨ 5 € – ½ P 50/55 €
Rist – *(chiuso lunedì)* Carta 23/31 €
◆ L'edificio spicca alle falde del bianco borgo medievale arroccato sui monti; vi accoglierà un'affidabile gestione familiare, tra i confort degli spazi comuni e delle camere.
Due vaste sale da pranzo, disposte su differenti livelli.

ISIATA – Venezia – Vedere San Donà di Piave

ISOLA... ISOLE – Vedere nome proprio della o delle isole

ISOLA D'ASTI – Asti **(AT)** – 561H6 – **2 012 ab.** – alt. 245 m – ✉ **14057** 25 **D1**
▶ Roma 623 – Torino 72 – Asti 10 – Genova 124

🏨 **Castello di Villa** 🐾 ⟨≤ 🍴 🎿 🅰🅲 🎵 **P** 💳 ⓜ 🅰🅴 ⓞ ⚡
via Bausola 2 località Villa, Est : 2,5 km – ℰ *01 41 95 80 06*
– *www.castellodivilla.it* – *info@castellodivilla.it* – *Fax 01 41 95 80 05* – *chiuso
gennaio e febbraio*
14 cam ⌨ – 🛏150/270 € 🛏🛏170/270 €
Rist – *(solo per alloggiati)* Carta 36/44 €
◆ Imponente villa patrizia del XVII secolo, splendidamente restaurata: camere eleganti,
alcune lussuose, con arredi e decorazioni eclettiche e vistose.

sulla strada statale 231 Sud-Ovest : 2 km :

🍽🍽🍽 **Il Cascinalenuovo** (Walter Ferretto) con cam 🍴 🍴 🎿 🅰🅲 🎿 **P**
🐝 *statale Asti-Alba 15* ✉ *14057* – ℰ *01 41 95 81 66* 💳 ⓜ 🅰🅴 ⓞ ⚡
– *www.ilcascinalenuovo.it* – *info@ilcascinalenuovo.it* – *Fax 01 41 95 88 28*
– *chiuso dal 26 dicembre al 20 gennaio e dal 7 al 19 agosto*
15 cam – 🛏70/80 € 🛏🛏100 €, ⌨ 12 € – ½ P 110/120 €
Rist – *(chiuso domenica sera e lunedì)) (chiuso a mezzogiorno escluso domenica)* Carta 53/68 € 🍴
Spec. Guazzetto d'asparagi con uovo morbido e mazzancolle. Risotto con
zucca gialla, carpaccio di foie gras e tartufo bianco. Agnello sambucano arrostito agli aromi.
◆ La sala moderna ed essenziale si allontana dall'ufficialità piemontese, non la cucina
che ne ripropone glorie e tradizioni in un carosello dei migliori prodotti regionali.

ISOLA DEL GRAN SASSO D'ITALIA – Teramo **(TE)** – 563O22 1 **B1**
– **4 909 ab.** – alt. 415 m – ✉ **64045**
▶ Roma 190 – L'Aquila 64 – Pescara 69 – Teramo 30
🄶 Gran Sasso★★ Sud-Ovest : 6 km

SAN GABRIELE DELL'ADDOLORATA Nord : 1 km – ✉ **64048**

🏠 **Paradiso** 🍴 📱 🅰🅲 rist, 🎿 **P** 💳 ⓜ 🅰🅴 ⓞ ⚡
via San Gabriele – ℰ *08 61 97 58 64* – *www.hotelparadiso.ts.r.l.it* – *info@
hotelparadisosrl.it* – *Fax 08 61 97 58 64*
30 cam ⌨ – 🛏40/60 € 🛏🛏60/90 € – ½ P 45/65 €
Rist – *(chiuso mercoledì escluso da giugno ad ottobre)* Carta 22/27 €
◆ Punto di appoggio particolarmente adatto per un turismo religioso, culturale o di
relax tra i monti abruzzesi, un hotel semplice con camere sobrie e ben tenute. Nella
sala da pranzo, un'atmosfera moderna e piatti nazionali.

ISOLA DELLE FEMMINE – Palermo – 565M21 – Vedere Sicilia alla fine
dell'elenco alfabetico

ISOLA DEL LIRI – Frosinone **(FR)** – 563Q22 – **12 109 ab.** – alt. 217 m 13 **D2**
– ✉ **03036**
▶ Roma 107 – Frosinone 23 – Avezzano 62 – Isernia 91
🄶 Abbazia di Casamari★★ Ovest : 9 km

🏠 **Scala**   `VISA` `MC` `AE` `①` `⑤`
piazza De' Boncompagni 10 – ℰ 07 76 80 83 84 – Fax 07 76 80 85 84
11 cam – ❙30 € ❙❙50 €, � 5 € – ½ P 45 €
Rist – (chiuso mercoledì escluso da giugno a settembre) Carta 20/31 €
♦ Una risorsa alberghiera di ridotte dimensioni, con poche camere ben tenute, alcune particolarmente spaziose, e pulite; sulla piazza principale, proprio sopra la banca. Sul fiume e vicino alle cascate, un riferimento gastronomico d'impostazione classica.

🍴 **Ratafià**   🏠 ⇔ `VISA` `MC` `⑤`
vicolo Calderone 8 – ℰ 07 76 80 80 33 – ratafia@hotmail.it – chiuso lunedì
Rist – Carta 33/42 €
♦ In una piccola traversa di una strada più trafficata, varcato un arco, un locale con proposte di tipo creativo, ma non solo; soprattutto gradevole in estate, con i fiori.

ISOLA DOVARESE – Cremona (CR) – 561G12 – 1 262 ab. – alt. 34 m   17 C3
– ✉ 26031
▶ Roma 500 – Parma 48 – Brescia 75 – Cremona 27

🍴 **Caffè La Crepa**   🏠 ⇔ `VISA` `MC` `AE` `①` `⑤`
piazza Matteotti 13 – ℰ 03 75 39 61 61 – www.wineshopitalia.com
– fmalinverno@libero.it – Fax 03 75 94 63 96 – chiuso dal 10 al 23 gennaio, dall'11 al 24 settembre, lunedì e martedì
Rist – Carta 28/40 € ⊗
♦ Forte della propria ubicazione, sulla piazza principale, un'accattivante insegna d'epoca invita a visitare questo locale dove un'ampia scelta di piatti tipici della gastronomia regionale (salumi, paste ripiene e pesci d'acqua dolce) lascia spazio a qualche concessione extraterritoriale.

ISOLA RIZZA – Verona (VR) – 562G15 – 2 946 ab. – alt. 23 m   35 B3
– ✉ 37050
▶ Roma 487 – Verona 27 – Ferrara 91 – Mantova 55

all'uscita superstrada 434 verso Legnago

🍴🍴🍴🍴 **Perbellini**   🔥 `AC` ⇔ `P` `VISA` `MC` `①` `⑤`
via Muselle 130 ✉ 37050 – ℰ 04 57 13 53 52 – www.perbellini.com
– ristorante@perbellini.com – Fax 04 59 69 83 78 – chiuso dieci giorni in febbraio, tre settimane in agosto, lunedì, martedì e domenica sera
(anche domenica a mezzogiorno in giugno-agosto)
Rist – Menu 65 € (a mezzogiorno escluso sabato e festivi)/140 €
– Carta 104/192 € ⊗
Spec. Wafer al sesamo con tartare di branzino, caprino all'erba cipollina e sensazione di liquirizia. Risotto mantecato alla parmigiana con pere alla senape e sedano croccante. Carrello dei dessert.
♦ La ricerca del piacere: da un modesto contesto industriale all'inaspettata eleganza della sala, la massima attenzione è da prestare alla cucina. Emozionante e semplicemente intelligente.

ISOLA SANT'ANTONIO – Alessandria (AL) – 759 ab. – ✉ 15050   23 C2
▶ Roma 596 – Torino 125 – Alessandria 39 – Novara 106

🍴🍴 **Da Manuela**   🔥 `AC` `P` `VISA` `MC` `AE` `⑤`
via Po 31, Nord-Ovest : 3 km – ℰ 01 31 85 71 77 – www.ritorantedamanuela.it
– Fax 01 31 85 74 54 – chiuso lunedì e dal 20 luglio al 10 agosto
Rist – Carta 28/45 € ⊗
♦ In aperta campagna, locale accogliente composto da due ampie sale ed una saletta per i momenti di maggiore affluenza, propone una cucina lombarda con qualche spunto piemontese.

ISOLA SUPERIORE (dei Pescatori) – Novara – Vedere Borromee (Isole)

ISPRA – Varese (VA) – 561E7 – 4 844 ab. – alt. 220 m – ⊠ 21027   16 **A2**
- ▷ Roma 650 – Stresa 40 – Locarno 69 – Milano 69

XX **Schuman** (Silvio Battistoni)   ☆ 𝔸ℂ ⅌ 𝕍𝕀𝕊𝔸 ⓴ 𝔸𝔼 ⓪ ⑤
𝕔 via Piave 49 – 𝒞 03 32 78 19 81 – www.ristoranteschuman.it – info@
    ristoranteschuman.it – Fax 03 31 96 01 23 – chiuso mercoledì, giovedì a
    mezzogiorno
    Rist – Carta 54/92 €
    Spec. Insalatina tiepida di piccione, olio al mirto e pepe nero. Risotto con
    asparagi e gelato al foie gras e pistacchi di Bronte. Petto d'anatra al coccio
    con funghi porcini e achillea (erba aromatica) (settembre-novembre).
    ♦ Al primo piano di un palazzo del centro storico, arredi sobri, travi a vista e un tocco di
    signorilità. Cucina giovane e contemporanea, spunti locali rivisti con estro.

ISSENGO = ISSENG – Bolzano – Vedere Falzes

ISSOGNE – Aosta (AO) – 561F5 – 1 343 ab. – alt. 387 m – ⊠ 11020   34 **B2**
▮ Italia
- ▷ Roma 713 – Aosta 41 – Milano 151 – Torino 80
- ◉ Castello★

XX **Al Maniero** con cam ⑄   ☆ ⓥ 𝔽 𝕍𝕀𝕊𝔸 ⓴ 𝔸𝔼 ⓪ ⑤
𝕔 frazione Pied de Ville 58 – 𝒞 01 25 92 92 19 – www.ristorantealmaniero.it
    – info@ristorantealmaniero.it – Fax 01 25 92 92 19 – chiuso dal 15 al 30 giugno
    6 cam ⌷ – †45/55 € ††60/90 € – ½ P 45/60 €
    Rist – (chiuso lunedì escluso agosto) Menu 20 € – Carta 27/36 €
    ♦ Giovane coppia, pugliese lui, ferrarese lei, nei pressi del maniero valdostano: ambiente
    semplice con piatti del territorio e, solo su prenotazione, pesce. Camere accoglienti.

IVREA – Torino (TO) – 561F5 – 24 280 ab. – alt. 267 m – ⊠ 10015   22 **B2**
▮ Italia
- ▷ Roma 683 – Aosta 68 – Torino 49 – Breuil-Cervinia 74
- 🛈 corso Vercelli 1 𝒞 0125 618131, info@canavese-vallilanzo.it, Fax 01225
    618140

a San Bernardo Sud : 3 km – ⊠ 10015

🏠 **La Villa**   🚗 ▮🅴 ⅟ cam, 𝔸ℂ ⅌ rist, ⓔ 𝔽 𝕍𝕀𝕊𝔸 ⓴ 𝔸𝔼 ⓪ ⑤
    via Torino 334 – 𝒞 01 25 63 16 96 – www.ivrealavilla.com – info@
    ivrealavilla.com – Fax 01 25 63 19 50
    36 cam ⌷ – †68/75 € ††75/90 € – ½ P 63 €
    Rist – (chiuso domenica) (chiuso a mezzogiorno) (solo per alloggiati)
    Carta 25/37 €
    ♦ Accogliente e calda atmosfera familiare in questa villa in zona periferica, quasi una
    casa privata. Alcune camere e la sala colazioni si affacciano sulla catena alpina. Vicino
    agli stabilimenti.

JESI – Ancona (AN) – 563L21 – 39 540 ab. – alt. 96 m – ⊠ 60035▮ Italia   21 **C2**
- ▷ Roma 260 – Ancona 32 – Gubbio 80 – Macerata 41
- ◉ Palazzo della Signoria★ – Pinacoteca★

🏨 **Federico II** ⑄   ≤ 🚗 ⅃ 🎬 ⓺ ⓰ 🛗 ▮🅴 ⅟ 𝔸ℂ ⅏ ⅌ rist, ⓔ 🅶 𝔽
                                                 𝕍𝕀𝕊𝔸 ⓴ 𝔸𝔼 ⓪ ⑤
    via Ancona 100 – 𝒞 07 31 21 10 79
    – www.hotelfederico2.it – info@hotelfederico2.it – Fax 073 15 72 21
    130 cam ⌷ – †122/144 € ††180/218 € – 3 suites – ½ P 115/139 €
    Rist – Carta 35/51 €
    ♦ Elegante complesso immerso nel verde, garantisce un soggiorno tranquillo in pieno
    confort. Gli spazi comuni sono ampi e le camere arredate con gusto classico. Una lumi-
    nosa sala panoramica invita a gustare una cucina classica e locale.

🏨 **Mariani** senza rist   𝔸ℂ ⅌ ⓔ 𝕍𝕀𝕊𝔸 ⓴ 𝔸𝔼 ⓪ ⑤
    via Orfanotrofio 10 – 𝒞 07 31 20 72 86 – www.hotelmariani.com
    – prenotazioni@hotelmariani.com – Fax 07 31 20 00 11
    33 cam ⌷ – †35/68 € ††45/86 €
    ♦ A pochi passi dal centro storico, la struttura offre camere confortevoli e ben arredate
    per un soggiorno sia di turismo che di lavoro.

JESOLO – Venezia (VE) – 562F19 – **23 465 ab.** – ✉ 30016   36 **D2**
▶ Roma 560 – Venezia 41 – Belluno 106 – Milano 299
🏨, ✆ 0421 37 28 62

XXX **Da Guido**   🍴 🛋 ♿ 🅰🅺 **P** 🆚 ⓪ 🅰🅴 ⓢ
*via Roma Sinistra 25 – ✆ 04 21 35 03 80 – www.ristorantedaguido.com – info@
ristorantedaguido.com – Fax 04 21 36 90 49 – chiuso gennaio, martedì a
mezzogiorno e lunedì*
Rist – Carta 39/59 €
♦ Ben indicato da una grande insegna, dispone di tre sale tra le quali un'elegante
moderna veranda arredata con sculture e quadri moderni. Semplici e appetitosi piatti
di mare.

JOPPOLO – Vibo Valentia (VV) – 564L29 – **2 241 ab.** – **alt. 185 m**   5 **A3**
– ✉ 89863
▶ Roma 644 – Reggio di Calabria 85 – Catanzaro 103 – Messina 77

🏨 **Cliffs Hotel**   🛋 🏊 🐈 🖔 🎾 🖔 ♿ 🅰🅺 🕌 🛁 **P** 🆚 ⓪ 🅰🅴 ⓢ
🕭 *contrada San Bruno Melia – ✆ 09 63 88 37 38 – www.cliffshotel.it – info@
cliffshotel.it – Fax 09 63 88 37 33 – aprile-ottobre*
48 cam 🖙 – †39/83 € ††58/130 € – ½ P 85 €   **Rist** – Carta 20/65 €
♦ Hotel recente a pochi passi dal mare: piacevoli e curati spazi comuni e bella piscina
con giochi d'acqua. Confortevoli le ampie camere. Servizio ristorante anche all'aperto
con specialità varie e pizze.

JOUVENCEAUX – Torino – Vedere Sauze d'Oulx

KALTENBRUNN = Fontanefredde

KALTERN AN DER WEINSTRASSE = Caldaro sulla Strada del Vino

KARERPASS = Costalunga Passo di

KARERSEE = Carezza al Lago

KASTELBELL TSCHARS = Castelbello Ciardes

KASTELRUTH = Castelrotto

KIENS = Chienes

KLAUSEN = Chiusa

KURTATSCH AN DER WEINSTRASSE = Cortaccia sulla Strada del Vino

---

LABICO – Roma (RM) – 563Q20 – **4 271 ab.** – **alt. 319 m** – ✉ 00030   13 **C2**
▶ Roma 39 – Avezzano 116 – Frosinone 44 – Latina 50

⌂ **Agriturismo Fontana Chiusa**   🕭 🍴 ⚡ 🅰🅺 🕌 **P** 🆚 ⓪ ⓪ ⓢ
*via Fontana Chiusa 3, (via Casilina al km 335.100) – ✆ 069 51 00 50
– www.fontanachiusa.it – info@fontanachiusa.it – Fax 069 51 09 97*
6 cam 🖙 – †75 € ††110 €
Rist – Carta 29/50 €
♦ Avvolto dal verde, tra giardini fioriti e noccioli, il casolare ottocentesco è stato sapientemente ristrutturato per offrire graziose camere in stile rustico. All'elegante ed accogliente ristorante, carni e verdure dell'azienda compongono piatti dai sapori regionali.

XXX **Antonello Colonna**   🅰🅺 🆚 ⓪ 🅰🅴 ⓪ ⓢ
❀ *via Roma 89 – ✆ 069 51 00 32 – www.antonellocolonna.it – antonellolabico@
antonellocolonna.com – Fax 069 51 10 00 – chiuso agosto, domenica sera, lunedì
e a mezzogiorno escluso sabato-domenica*
Rist – Carta 78/109 €
Spec. Scaloppa di fegato d'oca, pizza e fichi. Ravioli di pecorino e trippa alla
romana. Diplomatico crema e cioccolato con caramello al sale.
♦ Lungo la strada che attraversa il paese, una porta rossa segnala il ristorante. Elegante
minimalismo all'interno mentre la cucina si fa più barocca ed articolata, sapori laziali.

LACCO AMENO – Napoli – 564E23 – Vedere Ischia (Isola d')

LACES (LATSCH) – Bolzano (BZ) – 562C14 – **4 938 ab.** – **alt. 639 m**   30 **B2**
– Sport invernali : 1 200/2 250 m ✓4, ☂ – ⊠ 39021
> 🚗 Roma 692 – Bolzano 54 – Merano 26 – Milano 352
> 🔢 via Principale 38 ℰ 0473 623109, info@latsch.it, Fax 0473 622042

🏨🏨🏨 **Paradies** ⬧ ⬅ 🚗 🏫 ⓘ 🗎 ⓘ 🏋 🏖 ✗ 🍴 ᕦ 🏊 ⓘ rist. ✗ 🎙 **P**
via Sorgenti 12 – ℰ 04 73 62 22 25 – www.hotelparadies.com 🟦🟦 ⓞ🟢 **5**
– info@hotelparadies.com – Fax 04 73 62 22 28 – 26 marzo-22 novembre
48 cam ⊕ – 🚹111/143 € 🚹🚹208/272 € – 19 suites – ½ P 139/158 €
Rist – Carta 41/62 €
♦ In posizione davvero paradisiaca, bella struttura nella pace dei frutteti e del giardino ombreggiato con piscina; accoglienti ambienti interni e curato centro benessere.

LADISPOLI – Roma (RM) – 563Q18 – **32 987 ab.** – ⊠ 00055   12 **B2**
> 🚗 Roma 39 – Civitavecchia 34 – Ostia Antica 43 – Tarquinia 53
> 🔢 piazza Della Vittoria 11 ℰ 06 9913049, unpli@tiscalinet.it, Fax 06 913049
> 🅖 Cerveteri : necropoli della Banditaccia★★ Nord : 7 km

🏨🏨🏨 **La Posta Vecchia** ⬧ ⬅ ⓘ 🏫 🗎 ⓘ 🔳 ✗ 🖤 ᕦ **P**
❀ località Palo Laziale Sud : 2 km – ℰ 069 94 95 01 🟦🟦 ⓞ🟢 🅰🅴 ⓞ **5**
– www.lapostavecchia.com – info@lapostavecchia.com – Fax 069 94 95 07
– marzo-novembre
19 cam ⊕ – 🚹🚹440/590 € – 3 suites
Rist – Menu 80/110 € – Carta 71/96 €
Spec. Ravioli di pesce crudo con frutti esotici e pepe di Sarawak. Garganelli artigianali con morbido d'anatra e ricotta di Bracciano. Ombrina al timo limonato e pacchettini di verdura.
♦ Quasi un fortino sul mare, uno scrigno di tesori d'arte d'ogni epoca, nelle fondamenta una villa romana con pavimenti musivi. Per tutti gli ospiti, la sensazione di essere stati invitati in una residenza nobiliare privata. La sontuosità della sala ristorante rivaleggia con una cucina sapida e sofisticata.

✗ **Sora Olga** 🔳 ✗ 🟦🟦 ⓞ🟢 🅰🅴 ⓞ **5**
via Odescalchi 99 – ℰ 069 94 93 82 – chiuso mercoledì escluso da giugno a settembre
Rist – Carta 26/43 €
♦ Allegro e variopinto, invita ad una sosta tanto gli amanti del pesce quanto chi predilige la carne, così come chi non rinuncia alle tradizionali pizze. In stagione i carciofi, declinati in decine di ricette.

LAGLIO – Como (CO) – 561E9 – **915 ab.** – **alt. 202 m** – ⊠ 22010   18 **B1**
> 🚗 Roma 638 – Como 13 – Lugano 41 – Menaggio 22

🏨🏨 **Plinio au Lac** ⬅ 🏫 ⓘ 🗎 🔳 ✗ 🖤 🟦🟦 ⓞ🟢 🅰🅴 ⓞ **5**
via Regina 101 – ℰ 031 40 12 71 – www.hotelplinioaulac.it – info@
hotelplinioaulac.it – Fax 031 40 12 78 – marzo-ottobre
20 cam ⊕ – 🚹90/150 € 🚹🚹130/160 € – ½ P 95/115 €
Rist *L'Attracco* – (marzo-settembre) (chiuso a mezzogiorno escluso la domenica) Carta 32/53 €
♦ All'entrata del caratteristico paesino, in luogo panoramico proprio di fronte al bacino lacustre, un hotel di moderna concezione; piacevoli camere con arredi essenziali. Luminosa sala ristorante con arredamento lineare e pareti ornate da piccoli quadri e oggetti.

LAGO – Vedere nome proprio del lago

LAGO MAGGIORE o VERBANO – Novara, Varese e Cantone Ticino – 561E7
🏳 Italia

LAGONEGRO – Potenza (PZ) – 564G29 – **6 073 ab.** – **alt. 666 m**   3 **B3**
– ⊠ 85042
> 🚗 Roma 384 – Potenza 111 – Cosenza 138 – Salerno 127

🏠 **Caimo** senza rist ⊟ **P**
via dei Gladioli 3 – 𝒞 097 32 16 21 – www.hotelcaimo.com – info@
hotelcaimo.com – Fax 097 32 16 21
16 cam �] – ♦35 € ♦♦55 €
♦ Piccolo esercizio a conduzione familiare rinnovato recentemente, a metà strada tra il
casello autostradale e l'ospedale della località. Camere semplici ma di buon livello.

in prossimità casello autostrada A 3 - Lagonegro Sud Nord : 3 km :

🏨 **Midi** ℀ ⊟ 🅰🅲 rist, ℀ rist, 📞 🔧 **P** 🚗 **VISA** ⦿ 🅰🅴 ⓘ ⛚
viale Colombo 76 ✉ 85042 – 𝒞 097 34 11 88 – www.midihotel.it – reception@
midihotel.it – Fax 097 34 11 86 – chiuso Natale
36 cam – ♦43/50 € ♦♦65/70 €, ⊒ 4 € – ½ P 50/55 € **Rist** – Carta 25/35 €
♦ In prossimità dello svincolo autostradale, albergo d'ispirazione contemporanea particolarmente adatto a una clientela di lavoro; camere moderne e funzionali. Ampia sala
da pranzo lineare di tono classico.

LAGUNDO (ALGUND) – Bolzano (BZ) – 562B15 – 4 192 ab. 30 **B1**
– alt. 400 m – ✉ 39022
  🛣 Roma 667 – Bolzano 30 – Merano 2 – Milano 328
  🛈 via Vecchia 33/b 𝒞 0473 448600, info@algund.com, Fax 0473 448917

Pianta: Vedere Merano

🏨 **Ludwigshof** ⚮ ⟨ 🚗 🖼 ⚐ ⊟ 🅰🅲 ℀ **P** 🚗 **VISA** ⦿ 🅰🅴 ⛚
via Breitofen 9 – 𝒞 04 73 22 03 55 – www.ludwigshhof.com – info@
ludwigshof.com – Fax 04 73 22 04 20 – marzo-5 novembre A**b**
23 cam – 4 suites – solo ½ P 67/98 €
Rist – (chiuso a mezzogiorno) (solo per alloggiati)
♦ In un'oasi di tranquillità, incorniciato dal Gruppo del Tessa, albergo a gestione familiare con un invitante giardino; tappeti, quadri e soffitti in legno all'interno.

↑ **Agriturismo Plonerhof** senza rist ⚮ 🚗 🗓 **P**
via Peter Thalguter 11 – 𝒞 04 73 44 87 28 – www.plonerhof.it – info@plonerhof.it
– Fax 04 73 49 12 20
8 cam ⊒ – ♦25/32 € ♦♦50/64 €
♦ Non lontano dal centro, circondata da una riposante natura, casa contadina del XIII
secolo con tipiche iscrizioni di motti tirolesi; interessanti arredi di epoche diverse.

LAIGUEGLIA – Savona (SV) – 561K6 – 2 144 ab. – ✉ 17053 14 **B2**
  🛣 Roma 600 – Imperia 19 – Genova 101 – Milano 224
  🛈 via Roma 2 𝒞 0182 690059, laigueglia@inforiviera.it, Fax 0182 691798

🏨 **Splendid Mare** 🗓 ⊟ 🅰🅲 ℀ 📶 **P** **VISA** ⦿ 🅰🅴 ⓘ ⛚
piazza Badarò 3 – 𝒞 01 82 69 03 25 – www.splendidmare.it – info@
splendidmare.it – Fax 01 82 69 08 94 – Pasqua-15 ottobre
45 cam ⊒ – ♦80/100 € ♦♦120/190 € – ½ P 70/118 €
Rist – (maggio-settembre) (solo per alloggiati)
♦ Relax e tranquillità negli ambienti signorili di un edificio risalente al 1400, che conserva il fascino di un antico passato: piacevoli camere per soggiornare nella storia.

🏨 **Mediterraneo** ⚮ ⊟ 🅰🅲 cam, ℀ **P** **VISA** ⦿ ⛚
🍸 *via Andrea Doria 18 – 𝒞 01 82 69 02 40 – www.hotelmedit.it – mediterraneo@*
hotelmedit.it – Fax 01 82 49 97 39 – chiuso dal 15 ottobre al 22 dicembre
32 cam – ♦36/70 € ♦♦65/115 €, ⊒ 8 € – ½ P 50/87 € **Rist** – Menu 18/26 €
♦ La gestione famigliare, le camere grandi, ben arredate con i bagni rinnovati, la posizione comoda e tranquilla e la grande terrazza solarium: buone vacanze!

LAINATE – Milano (MI) – 561F9 – 24 024 ab. – alt. 176 m – ✉ 20020 18 **A2**
  🛣 Roma 609 – Milano 20 – Bergamo 62 – Brescia 107
  🏌 Green Club, 𝒞 02 937 10 76

Litta Palace 🖼 🕉 Ⅰ♨ ⬛ 🚻 &. 🖊 🕾 🍴 🎖 🄿 🚗 ☑️ 🔘 ⚷ 🔘 ♿
via Lepetit 1, uscita autostrada – 𝒞 02 93 57 16 40 – www.hotellittapalace.com
– reception@hotellittapalace.com – Fax 02 93 79 68 70 – chiuso dal 23 dicembre
al 6 gennaio e dal 7 al 23 agosto
90 cam ⌖ – ♦90/260 € ♦♦120/390 € – 2 suites – ½ P 125/225 €
Rist Ninfeo – (chiuso a mezzogiorno) Carta 52/66 €
♦ Vicino all'ingresso dell'autostrada, è una moderna e recente struttura ideale per la clientela d'affari. La completezza di servizi e l'ottimo ristorante sono ulteriori punti di forza.

✗✗ **Armandrea** 🖼 🖊 ☑️ 🔘 🄰🄴 🔘 ♿
viale Rimembranze 21 – 𝒞 029 37 20 57 – chiuso dal 4 al 27 agosto e domenica
Rist – Carta 36/57 €
♦ All'interno di un recente insediamento commerciale, è una gestione familiare che offre una cucina classica, senza inutili complicazioni e ben eseguita.

LAINO BORGO – Cosenza (CS) – 564H29 – 2 223 ab. – alt. 250 m   5 A1
– ✉ 87014

▶ Roma 445 – Cosenza 115 – Potenza 131 – Lagonegro 54

✗ **Chiar di Luna** con cam ⌛ 🚗 🖼 🗙 🖊 🄿 ☑️ 🔘 🄰🄴 🔘 ♿
♨ località Cappelle – 𝒞 098 18 25 50 – www.hotelchiardiluna.it
– hotelchiardiluna@tiscali.it – Fax 098 18 25 50 – chiuso dal 5 al 20 novembre
10 cam ⌖ – ♦35/40 € ♦♦60/70 € – ½ P 45 €   **Rist** – Carta 15/20 €
♦ Valida gestione familiare in una piacevole trattoria, situata in zona tranquilla: una grande sala curata dove sono proposti piatti stagionali e della tradizione.

LAMA MOCOGNO – Modena (MO) – 562J14 – 3 017 ab. – alt. 812 m   8 B2
– ✉ 41023

▶ Roma 382 – Bologna 88 – Modena 58 – Pistoia 76

✗ **Vecchia Lama** 🖼 🖊 ⇔ ☑️ 🔘 🄰🄴 🔘 ♿
via XXIV Maggio 24 – 𝒞 053 64 46 62 – Fax 053 64 46 62
– chiuso dal 15 al 30 giugno, dal 1° al 10 settembre e lunedì
Rist – Carta 26/35 €
♦ Una familiare cordialità circonda questo ristorante che propone una cucina casalinga, a partire da tartufi, porcini e carni. D'estate si pranza sulla terrazza affacciata ai giardini.

LAMEZIA TERME – Catanzaro (CZ) – 564K30 – 71 754 ab. – alt. 210 m   5 A2
– ✉ 88046

▶ Roma 580 – Cosenza 66 – Catanzaro 44
✈ a Sant'Eufemia Lamezia 𝒞 0968 414333

a Nicastro – ✉ 88046

🏠 **Savant** 🖊 &. 🖊 🖊 rist, 🍴 🎖 ☑️ 🔘 🄰🄴 🔘 ♿
via Manfredi 8 – 𝒞 096 82 61 61 – www.hotelsavant.it – info@hotelsavant.it
– Fax 096 82 61 61
65 cam ⌖ – ♦60/85 € ♦♦86/116 € – 2 suites – ½ P 61/76 €
Rist – Carta 26/44 €
♦ Albergo centrale completamente ristrutturato pochi anni fa, vocato a una clientela di lavoro: spazi interni ben tenuti e dotati di confort moderni; camere funzionali. Atmosfera gradevole nella spaziosa sala da pranzo.

✗✗ **Novecento** &. 🖊 ☑️ 🔘 🄰🄴 🔘 ♿
largo Sant'Antonio 5 – 𝒞 09 68 44 86 25
– www.ristorantenovecentolameziaterme.it – vgluca@jumpy.it
– Fax 09 68 44 86 25 – chiuso dal 10 al 25 agosto, sabato a mezzogiorno e domenica
Rist – Carta 28/38 € 🕸
♦ Locale sorto in un antico frantoio alle porte della città vecchia con foto della Nicastro di una volta a rinnovare la memoria degli albori del secolo scorso. Arredi d'epoca, servizio attento e calorosa ospitalità accompagnano degnamente i numerosi piatti della tradizione.

sulla strada statale 18 Sud-Ovest: 11 km

🏠 Ashley   🚗 ℐ 🕸 AC 🎿 🐾 🔥 P 🚙 VISA ⑩ ① 👟

località Marinella – ⊠ *88046 Lamezia Terme* – 𝒞 *096 85 18 51*
– www.hotelashley.it – info@hotelashley.it – Fax 086 85 36 48
42 cam ⌸ – 🛏150 € 🛏🛏230 € – 4 suites – ½ P 165 €   **Rist** – Carta 50/61 €
◆ Non lontano dal mare, ma comodo per l'aeroporto, hotel di nuova realizzazione
dotato di buoni confort e mobili dal design moderno. La piacevolezza della struttura
non risparmia il ristorante, dove gustare specialità di pesce.

LA MORRA – Cuneo (CN) – 56115 – 2 632 ab. – alt. 513 m – ⊠ 12064   25 C2
▶ Roma 631 – Cuneo 62 – Asti 45 – Milano 171

🏠 Corte Gondina *senza rist*   🚗 ℐ ⅖ AC 🖐 P VISA ⑩ AE ① 👟

via Roma 100 – 𝒞 *01 73 50 97 81* – *www.cortegondina.it – info@cortegondina.it*
– Fax 01 73 50 97 82 – chiuso dal 20 al 27 dicembre e dal 4 gennaio al 1 marzo
14 cam ⌸ – 🛏85/110 € 🛏🛏95/140 €
◆ La sapiente ristrutturazione di un'elegante casa d'epoca del centro ha dato spazio a
questa curata risorsa: all'interno, una quindicina di camere tutte personalizzate, fuori un
rilassante giardino con piscina.

🏠 Villa Carita *senza rist*   ⩽ 🚗 🎿 P

via Roma 105 – 𝒞 *01 73 50 96 33 – www.villacarita.it – info@villacarita.it*
– chiuso dal 20 dicembre al 28 febbraio
4 cam – 🛏100 € 🛏🛏120 €, ⌸ 8 € – 1 suite
◆ Bella casa d'inizio '900 con splendida vista su colline e vigneti, su cui si affacciano le
camere; ambienti raffinati con arredi eleganti, per un soggiorno memorabile.

🏠 Fior di Farine *senza rist*   AC 🕸 P VISA ⑩ AE ① 👟

via Roma 110 – 𝒞 *01 73 50 98 60 – www.fiordifarine.com – info@fiordifarine.com*
– Fax 01 73 50 06 35 – chiuso gennaio-febbraio
5 cam ⌸ – 🛏75 € 🛏🛏90 €
◆ Nella corte interna di uno dei più celebri mulini in pietra, è una struttura del '700 con
soffitti a cassettoni e camere semplici dove gustare una sana e golosa colazione.

🍴 Belvedere   ⩽ ✥ 🕸 VISA ⑩ AE ① 👟

piazza Castello 5 – 𝒞 *017 35 01 90 – www.belvederelamorra.it – info@*
belvederelamorra.it – Fax 01 73 50 95 80 – chiuso gennaio, dal 1° al 7 agosto,
domenica sera e lunedì
Rist – Menu 32/45 € – Carta 40/52 € ✿
◆ In un edificio d'epoca sito in pieno centro storico, un locale ristrutturato di recente
vanta ambienti rustico-eleganti dove provare la cucina tipica. Bella vista panoramica.

a Rivalta Nord : 4 km – ⊠ 12064 – La Morra

🏠 Bricco dei Cogni *senza rist* ✑   ⩽ 🚗 ℐ 🎿 🕸 P VISA ⑩ 👟

Frazione Rivalta Bricco Cogni 39 – 𝒞 *01 73 50 98 32 – www.briccodeicogni.it*
– info@briccodeicogni.it – Fax 01 73 50 98 32
6 cam – 🛏70/90 € 🛏🛏85/105 €, ⌸ 8 €
◆ Eleganza, tranquillità, confort e una bella piscina che riceve il sole a ogni ora del
giorno. Dalle tre camere panoramiche, si gode di una meravigliosa vista sulle colline.
Arredi d'epoca originali.

a Annunziata Est : 4 km – ⊠ 12064 – La Morra

🏠 Red Wine *senza rist* ✑   🚗 ℐ 🕸 P VISA ⑩ AE ① 👟

frazione Annunziata 105 – 𝒞 *01 73 50 92 50 – www.red-wine.it – turisma@*
red-wine.it – Fax 01 73 50 96 06
6 cam ⌸ – 🛏60/70 € 🛏🛏80/100 €
◆ Elementi di modernità in una zona che tende a valorizzare il passato: cascina secolare,
restaurata con inserzioni di design. Lineare essenzialità in ambienti policromi.

🏠 Agriturismo La Cascina del Monastero *senza rist* ✑   🚗 ℐ

cascina Luciani 112/a – 𝒞 *01 73 50 92 45*   🏃 🎿 🕸 P VISA ⑩
– www.cascinadelmonastero.it – info@cascinadelmonastero.it
– Fax 01 73 50 92 45 – chiuso dal 15 dicembre al 15 gennaio
10 cam ⌸ – 🛏75/85 € 🛏🛏90/100 €
◆ Anticamente utilizzata dai frati per produrre il vino, la cascina offre accoglienti spazi
dove soggiornare alla scoperta dei sentieri di Langa e degustare prodotti locali.

⌂ **Agriturismo Risveglio in Langa** senza rist ⚏   🍴 AC ⅝ P
borgata Ciotto 52, Sud-Est : 3 km – ☏ 017 35 06 74   VISA ⓪ ⅜
– www.risveglioinlanga.it – info@risveglioinlanga.it – Fax 01 73 50 00 00 – chiuso
gennaio-febbraio
6 cam – ♦75 € ♦♦90 €, ⌀ 5 €
♦ Risorsa ubicata tra il verde mare di colline e vigneti, ricavata da un cascinale eretto
nel XIX sec., sapientemente ristrutturato di recente. Camere anche con angolo cottura.

✗✗ **Osteria Veglio**   🍴 P VISA ⓪ AE ⅜
frazione Annunziata 9 – ☏ 01 73 50 93 41 – Fax 01 73 50 93 41 – chiuso
febbraio, 10 giorni in marzo, 10 giorni in agosto, martedì e mercoledì
Rist – Carta 36/46 €
♦ Cucina genuina che segue le tradizioni delle Langhe; il servizio estivo viene svolto su
una terrazza da cui si gode della bella vista su colline e vigneti circostanti.

a Santa Maria Nord-Est :4 km – ✉ 12064 – La Morra

✗✗ **L'Osteria del Vignaiolo** con cam   🍴 ᴕ rist, AC VISA ⓪ ⅜
☺   – ☏ 017 35 03 35 – osteriavignaiolo@ciaoweb.it – Fax 017 35 03 35 – chiuso dal
10 gennaio al 14 febbraio e dal 15 al 31 luglio
5 cam ⌀ – ♦50 € ♦♦70 €
Rist – (chiuso mercoledì e giovedì) Carta 23/36 € ⅜
♦ In questa piccola frazione nel cuore del Barolo, un piacevole edificio in mattoni ospita
quella che è divenuta un'elegante osteria. Nella luminosa sala, i piatti della tradizione
sono intepretati con raffinata fantasia. Spaziose e confortevoli le camere.

LAMPEDUSA (Isola di) – Agrigento – 565U19 – Vedere Sicilia alla fine
dell'elenco alfabetico

LAMPORECCHIO – Pistoia (PT) – 563K14 – 7 022 ab. – alt. 56 m   **28 B1**
– ✉ 51035
    ▶ Roma 316 – Firenze 49 – Bologna 137 – Modena 176

🏨 **Antico Masetto** senza rist   🛗 ᴕ AC 📶 ᴚ 🚗 VISA ⓪ AE ⓿ ⅜
piazza Berni 12 – ☏ 057 38 27 04 – www.anticomasetto.it – info@
anticomasetto.it – Fax 05 73 80 37 48 – chiuso dal 19 al 29 dicembre
21 cam ⌀ – ♦49/80 € ♦♦79/125 €
♦ In pieno centro, stabile d'inizio Novecento completamente rinnovato. Al piano terra
hall e ambienti comuni, non ampi ma ben allestiti; sopra, camere curate e confortevoli.

LANA – Bolzano (BZ) – 562C15 – 10 069 ab. – alt. 289 m – Sport   **30 B2**
invernali : a San Vigilio : 1 485/1 839 m ⚞ 1 ⚟1, 🎿 – ✉ 39011
    ▶ Roma 661 – Bolzano 24 – Merano 9 – Milano 322
    🛈 via Andreas Hofer 7/b ☏ 0473 561770, info@lana.net, Fax 0473 561979
    📷 Lana Merano, ☏ 0473 56 46 96

🏨 **Gschwangut**   ⟨ 🍴 ⅃ 🔲 ⓪ 📶 Fᴕ ⅝ 🛗 ᴕ cam, ⚒ ⅘ ⅝ rist, ☏
via Treibgasse 12 – ☏ 04 73 56 15 27   P 🅟 VISA ⓪ AE ⓿ ⅜
– www.gschwangut.com – info@gschwangut.it – Fax 04 73 56 41 55 – 15 marzo-
15 novembre
25 cam ⌀ – ♦75/130 € ♦♦150/180 € - 10 suites – ½ P 105/120 €
Rist – Carta 23/35 €
♦ Il suggestivo giardino fiorito con piscina è soltanto una delle gradevoli caratteristiche
di questa risorsa dove risulterà semplice trascorrere un'ottima vacanza.

🏠 **Eichhof** ⚏   🍴 🍴 ⅃ 🔲 📶 ⅝ 🛗 ⅝ rist, ☏ P VISA ⓪ ⅜
via Querce 4 – ☏ 04 73 56 11 55 – www.eichhof.net – info@eich hof.net
– Fax 04 73 56 37 10 – aprile-5 novembre
21 cam ⌀ – ♦50/65 € ♦♦100/120 € – ½ P 65/75 €   **Rist** – (solo per alloggiati)
♦ A pochi passi dal centro, un piccolo albergo immerso in un ameno giardino ombreggiato con piscina; accoglienti e razionali gli spazi comuni in stile, spaziose le camere.

⌂ **Mondschein** 🛆 📶 ⅏ cam, ⟡ **P** 𝘝𝘐𝘚𝘈 ⓒⓞ 🄰🄴 ⓞ 🆔
Gampenstrasse 6 – ℰ 04 73 55 27 00 – www.mondschein.it – info@mondschein.it
– Fax 04 73 55 27 27 – chiuso dal 23 al 27 dicembre
30 cam ⊑ – †57/73 € ††84/120 € – ½ P 58/66 €
Rist – *(chiuso lunedì)* Carta 30/39 €
♦ Hotel leggermente penalizzato dalla posizione, certo non delle più affascinanti, ma apprezzabile per il confort moderno e l'accoglienza professionale. Sala ristorante di taglio contemporaneo con angolo bistrot.

⌂ **Rebgut** senza rist ⌇ 🚗 ᛋ ⟨ᵒ⟩ **P** 𝘝𝘐𝘚𝘈 ⓒⓞ ⓞ 🆔
via Brandis 3, Sud : 2,5 km – ℰ 04 73 56 14 30 – www.rebgut.it – rebgut@
rolmail.net – Fax 04 73 56 51 08 – marzo-ottobre
12 cam ⊑ – †46 € ††84 €
♦ Nella tranquillità della campagna, in mezzo ai frutteti, una graziosa casa nel verde con piscina; ambienti in stile rustico con arredi semplici in legno chiaro.

a Foiana (Völlan)Sud-Ovest : 5 km – **alt. 696 m** – ✉ 39011 – **Lana d'Adige**

🏠🏠 **Völlanerhof** ⌇ ⟨ 🚗 🛆 ᛋ 🍴 ⟨ⅷ⟩ 🌀 ♨ 🍽 📶 ⅏ ⟡ ⤢ ⟨ᵒ⟩ **P**
via Prevosto 30 – ℰ 04 73 56 80 33 🚗 𝘝𝘐𝘚𝘈 ⓒⓞ 🆔
– www.voellanerhof.com – info@voellanerhof.com – Fax 04 73 56 81 43
– 27 marzo-15 novembre
47 cam ⊑ – ††190/260 € – 10 suites – ½ P 115/145 €
Rist – *(solo per alloggiati)*
♦ Un'oasi di pace nella cornice di una natura incantevole: piacevole giardino con piscina riscaldata, confortevoli interni d'ispirazione moderna, attrezzato centro fitness.

🏠🏠 **Waldhof** ⌇ ⟨ ⟨⟩ 🚗 🛆 🌀 ♨ 🍽 🄰🄲 rist, 🍽 rist, ⟨ᵒ⟩ **P**
via Mayenburg 32 – ℰ 04 73 56 80 81 𝘝𝘐𝘚𝘈 ⓒⓞ 🄰🄴 ⓞ 🆔
– www.waldhof.net – info@waldhof.net – Fax 04 73 56 81 42 – aprile-9 gennaio
39 cam ⊑ – †96/123 € ††170/260 € – 4 suites – ½ P 105/145 €
Rist – *(solo per alloggiati)*
♦ In splendida posizione panoramica, dentro un superbo parco, albergo dai raffinati ambienti stile tirolese; bella collezione di minerali, ampie camere con soggiorno e balcone.

✕✕ **Kirchsteiger** con cam ⟨ 🚗 🏠 ⤢ ⟨ⅷ⟩ **P** 𝘝𝘐𝘚𝘈 ⓒⓞ 🆔
via Prevosto Wieser 5 – ℰ 04 73 56 80 44 – www.kirchsteiger.com – info@
kirchsteiger.com – Fax 04 73 56 81 98 – chiuso dal 14 gennaio al 13 febbraio
8 cam ⊑ – †44/55 € ††78/96 € – ½ P 52/60 €
Rist – *(chiuso giovedì)* Carta 32/66 € ⅍
♦ Tipico stile tirolese nella bella sala classica e nella stube di una graziosa casa immersa nel verde: atmosfera romantica in cui assaporare una cucina innovativa imperdibile.

a San Vigilio (Vigiljoch)Nord-Ovest : 5 mn di funivia – **alt. 1 485 m** – ✉ 39011
– **Vigiljoch**

🏠🏠 **Vigilius Mountain Resort** ⌇ ⟨ 🚗 🌀 ♨ 📶 🛆 ⅏ ⟡ 🍽 rist,
via Pavicolo 43 – ℰ 04 73 55 66 00 ⟨ᵒ⟩ 🛆 🚗 𝘝𝘐𝘚𝘈 ⓒⓞ 🄰🄴 ⓞ 🆔
– www.vigilius.it – info@vigilius.it – Fax 04 73 55 66 99 – chiuso dal 23 marzo al
9 aprile e dal 16 novembre al 3 dicembre
35 cam ⊑ – †225/260 € ††310/375 € – 6 suites
Rist – *(chiuso a mezzogiorno)* Carta 52/87 €
♦ Immerso nel silenzio della natura questo albergo, raggiungibile in funivia, nasce da un progetto di architettura ecologica. Oasi di pace con un panorama unico delle Dolomiti. Ristorante in linea con lo stile dell'albergo, spiccano i legni chiari.

LANCIANO – Chieti (CH) – 563P25 – 36 245 ab. – alt. 283 m – ✉ 66034   2 **C2**
🖪 Roma 199 – Pescara 51 – Chieti 48 – Isernia 113
🖪 piazza del Plebiscito 51 ℰ 0872 717810, iat.lanciano@abruzzoturismo.it,
  Fax 0872 717810

Excelsior

🏨 🏨 💠 rist, 🏨 🚗 VISA ⓪ AE ① 👍

viale della Rimembranza 19 – € 08 72 71 30 13 – www.hotelexcelsiorlanciano.it – reception@hotelexcelsiorlanciano.it – Fax 08 72 71 29 07

70 cam ⚏ – ♦108 € ♦♦135 € – 4 suites – ½ P 85 €

Rist – *(chiuso domenica) (chiuso a mezzogiorno)* Carta 31/45 €

♦ Imponente struttura di dieci piani nel centro della località; gradevoli spazi comuni abbelliti da mobili d'epoca e comode poltrone; camere con arredi in stile lineare. Panoramica vista sulla città dalla sala ristorante all'ultimo piano.

Anxanum senza rist

🔅 🏨 🏨 🏨 💠 P. 🚗 VISA ⓪ AE ① 👍

via San Francesco d'Assisi 8/10 – € 08 72 71 51 42 – hotelanxanum@tin.it – Fax 08 72 71 51 42

42 cam – ♦68 € ♦♦84 €, ⚏ 10 €

♦ Albergo in zona residenziale, vocato ad una clientela di lavoro; all'interno una spaziosa hall che si affaccia piacevolmente sulla piscina e camere sobrie e funzionali.

✕✕ Ribot

🏨 🏨 VISA ⓪ AE ① 👍

via Milano 58/60 – € 08 72 71 22 05 – www.ristoranteribot.it – ristoranteribot@tin.it – Fax 08 72 71 22 05 – chiuso dal 22 dicembre al 5 gennaio, dal 27 luglio al 17 agosto e venerdì

Rist – Carta 24/30 €

♦ Ristorante al piano terra di un condominio in zona residenziale, fuori dal centro storico; sobria sala inondata di luce, con stampe a tema equestre sulle pareti.

LANGHIRANO – Parma (PR) – 562I12 – 8 721 ab. – alt. 262 m   8 B2
– ✉ 43013

🇩 Roma 476 – Parma 23 – La Spezia 119 – Modena 81

✕✕ La Ghiandaia

🚗 🏨 P. VISA ⓪ AE 👍

località Berzola Sud : 3 km – € 05 21 86 10 59 – www.la-ghiandaia.it – ghiandaiaris@libero.it – Fax 05 21 86 10 59 – chiuso dall'8 al 15 gennaio, dall'11 al 17 agosto e lunedì

Rist – *(chiuso a mezzogiorno escluso domenica e festivi)* Carta 36/65 € ⚏

♦ Originale collocazione in un fienile ristrutturato, con un particolare spazio estivo all'aperto nel giardino in riva al fiume. Gustose specialità di pesce, all'insegna della semplicità.

a Pilastro Nord : 9 km – alt. 176 m – ✉ 43013

🏨 Ai Tigli

🚗 🔅 🏨 🏨 cam, 🏨 💠 rist, ⁴⁴ 🏨 P. 🚗 VISA ⓪ AE ① 👍

via Parma 44 – € 05 21 63 90 06 – www.hotelaitigli.it – aitigli@hotelaitigli.it – Fax 05 21 63 77 42

40 cam ⚏ – ♦66/75 € ♦♦90/119 € – ½ P 60/79 €

Rist – *(chiuso agosto)* Carta 16/32 €

♦ Semplici le camere realizzate nella struttura principale che dispone anche d'un fresco giardino con piscina; più eleganti quelle che si trovano nella dependance. Gestione familiare. Specialità parmensi di sola carne nella sala da pranzo adiacente l'ingresso.

LANGTAUFERS = Vallelunga

LANZO D'INTELVI – Como (CO) – 561E9 – 1 319 ab. – alt. 907 m   16 A2
– ✉ 22024 ▐ Italia

🇩 Roma 653 – Como 30 – Argegno 15 – Menaggio 30

🔟, € 031 83 90 60

🇨 Belvedere di Sighignola★★★ : ≤ sul lago di Lugano e le Alpi Sud-Ovest : 6 km

🏨 Milano

🚗 🔅 💠 P. VISA ⓪ ① 👍

via Martino Novi 26 – € 031 84 01 19 – www.hotelmilanolanzo.com – info@hotelmilanolanzo.com – Fax 031 84 12 00 – Pasqua-ottobre

30 cam – ♦45/55 € ♦♦60/80 €, ⚏ 8 €

Rist – *(chiuso mercoledì)* Carta 25/30 €

♦ Solida gestione familiare ormai generazionale in un albergo classico abbracciato da un fresco giardino ombreggiato; spazi comuni razionali e camere ben accessoriate. Pareti in caldo color ocra ornate da piccoli quadri nella bella sala ristorante.

🏠 **Rondanino** ⊗   ⟨ 🚗 🏠 P VISA ⥾ AE ⑤

via Rondanino 1, Nord : 3 km – ℰ 031 83 98 58 – www.hotelrondanino.it – info@
hotelrondanino.it – Fax 031 83 36 40
14 cam – †45 € ††55 €, � 8 € – ½ P 52 €
Rist – *(chiuso mercoledì escluso dal 15 giugno al 15 settembre)* Carta 25/41 €
♦ Nell'assoluta tranquillità dei prati e delle pinete che lo circondano, un rustico caseggiato ristrutturato: spazi interni gradevoli e camere complete di ogni confort. Accogliente sala da pranzo riscaldata da un camino in mattoni; servizio estivo in terrazza.

LANZO TORINESE – Torino (TO) – 561G4 – 5 281 ab. – alt. 515 m   22 B2
– ✉ 10074

▶ Roma 689 – Torino 28 – Aosta 131 – Ivrea 68
ℹ via Umberto I 9 ℰ 0123 28080, lanzoa@canavese-vallilanxo.it, Fax 0123
28091

🍴 **Trattoria del Mercato**   ⥾ VISA ⥾ ⑤

via Diaz 29 – ℰ 012 32 93 20 – Fax 01 23 32 97 49 – chiuso dal 15 al 30 giugno e
giovedì
Rist – Carta 22/41 €
♦ Nato nel 1938 e gestito sempre dalla stessa famiglia, è un locale molto semplice, forse
un po' demodè, dove gustare piatti casalinghi della tradizione piemontese.

LA PALUD – Aosta – Vedere Courmayeur

LA PANCA – Firenze – Vedere Greve in Chianti

LAPIO – Vicenza – 562F16 – Vedere Arcugnano

L'AQUILA ℗ (AQ) – 563O22 – 70 664 ab. – alt. 721 m – ✉ 67100 ▯ Italia   1 A2

▶ Roma 119 – Napoli 242 – Pescara 105 – Terni 94
ℹ piazza Santa Maria di Paganica 5 ℰ 0862 410808, presidio.aquila@
abruzzoturismo.it, Fax 0862 65442 - via XX Settembre 8 ℰ 0862 22306,
iat.aquila@abruzzoturismo.it, Fax 0862 27486
◉ Basilica di San Bernardino★★ Y – Castello★ Y : museo Nazionale
d'Abruzzo★★ – Basilica di Santa Maria di Collemaggio★ Z :
facciata★★ – Fontana delle 99 cannelle★Z
🄶 escursione al Gran Sasso★★★

Pianta pagina a lato

🏨 **Antica Dimora Hotel Sole**   🖥 ♿ 🄰🄲 ⥾ rist, 📞 🄢🄰 P
largo Silvestro dell'Aquila 4 – ℰ 086 22 25 51   VISA ⥾ AE ① ⑤
– www.solehotel.eu – booking@solehotel.eu – Fax 08 62 40 43 32   **Zd**
46 cam ⊒ – †90/160 € ††140/180 € – 5 suites
Rist *Locanda del Moro* – ℰ 08 62 40 17 78 *(chiuso domenica)* Menu 33 €
– Carta 23/44 €
♦ In un imponente palazzo ottocentesco, la tradizione storica si unisce a camere dagli
arredi contemporanei con accessori moderni, dalla tv al plasma alla tastiera internet.
Cucina innovativa nelle raccolte sale ristorante.

🏨 **San Michele** senza rist   ♿ 🄰🄲 ⥾ 📶 🚗 VISA ⥾ AE ① ⑤
via dei Giardini 6 – ℰ 08 62 42 02 60 – www.stmichelehotel.it – info@
stmichelehotel.it – Fax 086 22 70 60   **Za**
32 cam ⊒ – †65/80 € ††90 €
♦ Hotel centrale a gestione familiare; limitati spazi comuni ripagati da ottime e confortevoli camere. Bagni all'avanguardia, frequentemente rinnovati.

🍴🍴 **Le Rocce dell'Aquila**   🏠 🄰🄲 P VISA ⥾ AE ① ⑤
viale Croce Rossa 40 – ℰ 08 62 41 90 12 – www.leroccedellaquila.it – info@
leroccedellaquila.it – chiuso martedì   **Ya**
Rist – Menu 37/55 € – Carta 39/50 €
♦ Lungo le mura cittadine, scenografico sfondo al servizio estivo all'aperto, ristorante
semplice e sobrio interamente votato alla cucina: prodotti locali elaborati con estro.

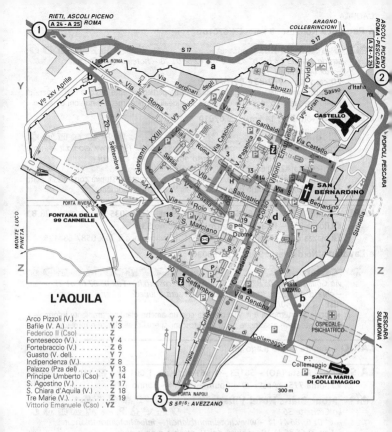

L'AQUILA

XX La Conca-Alla Vecchia Posta
※ ⇔ **P** VISA ∞ AE ① ⑤

via Caldora 12 – 𝒞 08 62 40 52 11 – *ristorantelaconca@alice.it*
– Fax 08 62 40 52 11 – chiuso dal 1° al 13 agosto, domenica sera e lunedì

Rist – Menu 26/35 € – Carta 20/39 €   **Z**b

♦ Casa colonica settecentesca, ex dipendenza del vicino convento, dove apprezzare proposte della tradizionale cucina del territorio, a base delle migliori materie prime locali.

X Antiche Mura
♫ ※ ⇔ **P** VISA ∞ ⑤

via XXV Aprile 2 ang. via XX Settembre – 𝒞 086 26 24 22
– *leonardodedominicis@alice.it* – chiuso dal 23 al 29 dicembre,
dal 1° al 18 agosto e domenica   **Y**b

Rist – Carta 25/35 €

♦ Ambiente caratteristico in un'antica trattoria arredata in stile locale: sale rese particolari dall'esibizione di utensili, oggetti antichi e foto d'epoca; cucina aquilana.

a Preturo Nord-Ovest : 8 km – ✉ 67010

XX Il Rugantino
♫ AC ⇔ **P** VISA ∞ ⑤

strada statale 80 – 𝒞 08 62 46 14 01 – *www.ristoranteilrugantino.it*
– Fax 08 62 46 14 01 – chiuso mercoledì e domenica sera

Rist – Carta 29/41 €

♦ Nella tranquillità dell'aperta campagna, una villetta con tre sale curate ed accoglienti: ambiente allegro e "colorato". Cucina del territorio e pizzeria.

571

a Paganica Nord-Est : 9 km – ⊠ **67016**

🏠 **Parco delle Rose** senza rist 🎱 🖿 AC 🛇 P VISA ⓒⓞ AE ⓞ 🖫
*strada statale 17 bis n° 43 – 𝒞 08 62 68 01 28 – hotelpdr@inwind.it
– Fax 08 62 68 01 42*
20 cam � – †62/83 € ††83/104 €
♦ In posizione isolata e tranquilla, una struttura particolarmente raccolta con camere di sobrio arredamento moderno ed ampie sale ideali per ricevimenti e riunioni di lavoro.

a Camarda Nord-Est : 14 km – ⊠ **67010**

🗙🗙 **Elodia** AC 🛇 VISA ⓒⓞ AE ⓞ 🖫
strada statale 17 bis del Gran Sasso – 𝒞 08 62 60 62 19 – www.elodia.it – info@elodia.it – Fax 08 62 60 88 39 – chiuso domenica sera e lunedì
Rist – Carta 42/60 €
♦ Nell'antico paese di Camarda, questo delizioso ristorante vi stupirà con squisiti piatti creativi elaborati partendo da prodotti locali. Modernità e tradizione.

LARI – Pisa (PI) – 563L13 – 8 151 ab. – alt. 129 m – ⊠ 56035 28 **B2**
▶ Roma 335 – Pisa 37 – Firenze 75 – Livorno 33
🖸 piazza delle Mura 2 𝒞 0587 685515, info@proloco.it, Fax 0587 684125

a Lavaiano Nord-Ovest : 9 km – ⊠ **56030**

🗙 **Castero** 🚗 🏠 AC ⇄ P VISA ⓒⓞ AE ⓞ 🖫
*via Galilei 2 – 𝒞 05 87 61 61 21 – www.rist.castero.it – Fax 05 87 61 61 21
– chiuso dal 15 al 30 agosto, domenica sera e lunedì*
Rist – Carta 40/50 € 🕸
♦ Locale all'interno di una villa d'epoca con un ameno giardino; ambiente informale e accogliente dove assaporare piatti tipici toscani, specialità alla brace e formaggi.

LARIO – Vedere Como (Lago di)

LA SALLE – Aosta (AO) – 561E3 – 1 961 ab. – alt. 1 001 m – ⊠ 11015 34 **A2**
▶ Roma 775 – Aosta 29 – Courmayeur 14 – Torino 140

🏠 **Mont Blanc Hotel Village** 🐾 ≤ 🚗 🏊 🗂 🖾 ⓐⓑ 🏝 🏋 🗙 ♿
La Croisette 36 🛇 rist, 🕻 🏧 P 🚗 VISA ⓒⓞ AE ⓞ 🖫
*– 𝒞 01 65 86 41 11 – www.hotelmontblanc.it – info@hotelmontblanc.it
– Fax 01 65 86 41 19 – chiuso dal 15 ottobre a novembre*
51 cam ⊇ – †143/285 € ††198/297 € – ½ P 141/191 €
Rist *La Fenêtre* – Menu 28/46 €
Rist *La Cassolette* – *(chiuso lunedì) (chiuso a mezzogiorno escluso sabato-domenica e festivi)* Menu 50/80 €
♦ Signorilità, tranquillità e l'armonico fascino di una casa di montagna, con vista mozza-fiato sulla cima da cui trae il nome. Emozionante percorso benessere tra le grotte. *La Fenêtre*: specialità tipiche locali nel bel ristorante dalle ampie vetrate. A *La Cassolette*: cucina creativa e ricercata.

LA SPEZIA 🅿 (SP) – 561J11 – 93 268 ab. – ⊠ 19100 ▌ Italia 15 **D2**
▶ Roma 418 – Firenze 144 – Genova 103 – Livorno 94
🖸 viale Italia 5𝒞 0187 770900, turiprov@provincia.sp.it, Fax 0187770908
🖫 Marigola, 𝒞 0187 97 01 93
🖫 Riviera di Levante ★★★ Nord-Ovest

Pianta pagina a lato

🏠 **NH La Spezia** ≤ 🏠 🎱 🖿 AC 🗇 🛇 🏧 VISA ⓒⓞ AE ⓞ 🖫
*via 20 Settembre 2 ⊠ 19124 – 𝒞 01 87 73 95 55 – www.nh-hotels.it
– jhlaspezia@nh-hotels.com – Fax 018 72 21 29* B**b**
110 cam – †98/195 € ††120/240 €, ⊇ 16 € – ½ P 91/151 €
Rist – Carta 38/53 €
♦ In posizione panoramica di fronte al mare, imponente hotel vocato all'attività con-gressuale. Luminosa hall, con adiacente il bar e camere spaziose nonchè signorili.

LA SPEZIA

Firenze e Continentale senza rist

via Paleocapa 7 ✉ 19122 – ☎ 01 87 71 32 10
– www.hotelfirenzecontinentale.it – hotel_firenze@hotelfirenzecontinentale.it
– Fax 01 87 71 49 30

An

68 cam ☑ – ♦66/103 € ♦♦74/150 €

♦ Albergo in un palazzo d'inizio '900, vicino alla stazione ferroviaria; gradevoli aree comuni arredate in modo confortevole, con indovinati accostamenti di colori. Camere di diverse metrature, recentemente ristrutturate.

Genova senza rist

via Fratelli Rosselli 84/86 ✉ 19121 – ☎ 01 87 73 29 72 – www.hotelgenova.it
– info@hotelgenova.it – Fax 01 87 73 17 66

Ad

37 cam ☑ – ♦75/90 € ♦♦85/125 €

♦ Cordiale gestione familiare in un hotel in pieno centro, ristrutturato di recente. Camere semplicissime e gradevole il giardino interno, ideale per le colazioni in stagione. Gestione esperta e cortese.

Il Ristorantino di Bayon

via Felice Cavallotti 23 ✉ 19121 – ☎ 01 87 73 22 09
– chiuso dal 10 al 28 marzo, dal 10 al 25 settembre e domenica

Ba

Rist – Carta 29/56 €

♦ Intima atmosfera per questo piccolo locale in un vicolo del centro. Estrema cura tanto negli arredi, con divanetti e boiserie, quanto nella cucina che propone fragranti piatti di mare. Aperitivo e servizio compresi nel prezzo.

LA STRADA CASALE – Ravenna – 562J17 – Vedere Brisighella

LA THUILE – Aosta (AO) – 561E2 – 760 ab. – alt. 1 441 m – Sport   34 **A2**
invernali : 1 441/2 642 m ⛷ 1 ⛷ 17 (impianti collegati con La Rosière - Francia) ⛷
– ✉ 11016

> ▶ Roma 789 – Aosta 40 – Courmayeur 15 – Milano 227
> 🅸 via Marcello Collomb 4 ℰ 0165 884179, aiat@lathuile.it, Fax 0165 885196

🏨 **Dora**   ▨ 🐾 ▤ 🛠 rist, 🕻 🚗 VISA ⏺ AE ✛
via Piccolo San Bernardo 3 – ℰ 01 65 88 30 84 – www.effehotel.it
– dora@effehotel.it – Fax 01 65 88 46 92
– 5 dicembre-26 aprile e 20 giugno-13 settembre
40 cam ⌂ – ▮90/200 € ▮▮180/400 € – 4 suites – ½ P 110/230 €
Rist – Carta 36/62 €
◆ Ambienti caldi e camere in legno per questa struttura ricavata dalla completa ristrutturazione di un albergo 800esco. Panoramico bar con solarium estivo. In una sala ristorante con soffitto ad archi in pietra: cucina creativa che si discosta dai piatti valdostani, nonostante attinga da essi alcuni tipici ingredienti.

🏠 **Martinet** senza rist 🅪   ≼ 🅿 🚗 VISA ⏺ ✛
frazione Petite Golette 159 – ℰ 01 65 88 46 56 – Fax 01 65 88 46 56
– chiuso giugno
10 cam ⌂ – ▮30/50 € ▮▮55/100 €
◆ In una frazione di La Thuile, in posizione più elevata e residenziale, piccolo albergo a gestione familiare con camere semplici e mille attenzioni per i clienti.

LATINA 🅿 (LT) – 563R20 – 110 025 ab. – alt. 21 m – ✉ 04100   13 **C3**
> ▶ Roma 68 – Frosinone 52 – Napoli 164
> 🅸 via Duca del Mare 19 ℰ 0773 480672, info@aptlatinaturismo.it, Fax 0773 661266

🏨 **Victoria Residence Palace**   ▨ 🛠 ✕ ▤ AC 🛠 rist, 🛜 🅪 🅿
via Vincenzo Rossetti 24 – ℰ 07 73 66 39 66   VISA ⏺ AE ✛
– www.victoriapalace.it – victoria.palace@libero.it – Fax 07 73 48 95 92
145 cam ⌂ – ▮45/110 € ▮▮55/120 € – 5 suites
Rist – (chiuso a mezzogiorno) Carta 24/30 €
◆ Imponente struttura dalla duplice funzione di albergo e residence, dotato di camere spaziose ma non proprio recenti; completo di centro congressi e attrezzature sportive. Grandi vetrate nella sobria sala da pranzo.

🏨 **Rose** senza rist   ▤ ⅰ AC ⇄ 🛜 🅪 🅿 VISA ⏺ AE ✛
via dei Volsini 28/32 – ℰ 07 73 26 87 44 – www.rose-hotel.it
– segreteria@rose-hotel.it – Fax 07 73 26 80 70
75 cam ⌂ – ▮72/79 € ▮▮76/85 €
◆ Hotel in zona semi-centrale dotato di camere classiche e funzionali, ideale per la clientela d'affari. Spazi comuni caratterizzati da legno chiaro e inserti blu.

✗✗ **Enoteca dell'Orologio**   ⌂ AC ⇄ VISA ⏺ AE ✛
piazza del Popolo 20 – ℰ 07 73 47 36 84 – www.enotecadellorologio.it
– info@enotecadellorologio.it – Fax 07 73 41 76 25 – chiuso domenica, lunedì a mezzogiorno e i giorni festivi
Rist – Carta 37/55 €
◆ Accogliente locale di tono elegante dove provare piatti della tradizione, serviti all'aperto in estate. Allettanti e più semplici proposte anche nell'adiacente enoteca.

✗ **Hosteria la Fenice**   AC 🛠 VISA ⏺ AE ⏺ ✛
via Bellini 8 – ℰ 07 73 24 02 25 – www.hosterialafenice.it – ulgiatigiuseppe@ alice.it – chiuso dal 23 al 30 dicembre, una settimana in luglio, una settimana in agosto, domenica e sabato a mezzogiorno da giugno ad agosto, domenica sera e mercoledì negli altri mesi
Rist – Carta 27/36 € (+7%) 🍴
◆ Poco fuori dal centro, un'interpretazione moderna e piacevole dell'ambiente dell'osteria. La cucina affronta piatti dei territori d'Italia con approccio pacatamente creativo.

a Lido di Latina Sud : 9 km – ✉ 04010 – Borgo Sabotino

XX **Il Tarantino**   ⟨ AC 💯 VISA ⓤⓚ AE ① ⑤

*via lungomare 2509, località Foce Verde – 𝒞 07 73 27 32 53 – il_tarantino@
libero.it – Fax 07 73 27 32 53 – chiuso 15 giorni in gennaio, 15 giorni in
settembre e mercoledì*
Rist – Carta 35/57 €

♦ Locale tradizionale dalla conduzione solida ed esperta. Nella curata e capiente sala
potrete gustare pesce e crostacei preparati con buona tecnica e capacità.

XX **Il Funghetto**   🚗 🏠 P VISA ⓤⓚ AE ① ⑤

*a borgo Grappa, strada Litoranea 11412 , Sud-Est : 9 km – 𝒞 07 73 20 80 09
– www.ristoranteilfunghetto.it – il.funghetto@alice.it – Fax 07 73 20 80 09
– chiuso 10 giorni in gennaio, dal 1° al 15 settembre e mercoledì, anche
domenica sera da settembre a giugno*
Rist – *(chiuso a mezzogiorno escluso domenica in luglio e agosto)* Menu 50 €
– Carta 33/70 € 🍴

♦ Dietro i fornelli e in sala lavora ormai la seconda generazione della medesima famiglia, e lo stile del locale continua a migliorare, tanto tra i tavoli quanto in cucina.

a Borgo Faiti Est : 10 km – ✉ 04010 – BORGO FAITI

XX **Locanda del Bere**   ⅋ AC 💯 ⇄ VISA ⓤⓚ AE ① ⑤

*via Foro Appio 64 – 𝒞 07 73 25 86 20 – Fax 07 73 25 86 20
– chiuso dal 15 al 30 agosto e domenica*
Rist – Carta 31/44 €

♦ Solida gestione per questo ristorante dall'accogliente e calda atmosfera. Le proposte
della cucina si orientano su piatti di carne, in inverno, e sul pesce nei mesi più caldi.

LATISANA – Udine (UD) – 562E20 – **12 453 ab.** – alt. 9 m – ✉ 33053   **10 B3**

   ▶ Roma 598 – Udine 41 – Gorizia 60 – Milano 337

🏨 **Bella Venezia**   🚗 🏠 📶 AC cam, 🕼 🔌 P VISA ⓤⓚ AE ⑤

  *via del Marinaio 3 – 𝒞 043 15 96 47 – www.hotelbellavenezia.it – info@
hotelbellavenezia.it – Fax 043 15 96 49 – chiuso dal 24 dicembre al 7 gennaio*
23 cam ⊊ – †57/67 € ††87 €
Rist *Bella Venezia* – 𝒞 043 15 02 16 *(chiuso dal 1° al 20 gennaio e lunedì)*
Carta 20/39 €

♦ Una semplice costruzione bianca cinta da un rilassante giardino ombreggiato: spazi
interni ariosi e confortevoli, arredati in modo essenziale e camere tradizionali. Primeggia
il pesce nell'accogliente sala da pranzo dall'atmosfera un po' retrò.

LATSCH = Laces

LAURA – Caserta – 564F26 – **Vedere Paestum**

LAURIA – Potenza (PZ) – 564G29 – **13 750 ab.** – alt. 430 m   **3 B3**

   ▶ Roma 406 – Cosenza 126 – Potenza 129 – Napoli 199

a Pecorone Nord : 5 km – ✉ 85044

X **Da Giovanni**   💯 P VISA ⓤⓚ AE ① ⑤

  – 𝒞 09 73 82 10 03 – dagiovanni.rist@tiscali.it – Fax 09 73 82 14 83
Rist – Carta 14/22 €

♦ Recente trasferimento nella nuova sede, in una struttura edificata da poco: ambiente
familiare nella sala arredata con gusto e resa luminosa da un'ampia vetrata.

LAVAGNA – Genova (GE) – 561J10 – **13 111 ab.** – ✉ 16033   **15 C2**

   ▶ Roma 464 – Genova 41 – Milano 176 – Rapallo 17

   🛈 piazza della Libertà 48/a 𝒞 0185 395070, iatlavagna@apttigullio.liguria.it,
Fax 0185 392442

🏠 **Tigullio** 🔥 👷 🍴 rist, 𝗩𝗜𝗦𝗔 ⓜ 👷
via Matteotti 1 – 📞 01 85 39 29 65 – www.hoteltigullio.com
– info@hoteltigullio.191.it – Fax 01 85 39 02 77
– chiuso dall'8 al 16 marzo e dal 30 ottobre al 22 dicembre
39 cam 🖂 – ♦50/80 € ♦♦75/95 € – ½ P 53/63 € **Rist** – Menu 19/25 €
♦ Nuova ed esperta gestione diretta in una struttura anni '50, rimodernata nel corso degli anni, situata in zona centrale; arredi non nuovi, ma tenuti in modo impeccabile. Pareti dipinte con paesaggi marini nella semplice sala ristorante.

🍴🍴 **Il Gabbiano** ≤ 𝗔𝗖 **P** 𝗩𝗜𝗦𝗔 ⓜ ⓞ 👷
via San Benedetto 26, Est : 1,5 km – 📞 01 85 39 02 28
– www.ristorantegabbiano.com – ristgabbiano@libero.it – Fax 01 85 39 02 28
– chiuso dal 7 al 14 gennaio, dal 1° al 7 febbraio, dal 15 al 30 novembre, lunedì
e da novembre a marzo anche martedì
Rist – Carta 28/37 €
♦ In splendida posizione sulle colline prospicienti il mare, locale a gestione familiare dove gustare specialità marinare e liguri; servizio estivo in veranda panoramica.

LAVAGNO – Verona (VR) – 561F15 – 6 222 ab. – alt. 70 m – 🖂 37030   37 **B3**
▶ Roma 520 – Verona 15 – Milano 174 – Padova 733

🍴 **Antica Ostaria de Barco** ≤ 🏠 **P** 𝗩𝗜𝗦𝗔 ⓜ 𝗔𝗘 👷
località Barco di Lavagno 5 🖂 37030 San Briccio – 📞 04 58 98 04 20
– anticaostariadebarco@libero.it – Fax 04 58 98 04 20 – chiuso
dal 1° al 10 gennaio, dal 15 al 31 agosto, sabato a mezzogiorno e domenica
Rist – Carta 26/44 €
♦ Tra i vigneti, in una casa colonica riadattata conservando l'architettura originale, un ristorante in cui si entra passando dalla cucina. Servizio estivo in terrazza.

LAVAIANO – Pisa – 563L13 – Vedere Lari

LAVARONE – Trento (TN) – 562E15 – 1 088 ab. – alt. 1 172 m – Sport   30 **B3**
invernali : 1 170/1 550 m 🎿6, 🎿 – 🖂 38046
▶ Roma 592 – Trento 33 – Milano 245 – Rovereto 29
🛈 frazione Gionghi 107 📞 0464 783226, info@montagnaconamore.it, Fax
0464 783118

🏠 **Caminetto** 🏠 ≤ 🚗 🛏 👷 🍴 rist, **P** 𝗩𝗜𝗦𝗔 ⓜ 𝗔𝗘 ⓞ 👷
frazione Bertoldi 59 – 📞 04 64 78 32 14 – www.hotelcaminetto.eu – info@
hotelcaminetto.eu – Fax 04 64 78 06 68 – dicembre-Pasqua e giugno-settembre
18 cam 🖂 – ♦33/50 € ♦♦62/92 € – ½ P 46/61 € **Rist** – Carta 23/29 €
♦ Cordiale gestione familiare in una tipica casa d'altura che si affaccia sulle piste da sci; confortevoli spazi interni, camere recentemente rinnovate e animato bar pubblico. Calda atmosfera nella gradevole sala da pranzo.

LAVELLO – Potenza (PZ) – 564D29 – 13 461 ab. – alt. 313 m – 🖂 85024   3 **B1**
▶ Roma 359 – Foggia 68 – Bari 104 – Napoli 166

🏨 **San Barbato** 🚗 🛏 🍴 👷 𝗔𝗖 👷 📶 🛁 **P** 𝗩𝗜𝗦𝗔 ⓜ 𝗔𝗘 ⓞ 👷
ss 93 Km 56,300, Sud-Ovest : 1,5 km – 📞 097 28 13 92 – www.hotelsanbarbato.it
– hotelsanbarbato@tiscali.it – Fax 097 28 13 92 – chiuso Natale
38 cam – ♦52 € ♦♦80 €, 🖂 6 € – ½ P 57 €
Rist – (chiuso venerdì) Carta 19/26 €
♦ Struttura circondata da un piacevole giardino con piscina, nella quale si tengono corsi di nuoto; all'interno spazi comuni in stile moderno e ampie camere con arredi lineari. Capiente sala da pranzo rischiarata da grandi vetrate che la inondano di luce.

LAVENO MOMBELLO – Varese (VA) – 561E7 – 8 838 ab. – alt. 200 m   16 **A2**
– 🖂 21014 ▌ Italia
▶ Roma 654 – Stresa 22 – Bellinzona 56 – Como 49
🚢 per Verbania-Intra – Navigazione Lago Maggiore, 📞 0332 667128
🛈 piazza Italia 2 📞 0332 668785
📷 Sasso del Ferro★★ per cabinovia

XXX **Il Porticciolo** con cam ⟨ 🍴 ❄ cam, 🛜 **P** VISA ⓒ 🍴

via Fortino 40, Ovest : 1,5 km – ℰ 03 32 66 72 57 – www.ilporticciolo.com
– info@ilporticciolo.com – Fax 03 32 66 67 53 – chiuso una settimana in
novembre e dal 23 gennaio al 6 febbraio
11 cam ⌿ – †78/120 € ††100/180 € – ½ P 79/105 €
Rist – (chiuso i mezzogiorno di martedì e mercoledì in luglio-agosto, tutto il
giorno negli altri mesi) Menu 45/80 € – Carta 52/72 €
♦ Splendida vista sulla calma distesa d'acqua e ambiente raffinato nella sala con soffitto
a volte e pilastri in pietra a vista; ameno servizio estivo in terrazza sul lago.

LA VILLA = STERN – Bolzano – Vedere Alta Badia

LAVIS – Trento (TN) – 562D15 – 7 936 ab. – alt. 232 m – ✉ 38015   30 **B3**
▶ Roma 587 – Trento 9 – Bolzano 49 – Verona 101

a **Sorni** Nord : 6,5 km – ✉ 38015 – Lavis

X **Trattoria Vecchia Sorni** 🍴 ⅙ ❄ VISA ⓒ 🍴

piazza Assunta 40 – ℰ 04 61 87 05 41 – Fax 04 61 87 05 41
– chiuso dal 1° al 21 marzo, domenica sera e lunedì
Rist – (consigliata la prenotazione) Carta 28/36 €
♦ Tranquillo, piccolo ristorante nel centro della piccola frazione, propone una cucina che
spazia tra tradizione e fantasia e dove l'ultima parola spetta al sapiente uso di spezie e
aromi. Terrazza panoramica per il servizio estivo.

LAZISE – Verona (VR) – 562F14 – 6 153 ab. – alt. 76 m – ✉ 37017   35 **A3**
▶ Roma 521 – Verona 22 – Brescia 54 – Mantova 60
🅻 via Francesco Fontana 14 ℰ 045 7580114, iatlazise@provincia.vr.it, Fax 045
7581040
🅵 Cà degli Ulivi, ℰ 045 627 90 30

🏠 **Lazise** senza rist 🔳 📶 AC ⅙ ❄ **P** 🚗 VISA ⓒ AE 🍴

via Manzoni 10 – ℰ 04 56 47 04 66 – www.hotellazise.it – info@hotellazise.it
– Fax 04 56 47 01 90 – aprile-20 ottobre
73 cam ⌿ – †70/85 € ††100/140 €
♦ Gestione familiare, una meravigliosa posizione e una piacevole atmosfera d'ispirazione
contemporanea negli ampi e luminosi ambienti di questo hotel che possiede persino
un'enorme piscina.

🏠 **Cangrande** senza rist ⅙ AC ⅙ **P** VISA ⓒ 🍴

corso Cangrande 16 – ℰ 04 56 47 04 10 – www.cangrandehotel.it
– cangrandehotel@tiscalinet.it – Fax 04 56 47 03 90 – chiuso dal 20 dicembre
al 20 febbraio
18 cam ⌿ – †65/80 € ††110/135 € – 1 suite
♦ In un bell'edificio del 1930 addossato alle mura, sorto come sede di cantine vinicole,
un albergo con camere di taglio moderno. Junior suite ricavata in un'antica torretta.
Accanto la cantina vinicola di proprietà.

🏠 **Villa Cansignorio** senza rist 🚗 AC ⅙ **P** VISA ⓒ AE ① 🍴

corso Cangrande 30 – ℰ 04 57 58 13 39 – www.artedelbere.com – cansignorio@
artedelbere.com – Fax 04 56 47 06 18 – marzo-novembre
8 cam ⌿ – †95/109 € ††105/120 €
♦ Signorili interni, poche le camere a disposizione degli ospiti ma deliziose e ben arre-
date in questa elegante villa situata in pieno centro; il giardino confina con le mura di
cinta.

🏠 **Giulietta Romeo** senza rist 🚗 🔳 🛁 📶 ⅙ AC ⅙ ❄ 🛜 **P**

via Dosso 1/2 – ℰ 04 57 58 02 88   VISA ⓒ AE 🍴
– www.hotelgiuliettaromeo.com – info@hotelgiuliettaromeo.it
– Fax 04 57 58 01 15 – marzo-novembre
48 cam ⌿ – †60/125 € ††100/140 €
♦ Calorosa accoglienza in un albergo fuori dal centro (comunque raggiungibile a piedi),
immerso in un grande giardino con piscina; interni accoglienti e camere rinnovate. Servizio tavola calda.

🏠 **Le Mura** senza rist ⬚ AC P VISA ∞ 🦽

via Bastia 4 – ℰ 04 57 58 01 89 – www.hotel-lemura.com – info@
hotel-lemura.com – Fax 04 56 47 91 33 – marzo-novembre
26 cam ⬚ – ♦56/71 € ♦♦88/108 €
♦ Molto belle le 4 camere recentemente realizzate. Poco fuori le mura che circondano la cittadina, hotel semplice, ma ben tenuto con una piccola piscina esterna.

✗ **Il Porticciolo** ≤ 🏠 🕉 P VISA ∞ AE ① 🦽

lungolago Marconi 22 – ℰ 04 57 58 02 54 – Fax 04 57 58 02 54 – chiuso dal 23 dicembre al 5 febbraio e martedì
Rist – Carta 25/38 €
♦ Un locale in posizione panoramica, ideale per gli appassionati del pesce d'acqua dolce: gustose proposte di piatti del territorio in un ambiente curato e distinto.

✗ **Alla Grotta** con cam 🏠 AC ↝ 🕉 cam, P VISA ∞ 🦽
(2️⃣)
via Fontana 8 – ℰ 04 57 58 00 35 – www.allagrotta.it – allagrotta@iol.it
– Fax 04 57 58 00 35 – 15 febbraio-15 dicembre
12 cam – ♦♦75/85 €, ⬚ 9 € **Rist** – (chiuso martedì) Carta 29/49 €
♦ Proposte ittiche di mare e lago in questo piacevole e frequentatissimo ristorante all'interno di un edificio d'epoca sul lungolago; gradevole servizio estivo all'aperto. Di due tipologie le camere: perfettamente accessoriate quelle moderne, più semplici ma confortevoli quelle classiche

sulla strada statale 249 Sud : 1,5 km :

🏢 **Casa Mia** 🚃 🏠 ⬚ 🛖 ✗ 🛗 AC cam, ↝ 🕉 🛗 P VISA ∞ AE ① 🦽

via del Terminon 1 ✉ 37017 – ℰ 04 56 47 02 44 – www.hotelcasamia.com
info@hotelcasamia.com – Fax 04 57 58 05 54 – chiuso dal 7 gennaio al 28 febbraio
43 cam ⬚ – ♦63/134 € ♦♦88/150 € – ½ P 67/98 €
Rist – (chiuso dal 3 novembre al 24 dicembre e a mezzogiorno da giugno a settembre) Carta 30/50 €
♦ Un soggiorno d'affari o di svago, lontano dall'animato centro storico, in un grande complesso con uno splendido giardino; camere di diverse tipologie, tutte comunque funzionali. Ambiente semplice nella classica e spaziosa sala da pranzo.

LECCE P (LE) – 564F36 – 90 300 ab. – alt. 51 m – ✉ 73100▮ Italia **27 D2**

▶ Roma 601 – Brindisi 38 – Napoli 413 – Taranto 86

ℹ corso Vittorio Emanuele 24 ℰ 0832 332463, aptlecce@pugliaturismo.com

🔟 Acaya, ℰ 0832 86 13 78

◎ Basilica di Santa Croce★★ Y – Piazza del Duomo★★: pozzo★ del Seminario
Y – Museo provinciale★: collezione di ceramiche★★ Z M – Chiesa di San
Matteo★ Z – Chiesa del Rosario★ YZ – Altari★ nella chiesa di Sant'Irene Y

Pianta pagina a lato

🏨 **Risorgimento Resort** 🛖 ₤₰ 🛗 ₠ AC ↝ 🕉 ᖇ 🛁

via Imperatore Augusto 19 – ℰ 08 32 24 63 11 VISA ∞ AE ① 🦽
– www.risorgimentoresort.it – info@risorgimentoresort.it – Fax 08 32 24 59 76
45 cam ⬚ – ♦130/234 € ♦♦150/340 € – 2 suites **Yd**
Rist Le Quattro Spezierie – (chiuso lunedì) (consigliata la prenotazione)
Carta 42/56 €
Rist Dogana Vecchia – Carta 31/48 €
♦ Un albergo esclusivo nei pressi della centrale piazza Oronzo, il risultato del recupero di un antico palazzo, l'attenzione e la cura posta nella scelta dei materiali e dei confort sono garanzia di un soggiorno al top. Cucina raffinata nel moderno ristorante Le Quattro Spezierie. Cucina "informale" al Dogana Vecchia.

🏨 **Patria Palace Hotel** ₠ ₤ cam, AC ᖇ 🛁 🚗 VISA ∞ AE ① 🦽

piazzetta Gabriele Riccardi 13 – ℰ 08 32 24 51 11 – www.patriapalacelecce.com
– info@patriapalacelecce.com – Fax 08 32 24 52 93 **Yb**
67 cam ⬚ – ♦170/210 € ♦♦230/320 € – ½ P 142/187 € **Rist** – Carta 37/50 €
♦ In centro, l'elegante hotel dispone di spazi comuni piacevolmente arredati in legno e camere in stile moderno, vagamente liberty, impreziosite da antichi inserti decorativi. In cucina, proposte accattivanti legate alla tradizione ma sapientemente rielaborate con gusto e ricercatezza.

LECCE

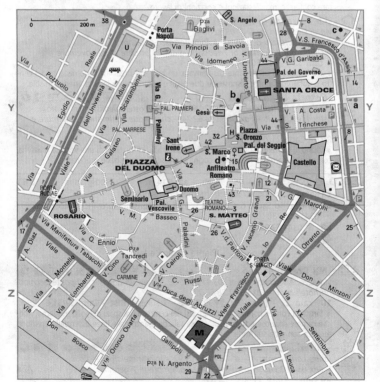

579

🏨 **President** 🏡 📶 ⑤ cam, 🆎 🗲 🛜 🖫 🚗 𝚟𝚒𝚜𝚊 ⊗ 🆎 ① ⑤
via Salandra 6 – ℰ 08 32 45 61 11 – www.hotelpresidentlecce.it – info@
hotelpresidentlecce.it – Fax 08 32 45 66 32   X**n**
150 cam 🍴 – †75/125 € ††105/195 € – 4 suites – ½ P 77/122 €
Rist – Carta 31/41 €
♦ A pochi passi dal centro, un moderno hotel dove l'eleganza si fonde con l'efficienza di un servizio professionale, camere luminose e confortevoli ma semplici negli arredi. Dalla cucina, piatti dai sapori nazionali e business lunch per clienti... sempre di corsa.

🏨 **Grand Hotel Tiziano e dei Congressi** 🕱 📶 🖫 🖫 ⑤ 🆎
viale Porta d'Europa 🗱 rist, 🐾 🖫 🅿 𝚟𝚒𝚜𝚊 ⊗ 🆎 ① ⑤
– ℰ 08 32 27 21 11 – www.grandhoteltiziano.it – info@grandhoteltiziano.it
– Fax 08 32 27 28 41   X**f**
273 cam 🍴 – †80/130 € ††110/230 €   **Rist** – Carta 27/33 €
♦ All'ingresso della città, un hotel recentemente ampliato dedicato al business e al congressuale offre sale ben attrezzate, camere funzionali e confortevoli di arredo moderno. Classica sala da pranzo dal soffitto a volta sorretto da massicce colonne, dove gustare proposte sia di carne che di pesce.

🏨 **Delle Palme** 🖫 🆎 🗱 rist, 🐾 🖫 🅿 𝚟𝚒𝚜𝚊 ⊗ 🆎 ① ⑤
🐝 *via di Leuca 90 – ℰ 08 32 34 71 71 – www.hoteldellepalmelecce.it*
– hdellepalme@tiscalinet.it – Fax 08 32 34 71 71   X**e**
96 cam 🍴 – †95/170 € ††110/190 €   **Rist** – Carta 20/39 €
♦ Non distante dal centro, dispone di un comodo posteggio, accoglienti zone comuni rivestite in legno ed arredate con poltrone in pelle e camere dai letti in ferro battuto. Discretamente elegante, il ristorante propone una cucina classica ed è ideale per ospitare conferenze, manifestazioni e colazioni di lavoro.

🏠 **La Terrazza** senza rist
via di Casanello 39 – ℰ 08 32 30 17 41
– www.laterrazza-beb.com – info@laterrazza-beb.com
– chiuso dal 7 gennaio al 7 febbraio e dal 20 ottobre al 20 novembre
4 cam 🍴 – †40/50 € ††60/80 €   Y**c**
♦ Tra le mura di un'elegante casa privata, un bed and breakfast poco distante dal centro e dotato di camere disposte su due piani e salotti piacevolmente arredati in stile.

🍴 **Osteria degli Spiriti** 🆎 🗱 𝚟𝚒𝚜𝚊 ⊗ 🆎 ① ⑤
🐝 *via Cesare Battisti 4 – ℰ 08 32 24 62 74 – www.osteriadeglispiriti.it – info@*
osteriadelispiriti.it – Fax 08 32 24 62 74 – chiuso due settimane a settembre e
domenica sera   Y**a**
Rist – Carta 21/44 €
♦ Vicino ai giardini pubblici, una trattoria dagli alti soffitti, tipici di una vecchia masseria, con ambienti arredati in legno e cucina pugliese. E' consigliabile prenotare.

LECCO 🅿 (LC) – 561E10 – 46 196 ab. – alt. 214 m – ⊠ 23900 ▮ Italia   18 B1
▶ Roma 621 – Como 29 – Bergamo 33 – Lugano 61
🅸 via Nazario Sauro 6 ℰ 0341 295720, info.turismo@provincia.lecco.it,Fax
0341 295730
🄵🄾 , ℰ 0341 57 95 25
◎ Lago★★★

Pianta pagina a lato

🏨 **NH Pontevecchio** 🖫 ⑤ 🆎 🗲 🐾 🖫 𝚟𝚒𝚜𝚊 ⊗ 🆎 ① ⑤
via Azzone Visconti 84 – ℰ 03 41 23 80 00 – www.nh-hotels.it – jhpontevecchio@
nh-hotels.com – Fax 03 41 28 66 32   BZ**a**
109 cam 🍴 – †89/240 € ††99/270 € – 2 suites   **Rist** – Carta 39/51 €
♦ Struttura contemporanea a pochi passi dal centro: ampi spazi di taglio moderno, nonché camere spaziose e funzionali. Ariosa sala da pranzo dalle linee essenziali; servizio in terrazza con vista sull'Adda.

🏨 **Alberi** senza rist ⟨ 🖫 ⑤ 🆎 🐾 𝚟𝚒𝚜𝚊 ⊗ 🆎 ① ⑤
🏮 *lungo Lario Isonzo 4 – ℰ 03 41 35 09 92 – info@hotelalberi.lecco.it*
– Fax 03 41 35 08 95 – chiuso dal 23 dicembre al 7 gennaio   AZ**a**
20 cam – †60 € ††80 €, 🍴 8 €
♦ Piccolo hotel in pieno centro e fronte lago: spazi comuni essenziali e spaziose camere di tono moderno. Buon confort!

LECCO

581

XX **Nicolin** 🕭 ♻ **P** 𝘝𝘐𝘚𝘈 ⦿ 🆎 ⓘ ⚡

*via Ponchielli 54, località Maggianico, 3,5 km per ② – 𝒞 03 41 42 21 22
– nicolin.lecco@virgilio.it – Fax 03 41 42 21 22
– chiuso dal 26 dicembre al 3 gennaio, agosto, domenica sera e martedì*
Rist – Menu 45/55 € – Carta 44/64 €

◆ Gestito dalla stessa famiglia da oltre ottant'anni, locale con proposte tradizionali
affiancate da piatti più fantasiosi e da una buona selezione enologica; servizio estivo in
terrazza.

XX **Al Porticciolo 84** (Fabrizio Ferrari) 🕭 𝘝𝘐𝘚𝘈 ⦿ 🆎 ⓘ ⚡
� *via Valsecchi 5/7, per via Don Minzoni – 𝒞 03 41 49 81 03 – porticciolo@
gmail.com – Fax 03 41 25 84 38 – chiuso dal 1° al 10 gennaio, 10 giorni in
giugno, agosto, lunedì e martedì*   BY
Rist – *(chiuso a mezzogiorno escluso domenica)* Carta 53/63 €
Spec. Gnocchetti di patate con capesante alla vellutata di zucca e corallo di
capasanta. Rose di gamberi ai petali di pancetta affumicata condite con
ristretto di corallo e riso Venere. Filetti di triglia croccanti con panzanella e
semi di papavero, pane nero di seppia alla crema di arachidi.
◆ Gustosa cucina di mare lungo la strada della Valsassina: non è una contraddizione in
termini, ma l'allettante proposta gastronomica di questo ristorante situato in un grazioso
vicolo di un quartiere periferico.

X **Trattoria Vecchia Pescarenico** 𝖠𝖢 𝘝𝘐𝘚𝘈 ⦿ 🆎 ⓘ ⚡

*via Pescatori 8 – 𝒞 03 41 36 83 30 – www.vecchiapescarenico.it – trattoria@
vecchiapescarenico.it – Fax 03 41 36 83 30 – chiuso dal 15 al 31 agosto, dal 1° al
15 gennaio e lunedì*   BZ**b**
Rist – *(chiuso a mezzogiorno)* Carta 33/68 €
◆ Nel vecchio borgo di pescatori de "I Promessi Sposi" troverete una trattoria semplice,
dall'ambiente simpatico e accogliente dove vi attenderà una gustosa cucina di mare.

LE CLOTES – Torino – Vedere Sauze d'Oulx

LEGNAGO – Verona (VR) – 562G15 – 24 429 ab. – alt. 16 m – ✉ 37045   35 **B3**
　　🖸 Roma 476 – Verona 43 – Mantova 44 – Milano 195

a San Pietro Ovest : 3 km – ✉ 37045 – San Pietro di Legnago

🏛 **Pergola** 🎧 🉐 🖳 𝖠𝖢 ⇆ ⅍ 🌐 🈲 **P** 🚗 𝘝𝘐𝘚𝘈 ⦿ 🆎 ⓘ ⚡

*via Verona 140 – 𝒞 04 42 62 91 03 – www.hotelpergola.com – info@
hotelpergola.com – Fax 04 42 62 91 10 – chiuso dal 10 al 20 agosto*
80 cam ⳼ – †47/100 € ††70/150 €
Rist *Pergola* – *(chiuso dal 26 dicembre al 10 gennaio, dal 1° al 25 agosto, venerdì e domenica sera)* Carta 25/42 € 🈯

◆ Valida conduzione familiare per questo hotel, sito in zona industriale, che offre
ambienti accoglienti e luminosi, periodicamente sottoposti a piccoli interventi di
miglioramento; parquet nelle camere. Al ristorante, classiche sale di diversa capienza,
dal coperto elegante, dove gustare la cucina tipica di casa.

LEGNANO – Milano (MI) – 561F8 – 54 854 ab. – alt. 199 m – ✉ 20025   18 **A2**
　　🖸 Roma 605 – Milano 28 – Como 33 – Novara 37

🏢 **2 C** senza rist 🉐 🉑 𝖠𝖢 ⅍ 🌐 **P** 🚗 𝘝𝘐𝘚𝘈 ⦿ 🆎 ⓘ ⚡

*via Colli di Sant'Erasmo 51 – 𝒞 03 31 44 01 59 – www.hotel2c.it – info@hotel2c.it
– Fax 03 31 44 00 90*
60 cam ⳼ – †95 € ††140 €
◆ In comoda posizione di fronte all'ospedale cittadino, l'albergo è stato recentemente
ampliato ed offre funzionali spazi comuni ed accoglienti camere in stile moderno. A
disposizione anche una *dépendance* di confort più semplice, a prezzo conforme.

🏠 **Antico Albergo Madonna** 🉐 🉑 𝖠𝖢 🌐 **P** 𝘝𝘐𝘚𝘈 ⦿ 🆎 ⓘ ⚡

*corso Sempione 123 – 𝒞 03 31 45 49 49 – www.albergomadonna.it
– albergomadonna@albergomadonna.it – Fax 03 31 54 00 41
– chiuso dal 20 dicembre al 10 gennaio*
18 cam – †55/115 € ††90/215 €, ⳼ 10 €
Rist Il Boccondivino – vedere selezione ristoranti
◆ Piccola ed accogliente struttura a conduzione familiare. Buona insonorizzazione anche
nelle camere più moderne, che danno sulla statale del Sempione.

✕ **Il Boccondivino** – Antico Albergo Madonna   🆎 🛇 🖨 **P**
corso Sempione 125 – ☎ 03 31 59 64 08   🆅🆂🅰 ⓞⓞ 🅰🅴 ⑤
– www.ilboccondivino.it – info@ilboccondivino.it – Fax 03 31 54 00 41 – chiuso Natale, agosto, sabato a mezzogiorno e domenica
Rist – Carta 42/53 €
♦ Ambiente raccolto ed accogliente: alle pareti si alternano opere pittoriche e fotografiche di artisti vari. Nel menu: interessanti proposte classiche e di stagione, affiancate da una buona cantina.

LEGNARO – Padova (PD) – 562F17 – 7 326 ab. – ✉ 35020   36 **C3**

🏠 **AB Baretta**   🚑 ⅃ 🆎 🛇 🕭 🏋 **P** 🆅🆂🅰 ⓞⓞ 🅰🅴 ⓞ ⑤
Via Roma 33 – ☎ 04 98 83 03 92 – www.albergobaretta.it – ristorantebaretta@virgilio.it
17 cam – 🛏50/65 € 🛏🛏80/120 €, ⌂ 8 €
Rist – *(chiuso dal 26 dicembre al 7 gennaio, domenica sera e lunedì)* Menu 40/70 € – Carta 30/50 €
♦ Piacevole hotel, dall'allegra conduzione familiare, propone camere lineari in due strutture separate. Suggestive sale ristorante in una villa del 1700, dove arte e cultura accompagnano specialità ittiche.

LE GRAZIE – La Spezia – 561J11 – Vedere Portovenere

LE MOTTE – Sondrio – Vedere Bormio

LENNO – Como (CO) – 561E9 – 1 822 ab. – alt. 200 m – ✉ 22016   16 **A2**
▶ Roma 652 – Como 27 – Menaggio 8 – Milano 75

🏨 **Lenno** ⌂   ⬅ ⅃ 🏊 📶 ↻ 🆎 🛇 rist, 🏋 🚗 🆅🆂🅰 ⓞⓞ 🅰🅴 ⓞ ⑤
via Lomazzi 23 – ☎ 034 45 70 51 – www.albergolenno.com – info@albergolenno.com – Fax 034 45 70 55 – chiuso dal novembre a febbraio
46 cam ⌂ – 🛏90/135 € 🛏🛏120/180 € – ½ P 95/115 €
Rist – *(chiuso a mezzogiorno)* Menu 25 €
♦ Ospitalità signorile in hotel moderno in posizione panoramica sul delizioso e tranquillo lungolago; ampie camere ben accessoriate, con vista sulla quieta distesa d'acqua. Ariosa sala da pranzo, con grandi vetrate che "guardano" un incantevole paesaggio.

🏨 **San Giorgio** ⌂   ⬅ ↻ 🛇 📶 🛇 cam, 🕭 **P** 🆅🆂🅰 ⓞⓞ 🅰🅴 ⓞ ⑤
via Regina 81 – ☎ 034 44 04 15 – www.sangiorgiolenno.com – sangiorgio.hotel@libero.it – Fax 034 44 15 91 – aprile-ottobre
26 cam – 🛏100/145 € 🛏🛏125/145 €, ⌂ 10 € – ½ P 100/110 €
Rist – Carta 34/43 €
♦ Splendida veduta su lago e monti da un albergo circondato da un piccolo parco ombreggiato digradante sull'acqua; accoglienti interni signorili ricchi di arredi d'epoca.

LENTATE SUL SEVESO – Milano (MI) – 561E9 – 14 502 ab.   18 **B1**
– alt. 250 m – ✉ 20030
▶ Roma 599 – Milano 26 – Bergamo 59 – Como 18

✕✕✕ **Le Groane**   🚑 🏠 🛇 🛇 **P** 🆅🆂🅰 ⓞⓞ 🅰🅴 ⓞ ⑤
via Nazionale dei Giovi 101 – ☎ 03 62 57 21 19 – groane@mac.com
– chiuso dal 1° al 6 gennaio, dal 16 al 30 agosto, sabato a mezzogiorno e martedì
Rist – Carta 39/51 €
♦ Al piano terra di un villino periferico, elegante e luminosa sala ornata da numerose piante che la rendono ancora più "fresca"; molto gradevole il servizio estivo in giardino.

LEONESSA – Rieti (RI) – 563O20 – 2 668 ab. – ✉ 02016   13 **C1**
▶ Roma 131 – Rieti 37 – Terni 50 – L'Aquila 66

✕ **Leon d'Oro**   🛇 🆅🆂🅰 ⓞⓞ 🅰🅴 ⓞ ⑤
🍝 *corso San Giuseppe 120 – ☎ 07 46 92 33 20 – Fax 07 46 92 26 42 – chiuso lunedì*
Rist – Carta 21/46 €
♦ Griglia e camino a vista per la cottura delle carni in questo accogliente locale rustico nel cuore della città, un ambiente simpatico ed informale, in cui regna la mano femminile.

LEONFORTE (EN) – 565025 – **vedere Sicilia alla fine dell'elenco alfabetico**

LEONFORTE (EN) – 565025 – **vedere Sicilia alla fine dell'elenco alfabetico**

LE REGINE – Pistoia – 563J14 – **Vedere Abetone**

LERICI – La Spezia (SP) – 561I11 – **10 817 ab.** – ✉ 19032 ▮ Italia   15 **D2**

▶ Roma 408 – La Spezia 11 – Genova 107 – Livorno 84

🛈 via Biaggini 6-località Venere Azzurra ✆ 0187 967346, Fax 0187 969417

🖪 Marigola, ✆ 0187 97 01 93

🏠 **Doria Park Hotel** ⟨⟩   ≤ 🚗 🛜 🛗 🄰🄲 🕉 rist, ☏ 🄿
via privata Doria 2 – ✆ 01 87 96 71 24   🆅🅸🆂🅰 🆖 🄰🄴 🅾 🆍
– www.doriaparkhotel.it – info@doriaparkhotel.it – Fax 01 87 96 64 59
53 cam ⌂ – ♦80/150 € ♦♦110/180 €
Rist – (chiuso dal 15 dicembre al 15 gennaio e domenica) (chiuso a mezzogiorno) Carta 50/68 €
◆ In posizione tranquilla, sulla collina che domina Lerici, hotel dotato di terrazza panoramica con suggestiva vista sul golfo. Camere luminose e all'ultimo piano piacevoli junior-suite. Al ristorante, ampie vetrate e specialità di pesce.

🏠 **Florida** senza rist   ≤ 🛗 🄰🄲 🕉 ☏ 🆅🅸🆂🅰 🆖 🄰🄴 🅾 🆍
lungomare Biaggini 35 – ✆ 01 87 96 73 32 – www.hotelflorida.it – florida@
hotelflorida.it – Fax 01 87 96 73 44 – chiuso dal 20 dicembre al 1° marzo
40 cam ⌂ – ♦100/115 € ♦♦135/170 €
◆ Affidabile gestione familiare, attenta e dinamica, per un albergo tradizionale piacevolmente affacciato sul Golfo dei Poeti. Camere funzionali: alcune di gusto moderno, altre più classiche, quasi tutte vista mare.

🏠 **Shelley e Delle Palme**   ≤ 🐾 🛗 🄰🄲 🕉 🔥 🏖 🆅🅸🆂🅰 🆖 🄰🄴 🅾 🆍
lungomare Biaggini 5 – ✆ 01 87 96 82 05 – www.hotelshelley.it – info@
hotelshelley.it – Fax 01 87 96 42 71
47 cam ⌂ – ♦100/140 € ♦♦130/180 € – ½ P 94/119 €
Rist La Pettegola – ✆ 01 87 96 50 56 (chiuso dal 7 al 31 gennaio, lunedì, martedì a mezzogiorno escluso Pasqua-15 settembre) Carta 30/50 €
◆ Invidiabile ubicazione davanti alla spiaggia, con veduta del golfo, per una struttura con interni classici, accoglienti e signorili; rinnovate camere in stile moderno.

🏠 **Piccolo Hotel del Lido** senza rist   ≤ 🏖 🄰🄲 🕉 🄿 🆅🅸🆂🅰 🆖 🆍
via Biaggini 24 – ✆ 01 87 96 81 59 – www.locandadellido.it – info@
locandadellido.it – Fax 01 87 96 81 59 – aprile-ottobre
12 cam ⌂ – ♦♦190/250 €
◆ Se siete amanti della vita da spiaggia questo indirizzo fa al caso vostro: nuovo hotel fronte mare (adiacente al proprio stabilimento balneare) dispone di camere luminose ed essenziali, dotate tutte di piccolo terrazzo.

✕✕ **2 Corone**   🛜 🆅🅸🆂🅰 🆖 🄰🄴 🅾 🆍
via Vespucci 1 – ✆ 01 87 96 74 17 – www.ristorante2corone.com
– info@ristorante2corone.com – Fax 01 87 96 74 17
– chiuso dal 3 al 22 gennaio, dal 20 al 30 novembre, martedì a mezzogiorno in luglio-agosto, tutto il giorno negli altri mesi
Rist – Carta 34/49 €
◆ Ristorante a solida conduzione diretta: una sala raccolta, di tono elegante, con piccole finestre sul lungomare ed esposizione di bottiglie. La tavola parla soprattutto la lingua del mare: secondi a base di pesce e crostacei. Nettuno ne andrebbe pazzo!

✕✕ **Il Frantoio**   🄰🄲 🆅🅸🆂🅰 🆖 🄰🄴 🅾 🆍
via Cavour 21 – ✆ 01 87 96 41 74 – Fax 01 87 95 22 27
Rist – Carta 30/42 €   **Rist Il Frantoino** – Carta 25/30 €
◆ Conduzione affidabile in un esercizio del centro, con due sale dall'ambiente caratteristico, dove vengono servite preparazioni a base di pesce e di prodotti del luogo. Conduzione affidabile in un esercizio del centro, con due sale dall'ambiente caratteristico, dove vengono servite preparazioni a base di pesce e di prodotti del luogo.

a Fiascherino Sud-Est : 3 km – ✉ 19030

🔝 Il Nido senza rist ⌂ ≤ 🕸 🅺 🗚 ℙ 🚗 🚐 ⅧⅪ 🆎 ⓪ ⑤
*via Fiascherino 75 – ℰ 01 87 96 72 86 – www.hotelnido.com – info@
hotelnido.com – Fax 01 87 96 46 17 – 7 marzo-1° novembre*
34 cam ⌂ – ✝60/100 € ✝✝100/160 €
♦ Gestione capace in un hotel sul mare immerso nella pace di una verde natura; belle
terrazze-giardino e graziose camere con arredi recenti, semplici, ma confortevoli.

🔝 Cristallo ⌂ ≤ 📶 🅺 ℙ ⅧⅪ 🆎 ⓪ ⑤
*via Fiascherino 158 – ℰ 01 87 96 72 91 – www.albergo-cristallo.it
– albergo.cristallo@libero.it – Fax 01 87 96 42 69*
44 cam ⌂ – ✝57/80 € ✝✝78/130 € – ½ P 52/85 € **Rist** – Carta 27/44 €
♦ Circondata da ulivi, struttura collocata in posizione tranquilla e panoramica, sulla
strada per Fiascherino. Camere con balcone: alcune recentemente ristrutturate, altre più
datate. Classica sala ristorante, proposte tipiche italiane.

a Tellaro Sud-Est : 4 km – ✉ 19030

🔝 Miramare ⌂ ≤ 🗚 cam, 🕪 ℙ ⅧⅪ 🆎 ⓪ ⑤
*via Fiascherino 22 – ℰ 01 87 96 75 89 – www.pensionemiramare.it
– Fax 01 87 96 65 34 – 22 dicembre-8 gennaio e Pasqua-ottobre*
20 cam ⌂ – ✝57 € ✝✝87 € – ½ P 70 € **Rist** – Carta 24/41 €
♦ Ambiente familiare e semplice in una piccola pensione con comodo parcheggio. Gli
interni non sono nuovissimi, ma ancora decorosi. Fresca e graziosa la terrazza-giardino.
Grande sala da pranzo in stile lineare rischiarata da grandi finestre.

✗✗ Miranda con cam 🅺 rist, 🗚 cam, ℙ ⅧⅪ 🆎 ⑤
*via Fiascherino 92 – ℰ 01 87 96 81 30 – www.miranda1959.com
– miranda1959@libero.it – Fax 01 87 96 40 32 –*
7 cam ⌂ – ✝✝120 € **Rist** – *(chiuso lunedì)* Menu 40/60 € – Carta 44/69 €
♦ Nella splendida cornice del Golfo dei Poeti, locanda con interni raffinati e una sala
ristorante che sembra un salotto, dove assaporare idilliache rielaborazioni culinarie.

LESA – Novara (NO) – 561E7 – 2 433 ab. – alt. 196 m – ✉ 28040   24 B2
▶ Roma 650 – Stresa 7 – Locarno 62 – Milano 73
🛈 via Vittorio Veneto 21 ℰ 0322 772078, lesa@distrettolaghi.it, Fax 0322
772078

🔝 Aries 🏡 📶 🚗 ⅧⅪ 🆎 ⓪ ⑤
*via Sempione 37 – ℰ 032 27 71 37 – www.arieshotel.net – info@arieshotel.net
– Fax 032 27 71 39 – marzo-ottobre*
29 cam ⌂ – ✝55/60 € ✝✝75/85 € – ½ P 55/62 € **Rist** – Carta 33/42 €
♦ Apprezzabile gestione diretta in un confortevole e accogliente hotel, ristrutturato
negli ultimi anni; spaziose zone comuni e camere arredate in piacevole stile moderno.
Ampia sala da pranzo con grandi finestre che la pervadono di luce.

✗ Lago Maggiore con cam ≤ 🏡 ℙ ⅧⅪ 🆎 ⓪ ⑤
*via Vittorio Veneto 27 – ℰ 03 22 72 59 – www.lagomaggiorehotel.com – info@
lagomaggiorehotel.com – Fax 03 22 77 96 – marzo-novembre*
17 cam ⌂ – ✝50/60 € ✝✝70/85 € – ½ P 50/62 € **Rist** – Carta 31/58 € (+5 %)
♦ In pieno centro, ristorante di lunga tradizione, con cucina tradizionale rivisitata, servizio estivo su piccola terrazza che si protende sul lago. Semplici e confortevoli le camere.

verso Comnago Ovest : 2 km :

✗ Al Camino 🏡 ⭮ ⅧⅪ 🆎 ⓪ ⑤
*via per Comnago 30 ✉ 28040 – ℰ 03 22 74 71 – alcaminolesa@hotmail.com
– Fax 03 22 74 71 – chiuso dal 20 dicembre al 10 gennaio e mercoledì*
Rist – *(chiuso a mezzogiorno escluso sabato-domenica)* Carta 32/41 €
♦ Cordiale gestione diretta in un ristorante poco lontano dal paese, circondato dal
verde e dai fiori; curato ambiente familiare e servizio estivo in terrazza panoramica.

LEVANTO – La Spezia (SP) – 561J10 – 5 695 ab. – ✉ 19015   15 D2
▶ Roma 456 – La Spezia 32 – Genova 83 – Milano 218
🛈 piazza Mazzini 1 ℰ 0187 808125, Fax 0187 808125

🏠 **Stella Maris** 🚗 ☝ rist, ☎ 🅿 🇻🇮🇸🇦 ⊚ 🆎 ⓪ ♿

via Marconi 4 ⊠ 19015 – ☎ 01 87 80 82 58 – www.hotelstellamaris.it – renza@
hotelstellamaris.it – Fax 01 87 80 73 51

8 cam 🔁 – ♦100/120 € ♦♦160/170 € – ½ P 100/150 €   **Rist** – Carta 39/47 €

♦ Bel giardino con palme, ambiente e decorazioni fine 1800, atmosfera caratteristica ed
elegante negli interni con soffitti affrescati e mobili originali in stile classico.

🏠 **Nazionale** senza rist 🈸 🆎 🇻🇮🇸🇦 ⊚ 🆎 ⓪ ♿

via Jacopo da Levanto 20 – ☎ 01 87 80 81 02 – www.nazionale.it – hotel@
nazionale.it – Fax 01 87 80 09 01 – 28 marzo-2 novembre

38 cam 🔁 – ♦80/90 € ♦♦100/148 €

♦ Solida gestione diretta in un accogliente albergo dall'ambiente familiare: piacevoli
spazi comuni e camere in stile lineare, recentemente rinnovate, arredate con gusto.

🏠 **Agriturismo Villanova** senza rist 🈸 🚗 🈸 🅿 🇻🇮🇸🇦 ⊚ 🆎 ♿

località Villanova, Est : 1,5 km – ☎ 01 87 80 25 17 – www.agriturismovillanova.it
– info@agriturismovillanova.it – Fax 01 87 80 35 19
– chiuso dal 7 gennaio all'8 febbraio

7 cam 🔁 – ♦85/105 € ♦♦95/145 € – 2 suites

♦ All'interno di una villa settecentesca e di un rustico immerso nel verde, una risorsa
agrituristica dall'ambiente molto curato e signorile: ideale per gli amanti della tranquillità
e della natura.

🍴 **Tumelin** 🈸 🆎 🇻🇮🇸🇦 ⊚ 🆎 ♿

via Grillo 32 – ☎ 01 87 80 83 79 – www.tumelin.it – info@tumelin.it
– Fax 01 87 80 80 88 – chiuso dal 7 gennaio al 7 febbraio e giovedì escluso dal
15 giugno al 15 settembre

Rist – Carta 36/57 €

♦ Interni ben tenuti in un ristorante collocato nel cuore della cittadina, con una sala
lineare dove si propone una classica cucina di mare, con alcune personalizzazioni.

a Mesco Sud : 2,5 km – ⊠ 19015 – Levanto

🏨 **La Giada del Mesco** senza rist 🈸 ⟨ 🚗 🈸 🆎 ⟨ʳ⟩ 🅿

via Mesco 16 – ☎ 01 87 80 26 74 🇻🇮🇸🇦 ⊚ 🆎 ♿
– www.lagiadadelmesco.it – info@lagiadadelmesco.it – Fax 01 87 80 26 73
– chiuso novembre

12 cam 🔁 – ♦♦140/170 €

♦ In splendida posizione su un promontorio da cui si gode un'incantevole vista di mare
e coste, edificio dell'800 ristrutturato; camere nuove, amena terrazza per colazioni.

LEVICO TERME – Trento (TN) – 562D15 – 6 621 ab. – alt. 506 m   30 **B3**
– Sport invernali : a Panarotta (Vetriolo Terme) : 1 500/2 002 m ⚡4, ⚡ – ⊠ 38056

🛣 Roma 610 – Trento 21 – Belluno 90 – Bolzano 82

🛈 viale Vittorio Emanuele 3 ☎ 0461 706101, info@valsugana.info, Fax 0461
706004

🏨 **Grand Hotel Imperial** 🈸 🎵 🍴 🖥 📺 🏠 🛁 🏊 🆎 rist, 🍽 rist,
via Silva Domini 1 – ☎ 04 61 70 61 04 ⟨ʳ⟩ 🛁 🚗 🇻🇮🇸🇦 ⊚ 🆎 ⓪ ♿
– www.imperialhotel.it – info@imperialhotel.it – Fax 04 61 70 63 50 – aprile-
ottobre

79 cam 🔁 – ♦64/155 € ♦♦168/340 € – ½ P 114/200 €   **Rist** – Carta 29/48 €

♦ Un maestoso edificio che fu residenza estiva degli Asburgo, evoca la struttura e i
colori del castello viennese ed ospita un elegante centro benessere ed una sala congressi. Particolarmente adatta per allestire banchetti, la spaziosa sala ristorante propone
nelle sue sale una cucina classica.

🏨 **Grand Hotel Bellavista** ⟨ 🚗 🍴 🏠 🛁 🖥 🆎 rist, 🍽 rist, ⟨ʳ⟩ 🛁
via Vittorio Emanuele III° 7 – ☎ 04 61 70 61 36 🅿 🇻🇮🇸🇦 ⊚ ♿
– www.ghbellavista.com – info@ghbellavista.com – Fax 04 61 70 64 74
– dicembre-8 gennaio e aprile-ottobre

85 cam 🔁 – ♦45/93 € ♦♦90/156 € – 1 suite – ½ P 78/132 €

Rist – Carta 25/65 €

♦ Immerso in un gradevole giardino con piscina, un complesso alberghiero risalente al
primo Novecento dotato di ampi spazi comuni e confortevoli camere di gusto classico.
Utilizzata anche per cerimonie, la capiente sala offre menù di stampo classico.

Al Sorriso Green Park ⑤ ≤ 🖼 🕭 🖸 🏐 🐆 🏖 ※ 🞧 🕭 🞧 rist,

lungolago Segantini 14 – ☎ 04 61 70 70 29 – (🛰) **P** 💳 ⓪ 🆎 🞧
– *www.hotelsorriso.it* – *info@hotelsorriso.it* – *Fax 04 61 70 62 02* – *Pasqua-novembre*
63 cam ⌂ – ♦80/120 € ♦♦150/190 € – 2 suites – ½ P 85/120 €
Rist – Carta 30/40 €
♦ Circondata da un parco che dispone di numerose attrezzature sportive, l'hotel vanta ambienti luminosi, un centro benessere completamente ristrutturato ed una piscina coperta. Nell'elegante sala ristorante, una cucina nazionale e locale accompagnata da vini trentini.

Lucia ⛰ 🖸 🆎 rist, ※ rist, **P** 💳 ⓪ 🞧

viale Roma 20 – ☎ 04 61 70 62 29 – *www.luciahotel.it* – *info@luciahotel.it*
– *Fax 04 61 70 64 52* – *Pasqua-ottobre*
33 cam ⌂ – ♦45/60 € ♦♦70/80 € – ½ P 55/70 € **Rist** – Menu 19/25 €
♦ In posizione centrale, una casa a gestione familiare con camere moderne, mentre un parco con alberi d'alto fusto circonda la piscina. Ideale per vacanze di relax o sugli sci. Recentemente rinnovata, la raccolta sala ristorante propone i classici piatti del bel Paese.

Liberty 🖸 🆎 rist, ※ rist, 🕻 💳 ⓪ 🆎 ⓪ 🞧

via Vittorio Emanuele 18 – ☎ 04 61 70 15 21 – *www.hotelliberty.it* – *info@hotelliberty.it* – *Fax 04 61 70 18 18* – *22 novembre-dicembre e 11 aprile-ottobre*
32 cam ⌂ – ♦48/90 € ♦♦80/140 €
Rist – *(2 maggio-ottobre)* Menu 20/30 €
♦ Nel centro della località, una struttura liberty semplice ma accogliente, al cui interno ospita ambienti moderni ed un centro benessere con trattamenti psicofisici naturali. A tavola, una cucina semplice e tradizionale con pranzi leggeri e cene con buffet di verdure.

Scaranò ⑤ ≤ ⛰ 🖸 🆎 rist, ※ cam, **P** 💳 ⓪ 🞧

strada provinciale per Vetriolo 86, Nord : 2 km – ☎ 04 61 70 68 10
– *www.hotelscarano.it* – *info@hotelscarano.it* – *Fax 04 61 70 68 10* – *chiuso domenica sera e lunedì escluso da luglio al 20 settembre*
33 cam ⌂ – ♦35/40 € ♦♦60 € – ½ P 55 € **Rist** – Carta 19/38 €
♦ In posizione tranquilla e un poco isolata, questa casa nasce intorno ad un vecchio maso, le cui stalle ospitano la sala colazioni, ed ospita ambienti spaziosi al suo interno. Gestione trentennale per il ristorante che propone la tipica cucina trentina e piatti di pesce. Splendida la vista sulla vallata.

a Vetriolo Terme Nord : 13,5 km – alt. 1 490 m – ✉ 38056 – Levico Terme

Compet ⑤ ≤ 🐆 🏖 🖸 ※ 🟰 **P** 💳 ⓪ 🆎 ⓪ 🞧

località Compet 26, Sud : 1,5 km – ☎ 04 61 70 64 66 – *www.hotelcompet.it*
– *hotel@hotelcompet.it* – *Fax 04 61 70 78 15*
– *chiuso dal 15 ottobre al 30 novembre*
30 cam ⌂ – ♦35/45 € ♦♦60/80 € – ½ P 55/60 €
Rist – *(aperto solo nei week end da aprile al 15 giugno)* Carta 25/47 €
♦ Un salotto con una stufa in muratura, un piccolo e nuovo centro relax e camere in rovere massiccio per questa struttura situata in posizione panoramica, abbracciata dal verde. Nella caratteristica sala da pranzo, i sapori della cucina locale e piatti di pesce dal giovedì al sabato.

LICATA – Agrigento – 565P23 – **Vedere Sicilia alla fine dell'elenco alfabetico**

LIDO – Livorno – 563N13 – **Vedere Elba (Isola d') : Capoliveri**

LIDO DEGLI ESTENSI – Ferrara – 563I18 – **Vedere Comacchio**

LIDO DI CAMAIORE – Lucca (LU) – 563K12 – ✉ 55043▮ Toscana 28 **B1**
▶ Roma 371 – Pisa 23 – La Spezia 57 – Firenze 97
🅸 viale Colombo 342 ang. piazza Umberto ☎ 0584 617397, info@versiliainfo.com, Fax 0584 617796

Park Hotel Villa Ariston 🕭 😳 🍴 🛦 🗱 🚗 📶 🏊 ⚓ 📶 🔊 🅿️

viale S.Bernardini 355 – ℰ 05 84 61 06 33 — 𝐕𝐈𝐒𝐀 ⚏⚏ 🄰🄴 ⓞ ᕫ

– *www.villaariston.it* – *info@villaariston.it* – *Fax 05 84 61 06 31* – *aprile-ottobre*
49 cam ⌑ – 📞90/230 € 📞📞140/365 € – 14 suites **Rist** – Carta 40/90 €
♦ Imponente villa di fine Ottocento, fronte mare, circondata da uno splendido parco con piscina, con raffinati interni dagli arredi barocchi. Dispone inoltre di tre dependance più moderne. Atmosfera di classe nell'elegante sala ristorante; ameno servizio ristorante all'aperto.

Caesar ⟨ 🚗 🍴 🍽 🖃 🗱 🄰🄲 🖫 📶 🏊 🅿️ 𝐕𝐈𝐒𝐀 ⚏⚏ 🄰🄴 ⓞ ᕫ

viale Bernardini 325 – ℰ 05 84 61 78 41 – *www.caesarhotel.it* – *info@*
caesarhotel.it – *Fax 05 84 61 08 88*
72 cam ⌑ – 📞80/190 € 📞📞130/240 € – ½ P 90/145 €
Rist – *(aprile-ottobre) (solo per alloggiati)* Menu 32/38 €
♦ Sul lungomare, un parco giochi per bambini e un campo da calcetto e bocce; all'interno, una piacevole zona soggiorno e camere in piacevole stile marinaresco, tutte di diversa tipologia. Dal ristorante, la vista sul parco e sulle piscine; dalla cucina, i sapori della Toscana.

I Pini – Residenza d'epoca 🐚 🚗 🗱 🄰🄲 🖫 rist, 📶 🅿️

😋 *via Roma 43* – ℰ 058 46 61 03 – *www.clubipini.com* — 𝐕𝐈𝐒𝐀 ⚏⚏ 🄰🄴 ⓞ ᕫ
– *info@clubipini.com* – *Fax 058 46 61 04* – *marzo-ottobre*
21 cam ⌑ – 📞70/150 € 📞📞80/170 € – ½ P 100 €
Rist – *(chiuso a mezzogiorno escluso luglio) (solo per alloggiati)* Carta 20/35 €
♦ Villa costruita nel 1907 dal pittore Galileo Chini, ne conserva quadri ed affreschi oltre al forte piano dell'amico Puccini in un'atmosfera di residenza privata. Camere sobriamente arredate. A ristorante, cucina classica ed accurata selezione di vini.

Bracciotti 🚗 🍴 🖃 🗱 🖫 rist, 📶 🏊 🅿️ 𝐕𝐈𝐒𝐀 ⚏⚏ 🄰🄴 ⓞ ᕫ

viale Colombo 366 – ℰ 05 84 61 84 01 – *www.bracciotti.com* – *hotelbracciotti@*
bracciotti.com – *Fax 05 84 61 71 73*
63 cam ⌑ – 📞50/80 € 📞📞90/110 € – ½ P 87/97 €
Rist – *(solo per alloggiati)* Menu 22/27 €
♦ Gestione dinamica per questo albergo, adatto tanto a una clientela turistica quanto a chi si sposta per affari; luminosi spazi comuni, un bel solarium con piccola piscina e vista sul mare. Allegri colori nella spaziosa sala ristorante; la cucina è del territorio.

Siesta ⟨ 🚗 🍴 🖃 🗱 🖫 🅿️ 𝐕𝐈𝐒𝐀 ⚏⚏ 🄰🄴 ⓞ ᕫ

via Bernardini 327 – ℰ 05 84 61 91 61 – *www.hotelsiesta.it* – *info@hotelsiesta.it*
– *Fax 05 84 61 90 63* – *chiuso dal 6 gennaio al 6 febbraio*
33 cam ⌑ – 📞80/100 € 📞📞130/160 € – ½ P 95/105 €
Rist – *(Pasqua-ottobre)(chiuso a mezzogiorno escluso giugno-settembre) (solo per alloggiati)* Menu 27/40 €
♦ Sono ora i figli a condurre questa risorsa sul lungomare cinta da un piacevole giardino; camere confortevoli e ben rifinite, una terrazza per la prima colazione e noleggio biciclette. Al ristorante è stato potenziato il servizio dei dolci con angolo di esposizione anche caldo.

Piccadilly ⟨ 🖃 🄰🄲 🖫 𝐕𝐈𝐒𝐀 ⚏⚏ 🄰🄴 ⓞ ᕫ

lungomare Pistelli 101 – ℰ 05 84 61 74 41 – *www.piccadillyhotel.it* – *info@*
piccadillyhotel.it – *Fax 05 84 61 71 02*
40 cam ⌑ – 📞70/116 € 📞📞90/210 € – ½ P 90/115 €
Rist – *(solo per alloggiati)* Menu 25/40 €
♦ In posizione privilegiata di fronte al mare, si accede attraverso una piccola ma accogliente zona comune con bar e televisore; stanze classiche, ma confortevoli.

Giulia ⟨ 🍴 🖃 🄰🄲 🖫 rist, ☎ 🅿️ 𝐕𝐈𝐒𝐀 ⚏⚏ 🄰🄴 ᕫ

lungomare Pistelli 77 – ℰ 05 84 61 75 18 – *www.giuliahotel.it* – *giuliahotel@*
tiscalinet.it – *Fax 05 84 61 77 24* – *25 aprile-15 ottobre*
40 cam – 📞80/110 € 📞📞90/130 €, ⌑ 15 € – ½ P 100/115 €
Rist – Menu 25/40 €
♦ Felicemente ubicato di fronte al mare, la struttura dispone di zone comuni dagli arredi curati e camere spaziose, molte con balconcino abitabile. Calorosa conduzione familiare e tradizione alberghiera.

Alba sul Mare ≼ 🛋 🅰🅲 ✂ rist, 💬 🆅🅸🆂🅰 ⑩ 🅰🅴 ⓞ ⬥

lungomare Pistelli 15 – ☎ 058 46 74 23
– www.hotelalbasulmare.it – info@albasulmare.it – Fax 058 46 68 11
– chiuso novembre
19 cam ⌧ – ♦45/110 € ♦♦90/140 € – ½ P 70/110 €
Rist *– (Pasqua-settembre) (solo per alloggiati)* Menu 35/60 €
♦ Centrale e fronte mare, lezioso e signorile edificio in stile liberty dalla facciata in mattoni; all'interno, un curato e accogliente ambiente familiare con semplici camere.

 Sylvia 🌿 🚄 🛋 🅲 & cam, ✂ 🅿 🆅🅸🆂🅰 ⑩ ⬥

via Manfredi 15 – ☎ 05 84 61 79 94
– www.hotelsylvia.it – info@hotelsylvia.it – Fax 05 84 61 79 95
– aprile-ottobre
37 cam ⌧ – ♦60/90 € ♦♦90/120 € – ½ P 60/80 €
Rist *– (solo per alloggiati)*
♦ Simpatico e curato albergo a gestione familiare, immerso nella quiete della natura offerta dal grazioso giardino. Interni piacevoli, camere luminose, confortevoli e spaziose.

Bacco 🌿 🚄 🏠 🛋 🅰🅲 ✂ 🅿 🆅🅸🆂🅰 ⑩ 🅰🅴 ⓞ ⬥

via Rosi 24 – ☎ 05 84 61 95 40 – www.hotelbacco.it – baccohotel@tin.it
– Fax 05 84 61 08 97 – Pasqua-15 ottobre
28 cam ⌧ – ♦85/143 € ♦♦118/240 € – ½ P 95/165 €
Rist *– (solo per alloggiati)*
♦ Un piccolo indirizzo all'insegna della natura e della tranquillità: in una strada tranquilla non lontano dal mare, ampi spazi verdi all'esterno, mentre la hall è un omaggio al mito di Bacco. Sul retro, una semplice sala da pranzo per una cucina particolarmente curata.

XXX **Ariston Mare** 🏠 ✂ 🅿 🆅🅸🆂🅰 ⑩ 🅰🅴 ⓞ ⬥

viale Bernardini 660 – ☎ 05 84 90 47 47
– www.aristonmare.it – info@aristonmare.it – Fax 05 84 61 27 67
– chiuso novembre, gennaio, lunedì
Rist *– (chiuso a mezzogiorno martedì e mercoledì)* (consigliata la prenotazione)
Carta 45/57 € 🍴
♦ Suggestiva ubicazione a ridosso della spiaggia e gestione giovane in un locale arioso, piacevolmente rinnovato con eleganza, dove gustare cucina a base di prodotti ittici.

XX **Da Clara** 🏠 🅰🅲 🅿 🆅🅸🆂🅰 ⑩ 🅰🅴 ⓞ ⬥

via Aurelia 289, Est : 1 km – ☎ 05 84 90 45 20
– www.ristoranteclara.it – Fax 05 84 61 29 21
– chiuso dall'8 al 31 gennaio e mercoledì
Rist – Carta 37/60 €
♦ Il nome ma anche il ritratto sul menù ricordano la fondatrice del locale: all'interno del paese, sale allegre e variopinte, ma è soprattutto per la varietà degli antipasti e per le accattivanti presentazioni che riscuote sempre tanto successo.

LIDO DI CLASSE – Ravenna (RA) – 562J19 – ✉ 48100   9 D2
▶ Roma 384 – Ravenna 19 – Bologna 96 – Forlì 30
🄸 (giugno-settembre) viale Fratelli Vivaldi 51 ☎ 0544 939278,
lidodiclasse.iat@libero.it

 Astor ≼ 🚄 🛋 🅰🅲 ✂ rist, 🅿 🆅🅸🆂🅰 ⑩ 🅰🅴 ⓞ ⬥

viale F.lli Vivaldi 94 – ☎ 05 44 93 94 37
– www.astorhotel.eu – info@astorhotel.eu – Fax 05 44 93 94 18
– 15 maggio-15 settembre
29 cam ⌧ – ♦♦70/110 € – ½ P 81 €
Rist – Menu 15/22 €
♦ Una costruzione a pochi passi dalla spiaggia che dispone di un gradevole giardino e confortevoli spazi. E' possibile noleggiare biciclette per una passeggiata nella pineta. Il ristorante al primo piano è illuminato da grandi vetrate ed offre una cucina tradizionale accanto al buffet di verdure.

Come scegliere fra due strutture equivalenti?
In ogni categoria, hotel e ristoranti sono elencati per ordine di preferenza:
ai primi posti, le scelte Michelin.

LIDO DI JESOLO – Venezia (VE) – 562F19 – ⊠ **30016** Italia   36 **D2**

▶ Roma 564 – Venezia 44 – Belluno 110 – Milano 303

🔢 piazza Brescia 13 ℰ 0421 370601, info@aptjesoloeraclea.it, Fax 0421370608

🔢, ℰ 0421 37 28 62

Park Hotel Brasilia   ≤ 🚉 ⅃ 🛗 ⅙ cam, 🄰🄲 ⅗ rist, ⁽ⁱ⁾ 🛎 **P**

via Levantina, 2° accesso al mare – ℰ 04 21 38 08 51   ⱽⁱˢᴬ ⓄⓄ 🄰🄴 ⓄⒾ ⅗
– www.parkotelbrasilia.com – info@parkhotelbrasilia.com
– Fax 042 19 22 44
– aprile-ottobre
46 cam ⊆ – †140/215 € ††180/260 € – 18 suites – ½ P 112/154 €
Rist *Ipanema* – Carta 37/56 €
♦ Eleganza, signorilità e il mare a due passi per una struttura dalla gestione professionale, un'imponente struttura bianca con camere ampie e confortevoli, tutte con balcone. Vetrate panoramiche nella sala da pranzo che si apre fino a bordo piscina.

Delle Nazioni   ≤ ⅃ 🏠 ⅙♦ 🛗 ⅙♦ 🄰🄲 ⅗ rist, ⁽ⁱ⁾ 🛎 **P**

via Padova 55 – ℰ 04 21 97 19 20 – www.nazioni.it   ⱽⁱˢᴬ ⓄⓄ 🄰🄴 ⓄⒾ ⅗
– nazioni@nazioni.it – Fax 04 21 97 19 40
– maggio-settembre
50 cam ⊆ – †100/165 € ††125/210 € – 3 suites – ½ P 113/129 €
Rist – (solo per alloggiati) Menu 26/40 €
♦ L'imponente torre che svetta sul fonte mare ospita tra le sue mura spazi comuni essenziali e signorili e camere recentemente rinnovate con gusto moderno, tutte con splendida vista sul mare. Al primo piano il ristorante, dalle interessanti proposte culinarie.

Cavalieri Palace   ≤ 🚉 ⅃ 🏠 🛗 ⅙♦ 🄰🄲 ⅙ rist, ⁽ⁱ⁾ **P**

via Mascagni 1 – ℰ 04 21 97 19 69   ⱽⁱˢᴬ ⓄⓄ 🄰🄴 ⓄⒾ ⅗
– www.hotelcavalieripalace.com – info@hotelcavalieripalace.com
– Fax 04 21 97 19 70
– Pasqua-settembre
56 cam ⊆ – †93/143 € ††166/176 €
Rist – Carta 35/45 €
♦ Freschi e signorili ambienti, camere dagli stili differenti tutte terazzate, particolarmente gradevoli quelle rifinite con tessuti colorati. Panoramica posizione di fronte al mare. Graziosa a nche la sala da pranzo che si apre fino alla piscina.

Byron Bellavista   ≤ ⅃ 🛗 🄰🄲 ⅛⁽ⁱ⁾ **P** ⱽⁱˢᴬ ⓄⓄ 🄰🄴 ⓄⒾ ⅗

via Padova 83 – ℰ 04 21 37 10 23 – www.byronbellavista.com
– byron@byronbellavista.com – Fax 04 21 37 10 73
– maggio-settembre
50 cam ⊆ – †60/120 € ††120/180 € – ½ P 70/100 €
Rist – (solo per alloggiati) Menu 22/30 €
♦ Vista sul mare e gestione capace in una struttura ben tenuta, con distinti spazi comuni in stile classico, illuminati da ampie vetrate ornate da tendaggi importanti.

Ril   ≤ ⅃ 🛗 🄰🄲 ⅙ rist, ⁽ⁱ⁾ **P** ⱽⁱˢᴬ ⓄⓄ 🄰🄴 ⓄⒾ ⅗

via Zanella 2 – ℰ 04 21 97 28 61 – www.hotelril.it – info@hotelril.it
– Fax 04 21 97 28 61 – maggio-settembre
47 cam ⊆ – †130/150 € ††145/190 € – ½ P 100/130 €
Rist – (solo per alloggiati) Menu 35/50 €
♦ Linee moderne unite a colori caldi e leggeri tocchi di eleganza sia nelle camere, sia nei luminosi spazi comuni di questo piacevole hotel fronte mare. La zona ristorante si protende direttamente su piscina e mare grazie alle belle vetrate.

Atlantico   ≤ ⅃ 🏠 🛗 ⅙♦ 🄰🄲 ⅙ rist, ⁽ⁱ⁾ **P** ⱽⁱˢᴬ ⓄⓄ ⅗

via Bafile 11, 3° accesso al mare – ℰ 04 21 38 12 73 – www.hotel-atlantico.it
– info@hotel-atlantico.it – Fax 04 21 38 06 55
– 10 aprile-ottobre
74 cam ⊆ – †90/104 € ††124/168 € – ½ P 80/90 €
Rist – (solo per alloggiati) Menu 32/34 €
♦ Dalla nuova piscina riscaldata situata all'ultimo piano di questo edificio in posizione panoramica vi sembrerà di essere riprpio in riva al mare! Cordialità e cortesia.

Termini Beach Hotel ≤ ⌧ 📶 🅰🅲 ⅏ 🅿 🆅🆂🅰 ⊚ 🅰🅴 🍴

via Altinate 4, 2° accesso al mare – 𝒞 04 21 96 01 00 – www.hoteltermini.it
– jesolo@hoteltermini.it – Fax 04 21 96 01 50 – Pasqua-settembre
52 cam ⌧ – †65/80 € ††120/170 € – 7 suites – ½ P 70/90 €
Rist – (chiuso a mezzogiorno) Menu 35/50 €
♦ Albergo che domina il mare, dotato di spazi comuni eleganti ed ariosi, arredati con gusto e camere di differenti tipologie, tutte confortevoli e personalizzate. Al ristorante, bianche colonne ed ampie finestre affacciate sul blu.

Beny ≤ ⌧ 📶 🅰🅲 ⅏ rist. 🅿 🚗 🆅🆂🅰 ⊚ 🅰🅴 ⓪ 🍴

via Levantina , 4° accesso al mare – 𝒞 04 21 96 17 92 – www.beny.it
– info@beny.it – Fax 04 21 96 19 59 – maggio-settembre
75 cam ⌧ – †43/66 € ††86/122 € – ½ P 53/80 €
Rist – (solo per alloggiati) Menu 20/40 €
♦ Bianca ed imponente struttura frontemare dagli ampi ambienti arredati con oggetti e colori della tradizione marinara, blu o marrone. Giardino attrezzato per lo svago dei bambini. Lo sguardo sul giardino e l'attenzione per le specialità della cucina veneta in sala da pranzo.

Rivamare ≤ ⌧ 🌊 🖚 📶 🅰🅲 ⅏ rist. ⑪ 🅿 🆅🆂🅰 ⊚ 🍴

via Bafile, 17° accesso al mare – 𝒞 04 21 37 04 32 – www.rivamarehotel.com
– info@rivamarehotel.com – Fax 04 21 37 07 61 – 24 aprile-settembre
53 cam ⌧ – †60/100 € ††110/160 € – ½ P 65/90 €
Rist – (solo per alloggiati) Menu 28/40 €
♦ Conduzione familiare di grande esperienza in un albergo fronte mare che propone camere dai vivaci colori e dalle linee moderne; zone comuni accoglienti abbellite da tappeti. Al piano inferiore, classica sala da pranzo.

Montecarlo ≤ 📶 ⛳ 🅰🅲 ⅏ rist. ⑪ 🅿 🆅🆂🅰 ⊚ ⓪ 🍴

via Bafile 5, (16° accesso al mare) – 𝒞 04 21 37 02 00 – www.montecarlhotel.com
– info@montecarlhotel.com – Fax 04 21 37 02 01 – maggio-24 settembre
44 cam ⌧ – †50/80 € ††90/120 € – ½ P 55/72 €
Rist – (solo per alloggiati) Menu 18/25 €
♦ La stessa famiglia al timone dal 1965, con la sua curata terrazza e le confortevoli camere arredate in un fresco e riposante color verde, la struttura si trova direttamente sul mare.

Universo ≤ 🚗 ⌧ 📶 ⛳ 🧖 🅰🅲 ⅏ rist. ⑪ 🅿 🆅🆂🅰 ⊚ 🍴

via Treviso 11 – 𝒞 04 21 97 22 98 – www.hotel-universo.it
– info@hotel-universo.it – Fax 04 21 37 13 00 – aprile-settembre
56 cam ⌧ – †60/110 € ††110/180 € – 5 suites – ½ P 80/110 €
Rist – Carta 25/42 €
♦ Una calda atmosfera retro caratterizza gli ambienti di questa piccola risorsa familiare in posizione panoramica fronte mare. Parte delle camere è stata rinnovata con gusto moderno.

Bellariva ≤ 📶 🧖 🅰🅲 ⅏ rist. ⑪ 🅿 🆅🆂🅰 ⊚ 🅰🅴 ⓪ 🍴

via Bafile 8, 11° accesso al mare – 𝒞 04 21 37 06 73 – www.bellariva.it – info@
hotel-bellariva.com – Fax 04 21 37 07 39 – Carnevale e 15 aprile-ottobre
55 cam ⌧ – †56/77 € ††80/122 € – ½ P 71 € **Rist** – Carta 27/37 €
♦ La grande terrazza si affaccia direttamente sulla spiaggia, mentre le accoglienti camere si differenziano tra loro grazie a piccoli dettagli delle testiere dei letti. Conduzione familiare. Grandi vetrate cingono la semplice sala da pranzo.

✗✗ Cucina da Omar 🔐 🅰🅲 🆅🆂🅰 ⊚ 🅰🅴 ⓪ 🍴

via Dante 21 – 𝒞 042 19 36 85 – www.ristorantedaomar.it – ristorante.omar@
libero.it – Fax 04 21 38 63 15 – chiuso dal 1° dicembre al 10 gennaio e mercoledì
Rist – (consigliata la prenotazione la sera) Carta 48/91 €
♦ Pesce, gusto e fantasia sono i titolari di questo piccolo locale del centro a gestione familiare, una sala moderna con caldi colori e quadri d'ispirazione contemporanea alle pareti.

✗✗ Tortuga 🔐 🅰🅲 🆅🆂🅰 ⊚ 🅰🅴 ⓪ 🍴

piazzale Tommaseo 15 – 𝒞 042 19 33 19 – Fax 042 19 33 19 – chiuso dal
15 novembre al 15 gennaio, lunedì sera e martedì escluso da giugno a settembre
Rist – Carta 45/73 € 🏵
♦ Pesce di buona qualità in preparazioni tradizionali presentate con gusto e originalità; piacevole il locale, sempre molto frequentato, gestito con intraprendenza da tre fratelli.

a Jesolo Pineta Est : 6 km – ✉ 30016 – **Lido di Jesolo**

🏨 **Bellevue** ⊱ ≤ 🕊 🕼 ⏂ 🏵 ✕ 🖥 ⟂ 🛪 AC ⅓ rist. ⏱ 🅿

via Oriente 100 – ℰ 04 21 96 12 33 – www.hbjesolo.it 〰 VISA ⨁ AE ⓪ ⅾ
– info@hbjesolo.it – Fax 04 21 96 12 38 – maggio-ottobre
56 cam – †100/245 €, ††125/400 €, ☲ 30 € – 6 suites – ½ P 105/250 €
Rist – Carta 35/64 €

♦ Due strutture frontemare, immerse in un verdeggiante giardino-pineta, ospitano camere ampie dall'arredo moderno in stile e colori etnici. Accogliente gestione familiare. Sala da pranzo dalla forma circolare illuminata da vetrate.

🏨 **Mediterraneo** 🕼 ⏂ ⏂ 🏵 🖥 🛪 AC ⅓ rist. ⏱ 🅿 VISA ⨁ AE ⅾ

via Oriente 106 – ℰ 04 21 96 11 75 – www.mediterraneojesolo.com – info@
mediterraneojesolo.com – Fax 04 21 96 11 76 – 15 maggio-settembre
60 cam – †90/130 € ††130/270 €, ☲ 15 € – ½ P 95/140 €
Rist – Carta 47/60 €

♦ Immerso nella quiete di un lussureggiante giardino che lambisce la spiaggia, offre gradevoli e "freschi" ambienti e camere particolarmente ampie, tutte con terrazza. Sembra di pranzare nel parco nella sala ristorante con vetrate che si aprono sul verde!

🏨 **Negresco** ≤ 🚃 ⏂ ⏂ 🏵 ⅙ ✕ 🖥 AC ⅓ ⅄ 🅿 VISA ⨁ ⅾ

via Bucintoro 8 – ℰ 04 21 96 11 37 – www.hotelnegresco.it – info@
hotelnegresco.it – Fax 04 21 96 10 25 – 6 maggio-25 settembre
44 cam ☲ – †75/120 € ††150/210 € – ½ P 75/124 €
Rist – *(solo per alloggiati)* Menu 47 €

♦ Attenta, dinamica e professionale la gestione di questo signorile hotel di moderna concezione situato fronte mare con camere confortevoli ed accoglienti dal sobrio arredo.

🏨 **Jesolopalace** ⊱ ≤ 🚃 ⏂ ⏰ ⅙ 🖥 ⅙ AC cam, ⅓ rist. ⏱ 🅿

via Airone 1 – ℰ 04 21 96 10 13 – www.jesolopalace.it VISA ⨁ ⅾ
– info@jesolopalace.it – Fax 04 21 36 23 89 – maggio- 28 settembre
34 cam – †84/155 €, ☲ 15 € – 25 suites – ††120/375 € – ½ P 61/120 €
Rist – *(chiuso a mezzogiorno) (solo per alloggiati)* Menu 30/35 €

♦ Sinuosa moderna struttura nella tranquillità della pineta, ideale per un soggiorno all'insegna del benessere e del riposo. Ogni camera dispone di una terrazza affacciata sul mare.

🏨 **Gallia** ⊱ 🕼 ⏂ ⏂ ✕ 🖥 AC ⅓ rist. ⏱ 🅿 VISA ⨁ ⅾ

via del Cigno Bianco 5 – ℰ 04 21 96 10 18 – www.hotelgallia.com – info@
hotelgallia.com – Fax 04 21 36 30 33 – 15 maggio-19 settembre
51 cam ☲ – †98/120 € ††146/200 € – ½ P 115/130 €
Rist – *(solo per alloggiati)*

♦ Una splendida pineta separa dal mare e dalla piscina questo elegante hotel in stile neoclassico, dotato di spaziose zone comuni . Perfetto per una vacanza a tutto relax.

🏨 **Viña del Mar** 🚃 ⏂ ⏂ 🖥 🛪 AC ⅓ rist. ⅄ 🅿 VISA ⨁ ⅾ

via Oriente 58 – ℰ 04 21 96 11 82 – www.vinadelmar.it – info@vinadelmar.it
– Fax 04 21 36 28 72 – maggio-settembre
48 cam ☲ – †102/112 € ††162/182 € – ½ P 89/98 € **Rist** – Carta 26/52 € 🍴
♦ Fresche e luminose, le camere sono arredate in bianco con sfumature sull'azzurro e il rosso; decorati con originalità gli spazi comuni: perfetto per una piacevole vacanza con i bambini! Dalla cucina i prodotti di stagione, carne e pesce; nella piccola taverna-enoteca è possibile degustare salumi e formaggi.

🏨 **Bauer** ≤ 🚃 ⏂ ⏂ 🖥 ⅙ cam, AC ⅓ 🅿 VISA ⨁ AE ⅾ

via Bucintoro 6 – ℰ 04 21 96 13 33 – www.hotelbauer.it – info@hotelbauer.it
– Fax 04 21 36 29 77 – maggio-settembre
42 cam ☲ – †78/93 € ††140/170 € – 6 suites – ½ P 115 €
Rist – *(solo per alloggiati)*

♦ Una sobria struttura in mattoni e una grande villetta costituiscono la risorsa familiare situata fronte mare e avvolta da un fresco giardino. Gradevoli gli interni di taglio moderno.

XX **Alla Darsena** 🏠 ♿ 🅰🅺 ⚡ ♻ 🅿 𝚟𝚒𝚜𝚊 ⊚ 🅰🅴 ⓪ 🔥
*via Oriente 166 – ℰ 04 21 98 00 81 – www.alladarsena.com – info@
alladarsena.com – Fax 04 21 98 00 81 – chiuso dal 15 novembre al 10 dicembre,
mercoledì e giovedì escluso dal 15 maggio al 15 settembre*
Rist – Carta 29/50 €
♦ Cucina del territorio, prevalentemente a base di pesce e specialità alla brace in questo
locale ricavato negli ambienti di una casa dell'Ottocento. Servizio estivo all'aperto.

X **Ai Pescatori** 🏠 ⚡ 🅿 𝚟𝚒𝚜𝚊 ⊚ ⓪ 🔥
*via Oriente 174 – ℰ 04 21 98 00 21 – www.alladarsena.com – info@
alladarsena.com – Fax 04 21 98 00 81 – chiuso novembre, martedì sera e
mercoledì escluso dal 15 maggio al 15 settembre*
Rist – Carta 29/45 €
♦ Piatti di pesce e di carne presentati in elaborazioni semplici ed efficaci in questa trattoria familiare. Servizio estivo in veranda, in posizione dominante sul Piave e la sua foce.

a Cortellazzo – ✉ 30016

XX **Da Milena** 🏠 𝚟𝚒𝚜𝚊 ⊚ ⓪ 🔥
*via Massaua 59 – ℰ 04 21 98 02 24 – nesto.m.@aliceposta.it – Fax 04 21 98 02 24
– marzo-novembre*
Rist – (chiuso martedì escluso dal 15 giugno al 15 settembre) Carta 36/63 €
♦ Aperto recentemente, già raccoglie consensi in zona: l'ambiente è moderno e giovanile in sobrio design, la cucina è a base di pesce, presentata con attenzione e fantasia
estetica.

LIDO DI LATINA – Latina – 563R20 – Vedere Latina

LIDO DI METAPONTO – Matera (MT) – 564F32 – ✉ 75012 **4 D2**
▶ Roma 471 – Bari 102 – Matera 48 – Potenza 112

🏨 **Sacco** ⬅ ⌇ 🅰🅺 ⚡ ☏ 🅿 𝚟𝚒𝚜𝚊 ⊚ 🅰🅴 ⓪ 🔥
*piazzale Lido 7 – ℰ 08 35 74 19 55 – www.hotelsacco.com – hotel-sacco@
palacehotel-matera.it – Fax 08 35 74 55 89 – maggio-settembre*
75 cam ⌐ – ♦60/90 € ♦♦90/110 € – ½ P 75/90 € **Rist** – Carta 25/30 €
♦ A pochi metri dal mare, in una zona abbastanza tranquilla, un hotel completamente
ristrutturato adatto soprattutto per trascorrere serene vacanze in famiglia. Camere
curate. Grande sala ristorante con ampia scelta di piatti.

LIDO DI OSTIA – Roma (RM) – 563Q18 – ✉ 00100 🏛 Italia **12 B2**
▶ Roma 36 – Anzio 45 – Civitavecchia 69 – Frosinone 108
◉ Scavi★★ di Ostia Antica Nord : 4 km

XX **Il Tino** ⚡ 𝚟𝚒𝚜𝚊 ⊚ 🔥
*Via dei Lucilii 19 – ℰ 06 5 62 27 78 – www.ristoranteiltino.com
– info@ristoranteiltino.com – Fax 06 5 62 27 78
– chiuso dal 2 al 15 gennaio, dal 5 al 25 agosto e lunedì*
Rist – (chiuso a mezzogiorno escluso domenica) Carta 43/57 €
♦ Un locale intimo ed accogliente dove tre giovani soci-amici sorprendono con un'e-
strosa e creativa cucina di mare. Presentazioni semplici, rispettose dei prodotti.

LIDO DI PORTONUOVO – Foggia – 564B30 – Vedere Vieste

LIDO DI SAVIO – Ravenna (RA) – 562J19 – ✉ 48100 **9 D2**
▶ Roma 385 – Ravenna 20 – Bologna 98 – Forlì 32
🛈 (giugno-settembre) viale Romagna 244/a ℰ 0544 949063, lidodisavio.iat@
libero.it

🏨 **Strand Hotel Colorado** ⬅ ⌇ ♨ ⏸ ☀ 🅰🅺 ⚡ rist, 🅿

🐕 *viale Romagna 201 ✉ 48100 – ℰ 05 44 94 90 02* 𝚟𝚒𝚜𝚊 ⊚ 🅰🅴 ⓪ 🔥
*– www.strandhotelcolorado.com – info@strandhotelcolorado.com
– Fax 05 44 93 98 27 – Pasqua-settembre*
44 cam – solo ½ P 73/98 € **Rist** – (solo per alloggiati) Menu 20/30 €
♦ Una hall moderna e spaziosa recentemente rinnovata introduce in questa risorsa che
dispone di ambienti luminosi e confortevoli dall'arredo moderno e di una invitante
piscina.

Asiago ⬦ 🚗 ⌇ 🏠 ⓘ 🎧 👫 AC rist. 🍽 rist. **P** VISA ⚫ 🍴
viale Romagna 217 – ☎ 05 44 94 91 87 – www.hotelasiago.it – hotelasiago@
libero.it – Fax 05 44 94 91 10 – aprile-20 settembre
50 cam ⌁ – †38/47 € ††70/90 € – ½ P 59/72 €   **Rist** – Menu 18/20 €
♦ Gestione familiare per questa struttura, ideale per una vacanza con i bambini: spazi
ampi ed accoglienti direttamente sulla spiaggia e, all'esterno, piscina e campi da gioco.
Nella sobria sala ristorante, la cucina mediterranea e vista sul mare.

Concord ⬦ 🚗 ⌇ 🍽 🚼 AC 🍽 rist. **P** VISA ⚫ AE 🍴
via Russi 1 – ☎ 05 44 94 91 15 – www.hotelconcorditaly.it – hotelconcord@
libero.it – Fax 05 44 94 91 15 – 25 maggio-10 settembre
55 cam ⌁ – †40/65 € ††70/100 € – ½ P 46/75 €   **Rist** – Menu 20/25 €
♦ Rinnovata di recente in alcuni ambienti, questo grande edificio offre una bella vista
sul mare, spazi semplici vivacemente arredati in legno con gusto moderno, campi da
gioco.

LIDO DI SOTTOMARINA – Venezia – Vedere Chioggia

LIDO DI SPINA – Ferrara – 562I18 – Vedere Comacchio

LIDO DI SPISONE – Messina – Vedere Sicilia (Taormina) alla fine dell'elenco alfabetico

LIDO DI TARQUINIA – Viterbo – 563P17 – Vedere Tarquinia

LIDO DI VENEZIA – Venezia – Vedere Venezia

LIDO RICCIO – Chieti – 563O25 – Vedere Ortona

LIERNA – Lecco (LC) – 561E9 – 2 061 ab. – alt. 205 m – ✉ 23827   16 **B2**
▶ Roma 636 – Como 45 – Bergamo 49 – Lecco 16

XXX **La Breva** 🏠 ⇔ **P** VISA ⚫ AE ① 🍴
via Roma 24 – ☎ 03 41 74 14 90 – www.ristorantelabreva.it – info@
ristorantelabreva.it – Fax 03 41 74 20 39 – chiuso gennaio, lunedì sera e martedì
escluso da giugno a settembre
Rist – Carta 40/70 €
♦ Nuova sede per questo locale, ora all'interno di un ex-casa privata totalmente rinnovata; due salette interne di tono elegante, servizio estivo in terrazza con bella vista.

LIGNANO SABBIADORO – Udine (UD) – 562E21 – 6 024 ab.   11 **C3**
– ✉ 33054 Italia
▶ Roma 619 – Udine 61 – Milano 358 – Treviso 95
🛈 via Latisana 42 ☎ 0431 71821, info.lignano@turismo.fvg.it, Fax 0431 70449
🅱, ☎ 0431 42 80 25
🔵 Spiaggia ★★★

Atlantic ⬦ 🚗 ⌇ 🍽 ♿ 👫 AC 🍽 rist. 📶 **P** VISA ⚫ 🍴
lungomare Trieste 160 – ☎ 043 17 11 01 – www.hotelatlantic.it – info@
hotelatlantic.it – Fax 043 17 11 03 – maggio-16 settembre
61 cam ⌁ – †94/115 € ††180/190 € – ½ P 94/100 €   **Rist** – Menu 35 €
♦ Cordiale e premurosa accoglienza in un albergo classico di fronte alla celebre e rinomata spiaggia, visibile dalla maggioranza delle luminose ed accoglienti camere.

Bellavista ⬦ 🏠 ⌇ 🍽 AC 🍽 rist. 📶 🚗 VISA ⚫ 🍴
lungomare Trieste 70 – ☎ 043 17 13 13 – www.bellavistalignano.it – info@
bellavistalignano.it – Fax 04 31 72 06 02 – aprile-settembre
45 cam – †95/130 € ††150/210 €, ⌁ 17 € – 4 suites – ½ P 90/105 €
Rist – (maggio-ottobre) Carta 30/40 €
♦ Fronte mare, tra il verde dei pini marittimi, l'hotel è l'indirizzo ideale per una vacanza
rilassante in un ambiente moderno e familiare. Terrazza solarium e camere con vista sul-
l'Adriatico. Pasta fatta in casa, pesce locale ed ampia selezione di etichette al ristorante.

Florida　🏠 📶 🛗 & cam, 🚶🏻‍♂️ AC 🛜 rist, P VISA ⓪ ① ⑤

via dell'Arenile 22 – 𝒞 04 31 72 01 01 – www.hotelflorida.net – mail@
hotelflorida.net – Fax 043 17 12 22 – aprile-settembre
73 cam – ♦75/99 € ♦♦164/215 €, � 10 € – ½ P 86/111 €
Rist – (chiuso a mezzogiorno) (solo per alloggiati) Carta 21/26 €
♦ In posizione leggermente arretrata rispetto al lungomare, albergo formato da due
corpi adiacenti: spazi interni in stile recente, camere sobrie e razionali.

Bidin　AC 🛜 P VISA ⓪ AE ① ⑤

viale Europa 1 – 𝒞 043 17 19 88 – www.ristorantebidin.com – info@
ristorantebidin.com – Fax 04 31 72 07 38 – chiuso mercoledì a mezzogiorno dal
10 maggio a settembre, tutto il giorno negli altri mesi
Rist – Carta 30/49 € 🍷
♦ Spazia dai piatti di pesce alla tradizione friulana fino ad una cucina che esplora le tendenze del momento. Tre sale, di cui una veranda chiusa con finestre su piccolo giardino.

Al Bancut　🏡 & AC ⇄ VISA ⓪ AE ① ⑤

viale dei Platani 63 – 𝒞 043 17 19 26 – www.albancut.it – info@albancut.it
– Fax 043 17 19 26 – chiuso dal 12 al 27 novembre e martedì in bassa stagione
Rist – Carta 25/54 €
♦ Ambientazione esclusivamente marinara per questo locale da poco trasferitosi nella
nuova sede: dalla cucina solo piatti di pesce, alle pareti della sala scene di pirateria.

a Lignano Pineta Sud-Ovest : 5 km – ✉ 33054 – LIGNANO PINETA

ℹ (maggio-settembre) via dei Pini 53 𝒞 0431 422169, info@aiatlignano.it, Fax
0431 422616

Greif　🏡 🏡 ⛴ 🕙 🏠 📶 🛗 & AC 🛜 rist, ☎ 🛋 P VISA ⓪ AE ① ⑤

arco del Grecale 25 – 𝒞 04 31 42 22 61 – www.greifhotel.it – info@greifhotel.it
– Fax 04 31 42 72 71 – chiuso dal 20 dicembre a febbraio
88 cam ⊷ – ♦170/340 € ♦♦240/420 € – 4 suites – ½ P 145/210 €
Rist – (aprile-ottobre) Menu 50/80 €
♦ La rigogliosa pineta costodisce non solo una piscina riscaldata ma anche un grande
complesso alberghiero dai raffinati interni, pensato per un soggiorno di completo relax.
Spazioso e raffinato il ristorante, illuminato da ampie vetrate che si aprono sul verde.

Park Hotel　⛴ 📶 & AC 🛜 rist, P VISA ⓪ ① ⑤

viale delle Palme 41 – 𝒞 04 31 42 23 80 – www.parkhotel-lignano.com – info@
parkhotel-lignano.com – Fax 04 31 42 80 79 – maggio-20 settembre
72 cam ⊷ – ♦98/120 € ♦♦160/170 € – ½ P 95/98 €
Rist – (solo per alloggiati) Carta 26/30 €
♦ Albergo d'ispirazione moderna dal design essenziale, dispone di ambienti essenziali e
luminosi; forse un po' decentrato rispetto al centro della località, poco distante dal mare.

Medusa Splendid　🏖 ⛴ 📶 & AC 🛜 rist, 🖖 P VISA ⓪ ⑤

raggio dello Scirocco 33 – 𝒞 04 31 42 22 11 – www.hotelmedusa.it – info@
hotelmedusa.it – Fax 04 31 42 22 51 – 17 maggio-16 settembre
56 cam – ♦70/110 € ♦♦110/170 €, ⊷ 13 € – ½ P 72/90 €　**Rist** – Menu 30 €
♦ Verde e blu si ripetono ritmicamente in questo hotel di grandi dimensioni, dai corridoi alle ampie e confortevoli camere, fino al mare distante solo poche centinaia di
metri. Fresca e piacevole sala ristorante semicircolare, con vetrate che guardano verso
il giardino e la piscina.

Bella Venezia　🏖 ⛴ 📶 🚶🏻‍♂️ AC 🛜 rist, P VISA ⓪ AE ① ⑤

arco del Grecale 18/a – 𝒞 04 31 42 21 84 – www.bellaveneziamare.it – info@
bellaveneziamare.it – Fax 04 31 42 23 52 – 15 maggio-15 settembre
49 cam ⊷ – ♦59/85 € ♦♦90/142 € – ½ P 78 €
Rist – (solo per alloggiati) Menu 18/25 €
♦ A breve distanza tanto dal centro quanto dalla spiaggia, l'hotel è gestito da due giovani fratelli. Piacevole lo spazio destinato alla piscina, con vasca idromassaggio. Cucina
mediterranea e buffet di verdure fresche a pranzo e a cena in una sala di sobria modernità.

Erica 🏠 👥 ☖ ⛅ 🤼 AC 🍴 rist, P VISA ⓸ AE ① ⚓

arco del Grecale 21/23 – ℰ 04 31 42 21 23 – www.ericahotel.it – info@
ericahotel.it – Fax 04 31 42 73 63 – 28 aprile-20 settembre

39 cam ⌷ – †59/79 € ††78/132 € – ½ P 59/79 € **Rist** – Menu 20/25 €

♦ All'interno, camere sobrie e confortevoli arredate in modo essenziale; all'esterno un piccolo giardino con qualche attrezzatura per i bambini e un nuovo parcheggio coperto. Ampia la sala ristorante, dalle caratteristiche sedie in bambù, dove troverete una fresca rilassante atmosfera.

a Lignano Riviera Sud-Ovest : 7 km – ⊠ 33054 – Lignano Sabbiadoro

Meridianus 🏠 🚗 🖥 🕸 ⛅ ☖ cam, AC 🍴 rist, ⟨ᵖ⟩ P VISA ⓸ AE ① ⚓

viale della Musica 1 – ℰ 04 31 42 85 61 – www.hotelmeridianus.it – info@
hotelmeridianus.it – Fax 04 31 42 85 70 – 8 maggio-21 settembre

84 cam ⌷ – †66/94 € ††108/164 € – ½ P 81/91 € **Rist** – Menu 25/50 €

♦ Nel contesto di una zona residenziale e avvolto da una verdeggiante pineta, offre confortevoli spazi personalizzati con quadri d'arte moderna. Bella piscina ad acqua riscaldata. Ampie vetrate affacciate sul verde cingono la sala da pranzo.

Arizona 🏠 🕸 🖥 ☖ AC cam, 🍴 rist, P VISA ⓸ AE ① ⚓

calle Prassitele 2 – ℰ 04 31 42 85 28 – www.hotel-arizona.it – info@
hotel-arizona.it – Fax 04 31 42 73 73 – maggio-20 settembre

42 cam ⌷ – †71/105 € ††120/145 € – ½ P 74/86 €

Rist – (15 maggio-13 settembre) (solo per alloggiati) Menu 21/30 €

♦ Accoglienza familiare e dinamica per un soggiorno di relax. All'ingresso, qualche arredo etnico in legno intrecciato e un design dalle linee moderne. Il mare poco distante.

Smeraldo 🏠 🕸 🖥 AC 🍴 rist, P VISA ⓸ ⚓

viale della Musica 4 – ℰ 04 31 42 87 81 – www.hotelsmeraldo.net – info@
hotelsmeraldo.net – Fax 04 31 42 30 31 – 10 maggio-15 settembre

63 cam – †52/85 € ††84/168 €, ⌷ 12 € – ½ P 47/84 € **Rist** – Menu 23/25 €

♦ Camere fresche e luminose, vivacizzate dai colorati pannelli alle pareti, un nuovo piccolo centro benessere e la piacevole atmosfera da vacanze tra sole e mare. Conduzione familiare.

Le «promesse», segnalate in rosso nelle nostre selezioni,
distinguono i ristoranti suscettibili di accedere alla categoria superiore,
vale a dire una stella in più.
Le troverete nella lista dei ristoranti stellati, all'inizio della guida.

LIMANA – Belluno (BL) – 562 D18 – 4 655 ab. – alt. 319 m – ⊠ 32020   36 **C2**
🚘 Roma 614 – Belluno 12 – Padova 117 – Trento 101

Piol 🏠 🕸 AC rist, 🍴 🛁 P VISA ⓸ AE ① ⚓

via Roma 116/118 – ℰ 04 37 96 74 71 – www.piol.bl.it – piol@dolomiti.it
– Fax 04 37 96 71 03

23 cam – †40/70 € ††70/80 €, ⌷ 5 € – ½ P 50/65 €

Rist – (chiuso dal 2 al 6 gennaio) Carta 20/32 €

♦ Gestione familiare e ambiente semplice in una struttura lineare ubicata in centro paese; funzionali camere in stile essenziale, con rivestimenti in perlinato. Caratteristica la sala da pranzo con pareti e soffitto ricoperti di legno dove ritrovare i piatti d'un tempo, ricchi di genuinità.

LIMITO – Milano – 561 F9 – Vedere Pioltello

LIMONE PIEMONTE – Cuneo (CN) – 561 J4 – 1 554 ab. – alt. 1 010 m   22 **B3**
– Sport invernali : 1 010/2 050 m ⛷1 ⛷14, 🎿 – ⊠ 12015
🚘 Roma 670 – Cuneo 28 – Milano 243 – Nice 97
🛈 via Roma 32 ℰ 0171 929515, iat@limonepiemonte.it, Fax 0171 925289
🗻 Cò di Paris, ℰ 0171 92 91 66

Grand Palais Excelsior 🕊 *⌘* 🈺 cam, ⑩ 🚗 VISA ⓦ AE ① ⑤

largo Roma 9 – ✆ 01 71 92 90 02 – www.grandexcelsior.com – info@ grandexcelsior.com – Fax 017 19 24 25 – chiuso dal 2 al 29 maggio, ottobre e novembre

10 cam – 👫100/140 €, ⚏ 12 € – **18 suites** – 👫140/220 € – ½ P 100/125 €
Rist *Il San Pietro* – ✆ 01 71 92 90 74 *(chiuso dal 2 al 31 maggio, dal 2 al 30 novembre e mercoledì escluso da dicembre al 14 aprile e dal 15 giugno a settembre)* Carta 27/36 €
♦ Elegante albergo-residence ristrutturato pochi anni fa, con tipiche decorazioni a graticcio sulle pareti esterne; all'interno raffinati ambienti di moderna concezione. Un grande camino e parquet "riscaldato" da morbidi tappeti nella sala ristorante.

LIMONE SUL GARDA – Brescia (BS) – 561E14 – 1 062 ab. – alt. 66 m   17 **C2**
– ✉ 25010 ▮ Italia

▶ Roma 586 – Trento 54 – Brescia 65 – Milano 160
◉ ⩽★★★ dalla strada panoramica★★ dell'altipiano di Tremosine per Tignale

 Park H. Imperial ⑤   🚗 🍴 🍵 🗔 🎥 🕊 *⌘* 🈺 🛗 ⅙ AK 🈺 rist, ⑩

via Tamas 10/b – ✆ 03 65 95 45 91   **P** VISA ⓦ AE ① ⑤
– www.parkhotelimperial.com – info@parkhotelimperial.com
– Fax 03 65 95 43 82 – chiuso dall'8 al 28 dicembre

63 cam ⚏ – 👤140/190 € 👫190/256 € – ½ P 124/152 €   **Rist** – Carta 41/82 €
♦ Hotel di forma semicircolare, raccolto intorno a un piacevole giardino con piscina; raffinati interni in stile moderno, attrezzato centro benessere di medicina orientale. Soffitto con decorazioni a ventaglio nella sala da pranzo di sobria eleganza.

LINGUAGLOSSA – Catania (087) – Vedere Sicilia alla fine dell'elenco alfabetico

---

LISANZA – Varese – Vedere Sesto Calende

LIVIGNO – Sondrio (SO) – 561C12 – 5 251 ab. – alt. 1 816 m – Sport   16 **B1**
invernali : 1 816/2 900 m 🚡3 ⚡29, 🎿 – ✉ 23030

▶ Roma 801 – Sondrio 74 – Bormio 38 – Milano 240
🅹 via Saroch 1098/A ✆ 0342 052200, info@livigno.eu, Fax 0342 052229

Lac Salin Spa & Mountain Resort ⑤   🗔 🎥 🕊 *⌘* 🈺 ⅙ AK
via Saroch 496\d   🈺 rist, ⑩ 🛗 **P** 🚗 VISA ⓦ AE ① ⑤
– ✆ 03 42 99 61 66 – www.lungolivigno.com – lacsalin@lungolivigno.com
– Fax 03 42 99 69 14 – chiuso maggio e dal 4 al 30 novembre

57 cam – **8 suites** – solo ½ P 92/220 €
Rist – *(solo per alloggiati)* Menu 40/50 €
Rist *Milio Restaurant* – *(chiuso a mezzogiorno)* Carta 48/98 €
♦ Hotel dal design minimalista, in armonia con l'atmosfera montana. Originali le *feeling room*: sette camere ispirate ai *chakra* (punti energetici del corpo, secondo la filosofia orientale) ed arredate in base ai principi del *feng-shui*. Ottimo confort anche nelle camere più classiche. Raffinata cucina valtellinese al *Milio*.

Baita Montana   ⩽ 🗔 🎥 🕊 🛗 ⅙ rist, ⚡ 🈺 ⑩ 🛗 **P** 🚗
via Mont da la Nef 87 – ✆ 03 42 99 06 11   VISA ⓦ ⑤
– www.hotelbaitamontana.com – direzione@hotelbaitamontana.com
– Fax 03 42 99 06 60 – chiuso novembre

44 cam ⚏ – 👤65/99 € 👫110/178 € – ½ P 65/99 €
Rist – *(chiuso lunedì da settembre ad ottobre)* Carta 24/47 €
♦ Valida gestione in un hotel completamente rinnovato, con bella vista su paese e montagne; spazi comuni sui toni chiari del legno, luminose e recenti camere con balcone. Ampia sala da pranzo di tono elegante con arredi in legno e un'intera parete di vetro.

 Posta   ⩽ 🕊 *⌘* 🈺 🛗 ⅙ 🈺 rist, ⑩ **P** 🚗 VISA ⓦ AE ① ⑤
plaza dal Comun 67 – ✆ 03 42 99 60 76 – www.hposta.it – info@hposta.it
– Fax 03 42 97 00 97 – 2 dicembre-1° maggio e giugno-settembre

32 cam ⚏ – 👤50/140 € 👫100/280 € – ½ P 130/150 €   **Rist** – Menu 24/35 €
♦ Nel cuore del paese, vicino ai campi da sci, signorile hotel in stile montano con rigenerante zona relax. Calda atmosfera nella sala da pranzo.

Bivio
via Plan 422/a – ✆ 03 42 99 61 37 – www.hotelbivio.it – info@hotelbivio.it – Fax 03 42 99 76 21
30 cam – 🛉50/162 € 🛉🛉100/270 € – ½ P 116/298 €
Rist – *(solo per alloggiati)* Menu 15 €
Rist *Cheseta Veglia* – Menu 28/42 € – Carta 26/53 €
◆ In pieno centro storico, hotel a conduzione diretta dagli interni piacevoli ed accoglienti con pareti rivestite in perlinato; gradevoli camere in moderno stile montano. Atmosfera informale nel curato ristorante *Cheseta Veglia*: romantica la stube originaria dell'800.

Concordia
via Plan 114 – ✆ 03 42 99 02 00 – www.hotel-concordia.it – hotelconcordia@lungolivigno.com – Fax 03 42 99 03 00
26 cam – 🛉140/250 € 🛉🛉180/300 € – 5 suites – ½ P 96/180 €
Rist – Carta 24/39 €
◆ Nel cuore della località, albergo dalla gestione professionale e confort di buon livello: tre recenti camere di design, le altre in stile montano. Divanetti a parete e atmosfera distinta nell'ampia sala da pranzo.

Palù
via Ostaria 313 – ✆ 03 42 99 62 32 – www.paluhotel.it – hpalu@livnet.it – Fax 03 42 99 62 33 – *chiuso maggio e novembre*
33 cam – 🛉45/82 € 🛉🛉66/145 € – ½ P 50/130 €
Rist – Carta 25/42 €
◆ Accanto alle piste da sci, hotel familiare dal tipico arredo montano: camere sobrie e confortevoli. Luminosa sala ristorante.

Francesin senza rist
via Ostaria 442 – ✆ 03 42 97 03 20 – www.francesin.it – info@francesin.it – Fax 03 42 97 03 20
14 cam – 🛉🛉56/110 €
◆ Accoglienza e servizio familiari in un albergo di recente costruzione, con spaziose aree comuni; ampie camere, nuovo e attrezzato centro fitness con palestra.

Camana Veglia con cam
via Ostaria 583 – ✆ 03 42 99 63 10 – www.camanaveglia.com – info@camanaveglia.com – Fax 03 42 97 47 16
14 cam – 🛉34/84 € 🛉🛉64/134 €, 14 € – 1 suite – ½ P 49/134 €
Rist – *(chiuso maggio, giugno e novembre)* Carta 27/51 €
◆ Caratteristici interni in legno e ricercatezza nei particolari, in un locale tipico con camere "a tema" di recente ristrutturazione; proposte di cucina valtellinese.

Chalet Mattias (Mattias Peri) con cam
via Canton 124 – ✆ 03 42 99 77 94 – www.chaletmattias.com – info@chaletmattias.com
5 cam – 🛉60/80 € 🛉🛉110/160 € – ½ P 102 €
Rist – *(chiuso martedì a mezzogiorno in inverno, anche martedì sera in estate escluso agosto)* Menu 42/62 € – Carta 47/64 €
Spec. Risotto con olive e pomodori secchi, rucola e gelato al parmigiano. Tortellini ripieni di parmigiano al doppio ristretto di bue. Tre modi diversi di gustare il cioccolato.
◆ Raffinato ambiente montano, dove una giovane e motivata coppia propone una cucina del territorio deliziosamente rivisitata.

Alba-da Roby con cam
via Saroch 948 – ✆ 03 42 97 02 30 – www.albahotel.com – info@albahotel.com – Fax 03 42 97 01 25 – *chiuso a maggio e dal 15 ottobre al 30 novembre*
18 cam – 🛉50/105 € 🛉🛉70/130 € – ½ P 50/90 €
Rist – *(chiuso maggio e dal 15 ottobre al 30 novembre)* (prenotazione obbligatoria) Carta 25/40 €
◆ Indirizzo interessante sia per la piacevole sala sia per la gustosa cucina del territorio, rivisitata e sapientemente alleggerita.

LIVORNO [P] (LI) – 563L12 – 155 880 ab. – ✉ 57100 Toscana 28 **B2**

Roma 321 – Pisa 24 – Firenze 85 – Milano 294

per Golfo Aranci e Bastia – Sardinia Ferries, call center 199400500

[i] piazza del Municipio 6 ✉ 571236 ☎ 0586 204611, apt7livorno@costadeglietruschi.it, Fax 0586 896173

Monumento★ a Ferdinando I de' Medici AY **A**

Santuario di Montenero★ Sud : 9 km

Pianta pagina 600

Al Teatro senza rist
via Mayer 42 ✉ 57125 – ☎ 05 86 89 87 05 – www.hotelalteatro.it – info@hotelalteatro.com – Fax 05 86 27 86 84 – chiuso dal 24 dicembre al 6 gennaio AY**a**
8 cam – 95/110 € 140/160 €
◆ Palazzo d'epoca a due passi dal teatro. Totalmente rinnovato, ha tuttavia conservato elementi d'antiquariato oltre ad una secolare magnolia nel piccolo giardino interno.

Gran Duca
piazza Micheli 16 ✉ 57123 – ☎ 05 86 89 10 24 – www.granduca.it – granduca@granduca.it – Fax 05 86 89 11 53 AY**b**
62 cam – 100/120 € 140/220 € – ½ P 95/135 €
Rist – *(chiuso dal 31 dicembre al 5 gennaio)* Carta 27/59 €
◆ Albergo ubicato nel tipico ambiente del Bastione Mediceo: spaziosa hall e camere eterogenee negli arredi, ma parimenti confortevoli. Di fronte al mare, con vista sulla darsena, ristorante con sale ben arredate.

Osteria del Mare
borgo dei Cappuccini 5 ✉ 57126 – ☎ 05 86 88 10 27 – Fax 05 86 88 10 27 – chiuso dal 25 agosto al 10 settembre e giovedì AY**f**
Rist – Carta 25/42 €
◆ Semplice atmosfera e arredi lineari nelle due piccole, ma accoglienti sale, in un'osteria collocata in area portuale; buona scelta di cucina marinara, senza spendere troppo.

a Montenero Sud : 10 km – ✉ 57128 – MONTENERO

La Vedetta
cam, rist,
via della Lecceta 5 – ☎ 05 86 57 99 57 – www.hotellavedetta.it – info@hotellavedetta.it – Fax 05 86 57 99 69
31 cam – 60/85 € 80/120 € – ½ P 54/78 €
Rist – *(maggio-settembre) (chiuso a mezzogiorno) (solo per alloggiati)* Carta 18/26 €
◆ Ambiente curato nell'ampia villa del '700 che ospitò personaggi illustri e che deve il suo nome alla splendida vista su mare e costa; sobri e funzionali gli interni.

ad Ardenza per ③ : *4 km* – ✉ 57128 – Livorno

Ciglieri
via Ravizza 43 – ☎ 05 86 50 81 94 – www.ristoranteciglieri.it – ciglieri@tin.it – chiuso mercoledì
Rist – (prenotazione obbligatoria) Menu 60/75 € – Carta 56/85 €
◆ Piatti ricchi di fantasia sia di pesce sia di carne in un ambiente elegante e raffinato; servizio curato direttamente dal titolare.

Oscar
via Franchini 78 – ☎ 05 86 50 12 58 – www.ristoranteoscar.it – chiuso dal 1° al 23 gennaio e lunedì
Rist – Carta 40/67 €
◆ Sobrio ristorante gestito da tre fratelli, dove protagonista indiscusso è il pesce: freschissimo e di ottima qualità!

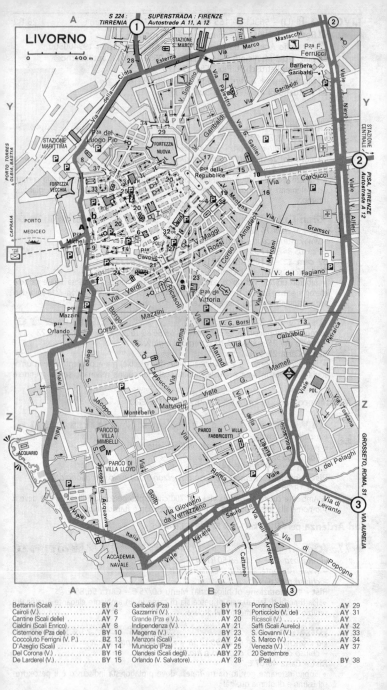

LIVORNO

S 224 : TIRRENIA
SUPERSTRADA : FIRENZE
Autostrade A 11, A 12

PORTO TORRES
OLBIA-BASTIA

CAPRAIA

PORTO MEDICEO

STAZIONE MARITTIMA

STAZIONE S. MARCO

FORTEZZA VECCHIA

FORTEZZA NUOVA

Pza del Luogo Pio

Pza della Repubblica

ACQUARIO

PARCO DI VILLA MIMBELLI

PARCO DI VILLA LLOYD

PARCO DI VILLA FABBRICOTTI

ACCADEMIA NAVALE

STAZIONE CENTRALE

PISA, FIRENZE
Autostrade A 12

GROSSETO, ROMA, S1
VIA AURELIA

LIVORNO FERRARIS – Vercelli (VC) – 561G6 – **4 408 ab.** – **alt. 189 m**　　23 **C2**
– ⊠ 13046
> ▶ Roma 673 – Torino 41 – Milano 104 – Vercelli 42

a Castell'Apertole Sud-Est : 10 km : – ⊠ 13046 – Livorno Ferraris

XX **Balin**　　AC ⇔ P VISA ⊕ AE ① ❺
– ℰ 016 14 71 21 – www.balinrist.it – balin@balinrist.it – Fax 01 61 47 75 36
– chiuso domenica sera e lunedì
Rist – Carta 26/46 €
♦ In un'antica cascina, due salette in stile rustico di tono elegante separate da un grande camino, dove si propone una cucina legata alle tradizioni piemontesi.

LIZZANO IN BELVEDERE – Bologna (BO) – 562J14 – **2 277 ab.**　　8 **B2**
– **alt. 640 m** – **Sport invernali : a Corno alle Scale : 1 358/1 945 m** ≤6, ⚡
– ⊠ 40042
> ▶ Roma 361 – Bologna 68 – Firenze 87 – Lucca 93
> 🄸 c/o Municipio ℰ 0534 51052, ia.tlizzano@cosea.org, Fax 0534 51052

a Vidiciatico Nord-Ovest : 4 km – **alt. 810 m** – ⊠ 40042

🏠 **Montegrande**　　⚡ VISA ⊕ AE ① ❺
via Marconi 27 – ℰ 053 45 32 10 – www.montegrande.it – info@montegrande.it
Fax 053 45 40 24 – chiuso dal 15 aprile al 15 maggio e dal 15 ottobre al 30 novembre
14 cam – ♦50/60 €, ⊊ 7 € – ½ P 46/50 €　**Rist** – Carta 19/30 €
♦ Ideale per una vacanza semplice e tranquilla, un albergo dall'atmosfera familiare a gestione pluriennale; spazi non ampi, ma curati e accoglienti, camere dignitose. Piacevole sala ristorante con camino; piatti del territorio, con funghi e tartufi in stagione.

a Rocca Corneta Nord-Ovest : 8 km – **alt. 631 m** – ⊠ 40047

🏠 **Corsini Antica Trattoria**　　≤ ⇖ 🕭 P VISA ⊕ ❺
Via Statale 36 – ℰ 053 45 31 04 – www.hotelcorsini.com – info@hotelcorsini.com
– Fax 053 45 31 11 – chiuso dal 7 gennaio al 7 febbraio, dal 29 marzo all'8 aprile
e dal 10 settembre al 10 ottobre
12 cam – ♦50/70 € ♦♦60/70 €, ⊊ 5 € – ½ P 45/50 €
Rist – (chiuso martedì escluso luglio e agosto) Carta 17/31 €
♦ Bella veduta sugli Appennini da questo piccolo alberghetto gestito da una solida e dinamica conduzione diretta. Ambiente alla buona, anche nelle camere. Cucina locale con un buon rapporto qualità/prezzo, sala panoramica.

LOANO – Savona (SV) – 561J6 – **11 203 ab.** – ⊠ 17025▮ Italia　　14 **B2**
> ▶ Roma 578 – Imperia 43 – Genova 79 – Milano 202
> 🄸 corso Europa 19 ℰ 019 676007, loano@inforiviera.it, Fax 019 676818

🏠🏠 **Grand Hotel Garden Lido**　　≤ ⇖ 🏊 🕭 ❺ rist, ⚡⚡ AC ⚡ rist, 🏋
lungomare Nazario Sauro 9 – ℰ 019 66 96 66　　P VISA ⊕ AE ① ❺
– www.gardenlido.com – info@gardenlido.com – Fax 019 66 85 52 – chiuso dal
20 ottobre al 20 dicembre
67 cam ⊊ – ♦90/160 € ♦♦100/350 € – 1 suite – ½ P 150/190 €
Rist – Carta 37/52 €
♦ Albergo di fronte al porto turistico, ristrutturato negli ultimi anni, gradevole giardino con piscina; ariosi spazi comuni in stile moderno, camere funzionali. Atmosfera piacevole nel ristorante che ha subito un bel restyling.

🏠 **Villa Mary**　　🕭 AC P VISA ⊕ ❺
viale Tito Minniti 6 – ℰ 019 66 83 68 – www.panozzohotels.it – hvmary@tin.it
– Fax 019 66 83 68 – chiuso dal 27 settembre al 19 dicembre
30 cam – ♦45/55 € ♦♦70/80 €, ⊊ 8 € – ½ P 73/75 €
Rist – (chiuso martedì) (solo per alloggiati) Carta 15/26 €
♦ Ambiente semplice e familiare in un albergo fuori dal centro con spazi comuni non grandi, ma accoglienti. Camere funzionali. Pesce, cucina ligure e mediterranea nella semplice sala ristorante.

X **La Vecchia Trattoria**　　AC ⇔ VISA ⊕ AE ① ❺
via Raimondi 3 – ℰ 019 66 71 62 – www.lavecchiatrattoria.eu – info@
lavecchiatrattoria.eu – chiuso dal 7 al 17 gennaio, dal 6 al 16 maggio e martedì
Rist – Carta 40/56 €
♦ In pieno centro, immersa tra i tipici carruggi, trattoria dall'attenta gestione al femminile, molto curata nei particolari. In menù numerose proposte di pesce.

LOCOROTONDO – Bari (BA) – 564E33 – **14 028 ab.** – alt. **410 m**   27 **C2**
– ⊠ 70010 Italia

▶ Roma 518 – Bari 70 – Brindisi 68 – Taranto 36
◨ Valle d'Itria★★ (strada per Martina Franca) – ≤★ sulla città dalla strada di Martina Franca

⌂ **Sotto le Cummerse** senza rist   AK 📶 VISA ◐ 💪
via Vittorio Veneto 138 – ℰ 08 04 31 32 98
– www.sottolecummerse.it – info@sottolecummerse.it
– Fax 08 04 31 32 98
12 cam ⊄ – 🛏54/132 € 🛏🛏82/230 € – 1 suite
♦ Un sistema simpatico per vivere il caratteristico centro storico della località: camere ed appartamenti seminati in vari punti, sempre piacevoli e dotati di ogni confort.

✗ **Centro Storico**   VISA ◐ AE 💪
⮞ *via Eroi di Dogali 6 – ℰ 08 04 31 54 73*
– www.ilcentrostorico.biz – info@ilcentrostorico.biz – Fax 08 04 31 54 73
– chiuso mercoledì
Rist – Carta 20/27 €
♦ In pieno centro storico, cordiale accoglienza in una trattoria alla buona che offre un ambiente piacevole, in stile rustico; proposte di casalinga cucina barese.

LODI ℙ (LO) – 561G10 – **42 362 ab.** – alt. **80 m** – ⊠ 26900   16 **B3**
▶ Roma 548 – Piacenza 38 – Bergamo 49 – Brescia 67
🛈 piazza Broletto 4 ℰ 0371 421391, turismo@provincia.lodi.it, Fax 0371421313

⌂ **Concorde Lodi Centro** senza rist   🛗 AK 📶 VISA ◐ AE ◑ 💪
piazzale Stazione 2 – ℰ 03 71 42 13 22 – www.hotel-concorde.it
– lodi@hotel-concorde.it – Fax 03 71 42 07 03 – chiuso 15 giorni in agosto
30 cam ⊄ – 🛏100/130 € 🛏🛏120/160 €
♦ Hotel centrale, situato proprio di fronte alla stazione ferroviaria, ristrutturato di recente in base ai dettami di un sobrio buongusto. Conduzione affidabile ed esperta.

⌂ **Anelli** senza rist   AK VISA ◐ AE ◑ 💪
viale Vignati 7 – ℰ 03 71 42 13 54 – www.albergoanelli.com – albergo.anelli@fastwebnet.it – Fax 03 71 42 21 56 – chiuso Natale e dal 7 al 23 agosto
29 cam ⊄ – 🛏81/85 € 🛏🛏110/115 €
♦ In prossimità del centro, un albergo a conduzione diretta pluridecennale, rimodernato negli ultimi anni; grande sala colazioni e graziose camere funzionali, con parquet.

✗✗ **Isola Caprera**   AK ⇔ ℙ VISA ◐ AE ◑ 💪
via Isola Caprera 14 – ℰ 03 71 42 13 16 – www.isolacaprera.com
– info@isolacaprera.com – Fax 03 71 42 13 16
– chiuso dal 1° al 15 gennaio, dal 16 al 31 agosto, martedì sera e mercoledì
Rist – Carta 35/47 €
♦ Sobria ed elegante classicità in un locale di lunga tradizione sulle rive dell'Adda. Salone per banchetti e diverse salette. Gestione del servizio esperta e competente.

✗✗ **La Quinta**   AK 📶 ⇔ VISA ◐ AE ◑ 💪
viale Pavia 76 – ℰ 037 13 50 41 – laquintasnc@tiscali.it – Fax 037 13 50 41
– chiuso dal 2 al 9 gennaio, 3 settimane in agosto, domenica sera e lunedì
Rist – Menu 24 € (solo a mezzogiorno)/55 € – Carta 53/73 € ♨
♦ Accogliente atmosfera ovattata e consolidata gestione trentennale in un ristorante classico ed elegante. Cucina lodigiana.

LODRONE – Trento – 562E13 – **Vedere Storo**

LOIANO – Bologna (BO) – 562J15 – **4 369 ab.** – alt. **714 m** – ⊠ 40050   9 **C2**
▶ Roma 359 – Bologna 36 – Firenze 85 – Milano 242
🖼 Molino del Pero, ℰ 051 67 70 50

Palazzo Loup ⬧ ⬧ ⬧ ⬧ ⬧ ⬧ ⬧ ⬧ ⬧ ⬧ ⬧ ⬧ ⬧ ⬧ ⬧ ⬧
via Santa Margherita 21, località Scanello, Est : 3 km – ℰ 05 16 54 40 40
– www.palazzo-loup.it – info@palazzo-loup.it – Fax 05 16 54 40 40 – chiuso dal
23 dicembre al 31 gennaio
49 cam ⬧ – †150 € ††225 € – ½ P 125 €
Rist – *(chiuso lunedì escluso da giugno a settembre)* (consigliata la prenotazione) Carta 36/46 €
♦ Incredibile fusione di passato e presente, in una dimora di origine medioevale, con splendido parco ombreggiato e vista sulle colline tosco-emiliane, per un soggiorno unico. Atmosfera raffinata nella sala da pranzo con camino; grande salone per cerimonie.

LONATO – Brescia (BS) – 561F13 – **13 099 ab.** – alt. 188 m – ✉ 25017   17 **D1**
▶ Roma 530 – Brescia 23 – Mantova 50 – Milano 120

a **Barcuzzi** Nord : 3 km – ✉ 25080 – Lonato

Da Oscar ⬧ ⬧ ⬧ ⬧ ⬧ ⬧ ⬧ ⬧ ⬧ ⬧
via Barcuzzi 16 – ℰ 03 09 13 04 09 – www.daoscar.it – info@daoscar.it
– Fax 03 09 13 04 09 – chiuso dal 27 dicembre al 27 gennaio, lunedì, martedì a mezzogiorno
Rist – Carta 39/60 €
♦ Sulle colline che guardano il Lago di Garda, bel locale spazioso di tono raffinato con incantevole servizio estivo sulla terrazza, da cui si gode uno splendido panorama. Cucina sia di carne sia di pesce con qualche simpatico spunto creativo.

LONGARE – Vicenza (VI) – 562F16 – **5 510 ab.** – alt. 29 m – ✉ 36023   37 **B2**
▶ Roma 528 – Padova 28 – Milano 213 – Verona 60

Agriturismo Le Vescovane ⬧ ⬧ ⬧ ⬧ ⬧ ⬧ ⬧ cam, ⬧ ⬧
via San Rocco 19, Ovest : 4 km – ℰ 04 44 27 35 70   ⬧ ⬧ ⬧ ⬧ ⬧ ⬧
– www.levescovane.com – info@levescovane.com – Fax 04 44 27 32 65
9 cam ⬧ – †60/80 € ††66/110 € – ½ P 53/87 €
Rist – *(chiuso lunedì e martedì da maggio a settembre, anche mercoledì negli altri mesi) (chiuso a mezzogiorno escluso sabato, domenica e festivi)*
Carta 21/37 €
♦ Pochi chilometri fuori Vicenza per trovare, meglio se facendosi consigliare la strada dai proprietari, una torre di caccia cinquecentesca nel silenzio dei monti Berici. Belle camere spaziose e ben accessoriate. Sala ristorante con camino e servizio estivo in giardino.

a **Costozza** Sud-Ovest : 1 km – ✉ 36023 – Longare

Aeolia ⬧ ⬧ ⬧ ⬧ ⬧ ⬧ ⬧ ⬧ ⬧
piazza Da Schio 1 – ℰ 04 44 55 50 36 – www.aeolia.com – aeolia@aeolia.com
– Fax 04 44 18 03 31 – chiuso dal 1° al 14 novembre e martedì
Rist – Carta 17/45 €
♦ Un'esperienza artistica ancor prima che gastronomica: la foresteria di una villa del XVI secolo ospita un locale rustico ma affascinante, ove le vecchie vestigia sono mantenute e valorizzate. L'organizzazione è familiare e la cucina ne ricalca le orme con gustose specialità casalinghe.

LONGIANO – Forlì-Cesena (FO) – 562J18 – **5 863 ab.** – alt. 179 m   9 **D2**
– ✉ 47020
▶ Roma 350 – Rimini 28 – Forlì 32 – Ravenna 46

Dei Cantoni ⬧ ⬧ ⬧ ⬧ ⬧ ⬧
via Santa Maria 19 – ℰ 05 47 66 58 99 – www.ristorantedeicantoni.it
– ristorantedeicantoni@libero.it – Fax 05 47 66 60 40 – chiuso dal 15 febbraio al 15 marzo e mercoledì
Rist – Carta 23/30 €
♦ All'ombra del castello malatestiano, due sale con mattoni a vista che ricordano il bel ciottolato del centro ed una simpatica gestione dal servizio veloce ma cortese. Piacevole il servizio estivo in veranda.

LONIGO – Vicenza (VI) – 562F16 – **14 645 ab.** – **alt. 31 m** – ⊠ 36045   35 **B3**
> ▶ Roma 533 – Verona 33 – Ferrara 95 – Milano 186

XXX   **La Peca** (Nicola Portinari)   ᕼ 🄰🄲 ％ ⇔ 🄿 🆅🅸🆂🄰 ⚫ 🄰🄴 ① ⑤
ಜಜ   *via Alberto Giovanelli 2 –* ℰ *04 44 83 02 14 – www.lapeca.it – info@lapeca.it*
    *– Fax 04 44 43 87 63 – chiuso una settimana in febbraio, due settimane in
    giugno, una settimana in agosto, domenica sera e lunedì; in giugno-agosto
    anche domenica a mezzogiorno*
    Rist – Menu 90/98 € – Carta 75/100 € ⅋
    Spec. Moscardini con crema gelata di ceci, pomodori appassiti e succo di
    galanga (pianta erbacea). Garganelli di farina di carruba con aringhe in latte,
    fave e mosciame di tonno. Maialino da latte con la cotenna biscottata, verze
    brasate e piedino al pepe di Sarawak (inverno).
    ♦ Verso la chiesa francescana di San Daniele, un bell'edificio dalle forme asciutte e
    moderne anticipa la luminosa essenzialità degli interni. Fantasiosa ricerca di prodotti.

LOREGGIA – Padova (PD) – 562F17 – **6 123 ab.** – **alt. 26 m** – ⊠ 35010   36 **C2**
> ▶ Roma 504 – Padova 26 – Venezia 30 – Treviso 36

X   **Locanda Aurilia** con cam   🏠 ᕼ rist, 🄰🄲 ％ cam, 📶 🄿 🚗
    via Aurelia 27 – ℰ *04 95 79 03 95*   🆅🅸🆂🄰 ⚫ 🄰🄴 ⑤
    – www.locandaaurilia.com – info@locandaaurilia.com – Fax 04 95 79 03 95
    16 cam ⌖ – ♦40/45 € ♦♦70/80 € – ½ P 65/70 €
    Rist – *(chiuso dal 1° al 6 gennaio, dal 4 al 21 agosto)* Carta 28/37 € ⅋
    ♦ La passione per la cucina e un forte legame per le tradizioni del territorio hanno scan-
    dito gli olte cinquant'anni di attività della locanda. Vino, formaggi e genuinità. Sempre a
    gestione familiare, alcune camere semplici e confortevoli.

LORETO – Ancona (AN) – 563L22 – **11 520 ab.** – **alt. 125 m** – ⊠ 60025   21 **D2**
▌ Italia
> ▶ Roma 294 – Ancona 31 – Macerata 31 – Pesaro 90
> 🄸 via Solari 3 ℰ 071 970276, iat.loreto@regione.marche.it, Fax 071 970020
> 👁 Santuario della Santa Casa★★ – Piazza della Madonna★ – Opere del
>   Lotto★ nella pinacoteca **M**

🏠   **Pellegrino e Pace**   🏠 ᕼ 🄰🄲 ％ rist, 📶 🆅🅸🆂🄰 ⚫ ⑤
ಜಜ   *piazza della Madonna 51 –* ℰ *071 97 71 06 – www.pellegrinoepace.it – info@
    pellegrinoepace.it – Fax 071 97 82 52 – chiuso dal 6 gennaio al 15 marzo*
    28 cam ⌖ – ♦63/75 € ♦♦70/84 € – ½ P 50/64 €
    Rist – *(chiuso dal 1° gennaio al 1° aprile)* Carta 18/27 €
    ♦ Situato in posizione centrale nella piazza su cui sorge il Santuario, il piccolo albergo
    dispone di spazi accoglienti e camere ampie e sobrie. Il ristorante propone piatti sem-
    plici che rispettano la cultura gastronomica nazionale.

XX   **Andreina**   🎝 🄰🄲 🄿 🆅🅸🆂🄰 ⚫ 🄰🄴 ① ⑤
    via Buffolareccia 14 – ℰ *071 97 01 24 – www.ristoranteandreina.it – info@
    ristoranteandreina.it – Fax 07 17 50 10 51 – chiuso 3 settimane in giugno-luglio e
    martedì*
    Rist – Carta 40/53 € ⅋
    ♦ Un ambiente rustico che ospita tre sale ben arredate con tocchi di moderna eleganza,
    dove è possibile gustare una cucina locale rivisitata ma anche pietanze alla brace.

XX   **Vecchia Fattoria** con cam   🚗 🎝 🄰🄲 🄿 🆅🅸🆂🄰 ⚫ 🄰🄴 ① ⑤
    via Manzoni 19 – ℰ *071 97 89 76 – lavecchiafattoriasrl@virgilio.it*
    – Fax 071 97 89 62 – chiuso dal 10 gennaio al 4 febbraio
    13 cam – ♦52 € ♦♦65 €, ⌖ 4 €   **Rist** – *(chiuso lunedì)* Carta 25/46 €
    ♦ Il nome non lascia dubbi sull'originaria vocazione del complesso, oggi un locale di
    tono classico dedicato alla ristorazione, che presenta piatti tradizionali che spaziano dal
    mare alla terra. La piccola risorsa ai piedi del colle Lauretano dispone anche di camere
    arredate con semplicità.

LORETO APRUTINO – Pescara (PE) – 563O23 – **7 669 ab.** – **alt. 294 m**   1 **B1**
– ⊠ 65014
> ▶ Roma 226 – Pescara 24 – Teramo 77

Castello Chiola ⚜ ← ⛴ 🛗 & cam, 🅰🅺 ↫ ℀ rist, 🛁 🅿
via degli Aquino 12 – ℰ *08 58 29 06 90* 🆅🅸🆂🅰 ⓿⓿ 🅰🅴 ⓿ ⏚
– www.castellochiolahotel.com – info@castellochiolahotel.com
– Fax 08 58 29 06 77
32 cam ☲ – **†**84/135 € **††**104/190 € – 4 suites – ½ P 82/130 €
Rist *– (chiuso a mezzogiorno)* (prenotazione obbligatoria) Carta 31/42 €
♦ Si respira una romantica atmosfera nelle sale ricche di fascino di un'incantevole, antica residenza medioevale, nella parte panoramica della cittadina; camere raffinate. Elegante ristorante dove apprezzare la tradizionale cucina italiana.

XX **Carmine** & 🅰🅺 ℀ ⇆ 🆅🅸🆂🅰 ⓿⓿ 🅰🅴 ⓿ ⏚
contrada Remartello 52, Est : 4,5 km – ℰ *08 58 20 85 53 – kristianferretti@libero.it – Fax 08 58 20 85 53*
Rist *– (chiuso a mezzogiorno escluso domenica)* Carta 23/45 € ⊗
♦ Gestione familiare di grande esperienza per un grazioso locale con veranda, recentemente ristrutturato. Piatti di mare a base di ricette tradizionali abruzzesi, accompagnati da una buona scelta enologica.

LORNANO – Siena – Vedere Monteriggioni

LORO CIUFFENNA – Arezzo (AR) – 563L16 – 5 371 ab. – alt. 330 m   29 **C2**
– ✉ **52024**
▶ Roma 238 – Firenze 54 – Siena 63 – Arezzo 31

XX **Il Cipresso-da Cioni** con cam 🅰🅺 rist, 🅿 🆅🅸🆂🅰 ⓿⓿ 🅰🅴 ⓿ ⏚
via De Gasperi 28 – ℰ *05 59 17 20 67 – www.ilcipresso.it – gabriele@ilcipresso.it*
– Fax 05 59 17 11 27 – chiuso dal 13 al 28 febbraio
23 cam ☲ – **†**45/50 € **††**70 € – ½ P 60 €
Rist *– (chiuso mercoledì sera e sabato a mezzogiorno)* Carta 30/38 €
♦ Ristorante a gestione familiare generazionale, con camere semplici in stile rustico e due sale rinnovate dove si servono piatti del territorio abbinati a vini di pregio.

LORO PICENO – Macerata (MC) – 563M22 – 2 519 ab. – alt. 436 m   21 **C2**
– ✉ **62020**
▶ Roma 248 – Ascoli Piceno 74 – Ancona 73 – Macerata 22

XX **Girarrosto** ℀ 🆅🅸🆂🅰 ⓿⓿ ⏚
via Ridolfi 4 – ℰ *07 33 50 91 19 – chiuso dal 15 al 31 luglio e mercoledì*
Rist – Carta 25/33 €
♦ Nel centro storico di questo paese inerpicato su una collina, specialità alla brace servite in una caratteristica sala con soffitto a volte di mattoni vivi.

LOTZORAI – Ogliastra (OG) – 566H10 – Vedere Sardegna alla fine dell'elenco alfabetico

---

LOVENO – Como – Vedere Menaggio

LOVERE – Bergamo (BG) – 561E12 – 5 559 ab. – alt. 200 m – ✉ 24065   19 **D1**
▌Italia
▶ Roma 611 – Brescia 49 – Bergamo 41 – Edolo 57
🛈 piazza 13 Martiri ℰ 035 962178, turismo.lovere@apt.bergamo.it, Fax 035 962525
◉ Lago d'Iseo★
🅖 Pisogne★ : affreschi★ nella chiesa di Santa Maria della Neve Nord-Est : 7 km

🏨 **Continental** ← 🕸 🛴 🛗 & cam, 🅰🅺 ↫ ℀ rist, 🍴 🛁 🚐
viale Dante 3 – ℰ *035 98 35 85* 🆅🅸🆂🅰 ⓿⓿ 🅰🅴 ⓿ ⏚
– www.continentallovere.it – info@continentallovere.it – Fax 035 98 36 75
42 cam ☲ – **†**60/70 € **††**70/90 € – ½ P 55/65 €
Rist *– (chiuso a mezzogiorno)* Carta 27/52 €
♦ Piccolo ma piacevole l'attrezzato centro benessere attivato negli ultimi anni. Situato in un piccolo centro commerciale, l'hotel guarda soprattutto ad una clientela d'affari.

Moderno
🏠 📶 📺 AK 🛰 🚿 VISA ⓬ AE ⓘ 🌀

piazza 13 Martiri 21 – 📞 *035 96 06 07 – www.albergomoderno.eu – info@
albergomoderno.eu – Fax 035 96 14 51*
24 cam – ♦65/75 € ♦♦80/85 €, ⌚ 9 € – ½ P 65/70 €
Rist – *(chiuso lunedì escluso dal 15 maggio al 15 settembre)* Carta 26/54 €
(+10 %)
◆ Davanti al lungolago, hotel storico recentemente ristrutturato, dalla piacevole facciata
rosa che guarda la piazza centrale del paese; camere molto spaziose e funzionali. Al
piano terra, un'accogliente sala da pranzo sobriamente arredata.

Mas
⚒ ♿ 🍴 🚿 VISA ⓬ ⓘ 🌀
⚓

via Gregorini 21 – 📞 *035 98 37 05 – masristoro@tiscali.it – Fax 035 98 37 05
– chiuso dal 1° al 7 febbraio, dal 15 al 30 giugno e martedì*
Rist – Carta 18/46 € 🏵
◆ Una giovane e simpatica conduzione crea la giusta atmosfera di questo locale: piacevole e informale, con una cucina che propone piatti più leggeri a mezzogiorno e paste
fresche la sera.

LUCCA P (LU) – 563K13 – 81 995 ab. – alt. 19 m – ✉ 55100 Toscana 28 B1

▶ Roma 348 – Pisa 22 – Bologna 157 – Firenze 74
🛈 piazza Santa Maria 35 📞 0583 919931, info@luccaturismo.it
◉ Duomo★★ C – Chiesa di San Michele in Foro★★ : facciata★★ B
– Battistero e chiesa dei Santi Giovanni e Raparata★ B B – Chiesa di San
Frediano★ B – Città vecchia★ BC – Passeggiata delle mura★
🖸 Giardini★★ della villa reale di Marlia e parco★★ di villa Grabau per① :
8 km – Parco★ di villa Mansi e villa Torrigiani★ per ② : 12 km

Piante pagine 608-609

Noblesse
🏠 📶 ♿ AK 🚿 🛰 🍴 VISA ⓬ AE ⓘ 🌀

via Sant'Anastasio 23 – 📞 *05 83 44 02 75 – www.hotelnoblesse.it – info@
hotelnoblesse.it – Fax 05 83 49 05 06* **Ce**
15 cam ⌚ – ♦180/335 € ♦♦250/375 € – 3 suites – ½ P 170/248 €
Rist – Carta 47/81 €
◆ Eleganti camere con tappeti persiani, preziosi arredi d'epoca, un grande impiego di
tessuti e decorazioni dorate fanno di questo palazzo settecentesco un fastoso albergo.
Carne, pesce e piatti di ogni ispirazione nella calda sala da pranzo o nell'accogliente
veranda estiva.

Ilaria e Residenza dell'Alba
senza rist
📶 ♿ AK 🍴 🛰 🚿 P 🚗

via del Fosso 26 – 📞 *058 34 76 15*
– www.hotelilaria.com – info@hotelilaria.com – Fax 05 83 99 19 61 **Cz**
VISA ⓬ AE ⓘ 🌀
36 cam ⌚ – ♦150/170 € ♦♦200/250 € – 5 suites
◆ Signorilità, professionalità, gentilezza del servizio ed ampie camere avvolte da morbidi
colori, ricavate in un'attigua chiesa sconsacrata della quale si conserva un antico portico.
Garage, biciclette, ADSL wireless, coffee-shop e vasca idromassaggio sul solarium sono
offerti gratuitamente.

Grand Hotel Guinigi
🏠 🎦 📶 ♿ ⚕ AK 🍴 🚿 rist, 🛰 🚿 P

via Romana 1247, per ③ – 📞 *05 83 49 91* VISA ⓬ AE ⓘ 🌀
– www.grandhotelguinigi.it – info@grandhotelguinigi.it – Fax 05 83 49 98 00
155 cam ⌚ – ♦90/130 € ♦♦120/210 € – 11 suites – ½ P 90/150 €
Rist – Carta 27/51 €
◆ Moderna struttura, sita fuori dal centro, dotata di ampi ambienti luminosi provvisti di
ogni confort; ideale per una clientela di lavoro, ma adatto anche al turista di passaggio.
Colori ambrati e arredi essenziali nella sala da pranzo con colonne e soffitto ad archi.

Eurostars
🚿 rist, 🛰 VISA ⓬ AE ⓘ 🌀

viale Europa 1135, per ⑤ – 📞 *058 33 17 81 – www.eurostarshotels.com
– info@eurostarstoscana,com – Fax 05 83 31 78 94*
68 cam ⌚ – ♦♦90/329 € – ½ P 70/160 €
Rist – *(solo per alloggiati)* Carta 26/66 €
◆ Moderno albergo di impronta minimalista, situato a poca distanza dal casello autostradale, offre camere sobrie e funzionali, ideali per una clientela commerciale. Confort
e tinte sobrie anche al ristorante.

San Luca Palace senza rist   🖿 🕭 🗚 🛇 🖐 🎧 🅿 🚾 🐽 🕮 🕦 🖕

via San Paolino 103 – 𝒞 05 83 31 74 46 – www.sanlucapalace.com – info@
sanlucapalace.com – Fax 05 83 58 30 85   A**d**
23 cam 🖙 – 🛉80/190 € 🛉🛉170/290 € – 3 suites

♦ In un palazzo del '500 all'interno delle storiche mura e a due passi dal centro, ambienti
eleganti e camere di ottimo livello. Comodo servizio cortesia per il posteggio auto.

Celide senza rist   🖿 🗚 ↔ 🛇 🖐 🎧 🅿 🚾 🐽 🕮

viale Giuseppe Giusti 25 – 𝒞 05 83 95 41 06 – www.albergocelide.it – info@
albergocelide.it – Fax 05 83 95 43 04   D**a**
58 cam 🖙 – 🛉105/130 € 🛉🛉140/190 €

♦ Di fronte alle antiche mura, l'hotel propone camere dagli arredi moderni e funzionali,
particolarmente confortevoli quelle al secondo piano, ricche di colore e in design.

Villa Agnese senza rist   🚄 🗚 🎧 🅿 🚾 🐽 🕮 🖕

viale Agostino Marti 177 – 𝒞 05 83 46 71 09 – www.villagnese.it – info@
villagnese.it – Fax 05 83 46 40 48 – marzo-10 novembre   C**b**
8 cam 🖙 – 🛉100/150 € 🛉🛉120/230 €

♦ Piccola villa liberty situata lungo le mura cittadine, a pochi minuti di distanza dal centro; ai suoi pochi ospiti offre camere tutte diverse tra loro, riposanti e colorate.

San Marco senza rist   🔀 🖿 🕭 🗚 🎧 🚐 🚾 🐽 🕮 🕦 🖕

via San Marco 368, per ① – 𝒞 05 83 49 50 10 – www.hotelsanmarcolucca.it
– info@hotelsanmarcolucca.com – Fax 05 83 49 05 13
42 cam 🖙 – 🛉78/108 € 🛉🛉90/143 €

♦ Moderno e originale edificio in mattoni che esternamente ricorda una chiesa; all'interno ariosi ambienti in stile contemporaneo, una spaziosa hall con divani colorati e piccole camere funzionali.

San Martino senza rist   🕭 🗚 🎧 🚾 🐽 🕮 🕦 🖕

via Della Dogana 9 – 𝒞 05 83 46 91 81 – www.albergosanmartino.it – info@
albergosanmartino.it – Fax 05 83 99 19 40   B**m**
9 cam 🖙 – 🛉50/90 € 🛉🛉80/130 €

♦ In posizione tranquilla nelle vicinanze del Duomo, propone camere di modeste
dimensioni ma particolarmente curate nei dettagli. La prima colazione può essere con-
sumata in veranda.

La Luna senza rist   🗚 🛇 🚐 🚾 🐽 🕮 🖕

via Fillungo-corte Compagni 12 – 𝒞 05 83 49 36 34 – www.hotellaluna.com
– info@hotellaluna.com – Fax 05 83 49 00 21
– chiuso dal 7 gennaio al 7 febbraio   B**u**
27 cam – 🛉85/100 € 🛉🛉100/115 €, 🖙 15 € – 2 suites

♦ A pochi passi dalla celebre piazza dell'Anfiteatro, dispone di ambienti accoglienti e
ben tenuti, seppur non molto ampi, e camere funzionali. Nelle adiacenze, una dependance.

Rex senza rist   🖿 🕭 🕂 🗚 🎧 🚐 🚾 🐽 🕮 🕦 🖕

piazza Ricasoli 19 – 𝒞 05 83 95 54 43 – www.hotelrexlucca.com – info@
hotelrexlucca.com – Fax 05 83 95 43 48 – chiuso Natale   C**c**
25 cam – 🛉80 € 🛉🛉120 €, 🖙 10 €

♦ Valida gestione diretta per questo albergo strategicamente ubicato nei pressi della
stazione ferroviaria e del centro storico; all'interno, ambienti arredati con gusto
moderno.

Piccolo Hotel Puccini senza rist   🎧 🚾 🐽 🕮 🖕

via di Poggio 9 – 𝒞 058 35 54 21 – www.hotelpuccini.com – info@
hotelpuccini.com – Fax 058 35 34 87   B**c**
14 cam – 🛉70 € 🛉🛉95 €, 🖙 4 €

♦ Cortese ospitalità in questo albergo ospitato all'interno di un antico palazzo sito nel
cuore della città; all'interno ambienti non molto spaziosi e camere semplici e colorate.

Stipino senza rist   🗚 🎧 🅿 🚾 🐽 🕮 🖕

via Romana 95, per ③ – 𝒞 05 83 49 50 77 – www.hotelstipino.com – info@
hotelstipino.com – Fax 05 83 49 03 09
20 cam – 🛉45/50 € 🛉🛉65/72 €, 🖙 5 €

♦ Struttura semplice, familiare e certamente accogliente. Poco distante dalle antiche
mura, offre spazi comuni in stile e camere personalizzate, con pareti dalle calde tonalità.

Circolazione regolamentata nel centro città

LUCCA

🏠 **A Palazzo Busdraghi** senza rist   AC (°) VISA 🐵 AE ① 💲
*via Fillungo 170 – ℰ 05 83 92 40 03 – www.apalazzobusdraghi.it
– info@apalazzobusdraghi.it – Fax 05 83 40 96 71*   **Cd**
7 cam ☐ – ♦139/239 € ♦♦169/279 €
♦ Al primo piano dell'omonimo palazzo affacciato sul corso principale del centro, offre ambienti luminosi nei quali si incontrano il fascino dell'antiquariato e accessori d'avaguardia.

🏠 **Alla Corte degli Angeli** senza rist   🛎 ♿ AC (°) VISA 🐵 AE ① 💲
*via degli Angeli 23 – ℰ 05 83 46 92 04 – www.allacortedegliangeli.com
– info@allacortedegliangeli.com – Fax 05 83 99 19 89*   **Bb**
11 cam – ♦90/120 € ♦♦120/160 €, ☐ 10 € – 1 suite
♦ Mura dipinte e travi a vista, dalle camere che omaggiano ciascuna un fiore alla sala colazioni: è la personalizzazione il segreto di questa bomboniera sita nel cuore della città.

🏠 **La Romea** senza rist   AC ♿ (°) VISA 🐵 AE ① 💲
*vicolo delle Ventaglie 2 – ℰ 05 83 46 41 75 – www.laromea.com – info@
laromea.com – Fax 05 83 47 12 80*   **Bf**
5 cam ☐ – ♦♦120/130 €
♦ Al primo piano di un palazzo medievale, belle camere arredate con mobili d'antiquariato, alcune con affreschi cinquecenteschi. Molto gradevoli la zona soggiorno e la sala colazioni.

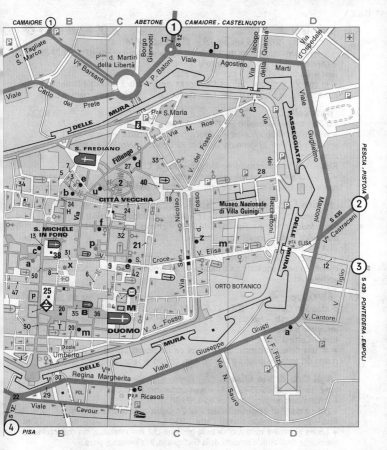

⌂ **Villa Romantica** senza rist   🚲 ⛵ 🏠 AC ⚡ ⁽ᵖ⁾ P VISA ⓜⓞ AE ① ⑤
via Barbantini 246, località Stadio, 0,5 km per via Castracani – ✆ 05 83 49 68 72
– www.villaromantica.it – info@villaromantica.it – Fax 05 83 95 76 00 – chiuso
una settimana in febbraio e una settimana in dicembre   D
6 cam ⊑ – †75/108 € ††108/142 €
♦ Un angolo d'Inghilterra cinto da un giardino per piacevoli passeggiate. Se il nome è già
un'eloquente presentazione, all'interno troverete colori ed un'attenta cura per i dettagli.

⌂ **Alla Dimora Lucense** senza rist   AC ⚡ VISA ⓜⓞ AE ① ⑤
via Fontana 17/21 – ✆ 05 83 49 57 22 – www.dimoralucense.it
– dimoralucense@libero.it – Fax 05 83 44 12 10   B**e**
8 cam – †90/100 € ††115/125 €, ⊑ 11 €
♦ Nel cuore della città, una risorsa che riserva un'accoglienza particolare, affettuosa.
Camere piacevoli e godibile patio, per momenti di fresco relax.

XXX **Buca di Sant'Antonio**   AC ⇄ VISA ⓜⓞ AE ① ⑤
via della Cervia 1/5 – ✆ 058 35 58 81 – www.bucadisantantonio.com
– info@bucadisantantonio.com – Fax 05 83 31 21 99
– chiuso dal 11 al 19 gennaio, dal 5 al 12 luglio, domenica sera e lunedì
Rist – Carta 33/44 € 🍴   B**a**
♦ Da oltre mezzo secolo riassume e promuove i sapori e i prodotti della tradizione. Originale la sala, sormontata da travi a vista da cui pendono pentole, prosciutti e strumenti
musicali.

✗✗ Damiani   𝔸𝕂 🅿 VISA ⬤⬤ AE ① 🍴

viale Europa 797/a, 0,5 km per ⑤ – ℰ 05 83 58 34 16
– www.ristorantedamiani.it – info@ristorantedamiani.it – Fax 05 83 31 27 05
– chiuso quindici giorni in agosto e domenica
Rist – Carta 37/81 €
◆ In comoda posizione nei pressi dell'uscita autostradale è un locale luminoso, molto apprezzato dalla clientela d'affari. Dalla cucina, carne ma soprattutto piatti di pesce.

✗✗ Botticelli   🏠 𝔸𝕂 ❦ 🅿 VISA ⬤⬤ 🍴

via Sarzanese 55, località Sant'Anna, 1,5 km per ⑥ – ℰ 05 83 51 55 71
– www.ristorantebotticelli.it – info@ristorantebotticelli.it – Fax 05 83 51 55 71
– chiuso dal 7 al 23 gennaio, dal 2 al 22 agosto, mercoledì e giovedì a mezzogiorno
Rist – *(chiuso a mezzogiorno in luglio-agosto)* Carta 32/52 € 🏵
◆ Una cortese gestione familiare per questo ristorante dagli interni sobriamente eleganti, dove assaporare elaborate proposte culinarie, particolarmente a base di pescato.

✗✗ Antica Locanda dell'Angelo   🏠 𝔸𝕂 VISA ⬤⬤ AE ① 🍴

via Pescheria 21 – ℰ 05 83 46 77 11 – www.locandadellangelo.it – antica@
locandadellangelo.it – Fax 05 83 49 54 45 – chiuso 1 settimana in gennaio,
domenica sera e lunedì   **Bx**
Rist – Carta 42/52 € 🏵
◆ Sorto probabilmente come locanda, oggi è certamente un locale elegante. Dalle cucine, un buon equilibrio tra tradizione locale e piatti nazionali. Un occhio di riguardo anche al vino.

✗✗ All'Olivo   🏠 𝔸𝕂 ⟷ VISA ⬤⬤ AE ① 🍴

piazza San Quirico 1 – ℰ 05 83 49 62 64 – www.ristoranteolivo.it – info@
ristoranteolivo.it – Fax 05 83 49 31 29 – chiuso febbraio e mercoledì (escluso
da aprile a ottobre)   **Bp**
Rist – Carta 35/55 €
◆ In una delle caratteristiche piazze del centro storico, un ristorantino che propone cucina del territorio di terra e di mare e un servizio in veranda davvero piacevole.

✗ Agli Orti di Via Elisa   𝔸𝕂 VISA ⬤⬤ AE ① 🍴
🐾

via Elisa 17 – ℰ 05 83 49 12 41 – www.ristorantegliorti.it
– info@ristorantegliorti.it – Fax 05 83 95 80 37
– chiuso dal 7 al 21 gennaio, dal 7 al 21 luglio, mercoledì e domenica
Rist – *(chiuso a mezzogiorno)* Carta 24/30 €   **CDm**
◆ Locale giovane e moderno sia nella gestione che nell'atmosfera, ma costantemente alla ricerca degli antichi prodotti della Garfagnana. In alternativa, pizze.

sulla strada statale 12 r   A

🏨 Locanda l'Elisa 🌿   🚗 🏊 🛗 𝔸𝕂 ❦ 🛜 🅿 VISA ⬤⬤ AE ① 🍴

via Nuova per Pisa, Sud : 4,5 km ✉ 55050 Massa Pisana – ℰ 05 83 37 97 37
– www.locandalelisa.it – info@locandalelisa.it – Fax 05 83 37 90 19 – chiuso
gennaio
10 cam – ♦150/180 € ♦♦210/340 €, ⊇ 15 €
Rist Gazebo – vedere selezione ristoranti
◆ Immersa in un rigoglioso giardino che nasconde una piscina, villa ottocentesca dalla caratteristica facciata lilla: un albergo per chi desidera un soggiorno avvolto nella tranquillità.

🏨 Villa la Principessa 🌿   🚗 🏠 🏊 🛗 𝔸𝕂 ❦ rist, 🛜 𝔸 🅿   VISA ⬤⬤ AE ① 🍴

via Nuova per Pisa 1616, Sud : 4,5 km
✉ 55050 Massa Pisana – ℰ 05 83 37 00 37 – www.hotelprincipessa.com – info@
hotelprincipessa.com – Fax 05 83 37 91 36 – aprile-ottobre
41 cam ⊇ – ♦140/204 € ♦♦214/293 € – 2 suites – ½ P 157/187 €
Rist – *(chiuso martedì) (chiuso a mezzogiorno)* Carta 36/62 €
◆ Soggiorno principesco nel raffinato lusso di un'antica dimora del 1300, abbracciata da un magnifico parco con piscina. Camere spaziose e luminose, profusione di arredi d'epoca. Cucina classica e piatti toscani sotto le volte ad arco della suggestiva sala ristorante.

Villa Marta 🏨 ⟨ 🍴 ⌂ 🍷 ♨ 🅰️ ↯ 🍽️ 🅿️ 🆅🅸🆂🅰️ ⓶ 🅰🅴 ⓪ ⛄

via del Ponte Guasperini 873, località San Lorenzo a Vaccoli, Sud : 5,5 km
– ✆ 05 83 37 01 01 – www.albergovillamarta.it – info@albergovillamarta.it
– Fax 05 83 37 99 99 – chiuso da gennaio all'8 febbraio
15 cam – ♦180 € ♦♦200 €, ☑ 15 €
Rist *– (chiuso a mezzogiorno) (solo per alloggiati)* Carta 23/54 € (+10 %)
♦ L'ottocentesca dimora di caccia, immersa nella placida campagna lucchese, ospita un albergo a gestione familiare: camere dal sapore antico, con pavimenti originali, alcune affrescate.

Villa San Michele 🏨 ⟨ 🍴 🍷 🍽️ 📶 🅰️ 🅿️ 🆅🅸🆂🅰️ ⓶ 🅰🅴 ⓪ ⛄

via della Chiesa XXVI 462, (località San Michele in Escheto), Sud : 4 km
✉ 55050 Massa Pisana – ✆ 05 83 37 02 76 – www.hotelvillasanmichele.it
– info@hotelvillasanmichele.it – Fax 05 83 37 02 77
20 cam ☑ – ♦100/180 € ♦♦140/250 € **Rist** *– (chiuso lunedì)* Carta 33/89 €
♦ Dimora trecentesca, restaurata nel XVII secolo, un'oasi di tranquillità immersa in un parco di piante secolari; all'interno un connubio di colori caldi e arredi in stile. Al ristorante, zuppe, carni e oli lucchesi accanto a sapori toscani rivisitati.

🍴🍴🍴 Gazebo *– Hotel Locanda l'Elisa* 🅰️ 🍽️ 🅿️ 🆅🅸🆂🅰️ ⓶ 🅰🅴 ⓪ ⛄

via Nuova per Pisa, Sud : 4,5 km ✉ 55050 Massa Pisana – ✆ 05 83 37 97 37
– www.locandalelisa.it – info@locandalelisa.it – Fax 05 83 37 90 19 – chiuso dal 1°gennaio al 15 febbraio e domenica
Rist – Carta 40/69 €
♦ Cucina creativa che spazia dalla carne al pesce in questo elegante locale: si desina all'interno di una conservatory vittoriana, un originale gazebo circondato dal verde.

🍴 La Cecca 🏡 🍽️ 🅿️ 🆅🅸🆂🅰️ ⓶ 🅰🅴 ⓪ ⛄
😊

località Coselli, Sud : 5 km ✉ 55060 Capannori – ✆ 058 39 42 84
– www.lacecca.it – info@lacecca.it – Fax 05 83 94 88 19
– chiuso dal 1° al 10 gennaio, una settimana in agosto, mercoledì sera e lunedì
Rist – Carta 24/32 €
♦ Semplice trattoria di campagna nel moderno quartiere cittadino. La ricetta del successo è altrettanto semplice: saporiti e genuini piatti della tradizione lucchese a prezzi concorrenziali.

ad Arsina per ① : *5 km* – ✉ 55100 – **Lucca**

🏠 Villa Alessandra *senza rist* 🏨 ⟨ 🚗 🍷 🅰️ 🍽️ 🅿️ 🆅🅸🆂🅰️ ⓶ 🅰🅴 ⓪ ⛄

via Arsina 1100/b – ✆ 05 83 39 51 71 – www.villa-alessandra.it – villa.ale@
tiscali.it – Fax 05 83 39 58 28
6 cam ☑ – ♦♦130/140 €
♦ Ad accogliervi ci saranno un grande giardino panoramico ed un ingresso affrescato: all'interno della splendida villa settecentesca, saloni con camino e spaziose camere.

a Carignano per ① : *5 km* – ✉ 55100

Carignano *senza rist* 🏨 📶 🅰️ ↯ ⚕ 📞 🅿️ 🆅🅸🆂🅰️ ⓶ 🅰🅴 ⓪ ⛄

via per Sant'Alessio 3680 – ✆ 05 83 32 96 18 – www.hotelcarignano.it – info@
hotelcarignano.it – Fax 05 83 32 98 48
36 cam ☑ – ♦65/95 € ♦♦80/145 €
♦ In posizione ideale per muoversi alla scoperta dei dintorni, questo albergo moderno vanta un nuovo pavimento in cotto nella hall ed offre ampi spazi comuni e camere molto luminose.

a Marlia per ① *6 km* – ✉ 55014

🍴🍴🍴 Butterfly *(Fabrizio Girasoli)* 🚗 🏡 🅰️ 🅿️ 🆅🅸🆂🅰️ ⓶ 🅰🅴 ⓪ ⛄
🌸

strada statale 12 dell'Abetone – ✆ 05 83 30 75 73 – www.ristorantebutterfly.it
– info@ristorantebutterfly.it – Fax 05 83 30 75 73 – chiuso mercoledì
Rist *– (chiuso a mezzogiorno escluso i giorni festivi) (consigliata la prenotazione)*
Menu 50 € – Carta 46/61 €
Spec. Capesante tostate in abito di prosciutto spagnolo, bavarese di melone al Porto e croccante alle mandorle. Risotto in sughetto rosso alle cicale con calamaretti croccanti (primavera). Rombo con tartufo, funghi e mirtilli (autunno).
♦ Immerso in un curato giardino, ottocentesco casolare dove cotto e travi si uniscono ad un'elegante atmosfera. Gestione familiare, cucina elaborata dalle presentazioni ricercate.

a Capannori per ③ : 6 km – ✉ **55012**

🏨 **Le Ville** senza rist 　　　🔲 ♿ 🅰🅺 🕸 ⁽ⁱ⁾ 🅿 🚗 🆅🆂🅰 ⓿ 🅰🅴 ① 🔑

viale Europa 154, a Lammari – ☎ *05 83 96 34 11* – *www.hotelleville.it*
– *info@hotelleville.it* – *Fax 05 83 96 34 96*
23 cam ⊡ – 🛏70/99 € 🛏🛏100/155 €

♦ In comoda posizione stradale, moderno hotel adatto ad una clientela d'affari; piacevoli interni spaziosi e vivaci, dagli arredi moderni e funzionali.

🍴🍴 **Forino** 　　　🍽 ♿ 🅰🅺 🕸 ⇔ 🅿 🆅🆂🅰 ⓿ 🅰🅴 ① 🔑

via Carlo Piaggia 21 – ☎ *05 83 93 53 02* – *www.ristoranteforino.com*
– *rforino@iol.it* – *Fax 05 83 93 53 02*
– *chiuso dal 29 dicembre al 4 gennaio, dal 12 al 24 agosto, domenica sera e lunedì*
Rist – Carta 34/46 € 🍷

♦ Situato in centro paese, un locale dalla gestione simpatica e competente, rinomato nella zona per la sua cucina di mare sapientemente elaborata, con impiego di materie prime scelte.

a Ponte a Moriano per ① : 9 km – ✉ **55029**

🍴🍴🍴 **La Mora** (Angela Brunicardi) 　　　🍽 🅰🅺 🕸 ⇔ 🆅🆂🅰 ⓿ 🅰🅴 ① 🔑
❀ *via Ludovica 1748, a Sesto di Moriano, Nord-Ovest : 1,5 km*
– ☎ *05 83 40 64 02* – *www.ristorantelamora.it*
– *info@ristorantelamora.it* – *Fax 05 83 40 61 35*
– *chiuso dal 1° al 24 gennaio e mercoledì*
Rist – Carta 36/55 € 🍷
Spec. Tortino di polpo e patate con paté di olive nere. Straccetti di pasta al sugo di gallo ruspante. Piccione in due cotture.
♦ Accomodatevi in una delle eleganti sale di questo storico locale, oppure in veranda, la cucina non vi deluderà: piatti lucchesi e garfagnini, accanto a qualche proposta di pesce.

🍴 **Antica Locanda di Sesto** 　　　🅰🅺 🅿 🆅🆂🅰 ⓿ 🅰🅴 ① 🔑
❀ *via Ludovica 1660, a Sesto di Moriano Nord-Ovest : 2,5 km* – ☎ *05 83 57 81 81*
– *www.anticalocandadisesto.it* – *info@anticalocandadisesto.it*
– *Fax 05 83 40 63 03* – *chiuso dal 24 al 31 dicembre, Pasqua, agosto e sabato*
Rist – Carta 25/49 €
♦ Simpatica e calorosa gestione familiare per questa storica locanda di origini medievali che ha saputo conservare autenticità e genuinità, oggi riproposte in gustose ricette regionali.

a Segromigno in Monte per ① : 10 km – ✉ **55018** – SEGROMIGNO IN MONTE

🏠 **Fattoria Mansi Bernardini** ☞ 　　　🚗 🍳 🍽 🕸 🅿
via di Valgiano 34, Ovest : 3 km – ☎ *05 83 92 17 21* 　🆅🆂🅰 ⓿ 🅰🅴 ① 🔑
– *www.fattoriamansibernardini.it* – *info@fattoriamansibernardini.it*
– *Fax 05 83 92 97 01*
15 cam ⊡ – 🛏100/130 € 🛏🛏130/150 €
Rist – (chiuso a mezzogiorno) (prenotazione obbligatoria) (solo per alloggiati)
Menu 35/55 €
♦ In un'affascinante cornice, tra colline e vigneti, la grande azienda agricola produttrice di olio si compone di diversi casolari e riserva agli ospiti camere spaziose e confortevoli.

a Cappella per ① : 10 km – ✉ **55100**

🏠 **La Cappella** senza rist ☞ 　　　⇐ 🚗 🍳 🅿 🆅🆂🅰 ⓿ 🅰🅴 ① 🔑
via dei Tognetti 469, località Ceccuccio – ☎ *05 83 39 43 47*
– *www.lacappellalucca.it* – *lacappella@lacappellalucca.it* – *Fax 05 83 39 58 70*
3 cam ⊡ – 🛏80/90 € 🛏🛏100/130 € – 1 suite
♦ Si procede in salita per qualche chilometro per arrivare alle porte di questa grande villa tra le colline: imperdibile vista panoramica e accoglienti camere arredate con mobili d'epoca.

a Sant'Alessio per ① : 5 km – ⊠ 55100 – **Lucca**

XX   **Vigna Ilaria** con cam ⟨🏠⟩   🏠 (📶) **P** 🆅🅸🆂🅰 ⓒⓞ ♿
       via per Pieve Santo Stefano 967/C – ℰ 05 83 33 00 10
       – www.locandavignailaria.it – info@locandavignailaria.it – Fax 05 83 33 19 08
       – chiuso dal 15 gennaio al 20 febbraio
       4 cam – ♛♛75/100 €, ⌑ 10 €   **Rist** – (chiuso a mezzogiorno) Carta 30/62 €
       ♦ Prossima alla zona collinare, locanda nei cui interni convivono tradizione e modernità.
       Cucina contemporanea sia di pesce sia di carne; buona carta dei vini.

LUCERA – Foggia (FG) – 564C28 – 35 093 ab. – alt. 240 m – ⊠ 71036   26 A2
▮ Italia

     ▶ Roma 345 – Foggia 20 – Bari 150 – Napoli 157
     ◉ Castello★ – Museo Civico: statua di Venere★

🏨   **Sorriso** senza rist   🈺 ⇄ 🄰🄲 (📶) 🛁 🚗 🆅🅸🆂🅰 ⓒⓞ 🅰🅴 ⓞ ♿
       viale Raffaello-Centro Incom – ℰ 08 81 54 03 06 – www.hotelsorrisolucera.it
       – hotelsorriso@tiscali.it – Fax 08 81 53 05 65
       26 cam ⌑ – ♛60/75 € ♛♛80/95 €
       ♦ Giovane e intraprendente gestione in questo hotel recente, costantemente aggior-
       nato. Gli ambienti comuni, come le camere, sono arredati con cura e gusto.

LUCRINO – Napoli – Vedere Pozzuoli

LUGANA – Brescia – Vedere Sirmione

LUGHETTO – Venezia – Vedere Campagna Lupia

LUGO – Ravenna (RA) – 562I17 – 31 785 ab. – alt. 15 m – ⊠ 48022   9 C2
     ▶ Roma 385 – Bologna 61 – Ravenna 32 – Faenza 19

🏨   **Ala d'Oro**   🈺 🄰🄲 🏊 (📶) 🛁 **P** 🆅🅸🆂🅰 ⓒⓞ 🅰🅴 ⓞ ♿
       corso Matteotti 56 – ℰ 054 52 23 88 – www.aladoro.it – info@aladoro.it
       – Fax 054 53 05 09
       39 cam ⌑ – ♛52/98 € ♛♛80/128 € – ½ P 56/80 €
       Rist – (chiuso dal 31 luglio al 31 agosto e venerdì) (chiuso a mezzogiorno
       escluso i giorni festivi) Carta 30/49 €
       ♦ All'interno di un palazzo nobiliare del '700, nel cuore della città, camere in stile con
       arredi d'epoca nel corpo principale, moderne nella nuova ala dell'edificio. Sala da pranzo
       con arredi essenziali di tono elegante.

🏨   **San Francisco** senza rist   🄰🄲 ⇄ 🏊 (📶) 🆅🅸🆂🅰 ⓒⓞ 🅰🅴 ⓞ ♿
       via Amendola 14 – ℰ 054 52 23 24 – www.sanfranciscohotel.it – info@
       sanfranciscohotel.it – Fax 054 53 24 21 – chiuso dal 24 dicembre al 4 gennaio e
       dal 1° al 23 agosto
       23 cam ⌑ – ♛78 € ♛♛96 € – 5 suites
       ♦ Interni arredati con design anni '70, dove l'essenzialità non è mancanza del superfluo,
       ma capacità di giocare con linee e volumi per creare confortevole piacevolezza.

XX   **Antica Trattoria del Teatro**   🄰🄲 🆅🅸🆂🅰 ⓒⓞ 🅰🅴 ♿
       vicolo del Teatro 6 – ℰ 054 53 51 64 – www.anticatrattoriadelteatro.it
       – Fax 054 52 37 64 – chiuso dal 10 al 20 gennaio, dal 15 luglio al 5 agosto e
       lunedì, anche domenica in estate
       Rist – Carta 26/32 €
       ♦ Proprio di fianco al teatro comunale questa accogliente trattoria a conduzione fami-
       liare dove gusterete piatti di cucina locale. Originale carta dei caffè.

X   **I Tre Fratelli**   🏠 🏊 ⇄ **P** 🆅🅸🆂🅰 ⓒⓞ 🅰🅴 ⓞ ♿
⟨🏠⟩   via Di Giù 56, Nord : 1 km – ℰ 054 52 33 28 – arflavi@libero.it
       – Fax 05 45 21 80 49 – chiuso dal 15 al 30 agosto e lunedì
       Rist – Carta 18/28 €
       ♦ Realmente gestito da tre fratelli e dalle rispettive famiglie, ristorante classico in curato
       stile contemporaneo, fuori dal centro; cucina locale e paste fatte in casa.

LUINO – Varese (VA) – 561E8 – **14 149 ab.** – **alt. 202 m** – ⊠ 21016   16 **A2**
> ▶ Roma 661 – Stresa 73 – Bellinzona 40 – Lugano 23
> 🛈 via Piero Chiara 1 𝒞 0332 530019, Fax 0332 530019

🏠🏠🏠　**Camin Hotel Luino**　　🚗 🍴 AC 🕭 P VISA ⓞⓞ AE ① ♿
> viale Dante 35 – 𝒞 03 32 53 01 18 – www.caminhotelluino.com – caminlui@tin.it
> – Fax 03 32 53 72 26 – chiuso dal 21 dicembre al 1° febbraio
> **13 cam** ⌑ – ♥100/160 € ♥♥150/220 € – 4 suites – ½ P 110/145 €
> **Rist** – (chiuso dicembre, gennaio e lunedì) (chiuso a mezzogiorno escluso da
> giugno ad agosto) Carta 41/66 €
> ♦ Atmosfera romantica in una bella villa d'epoca, in centro e sul lungolago, cinta da un
> piacevole giardino; confortevoli e raffinati interni in stile, con decori liberty. Si respira
> aria d'altri tempi nell'elegante sala da pranzo rischiarata da grandi finestre.

a **Colmegna** Nord : 2,5 km – ⊠ 21016 – **Luino**

🏠🏠　**Camin Hotel Colmegna**　　🖐 🛥 🍴 (ⓟ) P VISA ⓞⓞ AE ① ♿
> via Palazzi 1 – 𝒞 03 32 51 08 55 – www.caminhotel.com – info@caminhotel.com
> – Fax 03 32 50 16 87 – marzo-ottobre
> **24 cam** ⌑ – ♥95/140 € ♥♥140/185 € – ½ P 105/128 €　　**Rist** – Carta 41/54 €
> ♦ Villa d'epoca in splendida posizione panoramica, circondata da un ameno parco in
> riva al lago; camere confortevoli, per un soggiorno piacevole e rilassante. Gradevole ter-
> razza sul lago per il servizio estivo del ristorante.

LUMARZO – Genova (GE) – 561I9 – **1 527 ab.** – **alt. 353 m** – ⊠ 16024   15 **C2**
> ▶ Roma 491 – Genova 24 – Milano 157 – Rapallo 27

a **Pannesi** Sud-Ovest : 4 km – **alt. 535 m** – ⊠ 16024 – **Lumarzo**

🍴🍴　**Fuoco di Bosco**　　🍀 P VISA ⓞⓞ ♿
> via Provinciale 235 – 𝒞 018 59 40 48 – chiuso dal 6 gennaio al 15 marzo e
> giovedì
> **Rist** – Carta 22/35 € 🕭
> ♦ Un ambiente rustico ma di tono elegante, dispone di una saletta con camino e una
> veranda che si affaccia sul bosco dove assaporare specialità ai funghi e alla brace.

LUSIA – Rovigo (RO) – 562G16 – **3 603 ab.** – **alt. 12 m** – ⊠ 45020   35 **B3**
> ▶ Roma 461 – Padova 47 – Ferrara 45 – Rovigo 12

in prossimità strada statale 499

🍴🍴　**Trattoria al Ponte**　　🛥 AC ⇧ P VISA ⓞⓞ ① ♿
(😊)
> via Bertolda 27, località Bornio, Sud : 3 km ⊠ 45020 – 𝒞 04 25 66 98 90
> – www.trattoriaalponte.it – info@trattoriaalponte.it – Fax 04 25 65 01 61 – chiuso
> agosto e lunedì
> **Rist** – Carta 26/32 €
> ♦ Fragranze di terra e di fiume si intersecano ai sapori di una volta e alla fantasia dello
> chef per realizzare instancabili piatti della cucina locale. Locale di lunga tradizione, al
> limitare di un ponte su un canale.

LUTAGO = **LUTTACH** – Bolzano – Vedere Valle Aurina

MACERATA P (MC) – 563M22 – **41 831 ab.** – **alt. 311 m** – ⊠ 62100   21 **C2**
> ▶ Roma 256 – Ancona 51 – Ascoli Piceno 92 – Perugia 127
> 🛈 piazza della Libertà 12 𝒞 0733 234807, iat.macerata@regione.marche.it,
> Fax 0733 234487

🏠🏠🏠　**Claudiani** senza rist　　🖼 🕭 🍀 (ⓟ) 🕭 🛥 VISA ⓞⓞ AE ① ♿
> vicolo Ulissi 8 – 𝒞 07 33 26 14 00 – www.hotelclaudiani.it – info@
> hotelclaudiani.it – Fax 07 33 26 13 80
> **37 cam** – ♥70/99 € ♥♥105/137 € – 1 suite
> ♦ Un blasonato palazzo del centro storico che nei suoi interni offre agli ospiti sobria,
> ovattata eleganza e raffinate atmosfere del passato, rivisitate in chiave moderna.

🏠 **Le Case** ⬧   ⬩ 🚗 🏠 🖼 🌐 🐚 ⬩ ⬩ ⬩ cam, 🅰🅺 ⬩ ⬩ ⬩ 🅿
contrada Mozzavinci 16/17, Nord-Ovest : 6 km   🆅🅸🆂🅰 ⬩⬩ 🅰🅴 ⓞ ⬩
– ✆ 07 33 23 18 97 – www.ristorantelecase.it – ristorantelecase@tin.it
– Fax 07 33 26 89 11 – chiuso 3 settimane in gennaio e 10 giorni in agosto
14 cam ⬩ – ♦105 € ♦♦140 € – 1 suite
Rist L'Enoteca – vedere selezione ristoranti
Rist – (chiuso domenica sera, lunedì e martedì) Carta 26/35 € ⬩
♦ L'ombra dei cipressi conduce ad un suggestivo complesso rurale del X secolo. Eleganza e buon gusto fanno da cornice a soggiorni di classe, immersi nella pace della campagna. Simpatico e valido ristorante con cucina del territorio. I prodotti provengono dall'azienda agricola di famiglia.

🏠 **Arcadia** senza rist   🖼 ⬩ 🅰🅺 🌐 🆅🅸🆂🅰 ⬩⬩ 🅰🅴 ⓞ ⬩
via Padre Matteo Ricci 134 – ✆ 07 33 23 59 61 – www.harcadia.it – info@
harcadia.it – Fax 07 33 23 59 62 – chiuso dal 23 dicembre al 6 gennaio
29 cam ⬩ – ♦40/65 € ♦♦55/95 €
♦ Nei pressi del Teatro e dell'Università, frequentato da artisti e accademici, propone accoglienti stanze di varie tipologie, alcune dotate anche di angolo cottura.

🏠 **I Colli** senza rist   ⬩ 🛁 ⬩ 🅰🅺 🌐 ⬩ 🆅🅸🆂🅰 ⬩⬩ 🅰🅴 ⓞ ⬩
via Roma 149 – ✆ 07 33 36 70 63 – www.hotelicolli.com – info@hotelicolli.com
– Fax 07 33 36 79 54
60 cam ⬩ – ♦57/80 € ♦♦80/130 €
♦ In posizione semicentrale una buona struttura con camere accoglienti e confortevoli. Gestione dinamica e capace. Discreti spazi comuni con tanto di piccola, ma attrezzata palestra.

✕✕ **L'Enoteca** (Michele Biagiola) – Hotel Le Case   🏠 🅰🅺 🌐 ⬩ 🅿
contrada Mozzavinci 16/17, Nord-Ovest : 6 km   🆅🅸🆂🅰 ⬩⬩ 🅰🅴 ⓞ ⬩
– ✆ 07 33 23 18 97 – www.ristorantelecase.it – ristorantelecase@tin.it
– Fax 07 33 26 89 11 – chiuso 3 settimane in gennaio, 10 giorni a ferragosto, domenica, lunedì e martedì
Rist – (chiuso a mezzogiorno) Carta 44/56 € ⬩
Spec. Insalata sabbiosa di mare con condimento all'antica. Tagliatelle cotte nell'acqua delle biete, biete centrifugate e limone grattato. Tazza di cioccolato con cuore caldo di lamponi e cappuccino di tè verde.
♦ Ricavata in una vecchia cantina, l'enoteca propone una curata cucina di specialità locali elaborate dalla fantasia dello chef. Ambiente caldo e confortevole, adatto ad ogni occasione.

sulla strada statale 77 Nord : 4 km

🏠 **Recina**   ⬩ ⬩ 🅰🅺 🌐 🍴 rist, 🌐 ⬩ 🅿 🚗 🆅🅸🆂🅰 ⬩⬩ 🅰🅴 ⓞ ⬩
via Alcide De Gasperi 32F – ✆ 07 33 59 86 39 – www.recinahotel.it – info@
recinahotel.it – Fax 07 33 59 89 64 – chiuso dal 24 dicembre al 7 gennaio
59 cam ⬩ – ♦50/90 € ♦♦80/130 € – ½ P 60/85 €
Rist Arlecchino – Carta 23/56 €
♦ Lungo la statale, hotel recentemente ristrutturato in base alle esigenze della clientela d'affari. Arredi di gusto moderno ma con tocchi di classicità, spazi abbondanti.

MACERATA FELTRIA – Pesaro e Urbino (PS) – 563K19 – 2 010 ab.   20 **A1**
– alt. 321 m – ⬧ 61023
◼ Roma 305 – Rimini 48 – Ancona 145 – Arezzo 106

🏠 **Pitinum**   ⬩ ⬩ 🅰🅺 🌐 🌐 🆅🅸🆂🅰 ⬩⬩ ⬩
via Matteotti 16 – ✆ 072 27 44 96 – www.pitinum.com – info@pitinum.com
– Fax 07 22 72 90 56 – chiuso da novembre al 15 dicembre
20 cam ⬩ – ♦49 € ♦♦62 € – ½ P 47 €   **Rist** – (chiuso lunedì) Carta 22/28 €
♦ Importanti lavori di ristrutturazione hanno conferito ulteriore smalto a questa struttura: mobili di moderna concezione per rendere ancora più confortevoli le camere ed una piscina climatizzata per garantire momenti di piacevole relax. Sapori locali o di respiro nazionale nel ristorante d'impostazione classica.

MACUGNAGA – Verbano-Cusio-Ossola (VB) – 561E5 – 646 ab. 22 **B1**
– alt. 1 327 m – Sport invernali : 1 327/3 000 m ⛷2 ⛷8, ⛷ – ✉ 28876

▶ Roma 716 – Aosta 231 – Domodossola 39 – Milano 139

ℹ frazione Staffa, piazza Municipio 6 ℰ 0324 65119,
macugnaga@distrettolaghi, Fax 0324 65775

⌂ **Alpi** ⟨ 🚗 ⚒ (ᵗ) **P**. 𝗩𝗜𝗦𝗔 ⬤ ⑤ ⚕

*frazione Borca 243 – ℰ 032 46 51 35 – www.hotelalpiborca.it – hotelalpiborca@
tiscali.it – Fax 032 46 51 35 – chiuso dal 10 al 24 novembre*
13 cam – †35/43 € ††65/70 €, �⊆ 8 € – ½ P 55/68 € **Rist** – Carta 22/32 €
♦ In fondo alla Valle Anzasca e ai piedi del Monte Rosa, una risorsa ben gestita, semplice e perfettamente in linea con la sobrietà dello spirito di montagna più autentico.

MADDALENA (Arcipelago della) – Olbia-Tempio (104) – 566D10 – Vedere
Sardegna alla fine dell'elenco alfabetico

MADERNO – Brescia – Vedere ToscolanoMaderno

MADESIMO – Sondrio (SO) – 561C10 – 587 ab. – alt. 1 536 m – Sport 16 **B1**
invernali : 1 550/2 948 m ⛷3, ⛷9, ⛷ – ✉ 23024

▶ Roma 703 – Sondrio 80 – Bergamo 119 – Milano 142

ℹ via alle Scuole 27 ℰ 0343 53015, infomadesimo@provincia.so.it, Fax 0343
53782

ⓖ Strada del passo dello Spluga★★ : tratto Campodolcino-Pianazzo★★★ Sud
e Nord

⌂🄰 **Andossi** 🔳 ⬤ 🕉 🛁 🛋 ☶ (ᵗ) 🍴 **P**. 𝗩𝗜𝗦𝗔 ⬤ 𝗔𝗘 ⚕

*via A. De Giacomi 45 – ℰ 034 35 70 00 – www.hotelandossi.com – info@
hotelandossi.com – Fax 034 35 45 36 – dicembre-Pasqua e luglio-agosto*
42 cam ⊆ – †70/90 € ††120/160 € – ½ P 70/140 €
Rist – *(chiuso a mezzogiorno da dicembre a Pasqua) (solo per alloggiati)*
Carta 32/76 €
♦ In prossimità delle piste da sci, hotel tradizionale dalla collaudata gestione familiare:
ambienti tipici in stile montano ed attrezzato centro benessere.

⌂🄰 **Emet** 🛋 ⚒ **P**. 𝗩𝗜𝗦𝗔 ⬤ 𝗔𝗘 ① ⚕

*via Carducci 28 – ℰ 034 35 33 95 – www.hotel-emet.com – emet@
hotel-emet.com – Fax 034 35 33 03 – dicembre-1° maggio e luglio-agosto*
36 cam ⊆ – †70/95 € ††120/180 € – ½ P 70/125 € **Rist** – Carta 34/44 €
♦ In posizione centrale, ma non distante dalle piste da sci, albergo a conduzione diretta
dalla piacevole e signorile atmosfera. Caldi ambienti dove il legno domina sovrano. Sala
ristorante d'impostazione classica e menu con proposte di carattere regionale valtellinese.

⌂🄰 **La Meridiana** 🚗 🍽 🕉 ⚒ rist, (ᵗ) **P**. 🚙 𝗩𝗜𝗦𝗔 ⬤ ⚕

*via Carducci 8 – ℰ 034 35 31 60 – www.hotel-lameridiana.com
– info@hotel-lameridiana.com – Fax 034 35 46 32
– dicembre-aprile e 15 giugno-15 settembre*
23 cam – †35/65 € ††90/130 €, ⊆ 14 € – ½ P 40/130 €
Rist *1945* – Carta 30/40 €
♦ Comodamente raggiungibile con gli sci ai piedi, caratteristica architettura di montagna con arredi tipici e nuovo centro benessere: per godere del soggiorno, rimettendosi
in forma! Ristorante di medie dimensioni, terrazza per i mesi estivi.

Dormire con tutti i confort a prezzo contenuto?
Cercate i «Bib Hotel» 🏠.

XX **Il Cantinone e Sport Hotel Alpina** (Stefano Masanti) con cam
via A. De Giacomi 39 – 🔲 ⍟ ⍟ Ló ⬚ ᇦ 🕸 ⁇ 🕸 P̄ VISA ⚫ AE ⛫
– *𝒞 034 35 61 20 – www.sporthotelalpina.it – info@sporthotelalpina.it*
– *Fax 034 35 45 36 – luglio-15 settembre e dicembre-30 marzo*
8 cam ⌟ – ❙80/110 € ❙❙130/190 € – ½ P 95/140 €
Rist – Menu 38/68 € – Carta 35/42 € 🏵

Spec. Tagliolini al nero di montagna con pomodoro confit, gamberi di fiume
e salsiccia. Lasagnetta di segale, lavarello e verdure dell'orto, riduzione di
brodo di patate arrosto. Stinco di vitello con crema alle gemme di abete ed
emulsione di acciughe.

♦ Locale elegante, pur preservando uno stile montano, grande profusione di legno e
una cucina moderno-creativa con reinterpretazione dei piatti del territorio nonché valorizzazione delle materie prime locali. Camere spaziose e piccolo, ma attrezzato, centro
benessere.

a Pianazzo Ovest : 2 km – ⌧ 23020

X **Bel Sit** con cam   🕸 P̄ ⬚ VISA ⚫ AE ⓘ ⛫
via Nazionale 19 – *𝒞 034 35 33 65 – belsitalbergo@libero.it – Fax 034 35 36 34*
– *chiuso dal 10 al 25 dicembre*
10 cam – ❙50 € ❙❙65 €, ⌟ 9 € – ½ P 75 €
Rist – *(chiuso giovedì)* Carta 23/35 €

♦ Ristorante ubicato lungo una strada di passaggio, presenta ambienti di estrema semplicità. Noto in zona per la cucina tradizionale, con ampio utilizzo di selvaggina.

MADONNA DELL'OLMO – Cuneo – Vedere Cuneo

MADONNA DEL MONTE – Massa Carrara – Vedere Mulazzo

MADONNA DI BAIANO – Perugia – 563N20 – Vedere Spoleto

MADONNA DI CAMPIGLIO – Trento (TN) – 562D14 – alt. 1 522 m   30 **B2**
– Sport invernali : 1 500/2 500 m ⛷ 5 ⛷ 17, ⛷ – ⌧ 38086▯ Italia

▶ Roma 645 – Trento 82 – Bolzano 88 – Brescia 118
🇮 via Pradalago 4 *𝒞* 0465 447501, info@campiglio.to, Fax 0465 440404
🅖 Carlo Magno, *𝒞* 0465 42 06 22
◉ Località ★★
🅖 Massiccio di Brenta ★★★ Nord per la strada S 239

🏨 **Lorenzetti**   ⟨ 🔲 ⍟ ⍟ Ló ⬚ 🕸 rist, ⁇ 🔑 P̄ ⬚ VISA ⚫ AE ⓘ ⛫
viale Dolomiti di Brenta 119, Sud : 1,5 km – *𝒞 04 65 44 14 04*
– *www.hotellorenzetti.com – hotellorenzetti@hotellorenzetti.com*
– *Fax 04 65 44 06 88 – dicembre-aprile e giugno-settembre*
48 cam ⌟ – ❙100/250 € ❙❙150/400 € – ½ P 105/230 €   **Rist** – Carta 45/60 €

♦ Sarete coccolati e viziati come mai in questa struttura calda e accogliente, in cui
buon gusto e cura dei particolari si uniscono a servizio e confort di livello. Per una cena
di classe, in un ambiente tipicamente trentino.

🏨 **Alpen Suite Hotel**   🔲 ⍟ ⬚ 🕸 rist, ⁇ 🔑 ⬚ VISA ⚫ AE ⓘ ⛫
viale Dolomiti di Brenta 84 – *𝒞 04 65 44 01 00 – www.alpensuitehotel.it*
– *info@alpensuitehotel.it – Fax 04 65 44 04 09*
– *dicembre-Pasqua e 25 giugno-25 settembre*
28 suites ⌟ – ❙195/495 € ❙❙260/660 € – ½ P 130/330 €
Rist – Menu 35/55 €

♦ Albergo di recente realizzazione, offre suite dall'arredo ligneo opportunamente abbinato a tessuti pregiati, moderne dotazioni tecnologiche ed un esclusivo centro benessere.

🏨 **Gianna**   ⬚ 🔲 ⍟ ᇦ 🕸 🕸 P̄ ⬚ VISA ⚫ AE ⓘ ⛫
via Vallesinella 16 – *𝒞 04 65 44 11 06 – www.hotelgianna.it – hotelgianna@*
hotelgianna.it – Fax 04 65 44 07 75 – dicembre-Pasqua e 20 giugno-settembre
26 cam ⌟ – ❙70/200 € ❙❙110/370 € – 2 suites – ½ P 110/200 €
Rist – *(chiuso a mezzogiorno)* Carta 32/55 €

♦ Hotel dalla lunga storia completamente ristrutturato e riaperto nel 2004. Ambienti
accoglienti e ricchi di personalità, camere per ogni esigenza, centro benessere completo.
Il ristorante include una caratteristica stube.

Bio-Hotel Hermitage

via Castelletto Inferiore 69, Sud : 1,5 km
– *℘ 04 65 44 15 58* – *www.biohotelhermitage.it* – *info@biohotelhermitage.it*
– *Fax 04 65 44 16 18* – *dicembre-Pasqua e luglio-settembre*
24 cam ☐ – ♦100/150 € ♦♦200/300 € – 1 suite – ½ P 140/200 €
Rist Stube Hermitage – vedere selezione ristoranti
Rist – *(solo per alloggiati)*
♦ Incorniciato dalle Dolomiti di Brenta, la struttura è stata costruita secondo i dettami della bio-architettura: riscaldamento per irraggiamento nonché pavimenti di abete e cirmolo trattati con cere speciali. Per una vacanza tutta al naturale!

Bertelli

via Cima Tosa 80 – *℘ 04 65 44 10 13* – *www.hotelbertelli.it* – *info@hotelbertelli.it*
– *Fax 04 65 44 05 64* – *dicembre-18 aprile e 25 giugno-15 settembre*
49 cam ☐ – ♦127/225 € ♦♦206/390 € – ½ P 121/227 €
Rist – Carta 37/44 €
♦ Sobrio ed elegante, propone confort di livello e la comodità della vicinanza agli impianti di risalita e al centro; oltre alla possibilità di un tuffo in piscina. Originale sala ristorante: circolare e illuminata da un imponente lampadario.

Chalet Laura

via Pradalago 21 – *℘ 04 65 44 12 46* – *www.hotellaura.com* – *info@
hotellaura.com* – *Fax 04 65 44 15 76* – *dicembre-aprile e luglio-settembre*
26 cam ☐ – ♦80/120 € ♦♦150/220 € – ½ P 100/200 €
Rist – *(chiuso a mezzogiorno) (solo per alloggiati)*
♦ Stile tirolese negli arredi e nei decori, con rivisitazioni in chiave moderna; camere luminose con mobilio artigianale in legno. A due passi dalla piazza principale.

Grifone

via Vallesinella 7 – *℘ 04 65 44 20 02* – *www.hotelgrifone.it* – *info@hotelgrifone.it*
– *Fax 04 65 44 05 40* – *dicembre-19 aprile e 9 luglio-10 settembre*
40 cam ☐ – ♦115/255 € ♦♦220/450 € – 2 suites – ½ P 245/275 €
Rist – Carta 43/54 €
♦ Rivestito in legno anche esternamente, propone camere e spazi comuni dalle metrature generose e dal sapore anni '70 ed è dotato di una piacevole zona relax. Ampia sala da pranzo.

Cerana Relax Hotel

via Fevri 16 – *℘ 04 65 44 05 52* – *www.hotelcerana.com* – *info@hotelcerana.com*
– *Fax 04 65 44 05 87* – *dicembre-20 aprile e luglio-20 settembre*
39 cam ☐ – ♦90/180 € ♦♦140/260 € – ½ P 115/130 €   **Rist** – Carta 30/74 €
♦ Al limitare di una pineta, nei pressi del centro e a 50 m dalla telecabina Spinale, è adatto a vacanze sia estive che invernali. Tradizione e cura dei particolari.

Alpen Hotel Vidi

via Cima Tosa 50 – *℘ 04 65 44 33 44* – *www.hotelvidi.it* – *info@hotelvidi.it*
– *Fax 04 65 44 06 86* – *dicembre-aprile e luglio-settembre*
27 cam ☐ – ♦40/130 € ♦♦70/240 € – ½ P 60/170 €   **Rist** – Carta 26/32 €
♦ In stile montano, camere funzionali e gradevoli zone comuni che invitano a socializzare. Angolo benessere e area riservata al divertimento dei bimbi. Il ristorante è una piacevole rivisitazione della classica stube.

Crozzon

viale Dolomiti di Brenta 96 – *℘ 04 65 44 22 22* – *www.hotelcrozzon.com* – *info@
hotelcrozzon.com* – *Fax 04 65 44 26 36* – *dicembre-aprile e giugno-settembre*
26 cam ☐ – ♦80/107 € ♦♦130/180 € – ½ P 90/150 €   **Rist** – Carta 25/40 €
♦ Un albergo gradevole e accogliente, con arredi e rifiniture in legno, sulla strada principale della località. A disposizione degli ospiti anche un angolo benessere. Cucina del territorio proposta in una calda sala dalle pareti perlinate.

Dello Sportivo senza rist

via Pradalago 29 – *℘ 04 65 44 11 01* – *www.dellosportivo.com* – *info@
dellosportivo.com* – *Fax 04 65 44 08 00* – *dicembre-aprile e luglio-settembre*
13 cam ☐ – ♦45/60 € ♦♦80/110 €
♦ Ambiente simpatico in un hotel dal confort essenziale e gestito con passione. Ben posizionato tra impianti di risalita e centro, vi consentirà piacevoli soggiorni.

Garnì dei Fiori senza rist 🏠   📶 🐾 P VISA ⓒ AE ① ⛧

via Vallesinella 18 – 𝒞 04 65 44 23 10 – www.garnideifiori.it – info@garnideifiori.it
– Fax 04 65 44 10 15 – dicembre-20 aprile e 20 giugno-28 settembre
10 cam ⚏ – ♦70/130 € ♦♦80/200 €

♦ Il recente cambio di gestione non ha mutato lo spirito di questa risorsa in cui spicca la graziosa sala colazioni. Ingresso gratuito al centro wellness dell'hotel Lorenzetti.

🍴🍴 **Stube Hermitage Bio-Hotel Hermitage**   ⟨ 🎵 & 🐾 P
☕ via Castelletto Inferiore 69, Sud : 1,5 km   VISA ⓒ AE ① ⛧
– 𝒞 04 65 44 15 58 – www.stubehermitage.it – info@stubehermitage.it
– Fax 04 65 44 16 18 – dicembre-Pasqua e luglio-settembre
Rist – (chiuso lunedì) Carta 68/94 €

Spec. Orzotto cotto al marzemino. Saraceni (tortelloni di scamorza e radicchio). Guanciale di manzo cotto a bassa temperatura al teroldego.

♦ L'entusiasmo e la fantasia dell'abile chef danno vita ad una cucina creativa, attenta alle materie prime, da gustare nella conviviale atmosfera di una tradizionale stube.

🍴🍴 **Da Alfiero**   🐾 ⟳ VISA ⓒ AE ① ⛧

via Vallesinella 5 – 𝒞 04 65 44 01 17 – www.hotellorenzetti.it – hotellorenzetti@
hotellorenzetti.com – Fax 04 65 44 32 79 – dicembre-aprile e giugno-settembre
Rist – Carta 42/56 €

♦ Tre salette in stile provenzale, in cui regnano sovrani il legno e allegri colori pastello; proposte creative e della tradizione; servizio classico.

a Campo Carlo Magno Nord : 2,5 km – **alt. 1 682 m** – ✉ 38086 – **Madonna di Campiglio**

👁 Posizione pittoresca★★ – ❄★★ sul massiccio di Brenta dal colle del Grostè Sud-Est per funivia

🏨🏨 **Carlo Magno-Zeledria Hotel**   🛏 🔲 🌐 🛁 🧖 🍴 & cam, ✈ 🐾

via Cima Tosa 25 – 𝒞 04 65 44 10 10   📶 � 🚗 VISA ⓒ AE ⛧
– www.hotelcarlomagno.com – info@hotelcarlomagno.com – Fax 04 65 44 05 50
– 5 dicembre-aprile e 24 giugno-23 settembre
140 cam ⚏ – ♦75/230 € ♦♦110/407 € – 10 suites – ½ P 140/239 €
Rist – Carta 40/65 €

♦ Imponente struttura, a poche centinaia di metri dal passo, con proposte che spaziano dal congressi alla Spa, dallo sport al relax. Orsetto Club con piscina per i più piccoli. Ristorante classico o a buffet in base alle esigenze.

🏨 **Casa del Campo**   ⟨ 🍴 & 🐾 📶 P 🚗 VISA ⓒ AE ① ⛧

via Pian dei Frari 3/5 – 𝒞 04 65 44 31 30 – www.casadelcampo.it – info@
casadelcampo.it – Fax 04 65 44 69 43 – 5 dicembre-maggio e luglio-15 ottobre
13 cam ⚏ – ♦55/110 € ♦♦150/220 € – ½ P 110/198 €
Rist Ruppert – (5 dicembre-20 aprile e luglio-settembre) Carta 28/52 €

♦ Ricavato in una ex casa cantoniera, ubicato proprio al Passo con le piste a pochi metri, hotel dalle spaziose camere in legno, tutte con tecnologica doccia-sauna. Al ristorante piatti d'ispirazione regionale.

MADONNA DI SENALES = UNSERFRAU – Bolzano – Vedere Senales

MAGENTA – Milano (MI) – 561F8 – 23 161 ab. – alt. 141 m – ✉ 20013   18 A2
▶ Roma 599 – Milano 26 – Novara 21 – Pavia 43

🍴🍴🍴 **Trattoria alla Fontana**   AC 🐾 VISA ⓒ AE ① ⛧

via Petrarca 6 – 𝒞 029 79 26 14 – www.trattoriaallafontana.it – Fax 029 79 34 23
– chiuso dal 26 dicembre al 4 gennaio, dal 16 al 30 agosto, sabato a mezzogiorno e domenica
Rist – (coperti limitati, prenotare) Menu 30/65 € – Carta 48/67 €

♦ Cornice di sobria e classica eleganza, con qualche puntata nel design più moderno, e servizio curato per proposte legate alla stagioni, grande varietà di risotti.

MAGGIO – Lecco – 561E10 – Vedere Cremeno

MAGGIORE (Lago) – Vedere Lago Maggiore

MAGIONE – Perugia (PG) – 563M18 – 12 968 ab. – alt. 299 m   32 **B2**
– ⊠ 06063

> ▶ Roma 193 – Perugia 20 – Arezzo 58 – Orvieto 87

⌂   **Bella Magione** senza rist 🐾   🚗 ⤴ 🅰🅲 〽️ 🅿 ⒱ ⓪ 🅰🅴 ⓪ ♿
viale Cavalieri di Malta 22 – ℰ *07 58 47 30 88* – *www.bellamagione.it* – *info@
bellamagione.it* – *Fax 07 58 47 30 88* – *chiuso gennaio e febbraio*
5 cam ⊆ – 🛏80/120 € 🛏🛏100/180 €
   ◆ Tra le colline che incorniciano il lago Trasimeno, una villa signorile apre le sue porte
agli ospiti; ricchi tessuti e finiture di pregio, biblioteca, giardino con piscina.

✗   **Al Coccio**   🕮 🅰🅲 ⒱ ⓪ 🅰🅴 ⓪ ♿
via del Quadrifoglio 12/a – ℰ *075 84 18 29* – *www.alcoccio@
alcoccio.it* – *Fax 075 84 18 29* – *chiuso dal 20 al 27 gennaio e lunedì*
Rist – Carta 22/44 €
   ◆ Ristorante dagli ambienti raccolti ed accoglienti, recentemente rinnovati. Dalla cucina
squisite proposte della tradizione umbra: ideale sia per palati vegetariani sia per gli
amanti della carne. Ottimi tartufi e porcini.

a San Feliciano Sud-Ovest : 8 km – ⊠ 06060

✗   **Da Settimio** con cam   ≤ ♿ 🅰🅲 rist, 〽️
☎   *via Lungolago 1* – ℰ *07 58 47 60 00* – *Fax 07 58 47 62 75*
   – *chiuso dal 15 novembre a dicembre*
12 cam ⊆ – 🛏🛏62 €   **Rist** – *(chiuso giovedì escluso agosto)* Carta 20/30 €
   ◆ Sul lungolago, un indirizzo consigliato a chi predilige i sapori di una cucina prettamente lacustre. E, per una sosta più lunga, semplici, ma confortevoli stanze.

MAGLIANO ALFIERI – Cuneo (CN) – 561H6 – 1 697 ab. – alt. 328 m   25 **C2**
– ⊠ 12050

> ▶ Roma 613 – Torino 60 – Alessandria 60 – Asti 24

⌂   **Agriturismo Cascina San Bernardo** senza rist   ≤ 🚗 ⤴ ♿ 〽️
via Adele Alfieri 31 – ℰ *017 36 64 27*   🅿
   – *www.cascinasanbernardo.com* – *info@cascinasanbernardo.com*
   – *Fax 017 36 64 27* – *chiuso dal 15 dicembre al 10 marzo*
6 cam ⊆ – 🛏70/80 € 🛏🛏80/90 €
   ◆ Architettura dell"800 per questa villa patrizia di campagna, che dispone di ogni confort dell'epoca moderna. Camere arredate con gusto e bella vista sulle colline.

MAGLIANO IN TOSCANA – Grosseto (GR) – 563O15 – 3 714 ab.   29 **C3**
– alt. 130 m – ⊠ 58051 🏳 Toscana

> ▶ Roma 163 – Grosseto 28 – Civitavecchia 118 – Viterbo 106

✗✗   **Antica Trattoria Aurora**   🚗 🕮 ⇄ ⒱ ⓪ 🅰🅴 ⓪ ♿
via Lavagnini 12/14 – ℰ *05 64 59 27 74* – *Fax 05 64 59 27 74* – *chiuso gennaio,
febbraio e mercoledì*
Rist – Carta 42/55 €
   ◆ Con una caratteristica (e più che fornita) cantina direttamente scavata nella roccia,
questo ristorante entro le mura propone anche gradevoli cene estive in giardino.

MAGLIANO SABINA – Rieti (RI) – 563O19 – 3 777 ab. – alt. 222 m   12 **B1**
– ⊠ 02046

> ▶ Roma 69 – Terni 42 – Perugia 113 – Rieti 54

✗✗   **Degli Angeli** con cam   ≤ 🕮 ⬦ ♿ cam, ⛺ 🅰🅲 〽️ 🅿
località Madonna degli Angeli, Nord : 3 km   ⒱ ⓪ 🅰🅴 ⓪ ♿
   – ℰ *074 49 13 77* – *www.hoteldegliangeli.it* – *rhangeli@libero.it*
   – *Fax 074 49 18 92*
8 cam ⊆ – 🛏67 € 🛏🛏83 €   **Rist** – Carta 25/35 € (+10 %)
   ◆ Affacciata sulla valle del Tevere, una luminosa sala da pranzo nella quale dominano il
color panna, dall'arredo ai tessuti, ed una cucina tipicamente locale. Ospitalità, discrezione e semplicità avvolgono l'hotel, in posizione ideale per un week-end lontano dai
ritmi frenetici della città.

sulla strada statale 3 - via Flaminia Nord-Ovest : 3 km :

🏨 **La Pergola** 🏖 🛗 ⓵ 📺 ⚡ 📶 ♨ 🅿 🚗 ⚫ 🅰🅴 ⓿ ♿

via Flaminia km 63,900 ✉ *02046* – ☎ *07 44 91 98 41* – *www.lapergola.it* – *info@lapergola.it* – *Fax 07 44 91 98 42*

23 cam ⌛ – ✝65 € ✝✝100 € **Rist** – *(chiuso martedì)* Carta 31/53 €

♦ Letti in ferro battuto, archi di mattoni a vista, nonostante sia ubicato sulla via Flaminia, si ha la piacevole impressione di alloggiare in un relais di campagna. Due le sale da pranzo: una rustica, dove si trovano due griglie per la cottura delle carni, e una elegante, illuminata da grandi vetrate.

MAGLIE – Lecce (LE) – 564G36 – **15 273 ab.** – ✉ 73024   27 **D3**

▶ Roma 617 – Bari 187 – Lecce 33

🏠 **Corte dei Francesi** senza rist   📶 📞 📺 ⚫ ♿

via Roma 172 – ☎ *08 36 42 42 82* – *www.cortedeifrancesi.it* – *info@cortedeifrancesi.it* – *Fax 08 36 42 42 83*

8 cam ⌛ – ✝90 € ✝✝110/150 €

♦ All'interno di un museo d'arte conciaria, la risorsa dispone di camere dai caratteristici muri in pietra piacevolmente arredate in vivaci colori e con pezzi d'artigianato.

MAIORI – Salerno (SA) – 564E25 – **5 693 ab.** – ✉ 84010   6 **B2**

▶ Roma 267 – Napoli 65 – Amalfi 5 – Salerno 20

🅸 corso Reginna 73 ☎ 089 877452, info@aziendaturismo-maiori.it, Fax 089 853672

🄶 Capo d'Orso★ Sud-Est : 5 km

🏨 **San Francesco**   🛗 📺 ⚡ rist, 📞 🅿 🚗 📶 ⚫ 🅰🅴 ⓿ ♿

via Santa Tecla 54 – ☎ *089 87 70 70* – *www.hotel-sanfrancesco.it* – *info@hotel-sanfrancesco.it* – *Fax 089 87 70 70* – *15 marzo-3 novembre*

48 cam ⌛ – ✝72/88 € ✝✝130/180 € – ½ P 110/125 €

Rist – *(giugno-settembre)* Carta 26/40 €

♦ Una struttura tipica degli anni '60, completamente rinnovata e rimodernata. A pochi metri dalla spiaggia privata, è particolarmente adatta a famiglie con bambini. Ambiente e servizio familiari al ristorante, con proposte di mare e terra.

🍴🍴 **Torre Normanna**   ≤ 📶 📺 ⚡ 🅿 📶 ⚫ 🅰🅴 ⓿ ♿

via Diego Taiani 4 – ☎ *089 87 71 00* – *www.torrenormanna.net* – *info@torrenormanna.net* – *Fax 08 98 54 13 10* – *chiuso dal 10 gennaio al 5 febbraio, 15 giorni in novembre e lunedì*

Rist – Menu 70/100 € – Carta 50/80 € (+10 %)

♦ Quattro fratelli dal 2007 gestiscono il locale all'interno dell'antica torre: specialità a base di pesce fresco e vista "ravvicinata" sul mare.

sulla costiera amalfitana Sud-Est : 4,5 km

🍴🍴🍴 **Il Faro di Capo d'Orso** (Pierfranco Ferrara)   ≤ 📺 ⚡ 🅿

🈁 *via Diego Taiani 48* – ☎ *089 87 70 22*   📶 ⚫ 🅰🅴 ⓿ ♿

– *www.ilfarodicapodorso.it* – *info@ilfarodicapodorso.it* – *Fax 089 85 23 60* – *chiuso dal 3 novembre al 25 gennaio e martedì; anche mercoledì dal 25 gennaio a marzo*

Rist – Menu 65/110 € – Carta 51/88 € ❀

Spec. Trancio di tonno marinato al basilico, foie gras mi-cuit, pistacchi e cacao. Saccottino di patate con burrata in guazzetto al pesto leggero, vongole veraci, gamberi e calamari crudi e cotti. Lingotto di melanzane e pesce spada in abito estivo con seppie, capperi e agrumi.

♦ Arrampicato su un promontorio, dalla sala si gode uno spettacolare panorama della costiera amalfitana. Lo stupore continua con la cucina, fantasiosa rielaborazione di piatti campani.

MALALBERGO – Bologna (BO) – 562I16 – **7 724 ab.** – alt. 12 m   9 **C2**
– ✉ 40051

▶ Roma 403 – Bologna 33 – Ferrara 12 – Ravenna 84

XX **Rimondi** ⬜ ↔ ⧫ ⬚ ⬚ ⬚ ⬚ ⬚
via Nazionale 376 – ℰ 051 87 20 12 – Fax 051 87 20 12
– chiuso dal 15 al 28 febbraio, dal 15 al 30 giugno, domenica sera e lunedì
Rist *– (chiuso a mezzogiorno escluso domenica e i giorni festivi)* Carta 37/54 €
♦ Sale dagli scuri arredi d'epoca, grandi camini e suggestive atmosfere di un tempo. Consigliato per chi ama il pesce, ma non mancano carni e cacciagione.

ad Alteido Sud : 5 km – ✉ 40051

⛺ **Agriturismo Il Cucco** ⬚ ⬚ ⬚ ⬚ ⬚ ⬚ ⬚ ⬚ ⬚ ⬚
via Nazionale 83 – ℰ 05 16 60 11 24 – www.ilcucco.it – info@ilcucco.it
– Fax 05 16 60 11 24 – chiuso agosto
11 cam ⬚ – †60/105 € ††80/120 € – ½ P 56/76 €
Rist *– (chiuso le sere di giovedì e domenica) (chiuso a mezzogiorno escluso domenica)* (prenotazione obbligatoria) Carta 22/30 €
♦ Un centinaio di metri di strada sterrata e giungerete in un casolare, con orto e pollame, che offre stanze arredate con bei mobili di arte povera e antiquariato. Cucina sana e genuina, basata su alimenti biologici di produzione propria.

MALBORGHETTO – Udine (UD) – 562C22 – **1 037 ab. – alt. 787 m**   **11 C1**
– ✉ 33010

▶ Roma 710 – Udine 82 – Tarvisio 12 – Tolmezzo 50

a Valbruna Est : 6 km – ✉ 33010

XX **Renzo** con cam ⬚ ⬚ ⬚ ⬚ cam, ⬚ ⬚ ⬚ ⬚ ⬚ ⬚ ⬚
⬚ *via Saisera 11/13 – ℰ 042 86 01 23 – www.hotelrenzo.com – info@*
hotelrenzo.com – Fax 04 28 66 08 84
8 cam ⬚ – †40/45 € ††80/100 € – ½ P 45/60 €
Rist *– (chiuso dal 15 al 30 giugno e lunedì (escluso da Natale a gennaio e luglio-agosto))* Carta 20/41 €
♦ Una buona occasione per gustare la tranquillità e il relax che avvolgono la risorsa; dalla cucina arrivano invece i sapori di una cucina mediterranea, soprattutto a base di pesce. Ambiente familiare. Spaziose le camere dall'arredamento semplice ma sempre ben tenute.

MALCESINE – Verona (VR) – 562E14 – **3 457 ab. – alt. 90 m – Sport**   **35 A2**
invernali : 1 400/1 850 m ⬚ 1 ⬚4 – ✉ 37018⬚ Italia

▶ Roma 556 – Trento 53 – Brescia 92 – Mantova 93
🛈 via Capitanato 6/8 ℰ 045 7400044, iatmalcesine@provincia.vr.it, Fax045 7401633

⬚ ❄★★★ dal monte Baldo E : 15 mn di funivia – Castello Scaligero★

🏨 **Park Hotel Querceto** ⬚ ⬚ ⬚ ⬚ ⬚ ⬚ ⬚ ⬚ ⬚ ⬚ ⬚ ⬚ ⬚
via Panoramica 113, Est : 5 km, alt. 378 – ℰ 04 57 40 03 44 ⬚ ⬚ ⬚
– www.parkhotelquerceto.com – info@parkhotelquerceto.com
– Fax 04 57 40 08 48 – maggio-8 ottobre
22 cam ⬚ – ††136/176 € – ½ P 88 €
Rist *– (chiuso a mezzogiorno) (solo per alloggiati)*
♦ In posizione elevata, assai fuori dal paese e quindi tranquillissimo. Contraddistinguono gli arredi interni pietra, legno e un fine gusto per le cose semplici. I sapori della tradizione altoatesina avvolti dal calore di una romantica stube.

🏨 **Maximilian** ⬚ ⬚ ⬚ ⬚ ⬚ ⬚ ⬚ ⬚ ⬚ ⬚ ⬚ ⬚ ⬚ ⬚
⬚ *località Val di Sogno 8, Sud : 2 km – ℰ 04 57 40 03 17* ⬚ ⬚ ⬚
– www.hotelmaximilian.com – info@hotelmaximilian.com – Fax 04 56 57 01 17
– Pasqua-ottobre
40 cam ⬚ – †118 € ††236/280 € – ½ P 128/150 €
Rist *– (chiuso a mezzogiorno) (solo per alloggiati)*
♦ Un giardino-uliveto in riva al lago ed un piccolo ma completo centro benessere con vista panoramica caratterizzano questo hotel dalla gestione diretta sempre attenta alla cura dei servizi.

🏠 **Val di Sogno** ♨ ← 🚗 🈺 ⌑ 🍽 ⏳ 🛁 & ♿ 🏕 AC 🚭 🏊 🕯 **P** 🅿️
via Val di Sogno 16, Sud : 2 km – ✆ *04 57 40 01 08* 🆅🅸🆂🅰 ⓶ 💳
– *www.hotelvaldisogno.com* – *info@hotelvaldisogno.com* – *Fax 04 57 40 16 94*
– *10 aprile-20 ottobre*
37 cam ⌑ – 🛏100/180 € 🛏🛏130/250 € – ½ P 95/125 € **Rist** – Carta 27/56 €
♦ Il giardino con piscina in riva al lago, testimonia della magnifica posizione in cui questo hotel è collocato. Bella zona comune e servizio di livello notevole. Luminosa e confortevole la bella sala da pranzo.

🏠 **Bellevue San Lorenzo** ← 🚗 ⌑ 🍽 🛁 ⏳ 🚭 🕯 **P** 🅿️
via Gardesana 164: 1,5 km – ✆ *04 57 40 15 98* 🆅🅸🆂🅰 ⓶ 🅰🅴 ⓪ 💳
– *www.bellevue-sanlorenzo.it* – *info@bellevue-sanlorenzo.it* – *Fax 04 57 40 10 55*
– *8 aprile-5 novembre*
53 cam – solo ½ P 91/111 €
Rist – *(chiuso a mezzogiorno escluso giugno-agosto) (solo per alloggiati)*
♦ E´ il giardino con piscina a punta di dimante di questa villa d'epoca: dotato di piscina e con una strabiliante vista panoramica del lago, congiunge i diversi edifici della struttura.

🏠 **Meridiana** senza rist 🚗 ⌑ 🛁 ⏳ & AC 🚭 🕯 **P** 🆅🅸🆂🅰 ⓶ 💳
via Navene Vecchia 39 – ✆ *04 57 40 03 42* – *www.hotelmeridiana.it*
– *info@hotelmeridiana.it* – *Fax 04 56 58 39 10*
– *29 dicembre-16 gennaio , Pasqua e 4 aprile-2 novembre*
23 cam ⌑ – 🛏80/125 € 🛏🛏90/140 €
♦ Vicino alla funivia del monte Baldo, struttura dalla gestione al femminile rinnovata secondo i canoni moderni del design e del confort, ospita sovente clientela internazionale. Bonus: la saletta per massaggi.

🏠 **Alpi** ♨ 🚗 ⌑ 🍽 ⏳ AC 🚭 🕯 **P** 🆅🅸🆂🅰 ⓶ 💳
🐾 *via Gardesana 256, località Campogrande* – ✆ *04 57 40 07 17*
– *www.alpihotel.info* – *hotelapi@malcesine.com* – *Fax 04 57 40 05 29*
– *28 dicembre-20 gennaio e 15 marzo-10 novembre*
45 cam – 🛏50/80 € 🛏🛏60/100 €, ⌑ 10 € – ½ P 55/70 € **Rist** – Carta 18/22 €
♦ A monte della statale gardesana, le camere più recenti di questo silenzioso hotel si trovano in posizione panoramica e dispongono di una bella terrazza. Piscina in giardino. Nella bella stagione si pranza anche nella terrazza all'aperto.

🏠 **Erika** senza rist 🚗 ⏳ 🚭 🕯
via Campogrande 8 – ✆ *04 57 40 04 51* – *www.erikahotel.net* – *info@*
erikahotel.net – *Fax 04 57 40 04 51* – *aprile-1 novembre*
14 cam ⌑ – 🛏50/75 € 🛏🛏80/120 €
♦ Piccolo e tranquillo albergo familiare in prossimità del centro storico, dispone di accoglienti camere recentemente rinnovate e di una raccolta ma graziosa sala colazioni.

✗✗ **Trattoria Vecchia Malcesine** (Leandro Luppi) 🚗 🈺 ♨
⻊ *via Pisort 6* – ✆ *04 57 40 04 69* 🆅🅸🆂🅰 ⓶ 🅰🅴 ⓪ 💳
– *www.vecchiamalcesine.com* – *info@vecchiamalcesine.com* – *Fax 04 56 57 03 89*
– *chiuso mercoledì*
Rist – *(chiuso a mezzogiorno escluso domenica, i giorni festivi e da aprile ad ottobre)* Carta 62/79 €
Spec. Insalata di faraona con pasta sfoglia di parmigiano, mostarda di carote e sedano croccante. Ravioli di burrata con tartare di gamberi di lago. Coniglio con crema di patate e riduzione di amarone.
♦ Un ampio giardino conduce all'ingresso di questo locale, colorato e raccolto, con proposte gastronomiche che richiamano le tradizioni del territorio, reinterpretate con leggerezza e fantasia.

sulla strada statale 249 Nord : 3,5 km

🏠 **Piccolo Hotel** ← ⌑ 🍽 🏕 AC cam, ⏳ 🚭 rist, 🕯 **P** 🆅🅸🆂🅰 ⓶ ⓪ 💳
🐾 *via Molini di Martora 28* ✉ *37018* – ✆ *04 57 40 02 64* – *www.navene.com*
– *info@navene.com* – *Fax 04 57 40 02 64* – *marzo-9 novembre*
30 cam ⌑ – 🛏36/52 € 🛏🛏75/101 € – ½ P 62/69 €
Rist – *(chiuso a mezzogiorno)* Menu 19 €
♦ Le camere di questo piccolo hotel sono tutte confortevoli, semplici negli arredi ma spaziose, quasi tutte con vista sul lago. Attenzioni particolari per i surfisti. Al ristorante, menu fisso e splendida finestra panoramica sul lago.

MALÉ – Trento (TN) – 562C14 – **2 143 ab.** – **alt. 738 m** – **Sport invernali :**   30 **B2**
1 400/2 200 m ⛷ 5 ⛷19 (Comprensorio sciistico Folgarida-Marilleva) ⚹
– ✉ 38027

> ◨ Roma 641 – Bolzano 65 – Passo di Gavia 58 – Milano 236
> ⓘ piazza Regina Elena ☎ 0463 900862, male@valdisole.net, Fax 0463 902911

XX   **Conte Ramponi**   🍴 ⇔ 🚾 ⓧ 🆎 ① ⛛
piazza San Marco 38, località Magras, Nord-Est : 1 km – ☎ 04 63 90 19 89
– www.conteramponi.com – conteramponi@virgilio.it – Fax 04 63 90 19 89
– chiuso dal 1° al 20 giugno, dal 1° al 20 ottobre e lunedì escluso agosto
Rist – Carta 26/46 €
♦ Nella piazza centrale della piccola frazione, quasi nascosto agli sguardi esterni, raffinato e confortevole ristorante situato al primo piano di un palazzo cinquecentesco.

X   **La Segosta** con cam   📶 ☎ 🅿 🚾 ⓧ 🆎 ① ⛛
via Trento 59 – ☎ 04 63 90 13 90 – www.segosta.com – segosta@
ristorantelasegosta.191.it – Fax 04 63 90 06 75 – chiuso dal 1° al 18 giugno e dal
21 settembre al 21 ottobre
8 cam ⳤ – ♦48/58 € ♦♦70/90 € – ½ P 40/52 €
Rist – *(chiuso lunedì sera e martedì escluso da Natale a Pasqua e luglio-agosto)*
Carta 22/29 €
♦ Ristorante ricavato da una ex caserma, molto frequentato anche dai residenti. Proposte legate alle tradizioni del territorio, come alla cucina di altre regioni.

> Le «promesse», segnalate in rosso nelle nostre selezioni,
> distinguono i ristoranti suscettibili di accedere alla categoria superiore,
> vale a dire una stella in più.
> Le troverete nella lista dei ristoranti stellati, all'inizio della guida.

MALEO – Lodi (LO) – 561G11 – **3 317 ab.** – **alt. 58 m** – ✉ 26847   16 **B3**
◨ Roma 527 – Piacenza 19 – Cremona 23 – Milano 60

XX   **Leon d'Oro**   🅰🅒 🍴 ⇔ 🚾 ⓧ 🆎 ① ⛛
via Dante 69 – ☎ 037 75 81 49 – tinuggeri@jumpy.it – Fax 03 77 45 81 40
– chiuso dal 1° al 5 gennaio, dal 13 agosto al 1° settembre, mercoledì e sabato a
mezzogiorno
Rist – Carta 35/73 € 🌿
♦ Prodotti scelti con cura garantiscono una cucina del territorio interpretata con abilità
dallo chef; un piccolo ingresso immette in tre salette eleganti in un piacevole stile
rustico.

XX   **Sole** con cam   🚗 🏠 🅰🅒 cam, 🅿 🚾 ⓧ 🆎 ⛛
via Monsignor Trabattoni 22 – ☎ 037 75 81 42 – www.ilsolemaleo.it – info@
ilsolemaleo.it – Fax 03 77 45 80 58 – chiuso gennaio ed agosto
3 cam ⳤ – ♦70 € ♦♦120 €
Rist – *(chiuso domenica sera e lunedì)* Carta 33/70 €
♦ Locanda di antica tradizione affacciata su un cortile interno, ricco di un pittoresco
giardino. Nella bella stagione vale la pena di approfittare del servizio all'aperto.

MALESCO – Verbano-Cusio-Ossola (VB) – 561D7 – **1 473 ab.**   23 **C1**
– **alt. 761 m** – **Sport invernali : a Piana di Vigezzo : 800/2 064** ⛷1 ⛷4, ⚹
– ✉ 28854

> ◨ Roma 718 – Stresa 53 – Domodossola 20 – Locarno 29
> ⓘ via Ospedale 1 ☎ 0324 929901, promalesco@tiscali.it, Fax 0324 929828

X   **Ramo Verde**   🚾 ⓧ 🆎 ① ⛛
⊜   *via Conte Mellerio 5 – ☎ 032 49 50 12 – ristoranteramoverde@tiscalinet.it*
– Fax 032 49 50 12 – chiuso novembre e mercoledì (escluso da giugno a
settembre)
Rist – Carta 20/26 €
♦ Classica trattoria di paese, gestita dalla medesima famiglia da varie generazioni.
Cucina d'impronta casalinga con "infiltrazioni" di pesce, d'acqua dolce e salata.

624

MALGRATE – Lecco (LC) – 561E10 – 4 208 ab. – alt. 224 m – ⊠ 23864   18 B1

▶ Roma 623 – Como 27 – Bellagio 20 – Lecco 2

🏡🏡🏡 **Il Griso**   ⇐ 🗄 ᕒ 🔳 ℅ ⟨ᵗ⟩ 🐾 🅿 VISA ⬤ AE ① ᕒ
via Provinciale 51 – ℰ 034 12 39 81 – *www.griso.info* – *hotel@griso.info*
– *Fax 034 12 39 84 10*
43 cam ⊆ – †70/190 € ††90/250 € – ½ P 75/185 €
Rist *Gourmet* – ℰ 034 12 39 86 01 – Carta 55/75 €
♦ Affascinante struttura, affacciata sul celebre lago, si ripropone con un nuovo *look*:
camere ampie e moderne con una vista impareggiabile sulla natura circostante. Nella
sala di stile contemporaneo del rist *Gourmet*, l'impiego di eccellenti materie prime è il
protagonista indiscusso di una cucina ricercata, mai banale.

MALLES VENOSTA (MALS) – Bolzano (BZ) – 562B13 – 4 912 ab.   30 A2
– alt. 1 050 m – Sport invernali : 1 750/2 500 m ⚡3, ⚡ – ⊠ 39024

▶ Roma 721 – Sondrio 121 – Bolzano 84 – Bormio 57

🛈 via San Benedetto 1 ℰ 0473 831190, mals@suedtirol.com, Fax 0473
831901

🏠 **Biohotel Panorama**   ⇐ 🚗 🍴 ⋔ 🗄 ᕒ cam, ⇆ ℅ rist, ⟨ᵗ⟩ 🅿
via Nazionale 5 – ℰ 04 73 83 11 86   VISA ⬤ ᕒ
– *www.hotel-panorama-mals.it* – *info@hotel-panorama-mals.it*
– *Fax 04 73 83 12 15* – *chiuso dal 10 novembre al 22 dicembre e dal 7 gennaio a
febbraio*
26 cam ⊆ – †51/65 € ††80/190 € – ½ P 70/95 €
Rist – *(chiuso a mezzogiorno escluso domenica e i giorni festivi)* Carta 25/38 €
♦ Un albergo "biologico" che presenta il meglio di sé negli interni curati e confortevoli.
Due tipologie di camere, entrambe in grado di offrire un buon relax. Gestione esperta.
In cucina ottimi prodotti, le verdure provengono dall'orto di famiglia.

🏠 **Greif**   ⋔ 🗄 ᕒ cam, ℅ rist, ⟨ᵗ⟩ VISA ⬤ AE ① ᕒ
via Verdross 40/A – ℰ 04 73 83 11 89 – *www.hotel-greif.com* – *info@
hotel-greif.com* – *Fax 04 73 83 19 06* – *chiuso dal 3 ottobre al 25 dicembre*
10 cam ⊆ – †50/70 € ††100/140 € – ½ P 65/80 €   **Rist** – Carta 32/40 €
♦ Hotel centralissimo, dal buon confort generale, che oltre al pregevole ristorante con
interessante linea gastronomica offre ai propri clienti uno spazio bistrot e l'enoteca.

a Burgusio (Burgeis)Nord : 3 km – alt. 1 215 m – ⊠ 39024 – Malles Venosta

🛈 frazione Burgusio 77 ℰ 0473 831422, info@burgeis.is.it, Fax 0473 831690

🏠 **Weisses Kreuz** 🦢   ⇐ ⤮ 🔳 ⬤ ⋔ 🗄 ℅ rist, ⟨ᵗ⟩ 🚗 VISA ⬤ ᕒ
– ℰ 04 73 83 13 07 – *www.weisseskreuz.it* – *info@weisseskreuz.it*
– *Fax 04 73 83 16 53* – *20 dicembre-Pasqua e 15 maggio-2 novembre*
30 cam ⊆ – †60/90 € ††100/170 € – ½ P 70/95 €
Rist – *(chiuso giovedì)* Menu 33/49 €
♦ Per un piacevole soggiorno, un hotel di tradizione recentemente rimodernato con
particolari attenzioni alla zona relax. Bella terrazza baciata dal sole. Ampia e luminosa
sala ristorante.

🏠 **Plavina** senza rist 🦢   ⇐ ⤮ 🔳 ⋔ 👟 🗄 ⚑ ⟨ᵗ⟩ 🅿 VISA ⬤
– ℰ 04 73 83 12 23 – *mohren-plavina@rolmail.net* – *Fax 04 73 83 04 06* – *chiuso
dal 10 novembre al 26 dicembre, dal 10 al 22 gennaio e dal 2 al 20 maggio*
43 cam ⊆ – †38/46 € ††76/92 €
♦ Risorsa tranquilla ed accogliente, dotata di ampie camere, punto di appoggio adatto
per chi ama le montagne. Per i pasti, è possibile rivolgersi al vicino ristorante Al Moro.

✗ **Al Moro-Zum Mohren** con cam   ⟨ᵗ⟩ 🅿 VISA ⬤
⊕ – ℰ 04 73 83 12 23 – *www.mohren-plavina.com* – *mohren-plavina@rolmail.net*
– *chiuso dal 10 novembre al 26 dicembre, dal 10 al 22 gennaio e dal 2 al 22
maggio*
14 cam ⊆ – †30/39 € ††50/82 € – ½ P 49/53 €
Rist – *(chiuso martedì e mercoledì a mezzogiorno)* Carta 17/25 €
♦ In un tipico paesino di montagna, soluzione che presenta la possibilità di assaporare
una sobria e schietta cucina locale, servita in ambienti dagli arredi semplici. Confortevoli
le camere, sormontate da antichi soffitti lignei: emozionante la vista da ogni finestra.

MALNATE – Varese (VA) – 561E8 – 15 927 ab. – alt. 355 m – ⊠ 21046   18 **A1**
> ◨ Roma 618 – Como 21 – Lugano 32 – Milano 50

ჯჯ   **Crotto Valtellina**   🎐 AC 🍴 ⇆ P VISA ⊕⊕ AE ① ☺
via Fiume 11, località Valle – ℰ *03 32 42 72 58* – *www.crottovaltellina.it* – *info@ crottovaltellina.it* – *Fax 03 32 86 12 47* – *chiuso martedì e mercoledì*
Rist – Carta 37/65 € ⚇
♦ All'ingresso la zona bar-cantina, a seguire la sala rustica ed elegante nel contempo. Cucina di rigida osservanza valtellinese e servizio estivo a ridosso della roccia.

MALO – Vicenza (VI) – 562F16 – 12 952 ab. – alt. 116 m – ⊠ 36034   37 **A1**
> ◨ Roma 561 – Verona 73 – Padova 59 – Venezia 93

ჯჯ   **Cinque Sensi**   & AC 🍴 ⇆ P VISA ⊕⊕ AE ☺
via Pacinotti 2 – ℰ *04 45 60 79 76* – *www.5sensi.it* – *info@5sensi.it*
– *Fax 04 45 58 40 34* – *chiuso sabato a mezzogiorno e domenica*
Rist – Carta 39/50 €
♦ Una cucina del territorio sempre attuale grazie alla costante attenta ricerca dei prodotti impiegati, per soddisfare ed emozionare i clienti in ogni gusto. Meglio, in ogni senso!

MALOSCO – Trento (TN) – 562C15 – 359 ab. – alt. 1 041 m – ⊠ 38013   30 **B2**
> ◨ Roma 638 – Bolzano 33 – Merano 40 – Milano 295

🏨   **Bel Soggiorno** ⬧   ≤ 🚗 🛏 🖥 & rist, 🍴 rist, 🔏 P VISA ⊕⊕ AE ☺
⊕⊕   *via Miravalle 7* – ℰ *04 63 83 12 05* – *www.h-belsoggiorno.com* – *info@ h-belsoggiorno.com* – *Fax 04 63 83 12 05* – *chiuso novembre*
42 cam ⊇ – †43/62 € ††74/108 € – ½ P 48/55 €   **Rist** – Carta 20/25 €
♦ In posizione rilassante, circondato da un giardino soleggiato, l'albergo offre camere in stile rustico, una taverna con biliardo, sale di lettura e una piccola area benessere. Presso l'ampia sala da pranzo, la classica cucina trentina.

🏠   **Rosalpina**   ≤ 🚗 🖥 🍴 P
⊕⊕   *viale Belvedere 34* – ℰ *04 63 83 11 86* – *www.hotel-rosalpina.it* – *hotelrosalpina@ virgilio.it* – *Fax 04 63 83 11 86* – *22 dicembre-10 gennaio e 25 giugno-15 settembre*
16 cam ⊇ – †45/54 € ††60/86 € – ½ P 55/58 €   **Rist** – Menu 15/18 €
♦ Una struttura semplice dall'esperta gestione familiare, ben ubicata nel verde e poco distante dal centro, garantisce nei suoi spazi soggiorni all'insegna della tranquillità. Una piccola sala ristorante per gustare la tradizione culinaria regionale.

MALS = Malles Venosta

MANAROLA – La Spezia (SP) – 561J11 – ⊠ 19017 ▯ Italia   15 **D2**
> ◨ Roma 434 – La Spezia 14 – Genova 119 – Milano 236
> 🖈 c/o Stazione FS ℰ 0187 760511, accoglienzamanarola@ parconazionale5terre.it
> ◉ Passeggiata★★ (15 mn a piedi dalla stazione)
> ◈ Regione delle Cinque Terre★★ Nord-Ovest e Sud-Est per ferrovia

🏠   **Ca' d'Andrean** senza rist ⬧   🚗 AC 🍴
via Discovolo 101 – ℰ *01 87 92 00 40* – *www.cadandrean.it* – *cadandrean@ libero.it* – *Fax 01 87 92 04 52* – *chiuso dal 11 novembre al 25 dicembre*
10 cam – †55/70 € ††70/96 €, ⊇ 6 €
♦ Alberghetto a gestione familiare, nel centro pedonale del grazioso borgo di mare, dotato anche di un giardino piccolo, ma carino. Risorsa semplice, ma assolutamente valida.

🏠   **La Torretta** senza rist ⬧   ≤ AC 🍴 VISA ⊕⊕ AE ① ☺
piazza della Chiesa - Vico Volto 20 – ℰ *01 87 92 03 27* – *www.torrettas.com* – *torretta@cdh.it* – *Fax 01 87 76 00 24* – *chiuso gennaio e febbraio*
8 cam ⊇ – †90/120 € ††100/150 € – 2 suites
♦ Tra i romantici color pastello delle tipiche case della zona, un piacevole bed and breakfast con camere funzionali da cui si ammira il mare; piccola terrazza per colazioni.

✗ **Marina Piccola** con cam   ← 🏛 AC ✗ cam, VISA ◎ AE ① ✿
    via lo Scalo 16 – ℰ 01 87 92 09 23 – www.hotelmarinapiccola.com – info@
hotelmarinapiccola.com – Fax 01 87 76 07 70 – chiuso novembre
13 cam ⊆ – ♦92 € ♦♦120 €
Rist – (chiuso dal 15 novembre al 25 dicembre e martedì) Carta 21/57 €
◆ Trattoria informale con gradevole servizio all'aperto - fronte mare - per apprezzare lo
spirito delle Cinque Terre anche in tavola.

a Volastra Nord-Ovest : 7 km – ✉ 19017 – **Manarola**

🏠 **Il Saraceno** senza rist   ✗ 🚗 VISA ◎ AE ① ✿
    – ℰ 01 87 76 00 81 – www.thesaraceno.com – hotel@thesaraceno.com
– Fax 01 87 76 07 91 – chiuso dal 7 gennaio al 12 febbraio
7 cam ⊆ – ♦♦72/93 €
◆ Struttura di recente costruzione, circondata dal verde e dalla quiete; spazi comuni
lineari, ampie camere di moderna essenzialità negli arredi, piacevole solarium.

MANCIANO – Grosseto (GR) – 563O16 – **7 110 ab.** – **alt. 443 m**   29 **C3**
– ✉ 58014
▶ Roma 141 – Grosseto 61 – Orvieto 65 – Viterbo 69

🏨 **Il Poderino**   🚗 🏛 ☒ AC ✗ P VISA ◎ AE ① ✿
    strada statale 74, Ovest : 1 km – ℰ 05 64 62 50 31 – www.3querce.it – 3querce@
3querce.it – Fax 05 64 62 50 31 – chiuso dal 25 gennaio al 20 febbraio
8 cam ⊆ – ♦60/80 € ♦♦100/120 € – ½ P 75/85 €
Rist – (chiuso martedì da febbraio a marzo e da ottobre a novembre) (chiuso a
mezzogiorno) (solo per alloggiati) Menu 18/30 €
◆ Una dimora di campagna in pietra e mattoni, riadattata per accogliere turisti in cerca
dei profumi della natura toscana. Alloggi più economici nell'annesso agriturismo. Servizio ristorante estivo sulla terrazza panoramica, cucina toscana.

🏠 **Rossi**   AC ✗ VISA ◎ AE ✿
    via Gramsci 3 – ℰ 05 64 62 92 48 – www.hotelrossi.it – info@hotelrossi.it
– Fax 05 64 62 92 48 – chiuso una settimana in luglio
13 cam ⊆ – ♦50/73 € ♦♦73 € – ½ P 52/58 €
Rist – (chiuso a mezzogiorno) (solo per alloggiati)
◆ Circa ottant'anni di storia alle spalle, un tono molto tranquillo, ambiente lindo e pia-
cevole, adatto alla clientela d'affari. Piano terra rinnovato di recente.

✗ **Da Paolino**   🏛 AC VISA ◎ AE ✿
    via Marsala 41 – ℰ 05 64 62 93 88 – info@dapaolino.it – Fax 05 64 62 93 88
– chiuso gennaio o febbraio e lunedì
Rist – (coperti limitati, prenotare) Carta 24/37 €
◆ Trattoria di stile familiare, dove gustare pasta fatta in casa e piatti della tradizione.
Invitanti profumi e stuzzicanti sapori: appetito sincero, soddisfazione vera.

sulla strada provinciale 32 per Farnese

🏠 **Le Pisanelle**   ← 🚗 🏛 ☒ 🏊 AC ✗ ⚕ P VISA ◎ AE ✿
    strada provinciale 32 al km 3,8, Sud-Est : 3,8 km ✉ 58014 Manciano
– ℰ 05 64 62 82 86 – www.lepisanelle.it – info@lepisanelle.it – Fax 05 64 62 58 40
– chiuso dal 20 al 25 dicembre, dal 7 al 28 febbraio e novembre
8 cam ⊆ – ♦105/112 € ♦♦115/125 € – ½ P 93/107 €
Rist – (chiuso domenica) (chiuso a mezzogiorno) (solo per alloggiati)
Menu 35/40 €
◆ Immerso nel verde della magica e meravigliosa Maremma toscana, un antico
casale ottocentesco ospita spazi comuni accoglienti e camere arredate con mobili
d'epoca. La calda ospitalità, il fiore all'occhiello! Dalle tradizioni maremmane all'innovazione gastronomica, i segreti della cucina.

🏠 **Agriturismo Poggio Tortollo** senza rist   ← 🚗 ☒ AC P
    strada provinciale 32, km 4, Sud-Est : 4 km ✉ 58014 Manciano   VISA ◎
– ℰ 05 64 62 02 09 – www.poggiotortollo.it – poggiotortollo@hotmail.com
– Fax 05 64 62 09 49 – chiuso dal 10 gennaio al 10 febbraio
5 cam ⊆ – ♦40/46 € ♦♦60/80 €
◆ Nel verde delle splendide colline, una piccola risorsa che abbina bene confort di
livello elevato, al clima più genuinamente casalingo e familiare. Sincerità innanzitutto.

sulla strada statale 74-Marsiliana Ovest : 15 km

↑ **Agriturismo Galeazzi** senza rist ⬩ ⬩ ⬩ ⬩ ⬩ ⬩ **P**
    ⬩ *58010 Manciano* – ⬩ *05 64 60 50 17* – *www.agriturismogaleazzi.com*
    – *info@agriturismogaleazzi.com* – *Fax 05 64 60 50 17*
    9 cam ⬩ – **†**40/60 € **††**55/65 €
    ♦ A mezza strada tra il mare e le terme di Saturnia, un agriturismo ottimamente tenuto, ideale per una vacanza nella campagna toscana. Laghetto per la pesca sportiva.

MANDELLO DEL LARIO – Lecco (LC) – 561E9 – 10 308 ab.   16 B2
– alt. 203 m – ⬩ 23826

▶ Roma 631 – Como 40 – Bergamo 44 – Milano 67

a Olcio Nord : 2 km – ⬩ 23826 – Mandello del Lario

XX **Ricciolo**   ⬩ ⬩ **P** **VISA** ⬩ **AE** ⬩ ⬩
    via Provinciale 165 – ⬩ *03 41 73 25 46* – *www.ristorantericciolo.com* – *info@*
    ristorantericciolo.com – *Fax 03 41 73 25 46* – *chiuso gennaio, domenica sera e*
    lunedì (escluso giugno-agosto)
    Rist – Carta 37/50 €
    ♦ Pochi coperti in questo gradevole ristorante familiare dove affidarsi a una gestione di grande esperienza. Pregevole il servizio estivo all'aperto in riva al lago.

MANERBA DEL GARDA – Brescia (BS) – 561F13 – 3 378 ab.   17 D1
– alt. 132 m – ⬩ 25080

▶ Roma 541 – Brescia 32 – Mantova 80 – Milano 131

XXX **Capriccio** (Giuliana Germiniasi)   ⬩ ⬩ **AE** **P** **VISA** ⬩ **AE** ⬩ ⬩
❀   *piazza San Bernardo 6, località Montinelle* – ⬩ *03 65 55 11 24*
    – *www.ristorantecapriccio.it* – *info@ristorantecapriccio.it* – *Fax 03 65 55 02 96*
    – *chiuso gennaio, febbraio e martedì*
    Rist – (prenotazione obbligatoria a mezzogiorno) Menu 55/75 €
    – Carta 72/94 € ⬩
    Spec. Trancetti di baccalà, patate al burro, crema di caprino e mela con pomodori confit. Risotto con pere ed acciughe. Zabaione freddo al vinsanto, crema di cioccolato, soffice alla nocciola, lampone e sorbetto al cioccolato.
    ♦ Raffinato e spazioso ristorante, la cucina propone versioni moderne dei classici italiani con particolare cura nelle presentazioni. Apoteosi nei dolci, irrinunciabili.

X **Il Gusto**   ⬩ ⬩ **AE** **P** **VISA** ⬩ ⬩
    piazza San Bernardo località Montinelle – ⬩ *03 65 55 02 97*
    – *www.ristorantecapriccio.it* – *ilgusto@ristorantecapriccio.it* – *Fax 03 65 55 02 96*
    – *chiuso gennaio, febbraio e martedì*
    Rist – (prenotazione obbligatoria a mezzogiorno) Carta 27/36 €
    ♦ Nato da poco, locale di taglio giovane ma frequentato da ogni età, dove gustare piatti sfiziosi accompagnati da un buon bicchiere di vino. L'esperta gestione è una garanzia.

a Pieve Vecchia Nord : 2 km – ⬩ 25080 – Manerba del Garda

XX **Ortica** (Piercarlo Zanotti)   ⬩ ⬩ **AE** ⬩ ⬩ **P** **VISA** ⬩ **AE** ⬩ ⬩
❀   *piazza Silvia 1* – ⬩ *03 65 65 18 65* – *www.ristoranteortica.it* – *or.ti.ca@hotmail.it*
    – *Fax 03 65 55 47 96* – *chiuso tre settimane in gennaio, una in settembre*
    e lunedì; anche domenica sera da ottobre a marzo
    Rist – Menu 30 € (solo a mezzogiorno escluso i giorni festivi)/70 €
    – Carta 51/83 € ⬩
    Spec. Crudo di mare con olio del lago. Pappardelle con polpa di lumache e verdure. Galletto allevato a terra e grigliato con agretto e verdure.
    ♦ Luminoso e spazioso locale ispirato ad una cucina moderna e di ricerca. I prodotti del lago, dall'olio al pesce, incontrano quelli di mare con qualche proposta di carne.

MANFREDONIA – Foggia (FG) – 564C29 – 57 334 ab. – ⊠ 71043 ▮ Italia   26 **B1**

　▶ Roma 411 – Foggia 44 – Bari 119 – Pescara 211

　🗊 piazza del Popolo 10 ℰ 0884 581998, manfredonia@pugliaturismo.com,
　　Fax 0884 581998

　◎ Chiesa di Santa Maria di Siponto★ Sud : 3 km

　◪ Portale★ della chiesa di San Leonardo Sud : 10 km – Isole Tremiti★ (in
　　battello) : ≤★★★ sul litorale

🏨　**Regio Hotel Manfredi**　　　🚅 ⤢ 🛗 ⅋ rist, 🕎 🌀 ⅍ 🅿
　strada statale per San Giovanni Rotondo al km 12,　　🚾 🆚 ⓪ 🅾 ⅍
　Ovest : 2 km – ℰ 08 84 53 01 22 – www.regiohotel.it – info@regiohotel.it
　– Fax 08 84 53 01 13
　100 cam � ⤍ – †79/129 € †124/159 € – ½ P 82/100 €　**Rist** – Carta 24/44 €
　♦ Poco lontano dal centro, ma già immersa tra grandi spazi verdi, struttura di taglio
　decisamente moderno dotata di un centro congressuale perfettamente attrezzato. Sala
　ristorante arredata sobriamente, cucina dai sapori mediterranei.

🏨　**Gargano**　　　　　≤ 🏖 ⤢ 🛗 ⅋ 🕎 ⅍ 🅿 🛵 🚾 ⓪ 🆎 🅾 ⅍
　viale Beccarini 2 – ℰ 08 84 58 76 21 – www.hotelgargano.net – info@
　hotelgargano.net – Fax 08 84 58 60 21
　46 cam ⊊ – †70/90 € ††90/150 € – ½ P 95 €　**Rist** – Carta 35/79 €
　♦ Sul lungomare, edificio bianco con interni luminosi in sobrio stile marinaresco. Vista
　mare dagli spazi comuni, piccola piscina circolare in terrazza. La cucina predilige la pro-
　posta di preparazioni a base di mare.

🍴　**Coppola Rossa**　　　　　　　🕎 🚾 ⓪ 🆎 🅾 ⅍
　via dei Celestini 13 – ℰ 08 84 58 25 22 – chiuso dal 6 al 15 gennaio,
　dal 29 giugno al 5 luglio, domenica sera e lunedì
　Rist – Carta 29/43 €
　♦ Manfredonia è uno dei più importanti porti pescherecci pugliesi e questo locale non
　si è fatto sfuggire l'occasione: ottimo pesce in un ambiente allegro e familiare.

a Sciale delle Rondinelle Sud : 5 km – ⊠ 71043 – Manfredonia

🏨　**Del Golfo**　　　　⤢ 🍴 🛗 ⅋ ⅍⅍ 🕎 ⅍ rist, 🅿 🚾 ⓪ 🆎 🅾 ⅍
🛵　strada statale 159 al km 3,5 – ℰ 08 84 57 14 70 – www.hoteldelgolfomanf.it
　– info@hoteldelgolfomanf.it – Fax 08 84 57 12 06
　80 cam ⊊ – †65/75 € ††80/90 € – ½ P 70/80 €
　Rist – (chiuso dal 25 al 31 dicembre) Carta 21/56 €
　♦ A ridosso della spiaggia, la risorsa si trova all'interno di un villaggio con villette,
　offre spazi esterni gradevoli e camere sobrie ed è adatto ad una clientela turistica. Sala
　ristorante luminosa e capiente.

MANGO – Cuneo (CN) – 561H6 – 1 360 ab. – alt. 521 m – ⊠ 12056   25 **C2**

　▶ Roma 612 – Cuneo 79 – Torino 91 – Genova 112

🏠　**Villa Althea** senza rist ⅍　　　≤ 🚅 🖭 🍴 ⅍⅍ ⅍⅍ 🛵 🚾 🅾
　località Luigi 18, Nord-Ovest : 1 km – ℰ 33 55 29 55 08 – www.villaalthea.it
　– info@villaalthea.it – chiuso gennaio, febbraio e dal 1° al 15 agosto
　6 cam ⊊ – †130/150 € ††150/180 € – 1 suite
　♦ Raffinata atmosfera familiare riscaldata da sorprendenti accostamenti di colore, una
　sala da biliardo e un'enorme scacchiera all'aperto avvolta dalla tranquillità delle colline.

MANIAGO – Pordenone (PN) – 562D20 – 11 433 ab. – alt. 283 m   10 **A2**
– ⊠ 33085

　▶ Roma 636 – Udine 51 – Pordenone 27 – Venezia 124

🏨　**Eurohotel Palace Maniago**　　　🕭 🏖 🛗 ⅋ cam, ⅍⅍ 🕎 🌀 ⅍ 🅿
　viale della Vittoria 3 – ℰ 042 77 14 32　　　　　🛵 🚾 ⓪ 🆎 🅾 ⅍
　– www.eurohotelfriuli.it – maniago@eurohotelfriuli.it – Fax 04 27 73 31 56
　– chiuso dal 1° al 10 gennaio e dal 10 al 20 agosto
　39 cam ⊊ – †83 € ††133 € – ½ P 92 €
　Rist – (chiuso domenica sera e lunedì) Carta 27/47 €
　♦ Spaziosi e confortevoli gli ambienti di questo hotel, sia le parti comuni che le camere,
　arredati secondo i dettami dello stile minimalista attualmente in voga. Parco secolare sul
　retro. Eleganza e soluzioni moderne anche per la sala da pranzo, dove gustare specialità
　di pesce.

MANTOVA ⓟ (MN) – 561 G14 – **47 820 ab.** – alt. 19 m – ⊠ 46100   17 **C3**
🏴 Italia

▶ Roma 469 – Verona 42 – Brescia 66 – Ferrara 89

ℹ piazza Andrea Mantegna 6 ℰ 0376 432432, info@turismo.mantova.it, Fax 0376 432433

◉ Palazzo Ducale★★★ BY – Piazza Sordello★ BY **21** – Piazza delle Erbe★ : Rotonda di San Lorenzo★ BZ **B** – Basilica di Sant'Andrea★ BYZ – Palazzo Te★ AZ

◙ Sabbioneta★ Sud-Ovest : 33 km

🏠 **Casa Poli** senza rist   🖚 ⅅ 🅰🅺 ⅌ 🌐 🚗 ⓥ🅸🆂🅰 ⓒⓞ 🅰🅴 ⓘ ⓢ
corso Garibaldi 32 – ℰ 03 76 28 81 70 – www.hotelcasapoli.it – info@hotelcasapoli.it – Fax 03 76 36 27 66 – chiuso 3 settimane in agosto
27 cam ⌂ – †130 € ††190 €   BZ**b**
◆ Bella novità nel panorama alberghiero cittadino: struttura dal confort moderno e omogeneo, con camere diverse per disposizione ma identiche per stile e servizi.

MANTOVA

※※※ **Aquila Nigra** (Vera Bini) 🖂 AK ⇔ VISA ⬤ ① ⓢ
☼ *vicolo Bonacolsi 4 – 𝒞 03 76 32 71 80 – www.aquilanigra.it – informazioni@
aquilanigra.it – Fax 03 76 22 64 90 – chiuso 15 giorni in agosto, domenica e
lunedì (in aprile, maggio, settembre, ottobre aperto domenica a mezzogiorno)*
Rist – Carta 54/90 € 🕸   BY**b**
Spec. Variazione di pesce di lago e di fiume. Sfrisolade (pasta) con calamari
velo, spugnole e fontina. Anatroccolo caramellato alle marasche con puré di
castagne.
♦ Vecchia casa in un vicolo medievale nei pressi del Palazzo Ducale che conserva
ancora alcune caratteristiche originali: soffitti a cassettoni decorati, affreschi alle pareti e
la cucina tipica mantovana.

※※ **Il Cigno Trattoria dei Martini** AK ⇔ VISA ⬤ AE ① ⓢ
*piazza Carlo d'Arco 1 – 𝒞 03 76 32 71 01 – Fax 03 76 32 85 28 – chiuso natale,
dal 31dicembre al 5 gennaio, agosto, lunedì e martedì*   AY**u**
Rist – Carta 43/59 €
♦ Lunga tradizione familiare, in una casa del Quattrocento, ovviamente classica, ma
magicamente accogliente. Le proposte partono dal territorio per arrivare in tavola.

※※ **Grifone Bianco** 🏠 AK ⅍ ⇔ VISA ⬤ ① ⓢ
*piazza Erbe 6 – 𝒞 03 76 36 54 23 – www.grifonebianco.it – info@grifonebianco.it
– Fax 03 76 32 65 90 – chiuso dal 20 al 28 febbraio e dal 25 giugno all'8 luglio,
martedì e mercoledì a mezzogiorno*   BZ**z**
Rist – Carta 39/57 € 🕸
♦ Il nome deriva dalla contrada quattrocentesca in cui è ubicato, la cucina propina
tanto la tradizione, quanto le stagioni rielaborate con creatività. Ottima cantina.

※ **Fragoletta** AK ⅍ ⇔ VISA ⬤ AE ① ⓢ
*piazza Arche 5/a – 𝒞 03 76 32 33 00 – lafragoletta@libero.it – Fax 03 76 32 33 00
– chiuso lunedì*   BZ**r**
Rist – Carta 22/29 € 🕸
♦ In un angolo del centro, due sale vivaci e colorate nelle quali vengono proposte le
specialità della cucina locale, talvolta rielaborate con gusto; notevole assortimento di
formaggi accompagnati dall'immancabile mostarda.

※ **Cento Rampini** 🏠 ⅍ VISA ⬤ AE ① ⓢ
*piazza delle Erbe 11 – 𝒞 03 76 36 63 49 – 100.rampini@libero.it
– Fax 03 76 32 19 24 – chiuso dal 26 al 31 gennaio, dal 1° al 15 agosto,
domenica sera e lunedì*   BZ**z**
Rist – Carta 32/44 €
♦ Uno dei locali storici della città, in splendida posizione centrale: fortunatamente non
ha ceduto alle lusinghe della moda rustico-chic. Cucina tradizionalmente "ortodossa".

a Porto Mantovano per ① : 3 km – ⊠ 46047

🏨 **Abacus** senza rist 🖂 ఉ AK ↳ (°) ⅍ P VISA ⬤ AE ⓢ
*strada Martorelli 92/94 – 𝒞 03 76 39 91 42 – www.hotelabacus.net – info@
hotelabacus.net – Fax 03 76 44 20 21 – chiuso dal 24 dicembre al 1° gennaio e
15 giorni in agosto*
30 cam ⊊ – †62/156 € ††96/235 €
♦ Un hotel capace di coniugare la tranquillità tipica di una zona residenziale, con la vicinanza a strutture produttive e industriali, molto apprezzata dalla clientela d'affari.

a Cerese di Virgilio per ③ : 4 km : – ⊠ 46030

※※ **Corte Bertoldo Antica Locanda** ఉ AK ⅍ P VISA ⬤ AE ① ⓢ
*strada statale Cisa 116 – 𝒞 03 76 44 80 03 – www.cortebertoldo.it
– simone.biasi@fastwebnet.it – Fax 03 76 44 80 03 – chiuso dal 1° al 15 gennaio,
dal 10 al 25 agosto, i mezzogiorno di domenica e lunedì in luglio-agosto,
domenica sera e lunedì negli altri mesi*
Rist – Carta 26/37 € 🕸
♦ Appassionata gestione con pregevoli e fantasiosi risultati. Atmosfera di calda modernità nella bella sala, collocazione stradale con comodo parcheggio.

a Pietole di Virgilio per ③ : 7 km – ✉ 46030

Paradiso senza rist ⌂   🚗 ❤ ♨ **P** VISA ⑩ AE ⚡
via Piloni 13 – 🕾 03 76 44 07 00 – paradiso.hotel@tin.it – Fax 03 76 44 92 53
– chiuso dal 20 dicembre al 2 gennaio
16 cam ⥮ – †47/57 € ††75/85 €
♦ Inaspettata e semplice risorsa ricavata da una bella villetta familiare in posizione defilata e tranquilla. Camere carine e spaziose, soprattutto quelle della dépendance.

MARANELLO – Modena (MO) – 562I14 – 16 115 ab. – alt. 137 m   8 **B2**
– ✉ 41053
    🖪 Roma 411 – Bologna 53 – Firenze 137 – Milano 179

Planet Hotel senza rist   🖭 ❤ AC ⥮ ❄ ⁽ᵖ⁾ 🖕 VISA ⑩ AE ① ⚡
via Verga 22 – 🕾 05 36 94 67 82 – www.planethotel.org – pianethotel@
planethotel.org – Fax 05 36 93 25 04 – chiuso dal 24 dicembre al 2 gennaio e dal
10 al 16 agosto
25 cam ⥮ – †90/115 € ††130/155 €
♦ La hall è un omaggio alla scuderia del cavallino, mentre dalle terrazze di questo piccolo e semplice hotel è possibile sentire il rombo dei motori della Rossa.

Domus senza rist   🖭 AC ⥮ ⁽ᵖ⁾ VISA ⑩ AE ① ⚡
piazza Libertà 38 – 🕾 05 36 94 10 71 – www.hoteldomus.it – info@hoteldomus.it
– Fax 05 36 94 23 43
50 cam ⥮ – †60/78 € ††90/110 €
♦ Proprio accanto al municipio, annovera camere di differenti tipologie e curati spazi comuni di modeste dimensioni. Sono in corso importanti interventi di rinnovamento.

William   AC VISA ⑩ AE ① ⚡
via Flavio Gioia 1 – 🕾 05 36 94 10 27 – www.ristorantewilliam.com – mail@
ristorantewilliam.com – Fax 05 36 93 20 03 – chiuso dal 1° all'8 gennaio, dal 4 al
28 agosto, lunedì e domenica sera
Rist – Carta 32/52 €
♦ Nato agli inizi degli anni Settanta, sono ancor oggi caratteristiche le sue finestre rotonde ed i separè circolari. Dalla cucina arrivano ogni giorno freschi piatti di pesce.

sulla strada statale 12 - Nuova Estense Sud-Est : 4 km :

Locanda del Mulino senza rist   🖭 ❤ AC ⁽ᵖ⁾ **P** VISA ⑩ AE ① ⚡
via Nuova Estense 3430 ✉ 41053 Maranello – 🕾 05 36 94 41 75
– www.locandadelmulino.com – info@locandadelmulino.com
– Fax 05 36 94 68 79
18 cam – †53/70 € ††70/85 €
♦ Caratteristica struttura di gusto rustico, con massicce travi in pietra, ricavata all'interno d'un antico mulino. Singolare l'unica stanza con terrazzino affacciata sulla ruota ad acqua.

La Locanda del Mulino   🖭 AC **P** VISA ⑩ AE ⚡
via Nuova Estense 3430 ✉ 41053 – 🕾 05 36 94 88 95
– www.lalocandadelmulino.3000.it – w.bertoni@infinito.it – Fax 05 36 94 68 79
– chiuso a mezzogiorno in agosto, sabato a mezzogiorno e mercoledì negli altri
mesi
Rist – Carta 22/38 €
♦ Simpatico locale dai sapori emiliani rivisitati, dalle cui vetrate è ancora possibile vedere parti del vecchio mulino che lo ospita. Piacevole il dehors estivo immerso nel verde.

MARANO LAGUNARE – Udine (UD) – 562E21 – 2 046 ab. – ✉ 33050   11 **C3**
    🖪 Roma 626 – Udine 43 – Gorizia 51 – Latisana 21

Alla Laguna-Vedova Raddi   🏠 AC ⇄ VISA ⑩ AE ① ⚡
piazza Garibaldi 1 – 🕾 043 16 70 19 – vedova_raddi@yahoo.it
– Fax 04 31 64 09 21 – chiuso quindici giorni in novembre e lunedì
Rist – Carta 31/54 €
♦ Il pesce proviene esclusivamente dal mercato locale ed è valorizzato dalle semplici elaborazioni. Luminosa la sala, con qualche squarcio nella pietra antica dei muri.

MARANZA = **MERANSEN** – Bolzano – 562B16 – Vedere Rio di Pusteria

▶ Roma 423 – Potenza 147 – Castrovillari 88 – Napoli 217

ℹ️ piazza del Gesù 32 ✉ 85040 Fiumicello di Santa Venere 𝄐 0973 876908, maratea@aptbasilicata.it, Fax 0973 877454

👁️ Località ★★ – ❄★★ dalla basilica di San Biagio

🏠🏠 **La Locanda delle Donne Monache**   🚗 🛋 🍽 🅰🅲 🍸 rist, 💆 🅿
via Carlo Mazzei 4 – 𝄐 09 73 87 74 87   𝖵𝖨𝖲𝖠 ⓿ 🅰🅴 ⓪ 💰
– www.mondomaratea.it – locanda@mondomaratea.it – Fax 09 73 87 76 87
– 15 aprile-15 ottobre
24 cam 🖵 – 5 suites – ½ P 218 €   **Rist** *La Locanda delle Donne Monache* –
♦ Nella parte alta della località, in un ex convento del XVIII secolo, camere con piccole personalizzazioni, alcune con un ampio terrazzo privato. Grazioso ristorante con proposte mediterranee rivisitate.

---

a Fiumicello di Santa Venere Ovest : 5 km – ✉ 85046

🏠🏠 **Santavenere** 🐾   ≤ 🍷 🛋 🍽 ⊛ 🎣 ♨ 🍸 ⚡ 🅰🅲 🍸 rist, 💆 🅿
via Santavenere snc – 𝄐 09 73 87 69 10   𝖵𝖨𝖲𝖠 ⓿ 🅰🅴 ⓪ 💰
– www.santavenerehotel.eu – info@santaenerehotel.eu – Fax 09 73 87 76 54
– aprile-ottobre
37 cam 🖵 – †† 280/700 € – 7 suites – ½ P 220/430 €   **Rist** – Carta 50/80 €
♦ In posizione ineguagliabile, all'interno di un parco con pineta affacciato sulla scogliera. Camere con pavimenti in ceramica di Vietri, finestre come quadri aperti sul mare. Si mangia fra cielo e mare, sospesi nella semplice magia del panorama.

🏠 **Villa delle Meraviglie** senza rist 🐾   ≤ 🍷 🛋 ♿ 🅰🅲 🅿
località Ogliastro, Nord : 1,5 km – 𝄐 09 73 87 78 16   𝖵𝖨𝖲𝖠 ⓿ 🅰🅴 ⓪ 💰
– www.hotelvilladellemeraviglie.it – mail@hotelvilladellemeraviglie.it
– Fax 09 73 87 79 49 – 9 aprile-4 ottobre
16 cam 🖵 – †60/98 € †† 70/200 €
♦ Costruzione affacciata sulla costa e circondata da un parco privato con piscina. Accesso diretto al mare, camere sobrie e, in gran parte, dotate di patio o terrazzo.

🏠 **Settebello** senza rist   ≤ 🛗 🅰🅲 🍸 💆 🅿 𝖵𝖨𝖲𝖠 ⓿ 🅰🅴 ⓪ 💰
via Fiumicello 52 – 𝄐 09 73 87 62 77 – www.emmeti.it/hotelsettebello
– hotelsettebello@yahoo.it – Fax 09 73 87 72 04 – aprile-ottobre
28 cam – †72/87 € †† 95/115 €, 🖵 10 €
♦ Totalmente rinnovato da poco dalla dinamica e capace gestione, presenta camere semplici, senza nulla più dello stretto indispensabile, ma spaziose e molto luminose.

❌❌ **Zà Mariuccia**   ≤ 🛗 𝖵𝖨𝖲𝖠 ⓿ 🅰🅴 ⓪ 💰
via Grotte 2, al porto – 𝄐 09 73 87 61 63 – marzo-novembre; chiuso giovedì (escluso agosto) e a mezzogiorno da giugno ad agosto
Rist – Carta 39/57 €
♦ Piccolo e caratteristico ristorante, in grado di coniugare felicemente il pesce sempre fresco, al piacere dell'ambientazione, una piccola terrazza affacciata sul porto.

---

ad Acquafredda Nord-Ovest : 10 km – ✉ 85046

🏠🏠 **Villa del Mare**   ≤ 🛋 🛗 🅰🅲 ♿ 🍸 🕎 💆 🅿 𝖵𝖨𝖲𝖠 ⓿ 🅰🅴 ⓪ 💰
via Nazionale , Sud : 1,5 km – 𝄐 09 73 87 80 07 – www.spa-marina-maratea.com
– villadelmare@tiscali.it – Fax 09 73 87 81 02 – 20 marzo-ottobre
75 cam 🖵 – †60/100 € †† 115/225 € – ½ P 140/170 €   **Rist** – Carta 35/60 €
♦ Risorsa sulla scogliera a picco sul mare, la spiaggia è raggiungibile con un ascensore. Gradevoli terrazze fiorite per consentire ai più pigri di riposare e sognare. Sempre un ospite in più alla vostra tavola, il paesaggio.

🏠 **Villa Cheta Elite**   🛋 🍽 ★★ 🅰🅲 🍸 rist, 🕎 🅿 𝖵𝖨𝖲𝖠 ⓿ 🅰🅴 ⓪ 💰
via Timpone 46, Sud : 1,5 km – 𝄐 09 73 87 81 34 – www.villacheta.it – info@
villacheta.it – Fax 09 73 87 81 35 – 9 aprile-5 novembre
23 cam 🖵 – †† 140/264 € – ½ P 135/161 €   **Rist** – Carta 43/56 € (+10 %)
♦ Pregevole villa liberty d'inizio secolo, dove vivere una dolce atmosfera vagamente retrò, approfittando delle meravigliose terrazze fiorite. Sala sobria ma elegante e servizio ristorante estivo nell'incantevole giardino.

MARATEA

a Castrocucco Sud-Est : 10 km – ⊠ 85046 – Maratea Porto

🏨 **La Tana** ⌖ ♨ ⁊ ⚇ 🅿 🆅🅸🆂🅰 🆅🅾 🅰🅴 🅾 ⚅
 – 𝒞 09 73 87 17 70 – www.latanahotelmaratea.it – latana@tiscali.it
 – Fax 09 73 87 17 20 – chiuso dal 23 dicembre al 27 gennaio
 46 cam ⌂ – †60/90 € ††65/140 € – ½ P 44/88 €
 Rist La Tana – vedere selezione ristoranti
 ♦ Albergo che si compone di tre strutture, gli spazi comuni sono al di là della strada come anche la terrazza solarium. Camere spaziose e luminose con arredi di buona fattura.

🍴🍴 **La Tana** ⌖ 🅰🅲 ♨ ⇄ 🅿 🆅🅸🆂🅰 🆅🅾 🅰🅴 🅾 ⚅
 – 𝒞 09 73 87 17 70 – www.latanahotelmaratea.it – latana@tiscali.it
 – Fax 09 73 87 17 20 – chiuso mercoledì escluso dal 15 giugno al 14 ottobre
 Rist – Carta 23/37 €
 ♦ Concedetevi una sosta e provate le proposte culinarie a base di pesce fresco di giornata, servite nell'ampia e luminosa sala d'impostazione classica di questo ristorante.

MARCELLI – Ancona – 563L22 – Vedere Numana

MARCELLISE – Verona – 562F15 – Vedere San Martino Buon Albergo

---

MARCIAGA – Verona – Vedere Costermano

MARCIANA e MARCIANA MARINA – Livorno – 563N12 – Vedere Elba (Isola d')

MARCIANO DELLA CHIANA – Arezzo (AR) – 563M17 – **2 914 ab.**   29 **C2**
– alt. 380 m – ⊠ 52047
 ▶ Roma 202 – Siena 53 – Arezzo 26 – Firenze 85

a Badicorte Nord : 3 km – ⊠ 52047 – Marciano della Chiana

🏠 **Agriturismo il Querciolo** senza rist 🔖 ≤ 🚗 ⌖ & 🅿
 via Bosco Salviati 5 – 𝒞 33 98 63 99 09 🆅🅸🆂🅰 🅰🅴 🅾 ⚅
 – www.ilquerciolobadicorte.com – info@ilquerciolobadicorte.com
 – Fax 05 75 84 50 00 – chiuso gennaio e febbraio
 4 cam – †70/90 € ††100/130 €, ⌂ 10 € – 5 suites
 ♦ Le origini di questa casa colonica risalgono al '200, ma l'attuale "versione" al XIX secolo. Camere caratterizzate da un'affascinante miscellanea di mobili in stili diversi: dal 1850 al Liberty.

MARCON – Venezia (VE) – 562F18 – **12 552 ab.** – ⊠ 30020   35 **A2**
 ▶ Roma 522 – Venezia 22 – Padova 46 – Treviso 16

🏨 **Antony Palace Hotel** 🕸 ⌖ 📶 & 🅰🅲 📶 ⚄ 🅿 🚗
 via Mattei 26 – 𝒞 04 15 96 23 01 🆅🅸🆂🅰 🆅🅾 🅰🅴 🅾 ⚅
 – www.sogedinhotels.it – palace@antonypalace.it – Fax 04 15 96 23 11
 140 cam ⌂ – †110/260 € ††130/260 € – 1 suite – ½ P 150/165 €
 Rist – Carta 25/52 €
 ♦ Pensato per clientela business o come punto di partenza per piu escursioni, hotel di moderna concezione con ampi spazi attrezzati all'insegna delle ultime tecnologie. Sobrio il ristorante, in open space, con proposte sia di mare che di terra.

MARCONIA – Matera (MT) – Vedere Pisticci

MARGNO – Lecco (LC) – 561D10 – **365 ab.** – alt. 730 m – Sport   16 **B2**
invernali : a Pian delle Betulle : 1 500/1 800 m ⛷1 ⛷4, ⛷ – ⊠ 23832
 ▶ Roma 650 – Como 59 – Sondrio 63 – Lecco 30

634

a Pian delle Betulle Est : 5 mn di funivia – alt. 1 503 m

Baitock 🏠 ⟨⟨ 🚗 VISA ◎◎ AE ① ⑤
via Sciatori 8 ⊠ 23832 – ℰ 03 41 80 30 42 – www.baitock.it – Fax 03 41 80 30 35
– dicembre-marzo e luglio-agosto
11 cam ⟷ – ♦45/55 € ♦♦60/70 € – ½ P 50/65 €
Rist – (prenotazione obbligatoria) Carta 24/42 €
♦ Un rifugio per un soggiorno bucolico - raggiungibile solo con funivia o con una breve camminata - dotato di camere semplici e rustiche. Magnifica posizione panoramica. Il menu del ristorante propone squisiti piatti del territorio.

MARIANO COMENSE – Como (CO) – 561E9 – 21 100 ab. – alt. 250 m   18 B1
– ⊠ 22066
▶ Roma 619 – Como 17 – Bergamo 54 – Lecco 32

XXX **La Rimessa** 🏠 AC ⇔ P VISA ◎◎ AE ① ⑤
via Cardinal Ferrari 13/bis – ℰ 031 74 96 68 – www.larimessa.it
– ristorantelarimessa@yahoo.it – Fax 031 74 33 61 – chiuso dal 2 al 10 gennaio,
agosto, domenica sera e lunedì
Rist – Carta 37/61 € ⅋
♦ In una villa di fine '800, all'interno della ex rimessa per le carrozze, un caratteristico ristorante con una ulteriore, intima saletta, ricavata nel fienile soppalcato.

MARIANO DEL FRIULI – Gorizia (GO) – 562E22 – 1 519 ab.   11 C2
– alt. 34 m – ⊠ 34070
▶ Roma 645 – Udine 27 – Gorizia 19 – Trieste 40

a Corona Est : 1,7 km – ⊠ 34070

X **Al Piave** ⑤ AC ⅋ VISA ◎◎ AE ⑤
via Cormons 6 – ℰ 048 16 90 03 – pferma@tin.it – Fax 048 16 93 40
– chiuso martedì
Rist – Carta 23/44 €
♦ Curata e accogliente trattoria a gestione familiare che si articola in due gradevoli sale con camino: dalla cucina vengono presentati piatti del territorio elaborati con fantasia.

MARIGLIANO – Napoli (NA) – 564E25 – 30 367 ab. – ⊠ 80034   6 B2
▶ Roma 227 – Napoli 24 – Salerno 55 – Giugliano in Campania 32

Casal dell'Angelo senza rist 🛏 AC ⅋ ⟨⟩ 🎿 P VISA ◎◎ AE ① ⑤
via Variante 7 bis km 40,400 – ℰ 08 18 41 24 71 – www.casaldellangelo.it
– info@casaldellangelo.it – Fax 08 18 41 56 09
40 cam ⟷ – ♦88 € ♦♦115 €
♦ In comoda posizione per chi si muove per piacere come per chi viaggia per lavoro, l'antico casolare, recentemente ristrutturato, ospita ambienti dalla rustica atmosfera e piacevoli oasi nel verde.

MARINA DEL CANTONE – Napoli – 564F25 – Vedere Massa Lubrense

MARINA DELLA LOBRA – Napoli – Vedere Massa Lubrense

MARINA DI ARBUS – Medio Campidano (106) – 566H7 – Vedere Sardegna alla fine dell'elenco alfabetico

MARINA DI ASCEA – Salerno (SA) – 564G27 – ⊠ 84058   7 C3
▶ Roma 348 – Potenza 151 – Napoli 145 – Salerno 90

Iscairia 🚗 🏠 ⅊ cam, ♣♣ ⅋ ⟨⟩ P VISA ◎◎ AE ① ⑤
località Velia – ℰ 09 74 97 22 41 – www.iscairia.it – iscairia@libero.it
– Fax 09 74 97 23 72 – marzo-ottobre
11 cam ⟷ – ♦48/63 € ♦♦70/90 € – ½ P 65/75 €
Rist – (solo per alloggiati) Menu 35/45 €
♦ L'originalità qui è di casa! La struttura situata nell'azienda degli stessi proprietari dispone di camere spaziose e personalizzate. Delizioso giardino. Dalla cucina, la tradizione del Cilento, pane e dolci fatti in casa.

MARINA DI BIBBONA – Livorno – 563M13 – Vedere Bibbona (Marina di)

MARINA DI CAMEROTA – Salerno (SA) – 564G28 – ⊠ 84059   7 **D3**

▶ Roma 385 – Potenza 148 – Napoli 179 – Salerno 128

🏠 **Delfino**   ⚡ ❄ **P** 💳 ⚫ 🅰🅴 ⓞ ♿
via Bolivar 45 – ☎ 09 74 93 22 39 – www.albergodelfino.com – info@
albergodelfino.it – Fax 09 74 93 29 79
25 cam ⌂ – ♦60/100 € – ♦♦ 45/75 €
Rist – (aprile-ottobre) (solo per alloggiati)
♦ A piano terra ci sono la piccola hall, il bar e la sala ristorante riservata agli ospiti dell'albergo. Le stanze, semplici e accoglienti, sono ai tre piani superiori.

✗ **Da Pepè** con cam   🚗 🏡 🔟 🅰🅲 cam, ❄ rist, **P** 💳 ⚫ 🅰🅴 ⓞ ♿
via Nazionale 41 – ☎ 09 74 93 24 61 – www.villaggiodapepè.it
– info@villaggiodapepè.it – Fax 09 74 93 96 70 – maggio-settembre
34 cam ⌂ – ♦40/50 € ♦♦70/80 €   **Rist** – Carta 32/63 €
♦ Lungo la strada che conduce a Palinuro, ricavato in un edificio circondato da un uliveto, in cui trovano posto anche alcune camere-bungalow. Specialità di pesce.

✗ **Del Porto**   ⇔ 💳 ⚫ ⓞ ♿
lungomare Trieste 43/45 – ☎ 09 74 37 96 97 – ristorantedelporto@hotmail.it
– chiuso dal 15 gennaio al 15 febbraio e martedì escluso da giugno a settembre
Rist – Carta 24/39 €
♦ In stile marinaro, fronte porto, piccolo locale con simpatico dehors. Gestito da tre fratelli, presenta un menù essenzialmente a base di pesce con piatti schietti e saporiti.

MARINA DI CAMPO – Livorno – 563N12 – Vedere Elba (Isola d')

MARINA DI CAPOLIVERI – Livorno – Vedere Elba (Isola d') : Capoliveri

---

MARINA DI CASAL VELINO – Salerno (SA) – 564G27 – 100 ab.   7 **C3**
– ⊠ 84050

▶ Roma 349 – Potenza 136 – Napoli 138 – Salerno 87

🏠 **Stella Maris**   🔟 🅰🅲 ❄ (ᵗ) **P** 💳 ⚫ 🅰🅴 ⓞ ♿
via Velia 156 – ☎ 09 74 90 70 40 – www.hotel-stella-maris.com – info@
hotel-stella-maris.com – Fax 09 74 90 77 23
30 cam ⌂ – ♦77/95 € ♦♦118/145 € – ½ P 68/100 €
Rist – (solo per alloggiati)
♦ Albergo recentemente ristrutturato, presenta arredi curati nelle parti comuni e camere luminose e confortevoli. In comoda posizione, a breve distanza dal mare.

MARINA DI CASTAGNETO – Livorno – 563M13 – Vedere Castagneto
Carducci

MARINA DI CECINA – Livorno – 563M13 – Vedere Cecina (Marina di)

MARINA DI GIOIOSA IONICA – Reggio di Calabria (RC) – 564M30   5 **B3**
– 6 454 ab. – ⊠ 89046

▶ Roma 639 – Reggio di Calabria 108 – Catanzaro 93 – Crotone 148

✗✗ **Gambero Rosso**   🅰🅲 ⇔ **P** 💳 ⚫ 🅰🅴 ⓞ ♿
via Montezemolo 65 – ☎ 09 64 41 58 06 – www.gamberorosso.rc.it – info@
gamberorosso.rc.it – Fax 09 64 41 55 81 – chiuso gennaio o novembre e lunedì
Rist – Carta 34/47 € 🍴
♦ Raffinato ristorante d'impostazione classica, situato lungo la via principale della località: interessanti proposte giornaliere di appetitosi prodotti ittici.

MARINA DI GROSSETO – Grosseto – 563N14 – Vedere Grosseto (Marina di)

MARINA DI LEUCA – Lecce (LE) – 564H37 – ✉ 73030　　　　　　27 **D3**
▶ Roma 676 – Brindisi 109 – Bari 219 – Gallipoli 48

🔠　**L'Approdo**　　　⟨ 🚗 🛋 ⅃ 📶 🗛 🕍 **P** 𝗩𝗜𝗦𝗔 ⦿ 🄰🄴 ⚓
via Panoramica – ☎ *08 33 75 85 48* – *www.hotelapprodo.com* – *info@hotelapprodo.com* – *Fax 08 33 75 85 99*
54 cam ⌑ – ♦75/190 € ♦♦80/270 € – ½ P 155 €
Rist – *(Pasqua-ottobre)* Carta 25/52 €
◆ Poco distante dal lungomare, l'hotel dalla caratteristica facciata nivea offre un comodo parcheggio, un'invitante piscina, luminose sale curate negli arredi e una boutique. Proposte di pesce presso l'ampia sala ristorante o sulla veranda panoramica con vista sul mare.

🔠　**Terminal**　　　⟨ ⅃ 📶 👤 cam, 🗛 ⅌ rist, 🕍 𝗩𝗜𝗦𝗔 ⦿ 🄰🄴 ⦿ ⚓
lungomare Colombo 59 – ☎ *08 33 75 82 42* – *www.attiliocaroli.it* – *terminal@attiliocaroli.it* – *Fax 08 33 75 82 46*
50 cam ⌑ – ♦95 € ♦♦130 € – ½ P 60/100 €
Rist – *(aprile-ottobre)* Carta 35/50 €
◆ Sul lungomare, un albergo dagli spazi luminosi caratterizzati da sobri arredi e camere in legno chiaro ciascuna dedicata ad un monumento della penisola salentina. Nella suggestiva sala ristorante è il pesce a dominare la tavola, accanto ad ortaggi, frutta, vini ed olii tipici della zona.

MARINA DI MARATEA – Potenza – 564H29 – Vedere **Maratea**

MARINA DI MASSA – Massa Carrara – 563J12 – Vedere **Massa (Marina di)**
▌ Toscana

MARINA DI MODICA – Ragusa – Vedere **Sicilia** alla fine dell'elenco alfabetico

---

MARINA DI NOCERA TERINESE – Catanzaro (CZ) – 564J30　　　5 **A2**
– ✉ 88047
▶ Roma 537 – Cosenza 63 – Catanzaro 67 – Reggio di Calabria 159

sulla strada statale 18 Nord : 3 km :

XX　**L'Aragosta**　　　🛋 🗛 ⅌ **P** 𝗩𝗜𝗦𝗔 ⦿ 🄰🄴 ⦿ ⚓
villaggio del Golfo ✉ *88040* – ☎ *096 89 33 85* – *www.ristorantelaragosta.com* – *info@ristorantelaragosta.com* – *Fax 09 68 93 89 75*
– *chiuso dal 15 al 30 ottobre e lunedì (escluso luglio-agosto)*
Rist – Carta 37/70 € (+10 %)
◆ Un'unica sala classica preceduta all'ingresso da un ampio banco con esposto il pesce fresco di giornata; ideale per gustare piatti fragranti.

MARINA DI PIETRASANTA – Lucca – 563K12 – Vedere **Pietrasanta (Marina di)** ▌ Toscana

---

MARINA DI PISA – Pisa – 563K12 – Vedere **Pisa (Marina di)** ▌ Toscana

---

MARINA DI PULSANO – Taranto – Vedere **Pulsano**

MARINA DI RAGUSA – Ragusa – Vedere **Sicilia (Ragusa, Marina di)** alla fine dell'elenco alfabetico

---

MARINA DI RAVENNA – Ravenna – 563I18 – Vedere **Ravenna (Marina di)**

MARINA DI SAN SALVO – Chieti – 563P26 – Vedere **San Salvo**

MARINA DI SAN VITO – Chieti (CH) – 563P25 – ⊠ 66035
2 **C2**

▶ Roma 234 – Pescara 30 – Chieti 43 – Foggia 154

🏨 **Garden** ⟨ 🚗 🎿 🏊 🍽 ⚗ AC 🛜 ⚒ rist, 🅿 VISA 🍴 AE ① 🍴

contrada Portelle 77 – ☎ 087 26 11 64 – www.hotelgarden.abruzzo.it
– hotel_garden@libero.it – Fax 08 72 61 89 08 – chiuso Natale
49 cam ☞ – ♦55/75 € ♦♦70/115 € – ½ P 60/82 €
Rist – (chiuso a mezzogiorno) Carta 22/29 €

♦ Lungo la Statale Adriatica, appena fuori dal centro, albergo con ottime attrezzature sia
per la clientela turistica, che per chi viaggia per lavoro. A due passi dal mare. Ristorante
distribuito in due ampie sale.

✗✗ **L'Angolino da Filippo** AC 🍴 ⇔ VISA ⚒ AE ① 🍴

via Sangritana 1 – ☎ 087 26 16 32 – www.langolinodafilippo.com – info@
langolinodafilippo.com – Fax 087 26 14 42 – chiuso lunedì
Rist – Carta 34/57 €

♦ L'ambiente è rustico-elegante, la tavola curata, la cucina marinaresca improntata sulla
freschezza dei prodotti. A pochi metri dal mare, affacciato sul molo.

MARINA DI VASTO – Chieti – 563P26 – Vedere Vasto (Marina di)

MARINA EQUA – Napoli – Vedere Vico Equense

MARINA GRANDE – Napoli – 564F24 – Vedere Capri (Isola di)

MARINA VELCA – Viterbo – 563P17 – Vedere Tarquinia

MARLENGO (MARLING) – Bolzano (BZ) – 562C15 – 2 245 ab.
30 **B2**
– alt. 363 m – ⊠ 39020

▶ Roma 668 – Bolzano 31 – Merano 3 – Milano 329

🛈 piazza Chiesa 5 ☎ 0473 447147, mail@marling.info, Fax 0473 221775

Pianta : vedere Merano

🏨 **Oberwirt** 🍴 🎿 📺 📶 🔊 🖐 🎧 ⚒ 🍴 🛜 🅿 🚗 VISA ⚒ AE ① 🍴

vicolo San Felice 2 – ☎ 04 73 22 20 20 – www.oberwirt.com – info@oberwirt.com
– Fax 04 73 44 71 30 – 21 marzo-9 novembre
An
54 cam ☞ – ♦89/169 € ♦♦170/250 € – 22 suites – ½ P 154 €
Rist – Carta 36/69 € 🅱

♦ Nel centro del paese, due edifici congiunti da un passaggio sotterraneo con begli
arredi in legno. Cinquecento anni di vita: tradizione elegante, ma anche confort
moderni. Apprezzabilissimo servizio ristorante estivo in giardino.

🏨 **Jagdhof** ⟨ 🚗 🍴 🎿 📺 📶 🔊 🖐 ✗ ⚒ 🖐 AC rist, 🍴 rist, 🛜 🅿

via San Felice 18 – ☎ 04 73 44 71 77 – www.jagdhof.it
VISA ⚒ 🍴
– info@jagdhof.it – Fax 04 73 44 54 04 – marzo-novembre
Am
36 cam – ♦88/108 € ♦♦170/270 € – ½ P 85/135 €
Rist – (solo per alloggiati)

♦ Nuova veste moderna per questo hotel proprio sopra l'ippodromo di Merano, completamente circondato dal bosco ed abbellito da un giardino con piscina. L'eleganza per-
mea non solo gli spazi comuni, ma anche le camere.

🏨 **Marlena** ⟨ 🚗 🍴 🎿 📺 📶 🔊 🖐 ✗ ⚒ ⚒ cam, 🖐 AC rist, 🖐

via Tramontana 6 – ☎ 04 73 22 22 66 🍴 rist, 🅿 🚗 VISA ⚒ 🍴
– www.marlena.it – info@marlena.it – Fax 04 73 44 74 41 – marzo-novembre
44 cam ☞ – ♦77/128 € ♦♦130/216 € – ½ P 85/128 €
Ak
Rist – Menu 30/35 €

♦ Struttura dall'architettura innovativa, in linea con il moderno design degli interni.
Ovviamente il confort non ne risente per nulla, anzi acquista un sapore contemporaneo.

MARLIA – Lucca – 563K13 – Vedere Lucca

MARLING = Marlengo

MARMOLADA (Massiccio della) – Belluno e Trento 🔲 Italia

MAROERO – Asti – Vedere Cocconato

MARONTI – Napoli – 564E23 – Vedere Ischia (Isola d') : Barano

---

MAROSTICA – Vicenza (VI) – 562E16 – 13 172 ab. – alt. 105 m   **35 B2**
– ⊠ 36063 ▮ Italia

> ▶ Roma 550 – Padova 60 – Belluno 87 – Milano 243
> ◎ Piazza Castello★

Valle San Floriano Nord : 3 km – **alt. 127 m** – ⊠ 36063

ХХ   **La Rosina** con cam ॐ   ≤ 🕅 ॐ 🎔 ⚿ **P** 🚾 ⊚ 🝙 ⑩ ♭
⊕   *via Marchetti 4, Nord : 2 km – 𝒞 04 24 47 03 60 – www.larosina.it – info@*
      larosina.it – Fax 04 24 47 02 90
      12 cam � – ♦60/80 € ♦♦80/100 € – ½ P 75 €
      Rist – *(chiuso lunedì e martedì)* Carta 31/43 €
      ♦ L'insegna ricorda la capostipite della famiglia, che negli anni della prima guerra mon-
      diale iniziò ad offrire vino e un piatto di minestra ai soldati. Oggi è un elegante risto-
      rante, con un monumentale camino. Affacciatevi ai balconi delle stanze: sarà il riposante
      verde dei colli tutt'intorno a cullare il vostro riposo.

MAROTTA – Pesaro e Urbino (PS) – 563K21 – ⊠ 61035   **21 C1**

> ▶ Roma 305 – Ancona 38 – Perugia 125 – Pesaro 25
> 🖈 (luglio-agosto) piazzale della Stazione 𝒞 0721 96591, iat.marotta@
> regione.marche.it, Fax 0721 96591

🏨   **Imperial**   ≤ 🚗 ⌁ 🎐 ♣ 🕅 ॐ 🎔 **P** 🚾 ⊚ 🝙 ⑩ ♭
⊕   *lungomare Faà di Bruno 119 – 𝒞 07 21 96 94 45 – www.hotel-imperial.it – info@*
      hotel-imperial.it – Fax 072 19 66 17 – aprile-ottobre
      42 cam – ♦40/90 € ♦♦65/110 €, ⊒ 8 € – ½ P 79/90 €
      Rist – *(solo per alloggiati)* Menu 20/30 €
      ♦ Hotel completo di buoni confort, di spazi generosi nelle parti comuni, di camere
      signorili e di fattura moderna, nonché di un bel giardino attorno alla piscina.

🏠   **Caravel**   ≤ 🎐 ♣ 🕅 ॐ 🎔 **P** 🚾 ⊚ 🝙 ♭
⊕   *lungomare Faà di Bruno 135 – 𝒞 072 19 66 70 – www.hotel-caravel.it – info@*
      hotel-caravel.it – Fax 07 21 96 84 34 – aprile-settembre
      32 cam – ♦45/50 € ♦♦80/90 €, ⊒ 8 € – ½ P 50/72 €
      Rist – *(solo per alloggiati)* Menu 16/25 €
      ♦ Albergo di mare, a pochi passi dalla spiaggia, dall'atmosfera rilassata ed informale. Il
      bar e la hall sono a piano terra, ai piani superiori camere semplici e accoglienti.

MARRADI – Firenze (FI) – 563J16 – 3 503 ab. – alt. 328 m – ⊠ 50034   **29 C1**

> ▶ Roma 332 – Firenze 58 – Bologna 85 – Faenza 36

Х   **Il Camino**   🚾 ⊚ 🝙 ♭
⊕   *viale Baccarini 38 – 𝒞 05 58 04 50 69 – Fax 05 58 04 50 69*
      – chiuso dal 3 al 10 giugno, dal 25 agosto al 10 settembre e mercoledì
      Rist – Carta 22/32 €
      ♦ Fragrante e casereccia, la cucina si ispira alla tradizione culinaria del territorio, la pasta
      fatta in casa è il biglietto da visita di questa trattoria dalla vivace atmosfera familiare.

MARSALA – Trapani – 565N19 – Vedere Sicilia alla fine dell'elenco alfabetico

---

MARTA – Viterbo (VT) – 563O17 – 3 477 ab. – alt. 315 m – ⊠ 01010   **12 A1**

> ▶ Roma 118 – Viterbo 21 – Grosseto 113 – Siena 127

Х   **Da Gino al Miralago**   ≤ 🎐 🕅 ॐ 🚾 ⊚ 🝙 ⑩ ♭
   viale Marconi 58 – 𝒞 07 61 87 09 10 – Fax 07 61 87 09 10 – chiuso martedì
   escluso agosto
   Rist – Carta 24/45 €
   ♦ L'accogliente veranda è un impareggiabile belvedere sull'antistante lago di Bolsena! In
   cucina le specialità non possono essere che di pesce, d'acqua dolce e di mare.

MARTANO – Lecce (LE) – 564 G36 – 9 551 ab. – alt. 91 m – ✉ 73025   27 **D3**

▶ Roma 588 – Brindisi 63 – Lecce 26 – Maglie 16

✗✗   **La Lanterna** con cam   🏠 🄰🄲 ⚡ 🆚🆂🄰 ⓿ 🄰🄴 ⓿ 💧

🕸   via Ofanto 53 – ℰ 08 36 57 14 41 – www.lalanternamartano.com – info@
lalanternamartano.com – Fax 08 36 57 14 41 – chiuso dal 10 al 20 settembre e
mercoledì escluso agosto
6 cam ⊊ – **♦**30/50 € **♦♦**50/90 € – ½ P 40/58 €   **Rist** – Carta 20/27 €
♦ Vicino alla piazza dove si svolge il mercato, un locale cassico a gestione familiare
dove gustare piatti del territorio. La sera anche pizzeria. Recentemente sono state
aggiunte camere funzionali dagli arredi lignei in una struttura adiacente.

MARTINA FRANCA – Taranto (TA) – 564 E34 – 48 863 ab. – alt. 431 m   27 **C2**
– ✉ 74015 ▌ Italia

▶ Roma 524 – Brindisi 57 – Alberobello 15 – Bari 74

🄸 piazza Roma 37 ℰ 080 4805702, martinafranca@pugliaturismo.com, Fax
080 480702

◉ Via Cavour★

🄶 Terra dei Trulli ★★★ Nord e Nord-Est

🏨🏨🏨   **Park Hotel San Michele**   🌀 🏠 ⤢ 🛗 🏃 🄰🄲 ⚡ 🛜 ♿ 🅿

viale Carella 9 – ℰ 08 04 80 70 53   🆚🆂🄰 ⓿ 🄰🄴 ⓿ 💧
– www.parkhotelsanmichele.it – info@parkhotelsanmichele.it
– Fax 08 04 80 88 95
81 cam ⊊ – **♦**81/98 € **♦♦**115/145 € – ½ P 76/99 €   **Rist** – Carta 38/60 €
♦ Hotel semicentrale, immerso in un parco secolare, dove si trova anche la piscina.
Ideale per una clientela d'affari e congressuale, dispone di camere spaziose. Per i pasti:
salone per banchetti, sale ristorante e anche il giardino esterno.

🏨🏨🏨   **Relais Villa San Martino**   ⤢ 🌀 ▱ 🛗 🄰🄲 ⚡ rist, 🛜 ♿ 🅿

via Taranto 59, Sud : 2,8 km – ℰ 08 04 80 51 52   🆚🆂🄰 ⓿ 🄰🄴 ⓿ 💧
– www.relaisvillasanmartino.com – info@relaisvillasanmartino.com
– Fax 08 04 80 51 52
21 cam ⊊ – **♦**180/273 € **♦♦**240/370 € – 6 suites
Rist Il Duca di Martina – (consigliata la prenotazione) Carta 48/74 €
♦ Si presenta elegante e signorile già dall'esterno la masseria ottocentesca, restaurata
con l'impiego di raffinati materiali. Terrazze fiorite e colorate e un piccolo attrezzato centro benessere. Creatività mediterranea nelle due graziose sale che ospitano il ristorante,
di cui una particolarmente intima.

🏨🏨   **Dell'Erba**   🚃 ⤢ ▱ 🌀 ▱ 🛗 ♿ 🏃 🄰🄲 ⚡ 🛜 🅿 🆚🆂🄰 ⓿ 🄰🄴 ⓿ 💧

viale dei Cedri 1 – ℰ 08 04 30 10 55 – www.hoteldellerba.it – info@
hoteldellerba.it – Fax 08 04 30 16 39
49 cam – **♦**47/80 € **♦♦**66/110 €, ⊊ 7 €   **Rist** – Carta 27/39 € (+15 %)
♦ Ubicata nell'immediata periferia della città, lungo la strada statale per Taranto, una
grande e completa struttura, con una gestione tipicamente familiare, ma molto capace.
Varie sale dedicate alla ristorazione.

🏨🏨   **Villa Rosa** senza rist   ⤢ ▱ 🛗 🄰🄲 🛜 ♿ 🅿 🆚🆂🄰 ⓿ 🄰🄴 💧

via Taranto 70, sulla strada statale 172 – ℰ 08 04 83 80 04
– www.ramahotels.com – villarosahotel@virgilio.it – Fax 08 04 30 70 70
65 cam – **♦**86 € **♦♦**120 €, ⊊ 6 €
♦ Poco distante dal centro storico, l'hotel ha aperto di recente ed offre una calda accoglienza nonchè ambienti luminosi e confortevoli dall'arredo ligneo.

✗   **La Tana**   🄰🄲 ⚡ 🆚🆂🄰 ⓿ 💧

via Mascagni 2 – ℰ 08 04 80 53 20 – www.ristorantelatana.it – info@
ristorantelatana.it – Fax 08 04 80 53 20 – chiuso martedì da novembre a febbraio
Rist – Carta 27/37 €
♦ Nella facciata destra del barocco Palazzo Ducale, in quelli che una volta erano gli uffici
del dazio, un locale informale in stile trattoria. Specialità locali rivisitate.

Gran lusso o stile informale?
I ✗ e i 🛆 indicano il livello di confort.

MARTINSICURO – Teramo (TE) – 563N23 – **14 408 ab.** – ⊠ 64014   **1 B1**
> ▶ Roma 227 – Ascoli Piceno 35 – Ancona 98 – L'Aquila 118

🏠 **Sympathy**   🛎 ᕴ ⚿ 🎅 🄰🄲 ❄ rist, 🚗 ₐ 🆚 ⚫ ⚿
lungomare Europa 26 – ℰ 08 61 76 02 22 – www.sympathyhotel.it – info@
sympathyhotel.it – Fax 08 61 79 65 68 – 15 maggio-21 settembre
40 cam ⊆ – 🛏60/90 € 🛏🛏70/140 €   **Rist** – Carta 24/51 €
♦ A pochi passi dal mare, vanta un'ampia zona comune al pian terreno, camere moderne diverse negli arredi e con balconi a conchiglia. Colazione su un panoramico roof-garden.

✗ **Leon d'Or**   🄰🄲 ❄ 🆚 ⚫ 🄰🄴 ⚪ ⚿
via Aldo Moro 55/57 – ℰ 08 61 79 70 70 – leondor@advcom.it
– Fax 08 61 79 76 95 – chiuso Natale, agosto, domenica sera e lunedì
Rist – Carta 35/53 €
♦ Più di vent'anni di attività e ancora un'unica caratteristica sala ad angolo, quasi una vetrina sul passeggio; in cucina brace, piatti tipici regionali e specialità di mare.

a Villa Rosa Sud : 5 km – ⊠ 64014

🏠🏠 **Olimpic**   ← 🚢 ⚊ 🛎 ᕴ cam, 🎅 🄰🄲 ❄ rist, 🍴 **P** 🆚 ⚫ ⚿
lungomare Italia 72 – ℰ 08 61 71 23 90 – www.hotelolimpic.it – olimpic@
hotelolimpic.it – Fax 08 61 71 05 97 – 10 maggio-25 settembre
70 cam ⊆   **Rist** – (solo per alloggiati -solo Pens 82 €)
♦ Circondato da una verdeggiante oasi di tranquillità che poco lo separa dal mare, un hotel dalla facciata bianco-blu dispone di vasti spazi comuni e camere sobrie.

🏠🏠 **Paradiso**   ⚊ 🛁 ⚿ 🛎 🎅 🄰🄲 ❄ 🍴 **P** 🆚 ⚫ ⚿
via Ugo La Malfa 14 – ℰ 08 61 71 38 88 – www.hotelparadiso.it – info@
hotelparadiso.it – Fax 08 61 75 17 75 – 23 maggio-20 settembre
67 cam ⊆ – 🛏50/70 € 🛏🛏70/120 € – ½ P 65/80 €   **Rist** – (solo per alloggiati)
♦ Un hotel dedicato ai bambini: sin dall'arrivo, ogni momento della giornata sarà organizzato per loro con attività ad hoc, garantendo agli adulti un soggiorno di sport e relax.

🏠 **Haway**   ← ⚊ 🛎 🎅 🄰🄲 rist, ❄ rist, 🍴 **P** 🚗 🆚 ⚫ 🄰🄴 ⚪ ⚿
lungomare Italia 62 – ℰ 08 61 71 26 49 – www.hotelhaway.it – info@
hotelhaway.it – Fax 08 61 71 39 23 – 18 maggio-23 settembre
52 cam ⊆ – 🛏40/70 € 🛏🛏60/110 € – ½ P 65/95 €
Rist – (solo per alloggiati) Menu 18 € bc
♦ In riva al mare, una struttura semplice con spazi confortevoli e ricca di cordialità, simpatia ed animazione sia per i grandi che per i piccini. Ideale per le famiglie.

✗ **Il Sestante**   🄰🄲 ❄ 🆚 ⚫ 🄰🄴 ⚪ ⚿
lungomare Italia – ℰ 08 61 71 32 68 – chiuso dal 23 dicembre al 7 gennaio,
agosto, domenica sera e lunedì
Rist – Carta 35/60 €
♦ Un elegante locale in posizione suggestiva, caratterizzato da decorazioni che richiamano l'ambiente marino; dalla cucina i sapori regionali e, ovviamente, prodotti ittici.

MARZAMEMI (SR) – 565Q27 – **Vedere Sicilia** (Pachino) alla fine dell'elenco alfabetico

---

MARZOCCA – Ancona – 563K21 – **Vedere Senigallia**

MASARÈ – Belluno – 562C18 – **Vedere Alleghe**

MASIO – Alessandria (AL) – 561H7 – **1 472 ab.** – alt. 142 m – ⊠ 15024   25 **D1**
> ▶ Roma 607 – Alessandria 22 – Asti 14 – Milano 118

✗ **Trattoria Losanna**   🄰🄲 ❄ **P** 🆚 ⚫ 🄰🄴 ⚪ ⚿
via San Rocco 36, Est : 1 km – ℰ 01 31 79 95 25 – Fax 01 31 79 90 74 – chiuso
dal 27 dicembre al 13 gennaio, agosto, domenica sera e lunedì
Rist – Menu 20/38 €
♦ Un panorama mozzafiato tra le colline, gran vociare e una scelta limitata a pochi, ma abbondanti piatti rigorosamente legati alla tradizione gastronomica locale: un'autentica trattoria sempre apprezzata.

MASSA Ⓟ (MS) – 563J12 – **67 576 ab.** – **alt. 65 m** – ⊠ 54100▯ Toscana 28 **A1**
▶ Roma 367 – La Spezia 37 – Carrara 8 – Firenze 114

✗ **Osteria del Borgo** 🅰🅲 🆅🅸🆂🅰 🕔 🕔
🈳 via Beatrice 17 – 𝒞 05 85 81 06 80 – osteriadelborgo@gmail.com
– Fax 05 85 88 69 70 – chiuso 2 settimane in settembre, 24-25-26 dicembre
e 1 settimana in febbraio
Rist – (chiuso a mezzogiorno dal 15 giugno a settembre) Carta 23/37 € 🏵
♦ Le bottiglie esposte e le vecchie foto alle pareti preannunciano il forte legame del
locale con il passato e con i decisi sapori della cucina di un tempo. Una semplicità
accattivante.

MASSACIUCCOLI – Lucca (LU) – 563K13 – **Vedere Massarosa**

MASSACIUCCOLI (Lago di) – Lucca – 563K13 – **Vedere Torre del Lago
Puccini**

MASSAFRA – Taranto (TA) – 564F33 – **31 170 ab.** – **alt. 110 m** 27 **C2**
– ⊠ 74016
▶ Roma 508 – Bari 76 – Brindisi 84 – Matera 64

sulla strada statale 7 Nord-Ovest : 2 km :

🏨 **Appia Palace Hotel** 🎿 🖧 🎾 🛗 🕭 cam, 🅰🅲 🎾 rist, 🎤 🕸 🅿
⊠ 74016 – 𝒞 09 98 85 15 01 – Fax 09 98 85 15 06 🆅🅸🆂🅰 🕔 🅰🅴 ⓘ 🕔
119 cam ⌂ – ♦70 € ♦♦92 € – ½ P 65 € **Rist** – Carta 24/29 €
♦ Grande struttura alberghiera, ubicata lungo la strada per Bari, ideale per chi viaggia
per motivi di lavoro anche per la vicinanza al casello autostradale. Ampie zone comuni.
Tipico ristorante d'albergo dallo stile moderno.

MASSA LUBRENSE – Napoli (NA) – 564F25 – **13 282 ab.** – **alt. 120 m** 6 **B2**
– ⊠ 80061▯ Italia
▶ Roma 263 – Napoli 55 – Positano 21 – Salerno 56
🛈 piazza Vescovado 2 𝒞 081 8089571, uffturistico@libero.it, Fax 081 8089571

🏨 **Delfino** 🍃 ⇐ 🚗 🎿 🛗 🅰🅲 🎾 🎤 🅿 🆅🅸🆂🅰 🕔 🅰🅴 ⓘ 🕔
via Nastro d'Oro 2, Sud-Ovest : 2,5 km – 𝒞 08 18 78 92 61
– www.hoteldelfino.com – info@hoteldelfino.com – Fax 08 18 08 90 74 – aprile-
ottobre
66 cam ⌂ – ♦125/145 € ♦♦190/240 € – ½ P 115/140 €
Rist – (solo per alloggiati a mezzogiorno solo servizio snack in piscina)
Carta 32/42 €
♦ In una pittoresca insenatura con terrazze e discesa a mare, un albergo da cui godere
di un panorama eccezionale sull'isola di Capri. Struttura d'impostazione classica. Ariosa
sala ristorante ed elegante salone banchetti.

🏨 **Bellavista** ⇐ 🚗 🎿 🖿 🕮 🐟 🖧 🛗 🅰🅲 🎾 cam, 🎤 🕸 🅿
via Partenope 26, Nord : 1 km – 𝒞 08 18 78 96 96 🆅🅸🆂🅰 🕔 🅰🅴 ⓘ 🕔
– www.francischiello.it – info@francischiello.it – Fax 08 18 08 93 41
33 cam ⌂ – ♦80/130 € ♦♦90/140 € – ½ P 85/100 €
Rist Riccardo Francischiello – 𝒞 08 18 78 91 81 (chiuso martedì da ottobre a
marzo) Carta 27/37 €
♦ Risorsa interessata da recenti lavori di ristrutturazione, dispone di ampie camere arredate in stile mediterraneo e rallegrate dalle ceramiche di Vietri. Ristorante dedito anche
all'attività banchettistica: ampia sala e salone per ricevimenti.

✗✗ **Antico Francischiello-da Peppino e Hotel Villa Pina** con cam
via Partenope 27, Nord : 1,5 km ⇐ 🅰🅲 🎾 🎤 🅿 🆅🅸🆂🅰 🕔 🅰🅴 ⓘ 🕔
– 𝒞 08 15 33 97 80 – www.francischiello.com – info@francischiello.com
– Fax 08 18 07 18 13
25 cam ⌂ – ♦70/90 € ♦♦90/100 € – ½ P 80/100 €
Rist – (chiuso mercoledì escluso da maggio a ottobre) (consigliata la prenotazione) Carta 32/94 €
♦ Gli oggetti di varia natura che ricoprono le pareti testimoniano i cento anni di attività
di questo locale, giunto ormai alla quarta generazione. La cucina segue la tradizione con
una predilezione per i piatti di mare. Arredi classici in stile mediterraneo nelle camere, in
un'atmosfera da casa privata.

a Marina della Lobra Ovest : 2 km – ⊠ 80061 – Massa Lubrense

🏠 **Piccolo Paradiso** ≼ ⅀ 🕭 🕭 cam, 🔊 cam, 🍽 rist, *VISA* 🕭 AE ① 💲
piazza Madonna della Lobra 5 – 𝒞 08 18 78 92 40 – www.piccolo-paradiso.com
– info@piccolo-paradiso.com – Fax 08 18 08 90 56 – 15 marzo-15 novembre
54 cam ⊃ – †62/77 € †† 100/118 € – ½ P 72/77 €
Rist – Carta 29/45 € (+12 %)
♦ Nella piccola frazione costiera, albergo fronte mare dotato anche di una bella piscina disposta lungo un'ampia terrazza. Gestione familiare seria e professionale. Impostazione semplice, ma confortevole, nella grande sala ristorante dai "sapori" mediterranei.

a Santa Maria Annunziata Sud : 2,5 km – ⊠ 80061 – Massa Lubrense

X **La Torre** 🏯 🔊 *VISA* 🕭 AE ① 💲
⊕ *piazza Annunziata, 7 – 𝒞 08 18 08 95 66 – latorreonefire@libero.it*
🅐 *– Fax 08 15 33 02 03 – chiuso dal 7 al 30 gennaio e martedì*
Rist – *(chiuso a mezzogiorno in luglio-agosto)* Carta 20/32 €
♦ Posizione invidiabile, a pochi metri da un belvedere con vista su Capri, per questa trattoria a conduzione familiare. I piatti non smentiscono la tradizione partenopea.

a Nerano-Marina del Cantone Sud-Est : 11 km – ⊠ 80061 – Termini

XXX **Taverna del Capitano** (Alfonso Caputo) con cam 🌰 ≼ 🔊 🍽 📶
🅔🅔 *piazza delle Sirene 10/11 – 𝒞 08 18 08 10 28* 🚗 *VISA* 🕭 AE ① 💲
– www.tavernadelcapitano.it – tavdelcap@inwind.it – Fax 08 18 08 18 92
– chiuso 24-25 dicembre e dal 7 gennaio al 7 marzo
10 cam – †110 € ††140 €, ⊃ 15 € – 2 suites – ½ P 130 €
Rist – *(chiuso lunedì; anche martedì da ottobre a maggio)* (consigliata la prenotazione) Menu 70/110 € – Carta 66/101 € 🌸
Spec. Zuppa di fagioli e tubettoni con le cozze. Cartoccio di scorfano in sfoglia di patata all'acqua pazza. Cassuola di coniglio nostrano con cipolle, olive e pomodoro.
♦ Di fronte ad uno dei pochi tratti di spiaggia della costiera, un caratteristico locale in legno a gestione familiare. Pesce di straordinaria freschezza in piatti originali.

XXX **Quattro Passi** (Antonio Mellino) con cam 🌰 ≼ 🚗 🏯 ⅀ 🛗 🔊 📶
⊕ *via Vespucci 13/n, Nord : 1 km – 𝒞 08 18 08 28 00* *VISA* 🕭 AE 💲
– www.ristorantequattropassi.com – info@ristorantequattropassi.com
– Fax 08 18 08 12 71 – marzo-novembre
10 cam ⊃ – †100 € ††130/160 € – 3 suites
Rist – *(chiuso martedì sera e mercoledì escluso dal 15 giugno al 15 settembre)*
Carta 48/103 € 🌸
Spec. Crema di piselli con code di scampi cotte al vapore. Triglia di scoglio su cialda di pane cafone, giardiniera in agro, pinoli ed uvetta caramellati con emulsione d'arancia. Trancio di merluzzo confit, brodetto di vongole veraci al finocchietto.
♦ Lungo la strada che porta alla marina, ad ogni visita si trova il locale migliorato. Cucina generosa ed immediata, diversi prodotti della casa, sapori netti e fragranti.

a Termini – ⊠ 80061

XXX **Relais Blu** con cam 🌰 ≼ 🚗 🏯 🕭 🏖 🔊 🍽 rist, 📶
Via Roncato 60 – 𝒞 08 18 78 95 52 *VISA* 🕭 AE ① 💲
– www.relaisblu.com – info@relaisblu.com – Fax 08 18 78 93 04
– chiuso dal 6 novembre al 14 marzo
11 cam ⊃ – †240 € ††310/360 € – ½ P 205/230 €
Rist – Menu 65/85 € – Carta 40/80 €
♦ Incorniciato in una rigogliosa macchia mediterranea, nel punto di congiunzione tra la costiera Sorrentina e l'Amalfitana, un esclusivo ristorante dove assaporare una cucina internazionale, che tuttavia non disdegna i sapori tipici del sud.

MASSA (Marina di) – Massa Carrara (MS) – 563 J12 – ⊠ 54037   28 A1
▶ Roma 388 – Pisa 41 – La Spezia 32 – Firenze 114
🔎 viale Vespucci 24 𝒞 0585 240063, apt@massacarrara.turismo.toscana.it, Fax 0585 869015

Excelsior 🚗 🗻 🖧 🕸 ⬆ 🛗 ♿ 🕴 🎿 ☒ rist, 🕿 🏋 VISA ⓂⓄ AE ① ⭐

via Cesare Battisti 1 – ℰ *05 85 86 01 – www.hotelexcelsior.it – info@
hotelexcelsior.it – Fax 05 85 86 97 95*
70 cam ⬡ – ♦130/250 € ♦♦170/300 € – ½ P 120/185 €
Rist *Il Sestante* – ℰ 05 85 86 05 05 – Carta 41/56 €
♦ Struttura di taglio contemporaneo situata sul lungomare, particolarmente attenta a
soddisfare le esigenze della clientela d'affari e congressuale. Interni moderni. Elegante
ed accogliente, il ristorante è ideale per pranzi di lavoro e banchetti.

Maremonti 🐕 🕸 🗻 🕴 ♿ 🛗 ☒ rist, 🕪 P VISA ⓂⓄ AE ① ⭐

viale lungomare di Levante 19, località Ronchi ✉ *54039 Ronchi
–* ℰ *05 85 24 10 08 – www.hotelmaremonti.com – info@hotelmaremonti.com
– Fax 05 85 24 10 09 – marzo-novembre*
19 cam – ♦130/220 € ♦♦160/280 €, ⬡ 15 € – ½ P 150/240 €
Rist – Carta 46/63 €
♦ Di fronte al mare, villa ottocentesca tipica della Versilia, con parco e piscina. Camere
personalizzate con gusto, ognuna diversa dall'altra, ambienti comuni eleganti. Ristorante
in cui la cura dei dettagli è una piacevole compagna di pranzi e cene.

Cavalieri del Mare 🐾 🚗 🗻 ♿ cam, ♿ ☒ rist, 🕿 P

via Verdi 23, località Ronchi ✉ *54039 Ronchi* VISA ⓂⓄ AE ① ⭐
– ℰ *05 85 86 80 10 – www.cavalieridelmare.net – info@cavalieridelmare.net
– Fax 05 85 86 80 15*
26 cam ⬡ – ♦70/250 € ♦♦130/250 € – ½ P 85/135 €
Rist – *(aprile-ottobre) (chiuso a mezzogiorno) (solo per alloggiati)*
♦ Gradevolmente immerso in un giardino con piscina, un hotel ricavato da una villa del
'700 ristrutturata e "ripensata" per un'accoglienza efficiente con interni moderni.

Matilde *senza rist* 🚗 ♿ ☒ 🕪 P VISA ⓂⓄ AE ① ⭐

via Tagliamento 4 – ℰ *05 85 24 14 41 – www.hotelmatilde.it – info@
hotelmatilde.it – Fax 05 85 24 04 88*
12 cam ⬡ – ♦70/100 € ♦♦110/130 €
♦ Un hotel ubicato in zona residenziale, convincente sia dal punto di vista strutturale
che gestionale. Camere dotate di ogni confort, anche per la clientela d'affari.

✗✗ La Péniche ♿ ☒ VISA ⓂⓄ AE ① ⭐

via Lungo Brugiano 3 – ℰ *05 85 24 01 17 – www.lapeniche.com – info@
lapeniche.com*
Rist – Menu 31/50 € – Carta 34/59 €
♦ Originale collocazione su una palafitta e arredi curiosi con richiami a Parigi e alla
Senna. La cucina offre piatti di pesce, dal forno invece una buona lista di pizze.

✗✗ Da Riccà 🕸 P VISA ⓂⓄ AE ① ⭐

lungomare di Ponente – ℰ *05 85 24 10 70 – www.ristorantedaricca.com
– daricca@interfree.com – Fax 05 85 24 10 70
– chiuso dal 20 dicembre al 10 gennaio e lunedì*
Rist – Carta 53/80 € ℬ (+10 %)
♦ Ristorantino aperto negli anni Sessanta che ha sempre mantenuto la medesima valida
gestione; una cinquantina di posti in sala e altrettanti in terrazza. Specialità di mare.

MASSA MARITTIMA – Grosseto (GR) – 563M14 – 8 842 ab. 28 B2
– alt. 400 m – ✉ 58024 Toscana

▶ Roma 249 – Siena 62 – Firenze 132 – Follonica 19

ℹ via Todini 3/5 ℰ 0566 904756, infomassamarittima@lamaremma.info, Fax
0566 940095

◎ Piazza Garibaldi★★ – Duomo★★ – Torre del Candeliere★, Fortezza ed
Arco senesi★

Park Hotel La Fenice *senza rist* 🚗 🗻 🖧 ♿ ♿ ☒ VISA ⓂⓄ AE ⭐

corso Diaz 63 – ℰ *05 66 90 39 41 – www.lafeniceparkhotel.it – info@
lafeniceparkhotel.it – Fax 05 66 90 42 02*
18 cam ⬡ – ♦80/200 € ♦♦170/200 € – 4 suites
♦ Risorsa nata come residence, ora funziona come hotel: appartamenti di diverse tipologie, ma tutti con angolo cottura e zona soggiorno. Piacevoli interni dai colori caldi.

Duca del Mare senza rist ≼ 📻 ⌶ ⅍ 🅰🅲 ⅏ (ᵠ) 🄿 ᴠɪѕᴀ ⲟⲟ 🄰🄴 ⅃

piazza Dante Alighieri 1/2 – 𝒞 *05 66 90 22 84* – *www.ducadelmare.it* – *info@ducadelmare.it* – *Fax 05 66 90 19 05* – *chiuso dal 20 gennaio al 28 febbraio*

28 cam ⌷ – ♦50/60 € ♦♦85/110 €

◆ Tranquilla struttura appena fuori le mura del centro storico, facile da raggiungere ed agevole per il parcheggio, dispone di un'ampia hall e camere di taglio classico-contemporaneo: confortevoli e ben equipaggiate. Intraprendente conduzione familiare e buon rapporto qualità-prezzo.

Taverna del Vecchio Borgo ⅍ ᴠɪѕᴀ ⲟⲟ 🄰🄴 🄾 ⅃

via Parenti 12 – 𝒞 *05 66 90 39 50* – *www.massamarittima.info/vecchioborgo* – *taverna.vecchioborgo@libero.it* – *Fax 05 66 94 00 66* – *chiuso dal 15 gennaio al 15 febbraio, lunedì , anche domenica sera da ottobre a maggio*

Rist – *(chiuso a mezzogiorno)* Carta 25/45 €

◆ Caratteristico locale, o meglio, tipica taverna ricavata nelle antiche cantine di un palazzo sorto nel Seicento. Insieme gestito con cura, specialità della cucina toscana.

Osteria da Tronca 🄰🄲 ᴠɪѕᴀ ⲟⲟ ⅃

vicolo Porte 5 – 𝒞 *05 66 90 19 91* – *moreno.venturi@alice.it* – *Fax 05 66 90 19 91* – *chiuso dal 15 dicembre al 1° marzo, mercoledì (escluso agosto)*

Rist – *(chiuso a mezzogiorno)* Carta 24/35 €

◆ "Amo talmente il vino che maledico chi mangia l'uva", così si legge su una lavagna posta all'ingresso. Cucina del territorio, ambiente rustico e ovviamente... vino a volontà.

a Ghirlanda Nord-Est : 2 km – ✉ 58020

Bracali (Francesco Bracali) 🄰🄲 ⅍ 🄿 ᴠɪѕᴀ ⲟⲟ 🄰🄴 🄾 ⅃

via di Perolla 2 – 𝒞 *05 66 90 23 18* – *www.bracaliristorante.com* – *info@bracaliristorante.it* – *Fax 05 66 90 23 18* – *chiuso lunedì, martedì e i mezzogiorno di mercoledì e giovedì*

Rist – *(consigliata la prenotazione)* Carta 105/140 € ⅋

Spec. Insalata di gallina livornese, funghi e verdure su budino di fegato grasso, gelatina di mosto cotto e gelato al parmigiano. Tortelli di spinaci con ragù di maialino alla polvere di caffè e crema d'aglio. Pollo di Bresse in due cotture con purea di sedano rapa e patate arrosto.

◆ In una piccola frazione, un locale inaspettatamente elegante con fiori, quadri e candelabri. Cucina giovane ed inventiva per chi ama le preparazioni complesse ed innovative.

al lago di Accesa Sud: 10 km

Agriturismo Tenuta del Fontino ⅍ ≼ 🕭 📻 ⌶ ⅍ rist, 🄿

località Accesa, Est : 1,5 km – 𝒞 *05 66 91 92 32* ᴠɪѕᴀ ⲟⲟ ⅃
– *www.tenutafontino.it* – *info@tenutafontino.it* – *Fax 05 66 91 96 84* – *Pasqua-novembre*

26 cam ⌷ – ♦66/106 € ♦♦98/160 € – ½ P 76/96 €

Rist – *(chiuso a mezzogiorno) (solo per alloggiati)* Menu 19/25 €

◆ Avvolta da un parco di alberi secolari con piscina e laghetto, la bella villa ottocentesca dispone di camere di diverse tipologie. Nelle serate più fresche, un salone con caminetto.

a Valpiana Sud-Ovest : 12,5 km – ✉ 58024

Villa il Tesoro ⅍ ≼ 📻 ⌶ 🄰🄲 ⅏ ⅍ rist, ℰ 🄰📶 🄿

Nord-Ovest : 3,5 km – 𝒞 *056 69 29 71* ᴠɪѕᴀ ⲟⲟ 🄰🄴 🄾 ⅃
– *www.villailtesoro.com* – *welcome@villailtesoro.com* – *Fax 05 66 92 97 60*
– *9 aprile-2 novembre*

20 suites ⌷ – ♦♦215/380 €

Rist *Il Fiore del Tesoro* – *(chiuso mercoledì) (consigliata la prenotazione)* Carta 63/110 €

◆ Residenza di campagna che offre suites in tre casali separati. Camere arredate con una curiosa commistione di arte povera e mobilio moderno. Piccolo giardino all'italiana. Ristorante elegante che propone piatti curati con tocchi di fantasia.

MASSAROSA – Lucca (LU) – 563K12 – 21 212 ab. – alt. 15 m 28 B1
– ✉ 55054

▶ Roma 363 – Pisa 29 – Livorno 52 – Lucca 19

🆔 via Sarzanese 157 (uscita autostradale) 𝒞 0584 937284, Fax 0584 937288

XX **La Chandelle** ⟨ 🚗 🛋 AC ⚡ P VISA ⚫ 👶

via Casa Rossa 303 – 𝒞 05 84 93 82 90 – www.lachandelle.it – chiuso gennaio e
lunedì a mezzogiorno

Rist – Carta 35/50 €

♦ In posizione dominante sulle colline, circondato da un fiorito e fresco giardino in cui
d'estate si trasferisce il servizio, ma è soprattutto per i suoi piatti di pesce che l'elegante
e familiare locale è apprezzato.

X **Da Ferro** 🛋 AC ⚡ P VISA ⚫ AE ⓞ 👶

via Sarzanese Nord 5324 A – 𝒞 05 84 99 66 22 – Fax 05 84 99 66 22 – chiuso dal
28 settembre al 21 ottobre e martedì

Rist – Carta 22/29 €

♦ In direzione di Pietrasanta, è la cucina che rivela l'anima e l'ospitalità familiare del
locale, proponendo solo carne, salvo baccalà e brace. Servizio estivo all'aperto.

a Massaciuccoli Sud : 4 km - ⊠ 55054 Massarosa

🏠 **Le Rotonde** ◈ 🚗 🛋 ⬧ AC ⚡ P VISA ⚫ AE 👶

via del Porto 77 – 𝒞 05 84 97 54 39 – www.lerotonde.it – info@lerotonde.it
– Fax 05 84 97 57 54 – chiuso novembre e dicembre

14 cam ⊡ – †50/80 € ††70/100 €

Rist – (chiuso a mezzogiorno da ottobre a marzo) Carta 25/41 €

♦ Avvolto dal verde, nel cuore della campagna lucchese, e ancora un giardino ombreggiato e sempre ben tenuto, il caseggiato offre una calorosa accoglienza familiare. Notevoli attenzioni per i banchetti e cucina del territorio. Anche pizzeria.

a Corsanico Nord-Ovest : 10 km - ⊠ 55040

🏠 **Agriturismo Le Querce di Corsanico** ◈ ⟨ 🚗 🛋 ⬧ 🛏 AC

via delle Querce 200 – 𝒞 05 84 95 46 80 ⚡ rist. 📞 P VISA ⚫ AE 👶
– www.quercedicorsanico.com – info@quercedicorsanico.com
– Fax 05 84 95 46 82 – Pasqua-novembre

10 cam ⊡ – †60/65 € ††115/125 € **Rist** – (solo per alloggiati) Menu 25 €

♦ Edificio rustico in collina tra gli ulivi. Posizione panoramica sulla costa e sul mare
aperto. Interni ristrutturati con risultati positivi; piscina nel verde del giardino.

MASSINO VISCONTI – Novara (NO) – 561E7 – 1 090 ab. – alt. 465 m   24 A2
– ⊠ 28040

▶ Roma 654 – Stresa 11 – Milano 77 – Novara 52

🖪 via Ing. Viotti 2 𝒞 0322 219713, massino@distrettolaghi.it, Fax 0322219713

🏠 **Lo Scoiattolo** 🚗 📶 🕭 cam, ⚡ 📶 🛏 P VISA ⚫ AE ⓞ 👶

via per Nebbiuno 8 – 𝒞 03 22 21 91 84 – www.hotelloscoiattolo.com – info@
hotelloscoiattolo.eu – Fax 03 22 21 91 13

30 cam ⊡ – †51/55 € ††79/89 € – ½ P 49/53 €

Rist – (chiuso dal 15 gennaio al 5 marzo e lunedì) Carta 19/33 €

♦ Un albergo di concezione moderna con un bel giardino, in posizione collinare tale da
offrire una vista eccezionale sul lago e i dintorni. Nuova sala soggiorno-bar. Sala ristorante ampia e adatta ad accogliere anche comitive numerose.

MATERA P (MT) – 564E31 – 58 643 ab. – alt. 401 m – ⊠ 75100 📗 Italia   4 D1

▶ Roma 461 – Bari 67 – Cosenza 222 – Foggia 178

🖪 via Spine Bianche 22 𝒞 0835 331817, matera@aptbasilicata.it, Fax
0835345402

◉ I Sassi★★ – Strada dei Sassi★★ – Duomo★ – Chiese
rupestri★ – ≼★★ sulla città dalla strada delle chiese rupestri Nord-Est :
4 km

🏠🏠 **Del Campo** 🚗 🛋 📶 AC ⚡ 📞 🛏 P 🚐 VISA ⚫ AE ⓞ 👶

via Lucrezio – 𝒞 08 35 38 88 44 – www.hoteldelcampo.it – info@hoteldelcampo.it
– Fax 08 35 38 87 57

35 cam ⊡ – †85/96 € ††110/130 € – ½ P 86 €

Rist Le Spighe – (chiuso 10 giorni in agosto, domenica o lunedì in luglio-settembre) (chiuso a mezzogiorno) Carta 21/33 €

♦ Ricavato dove nel '700 sorgeva una villa, di cui rimangono alcuni resti nel bel giardino, un albergo che coniuga professionalità e personalità ad ottimi livelli. Ristorante
elegante, suddiviso in tre salette a tutto vantaggio di un'atmosfera dolcemente intima.

MATERA

Palace Hotel 🛜 🛗 ♨ 🅰🅲 ⚡ 🕻 🛁 🅿 🚗 VISA ⓪ AE ① 🌀
*piazza Michele Bianco – ℰ 08 35 33 05 98 – www.palacehotel-matera.it – info@
palacehotel-matera.it – Fax 08 35 33 77 82*
65 cam ⊑ – ✝80/100 € ✝✝104/170 € – 10 suites – ½ P 95/110 €
Rist – *(chiuso agosto)* Carta 25/32 €
♦ Albergo recente, situato in zona centrale, a pochi minuti a piedi dal centro storico.
Camere confortevoli sfruttate per lo più da clienti in viaggio per motivi di lavoro. Ristorante di tono garbato, accogliente con qualche piccolo tocco d'eleganza.

San Domenico senza rist 🛗 🕭 ⚓ 🅰🅲 ⚡ 🕻 🛁 🚗 VISA ⓪ AE ① 🌀
*via Roma 15 – ℰ 08 35 25 63 09 – www.hotelsandomenico.it – info@
hotelsandomenico.it – Fax 08 35 25 63 09*
72 cam ⊑ – ✝90/100 € ✝✝130/150 € – 3 suites
♦ Recente esercizio del centro città vicino alla frequentata piazza Vittorio Veneto. Ideale
per una breve sosta turistica e soprattutto per la clientela d'affari.

Italia ≤ 🛗 🅰🅲 ⚡ 🕻 🛁 VISA ⓪ AE ① 🌀
*via Ridola 5 – ℰ 08 35 33 35 61 – www.albergoitalia.com – albergoitalia@tin.it
– Fax 08 35 33 00 87*
46 cam ⊑ – ✝75 € ✝✝98 €
Rist Basilico – ℰ 08 35 33 65 40 *(chiuso 15 giorni in agosto e venerdì)*
Carta 16/32 €
♦ Nel centro storico, in un palazzo d'epoca ottimamente restaurato che oggi appare
come una struttura di tono moderno, peraltro affacciata direttamente sui celebri Sassi.
Ristorante dall'aspetto fresco e contemporaneo, ripartito in tre salette.

Le Monacelle senza rist 🌿 ≤ 🛗 🅰🅲 ⚡ 🕻 🛁
*via Riscatto 9/10 – ℰ 08 35 34 40 97 – www.lemonacelle.it – info@lemonacelle.it
– Fax 08 35 33 65 41*
10 cam ⊑ – ✝55 € ✝✝86 €
♦ A ridosso del Duomo e nei pressi dei Sassi, un hotel connotato dall'ampiezza degli
ambienti comuni, come delle stanze. Due camerate sono destinate ad uso ostello.

Locanda di San Martino senza rist 🌿 ≤ 🛗 🅰🅲 ⚡ 🕻 🛁
via Fiorentini 71 – ℰ 08 35 25 66 00 VISA ⓪ AE ① 🌀
*– www.locandadisanmartino.it – info@locandadisanmartino.it
– Fax 08 35 25 64 72*
32 cam ⊑ – ✝87/102 € ✝✝89/129 € – 7 suites
♦ Nel cuore del celebre centro storico di Matera, una struttura originale con le camere
disposte su quattro piani ed accesso indipendente. Arredi sobri ed eleganti.

Sassi Hotel senza rist 🌿 ≤ 🕻 VISA ⓪ AE ① 🌀
*via San Giovanni Vecchio 89 – ℰ 08 35 33 10 09 – www.hotelsassi.it
– hotelsassi@virgilio.it – Fax 08 35 33 37 33*
35 cam ⊑ – ✝70/80 € ✝✝90/105 € – 5 suites
♦ Risorsa ideale per chi vuole scoprire l'attrazione più famosa della città, i Sassi. Hotel
che si inserisce al meglio in questo straordinario tessuto urbanistico.

XX Lucanerie 🅰🅲 VISA ⓪ AE ① 🌀
via Santo Stefano 61 – ℰ 08 35 33 21 33 – chiuso agosto e lunedì
Rist – Carta 23/40 €
♦ Vicino al Sasso Barisano, si trova all'interno di un'ex stalla ottocentesca fra tufo, nicchie e camino. Tipica cucina regionale, trionfo di antipasti.

XX Alle Fornaci 🛜 🕭 🅰🅲 VISA ⓪ AE ① 🌀
*piazza Cesare Firrao 7 – ℰ 08 35 33 50 37 – ristoranteallefornaci@virgilio.it
– Fax 08 35 33 50 37 – chiuso 2 settimane in agosto e lunedì*
Rist – Carta 26/51 €
♦ Locale in posizione centrale a pochi passi dai Sassi, ambiente curato dove gustare fragranti piatti di mare: il pescato viene comprato giornalmente nei mercati dello Ionio e
del Tirreno.

X Trattoria Lucana 🅰🅲 ⚡ VISA ⓪ AE ① 🌀
*via Lucana 48 – ℰ 08 35 33 61 17 – www.trattorialucana.it – info@
trattorialucana.it – Fax 08 35 33 61 17 – chiuso dal 10 al 20 luglio e domenica
escluso da marzo ad ottobre*
Rist – Carta 29/41 €
♦ Le genuine specialità lucane servite in un ristorante dall'ambiente simpatico e informale. Sia in cucina che in sala domina un'atmosfera allegra e conviviale.

647

✗ Le Botteghe   🗮 AK VISA ⓪ ❶ ⓳

*piazza San Pietro Barisano 22 – ☏ 08 35 34 40 72 – www.lebotteghemt.it
– lebotteghe@hotmail.com – Fax 08 35 33 01 75 – chiuso 2 settimane in gennaio
o febbraio*

Rist – Carta 27/41 €

♦ Ristorante all'interno della zona turistica dei "Sassi"; una piacevole sosta per poter
gustare i piatti della tradizione lucana, in particolare carni alla griglia.

✗ Casino del Diavolo-da Francolino   🗮 AK �‰ P

*via La Martella, Ovest : 1,5 km – ☏ 08 35 26 19 86 – www.casinodeldiavolo.it
– casinodeldiavolo@virgilio.it – Fax 08 35 26 19 86
– chiuso dal 30 giugno all'11 luglio*

Rist – Carta 20/34 €

♦ In un paesaggio dipinto da sassi e ulivi, i profumi della tradizione mediterranea si
incontrano con i golosi piatti tipici locali, iniziando il viaggio di scoperta con l'antipasto
a buffet.

✗ Don Matteo   AK VISA ⓪ AE ❶ ⓳

*via S. Biagio 12 – ☏ 08 35 34 41 45 – www.donmatteoristorante.com – info@
donmatteoristorante.com – Fax 08 35 34 41 45 – chiuso dal 15 luglio al 20 agosto*

Rist – (chiuso mercoledì) (chiuso a mezzogiorno escluso i giorni festivi)
Menu 34/38 € – Carta 45/76 €

♦ A pochi passi dalla piazza centrale, con ingresso su una delle vie pedonali, piccola ed
intima sala all'interno dei celebri *Sassi*. Proposte legate al territorio reinterpretate in
chiave moderna.

MATIGGE – Perugia – Vedere Trevi

MATTINATA – Foggia (FG) – 564B30 – 6 419 ab. – alt. 77 m   26 **B1**
– ✉ 71030 Italia

   ▶ Roma 430 – Foggia 58 – Bari 138 – Monte Sant'Angelo 19

sulla strada litoranea Nord-Est : 17 km :

🏠 Baia dei Faraglioni ⌂   🗮 ⊃ ✕ AK ✰ rist. ✆ P VISA ⓪ AE ⓳

*località Baia dei Mergoli ✉ 71030 – ☏ 08 84 55 95 84 – www.baiadeifaraglioni.it
– info@baiadeifaraglioni.it – Fax 08 84 55 96 51 – 24 aprile-19 settembre*

70 cam ⊊ – ♦180/260 € ♦♦300/420 € – ½ P 260 €   **Rist** – Carta 50/97 €

♦ La posizione di questo hotel offre una piacevole tranquillità, ci si trova a pochi passi
dalla spiaggia della baia di Mergoli, con una vista incantevole sui faraglioni. Cene raffinate o meno formali, da gustare al ristorante o in terrazza.

🏠 Baia delle Zagare ⌂   ← ⚐ ⊃ ✕ 🏊 AK cam, ✰ rist. ✆ 🛁 P

località Baia dei Mergoli ✉ 71030 – ☏ 08 84 55 01 55   VISA ⓪ ⓳
*– www.hotelbaiadellezagare.it – info@hotelbaiadellezagare.it
– Fax 08 84 55 08 84 – giugno-settembre*

143 cam ⊊ – ♦♦140/180 € – ½ P 120/160 €

Rist – Menu (solo per alloggiati) 35/40 €

♦ Complesso alberghiero costituito da palazzine immerse in un parco lussureggiante. In
posizione splendida a picco sul mare, collegato alla spiaggia tramite comodi ascensori.
Sala da pranzo con splendida vista, adatta anche ad ospitare banchetti.

MAULS = Mules

MAZARA DEL VALLO – Trapani – 565O19 – Vedere Sicilia alla fine dell'elenco
alfabetico

MEDEA – Gorizia (GO) – 562E22 – 920 ab. – alt. 35 m – ✉ 34076   11 **C2**
   ▶ Roma 630 – Udine 27 – Gorizia 17 – Trieste 48

🏠 Agriturismo Kogoj senza rist ⌂   🗮 ⊃ P VISA ⓪ AE ❶ ⓳

*via Zorutti 10 – ☏ 048 16 74 40 – www.kogoj.it – kogoj@kogoj.it
– Fax 048 16 74 40 – chiuso dal 7 al 30 settembre*

5 cam ⊊ – ♦55/60 € ♦♦80/94 €

♦ Discrezione e signorilità per questa casa friulana arredata con pezzi d'epoca, ospite
ideale per chi cerca un soggiorno dalla familiare accoglienza, magari alla scoperta dei
vini locali.

MEDESANO – Parma (PR) – 562H12 – **9 425 ab. – alt. 136 m** – ✉ 43014   8 **B2**

▶ Roma 473 – Parma 20 – La Spezia 103 – Mantova 83

a Sant'Andrea Bagni Sud-Ovest : 8 km – ✉ **43048**

🛏️ **Salus**   🕮 🖃 AC 📶 VISA ⓸ ⓞ ⛓️

♋ *piazza C. Ponci 7 – 𝒞 05 25 43 12 21 – www.hotelsalusparma.it – info@ hotelsalusparma.it – Fax 05 25 43 13 98*

51 cam – †40/160 € ††50/200 €, ⏋ 5 € – ½ P 120 €

Rist – *(chiuso dal 7 al 31 gennaio)* Carta 14/25 €

♦ Tra due stabilimenti di cure termali, in zona verde e tranquilla, è ideale per chi vuole un soggiorno rigenerante senza spostarsi. Camere sobrie, ma decisamente spaziose. Cucina squisitamente nazionale, in una sala ristorante ampia e luminosa.

MEDUNO – Pordenone (PN) – 562D20 – **1 746 ab. – alt. 322 m**   10 **B2**
– ✉ 33092

▶ Roma 633 – Udine 46 – Belluno 76 – Cortina D'Ampezzo 108

✕ **Stella**   🕮 🍴 ↔ VISA ⓸ AE ⓞ ⛓️

via Principale 38 – 𝒞 042 78 61 24 – Fax 042 78 61 24
– chiuso dal 1° al 10 gennaio, dal 17 settembre al 7 ottobre,
sabato a mezzogiorno, domenica sera e mercoledì

Rist – Carta 32/56 €

♦ Piccola trattoria di paese gestita con attenzione e passione dalla giovane famiglia. Decisi e fragranti i sapori che designano il valore della cucina, fedele alle tradizioni e ai prodotti tipici della zona, a partire da salumi e formaggi.

MEINA – Novara (NO) – 561E7 – **2 357 ab. – alt. 214 m** – ✉ 28046   24 **B2**

▶ Roma 645 – Stresa 12 – Milano 68 – Novara 44

🛏️ **Villa Paradiso**   ≤ 🛆 ⌿ 🖃 ↔ AC ✕ rist, 🖧 P VISA ⓸ AE ⓞ ⛓️

via Sempione 125 – 𝒞 03 22 66 04 88 – www.hotelvillaparadiso.com – paradiso@ intercom.it – Fax 03 22 66 05 44 – marzo-10 novembre

58 cam ⏋ – †90/120 € ††120/150 € – ½ P 75/85 €   **Rist** – Carta 35/45 €

♦ Grande costruzione fine secolo, in posizione panoramica, avvolta da un parco, in cui è inserita la piscina, dotata anche di spiaggetta privata. Gestione intraprendente. Al ristorante le ricercatezze negli arredi donano all'atmosfera una certa eleganza.

🛏️ **Bel Sit**   ≤ 🕮 🖃 & AC ✕ rist, 📶 ⇔ VISA ⓸ AE ⓞ ⛓️

via Sempione 76 – 𝒞 03 22 66 08 80 – www.bel-sit.it – info@bel-sit.it
– Fax 03 22 66 96 07 – chiuso gennaio e febbraio

18 cam ⏋ – †80/110 € ††130/150 € – ½ P 90/100 €   **Rist** – Carta 31/50 €

♦ Piccola struttura dagli interni confortevoli e lineari, soprattutto nelle camere moderne. Il retro dell'hotel è tutto proiettao sul lago con attracco per barche e spiaggetta. Toni eleganti nella veranda del ristorante dotato anche di dehors fronte lago. Sapori del territorio.

✕✕✕ **Novecento** (Matteo Vigotti)   AC ✕ VISA ⓸ AE ⓞ ⛓️

❀ *via Bonomi 13 – 𝒞 03 22 66 96 00 – www.nov-ece-nto.it – info@nov-ece-nto.it*
– Fax 03 22 66 91 54 – chiuso quindici giorni in febbraio, quindici giorni
in novembre, lunedì, martedì a mezzogiorno

Rist – Menu 40/100 € – Carta 63/88 €

Spec. Interpretazione di carne cruda alla piemontese "900". Paccheri di Gragnano con ragù di quaglia al profumo d'incenso. Piccione al sale con patate ratte e indivia.

♦ Locale moderno e molto elegante secondo i canoni più attuali e di tendenza. Per una clientela esigente, al passo coi tempi e in grado di apprezzare una cucina fantasiosa.

MELDOLA – Forlì-Cesena (FO) – 562J18 – **9 589 ab. – alt. 57 m**   9 **D2**
– ✉ 47014

▶ Roma 418 – Ravenna 41 – Rimini 64 – Forlì 13

X **Il Rustichello** 🏠 🅰️🄲 🎱 🆅🅸🆂🅰 ⬤⬤ 🅰🅴 ⓘ ⚡
⊛ via Vittorio Veneto 7 – 𝓒 05 43 49 52 11 – Fax 05 43 49 52 11
– chiuso dal 20 gennaio al 5 febbraio, agosto, lunedì e martedì
Rist – Carta 22/32 €
♦ Appena fuori dal centro, in questa trattoria rivivono i sapori legati alla tradizione gastronomica regionale. Paste e dolci fatti in casa e specialità di carne. Servizio veloce e attento.

MELEGNANO – Milano (MI) – 561F9 – 16 283 ab. – alt. 88 m   18 **B2**
– ✉ 20077
🛣 Roma 548 – Milano 17 – Piacenza 51 – Pavia 29

🏠 **Il Telegrafo** 🏠 🅰🄲 🅿 🆅🅸🆂🅰 ⬤⬤ 🅰🅴 ⓘ ⚡
via Zuavi 54 – 𝓒 029 83 40 02 – www.hoteliltelegrafo.it – info@hoteliltelegrafo.it
– Fax 02 98 23 18 13 – chiuso agosto
34 cam – 🛏62/70 € 🛏🛏86/90 €, � 8 € – ½ P 70/78 €
Rist – (chiuso domenica) Carta 31/46 €
♦ Lunga ed affidabile tradizione familiare: una volta era un'antica locanda con stazione di posta, oggi è ancora un sicuro indirizzo di riferimento, nel centro della località. Ristorante semplice, curato, dal clima ruspante.

MELENDUGNO – Lecce (LE) – 564G37 – 9 594 ab. – alt. 36 m   27 **D3**
– ✉ 73026
🛣 Roma 581 – Brindisi 55 – Gallipoli 51 – Lecce 19

a San Foca Est : 7 km – ✉ 73026

🏠 **Côte d'Est** ⬅ 📶 ⅋ cam, 🅰🄲 🎱 rist, ⟨⟩ 🆅🅸🆂🅰 ⬤⬤ ⓘ ⚡
lungomare Matteotti – 𝓒 08 32 88 11 46 – www.hotelcotedest.it – info@
hotelcotedest.it – Fax 08 32 88 11 48
35 cam ⊆ – 🛏50/100 € 🛏🛏60/140 € – ½ P 40/90 €   **Rist** – Menu 25 €
♦ Direttamente sul lungomare, un hotel a conduzione familiare rinnovato negli utlimi anni, offre stanze e spazi comuni arredati nelle tonalità del blu con decorazioni marittime.

MELETO – Arezzo – 563L16 – Vedere Cavriglia

MELFI – Potenza (PZ) – 564E28 – 16 756 ab. – alt. 531 m – ✉ 85025   3 **A1**
🛣 Roma 325 – Bari 132 – Foggia 60 – Potenza 52

🏠🏠🏠 **Relais la Fattoria** 🏞 🏊 🄲 🅰🄲 🎱 🏋 🅿 🆅🅸🆂🅰 ⬤⬤ 🅰🅴 ⓘ ⚡
strada statale 658-uscita Melfi Nord – 𝓒 097 22 47 76 – www.relaislafattoria.it
– info@relaislafattoria.it – Fax 09 72 23 91 21
112 cam ⊆ – 🛏77/87 € 🛏🛏120/200 € – ½ P 90 €
Rist – (chiuso a mezzogiorno) Menu 28 €
♦ Imponente struttura di recente costruzione contornata dal verde di ulivi e vigneti. Camere e sale di discreta eleganza. Posizione decentrata, ma alle porte della città. Ristorante con ingresso autonomo e una sala piccola, ma curata.

XX **Novecento** 🏠 🅰🄲 🅿 🆅🅸🆂🅰 ⬤⬤ 🅰🅴 ⓘ ⚡
⊛ strada prov. ex ss. 401 km 0,500, Ovest: 1,5 km – 𝓒 09 72 23 74 70
– www.novecentomelfi.com – info@novecentomelfi.it – Fax 09 72 23 74 70
– chiuso dal 15 al 31 luglio, domenica sera e lunedì
Rist – Carta 23/33 € 🏵
♦ Piacevole ambiente di discreta eleganza, appena fuori dal centro della cittadina, dove apprezzare piatti del territorio rivisitati e alleggeriti. Morbide e golose le torte fatte in casa.

X **La Villa** 🅰🄲 ⟷ 🅿 🆅🅸🆂🅰 ⬤⬤ ⓘ ⚡
⊛ strada statale 303 verso Rocchetta Sant'Antonio – 𝓒 09 72 23 60 08
– Fax 09 72 23 60 08 – chiuso dal 23 luglio al 9 agosto, domenica sera e lunedì
Rist – Carta 17/30 €
♦ Ristorante di campagna dall'ambiente intimo e curato grazie alle tante attenzioni della famiglia che lo gestisce. Ricette locali rispettose dei prodotti del territorio.

MELITO IRPINO – Avellino (AV) – 564D27 – 2 009 ab. – alt. 242 m   7 **C1**
– ✉ 83030
🛣 Roma 255 – Foggia 70 – Avellino 55 – Benevento 45

✄ **Di Pietro**   AK 🍴 VISA ◉◉ AE ◑ ᵍ
*corso Italia 8 – ℰ 08 25 47 20 10 – trattoriadipietro@libero.it – Fax 08 25 47 20 10
– chiuso settembre e mercoledì*
Rist – Carta 23/33 €
♦ Trattoria con alle spalle una lunga tradizione familiare, giunta ormai alla terza generazione. Pizze e cucina campana, preparata e servita con grande passione.

MELIZZANO – Benevento (BN) – 564D25 – **1 845 ab. – alt. 190 m**   6 **B1**
– ✉ 82030

▶ Roma 203 – Napoli 50 – Avellino 70 – Benevento 35

⌂ **Agriturismo Mesogheo** ❧   🚗 🛋 🍳 🍴 rist, ⁽ᵗ⁾ P VISA ◉◉ ᵍ
*contrada Valle Corrado 4 – ℰ 08 24 94 43 56 – www.mesogheo.com – info@
mesogheo.com – Fax 08 24 94 41 30*
10 cam ⛌ – †70 € ††100 € – ½ P 80 €   **Rist** – Menu 30 €
♦ Immersa nel verde del Sannio, antica masseria brillantemente ristrutturata, e recentemente ampliata, in cui ogni camera rappresenta un viaggio a sé stante.

MELS – Udine – Vedere Colloredo di Monte Albano

MELZO – Milano (MI) – 561F10 – **18 505 ab. – alt. 119 m** – ✉ 20066   19 **C2**
▶ Roma 578 – Bergamo 34 – Milano 21 – Brescia 69

⊞ **Visconti** senza rist   🖪 🛗 ⅖ AK 🍴 ⅏ 🍳 P 🚗 VISA ◉◉ AE ᵍ
*via Colombo 3/a – ℰ 02 95 73 13 28 – hvisconti@tiscali.it – Fax 02 95 73 60 41
– chiuso Natale e due settimane in agosto*
40 cam ⛌ – †86/95 € ††108/126 €
♦ La gestione di questa risorsa è seria e preparata, la struttura è nuovissima e omogenea in tutte le sue parti. Servizi e dotazioni completi, moderno spazio ristorazione.

MENAGGIO – Como (CO) – 561D9 – **3 144 ab. – alt. 203 m** – ✉ 22017   16 **A2**
▌ Italia

▶ Roma 661 – Como 35 – Lugano 28 – Milano 83
⛴ per Varenna – Navigazione Lago di Como, ℰ 0344 32255, call center 800
551 801
🛈 piazza Garibaldi 8 ℰ 0344 32924, infomenaggio@tiscalinet.it, Fax 0344 32924
⛰ , ℰ 0344 321 03
◉ Località ★★

🏬 **Grand Hotel Menaggio**   ⇐ 🚗 🛋 🍳 🖪 🛗 AK 🍴 rist, ⅏ 🛁 P
via 4 Novembre 77 – ℰ 034 43 06 40   🚗 VISA ◉◉ AE ◑ ᵍ
*– www.grandhotelmenaggio.com – info@grandhotelmenaggio.com
– Fax 034 43 06 19 – marzo-ottobre*
93 cam ⛌ – †180 € ††180/230 € – ½ P 150 €   **Rist** – Carta 26/38 €
♦ Prestigioso hotel affacciato direttamente sul lago, presenta ambienti di grande signorilità ed eleganza e una terrazza con piscina dalla meravigliosa vista panoramica. Le
emozioni di un pasto consumato in compagnia della bellezza del lago.

🏬 **Grand Hotel Victoria**   ⇐ 🚗 🛋 🍳 🖪 ⚕ AK 🍴 rist, 🛁 P
lungolago Castelli 9/13 – ℰ 034 43 20 03   VISA ◉◉ AE ◑ ᵍ
*– www.grandhotelvictoria.it – info@grandhotelvictoria.it – Fax 034 43 29 92
– marzo-ottobre*
55 cam ⛌ – †110/160 € ††180/300 € – 2 suites – ½ P 192 €
Rist *Le Tout Paris* – Carta 45/65 €
♦ Grand hotel in stile liberty, capace di regalare sogni e suggestioni di un passato desi-
derabile. Nelle zone comuni abbondanza di stucchi, specchi e decorazioni. Il ristorante si
apre sul giardino antico e curato dell'hotel.

🏠 **Du Lac** senza rist   🛗 AK 🚗 VISA ◉◉ AE ◑ ᵍ
*via Mazzini 27 – ℰ 034 43 52 81 – www.hoteldulacmenaggio.it – info@
hoteldulacmenaggio.it – Fax 03 44 34 47 24*
10 cam – †95/130 € ††135/145 €, ⛌ 9 €
♦ Casa centralissima e a bordo lago, completamente ristrutturata ed adibita ad hotel dai
giovani proprietari. Al piano terra il bar, sopra le camere nuove ed accoglienti.

a Nobiallo Nord : 1,5 km – ⊠ **22017 – Menaggio**

🏠 **Garden** senza rist   ← 🚘 **P** 𝚅𝙸𝚂𝙰 ⓪
via Diaz 30 – 𝒞 034 43 16 16 – www.hotelgarden-menaggio.com
– hotelgarden@blu.it – Fax 034 43 16 16 – Pasqua-ottobre
13 cam � – †50/65 € ††75/88 €
♦ Una dozzina di camere affacciate sul lago, così come sul bel giardino. Una villa ben tenuta, con esterni di un rosa leggero, e spazi interni sobri e confortevoli.

a Loveno Nord-Ovest : 2 km – **alt. 320 m** – ⊠ **22017 – Menaggio**

🏨 **Royal** ♨   ← 🚘 🍽 ℥ Ⅼ⑥ ❄ rist, 🙶 **P** 🚗 𝚅𝙸𝚂𝙰 ⓪ 𝔸𝔼 ① 🅢
largo Vittorio Veneto 1 – 𝒞 034 43 14 44 – www.royalcolombo.com – info@
royalcolombo.com – Fax 034 43 01 61 – 5 aprile-ottobre
18 cam ⊓ – †85/95 € ††120/130 € – ½ P 88 €
Rist *Chez Mario* – Carta 26/41 €
♦ Nel verde di un curato giardino con piscina, in posizione tranquilla e soleggiata, un hotel in grado di offrire soggiorni rilassanti in una cornice familiare, ma signorile. Al ristorante ambiente distinto, arredi disposti per offrire calore e intimità.

MENFI – Agrigento – 565020 – Vedere Sicilia alla fine dell'elenco alfabetico

---

MERAN = Merano

MERANO (MERAN) – Bolzano (BZ) – 562C15 – 34 711 ab. – alt. 323 m   30 **B2**
– Sport invernali : a Merano 2000 B : 1 600/2 300 m 🚠 2 🚡 5, 🎿 – ⊠ 39012 Italia
   🄳 Roma 665 – Bolzano 28 – Brennero 73 – Innsbruck 113
   🄸 corso della Libertà 45 𝒞 0473 272000, info@meraninfo.it, Fax 0473 235524
   🄵, 𝒞 0473 56 46 96
   🄵 Passiria, 𝒞 0473 64 14 88
   🄾 Passeggiate d'Inverno e d'Estate★★ D **24** – Passeggiata Tappeiner★★ CD
     – Volte gotiche★ e polittici★ nel Duomo D – Via Portici★ CD – Castello
     Principesco★ C **C** – Merano 2000★ accesso per funivia, Est : 3 km B
     – Tirolo★ Nord : 4 km A
   🄶 Avelengo★ Sud-Est : 10 km per via Val di Nova B – Val Passiria★ B

Piante pagina a lato

🏨🏨 **Palace Merano-Espace Henri Chenot**   ← 🚘 🏊 🍽 ℥ 🄺 🔞
via Cavour 2-4   🏊 Ⅼ⑥ 🏄 🛗 🕭 🄺 ❄ rist, 🙶 🛁 **P** 𝚅𝙸𝚂𝙰 ⓪ 𝔸𝔼 ① 🅢
– 𝒞 04 73 27 10 00 – www.palace.it – info@palace.it – Fax 04 73 27 11 00
– chiuso dal 10 al 30 gennaio   D**h**
100 cam – †190/220 € ††310/390 €, ⊓ 25 € – 18 suites – ½ P 195 €
Rist – *(chiuso a mezzogiorno) (solo per alloggiati)*
♦ Un'esclusiva Spa per dedicarsi alla cura del corpo e al benessere della mente tra le mura di questo palazzo dei primi Novecento. Ambienti ricchi di fascino con stucchi ed originali lampadari.

🏨🏨 **Meister's Hotel Irma** ♨   ← 🔞 🍽 ℥ 🔞 ⑨ 🏊 Ⅼ⑥ 🏄 🍽 🛗
via Belvedere 17 – 𝒞 04 73 21 20 00   🄺 rist, ❄ rist, 🙶 🚗
– www.hotel-irma.com – info@hotel-irma.it – Fax 04 73 23 13 55
– 15 marzo-15 dicembre   B**p**
69 cam ⊓ – †121/230 € ††194/294 € – 19 suites – ½ P 117/178 €
Rist – *(solo per alloggiati)* Carta 29/50 €
♦ Meraviglioso centro benessere, spaziosa zona comune con una bella sala lettura, camere rinnovate e poi il parco-giardino con piscine riscaldate. Soggiorno indimenticabile.

🏨🏨 **Park Hotel Mignon** ♨   ← 🚘 🔞 🍽 ℥ 🔞 ⑨ 🏊 Ⅼ⑥ 🛗 🕭 cam,
via Grabmayr 5   🄺 rist, ⇝ ❄ rist, 🙶 🛁 **P** 🚗 𝚅𝙸𝚂𝙰 ⓪ 🅢
– 𝒞 04 73 23 03 53 – www.hotelmignon.com – info@hotelmignon.com
– Fax 04 73 23 06 44 – 15 marzo-15 novembre   D**v**
58 cam ⊓ – †150/200 € ††260/320 € – 9 suites – ½ P 190 €
Rist – *(solo per alloggiati)*
♦ Splendida cura nelle parti comuni di questo hotel che si presenta come un indirizzo affidabile per indimenticabili vacanze. Grazioso parco-giardino con piscina riscaldata.

MERANO

Castel Rundegg Hotel

via Scena 2 – 𝒞 *04 73 23 41 00*
– www.rundegg.com – info@rundegg.com – Fax 04 73 23 72 00   Da
30 cam ⇆ – ♦120/145 € ♦♦200/320 € – ½ P 155/195 €   **Rist** – Menu 40/60 €
◆ Le origini di questo castello risalgono al XII sec., nel 1500 la struttura si è ampliata e oggi è possibile godere di una stupenda dimora, cinta da un giardino ombreggiato. Ristorante di tono pacato, elegante, a tratti raffinato; il servizio è all'altezza.

Steigenberger Hotel Therme Meran

piazza delle Terme 1
– 𝒞 04 73 25 90 00 – www.meran.steigenberger.it – meran@steigenberger.it
– Fax 04 73 25 90 99   Ca
139 cam – ♦157/249 € ♦♦264/448 €, ⇆ 17 € – 25 suites – ½ P 259 €
Rist Wolkenstein – vedere selezione ristoranti
Rist – Carta 35/59 €
◆ Vicino al centro, un hotel dal design moderno, direttamente collegato alle nuove terme di Merano, ospita camere dai vivaci colori e splendide suite con preziosi dettagli. Luminoso ed elegante, il ristorante con cucina a vista propone piatti di ispirazione contemporanea.

MERANO

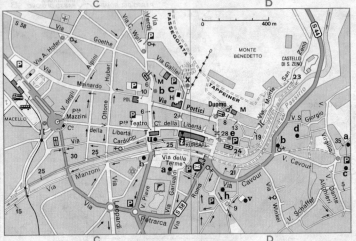

Bavaria
via salita alla Chiesa 15 – ℰ 04 73 23 63 75 – www.bavaria.it – info@bavaria.it
– Fax 04 73 23 63 71 – aprile-8 novembre   Db
50 cam ⊇ – ♦86/106 € ♦♦166/230 € – ½ P 127 €
Rist – (solo per alloggiati) Carta 26/38 €
♦ Hotel ospitato da un caratteristico edificio, dall'architettura tipica. Un bel giardino con palme avvolge le facciate azzurre, i balconi fioriti e le camere classiche.

Villa Tivoli
via Verdi 72 – ℰ 04 73 44 62 82 – www.villativoli.it
– info@villativoli.it – Fax 04 73 44 68 49
– 29 marzo-11 novembre   Ax
19 cam ⊇ – ♦95/110 € ♦♦150/185 € – ½ P 95/130 €
Rist Artemis – Carta 28/40 €
♦ Risorsa di buon livello, in posizione soleggiata e isolata, connotata da un piacevole stile d'ispirazione mediterranea e da un lussureggiante parco-giardino digradante. Sala di medie dimensioni e luminosa terrazza per il servizio ristorante estivo.

Meranerhof
via Manzoni 1 – ℰ 04 73 23 02 30
– www.meranerhof.com – info@meranerhof.com – Fax 04 73 23 33 12
– chiuso dal 10 gennaio al 10 marzo   Cb
68 cam ⊇ – ♦104/118 € ♦♦190/230 € – ½ P 123/135 €
Rist – Carta 30/45 €
♦ Albergo recentemente rinnovato che, per posizione e qualità dei servizi, risulta indicato sia per una clientela d'affari sia per turisti. Vital center e piscina coperta.

Castello Labers
via Labers 25 – ℰ 04 73 23 44 84 – www.castellolabers.it – info@labers.it
– Fax 04 73 23 41 46 – 10 aprile-9 novembre   Be
34 cam ⊇ – ♦133/231 € ♦♦196/308 € – 1 suite – ½ P 98/154 €
Rist – Carta 36/71 €
♦ Un meraviglioso castello le cui origini affondano nella storia e che dal 1885 è divenuto un albergo di fascino estremo. Una risorsa suggestiva, originale e curata. Servizio ristorante estivo anche in giardino.

Adria ⚜️   🚗 🔲 📶 🐾 ♨ 🍽 ↔ AC rist, 🍴 rist, P VISA 💳 ⚡
via Gilm 2 – ☎ 04 73 23 66 10 – www.hotel-adria.com – info@hotel-adria.com
– Fax 04 73 23 66 87 – marzo-15 novembre   Dd
45 cam ☐ – ♦92/111 € ♦♦138/210 € – ½ P 99/135 €
Rist – (solo per alloggiati)
♦ All'interno di un edificio in stile liberty, in zona residenziale, con un grazioso centro benessere. Così si presenta questo hotel, dotato di stanze confortevoli e spaziose.

Aurora   🏠 🐾 ♨ 🍽 AC ↔ 🍴 rist, 🍴 📻 🔐 P VISA 💳 AE ① ⚡
passeggiata Lungo Passirio 38 – ☎ 04 73 21 18 00 – www.hotelaurora.bz – info@
hotelaurora.bz – Fax 04 73 21 11 13 – chiuso dall'11 gennaio al 19 febbraio e Natale
36 cam ☐ – ♦85/130 € ♦♦150/250 € – 2 suites – ½ P 95/145 €   Cu
Rist – (chiuso dall'11 gennaio al 19 febbraio, 15 al 27 novembre e Natale)
Carta 28/57 €
♦ Hotel in ottima posizione, centrale e lungo la passeggiata, con un'anima classica e tradizionale e un gusto moderno nelle soluzioni di design di alcune camere. Ristorante spesso preso d'assalto, in funzione delle piacevole ambientazione e della terrazza bon.

Pollinger ⚜️   ≤ 🚗 🏠 🔳 🔲 📶 🍽 ♨ AC rist, 🍴 rist, 📻 P 🚗
via Santa Maria del Conforto 30 – ☎ 04 73 27 00 04   VISA 💳 AE ① ⚡
– www.pollinger.it – info@pollinger.it – Fax 04 73 21 06 65
– chiuso dal 7 gennaio al 4 aprile   By
33 cam ☐ – ♦80/130 € ♦♦135/160 € – ½ P 82/107 €
Rist – (solo per alloggiati) Carta 34/45 €
♦ L'ubicazione consente di godere di una notevole tranquillità, aspetto che certamente è apprezzato dagli ospiti di questa ben attrezzata risorsa. Balconi in tutte le camere.

Alexander ⚜️   ≤ 🚗 🔳 🔲 📶 🐾 🔐 & cam, ↔ 🍴 rist, 📻 P 🚗
via Dante 110 – ☎ 04 73 23 23 45   VISA 💳 AE ① ⚡
– www.hotel-alexander.it – info@hotel-alexander.it – Fax 04 73 21 14 55
– chiuso dal 15 gennaio al 15 marzo   Bg
34 cam ☐ – ♦70/100 € ♦♦140/200 € – 10 suites – ½ P 115/125 €
Rist – (solo per alloggiati) Menu 15/50 €
♦ Elegante albergo familiare, in posizione periferica e panoramica, a tutto vantaggio della tranquillità e della piacevole ubicazione tra i vigneti. Ricco di accessori.

Juliane ⚜️   🚗 🏠 🔳 🔲 📶 🔐 & cam, ↔ 🍴 rist, 📻 P VISA 💳 ⚡
via dei Campi 6 – ☎ 04 73 21 17 00 – www.juliane.it – info@juliane.it
– Fax 04 73 23 01 76 – 15 marzo-5 novembre   Bk
32 cam – ♦68/78 € ♦♦120/156 €, ☐ 10 € – ½ P 82/102 €
Rist – (solo per alloggiati) Menu 22/36 €
♦ Albergo tradizionale, ubicato in una zona residenziale della città. Molto tranquillo e silenzioso pone a disposizione degli ospiti un giardino con piscina riscaldata.

Ansitz Plantitscherhof ⚜️   🚗 🏠 🔳 🔲 📶 📶 🐾 🍽 🔐 & ↔ AC
via Dante 56 – ☎ 04 73 23 05 77   📻 P 🚗 VISA 💳 ⚡
– www.plantitscherhof.com – info@plantitscherhof.com – Fax 04 73 21 19 22
– chiuso gennaio   Bk
35 cam ☐ – ♦75/180 € ♦♦130/320 € – ½ P 95/235 €
Rist – (solo per alloggiati a mezzogiorno) Carta 29/51 €
♦ Una risorsa composta da due blocchi distinti, uno d'epoca e uno più recente. Il complesso risulta armonico e piacevole, impreziosito anche dal giardino-oasi con piscina.

Sonnenhof ⚜️   🚗 🏠 🔳 📶 🍽 🔐 & cam, ↔ 🍴 rist, P
via Leichter 3 – ☎ 04 73 23 34 18   VISA 💳 AE ① ⚡
– www.sonnenhof-meran.com – sonnenhof.meran@rolmail.net
– Fax 04 73 23 33 83 – chiuso dal 12 gennaio al 28 marzo e dal 10 al 27 novembre
16 cam ☐ – ♦75/100 € ♦♦110/160 € – ½ P 74/89 €   Dc
Rist – (chiuso a mezzogiorno) (solo per alloggiati)
♦ Hotel edificato secondo uno stile che richiama alla mente una fiabesca dimora con giardino. Gli interni sono accoglienti, soprattutto le camere, semplici e spaziose.

Zima senza rist ⚜️   🚗 🔳 📶 🍽 🔐 ↔ ↔ P VISA 💳 ⚡
via Winkel 83 – ☎ 04 73 23 04 08 – www.hotelzima.com – info@hotelzima.com
– Fax 04 73 27 57 52 – marzo-20 dicembre   Bm
23 cam ☐ – ♦45/60 € ♦♦92/110 €
♦ La zona dove è situato questo hotel offre il vantaggio di non presentare problemi di parcheggio. Ambienti dall'atmosfera calda e familiare, camere accoglienti e ordinate.

↑ **Agriturismo Sittnerhof** senza rist   🛋 ⅀ 🕸 **P**
via Verdi 60 – ☎ 04 73 22 16 31 – www.bauernhofurlaub.it – info@
bauernhofurlaub.it – Fax 04 73 20 65 20 – marzo-20 dicembre   **Ba**
6 cam ☲ – **††**70/90 €
♦ Lungo una via residenziale tranquilla e ombreggiata, uno splendido edificio, le cui fondamenta risalgono all'XI sec. Camere di taglio moderno con arredi funzionali.

XXX **Wolkenstein** – Hotel Steigenberger Hotel Therme   🏠 🕸
piazza delle Terme 1 – ☎ 04 73 25 90 00   **VISA** **◐◐** **AE** **①** **⑤**
– www.restaurant-wolkenstein.com – Fax 04 73 25 90 99   **Cb**
Rist – *(chiuso dal 16 gennaio al 4 febbraio, una settimana in giugno, domenica e lunedì) (chiuso a mezzogiorno)* (prenotazione obbligatoria) Menu 59/89 € bc – Carta 44/62 €
♦ Un locale raccolto ed elegante con cucina a vista ed un'offerta gastronomica d'ispirazione mediterranea ed altoatesina sfornata dalla fervida fantasia dello chef.

XXX **Kallmunz**   🏠 **P** **VISA** **◐◐** **AE** **①** **⑤**
piazza Rena 12 – ☎ 04 73 21 29 17 – www.kallmuenz.it – info@kallmuenz.it
– Fax 04 73 23 98 02 – chiuso 3 settimane in gennaio, 2 settimane in luglio e
lunedì   **De**
Rist – Menu 48/60 € – Carta 53/69 €
♦ In pieno centro, un locale che presenta un aspetto moderno senza nascondere la tradizione della casa. La carta, improntata sullo stesso stile, è più ampia e ricca per cena.

XX **Sissi**   🔟 🕸 ⇔ **VISA** **◐◐** **⑤**
via Galilei 44 – ☎ 04 73 23 10 62 – www.sissi.andreafenoglio.com – sissi@
andreafenoglio.com – Fax 04 73 23 74 00 – chiuso 3 settimane tra febbraio e
marzo, lunedì   **Cx**
Rist – Carta 48/60 € ⅌
♦ Proprio di fronte al castello principesco, in pieno centro, all'interno di un edificio liberty, un ristorante luminoso e accogliente, dove apprezzare una cucina fantasiosa.

a Freiberg Sud-Est : 7 km per via Labers *B* – **alt. 800 m** – ⊠ 39012 – Merano

🔠 **Castel Fragsburg** ⤳   ≼ 🛋 🏠 ⅀ 🕸 🕸 🎋 🎴 ⅍ ⁽ᵞ⁾ **P**
via Fragsburg 3 – ☎ 04 73 24 40 71 – www.fragsburg.com   **VISA** **◐◐** **AE** **⑤**
– info@fragsburg.com – Fax 04 73 24 44 93 – aprile-15 novembre
8 cam ☲ – **††**280/340 € – 12 suites – **††**320/420 € – ½ P 180/230 €
Rist – *(chiuso lunedì) (chiuso a mezzogiorno)* Menu 55/130 € – Carta 46/114 €
♦ Il fascino di una dimora storica, divenuta un caldo e confortevole rifugio, dove un'eleganza semplice e discreta è la compagna fedele di ogni soggiorno. Vista eccezionale. Sala da pranzo con arredi tipici, cucina legata al territorio ma con fantasia.

MERATE – Lecco (LC) – 561 E10 – **14 250 ab.** – **alt. 288 m** – ⊠ 23807   **18 B1**
     ▶ Roma 594 – Bergamo 31 – Como 34 – Lecco 18

🔠 **Melas Hotel** senza rist   📶 🖑 🔟 🕸 ⁽ᵞ⁾ 🎿 🛋 **VISA** **◐◐** **AE** **⑤**
via Bergamo 37 – ☎ 03 99 90 30 48 – www.melashotel.it – info@melashotel.it
– Fax 03 99 90 30 17 – chiuso Natale e agosto
55 cam ☲ – **†**68/140 € **††**120/160 €
♦ All'interno di un centro commerciale, un hotel di recente costruzione. Si presenta come una risorsa attuale e funzionale, contraddistinta da una generale omogeneità.

MERCATALE – Firenze – 563 L15 – Vedere San Casciano in Val di Pesa

---

MERCATO SAN SEVERINO – Salerno (SA) – 564 E26 – **20 953 ab.**   **6 B2**
– ⊠ 84085

XX **Casa del Nonno 13**   🖑 🔟 🕸 **VISA** **◐◐** **AE** **⑤**
☙ *Via Caracciolo 13 – ☎ 089 89 43 99 – www.casadelnonno13.it – info@*
casadelnonno13.it – Fax 089 82 81 15 – chiuso una settimana in agosto e martedì
Rist – Menu 30/40 € – Carta 36/45 € ⅌
Spec. L'antica mozzarella in carrozza. Tiella di baccalà all'antica in zuppa di pane vecchio, pomodorini e cipolle ramate. Variazione di maialino nero casertano con fichi bianchi al vino cotto.
♦ Originale atmosfera in una cantina ristrutturata dal *patron,* dove rustico e romantico convivono in armonia. In tavola è la semplicità che regna sovrana: pomodoro, mozzarella e carne italiana di ottima qualità!

MERCENASCO – **Torino (TO)** – **561F5** – **1 197 ab.** – **alt. 249 m** 22 **B2**
– ✉ **10010**

[▶] Roma 680 – Torino 40 – Aosta 82 – Milano 119

🍴🍴 **Darmagi** [AC] 🚭 [P] [VISA] [MC] 🕿
via Rivera 7 – ☎ 01 25 71 00 94 – www.ristorantedarmagi.it – info@ristorantedarmagi.it – Fax 01 25 71 00 94 – chiuso dal 15 giugno al 2 luglio, dal 16 al 31 agosto, lunedì e martedì
Rist – Carta 25/35 € 🍇
◆ Villetta in posizione defilata caratterizzata da una calda atmosfera familiare, soprattutto nella bella sala con camino. La cucina è ricca di proposte della tradizione.

MERCOGLIANO – **Avellino (AV)** – **564E26** – **12 138 ab.** – **alt. 550 m** 6 **B2**
– ✉ **83013**

[▶] Roma 242 – Napoli 55 – Avellino 6 – Benevento 31

in prossimità casello autostrada A16 Avellino Ovest Sud : 3 km :

🏨 **Grand Hotel Irpinia** 🌳 ☂ 🏊 🏊 🏋 [AC] 🚭 rist, 📶 🏢 [P] 🚗
via Nazionale ✉ 83013 – ☎ 08 25 68 36 72 [VISA] [MC] [AE] [DC] 🕿
– www.grandhotelirpinia.it – info@grandhotelirpinia.it – Fax 08 25 68 36 72
66 cam ☕ – 🚹60/75 € 🚹🚹90/150 € – ½ P 55/65 € **Rist** – Carta 23/44 €
◆ Immerso in un giardino che custodisce una piscina circondata da statue, l'hotel è facilmente raggiungibile ed offre un servizio efficiente ed ambienti spaziosi e confortevoli. Le eleganti ed ampie sale ristorante ben si prestano per allestire ricevimenti e celebrare importanti ricorrenze.

MERGOZZO – **Verbano-Cusio-Ossola (VB)** – **561E7** – **2 075 ab.** 24 **A1**
– **alt. 204 m** – ✉ **28802**

[▶] Roma 673 – Stresa 13 – Domodossola 20 – Locarno 52

[i] via Roma 20 ☎ 0323 800798, proloco@mergozzo.it, Fax 0323 800935

🏨 **Due Palme e Residenza Bettina** ≤ ☂ 🛗 👶 🚭 rist,
via Pallanza 1 – ☎ 032 38 01 12 [VISA] [MC] [AE] [DC] 🕿
– www.hotelduepalme.it – duepalme@hotelduepalme.it – Fax 032 38 02 98
– chiuso gennaio e febbraio
50 cam ☕ – 🚹60/85 € 🚹🚹80/120 € – ½ P 60/90 € **Rist** – Menu 25/35 €
◆ In un'oasi di tranquillità, sulle rive del lago di Mergozzo ma a pochi passi dal centro, l'elegante residenza d'epoca trasformata in hotel, offre camere di taglio classico. Belle e luminose le sale ristorante, caratteristiche nel loro stile leggeremente retrò, dove gustare la tradizionale cucina del territorio.

🍴🍴 **La Quartina** con cam ☂ [P] [VISA] [MC] [AE] [DC] 🕿
via Pallanza 20 – ☎ 032 38 01 18 – www.laquartina.com – laquartina@libero.it
– Fax 032 38 07 43 – chiuso dicembre, gennaio e lunedì (escluso luglio-agosto)
10 cam – 🚹70/80 € 🚹🚹100/120 €, ☕ 15 € – ½ P 90 €
Rist – Menu 55 € – Carta 41/54 €
◆ Alle porte della località, un piacevole locale affacciato sul lago con una luminosa sala ed un'ampia terrazza dove assaporare la cucina del territorio e specialità lacustri. Camere semplici, accoglienti e sempre curate.

MERONE – **Como (CO)** – **561E9** – **3 720 ab.** – **alt. 284 m** – ✉ **22046** 18 **B1**

[▶] Roma 611 – Como 18 – Bellagio 32 – Bergamo 47

🏨 **Il Corazziere** 🐟 🌳 🛗 ♿ cam, 👶 [AC] 📶 🏢 [P] [VISA] [MC] [AE] [DC] 🕿
via Mazzini 4 e 7 – ☎ 031 61 71 81 – www.corazziere.it – info@corazziere.it
– Fax 031 61 72 17 – chiuso dal 20 al 30 dicembre e dal 1° al 27 agosto
37 cam ☕ – 🚹80 € 🚹🚹120 €
Rist *Il Corazziere* – ☎ 031 65 01 41 *(chiuso martedì)* Carta 30/47 € 🍇
◆ Struttura moderna e signorile, ubicata in riva al fiume Lambro. Un hotel che per dotazioni è adatto ad ospitare tanto l'uomo d'affari, quanto il turista di passaggio. Per gustare i piatti di un menù classico, con proposte di pesce.

MESAGNE – Brindisi (BR) – 564F35 – **27 297 ab.** – **alt. 72 m** – ⊠ **72023**   27 **D2**

▶ Roma 574 – Brindisi 15 – Bari 125 – Lecce 42

🏠 **Castello** senza rist   〚訁〛& 𝔸ℂ 🛇 (ⁱ) 🚐 𝚅𝙸𝚂𝙰 ⓪ 𝔸𝔼 ⓞ 🔑
piazza Vittorio Emanuele II 2 – ℰ *08 31 77 75 00* – *www.hotel-castello.com*
– *info@hotel-castello.com* – Fax 08 31 77 75 00
11 cam ⊇ – †47/55 € ††73/80 €
◆ Al primo piano di un edificio del Quattrocento sito sulla piazza principale, una piccola
risorsa con soffitti a volta e dagli arredi semplici e lineari.

MESCO – La Spezia – 561J10 – **Vedere Levanto**

MESE – Sondrio – **Vedere Chiavenna**

MESIANO – Vibo Valentia – 564L30 – **Vedere Filandari**

MESSADIO – Asti – 561H6 – **Vedere Montegrosso d'Asti**

MESSINA ℙ – 565M28 – **Vedere Sicilia alla fine dell'elenco alfabetico**

MESTRE – Venezia (VE) – 562F18 – **MESTRE**   36 **C2**

▶ Roma 522 – Venezia 9 – Milano 259 – Padova 32
✈ Marco Polo di Tessera, per ③: 8 km ℰ 041 2606111
ℹ (giugno-settembre) rotonda Marghera ⊠ 30175 ℰ 041 937764
🏌 Cá della Nave, ℰ 041 540 15 55

Pianta pagina a lato

🏛 **NH Laguna Palace**   ⇐ 🛱 〚訁〛& 𝔸ℂ ⇔ 🛇 (ⁱ) 🏋 🚐
viale Ancona 2 ⊠ 30172 – ℰ *04 18 29 69 11*   𝚅𝙸𝚂𝙰 ⓪ 𝔸𝔼 ⓞ 🔑
– *www.nh-hotels.com* – *reservation.lagunapalace@nh-hotels.com*
– Fax 04 18 29 61 12   BY**a**
324 cam ⊇ – ††154/305 € – 52 suites
Rist *Laguna Restaurant* – Carta 39/78 € (solo buffet a mezzogiorno escluso
sabato e domenica)
◆ Avveniristica struttura, impressionante per gli spazi, nei quali sono stati utilizzati forme
e materiali innovativi, si compone di due strutture imponenti precedute da una grande
fontana con giochi d'acqua. All'elegante Laguna, la cucina mediterranea.

🏛 **Michelangelo** senza rist   ⇘ 〚訁〛𝔸ℂ ⇔ 🛇 (ⁱ) 🏋 ℙ 𝚅𝙸𝚂𝙰 ⓪ 𝔸𝔼 ⓞ 🔑
via Forte Marghera 69 ⊠ 30173 – ℰ *041 98 66 00*
– *www.hotelmichelangelo.net* – *info@hotelmichelangelo.net*
– Fax 041 98 60 52   BX**x**
50 cam ⊇ – †60/190 € ††75/260 €
◆ Signorile e tranquillo, non lontano dal centro, offre un servizio accurato assicurato da
uno staff particolarmente attento e garantisce un'ospitalità confortevole ed elegante.

🏛 **Plaza**   〚訁〛𝔸ℂ ⇔ 🛇 (ⁱ) 🏋 𝚅𝙸𝚂𝙰 ⓪ 𝔸𝔼 ⓞ 🔑
viale Stazione 36 ⊠ 30171 – ℰ *041 92 93 88*
– *www.hotelplazavenice.com* – *info@hotelplazavenice.com*
– Fax 041 92 93 85   AY**f**
226 cam ⊇ – †90/190 € ††110/285 € – ½ P 168 €
Rist – (chiuso a mezzogiorno) (solo per alloggiati) Carta 53/68 €
Rist *Plaza Cafè* – (chiuso sabato) (chiuso la sera) Carta 39/53 €
◆ Grande albergo di respiro internazionale, si trova di fronte alla stazione ferroviaria ed
è ideale tanto per una clientela business quanto per chi è in visita in zona. Gestione
seria e capace. Ambiente moderno semplice e informale al Cafè, dove fermarsi per un
brunch, un cocktail o un primo piatto.

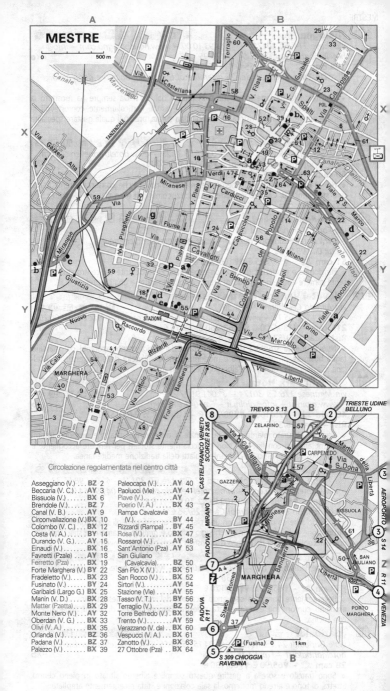

MESTRE

Circolazione regolamentata nel centro città

659

Bologna 🅑 🆎 ✄ rist, 📞 ♨ 🅿 VISA ⓐ 🆎 ① ⛎

via Piave 214 ✉ *30171 –* 𝒞 *041 93 10 00 – www.hotelbologna.com – info@
hotelbologna.com – Fax 041 93 10 95*   AY**e**
108 cam ⊡ – ⚫105/255 € ⚫⚫165/360 €
Rist *Da Tura* *– (chiuso dal 25 dicembre al 6 gennaio, agosto e domenica)*
Carta 35/50 €

♦ Antistante la stazione ferroviaria è in attività dal 1911. Da sempre ha mostrato la
capacità di rinnovarsi per stare al passo coi tempi. Particolarmente confortevoli le
camere nuove. Dinamico ristorante dalla cucina curata, presso il quale gustare specialità
venete.

Tritone senza rist 🆎 ↯ ⓦ ♨ VISA ⓐ 🆎 ① ⛎

viale Stazione 16 ✉ *30171 –* 𝒞 *04 15 38 31 25 – www.hoteltritonevenice.com
– info@hoteltritonevenice.com – Fax 04 15 38 30 45*   AY**f**
60 cam – ⚫81/212 € ⚫⚫90/235 €, ⊡ 15 €

♦ Nei pressi della stazione, albergo totalmente rinnovato che conserva esternamente
uno stile anni '50. Camere confortevoli e spazi comuni di tono classico elegante. Sala
colazioni affrescata.

President senza rist 🅑 🆎 ⓦ ♨ 🅿 VISA ⓐ 🆎 ① ⛎

via Forte Marghera 99/a ✉ *30173 –* 𝒞 *041 98 56 55*
– www.hotelpresidentvenezia.it – info@hotelpresidentvenezia.it
– Fax 041 98 56 55   BXY**t**
51 cam ⊡ – ⚫93/145 € ⚫⚫100/260 €

♦ Funzionale e moderno, gestito con esperienza. Poco distante dal centro storico, presenta camere ampie dall'arredo di pregio e confort adatto a una clientela d'affari.

Novotel Venezia Mestre Castellana 🀆 🛏 🆎 ✄ rist, ⓦ ♨ 🅿 VISA ⓐ 🆎 ① ⛎

via Alfredo Ceccherini 21 ✉ *30174*
– 𝒞 *04 15 06 65 11 – www.novotel.com – h3307@acor.com – Fax 041 94 06 20*
215 cam ⚫130/200 € ⚫⚫160/260 €, ⊡ 15 €   BZ**a**
Rist – Carta 43/57 €

♦ Nuova grande struttura dall'architettura e dal design contemporanei dal marcato
taglio business, propone ampie e moderne camere. All'uscita della tangenziale Castellana. Classica sala ristorante d'albergo, molto ben tenuta.

Ai Pini Park Hotel 🚗 🛏 🅑 ♿ cam, 🆎 ↯ ✄ ⓦ ♨ 🅿

via Miranese 176 ✉ *30174 –* 𝒞 *041 91 77 22*   VISA ⓐ 🆎
– www.aipini.it – info@aipini.it – Fax 041 91 23 90   AY**b**
48 cam ⊡ – ⚫75/160 € ⚫⚫98/258 € – 1 suite – ½ P 69/158 €
Rist – Carta 28/53 €

♦ L'ampio e curato giardino fa da cornice a una grande villa che propone interni
moderni, arredati con linee e colori particolarmente studiati per rendere accogliente e
caldo il vostro soggiorno. Al ristorante, i piatti della tradizione mediterranea.

Venezia 🅑 🆎 ✄ ⓦ ♨ 🅿 VISA ⓐ 🆎 ① ⛎

via Teatro Vecchio 5 angolo piazza 27 Ottobre ✉ *30171 –* 𝒞 *041 98 55 33*
– www.hotel-venezia.com – info@hotel-venezia.com – Fax 041 98 54 90
100 cam – ⚫59/89 € ⚫⚫69/109 €, ⊡ 10 € – ½ P 89 €   BX**z**
Rist *– (chiuso a mezzogiorno)* Carta 25/36 €

♦ Comodo albergo del centro con una piacevole atmosfera negli spazi comuni, mette a
disposizione della clientela un parcheggio privato e gratuito e camere in stile, confortevoli e accoglienti. Sala da pranzo d'atmosfera e con giardino d'inverno.

Elite senza rist 🛁 🅑 ♿ 🆎 ⓦ 🅿 VISA ⓐ 🆎 ① ⛎

via Forte Marghera 119 – 𝒞 *04 15 33 07 40 – www.elitehotel.it – info@
elitehotel.it – Fax 04 15 33 07 30*   BY**d**
85 cam ⊡ – ⚫65/89 € ⚫⚫69/120 €

♦ Recentemente rinnovato seguendo i canoni del moderno design minimalista, offre
ambienti confortevoli e un'attrezzata palestra. Dispone anche di alcuni appartamenti
con cucina.

Garibaldi senza rist 🆎 ↯ ⓦ 🅿 VISA ⓐ 🆎 ① ⛎

viale Garibaldi 24 ✉ *30173 –* 𝒞 *04 15 35 04 55 – www.hotelgaribaldi.it – info@
hotelgaribaldi.it – Fax 04 15 34 75 65*   BX**b**
28 cam ⊡ – ⚫65/90 € ⚫⚫80/130 €

♦ Sono fratello e sorella a gestire questo semplice albergo situato in pieno centro.
Stretta, di tono e arredo moderno, la sala colazioni è stata recentemente ampliata.

Piave senza rist
via Col Moschin 6/10 ✉ 30171 – ✆ 041 92 92 87 – www.hotelpiavevenice.com – piave@3starshotel.it – Fax 041 92 96 51 ABY**a**
55 cam – 🚹50/90 € 🚹🚹70/120 €, ☕ 10 €
◆ L'arredo che richiama lo stile tirolese, con tanto di stube; le stanze sono d'impostazione più semplice, più ricercate e ampie quelle ricavate nella vicina dependance.

Al Vivit senza rist
piazza Ferretto 73 ✉ 30174 – ✆ 041 95 13 85 – www.hotelvivit.com – info@hotelvivit.com – Fax 041 95 88 91 BX**a**
33 cam ☕ – 🚹69/102 € 🚹🚹89/145 €
◆ Piccolo e storico albergo del centro, in attività dai primi del Novecento, propone camere ampie e confortevoli simili nell'arredo moderno ma di sapore classico.

Paris senza rist
viale Venezia 11 ✉ 30171 – ✆ 041 92 60 37 – www.hotelparis.it – info@hotelparis.it – Fax 041 92 61 11 – chiuso dal 23 al 30 dicembre AY**d**
18 cam ☕ – 🚹75/110 € 🚹🚹88/160 €
◆ Completamente ristrutturato, a pochi metri dalla stazione ferroviaria, hotel valido e moderno con attrezzature tecnologicamente avanzate. Calda ospitalità.

Cris senza rist
via Monte Nero 3/A ✉ 30171 – ✆ 041 92 67 73 – www.hotelcris.it – hotelcris@tiscali.it – Fax 041 93 71 06 – chiuso gennaio AY**p**
18 cam ☕ – 🚹60/100 € 🚹🚹90/150 €
◆ Rinnovato in anni recenti, un piccolo albergo non distante dalla stazione ferroviaria e contemporaneamente a pochi passi dal centro. Curati ambienti e camere ben allestite per un soggiorno confortevole.

Alla Giustizia senza rist
via Miranese 111 ✉ 30171 – ✆ 041 91 35 11 – www.hotelgiustizia.com – giustizia@hotelgiustizia.com – Fax 04 15 44 14 21 – chiuso dal 24 al 27 dicembre e dal 2 al 18 gennaio AY**c**
21 cam – 🚹65/120 € 🚹🚹85/120 €, ☕ 15 €
◆ Nei pressi della tangenziale, albergo a gestione familiare recentemente rinnovato che dispone di camere graziose e accoglienti. Più semplici e meno ampi gli ambienti comuni.

Kappa senza rist
via Trezzo 8 ✉ 30174 – ✆ 04 15 34 31 21 – www.hotelkappa.com – info@hotelkappa.com – Fax 04 15 34 71 03 – chiuso dal 10 al 31 gennaio
19 cam ☕ – 🚹50/90 € 🚹🚹80/140 € BZ**f**
◆ Semplice e confortevole, accoglienti spazi comuni e luminose camere di taglio classico in questa palazzina ottocentesca poco distante dal centro. Dispone anche di un piccolo cortile interno.

Delle Rose senza rist
via Millosevich 46 ✉ 30173 – ✆ 04 15 31 77 11 – www.htldellerose.com – htlcarli@libero.it – Fax 04 15 31 74 33 – chiuso dal 10 dicembre al 15 gennaio
25 cam ☕ – 🚹60/80 € 🚹🚹79/120 € BZ**b**
◆ In posizione ideale per chi desidera scoprire Venezia, albergo a conduzione familiare con camere semplici e perfettamente tenute ed una calda accoglienza.

Marco Polo
via Forte Marghera 67 ✉ 30173 – ✆ 041 98 98 55 – www.ristorantemarcopolo.it – info@ristorantemarcopolo.it – Fax 041 95 40 75 – chiuso dal 1° al 7 gennaio, dal 1° al 21 agosto e domenica BX**x**
Rist – Menu 65 € – Carta 32/64 €
◆ All'interno di una villetta indipendente, ristorante ricavato al primo piano, curato ed elegante. Capriate a vista e spioventi decorati. Alle pareti molti quadri moderni.

Dall'Amelia
via Miranese 113 ✉ 30171 – ✆ 041 91 39 55 – info@boscaratoristorazione.it – Fax 04 15 44 11 11 – chiuso mercoledì AY**c**
Rist – Carta 46/66 €
◆ Un classico in zona, ora nelle mani dei figli: ambiente signorile, piatti a base di pesce e specialità venete. Più informale l'osteria, dove si potrà apprezzare una cucina tipica.

✗ Al Leone di San Marco

🔲 🍴 VISA ⬤⬤ AE ♿

via Trezzo 6, località Carpenedo ⊠ 30174 – ℰ 04 15 34 17 42 – alleonesas@
libero.it – Fax 04 15 34 17 42 – chiuso dal 26 dicembre al 15 gennaio,
dal 9 agosto al 2 settembre, domenica sera e lunedì   BZ**f**

Rist – Carta 48/61 €

♦ Rustico e curato, poco lontano dal centro, con quadri alle pareti e griglia a vista per
piatti prevalentemente a base di pesce. Accanto, una tipica "cicchetteria" veneziana per
gustare un bicchiere di vino.

✗ Osteria la Pergola

🔲 ♿ 🔲 ⬌ VISA ⬤⬤ ♿

via Fiume 42 ⊠ 30171 – ℰ 041 97 49 32 – Fax 041 97 49 32
– chiuso dal 10 al 24 agosto, sabato a mezzogiorno e domenica, anche sabato
sera da giugno a settembre   AY**g**

Rist – (consigliata la prenotazione) Carta 26/51 €

♦ Sono due giovani soci a gestire questa caratteristica trattoria: un locale rustico con
vecchie fotografie alle pareti e nei mesi più caldi la possibilità di approfittare di un fresco pergolato. Cucina locale.

a Zelarino Nord : 2 km BZ – ⊠ 30174

🏨 Antico Moro senza rist

🚗 ♿ 🔲 ⬍ ⬝ P VISA ⬤⬤ AE ① ♿

via Castellana 149 – ℰ 04 15 46 18 34 – www.anticomoro.com
– info@anticomoro.com – Fax 04 15 46 80 21
– chiuso dal 6 al 20 agosto   BZ**e**

14 cam ⌂ – †60/85 € ††80/140 €

♦ Risorsa valida per visitare la zona, è un piacevole e accogliente hotel realizzato in uno
stabile del XVIII secolo. Posizione strategica facilmente raggiungibile con i mezzi pubblici.

✗✗ Al Cason

🚗 🔲 🔲 ⬌ P VISA ⬤⬤ AE ♿

via Gatta 112 ⊠ 30174 – ℰ 041 90 79 07 – www.alcason.it – info@alcason.it
– Fax 041 90 89 08 – chiuso dal 27 dicembre al 6 gennaio, 3 settimane in agosto,
domenica sera e lunedì   BZ**d**

Rist – Carta 50/76 €

♦ Si può pranzare all'aperto, avvolti da uno splendido giardino, così come all'interno, in
un locale dallo stile piacevolmente rustico. Un'unica tradizione in cucina: la passione per
il pesce.

a Campalto per ③ : 5 km – ⊠ 30030

🏨 Antony

≤ 🔲 🔲 ⬍ 🍴 ⬝ 🔲 P VISA ⬤⬤ AE ① ♿

via Orlanda 182 ⊠ 30030 – ℰ 04 15 42 00 22 – www.sogedinhotels.it – antony@
antonyhotel.it – Fax 041 90 16 77

114 cam ⌂ – †100/120 € ††130/210 €

Rist – (chiuso a mezzogiorno) (solo per alloggiati) Carta 28/46 €

♦ Alle spalle di questa grande struttura contemporanea un paesaggio d'eccezione: la
laguna e l'incantevole Venezia con i suoi campanili! Funzionali e spaziose camere dall'arredo classico.

✗ Trattoria da Vittoria

🔲 🍴 VISA ⬤⬤ AE ① ♿

via Gobbi 311 – ℰ 041 90 05 50 – trattoriadavittoria@hotmail.it
– chiuso dal 24 dicembre al 7 gennaio, dal 5 al 21 agosto e domenica, anche
sabato in luglio-agosto

Rist – Carta 31/39 € (+15 %)

♦ Carrello dei bolliti, arrosti e prodotti del territorio sono le specialità della cucina di
questa accogliente trattoria in stile classico-moderno. Un'unica sala ad elle lungo le cui
pareti scorrono panche di legno.

a Chirignano Ovest : 2 km – ⊠ 30030

✗✗ Ai Tre Garofani

🏡 🍴 ⬌ P VISA ⬤⬤ AE ① ♿

via Assegiano 308 – ℰ 041 99 13 07 – Fax 041 99 13 07
– chiuso dal 1° al 7 gennaio, dall' 11 al 25 agosto, lunedì e a mezzogiorno
(escluso domenica e festivi)

Rist – Carta 45/63 €

♦ Si trova tra le mura di una casa di campagna questo raffinato locale a conduzione
familiare: due interne di sobria eleganza e un'ampia terrazza per il servizio estivo arredata con tavoli rotondi. Piatti legati al mercato.

METANOPOLI – Milano – Vedere San Donato Milanese

MEZZANA – Trento (TN) – 562D14 – 861 ab. – alt. 941 m – Sport   30 **B2**
invernali : 1 400/2 200 m ⛄5 ⛷19 (Comprensorio sciistico Folgarida-Marilleva) ⚲
– ✉ 38020 – MEZZANA

> 🛣 Roma 652 – Trento 69 – Bolzano 76 – Milano 239
>
> 🛈 via 4 Novembre 77 ☏ 0463 757134, marilleva@valdisole.net, Fax 0463
> 757095

🏠 **Val di Sole**   ⩽ 🚗 🖼 🕸 🛏 🏩 🖥 ☏ 🛋 🅿 🛎 VISA 🔵 AE 👌
via 4 Novembre 135 – ☏ 04 63 75 72 40 – www.hotelvaldisole.it
– hotelvaldisole@valdisole.it – Fax 04 63 75 70 71 – dicembre-20 aprile e giugno-
settembre
66 cam ⌷ – ♦♦90/104 € – ½ P 50/90 €   **Rist** – Carta 26/40 €
♦ In posizione rientrante, ma sempre lungo la via principale del paese, un hotel di
medie dimensioni a conduzione familiare. Aspetto caratteristico, confort moderno. Il
ristorante propone una cucina di fattura casalinga.

🏠 **Eccher**   ⩽ 🕸 🖥 🛎 🖼 rist. 🔙 ✂ 🕸 🅿 VISA 🔵 👌
via 4 Novembre 84 – ☏ 04 63 75 71 46 – www.hoteleccher.it – info@
hoteleccher.it – Fax 04 63 75 73 01 – 8 dicembre-aprile e 15 giugno-20 settembre
21 cam ⌷ – ♦40/80 € ♦♦70/140 € – ½ P 50/80 €
Rist – (chiuso a mezzogiorno da dicembre ad aprile) Carta 22/30 €
♦ Piccolo albergo a gestione diretta, situato lungo la strada principale all'uscita della
località. Spazi comuni contenuti, camere standard. Il menù presenta alcune delle più
tipiche specialità altoatesine, servite in un ristorante dal caratteristico stile locale.

MEZZOCANALE – Belluno – Vedere Forno di Zoldo

MEZZOCORONA – Trento (TN) – 562D15 – 4 773 ab. – alt. 219 m   30 **B2**
– ✉ 38016

> 🛣 Roma 604 – Bolzano 44 – Trento 21

XX **La Cacciatora**   🏠 🖥 🖼 ✂ ✛ 🅿 VISA 🔵 AE ① 👌
via Canè 133, in riva all'Adige Est: 2 km – ☏ 04 61 65 01 24
– www.lacacciatora.net – cacciatora@interline.it – Fax 04 61 65 10 80 – chiuso
dal 15 al 31 luglio e mercoledì
Rist – Carta 28/35 €
♦ Situato fuori paese, in riva all'Adige, un ristorante accogliente, gestito con grande professionalità. Carrello dei bolliti, saletta privè al primo piano.

MEZZOLOMBARDO – Trento (TN) – 6 239 ab. – alt. 227 m   30 **B2**
– ✉ 38017

> 🛣 Roma 605 – Bolzano 45 – Trento 22 – Milano 261

XX **Per Bacco**   🏠 🅿 VISA 🔵 AE 👌
via E. De Varda 28 – ☏ 04 61 60 03 53 – www.ristorante-perbacco.com – info@
ristorante-perbacco.com – Fax 04 61 60 71 95 – chiuso dal 15 al 25 gennaio e dal
20 agosto al 20 settembre
Rist – Carta 32/46 €
♦ Il ristorante è stato ricavato nelle stalle di una casa di fine ottocento e arredato
con lampade di design; nato come wine-bar vanta una bella scelta di vini locali al calice.

MIANE – Treviso (TV) – 562E18 – 3 589 ab. – alt. 259 m – ✉ 31050   36 **C2**
> 🛣 Roma 587 – Belluno 33 – Milano 279 – Trento 116

XX **Da Gigetto**   🖼 ✂ 🅿 VISA 🔵 AE ① 👌
via De Gasperi 5 – ☏ 04 38 96 00 20 – www.ristorantedagigetto.it – info@
ristorantedagigetto.it – Fax 04 38 96 01 11 – chiuso quindici giorni in gennaio,
venti giorni in agosto, lunedì sera e martedì
Rist – Carta 36/50 € 🍽
♦ Ristorante gradevole, con un'atmosfera familiare che non contrasta, anzi esalta, gli
ambienti in stile rustico-elegante. La cucina attinge alla tradizione, splendida cantina.

MIGLIARA – Napoli – Vedere Capri (Isola di) : Anacapri

Vista Panoramica Duomo

MILANO

Carta Michelin : n° **561**F9
Popolazione : 1 271 898 ab
Altitudine : 122 m
Codice Postale : ⊠ 20100

▶ Roma 572 – Genève 323
– Genova 142 – Torino 140
📗 Italia, Milano e la Lombardia
Carta regionale : 18 **B2**

INFORMAZIONI PRATICHE

🖪 Uffici Informazioni turistiche

piazza Duomo 19/a ✆ 02 77404343 iat.info@provincia.milano.it, Fax 02 77404333

Aeroporti

Forlanini di Linate Est : 8 km CP ✆ 02 74852200

Malpensa Nord-Ovest : 45 km ✆ 02 74852200

Golf

🖿 , ✆ 039 30 30 81

🖾 Molinetto, ✆ 02 92 10 51 28

🖾 Barlassina, ✆ 0362 56 06 21

🖾 , ✆ 02 90 63 21 83

🖾 Le Rovedine, ✆ 02 57 60 64 20

Fieramilanocity

26.02 - 01.03 : milanovendemoda

17.04 - 20.04 : miart (fiera internazionale d'arte moderna e contemporanea)

24.09 - 27.09 : milanovendemoda

Fieramilano Rho

16.01 - 19.01 : macef (salone internazionale della casa)

19.02 - 22.02 : bit (borsa internazionale del turismo)

04.03 - 07.03 : micam (esposizione internazionale della calzatura)

04.03 - 08.03 : mifur (salone internazionale della pellicceria e della pelle)

22.04 - 27.04 : salone internazionale del mobile

04.09 - 07.09 : macef (salone internazionale della casa)

◉ LUOGHI DI INTERESSE

IL CENTRO

Duomo★★★ - Galleria Vittorio Emanuele II★ - Teatro alla Scala★★ - Castello Sforzesco★★★

MILANO DALL' ALTO

Passeggiata sui terrazzi del Duomo★★★ - Vista dalla Torre Branca★★

I GRANDI MUSEI

Pinacoteca di Brera★★★ - Castello Sforzesco★★★ : Museo di Arte Antica★★, Pinacoteca★ - Pinacoteca Ambrosiana★★ - Museo del Duomo★★ - Museo Poldi Pezzoli★★ - Museo di Palazzo Bagatti Valsecchi★★ - Museo Teatrale alla Scala★ - Museo della Scienza e della Tecnologia★ - Museo di Storia Naturale★ - Museo Civico di Archeologia★ - Museo dell'Ottocento★

LE BASILICHE E LE CHIESE

S. Ambrogio★★ - S. Lorenzo★★ - S. Maria delle Grazie★★ e Cenacolo Vinciano★★★ - S. Eustorgio★ : Cappella Portinari★★ - S. Maurizio al Monastero Maggiore★★ - S. Maria della Passione★★ - S. Nazaro★ - S. Maria presso S. Satiro★ : coro del Bramante★★

I LUOGHI SUGGESTIVI

Via e Piazza dei Mercanti★ - La Ca' Granda★★ e Largo Richini - Il quartiere di Brera - I Navigli

ACQUISTI

Il quadrilatero della moda: via Montenapoleone, Via della Spiga, Via S. Andrea, Via Dante - Corso Buenos Aires - Corso Vercelli

DINTORNI

Abbazia di Chiaravalle★★ - Abbazia di Viboldone★ - Abbazia di Morimondo★

ELENCO ALFABETICO DEGLI ALBERGHI

ELENCO ALFABETICO DEI RISTORANTI

MILANO

GLI ESERCIZI CON STELLE

BIB GOURMAND

RISTORANTI SECONDO IL LORO GENERE

MILANO

MILANO

Arrow's	XX	39
Marenostrum	X	41
Mediterranea	XX	33
Molo 13 (Al)	X	42
Navigante (Il)	XX	36
Porto (Al)	XX	36
Rosa dei Venti (La)	X	40
Sambuco (Il)	XXX	39
Torriani 25	XX	33
Trattoria la Piola	X	35
Tredici Giugno	XX	33

Emiliana pagina

Artidoro	X	27

Giapponese pagina

Armani/Nobu	XX	26
Fuji	X	29
Osaka	X	30
Zakuro	X	41

Indiana pagina

Serendib	XX ⊛	29
Shiva	X	37
Tandur	X	27
Tara	X	41

Innovativa pagina

Innocenti Evasioni	XX ✿	42
Trattoria del Nuovo Macello	X	44

Internazionale pagina

Vietnamonamour	X	43

Ligure pagina

Taverna Calabiana	X	44

Lombardo-piemontese pagina

Don Carlos	XXX	26
Osteria da Francesca	XX	43

Lombarda pagina

Antica Trattoria della Pesa	XX	29

Casa Fontana-23 Risotti	XX	29
Globe	XX	34
Masuelli San Marco	X	34
Pobbia (La) 1850	XXX	42

Mantovana pagina

Hostaria Borromei	XX	27
Torchietto (Il)	XX	36

Mediterranea pagina

Cavallini	XX	33

Moderna pagina

Corte (La)	XX	45
Teatro (Il)	XXXX	25
Trussardi alla Scala	XXX ✿✿	26

Italiana pagina

Gold	XXX	32

Piemontese pagina

Cucina delle Langhe (Alla)	X	30
Trattoria Aurora	X	37

Romana pagina

Giulio Pane e Ojo	X ⊛	35

Sarda pagina

Baia Chia	X ⊛	43

Siciliana pagina

Malavoglia (I)	XX	33
Merluzzo Felice (Al)	X	35
Pirandello	XX	36
Trattoria Trinacria	X	37

Toscana pagina

Trattoria Torre di Pisa	X	27

Valtellinese pagina

Osteria I Valtellina	XX	45

RISTORANTI CON IL SERVIZIO ESTIVO ALL'APERTO

Arrow's	※※	39	Osteria I Valtellina	※※		45
Baia Chia	※ ⊛	43	Papà Francesco	※※		27
Cantina di Manuela (La)			Sadler	※※※ ❀❀		36
- Stazione Centrale	※ ⊛	33	Stendhal Antica Osteria	※		29
Cavallini	※※	33	Trattoria Aurora	※		37
Corte (La)	※※	45	Tredici Giugno	※※		33
Giulio Pane e Ojo	※ ⊛	35	Vecchio Porco (Al)	※		40
Hostaria Borromei	※※	27				
Innocenti Evasioni N	※※ ❀	42				

RISTORANTI APERTI IN AGOSTO

Artidoro	※	27	Savini	※xx※		26
Bimbi (Da)	※	34	Serendib N	※※ ⊛		29
Cantina di Manuela (La)			Shiva	※		37
- Stazione Centrale	※ ⊛	33	Stendhal Antica Osteria	※		29
Casa Fontana-23 Risotti	※※	29	Tandur	※		27
Cavallini	※※	33	Tara	※		41
Felicità (La)	※	27	Torriani 25	※※		33
Giulio Pane e Ojo	※ ⊛	35	Trattoria Aurora	※		37
Mediterranea	※※	33	Trattoria del Nuovo			
Nabucco	※※	26	Macello	※		44
Nicola Cavallaro			Trattoria Madonnina	※		37
al San Cristoforo	※※	45	Trattoria Trinacria	※		37
Papà Francesco	※※	27	Tredici Giugno	※※		33
Rosa al Caminetto (Il)	※※	26	UTZ	※※		29
Rosa dei Venti (La)	※	40				
Sambuco (Il)	※x※	39				

MILANO

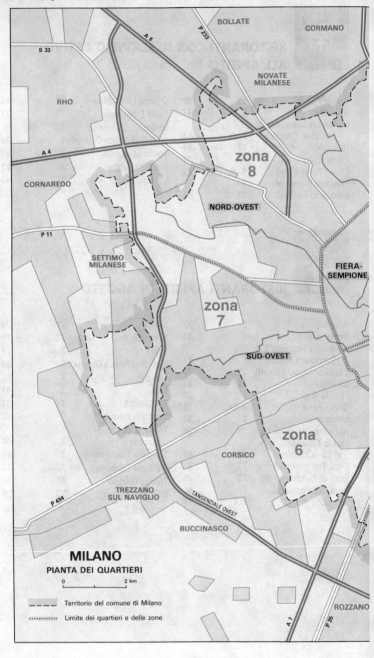

MILANO

MILANO

PIANTA DEI QUARTIERI

0   2 km

- - - - Territorio del comune di Milano

.... Limite dei quartieri e delle zone

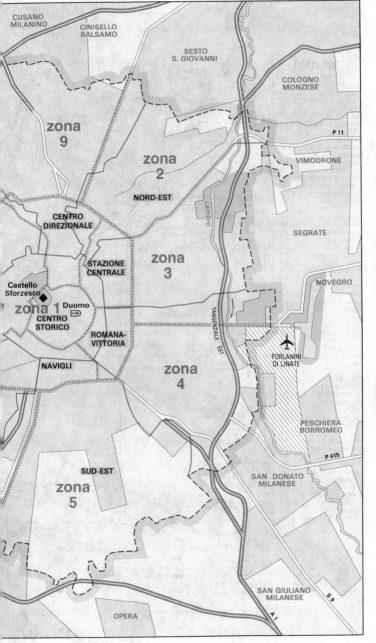

MILANO

MILANO

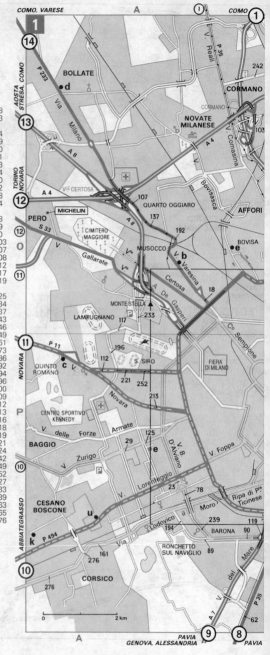

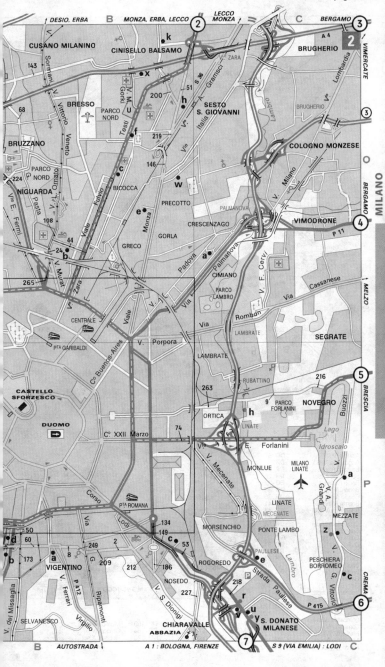

MILANO

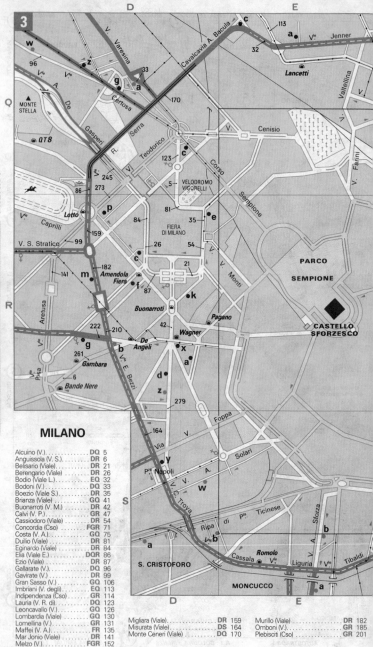

MILANO

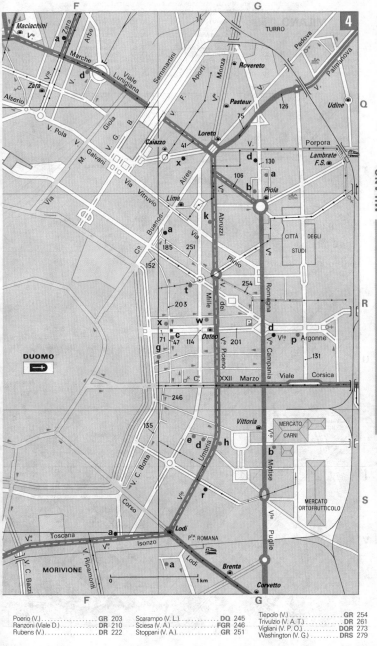

All'interno della zona delimitata da un retino verde, la città è divisa in settori il cui accesso è segnalato lungo tutta la cerchia. Non è possibile passare in auto da un settore all'altro.

MILANO

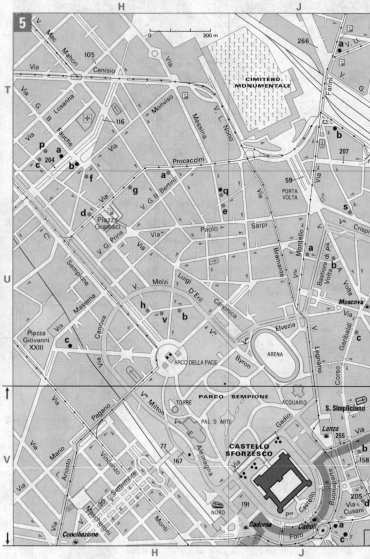

MILANO

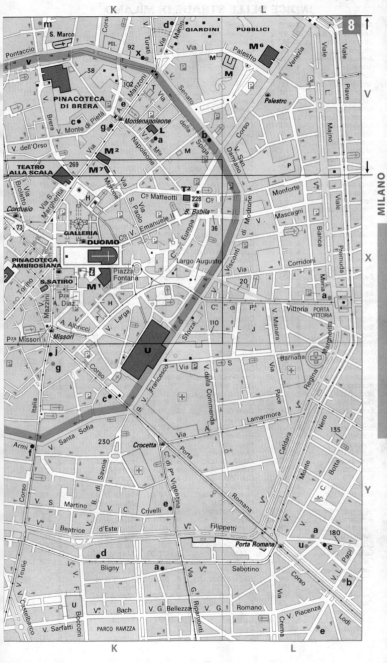

INDICE DELLE STRADE DI MILANO

MILANO

MILANO

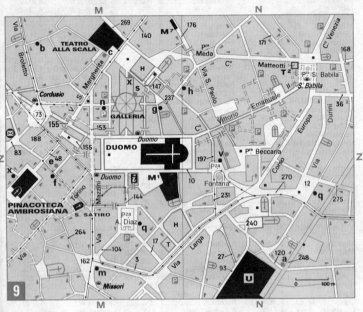

Centro Storico

🏨 Four Seasons   🚗 🖙 🖃 🕭 cam. ⇗ 📶 ↩ 🍽 rist, ⟨⟨'⟩⟩ 🎂 🚗

via Gesù 6/8 ☒ 20121 Ⓜ *Montenapoleone*   🎟 **VISA 🐵❶ AE ⓪ 🅖**
– 𝒞 027 70 88 – *www.fourseasons.com/milan* – *res.milano@fourseasons.com*
– *Fax 02 77 08 50 00*   KV**a**
93 cam – ♦638/726 € ♦♦759/869 €, ☑ 36 € – 25 suites
Rist Il Teatro – vedere selezione ristoranti
Rist *La Veranda* – Carta 67/134 €
♦ Nel "triangolo d'oro" milanese, celato in un convento del '400 che conserva elementi decorativi originali, l'albergo di maggior fascino ed esclusiva eleganza della città. Ristorante affacciato sul verde del giardino interno, ambiente raffinato.

🏨 Park Hyatt Milano   🖙 🖃 🕭 ⇗ 📶 ↩ 🍽 rist, ⟨⟨'⟩⟩ 🎂

via Tommaso Grossi 1 ☒ 20121 Ⓜ *Duomo*   **VISA 🐵❶ AE ⓪ 🅖**
– 𝒞 02 88 21 12 34 – *www.milan.park.hyatt.com* – *milano@hyattintl.com*
– *Fax 02 88 21 12 35*   MZ**n**
109 cam – ♦510/660 € ♦♦630/780 €, ☑ 35 € – 8 suites
Rist *The Park* – *(chiuso dal 3 al 24 agosto, sabato a mezzogiorno, domenica)*
Carta 71/101 €
♦ Uno stabile di fine '800 che annovera un'elegante *lounge* sormontata da una grande cupola, spazi arredati in tonalità sobrie ed un'accogliente Spa con palestra e bagno turco. Cucina mediterranea nel raffinato ristorante: a pranzo è possibile anche consumare uno snack al bar o nel dehors affacciato sulla galleria.

Grand Hotel et de Milan
🏨 ⭐⭐⭐⭐⭐ 🛗 ⚡ 🚶 AC 🤍 rist, 📶 🛁

via Manzoni 29 ⊠ 20121 Ⓜ Montenapoleone – 📞 02 72 31 41 – www.grandhoteletdemilan.it – concierge@ grandhoteletdemilan.it – Fax 02 86 46 08 61
VISA ⓂⓄ AE ① 🛐
KVg

95 cam – ♦589/677 € ♦♦649/737 €, � 35 € – 7 suites

Rist Don Carlos – vedere selezione ristoranti

Rist Caruso – (chiuso la sera) Carta 47/62 €

◆ Oltre un secolo e mezzo di vita per questo hotel che ha ospitato grandi nomi della musica, del teatro, del cinema e della politica nei suoi raffinati e suggestivi ambienti. Luminoso ristorante dedicato al tenore che in questo albergo registrò il suo primo disco.

Carlton Hotel Baglioni
🏨 🛗 📶 ⚡ 🤍 cam, 🚶 AC 🤍 rist 📶

via Senato 5 ⊠ 20121 Ⓜ San Babila – 📞 027 70 77
VISA ⓂⓄ AE ① 🛐
– www.baglionihotels.com – reservations.carltonmilano@baglionihotels.com – Fax 02 78 33 00
KVb

83 cam – ♦560/660 € ♦♦610/970 €, ⚡ 34 € – 9 suites

Rist Il Baretto al Baglioni – Carta 75/90 €

◆ Raffinati dettagli e mobili d'epoca, tessuti preziosi dai toni caldi nelle sale comuni e nelle camere di un'elegantissima "bomboniera" nel cuore di Milano. Ristorante composto di varie sale, raccolte ed eleganti, con pareti rivestite in legno.

Bulgari
🌳 📺 🛀 🛗 📶 ⚡ 📶 🚗 VISA ⓂⓄ AE ① 🛐

via privata Fratelli Gabba 7/b ⊠ 20121 Ⓜ Montenapoleone – 📞 028 05 80 51 – www.bulgarihotels.com – milano@bulgarihotels.com – Fax 028 05 80 52 22
49 cam – ♦550/690 € ♦♦650/790 €, ⚡ 30 € – 9 suites
KVc

Rist – Carta 58/118 €

◆ Nuova stella nel firmamento dell'hôtellerie milanese in cui i materiali preziosi utilizzati con gusto regalano un'eleganza sobria e discreta. Incantevole, inatteso giardino. Esclusivo ristorante affacciato direttamente sul verde.

Starhotels Rosa
🛀 🛗 ⚡ 🚶 AC ⚡ 📶 📶 🚗 VISA ⓂⓄ AE ① 🛐

piazza Fontana 3 ⊠ 20122 Ⓜ Duomo – 📞 02 88 31 – www.starhotels.com – rosa.mi@starhotels.it – Fax 028 05 79 64
NZv

320 cam ⚡ – ♦♦165/1300 € – 7 suites

Rist Il Rosa al Caminetto – vedere selezione ristoranti

◆ Sita a pochi passi dal Duomo, la risorsa vanta una discreta eleganza: uno spazioso piano terra con marmi e stucchi, camere funzionali, un centro congressi ed un'area fitness.

NH President
🛗 ⚡ cam, AC ⚡ 📶 rist 📶 🚗 VISA ⓂⓄ AE ① 🛐

largo Augusto 10 ⊠ 20122 Ⓜ San Babila – 📞 027 74 61 – www.nh-hotels.it – jhmilanopresident@nh-hotels.it – Fax 02 78 34 49
NZq

253 cam ⚡ – ♦130/430 € ♦♦150/480 € – 12 suites – ½ P 277 €

Rist Il Verziere – Carta 43/62 €

◆ Un hotel di taglio internazionale adatto ad una clientela d'affari o turistica, offre ambienti ampi ed accoglienti nonchè spazi per sfilate, colazioni di lavoro o congressi. Il ristorante propone piatti della tradizione mediterranea e soprattutto specialità della cucina lombarda.

UNA Hotel Cusani
🛗 AC ⚡ rist, 📶 VISA ⓂⓄ AE ① 🛐

via Cusani 13 ⊠ 20121 Ⓜ Cairoli – 📞 028 56 01 – www.unahotels.it – una.cusani@unahotels.it – Fax 028 69 36 01
JVa

87 cam ⚡ – ♦154/374 € ♦♦154/440 € – 5 suites   **Rist** – Carta 45/72 €

◆ Situato in pieno centro storico, una posizione comoda per gli affari e per il turismo, la struttura dispone di camere molto ampie ed accoglienti con arredi semplici e moderni. Un'intima sala ristorante, dove gustare una classica cucina tradizionale ed internazionale.

De la Ville
📺 📶 🛀 🛗 ⚡ cam, AC ⚡ 📶 rist, 📶 🛁 VISA ⓂⓄ AE ① 🛐

via Hoepli 6 ⊠ 20121 Ⓜ Duomo – 📞 028 79 13 11 – www.sinahotels.com – reservationsdlv@sinahotels.it – Fax 02 86 66 09
NZh

109 cam ⚡ – ♦396/418 € ♦♦429/440 €

Rist L'Opera – 📞 028 05 12 31 – Carta 45/70 €

◆ Vicino al Duomo, un elegante hotel dai caldi ambienti arredati con sete di colori diversi e marmi. All'ultimo piano una rilassante piscina coperta da una cupola trasparente. Ideale per una cena dopo un appuntamento a teatro, il ristorante invita a gustare una cucina mediterranea rivisitata con creatività.

687

MILANO

The Gray
🏨 ⚙ 🅰🅲 ✂ rist, "🍴" 🆅🅸🆂🅰 ⓒⓞ 🅰🅴 ⓞ ⑤
via San Raffaele 6 ✉ 20121 Ⓜ Duomo – 𝒞 027 20 89 51 – www.sinahotels.it
– info.thegray@sinahotels.it – Fax 02 86 65 26   MZ**g**
21 cam – 🛏418 € 🛏🛏605/792 €, � 37 €   **Rist** – Carta 63/78 €
♦ In prossimità della Galleria, l'hotel dispone di spazi e camere caratteristici arredati in
modo diverso e ricercato secondo il gusto del moderno design e di un'area fitness.
Nella raccolta e particolare sala ristorante si propone una carta altrettanto creativa.

Spadari al Duomo senza rist
🏨 🅰🅲 ↔ ✂ 🆆🅸🆄 🆅🅸🆂🅰 ⓒⓞ 🅰🅴 ⓞ ⑤
via Spadari 11 ✉ 20123 Ⓜ Duomo – 𝒞 02 72 00 23 71 – www.spadarihotel.com
– reservation@spadarihotel.com – Fax 02 86 11 84   MZ**f**
40 cam ⊇ – 🛏178/368 € 🛏🛏198/368 €
♦ Nasce da una raccolta di opere d'arte contemporanea questo piccolo hotel che unisce
nei suoi spazi il confort e l'attenta ricerca di nuove forme di rappresentazione artistica.

Cavour
🏨 🅰🅲 ↔ ✂ 🕽 🏋 🆅🅸🆂🅰 ⓒⓞ 🅰🅴 ⓞ ⑤
via Fatebenefratelli 21 ✉ 20121 Ⓜ Turati – 𝒞 02 62 00 01 – www.hotelcavour.it
– booking@hotelcavour.it – Fax 026 59 22 63 – chiuso agosto   KV**x**
113 cam ⊇ – 🛏128/257 € 🛏🛏147/295 €
Rist Conte Camillo – vedere selezione ristoranti
♦ Poco distante dai principali siti di interesse sociale e culturale, è una struttura classica,
con esperta conduzione familiare, dotata di camere ben arredate ed insonorizzate.

Dei Cavalieri senza rist
🏨 ⛹ 🅰🅲 ↔ ✂ 🕽 🏋 🆅🅸🆂🅰 ⓒⓞ 🅰🅴 ⓞ ⑤
piazza Missori 1 ✉ 20123 Ⓜ Missori – 𝒞 028 85 71
– www.hoteldeicavalieri.com – info@hoteldeicavalieri.com – Fax 028 85 72 41
177 cam ⊇ – 🛏🛏720 €   MZ**m**
♦ In un palazzo storico della metà del secolo scorso, un'atmosfera rilassante e il servizio
sempre attento ed efficiente, l'hotel dispone di eleganti e confortevoli camere, arredate
in stile moderno.

Grand Hotel Plaza senza rist
🛗 🏨 🅰🅲 ✂ 🕽 🏋 🆅🅸🆂🅰 ⓒⓞ 🅰🅴 ⓞ ⑤
piazza Diaz 3 ✉ 20123 Ⓜ Duomo – 𝒞 02 85 55 – www.grandhotelplazamilano.it
– info@grandhotelplazamilano.it – Fax 02 86 72 40   MZ**q**
136 cam ⊇ – 🛏160/370 € 🛏🛏160/400 €
♦ Un hotel classico nel cuore del capoluogo, dispone di ampie camere arredate con
gusto, una hall con bar e pianoforte ed una nuova palestra ben attrezzata.

Carrobbio senza rist
🏨 🅰🅲 🏋 🆅🅸🆂🅰 ⓒⓞ 🅰🅴 ⓞ ⑤
via Medici 3 ✉ 20123 Ⓜ Duomo – 𝒞 02 89 01 07 40
– www.hotelcarrobbiomilano.com – info@hotelcarrobbiomilano.com
– Fax 028 05 33 34 – chiuso dal 22 dicembre al 2 gennaio ed agosto   JX**d**
56 cam ⊇ – 🛏198 € 🛏🛏356 €
♦ In una zona tranquilla nelle vicinanze del centro storico e della Borsa, bella struttura -
recentemente rinnovata - con camere di diversa tipologia e grazioso giardino d'inverno.

Regina senza rist
🏨 🅰🅲 🕽 🏋 🆅🅸🆂🅰 ⓒⓞ 🅰🅴 ⓞ ⑤
via Cesare Correnti 13 ✉ 20123 Ⓜ Sant' Ambrogio – 𝒞 02 58 10 69 13
– www.hotelregina.it – info@hotelregina.it – Fax 02 58 10 70 33
– chiuso dal 23 dicembre al 6 gennaio e 2 settimane in agosto   JY**a**
43 cam ⊇ – 🛏149/250 € 🛏🛏189/350 €
♦ A pochi passi dal Duomo, dallo shopping, da cinema e teatri, la risorsa è caratterizzata
da una cupola che domina la hall e dispone di camere graziose, semplici negli arredi.

King senza rist
🅰🅲 🕽 🏋 🆅🅸🆂🅰 ⓒⓞ 🅰🅴 ⓞ ⑤
corso Magenta 19 ✉ 20123 Ⓜ Cadorna F.N.M. – 𝒞 02 87 44 32
– www.mokinba.it – info@hotelkingmilano.com – Fax 02 89 01 07 98
48 cam ⊇ – 🛏70/290 € 🛏🛏80/395 €   JX**e**
♦ Una struttura di sei piani poco distante dal Duomo, recentemente rinnovata negli arredi
con un tocco di sfarzo negli spazi comuni e nelle camere non grandi, ma confortevoli.

Gran Duca di York senza rist
🏨 🅰🅲 ✂ 🕽 🆅🅸🆂🅰 ⓒⓞ 🅰🅴 ⓞ ⑤
via Moneta 1/a ✉ 20123 Ⓜ Duomo – 𝒞 02 87 48 63 – www.ducadiyork.com
– info@ducadiyork.com – Fax 028 69 03 44 – chiuso Natale e ferragosto
33 cam ⊇ – 🛏🛏118/248 €   MZ**x**
♦ Un palazzo settecentesco nel cuore di Milano, da poco rinnovato, ospita un piccolo e
moderno hotel con camere semplici e spaziose per un soggiorno confortevole.

🏨 **Lloyd** senza rist   🛗 AC 🛜 🏊 VISA ⓑ AE ① ⛝
corso di Porta Romana 48 ⊠ 20122 Ⓜ Missori – ℰ 02 58 30 33 32
– www.lloydhotelmilano.it – info@lloydhotelmilano.it – Fax 02 58 30 33 65
– chiuso dal 18 dicembre al 6 gennaio   KYc
56 cam ⊏⊐ – ♦90/310 € ♦♦135/465 €
◆ Classico nello stile ed elegante negli arredi, l'hotel si trova in posizione centrale e
mette a disposizione di una clientela d'affari sale riunioni con moderne attrezzature.

🏨 **Antica Locanda dei Mercanti** senza rist   🛜 🛜 VISA ⓑ ⛝
via San Tomaso 6 ⊠ 20121 Ⓜ Cordusio – ℰ 028 05 40 80 – www.locanda.it
– locanda@locanda.it – Fax 028 05 40 90   JXa
14 cam – ♦155/215 € ♦♦185/500 €, ⊏⊐ 15 €
◆ Un albergo piccolo ma accogliente arredato con sobria eleganza e mobili antichi,
dispone di camere spaziose e luminose, molte delle quali sono provviste di un terrazzo.

🏠 **Zurigo** senza rist   🛗 AC 🛜 🛜 VISA ⓑ AE ① ⛝
corso Italia 11/a ⊠ 20122 Ⓜ Missori – ℰ 02 72 02 22 60 – www.brerahotels.com
– zurigo@brerahotels.it – Fax 02 72 00 00 13 – chiuso agosto   KYj
40 cam ⊏⊐ – ♦120/290 € ♦♦200/430 €
◆ Un hotel moderno ricavato da un edificio d'epoca dove l'arredamento gioca con le
luci ed alterna colori caldi e freddi negli ambienti. Biciclette disponibili gratuitamente.

🏠 **Rovello** senza rist   🛝 AC 🛜 VISA ⓑ AE ① ⛝
via Rovello 18 ⊠ 20121 Ⓜ Cairoli – ℰ 02 86 46 46 54 – www.hotel-rovello.it
– info@hotel-rovello.it – Fax 02 72 02 36 56 – chiuso dal 23 al 29 dicembre
10 cam ⊏⊐ – ♦90/220 € ♦♦100/290 €   JVc
◆ Nei pressi della chiesa di Santa Maria delle Grazie, è un piccolo hotel a conduzione
familiare, arredato in modo semplice ma confortevole negli spazi comuni e nelle
camere.

🏠 **Star** senza rist   🛗 AC 🛜 🛜 VISA ⓑ AE ① ⛝
via dei Bossi 5 ⊠ 20121 Ⓜ Cordusio – ℰ 02 80 15 01 – www.hotelstar.it – info@
hotelstar.it – Fax 02 86 17 87 – chiuso dal 24 dicembre al 6 gennaio ed agosto
30 cam ⊏⊐ – ♦85/150 € ♦♦125/195 €   MZb
◆ Un hotel a direzione familiare e dall'accoglienza cordiale, dispone di camere luminose
arredate con calde tonalità in un sobrio stile moderno, alcune con vasca idromassaggio.

🏠 **Alle Meraviglie** senza rist   AC 🛜 🛜 VISA ⓑ AE ① ⛝
via San Tomaso 8 ⊠ 20121 Ⓜ Cordusio – ℰ 028 05 10 23
– www.allemeraviglie.it – info@allemeraviglie.it – Fax 028 05 40 90   JXa
10 cam – ♦165/225 € ♦♦195/400 €, ⊏⊐ 15 €
◆ Nuovissimo bed and breakfast nel cuore della città a poche centinaia di metri da
piazza del Duomo. Poche camere, tutte personalizzate e rifinite con cura, nonché quattro appartamenti con angolo cottura.

XXXX **Cracco**   AC 🛜 VISA ⓑ AE ① ⛝
🕸🕸 *via Victor Hugo 4 ⊠ 20123 Ⓜ Duomo – ℰ 02 87 67 74 – www.peck.it*
– info@ristorantecracco.it – Fax 02 86 10 40
– chiuso dal 22 dicembre al 10 gennaio, 3 settimane in agosto,
sabato a mezzogiorno (tutto il giorno da giugno ad agosto), domenica,
lunedì a mezzogiorno   MZe
Rist – Menu 130/160 € – Carta 95/133 € 🍸
Spec. Marinara di pesce in foglie con verdure croccanti. Spaghetti d'uovo,
aglio, olio e peperoncino. Rognone di vitello con ricci di mare e spugnole.
◆ Moderna, essenziale e razionalista: si parla della sala ma anche della cucina a cui si
aggiunge un estro creativo e sperimentale con pochi eguali.

XXXX **Il Teatro** – Hotel Four Seasons   AC 🛜 🛜 VISA ⓑ AE ① ⛝
via Gesù 6/8 ⊠ 20121 Ⓜ Montenapoleone – ℰ 02 77 08 14 35
– www.fourseasons.com/teatro – luca.simbaldi@fourseasons.com
– Fax 02 77 08 50 00 – chiuso agosto e domenica   KVa
Rist – (chiuso a mezzogiorno) Carta 78/103 €
◆ Ambiente esclusivo ed elegantemente elegante nel ristorante accolto nei meravigliosi
ambienti dell'hotel Four Seasons. La cucina si afferma attraverso interpretazioni creative.

MILANO

XXXX **Savini** 🔥 ⚕ 🆊 ⅍ ⇦ **P** 𝖵𝖨𝖲𝖠 ⓐ 🆎 ⓞ ✿
galleria Vittorio Emanuele II ⊠ *20121* Ⓜ *Duomo –* 🕾 *02 72 00 34 33*
– www.savinimilano.it – prenotazioni@savinimilano.it – Fax 02 72 02 28 88
– chiuso 10 giorni in gennaio e 20 giorni in agosto MZ**s**
Rist *– (chiuso sabato a mezzogiorno, domenica)* Menu 95/125 €
– Carta 75/113 € 🏵 (+12 %)
Rist Caffetteria – Carta 35/80 € 🏵
♦ Torna a brillare un astro della ristorazione milanese: abito nuovo e linea di cucina creativa, che omaggia il passato con la rivisitazione di alcuni classici meneghini. Alla *Caffetteria*: accanto al bancone del bar-pasticceria, ambiente informale e piatti lombardi, pizza, insalate...

XXX **Don Carlos** – Grand Hotel et de Milan 🆊 𝖵𝖨𝖲𝖠 ⓐ 🆎 ⓞ ✿
via Manzoni 29 ⊠ *20121* Ⓜ *Montenapoleone –* 🕾 *02 72 31 46 40*
– www.ristorantedoncarlos.it – info@ristorantedoncarlos.it – Fax 02 86 46 08 61
– chiuso agosto e domenica KV**g**
Rist *– (chiuso a mezzogiorno)* Carta 58/82 €
♦ Atmosfera raccolta e di lusso raffinato, con boiserie, applique rosse e tanti quadri e foto dell'epoca di Verdi; curati piatti stagionali, piemontesi e d'impronta creativa.

XXX **Conte Camillo** – Hotel Cavour 🆊 ⅍ 𝖵𝖨𝖲𝖠 ⓐ 🆎 ⓞ ✿
via Fatebenefratelli 21, (galleria di Piazza Cavour) ⊠ *20121* Ⓜ *Turati*
– 🕾 *026 57 05 16 – www.hotelcavour.it – booking@hotelcavour.it*
– Fax 026 59 22 63 – chiuso agosto e i mezzogiorno di sabato e domenica
Rist – Carta 29/58 € KV**x**
♦ Un locale discretamente elegante nel cuore della Milano del commercio, propone una cucina di tradizione elaborata in chiave moderna.

XXX **Trussardi alla Scala** (Andrea Berton) ⚕ 🆊 ⅍ 𝖵𝖨𝖲𝖠 ⓐ 🆎 ⓞ ✿
🏵 🏵 *piazza della Scala 5, (palazzo Trussardi)* ⊠ *20121* Ⓜ *Duomo –* 🕾 *02 80 68 82 01*
– www.trussardiallascala.com – ristorante@trussardiallascala.com
– Fax 02 80 68 82 87 – chiuso dal 22 dicembre al 6 gennaio, dal 9 al 31 agosto, sabato a mezzogiorno e domenica MZ**c**
Rist – Menu 110/135 € – Carta 78/104 €
Spec. Seppie arrosto con salsa alla liquirizia. Risotto alle erbe, olive taggiasche, polvere di cappero e noce di capasanta alla plancia. Tiramisù cremoso nel bicchiere.
♦ In un bel palazzo sull'omonima piazza, l'ascensore conduce ad una sala moderna e spaziosa, alcuni tavoli con vista. In cucina una delle promesse più interessanti della ristorazione nazionale.

XX **Il Rosa al Caminetto** – Starhotels Rosa 🆊 ⅍ ⇦ 𝖵𝖨𝖲𝖠 ⓐ 🆎 ⓞ ✿
via Beccaria 4 ⊠ *20122* Ⓜ *Duomo –* 🕾 *02 89 09 52 35 – www.ilrosa.it – info@ ilrosa.it – Fax 02 89 01 68 93* NZ**v**
Rist – Carta 46/68 € 🏵 (+10 %)
♦ Un locale di nuova gestione, caratterizzato da un servizio rapido ed attento, propone una carta regionale e nazionale, ma a pranzo ci si può anche servire da un ricco buffet.

XX **Armani/Nobu** 🆊 ⅍ ⇦ 𝖵𝖨𝖲𝖠 ⓐ 🆎 ⓞ ✿
via Pisoni 1 ⊠ *20121* Ⓜ *Montenapoleone –* 🕾 *02 62 31 26 45*
– www.armaninobu.it – armani.nobu@giorgioarmani.it – Fax 02 62 31 26 74
– chiuso dal 25 dicembre al 7 gennaio, agosto, domenica a mezzogiorno
Rist – Carta 45/73 € (+10 %) KV**e**
♦ Un esotico connubio tra moda e gastronomia: cucina giapponese "fusion", con influssi sudamericani, in un raffinato ambiente essenziale, ispirato al design nipponico.

XX **Nabucco** 🆊 ⅍ 𝖵𝖨𝖲𝖠 ⓐ 🆎 ⓞ ✿
via Fiori Chiari 10 ⊠ *20121* Ⓜ *Cairoli –* 🕾 *02 86 06 63 – www.nabucco.it*
– info@nabucco.it – Fax 028 69 25 76 KV**v**
Rist – Carta 40/66 € (+10 %)
♦ In una caratteristica viuzza del quartiere Brera, interessanti proposte gastronomiche, sia di carne che di pesce, in un locale dove la sera si cena a lume di candela.

XX Emilia e Carlo 　　　　AK ⇄ VISA ∞ AE ① ⑤

via Sacchi 8 ☒ 20121 **Ⓜ** *Lanza – ℰ 02 87 59 48 – www.ristoranteemiliaecarlo.it*
– emiliaecarlosas@virgilio.it – Fax 02 86 21 00 – chiuso Natale, Pasqua, agosto,
sabato a mezzogiorno e domenica JVd
Rist – Carta 49/64 € ❀

♦ In un palazzo del primo Ottocento, un locale classico che propone, tuttavia, una cucina giovane e creativa, e vanta un'ottima scelta di vini.

XX Papà Francesco 　　　　⇪ ⇩ AK ⅍ ⇄ VISA ∞ ⑤

via Marino 7 angolo piazza della Scala ☒ 20121 **Ⓜ** *Duomo – ℰ 02 86 21 77*
– www.papafrancesco.com – info@papafrancesco.com – Fax 02 45 40 91 12
– chiuso e lunedì MZx
Rist – Carta 47/63 €

♦ Il sogno di una vita: un locale di successo all'ombra della Scala! Da poco il ristorante si è ampliato e in primavera è possibile pranzare sotto il benigno sguardo del celebre teatro.

XX Hostaria Borromei 　　　　⇪ ⅍ ⇄ VISA ∞ AE ①

via Borromei 4 ☒ 20123 **Ⓜ** *Cordusio – ℰ 02 86 45 37 60 – Fax 02 86 45 21 78*
– chiuso dal 24 dicembre al 7 gennaio, dall'8 al 31 agosto, sabato a
mezzogiorno e domenica JXc
Rist – Carta 39/54 €

♦ Un piccolo locale in pieno centro storico con servizio estivo nella corte del palazzo settecentesco che lo ospita, propone una cucina regionale, particolarmente mantovana.

X Tandur 　　　　AK ⅍ ⇄ VISA ∞ AE ① ⑤

via Maddalena 3/5 ☒ 20122 **Ⓜ** *Missori – ℰ 028 05 61 92*
– www.ristorantetandur.com – ristorante-tandur@tiscali.it – Fax 02 89 01 07 37
– chiuso domenica a mezzogiorno e lunedì KYg
Rist – Carta 25/30 €

♦ Un locale semplice ma accogliente dove provare gli autentici sapori tipici dell'India, proposti con simpatia da due signore indiane.

X La Felicità 　　　　⇩ AK VISA ∞ AE ① ⑤

via Rovello 3 ☒ 20121 **Ⓜ** *Cordusio – ℰ 02 86 52 35 – fanglei@cebichina.cn*
– Fax 02 86 52 35 JXa
Rist – Carta 17/25 €

♦ Sapori della tradizione vietnamita, tailandese e coreana nelle sale di questo ristorante cinese semplice ma curato arredato con raffinati riferimenti alla cultura orientale.

X Artidoro 　　　　AK ⅍ ⇄ VISA ∞ AE ① ⑤

via Camperio 15 ☒ 20123 **Ⓜ** *Cairoli – ℰ 028 05 73 86 – www.artidoro.it*
– info@artidoro.it – Fax 02 85 91 04 10 – chiuso dal 6 al 19 agosto e Natale
Rist – Carta 41/78 € ❀ JXb

♦ Un'osteria di moderna concezione, gestita da personale giovane con esperienze internazionali, propone una cucina emiliana e lombarda nel cuore di Milano. Per una piacevole sosta tra tradizione e innovazione.

X Trattoria Torre di Pisa 　　　　AK ⇄ VISA ∞ AE ① ⑤

via Fiori Chiari 21/5 ☒ 20121 **Ⓜ** *Lanza – ℰ 02 87 48 77*
– www.trattoriatorredipisa.it – Fax 02 87 63 22 – chiuso 3 settimane in agosto
e sabato a mezzogiorno JVb
Rist – Carta 37/45 €

♦ Una familiare trattoria toscana, nel cuore del caratteristico quartiere di Brera. A prezzi concorrenziali la possibilità di assaporare la cucina della terra di Dante.

X La Brisa 　　　　⇪ VISA ∞ AE ① ⑤

via Brisa 15 ☒ 20123 – ℰ 02 86 45 05 21 – pedrochiara@infinito.it
– Fax 02 86 45 05 21 – chiuso dal 23 dicembre al 3 gennaio,
dall'8 agosto all' 8 settembre, sabato, domenica a mezzogiorno JXf
Rist – Carta 31/67 €

♦ Di fronte ad un sito archeologico d'epoca romana, trattoria moderna con cucina anche del territorio. D'estate la veranda si apre sul giardino per il servizio all'aperto.

MILANO

X **Hanabi**   AC VISA 🐵 AE ⚹
via Francesco Sforza 14 ang. via Laghetto ✉ 20122 – ✆ 02 78 26 10
– Fax 02 76 02 57 48 – chiuso domenica   NZ**a**
Rist – Carta 27/32 €
♦ Ristorante gestito da cinesi, ma con proposte nipponiche: professionalità, cura ed un interessante rapporto qualità/prezzo.

Centro Direzionale

🏠🏠🏠 **Atahotel Executive**   ⧗ ⅋ AC ⅃⊱ ⟡ ⟆ ⅏ VISA 🐵 AE ① ⚹
viale Luigi Sturzo 45 ✉ 20154 Ⓜ *Porta Garibaldi FS* – ✆ 026 29 41
– www.executive.atahotels.it – booking.executive.atahotels.it
– Fax 02 29 01 02 38   KU**e**
414 cam � – ♦199/399 € ♦♦209/479 € – 6 suites   **Rist** – Carta 35/80 €
♦ Di fronte alla stazione ferroviaria Garibaldi, un grande albergo ideale per clienti business e meeting, con attrezzata zona congressuale; piacevoli e accoglienti le camere. Di fronte alla stazione ferroviaria Garibaldi, un grande albergo ideale per clienti business e meeting, con attrezzata zona congressuale; piacevoli e accoglienti le camere.

🏠🏠🏠 **AC Milano**   ⟟ ⅃⊱ ⧗ ⅋ AC ⟡ rist, ⟆ ⇋ VISA 🐵 AE ① ⚹
via Tazzoli 2 ✉ 20154 – ✆ 022 04 24 11 – *www.ac-hotels.com*   JT**b**
160 cam ⊐ – ♦125/500 € ♦♦125/650 €
Rist – *(solo per alloggiati)* Carta 47/76 €
♦ Novità nel panorama cittadino: un contesto di modernità e design al servizio di una clientela *business* di alto livello. Camere di gran pregio in linea con lo standard della struttura.

🏠🏠🏠 **Four Points Sheraton Milan Center**   ⅃⊱ ⧗ ⅋ AC ⅃⊱ ⟡ rist, ⟆
via Cardano 1 ✉ 20124 Ⓜ *Gioia* – ✆ 02 66 74 61   ⟆ VISA 🐵 AE ① ⚹
– www.fourpoints.com/milan – info@fourpointsmilano.it – Fax 026 70 30 24
254 cam – ♦370 € ♦♦420 €, ⊐ 25 €   KT**b**
Rist *Nectare* – Carta 37/63 €
♦ All'interno di una struttura architettonica recente troverete arredi di sobria eleganza nei riposanti spazi comuni; belle camere confortevoli. Luminosa sala ristorante, dove si servono gustosi piatti unici a pranzo e preparazioni più elaborate la sera.

🏠🏠🏠 **UNA Hotel Tocq**   ⅋ AC ⅃⊱ ⟡ rist, ⟆ ⟆ VISA 🐵 AE ① ⚹
via A. de Tocqueville 7/D ✉ 20154 Ⓜ *Porta Garibaldi FS* – ✆ 026 20 71
– www.unahotels.it – una.tocq@unahotels.it – Fax 026 57 07 80   KU**k**
109 cam ⊐ – ♦116/302 € ♦♦116/355 € – 13 suites   **Rist** – Carta 38/50 €
♦ Il design moderno è il perno di una struttura dagli arredi volutamente minimalisti, non "invadenti", che rispondono pienamente alle esigenze della clientela d'oggi. Sala principale del ristorante dai colori solari e parquet di quercia danese naturale.

🏠🏠🏠 **Holiday Inn Milan Garibaldi Station**   ⅃⊱ ⧗ ⅋ cam, AC ⅃⊱
via Farini angolo via Ugo Bassi   ⟡ rist, ⟆ ⅏ 🚗 VISA 🐵 AE ① ⚹
✉ 20159 Ⓜ *Porta Garibaldi FS* – ✆ 026 07 68 01 – *www.himilangaribaldi.com*
– reservations@himilangaribaldi.com – Fax 026 88 07 64   JT**a**
129 cam – ♦79/499 € ♦♦99/499 €, ⊐ 20 €   **Rist** – Carta 39/59 €
♦ Questo hotel è il risultato di una ristrutturazione totale. Luminoso ed accogliente con soluzioni di design di gusto minimalista. Bella sala colazioni con cupola in vetro. Ristorante di taglio moderno anche nelle proposte culinarie.

🏠🏠🏠 **Sunflower** senza rist   ⧎ ⧗ AC ⟡ ⟆ ⅏ VISA 🐵 AE ① ⚹
piazzale Lugano 10 ✉ 20158 – ✆ 02 39 31 40 71 – *www.hotelsunflower.it*
– sunflower.hotel@tiscali.it – Fax 02 39 32 03 77
– chiuso dal 24 dicembre al 6 gennaio e dal 3 al 24 agosto   EQ**c**
75 cam – ♦95/140 € ♦♦140/200 €, ⊐ 12 €
♦ Sobria struttura di pratica funzionalità e buon confort dispone di camere accoglienti con pavimenti di ceramica o di marmo (nelle più recenti).

🏠 **Antica Locanda Solferino** senza rist   AC ⟆ VISA 🐵 AE ⚹
via Castelfidardo 2 ✉ 20121 Ⓜ *Moscova* – ✆ 026 57 01 29
– www.anticalocandasolferino.it – info@anticalocandasolferino.it
– Fax 026 57 13 61 – chiuso dal 7 al 21 agosto   KU**c**
11 cam ⊐ – ♦160/270 € ♦♦210/400 €
♦ In una delle vie più "in", vicino a Brera, calda atmosfera e arredi inizio '900 nelle camere di una dimora signorile: interessante alternativa al classico hotel.

XX **Rigolo**   氐 AK 梁 ⇔ VISA ☯ AE ① ⏰

largo Treves ang. via Solferino 11 ⊠ *20121* Ⓜ *Moscova* – ℰ *02 80 45 89*
– www.rigolo.it – ristorante.rigolo@tiscalinet.it – Fax 02 86 46 32 20 – chiuso
agosto e lunedì   KU**b**
Rist – Carta 32/47 €
♦ Gestito dalla stessa famiglia da oltre 40 anni, ristorante d'habitué di stampo classico
con sale curate. In una zona molto "in" del centro, con piatti di terra e di mare.

XX **Casa Fontana-23 Risotti**   AK 梁 VISA ☯ AE ⏰

piazza Carbonari 5 ⊠ *20125* Ⓜ *Sondrio* – ℰ *026 70 47 10 – www.23risotti.it*
– trattoria@23risotti.it – Fax 02 66 80 04 65
– chiuso dal 1° al 12 gennaio, dal 13 al 15 aprile, dal 27 giugno al 20 luglio, 1
settimana in agosto, lunedì, sabato a mezzogiorno, anche sabato sera e
domenica in luglio e agosto   FQ**d**
Rist – Carta 38/60 €
♦ Val la pena spingersi fino a questo accogliente locale periferico e aspettare i canonici
25 minuti per assaggiare uno dei risotti che costituiscono la specialità.

XX **UTZ**   徐 AK VISA ☯ AE ⏰
ⓒ
via Solferino 48 ⊠ *20121* Ⓜ *Moscova* – ℰ *026 55 11 80 – www.utzrestaurant.it*
– parla@utz-foodemotion.net – Fax 02 31 52 22
– chiuso 2 settimane a Natale, 2 settimane in agosto, sabato a mezzogiorno e
lunedì   KU**m**
Rist – Carta 21/45 €
♦ Un locale giovane e dinamico, ricco di colori che rimandano al folclore iberico, propone una cucina eclettica. Anche pizzeria e brunch domenicale.

XX **Antica Trattoria della Pesa**   氐 AK VISA ☯ AE ① ⏰

viale Pasubio 10 ⊠ *20154* Ⓜ *Porta Garibaldi FS* – ℰ *026 55 57 41*
– Fax 02 29 01 51 57 – chiuso agosto e domenica   JU**s**
Rist – Carta 42/64 €
♦ Piacevole atmosfera *démodé* in una trattoria vecchia Milano, locale storico d'Italia, con
una cucina da sempre fedele alla tradizione lombarda. All'ingresso, una targa ricorda un
breve soggiorno di *Ho Chi Min* nella casa che, attualmente, ospita il locale.

XX **Serendib**   AK VISA ☯ ⏰
ⓒ
ⓒ *via Pontida 2* ⊠ *20121* Ⓜ *Moscova* – ℰ *026 59 21 39 – www.serendib.it*
– surange@email.it – Fax 026 59 21 39 – chiuso dal 10 al 20 agosto
Rist – *(chiuso a mezzogiorno)* Carta 18/29 €   JU**b**
♦ Fedeltà alle origini sia nelle decorazioni che nella cucina, indiana e cingalese, di un
piacevole locale che porta l'antico nome dello Sri Lanka ("rendere felici").

X **Timé**   徐 AK VISA ☯ AE ① ⏰

via San Marco 5 ⊠ *20121* Ⓜ *Moscova* – ℰ *02 29 06 10 51*
– www.ristorantetime.it – Fax 02 29 06 10 51 – chiuso dal 25 dicembre
al 6 gennaio, agosto, sabato a mezzogiorno e domenica   KU**x**
Rist – Carta 37/59 €
♦ La sala è ariosa e di taglio moderno con tavoli ravvicinati in un ambiente vivace. Il
servizio attento e pronto a raccontare l'affidabile cucina. Menu più economico a pranzo.

X **Fuji**   AK 梁 VISA ☯ AE ① ⏰

viale Montello 9 ⊠ *20154* Ⓜ *Moscova* – ℰ *02 29 00 83 49 – Fax 02 29 00 35 92*
– chiuso dal 24 dicembre al 2 gennaio, Pasqua, dal 1° al 23 agosto, sabato a
mezzogiorno, domenica   JU**a**
Rist – Carta 40/53 €
♦ Azzeccata *joint venture* tra un italiano e un nipponico per condurre con felice continuità un sobrio ristorante giapponese; annesso anche un sushi bar.

X **Stendhal Antica Osteria**   徐 AK VISA ☯ AE ① ⏰

via Ancona, 1 angolo via San Marco ⊠ *20121* Ⓜ *Lanza* – ℰ *026 57 20 59*
– www.osteriastendhal.it – info@osteriastendhal.it – Fax 026 57 20 59
Rist – Carta 38/48 €   KV**m**
♦ Una semplice signorilità contraddistingue l'ambiente di questa tipica trattoria milanese costituita da una sala raccolta, con un caratteristico bancone bar in legno.

MILANO

X **Osaka**   AC ⅍ VISA ⲙ ⅚

corso Garibaldi 68 ⊠ 20121 Ⓜ *Moscova –* 𝒞 *02 29 06 06 78*
– www.milanoosaka.com – garibaldi68@milanoosaka.com – Fax 02 29 06 02 35
Rist – Carta 40/60 €   JU**c**
♦ Nascosto in una piccola galleria, in sala regna un'atmosfera sobria e minimalista, tipicamente orientale. Dalla cucina: sapori nipponici per palati raffinati.

X **Alla Cucina delle Langhe**   ⅚ AC ⟺ VISA ⲙ AE ⓞ ⅚

corso Como 6 ⊠ 20154 Ⓜ *Porta Garibaldi FS –* 𝒞 *026 55 42 79*
– Fax 02 29 00 68 59 – chiuso agosto, domenica, anche sabato in luglio
Rist – Carta 34/49 €   KU**d**
♦ Bella trattoria di taglio caratteristico, la cui atmosfera tipica è consona alle specialità tradizionali lombarde e piemontesi. Ampia proposta di insalate in sala dedicata.

Stazione Centrale

🏨🏨🏨 **Principe di Savoia**   ⬚ ⲙ ⌂ 𝄢 ⌷ AC ↲ ⅍ rist, ⍥ 𝄞

piazza della Repubblica 17 ⊠ 20124 Ⓜ *Repubblica*   VISA ⲙ AE ⓞ ⅚
𝒞 *026 23 01 – www.hotelprincipedisavoia.com – principe@*
hotelprincipedisavoia.com – Fax 026 59 58 38   KU**a**
269 cam – ♦610/890 € ♦♦680/960 €, � 35 € – 64 suites
Rist *Acanto* – 𝒞 *02 62 30 20 26* – Carta 80/100 €
♦ Una costruzione ottocentesca dal respiro internazionale, dove regnano arredi d'epoca, lusso e raffinatezza. Attrezzature sportive e spazi benessere per un soggiorno di relax. Recentemente rinnovato, si presenta in una elegante veste moderna con grandi vetrate che si affacciano su un giardino. Cucina classico- contemporanea.

🏨🏨🏨 **The Westin Palace**   𝄢 ⌷ ⅚ AC ↲ ⅍ rist, ⍥ 𝄞 ⌂

piazza della Repubblica 20 ⊠ 20124 Ⓜ *Repubblica*   VISA ⲙ AE ⓞ ⅚
– 𝒞 *026 33 61 – www.westin.com/palacemilan – palacemilan@westin.com*
– Fax 02 65 44 85   LU**b**
215 cam – ♦234/791 € ♦♦263/1023 €, ⊆ 36 € – 13 suites
Rist – Carta 65/83 € 𝄐
♦ Albergo di lusso, all'interno di una moderna torre, dispone di ampi spazi comuni e belle camere arricchite con preziosi dettagli. Piacevole e raccolto lo spazio dedicato alla forma e al benessere. Nell'elegante ristorante: zona *privée* e sapori mediterranei reinterpretati con fantasia.

🏨🏨🏨 **Le Meridien Gallia**   𝄢 ⌷ AC ↲ ⅍ rist, ⍥ 𝄞 VISA ⲙ AE ⓞ ⅚

piazza Duca d'Aosta 9 ⊠ 20124 Ⓜ *Centrale F.N.M. –* 𝒞 *026 78 51*
– www.lemeridien.com/milan – reservations.gallia@lemeridien.com
– Fax 02 66 71 32 39   LT**a**
224 cam – ♦125/553 € ♦♦156/795 €, ⊆ 35 € – 13 suites
Rist – Carta 65/83 €
♦ Scelto dai grandi protagonisti della storia politica e culturale, una struttura sontuosa dai grandi spazi arredati in calde tonalità, camere curate, beauty center e palestra. Eleganza e professionalità al servizio di una cucina lombarda e mediterranea.

🏨🏨 **NH Milano Touring**   ⌷ ⅚ AC ↲ ⅍ ⍥ 𝄞 VISA ⲙ AE ⓞ ⅚

via Tarchetti 2 ⊠ 20121 Ⓜ *Repubblica –* 𝒞 *026 33 51 – www.nh-hotels.com*
– jhmilanotouring@nh-hotels.com – Fax 026 59 22 09   KU**f**
282 cam ⊆ – ♦152/459 € ♦♦182/509 € – ½ P 131/295 €
Rist – Carta 40/53 €
♦ Ristrutturato nelle zone comuni e particolarmente votato ad una clientela d'affari, l'hotel garantisce la sua tradizionale ospitalità ed efficienza. A pochi passi dal centro. Piatti tipici regionali in un ambiente raccolto e raffinato.

🏨🏨 **Starhotels Ritz**   ⲙ 𝄢 ⌷ ⫞ AC ↲ ⅍ ⍥ 𝄞 VISA ⲙ AE ⓞ ⅚

via Spallanzani 40 ⊠ 20129 Ⓜ *Lima –* 𝒞 *02 20 55 – www.starhotels.com*
– ritz.mi@starhotels.it – Fax 02 29 51 86 79   GR**a**
191 cam ⊆ – ♦♦120/800 € – 6 suites   **Rist** *– (solo per alloggiati)*
♦ Centrale, in una zona tranquilla, un edificio sobrio ed elegante all'interno del quale è stata realizzata recentemente un'area fitness con palestra e sauna. Dipinti alle pareti del ristorante ed una vasta zona dedicata ai banchetti.

Starhotels Anderson ⌂⌂⌂ 🛗 ⚙ 🛗 & cam, 🚗 🅰🄲 ↩ 🛇 🛜 🛎
piazza Luigi di Savoia 20 ✉ *20124* Ⓜ *Centrale f.s.* 🆅🅸🆂🅰 ⓪ 🄰🄴 ① 🛎
– 𝒞 *026 69 01 41 – www.starhotels.com – anderson.mi@starhotels.it*
– *Fax 026 69 03 31* LT**b**
106 cam ⌧ – †109/750 € **Rist** – *(solo per alloggiati)*
♦ Un albergo in cui si respira una signorile aria di casa, arredato con eleganti tessuti e caratteristici accessori di provenienza etnica. Camere moderne, spaziose e luminose. Un piccolo ristorante serale allestito nella raffinata lounge.

NH Machiavelli ⌂⌂⌂ 🛗 & 🅰🄲 ↩ 🛇 rist, 🛜 🛎 🆅🅸🆂🅰 ⓪ 🄰🄴 ① 🛎
via Lazzaretto 5 ✉ *20124* Ⓜ *Repubblica* – 𝒞 *02 63 11 41 – www.nh-hotels.it*
– *jhmachiavelli@nh-hotels.com – Fax 026 59 98 00* LU**a**
103 cam ⌧ – †200/400 € ††240/460 € **Rist** *Caffè Niccolò* – Carta 37/51 €
♦ Una struttura moderna con camere sobrie e luminose ed un ambiente open space che può inglobare più spazi comuni in uno solo. Piccola risorsa che offre la possibilità di pranzare sia alla carta che a buffet.

ADI Doria Grand Hotel ⌂⌂⌂ 🛗 & 🅰🄲 ↩ 🛇 📞 🛜 🛎 🆅🅸🆂🅰 ⓪ 🄰🄴 ① 🛎
viale Andrea Doria 22 ✉ *20124* Ⓜ *Caiazzo* – 𝒞 *02 67 41 14 11*
– *www.adihotels.com – info.doriagrandhotel@adihotels.com – Fax 026 69 66 69*
124 cam ⌧ – †201/299 € ††265/419 € – 2 suites GQ**x**
Rist – *(chiuso dal 24 dicembre al 6 gennaio e dal 28 luglio al 26 agosto)*
Carta 40/67 €
♦ Struttura classica dotata di una elegante hall con arredi del primo novecento, ampi spazi comuni sede anche di eventi culturali e musicali, camere spaziose e confortevoli. Luminoso ed elegante, il ristorante propone una raffinata cucina nazionale ed internazionale.

Bristol senza rist ⌂⌂⌂ 🛗 & 🅰🄲 ↩ 🛇 🛜 🛎 🆅🅸🆂🅰 ⓪ 🄰🄴 ① 🛎
via Scarlatti 32 ✉ *20124* Ⓜ *Centrale* – 𝒞 *026 69 41 41 – www.hotelbristolmil.it*
– *hotel.bristol@hotelbristolmil.it – Fax 026 70 29 42*
– *chiuso dal 24 dicembre al 2 gennaio ed agosto* LT**m**
68 cam ⌧ – †150/200 € ††180/250 €
♦ In posizione ideale per affrontare spostamenti di lavoro e passeggiate di shopping, propone ampi ambienti semplici ed accoglienti arredati con mobili d'epoca.

Sanpi senza rist ⌂⌂⌂ 🚲 🛗 & 🅰🄲 ↩ 🛇 🛜 🛎 🆅🅸🆂🅰 ⓪ 🄰🄴 ①
via Lazzaro Palazzi 18 ✉ *20124* Ⓜ *Porta Venezia* – 𝒞 *02 29 51 33 41*
– *www.hotelsanpimilano.it – info@hotelsanpimilano.it – Fax 02 29 40 24 51*
– *chiuso dal 24 dicembre al 2 gennaio* LU**e**
79 cam ⌧ – †95/350 € ††119/480 €
♦ Nel cuore della città, l'albergo si compone di tre edifici dall'atmosfera raccolta, spazi luminosi e tinte pastello nelle camere. Nel cortile interno un piccolo giardino.

Auriga senza rist ⌂⌂⌂ 🛗 🅰🄲 ↩ 🛇 🛜 🛎 🆅🅸🆂🅰 ⓪ 🄰🄴 ① 🛎
via Giovanni Battista Pirelli 7 ✉ *20124* Ⓜ *Centrale* – 𝒞 *02 66 98 58 51*
– *www.auriga-milano.com – auriga@auriga-milano.com – Fax 02 66 98 06 98*
– *chiuso dal 21 al 31 dicembre, dal 1° al 7 gennaio e dal 3 al 26 agosto*
52 cam ⌧ – †90/250 € ††120/340 € LTU**k**
♦ La compresenza di stili diversi, una facciata particolare ed i vivaci colori creano un originale effetto scenografico. Confort ed efficienza per turisti e clientela d'affari.

Berna senza rist ⌂⌂⌂ 🛗 🚗 🅰🄲 ↩ 🛇 🛜 🛎 🏠 🆅🅸🆂🅰 ⓪ 🄰🄴 ① 🛎
via Napo Torriani 18 ✉ *20124* Ⓜ *Centrale* – 𝒞 *02 67 73 11*
– *www.hotelberna.com – info@hotelberna.com – Fax 026 69 38 92* LU**t**
124 cam ⌧ – †99/335 € ††155/435 €
♦ Elegante e signorile, la risorsa garantisce tante piccole attenzioni verso l'ospite; camere semplici ma confortevoli, nuove sale congresso nelle rilassanti tinte dell'azzurro.

Mercure Milano Centro Porta Venezia senza rist ⌂⌂ & 🅰🄲 ↩ 🛜
piazza Oberdan 12 ✉ *20129* Ⓜ *Porta Venezia* 🛎 🆅🅸🆂🅰 ⓪ 🄰🄴 ① 🛎
– 𝒞 *02 29 40 39 07 – www.mercure.com – booking@hotelmercuremilanocentro.it*
– *Fax 02 29 52 61 71* LUV**f**
30 cam ⌧ – †130/349 € ††130/399 €
♦ A pochi passi dal cuore culturale della città, una dimora ottocentesca ristrutturata ed arredata in stile liberty con camere eleganti e confortevoli.

MILANO

MILANO

Augustus senza rist
🏨 📶 AC ❄ 📞 VISA ⦿ AE ① 💧

via Napo Torriani 29 ⊠ 20124 **Ⓜ** *Centrale – ℰ 02 66 98 82 71*
– www.augustushotel.it – info@augustushotel.it – Fax 026 70 30 96 – chiuso dal 23 al 27 dicembre e dall'8 al 22 agosto **LUq**
56 cam ☐ – †95/165 € ††145/215 €
♦ Un albergo classico in prossimità della stazione centrale, dispone di camere tranquille, moderne e confortevoli e di spaziosi e rilassanti aree comuni.

Sempione
🏨 ⅙ cam, AC ❄ rist, 🍴 ♨ VISA ⦿ AE ① 💧

via Finocchiaro Aprile 11 ⊠ 20124 **Ⓜ** *Repubblica – ℰ 026 57 03 23*
– www.hotelsempione.it – hsempione@hotelsempione.it – Fax 026 57 53 79
49 cam ☐ – †80/220 € ††99/290 € **LUr**
Rist *Piazza Repubblica* – ℰ 026 55 27 15 *(chiuso dal 7 al 26 agosto, sabato a mezzogiorno e domenica)* Carta 30/51 €
♦ Una risorsa a gestione familiare recentemente ristrutturata, dispone di camere semplici ma confortevoli con arredi di gusto moderno, tutte con TV LCD. La semplice sala ristorante propone una cucina internazionale e locale.

Fenice senza rist
🏨 AC ❄ 🍴 VISA ⦿ AE ① 💧

corso Buenos Aires 2 ⊠ 20124 **Ⓜ** *Porta Venezia – ℰ 02 29 52 55 41*
– www.hotelfenice.it – fenice@hotelfenice.it – Fax 02 29 52 39 42
– chiuso dall'11 al 24 agosto **LUx**
46 cam ☐ – †75/200 € ††90/300 €
♦ Comodo approdo sia per il turista, sia per l'uomo d'affari, è una struttura funzionale con camere sobrie in stile classico contemporaneo.

Colombia senza rist
🏨 AC ❄ 🍴 VISA ⦿ AE ① 💧

via Lepetit 15 ⊠ 20124 **Ⓜ** *Centrale – ℰ 026 69 25 32*
– www.hotelcolombiamilano.com – booking@hotelcolombiamilano.com
– Fax 026 70 58 29 – chiuso due settimane in dicembre o gennaio e tre settimane in agosto **LUd**
48 cam ☐ – †100/200 € ††150/300 €
♦ Grazioso hotel a gestione familiare, ristrutturato negli ultimi tempi, dispone di camere confortevoli in stile minimal design. Piacevole giardinetto interno per colazioni o pause rilassanti: praticamente una rarità a Milano!

Albert senza rist
🏨 ⅙ AC ❄ 🍴 ♨ VISA ⦿ AE ① 💧

via Tonale 2 ang. via Sammartini ⊠ 20125 **Ⓜ** *Centrale f.s. – ℰ 02 66 98 54 46*
– www.alberthotel.it – info@alberthotel.it – Fax 02 66 98 56 24
– chiuso 2 settimane a Natale e 2 settimane in agosto **LTt**
62 cam – †65/175 € ††70/200 €, ☐ 8 €
♦ Nato dalla ristrutturazione di due palazzi di fine ottocento collegati tra loro da una corte interna,la struttura dispone di spazi semplici e confortevoli.

Manin
🚇 🏨 AC ⇔ ❄ rist, 🍴 ♨ VISA ⦿ AE ① 💧

via Manin 7 ⊠ 20121 **Ⓜ** *Palestro – ℰ 026 59 65 11 – www.hotelmanin.it*
– info@hotelmanin.it – Fax 026 55 21 60 – chiuso dal 1° al 24 agosto
118 cam ☐ – †145/250 € ††160/340 € **KVd**
Rist *Il Bettolino* – *(chiuso sabato)* Carta 42/57 €
♦ Sito nel cuore dell'attività socio-culturale della città, la risorsa propone camere spaziose e semplici, arredate con graziose scene decorative sopra le testate dei letti. Ambiente raccolto dove gustare piatti della cucina tradizionale.

Gold
XXX AC ⇔ VISA ⦿ AE ① 💧

via Poerio 2/A, angolo piazza Risorgimento ⊠ 20129 – ℰ 027 57 77 71
– www.dolcegabbanagold.it – Fax 02 75 77 77 73 – chiuso Natale, capodanno, Pasqua e venti giorni in agosto **GRc**
Rist – *(chiuso a mezzogiorno)* Carta 60/90 € ♨
Rist *Bistrot Gold* – Carta 42/48 €
♦ Moderno e di tendenza, ampi tavoli circolari, il locale nasce dalla fantasia di due nomi che hanno fatto strada nel mondo della moda e fa dell'oro il suo carattere distintivo. Sala fumatori. Proposte gastronomiche più semplici, in un ambiente informale, ma non privo di eleganza, al *Bistrot Gold*.

XX **Dal Bolognese** 🛪 🕭 AC ⇄ VISA ◍ AE 🛵
piazza della Repubblica 13 ✉ *20124* Ⓜ *Repubblica –* 🕾 *02 62 69 48 45*
– dalbolognesemilano@virgilio.it – Fax 02 62 02 71 28 – chiuso sabato a
mezzogiorno e domenica KU**g**
Rist – Carta 54/72 €
♦ Un locale dai toni classici e dall'atmosfera vivace, un bistrot di lusso dove assaporare
una cucina classica. È possibile un servizio estivo all'aperto.

XX **Mediterranea** AC VISA ◍ AE ① 🛵
piazza Cincinnato 4 ✉ *20124* Ⓜ *Porta Venezia –* 🕾 *02 29 52 20 76*
– www.ristorantemediterranea.it – info@ristorantemediterranea.eu
– Fax 02 20 11 56 – chiuso domenica e lunedì a mezzogiorno LU**z**
Rist – Menu 35/50 € ⌀
♦ Un ambiente accogliente dalle pareti rivestite da pittoreschi scorci del Bel Paese, dove
gustare una cucina a base di pesce; la cantina offre un'ampia proposta di vini.

XX **Joia** (Pietro Leemann) AC ⇄ VISA ◍ AE 🛵
ⵛⵛ *via Panfilo Castaldi 18* ✉ *20124* Ⓜ *Repubblica –* 🕾 *02 29 52 21 24 – www.joia.it*
– joia@joia.it – Fax 022 04 92 44 – chiuso dal 25 dicembre all'8 gennaio,
dal 4 al 25 agosto, sabato a mezzogiorno e domenica LU**c**
Rist – Menu 60/100 € – Carta 64/84 € ⌀
Spec. Il quinto gusto che mi piace (cannelloni grigliati con ricotta siciliana affumicata, zucchine e coste novelle). Oltre il giardino (verdure con yogurt della
casa). La mia charlotte (bavarese con contrasto di caramello ed albicocche).
♦ Una delle cucine più atipiche e personalizzate di Milano: vegetariana con qualche
piatto di pesce, eterea, intellettuale, è un viaggio nel fantastico mondo del cuoco.

XX **Torriani 25** AC 🕉 ⇄ VISA ◍ AE ① 🛵
via Napo Torriani 25 ✉ *20124* Ⓜ *Centrale f.s. –* 🕾 *02 67 07 81 83*
– www.torriani25.it – torriani25@tiscali.it – Fax 02 67 47 95 48 – chiuso dal
25 dicembre al 1° gennaio, dal 9 al 26 agosto, sabato a mezzogiorno, domenica
Rist – Carta 40/56 € LU**t**
♦ Caratterizzato da tinte calde e da una diffusa illuminazione, locale di taglio moderno
dove in menu regna sovrano il mare. Il buffet "accoglie" equamente varietà di pesci e
carni da scottare alla griglia.

XX **I Malavoglia** AC 🕉 VISA ◍ AE ① 🛵
via Lecco 4 ✉ *20124* Ⓜ *Porta Venezia –* 🕾 *02 29 53 13 87*
– www.ristorante-imalavoglia.com – chiuso dal 24 dicembre al 7 gennaio,
Pasqua, 1° maggio, agosto, domenica LU**g**
Rist – *(chiuso a mezzogiorno)* Carta 46/59 €
♦ Nel capoluogo lombardo, un locale classico condotto da una trentennale esperienza, dove assaporare i piatti tipici della gastronomia siciliana.

XX **13 Giugno** AC 🕉 ⇄ VISA ◍ AE ① 🛵
via Goldoni 44 ang. via Uberti ✉ *20129 –* 🕾 *02 71 96 54*
– www.ristorante13giugno.it – sdolcim@tin.it – Fax 02 70 10 03 11 GR**w**
Rist – Carta 52/79 €
♦ Una sala di discreta eleganza, arricchitasi di una veranda-giardino d'inverno, con proposte di mare, specializzata particolarmente nei sapori siciliani.

XX **Cavallini** 🛪 AC ⇄ VISA ◍ AE ① 🛵
via Mauro Macchi 2 ✉ *20124* Ⓜ *Centrale –* 🕾 *026 69 31 74 – www.ristorante*
cavallini.it – info@ristorantecavallini.it – Fax 026 69 37 71 – chiuso dal 22 al 26
dicembre, dal 3 al 23 agosto, sabato a mezzogiorno e domenica LU**y**
Rist – Carta 32/45 €
♦ Uno dei locali storici della città, gestito da una famiglia con grande esperienza nel settore della ristorazione, propone una cucina classica dai sapori nazionali e regionali.

X **La Cantina di Manuela** 🛪 AC VISA ◍ AE 🛵
🕭 *via Poerio 3* ✉ *20129* Ⓜ *Porta Venezia –* 🕾 *02 76 31 88 92*
– www.lacantinadimanuela.it – info@lacantinadimanuela.it – Fax 02 76 31 29 71
– chiuso domenica GR**x**
Rist – Carta 33/42 € ⌀
♦ Risorsa caratterizzata da un particolare interesse verso il mondo del vino, cui accosta
un'ottima cucina. In estate, piccolo dehors sul marciapiede.

✗ **Da Bimbi**　　　　　　　　　　　　　　AC VISA ©© AE ① ⑤
viale Abruzzi 33 ✉ *20131* Ⓜ *Lima – 𝒞 02 29 52 61 03 – Fax 02 29 52 20 51*
– chiuso dal 25 dicembre al 1° gennaio, dal 1° al 21 agosto, domenica, lunedì a
mezzogiorno　　　　　　　　　　　　　　　　　　　　　　GR**k**
Rist – Carta 37/67 €
♦ Foto di una Milano d'epoca alle pareti e menù di carne e di pesce in questa piccola trattoria fedele ai sapori di una gastronomia classica.

✗ **Da Giannino-L'Angolo d'Abruzzo**　　　　AC VISA ©© AE ① ⑤
via Pilo 20 ✉ *20129* Ⓜ *Porta Venezia – 𝒞 02 29 40 65 26 – Fax 02 29 40 65 26*
– chiuso agosto e lunedì　　　　　　　　　　　　　　　　GR**t**
Rist – Carta 21/31 €
♦ Una calorosa accoglienza, un ambiente semplice ma vivace e sempre molto frequentato e il piacere di riscoprire, in piatti dalle abbondanti porzioni, la tipica cucina abruzzese.

Romana-Vittoria

🏨🏨🏨 **Grand Visconti Palace**　　🗓 ⑩ 🎿 ₤₅ ⓯ cam, AC ↯ ⌾ ⛰ 🅿
viale Isonzo 14 ✉ *20135* Ⓜ *Lodi TIBB*　　　　　　VISA ©© AE ① ⑤
　– 𝒞 02 54 03 41 – www.grandviscontipalace.com – info@
grandviscontipalace.com – Fax 02 54 06 95 23　　　　　　　　FS**a**
166 cam ⌂ – †300/800 € ††400/900 € – 6 suites
Rist *Al Quinto Piano* – Carta 42/86 €
♦ Negli spazi di un ex mulino industriale è stato ricavato questo grande albergo di tono elegante. Accogliente centro benessere, sale congressi e grazioso giardino. Il ristorante, al quinto piano ovviamente, propone piatti fantasiosi.

🏨🏨 **UNA Hotel Mediterraneo**　　　　⎸⎹ AC ↯ ⌾ rist, ⌾ ⛰
via Muratori 14 ✉ *20135* Ⓜ *Porta Romana*　　　　　　VISA ©© AE ① ⑤
– 𝒞 02 55 00 71 – www.unahotels.it – una.mediterraneo@unahotels.it
– Fax 025 50 07 22 17　　　　　　　　　　　　　　　　LY**c**
93 cam ⌂ – †108/268 € ††108/315 €
Rist – *(solo per alloggiati)* Carta 32/42 €
♦ Nella zona di Porta Romana, vicino al metrò, un hotel business, moderno nello stile delle installazioni delle sale; camere insonorizzate, rilassanti e funzionali.

✗✗ **Globe**　　　　　　　　　　　⟨ ⓯ AC VISA ©© AE ① ⑤
piazza 5 Giornate 1 ✉ *20129* Ⓜ *San Babila – 𝒞 02 55 18 19 69*
– www.globeinmilano.it – info@globeinmilano.it – Fax 02 54 12 75 67
– chiuso 1° gennaio, Pasqua, Ferragosto e domenica　　　　　　LX**a**
Rist – Carta 27/37 €
♦ Se lo shopping ha stimolato il vostro appetito, all'ultimo piano di un importante negozio, un moderno open space – con terrazza panoramica – vi stupirà con una cucina poliedrica: nazionale, regionale e di pesce. *Brunch* domenicale e *lounge bar* tutti i giorni, tranne il lunedì, fino alle ore 02.

✗✗ **Alice**　　　　　　　　　　　　　AC VISA ©© AE ⑤
via Adige 9 ✉ *20135* Ⓜ *Porta Romana – 𝒞 025 46 29 30*
– www.aliceristorante.it – alice@aliceristorante.it
– chiuso dal 1° al 7 gennaio, 3 settimane in agosto e domenica　　LY**e**
Rist – *(consigliata la prenotazione la sera)* Carta 48/74 €
♦ Una giovane cuoca porta da Amalfi la solare cucina campana. Nessun *cliché*, ma tanta personalità in piatti creativi e di pesce.

✗ **Masuelli San Marco**　　　　　AC ⟷ VISA ©© AE ① ⑤
viale Umbria 80 ✉ *20135* Ⓜ *Lodi TIBB – 𝒞 02 55 18 41 38*
– www.masuellitrattoria.it – prenotazioni@masuellitrattoria.it
– Fax 02 54 12 45 12 – chiuso dal 25 dicembre al 6 gennaio, 3 settimane in
agosto, domenica, lunedì a mezzogiorno　　　　　　　　　GS**h**
Rist – Carta 34/46 €
♦ Ambiente rustico di tono signorile in una trattoria tipica, con la stessa gestione dal 1921; linea di cucina saldamente legata alle tradizioni lombardo-piemontesi.

✗ Giulio Pane e Ojo   🆔 ⇦ 🎴 ⑩ 🄰🄴 ⓪ ⚡

via Muratori 10 ⊠ 20135 Ⓜ Porta Romana – 𝒞 025 45 61 89
– www.giuliopaneojo.com – info@giuliopaneojo.com – Fax 02 36 50 46 03
– chiuso dal 24 al 26 dicembre, Ferragosto e domenica escluso dicembre
Rist – Menu 10 € bc (a mezzogiorno) – Carta 25/30 €   LY**a**
♦ Osteria rustica ed informale, gestita da giovani, e sempre molto apprezzata in zona.
La una cucina è tipicamente romana, più semplice ed economica a pranzo. Per cena si
consiglia di prenotare con anticipo.

✗ Dongiò   🆔 ⅛ 🎴 ⑩ 🄰🄴 ⓪ ⚡

via Corio 3 ⊠ 20135 Ⓜ Porta Romana – 𝒞 025 51 13 72 – tosame@dongio.com
– Fax 02 54 01 18 69 – chiuso 2 settimane a Natale, Pasqua, agosto, sabato a
mezzogiorno e domenica   LY**u**
Rist – Carta 23/35 €
♦ Come poteva approdare la Calabria tra i meneghini? Così come tutti la conosciamo.
Un ambiente semplice e simpatico a conduzione familiare, come ormai se ne trovano
pochi. Tra le specialità paste fresche e carni.

✗ Trattoria la Piola   🆔 🎴 ⑩ 🄰🄴 ⚡

via Perugino 18 ⊠ 20135 – 𝒞 02 55 19 59 45 – www.lapiola.it – info@lapiola.it
– Fax 02 55 19 59 45 – chiuso dal 24 dicembre al 2 gennaio, Pasqua, agosto,
sabato a mezzogiorno e domenica   GS**e**
Rist – Carta 34/59 €
♦ La giovane e volenterosa gestione di questa curata trattoria continua con successo
una formula basata sull'offerta di un menù di pesce, equilibrato e sfizioso, accompagnato da piatti di cucina pugliese.

✗ Al Merluzzo Felice   🆔 ⅛ 🎴 ⑩ 🄰🄴 ⚡

via Lazzaro Papi 6 ⊠ 20135 Ⓜ Porta Romana – 𝒞 025 45 47 11
– chiuso dal 7 al 31 agosto, domenica, lunedì a mezzogiorno   LY**b**
Rist – Carta 30/48 €
♦ Piccolo e conosciuto ristorantino che da sempre propone le celebrità della cucina siciliana. Da gustare in un ambiente familiare ed informale, prenotazione consigliata.

Navigli

🏠 D'Este senza rist   ▤ 🆔 ⇆ ⅛ ⑽ 🔊 🎴 ⑩ 🄰🄴 ⓪ ⚡

viale Bligny 23 ⊠ 20136 Ⓜ Porta Romana – 𝒞 02 58 32 10 01
– www.hoteldestemilano.it – reception@hoteldestemilano.it – Fax 02 58 32 11 36
– chiuso 3 settimane in agosto e Natale   KY**d**
84 cam ⊃ – ♦100/220 € ♦♦190/360 €
♦ Luminosa hall in stile anni '80 e ampi spazi comuni in una struttura che ha camere di
stili diversi, ma equivalenti nel confort; ben insonorizzate quelle su strada.

🏠 Liberty senza rist   ▤ 🆔 ⅛ ⑽ 🎴 ⑩ 🄰🄴 ⓪ ⚡

viale Bligny 56 ⊠ 20136 – 𝒞 02 58 31 85 62 – www.hotelliberty-milano.com
– reserve@hotelliberty-milano.com – Fax 02 58 31 90 61 – chiuso agosto
58 cam ⊃ – ♦100/300 € ♦♦100/400 €   KY**a**
♦ Vicino all'Università Bocconi, albergo elegante, con spazi comuni ispirati allo stile da
cui prende il nome e qualche mobile antico; molte camere con vasca idromassaggio.

🏠 Crivi's senza rist   ▤ 🆔 ⑽ 🔊 🚗 🎴 ⑩ 🄰🄴 ⓪ ⚡

corso Porta Vigentina 46 ⊠ 20122 Ⓜ Crocetta – 𝒞 02 58 28 91
– www.crivis.com – crivis@tin.it – Fax 02 58 31 81 82 – chiuso Natale ed agosto
86 cam ⊃ – ♦130/250 € ♦♦190/350 €   KY**e**
♦ In comoda posizione vicino al metrò, una confortevole risorsa dalle gradevoli zone
comuni e camere con arredi classici, adeguate nei confort e negli spazi.

🏠 Des Etrangers senza rist   🅰 🆔 ⇆ ⅛ ⑽ 🔊 🚗 🎴 ⑩ 🄰🄴 ⓪ ⚡

via Sirte 9 ⊠ 20146 – 𝒞 02 48 95 53 25 – www.hoteldesetrangers.it – info@hde.it
– Fax 02 48 95 53 59 – chiuso dal 7 al 23 agosto   DS**y**
94 cam ⊃ – ♦60/150 € ♦♦80/190 €
♦ Una risorsa ben tenuta ed ubicata in una via tranquilla; buon confort e funzionalità
nelle aree comuni e nelle camere. Comodo garage sotterraneo.

MILANO

MILANO

Sadler 🎄🛏️ 🆎 ♿ VISA ⓜ AE ① ⑤

via Ascanio Sforza 77 ✉ 20136 Ⓜ Romolo – 𝒞 02 58 10 44 51 – www.sadler.it
– sadler@sadler.it – Fax 02 58 11 23 43
– chiuso dal 1° al 12 gennaio, dal 10 al 29 agosto e domenica   ESa
Rist – *(chiuso a mezzogiorno)* Menu 130/160 € – Carta 76/112 € 🏵️
Spec. Carpaccio di astice, maionese di pomodoro bianco e riccioli croccanti di
puntarelle. Ravioli di mozzarella liquida, crema di broccoletti e olio di alici.
Mondeghili (polpette) di vitello alla milanese, punte d'asparagi, uovo di quaglia e tartufo nero.
♦ La passione per l'espressione artistica contemporanea in ogni dettaglio, l'entusiasmo
di chi lavora in cucina già visibile dalla strada grazie alle grandi vetrate che qui si affacciano: è la nuova sede dello storico Sadler!

Al Porto 🆎 VISA ⓜ AE ① ⑤

piazzale Generale Cantore ✉ 20123 Ⓜ Porta Genova FS – 𝒞 02 89 40 74 25
– alportodimilano@acena.it – Fax 028 32 14 81 – chiuso dal 24 dicembre
al 3 gennaio, agosto, domenica, lunedì a mezzogiorno   HYh
Rist – Carta 45/60 €
♦ Nell'800 era il casello del Dazio di Porta Genova, oggi un ristorante classico d'intonazione marinara molto frequentato sia a cena che a pranzo, sicuramente per la qualità
del pesce, fresco, proposto anche crudo.

Tano Passami l'Olio (Gaetano Simonato) 🆎 ♿ VISA ⓜ AE ① ⑤

via Villoresi, 16 ✉ 20143 Ⓜ Porta Genova FS – 𝒞 028 39 41 39
– www.tanopassamilolio.it – info@tanopassamilolio.it – Fax 02 83 24 01 04
– chiuso dal 24 dicembre al 6 gennaio, agosto, domenica   DSb
Rist – *(chiuso a mezzogiorno)* (consigliata la prenotazione) Carta 73/97 €
Spec. Petto di piccione laccato in lardo d'oca affumicato e tartufo, purea di
cavoletti di Bruxelles e mousse di piccione in verza croccante. Maccheroncini
di pasta fresca con ragù d'agnello all'anice stellato in crema di mozzarella di
bufala. Dal pesce alla carne ed il suo arcobaleno.
♦ Luci soffuse, atmosfera romantica e creativi piatti di carne e di pesce, ingentiliti con
olii extra-vergine scelti ad hoc da una fornita dispensa. Salotto fumatori con divano.

Il Torchietto 🆎 ♿ VISA ⓜ AE ⑤

via Ascanio Sforza 47 ✉ 20136 Ⓜ Porta Genova FS – 𝒞 028 37 29 10
– www.iltorchietto.net – info@iltorchietto.net – Fax 028 37 20 00 – chiuso
dal 26 dicembre al 3 gennaio, agosto, lunedì, sabato a mezzogiorno
Rist – Carta 35/49 €   ESb
♦ Ampia trattoria classica, lungo il Naviglio Pavese, con una linea gastronomica che
segue le stagioni e le ricette del territorio, con una predilezione per quello mantovano.

Il Navigante 🆎 🅿 VISA ⓜ AE ① ⑤

via Magolfa 14 ✉ 20143 Ⓜ Porta Genova FS – 𝒞 02 89 40 63 20
– www.navigante.it – info@navigante.it – Fax 02 89 42 08 97 – chiuso agosto,
domenica e lunedì   JYc
Rist – *(chiuso a mezzogiorno)* Carta 37/60 €
♦ In una via alle spalle del Naviglio, musica dal vivo tutte le sere in un locale, gestito da
un ex cuoco di bordo, con un curioso acquario nel pavimento; cucina di mare.

Pirandello 🆎 VISA ⓜ AE ⑤

viale Gian Galeazzo 6 ✉ 20136 – 𝒞 02 89 40 29 01 – Fax 02 89 40 29 01
– chiuso dal 7 al 30 agosto, Natale, sabato a mezzogiorno e domenica
Rist – Carta 40/52 €   JYe
♦ Atmosfera, gestione e cucina sono decisamente siciliane: fragranti piatti di pesce e
ricette trinacrie in entrambe le sale da pranzo.

Unconventional 🍴 🆎 VISA ⓜ ① ⑤

via Pavia 8 ✉ 20136 – 𝒞 02 58 10 82 30 – info@unco.it – chiuso 3 settimane in
agosto e agosto
Rist – *(chiuso a mezzogiorno)* (consigliata la prenotazione) Carta 36/46 €
♦ Locale di design dalle proposte "unconventional", ispirato alla tradizione delle tapas
spagnole: quattro percorsi a tema fatti di piccoli piatti di cucina creativa con spunti
orientali.

✗ **Trattoria Aurora**   🔆 ♻ 𝖵𝖨𝖲𝖠 ⓒ 𝖠𝖤 ✆
━━ *via Savona 23 ⊠ 20144* Ⓜ *Sant' Agostino –* ☎ *028 32 31 44 – trattoriaurora@*
libero.it – Fax 02 89 40 49 78 – chiuso lunedì   HY**m**
Rist – Menu 40 € – Carta 20/51 €
♦ Vetrate smerigliate con motivi floreali e decorazioni liberty ovunque: la cucina del
mezzogiorno è semplice ma mai banale, piatti tipici della tradizione piemontese come
la bagna cauda e il carrello dei bolliti.

✗ **Trattoria Trinacria**   𝖠𝖢 ♻ 𝖵𝖨𝖲𝖠 ⓒ 𝖠𝖤 ① ✆
via Savona 57 ⊠ 20144 Ⓜ *Sant' Agostino –* ☎ *024 23 82 50*
– trattoria.trinacria@libero.it – chiuso domenica   DS**w**
Rist – Carta 37/45 €
♦ A gestione familiare, un locale accogliente nella sua semplicità confermata dal servizio
informale; menù in dialetto con "sottotitoli" in italiano per le specialità isolane.

✗ **Shiva**   𝖠𝖢 ♻ ♻ 𝖵𝖨𝖲𝖠 ⓒ ① ✆
━━ *viale Gian Galeazzo 7 ⊠ 20136* Ⓜ *Porta Genova FS –* ☎ *02 89 40 47 46*
– www.ristoranteshiva.it – info@ristoranteshiva.it – Fax 02 89 40 47 46
Rist – Menu 20/25 € – Carta 30/35 €
♦ Ristorante indiano con diverse sale e *privé* soppalcato. Ambienti confortevoli e caratteristici con luci soffuse e decori tipici. Cucina del nord con diverse specialità.

✗ **Trattoria Madonnina**   🔆 𝖵𝖨𝖲𝖠 ⓒ ✆
━━ *via Gentilino 6 ⊠ 20136 –* ☎ *02 89 40 90 89 – chiuso domenica e le sere di*
lunedì, martedì e mercoledì   JY**d**
Rist – Carta 17/25 €
♦ Trattoria milanese d'inizio '900 rimasta invariata nello stile: arredi d'epoca con locan-
dine e foto, cucina semplice e gustosa. Piccolo dehors con pergola e tavoli in pietra.

Fiera-Sempione

🏨🏨 **Hermitage**   📶 & 𝖠𝖢 ⇎ 🕭 𝓢𝓐 🚭 𝖵𝖨𝖲𝖠 ⓒ 𝖠𝖤 ① ✆
via Messina 10 ⊠ 20154 Ⓜ *Porta Garibaldi FS –* ☎ *02 31 81 70*
– www.monrifhotels.it – hermitage.res@monrifhotels.it – Fax 02 33 10 73 99
– chiuso agosto   HU**q**
131 cam ⚏ – †169/280 € ††199/310 € – 10 suites
Rist Il Sambuco – vedere selezione ristoranti
♦ Raffinatezza e confort sono i pregi di un hotel che unisce l'atmosfera di curati interni
in stile classico e la modernità delle installazioni; frequentato da modelle e vip.

🏨🏨 **Milan Marriott Hotel**   📶 📶 & 𝖠𝖢 ⇎ ♻ 🕭 𝓢𝓐 🚭 𝖵𝖨𝖲𝖠 ⓒ 𝖠𝖤 ① ✆
via Washington 66 ⊠ 20146 Ⓜ *Wagner –* ☎ *024 85 21 – www.marriott.com*
/milit – mhrs.milit.booking@marriotthotel.com – Fax 024 81 89 25   DR**d**
322 cam – ††240/800 €, ⚏ 26 €
Rist La Brasserie de Milan – ☎ 02 48 52 28 34 – Carta 47/92 € solo alla sera
♦ Originale contrasto tra struttura esterna moderna e grandiosi interni classicheggianti
in un hotel vocato al lavoro congressuale e fieristico; funzionali camere in stile. Sala
ristorante con cucina a vista, effettua orario continuato dalle h.12.30 alle h. 23.00.

🏨🏨 **Enterprise Hotel**   📶 📶 & 𝖠𝖢 ⇎ 🕭 𝓢𝓐 🚭 𝖵𝖨𝖲𝖠 ⓒ 𝖠𝖤 ① ✆
corso Sempione 91 ⊠ 20149 – ☎ *02 31 81 81 – www.enterprisehotel.com*
– info@enterprisehotel.com – Fax 02 31 81 88 11   DQ**c**
123 cam ⚏ – †129/608 € ††139/648 €
Rist Sophia's – vedere selezione ristoranti
♦ Rivestimento esterno in marmo e granito, arredi disegnati su misura, grande risalto
alla geometria: hotel d'eleganza attuale con attenzione al design e ai particolari.

🏨🏨 **Atahotel Fieramilano**   📶 📶 𝖠𝖢 ⇎ ♻ rist. 🕭 𝓢𝓐 𝖵𝖨𝖲𝖠 ⓒ 𝖠𝖤 ① ✆
viale Boezio 20 ⊠ 20145 – ☎ *02 33 62 21 – www.fieramilano.atahotels.it*
– meeting.fieramilano@atahotels.it – Fax 02 31 41 19 – chiuso agosto
238 cam ⚏ – †104/260 € ††139/340 € – 2 suites   DR**e**
Rist Ambrosiano – Carta 31/62 €
♦ Di fronte alla Fiera, la struttura, arredata con buon gusto, offre ora dotazioni moderne
e un ottimo confort; d'estate la colazione è servita in un gazebo in giardino. Tranquilla
ed elegante sala da pranzo.

Regency senza rist   🛴 🎇 AC 🎇 🛜 🕍 VISA ⓸ AE ⓸ 🛴
via Arimondi 12 ✉ 20155 – ☎ 02 39 21 60 21 – www.regency-milano.com
– regency@regency-milano.com – Fax 02 39 21 77 34 – chiuso dal 24 dicembre
al 6 gennaio e dal 1° al 23 agosto   DQ**b**
71 cam 🖵 – ♦150/230 € ♦♦180/350 €
• Dimora nobiliare di fine '800, con grazioso cortiletto e un'infinità di charme; interni arredati con raffinato buon gusto, come il soggiorno con camino scoppiettante.

ADI Hotel Poliziano Fiera senza rist   🎇 ₺ AC ↯ 🎇 🛜 🕍
via Poliziano 11 ✉ 20154 – ☎ 023 19 19 11   VISA ⓸ AE ⓸ 🛴
– www.adihotels.com – info.hotelpolizianofiera@adihotels.com
– Fax 023 19 19 31 – chiuso dal 1° al 6 gennaio e dal 25 luglio al 24 agosto
98 cam 🖵 – ♦220/320 € ♦♦265/360 € – 2 suites   HT**a**
• Albergo d'impostazione moderna per un'ospitalità cordiale e attenta; spazi comuni di modeste dimensioni, compensati da spaziose camere arredate nei toni verde chiaro e sabbia.

Wagner senza rist   AC ↯ 🛜 VISA ⓸ AE ⓸ 🛴
via Buonarroti 13 Ⓜ Wagner – ☎ 02 46 31 51 – www.roma-wagner.com
– wagner@roma-wagner.com – Fax 02 48 02 09 48 – chiuso dal 12 al 19 agosto
48 cam 🖵 – ♦119/398 € ♦♦169/519 € – 1 suite   DR**p**
• Struttura molto curata sia a livello di confort, sia per quanto concerne la qualità del servizio. Soluzioni di arredamento di grande effetto, camere signorili: "calde" ed accoglienti.

Domenichino senza rist   🎇 ₺ AC ↯ 🛜 🕍 🚗 VISA ⓸ AE ⓸ 🛴
via Domenichino 41 ✉ 20149 Ⓜ Amendola Fiera – ☎ 02 48 00 96 92
– www.hoteldomenichino.it – hd@hoteldomenichino.it – Fax 02 48 00 39 53
– chiuso dal 24 dicembre al 6 gennaio e dal 1° al 16 agosto   DR**f**
71 cam 🖵 – ♦65/160 € ♦♦75/210 € – 2 suites
• In una via alberata a due passi dalla Fiera, un hotel signorile che offre dotazioni e servizi di buon livello; gli spazi comuni sono limitati e le camere confortevoli.

Mozart senza rist   🎇 AC ↯ 🛜 🕍 VISA ⓸ AE ⓸ 🛴
piazza Gerusalemme 6 ✉ 20154 – ☎ 02 33 10 42 15
– www.hotelmozartmilano.it – info@hotelmozartmilano.it – Fax 02 33 10 32 31
– chiuso agosto   HT**b**
119 cam 🖵 – ♦125/310 € ♦♦180/380 €
• Sobria eleganza e ospitalità attenta in una struttura nei pressi di Fieramilano City; arredi moderni nelle camere, dotate di ogni confort e ideali per i clienti business.

Metrò senza rist   🎇 ₺ AC 🛜 VISA ⓸ AE ⓸ 🛴
corso Vercelli 61 ✉ 20144 Ⓜ Wagner – ☎ 024 98 78 97 – www.hotelmetro.it
– hotelmetro@tin.it – Fax 02 48 01 02 95   DR**x**
40 cam 🖵 – ♦90/160 € ♦♦110/240 €
• Conduzione familiare per una risorsa in una delle vie più rinomate per lo shopping; camere piuttosto eleganti, gradevolissima sala colazioni panoramica al roof-garden.

Lancaster senza rist   🎇 AC ↯ 📞 🕍 VISA ⓸ AE ⓸ 🛴
via Abbondio Sangiorgio 16 ✉ 20145 Ⓜ Cadorna FNM – ☎ 02 34 47 05
– www.hotellancaster.it – info@hotellancaster.it – Fax 02 34 46 49 – chiuso
Natale ed agosto   HU**c**
30 cam 🖵 – ♦65/158 € ♦♦99/234 €
• Un edificio ottocentesco situato in zona residenziale ospita una piacevole risorsa con spazi comuni non enormi ma gradevoli ed accoglienti; camere con mobilio in ciliegio.

Astoria senza rist   🎇 AC ↯ 📞 🕍 VISA ⓸ AE ⓸ 🛴
viale Murillo 9 ✉ 20149 Ⓜ Lotto – ☎ 02 40 09 00 95
– www.astoriahotelmilano.com – info@astoriahotelmilano.com
– Fax 02 40 07 46 42   DR**m**
68 cam 🖵 – ♦50/250 € ♦♦70/420 € – 1 suite
• Lungo un viale di circonvallazione, albergo frequentato soprattutto dalla clientela d'affari; camere con arredi moderni e ottima insonorizzazione.

🏠 **Certosa** senza rist   📳 AC ((·)) VISA ⑳ AE ① ⑤
viale Certosa 26 ⊠ 20155 Ⓜ Lotto – 𝒞 023 27 13 11 – www.hotel-certosa.it
– info@hotel-certosa.it – Fax 023 27 04 56 – chiuso agosto   DQ**d**
25 cam ⊊ – ♦65/150 € ♦♦75/280 €
♦ Gestione giovane e cordiale per un hotel recente con spazi comuni ridotti: piccola hall
con divanetti e sala colazioni, camere ampie e ben accessoriate. Servizio accurato.

🏠 **Antica Locanda Leonardo** senza rist   🚗 AC 🍴 ((·))
corso Magenta 78 ⊠ 20123 Ⓜ Conciliazione   VISA ⑳ AE ① ⑤
– 𝒞 02 48 01 41 97 – www.anticalocandaleonardo.com – info@
anticalocandaleonardo.com – Fax 02 48 01 90 12 – chiuso dal 31 dicembre
al 6 gennaio e dal 5 al 25 agosto   HX**m**
16 cam ⊊ – ♦95/120 € ♦♦165/245 €
♦ All'interno di un elegante palazzo di corso Magenta, a due passi dal Cenacolo leonardesco, un ambiente signorile e curato, frequentato soprattutto da una clientela internazionale.

🏠 **Campion** senza rist   ⬥ AC ((·)) VISA ⑳ AE ① ⑤
viale Berengario 3 ⊠ 20149 Ⓜ Amendola Fiera – 𝒞 02 46 23 63
– www.hotelcampion.com – hc@hotelcampion.com – Fax 024 98 54 18 – chiuso
dal 2 al 27 agosto e dal 23 dicembre al 7 gennaio   DR**c**
27 cam ⊊ – ♦70/179 € ♦♦90/249 €
♦ Hotel situato di fronte all'ingresso di Fieramilano City, a pochi passi dal metrò. Conduzione familiare efficiente, camere classiche e confortevoli.

🏠 **Mini Hotel Tiziano** senza rist   🔔📳 AC ((·)) P 🚗 VISA ⑳ AE ① ⑤
via Tiziano 6 ⊠ 20145 Ⓜ Buonarroti – 𝒞 024 69 90 35 – www.minihotel.it
– tiziano@minihotel.it – Fax 024 81 21 53   DR**k**
54 cam ⊊ – ♦70/300 € ♦♦100/500 €
♦ Hotel in posizione strategica per la Fiera, ma anche tranquilla, ha nel piccolo parco sul
retro un "plus" rispetto ad altre strutture in zona; camere semplici.

XXX **Il Sambuco** – Hotel Hermitage   AC 🚗 VISA ⑳ AE ① ⑤
via Messina 10 ⊠ 20154 Ⓜ Porta Garibaldi FS – 𝒞 02 33 61 03 33
– www.ilsambuco.it – info@ilsambuco.it – Fax 02 33 61 18 50
– chiuso dal 25 dicembre al 3 gennaio, Pasqua, dal 1° al 20 agosto, sabato a
mezzogiorno e domenica   HU**q**
Rist – Menu 40/65 € – Carta 54/82 € 🕸
♦ Ambiente elegante e servizio accurato rispecchiano l'hotel in cui si trova questo bel
locale la cui cucina è rinomata per le specialità di mare; lunedì è solo per i bolliti.

XXX **Sophia's** – Enterprise Hotel   🏠 ⬥ AC VISA ⑳ AE ① ⑤
corso Sempione 91 ⊠ 20149 – 𝒞 02 31 81 88 55 – www.sophiasrestaurant.com
– sophiasrestaurant@enterprisehotel.com – Fax 02 31 81 88 11   DQ**c**
Rist – Carta 39/64 €
♦ Cucina classica in uno spazio gradevole ed originale: un'unica sala divisa da sottili
separé colorati. D'estate piacevole servizio all'aperto.

XX **Arrow's**   🏠 ⬥ AC 🍴 ⬭ VISA AE ① ⑤
via Mantegna 17/19 ⊠ 20154 – 𝒞 02 34 15 33 – Fax 02 33 10 64 96 – chiuso
agosto, domenica, lunedì a mezzogiorno   HU**f**
Rist – Carta 42/57 €
♦ Affollato anche a mezzogiorno, l'atmosfera diviene più intima la sera, ma non cambia
la cucina: il mare proposto secondo preparazioni tradizionali. Prezioso il dehors estivo,
fresco e tranquillo.

XX **El Crespin**   AC ⬭ VISA ⑳ AE ① ⑤
via Castelvetro 18 ⊠ 20154 – 𝒞 02 33 10 30 04 – www.elcrespin.it
– info@elcrespin.it – Fax 02 33 10 30 04 – chiuso dal 26 dicembre al 7 gennaio,
agosto, sabato e domenica   HT**p**
Rist – (chiuso a mezzogiorno) Carta 36/48 €
♦ Da un ingresso con foto d'epoca alle pareti si entra in un ambiente arredato con
sobrio e moderno buon gusto, dove viene proposta una cucina sia di terra che di mare.

XX **La Cantina di Manuela**　　　　　　　　[AC] [VISA] [◎◎] [AE] [♿]

via Procaccini 41 ⊠ 20154 – ℰ 02 31 05 62 35 – www.lacantinadimanuela.it
– Fax 023 45 20 34 – chiuso dall'8 al 28 agosto e domenica　　　　　　HU**g**
Rist – Carta 32/43 € ⌂

♦ Non lontano dalla FieraMilanoCity, ristorante-enoteca composto da due sale comunicanti con un'originale esposizione di bottiglie. Piatti tradizionali, rivisitati con cotture leggere e con una grande attenzione per i sapori originari degli ingredienti.

X **Why Not**　　　　　　　　　　　　　& [AC] [VISA] [◎◎] [AE] [①] [♿]

via San Michele del Carso 7 ⊠ 20144 – ℰ 02 48 51 99 44
– www.ristorantewhynot.it – info@ristorantewhynot.it – Fax 02 89 07 71 04
– chiuso 10 giorni in gennaio e 3 settimane in agosto　　　　　　　HX**a**
Rist – Carta 28/52 €

♦ Ristorante d'atmosfera, tra fantastiche prospettive cittadine, sapori e profumi della
cucina mediterranea. Ideale sia per un'intima cena a lume di candela, sia per un'allegra
serata in compagnia.

X **Trattoria Montina**　　　　　　　　　[AC] [VISA] [◎◎] [AE] [①] [♿]

via Procaccini 54 ⊠ 20154 Ⓜ Porta Garibaldi FS – ℰ 023 49 04 98 – chiuso dal
25 dicembre al 5 gennaio, agosto, domenica, lunedì a mezzogiorno
Rist – Carta 27/36 €　　　　　　　　　　　　　　　　　　　HU**d**

♦ Due fratelli gemelli vi accolgono in questo grazioso ristorante dall'atmosfera vagamente francese, genere *bistrot*: tavoli vicini, luci soffuse la sera, piatti nazionali e mila-
nesi, in accordo con le stagioni.

X **Quadrifoglio**　　　　　　　　　[AC] [⟳] [P] [VISA] [◎◎] [①] [♿]

via Procaccini 21 angolo via Aleardi ⊠ 20154 – ℰ 02 34 17 58 – chiuso dal
24 dicembre al 5 gennaio, dal 5 al 28 agosto, martedì, mercoledì a mezzogiorno
Rist – Carta 27/44 €　　　　　　　　　　　　　　　　　　HU**a**

♦ Quadri e ceramiche sull'originale e vivace sfondo delle mura con schizzi di colore che
donano personalità alle due salette di questa bella trattoria; gustosi piatti unici.

X **La Rosa dei Venti**　　　　　　　　　[AC] [VISA] [◎◎] [AE] [①] [♿]

via Piero della Francesca 34 ⊠ 20154 – ℰ 02 34 73 38
– www.ristorantelarosadeiventi.it – chiuso dal 1° al 7 gennaio,
dal 28 luglio al 18 agosto, lunedì, sabato a mezzogiorno　　　　　　HT**c**
Rist – Carta 38/57 €

♦ Piccolo locale ideale per chi ama il pesce, preparato secondo ricette semplici ma personalizzate e proposto puntando su un interessante rapporto qualità/prezzo.

X **Pace**　　　　　　　　　　　　　[AC] [✄] [VISA] [◎◎] [AE] [①] [♿]

via Washington 74 ⊠ 20146 Ⓜ Wagner – ℰ 02 46 85 67 – Fax 02 46 85 67
– chiuso dal 24 dicembre al 5 gennaio, Pasqua, dal 1° al 24 agosto, sabato a
mezzogiorno e mercoledì　　　　　　　　　　　　　　　　　DR**z**
Rist – Carta 24/37 €

♦ Da oltre 30 anni ospitalità cordiale nell'ambiente semplice, di una trattoria familiare
molto frequentata; cucina d'impostazione tradizionale, con piatti di carne e di pesce.

X **Osteria della Cagnola**　　　　　　　[AC] [VISA] [◎◎] [AE] [♿]

via Cirillo 14 ⊠ 20154 Ⓜ Moscova – ℰ 023 31 94 28 – Fax 023 31 94 28
– chiuso dal 24 dicembre al 4 gennaio, dal 23 luglio al 26 agosto e domenica
Rist – (consigliata la prenotazione) Carta 27/52 €　　　　　　　　HU**v**

♦ Accoglienza cortese e gestione professionale in un piccolo, simpatico locale rustico
dal sapore d'altri tempi; la cucina, di terra e di mare, segue le stagioni.

X **Al Vecchio Porco**　　　　　　　[⌂] & [AC] [VISA] [◎◎] [AE] [①] [♿]

via Messina 8 ⊠ 20154 Ⓜ Porta Garibaldi FS – ℰ 02 31 38 62
– www.alvecchioporco.it – info@alvecchioporco.it – Fax 02 31 38 62 – chiuso dal
24 dicembre al 2 gennaio, dal 1° al 25 agosto, domenica　　　　　HU**e**
Rist – (chiuso a mezzogiorno) Carta 35/44 €

♦ Oggetti che si rifanno al maiale decorano un ristorante simpatico e caratteristico, con
taverna interrata, in cui si trova un unico tavolone; piacevole dehors estivo.

MILANO

Ⓧ Tara
ⓢ
via Cirillo 16 ⊠ 20154 Ⓜ Moscova – ℰ 023 45 16 35 – www.ristorantetara.com
– tucoolit@yahoo.it – Fax 02 27 00 02 56 – chiuso dall' 11 al 20 agosto
Rist – Menu 13 € (a mezzogiorno dal martedì al venerdì)/20 €   HU**b**
– Carta 24/31 €
♦ Sperimenterete tutta la gentilezza degli Indiani e gli intensi profumi e sapori della loro
cucina in questo piacevole e tranquillo locale; menù anche vegetariano.

Ⓧ Zakuro
via Vincenzo Monti 16 ⊠ 20123 Ⓜ Cadorna – ℰ 02 48 19 54 68
– chiuso 3 settimane in agosto, sabato a mezzogiorno, domenica e giorni festivi
Rist – (coperti limitati, prenotare) Carta 29/57 €   HX**v**
♦ Un angolo di Giappone in un palazzo di fine Ottocento: Oriente ed Occidente si
abbracciano nei complementi di arredo in stile nipponico e nei rilievi in gesso, caratteristici dell'epoca dell'edifico. E poi, lui, il protagonista indiscusso: sushi ed ancora sushi...
ma non solo.

Ⓧ Marenostrum
via Cirillo 3 ⊠ 20154 – ℰ 02 31 53 27 – www.ristorantemarenostrum.com
– info@ristorantemarenostrum.com – Fax 02 31 53 27 – chiuso lunedì e dal 10 al
25 agosto   HU**h**
Rist – Carta 42/58 €
♦ Con un nome così potrebbe sembrare pleonastico precisare che il ristorante propone
specialità ittiche... Non scontato, invece, è il buon livello di preparazione dei
piatti, accompagnato da un servizio cordiale ed attento.

Zona urbana Nord-Ovest

🏠🏠🏠 The Chedi
via Villapizzone 24 ⊠ 20156 – ℰ 023 63 18 88 – www.thechedimilan.com
– reservations@thechedimilan.com – Fax 023 63 18 70   AO**b**
231 cam – ♦168/708 € ♦♦198/738 €, ⊆ 28 € – 19 suites
Rist – Carta 65/82 €
♦ L'Asia è il filo conduttore di questa moderna struttura, minimalista nello stile, ma articolata nelle proposte offerte. Sobria eleganza nelle spaziose camere di diversa tipologia
e spa con trattamenti *Henri Chenot*. Fascino orientale anche al ristorante, con quattro
tipi di cucina: italiana, indiana, thai e biolight.

🏠🏠 Rubens
via Rubens 21 ⊠ 20148 Ⓜ Gambara – ℰ 024 03 02
– www.hotelrubensmilano.it – rubens@antareshotels.com – Fax 02 48 19 31 14
87 cam ⊆ – ♦90/299 € ♦♦110/370 €   DR**g**
Rist – (solo per alloggiati) Carta 33/52 €
♦ L'hotel vanta eleganti ambienti, spaziose e confortevoli camere impreziosite da affreschi di artisti contemporanei ed arredate nelle raffinate tonalità porpora e cobalto.

🏠🏠 Accademia
ⓢ
viale Certosa 68 ⊠ 20155 – ℰ 02 39 21 11 22 – www.antareshotels.com
– accademia@antareshotels.com – Fax 02 33 10 38 78
– chiuso dal 8 al 23 agosto   DQ**g**
65 cam ⊆ – ♦300 € ♦♦400 € – 1 suite
Rist – (solo per alloggiati) Menu 19/38 €
♦ Un recente *restyling* ha conferito a questa bella struttura rilassanti spazi comuni e
camere nuove, di tono moderno, con arredi in design.

🏠🏠 Mirage
viale Certosa 104/106 ⊠ 20156 – ℰ 02 39 21 04 71 – www.gruppomirage.it
– mirage@gruppomirage.it – Fax 02 39 21 05 89
– chiuso dal 24 dicembre al 3 gennaio e dal 31 luglio al 19 agosto
86 cam ⊆ – ♦106/214 € ♦♦150/282 €   DQ**z**
Rist – (chiuso venerdì e sabato) (chiuso a mezzogiorno) (solo per alloggiati)
Carta 34/44 €
♦ Vicino alla Fiera, la struttura offre semplici aree comuni, camere rinnovate in stile classico dotate di bagni realizzati con piastrelle di grandi dimensioni oppure a mosaico.

🏠 Valganna senza rist   🛗 AC 🛇 🕻 🚗 VISA ⓒ AE ⓪ ⑤
via Varé 32 ✉ 20158 – ☎ 02 39 31 00 89 – www.hotelvalganna.com – info@
hotelvalganna.it – Fax 02 39 31 25 66   AOe
35 cam �)☲ – ♦60/155 € ♦♦75/255 €
♦ In posizione comoda per gli spostamenti in città e fuori sia con mezzi pubblici che
privati, un confortevole albergo con ambienti semplici ma accoglienti e funzionali.

✗✗✗ La Pobbia 1850   🕭 AC ⇔ VISA ⓒ AE ⓪ ⑤
via Gallarate 92 ✉ 20151 – ☎ 02 38 00 66 41 – www.lapobbia.com – lapobbia@
lapobbia.com – Fax 02 38 00 07 24 – chiuso agosto e domenica   DQw
Rist – Carta 46/76 €
♦ L'ottocentesca osteria è oggi un elegante locale con giardino interno e propone
ricette della tradizione lombarda ma anche internazionali. Dispone anche di una sala
fumatori.

✗✗ Innocenti Evasioni (Arrigoni e Picco)   🚗 🎍 AC ⇔
⍟   via privata della Bindellina ✉ 20155   VISA ⓒ AE ⓪ ⑤
– ☎ 02 33 00 18 82 – www.innocentievasioni.com – ristorante@
innocentievasioni.com – Fax 02 89 05 55 02 – chiuso dal 3 al 9 gennaio, agosto
e domenica   DQa
Rist – (chiuso a mezzogiorno) Menu 65 € – Carta 45/59 € 🍽
Spec. Terrina di foie gras con marmellata di rabarbaro e pan brioche. Cappesante caramellate con insalata cremosa di piselli. Costoletta di maialino iberico con pesche caramellate all'aceto balsamico.
♦ Un piacevole locale dalle grandi vetrate che si aprono sul giardino dove incontrare
una cucina classica rivisitata con tecnica creativa. Splendido servizio estivo all'aperto.

✗ Al Molo 13   AC VISA ⓒ AE ⓪ ⑤
via Rubens 13 ✉ 20148 Ⓜ De Angelis – ☎ 024 04 27 43 – www.molo13.it
– info@molo13.it – Fax 02 40 07 26 16 – chiuso dal 26 dicembre al 5 gennaio,
agosto, domenica, lunedì a mezzogiorno   DRb
Rist – Carta 45/83 €
♦ Dipinti e ceramiche che arredano le due sale vivacemente colorate di questa
moderna trattoria ricordano la Sardegna; generose le porzioni portate al tavolo, specialità di mare e piatti tipici sardi.

Zona urbana Nord-Est

🏨 Starhotels Tourist   🛗 🕭 AC ⇸ 🛇 👙 VISA ⓒ AE ⓪ ⑤
viale Fulvio Testi 300 ✉ 20126 – ☎ 026 43 77 77 – www.starhotels.com
– tourist.mi@starhotels.it – Fax 026 47 25 16   BOc
134 cam ☲ – ♦♦80/440 €   **Rist** – (solo per alloggiati)
♦ Decentrato, ma in zona comoda per le autostrade, albergo omogeneo agli standard
della catena cui appartiene; molte camere ristrutturate di recente, sale riunioni attrezzate. Ristorante che dispone di moderne sale signorili anche per banchetti.

🏠 Agape senza rist   🕭 AC 🕻 👙 VISA ⓒ AE ⓪ ⑤
via Flumendosa 35 ✉ 20132 Ⓜ Crescenzago – ☎ 02 27 20 07 02
– www.agapehotel.com – info@agapehotel.com – Fax 02 27 20 34 35
43 cam ☲ – ♦♦70/185 €   COa
♦ Hotel in comoda posizione, in zona residenziale, non lontano dalle grandi direttrici
stradali. Gestione capace ed intraprendente, prezzi interessanti nei fine settimana.

🏠 Susa senza rist   🕭 AC 🛇 🕻 VISA ⓒ AE ⑤
viale Argonne 14 ✉ 20133 – ☎ 02 70 10 28 97 – www.hotelsusamilano.it
– info@hotelsusamilano.it – Fax 02 71 72 19   GRd
19 cam – ♦80/210 € ♦♦120/250 €
♦ Situato in una zona strategica di Milano, Città Studi, l'hotel si propone come un valido
riferimento sia per una clientela business sia per turisti in visita al capoluogo lombardo.
Camere moderne e funzionali; spazi comuni arredati in stile sobrio e minimalista.

🏠 Gala senza rist   🕭 AC 🕪 VISA ⓒ AE ⓪ ⑤
viale Zara 89 ✉ 20159 – ☎ 02 66 80 08 91 – www.italiaabc.com/az/gala
– hotelgala@tin.it – Fax 02 66 80 04 63 – chiuso agosto   FQa
22 cam – ♦75/93 € ♦♦94/134 €, ☲ 8 €
♦ Preceduto da un giardinetto, un piccolo hotel a gestione familiare in quieta posizione
defilata, ma comoda rispetto alle autostrade; camere spaziose e decorose.

San Francisco senza rist 🚄 🏢 🗚🗐 (i) 🎽 VISA 🐵 AE ① 🎽

viale Lombardia 55 ⊠ 20131 – ℰ 022 36 03 02 – www.hotel-sanfrancisco.it
– sf@hotel-sanfrancisco.it – Fax 02 26 68 03 77 **GQd**
30 cam ⌑ – †55/85 € ††80/130 €
♦ In zona Città Studi, ma a soli 300 m. da piazzale Loreto, un albergo semplice con accogliente gestione diretta. Circa metà delle camere affacciano sul grazioso giardino.

Il Girasole senza rist 🗚🗐 🕉 (i) 🅿 VISA 🐵 🎽

via Doberdò 19 ⊠ 20126 🚇 Villa San Giovanni – ℰ 34 71 46 97 21
– www.bbilgirasole.it – info@bbilgirasole.it – Fax 02 27 08 07 38 – chiuso dal 6 al
24 agosto **BOe**
4 cam ⌑ – †60/120 € ††80/165 €
♦ Decentrata, ma vicino al metrò, una piccolissima struttura a gestione familiare con camere spaziose e curate seppur semplici: per un soggiorno milanese a prezzi contenuti.

✕✕ Osteria da Francesca 🗚🗐 VISA 🐵 AE ① 🎽

viale Argonne 32 ⊠ 20133 🚇 Dateo – ℰ 02 73 06 08 – Fax 02 73 06 08 – chiuso
agosto e domenica **GRp**
Rist – Carta 33/47 €
♦ Ambiente familiare in una minuscola e accogliente trattoria, frequentata da habitué; cucina casalinga stagionale; giovedì sera e venerdì solo specialità di pesce.

✕ Vietnamonamour con cam 🏠 🗚🗐 (i) VISA 🐵 🎽

via A.Pestalozza 7 ⊠ 20131 🚇 Piola – ℰ 02 70 63 46 14
– www.vietnamonamour.com – vietnamonamour@fastwebnet.it
– Fax 02 70 63 46 14 – chiuso Natale, agosto e domenica **GQb**
4 cam – †80/180 € ††120/220 €
Rist – (consigliata la prenotazione) Carta 33/53 €
♦ Un angolo di Indocina a due passi da Città Studi: in un elegante edificio caratterizzato dalle tinte calde ed evocative degli interni, si gusta una raffinata cucina etnica con influenze francesi. Un *must*: il giardino d'inverno. Echi orientali anche nelle accoglienti camere, al primo piano.

✕ Baia Chia 🏠 🗚🗐 ♻ VISA 🐵 🎽

via Bazzini 37 ⊠ 20131 🚇 Piola – ℰ 022 36 11 31 – fabrizio.papetti@
fastwebnet.it – Fax 022 36 11 31 – chiuso dal 24 dicembre al 2 gennaio,
Pasqua, 3 settimane in agosto, domenica e lunedì a mezzogiorno **GQa**
Rist – Carta 26/37 €
♦ Gradevole locale di tono familiare, suddiviso in più salette, dove gustare una buona cucina di pesce e alcune saporite specialità sarde; sarda anche la lista dei vini.

Zona urbana Sud-Est

Atahotel Quark 🖢 🏢 🗚🗐 ⅍ 🕉 rist, (i) 🕍 🅿 🚗

via Lampedusa 11/a ⊠ 20141 – ℰ 028 44 31 VISA 🐵 AE ① 🎽
– www.quarkhotel.com – sales.quark@atahotels.it – Fax 028 46 41 90
– chiuso dal 23 dicembre al 6 gennaio e dal 1° al 23 agosto **BPa**
285 cam ⌑ – †70/305 € ††100/395 € – 13 suites **Rist** – Carta 45/88 €
♦ Un enorme complesso che ospita soprattutto gruppi ed una clientela business in camere spaziose e semplici. Ampi spazi comuni e una sala congressi. Un locale di gusto moderno con proposte di cucina classica.

Starhotels Business Palace 🖢 🏢 ⅍ 🕴🏻 🗚🗐 🕉 (i) 🕍 🚗

via Gaggia 3 ⊠ 20139 🚇 Porto di Mare VISA 🐵 AE ① 🎽
– ℰ 025 35 45 – www.starhotels.com – business.mi@starhotels.it
– Fax 02 57 30 75 50 **BPc**
215 cam ⌑ – ††79/650 € – 31 suites **Rist** – (solo per alloggiati)
♦ L'hotel è stato ricavato da un complesso industriale ed è dotato di ampi ed eleganti spazi comuni e di camere luminose e spaziose. Forte interesse congressuale.

Mec senza rist 🖢 🏢 🗚🗐 (i) VISA 🐵 AE ① 🎽

via Tito Livio 4 ⊠ 20137 🚇 Lodi TIBB – ℰ 025 45 67 15
– www.hotelmec-milano.it – hotelmec@tiscali.it – Fax 025 45 67 18 **GSr**
40 cam ⌑ – †50/200 € ††60/300 €
♦ Struttura classica ben collegata alla stazione metropolitana ed attenta agli interventi di manutenzione per garantire un soggiorno confortevole.

MILANO

※ **Trattoria del Nuovo Macello** 〔AC〕 ⊄

via Cesare Lombroso 20 ⊠ *20137* Ⓜ *Corvetto –* ℰ *02 59 90 21 22*
– www.trattoriadelnuovomacello.it – info@trattoriadelnuovomacello.it
– Fax 02 59 90 21 22 – chiuso dal 31 dicembre al 6 gennaio, dal 10 al 31 agosto,
sabato e domenica GS**b**
Rist – Menu 44/49 € – Carta 36/45 €

♦ Un ambiente cordiale e familiare dai soffitti alti e con i tavoli ravvicinati, presente da molto tempo sul territorio con proposte gastronomiche ricche di fantasia.

※ **Taverna Calabiana** 〔AC〕 ※ 〔VISA〕 ⓪ 〔AE〕 ① ⑤

via Calabiana 3 ⊠ *20139* Ⓜ *Lodi TIBB –* ℰ *02 55 21 30 75*
– www.tavernacalabiana.it – calabiana@todine.net – Fax 02 53 30 05 – chiuso
dal 24 dicembre al 5 gennaio, Pasqua, agosto, domenica e lunedì GS**a**
Rist – Carta 31/39 €

♦ Un locale accogliente ed informale, presenta un menù attento alle specialità regionali; particolarmente apprezzabili costate e filetti di carni piemontesi. Anche pizzeria.

> Le «promesse», segnalate in rosso nelle nostre selezioni,
> distinguono i ristoranti suscettibili di accedere alla categoria superiore,
> vale a dire una stella in più.
> Le troverete nella lista dei ristoranti stellati, all'inizio della guida.

Zona urbana Sud-Ovest

🏨 **Holiday Inn Milan** 〔🛁〕〔🍴〕〔AC〕 ⇄ ※ rist, 🌐 🏊 🚗 〔VISA〕 ⓪ 〔AE〕 ① ⑤

via Lorenteggio 278 ⊠ *20152 –* ℰ *02 41 31 11 – www.holidayinn.it/milanitaly*
– milit.reservations@whgeu.com – Fax 02 41 31 13 AP**u**
119 cam – ♦104/630 €, ♦♦104/660 €, ☲ 20 € **Rist** – Carta 36/54 €

♦ Confortevole struttura moderna di recente costruzione, in prossimità della tangenziale, particolarmente adatta ad una clientela d'affari e a gruppi. Il ristorante propone piatti tipici nazionali.

🏨 **Mini Hotel La Spezia** senza rist 🌐 ⅋ 〔AC〕 🌐 🏊 〔P〕 🚗

via La Spezia 25 ⊠ *20142* Ⓜ *Romolo* 〔VISA〕 ⓪ 〔AE〕 ① ⑤
– ℰ *02 84 80 06 60 – www.minihotel.it – laspezia@minihotel.it*
– Fax 02 36 50 42 76 – chiuso dal 24 dicembre al 2 gennaio e agosto
76 cam ☲ – ♦95/300 € ♦♦120/500 € BP**d**

♦ Un edificio nuovo nel quale sono stati ricavati camere e spazi comuni ampi e luminosi arredati con sobrietà, adatti per un soggiorno di lavoro.

🏠 **Dei Fiori** senza rist 🌐 〔AC〕 🌐 〔P〕 〔VISA〕 ⓪ 〔AE〕 ① ⑤

via Renzo e Lucia 14, raccordo autostrada A7 ⊠ *20142* Ⓜ *Famagosta*
– ℰ *028 43 64 41 – www.hoteldeifiori.com – hoteldeifiori@hoteldeifiori.com*
– Fax 02 89 50 10 96 BP**b**
53 cam ☲ – ♦75/110 € ♦♦90/160 €

♦ Sito nei pressi dello svincolo autostradale e poco distante dalla stazione della metropolitana, è un albergo semplice con camere confortevoli.

※※※ **Il Luogo di Aimo e Nadia** (Aimo e Nadia Moroni) 〔AC〕 ※ ⊄

✿✿ *via Montecuccoli 6* ⊠ *20147* Ⓜ *Primaticcio* 〔VISA〕 ⓪ 〔AE〕 ① ⑤
– ℰ *02 41 68 86 – www.aimoenadia.com – info@aimoenadia.com*
– Fax 02 48 30 20 05 – chiuso dal 1° all' 8 gennaio, dal 12 al 15 aprile,
dal 1° al 25 agosto, sabato a mezzogiorno e domenica AP**e**
Rist – Carta 87/129 €
Spec. Baccalà marinato al miele di erica, melissa e coriandolo, le sue trippette su panzanella di sedano verde. Trenette di semola con julienne di seppie, fave fresche, pomodori canditi ed erbe aromatiche. Dolci ortaggi.

♦ Portarono a Milano la cucina toscana per poi ampliarla alle altre regioni; fedele a se stesso, la selezione di prodotti italiani che oggi il ristorante propone è difficilmente eguagliabile.

XX **La Corte** 🏠 ⚘ ♿ 🅿 VISA ⓒ AE 💲
via Cusago 201, per via Zurigo 8 km ☒ 20153 – ✆ 024 59 74 74
– www.ristorantelacorte.com – ristorantelacorte@libero.it – Fax 02 47 99 46 78
– chiuso agosto, dal 1° all'8 gennaio, lunedì sera e martedì   AP
Rist – Carta 50/66 €
♦ Ricavato all'interno di una grande cascina ottocentesca, il locale è caratterizzato da
una diffusa illuminazione e da una cucina classica con proposte di mare e di terra.

XX **Nicola Cavallaro al San Cristoforo** AC ⇔ VISA ⓒ AE 💲
via Lodovico il Moro 11 ☒ 20143 Ⓜ Porta Genova – ✆ 02 89 12 60 60
– www.nicolacavallaro.it – info@nicolacavallaro.it – Fax 02 89 12 60 60
– chiuso 24-25-26 dicembre, dal 7 al 31 agosto, sabato a mezzogiorno e
domenica   DSa
Rist – Menu 38/68 € – Carta 42/69 €
♦ Ristorante accogliente ed elegante dal design contemporaneo, la cui cucina si ispira
alle tradizioni etniche ed aggiunge creativi spunti alla gastronomia di casa.

Dintorni di Milano

sulla strada statale 35-quartiere Milanofiori per ⑧ : 10 km :

🏛 **Royal Garden Hotel** 🚗 🏠 🕼 ⚘ AC ♿ 📞 🏋 🅿 🍽
via Di Vittorio ☒ 20090 Assago – ✆ 02 45 78 11   VISA ⓒ AE ① 💲
– www.monrifhotels.it – garden.res@monrifhotels.it – Fax 02 45 70 29 01 – chiuso
dal 23 dicembre al 6 gennaio e dall'8 al 17 agosto
154 cam ☒ – †139/270 € ††169/320 € – 3 suites   **Rist** – Carta 37/60 €
♦ Situato vicino al forum, è un complesso piuttosto vistoso che accoglie soprattutto una
clientela d'affari nei suoi ampi spazi dotati di ottimo confort. Ideale per banchetti e feste
grazie alla insolita e scenografica ambientazione nel giardino.

al Parco Forlanini (lato Ovest) Est : 10 km (Milano : pianta 7)

XX **Osteria I Valtellina** 🏠 🅿 VISA ⓒ AE 💲
via Taverna 34 ☒ 20134 Milano – ✆ 027 56 11 39 – Fax 027 56 04 36 – chiuso
dal 26 dicembre al 7 gennaio, dal 4 al 24 agosto e venerdì   CPh
Rist – Carta 42/73 €
♦ Un ambiente caratteristico, quasi un museo della vita quotidiana lombarda, l'osteria
propone una cucina classica con piatti dai sapori tipicamente valtellinesi.

sulla tangenziale ovest-Assago per ⑩ : 14 km :

🏨 **Holiday Inn Milan Assago** 🔅 🏋 🕼 ⚘ rist, AC ↯ 📞 🏋 🅿
☒ 20094 Assago Ⓜ Famagosta – ✆ 02 48 86 01   VISA ⓒ AE ① 💲
– www.alliancealberghi.com – holidayinn.assago@alliancealberghi.com
– Fax 02 48 84 39 58
203 cam ☒ – †128/380 € ††143/450 €
Rist Alla "Bell'Italia" – Carta 24/36 €
♦ Imponente complesso sulla tangenziale, in posizione comoda per arrivare facilmente
al nuovo polo fieristico, dispone di camere confortevoli e di un notevole centro congressi. Al ristorante alla "Bell'Italia", un ambiente sobrio e moderno che propone sopra-
tutto specialità regionali.

MILANO 2 – Milano (MI) – Vedere Segrate

MILANO MARITTIMA – Ravenna – 563J19 – Vedere Cervia

MILAZZO – Messina – 565M27 – Vedere Sicilia alla fine dell'elenco alfabetico

---

MILETO – Vibo Valentia (VV) – 564L30 – 7 120 ab. – alt. 356 m   5 A3
– ☒ 89852

▶ Roma 562 – Reggio di Calabria 84 – Catanzaro 107 – Cosenza 110

MILETO

X **Il Normanno**　　　🛋 AK VISA ⓧ AE ① ⎣
via Duomo 12 – 𝒞 09 63 33 63 98 – www.ilnormanno.com – info@
ilnormanno.com – Fax 09 63 33 63 98 – chiuso dal 1° al 20 settembre e lunedì
escluso agosto
Rist – Carta 16/25 €
♦ Non lontano dal Duomo, una semplice e curata trattoria dove gustare piatti caserecci
della tradizione.

MILLESIMO – Savona (SV) – 561|6 – **3 263 ab.** – ✉ **17017**　　14 **B2**
▶ Roma 553 – Genova 81 – Cuneo 62 – Imperia 91
🖪 piazza Ferrari 4/2 𝒞 019 5600078, millesimo@inforiviera.it, Fax 0195600970

XX **Msetutta**　　　⇔ P VISA ⓧ AE ① ⎣
località Monastero 8 – 𝒞 019 56 42 26 – msetutta1870@libero.it
– chiuso mercoledì
Rist – (chiuso a mezzogiorno escluso domenica e giorni festivi) Carta 55/80 €
♦ Nel parco di un antico monastero, il ristorante propone sapienti e fantasiose rivisitazioni di piatti tradizionali. Buona cucina, splendida location.

MINERBIO – Bologna (BO) – 562|16 – **8 090 ab.** – alt. 16 m – ✉ **40061**　9 **D3**
▶ Roma 399 – Bologna 23 – Ferrara 30 – Modena 59

🏨 **Nanni**　　　🚗 |🕈| & AK ⇙ 🕊 🕪 🚐 P VISA ⓧ AE ① ⎣
via Garibaldi 28 – 𝒞 051 87 82 76 – www.hotelnanni.com – info@
hotelnanni.com – Fax 051 87 60 94
46 cam ⊑ – †80/110 € ††115/180 € – ½ P 80/100 €
Rist – (chiuso dal 24 dicembre al 7 gennaio, dall'8 al 21 agosto e sabato)
Carta 25/34 €
♦ Albergo dalla solida tradizione familiare: luminosi interni arredati in modo molto piacevole e belle camere, le più nuove e carine sono frutto del recente ampliamento.
Capiente e classica sala da pranzo in stile lineare.

MINERVINO MURGE – Bari (BA) – 564D30 – **10 007 ab.** – alt. 445 m　26 **B2**
– ✉ **70055**
▶ Roma 364 – Foggia 68 – Bari 75 – Barletta 39

X **La Tradizione-Cucina Casalinga**　　AK 🕊 VISA ⓧ AE ① ⎣
via Imbriani 11/13 – 𝒞 08 83 69 16 90 – osterialatradizione.it – latradizione@
libero.net – chiuso dal 21 al 28 febbraio, dal 1° al 15 settembre, domenica sera e
giovedì
Rist – Carta 17/34 €
♦ Celebre trattoria del centro storico, accanto alla chiesa dell'Immacolata. Ambiente piacevole, in stile rustico, foto d'epoca alle pareti; piatti tipici del territorio.

MINORI – Salerno (SA) – 564E25 – **2 992 ab.** – ✉ **84010**　　6 **B2**
▶ Roma 269 – Napoli 67 – Amalfi 3 – Salerno 22

🏠 **Santa Lucia**　　🛋 |🕈| AK 🕊 rist, 🕪 🚐 VISA ⓧ AE ① ⎣
via Nazionale 44 – 𝒞 089 85 36 36 – www.hotelsantalucia.it – hslucia@
tiscalinet.it – Fax 089 87 71 42 – marzo-novembre
35 cam ⊑ – †60/80 € ††80/120 € – ½ P 60/80 €
Rist – Carta 22/29 € (+10 %)
♦ Nella ridente cittadina dell'incantevole costiera Amalfitana, un albergo a gestione
familiare, completamente ristrutturato e migliorato nelle sue dotazioni; camere nuove.
Capiente sala da pranzo dai colori caldi.

XX **Giardiniello**　　　🛋 AK VISA ⓧ AE ① ⎣
corso Vittorio Emanuele 17 – 𝒞 089 87 70 50 – www.ristorantegiardiniello.com
– info@ristorantegiardiniello.com – Fax 089 87 70 50 – chiuso dal 16 novembre
al 6 dicembre e mercoledì escluso da giugno a settembre
Rist – Carta 32/49 €
♦ Nel centro della località, colori chiari e stile mediterraneo per questo ristorante completamente rinnovato, dove gustare deliziose specialità di pesce. Gradevole servizio
estivo sotto un pergolato.

MIRA – Venezia (VE) – 562 F18 – 36 364 ab. – ⊠ 30034 Venezia 36 **C3**

▶ Roma 514 – Padova 22 – Venezia 20 – Chioggia 39

🖈 via Nazionale 420 (Villa Widmann Foscari) 𝒞 041 424973, info@
turismovenezia.it, Fax 041 4266560

🖸 Sala da ballo★ della Villa Widmann Foscari

🖪 Riviera del Brenta★★ per la strada S11

🏨 **Villa Franceschi** 🕮 📶 ૐ cam, ♣♣ 🕮 ⇆ ℀ (ฅ) ഷ 🄿

via Don Minzoni 28 – 𝒞 04 14 26 65 31 ⟶ 𝚟𝚒𝚜𝚊 ⓜ 🄰🄴 ① ⑤
– www.villafranceschi.com – info@villafranceschi.com – Fax 04 15 60 89 96
25 cam 🖙 – ♦115/155 € ♦♦175/240 € – 5 suites – ½ P 160 €
Rist *Margherita* – Carta 48/76 €

◆ Due strutture costituiscono questa raffinata risorsa ed è quella principale a darle il
nome: una splendida villa del XVI secolo avvolta da giardini all'italiana. "L'ospite deve
sentirsi come a casa propria" è la filosofia che anima il ristorante. Ottime materie prime
per una cucina che vi farà ricordare.

🏨 **Villa Margherita** 🕮 📶 ⇆ ℀ rist, (ฅ) 🄿 𝚟𝚒𝚜𝚊 ⓜ 🄰🄴 ① ⑤

via Nazionale 416 ⊠ 30030 Mira Porte – 𝒞 04 14 26 58 00
– www.dalcorsohotellerie.it – info@villa-margherita.com – Fax 04 14 26 58 38
19 cam 🖙 – ♦95/145 € ♦♦138/230 € – ½ P 155 €
Rist *vedere Margherita-Hotel Villa Franceschi* –

◆ All'ombra di un ampio parco, una splendida villa secentesca per un soggiorno di
classe: raffinato l'arredo negli ambienti, riccamente ornati e abbelliti da affreschi e quadri d'autore.

🏨 **Riviera dei Dogi** senza rist 📶 ℀ 🄿 𝚟𝚒𝚜𝚊 ⓜ 🄰🄴 ⑤

via Don Minzoni 33 ⊠ 30030 Mira Porte – 𝒞 041 42 44 66
– www.rivieradeidogi.com – info@rivieradeidogi.com – Fax 041 42 44 28
43 cam – ♦50/77 € ♦♦60/175 €, 🖙 8 €

◆ Affacciato sulla Riviera del Brenta, palazzo secentesco con piacevoli interni d'atmosfera; la graziosa sala colazioni si trova nella corte interna, in una moderna struttura in
metallo e vetro.

🏨 **Isola di Caprera** senza rist 🚁 🔟 ૐ 📶 ℀ 🄿 𝚟𝚒𝚜𝚊 ⓜ 🄰🄴 ① ⑤

riviera Silvio Trentin 13 – 𝒞 04 14 26 52 55 – www.isoladicaprera.com – info@
isoladicaprera.com – Fax 04 14 26 53 48 – chiuso dal 22 dicembre al 3 gennaio
14 cam 🖙 – ♦60/90 € ♦♦90/140 €

◆ Consta di una villa risalente all'Ottocento e di un'altra struttura situata sul retro da cui
si accede alla piacevole piscina con giardino; interni eleganti arredati con gusto.

🍴🍴 **Nalin** 📶 ℀ 🄿 𝚟𝚒𝚜𝚊 ⓜ 🄰🄴 ① ⑤

via Argine sinistro Novissimo 29 – 𝒞 041 42 00 83 – www.trattorianalin.it
– nalin.srl@libero.it – Fax 04 15 60 00 37 – chiuso dal 26 dicembre al 6 gennaio,
agosto, domenica sera e lunedì
Rist – Carta 36/60 € 🏵

◆ Una lunga tradizione, iniziata nel 1914, per questo ristorante che propone una cucina
che trae la sua ispirazione dal mare. Bella veranda luminosa.

🍴 **Dall'Antonia** 📶 ℀ 🄿 𝚟𝚒𝚜𝚊 ⓜ 🄰🄴 ① ⑤

via Argine Destro del Novissimo 75, Sud : 2 km – 𝒞 04 15 67 56 18
– www.trattoriadallantonia.it – Fax 04 15 67 52 93 – chiuso gennaio, agosto,
domenica sera e martedì
Rist – Menu 65 € – Carta 29/70 €

◆ Accolti da un tripudio di piante in vaso, da formelle in vetro artistico e da un'esperta
conduzione familiare potrete gustare interessanti piatti a base di pescato.

a Gambarare Sud-Est : 3 km – ⊠ 30030

🏨 **Poppi** 🚁 📶 ૐ cam, 📶 ⇆ ℀ (ฅ) 🄿 🔝 𝚟𝚒𝚜𝚊 ⓜ 🄰🄴 ① ⑤

via Romea 80 – 𝒞 04 15 67 56 61 – www.hotelpoppi.it – info@hotelpoppi.com
– Fax 04 15 67 64 82
100 cam 🖙 – ♦50/65 € ♦♦70/90 €
Rist – (chiuso dal 12 al 18 gennaio) Carta 36/77 €

◆ Lungo la statale Romea, hotel dalla capace gestione familiare in grado di offrire un
confort adeguato sia ad una clientela commerciale che a quella turistica. La cucina di
mare è protagonista al ristorante, sempre molto apprezzato.

711

a Oriago Est : 4 km – ✉ 30030

🏠 **Il Burchiello** senza rist   🛎 🅰️🅒 ⚒ 📶 🛁 🅿️ 🆅🆂🅰 ⓿ 🅰🅴 ⓪ ⛶
via Venezia 19 – ✆ 041 42 95 55 – www.burchiello.it – hotel@burchiello.it
– Fax 041 42 97 28
63 cam ⌷ – †95/120 € ††130/180 €
♦ Camere signorili e personalizzate, realizzate in stili diversi, nonché una gestione seria e professionale per un hotel situato in posizione ottimale per escursioni sul fiume Brenta.

✗✗ **Il Burchiello** con cam   🅰️🅒 🅿️ 🆅🆂🅰 ⓿ 🅰🅴 ⓪ ⛶
via Venezia 40 – ✆ 041 47 22 44 – www.burchiello.it – ristorante@burchiello.it
– Fax 041 47 29 29 – chiuso quindici giorni in gennaio e dieci in luglio
11 cam – †40 € ††70 €, ⌷ 8 €
Rist – (chiuso domenica sera e lunedì) Carta 32/65 €
♦ Lungo il Brenta, è raggiungibile anche in barca. Elegante, con sale luminose e capienti e una cucina che si ispira prevalentemente al mare. Camere semplici e confortevoli per chi desidera prolungare la sosta.

✗ **Nadain**   🅰️🅒 🅿️ 🆅🆂🅰 ⓿ ⛶
via Ghebba 26 – ✆ 041 42 93 87 – www.nadain.it – info@nadain.it
– Fax 041 42 96 65 – chiuso 15 giorni in febbraio, 15 giorni in luglio, giovedì a mezzogiorno e mercoledì
Rist – Carta 29/46 €
♦ Piatti curati, talvolta innovativi, sempre a base di pesce in questa trattoria dalla capace e cordiale gestione familiare. In posizione periferica verso la campagna.

MIRAMARE DI RIMINI – Rimini – 563J19 – Vedere Rimini

MIRANO – Venezia (VE) – 562F18 – 26 150 ab. – alt. 9 m – ✉ 30035   36 **C2**
📗 Venezia

🚗 Roma 516 – Padova 26 – Venezia 21 – Milano 253

🏠 **Park Hotel Villa Giustinian** senza rist   ♪ 🏊 🛎 🏃 🅰️🅒 ⚒ rist, 📶
via Miranese 85 – ✆ 04 15 70 02 00   🛁 🅿️ 🆅🆂🅰 ⓿ 🅰🅴 ⓪ ⛶
– www.villagiustinian.com – info@villagiustinian.com – Fax 04 15 70 03 55
40 cam ⌷ – †55/80 € ††109/130 € – 2 suites
♦ In un ampio parco con piscina, una villa del Settecento dagli ambienti rilassanti e ornati in stile, affiancata da due dipendenze più sobrie. Poco distante dal centro.

🏠 **Relais Leon d'Oro** ♫   🚗 🏊 🕸 ♿ cam, 🅰️🅒 ⅙ ⚒ rist, 📞 🛁 🅿️
via Canonici 3, Sud : 3 km – ✆ 041 43 27 77   🆅🆂🅰 ⓿ ⛶
– www.leondoro.it – info@leondoro.it – Fax 041 43 15 01
34 cam ⌷ – †62/78 € ††85/130 € – ½ P 59/85 €
Rist – (consigliata la prenotazione) Carta 26/55 €
♦ Raffinata residenza di campagna in posizione tranquilla, non priva tuttavia di confort e originalità caratteristici delle più moderne strutture ricettive. Interni curati, signorili ambienti e camere personalizzate. Affacciato sul giardino, il ristorante propone i piatti mediterranei.

🏠 **Villa Patriarca**   🚗 🏊 ⚒ 🅰️🅒 📶 🅿️ 🆅🆂🅰 ⓿ 🅰🅴 ⓪ ⛶
via Miranese 25 – ✆ 041 43 00 06 – www.villapatriarca.com – info@
villapatriarca.com – Fax 04 15 70 20 77
27 cam ⌷ – †60/180 € ††90/200 €   **Rist** – (chiuso martedì) Carta 27/34 €
♦ Villa del XVIII secolo ristrutturata e dotata di un grande giardino con piscina e campi da tennis; gli ambienti comuni sono sobriamente arredati con chiare tonalità di colore. .

a Scaltenigo Sud-Ovest : 4,8 km – ✉ 30035

✗ **Trattoria la Ragnatela**   ♿ 🅰️🅒 🅿️ 🆅🆂🅰 ⓿ ⛶
🍴 via Caltana 79 – ✆ 041 43 60 50 – www.ristorantelaragnatela.com
– direfaremangiare@ristorantelaragnatela.com – Fax 041 43 60 50 – chiuso mercoledì
Rist – Carta 18/45 €
♦ Due linee di cucina per questa trattoria dalla clientela eterogenea: ai piatti di terra, ispirati alla tradizione regionale, si affianca una vena più creativa che scopre i sapori delle nuove tendenze tra i fornelli.

MISANO ADRIATICO – Rimini (RN) – 562K20 – **10 548 ab.** – ✉ 47843   9 **D2**
- ▶ Roma 318 – Rimini 13 – Bologna 126 – Forlì 65
- ℹ viale Platani 22 ℰ 0541 615520, iat@comune.misano-adriatico.rn.it, Fax 0541 613295

🏨   **Atlantic Riviera**   🍃 🎐 ⚐ 🖾 ⇆ 🕏 rist, ⁽ᵗ⁾ 🖧 **P** 🏧 ⚫ 🖭 ① ♿
via Sardegna 28 – ℰ 05 41 61 41 61 – www.atlanticriviera.com – hotel@atlanticriviera.com – Fax 05 41 61 37 48 – Pasqua-settembre
53 cam 🖙 – ♦75/110 € ♦♦110/155 € – ½ P 75/100 €   **Rist** – Carta 29/43 €
♦ Particolare la terrazza solarium sulla quale si trova anche una bella piscina panoramica affacciata sulla Riviera; funzionali le camere, non prive di qualche tocco di eleganza. Dalla cucina romagnola ai classici nazionali, al ristorante.

🗶🗶   **Taverna del Marinaio**   ⇐ 🖽 🏧 ⚫ 🖭 ① ♿
via dei Gigli 16, Portoverde – ℰ 05 41 61 56 58 – Fax 05 41 61 56 58 – chiuso dall'1° ottobre al 15 dicembre e martedì escluso da giugno al 15 settembre
Rist – Carta 36/55 €
♦ Nei pressi di Portoverde, un ristorante di pesce in stile marinaro, con inserti in legno e lampade in ottone. Le pareti ospitano numerose stampe di velieri.

a Misano Monte Ovest : 5 km – ✉ 47843

🗶🗶   **Locanda I Girasoli** con cam 🍃   🚗 🖽 🍃 🗶 🖾 🕏 **P**
via Ca' Rastelli 13 – ℰ 05 41 61 07 24   🏧 ⚫ 🖭 ① ♿
– www.locandagirasoli.it – info@locandagirasoli.it – Fax 05 41 61 25 77 – chiuso novembre
6 cam 🖙 – ♦120/150 € ♦♦145/185 €
Rist – (chiuso a mezzogiorno escluso domenica) (consigliata la prenotazione) Carta 42/83 €
♦ Nell'assoluta quiete della campagna, avvolto nel giardino ombreggiato, un ristorante d'elegante impostazione country. In menu cucina romagnola con alcune proposte di pesce.

MISSIANO = **MISSIAN** – Bolzano – Vedere Appiano sulla Strada del Vino

---

MISURINA – Belluno (BL) – 562C18 – **alt. 1 756 m** – **Sport invernali : 1**   36 **C1**
755/2 200 m ⛄6 ⛷31 **(Comprensorio Dolomiti superski Cortina d'Ampezzo)** ⚐
– ✉ 32040 Italia
- ▶ Roma 686 – Cortina d'Ampezzo 14 – Auronzo di Cadore 24 – Belluno 86
- ◎ Lago★★ – Paesaggio pittoresco★★★

🏨   **Lavaredo** 🍃   ⇐ 🖽 🗶 🕏 rist, **P** 🏧 ⚫ ♿
via M. Piana 11 – ℰ 043 53 92 27 – www.laredohotel.it – info@lavaredohotel.it
– Fax 043 53 91 27 – febbraio e 21 maggio-settembre, 20 dicembre
29 cam – ♦70/160 € ♦♦80/160 €, 🖙 8 € – ½ P 70/90 €
Rist – (chiuso a mezzogiorno in gennaio e febbraio) Carta 24/40 €
♦ Si riflette sullo specchio lacustre antistante questa risorsa a gestione familiare che offre un'incantevole vista sulle cime e confortevoli camere di gusto moderno. Semplice la sala da pranzo, affacciata sul lago.

MOCRONE – Massa Carrara – Vedere Villafranca in Lunigiana

MODENA ℗ (MO) – 562I14 – **178 874 ab.** – **alt. 35 m** – ✉ 41100 Italia   8 **B2**
- ▶ Roma 404 – Bologna 40 – Ferrara 84 – Firenze 130
- ℹ piazza Grande 14 (palazzo Comunale) ℰ 059 2032660, iatmo@comune.modena.it, Fax 059 203659
- 🖼₁₈, ℰ 059 55 34 82
- ◎ Duomo★★★ AY – Metope★★ nel museo del Duomo ABY **M1** – Galleria Estense★★, biblioteca Estense★, sala delle medaglie★ nel palazzo dei Musei AY **M2** – Palazzo Ducale★ BY **A**

Pianta pagina 714

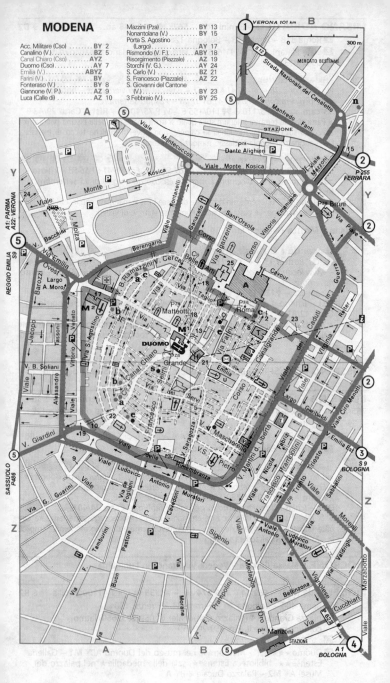

MODENA

Real Fini San Francesco 🏨 ⅃♨ 📶 🛗 📶 🕊 rist, 📶 🔥 **P** 🚗
rua Frati Minori 48 – ℰ 05 92 05 75 11
VISA ⓂⓄ AE ① ⑤
– www.hotelrealfini.it – booking@hrf.it – Fax 05 92 05 75 90
– chiuso dal 23 dicembre al 6 gennaio e dal 1° al 24 agosto   AZe
30 cam ⌷ – ♦360 € ♦♦470 € – 9 suites
Rist Fini – vedere selezione ristoranti
♦ Nato dalla ristrutturazione ed unificazione di tre edifici d'epoca, moderne tecnologie, testimonianze del passato ed ambienti accoglienti ne fanno il gioiello del centro città.

Real Fini-Via Emilia senza rist 🏨 ⅃♨ 📶 🛗 📶 ✶ⅼ 📶 🕊 💨 🔥 🚗
via Emilia Est 441, per ③ – ℰ 05 92 05 15 11
VISA ⓂⓄ AE ① ⑤
– www.hotelrealfini.it – booking@hrf.it – Fax 05 92 05 15 90
– chiuso dal 22 dicembre al 6 gennaio e dal 7 al 17 agosto
87 cam ⌷ – ♦230 € ♦♦250 € – 6 suites
♦ Nell'antica città estense, questo hotel di prestigio propone eleganti zone comuni, camere arredate con mobili su misura e un ampio centro congressi; servizio limousine per il Ristorante Fini.

Canalgrande 🚃 📶 📶 🕊 rist, ℰ📞 **VISA ⓂⓄ AE ① ⑤**
corso Canalgrande 6 – ℰ 059 21 71 60 – www.canalgrandehotel.it
– info@canalgrandehotel.it – Fax 059 22 16 74   BZv
68 cam ⌷ – ♦132 € ♦♦180 € – 2 suites   **Rist** – Carta 32/74 €
♦ Convento nel cinquecento, poi residenza nobiliare, è oggi un hotel di prestigio: sale neoclassiche con antichi ritratti di famiglia ed uno splendido giardino con fontana.

Donatello 📶 📶 🕊 rist, 🕊 🔥 🚗 **VISA ⓂⓄ AE ① ⑤**
via Giardini 402, per via Giardini – ℰ 059 34 45 50 – www.donatellohotel.it
– info@donatellomodena.it – Fax 059 34 28 03
– chiuso dal 4 al 19 agosto   AZ
74 cam ⌷ – ♦70 € ♦♦100 € – ½ P 65/70 €
Rist La Gola – ℰ 059 35 01 60 *(chiuso agosto)* Carta 24/31 €
♦ Fuori dal centro storico, l'hotel si trova in comoda posizione per chi viaggia per affari; offre camere semplici e ben tenute di discrete dimensioni. Cucina tipica locale ed una rustica atmosfera nell'annesso ristorante.

Libertà senza rist 📶 📶 ✶ⅼ 🕊 🕊 🚗 **VISA ⓂⓄ AE ① ⑤**
via Blasia 10 – ℰ 059 22 23 65 – www.hotelliberta.it – info@hotelliberta.it
– Fax 059 22 25 02   BYe
51 cam ⌷ – ♦75/115 € ♦♦110/180 €
♦ Centrale, poco distante dal Palazzo Ducale e provvisto di un comodo garage, offre graziose e sobrie camere e moderni spazi comuni. Clientela soprattutto commerciale.

Daunia senza rist 📶 📶 🕊 **P** **VISA ⓂⓄ AE ① ⑤**
via del Pozzo 158, per ③ – ℰ 059 37 11 82 – www.hoteldaunia.it – info@
hoteldaunia.it – Fax 059 37 48 07
42 cam ⌷ – ♦75 € ♦♦110 €
♦ Struttura moderna dei primi del novecento dalla caratteristica facciata rosa; di fronte all'ingresso, la terrazza è allestita con gazebo ed utilizzata anche per la prima colazione.

Fini – Hotel Real Fini San Francesco 📶 📶 🕊 ⟳ **P** **VISA ⓂⓄ AE ① ⑤**
rua Frati Minori 54 – ℰ 059 22 33 14 – www.hotelrealfini.it – ristorante.fini@hrf.it
– Fax 059 22 02 47 – chiuso dal 21 dicembre al 2 gennaio, dal 27 luglio
al 26 agosto, lunedì e martedì   AZe
Rist – Menu 80 € – Carta 55/88 € 🍷
Spec. Insalata di nervetti con porro croccante all'aceto balsamico tradizionale di Modena (ottobre-febbraio). Tortellini del dito mignolo in brodo di gallina. Fritto misto antica ricetta Giuditta.
♦ Storia, tradizione e continuità: nelle tre eleganti salette, lo spazio è tutto dedicato alla gastronomia italiana, con precedenza alla cucina emiliana e a qualche piatto di pesce.

🍴🍴🍴 **Osteria Francescana** (Massimo Bottura) ♿ [A/C] [VISA] [MC] [AE] [D] [$]
✿✿ *via Stella 22 – ☎ 059 21 01 18 – www.osteriafrancescana.it – info@francescana.it – Fax 059 22 02 86 – chiuso dal 24 dicembre al 6 gennaio, agosto, sabato a mezzogiorno e domenica* AZ**b**
Rist – Menu 100/160 € – Carta 90/115 € 🍷
Spec. Cinque stagionature di parmigiano reggiano in cinque consistenze e temperature. Tagliatelle al ragù. Bollito misto non bollito.
◆ A dispetto del nome si tratta di una delle cucine più sperimentali e innovative d'Italia, piatti creativi che sono già diventati classici spesso accompagnati da nostalgiche citazioni emiliane.

🍴🍴 **L'Erba del Re** (Luca Marchini) ♿ [A/C] 🚭 [VISA] [MC] [AE] [D] [$]
✿ *via Castel Maraldo 45 ✉ 41100 Modena – ☎ 059 21 81 88 – www.lerbadelre.it – ristorante@lerbadelre.it – chiuso dal 1° al 7 gennaio, dal 1° al 20 agosto, domenica, lunedì a mezzogiorno*
Rist – (consigliata la prenotazione) Menu 30/70 € – Carta 36/59 € 🍷
Spec. Baccalà marinato e fritto con cipolline in agrodolce. Tagliatelle con ragù modenese. Maialino da latte in porchetta con semi di finocchio e scalogno glassato.
◆ Colorato ristorante dal look moderno: all'ingresso un piccolo salotto con qualche pezzo d'antiquariato, al tavolo una cucina regionale protesa alla ricerca e all'innovazione.

🍴🍴 **L'Incontro** [A/C] 🚭 [VISA] [MC] [AE] [D] [$]
largo San Giacomo 32 – ☎ 059 21 85 36 – Fax 059 21 85 36 – chiuso dal 15 al 31 agosto, domenica sera e lunedì, anche domenica a mezzogiorno in luglio AZ**a**
Rist – Carta 32/57 €
◆ Conduzione familiare per questo piccolo locale d'ispirazione contemporanea, poco distante dal centro storico. Cucina tradizionale e carta spesso integrata da preziosi consigli.

🍴🍴 **Zelmira** ☂ ♿ [A/C] ⇔ [VISA] [MC] [D] [$]
largo San Giacomo 17 – ☎ 059 22 23 51 – Fax 059 22 23 51 – chiuso 15 giorni ad aprile, 15 giorni a novembre e giovedì AZ**a**
Rist – (consigliata la prenotazione) Carta 43/58 €
◆ Cucina emiliana e qualche piatto innovativo sono le proposte di questo locale dalla gestione esperta, situato in pieno centro storico. Servizio estivo sulla suggestiva piazzetta.

🍴🍴 **Bianca** ☂ [A/C] 🚭 [VISA] [MC] [AE] [D] [$]
via Spaccini 24 – ☎ 059 31 15 24 – giuseppe@trattoriabianca.191.it – Fax 059 31 55 20 – chiuso dal 23 al 31 dicembre, Pasqua, dal 4 al 19 agosto, sabato a mezzogiorno e domenica BY**n**
Rist – Carta 36/60 €
◆ Pavimenti in cotto, travi ai soffitti, ceramiche e quadri alle pareti; dalla cucina le proposte gastronomiche della regione, nonché un carrello di bolliti ed uno di arrosti.

🍴🍴 **Oreste** [A/C] ⇔ [VISA] [MC] [AE] [D] [$]
piazza Roma 31 – ☎ 059 24 33 24 – ristoranteoreste@libero.it – Fax 059 24 33 24 – chiuso dal 26 dicembre al 6 gennaio, dal 10 al 31 luglio, domenica sera e mercoledì BY**c**
Rist – Carta 34/51 €
◆ Qui regnano la tradizione, l'atmosfera un po' retrò con elementi d'arredo di indubbio pregio, ed è sempre qui che si rivedono i sapori d'un tempo, paste fatte a mano e familiare cortesia.

🍴 **Hostaria del Mare** [A/C] 🚭 [VISA] [MC] [AE] [D] [$]
via Castel Maraldo 29 – ☎ 059 23 85 61 – Fax 05 94 39 89 01 – chiuso dal 1° al 7 gennaio, 3 settimane in agosto e lunedì AY**a**
Rist – (consigliata la prenotazione) Carta 51/93 €
◆ Poco distante dalla "Pomposa", un edificio d'epoca ospita questo piccolo locale di taglio moderno, nel quale dominano il grigio ed una cucina che si ispira unicamente al mare.

Franceschetta   🔳 VISA ⦿ AE ⛄

via Vignolese 58 – ℰ 05 93 09 10 08 – gp-francescana@libero.it
– Fax 059 22 02 86 – chiuso dal 10 al 16 agosto, sabato a mezzogiorno e lunedì
Rist – Carta 29/47 € (+10 %)   BZ**a**
♦ Informale e luminoso, arredato in design contemporaneo e con moderne stampe alle pareti, il locale è poco distante dal centro storico e propone piatti da gustare anche al banco.

Hosteria Giusti (Laura Galli)   🔳 🔳 VISA ⦿ AE ⛄

vicolo Squallore 46 – ℰ 059 22 25 33 – Fax 059 22 25 33 – chiuso dicembre,
agosto, domenica, lunedì e la sera   BY**e**
Rist – (prenotazione obbligatoria) Carta 35/65 €
Spec. Frittelle di minestrone con aceto balsamico tradizionale. Tortellini in brodo di cappone. Cotechino fritto con zabaione al lambrusco.
♦ Un locale di nicchia con soli quattro tavoli sul retro di una celebre salumeria, ambiente rustico ma tovagliato più ricercato, la cucina è casalinga ed emiliana.

Al Boschetto-da Loris   🔳 🔳 VISA ⦿ AE ① ⛄

via Due Canali Nord 202, per ② – ℰ 059 25 17 59 – Fax 059 25 00 45
– chiuso sabato da giugno ad agosto, mercoledì e la sera (escluso il sabato)
negli altri mesi
Rist – Carta 27/41 €
♦ Cinto da piante secolari, un villino di antiche origini, casino di caccia del Duca d'Este: in questo storico locale, potete trovare curati piatti della cucina casalinga modenese.

Cucina del Museo   🔳 VISA ⦿ AE ① ⛄

via Sant'Agostino 7 – ℰ 059 21 74 29 – alberto@cucinadelmuseo.it
– Fax 059 23 74 43 – chiuso Natale, domenica sera e lunedì
Rist – Menu 50 € – Carta 51/65 €   AY**b**
♦ Nelle immediate vicinanze del museo civico, un locale raccolto che coniuga modernità e rusticità, dove trovare i piatti della tradizione ma anche una cucina più creativa.

sulla strada statale 9 - via Emilia Est per ③ : *4 km località Fossalta*

Rechigi Park Hotel senza rist   🔳 ⛄

via Emilia Est 1581, (sulla strada statale 9 - Via Emilia Est) ✉ *41100 Modena – ℰ 059 28 36 00 – www.rechigiparkhotel.it – info@rechigiparkhotel.it – Fax 059 28 39 10 – chiuso dal 1° al 24 agosto*
72 cam ⛁ – †85/145 € ††125/220 €
♦ Ospitato in un'antica residenza nobiliare non distante dal centro storico, l'hotel è circondato da un piccolo giardino e propone sobrie camere classiche e caldi spazi comuni.

Antica Moka   🔳 ⛄

via Emilia Est 1581 ✉ *41100 Modena – ℰ 059 28 40 08 – www.anticamoka.it*
– info@anticamoka.it – Fax 059 28 40 48 – chiuso Natale, 2 settimane in agosto,
sabato a mezzogiorno e domenica
Rist – Carta 50/86 €
♦ Un locale elegante con due accoglienti e sobrie salette dove provare gustosi piatti classici e del territorio. Alla ricerca di antichi sapori e nuovi abbinamenti.

Vinicio   🔳 ⛄

via Emilia Est 1526 ✉ *41100 Modena – ℰ 059 28 03 13*
– www.ristorantevinicio.it – info@ristorantevinicio.it – Fax 059 28 19 02 – chiuso
dal 24 dicembre al 6 gennaio, agosto e lunedì
Rist – Carta 38/53 €
♦ Caldo ed elegante il look di questo ristorante: ricavato negli ambienti in cui un tempo c'erano le stalle, propone piatti locali. D'estate si pranza anche all'aperto.

La Quercia di Rosa   🔳 ⛄

via Scartazza 22 ✉ *41100 Modena – ℰ 059 28 07 30 – querciadirosa@libero.it*
– Fax 059 92 86 13 98 – chiuso dal 1° al 24 agosto, martedì e domenica sera
Rist – Menu 34 € – Carta 32/40 €
♦ Incorniciata in un parco con laghetto, l'ottocentesca villa ospita un ristorante a gestione familiare che propone piatti della tradizione modenese. Dispone di un settore per fumatori.

sulla strada statale 486 per ⑤ - *via Giardini* AZ :

🏨 Mini Hotel Le Ville

[AC] [P] [VISA] [MC] [AE] [DC] [JCB]

via Giardini 1270, Sud : 4,5 km ✉ 41100 Modena – ☎ 059 51 00 51 – www.minihotelleville.it – leville@tin.it – Fax 059 51 11 87 – chiuso dal 7 al 21 agosto

46 cam ☕ – †78/110 € ††120/160 €

Rist Le Ville – vedere selezione ristoranti

♦ Tre edifici, di cui uno d'epoca, danno il nome a questo hotel: immerso in un rigoglioso giardino, offre camere gradevoli ed accoglienti spazi comuni illuminati da ampie vetrate.

🍴🍴 Le Ville

[AC] [P] [VISA] [MC] [AE] [DC] [JCB]

via Giardini 1272, Sud : 4,5 km ✉ 41100 Modena – ☎ 059 51 22 40 – leville@tin.it – Fax 05 95 13 90 21 – chiuso dal 1° all'8 gennaio, dall'8 al 30 agosto, sabato a mezzogiorno e domenica

Rist – Carta 36/59 €

♦ Un tempo questi locali erano occupati da una rimessa per carrozze, oggi ospitano un elegante ristorante dove potrete gustare la cucina della tradizione modenese e piatti più innovativi.

🍴🍴 Al Caminetto-da Dino

[P] [VISA] [MC] [AE] [DC] [JCB]

strada Martiniana 240, Sud : 7,5 km ✉ 41100 Modena – ☎ 059 51 22 78 – Fax 059 51 22 78 – chiuso dal 23 dicembre al 2 gennaio, dal 3 al 24 agosto, i mezzogiorno di martedì e sabato, lunedì

Rist – Carta 39/59 €

♦ Una cucina che cura più la scelta delle materie prime che non la moda, paste fatte in casa ed un giardino dove allietare le serate estive con piatti alla griglia: benvenuti da Dino!

per strada statale 12 per ④ *: 8 km:*

🍴🍴🍴 Europa 92

[AC] [P] [VISA] [MC] [AE] [DC] [JCB]

stradello Nava 8 ✉ 41010 Vaciglio – ☎ 059 46 00 67 – www.ristoranteeuropa92.it – info@ristoranteeuropa92.it – Fax 059 46 40 31 – chiuso dal 1° al 20 gennaio, dal 1° al 23 agosto, lunedì, martedì a mezzogiorno

Rist – Carta 49/71 € 🍇

♦ Nelle stalle settecentesche di una fattoria è stata ricavata questa elegante sala: piatti tipici del territorio e l'autentica passione dei proprietari per la ristorazione.

in prossimità casello autostrada A1 Modena Nord per ⑤ *: 7 km :*

🍴 La Piola

[AC] [P]

via Viazza di Ramo 248 ✉ 41100 Modena – ☎ 059 84 80 52 – osterialapiola@libero.it – Fax 059 84 80 52 – chiuso lunedì e martedì

Rist – Menu 20/25 €

♦ Menù semplici di ispirazione casalinga e del territorio in questo locale rustico, colorato e molto accogliente. Frequentato da Enzo Ferrari, un tavolo è a lui dedicato.

in prossimità casello autostrada A1 Modena Sud ②r 05

🏨 Real Fini-Baia del Re

[AC] rist, [P] [VISA] [MC] [AE] [DC] [JCB]

via Vignolese 1684 ✉ 41100 Modena – ☎ 05 94 79 21 11 – www.hotelrealfini.it – booking@hrf.it – Fax 05 94 79 21 90

84 cam ☕ – †160 € ††200 €

Rist ***Baia del Re*** – ☎ 059 46 91 35 *(chiuso dal 24 dicembre al 6 gennaio, dal 14 al 18 agosto e domenica)* Carta 36/45 €

♦ Funzionali camere in stile minimalista, molte delle quali dotate di un piccolo giardino per questo hotel di recente costruzione, ideale per una clientela business. All'interno di un edificio storico, il ristorante propone piatti tradizionali e casalinghi, sensibili all'avvicendarsi delle stagioni.

sulla strada statale 9 - via Emilia Ovest per ⑤ :

ⅩⅩ **La Masseria** 🏡 🍽 ♿ **P** **ⅤⅠＳＡ** **◎** ⑤
via Chiesa 61, località Marzaglia, Ovest : 9 km ✉ *41100 Modena*
– 𝒞 059 38 92 62 – www.ristorantemasseria.com – lamasseria@michael.it
– Fax 059 38 80 14 – chiuso dal 24 dicembre al 5 gennaio e martedì
Rist – Carta 34/47 €
♦ Restaurato, l'antico mulino è ora un accogliente ristorante in cui primeggiano i sapori di una cucina casalinga fedele alle tradizioni pugliesi. D'estate si pranza tra piante e fiori.

ⅩⅩ **Strada Facendo** **AC** 🍽 ♿ **ⅤⅠＳＡ** **◎** **AE** ① ⑤
via Emilia Ovest 622, (sulla strada statale 9) ✉ *41100 Modena – 𝒞 059 33 44 78*
– www.ristorantestradafacendo.it – stradafacend@libero.it – Fax 059 33 44 78
– chiuso una settimana in gennaio, tre settimane in agosto, sabato a mezzogiorno e domenica
Rist – Menu 50/62 € – Carta 54/86 € 🎇
♦ Varcate la soglia di questo piccolo e grazioso ristorante, isolatevi dal traffico e concentrate la vostra attenzione sulla fantasia che, tra mare e monti, si diletta nei piatti.

MODICA – Ragusa – 565Q26 – Vedere Sicilia alla fine dell'elenco alfabetico

---

MOENA – Trento (TN) – 562C16 – 2 608 ab. – alt. 1 184 m – Sport   31 **C2**
invernali : ad Alpe Lusia e San Pellegrino (Passo) : 1 200/2 500 m ✦3 ✦17
(Comprensorio Dolomiti Superski Tre Valli) 🎿 – ✉ **38035** Italia

▶ Roma 671 – Belluno 71 – Bolzano 44 – Cortina d'Ampezzo 74
🛈 piazza de Sotegrava 19 𝒞 0462 609770, infomoena@fassa.com, Fax 0462 574342

🏨 **Alle Alpi** ⑧ ⟨ 🔲 🌐 🐈 *Ⅰ₆* 📶 ⅙ ☼ 🍽 ⁽ᵗ⁾ 🍴 **P** **ⅤⅠＳＡ** **◎** ⑤
strada de Moene 47 – 𝒞 04 62 57 31 94 – www.hotelallealpi.it
– info@hotelallealpi.it – Fax 04 62 57 44 12
– 19 dicembre-marzo e 20 giugno-20 settembre
33 cam ⚏ – †90/120 € ††150/220 € – ½ P 110/180 €   **Rist** – Menu 40/65 €
♦ Situato nella parte superiore della località, albergo dagli interni caldi ed eleganti, cura del dettaglio ed atmosfera familiare. Piscina e beauty farm per mantenersi in forma. Toni freschi e luminosità nella capiente sala ristorante. Cucina d'ispirazione contemporanea.

🏨 **Maria** ⟨ 🔲 🐈 📶 🍽 rist. ⁽ᵗ⁾ **P** �car **ⅤⅠＳＡ** **◎** **AE** ① ⑤
via dei Colli 7 – 𝒞 04 62 57 32 65 – www.hotelmaria.com – info@hotelmaria.com
– Fax 04 62 57 34 34 – chiuso dal 17 maggio al 28 giugno
37 cam ⚏ – †98/175 € ††140/250 € – 6 suites – ½ P 161/205 €
Rist – *(solo per alloggiati)* Menu 30/50 €
♦ Completamente rinnovato, a partire dall'ottimo centro benessere. Camere molto accoglienti, calda atmosfera montana; in centro e in riva al fiume.

🏨 **Garden** 🔲 📶 ⅙ 📶 🍽 ⁽ᵗ⁾ **ⅤⅠＳＡ** **◎** ⑤
strada de le Chiesure 3 – 𝒞 04 62 57 33 14 – www.hotelgarden-moena.it – info@hotelgarden-moena.it – Fax 04 62 57 31 56 – dicembre-marzo e 20 giugno-settembre
41 cam – †100/150 € ††100/200 € – 2 suites – ½ P 110/125 €
Rist – Carta 28/38 €
♦ Albergo a ridosso del centro che punta ad offrire una vacanza "benessere" ai propri ospiti, sciatori e non. Vasta gamma di programmi di animazione e cure estetiche.

🏨 **Patrizia** ⑧ ⟨ 🛋 🔲 🌐 🐈 *Ⅰ₆* 📶 ⅙ ⁽ᵗ⁾ **P** 🚗 **ⅤⅠＳＡ** **◎** ⑤
strada de Even 1 – 𝒞 04 62 57 31 85 – www.hotelpatrizia.tn.it
– info@hotelpatrizia.tn.it – Fax 04 62 57 40 87
– 20 dicembre-Pasqua e 20 giugno-20 settembre
40 cam ⚏ – †68/105 € ††105/140 € – ½ P 92/128 €
Rist – *(solo per alloggiati)* Carta 31/50 €
♦ Nella parte alta della località, in posizione tranquilla, con splendida vista dei monti, una struttura in stile montano d'ispirazione contemporanea; ampia piscina coperta.

🏨 **Stella Alpina** ⬧   ⬧ 🐾 📺 🎐 ℀ rist, "📶" 🅿 🚗 VISA ⓒⓑ AE ① ⑤
strada de Ciampian 21 – 𝒞 04 62 57 33 51 – www.hotelstellaalpina.it – info@
hotelstellaalpina.it – Fax 04 62 57 34 31 – 1° dicembre-15 aprile e 15 giugno-
settembre
28 cam – 1 suite – solo ½ P 40/95 €   **Rist** – *(solo per alloggiati)*
♦ In posizione privilegiata a pochi passi dal centro, ma in luogo tranquillo e soleggiato,
bella struttura nel verde con cura dei dettagli e tenuta impeccabili.

🏨 **Park Hotel Leonardo** ⬧   ⬧ 🚗 📺 🛏 🎐 🏃 ⇔ ℀ rist, 🅿
ⓔⓔ   *strada dei ciroch 15 – 𝒞 04 62 57 33 55*   VISA ⓒⓑ ⑤
– www.parkhotelleonardo.it – info@parkhotelleonardo.it – Fax 04 62 57 46 11
– 6 dicembre-aprile e 20 giugno-20 settembre
28 cam ⬚ – ♦60/90 € ♦♦100/150 € – 4 suites – ½ P 80/120 €
Rist – *(solo per alloggiati)* Menu 20/40 €
♦ In posizione tranquilla con bella vista delle cime dolomitiche, un hotel con spazi e
ambienti luminosi, sia nelle parti comuni che nelle camere, alcune con giardino pensile.
Capiente sala da pranzo con pavimento in parquet e soffitto ligneo.

🏠 **Cavalletto**   🎐 ₺ ℀ rist, 🅿 VISA ⑤
strada de Fachin 1 – 𝒞 04 62 57 31 64 – www.hotelcavalletto.it – h.cavalletto@
tin.it – Fax 04 62 57 46 25 – dicembre-aprile e giugno-settembre
33 cam ⬚ – ♦45/50 € ♦♦80/90 € – ½ P 55/75 €
Rist – *(solo per alloggiati)* Menu 26/33 €
♦ Ubicato in posizione centrale, albergo dall'ambiente familiare, completamente ristrutturato pochi anni or sono; piacevoli ambienti di taglio moderno, camere funzionali.

✕✕ **Malga Panna** (Paolo Donei)   ⬧ ℀ 🅿 VISA ⓒⓑ AE ① ⑤
ⓢ   *strada de Sort 64, località Sorte, Ovest : 1,5 km – 𝒞 04 62 57 34 89*
– www.malgapanna.it – Fax 04 62 57 41 42 – chiuso dal 1° maggio al 20 giugno,
dal 15 ottobre al 30 novembre e lunedì (escluso luglio-agosto)
Rist – Carta 49/70 € 🍴
Spec. Tagliolini nobili con porcini. Filetto di cervo al ginepro. Crema bruciata
alla vaniglia con frutti rossi.
♦ Al limitare del bosco, da dove domina la valle, invitante malga ristrutturata: veranda e
alcune accoglienti sale rifinite in legno, per eccellenti piatti trentini rivisitati.

✕✕ **Tyrol**   AC ℀ VISA ⓒⓑ AE ⑤
Piaz de Ramon 9 – 𝒞 04 62 57 37 60 – www.posthotelmoena.it – info@
posthotelmoena.it – Fax 04 62 57 32 81 – dicembre-Pasqua e giugno- settembre;
chiuso martedì in inverno
Rist – Menu 41 € – Carta 36/44 €
♦ Un'unica sala, accogliente e luminosa, con travi a vista sul soffitto e arredi essenziali.
La cucina è basata su proposte locali rivisitate anche in chiave moderna.

sulla strada statale 48 Sud : 3 km :

🏨 **Foresta**   🎐 ℀ rist, 📞 🅿 VISA ⓒⓑ AE ① ⑤
ⓐ   *strada de la Comunità de Fiem 42 – 𝒞 04 62 57 32 60 – www.hotelforesta.it*
– info@hotelforesta.it – Fax 04 62 57 32 60
– chiuso dal 9 al 25 dicembre e dal 26 giugno al 18 luglio
19 cam – ♦35/60 € ♦♦70/120 € – ½ P 52/80 €
Rist – *(chiuso venerdì)* Carta 24/32 € 🍴
♦ Una bella casa che offre un'accoglienza calorosa tanto nella stagione sciistica quanto
nei mesi estivi. Spazi comuni caratteristici sebbene di modeste dimensioni e graziose
camere. Generoso nelle porzioni, il ristorante propone una cucina tipica e dispone di
una cantina ben fornita di etichette trentine. Serate a tema.

sulla strada statale 48 Sud : 3 km :

MOGGIONA – Arezzo – 563K17 – **Vedere Poppi**

MOGLIANO VENETO – Treviso (TV) – 562F18 – **27 026 ab.**   **35 A2**
– ✉ 31021
▶ Roma 529 – Venezia 17 – Milano 268 – Padova 38
🏛 Villa Condulmer, 𝒞 041 45 70 62
🖼 Zerman, 𝒞 041 45 73 69

Villa Stucky senza rist 🚗 🛗 AC 🛁 «¹» 🏖 P VISA ⚫ AE ① 🕭
via Don Bosco 47 – ℰ *04 15 90 45 28 – www.villastucky.it – info@villastucky.it
– Fax 04 15 90 45 66*
28 cam ☲ – †90/140 € ††120/181 €
◆ Hotel moderno in un'elegante villa d'epoca, splendidamente restaurata, all'interno di
un piccolo parco; ambienti in stile ricchi di fascino e belle camere personalizzate.

Duca d'Aosta senza rist 🛗 AC 🛁 «¹» 🏖 🚗 VISA ⚫ AE ① 🕭
piazza Duca d'Aosta 31 – ℰ *04 15 90 49 90 – www.ducadaostahotel.it – info@
ducadaostahotel.it – Fax 04 15 90 43 81*
43 cam ☲ – †90/140 € ††140/200 €
◆ Bella costruzione d'ispirazione contemporanea ristrutturata di recente. Situata nel
cuore della cittadina offre piacevoli spazi comuni dai colori chiari, ben arredati.

MOIA DI ALBOSAGGIA – Sondrio – Vedere Sondrio

MOIANO – Napoli – 564F25 – Vedere Vico Equense

MOLFETTA – Bari (BA) – 564D31 – **61 163 ab.** – ⊠ 70056 Italia   26 **B2**
➊ Roma 425 – Bari 30 – Barletta 30 – Foggia 108

Garden 🚗 🛗 AC 🛁 «¹» 🏖 P VISA ⚫ AE ① 🕭
via provinciale Terlizzi – ℰ *08 03 34 17 22 – www.gardenhotel.org – info@
gardenhotel.org – Fax 08 03 34 92 91*
60 cam ☲ – †60 € ††85 € – ½ P 58 €
Rist – *(chiuso sabato e domenica)* Carta 18/29 €
◆ Particolarmente adatto a una clientela di lavoro, albergo recente ubicato alle porte
della cittadina; buoni confort negli interni di taglio moderno, camere accoglienti. Gradevole sala da pranzo con arredo classico-moderno.

Isola di Sant'Andrea AC VISA ⚫ AE ① 🕭
via Dante Alighieri 98 – ℰ *08 03 35 43 12 – isoladisantandrea@libero.it
– Fax 08 03 35 43 12 – chiuso dal 10 al 30 agosto*
Rist – Carta 18/27 €
◆ Nei locali di una vecchia prigione, la cordiale accoglienza di un ristorante che porta
nel nome la storia della città; cucina esclusivamente di mare e di tradizione.

MOLINI = MÜHLEN – Bolzano – Vedere Falzes

MOLLIÈRES – Torino – Vedere Cesana Torinese

MOLTRASIO – Como (CO) – 561E9 – **1 818 ab.** – alt. 247 m – ⊠ 22010   18 **B1**
➊ Roma 634 – Como 9 – Menaggio 26 – Milano 57

Grand Hotel Imperiale ⑤ ≤ 🚗 🍃 ☒ 🐎 L₅ ※ 🛗 ₺ AC 🛁
via Durini – ℰ *031 34 61 11* 🛁 rist, «¹» 🏖 🚗 VISA ⚫ AE ① 🕭
*– www.imperialemoltrasio.it – info@imperialemoltrasio.it – Fax 031 34 01 20
– febbraio-dicembre*
102 cam ☲ – †160/290 € ††180/380 € – 1 suite – ½ P 130/230 €
Rist Imperialino – vedere selezione ristoranti
Rist – Carta 39/63 €
◆ La struttura è composta da un corpo centrale di taglio moderno nelle camere e più
classico nelle zone comuni. La villa in stile liberty accoglie invece stanze esclusive:
romantica dépendance di lusso in riva al lago. Per una cena a base di specialità del
luogo l'ampia e luminosa sala ristorante.

Imperialino ≤ 🚗 🍃 ☒ ※ ₺ AC 🛁 ⇆ VISA ⚫ AE ① 🕭
via Antica Regina 26 – ℰ *031 34 66 00 – www.imperialino.it – info@imperialino.it
– Fax 031 34 61 20*
Rist – *(chiuso lunedì)* Carta 46/72 €
◆ Un'elegante bomboniera in riva al lago: la cucina flirta con la modernità, ma senza
stravaganze. Il panorama si fa complice...

※※ Posta con cam   ⇐ 🛐 📱 🗚 ⁽ᵗⁱ⁾ 🚗 🆅🆂🅰 ⑯ 🅰🅴 ⓪ 🎤
piazza San Rocco 5 – ℰ 031 29 04 44 – www.hotel-posta.it – info@hotel-posta.it
– Fax 031 29 06 57 – chiuso gennaio e febbraio
17 cam ☷ – †95/135 € ††115/155 €
Rist – *(chiuso mercoledì a mezzogiorno escluso da giugno a settembre)*
Carta 31/47 €
♦ In centro, ristorante a gestione diretta, con camere in parte ristrutturate: sala da pranzo di tono elegante dove gustare pesce lacustre; "fresco" servizio estivo all'aperto.

MOLVENO – Trento (TN) – 562D14 – 1 123 ab. – alt. 864 m – Sport   30 **B3**
invernali : ad Andalo : 1042/1 528 m ⛷ 1 ⚡20 (Consorzio Paganella-Dolomiti) ⚡
– ✉ 38018▮ Italia

▶ Roma 627 – Trento 44 – Bolzano 65 – Milano 211

🖪 piazza Marconi ℰ 0461 586924, infomolveno@esperienzatrentino.it Fax
0461 586221

◎ Lago★★

🏠 Alexander Hotel Cima Tosa   ⇐ 🚗 🔲 🌐 🕅 🛋 📱 🏌 ⚡ 🛁
piazza Scuole 7 – ℰ 04 61 58 69 20   🅿 🚗 🆅🆂🅰 ⑯ 🅰🅴 ⓪ 🎤
– www.alexandermolveno.com – info@alexandermolveno.com
– Fax 04 61 58 69 50 – chiuso dal 22 marzo all'8 aprile e dal 2 novembre
al 19 dicembre
34 cam ☷ – †55/100 € ††80/150 € – ½ P 60/100 €   **Rist** – Carta 26/40 €
♦ Affacciata al lago e al gruppo Brenta, una casa elegante con camere in stile rustico spaziose e vivacemente colorate, una sala per i piccoli ed un nuovo centro benessere. Buffet di antipasti e insalate e, settimanalmente, una serata tipica a tema presso l'elegante ristorante dal soffitto con travi di legno a vista.

🏠 Du Lac   ⇐ 🚗 🔲 🛋 📱 👤 rist, ⚡ 🅿 🆅🆂🅰 ⑯ 🅰🅴 ⓪ 🎤
via Nazionale 4 – ℰ 04 61 58 69 65 – www.hoteldulac.it – info@hoteldulac.it
– Fax 04 61 58 62 47 – chiuso aprile e novembre
40 cam ☷ – †63/78 € ††126/156 € – ½ P 80/95 €   **Rist** – Carta 28/35 €
♦ Alle porte del paese, una struttura tipica montana abbracciata dal verde e sita vicino lago, dispone di camere classiche ed accoglienti recentemente rinnovate. Sala da pranzo in stile rustico tirolese dove assaporare una sapiente cucina regionale.

🏠 Belvedere   ⇐ 🚗 🔲 🌐 🕅 🛋 📱 👤 rist, ⋆⋆ ⚡ rist, 🅿 🚗 🆅🆂🅰 ⑯ 🎤
via Nazionale 9 – ℰ 04 61 58 69 33 – www.belvedereonline.com – info@
belvedereonline.com – Fax 04 61 58 60 44 – chiuso dal 2 novembre al 4 dicembre
e dal 30 marzo al 9 aprile
59 cam ☷ – †66/107 € ††112/206 € – ½ P 79/120 €   **Rist** – Carta 26/39 €
♦ Immerso nel verde, un albergo rustico ravvivato da inserti in velluto e tendaggi rosso scarlatto, dispone di ambienti moderni e una nuova piscina dal grande effetto scenico. Al ristorante, un ambiente classico e luminoso con tocchi di tipicità e la classica cucina regionale.

🏠 Alle Dolomiti   ⇐ 🚗 🔲 🛋 📱 ⚡ rist, ⁽ᵗⁱ⁾ 🅿 🆅🆂🅰 ⑯ 🅰🅴 ⓪ 🎤
via Lungolago 18 – ℰ 04 61 58 60 57 – www.alledolomiti.com – info@
alledolomiti.com – Fax 04 61 58 69 85 – 20 dicembre-marzo, Pasqua e giugno-ottobre
38 cam ☷ – †40/67 € ††90/125 € – ½ P 70/94 €   **Rist** – Carta 24/42 €
♦ Storica casa di famiglia, l'albergo vanta oggi uno stile rustico, camere accoglienti, ambienti comuni con lievi tocchi d'eleganza e, sul retro, un ampio giardino con piscina. Nella raffinata sala da pranzo, arredata in calde tonalità rosse e gialle, la cucina classica trentina.

🏠 Lido   ⇐ 🚗 📱 ⋆⋆ ⚡ rist, 🛁 🅿 🆅🆂🅰 ⑯ 🎤
🔗 *via Lungolago 10 – ℰ 04 61 58 69 32 – www.hotel-lido.it – info@hotel-lido.it*
– Fax 04 61 58 61 43 – 15 maggio-15 ottobre
54 cam ☷ – †35/70 € ††70/120 € – ½ P 48/95 €
Rist – *(giugno-15 settembre)* Carta 20/28 €
♦ Circondata da un grande giardino con area giochi per bambini, una risorsa di tradizione familiare, recentemente ampliata con camere e nuovi appartamenti dagli arredi in legno. Nel caldo ristorante in stile rustico, le tradizionali proposte della gastronomia del territorio.

🏨 **Ariston** ← 🛏 ⚐ rist. 🍴 **P.** 🅅🅸🆂🅰 ⓿ 🅰🅴 ⓿ ♿

🐌 via Lungolago 3 – ☏ 04 61 58 69 07 – www.aristonmolveno.it – hotel@
aristonmolveno.it – Fax 04 61 58 61 67 – chiuso dal 25 marzo al 24 maggio e dal
10 ottobre al 10 dicembre
45 cam – ♦40/90 € ♦♦60/125 € – ½ P 41/81 €   **Rist** – Carta 17/29 €
♦ Recentemente rinnovato, l'hotel offre camere con balcone dagli arredi in legno chiaro
o in stile ottocentesco, ambienti accoglienti, sale lettura e zone per la ricreazione. Bella e
panoramica, l'elegante sala da pranzo si affaccia sul lago e propone la cucina tipica del
territorio.

XX **El Filò** 🆀 ⚐ 🅅🅸🆂🅰 ⓿ 🅰🅴 ♿

🐌 piazza Scuole 5 – ☏ 04 61 58 61 51 – ristoranteelfilo@virgilio.it
– Fax 04 61 58 61 51 – Natale-6 gennaio e maggio-ottobre; negli altri mesi
aperto solo il fine settimana
Rist – Carta 21/33 €
♦ Incantevole caratteristica stube, completamente rifinita in legno: luci soffuse, divanetti
a muro rossi e proposte di cucina tipica, ma anche piatti legati alla stagione.

MOMBARUZZO – Asti (AT) – 561H7 – 1 174 ab. – ✉ 14046 23 **C3**
▶ Roma 610 – Torino 98 – Asti 37 – Alessandria 28

a Casalotto Ovest : 4 km – ✉ **14046**

🏨 **La Villa** ← 🍴 🏊 🆀 ⚐ 🍴 **P** 🅅🅸🆂🅰 ⓿ 🅰🅴 ♿
via Torino 7 – ☏ 01 41 79 38 90 – www.lavillahotel.net – info@lavillahotel.net
– Fax 01 41 73 99 91 – chiuso gennaio
10 cam – ♦90 € ♦♦155/180 € – 4 suites   **Rist** – Menu 35 €
♦ Nel cuore delle colline del Monferrato, una signorile villa dei primi del '700 gestita da
una coppia inglese, dispone di camere diverse negli arredi e una terrazza panoramica.

MOMBELLO MONFERRATO – Alessandria (AL) – 1 103 ab. 23 **C2**
– alt. 294 m – ✉ 15020
▶ Roma 626 – Alessandria 48 – Asti 38 – Milano 95

⌂ **Cà Dubini** senza rist 🍴 ⚐ **P** 🅅🅸🆂🅰 ⓿ ⓿ ♿
via Roma 17 – ☏ 01 42 94 41 16 – www.cadubini.it – info@cadubini.it
– Fax 01 42 94 49 28 – chiuso dal 1° al 20 agosto
4 cam ⊑ – ♦50 € ♦♦80 €
♦ Una piccola bomboniera ricavata da una tipica cascina: arredi in stile e d'artigianato.
Calde ed accoglienti camere.

X **Dubini** 🆀 ♻ 🅅🅸🆂🅰 ⓿ ⓿ ♿
via Roma 34 – ☏ 01 42 94 41 16 – www.cadubini.it – info@cadubini.it
– Fax 01 42 94 49 28 – chiuso dal 1° al 20 agosto e mercoledì
Rist – Carta 26/36 €
♦ Gestione diretta di grande ospitalità e simpatia in un locale ubicato tra le splendide
colline del Monferrato; ambiente familiare e proposta di piatti del territorio.

X **Hostaria dal Paluc** 🍴 🅅🅸🆂🅰 ⓿ 🅰🅴 ♿
via San Grato 30, località Zenevreto, Nord : 2 km – ☏ 01 42 94 41 26
– Fax 01 42 94 41 26 – chiuso dal 30 dicembre al 13 febbraio,
dal 16 al 26 agosto, lunedì e martedì
Rist – (chiuso a mezzogiorno escluso domenica) (consigliata la prenotazione)
Menu 26/32 €
♦ Atmosfera raffinata nella sala di tono rustico, con camino e arredi semplici, dove
gustare piatti del luogo rivisitati; servizio estivo all'aperto con vista panoramica.

MOMO – Novara (NO) – 561F7 – 2 702 ab. – alt. 213 m – ✉ 28015 23 **C2**
▶ Roma 640 – Stresa 46 – Milano 66 – Novara 15

XXX **Macallè** con cam 🆀 ⚐ rist. **P** 🅅🅸🆂🅰 ⓿ 🅰🅴 ⓿ ♿
via Boniperti 2 – ☏ 03 21 92 60 64 – www.macalle.it – macalle1@virgilio.it
– Fax 03 21 92 68 28 – chiuso 10 giorni in gennaio e 10 giorni in agosto
8 cam ⊑ – ♦70/80 € ♦♦100/120 € – ½ P 70/110 €
Rist – (chiuso mercoledì) Carta 41/59 €
♦ Elegante locale storico della zona, con alcune accoglienti stanze e un'ampia sala luminosa di taglio moderno, dove si propongono ricercati piatti della tradizione.

MOMPIANO – Cuneo – Vedere Trezzo Tinella

MONASTEROLO DEL CASTELLO – Bergamo (BG) – 561E11　　19 **D1**
– 1 007 ab. – alt. 347 m – ✉ 24060

> ▶ Roma 585 – Bergamo 28 – Brescia 61 – Milano 72

✗　**Locanda del Boscaiolo** con cam ⌂　　◁ ⛟ **P** **VISA** **◑◐** **AE** **◉** **⎙**
　　via Monte Grappa 41 – ℰ 035 81 45 13 – Fax 035 81 45 13 – chiuso novembre
　　11 cam – †45/50 € ††55/60 €, � 8 € – ½ P 50 €
　　Rist – *(chiuso martedì escluso da giugno ad agosto)* Carta 25/40 €
　　♦ Con la bella stagione potrete accomodarvi sotto un pergolato, in riva al lago; nelle
　　serate più fredde vi attenderà invece l'accogliente e romantica saletta. Genuine propo-
　　ste culinarie tipiche del luogo. Semplici e sempre tenute con cura le camere, ideali per
　　un soggiorno di tranquillità.

MONASTIER DI TREVISO – Treviso (TV) – 562F19 – 3 496 ab.　　35 **A1**
– ✉ 31050

> ▶ Roma 548 – Venezia 30 – Milano 287 – Padova 57

✗　**Menegaldo**　　　　　　　　　　**AC** **P** **VISA** **◑◐** **AE** **◉** **⎙**
😊　*località Pralongo, Est : 4 km – ℰ 04 22 79 80 25 – menegaldo@sevenonline.it*
　　– Fax 04 22 89 88 02 – chiuso dal 20 al 28 febbraio, agosto, mercoledì e martedì
　　sera
　　Rist – Carta 25/39 €
　　♦ L'insegna subito anticipa il carattere semplice e familiare del ristorante; all'interno, un
　　ambiente familiare dalla calorosa accoglienza ed ampie salette dove fermarsi a gustare il
　　pesce dell'Adriatico.

MONCALIERI – Torino (TO) – 561G5 – 54 462 ab. – alt. 260 m　　22 **A1**
– ✉ 10024

> ▶ Roma 662 – Torino 10 – Asti 47 – Cuneo 86
> 🖪 , ℰ 011 647 99 18
> 🖪 I Ciliegi, ℰ 011 860 98 02

Pianta d'insieme di Torino

🏨　**Holiday Inn Turin South**　　　📶 🚪 cam, **AC** 🛏 🛜 🏋 **P**
　　strada Palera 96 – ℰ 01 16 47 78 01　　　　　　**VISA** **◑◐** **AE** **◉** **⎙**
　　– www.alliancealberghi.com – holidayinn.turinsouth@alliancealberghi.com
　　– Fax 01 16 81 33 44　　　　　　　　　　　　　　HU**x**
　　80 cam – †119/380 € ††130/460 €, ⊻welcome 11 €　**Rist** – Carta 27/36 €
　　♦ Particolarmente adatto per chi è in viaggio per affari, l'hotel si trova a breve distanza
　　dall'imbocco dell'autostrada. Dispone di camere confortevoli e di spazi comuni moderni.
　　Grande sala da pranzo particolarmente luminosa.

✗✗　**Ca' Mia**　　　　🚗 🚪 **AC** 🍽 ⇆ **P** **VISA** **◑◐** **AE** **◉** **⎙**
　　strada Revigliasco 138 – ℰ 01 16 47 28 08 – www.camia.it – camia@camia.it
　　– Fax 01 16 47 28 08 – chiuso 15 giorni in agosto e mercoledì　　HU**c**
　　Rist – Carta 29/36 €
　　♦ Nella cornice delle colline di Moncalieri, un locale classico e affermato, ideale per ogni
　　occasione, dai pranzi di lavoro alle cerimonie; cucina tradizionale e del territorio.

✗✗　**La Maison Delfino**　　　　　　　**AC** **VISA** **◑◐** **AE** **◉** **⎙**
　　via Lagrange 4 - borgo Mercato – ℰ 011 64 25 52
　　– maison.delfino@fastwebnet.it – Fax 01 15 69 36 59
　　– chiuso dal 1° al 10 gennaio, dal 9 al 22 agosto, domenica e lunedì
　　Rist – *(chiuso a mezzogiorno)* Menu 47 € bc/55 € bc
　　♦ Fuori dal centro, un piacevole ed elegante locale gestito con passione da due fratelli.
　　Due i menù, semplici o creativi, dai quali è possibile scegliere anche solo alcuni piatti.

✗　**Al Borgo Antico**　　　　　　　**AC** ⇆ **VISA** **◑◐** **AE** **◉** **⎙**
　　via Santa Croce 34 – ℰ 011 64 44 55 – www.al-borgoantico.it
　　– tonigborgoantico@libero.it – chiuso dal 15 luglio al 15 agosto, domenica sera
　　e lunedì
　　Rist – Carta 30/41 €
　　♦ Nel centro storico, il ristorante annovera tre piccole sale dall'atmosfera rustica, una
　　delle quali con cantina a vista, dove vengono proposti i piatti della tradizione.

a Revigliasco NE : 8 km – ✉ 10024

✗ La Taverna di Fra' Fiusch   🅰🅺 𝚅𝙸𝚂𝙰 ⓪ 🄰🄴 ⑤

via Beria 32 – ℰ 01 18 60 82 24 – www.frafiusch.it – info@frafiusch.it
– Fax 01 18 60 82 24 – chiuso agosto e lunedì
Rist – *(chiuso a mezzogiorno escluso sabato e domenica)* Carta 31/44 €
♦ Un ambiente semplice e familiare, il cui nome s'ispira alle avventure del mago alchimista: è qui che la giovane coppia fa riscoprire ai suoi ospiti i buoni sapori della regione.

MONCALVO – Asti (AT) – 561G6 – 3 303 ab. – alt. 305 m – ✉ 14036   23 **C2**
▶ Roma 633 – Alessandria 48 – Asti 21 – Milano 98

↑ La Locanda del Melograno *senza rist*   🔊 🅗 🅰🅺 ⟨⟩ 🄿 𝚅𝙸𝚂𝙰 ⓪ ⑤

corso Regina Margherita 38 – ℰ 01 41 91 75 99 – www.lalocandadelmelograno.it
– info@lalocandadelmelograno.it
9 cam ⌑ – †70 € ††90/105 €
♦ Edificio di fine '800 sottoposto a restauro con esiti mirabili, rispetto per le origini e affascinanti incursioni nel moderno. Rivendita di vini e prodotti del territorio.

↑ Agriturismo Cascina Orsolina *senza rist* 🐾   🍴 🎜 🕭 🄵🅶 ⟨⟩ 🏔

via Caminata 28 – ℰ 01 41 92 11 80   🄿 𝚅𝙸𝚂𝙰 🄰🄴 ⓪ ⑤
– www.cascinaorsolina.it – welcome@cascinaorsolina.it – Fax 01 41 91 71 24
4 cam – ††130 € – 2 suites – †170 €
♦ Volete provare l'ebrezza di vivere in una vera azienda vinicola? In posizione tranquilla e con vista sui vigneti, questa elegante dimora farà al caso vostro.

✗✗ L'Osteria Aleramo   🕭 🅰🅺 ⟨⟩ 𝚅𝙸𝚂𝙰 ⓪ 🄰🄴 ⓪ ⑤

piazza Carlo Alberto 19 – ℰ 01 41 92 13 44 – Fax 01 41 92 13 44
– chiuso dal 16 febbraio al 6 marzo, dal 31 agosto al 18 settembre, lunedì,
martedì a mezzogiorno
Rist – Carta 35/50 €
♦ Nella parte elevata del paese, affacciato sulla piazza, il locale si articola in due salette ben tenute, a lato della zona bar, nelle quali provare piatti e vini piemontesi.

MONCENISIO – Torino (TO) – 561G2 – 48 ab. – alt. 1 459 m   22 **B2**
– ✉ 10050
▶ Roma 722 – Torino 88 – Moncalieri 84

↑ Chalet sul lago 🐾   ≤ 🝙 ⟨⟩ 🄿 𝚅𝙸𝚂𝙰 ⓪ 🄰🄴 ⓪ ⑤

regione Laghi – ℰ 01 22 65 33 15 – www.chaletsullago.it – info@chaletsullago.it
– Fax 01 22 65 33 15 – chiuso dal 3 novembre al 3 dicembre
6 cam ⌑ – ††65 € – ½ P 45 €   **Rist** – Carta 20/30 €
♦ Magnifica la vista dalle finestre di questo chalet magistralmente situato in posizione panoramica sulla riva di un laghetto naturale. Accoglienti le stanze, sobriamente arredate. Cucina genuina e casereccia con molti piatti di cacccgiagione. Sabato e domenica anche pizzeria.

MONCIONI - Arezzo (AR) – 563L16 – **vedere Montevarchi**

MONDAVIO – Pesaro e Urbino (PS) – 563K20 – 3 908 ab. – alt. 280 m   20 **B1**
– ✉ 61040
▶ Roma 264 – Ancona 56 – Macerata 106 – Pesaro 44

🏠 La Palomba   🕭 🎜 🍴 rist, ⟨⟩ 🄿 𝚅𝙸𝚂𝙰 ⓪ 🄰🄴 ⓪ ⑤

via Gramsci 13 – ℰ 072 19 71 05 – www.lapalomba.it – info@lapalomba.it
– Fax 07 21 98 94 90 – chiuso 1 settimana in settembre
20 cam – †35/45 € ††50/65 €, ⌑ 5 € – ½ P 40/50 €
Rist – *(chiuso lunedì escluso da giugno a settembre)* Carta 25/30 €
♦ Punto di riferimento per l'ospitalità della zona questa piacevole realtà familiare, di fronte all'antica Rocca Roveresca; interni curati, camere piccole ma funzionali. Ristorante con camino incorniciato da mattoni a vista.

MONDELLO – Palermo – 565M21 – **Vedere Sicilia alla fine dell'elenco alfabetico**

MONDOVÌ – Cuneo (CN) – 561I5 – **22 023 ab.** – alt. 559 m – ✉ 12084   22 **B3**
- ▶ Roma 616 – Cuneo 27 – Genova 117 – Milano 212
- ℹ️ via Vico 2 ☎ 0174 47428, info@monregaletour.it, Fax 0174 481481

※※   **La Borsarella**   ≼ 🏠 AC ✿ P. VISA ⓪ AE ⏱
via del Crist 2, Nord-Est : 2,5 km – ☎ 017 44 29 99 – www.laborsarella.it
– info@laborsarella.it – Fax 01 74 55 51 61
– chiuso 1 settimana in gennaio, 1 settimana in agosto, domenica sera e lunedì
Rist – Menu 22/32 € – Carta 25/32 €
♦ Ricavato negli ambienti di un cascinale di origine settecentesca, propone una cucina piemontese ancorata ai sapori della tradizione. Nel cortile anche il vecchio forno per il pane e un laghetto artificiale.

※※   **Ezzelino**   ≼ ✿ ✿ VISA ⓪ ⏱
via Vico 29 – ☎ 01 74 55 80 85 – Fax 01 74 55 80 85
– chiuso 1 settimana in gennaio, 2 settimane in luglio e 1 in settembre, lunedì, martedì a mezzogiorno
Rist – Carta 33/43 €
♦ Nella parte alta della località, dove sorgeva il ghetto, un ristorante che miscela antico e moderno con gusto e armonia. Dalla cucina piatti italiani rivisitati e alleggeriti.

MONEGLIA – Genova (GE) – 561J10 – **2 791 ab.** – ✉ 16030   15 **C2**
- ▶ Roma 456 – Genova 58 – Milano 193 – Sestri Levante 12
- ℹ️ corso Longhi Libero 32 ☎ 0185 490576, info@prolocomoneglia.it, Fax 0185 490576

🏠   **Villa Edera** 🦢   ≼ 🚗 🏊 🎿 ⓕ ⓕ ⓕ AC ✿ 📶 P. 🚗 VISA ⓪ AE ⏱
via Venino 12/13 – ☎ 018 54 92 91
– www.villaedera.com – info@villaedera.com – Fax 018 54 94 70
– 15 marzo-5 novembre
27 cam ☑ – †80/130 € ††110/195 € – ½ P 95/115 €
Rist – *(chiuso a mezzogiorno)* Menu 25/28 €
♦ Esperta conduzione in un hotel d'ispirazione contemporanea non lontano dal mare; hall con poltrone in bambù e pareti dalle calde tonalità; camere arredate semplicemente. Ampia sala da pranzo, affidabile cucina d'albergo.

🏠   **Piccolo Hotel**   🔲 ⓕ 👵 cam, ✳️ AC ✿ P. 🚗 VISA ⓪ ⏱
corso Longhi 19 – ☎ 018 54 93 74
– www.piccolohotel.it – laura@piccolohotel.it – Fax 01 85 40 12 92
– aprile-20 ottobre
38 cam – †60/120 € ††80/160 €, ☑ 15 € – ½ P 60/100 €
Rist – *(chiuso a mezzogiorno)* Menu 25/30 €
♦ Valido albergo del centro che si sviluppa su due edifici collegati tra loro, a pochi passi dalla spiaggia; accoglienti spazi comuni e belle camere di moderna concezione. Piacevole e grande la luminosa sala da pranzo.

🏠   **Villa Argentina**   🚗 ⓕ AC ✿ P. VISA ⓪ ⓞ ⏱
     via Torrente San Lorenzo 2 – ☎ 018 54 92 28
– www.villa-argentina.it – info@villa-argentina.it – Fax 018 54 92 28
18 cam ☑ – †50/100 € ††80/130 € – ½ P 58/85 €
Rist – *(aprile-ottobre)* Carta 20/52 €
♦ In posizione decentrata e tranquilla, la moderna struttura dispone di belle camere, frutto di una attenta ristrutturazione. Salda e professionale la gestione familiare. Ariosa e fresca sala ristorante.

verso Lemeglio Sud-Est : 2 km :

※※   **La Ruota**   ≼ P. VISA ⓪ ⏱
via per Lemeglio 6, alt. 200 ✉ 16030 – ☎ 018 54 95 65
– www.laruotamoneglia.it – info@laruotamoneglia.it
– chiuso novembre e mercoledì
Rist – *(chiuso a mezzogiorno escluso la domenica in inverno)* Menu 47/70 €
♦ Bella vista del mare e di Moneglia, da un locale dall'ambiente familiare, accogliente e originale: la sala è una veranda con pareti di vetro sui tre lati; piatti di pesce.

MONFALCONE – Gorizia (GO) – 562E22 – 27 401 ab. – ✉ 34074   11 **C3**

▶ Roma 641 – Udine 42 – Gorizia 24 – Grado 24

🛧 di Ronchi dei Legionari Nord-Ovest : 5 km 𝒞 0481 773224

🏨 **Lombardia**   🛗 🐧 𝖠𝖢 🍴 cam, 🕾 🚗 𝖵𝖨𝖲𝖠 ⓸ 𝖠𝖤 ⓸ 🛆
piazza della Repubblica 21 – 𝒞 04 81 41 12 75 – www.hotelombardia.it – info@
hotelombardia.it – Fax 04 81 41 17 09 – chiuso dal 21 dicembre al 7 gennaio
21 cam � – ∳71/103 €   **Rist** – Carta 18/36 €
♦ Nella piazza del municipio, all'interno di un palazzo d'epoca ristrutturato, un albergo moderno con belle camere che presentano originali e armoniche soluzioni di design. Piatti della tradizione mediterranea e pizze, al ristorante.

🏨 **Sam**   🛗 🐧 cam, 𝖠𝖢 🍴 cam, 🕾 𝖵𝖨𝖲𝖠 ⓸ 𝖠𝖤 ⓸ 🛆
via Cosulich 3 – 𝒞 04 81 48 16 71 – www.samhotel.it – info@samhotel.it
– Fax 04 81 48 54 44
59 cam – ∳45/80 € ∳∳70/120 €
Rist Sam – 𝒞 04 81 72 34 44 (chiuso domenica) Carta 18/33 €
♦ A pochi passi dal centro, annovera moderni ambienti, tra cui una luminosa sala colazioni, circondata da ampie vetrate che si affacciano sui dintorni. Ideale per una clientela d'affari. Semplice e luminoso, il ristorante propone una cucina creativa e sempre varia, basata sul mercato giornaliero. Ottime porzioni.

🍴🍴 **Ai Castellieri**   🕾 🍴 🅿 𝖵𝖨𝖲𝖠 ⓸ 𝖠𝖤 ⓸ 🛆
via dei Castellieri 7 località Zochet, Nord-ovest: 2 km – 𝒞 04 81 47 52 72
– Fax 04 81 47 63 35 – chiuso dal 1° al 7 gennaio, dal 1° al 21 agosto, martedì e mercoledì
Rist – Carta 33/39 €
♦ Ricavato in un'accogliente casa colonica piacevolmente arredata con calde tonalità di colore, propone una cucina contemporanea che predilige i prodotti di terra.

🍴 **Ai Campi di Marcello**   🚗 🕾 𝖠𝖢 cam, 🅿 𝖵𝖨𝖲𝖠 ⓸ 𝖠𝖤 ⓸ 🛆
via Napoli 11 – 𝒞 04 81 48 19 37 – xsined@tin.it – Fax 04 81 71 32 90
Rist – Carta 33/51 €
♦ Proposte prevalentemente a base di pesce per questo piacevole ristorante non distante dai cantieri navali della città; con la bella stagione, il servizio si sposta all'aperto.

MONFORTE D'ALBA – Cuneo (CN) – 561I5 – 1 957 ab. – alt. 480 m   25 **C3**
– ✉ 12065

▶ Roma 621 – Cuneo 62 – Asti 46 – Milano 170

🖸 Delle Langhe Gagliassi, 𝒞 0173 78 92 13

🏨 **Villa Beccaris** senza rist ॐ   ≤ 🍷 🌂 𝖠𝖢 ⇘ 🕾 🎿 🚗 𝖵𝖨𝖲𝖠 ⓸ 𝖠𝖤 🛆
via Bava Beccaris 1 – 𝒞 017 37 81 58 – www.villabeccaris.it – villa@
villabeccaris.it – Fax 017 37 81 90 – chiuso gennaio
22 cam ⊆ – ∳145/203 € ∳∳160/220 € – 1 suite
♦ Splendida villa dagli interni signorili arredati con pezzi d'antiquariato, alcuni decorati con affreschi d'epoca. Per la colazione ci si sposta nel grande e panoramico padiglione.

🏠 **Le Case della Saracca** senza rist ॐ   𝖵𝖨𝖲𝖠 ⓸ 𝖠𝖤 🛆
via Cavour 5 – 𝒞 01 73 78 92 22 – www.saracca.com – info@saracca.com
– Fax 01 73 78 97 98
6 cam – ∳110 € ∳∳130 €, ⊆ 10 €
♦ Curioso e originale, chi potrebbe dire che questo un tempo era il quartiere dei poveri? Nella parte alta della località, tra le mura millenarie del castello, rocce, arredi indiani e design moderno.

🏠 **Il Grillo Parlante** ॐ   ≤ 🚗 ⇗ 🍴 🅿
frazione Rinaldi 47, località Sant'Anna, Est : 2 km – 𝒞 34 85 72 15 07
– www.piemonte-it.com – info@piemonte-it.com
6 cam – ∳∳54/70 €, ⊆ 6 €
Rist – (chiuso a mezzogiorno) (prenotazione obbligatoria) (solo per alloggiati)
Menu 15/30 €
♦ La vista spazia sulle colline e vigneti circostanti, calde e confortevoli camere vi accolgono per farvi sentire a vostro agio ed una luminosa veranda rallegra il salotto: atmosfera da casa privata.

XX **Giardino-da Felicin** con cam ⌂ ≤ ⌂ ⑨ P VISA ⑳ AE ⌂
via Vallada 18 – ℰ 017 37 82 25 – www.felicin.it – albrist@felicin.it
– Fax 01 73 78 73 77
30 cam ⌂ – ♦65/85 € ♦♦95/115 € – ½ P 100/120 €
Rist *– (chiuso dall' 8 dicembre all' 8 febbraio, 15 giorni in luglio, domenica sera, lunedì) (chiuso a mezzogiorno escluso domenica)* Menu 30/55 €
– Carta 42/60 € ⌂
♦ La storia si concretizza in una tradizione gastronomica riprodotta nel tempo con fedeltà e passione, attraverso l'uso di prodotti biologici e carni locali. Servizio estivo sotto un pergolato. Nuove camere e appartamenti a disposizione degli ospiti per immergersi in un paesaggio rilassante, alla scoperta del territorio.

XX **Trattoria della Posta** ⌂ ⌂ ⌂ P VISA ⑳ AE ⌂
località Sant'Anna 87, Est : 2 km – ℰ 017 37 81 20 – www.trattoriadellaposta.it – info@trattoriadellaposta.it – Fax 017 37 81 20 – chiuso febbraio, giovedì, venerdì a mezzogiorno
Rist – Carta 37/47 € ⌂
♦ In posizione tranquilla e isolata, un caldo sorriso e una simpatica accoglienza vi accoglieranno sin dall'ingresso di questa casa di campagna. La tradizione regionale in cucina.

MONGARDINO – Bologna – 562I15 – **Vedere Sasso Marconi**

MONGHIDORO – Bologna (BO) – 562J15 – **3 828 ab.** – **alt. 841 m**   9 **C2**
– ✉ 40063
▶ Roma 333 – Bologna 43 – Firenze 65 – Imola 54
🄸 via Matteotti 1 ℰ 051 6555132, turismo@tuttoservizispa.it, Fax 051 6552268

X **Da Carlet** ⌂ ⌂ VISA AE ⌂
via Vittorio Emanuele 20 – ℰ 05 16 55 55 06 – trattoriadacarlet@libero.it – chiuso dal 7 al 22 settembre, lunedì sera e martedì
Rist – Carta 25/37 €
♦ In questo paese degli Appennini, locale con bancone bar all'ingresso e sala con pareti ornate da pentole di rame e oggetti di modernariato; cucina emiliana casereccia.

in Valle Idice Nord : 10 km

⌂ **Agriturismo La Cartiera dei Benandanti** ⌂ ⌂ P
⌂⌂ *via Idice 13, strada provinciale 7 km 28* VISA ⑳ AE ⓪ ⌂
✉ 40063 Monghidoro – ℰ 05 16 55 14 98 – www.lacartiera.it – lacartiera@tin.it
– Fax 05 16 55 14 98
7 cam ⌂ – ♦57/60 € ♦♦86/90 € – ½ P 58/65 €
Rist *– (chiuso dal 15 gennaio al 15 marzo esclusi i fine settimana) (chiuso a mezzogiorno escluso domenica)* Menu 18/35 €
♦ Bella struttura in pietra immersa nel verde: piacevoli ambienti rustici arredati in modo essenziale e rifiniti in legno, anche nelle graziose camere e nel comodo appartamento.

MONGUELFO (WELSBERG) – Bolzano (BZ) – 562B18 – **2 581 ab.**   31 **D1**
– **alt. 1 087 m** – **Sport invernali : 1 087/2 273 m** ⌂17 ⌂8 **(Comprensorio Dolomiti superski Plan de Corones)** ⌂ – ✉ 39035
▶ Roma 732 – Cortina d'Ampezzo 42 – Bolzano 94 – Brunico 17
🄸 Palazzo del Comune ℰ 0474 944118, welsberg@kronplatz.com, Fax 0474 944599

⌂ **Bad Waldbrunn** ⌂ ≤ ⌂ ⌂ ⌂ ⌂ ⌂ rist, ⑨ ⌂
via Bersaglio 7, Sud : 1 km – ℰ 04 74 94 41 77 VISA ⑳ AE ⓪ ⌂
– www.hotelbadwaldbrunn.com – info@hotelbadwaldbrunn.com
– Fax 04 74 94 42 29 – chiuso novembre e dal 21 aprile al 19 maggio
25 cam ⌂ – ♦58/78 € ♦♦96/156 € – ½ P 80/90 €   **Rist** *– (solo per alloggiati)*
♦ Albergo moderno, felicemente ubicato in zona quieta e dominante la vallata; gradevoli interni, centro fitness e belle camere ben accessoriate e con vista panoramica.

a Tesido (Taisten)Nord : 2 km – **alt. 1 219 m** – ⊠ 39035 – **Monguelfo**

🏨 **Alpenhof** ॐ ≤ 🚗 ☕ 🐾 ⅃ѣ 🛎 ᴚ cam, 🍴 rist, 📞 ℙ 𝚟𝚒𝚜𝚊 ◑ ⚡
Riva di Sotto 22, Ovest : 1 km – ℰ 04 74 95 00 20 – www.alpenhof.bz – info@
alpenhof.bz – Fax 04 74 95 00 71 – 16 dicembre-Pasqua e 16 maggio -1° novembre
32 cam ⊊ – ♦88/93 € ♦♦166/176 € – ½ P 100/105 €
Rist – *(solo per alloggiati)*
◆ Appena sopra il paese, un soggiorno all'insegna del relax, nella tranquillità delle valli dolomitiche: luminosa zona comune, camere confortevoli, piccolo centro benessere.

MONIGA DEL GARDA – Brescia (BS) – 561F13 – **1 886 ab.**   17 **D1**
– **alt. 128 m** – ⊠ 25080
🖸 Roma 537 – Brescia 28 – Mantova 76 – Milano 127

✗✗✗ **Al Porto** ≤ 🛱 🍴 𝚟𝚒𝚜𝚊 ◑ 🄰🄴 ⓘ ⚡
via Porto 29 – ℰ 03 65 50 20 69 – www.trattoriaporto.com
– info@trattoriaporto.com – Fax 03 65 50 20 69
– chiuso 24 e 26 dicembre, dal 7 gennaio al 13 febbraio e mercoledì
Rist – Carta 54/72 €
◆ In un'antica stazione doganale nei pressi del porticciolo, un locale gradevole ed elegante, dove gustare specialità lacustri; servizio estivo su una terrazza in riva al lago.

✗✗ **Quintessenza** (Fabio Mazzolini) 🛱 ᴚ 🄰🄲 🍴 𝚟𝚒𝚜𝚊 ◑ 🄰🄴 ⚡
🥨 *piazza San Martino 3 – ℰ 03 65 50 21 16 – Fax 03 65 50 21 16 – chiuso giovedì,*
in luglio-agosto i mezzogiorno di mercoledì e giovedì
Rist – Menu 45/60 € – Carta 35/66 € ⅋⅋
Spec. Code di gamberi croccanti con ristretto agrodolce allo zenzero. Tortelli d'anatra con fegato grasso all'arancia e nocciole tostate. Filetto di coregone con topinambur confit, olio profumato all'arancia e madorle amare.
◆ Ristorantino nel cuore del paese, con un bel dehors. L'interno, completamente ristrutturato, presenta un'unica sala, curata e signorile. Cucina affidabile e promettente.

MONOPOLI – Bari (BA) – 564E33 – **47 640 ab.** – ⊠ 70043   27 **C2**
🖸 Roma 494 – Bari 45 – Brindisi 70 – Matera 80

🏨 **Vecchio Mulino** 🛱 🛎 ᴚ 🄰🄲 🍴 🛁 ℙ 🚗 𝚟𝚒𝚜𝚊 ◑ 🄰🄴 ⓘ ⚡
viale Aldo Moro 192 – ℰ 080 77 71 33 – www.vecchiomulino.it – info@
vecchiomulino.it – Fax 080 77 76 54
30 cam ⊊ – ♦102/120 € ♦♦150/165 € – 1 suite – ½ P 93/100 €
Rist – Carta 26/51 €
◆ Recente struttura di moderna concezione ubicata alle porte della località: all'interno gradevoli spazi comuni razionali e ben organizzati, camere arredate con buon gusto. Soffitto a volta nella piacevole sala da pranzo dai sobri arredi.

🏨 **La Peschiera** ॐ ≤ 🛱 ⅃ 🄰🄲 🍴 📶 ℙ 𝚟𝚒𝚜𝚊 ◑ 🄰🄴 ⓘ ⚡
contrada Losciale 63, Sud-Est : 9 km ⊠ 70043 Monopoli – ℰ 080 80 10 66
– www.peschierahotel.com – info@peschierahotel.com – Fax 080 80 10 66
– aprile-ottobre
12 cam ⊊ – ♦♦450/640 € – 3 suites   **Rist** – Carta 53/114 €
◆ Lussuoso hotel ricavato da un'antica peschiera borbonica: posizione invidiabile con il mare di fronte e tre grandi piscine alle spalle. Per un soggiorno in assoluta tranquillità, non sono ammessi bambini di età inferiore ai 12 anni. Ristorante dallo stile fresco e marino, ma elegante. Cucina di mare e del territorio.

sulla strada per Alberobello

🏨 **Il Melograno** ॐ 🛱 ⅃ 🔲 🍽 🐾 ᴷѣ 🍽 🄰🄲 🍴 rist, 📶 🛁 ℙ
contrada Torricella 345, Sud-Ovest : 4 km 𝚟𝚒𝚜𝚊 ◑ 🄰🄴 ⓘ ⚡
– ℰ 08 06 90 90 30 – www.melograno.com – melograno@relaischateaux.com
– Fax 080 74 79 08 – aprile-ottobre
31 cam ⊊ – ♦230/370 € ♦♦410/470 € – 6 suites – ½ P 275/305 €
Rist – Carta 58/80 €
◆ Antica masseria fortificata immersa nel verde: raffinata atmosfera negli incantevoli interni rustici e nelle belle camere. A disposizione degli ospiti, una navetta per raggiungere la spiaggia. Elegante sala ristorante, illuminata da ampie vetrate e abbellita da grandi tappeti.

MONREALE – Palermo – 565M21 – Vedere Sicilia alla fine dell'elenco alfabetico

MONRUPINO – Trieste (TS) – 562E23 – 828 ab. – alt. 418 m   11 D3
– ✉ 34016

    🖪 Roma 669 – Udine 69 – Gorizia 45 – Milano 408

XX **Furlan**   🛜 🍽 ⇔ **P** 🆚 🄰🄴 ⛟
località Col 19 – ℰ 040 32 71 25 – Fax 040 32 75 38 – chiuso dal 15 al 31
gennaio, dal 14 al 21 luglio, lunedì e martedì
Rist – *(chiuso a mezzogiorno mercoledì e giovedì)* Carta 29/37 €
♦ Una affabile gestione familiare e due accoglienti sale da pranzo al piano terra per una cucina che sa rispettare la tradizione regionale. Proposte a base di carne.

X **Krizman** con cam 🐾   🚗 🛜 📶 🐧 cam, 🍽 cam, **P** 🆚 🐵 🄰🄴 ① ⛟
località Repen 76 – ℰ 040 32 71 15 – www.hotelkrizman.eu – info@
hotelkrizman.eu – Fax 040 32 73 70
16 cam ⬚ – †52/54 € ††74/76 € – ½ P 52 €
Rist – *(chiuso gennaio, lunedì a mezzogiorno e martedì)* Carta 22/30 € 🏵
♦ Vicino alla piazza, ambiente rustico dalla consolidata gestione familiare che propone la cucina del territorio e un'interessante selezione di vini. Servizio estivo in giardino. In posizione ideale per una rilassante vacanza nel verde, offre camere semplici e di sicuro confort.

MONSAGRATI – Lucca (LU) – alt. 66 m – ✉ 55064 – PESCAGLIA   28 B1

    🖪 Roma 357 – Pisa 34 – Firenze 82 – Lucca 13

🏨 **Gina**   🛜 📶 🎿 🄰🄲 🐧 **P** 🆚 🐵 🄰🄴 ① ⛟
  via provinciale per Camaiore – ℰ 05 83 38 56 51 – www.hotelgina.com – info@
hotelgina.com – Fax 058 33 82 48
37 cam – †40/60 € ††75/100 €, ⬚ 10 € – ½ P 50/70 €
Rist – *(chiuso dal 15 al 31 gennaio e martedì)* Carta 19/50 €
♦ Moderno, semplice e funzionale, l'hotel è particolarmente indicato per una clientela commerciale, grazie anche all'ampio parcheggio. Graziosa la hall, confortevoli le camere. Proposte culinarie legate alla tradizione locale.

MONSAMPOLO DEL TRONTO – Ascoli Piceno (AP) – 563N23   21 D3
– 4 140 ab. – ✉ 63030

XX **Il Cantuccio**   🚗 🛜 🐧 **P** 🆚 🐵 ⛟
via Salaria 220, località Stella, Sud: 2 km 0735 703496 – ℰ 17 86 01 57 49
– www.ilcantuccio.bz – info@ilcantuccio.biz – chiuso novembre o gennaio e
lunedì
Rist – *(chiuso a mezzogiorno da giugno a settembre)* Menu 44/54 €
– Carta 48/66 €
♦ All'interno di una residenza di campagna del 1700, il ristorante si trova nelle ex cantine dai caratteristici soffitti a volta: la tipicità dell'ambiente si unisce ad arredi moderni e di design. Cucina decisamente lodevole.

MONSELICE – Padova (PD) – 562G17 – 17 553 ab. – ✉ 35043 🖭 Italia   35 B3

    🖪 Roma 471 – Padova 23 – Ferrara 54 – Mantova 85
    🖪 via del Santuario 6 ℰ 0429 783026, monselice@provincia.padova.it, Fax
    0429 783026
    ◉ ≤ ★ dalla terrazza di Villa Balbi

XX **La Torre**   🄰🄲 🍽 🆚 🐵 🄰🄴 ① ⛟
piazza Mazzini 14 – ℰ 042 97 37 52 – Fax 04 29 78 36 43
– chiuso dal 24 dicembre al 7 gennaio, agosto, domenica sera e lunedì
Rist – Carta 37/55 €
♦ Locale classico in pieno centro storico, nella piazza principale della città, nel quale provare piatti di cucina della tradizione e ricette a base di prodotti pregiati.

sulla strada regionale 104 al km 1,100 Sud-Est: 4: km

⌂ **Ca' Rocca** senza rist 🚗 🌂 ⚙ 🅰 ⚙ ⚙ ♿ 🅿 📷 ⚙ AE 🔆
via Basse 2 – *𝒞 04 29 76 71 51* – *www.carocca.it* – *info@carocca.it*
– *Fax 04 29 71 08 06*
19 cam – ♦60/70 € ♦♦85/120 €
♦ Recente costruzione a conduzione diretta con camere ampie e dotate di ogni confort: base ideale per escursioni nei dintorni.

MONSUMMANO TERME – Pistoia (PT) – 563K14 – 20 095 ab.   28 **B1**
– alt. 23 m – ⊠ 51015 Toscana
  🛣 Roma 323 – Firenze 46 – Pisa 61 – Lucca 31
  📷 Montecatini, 𝒞 0572 622 18

🏨 **Grotta Giusti** ⚓ 🍴 🌂 ⚙ 🛁 ⚙ 🛎 🅰 ⚙ rist, 📞 ♿ 🅿
via Grotta Giusti 1411, Est : 2 km – *𝒞 057 29 07 71*   📷 ⚙ AE ⓪ 🔆
– *www.grottagiustispa.com* – *info@grottagiustispa.com* – *Fax 057 29 07 72 00*
64 cam ⊇ – ♦130/456 € ♦♦260/456 € – ½ P 185/263 €
Rist *La Veranda* – Carta 72/95 €
♦ Nella quiete di un grande parco fiorito con piscina, all'interno del celebre complesso termale con grotte naturali, un hotel di tono, completo nei servizi; camere lineari. Ampia sala ristorante d'impostazione classica.

✗✗ **La Foresteria** ≤ 🏠 🅿 📷 ⚙ AE 🔆
località Monsummano Alto, piazza Castello 10 – *𝒞 05 72 52 00 97*
– *www.ristorantelaforesteria.it* – *info@ristorantelaforesteria.it* – *Fax 057 28 10 36*
– *chiuso dal 3 al 14 novembre e lunedì a mezzogiorno*
Rist – Carta 29/46 €
♦ Locale elegante e sobrio, all'interno d'un piccolo borgo medievale, sovrasta la vallata di Nievole: un paesaggio suggestivo nel quale gustare piatti locali e creativi.

MONTÀ – Cuneo (CN) – 561H5 – 4 351 ab. – alt. 316 m – ⊠ 12046   25 **C2**
  🛣 Roma 544 – Torino 48 – Asti 29 – Cuneo 76

⌂ **Belvedere** ≤ 🏠 🛎 ⚙ 🅰 🅿 📷 ⚙ AE ⓪ 🔆
vicolo San Giovanni 3 – *𝒞 01 73 97 61 56* – *www.albergobelvedere.com* – *info@*
albergobelvedere.com – *Fax 01 73 97 55 87* – *chiuso dieci giorni in gennaio e*
venti giorni in agosto
10 cam ⊇ – ♦65 € ♦♦90 € – ½ P 70 €
Rist – *(chiuso domenica sera e martedì)* Carta 34/44 €
♦ Tra frutteti e vigne, la cortesia e la professionalità della gestione familiare mette a proprio agio anche l'ospite di passaggio e l'abbondante colazione allieterà l'inizio di ogni giornata. Camere ampie, alcune con balcone. Ottima cucina casalinga al ristorante. Con la bella stagione, la terrazza coperta.

MONTAGNA IN VALTELLINA – Sondrio – Vedere Sondrio

MONTAGNA IN VALTELLINA – Sondrio – Vedere Sondrio

MONTAGNA / MONTAN (MONTAN) – Bolzano (BZ) – 562D15   29 **D1**
– 1 557 ab. – alt. 500 m – ⊠ 39040
  🛣 Roma 630 – Bolzano 24 – Milano 287 – Ora 6

🏨 **Tenz** ≤ 🚗 🏠 🌂 🗔 ⚙ ✗ 🛎 ♿ cam, ⚡ ⚙ ⚙ rist, ⚙ ♿ 🅿
via Doladizza 3, Nord : 2 km – *𝒞 04 71 81 97 82*   📷 ⚙ 🔆
– *www.hotel-tenz.it* – *info@hotel-tenz.com* – *Fax 04 71 81 97 28*
– *chiuso dal 5 novembre al 7 dicembre e dal 10 febbraio all'11 marzo*
44 cam ⊇ – ♦45/60 € ♦♦80/120 € – ½ P 65/75 €
Rist – *(chiuso martedì)* Carta 28/46 €
♦ Si gode una bella vista su monti e vallata da un albergo a gestione familiare dotato di accoglienti ambienti in stile montano di taglio moderno e luminose camere. Cucina del territorio nel ristorante distribuito tra una stube e la veranda panoramica.

MONTAGNANA – Padova (PD) – 562 G16 – 9 351 ab. – alt. 16 m   35 **B3**
– ⊠ 35044 ▯ Italia
> ▶ Roma 475 – Padova 49 – Ferrara 57 – Mantova 60
> ◉ Cinta muraria★★

🏨 **Aldo Moro**   ▯▯ ▯▯ ☆ 📶 🔊 🚗 🚗 VISA 🚗 AE ① ⟲
via Marconi 27 – 𝒞 042 98 13 51 – www.hotelaldomoro.com
– info@hotelaldomoro.com – Fax 042 98 28 42
– chiuso dal 3 al 12 gennaio e dal 6 al 22 agosto
24 cam – ♥70 € , ⌷ 9 € – 10 suites – ♥♥120 € – ½ P 85 €
Rist – (chiuso lunedì) Carta 32/50 €
 ♦ Nel centro storico, caratteristico ed elegante ristorante con camere arredate con
mobili d'epoca; splendida e raffinata sala in stile dove gustare piatti del territorio.

🍴🍴 **Hostaria San Benedetto**   🔊 ▯▯ ☆ VISA 🚗 AE ① ⟲
via Andronalecca 13 – 𝒞 04 29 80 09 99 – www.hostariasanbenedetto.it – info@
hostariasanbenedetto.it – Fax 04 29 80 95 08 – chiuso dal 1° al 7 gennaio, dal 15
al 30 agosto e mercoledì
Rist – Carta 31/42 €
 ♦ Locale ubicato nel cuore della "città murata": una sala di tono signorile in cui provare
proposte di cucina del luogo rivisitata; servizio estivo all'aperto.

MONTAGNANA – Modena – Vedere Serramazzoni

MONTAIONE – Firenze (FI) – 563 L14 – 3 547 ab. – alt. 342 m   28 **B2**
– ⊠ 50050 ▯ Toscana
> ▶ Roma 289 – Firenze 59 – Siena 61 – Livorno 75
> 🔟 Castelfalfi, 𝒞 0571 69 84 66
> ◉ Convento di San Vivaldo★ Sud-Ovest : 5 km

🏨🏨 **Una Palazzo Mannaioni**   ≤ 🚗 ⌷ 🔊 🛗 ♿ cam, ▯▯ ↯ ☆ rist, 📶 🔊
via Marconi 2 – 𝒞 057 16 92 77   🚗 VISA 🚗 AE ⟲
– www.palazzomannaioni.it – a.bassi@unapalazzomannaioni.it – Fax 05 71 69 79 74
25 cam ⌷ – ♥125/160 € ♥♥120/179 € – 2 suites – ½ P 90/120 €
Rist – (chiuso a mezzogiorno) Carta 34/46 €
 ♦ In un antico palazzo del centro completamente ristrutturato, un hotel abbellito da un
giardino con piscina; eleganti interni in stile rustico, confortevoli camere in stile. Suggestivo soffitto a volte nella raffinata sala ristorante.

a San Benedetto Nord-Ovest : 5 km – ⊠ 50050 – Montaione

🍴🍴 **Casa Masi**   🚗 🔊 ▯▯ ▯▯ VISA 🚗 AE ① ⟲
via Collerucci 53 – 𝒞 05 71 67 71 70 – www.borgosanbenedetto.it – casamasi@
nautilo.it – Fax 05 71 67 70 42 – chiuso 2 settimane in gennaio e lunedì
Rist – (chiuso a mezzogiorno escluso sabato e i giorni festivi) (consigliata la
prenotazione) Carta 32/45 € ❀
 ♦ Una caratteristica fattoria toscana, vale a dire un borgo agricolo con villa e diversi
casolari; in uno di questi è stato ricavato questo caratteristico e piacevole locale.

MONTALBANO – Rimini – Vedere Santarcangelo di Romagna

MONTALCINO – Siena (SI) – 563 M16 – 5 077 ab. – alt. 564 m   29 **C2**
– ⊠ 53024 ▯ Toscana
> ▶ Roma 213 – Siena 41 – Arezzo 86 – Firenze 109
> 🅸 costa del Municipio 8 𝒞 0577 849331, info@prolocomontalcino.it, Fax0577
> 849331
> ◉ Rocca★★, Palazzo Comunale★
> ◙ Abbazia di Sant'Antimo★ Sud : 10 km

🏨 **Vecchia Oliviera** senza rist   ≤ 🚗 ⌷ ♿ ▯▯ 📶 ▯ VISA 🚗 AE ① ⟲
via Landi 1 – 𝒞 05 77 84 60 28 – www.vecchiaoliviera.com
– info@vecchiaoliviera.com – Fax 05 77 84 60 29
– chiuso dal 12 al 30 dicembre e dal 10 gennaio al 10 febbraio
10 cam ⌷ – ♥70/85 € ♥♥120/190 € – 1 suite
 ♦ Alle porte della località, antico frantoio diventato di recente un hotel con eleganti e
curati interni in stile, piscina e bella terrazza panoramica.

Il Giglio ⟨ 🛱 📶 P VISA ⓪ AE ↻

via Soccorso Saloni 5 – ℰ *05 77 84 81 67 – www.gigliohotel.com – info@
gigliohotel.com – Fax 05 77 84 81 67 – chiuso dal 7 al 31 gennaio*
12 cam �)ℤ – †80/90 € †† 130 € – ½ P 90 €
Rist *– (chiuso martedì) (chiuso a mezzogiorno)* Carta 24/40 € ⅋
◆ A pochi passi dal Palazzo Comunale, tipica ambientazione toscana, con travi e mattoni a vista, in un albergo di antica tradizione; camere recentemente rinnovate. Piccolo ristorante di ambiente rustico e informale; casereccia cucina toscana.

X **Boccon DiVino** ⟨ 🛱 ⅍ VISA ⓪ ↻

località Colombaio Tozzi , Est : 1 km – ℰ *05 77 84 82 33 – www.emmeti.it
/boccondivino – boccon-di-vino@tele2.it – Fax 05 77 84 65 70 – chiuso martedì*
Rist *– (chiuso a mezzogiorno in luglio e agosto)* Carta 39/49 € (+12 %)
◆ In una casa colonica alle porte del paese, la sala rustica e curata o la bella terrazza estiva con vista. Entrambe per autentici sapori del territorio, in chiave moderna.

a Poggio alle Mura Sud-Ovest : 19 km – ⊠ **53024 – Montalcino**

Castello Banfi-Il Borgo senza rist ⑊ ⟨ 🚗 ⅃ AC ⅍ 📶 P
località Sant'Angelo Scalo – ℰ *05 77 87 77 00* VISA ⓪ AE ① ↻
*– www.castellobanfi.it – borgo@castellobanfi.it – Fax 05 77 87 77 01 – chiuso dal
7 gennaio al 26 febbraio*
14 cam �)ℤ – †290/580 € †† 340/640 €
◆ Le lussuose camere sono state ricavate dalle case edificate nel XVII e XVIII sec. accanto alle mura della fortezza medievale; i confort, però, sono squisitamente moderni: dai letti *king size* ai raffinati mobili. Volete deliziarvi con un'esperienza gastronomica ineffabile? Il rist. *Castello Banfi* vi aspetta lì vicino.

XXX **Castello Banfi** 🛱 AC ⅍ ⟳ P VISA ⓪ AE ① ↻
⅏ *località Sant'Angelo Scalo –* ℰ *05 77 87 75 32 – www.castellobanfi.com
– ristorante@banfi.it – Fax 05 77 87 75 30 – chiuso dal 7 gennaio al 16 febbraio,
domenica e lunedì*
Rist *– (chiuso a mezzogiorno)* Menu 90/150 € bc – Carta 95/125 €
Rist Taverna Banfi *–* ℰ *05 77 87 75 24 (chiuso dal 7 gennaio al 1° febbraio, domenica e la sera)* Carta 42/54 €
Spec. Risotto all'astice blu con pomodorini e basilico. Costolette d'agnello in crosta di erbe aromatiche, caponata e sformato di patate. Sfera di cioccolato bianco e frutto della passione, sorbetto di cioccolato amaro e salsa alla vaniglia.
◆ All'interno dell'omonimo castello tra incantevoli vigneti, ingresso sulla cucina a vista ed elegante sala. Piatti sofisticati e creativi su base regionale. Più semplice e tradizionale la cucina della taverna, sapori toscani in ambienti informali.

a Podernovi Sud-Est : 5 km – ⊠ **53024 – Montalcino**

X **Taverna dei Barbi** 🛱 AC ⟳ P VISA ⓪ AE ① ↻
località Podernovi 170 – ℰ *05 77 84 71 17 – www.fattoriadeibarbi.it – info@
fattoriadeibarbi.it – Fax 05 77 84 11 12 – chiuso dal 10 gennaio al 6 febbraio e
mercoledì, anche martedì sera in inverno*
Rist – Carta 30/38 € ⅋
◆ Nell'omonima fattoria, regna una genuina atmosfera rurale nel caratteristico ambiente di questa trattoria, con un imponente camino. Piatti della tradizione locale.

a Poggio Antico Sud-Ovest : 5 km – ⊠ **53024 – Montalcino**

XXX **Poggio Antico** 🛱 P VISA ⓪ AE ↻
– ℰ *05 77 84 92 00 – www.poggioantico.it – rist.poggio.antico@libero.it
– Fax 05 77 84 92 00 – chiuso dal 6 gennaio al 6 febbraio, domenica sera e
lunedì (escluso aprile-ottobre)*
Rist – Carta 60/80 €
◆ In un casolare con vista sulle colline, ristorante di elegante ambientazione classica, dove le finestre inquadrano il verde del paesaggio; fantasia e piglio sicuro in cucina.

MONTALI – Perugia – 563M18 – **Vedere Panicale**

MONTAN = **Montagna**

MONTE = **BERG** – Bolzano – **Vedere Appiano sulla Strada del Vino**

MONTE ... MONTI – Vedere nome proprio del o dei monti

MONTEBELLO VICENTINO – Vicenza (VI) – 562F16 – 5 922 ab.   37 A2
– alt. 48 m – ⊠ 36054

> ▶ Roma 534 – Verona 35 – Milano 188 – Venezia 81

a Selva Nord-Ovest : 3 km – ⊠ 36054 – Montebello Vicentino

XX   **La Marescialla**   ≤ 命 AC 吟 ⇔ P VISA ◑ AE ① ⑤
via Capitello 3 – ℰ 04 44 64 92 16 – lamarescialla97@yahoo.it
– Fax 04 44 68 64 56 – chiuso dal 1° al 7 gennaio, dal 6 al 30 agosto, domenica sera e lunedì
Rist – Carta 32/49 €
♦ Giovane e brillante gestione per un locale che, grazie ad un totale *restyling*, ha guadagnato in eleganza pur restando di matrice rustica. Immutata la linea di cucina che segue le tradizioni locali e la stagionalità dei prodotti, da gustare in un'atmosfera calda ed accogliente.

MONTEBELLUNA – Treviso (TV) – 562E18 – 28 858 ab. – alt. 109 m   36 C2
– ⊠ 31044

> ▶ Roma 548 – Padova 52 – Belluno 82 – Trento 113
> ⑥ Villa del Palladio★★★ a Maser Nord : 12 km

⊞⊞   **Bellavista** senza rist ⌂   ≤ 綝 🕅 ⑤ 🎧 AC 吟 「「」 ⑥ P
via Zuccareda 20, località Mercato Vecchio   VISA ◑ AE ① ⑤
– ℰ 04 23 30 10 31 – www.bellavistamontebelluna.it
– info@bellavistamontebelluna.it – Fax 04 23 30 36 12
– chiuso dal 21 dicembre al 7 gennaio e dal 1° al 25 agosto
40 cam ⌂ – †95/115 € ††150/160 € – 2 suites
♦ Sulle prime colline alle spalle di Montebelluna; spaziose e confortevoli le zone comuni e le stanze con vista sulla città o, sul retro, sul Monte Grappa.

X   **Al Tiglio d'Oro**   命 AC 吟 P VISA ◑ AE ① ⑤
località Mercato Vecchio – ℰ 042 32 24 19 – www.ristorantealtigliodoro.com
– info@ristorantealtigliodoro.com – Fax 042 32 24 19 – chiuso dal 2 al 7 gennaio, dal 6 al 22 agosto e venerdì
Rist – Carta 25/36 €
♦ In collina, un locale classico con ampie capacità ricettive e un piacevole servizio estivo all'aperto; stagionale cucina del territorio e predilezione per la griglia.

MONTEBENI – Firenze – Vedere Fiesole

MONTEBENICHI – Arezzo (AR) – 563L15 – alt. 508 m – ⊠ 52021   29 C2
– Pietraviva

> ▶ Roma 205 – Siena 31 – Arezzo 40 – Firenze 73

⊞⊞   **Castelletto di Montebenichi** senza rist ⌂   綝 ℑ 🕅 🎧 AC ↻
piazza Gorizia 19 – ℰ 05 59 91 01 10   吟 「「」 P VISA ◑ AE ① ⑤
– www.castelletto.it – info@castelletto.it – Fax 05 59 91 01 13 – aprile-3 novembre
9 cam ⌂ – †200/280 € ††240/330 €
♦ L'emozione di soggiornare nei ricchi interni di un piccolo castello privato in un borgo medioevale, tra quadri e reperti archeologici; panoramico giardino con piscina e palestra.

X   **Osteria L'Orciaia**   斦 VISA ◑ ⑤
via Capitan Goro 10 ⊠ 52021 – ℰ 05 59 91 00 67 – Fax 05 59 91 00 67 – 15 marzo-10 novembre; chiuso martedì
Rist – (consigliata la prenotazione) Carta 22/49 €
♦ Caratteristico localino rustico all'interno di un edificio cinquecentesco, con un raccolto dehors estivo. Cucina tipica toscana elaborata partendo da ottimi prodotti.

MONTECALVO VERSIGGIA – Pavia (PV) – 561H9 – 547 ab.   16 B3
– alt. 410 m – ⊠ 27047

> ▶ Roma 557 – Piacenza 44 – Genova 133 – Milano 76

XX **Prato Gaio** 🏠 **P**
località Versa, bivio per Volpara, Est : 3 km – ☎ *038 59 97 26*
– www.ristorantepratogaio.it – chiuso gennaio, lunedì e martedì
Rist – Carta 33/42 € 🍴
♦ Sono ristoratori da oltre un secolo i titolari di questo locale, classico con tocchi di eleganza; cucina del territorio rivisitata, ampia scelta di vini dell'Oltrepò.

MONTECARLO – Lucca (LU) – 563K14 – 4 398 ab. – alt. 163 m   28 **B1**
– ✉ 55015
　　▶ Roma 332 – Pisa 45 – Firenze 58 – Livorno 65

⌂ **Antica Dimora Patrizia** 🌳   **AC** 🐕 rist, **VISA** **⬤⬤** **AE** ⑤
　via Carmignani 10/12 – ☎ *058 32 21 56* – *www.anticadimorapatrizia.com*
🍴 *– info@anticadimorapatrizia.com – Fax 05 83 22 94 98*
　6 cam 🛏 – †50/60 € ††70/80 € – ½ P 58 €
　Rist – *(chiuso a mezzogiorno)* Carta 19/37 €
　♦ Piacevole struttura ricavata in un palazzo medievale sito in un tranquillo angolo del centro storico, dispone di ambienti rustici, un salone con camino e alcune camere mansardate. Al piano terra, il ristorante propone le specialità della cucina toscana.

⌂ **Nina** senza 🛏 🌳   🍴 🐕 📶 **P** **VISA** **⬤⬤** **AE** ⑤
　via San Martino 54, Nord-Ovest : 2,5 km – ☎ *058 32 21 78* – *www.lanina.org*
　– info@lanina.it – Fax 058 32 21 78
　10 cam – †50/55 € ††60/65 €   **Rist La Nina** – vedere selezione ristoranti
　♦ Alla sommità di una collina, la villa vanta una tranquilla posizione ed è circondata da un piacevole giardino; ampie camere rinnovate ed arredate in stile, prezzi interessanti.

⌂ **Agriturismo Fattoria la Torre**   ⬅ 🚗 🏠 🏊 📶 **AC** 📶 **P**
　via provinciale di Montecarlo 7 – ☎ *058 32 29 81*   **VISA** **⬤⬤** **AE** ⓘ ⑤
　– www.fattorialatorre.it – info@fattorialatorre.it – Fax 058 32 29 82 18
　6 cam 🛏 – †80/100 € ††100/120 €
　Rist Enoteca la Torre – ☎ *05 83 22 94 95 (chiuso martedì) (chiuso a mezzogiorno escluso domenica)* Carta 26/42 €
　♦ Accanto alla produzione di olio e vino, l'ospitalità alberghiera: all'interno, un curioso contrasto tra l'atmosfera di una casa ottocentesca e camere realizzate in design. Parco giochi per bambini. Originale e luminoso, il ristorante propone i piatti della più autentica cucina del territorio.

XX **La Nina**   🏠 **AC** 🍴 **P** **VISA** **⬤⬤** **AE** ⑤
　via San Martino 54, Nord-Ovest : 2,5 km – ☎ *058 32 21 78* – *www.lanina.it*
　– info@lanina.it – Fax 058 32 21 78 – chiuso lunedì sera e martedì
　Rist – Carta 25/35 €
　♦ In pregevole posizione panoramica, propone la cucina della tradizione e diversi piatti di carne alla griglia, agnello, manzo e piccione.

MONTECAROTTO – Ancona (AN) – 563L21 – 2 176 ab. – alt. 388 m   21 **C2**
– ✉ 60036
　　▶ Roma 248 – Ancona 50 – Foligno 95 – Gubbio 74

XX **Le Busche** (Andrea Angeletti)   ⬅ 🏠 🛅 **AC** 🍴 **P** **VISA** **⬤⬤** **AE** ⓘ ⑤
💤 *contrada Busche 2, Sud-Est : 4 km* – ☎ *073 18 91 72* – *www.lebusche.net*
　– lebusche@libero.it – Fax 07 31 89 91 40 – chiuso domenica sera e lunedì
　Rist – Carta 50/66 €
　Spec. Insalata di calamari con yogurt greco, verdure e limone salato. Risotto al foie gras con scampi crudi ed asparagi. Tagliata di tonno con panzanella di pomodorini.
　♦ Avvolta in un paesaggio collinare, la sala è stata probabilmente ricavata nella vecchia stalla del casolare; la cucina elabora piatti di pesce influenzati dalla cucina marchigiana, presentati in diversi menu degustazione.

MONTE CASTELLO DI VIBIO – Perugia (PG) – 563N19 – 1 679 ab.   32 **B2**
– alt. 422 m – ✉ 06057
　　▶ Roma 143 – Perugia 43 – Assisi 54

a Doglio Sud-Ovest : 9,5 km – ⊠ **06057** – Monte Castello di Vibio

⌂ **Agriturismo Fattoria di Vibio** ⌘ ◁ 🚗 🏠 🔟 🔲 🕸 🖪
località Buchella 9 – 𝒞 *07 58 74 96 07* ⚡ rist, ⓟ 🦽 🅿 𝓥𝓢𝓐 ⓿ 𐐂🖎 🖎
– *www.fattoriadivibio.com* – *info@fattoriadivibio.com* – *Fax 07 58 78 00 14*
– *chiuso dal 15 gennaio al 15 febbraio*
14 cam 🛏 – ⴵ100/160 € ⴵⴵ140/260 € – ½ P 90/160 €
Rist – (prenotazione obbligatoria) Carta 25/47 € 🕮 (+10 %)
♦ Calda, informale ospitalità in un'autentica residenza di campagna: stile rustico e cura dei dettagli nei confortevoli interni. Centro benessere e casali con cucina per soggiorni più lunghi.

MONTECATINI TERME – Pistoia (PT) – 563K14 – **20 627 ab.** 28 **B1**
– alt. 27 m – ⊠ 51016 ▌ Toscana
▶ Roma 323 – Firenze 48 – Pisa 55 – Bologna 110
ℹ viale Verdi 66/68 𝒞 0572 772244, apt@montecatini.turismo.toscana.it, Fax 0572 772244
🔢, 𝒞 0572 622 18

Pianta pagina a lato

🏨 **Grand Hotel e La Pace** ⌘ 🎵 🏠 🔟 🌐 🕸 🖪 🍴 rist,
via della Torretta 1 – 𝒞 *05 72 92 40* ⓟ 🦽 🅿 𝓥𝓢𝓐 ⓿ 𐐂🖎
– *www.grandhotellapace.it* – *info@grandhotellapace.it* – *Fax 057 27 84 51*
– *marzo-novembre* AZ**y**
110 cam 🛏 – ⴵ180/310 € ⴵⴵ300/530 € – 22 suites – ½ P 250 €
Rist – Menu 45/70 €
♦ Storico, prestigioso albergo belle époque, considerato uno dei vanti dell'hotellerie nazionale, offre tono e servizi di alto livello; parco fiorito con piscina riscaldata. Il ristorante sfoggia pregevoli elementi decorativi liberty.

🏨 **Grand Hotel Tamerici e Principe** 🚗 🔟 🕸 🖼 🦽 cam, 🔲
viale 4 Novembre 4 – 𝒞 *057 27 10 41* ⚡ rist, 🦽 🅿 𝓥𝓢𝓐 ⓿ 𐐂🖎
– *www.hoteltamerici.it* – *info@hoteltamerici.it* – *Fax 057 27 29 92*
– *20 marzo-15 novembre* AY**g**
125 cam 🛏 – ⴵ95/150 € ⴵⴵ150/250 € – 16 suites – ½ P 99/150 €
Rist – Menu 30/50 €
♦ Albergo di solida tradizione che nei suoi interni in stile sfoggia una collezione di oggetti artistici e dipinti ottocenteschi. Camere rinnovate, giardino con piscina. Affidabile cucina nazionale negli accoglienti spazi del ristorante.

🏨 **Grand Hotel Croce di Malta** 🚗 🔟 🖪 🖼 🔲 🍴 rist, 📞 🦽
viale 4 Novembre 18 – 𝒞 *05 72 92 01* 𝓥𝓢𝓐 ⓿ 𐐂🖎
– *www.crocedimalta.com* – *info@crocedimalta.com* – *Fax 05 72 76 75 16*
133 cam ⴵ120 € ⴵⴵ220 €, 🛏 15 € – 12 suites – ½ P 165 € AY**x**
Rist – Menu 35/50 €
♦ Hotel di gran classe, dove confort elevato, raffinatezza delle ambientazioni e ampiezza degli spazi si amalgamano alla perfezione. Piacevole giardino con piscina riscaldata. Sale ristorante dagli arredi in stile classico.

🏨 **Francia e Quirinale** 🔟 🖪 🔲 🍴 rist, 🦽 𝓥𝓢𝓐 ⓿ 𐐂🖎
viale 4 Novembre 77 – 𝒞 *057 27 02 71* – *www.franciaequirinale.it* – *info@*
franciaequirinale.it – *Fax 057 27 02 75* – *aprile-ottobre* AY**v**
118 cam 🛏 – ⴵ80/93 € ⴵⴵ115/124 € – ½ P 93 €
Rist – (solo per alloggiati) Menu 26/31 €
♦ Nei pressi dei principali stabilimenti termali, struttura di tono che coniuga bene la funzionalità dei servizi con la sobria eleganza degli interni; ampie camere moderne.

🏨 **Tettuccio** 🎵 🖪 🔲 🍴 rist, ⓟ 🦽 🅿 𝓥𝓢𝓐 ⓿ 𐐂🖎
☕ *viale Verdi 74* – 𝒞 *057 27 80 51* – *www.hoteltettuccio.it* – *info@hoteltettuccio.it*
– *Fax 057 27 57 11* – *chiuso Natale* BY**n**
74 cam 🛏 – ⴵ59/93 € ⴵⴵ69/160 € – ½ P 80/90 €   **Rist** – Menu 20/40 €
♦ Di fronte alle terme Excelsior, esiste dal 1894 questo grande e storico albergo, con sale comuni completamente rinnovate; gradevole la terrazza ombreggiata. Al ristorante si respira un'aria fin de siècle.

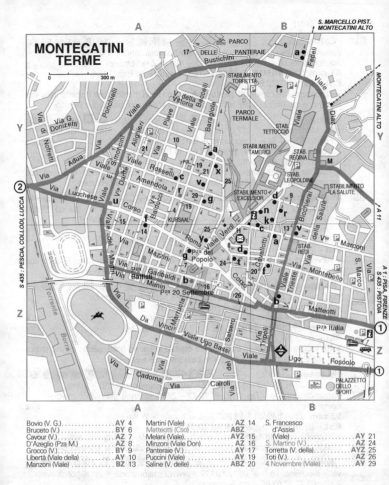

MONTECATINI TERME

0 — 300 m

🏨 **Ercolini e Savi**   🏢 AC ⚇ ♨ VISA ⓪ AE ① 💳

via San Martino 18 – ℰ 057 27 03 31 – www.ercoliniesavi.it – info@
ercoliniesavi.it – Fax 057 27 16 24   **AZt**

81 cam ☲ – ♦90 € ♦♦153 € – ½ P 90 €

Rist – *(solo per alloggiati)*

◆ Conduzione diretta dinamica ed efficiente in un hotel classico e di tradizione, che offre belle camere ariose: in parte moderne, in parte in stile. Bella terrazza per i momenti di relax.

🏨 **Michelangelo**   🚗 ♨ ♨ ⚇ ♨ 🏢 ♨ ♨♨ AC ⚇ P VISA ⓪ AE 💳

viale Fedeli 9 – ℰ 057 27 45 71 – www.hotelmichelangelo.org
– info@hotelmichelangelo.org – Fax 057 27 28 85
– aprile-ottobre   **BYa**

69 cam ☲ – ♦65/75 € ♦♦90/100 € – ½ P 70/75 €

Rist – *(solo per alloggiati)* Carta 24/40 €

◆ Una risorsa capace di offrire un valido compromesso tra livello di confort e aggiornamento delle dotazioni a disposizione degli ospiti. Buoni spazi comuni interni ed esterni. Ampio menù proposto nella moderna sala ristorante.

737

Columbia 🏔 🖒 🖃 🅰🅲 🕸 rist. 📞 🅿 🆚🆂🅰 🆎 🆎 🏍

*corso Roma 19 – ℰ 057 27 06 61 – www.hotelcolumbia.it – info@
hotelcolumbia.it – Fax 05 72 77 12 93 – marzo-2 novembre*   AZ**g**
63 cam ⌑ – 💲45/140 € 💲💲65/230 € – 1 suite – ½ P 65/105 €
Rist – Carta 45/70 €
♦ Le eleganti sale comuni di questo centralissimo hotel mantengono l'aspetto dello stile
liberty che caratterizza il bell'edificio; piccola area relax con massaggi e palestra.

Adua 🚗 🕮 🖃 🅰🅲 🖇 🕸 rist. 📞 🍴 🅿 🆚🆂🅰 🆎 🆎 🏍

*viale Manzoni 46 – ℰ 057 27 81 34 – www.hoteladua.it – info@hoteladua.it
– Fax 057 27 81 38 – Capodanno e marzo-novembre*   BZ**a**
72 cam ⌑ – 💲70/120 € 💲💲90/180 € – ½ P 70/100 €
Rist – *(solo per alloggiati)*
♦ Cordiale gestione familiare in un albergo centrale, completamente rinnovato, con
comodi spazi comuni in stile; stanze ampie, nuovissimo centro benessere.

Settentrionale Esplanade 🚗 🛋 🖃 🅰🅲 🕸 rist. 📞 🍴 🚐

via Grocco 2 – ℰ 057 27 00 21   🆚🆂🅰 🆎 🆎 🏍
*– www.settentrionaleesplanade.it – info@settentrionaleesplanade.it
– Fax 05 72 76 74 86 – marzo-novembre*   BY**d**
100 cam ⌑ – 💲60/110 € 💲💲95/163 € – ½ P 70/98 €
Rist – *(solo per alloggiati)* Menu 30/45 €
♦ Albergo di tradizione, nato negli anni '20 e da allora gestito dalla stessa famiglia, con
ampi e signorili spazi comuni e stanze non grandi, ma luminose e ben tenute.

Parma e Oriente 🚗 🛋 🏔 🖃 🅰🅲 🕸 rist. 📞 🅿 🆚🆂🅰 🆎 🆎 🏍

*via Cavallotti 135 – ℰ 057 27 21 35 – www.hotelparmaoriente.it
– info@hotelparmaoriente.it – Fax 057 27 21 37
– 27 dicembre-6 gennaio e 25 marzo-10 novembre*   BY**k**
65 cam – 💲50/60 € 💲💲90/104 €, ⌑ 7 € – ½ P 60/72 €
Rist – *(solo per alloggiati)* Menu 20/25 €
♦ Un soggiorno termale in un ambiente ospitale in questo hotel, gestito da una storica
famiglia di albergatori; camere in stile, bella piscina e area relax.

Manzoni 🚗 🛋 🏔 🖃 🖒 🅰🅲 🕸 rist. 🕪 🅿 🆚🆂🅰 🆎 ⓞ 🏍

*viale Manzoni 28 – ℰ 057 27 01 75 – www.hotelmanzoni.info – info@
hotelmanzoni.info – Fax 05 72 91 10 12 – 27 dicembre-4 gennaio e marzo-
novembre*   BZ**c**
93 cam ⌑ – 💲49/80 € 💲💲80/120 € – 1 suite – ½ P 63 €
Rist – *(solo per alloggiati)* Menu 20/55 €
♦ Possiede un certo fascino retrò questa casa centrale, arredata con mobili in stile e
qualche pezzo d'antiquariato; piccolo giardino intorno alla piscina, comodo parcheggio.

Boston 🛋 🖃 🅰🅲 🕸 🅿 🆚🆂🅰 🆎 🆎 ⓞ 🏍

*viale Bicchierai 16 – ℰ 057 27 03 79 – www.hotelboston.it – info@hotelboston.it
– Fax 05 72 77 02 08 – aprile-ottobre*   BZ**b**
59 cam ⌑ – 💲50/100 € 💲💲70/120 € – ½ P 55/85 €
Rist – *(solo per alloggiati)* Menu 20/35 €
♦ Il punto di forza di questo gradevole albergo in continuo rinnovamento è senz'altro la
bella terrazza panoramica con solarium e piscina; camere lineari e luminose.

Corallo 🛋 🖃 🅰🅲 🕸 rist. 🕪 🍴 🅿 🆚🆂🅰 🆎 🆎 ⓞ 🏍

*via Cavallotti 116 – ℰ 057 27 96 42 – www.golfhotelcorallo.it – info@
golfhotelcorallo.it – Fax 057 27 82 88*   BY**r**
60 cam ⌑ – 💲50/70 € 💲💲70/110 € – ½ P 60 €
Rist – *(solo per alloggiati)* Menu 20/40 €
♦ Consolidata conduzione familiare per una struttura semplice, ma ben tenuta e accogliente, in zona centrale; piacevole terrazza con piscina e biciclette a disposizione. Tradizionale cucina d'albergo al ristorante.

Brennero e Varsavia 🖃 🅰🅲 🕸 rist. 🕪 🅿 🆚🆂🅰 🆎 🆎 ⓞ 🏍

*viale Bicchierai 70/72 – ℰ 057 27 00 86 – www.hotelbrenneroevarsavia.it – info@
hotelbrenneroevarsavia.it – Fax 057 27 44 59 – marzo-novembre*   BZ**v**
54 cam ⌑ – 💲55/65 € 💲💲90/160 € – ½ P 63/70 €   **Rist** – Menu 18/25 €
♦ In comoda posizione per il centro e per le terme, una risorsa a gestione familiare che,
dopo la recente ristrutturazione, offre camere confortevoli e bagni moderni. Il ristorante
dispone di una sala di taglio classico e di tono moderno.

Puccini 🛗 ⚓ ⚛ AC ↵ 🗅 (🎵) 📶 VISA ⓿ ⓿ ⚒

corso Roma 95/97 – 𝒞 05 72 90 44 58 – www.hotelpuccini.net – info@hotelpuccini.net – Fax 057 27 04 44 AYZ**f**
35 cam – ♦70/110 € ♦♦100/150 € – ½ P 95 €
Rist – *(marzo-15 novembre e 28 dicembre-6 gennaio)* Menu 25/60 €
♦ Ubicato in posizione centrale, uno stabile di fine Ottocento, completamente ristrutturato, ospita camere eleganti e confortevoli accessoriate con gusto moderno.

Mediterraneo 🚗 🛗 AC (🎵) P VISA ⓿ AE ⓿ ⚒

via Baragiola 1 – 𝒞 057 27 13 21 – www.taddeihotels.it – mediterraneo@taddeihotels.it – Fax 057 27 13 23 – pasqua-novembre AY**a**
33 cam 🖙 – ♦45/70 € ♦♦90/130 € – ½ P 55/80 €
Rist – *(solo per alloggiati)* Menu 20/40 €
♦ Ventennale conduzione diretta in una risorsa affacciata sul parco delle terme e dotata di un proprio giardino con pergolato, dove d'estate vi piacerà fare colazione.

Reale 🚗 ⣿ 🛗 AC 🎵 rist, (🎵) 🏊 🚗 VISA ⓿ AE ⓿ ⚒

via Palestro 7 – 𝒞 057 27 80 73 – www.hotel-reale.it – info@hotel-reale.it – Fax 057 27 80 76 – chiuso gennaio e febbraio AZ**d**
54 cam – ♦60/70 € ♦♦110/130 €, 🖙 7 € – ½ P 55/65 €
Rist – *(solo per alloggiati)* Menu 26 €
♦ Albergo costituito da un corpo d'epoca e da un altro più recente, raccolti intorno ad un piccolo giardino con piscina; confortevoli e ben disposti gli spazi comuni.

La Pia 🛗 ⚓ AC 🎵 P VISA ⓿ ⚒

via Montebello 30 – 𝒞 057 27 86 00 – www.lapiahotel.it – info@lapiahotel.it – Fax 05 72 77 13 82 – aprile-ottobre BZ**f**
37 cam 🖙 – ♦50/70 € ♦♦95/120 € – ½ P 70/80 €
Rist – *(solo per alloggiati)* Menu 25/40 €
♦ Una bella atmosfera familiare, che promette un'ospitalità premurosa, in una risorsa ubicata in zona tranquilla, con dehors nell'antistante piazza; camere ben tenute.

Petit Château *senza rist* 🚗 AC (🎵) VISA ⓿ AE ⓿ ⚒

viale Rosselli 10 – 𝒞 05 72 90 59 00 – www.petitchateau.it – info@petitchateau.it – Fax 05 72 91 09 01 AY**c**
7 cam 🖙 – ♦65/85 € ♦♦80/140 €
♦ Non lonatano dalle terme, villa liberty completamente rinnovata negli interni, offre oggi ai propri ospiti camere arredate con gusto e signorilità.

Villa le Magnolie *senza rist* 🚗 🛗 AC (🎵) P 🚗 VISA ⓿ AE ⚒

viale Fedeli 15 – 𝒞 05 72 91 17 00 – www.michelangelo-hotel.it – info@hotelmichelangelo.org – Fax 057 27 28 85 BY**a**
6 cam 🖙 – ♦70/100 € ♦♦90/100 €
♦ Sei camere complete di ogni confort, zona soggiorno molto raccolta e curata, sala colazioni con un'unica grande tavola. Disponibili tutti i servizi dell'hotel Michelangelo.

XXX Gourmet AC VISA ⓿ AE ⓿ ⚒

viale Amendola 6 – 𝒞 05 72 77 10 12 – rist.gourmet@tiscali.it – Fax 05 72 77 10 12 – chiuso dal 7 al 20 gennaio, dal 1° al 16 agosto e martedì
Rist – Carta 45/65 € 🐜 (+12 %) AY**r**
♦ Ambiente di tono in un ristorante la cui vasta carta non trascura i sapori di terra, ma predilige quelli di mare, in preparazioni tradizionali o in più audaci variazioni.

XX Enoteca Giovanni 🍴 AC ⟳ VISA ⓿ ⓿ ⚒

via Garibaldi 25/27 – 𝒞 057 27 30 80 – www.enotecagiovanni.it – info@enotecagiovanni.it – Fax 057 27 16 95 – chiuso dal 15 al 28 febbraio, dal 15 al 30 agosto e lunedì AZ**b**
Rist – Carta 58/76 € 🐜
♦ La cucina squisitamente italiana propone piatti di carne e di pesce accompagnati da ottimi vini. Poliglotta invece il menu, tradotto in cinque lingue diverse! Dehors estivo per il servizio serale.

XX San Francisco AC 🎵 VISA ⓿ AE ⓿ ⚒

corso Roma 112 – 𝒞 057 27 96 32 – www.sanfrancisco.it – info@sanfrancisco.it – Fax 05 72 77 12 27 – chiuso giovedì AY**u**
Rist – *(chiuso a mezzogiorno)* Carta 34/46 €
♦ Ambientazione rustico-signorile con luci soffuse in un locale dove un'esperta coppia di coniugi, lei in sala e lui ai fornelli, propongono una curata cucina tradizionale.

sulla via Marlianese per viale Fedeli *BY :*

※ **Montaccolle** 🛋 🎖 ♻ **P** 𝑽𝑰𝑺𝑨 ⦿ 𝔸𝔼 ➀ ♿
🍝 *via Marlianese 27, Nord : 6,5 km* ✉ *51016 – 𝒞 057 27 24 80 – chiuso dal 2 novembre al 6 dicembre, 10 giorni in luglio e lunedì*
Rist *– (chiuso a mezzogiorno escluso i giorni festivi)* Carta 21/39 €
♦ Schietta trattoria sulle colline che circondano la località. La piacevolezza del panorama, in particolare d'estate sulla terrazza, è pari alla genuinità dei cibi.

a Nievole per viale Fedeli *BY –* ✉ **51010**

※ **Da Pellegrino** 🛋 **P** 𝑽𝑰𝑺𝑨 ⦿ 𝔸𝔼 ➀ ♿
🍝 *località Renaggio 6, Nord : 7 km – 𝒞 057 26 71 58 – www.dapellegrino.com – dapellegrino@aruba.it – Fax 057 26 71 58 – chiuso dal 15 febbraio al 5 marzo e mercoledì*
Rist *– (chiuso a mezzogiorno escluso sabato, domenica e i giorni festivi)* Carta 19/32 €
♦ In una frazione isolata, simpatico locale di arredamento rustico e ambiente familiare, dove gusterete una casalinga cucina toscana che segue le stagioni.

a Taversagna per ② *: 2 km –* ✉ **51010**

※※ **Da Angiolo** 𝔸ℂ 𝑽𝑰𝑺𝑨 ⦿ 𝔸𝔼 ➀ ♿
via del Calderaio 2 – 𝒞 05 72 91 37 71 – Fax 05 72 91 37 71 – chiuso agosto, lunedì
Rist *– (chiuso a mezzogiorno escluso i giorni festivi)* Menu 35/50 € – Carta 30/59 €
♦ Due soci, uno in cucina, l'altro in sala, conducono con successo questo ristorante di impostazione classica: per una cena a base di pesce freschissimo.

MONTECCHIA DI CROSARA – Verona (VR) – 562F15 – 4 390 ab.   **35 B3**
– alt. 87 m – ✉ 37030
■ Roma 534 – Verona 34 – Milano 188 – Venezia 96

※※※ **Baba-Jaga** ⇐ 🚗 🛋 𝔸ℂ 🎖 **P** 𝑽𝑰𝑺𝑨 ⦿ 𝔸𝔼 ➀ ♿
via Cabalao – 𝒞 04 57 45 02 22 – www.baba-jaga.com – jagababa@ciaoweb.it – chiuso 3 settimane in gennaio, 3 settimane in agosto, domenica sera e lunedì
Rist – Carta 44/60 €
♦ Si ispira ad una creatura fatata della letteratura favolistica russe questo luminoso locale immerso in un silenzioso giardino, in balia delle moderne creazioni dello chef, di terra e di mare, anche alle griglia.

※※ **La Terrazza** (Stefano Pace) 🛋 𝔸ℂ 🎖 ♻ **P** 𝑽𝑰𝑺𝑨 ⦿ 𝔸𝔼 ➀ ♿
🌸 *via Cesari 1 – 𝒞 04 57 45 09 40 – www.laterrazza.vr.it – info@laterrazza.vr.it – Fax 04 56 54 41 75 – chiuso dal 21 agosto all'11 settembre, dal 1° all'8 novembre, domenica sera e lunedì; da ottobre a marzo anche martedì e mercoledì*
Rist – Carta 50/70 € ❀
Spec. Cappesante marinate al tartufo nero cotto nel Porto (inverno-primavera).Terrina di foie gras d'anatra della casa (autunno-inverno). Spiedino di pernice alla salvia e pancetta con polenta (autunno).
♦ Comodi sulla bellla veranda, una terrazza panoramica dalle finestre affacciate sulle colline e sul paese. Il pesce regna sovrano, sempre fresco e servito in interessanti preparazioni di moderna fantasia.

MONTECCHIO – Terni (TR) – 563O18 – 1 749 ab. – alt. 377 m   **32 B3**
– ✉ 05020
■ Roma 114 – Terni 51 – Viterbo 43 – Orvieto 25

⛺ **Agriturismo Poggio della Volara** 🦌 ⇐ 🚗 🛋 🍴 **P**
località Volara, Nord : 4,5 km – 𝒞 07 44 95 18 20 – www.poggiodellavolara.it – info@poggiodellavolara.it – Fax 07 44 95 18 20 – chiuso gennaio e febbraio
16 cam – ♥♥80/100 €, �└ 5 € – ½ P 70/80 €
Rist *– (chiuso a mezzogiorno) (solo per alloggiati)* Menu 25/35 €
♦ A pochi chilometri da Orvieto, un'azienda agrituristica semplice, ubicata in zona panoramica, con ampi spazi esterni, una bella piscina e camere di buon confort.

MONTECCHIO – Brescia – 561E12 – Vedere Darfo Boario Terme

MONTECCHIO EMILIA – Reggio nell'Emilia 8 A3

🍴 **La Ghironda** [AC] 🚭 VISA [MC] $

via XX Settembre 61 – ☎ 05 22 86 35 50 – ghironda@comune.re.it – Fax 05 22 86 35 50 – chiuso 1 settimana in gennaio, 3 settimane in luglio, domenica sera, lunedì

Rist – Carta 32/41 €

◆ *Camillo* in sala e *Davide* in cucina, vi danno il benvenuto in questo semplice ristorante che propone specialità emiliane e piatti della tradizione gastronomica italiana, sapientemente alleggeriti.

MONTECCHIO MAGGIORE – Vicenza (VI) – 562F16 – 21 966 ab. 37 A2
– alt. 72 m – ✉ 36075 Italia

▶ Roma 544 – Verona 43 – Milano 196 – Venezia 77

◉ ← ★ dai castelli – Salone★ della villa Cordellina-Lombardi

in prossimità casello autostrada A4 - Montecchio Sud Sud-Est : 3 km :

🏨 **Castagna** ♿ cam, [AC] 🚭 rist, 📶 🏋 [P] 🚗 VISA [MC] [AE] ⓘ $

via Archimede 2 ✉ 36041 Alte di Montecchio Maggiore – ☎ 04 44 49 05 40 – www.castagnahotel.it – info@castagnahotel.it – Fax 04 44 49 96 77

56 cam ☕ – 👥90/180 € **Rist** – *(chiuso domenica)* Carta 30/70 €

◆ Nei pressi del casello autostradale, struttura di recente realizzazione, dotata di piattaforma eliporto; ideale per clientela d'affari, ha stanze dalle linee classiche. Ambientazione moderna per la luminosa sala da pranzo.

MONTECCHIO PRECALCINO – Vicenza (VI) – 562F16 – 4 745 ab. 37 A1
– alt. 86 m – ✉ 36030

▶ Roma 544 – Padova 57 – Trento 84 – Treviso 67

🍴🍴🍴 **La Locanda di Piero** [AC] ☼ [P] VISA [MC] [AE] ⓘ $

via Roma 32, strada per Dueville, Sud : 1 km – ☎ 04 45 86 48 27 www.lalocandadipiero.it – info@lalocandadipiero.it – Fax 04 45 86 48 28 – chiuso dal 1° al 10 marzo, dal 10 al 20 agosto, domenica e i mezzogiorno di lunedì e sabato

Rist – *(chiuso a mezzogiorno lunedì e sabato)* Carta 50/70 € 🍇

◆ Un villino alle porte della località ospita un elegante ed intimo angolo per gourmet, con dehors estivo, dove uno chef emergente esplica il suo estro nell'alveo delle tradizioni locali.

MONTECHIARO D'ASTI – Asti (AT) – 561G6 – 1 396 ab. – alt. 290 m 23 C2
– ✉ 14025

▶ Roma 627 – Torino 78 – Alessandria 58 – Asti 20

🍴🍴 **Tre Colli** ⛱ ☼ VISA [MC] $

piazza del Mercato 3/5 – ☎ 01 41 90 10 27 – www.trecolli.com – info@trecolli.com – Fax 01 41 99 99 87 – chiuso dal 1° al 15 gennaio, dal 26 luglio al 14 agosto,mercoledì e le sere di lunedì e martedì

Rist – Carta 28/35 €

◆ Un ristorante che esiste dal 1898: salette rivestite di legno, con toni morbidi ed accoglienti, tavoli massicci, nonchè una panoramica terrazza estiva per proposte piemontesi.

MONTECOSARO – Macerata (MC) – 563M22 – 5 306 ab. – alt. 252 m 21 D2
– ✉ 62010

▶ Roma 266 – Ancona 60 – Macerata 25 – Perugia 147

🏨 **Luma** 🐴 ← ♿ [AC] 🚭 📶 VISA [MC] $

via Cavour 1 – ☎ 07 33 22 94 66 – www.laluma.it – info@laluma.it – Fax 07 33 22 94 57

10 cam ☕ – 👤65 € 👥85 € – 1 suite – ½ P 60 €

Rist La Luma – vedere selezione ristoranti

◆ In una struttura medievale, un delizioso alberghetto d'atmosfera, con terrazza panoramica e suggestive grotte tufacee nei sotterranei; camere in stile, alcune con vista.

🍴🍴🍴 **La Luma** ⛱ [AC] 🚭 VISA [MC] $

via Bruscantini 1 – ☎ 07 33 22 97 01 – www.laluma.it – info@laluma.it Fax 07 33 22 22 73 – chiuso dal 15 al 31 gennaio, martedì, mercoledì a mezzogiorno

Rist – Menu 50 € – Carta 32/42 €

◆ Locale dal *décor* raffinato, ma spartano, consono allo spazio in cui si trova: i sotterranei di un edificio Settecentesco con pareti e volte in mattoni e pietra.

MONTECRESTESE – Verbano-Cusio-Ossola (VB) – 1 197 ab.   23 **C1**
– alt. 486 m – ✉ 28864

▶ Roma 714 – Stresa 50 – Domodossola 4 – Torino 183

✗ **Osteria Gallo Nero**   🛱 ⬭ VISA ⓿ AE ⓪ ♻
località Pontetto 102 – 𝒞 *03 24 23 28 70* – *www.osteriagallonero.it* – *info@
osteriagallonero.it* – *Fax 03 24 23 28 70* – *chiuso lunedì*
Rist – Carta 28/35 € ❀
♦ Due fratelli hanno saputo valorizzare questo locale che deve il suo successo all'ambiente informale, soprattutto a mezzogiorno, alla cucina del territorio e ad una ricca cantina.

MONTE CROCE DI COMELICO (Passo) = KREUZBERGPASS – Belluno e
Bolzano – 562C19 – Vedere Sesto

MONTEDORO – Bari – Vedere Noci

MONTEFALCO – Perugia (PG) – 563N19 – 5 624 ab. – alt. 473 m   33 **C2**
– ✉ 06036 Italia

▶ Roma 145 – Perugia 46 – Assisi 30 – Foligno 12

🏨 **Villa Pambuffetti** ⬙   ≼ ◐ 🛱 🛋 AC ⬙ 🐾 P VISA ⓿ AE ⓪ ♻
viale della Vittoria 20 – 𝒞 *07 42 37 94 17* – *www.villapambuffetti.com* – *info@
villapambuffetti.it* – *Fax 07 42 37 92 45*
15 cam ⌴ – ♦120/150 € ♦♦140/175 € – 1 suite – ½ P 128/133 €
Rist – *(chiuso da gennaio a marzo) (chiuso a mezzogiorno)* Carta 36/59 €
♦ Un curato parco con piscina circonda la villa ottocentesca che ospita questo elegante hotel, dove soleva risiedere G. D'Annunzio. Mobili antichi negli interni di sobria eleganza e camere quasi tutte diverse fra loro; l'atmosfera fiabesca ne avvolge una in particolare: quella nella torretta con finestre sui tre lati.

⛰ **Agriturismo Camiano Piccolo** ⬙   ≼ 🚗 🛋 ⛖ cam, ⬙ rist, 🐾
località Camiano Piccolo 5 – 𝒞 *07 42 37 94 92*   P VISA ⓿ AE ⓪ ♻
– *www.camianopiccolo.com* – *camiano@bcsnet.it* – *Fax 07 42 37 10 77*
8 cam ⌴ – ♦52/73 € ♦♦62/100 € – ½ P 64/74 €   **Rist** – Carta 25/40 €
♦ Un borgo ristrutturato, immerso tra ulivi secolari, a poche centinaia di metri dalle mura della località. Bella piscina scoperta in giardino per chi è in cerca di relax. Camere accoglienti, seppure un po' spartane.

✗✗ **Coccorone**   🛱 VISA ⓿ ♻
largo Tempestivi – 𝒞 *07 42 37 95 35* – *www.coccorone.com* – *info@
coccorone.com* – *Fax 07 42 37 90 16* – *chiuso mercoledì escluso maggio-
settembre*
Rist – Carta 28/44 €
♦ Un ristorante "tipico", come recita l'insegna, sia nell'ambientazione, con archi in mattoni e pietre a vista, sia nella cucina, del territorio, con secondi alla brace.

a San Luca Sud-Est : 9 km – ✉ 06036 – Montefalco

🏨 **Villa Zuccari** ⬙   🚗 🛋 AC ⬙ rist, ⬙ 🐾 P VISA ⓿ AE ⓪ ♻
– 𝒞 *07 42 39 94 02* – *www.villazuccari.com* – *hotel@villazuccari.com*
– *Fax 07 42 39 91 94*
31 cam ⌴ – ♦95/170 € ♦♦110/240 € – 3 suites – ½ P 150 €
Rist – *(chiuso domenica in bassa stagione) (chiuso a mezzogiorno)*
Carta 29/54 €
♦ Un'antica residenza nobiliare, un colpo di bacchetta magica e l'omonima famiglia gestisce oggi un'incantevole risorsa dotata di ampi spazi verdi ambienti suggestivi. Un'elegante atmosfera, pasta fatta in casa e cucina tradizionale negli spazi in cui un tempo si pigiava l'uva.

MONTEFIASCONE – Viterbo (VT) – 12 823 ab. – alt. 633 m   12 **A1**
– ✉ 01027

▶ Roma 96 – Viterbo 17 – Orvieto 28 – Perugia 95
◉ Chiesa di San Flaviano★

Urbano V senza rist 🏢 ❤ ⛄ 🅰️🅲 ⛎ (¹) 🆅🆂🅰 ⓪ 🅰🅴 ① 🅢
corso Cavour 107 – 𝒞 07 61 83 10 94 – www.hotelurbano-v.it
– info@hotelurbano-v.it – Fax 07 61 83 41 52
22 cam �),⃜ – ♦54/70 € ♦♦70/100 €
♦ Palazzo storico seicentesco, completamente ristrutturato, raccolto attorno ad un cortiletto interno e impreziosito da una terrazza con vista quasi a 360° su tetti e colline.

MONTEFIORE CONCA – Rimini (RN) – 562K19 – **1 810 ab.**   9 **D3**
– **alt. 385 m** – ✉ **47834**

▶ Roma 300 – Rimini 22 – Ancona 100 – Pesaro 34
🖪 via Roma 3 (Rocca Malatestiana) 𝒞 0541 980035, Fax 0541 980206

X X **Locanda della Corona** con cam 🏠 🆅🆂🅰 ⓪ 🅰🅴 ① 🅢
piazza della Libertà 12 – 𝒞 05 41 98 03 40 – www.locandadellacorona.it
– info@locandadellacorona.it – Fax 05 41 98 03 67 – marzo-ottobre
5 cam �),⃜ – ♦50/70 € ♦♦70/110 € – ½ P 55/65 €
Rist – (chiuso da lunedì a giovedì da novembre a febbraio) Carta 31/39 €
♦ Ai piedi del castello malatestiano, locale semplice e informale dalle proposte del territorio con un ampio dehors sulla piazza e suggestive salette ricavate nelle cantine di origine medievale. Molto graziose le camere, in stile e tutte diverse fra loro: d'atmosfera
per week-end e brevi soggiorni.

MONTEFIORINO – Modena (MO) – 562I13 – **2 343 ab.** – **alt. 796 m**   8 **B2**
– ✉ **41045**

▶ Roma 409 – Bologna 95 – Modena 57 – Lucca 116

X X **Lucenti** con cam ❤ 🆅🆂🅰 ⓪ 🅰🅴 🅢
via Mazzini 38 – 𝒞 05 36 96 51 22 – www.lucenti.net – info@lucenti.net
– Fax 05 36 96 51 22
7 cam �),⃜ – ♦35/50 € ♦♦52 €, ☲ 8 € – ½ P 42 €
Rist – (chiuso lunedì e martedì a mezzogiorno escluso luglio-agosto) (prenotare)
Carta 37/46 €
♦ In questa piccola casa a gestione familiare trova posto un locale di taglio classico,
arredato in caldi colori pastello, dove potrete gustare una cucina fedele al territorio.
Accoglienti e ben tenute le camere, tutte con vista sulla valle del Dolo.

MONTEFIRIDOLFI – Firenze (FI) – 563L15 – **alt. 310 m** – ✉ **50020**   29 **D3**
▶ Roma 289 – Firenze 27 – Siena 57 – Livorno 90

🏠 **Agriturismo Fonte de' Medici** ♤ ❤ 🚗 🏠 🎿 🕭 🐎 🖊 ✕
località S. Maria a Macerata 41,   🅰🅲 ⛎ rist, 🛁 🅿 🆅🆂🅰 ⓪ 🅰🅴 ① 🅢
Sud-Est : 3 km – 𝒞 05 58 24 47 00 – www.fontedemedici.com – mail@
fontedemedici.com – Fax 05 58 24 47 01 – chiuso dal 10 gennaio al 10 febbraio
19 cam ☲ – ♦100/120 € ♦♦150/190 € – 9 suites – ♦♦170/210 €
Rist – (chiuso dal 3 novembre al 1° dicembre) Carta 42/54 €
♦ Risorsa armoniosamente distribuita all'interno di tre antichi poderi dell'azienda vinicola Antinori. Per una vacanza difficile da dimenticare, tra viti e campagne.

🏠 **Il Borghetto Country Inn** senza rist ♤ ❤ 🚗 🎿 🅿
via Collina Sant'Angelo 23, Nord-Ovest : 2 km   🆅🆂🅰 ⓪ 🅰🅴
– 𝒞 05 58 24 44 42 – www.borghetto.org – info@borghetto.org
– Fax 05 58 24 42 47 – aprile-novembre
6 cam ☲ – ♦80/180 € ♦♦130/180 € – 2 suites
♦ Bella risorsa di campagna in posizione tranquilla lungo la strada che porta al paese,
offre ambienti dagli arredi curati ed originali. Si organizzano corsi di cucina.

MONTEFOLLONICO – Siena (SI) – 563M17 – **alt. 567 m** – ✉ **53040**   29 **D2**
▶ Roma 187 – Siena 61 – Firenze 112 – Perugia 75

La Costa – Residenza d'epoca ♤ ❤ 🏠 🅰🅲 rist, 🅿 🆅🆂🅰 ⓪ 🅰🅴 ① 🅢
via Coppoli 15/19/25 – 𝒞 05 77 66 94 88 – www.lacosta.it – info@lacosta.it
– Fax 05 77 66 88 00 – chiuso dal 10 al 26 dicembre e dal 7 gennaio al 28 febbraio
15 cam ☲ – ♦90/130 € ♦♦100/180 € – ½ P 75/100 €
Rist Il Medioevo – 𝒞 05 77 66 80 26 – Carta 27/49 €
♦ Più case unite, tutte con caratteristiche omogenee allo stile architettonico locale.
Camere rustiche ma eleganti, alcune con una vista incantevole sulla Val di Chiana. Risto-
rante tra archi di pietra e mattoni degli ex granai o nella terrazza estiva.

XXX **La Chiusa** con cam �}   ≤ � **P** 🆅🆂🅰 ⓜ🔟 **AE** ⓘ ⚫
via della Madonnina 88 – ☏ 05 77 66 96 68
– www.ristorantelachiusa.it – info@ristorantelachiusa.it – Fax 05 77 66 95 93
– chiuso Natale
11 cam ⌁ – †150/300 € ††230/350 € – 3 suites
Rist – (chiuso dal 10 al 26 dicembre, dal 10 gennaio al 25 marzo)
Carta 80/110 € (+10 %)
♦ Giardino-oliveto, tipica cascina con frantoio, splendida vista sulla valle: un angolo di
sogno, dove le camere e la cucina sono pari per piacevolezza, cura ed eleganza.

X **13 Gobbi**   🍴 🆅🆂🅰 ⓜ🔟 **AE** ⚫
via Lando di Duccio 5 – ☏ 05 77 66 97 55
– www.ristorante13gobbi.com – elisamozzini@libero.it
– chiuso dal 6 al 31 gennaio e mercoledì escluso da Pasqua a settembre
Rist – Carta 23/37 €
♦ Arredo rustico informale, con travature a vista e dehors estivo in un ristorantino a
conduzione familiare; carta con proposte di cucina locale.

MONTEFORTINO – Ascoli Piceno (AP) – 563N22 – **1 312 ab.**   21 **C3**
– alt. 639 m – ✉ 63044
▶ Roma 195 – Ascoli Piceno 33 – Ancona 112 – Perugia 138

⌂ **Agriturismo Antico Mulino**   🔊 📺 🔟 cam, ⚫ 📶 **P**
🦶   località Tenna 2, Nord : 2 km – ☏ 07 36 85 95 30   🆅🆂🅰 ⓜ🔟 **AE** ⓘ ⚫
– www.anticomulino.it – anticomulino@virgilio.it – Fax 07 36 85 95 30
– 24 dicembre-6 gennaio e Pasqua-5 novembre
15 cam ⌁ – †50/75 € ††60/80 € – ½ P 50/60 €
Rist – (chiuso a mezzogiorno) (solo per alloggiati) Menu 20/25 €
♦ Un mulino ad acqua fortificato, con origini trecentesche, ristrutturato per accogliere
una struttura caratteristica, di tono sobrio e con arredi in "arte povera". Comodi nella
sala soppalcata, a gustare specialità casalinghe.

MONTEGABBIONE – Terni (TR) – 563N18 – **1 256 ab.** – alt. 594 m   32 **A2**
– ✉ 05010
▶ Roma 149 – Perugia 40 – Orvieto 39 – Terni 106

sulla strada per Parrano Sud-Ovest : 9 km

⌂ **Agriturismo Il Colombaio** �}   🚗 🍴 🔟 🆔 rist, ⚫ rist, 🦶 **P**
località Colombaio – ☏ 07 63 83 84 95   🆅🆂🅰 ⓜ ⓘ ⚫
– www.agriturismo.com/colombaio – irmaco@tin.it – Fax 07 63 83 84 95
– chiuso dal 10 al 31 gennaio
19 cam ⌁ – †45/58 € ††78/104 € – ½ P 84/90 €
Rist – (chiuso a mezzogiorno in bassa stagione) Carta 23/53 €
♦ Immerso nel verde di grandi prati, una risorsa ospitata da una struttura in pietra, a
conduzione familiare. Camere curate e confortevoli, bella piscina. Arredi in legno e soffitti con pietre a vista nella sala da pranzo. D'estate scegliete la terrazza.

MONTEGIORGIO – Ascoli Piceno (AP) – 563M22 – **6 692 ab.**   21 **D2**
– alt. 411 m – ✉ 63025
▶ Roma 249 – Ascoli Piceno 69 – Ancona 81 – Macerata 30

a Piane di Montegiorgio Sud : 5 km – ✉ 63025

🔲 **Oscar e Amorina**   🚗 🔟 🛗 🆔 📶 🦶 **P** 🆅🆂🅰 ⓜ **AE** ⓘ ⚫
via Faleriense Ovest 69 – ☏ 07 34 96 73 51 – info@oscareamorina.it
– Fax 07 34 96 83 45
20 cam ⌁ – †50/70 € ††80/100 € – ½ P 70/90 €
Rist – (chiuso lunedì) Carta 24/51 €
♦ Cinto da un grazioso giardino con piscina, un accogliente hotel che si contraddistin-
gue per la garbata eleganza degli ambienti. Ottime camere a prezzi più che competitivi.
Sale ristorante di taglio moderno, cucina tipica marchigiana.

MONTEGRIDOLFO – Rimini (RN) – 562K20 – **949 ab.** – **alt. 290 m**   9 **D3**
– ✉ 47837

▶ Roma 297 – Rimini 35 – Ancona 89 – Pesaro 24

🏠🏠🏠 **Palazzo Viviani** ⚐   ≤ 🍴 🏡 ⊒ 🆔 ↳ 🛇 rist, 🕾 🏊 🅿 🚗
via Roma 38 – 🕾 05 41 85 53 50   🆅🅸🆂🅰 ⓪ 🅰🅴 ⓪ 🛇
– www.montegridolfo.com – montegridolfo@mobygest.it – Fax 05 41 85 53 40
53 cam ⊃ – 🛏99/199 €   **Rist** *Il Ristoro* – Carta 43/55 €
♦ Il fascino di spendere qualche giorno in un borgo medievale, protetti da un antico
silenzio. Chiedete le camere accolte nell'edificio principale, più suggestive e raffinate.
Tra le pareti di pietra delle ex cantine è stato ricavato l'elegante ristorante.

MONTEGROSSO – Bari – 564D30 – **Vedere Andria**

MONTEGROSSO D'ASTI – Asti (AT) – 561H6 – **2 133 ab.**   25 **D1**
– alt. 244 m – ✉ 14048

▶ Roma 616 – Alessandria 45 – Asti 9 – Torino 70

a Messadio Sud-Ovest : 3 km – ✉ 14048 – Montegrosso d'Asti

🍴🍴 **Locanda del Boscogrande** con cam ⚐   ≤ 🍴 🏡 ⊒ 🆔 rist, 🛇
via Boscogrande 47 – 🕾 01 41 95 63 90   🅿 🆅🅸🆂🅰 ⓪ ⓪ 🛇
– www.locandaboscogrande.com – locanda@locandaboscogrande.com
– Fax 01 41 95 68 00 – chiuso dal 6 al 27 gennaio
7 cam ⊃ – 🛏90 € 🛏🛏130 €   **Rist** – *(chiuso martedì)* Carta 30/38 €
♦ Per godersi il rilassante panorama delle colline del Monferrato, cascina ristrutturata
con un ottimo equilibrio tra qualità gastronomica e confort delle camere.

MONTEGROTTO TERME – Padova (PD) – 562F17 – **10 532 ab.**   35 **B3**
– alt. 11 m – ✉ 35036 █ Italia

▶ Roma 482 – Padova 14 – Mantova 97 – Milano 246
🄸 viale Stazione 60 🕾 049 8928311, infomontegrotto@
turismotermeeuganee.it,Fax 049 795276

🏠🏠🏠 **Grand Hotel Terme**   🍴 ⊒ 📺 🌐 🐎 🖼 ♨ 🍴 🖥 🛇 🆔 🛇 rist, 🍴
viale Stazione 21 – 🕾 04 98 91 14 44   🏊 🅿 🆅🅸🆂🅰 ⓪ 🅰🅴 ⓪ 🛇
– www.grandhotelterme.it – info@grandhotelterme.it – Fax 04 98 91 14 44
– chiuso dal 15 novembre al 20 dicembre
78 cam ⊃ – 🛏108/138 € 🛏🛏170/182 € – 29 suites – ½ P 84/111 €
Rist – *(solo per alloggiati)* Carta 24/53 €
♦ Moderni confort in un grande albergo, di recente rinnovato, con giardino e piscine
termali, scoperte e coperte; eleganti spazi comuni e ristorante panoramico al 7° piano.

🏠🏠🏠 **Garden Terme**   🎵 ⊒ 📺 🌐 🐎 🖼 ♨ 🍴 🖥 🕴 🆔 ↳ 🛇 rist, 🏊 🅿
corso delle Terme 7 – 🕾 04 98 91 15 49   🆅🅸🆂🅰 ⓪ 🅰🅴 ⓪ 🛇
– www.gardenterme.it – garden@gardenterme.it – Fax 04 98 91 01 82 – marzo-
novembre
110 cam ⊃ – 🛏70/93 € 🛏🛏129/161 € – 7 suites – ½ P 96/103 €
Rist – 🕾 04 98 91 16 99 *(solo per alloggiati)* Carta 27/41 €
♦ In un parco-giardino con piscina termale, un bel complesso, che offre un'ampia
gamma di cure rigenerative psico-fisiche; eleganti interni, con un'esotica "sala indiana".

🏠🏠🏠 **Continental Terme**   🎵 ⊒ 📺 🌐 🐎 🖼 ♨ 🍴 🖥 🕴 rist, 🕴 🆔
via Neroniana 8 – 🕾 049 79 35 22   🛇 rist, 🍴 🅿 🆅🅸🆂🅰 ⓪ 🅰🅴 ⓪ 🛇
– www.continentaltermehotel.it – hotelcontinental@tin.it – Fax 04 98 91 06 83
– chiuso dal 10 al 18 dicembre e dal 7 gennaio al 2 febbraio
110 cam ⊃ – 🛏61/65 € 🛏🛏105/113 € – 65 suites – 🛏🛏123/132 € – ½ P 78 €
Rist – Menu 25/30 €
♦ Poco lontano dal centro, un hotel immerso in un ampio parco con piscine termali,
percorsi vita e diverse strutture sportive: completo nei vari settori per garantire un soggiorno davvero gradevole.

🏛️ **Terme Sollievo** 🐾 ⅀ 🔲 🌐 🛰️ ₤ਓ ♈ ✗ 🛎️ 🖑 cam. 🗛 🗳 rist. ⸨¶⸩
viale Stazione 113 – ℰ 049 79 36 00 ⬜ 🌐 🏧
– *www.hotelsollievoterme.it* – *info@hotelsollievoterme.it* – *Fax 04 98 91 09 10*
– *chiuso dal 23 novembre al 21 dicembre*
108 cam ⌑ – ♔60/88 € ♔♔102/148 € – ½ P 87/96 €
Rist – *(solo per alloggiati)* Menu 25/45 €
♦ Risorsa centrale che offre ai clienti una signorile ospitalità e servizi ben organizzati; il relax è garantito nel parco con tennis. Fiore all'occhiello le nuove piscine.

🏨 **Terme Preistoriche** 🦥 🐾 ⅀ 🔲 🛰️ ₤ਓ ♈ ✗ 🛎️ 🗳 rist. ⸨·⸩ 🧖
via Castello 5 – ℰ 049 79 34 77 – *www.termepreistoriche.it* ⬜ 🌐 🏧
– *termepreistoriche@termepreistoriche.it* – *Fax 049 79 36 47* – *chiuso dal 12 gennaio al 8 marzo (escluso venerdì-sabato e domenica) e dal 9 al 26 dicembre*
47 cam ⌑ – ♔70 € ♔♔115 € – ½ P 78/86 €
Rist – *(solo per alloggiati)* Menu 26/32 €
♦ Nato all'inizio del '900, un hotel che anche negli interni conserva ancora il fascino e l'atmosfera delle sue origini; rilassante parco-giardino con piscina termale.

🏨 **Terme Olympia** 🚲 ⅀ 🔲 🛰️ ₤ਓ ♈ ✗ 🛎️ 🖑 ⸸ 🗛 🗳 rist. ⬜
viale Stazione 25 – ℰ 049 79 34 99 🌐 🏧 🗛 ⓘ 🏧
– *www.hoteltermeolimpia.com* – *olympia@iol.it* – *Fax 04 98 91 11 00*
– *chiuso dal 24 novembre al 22 dicembre*
108 cam ⌑ – ♔60 € ♔♔120 € – ½ P 68 € **Rist** – *(solo per alloggiati)*
♦ Giovane conduzione al femminile in un albergo ben accessoriato, con ampi spazi comuni, un completo reparto di cure e una scenografica piscina. Originale giardino zen.

🏨 **Terme Bellavista** 🚲 ⅀ 🔲 🛰️ ₤ਓ ♈ ✗ ⸸ 🗛 rist. 🗳 🧖 ⬜
via dei Colli 5 – ℰ 049 79 33 33 – *www.bellavistaterme.com* 🌐 🏧 🗛 🏧
– *info@bellavistaterme.com* – *Fax 049 79 37 72* – *chiuso febbraio*
79 cam ⌑ – ♔62/75 € ♔♔110/120 € – ½ P 65/87 € **Rist** – Carta 25/48 €
♦ Recentemente ristrutturato negli spazi comuni e nella zona benessere, l'hotel dispone di un ampio giardino, una nuova piscina coperta ed eleganti ambienti in stile classico. Nella spaziosa sala ristorante sobriamente arredata, le tradizionali proposte culinarie.

✗✗ **Da Mario** 🖼️ 🗛 🌐 🏧 🗛 ⓘ 🏧
corso delle Terme 4 – ℰ 049 79 40 90 – *marco@damarioristorante.191.it*
– *Fax 04 98 91 13 29* – *chiuso martedì, mercoledì a mezzogiorno*
Rist – Carta 32/40 €
♦ All'entrata della località, una sala con ampie vetrate, una saletta in stile "giardino d'inverno" e un dehors per una linea gastronomica tradizionale, di terra e di mare.

✗✗ **Da Cencio** 🖼️ 🖑 🗛 ⇄ ⬜ 🌐 🏧 🗛 ⓘ 🏧
via Fermi 11, Ovest : 1,5 km – ℰ 049 79 34 70 – *ristorantecencio@alice.it*
– *Fax 049 79 30 39* – *chiuso dal 21 gennaio al 4 febbraio, dal 22 agosto al 5 settembre e lunedì*
Rist – Carta 30/38 € 🈸
♦ Fuori dal centro - alle pendici dei primi colli - semplice e curata atmosfera per una cucina del territorio con qualche piatto di pesce.

MONTE INGINO – Perugia – Vedere Gubbio

MONTELEONE – Forlì-Cesena (FO) – Vedere Roncofreddo

MONTELPARO – Ascoli Piceno (AP) – 563 M22 – 928 ab. – alt. 585 m 21 D3
– ✉ 63020

▶ Roma 285 – Ascoli Piceno 46 – Ancona 108

🏨 **La Ginestra** 🦥 ≤ 🚲 ⅀ ✗ 🗳 rist. ⸨¶⸩ ⬜ 🌐 🏧 🗛 ⓘ 🏧
🔗 *contrada Coste 2, Est : 3 km* – ℰ 07 34 78 07 07
– *www.laginestra.it* – *info@laginestra.it* – *Fax 07 34 78 07 06*
– *chiuso dal 7 gennaio al 20 febbraio e novembre*
15 cam ⌑ – ♔57/65 € ♔♔84/100 € – ½ P 69 € **Rist** – Carta 21/26 €
♦ Ideale per un soggiorno alla scoperta della cultura locale, un casolare in pietra dotato di piscina, campi da tennis, maneggio e minigolf, tra colline di ulivi e frumento. Nella suggestiva sala ristorante dal soffitto con travi a vista, la cucina nazionale.

MONTELUCCI – Arezzo – Vedere Pergine Valdarno

MONTELUPO FIORENTINO – Firenze (FI) – 563K15 – 11 791 ab.   29 C1
– alt. 40 m – ⊠ 50056⬛ Toscana

> ▶ Roma 295 – Firenze 22 – Livorno 66 – Siena 75
> 🟦, 𝄞 0571 54 10 04

🏠   **Baccio da Montelupo** senza rist   📶 🎥 💬 🅿 💳 ⓿ 🆎 ⓪ 🌀
   via Roma 3 – 𝄞 057 15 12 15 – www.hotelbaccio.it
   – info@hotelbaccio.it – Fax 057 15 11 71
   30 cam ⊡ – ♦50/83 € ♦♦70/116 €
   ◆ Realizzato negli anni '80, un albergo centrale, dotato di parcheggio, comoda risorsa per clientela d'affari; ambiente familiare e settore notte pulito e funzionale.

MONTEMAGGIORE AL METAURO – Pesaro e Urbino (PS)   20 B1
– 563K20 – 2 214 ab. – alt. 197 m – ⊠ 61030

> ▶ Roma 288 – Ancona 86 – Pesaro 30 – Perugia 122

🏠   **Agriturismo Villa Tombolina** senza rist 🍃   ≤ 🏖 🏊 🙌 🎥 🎽
   via Tombolina – 𝄞 07 21 89 19 18   💬 🅿 💳 ⓿ 🆎 ⓪ 🌀
   – www.villatombolina.it – info@villatombolina.it – Fax 07 21 89 41 84
   – chiuso dal 3 novembre al 28 dicembre e dal 7 gennaio al 28 marzo
   14 cam ⊡ – ♦40/90 € ♦♦70/150 € – 4 suites
   ◆ Una villa settecentesca restaurata per fare spazio ad un agriturismo con vista sulle colline, che accosta ambienti spaziosi e signorili a zone arredate in modo più informale.

MONTEMAGNO – Asti (AT) – 561G6 – 1 211 ab. – alt. 259 m   23 C2
– ⊠ 14030

> ▶ Roma 617 – Alessandria 47 – Asti 18 – Milano 102

🍴🍴🍴   **La Braja**   🎥 ⇔ 🅿 💳 ⓿ 🆎 ⓪ 🌀
   via San Giovanni Bosco 11 – 𝄞 01 41 65 39 25 – www.labraja.it – info@labraja.it
   – Fax 014 16 36 05 – chiuso dal 28 dicembre al 20 gennaio, dal 23 luglio
   al 20 agosto, lunedì e martedì
   Rist – Carta 40/62 €
   ◆ Un invitante ingresso con divanetti e camino e varie sale curate con quadri alle pareti in un locale elegante, che in cucina segue le stagioni nella tradizione locale.

MONTEMAGNO – Lucca – 563K12 – Vedere Camaiore

MONTEMARCELLO – La Spezia – 563J11 – Vedere Ameglia

MONTEMARCIANO – Arezzo – Vedere Terranuova Bracciolini

MONTEMARZINO – Alessandria (AL) – 561H8 – 355 ab. – alt. 448 m   23 D2
– ⊠ 15050

> ▶ Roma 585 – Alessandria 41 – Genova 89 – Milano 89

🍴🍴   **Da Giuseppe**   ≤ 🎥 💳 ⓿ 🌀
   via 4 Novembre 7 – 𝄞 01 31 87 81 35 – www.ristorantedagiuseppe.it
   – info@ristorantedagiuseppe.it – Fax 01 31 87 89 14
   – chiuso gennaio, martedì sera e mercoledì
   Rist – Menu 30 € bc/45 € – Carta 27/39 €
   ◆ Gestione familiare e piacevole sala rustica con camino in un ristorante che gode di un'impagabile vista sulle colline. Specialità tipiche piemontesi nella formula del menu degustazione ed altri piatti più classici nella carta.

MONTEMELINO – Perugia – 563M18 – Vedere Magione

MONTEMERANO – Grosseto (GR) – 563O16 – alt. 303 m – ✉ 58050   29 **C3**

▶ Roma 189 – Grosseto 50 – Orvieto 79 – Viterbo 85

🏠🅰 **Relais Villa Acquaviva** ⌖   ⪿ 🚗 ⌶ ℀ 🚻 cam, ↻ ℀ rist, 🌢 **P**
strada Scansanese 10, Nord : 2 km ✉ 58014   **VISA** **⓪** **AE** **⑤**
– ℘ 05 64 60 28 90 – www.relaisvillaacquaviva.com
– info@relaisvillaacquaviva.com – Fax 05 64 60 28 95
22 cam ☲ – †75/81 € ††92/180 € – 2 suites – ½ P 81/120 €
Rist *La Limonaia* – strada Scansanese 10 Nord : 2 km *(aprile-dicembre; chiuso lunedì) (chiuso a mezzogiorno)* Carta 38/48 €
♦ Tra vigneti e uliveti, gode di una splendida vista sui colli questa antica casa ristrutturata, con giardino ombreggiato e piscina; raffinata rusticità negli interni. Caratteristico ristorante che utilizza in abbondanza i prodotti naturali dell'azienda.

🏠🅰 **Il Melograno** ⌖   ⪿ 🗚 🌢 **P** **VISA** **⓪** **AE** **①** **⑤**
località Ponticello di Montemerano ✉ 58014 – ℘ 05 64 60 26 09
– www.hotelilmelograno.it – ilmelogranohotel@virgilio.it
– Fax 05 64 60 26 09
7 cam ☲ – †70/90 € ††98/160 € – ½ P 85/120 €
Rist Trattoria Verdiana – vedere selezione ristoranti
♦ Albergo di recente apertura, posizionato su di una collina a poca distanza dalle terme di Saturnia. Camere spaziose, luminose e con un buon livello di confort.

🏠 **Agriturismo Le Fontanelle** ⌖   ⪿ 🚗 ℀ rist, **P** **VISA** **⓪** **⑤**
località Poderi di Montemerano, Sud : 3 km – ℘ 05 64 60 27 62
– www.lefontanelle.net – le.fontanelle@tiscali.it – Fax 05 64 60 27 62
11 cam ☲ – †51 € ††85 € – ½ P 67 €
Rist – *(chiuso a mezzogiorno) (solo per alloggiati)* Menu 24 € bc
♦ Una tipica casa di campagna offre tranquillità, semplici, ma accoglienti interni rustici e, per completare il paesaggio bucolico, un laghetto con animali selvatici.

XXX **Caino** (Valeria Piccini) con cam ⌖   **AK** ℀ **VISA** **⓪** **AE** **①** **⑤**
🏵🏵 *via della Chiesa 4* – ℘ 05 64 60 28 17 – www.dacaino.it
– caino@relaischateaux.com – Fax 05 64 60 28 07
– chiuso 24-26 dicembre, dall'8 gennaio all'8 febbraio e 2 settimane in luglio
3 cam ☲ – †180 € ††220 €
Rist – *(chiuso mercoledì, giovedì a mezzogiorno)* Carta 100/130 € ⊗
Spec. Alici fresche dell'Argentario con pappa e sorbetto al pomodoro (primavera-estate). Piccione con crocchetta di castagne, salsa di uva fragola e Champagne (autunno-inverno). Delizia di ciliegie e amarene (estate).
♦ Un viaggio paesaggistico e gastronomico nel cuore della Maremma, il ristorante è una bomboniera per cura e raffinatezza nelle ridotte dimensioni. Il filo conduttore della cucina è la tradizione: rivisitata con fantasia e sensibilità. Enoteca con prodotti regionali e tre preziose camere.

XX **Trattoria Verdiana** – Hotel Il Melograno   🗟 ♻ **P** **VISA** **⓪** **AE** **⑤**
località Ponticello di Montemerano – ℘ 05 64 60 25 76
– trattoria.verdiana@virgilio.it – Fax 05 64 60 25 76
– chiuso 1 settimana in novembre, 20 giorni in gennaio, una settimana in luglio e mercoledì
Rist – Carta 37/63 € ⊗
♦ Locale che ricrea un ambiente rustico, con un grande camino, ma con arredi di qualità e dettagli di una certa eleganza. Cucina rivisitata e cantina di gran valore.

MONTENERO – Livorno – 563L13 – Vedere Livorno

MONTEORTONE – Padova – 562F17 – Vedere Abano Terme

MONTEPAONE LIDO – Catanzaro (CZ) – 564K31 – 4 215 ab.   5 **B2**
– ✉ 88060

▶ Roma 632 – Reggio di Calabria 158 – Catanzaro 33 – Crotone 85

MONTEPAONE LIDO

sulla strada per Petrizzi Sud-Ovest : 2,5 km :

XX   **Il Cantuccio**   🛋 ᕼ 🅰🅺 ⅏ 𝚟𝚒𝚜𝚊 ⓿ 🅰🅴 ⓿ ⓢ
via G. di Vittorio 6 – 𝒞 096 72 20 87 – chiuso dal 15 ottobre al 15 novembre e
mercoledì
Rist – Menu 30 €/46 €
♦ Frequentazione anche locale in un ristorante curato, ma di ambiente familiare, che
utilizza un'ottima materia prima, cioè pesce, per una cucina elaborata con cura.

MONTE PORZIO CATONE – Roma (RM) – 563Q20 – 8 372 ab.   12 **B2**
– alt. 451 m – ✉ 00040

▶ Roma 24 – Frascati 4 – Frosinone 64 – Latina 55

🏨   **Villa Vecchia**   ⩽ 🛋 ᕼ 🗦 ᕼ 🅰🅺 ⅏ ⓦ 𝔰🄿 🄿 𝚟𝚒𝚜𝚊 ⓿ ⓢ
via Frascati 49, Ovest : 3 km – 𝒞 06 94 34 00 96 – www.villavecchia.it – info@
villavecchia.it – Fax 069 42 05 68
92 cam ⌁ – ♦170/190 € ♦♦200/225 € – ½ P 125/138 €   **Rist** – Carta 43/59 €
♦ Incastonato in una quieta cornice di ulivi centenari, il convento cinquecentesco è
stato ampliato e modernamente ristrutturato per ospitare congressi e soggiorni di
relax. Il ristorante è stato ricavato sotto antiche volte, nelle ex cantine dell'edificio.

X   **I Tinelloni**   🅰🅺 ⅏ 𝚟𝚒𝚜𝚊 ⓿ 🅰🅴 ⓿ ⓢ
via dei Tinelloni 10 – 𝒞 069 44 70 71 – www.itinelloni.com – Fax 069 44 70 71
– chiuso dal 15 al 30 luglio e mercoledì
Rist – Carta 26/37 €
♦ In posizione dominante sul paese, una vista che si estende fin sui dintorni ed un
ambiente accogliente e familiare dove poter gustare i piatti della tradizione.

MONTEPULCIANO – Siena (SI) – 563M17 – 13 965 ab. – alt. 605 m   29 **D2**
– ✉ 53045 Toscana

▶ Roma 176 – Siena 65 – Arezzo 60 – Firenze 119
🛈 piazza Don Minzoni 1 𝒞 0578 757341, prolococomp@bccmp.com, Fax
0578757341
◉ Città Antica★ – Piazza Grande★★ : ※★★★ dalla torre del palazzo
Comunale★, palazzo Nobili-Tarugi★, pozzo★– Chiesa della Madonna di
San Biagio★★ Sud-Est : 1 km

🏨   **San Biagio** senza rist   ⩽ 🛋 🖥 🗦 ᕼ 🅰🅺 ⅏ 🄿 𝚟𝚒𝚜𝚊 ⓿ ⓢ
via San Bartolomeo 2 – 𝒞 05 78 71 72 33 – www.albergosanbiagio.it – info@
albergosanbiagio.it – Fax 05 78 71 65 24 – chiuso dal 10 al 31 gennaio
27 cam ⌁ – ♦85/105 € ♦♦98/135 €
♦ Leggermente decentrato, con vista sul tempio di San Biagio e su Montepulciano,
salotti signorili e camere curate per un buon rapporto qualità/prezzo.

🏠   **Il Marzocco** senza rist   🄿 𝚟𝚒𝚜𝚊 ⓿ 🅰🅴 ⓿ ⓢ
piazza Savonarola 18 – 𝒞 05 78 75 72 62 – www.albergoilmarzocco.it – info@
albergoilmarzocco.it – Fax 05 78 75 75 30 – chiuso dal 15 gennaio al 15 febbraio
16 cam ⌁ – ♦60/75 € ♦♦90/95 €
♦ Palazzo storico dentro le mura per un albergo di lunga tradizione, con interni curati di
stile leggermente retrò; chiedete le stanze con terrazzo.

🏠   **Relais San Bruno** senza rist 🏖   🌜 🗦 🅰🅺 ⅏ ⓦ 🄿 𝚟𝚒𝚜𝚊 ⓿ 🅰🅴 ⓿ ⓢ
via di Pescaia 5/7 – 𝒞 05 78 71 62 22 – www.sanbrunorelais.com – info@
sanbrunorelais.com – Fax 05 78 71 50 84 – marzo-15 novembre
8 cam ⌁ – ♦180/220 € ♦♦220/340 €
♦ Ai piedi della Basilica di San Biagio, il paese a circa un chilometro e la campagna già
rigogliosa. Curatissimi spazi verdi e camere spaziose: l'eleganza prende forma.

🏠   **Villa Poggiano** senza rist 🏖   ⩽ 🌜 🗦 🅰🅺 ⅏ 🄿 𝚟𝚒𝚜𝚊 ⓿
via di Poggiano 7, Ovest : 2 km – 𝒞 05 78 75 82 92 – www.villapoggiano.com
– info@villapoggiano.com – Fax 05 78 71 56 35 – aprile-5 novembre
3 cam ⌁ – ♦♦210/220 € – 9 suites – ♦♦240/330 €
♦ Un vasto parco, con pochi eguali in zona, accoglie gli ospiti tra silenzio e profumi. Nel
mezzo una villa del '700 che ha mantenuto intatta l'atmosfera della dimora storica.

749

✕✕ La Grotta 🚗 🏠 AC VISA ⓞⓞ AE ⛬

*località San Biagio 16, Ovest : 1 km – ℰ 05 78 75 74 79 – ristorante.lagrotta.@
tiscali.it – Fax 05 78 75 76 07 – chiuso gennaio, febbraio e mercoledì*
Rist – Carta 41/56 € 🏵
♦ Di fronte alla chiesa di San Biagio, locale suggestivo all'interno di un edificio del '500,
con bel servizio estivo in giardino; cucina toscana sapientemente rivisitata.

MONTERIGGIONI – Siena (SI) – 563L15 – 8 111 ab. – alt. 274 m   29 D1
– ✉ 53035▮ Toscana

■ Roma 245 – Siena 15 – Firenze 55 – Livorno 103
🅳 piazza Roma ℰ 0577 304810, prolocomonteriggioni@libero.it, Fax
0577304810

⭑⭑⭑ Il Piccolo Castello 🚗 🏠 ⅃ 🍴 ⌂ AC 🛇 rist, 🌐 🛁 🅿

via Colligiana 8, Ovest : 1 km strada prov. per Colle   VISA ⓞⓞ AE ⓞ ⛬
*Val d'Elsa – ℰ 05 77 30 73 00 – www.ilpiccolocastello.com – info@
ilpiccolocastello.com – Fax 05 77 30 61 26*
50 cam ⌂ – ✝80/180 € ✝✝110/260 € – ½ P 83/166 €   **Rist** – Carta 35/58 €
♦ Un elegante complesso dall'animo antico sviluppato orizzontalmente e circondato da
un giardino all'italiana, ospita spazi arredati con gusto, ampie camere, piscina. Il raffinato
ristorante propone una reinterpretazione creativa della cucina senese e toscana.

⭑⭑ Monteriggioni senza rist ⬥ 🚗 ⅃ 🍴 AC 🛇 rist, 🕻 🅿

via 1° Maggio 4 – ℰ 05 77 30 50 09   VISA ⓞⓞ AE ⓞ ⛬
*– www.hotelmonteriggioni.net – info@hotelmonteriggioni.net
– Fax 05 77 30 50 11 – chiuso dal 7 gennaio al 28 febbraio*
12 cam ⌂ – ✝90/120 € ✝✝160/230 €
♦ All'interno del borgo medievale, un hotel in pietra di piccole dimensioni con camere
in stile rustico dai letti in ferro battuto, un piacevole giardino sul retro e piscina.

⌂ Borgo Gallinaio ⬥ 🍴 🏠 ⅃ AC cam, 🛇 rist, 🛁 🅿 VISA ⓞⓞ AE ⛬

*strada del Gallinaio 5, Ovest : 2 km – ℰ 05 77 30 47 51 – www.gallinaio.it
– info@gallinaio.it – Fax 05 77 30 47 93 – 19 aprile-11 ottobre*
12 cam ⌂ – ✝101/120 € ✝✝125/156 € – ½ P 107 €
Rist – (chiuso martedì) (chiuso a mezzogiorno) (solo per alloggiati) Menu 29 €
♦ Abbracciata da ulivi e boschi, la risorsa è una fattoria del '400 con arredi rustici e pavimenti in cotto, ampie zone di sale meeting, piscina e campo per il tiro con l'arco.

✕✕ Il Pozzo 🏠 ♺ VISA ⓞⓞ AE ⓞ ⛬

*piazza Roma 20 – ℰ 05 77 30 41 27 – www.ilpozzo.net – ilpozzo@ilpozzo.net
– Fax 05 77 30 47 01 – chiuso dal 7 gennaio al 7 febbraio, domenica sera e
lunedì*
Rist – Carta 31/41 €
♦ Nel cuore del piccolo borgo chiuso da mura, la chiesa e il piccolo pozzo al centro, un
locale rustico dove soffermarsi a gustare i sapori della Toscana, dai cibi al vino.

a Abbadia Isola Sud-Ovest : 4 km – ✉ 53035 – Monteriggioni

✕✕ La Leggenda Dei Frati 🏠 AC VISA ⓞⓞ AE ⓞ ⛬

*piazza Garfonda 7 – ℰ 05 77 30 12 22 – www.laleggendadeifrati.it
– laleggendadeifrati@libero.it – Fax 05 77 30 12 22 – chiuso 1 settimana in
febbraio, dal 15 novembre al 6 dicembre, lunedì, anche il martedì da novembre
a marzo*
Rist – Carta 55/70 €
♦ Nella cornice di un antico complesso abbaziale, un piccolo locale dove gustare una
raffinata cucina che reinterpreta in chiave creativa alcuni piatti della tradizione toscana.

a Strove Sud-Ovest : 4 km – ✉ 53035

⌂ Agriturismo Castel Pietraio senza rist ⬥ ⅃ AC 🛇 🛁 🅿

località Castelpietraio strada di Strove 33, Sud-   VISA ⓞⓞ AE ⓞ ⛬
*Ovest : 4 km – ℰ 05 77 30 00 20 – www.castelpetraio.it – info@castelpietraio.it
– Fax 05 77 30 09 77 – chiuso dal 20 al 25 gennaio*
8 cam ⌂ – ✝✝120/190 €
♦ Meta ideale per trascorrere romantici soggiorni o week-end a contatto con la natura,
la struttura di origine altomedievale ospita camere semplici ben arredate ed una piscina.

※※ **Casalta** con cam Ⓢ 🏠 VISA ◍ ⭲
via Matteotti 22 – ℰ 05 77 30 12 38 – www.ristorantecasalta.it – info@
ristorantecasalta.it – Fax 05 77 30 11 71 – chiuso dal 10 gennaio al 10 febbraio
10 cam ⌴ – ♦55/80 € ♦♦75/100 € – ½ P 73/85 €
Rist – *(chiuso mercoledì) (chiuso a mezzogiorno)* Menu 45/55 € – Carta 44/58 € 🕸
♦ Un ristorante con raccolte salette dal tono leggermente rustico, ma dalla mise en place raffinata, dove gustare una cucina contemporanea fedele al territorio. Camere semplici ma gradevoli, arredate con mobili d'antiquariato.

a Lornano Est : 8 km – ✉ 53035 – **Monteriggioni**

※※ **La Bottega di Lornano** 🏠 AC ℅ VISA ◍ AE ① ⭲
località Lornano 10 – ℰ 05 77 30 91 46 – www.bottegadilornano.it – info@
bottegadilornano.it – Fax 05 77 30 91 46 – aprile-ottobre
Rist – Carta 28/41 €
♦ Ricavato da una bottega di paese, il locale si presenta ora con due raccolte e curate salette dai toni rustici ed un dehor dove assaporare proposte gastronomiche regionali.

MONTERONI D'ARBIA – Siena (SI) – 563M16 – **7 449 ab.**   29 **C2**
– **alt. 161 m** – ✉ 53014
▶ Roma 226 – Siena 16 – Arezzo 74 – Firenze 90

verso Buonconvento Sud-Est : 6 km :

⭣ **Casa Bolsinina** ⟨ ◎ ⌁ AC cam, ℅ rist, P VISA ◍ ⭲
località Casale Caggiolo – ℰ 05 77 71 84 77 – www.bolsinina.com – bolsinina@
bolsinina.com – Fax 05 77 71 84 77 – chiuso dal 15 gennaio al 15 marzo
6 cam ⌴ – ♦100/115 € ♦♦115/135 € – ½ P 95/100 €
Rist – *(15 aprile-settembre) (chiuso a mezzogiorno)* (prenotazione obbligatoria) *(solo per alloggiati)* Menu 32/40 €
♦ Una casa di campagna conforme alla tipica architettura toscana dai caldi e familiari interni, una sala biliardo e camere con arredi d'epoca.

MONTEROSSO AL MARE – La Spezia (SP) – 561J10 – **1 584 ab.**   15 **D2**
– ✉ 19016 ▌ Italia
▶ Roma 450 – La Spezia 30 – Genova 93 – Milano 230
🅱 c/o Stazione FS ℰ 0187 817059, accoglienzamonterosso@
parconazionale5terre.it, Fax 0187 817151

🏨 **Cinque Terre** senza rist 🚗 ⇕ P VISA ◍ AE ⭲
via IV Novembre 21 – ℰ 01 87 81 75 43 – www.hotel5terre.com – info@
hotel5terre.com – Fax 01 87 81 83 80 – aprile-ottobre
54 cam ⌴ – ♦80/120 € ♦♦100/150 €
♦ Dedicato alle 5 "perle" liguri, un albergo che, al discreto confort nei vari settori, unisce la comodità di un parcheggio e la piacevolezza di un giardino ombreggiato.

⭣ **La Colonnina** senza rist ⓈⓈ 🚗 ⇕ AC ℅
via Zuecca 6 – ℰ 01 87 81 74 39 – www.lacolonninacinqueterre.it – info@
lacolonninacinqueterre.it – Fax 01 87 81 77 88 – Pasqua-ottobre
19 cam ⌴ – ♦95/125 € ♦♦95/155 €
♦ Nei tranquilli "carruggi" pedonali, hotel familiare, con piccolo giardino ombreggiato e camere rinnovate. Ottima base per andare alla scoperta di queste magiche terre.

⭣ **Ca' du Gigante** senza rist AC ℅ VISA ◍ ① ⭲
via IV Novembre 11 – ℰ 01 87 81 74 01 – www.ilgigantecinqueterre.it – gigante@
ilgigantecinqueterre.it – Fax 01 87 81 73 75
6 cam ⌴ – ♦♦80/160 €
♦ Complesso residenziale di taglio moderno, con interni nuovi dove l'utilizzo di materiali locali aiuta a creare una certa atmosfera; per non rinunciare a confort ed eleganza.

⭣ **Locanda il Maestrale** senza rist AC ℅ VISA ◍ ⭲
via Roma 37 – ℰ 01 87 81 70 13 – www.locandamaestrale.net – maestrale@
monterossonet.com – Fax 01 87 81 70 84
4 cam ⌴ – ♦♦100/140 € – 2 suites – ♦130/170 €
♦ In un palazzo del 1800, un rifugio raffinato e romantico: soffitti affrescati nella sala comune e nelle due suite, belle camere in stile, terrazza per colazioni all'aperto.

XX **Miky** 🏠 AC VISA ⬤⬤ AE ⓪ 💲
via Fegina 104 – ℰ 01 87 81 76 08 – www.ristorantemiky.it – miky@
ristorantemiky.it – Fax 01 87 81 73 75 – marzo-novembre; chiuso martedì escluso
dall' 11 al 17 agosto
Rist – Carta 42/52 €
♦ Per chi vuole gustare del pesce fresco e la cucina del luogo, confortevole ristorante
moderno, ubicato fronte mare, con servizio estivo all'aperto.

MONTEROTONDO – Roma (RM) – 563P19 – **35 379 ab.** – **alt. 165 m** 12 **B2**
– ✉ 00015

▶ Roma 27 – Rieti 55 – Terni 84 – Tivoli 32

🏠 **Dei Leoni** 🏠 AC rist, VISA ⬤⬤ AE 💲
via Vincenzo Federici 23 – ℰ 06 90 62 35 91 – www.albergodeileoni.it – info@
albergodeileoni.it – Fax 06 90 62 35 99
30 cam ☐ – ♥♥40/130 € – ½ P 83/90 €
Rist – *(chiuso dal 15 al 30 agosto)* Carta 18/30 €
♦ Nel centro storico, poco oltre la porta delle mura, risorsa ad andamento familiare,
semplice, ma ben tenuta. Camere nuove e funzionali, con arredi recenti. Il ristorante
dispone di un piacevole servizio estivo all'aperto, specialità carne alla brace.

MONTE SAN PIETRO = **PETERSBERG** – Bolzano – Vedere Nova Ponente

---

MONTE SAN SAVINO – Arezzo (AR) – 563M17 – **8 295 ab.** 29 **C2**
– **alt. 330 m** – ✉ 52048 Toscana

▶ Roma 191 – Siena 41 – Arezzo 21 – Firenze 83

🏠 **Logge dei Mercanti** senza rist 🛗 ⬤ AC VISA ⬤⬤ AE ⓪ 💲
corso San Gallo 40/42 – ℰ 05 75 81 07 10 – www.loggedeimercanti.it – info@
loggedeimercanti.it – Fax 05 75 84 96 57
13 cam ☐ – ♥45/60 € ♥♥70/95 €
♦ Nel centro storico, di fronte alle cinquecentesche logge dei mercanti, la vecchia far-
macia di paese è stata trasformata in albergo. Camere sul retro con vista sui colli.

XX **La Terrasse** 🏠 AC VISA ⬤⬤ AE ⓪ 💲
via di Vittorio 2/4 – ℰ 05 75 84 41 11 – www.ristorantelaterrasse.it – laterrasse@
tin.it – Fax 05 75 84 41 11 – chiuso dal 15 al 30 novembre e mercoledì
Rist – Carta 19/40 €
♦ Questo gradevole e curato ristorante, sul limitare del centro storico, dispone anche di
una zona american bar e di una veranda estiva; cucina toscana e buona lista di vini.

a Gargonza Ovest : 7 km – **alt. 543 m** – ✉ 52048 – Monte San Savino

🏠 **Castello di Gargonza** 🌿 ⬤ 🚗 🛋 📶 🦺 P. VISA ⬤⬤ AE ⓪ 💲
– ℰ 05 75 84 70 21 – www.gargonza.it – info@gargonza.it – Fax 05 75 84 70 54
– chiuso dal 10 gennaio al 1° marzo, in novembre aperto solo nei fine settimana
16 cam ☐ – ♥95/105 € ♥♥115/130 € – ½ P 92/117 €
Rist La Torre di Gargonza – vedere selezione ristoranti
♦ Borgo medievale fortificato, con un unico ingresso che introduce ad un ambiente dal-
l'atmosfera davvero fuori dal comune. Un soggiorno nella storia, con confort attuali.

X **La Torre di Gargonza** ⬤ 🏠 P. VISA ⬤⬤ AE ⓪ 💲
– ℰ 05 75 84 70 65 – www.gargonza.it – info@gargonza.it – Fax 05 75 84 70 54
– chiuso dal 10 gennaio al 1° marzo, martedì escluso da maggio ad ottobre, in
novembre aperto solo nel fine settimana
Rist – Carta 27/40 €
♦ Tipicamente toscano sia nell'ambientazione, con pietre e travi a vista, sia nella cucina
questo locale vicino all'omonimo Castello; d'estate si mangia in veranda.

MONTE SANT' ANGELO – Foggia (FG) – 564B29 – **13 665 ab.** 26 **B1**
– **alt. 843 m** – ✉ 71037 Italia

▶ Roma 427 – Foggia 59 – Bari 135 – Manfredonia 16
◉ Posizione pittoresca★★ – Santuario di San Michele★ – Tomba di Rotari★
◙ Promontorio del Gargano★★★ Est e Nord-Est

🏨 **Palace Hotel San Michele** ⇐ 🛋 ∑ 🕴 & cam, 🎧 % rist, 🌐 ♨

via Madonna degli Angeli – ✆ 08 84 56 56 53   🅿 ⓋⒾⓈⒶ ⑩ ⒶⒺ ⑩ ♿
www.palacehotelsanmichele.it – info@palacehotelsanmichele.it – Fax 08 84 56 57 37
55 cam ⌾ – ♦73/95 € ♦♦116/150 € – 2 suites – ½ P 73/95 €
Rist – Menu 20/40 €
♦ Sulla sommità del paese, da dove pare di dominare il Gargano fino al mare, un hotel
recente in cui è stato fatto largo uso di marmi e materiali pregiati. Ristorazione disponibile in vari ambienti, ugualmente curati.

✗✗ **Taverna li Jalantuùmene** 🏠 % ⓋⒾⓈⒶ ⑩ ⒶⒺ ⑩ ♿

piazza de Galganis 5 – ✆ 08 84 56 54 84 – www.li-jalantuumene.it – info@
li-jalantuumene.it – Fax 08 84 56 54 84 – chiuso dall'8 al 28 gennaio e martedì
da ottobre a marzo
Rist – Menu 25/40 € – Carta 36/45 €
♦ Fedeltà alla cultura gastronomica del proprio territorio, ma con spirito di ricerca in un
ristorante rustico ma con numerosi tocchi d'eleganza.

✗ **Medioevo** % ⓋⒾⓈⒶ ⑩ ⒶⒺ ⑩ ♿

via Castello 21 – ✆ 08 84 56 53 56 – www.ristorantemedioevo.it – info@
ristorantemedioevo.it – Fax 08 84 56 53 56 – chiuso lunedì escluso agosto
Rist – Carta 20/37 €
♦ Specialità regionali elaborate da prodotti stagionali, in un ristorante del centro storico,
raggiungibile solo a piedi: semplice ed accogliente.

✗ **Da Costanza** ⓋⒾⓈⒶ ⑩ ⒶⒺ ⑩ ♿

corso Garibaldi 67 – ✆ 08 84 56 13 13 – Fax 08 84 56 13 13 – chiuso venerdì in
bassa stagione
Rist – Carta 16/23 €
♦ Nella via centrale, all'interno di vecchie cantine, una curata trattoria familiare, con una
pluriennale gestione, per gustare casalinghe specialità pugliesi.

MONTE SAN VITO – Ancona (AN) – 563L21 – 5 803 ab. – alt. 135 m   21 **C1**
– ✉ 60037

▶ Roma 284 – Ancona 29 – Perugia 148 – Pesaro 75

⛰ **Poggio Antico** senza rist ⌂ ⇐ 🛋 ∑ ⋔ 🎧 🌐 🅿 ⓋⒾⓈⒶ ⑩ ♿

via Malviano B, località Santa Lucia – ✆ 071 74 00 72 – www.poggio-antico.com
– info@poggio-antico.com – Fax 071 74 86 99 – chiuso Natale
13 suites – ♦♦90/170 €, ⌾ 12 €
♦ La risorsa, in posizione panoramica tra le colline, dispone di appartamenti, zona notte
separata, in stile rustico-contadino, arredati con un tocco di romanticismo.

MONTESARCHIO – Benevento (BN) – 564D25 – 13 427 ab. – alt. 300 m   6 **B2**
– ✉ 82016

▶ Roma 223 – Napoli 53 – Avellino 54 – Benevento 18

🏨 **Cristina Park Hotel** 🛋 🕴 ⋔ 🎧 % ♨ 🅿 ⓋⒾⓈⒶ ⑩ ⒶⒺ ⑩ ♿

via Benevento 102, Est : 1 km – ✆ 08 24 83 58 88 – www.cristinaparkhotel.it
– info@cristinaparkhotel.it – Fax 08 24 83 58 88
16 cam ⌾ – ♦65/85 € ♦♦90/110 € – ½ P 80/100 €
Rist – (chiuso dal 24 dicembre al 6 gennaio, sabato e domenica) Carta 28/41 €
♦ A breve distanza da Benevento, una struttura con giardino e interni curati in stile classico non privi di tocchi d'eleganza come la boiserie, i marmi e i mobili d'epoca. Eleganza
neoclassica nelle belle sale del ristorante.

MONTESCANO – Pavia (PV) – 561G9 – 385 ab. – alt. 208 m   16 **B3**
– ✉ 27040

▶ Roma 597 – Piacenza 42 – Alessandria 69 – Genova 142

🏠 **Locanda Montescano** 🛋 🎧 % 🌐 ♨ 🅿 ⓋⒾⓈⒶ ⑩ ⒶⒺ ⑩ ♿

via Montescano 61 – ✆ 038 56 13 44 – www.locandamontescano.com – info@
locandamontescano.com – Fax 03 85 26 22 12
22 cam ⌾ – ♦55/60 € ♦♦80/85 € – ½ P 70/75 €
Rist – (chiuso lunedì, martedì a mezzogiorno) Carta 32/60 €
♦ Una famiglia pavese, dopo aver trascorso molti anni in America, è rientrata a casa per
aprire questa bella struttura, curata e confortevole, non priva di tocchi d'eleganza. Al
ristorante vengono serviti prodotti locali e specialità nazionali.

※※※ Al Pino ≼ AC P VISA ⑩ AE ① Ġ
via Pianazza – ℰ 038 56 04 79 – www.ristorantealpino.it – mariomusoni@libero.it
– Fax 038 56 04 79 – chiuso dal 1° al 10 gennaio, dal 15 al 30 luglio, lunedì e martedì
Rist – Carta 42/54 €
♦ In zona collinare, un elegante salotto da casa privata dove, da più di 20 anni, il titolare elabora una cucina innovativa ma con radici nel territorio. Risotti celebri!

※※ Le Robinie ⧂ P VISA ⑩ AE ① Ġ
località Cà d'agosto, Sud: 2,5 km – ℰ 03 85 24 15 29 – www.lerobinie.net – info@ lerobinie.net – Fax 03 85 28 99 49 – chiuso 2 settimane in gennaio, 2 settimane in agosto, lunedì e martedì
Rist – Menu 65/85 € – Carta 56/78 €
♦ Due sale di tono moderno illuminate "naturalmente" da grandi vetrate: molto legno e spunti minimalisti in un ristorante di raffinata eleganza. La creatività regna in cucina.

MONTESCUDAIO – Pisa (PI) – 563M13 – 1 584 ab. – alt. 242 m 28 B2
– ✉ 56040
▶ Roma 281 – Pisa 59 – Cecina 10 – Grosseto 108
🛈 via della Madonna 2 ℰ 0586 651942, info@toscana-caseecolline.com, Fax 0586 651942

※ Il Frantoio AC VISA ⑩ AE ① Ġ
via della Madonna 9 – ℰ 05 86 65 03 81 – www.ristorantefrantoio.com – info@ ristorantefrantoio.com – Fax 05 86 65 53 58 – chiuso martedì
Rist – (chiuso a mezzogiorno escluso i giorni festivi) Carta 37/46 € 🏵
♦ Caldo e curato ambiente con volte in pietra; marito e moglie, lei in sala e lui ai fornelli, propongono cucina del territorio, anche di pesce.

MONTESILVANO MARINA – Pescara (PE) – 563O24 – 42 427 ab. 1 B1
– ✉ 65015
▶ Roma 215 – Pescara 13 – L'Aquila 112 – Chieti 26
🛈 via Europa 73/4 ℰ 085 4458859, iat.montesilvano@abruzzoturismo.it, Fax085 4455340

🏨 Promenade ≼ ⅃ Ⅰ⅄ 🛉 ⅙⅄ AC ⅍ 🖐 ㉔ P VISA ⑩ AE ① Ġ
viale Aldo Moro 63 – ℰ 08 54 45 22 21 – www.hotelpromenadeonline.com – info@hotelpromenadeonline.com – Fax 085 83 48 00
84 cam ⌫ – †80/105 € ††130/150 € – ½ P 90/100 €
Rist – (chiuso Natale) Carta 30/45 €
♦ Ubicato direttamente sulla spiaggia, privata e attrezzata, hotel rinnovato negli ultimi anni, con eleganti arredi classici sia negli spazi comuni che nelle belle camere. La luminosità e la vista del mare caratterizzano la sala ristorante.

MONTESPERTOLI – Firenze (FI) – 563L15 – 11 983 ab. – alt. 257 m 29 C2
– ✉ 50025
▶ Roma 287 – Firenze 34 – Siena 60 – Livorno 79

※ L'Artevino AC VISA ⑩ ① Ġ
via Sonnino 28 – ℰ 05 71 60 84 88 – www.ristoranteartevino.com – poggienzo@ katamail.it – Fax 05 71 60 84 88 – chiuso gennaio e domenica escluso da aprile ad ottobre
Rist – (chiuso a mezzogiorno) Carta 32/40 €
♦ Nuova gestione che non ha mutato la natura di questo piacevole localino in posizione centrale: curato ambiente raccolto, piatti del territorio con rivisitazioni personali.

MONTESPLUGA – Sondrio (SO) – 561C9 – alt. 1 908 m – ✉ 23024 16 B1
▶ Roma 711 – Sondrio 89 – Milano 150 – Passo dello Spluga 3

※※ Posta con cam ⌂ ⅍ P VISA ⑩ AE ① Ġ
via Dogana 8 – ℰ 034 35 42 34 – salafaustoenoteca@tiscalinet.it
– Fax 034 35 34 39 – chiuso gennaio e febbraio
10 cam – †50/55 € ††79/80 €, ⌫ 8 € – ½ P 72/75 € **Rist** – Carta 31/40 € 🏵
♦ In un paesino di alta montagna, quasi al confine svizzero, un'accogliente sala in stile montano con molto legno, cucina ispirata alla tradizione e camere personalizzate.

MONTEU ROERO – Cuneo (CN) – 561H5 – **1 628 ab.** – **alt. 360 m**   25 **C2**
– ✉ 12040

▶ Roma 625 – Torino 53 – Asti 33 – Cuneo 65

XX **Cantina dei Cacciatori**   🕭 🔟 🛠 🖵 P̄ VISA ⑳ AE ⑤
località Villa Superiore 59, Nord-Ovest : 2 km – 𝒞 017 39 08 15 – cant.cacciatori@
alice.it – Fax 017 39 08 15 – chiuso lunedì e martedì a mezzogiorno
Rist – Menu 26 € – Carta 24/36 € 🕮
   ♦ Cucina piemontese in un'antica trattoria, con tipiche volte in mattoni e sobri mobili di
legno massiccio. Incantevole dehors per la bella stagione.

MONTEVARCHI – Arezzo (AR) – 563L16 – **22 543 ab.** – **alt. 144 m**   29 **C2**
– ✉ 52025 ▌ Toscana

▶ Roma 233 – Firenze 49 – Siena 50 – Arezzo 39

🏨 **Valdarno** senza rist   🗗 🛋 ঙ 🔟 ⩗ 🛠 📶 🞘 🚗 VISA ⑳ AE ⑪ ⑤
via Traquandi 13/15 – 𝒞 05 59 10 34 89 – www.hotelvaldarno.net
– info@hotelvaldarno.net – Fax 05 59 10 34 99
– chiuso dal 23 al 26 dicembre
65 cam � – †72/82 € ††100 €
   ♦ Moderno complesso architettonico che coniuga i confort più attuali con la sobria ed
elegante classicità nelle scelte d'arredo. Belle camere ben insonorizzate e piacevolmente
personalizzate.

🏠 **Relais la Ramugina-Fattoria di Rendola** 🞘   ≼ 🕭 🛋 ঙ 🔟
località Rendola 89, Sud : 4 km   🛠 📶 📶 P̄ VISA ⑳ AE ⑤
– 𝒞 05 59 70 77 13 – www.fattoriadirendola.it – info@fattoriadirendola.it
– Fax 05 59 70 74 75 – chiuso gennaio
10 cam ⊇ – †65/75 € ††89/120 € – 1 suite – ½ P 85 €
Rist Osteria di Rendola – 𝒞 05 59 70 74 91 (consigliata la prenotazione)
Carta 43/54 €
   ♦ Pochi chilometri dal centro cittadino bastano per immergersi nel tipico paesaggio
toscano in cui si trova questa casa colonica di metà '700, ricca di arredi d'epoca. Nella
moderna sala ristorante, un soffitto ligneo, quadri alle pareti e specialità della cucina
toscana che oscillano tra tradizione e spunti creativi.

a Moncioni Sud-Est: 8,5 km – ✉ 52020

🏨 **Villa Sassolini** 🞘   ≼ 🕭 🛋 🔟 🛠 rist. 📶 P̄ VISA ⑳ AE ⑤
largo Moncioni 85/88 – 𝒞 05 59 70 22 46 – www.villasassolini.it
– info@villasassolini.it – Fax 05 59 70 29 43 – 15 marzo-15 novembre
6 cam – ††218/300 € – 4 suites – ††300/380 €
Rist – (chiuso a mezzogiorno) Carta 34/90 €
   ♦ Camere eleganti, dove le tonalità del grigio sono declinate nelle varie sfumature e
riscaldate da elementi d'arredo di grande suggestione, in un piccolo maniero - pregno
di fascino - nel cuore della Toscana. Zone comuni non molto spaziose, ma sapientemente dislocate, creano un'atmosfera da casa privata. Ottima cucina.

MONTEVECCHIA – Lecco (LC) – 561E10 – **2 463 ab.** – **alt. 479 m**   18 **B1**
– ✉ 23874

▶ Roma 602 – Como 34 – Bergamo 44 – Lecco 24

XXX **Passone**   🗐 🕭 ঙ 🔟 ⇧ P̄ VISA ⑳ AE ⑪ ⑤
via del Pertevano 10, Est : 1 km – 𝒞 03 99 93 00 75 – www.ristorantepassone.it
– info@ristorantepassone.it – Fax 03 99 93 01 81 – chiuso dal 2 al 5 gennaio, dal
16 al 20 agosto e mercoledì
Rist – Carta 35/51 € 🕮
   ♦ Il fascino di antiche atmosfere e di un'elegante rusticità, tra soffitti in legno, pietra a
vista e vetrate policrome, in un caldo locale un tempo ritrovo di guardacaccia.

XX **La Piazzetta**   🛠 ⇧ VISA ⑳ AE ⑪ ⑤
largo Agnesi 3 – 𝒞 03 99 93 01 06 – www.ristolapiazzetta.it – ristolapiazzetta@
gmail.com – Fax 03 99 93 01 06 – chiuso 15 giorni in gennaio, 15 giorni in
agosto o settembre, lunedì, martedì a mezzogiorno
Rist – Carta 39/61 €
   ♦ Nella parte alta del paese, un locale ubicato all'interno di un edificio ristrutturato. Un
ristorante di taglio classico con una sala luminosa e una cucina interessante.

MONTICCHIELLO – Siena – 563 M17 – Vedere Pienza

MONTICELLI BRUSATI – Brescia (BS) – 3 998 ab. – alt. 277 m   19 **D1**
– ✉ 25040

▶ Roma 576 – Brescia 21 – Milano 96 – Parma 134

XX **Uva Rara**   🛲 AC ⇔ VISA ⚏ AE ① ⚓
via Foina 42 – ℰ 03 06 85 26 43 – www.hostariauvarara.it
– info@hostariauvarara.it – Fax 03 06 85 26 43
– chiuso mercoledì
Rist – Menu 45/50 € – Carta 30/54 €
♦ Antico cascinale del '400, soffitti sorretti da caratteristiche volte in pietra, arredi di gusto e una gestione professionale. Requisiti per una valida cucina del territorio.

MONTICELLI D'ONGINA – Piacenza (PC) – 562 G11 – 5 248 ab.   8 **A1**
– alt. 40 m – ✉ 29010

▶ Roma 530 – Parma 57 – Piacenza 23 – Brescia 63

a San Pietro in Corte Sud : 3 km – ✉ 29010 – Monticelli d'Ongina

X **Le Giare**   AC ⇔ VISA ⚏ AE ① ⚓
via San Pietro in corte Secca 6 – ℰ 05 23 82 02 00 – Fax 05 23 82 02 00
– chiuso dal 1° al 10 gennaio, agosto, domenica sera e lunedì
Rist – (consigliata la prenotazione) Carta 30/60 €
♦ Un indirizzo particolare: una casa colonica sorta sulle ceneri di una vecchia osteria e tre salette arredate con mobili in bambù. Semplice nello stile e tradizionale nei piatti proposti.

MONTICELLO D'ALBA – Cuneo (CN) – 2 003 ab. – alt. 367 m   25 **C2**
– ✉ 12066

▶ Roma 664 – Torino 56 – Alessandria 73 – Cuneo 55

XXX **Conti Roero** (Fulvio Siccardi) con cam ⚘   ⇐ 🛲 ᴋ ⚇ AC P
☸ piazza San Ponzio 3, località Villa – ℰ 017 36 41 55   VISA ⚏ AE ① ⚓
– www.contiroero.it – info@contiroero.com – Fax 01 73 46 69 28
8 cam ⚏ – ♥100 € – 2 suites
Rist – (chiuso quindici giorni in marzo, quindici giorni in agosto, domenica sera e lunedì) Menu 45/55 € – Carta 46/62 €
Spec. Uovo in gabbia, crema di latte e parmigiano al tartufo bianco d'Alba (settembre-gennaio). Ravioli di coniglio e agnolotti di piselli, fondo di coniglio e burrata (estate). Mousse di ciliege, ravioli liquidi al latte di mandorle e gelato al lemongrass (estate).
♦ In un panoramico borgo tanto piccolo quanto delizioso, il ristorante, come la cucina, è un accattivante ed intelligente mélange di tradizione e modernità. Il quadro si completa nelle camere affascinante incastro di Piemonte antico e arredo contemporaneo.

MONTICHIARI – Brescia (BS) – 561 F13 – 20 088 ab. – alt. 104 m   17 **D1**
– ✉ 25018

▶ Roma 490 – Brescia 20 – Cremona 56 – Mantova 40
✈ Gabriele D'Annunzio ℰ 030 9656599

🏨 **Elefante**   ▤ AC ⚒ rist, ⚇ ᴋᴀ P VISA ⚏ ⚓
via Trieste 41 – ℰ 03 09 96 25 50 – www.albergoelefante.it – info@
albergoelefante.it – Fax 03 09 98 10 15
19 cam ⚏ – ♥47/78 € ♥♥68/120 € – ½ P 55/85 €
Rist Hostaria la bottega dei Sapori – (chiuso dal 24 dicembre all'8 gennaio, dal 4 al 26 agosto e sabato a mezzogiorno) (chiuso a mezzogiorno)
Carta 23/38 €
♦ Gestita con passione, una piccola e accogliente risorsa sorta dalla ristrutturazione di uno storico albergo locale; ordine, efficienza e confort in ogni settore. Sala ristorante accogliente e confortevole.

🏨 **Garda** senza rist ♨ 🏋 ⇅ ♿ AC 🚭 ((·)) 👥 P 🚗 VISA MC AE Ṡ
via Brescia 128 – ✆ 03 09 65 15 71 – www.infogardahotel.it
– info@infogardahotel.it – Fax 03 09 96 03 34
82 cam ☕ 8 € – 🛉70/85 € 🛉🛉100/125 €
♦ Sale riunioni, camere spaziose, servizio efficiente e un'ottima ubicazione di fronte alla fiera e vicino all'aeroporto, insomma un hotel ideale per chi viaggia per lavoro.

MONTICIANO – **Siena (SI)** – **563**M15 – **1 401 ab.** – **alt. 381 m** 29 **C2**
– ✉ **53015**

▶ Roma 186 – Siena 37 – Grosseto 60
Ⓖ Abbazia di San Galgano★★ Nord-Ovest : 7 km

✕ **Da Vestro** con cam 🪑 ⛱ 🏊 P VISA MC AE ⊕ Ṡ
⊜ *via Senese 4 – ✆ 05 77 75 66 18 – www.davestro.it*
– info@davestro.it – Fax 05 77 75 64 66
– chiuso 2 febbraio-6 marzo
14 cam – 🛉35/60 € 🛉🛉50/75 €, ☕ 8 € – ½ P 65/91 €
Rist – *(chiuso lunedì, in dicembre e gennaio anche martedì, mercoledì, giovedì e domenica sera)* (prenotare) Carta 19/36 €
♦ Alle porte della località e circondato da un ampio giardino, un antico podere ospita una trattoria dalle cui cucine si affacciano i piatti e i sapori della tradizione toscana. Dispone anche di alcune camere semplici dagli arredi in legno e ben curate.

MONTICOLO (laghi) = MONTIGGLER SEE – **Bolzano** – **Vedere Appiano sulla Strada del Vino**

MONTIERI – **Grosseto (GR)** – **563**M15 – **1 222 ab.** – **alt. 750 m** 29 **C2**
– ✉ **58026**

▶ Roma 269 – Siena 50 – Grosseto 51

🏠 **Rifugio Prategiano** 🐎 ⋞ 🪑 🏊 🚭 rist, ((·)) P VISA MC Ṡ
⊜ *località Prategiano 45 – ✆ 05 66 99 77 00*
– www.prategiano.com – info@prategiano.com – Fax 05 66 99 78 91
– 3 Aprile -1° Novembre
24 cam ☕ – 🛉60/92 € 🛉🛉84/124 € – ½ P 60/80 € **Rist** – Menu 18/20 €
♦ Vi aspettano salutari passeggiate a piedi, in bicicletta o a cavallo soggiornando in questo accogliente hotel nel verde maremmano; per i più pigri, il relax in piscina. Semplice ambiente rustico e atmosfera conviviale nella sala da pranzo.

⌂ **Agriturismo La Meridiana-Locanda in Maremma** 🐎 ⋞
strada provinciale 5 Le Galleraie, 🪑 ⛱ 🏊 ♿ 👥 P VISA MC AE Ṡ
Sud-Est : 2,5 km – ✆ 05 66 99 70 18
– www.lameridiana.net – direzione@lameridiana.net
– Fax 05 66 99 70 17
– chiuso dall' 8 gennaio al 28 febbraio
13 cam ☕ – 🛉80/95 € 🛉🛉120/140 € – ½ P 98 €
Rist – *(chiuso a mezzogiorno)* Carta 22/41 €
♦ Antico casolare ristrutturato, ora elegante casa di campagna, arredato con buon gusto in stile essenziale; camere con letto in ferro battuto e ampio scrittoio in travertino. Stile lineare anche nel ristorante, con divanetti che guardano la vallata.

MONTIGNOSO – **Massa Carrara (MS)** – **563**J12 – **9 798 ab.** – **alt. 132 m** 28 **A1**
– ✉ **54038**

▶ Roma 386 – Pisa 39 – La Spezia 38 – Firenze 112

✕✕✕✕ **Il Bottaccio** con cam 🐎 🪑 ⛱ AC cam, P VISA MC AE Ṡ
via Bottaccio 1 – ✆ 05 85 34 00 31 – www.bottaccio.it – bottaccio@bottaccio.it
– Fax 05 85 34 01 03
8 suites – 🛉🛉290/900 €, ☕ 20 € – ½ P 310/410 € **Rist** – Carta 58/108 €
♦ Incorniciato dal verde, alle spalle del mare, ricavato dal restauro di un frantoio ad acqua settecentesco, l'elegante risorsa propone sapienti sapori di mare, monti e boschi.

a Cinquale Sud-Ovest : 5 km – ⊠ **54030**

🖪 via Grillotti ✆ 0585 808751

🏨🏨 **Villa Undulna**   🚗 🏡 🖾 🕭 ⊕ 🍃 ⬧ ♨ ※ 🖻 🕹 🔟 🎢 rist, 🎯 🦺 **🅿**
viale Marina 1 – ✆ *05 85 80 77 88*   🚐 *VISA* 🐖 *AE* ⓪ 🍸
– www.termedellaversilia.com – spa@termedellaversilia.com – Fax 05 85 80 72 55
– marzo-3 novembre e 26 dicembre-6 gennaio
30 cam � 🛏 ♦95/170 € ♦♦190/340 € – 24 suites – ♦♦240/800 € – ½ P 115/205 €
Rist – Carta 36/71 €
♦ Particolarmente votata al relax e alla tutela del benessere, la struttura è dotata di
attrezzature sportive e di un centro termale. Camere molto grandi e ben arredate. Il
ristorante propone una cucina nazionale e regionale in sale sobrie e signorili.

🏨 **Eden**   🚗 🏡 🍃 🖻 ⬧ cam, ♣♣ 🔟 🎢 rist, 🎯 🦺 **🅿** *VISA* 🐖 *AE* ⓪ 🍸
viale Gramsci 26 – ✆ *05 85 80 76 76 – www.edenhotel.it – info@edenhotel.it*
– Fax 05 85 80 75 94 – chiuso dal 15 dicembre al 15 gennaio
27 cam ⊇ 🛏 ♦85/115 € ♦♦130/220 € – ½ P 140 €
Rist *– (chiuso domenica) (chiuso a mezzogiorno escluso da aprile ad ottobre)*
Carta 38/55 €
♦ Una piccola oasi a pochi passi dal mare, offre camere spaziose e luminose arredate
con gusto. Ideale per un soggiorno in famiglia e come punto di partenza per escursioni.
Un ristorante semplice ed accogliente dove gustare pietanze della tradizione locale.

🏠 **Giulio Cesare** senza rist ⬧   🚗 🔟 🎢 **🅿** *VISA* 🐖 🍸
via Giulio Cesare 29 – ✆ *05 85 30 93 18 – www.vacanzeinversilia.com/hotel/*
giuliocesare – hotelgiuliocesare@tiscali.it – Fax 05 85 30 93 19 – Pasqua-settembre
12 cam ⊇ 🛏 ♦80/90 € ♦♦90/110 €
♦ Un piccolo giardino garantisce un soggiorno all'insegna della tranquillità presso questa risorsa familiare; all'interno gli ambienti sono arredati con gusto moderno e sobrio.

MONTISI – Siena – Vedere San Giovanni d'Asso

MONTOGGIO – Genova (GE) – 561I9 – 2 023 ab. – alt. 440 m   **15 C1**
– ⊠ **16026**

🖪 Roma 538 – Genova 38 – Alessandria 84 – Milano 131

✕✕ **Roma**   🚗 🔟 *VISA* 🐖 🍸
😊 *via Roma 15 –* ✆ *010 93 89 25 – Fax 010 93 89 25 – chiuso dal 1° al 15 luglio,*
giovedì, anche le sere di lunedì, martedì e mercoledì da ottobre a maggio
Rist – Carta 26/38 €
♦ Accogliente locale dall'esperta gestione familiare, dispone d'un grazioso salotto che
conduce alla luminosa sala con vetrate. Aperitivo in giardino e cucina d'impronta ligure.

MONTONE – Perugia (PG) – 563L18 – 1 606 ab. – alt. 485 m   **32 B1**
– ⊠ **06014**

🖪 Roma 205 – Perugia 39 – Arezzo 58

✕✕ **La Locanda del Capitano** con cam ⬧   🏡 🎢 rist, 🎯
via Roma 7 – ✆ *07 59 30 65 21*   *VISA* 🐖 *AE* ⓪ 🍸
– www.ilcapitano.com – info@ilcapitano.com – Fax 07 59 30 64 55 – chiuso dal
15 gennaio al 1° marzo
10 cam ⊇ 🛏 ♦90 € ♦♦120/140 € – ½ P 100/120 €
Rist *– (chiuso lunedì) (chiuso a mezzogiorno)* (consigliata la prenotazione)
Carta 53/54 € 🍷
♦ Delizie tipiche locali (funghi, tartufo) in piatti rivisitati con approccio personale. Un
antico edificio, ultima dimora del capitano di ventura Fortebraccio, per assaporare l'incanto e la quiete fuori del tempo di un borgo medievale tra confort attuali.

MONTOPOLI DI SABINA – Rieti (RI) – 563P20 – 3 787 ab.   **12 B1**
– alt. 331 m – ⊠ **02034**

🖪 Roma 52 – Rieti 43 – Terni 79 – Viterbo 76

sulla strada statale 313 Sud-Ovest : 7 km :

X **Il Casale del Farfa** $\leqslant$ 🏠 **P** 🚗 ⓬ ♿
☺ *via Ternana 53* ✉ *02034 –* 𝒞 *07 65 32 20 47 – www.casaledelfarfa.it*
– alessio.moroni@libero.it – Fax 07 65 32 20 47
– chiuso dal 22 dicembre al 4 gennaio, dal 20 luglio al 10 agosto e martedì
Rist *– Carta 16/25 €*
♦ Articolato in più sale di tono rustico dove gustare i genuini piatti della tradizione a prezzi contenuti. Bella la terrazza affacciata sulla campagna, ideale per un pranzo estivo con vista!

MONTOPOLI IN VAL D'ARNO – Pisa (PI) – 563K14 – **10 063 ab.**   28 **B2**
– **alt. 98 m** – ✉ **56020**

🏛 Roma 307 – Firenze 45 – Pisa 39 – Livorno 44
🛈 piazza Michele da Montopoli 𝒞 0571 449024, info@montopoli.net, Fax 0571 449942

XX **Quattro Gigli** con cam   🚗 🏠 🛗 🛗 cam, ❄ cam, 🚗 ⓬ ⒶⒺ ⓪ ♿
☺ *piazza Michele da Montopoli 2 –* 𝒞 *05 71 46 68 78 – www.quattrogigli.it – info@*
quattrogigli.it – Fax 05 71 46 68 79
22 cam � – 🛇55/65 € 🛇🛇85/95 € – ½ P 68/73 €
Rist *– (chiuso dal 16 al 31 agosto e lunedì)* Carta 30/51 € ⅋
Rist *Trattoria dell'Orcio – (chiuso dal 16 al 31 agosto e lunedì)* Carta 21/40 € ⅋
♦ Nel caratteristico borgo, locale con interni decorati da originali terrecotte e una terrazza estiva con vista sulle colline; proposte del territorio di mare e di terra.

MONTORFANO – Como (CO) – 561E9 – **2 593 ab.** – **alt. 410 m**   18 **B1**
– ✉ **22030**

🏛 Roma 631 – Como 9 – Bergamo 50 – Lecco 24
🛗 Villa d'Este, 𝒞 031 20 02 00

🏨 **Tenuta Santandrea** 🔈 $\leqslant$ 🍴 🏠 ⚹ 🛗 rist, 🔊 **P**
☺ *via Como 19 –* 𝒞 *031 20 02 20 – info@*   🚗 ⓬ ⒶⒺ ⓪ ♿
tenutasantandrea.it – Fax 031 20 08 08 – chiuso dal 23 dicembre al 30 gennaio
10 cam ⊮ – 🛇90/110 € 🛇🛇120/160 € – ½ P 95/125 €   **Rist** *– Carta 48/74 €*
♦ Il parco che digrada fino alle rive del lago, la vista incantevole e il fascino dell'antico insediamento medievale in una risorsa ricca di *charme* e personalità. Sapori innovativi nell'intimo e romantico ristorante dotato di una luminosa veranda.

MONTORIO – Verona (VR) – 562F15 – ✉ **37100**   37 **B2**

🏛 Roma 522 – Verona 8 – Brescia 84 – Padova 82

🏨 **Brandoli**   🏠 🛇 ♿ 🛗 ❄ 🔊 **P** 🚗 ⓬ ⒶⒺ ⓪ ♿
☺ *via Antonio da Legnago 11* ✉ *37141 –* 𝒞 *04 58 84 01 55 – www.hotelbrandoli.it*
– info@hotelbrandoli.it – Fax 04 58 86 81 00
34 cam ⊮ – 🛇75/145 € 🛇🛇90/160 € – ½ P 60/95 €   **Rist** *– Carta 20/37 €*
♦ Dopo attenti interventi interni è finalmente tornato a nuova vita, questo hotel appena fuori Verona è ora un ottimo punto di riferimento per chi si sposta per lavoro. Spaziose camere. Ampia sala ristorante e servizio estivo all'aperto. Specialità del territorio.

MONTORO – Terni – 563O19 – Vedere Narni

MONTORO INFERIORE – Avellino (AV) – 564E26 – **8 873 ab.**   6 **B2**
– **alt. 195 m** – ✉ **83025**

🏛 Roma 265 – Napoli 55 – Avellino 18 – Salerno 20

🏨🏨 **La Foresta**   🚗 🏠 ⚒ 🛇 ⚹ 🛗 🔊 🅰 **P** 🚗 🚗 ⓬ ⒶⒺ ⓪ ♿
☺ *via Turci 118, svincolo superstrada* ✉ *83025 Piazza di Pàndola*
– 𝒞 *08 25 52 10 05 – www.hotelaforesta.com – info@hotelaforesta.com*
– Fax 08 25 52 36 66 – chiuso dal 23 al 31 dicembre e dal 12 al 18 agosto
39 cam ⊮ – 🛇65/80 € 🛇🛇80/95 € – 2 suites – ½ P 60/80 €
Rist *– Carta 18/29 €*
♦ In uno scenario rilassante, immersa nel verde, la grande e suggestiva struttura dispone di eleganti ambienti arredati in calde tonalità di colore e moderne sale congressi. Punto di forza dell'albergo, il ristorante si articola in tre sale arredate in modo differente dove gustare sapienti proposte di cucina regionale.

MONTRIGIASCO – Novara – 561E7 – **Vedere Arona**

MONTÙ BECCARIA – Pavia (PV) – 561G9 – **1 728 ab. – alt. 277 m**   16 **B3**
– ✉ 27040

>   ▶ Roma 544 – Piacenza 34 – Genova 123 – Milano 66

ⅩⅩ   **La Locanda dei Beccaria**   🅐🅒 ⇄ 𝘝𝘐𝘚𝘈 ⓪⓪ 🄰🄴 ⓞ ♿
*via Marconi 10 – ☎ 03 85 26 23 10 – www.lalocandadeibeccaria.it – info@
lalocandadeibeccaria.it – Fax 03 85 26 23 10 – chiuso 2 settimane in gennaio,
lunedì e martedì*
Rist – Menu 32/40 € – Carta 37/46 € 🏠
♦ All'interno della Cantina Storica della località, un ristorante rustico e curato dove assaporare proposte curiose e innovative nelle sale dai caratteristici soffitti in legno.

ⅩⅩ   **Colombi**   🅐🅒 ⇄ 🄿 𝘝𝘐𝘚𝘈 ⓪⓪ 🄰🄴 ⓞ ♿
*località Loglio di Sotto 1, Sud-Ovest : 5 km – ☎ 038 56 00 49
– www.ristorantecolombi.it – info@ristorantecolombi.it – Fax 03 85 24 17 87*
Rist – Carta 27/37 €
♦ Sulle prime colline pavesi dominate da vigneti, una famiglia esperta nel settore della ristorazione gestisce un locale classico dove gustare i piatti della tradizione.

MONZA – Milano (MI) – 561F9 – **121 618 ab. – alt. 162 m** – ✉ 20052   18 **B2**
📗 Italia

>   ▶ Roma 592 – Milano 21 – Bergamo 38
>   🔝 Brianza, ☎ 039 682 90 89
>   ◉ Duomo★ : facciata★★, corona ferrea★★ dei re Longobardi – Parco★★
>   della Villa Reale. Nella parte settentrionale Autodromo ☎ 039 22366

🏨🏨🏨   **De la Ville**   ⏸ 🅐🅒 ℁ ⑼ 🧖 🄿 🚗 𝘝𝘐𝘚𝘈 ⓪⓪ 🄰🄴 ⓞ ♿
*viale Regina Margherita di Savoia 15 – ☎ 03 93 94 21 – www.hoteldelaville.com
– info@hoteldelaville.com – Fax 039 36 76 47
– chiuso dal 24 dicembre al 7 gennaio e dal 1° al 26 agosto*
73 cam – ♦158/227 € ♦♦218/327 €, � 27 € – 3 suites
Rist Derby Grill – vedere selezione ristoranti
♦ Di fronte alla Villa Reale con il suo splendido parco, lusso discreto d'impronta inglese per questa raffinata struttura che annovera eleganti camere nel corpo centrale, nonché esclusive *suite* nell'*Ala DeLuxe*. Servizio professionale ed attento.

ⅩⅩⅩ   **Derby Grill** – Hotel De la Ville   🅐🅒 ℁ ⇄ 🄿 𝘝𝘐𝘚𝘈 ⓪⓪ 🄰🄴 ⓞ ♿
*viale Regina Margherita di Savoia 15 – ☎ 03 93 94 21 – www.derbygrill.com
– info@hoteldelaville.com – Fax 039 36 76 47 – chiuso dal 24 dicembre
al 7 gennaio, dal 1° al 26 agosto e i mezzogiorno del sabato e della domenica*
Rist – Menu 37/47 € – Carta 52/72 €
♦ *Boiserie*, quadri di soggetto equestre, argenti e porcellane in un raffinatissimo ristorante, perfetto per un pranzo d'affari o una cena romantica; creatività in cucina.

ⅩⅩ   **Il Gusto della Vita**   🅐🅒 ℁ 𝘝𝘐𝘚𝘈 ⓪⓪ 🄰🄴 ⓞ ♿
*via Bergamo 5 ✉ 20052 Monza – ☎ 039 32 54 76 – www.ilgustodellavita.it
– info@ilgustodellavita.it – chiuso 3 settimane in agosto e martedì*
Rist – Menu 25 € (a mezzogiorno dal lunedì a venerdì)/45 € – Carta 39/50 €
♦ Una giovane coppia gestisce con passione e professionalità questo curato locale nei pressi del centro cittadino. Pochi coperti, ambiente lindo e gradevole per una cucina classica con qualche excursus nella creatività.

MONZAMBANO – Mantova (MN) – 561F14 – **4 667 ab. – alt. 88 m**   17 **D1**
– ✉ 46040

>   ▶ Roma 511 – Verona 30 – Brescia 51 – Mantova 31

a Castellaro Lagusello Sud-Ovest : 2 km – ✉ 46040 – Monzambano

Ⅹ   **La Dispensa**   🈀 🅐🅒 ℁ ⇄ 𝘝𝘐𝘚𝘈 ⓪⓪ ♿
via Castello 15/21 – ☎ 037 68 88 50 – info@ladispensasnc.it – chiuso lunedì
Rist – (*chiuso a mezzogiorno escluso sabato e i giorni festivi*) Carta 27/35 €
♦ In un delizioso paese con case d'epoca restaurate e un castello, trattoria nata come negozio di alimentari; piatti di tradizione autentica e ampia selezione di formaggi.

MONZUNO – Bologna (BO) – 562J15 – **5 614 ab.** – ✉ 40036   9 **C2**
- ▶ Roma 366 – Bologna 45 – Prato 75 – Firenze 82

⌂ **Lodole** senza rist ॐ   ⚷ **P** 𝗩𝗜𝗦𝗔 ⓩ 𝖠𝖤 ① ⛭
località Lodole 325, Ovest : 2,4 km – ℰ *05 16 77 11 89 – www.lodole.com*
– info@lodole.com – Fax 05 16 77 31 56
6 cam ⊑ – ♦70 € ♦♦90 €
♦ Rustica dimora del Seicento, adiacente al Golf Club. Atmosfera familiare e clima informale, anche se non manca una certa eleganza negli interni.

MORANO CALABRO – Cosenza (CS) – 564H30 – **4 904 ab.** – alt. 694 m   5 **A1**
– ✉ 87016
- ▶ Roma 445 – Cosenza 82 – Catanzaro 175 – Potenza 148

🏠 **Villa San Domenico**   ≤ 🚗 🛗 𝖠𝖪 ⚷ 🖧 **P** 𝗩𝗜𝗦𝗔 ⓩ 𝖠𝖤 ① ⛭
via Paglierina 13 – ℰ *09 81 39 98 81 – www.albergovillasandomenico.it – info@*
albergovillasandomenico.it – Fax 09 81 39 98 81
8 cam ⊑ – ♦80 € ♦♦110 € – 3 suites – ½ P 70 €
Rist – (prenotazione obbligatoria) Menu 25/30 €
♦ Affascinante dimora Settecentesca ai piedi del centro storico: camere ed ambienti raffinati, mobili d'epoca e personalizzazioni. Accoglienza diretta ed informale.

⌂ **Agriturismo la Locanda del Parco** ॐ   ≤ 🚗 🏠 ☷ (( )) **P**
🍴 *contrada Mazzicanino 12, Nord-Est : 4 km –* ℰ *098 13 13 04*   𝗩𝗜𝗦𝗔 ⓩ ⛭
– www.lalocandadelparco.it – info@lalocandadelparco.it – Fax 098 13 13 04
7 cam ⊑ – ♦40/70 € ♦♦60/90 € – ½ P 50/70 €
Rist – *(chiuso domenica sera)* (prenotazione obbligatoria) Menu 25/30 €
♦ Tra i monti del Pollino, la struttura dispone di belle camere arredate con mobili d'epoca o in arte povera (oltre a piccoli chalet dislocati a qualche centinaia di metri). Centro per il turismo equestre, ma anche sede di corsi di cucina.

MORAZZONE (VA) – 561E8 – **4 193 ab.** – ✉ 21040 – Morazzone   18 **A1**

✗✗ **Guarna**   🏠 𝖠𝖪 ⚷ 𝗩𝗜𝗦𝗔 ⓩ 𝖠𝖤 ① ⛭
Via Leonardo da Vinci 2 – ℰ *03 32 87 94 50 – chiuso 1 settimana in gennaio, 3 settimane in agosto e lunedì*
Rist – (consigliata la prenotazione) Carta 32/50 €
♦ Tre locali, uno dei quali affrescato, destinati in passato a cantina e limonaia di una villa Ottocentesca. In tavola, omaggio al dio Nettuno con piatti che profumano di mare.

MORBEGNO – Sondrio (SO) – 561D10 – **11 340 ab.** – alt. 255 m   16 **B1**
– ✉ 23017
- ▶ Roma 673 – Sondrio 25 – Bolzano 194 – Lecco 57

✗ **Osteria del Crotto**   ≤ 🏠 ⚷ ✿ **P** 𝗩𝗜𝗦𝗔 ⓩ 𝖠𝖤 ⛭
via Pedemontana 22-24 – ℰ *03 42 61 48 00 – www.osteriadelcrotto.it*
– info@osteriadelcrotto.it – Fax 03 42 61 48 00
– chiuso 1 settimana in gennaio, dal 24 agosto al 13 settembre e domenica
Rist – Carta 28/36 €
♦ Arrivati al santuario raggiungete questo caratteristico crotto dell'800 addossato alla parete boscosa delle montagne. Semplici ed accoglienti sale e fresca terrazza; cucina regionale.

MORDANO – Bologna (BO) – 562I17 – **4 320 ab.** – alt. 21 m – ✉ 40027   9 **C2**
- ▶ Roma 396 – Bologna 45 – Ravenna 45 – Forlì 35

🏠🏠 **Ville Panazza**   ⚙ 🏠 ☷ 🏋 🛗 👬 ☀ 𝖠𝖪 ⚷ rist, (( )) 🖧 **P**
via Lughese 269/319 – ℰ *054 25 14 34*   𝗩𝗜𝗦𝗔 ⓩ 𝖠𝖤 ① ⛭
– www.villepanazza.it – info@hotelpanazza.it – Fax 054 25 21 65
45 cam ⊑ – ♦55/105 € ♦♦76/160 €   **Rist** *Panazza* – Carta 25/41 €
♦ Nel verde di un piccolo parco con laghetto e piscina, camere di diverse tipologie in due edifici d'epoca, tra cui una villa dell'800 ristrutturata; sale per congressi. Il ristorante dispone di una sala affrescata e di una luminosa veranda.

MORGANO – Treviso (TV) – 100 ab. – alt. 25 m – ✉ 31050   36 **C2**

▶ Roma 575 – Padova 69 – Treviso 15 – Venezia 51

a Badoere Sud-Ovest : 3 km - ✉ **Morgano**

✗ **Dal Vero** (Ivano Mestriner)   ⌂ 𝔸ℂ ✗ 𝕍𝕀𝕊𝔸 ⓦⓞ 𝔸𝔼 ⑊

☸ *piazza Indipendenza 24 – ℰ 04 22 73 96 14 – www.dalvero.com – info@dalvero.it*
– chiuso dal 7 al 14 gennaio, agosto, lunedì, martedì a mezzogiorno; anche
domenica a mezzogiorno in giugno-luglio
Rist – Menu 55/80 € – Carta 47/71 €
Spec. Variazione di foie gras. Riso di seppie. Piccione in due cotture con salsa
ai frutti di bosco.

◆ Sotto i portici di un'immensa e scenografica piazza, piacevole e bizzarro locale tra
legni, vetro, bottiglie e cucina a vista. Altrettanto brillanti e creativi i piatti.

MORGEX – Aosta (AO) – 561E3 – 1 955 ab. – alt. 1 001 m – ✉ 11017   34 **A2**

▶ Roma 771 – Aosta 27 – Courmayeur 9

✗✗ **Cafè Quinson** (Agostino Bullas)   𝔸ℂ ✗ ⇄ 𝕍𝕀𝕊𝔸 ⓦⓞ 𝔸𝔼 ① ⑊

☸ *piazza Principe Tomaso 10 – ℰ 01 65 80 94 99 – www.cafequinson.it – info@*
cafequinson.it – Fax 01 65 80 79 17 – chiuso mercoledì
Rist – (chiuso a mezzogiorno) (consigliata la prenotazione) Carta 75/95 € ☕

Spec. Riso alla quaglia, ovetti in camicia e tometta di capra. Mignon di maialino da latte con ristretto di birra. Selezione di formaggi.

◆ Sulla piazza centrale della chiesa, affettuosa e familiare ospitalità valdostana: piatti
estrosi e creativi con prodotti che strizzano l'occhio ai cugini d'oltralpe. Tra mura seicentesche, la memorabile cantina (visitabile) che custodisce più di mille etichette, presentate in un volume enciclopedico.

MORIMONDO – Milano (MI) – 561F8 – 1 158 ab. – alt. 109 m   18 **A3**
– ✉ 20081

▶ Roma 587 – Alessandria 81 – Milano 30 – Novara 37

✗ **Trattoria Basiano**   ⌂ ✗ ⇄ ℙ 𝕍𝕀𝕊𝔸 ⓦⓞ 𝔸𝔼 ① ⑊

Ccascina Basiano 1, Sud : 3 km – ℰ 02 94 52 95 – www.trattoriabasiano.it
– trat.basiano@inwind.it – Fax 02 94 52 95 – chiuso dal 24 al 26 dicembre,
dal 1° al 7 gennaio, dal 16 agosto al 10 settembre, lunedì sera e martedì
Rist – Carta 22/45 €

◆ Ristorante semplice e familiare, con un ampio dehors anche invernale; la semplicità
regna anche nella cucina, che propone piatti stagionali del territorio e di pesce.

MORNAGO – Varese (VA) – 561E8 – 4 314 ab. – alt. 281 m – ✉ 21020   18 **A1**

▶ Roma 639 – Stresa 37 – Como 37 – Lugano 45

✗✗ **Alla Corte Lombarda**   ⑊ ℙ 𝕍𝕀𝕊𝔸 ⓦⓞ 𝔸𝔼 ① ⑊

via De Amicis 13 – ℰ 03 31 90 43 76 – chiuso dal 1° al 10 gennaio, dal 20 agosto
al 15 settembre, domenica sera e lunedì
Rist – Carta 34/56 € ☕

◆ In un bel rustico ai margini del paese, un vecchio fienile ristrutturato racchiude un
locale suggestivo; servizio di tono familiare, cucina tradizionale rivisitata.

MORRANO – Terni – 563N18 – Vedere Orvieto

MORTARA – Pavia (PV) – 561G8 – 14 464 ab. – alt. 108 m – ✉ 27036   16 **A3**

▮ Italia

▶ Roma 601 – Alessandria 57 – Milano 47 – Novara 24

🏠 **Villa Sant'Espedito**   🚗 ⑊ cam, ✦✦ 𝔸ℂ ⑨ 🛁 ℙ 𝕍𝕀𝕊𝔸 ⓦⓞ 𝔸𝔼 ① ⑊

strada per Ceretto 660, Ovest: 2 km – ℰ 038 49 99 04 – www.santespedito.it
– santespedito@santespedito.it – Fax 03 84 29 47 77 – chiuso 2 settimane in
agosto
16 cam ⌂ – ✝72/80 € ✝✝104/115 €   **Rist** – (chiuso lunedì) Carta 36/65 € ☕

◆ Nel tipico paesaggio pianeggiante della Lomellina, tra risaie e pioppeti, una struttura
recente, in sobrio stile country, dotata di camere ampie e ricche di ogni confort. Il ristorante è stato ricavato negli spazi dell'antico cascinale.

⌂ **San Michele** 　ⒶⒸ ✂ ☏ 🅿 ⓋⒾⓈⒶ ⑳ ⒶⒺ ① 🍴
*corso Garibaldi 20 – ✆ 038 49 86 14 – www.ilcuuc.it – davide@ilcuuc.191.it
– Fax 038 49 91 06 – chiuso dall'8 al 25 agosto*
18 cam – †53/63 € ††85 € – 1 suite – ½ P 48 €
Rist – *(chiuso domenica sera e lunedì)* Carta 32/56 €
♦ Rinnovato negli anni, albergo familiare nel centro della località, con parcheggio interno; le camere, diversificate negli arredi, danno sulle balconate in cortile. Mobilio e calda atmosfera da casa privata nelle due sale ristorante.

✕✕ **Guallina** 　ⒶⒸ 🅿 ⓋⒾⓈⒶ ⑳ ⒶⒺ ① 🍴
*località Guallina, Est : 4 km – ✆ 038 49 19 62 – www.trattoriaguallina.it
– guallina@trattoriaguallina.it – chiuso venti giorni in giugno-luglio e martedì*
Rist – Carta 31/42 €
♦ In una casetta di una frazione di campagna, ambiente raccolto e accogliente dove gustare proposte di cucina legate alle stagioni e al territorio; ottima la cantina.

MOSCIANO – Firenze – 563K15 – Vedere Scandicci

MOSCIANO SANT'ANGELO – Teramo (TE) – 563N23 – **8 436 ab.** 　1 **B1**
– alt. 227 m – ✉ 64023
　▶ Roma 191 – Ascoli Piceno 39 – Pescara 48 – L'Aquila 77

⌂ **Casale delle Arti** 　← 🌳 ⅆ ✹ ⒶⒸ ☏ 🅿 ⓋⒾⓈⒶ ⑳ 🍴
*strada Selva Alta, Sud : 4 km – ✆ 08 58 07 20 43 – www.casaledellearti.it
– casalearti@tin.it – Fax 08 58 07 27 76*
16 cam ⌂ – †45/55 € ††70/80 € – 2 suites – ½ P 60/70 €
Rist – *(chiuso a mezzogiorno) (solo per alloggiati)* Menu 25/30 €
♦ Su una collina che offre una vista dall'Adriatico al Gran Sasso, il casale dispone di ambienti dall'arredo sobrio, spazi per conferenze e sale adatte ad ospitare cerimonie.

✕✕ **Borgo Spoltino** 　← 🏠 ⒶⒸ 🅿 ⓋⒾⓈⒶ ⑳ ① 🍴
*strada Selva Alta, Sud : 3 km – ✆ 08 58 07 10 21 – www.borgospoltino.it – info@
borgospoltino.it – Fax 08 58 07 10 21 – chiuso domenica sera, lunedì e martedì*
Rist – *(chiuso a mezzogiorno escluso domenica)* – Carta 22/41 € 🍴
♦ Tra colline e campi di ulivi e, all'orizzonte, mare e monti, un locale luminoso con mattoni e cucina a vista, dove assaporare piatti regionali accanto a fantasiose creazioni.

MOSO = MOOS – Bolzano – Vedere Sesto

MOSSA – Gorizia (GO) – 562E22 – **1 676 ab.** – alt. 73 m – ✉ 34070 　11 **C2**
　▶ Roma 656 – Udine 31 – Gorizia 6 – Trieste 49

✕ **Blanch** 　🏠 ✂ 🅿 ⓋⒾⓈⒶ ⑳ ⒶⒺ ① 🍴
*via Blanchis 35, Nord-Ovest : 1 km – ✆ 048 18 00 20 – trattblanch@yahoo.it
– Fax 04 81 80 84 63 – chiuso 1 settimana in agosto, 3 settimane in settembre,
martedì sera e mercoledì*
Rist – Carta 21/28 €
♦ Oltre un secolo d'esperienza nel settore della ristorazione per questa trattoria familiare alle porte del paese, giunta ormai alla quarta generazione. Piatti locali dalle abbondanti porzioni.

MOTTA DI LIVENZA – Treviso (TV) – 562E19 – **9 965 ab.** – ✉ 31045 　35 **B1**
　▶ Roma 562 – Venezia 55 – Pordenone 32 – Treviso 36

✕✕ **Bertacco** con cam 　🛗 ⒶⒸ ✂ ☏ ⅆ 🅿 ⓋⒾⓈⒶ ⑳ ⒶⒺ ① 🍴
*via Ballarin 18 – ✆ 04 22 86 14 00 – www.hotelbertacco.it – info@hotelbertacco.it
– Fax 04 22 86 17 90*
21 cam ⌂ – †66 € ††86 € – ½ P 75 €
Rist – *(chiuso dal 1° al 6 gennaio, dal 14 al 25 agosto, domenica sera e lunedì)*
Menu 20/30 € – Carta 35/50 €
♦ In un bel palazzo ristrutturato, un accogliente ristorante con cucina in prevalenza di mare. Per gli appassionati di vini è disponibile una saletta-enoteca. Camere con piacevole arredamento moderno.

MOTTOLA – Taranto (TA) – 564F33 – 16 542 ab. – alt. 387 m   27 **C2**
– ✉ 74017

▶ Roma 487 – Brindisi 96 – Taranto 29 – Bari 72

🏨 **Cecere**   🚗 📶 🆔 🕏 rist. 🔏 🅿 📳 🐵 ❺
strada statale 100 km 52,7, Nord-Ovest : 7 km – 𝒞 *09 98 86 79 34*
– www.hotelcecere.com – info@hotelcecere.com – Fax 09 98 86 84 76
43 cam – ♦65/80 € ♦♦85/100 € – ½ P 65/80 €
Rist – *(chiuso domenica sera e lunedì)* Carta 23/40 €
♦ Recente grande struttura di taglio moderno e sobrio design lungo la strada tra Bari e Taranto, ideale per chi viaggia per affari. Belle le camere, complete e ben accessoriate. Ristorante dagli arredi attuali con interessanti proposte di mare.

MOZZO – Bergamo (BG) – 6 719 ab. – alt. 252 m – ✉ 24030   19 **C1**
▶ Roma 607 – Bergamo 8 – Lecco 28 – Milano 49

❀❀❀ **La Caprese**   🕏 ♿ 🆔 📳 🐵 📵 📶 ❺
via Garibaldi 7, località Borghetto – 𝒞 *03 54 37 66 61 – Fax 03 54 37 18 86*
– chiuso dal 22 dicembre al 4 gennaio, domenica sera e lunedì a mezzogiorno
Rist – Carta 39/109 €
♦ Nuova ed elegante sede per questo ristorante di tradizione, una piccola bomboniera ideale per ospitare raffinate cene i cui domineranno i sapori e i profumi di Capri, proposti secondo il mercato giornaliero.

MUGGIA – Trieste (TS) – 562F23 – 13 258 ab. – ✉ 34015 ▮ Italia   11 **D3**
▶ Roma 684 – Udine 82 – Milano 423 – Trieste 11
🛈 *(maggio-settembre) via Roma 20* 𝒞 *040 273259*

❀❀ **Trattoria Risorta**   🕏 📳 🐵 ❺
riva De Amicis 1/a – 𝒞 *040 27 12 19 – www.trattoriarisorta.it – info@ trattoriarisorta.it – Fax 040 27 33 94 – chiuso dal 1° al 14 gennaio, dal 16 al 24 agosto, lunedì e domenica sera, in luglio-agosto anche domenica a mezzogiorno*
Rist – Carta 38/57 €
♦ Piccola trattoria rustica non priva di spunti di ricercatezza, dove gustare stuzzicanti proposte a base di pesce. D'estate si mangia in terrazza, affacciati sul mare.

a Santa Barbara Sud-Est : 3 km – ✉ 34015 – Muggia

🏠 **Taverna Famiglia Cigui** 🌿   ❬ 🚗 🕏 🅿 📳 🐵 📵 📶 ❺
via Colarich 92/D – 𝒞 *040 27 33 63 – www.tavernacigui.it – pcigui@tiscali.it*
– Fax 04 09 27 92 24 – chiuso dal 1° al 15 gennaio
6 cam 🛏 – ♦40/55 € ♦♦80/90 €
Rist – *(chiuso martedì, anche lunedì da novembre ad aprile)* Carta 32/54 €
♦ In zona verdeggiante, un indirizzo di tono rustico e dall'atmosfera familiare con camere semplici e gradevoli, ideali per chi cerca un soggiorno all'insegna della tranquillità. In sala da pranzo sopravvivono i sapori della tradizione, una cucina casalinga che segue le stagioni.

MÜHLWALD = Selva dei Molini

MULAZZO – Massa Carrara (MS) – 563J11 – 2 581 ab. – alt. 350 m   28 **A1**
– ✉ 54026 ▮ Toscana
▶ Roma 444 – La Spezia 42 – Genova 93 – Livorno 120

Madonna del Monte Nord-Ovest : 8 km – alt. 870 m – ✉ 54026 – Mulazzo

❀ **Rustichello** con cam 🌿   ❬ 🕏 🅿 📳 🐵 📵 📶 ❺
Crocetta di Mulazzo – 𝒞 *01 87 43 97 59 – www.rustichello.tk – ilrustichello@ gmail.com – Fax 01 87 43 97 59 – chiuso dall'8 gennaio all'8 febbraio*
7 cam 🛏 – ♦60 € ♦♦65 € – ½ P 48 €
Rist – *(chiuso lunedì, martedì e mercoledì escluso du luglio settembre)*
Carta 22/30 €
♦ Tranquillità assicurata in questo chalet di montagna su un colle panoramico; simpatica conduzione familiare, interni rustici e caserecci piatti tipici del territorio.

MULES (MAULS) – Bolzano (BZ) – 562B16 – alt. 905 m – Sport
invernali : Vedere Vipiteno – ⊠ 39040 – **Campo di Trens**
    ▶ Roma 699 – Bolzano 56 – Brennero 23 – Brunico 44

🏨 **Stafler**   🅠 ⌂ 🖂 ⊠ ❄ ✕ 🎐 ✝ 🕊 🏖 🅿 🏧 ⚿ ᚼ
    Campo di Trens – ☎ 04 72 77 11 36
    – *www.stafler.com* – *romantikhotel@stafler.com* – Fax 04 72 77 10 94
    – *chiuso dal 9 novembre al 6 dicembre*
    36 cam ⌂ – ♦70/95 € ♦♦115/170 € – ½ P 95/120 €
    Rist – *(chiuso mercoledì in bassa stagione)* Menu 43/69 € – Carta 36/68 € 🏵
    Spec. Cappesante atlantiche ai tre sali con verdure. Pancetta di maialino cotta
    in fondo aromatico e servita croccante (inverno). Variazione di vaniglia Tahiti
    e cioccolato.
    ♦ Indirizzo tra storia e tradizione: sorto sul finire del XIII secolo come stazione di posta, è
    oggi un hotel ricco di fascino, eleganza e tradizione tirolese. Romantik, per parlare nella
    loro lingua! Due sale da pranzo in perfetta linea con la tradizione architettonica per
    piatti scenografici, ricchi di spunti creativi.

MURANO – Venezia – Vedere Venezia

MURISENGO – Alessandria (AL) – 561G6 – **1 510 ab.** – alt. 338 m
– ⊠ 15020
    ▶ Roma 641 – Torino 51 – Alessandria 57 – Asti 28

a Corteranzo Nord : 3 km – alt. 377 m – ⊠ 15020 – **Murisengo**

✕✕ **Cascina Martini**   ⌂ 🆎 ⇔ 🅿 🏧 ⚙ ᚼ
    via Gianoli 15 – ☎ 01 41 69 30 15 – *www.cascinamartini.com*
    – *cascinamartini@cascinamartini.com* – Fax 01 41 69 30 15
    – *chiuso 15 giorni in gennaio, domenica sera, lunedì, anche martedì e mercoledì*
    da novembre a febbraio
    Rist – *(chiuso a mezzogiorno escluso sabato e domenica)* Carta 40/48 €
    ♦ Ricavato nelle stalle ristrutturate di un'antica cascina, il ristorante si propone con
    un'ottima e accurata ricerca dei piatti del territorio, a volte anche alleggeriti.

MURO LUCANO – Potenza (PZ) – 564E28 – **6 057 ab.** – alt. 654 m
– ⊠ 85054
    ▶ Roma 357 – Potenza 48 – Bari 198 – Foggia 113

✕ **Delle Colline** con cam   ⩽ 🆎 rist, 🍽 cam, 🅿 🏧 ⚙ 🆎 ⓘ ᚼ
    via Belvedere – ☎ 09 76 22 84 – *www.hoteldellecolline.com*
    – *info@hoteldellecolline.com* – Fax 09 76 21 60
    18 cam – ♦40/45 € ♦♦52/70 €, ⌂ 4 € – ½ P 42/48 €
    Rist – *(chiuso venerdì sera)* Carta 14/21 €
    ♦ In bella posizione con vista sul paese e sulla rocca, tradizionali sia l'ambiente del risto-
    rante sia la sua cucina, con piatti locali; camere semplici, ma ben tenute.

MUSSOLENTE – Vicenza (VI) – 562E17 – **7 034 ab.** – alt. 127 m
– ⊠ 36065
    ▶ Roma 548 – Padova 51 – Belluno 85 – Milano 239

🏨 **Villa Palma** ⚘   🚗 ⌂ 🎐 🆎 🍽 rist, 🕊 🏖 🅿 🏧 ⚙ 🆎 ⓘ ᚼ
    via Chemin Palma 30 – ☎ 04 24 57 74 07 – *www.villapalma.it*
    – *info@villapalma.it* – Fax 042 48 76 87
    – *chiuso due settimane in agosto*
    21 cam ⌂ – ♦80/120 € ♦♦110/180 € – ½ P 85/125 €
    Rist – *(chiuso domenica sera)* Carta 34/68 €
    ♦ Settecentesca dimora di campagna trasformata in elegante albergo, per clientela d'af-
    fari anche in cerca di relax; bei tessuti nelle ricche e ricercate camere in stile. Soffitto con
    travi a vista nella sala ristorante, dove gustare piatti curati e raffinati, impreziositi dalla
    fantasia dello chef.

MUTIGNANO – Teramo – 563O24 – Vedere Pineto

MÜHLBACH = Rio di Pusteria

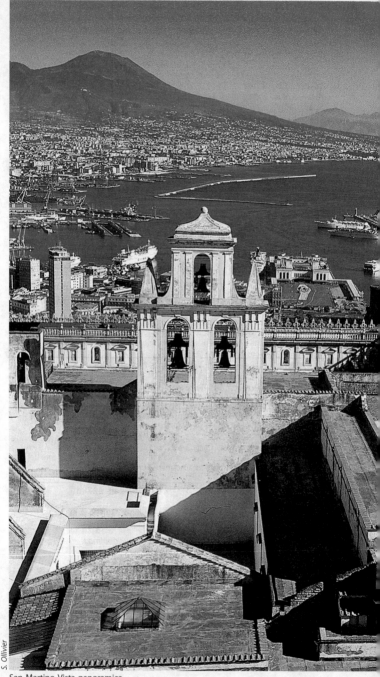

San Martino Vista panoramica

NAPOLI

Carta Michelin : n° **564**E24
Popolazione : 1 000 449 ab
Codice Postale : ⊠ 80100

▶ Roma 230 – Caserta 37
– Avallino 57 – Salerno 56
Italia, Napoli e la Campania
Carta regionale : 6 **B2**

INFORMAZIONI PRATICHE

🖬 Uffici Informazioni turistiche
via San Carlo 9 ⊠ 80132 ℰ 081 402394, info@inaples.it

Stazione Centrale ⊠ 80142 ℰ 081 268779, ept@netgroup.it

piazza del Gesù 7 ⊠ 80135 ℰ 081 5223328

Stazione di Mergellina ⊠ 80122 ℰ 081 7612102

Aeroporto
Ugo Niutta di Capodichino Nord-Est : 6 km CT ℰ 081 7896259

Trasporti marittimi
🛥 per Ischia – Medmar ℰ 081 3334411 – per le Isole Eolie dal 15 giugno al 15 settembre – Siremar, call center 892 123

Golf
🖬 , ℰ 081 42 14 79

👁 LUOGHI DI INTERESSE

SPACCANAPOLI E IL DECUMANO MAGGIORE

Cappella Sansevero: Cristo velato★★ - Duomo e tesoro di S. Gennaro★ - Napoli sotterranea★ - Pio Monte della Misericordia: Sette opere di Misericordia di Caravaggio★★★ - S. Chiara★ e il chiostro★★ - S. Lorenzo Maggiore★

IL CENTRO MONUMENTALE

Castel Nuovo★★ - Palazzo Reale★ - Piazza del Plebiscito★ - Teatro S. Carlo★

I GRANDI MUSEI

Certosa di S. Martino★ - Museo Archeologico Nazionale★★★ - Palazzo e Galleria di Capodimonte★★

IL LUNGOMARE

Porto di S. Lucia★★ e Castel dell'Ovo - Mergellina★ - Posillipo★ - Marechiaro★

ACQUISTI

Mercati rionali di via Pignasecca e via Porta Medina, Via S. Gregorio Armeno e dintorni per figurine del presepe, la zona pedonale del Vomero

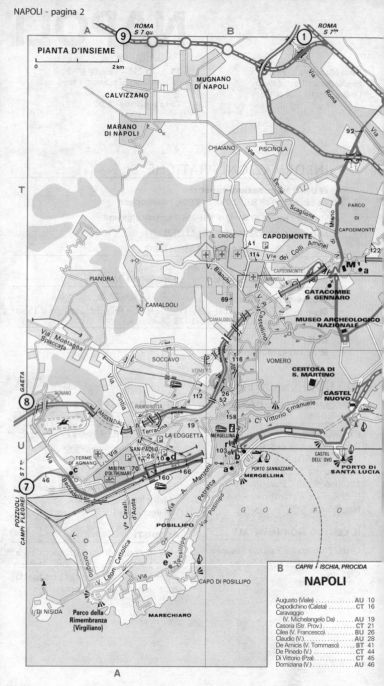

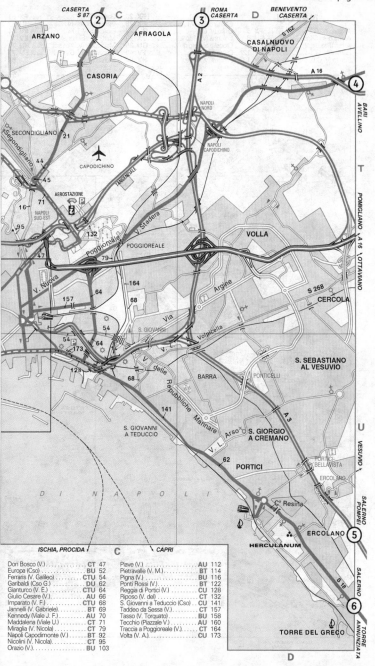

NAPOLI

Arcoleo (V. G.)	**FX** 5	Carducci (V. G.)	**FX** 20	Gaetani (V.)	**FX** 61
Arena della Sanità (V.)	**GU** 6	Chiatamone (V.)	**FX** 25	Gen. Pignatelli (V.)	**HU** 63
Artisti (Pza degli)	**EV** 9	Cirillo (V. D.)	**GU** 27	Giordano (V. L.)	**EV** 64
Bernini (V. G. L.)	**EV** 12	Colonna (V. Vittoria)	**FX** 29	Martini (V. Simone)	**EV** 75
Bonito (V. G.)	**FV** 13	Crocelle ai Vergini (V.)	**GU** 35	Mazzocchi (V. Alessio)	**HU** 76
		D'Auria (V. G.)	**FV** 40	Menzinger (V. G.)	**EV** 77
		Ferraris (V. Galileo)	**HV** 54	Morelli (V. D.)	**FX** 84

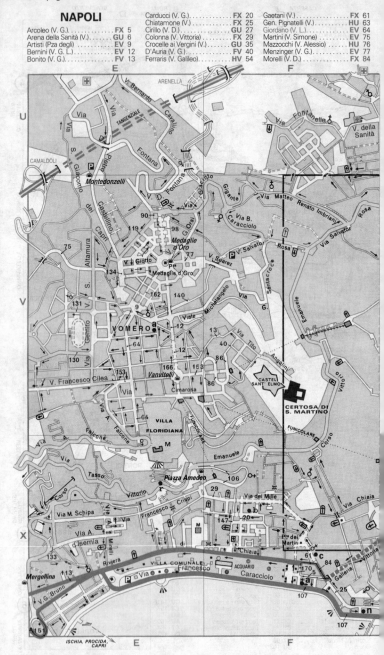

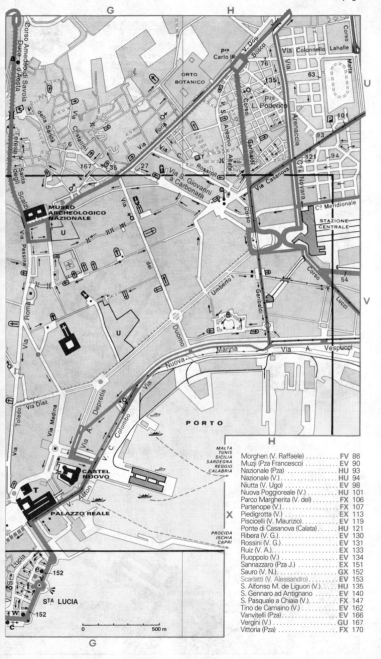

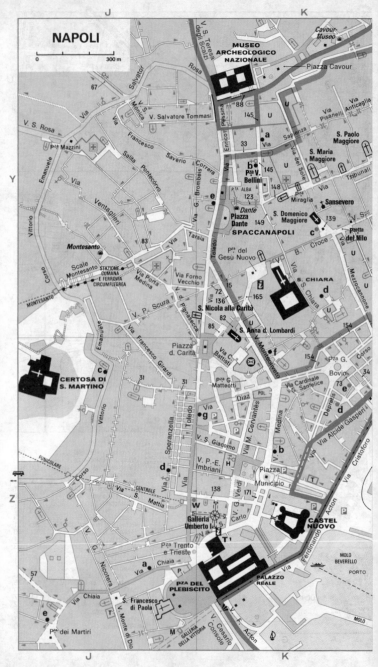

NAPOLI

0   300 m

MUSEO ARCHEOLOGICO NAZIONALE

Piazza Cavour

Cavour Museo

88
145

V. S. Teresa degli Scalzi

Rosa

Pessina

Enrico

Via Pisanelli

Via Anticaglia

S. Paolo Maggiore

Sapienza

a   Via

33

b   Pza V. Bellini   145

148

S. Maria Maggiore

Via dei Soler

Pza Miraglia

P.zia ALBA

123

e

Dante
Piazza Dante

SPACCANAPOLI

149

Sansevero

S. Domenico Maggiore   139

c   Pretta del Nilo

B. Croce

Mezzocannone

V. S. Rosa

Emanuele

Vittorio

Via

Pza Mazzini

Via Monica

Francesco Saverio

Salita Pontecorvo

Ventaglieri

Corso

83

Montesanto

Scale Montesanto
STAZIONE CUMANA
E FERROVIA CIRCUMFLEGREA

MONTESANTO

Correra

V. G. Brombeis

Tarsia

Via Porta Medina

Via Forno Vecchio

Toledo

Pza del Gesù Nuovo

S. CHIARA

d

72
136

15

165

V. P. Scura

V. d. Pignasecca

S. Nicola alla Carità

82
85

154

S. Anna d. Lombardi

154

Pza G. Bovio   34

V. Francesco Girardi

Emanuele

Vittorio

Corso

CERTOSA DI S. MARTINO

c

31

31

Piazza d. Carità

Via C. Battisti

Pza G. Matteotti

f

Via A. Mastellone

73

e

d

Via Cardinale G. Sanfelice

Depretis

Via Alpide Gaspen

Cristoforo

Diaz   POL.

Via

g

Via M. Cervantes

Medina

b

Speranzella

Toledo

V. S. Giacomo

V. P.-E. Imbriani

H

Piazza Municipio

P

Acton

FUNICOLARE

Corso

Via S. Mattia

CENTRALE

d

138

W

Galleria Umberto I

Via G. Verdi

Ferdinando

CASTEL NUOVO

Nicotera

Pza Trento e Trieste

a   Chiaia

P

S. Carlo

T

MOLO BEVERELLO

PORTO

57

Via Chiaia

S. Francesco di Paola

e

Pza dei Martiri

V. Monte di Dio

PZA DEL PLEBISCITO

M

GALLERIA DELLA VITTORIA

V. Cesario Console

V. F. Acton

PALAZZO REALE

MOLO

772

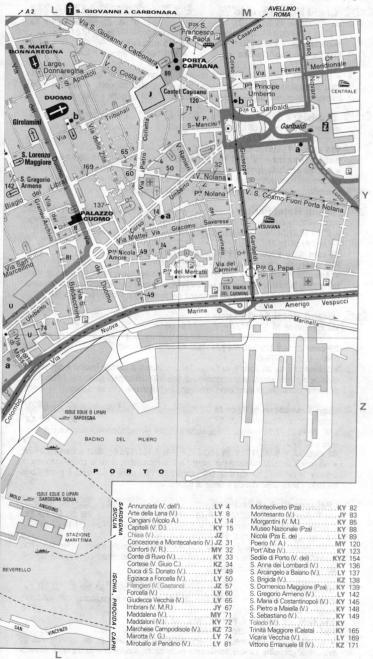

Grand Hotel Vesuvio

via Partenope 45 ✉ *80121*

– ☎ 08 17 64 00 44 – www.vesuvio.it – info@vesuvio.it – Fax 08 17 64 44 83

160 cam ⚄ – ♦285/370 € ♦♦310/420 € – 5 suites   FX**n**

Rist *Caruso Roof Garden* – *(chiuso due settimane in agosto e lunedì)*
Carta 42/72 €

♦ L'immutato charme degli antichi splendori in uno scrigno di squisita eleganza, dal 1882 prestigioso simbolo dell'ospitalità napoletana; vista sul golfo e Castel dell'Ovo. Ristorante di grande suggestione con straordinaria vista sul golfo e sulla città.

Excelsior

via Partenope 48 ✉ *80121* – ☎ 08 17 64 01 11 – www.excelsior.it – info@excelsior.it – Fax 08 17 64 97 43   GX**w**

115 cam – ♦145/330 € ♦♦155/380 €, ⚄ 20 € – 9 suites

Rist *La Terrazza* – ☎ 08 17 64 98 04 *(chiuso domenica)* Carta 68/89 €

♦ Morbide eco belle époque nei raffinatissimi ambienti in stile di una gloria dell'hôtellerie cittadina, che rivive i fasti di un tempo; lusso di gran classe nelle camere. La vista mozzafiato sul golfo e Castel dell'Ovo dal ristorante roof-garden.

Grand Hotel Parker's

corso Vittorio Emanuele 135 ✉ *80121*

– ☎ 08 17 61 24 74 – www.grandhotelparkers.com – info@grandhotelparkers.it – Fax 081 66 35 27   EX**r**

73 cam ⚄ – ♦200/290 € ♦♦300/360 € – 9 suites

Rist *George's* – Menu 65/90 € – Carta 50/86 €

♦ Armonioso connubio tra confort moderno e austera eleganza in un hotel di tradizione; tutte le suite sono disposte su due livelli, la beauty farm è completa di ogni servizio. Cucina creativa di ispirazione campana nel panoramico ristorante.

Grand Hotel Santa Lucia

via Partenope 46 ✉ *80121* – ☎ 08 17 64 06 66

– www.santalucia.thi.it – reservations-santalucia@thi.it – Fax 08 17 64 85 80

89 cam ⚄ – ♦215/240 € ♦♦255/285 € – 7 suites   GX**c**

Rist – Carta 27/76 €

♦ Splendida vista sul golfo e su Castel dell'Ovo, interni di grande fascino e raffinatezza classica; ospitalità curata in una struttura di fine '800 con camere all'altezza. Affascinante ristorante con ingresso autonomo, composto da numerose, raffinate salette.

San Francesco al Monte

corso Vittorio Emanuele 328 ✉ *80135*

– ☎ 08 14 23 91 11 – www.hotelsanfrancesco.it – info@hotelsanfrancesco.it – Fax 08 12 51 24 85   JZ**c**

45 cam ⚄ – ♦145/190 € ♦♦180/295 € – ½ P 135/193 €   **Rist** – Carta 45/65 €

♦ Splendida terrazza solarium per questo antico monastero, di cui si conservano tracce e forme: le camere (ricavate dalle celle) sono tutte vista mare. Il ristorante è in equilibrio tra cielo e terra, sullo sfondo il Golfo di Napoli.

Palazzo Alabardieri senza rist

via Alabardieri 38 ✉ *80121* – ☎ 081 41 52 78

– www.palazzoalabardieri.it – info@palazzoalabardieri.it – Fax 081 19 72 20 10

33 cam ⚄ – ♦130/220 € ♦♦170/250 €   JZ**e**

♦ Tra i negozi più *chic* della città, palazzo di fine '800 - riportato a pieno splendore - con magnifiche camere: ampie e ricche di raffinati tessuti. *American bar* con *boiserie*; servizio ed accoglienza giovani e motivati.

Majestic

largo Vasto a Chiaia 68 ✉ *80121* – ☎ 081 41 65 00 – www.majestic.it – info@majestic.it – Fax 081 41 01 45   FX**b**

112 cam – ♦180/200 € ♦♦200/240 €, ⚄ 10 €

Rist – *(chiuso sabato sera e domenica)* Carta 38/50 €

♦ In centralissima posizione, a due passi dall'elegante via dei Mille, un signorile albergo rinnovato, che offre camere totalmente ristrutturate, funzionali e accoglienti. Al ristorante atmosfera piacevole e servizio accurato.

Villa Capodimonte ⚜ ≤ 🚗 🏡 ✕ 📶 🔥 📠 ✂ rist. 🕾 🏌 **P**

via Moiariello 66 ✉ 80131 – 🕾 081 45 90 00 — 🚗💳 📶 AE ① ✂
– www.villacapodimonte.it – info@villacapodimonte.it – Fax 081 29 93 44
55 cam 🍴 – ††70/195 € – ½ P 60/123 €   BT**a**
Rist – (chiuso dal 3 al 23 agosto) (chiuso a mezzogiorno) Carta 34/44 €
♦ Decentrato, sulla collina di Capodimonte, immerso in un quieto giardino con vista sul golfo, ha davvero le fattezze di una villa; ampie camere, eleganti e accessoriate. Sala ristorante con gradevole dehors estivo.

Starhotels Terminus 🔥 📶 🔥 📶 ✂ 🕾 🏌 🚗 💳 AE ① ✂

piazza Garibaldi 91 ✉ 80142 – 🕾 08 17 79 31 11 – www.starhotels.com
– terminus.na@starhotels.com – Fax 081 20 66 89   MY**a**
173 cam 🍴 – ††85/290 €   **Rist** – (solo per alloggiati)
♦ Dotazioni moderne, arredi di sobria eleganza classica e attrezzature congressuali in un hotel di fronte alla stazione; suggestivo patio interno e roof-garden panoramico.

Villa Ranieri senza rist 🚗 🔥 📶 ✂ 🕾 **P** 💳 🚗 AE ① ✂

corso Amedeo di Savoia, trav. via Cagnazzi 29 ✉ 80137 – 🕾 08 17 41 63 08
– www.villaranieri.com – info@hotelvillaranieri.com – Fax 08 17 43 79 78
18 cam 🍴 – †95/115 € ††119/139 €   GU**a**
♦ Villa d'epoca (dove probabilmente morì G. Leopardi), oggi circondata da moderni condomini: gli interni riprendono tutto il fascino del tempo che fu. Una bella scala conduce alle camere con arredi in stile e carta da parati.

Miramare senza rist ≤ 🔥 📶 ✂ 💳 🚗 AE ① ✂

via Nazario Sauro 24 ✉ 80132 – 🕾 08 17 64 75 89 – www.hotelmiramare.com
– info@hotelmiramare.com – Fax 08 17 64 07 75   GX**e**
18 cam 🍴 – †150/175 € ††190/299 €
♦ In un palazzo nobiliare di inizio '900 con roof-garden e splendida vista sul golfo e sul Vesuvio, elegante risorsa con menzioni *liberty* ed eclettismo nelle camere personalizzate.

Paradiso ≤ 🏡 🔥 📶 ↵ ✂ rist. 🕾 🏌 💳 🚗 AE ① ✂

via Catullo 11 ✉ 80122 – 🕾 08 12 47 51 11 – www.hotelparadisonapoli.it
– info@hotelparadisonapoli.it – Fax 08 17 61 34 49   BU**a**
72 cam 🍴 – †90/130 € ††100/230 € – ½ P 100/134 €
Rist – (chiuso lunedì a mezzogiorno) Carta 38/70 €
♦ Sulla collina di Posillipo, la struttura gode di un paradisiaco panorama su golfo, città e Vesuvio; comode camere di taglio classico moderno: prenotare camera con vista! Accogliente e elegante, il ristorante ha una graziosa terrazza per il servizio estivo.

Costantinopoli 104 senza rist 🚗 🎋 📶 🕾 **P** 💳 🚗 AE ① ✂

via Santa Maria di Costantinopoli 104 ✉ 80138 – 🕾 08 15 57 10 35
– www.costantinopoli104.com – info@costantinopoli104.it – Fax 08 15 57 10 51
18 cam 🍴 – †175 € ††230 €   KY**b**
♦ Insospettabile spazio di verde e tranquillità, nel cuore del centro storico, dove raffinate camere e una terrazza solarium fanno del soggiorno un'esperienza indimenticabile.

Chiaja Hotel de Charme senza rist 🔥 📶 💳 🚗 AE ① ✂

via Chiaia 216 ✉ 80121 – 🕾 081 41 55 55 – www.hotelchiaia.it – info@
hotelchiaia.it – Fax 081 42 23 44   JZ**a**
33 cam 🍴 – †95/105 € ††120/185 €
♦ Al primo piano di un suggestivo palazzo d'epoca - lontano dai formalismi alberghieri - sarete accolti in un'elegante casa e viziati con dolci napoletani.

Montespina Park Hotel 🏊 🎋 🌊 🏠 🔥 🔥 & cam, 📶 ✂ rist, 🕾

via San Gennaro 2 ✉ 80125 – 🕾 08 17 62 96 87   🏌 **P** 💳 🚗 ① ✂
– www.montespina.it – info@montespina.it – Fax 08 16 10 20 52   AU**c**
70 cam 🍴 – †180 € ††220 €   **Rist** – (solo per alloggiati) Menu 30/90 €
♦ E' un'oasi nel traffico cittadino questo albergo su una collinetta, immerso nel verde di un parco con piscina, vicino alle Terme di Agnano; camere dallo stile gradevole. Una curata sala da pranzo, ma anche spazi per banchetti e cerimonie.

Serius senza rist 🔥 📶 ✂ 🚗 💳 🚗 AE ① ✂

viale Augusto 74 ✉ 80125 – 🕾 08 12 39 48 44 – www.hotelserius.it
– prenotazioni@hotelserius.it – Fax 08 12 39 92 51   AU**d**
69 cam 🍴 – †95/125 € ††130/160 €
♦ Vicino allo stadio ma ben collegato al centro, albergo moderno e funzionale frequentato da una clientela d'affari. Camere omogenee e buon livello di servizio.

Palazzo Turchini senza rist   📶 👤 🏃 AK ⚙ 📞 VISA ⓜⓞ AE ① 💲
via Medina 21/22 ✉ *80133 –* ℰ *08 15 51 06 06 – www.palazzoturchini.it – info@palazzoturchini.it – Fax 08 15 52 14 73*   KZ**b**
27 cam ⌷ – ♦110/150 € ♦♦140/195 €
♦ Materiali di pregio e ricercatezza dei particolari sopperiscono agli spazi un po' limitati di un confortevole albergo, idealmente collocato per le serate al San Carlo...

Caravaggio senza rist   📶 AK ⚙ 📞 VISA ⓜⓞ AE ① 💲
piazza Cardinale Sisto Riario Sforza 157 ✉ *80139 –* ℰ *08 12 11 00 66 – www.caravaggiohotel.it – info@caravaggiohotel.it – Fax 08 14 42 15 78*
18 cam ⌷ – ♦90/140 € ♦♦140/190 €   LY**b**
♦ Nel cuore del centro storico, nella piazza dove svetta la guglia più vecchia di Napoli, un palazzo del '600 con reperti storici ma camere arredate con grande modernità.

Nuovo Rebecchino senza rist   📶 AK "📶" VISA ⓜⓞ AE ① 💲
corso Garibaldi 356 ✉ *80142 –* ℰ *08 15 53 53 27 – www.nuovorebecchino.it – info@nuovorebecchino.it – Fax 081 26 80 26*   MY**b**
58 cam ⌷ – ♦75/105 € ♦♦100/140 €
♦ Da più di un secolo gestito dalla stessa famiglia, gli interni raccolti ed accoglienti fanno dimenticare il traffico del quartiere.

Il Convento senza rist   📶 👤 AK VISA ⓜⓞ AE ① 💲
via Speranzella 137/a ✉ *80132 –* ℰ *081 40 39 77 – www.hotelilconvento.it – info@hotelilconvento.it – Fax 081 40 03 32*   JZ**d**
14 cam ⌷ – ♦65/100 € ♦♦80/130 €
♦ Nei caratteristici quartieri spagnoli, a pochi passi dalla frequentatissima via Toledo, un piccolo albergo dallo stile molto ricercato. Gradevoli ambienti per la colazione.

Ausonia senza rist   📶 AK VISA ⓜⓞ AE 💲
via Caracciolo 11 ✉ *80122 –* ℰ *081 68 22 78 – www.hotelausonianapoli.com – hotelausonia@interfree.it – Fax 081 66 45 36*   BU**b**
19 cam ⌷ – ♦90 € ♦♦120 €
♦ In uno dei quartieri più eleganti della città, di fronte all'imbarco per le isole, palazzo del '900 con camere al 2° e 3° piano, dedicate a chi ama gli arredi marinareschi.

Principe Napolit'Amo senza rist   📶 "📶" VISA ⓜⓞ AE ① 💲
via Toledo 148 ✉ *80132 –* ℰ *08 15 52 36 26 – www.napolitamo.it – info@napolitamo.it – Fax 08 15 52 36 26*   KZ**g**
13 cam ⌷ – ♦50/65 € ♦♦65/85 €
♦ Al piano nobile di un palazzo di origini Cinquecentesche, nel centro di Napoli a ridosso dei quartieri Spagnoli, un piccolo hotel con camere semplici ma spaziose.

Suite Esedra senza rist   📶 AK ⚙ "📶" VISA ⓜⓞ AE ① 💲
via Cantani 12 ✉ *80133 –* ℰ *081 28 74 51 – www.sea-hotels.com – info@sea-hotels.com – Fax 08 15 53 70 87*   LY**a**
17 cam ⌷ – ♦65/95 € ♦♦75/140 €
♦ Albergo tanto piccolo quanto carino: la maggior parte delle camere e dei bagni hanno dimensioni ridotte, ma sono deliziosamente curate.

Pignatelli senza rist   VISA ⓜⓞ 💲
via S.Giovanni Maggiore Pignatelli 16 ✉ *80134 –* ℰ *08 16 58 49 50 – hotelpignatellinapoli@fastwebnet.it – Fax 08 12 14 39 56*   KY**d**
6 cam ⌷ – ♦35/60 € ♦♦70/90 €
♦ Nel vociante e caratteristico quartiere Spaccanapoli, al primo piano di un palazzo del XV secolo, le originali camere si caratterizzano per elementi architettonici e decorativi tipici del periodo della Repubblica Napoletana. Gestione giovane e motivata; buon rapporto qualità/prezzo.

Belle Arti senza rist   AK 📞 VISA ⓜⓞ AE ① 💲
via Santa Maria di Costantinopoli 27 ✉ *80138 –* ℰ *08 15 57 10 62 – www.belleartiresort.com – info@belleartiresort.com – Fax 081 44 78 60*
7 cam ⌷ – ♦65/99 € ♦♦80/120 €   KY**a**
♦ Al primo piano di un palazzo Settecentesco, le camere dall'atmosfera sobria sono una riuscita sintesi di elementi d'epoca e inserzioni moderne.

↑ **Megaron** senza rist   🖼 AC «ツ» VISA ㏇ AE ① ⑤
piazza Dante Alighieri 89 ⊠ *80135 – 𝒞 08 15 44 61 09 – www.megaron.na.it
– bnb@megaron.na.it – Fax 08 15 64 49 11*   KYe
5 cam ⊊ – †60/80 € ††80/140 €
♦ In un palazzo del XVII secolo con splendida corte interna, camere ampie dagli arredi moderni e bagni in marmo nero; una camera con vista sull'elegante salotto di piazza Dante.

↑ **Parteno** senza rist   🖼 AC «ツ» 🚗 VISA ㏇ AE ① ⑤
lungomare Partenope 1 ⊠ *80121 – 𝒞 08 12 45 20 95 – www.parteno.it – bnb@
parteno.it – Fax 08 12 47 13 03*   FXa
10 cam ⊊ – †80/100 € ††110/150 €
♦ Un *bed and breakfast* con le attenzioni di un grande albergo: raffinate camere con travi a vista e spalliere in ferro battuto, una con vista sul golfo.

↑ **L'Alloggio dei Vassalli** senza rist   🐒 AC «ツ» VISA ㏇ ⑤
via Donnalbina 56 ⊠ *80134 – 𝒞 08 15 51 51 18 – www.bandbnapoli.it – info@
bandbnapoli.it – Fax 08 14 20 27 52*   KZf
5 cam ⊊ – †65/76 € ††93/99 €
♦ Lontano dal formalismo alberghiero ma con camere ricche fascino e storia. In un pittoresco palazzo del centro, grazioso centro benessere e apprezzabile cordialità.

↑ **Week-End a Napoli** senza rist   AC 🍴 «ツ» VISA ㏇ AE ⑤
via Enrico Alvino 157 ⊠ *80129 – 𝒞 08 15 78 10 10 – www.weekendanapoli.com
– info@weekendanapoli.com – Fax 08 15 78 32 69*   EVa
5 cam ⊊ – †85/140 € ††110/157 €
♦ In una palazzina di inizio '900 sull'elegante collina del quartiere Vomero, camere confortevoli ed un'affettuosa ospitalità familiare: ricca di attenzioni e servizi.

↑ **Cappella Vecchia 11** senza rist   🖼 AC «ツ» VISA ㏇ AE ⑤
via Santa Maria a Cappella Vecchia 11 ⊠ *80121 – 𝒞 08 12 40 51 17
– www.cappellavecchia11.it – info@cappellavecchia11.it – Fax 08 12 45 53 38*
6 cam ⊊ – †55/70 € ††75/100 €   FXc
♦ Vicino ai negozi più eleganti di Napoli, giovane gestione per una struttura caratterizzata da camere moderne ed un ottimo rapporto qualità/prezzo.

XXX **La Cantinella**   AC 🍴 VISA ㏇ AE ⑤
via Cuma 42 ⊠ *80132 – 𝒞 08 17 64 86 84 – www.lacantinella.it
– la.cantinella@lacantinella.it – Fax 08 17 64 87 69
– chiuso 24-25 dicembre e dal 12 al 27 agosto*   GXv
Rist – *(chiuso domenica)* Menu 45/60 € – Carta 32/80 € 🈸
♦ E' stato il pioniere della ristorazione napoletana: oggi i suoi piatti sono irrinunciabili classici.

XXX **Palazzo Petrucci**   AC VISA ㏇ AE ① ⑤
🕸 *piazza San Domenico Maggiore 4* ⊠ *80134 – 𝒞 08 15 52 40 68
– www.palazzopetrucci.it – info@palazzopetrucci.it – Fax 081 66 15 34
– chiuso dal 3 al 23 agosto, domenica sera, lunedì a mezzogiorno
(anche domenica a mezzogiono in giugno-luglio)*   KYc
Rist – Carta 30/61 €
Spec. Lasagnetta di mozzarella di bufala e crudo di gamberi su zuppetta di cavolo broccolo. Paccheri in piedi ripieni di ricotta con ragù napoletano. Stratificazione di pastiera napoletana.
♦ Affacciato su una delle piazze più belle di Napoli, *Palazzo Petrucci* ospita questo splendido ristorante dall'eleganza minimalista: l'ex stalla-grotta dell'edificio cinquecentesco si farà ricordare per la sobrietà di linee e arredi. La cucina, per i sapori locali, esaltati e rivisitati.

XX **Ciro a Santa Brigida**   AC 🍴 ⇄ VISA ㏇ AE ① ⑤
via Santa Brigida 73 ⊠ *80132 – 𝒞 08 15 52 40 72 – www.ciroasantabrigida.it
– ristorante@ciroasantabrigida.it – Fax 08 15 52 89 92
– chiuso dal 5 al 21 agosto*   JZw
Rist – Carta 30/42 €
♦ Nel cuore di Napoli, è un'istituzione cittadina e un locale storico questo movimentato ristorante-pizzeria, moderno nell'aspetto tradizionale; cucina di terra e di mare.

✗ **Napoli Mia**   🏧 ⅋ ⇄ 𝗩𝗜𝗦𝗔 ⓜⓞ 🄰🄴 ⓞ ⑊

via Schilizzi 18/20 ✉ *80133 –* ☏ *08 15 52 22 66 – www.ristorantenapolimia.it*
– info@ristorantenapolimia.it – Fax 08 15 52 22 66 – chiuso Natale, Capodanno,
Pasqua, dal 10 al 31 agosto, domenica e i giorni festivi   KZ**d**
Rist *– (chiuso la sera escluso venerdì e sabato)* Carta 28/61 €

♦ Specialità di mare in preparazioni semplici e casalinghe, esposte a voce, in un locale sobrio e familiare.

✗ **L'Europeo di Mattozzi**   🏧 ⅋ ⇄ 𝗩𝗜𝗦𝗔 ⓜⓞ 🄰🄴 ⓞ ⑊

via Campodisola 4/6/8 ✉ *80133 –* ☏ *08 15 52 13 23 – www.europeodimattozi.it*
– Fax 08 15 52 13 23 – chiuso dal 15 al 31 agosto e domenica, anche sabato
dal 21 giugno al 13 agosto   KZ**e**
Rist *–* Carta 40/50 € (+12 %)

♦ Vetrina dei piatti campani da ormai più di un secolo, ristorante-pizzeria con un titolare mattatore.

✗ **La Piazzetta**   🍴 🅖 🏧 𝗩𝗜𝗦𝗔 ⓜⓞ 🄰🄴 ⓞ ⑊
⊜⊜
ⓖ *via Nazario Sauro 21/22* ✉ *80132 –* ☏ *08 17 64 61 95 – www.lacantinella.it*
– lapiazzetta@lacantinella.it – Fax 08 13 61 96 92   GX**f**
Rist *– (chiuso martedì)* Carta 20/42 €

♦ Originale ambientazione proprio a forma di piazzetta con tanto di orologio, targhe e insegne. Grandi vetrate sul lungo mare e trompe l'oeil in tema. Cucina locale e pizze.

✗ **Sbrescia**   ⩽ 🏧 𝗩𝗜𝗦𝗔 ⓜⓞ ⑊

rampe Sant'Antonio a Posillipo 109 ✉ *80122 –* ☏ *081 66 91 40*
– Fax 081 66 91 40 – chiuso lunedì   BU**r**
Rist *–* Carta 37/52 € (+13 %)

♦ Uno dei panorami più spettacolari di Napoli: arrampicato sulla collina di Posillipo, la vista sulla città è strepitosa. Cucina prevalentemente di pesce (la sera anche pizza).

NAPOLI (Golfo di)★★★ – **Napoli** – 564E24▮ Italia

NARNI – Terni (TR) – 563O19 – **20 160 ab.** – **alt. 240 m** – ✉ **05035**   33 **C3**
    ▶ Roma 89 – Terni 13 – Perugia 84 – Viterbo 45

⌂ **Agriturismo Regno Verde** 🌿   ⩽ 🚲 🏊 🏧 ⅋ rist, **🅿**
⊜⊜
strada Colli San Faustino 1, (Ponte San Lorenzo), Nord   𝗩𝗜𝗦𝗔 ⓜⓞ 🄰🄴 ⑊
- Est 5 km – ☏ *07 44 74 43 35 – www.agriturismoregnoverde.it – info@*
agriturismoregnoverde.it – Fax 07 44 74 45 42
16 cam � – ♦50/70 € ♦♦80/120 € – ½ P 63/83 €
Rist *– (chiuso domenica sera e lunedì) (chiuso a mezzogiorno escluso domenica)*
Carta 20/28 €

♦ La ristrutturazione di un antico casolare con chiostro interno ha dato vita a questo splendido agriturismo in cima ad un colle: tranquillità e vista paradisiaca. Per chi ama l'equitazione è a disposizione un piccolo maneggio. Attrezzi agricoli disseminati qua e là conferiscono rusticità al ristorante. Cucina casalinga.

a Narni Scalo Nord : 2 km – ✉ 05035 – **Narni Stazione**

🏨 **Terra Umbra Hotel**   🍴 🏊 🏠 🅵🅱 🏋 🅖 cam, 🏧 ⅋ rist, 🄪 **🅿**

via Maratta Bassa 61, Nord-Est : 3 km   𝗩𝗜𝗦𝗔 ⓜⓞ 🄰🄴 ⓞ ⑊
– ☏ *07 44 75 03 04 – www.terraumbra.it – info@terraumbra.it*
– Fax 07 44 75 10 14
27 cam ⊑ – ♦44/93 € ♦♦55/132 € – 2 suites – ½ P 90 €
Rist *Al Canto del Gallo –* ☏ *07 44 75 08 71 (chiuso lunedì)* Carta 32/46 €

♦ Una costruzione bassa, dalla linee moderne e rivestita in tufo, di fronte ad una grande piscina. Camere tutte con parquet e mobili classici, improntati alla massima funzionalità. La capiente sala ristorante con travi a vista propone piatti della tradizione.

a Montoro Sud-Ovest : 8 km – ✉ 05027

✗✗ **Il Feudo**   🏧 ⅋ ⇄ 𝗩𝗜𝗦𝗔 ⓜⓞ ⑊

via del Forno 10 – ☏ *07 44 73 51 68 – www.ristoranteilfeudo.it – info@*
ristoranteilfeudo.it – Fax 07 44 73 51 68 – chiuso lunedì
Rist *–* Carta 25/32 €

♦ Nel pieno centro storico del paese, un locale dal raffinato ambiente rustico: tre salette distribuite su due livelli, dove gustare un'interessante cucina del territorio.

NARZOLE – Cuneo (CN) – 561I5 – 3 359 ab. – alt. 323 m – ✉ 12068   22 **B3**

▶ Roma 608 – Torino 68 – Alessandria 88 – Cuneo 44

🏨 **Victor**   🚗 🌊 ℀ 🛗 ⅚ ⚕⚕ Ⓜ ℀ 🛉 🅿 🎴 🚗 Ⓐ Ⓔ ① 🔥
😊 *regione Chiabotti 10, Sud-Est : 2 km – ℰ 01 73 77 63 45 – www.hotelvictor.net*
– *hotel@hotelvictor.net – Fax 01 73 77 63 45*
35 cam ☑ – ♦45/80 € ♦♦90/130 € – ½ P 56/76 €   **Rist** – Carta 16/36 €
♦ Nella tranquillità delle Langhe, l'albergo dispone di camere ampie e confortevoli
(recentemente ristrutturate), nonché valide strutture sportive per coniugare relax ed attività fisica. Sapori regionali nella sala ristorante d'impostazione tradizionale.

NATURNO (NATURNS) – Bolzano (BZ) – 562C15 – 5 138 ab.   30 **B2**
– alt. 554 m – ✉ 39025

▶ Roma 680 – Bolzano 41 – Merano 15 – Milano 341

🛈 via Municipio 1 ℰ 0473 666077, naturns@meranerland.com, Fax 0473
666369

🏨🏨 **Lindenhof** 🌳   ← 🚗 🏠 🌊 🄽 🌐 🍃 🛗 ⚕⚕ Ⓜ rist, ℀ rist, 📞
via della Chiesa 2 – ℰ 04 73 66 62 42   ⚒ 🅿 🚗 🗺 🚗 🔥
– *www.lindenhof.it – info@lindenhof.it – Fax 04 73 66 82 98*
– *chiuso dal 7 gennaio al 5 marzo*
45 cam ☑ – ♦95/135 € ♦♦150/280 € – 14 suites   **Rist** – Menu 50/55 € ⅜
♦ Uno splendido giardino con piscina riscaldata, centro benessere e ambienti eleganti,
felice connubio di moderno e tradizionale, per regalarvi un soggiorno esclusivo. Sala da
pranzo molto luminosa che d'estate si sposta in terrazza.

🏨🏨 **Feldhof**   🚗 🌊 🄽 🌐 🍃 📷 ℀ 🛗 ⅚ cam, ⚕⚕ Ⓜ rist, ⅙ ℀ cam, 📞
via Municipio 4 – ℰ 04 73 66 63 66 – www.feldhof.com   🚗 🗺 🚗 🔥
– *info@feldhof.com – Fax 04 73 66 72 63*
– *22 dicembre-8 gennaio e 18 marzo-20 novembre*
16 cam ☑ – ♦120/144 € ♦♦200/244 € – 29 suites – ♦♦254/318 €
– ½ P 134/170 €
Rist – *(chiuso a mezzogiorno) (solo per alloggiati)* Menu 48 €
♦ Albergo centrale, circondato da un ameno giardino con piscina; interni in stile tirolese,
graziose camere e completo centro benessere in cui ritagliarsi momenti di relax.

🏨 **Funggashof** 🌳   ← 🚗 🏠 🌊 🄽 🌐 🍃 📷 🛗 ⚕⚕ Ⓜ rist, ℀ rist, 🅿
via al Fossato 1 – ℰ 04 73 66 71 61 – www.funggashof.it   🗺 🚗 Ⓔ
– *info@funggashof.it – Fax 04 73 66 79 30 – dal 15 marzo al 15 novembre*
33 cam ☑ – ♦72/102 € ♦♦126/144 € – ½ P 81/97 €
Rist – Carta 27/61 €
♦ In posizione panoramica, hotel immerso in un giardino-frutteto con piscina, ideale per
gli amanti della quiete; eleganti ambienti "riscaldati" dal sapiente uso del legno. Nella
stube tirolese, una cucina leggera e gustosa con prodotti del territorio.

NATURNS = Naturno

NAVA (Colle di) – Imperia (IM) – 561J5 – alt. 934 m   14 **A2**

▶ Roma 620 – Imperia 35 – Cuneo 95 – Genova 121

🏨 **Colle di Nava-Lorenzina**   ← 🚗 🛗 ℀ rist, 🅿 🗺 🚗 Ⓔ ① 🔥
🍽 *via Nazionale 65 ✉ 18020 Case di Nava – ℰ 01 83 32 50 44*
– *www.albergolorenzina.com – lorenzina@uno.it – Fax 01 83 32 50 44 – chiuso*
dal 15 gennaio a febbraio
37 cam – ♦40/44 € ♦♦60/64 €, ☑ 10 € – ½ P 50/56 €
Rist – *(chiuso martedì)* Carta 28/39 €
♦ Semplice e accogliente struttura dall'esperta e attenta gestione familiare, dispone di
un grande giardino attrezzato anche con giochi per gli ospiti più piccoli. La famiglia si
occupa persino della cucina e propone piatti casarecci a base di prodotti tipici di montagna.

779

NE – Genova (GE) – 561I10 – 2 459 ab. – alt. 186 m – ✉ 16040   15 **C2**
 ❚ Roma 473 – Genova 50 – Rapallo 26 – La Spezia 75

XX   **La Brinca**   🗚 ॐ ⇄ **P** **VISA** **©©** **AE** **①** **ᗕ**
       località Campo di Ne 58 – ☎ 01 85 33 74 80 – www.labrinca.it – labrinca@
       labrinca.it – Fax 01 85 33 76 39
       Rist – *(chiuso lunedì) (chiuso a mezzogiorno escluso sabato ed i giorni festivi)*
       Menu 33 € – Carta 31/40 € 🏦
       ◆ Ha il nome dell'antica proprietaria della casa dell'800 che la ospita, l'elegante trattoria
       con qualificata enoteca; piatti del territorio reinventati in chiave moderna.

X   **Antica Trattoria dei Mosto**   🗚 **VISA** **©©** **AE** **①** **ᗕ**
🅐   *piazza dei Mosto 15/1, località Conscenti – ☎ 01 85 33 75 02*
       – www.trattoriamosto.it – trattoriamosto@virgilio.it – Fax 01 85 38 79 42 – chiuso
       10 giorni in giugno e 4 settimane tra gennaio e febbraio
       Rist – *(chiuso mercoledì) (chiuso a mezzogiorno in luglio e agosto)*
       Carta 31/42 €
       ◆ Una risorsa ricca di storia, ubicata al primo piano di un edificio in centro paese: già
       locanda ai primi del '900, è poi divenuta un accogliente locale dove gustare la cucina
       ligure.

NEBBIUNO – Novara (NO) – 561E7 – 1 682 ab. – alt. 430 m – ✉ 28010   24 **A2**
 ❚ Roma 650 – Stresa 12 – Milano 84 – Novara 50

🏠   **Tre Laghi**   ⪻ 🚗 🚲 🛗 ॐ 🙴 **SA** **VISA** **©©** **①** **ᗕ**
       via G. Marconi 3 – ☎ 032 25 80 25 – www.trelaghihotel.it – info@trelaghihotel.it
       – Fax 032 25 87 03 – marzo-ottobre
       43 cam ⯑ – ♦96/114 € ♦♦130/156 € – ½ P 117/140 €
       Rist Terrazza Tre Laghi – *(chiuso lunedì escluso giugno-settembre)*
       Carta 40/46 €
       ◆ A conduzione familiare, la risorsa vanta una piacevole vista su lago e monti, spazi ele-
       ganti e luminosi, ideali per un soggiorno di riposo o all'insegna dello sport. A tavola,
       funghi, selvaggina e pesce d'acqua dolce in un'alternarsi di portate locali ed internazio-
       nali riproposte in chiave creativa.

NEGRAR – Verona (VR) – 562F14 – 16 564 ab. – alt. 190 m – ✉ 37024   37 **A2**
 ❚ Roma 517 – Verona 12 – Brescia 72 – Milano 160

🏠   **Relais La Magioca** senza rist ॐ   🕭 🗚 ⇥ 🙴 **SA** **P**
       località Moron 3, Sud : 3 km – ☎ 04 56 00 01 67   **VISA** **©©** **AE** **①** **ᗕ**
       – www.magioca.it – info@magioca.it – Fax 04 56 00 08 40
       6 cam ⯑ – ♦190/240 € ♦♦220/300 €
       ◆ Immerso nei vigneti, l'antico casolare con chiesetta originaria del XIII secolo offre
       ambienti rustici, carichi di romantico fascino all'insegna dell'esclusività, tra calore e
       charme.

NEIVE – Cuneo (CN) – 561H6 – 2 967 ab. – alt. 308 m – ✉ 12052   25 **C2**
 ❚ Roma 643 – Genova 125 – Torino 70 – Asti 31

XX   **La Luna nel Pozzo**   🗚 ⇄ **VISA** **©©** **AE** **①** **ᗕ**
       piazza Italia – ☎ 017 36 70 98 – www.lalunanelopozzo-neive.it
       – ristorante@lalunanelpozzo-neive.it – Fax 017 36 70 98
       – chiuso dal 7 al 17 gennaio e dal 25 giugno al 15 luglio
       Rist – *(chiuso martedì sera e mercoledì)* Menu 30/49 € – Carta 42/54 € 🏦
       ◆ La passione per la cucina e per l'accoglienza ha incentivato un medico ed una bio-
       loga a passare alla ristorazione: in questo locale del centro storico, la tradizione è regina
       incontrastata.

XX   **La Contea** con cam   🚲 ॐ **VISA** **©©** **AE** **①** **ᗕ**
       piazza Cocito 8 – ☎ 017 36 71 26 – www.la-contea.it – lacontea@la-contea.it
       – Fax 017 36 73 67 – chiuso dal 24 al 28 dicembre e dal 18 febbraio al 15 marzo
       22 cam ⯑ – ♦60/70 € ♦♦80/90 € – ½ P 80/90 €
       Rist – *(chiuso domenica sera e lunedì escluso da settembre a novembre)*
       Menu 32/65 € – Carta 38/73 €
       ◆ Tonino ha sempre avuto una predilezione per i prodotti della terra, per il vino e il
       buon cibo: tutto questo si concretizza nella sua cucina dove la tradizione incontra la fan-
       tasia. Mobili d'antiquariato e il dolce respiro delle Langhe nelle graziose camere.

NEMI – Roma (RM) – 563Q20 – **1 892 ab.** – **alt. 521 m** – ⊠ 00040   13 **C2**
▮ Roma

> ▶ Roma 33 – Anzio 39 – Frosinone 72 – Latina 41

🏨 **Diana Park Hotel** ⌖   ≤ 🛋 🕸 🕍 🎬 🛜 ⚙️ 🅿️
via Nemorense 44, Sud : 3 km – 𝒞 069 36 40 41   𝖵𝖨𝖲𝖠 ⓜ 𝖠𝖤 ⓘ ⑤
– *www.hoteldiana.com* – *info@hoteldiana.com* – *Fax 069 36 40 63*
30 cam ⊆ – †70/90 € ††90/135 € – ½ P 65/98 €
Rist – *(chiuso lunedì)* Carta 35/60 €
♦ In posizione isolata e panoramica sul lago di Nemi, un confortevole albergo ideale per chi vuole visitare la zona dei castelli. Camere semplici per un soggiorno tranquillo. Servizio ristorante estivo in terrazza con una indimenticabile vista sul bacino lacustre e sui dintorni; dalla cucina, i sapori della tradizione.

NEPI – Viterbo (VT) – 563P19 – **8 204 ab.** – **alt. 225 m**   12 **B1**

> ▶ Roma 55 – Viterbo 47 – Guidonia 66 – Perugia 134

✗✗ **Casa Tuscia**   🕸 ♿ 🎬 ⇄ 𝖵𝖨𝖲𝖠 ⓜ 𝖠𝖤 ⓘ ⑤
via di Porta Romana – 𝒞 07 61 55 50 70 – *www.ristorantecasatuscia.it* – *info@ ristorantecasatuscia.it*
Rist – *(chiuso lunedì a mezzogiorno)* Menu 38/45 € – Carta 42/56 €
♦ Una passeggiata archeologica tra porte romane, mura e castello rinascimentali: nell'ex mattatoio novecentesco una sorprendente cucina nazionale rivisitata con fantasia.

NERANO – Napoli – Vedere Massa Lubrense

NERVESA DELLA BATTAGLIA – Treviso (TV) – 562E18 – **6 823 ab.**   36 **C2**
– **alt. 78 m** – ⊠ 31040

> ▶ Roma 568 – Belluno 68 – Milano 307 – Treviso 20

✗✗ **Da Roberto Miron**   🕸 🎬 ⇄ 𝖵𝖨𝖲𝖠 ⓜ 𝖠𝖤 ⑤
piazza Sant'Andrea 26 – 𝒞 04 22 88 51 85 – *www.ristorantemiron.it*
– *info@ristorantemiron.com* – *Fax 04 22 88 51 65*
– *chiuso dal 1° al 15 gennaio e dal 15 al 31 luglio*
Rist – *(chiuso domenica sera e lunedì)* Carta 35/53 € 🕸
♦ Locale classico gestito dal 1935 dalla stessa famiglia, dove provare le specialità ai funghi. Carta dei vini con numerose proposte francesi e distillati di ogni tipo.

✗✗ **La Panoramica**   ≤ 🛋 🕸 ⇄ 🅿️ 𝖵𝖨𝖲𝖠 ⓜ 𝖠𝖤 ⑤
strada Panoramica, Nord-Ovest : 1 km – 𝒞 04 22 88 51 70
– *www.ristorantelapanoramica.com* – *info@ristorantelapanoramica.com*
– *Fax 04 22 88 52 74* – *chiuso dal 9 al 23 gennaio e dal 16 al 31 luglio*
Rist – *(chiuso lunedì e martedì)* Carta 29/41 €
♦ Il nome non mente: davvero bella posizione panoramica per questo ristorante in una casa colonica in mezzo alla campagna e ai vigneti; ameno servizio estivo all'aperto.

NERVI – Genova (GE) – 561I9 – ⊠ 16167▮ Italia   15 **C2**

> ▶ Roma 495 – Genova 11 – Milano 147 – Savona 58

🏨 **Villa Pagoda**   ≤ 🍸 🕸 🏊 🕍 🏃 🎬 🕸 rist 🛜 ⚙️ 🅿️
via Capolungo 15 – 𝒞 01 03 72 61 61   𝖵𝖨𝖲𝖠 ⓜ 𝖠𝖤 ⓘ ⑤
– *www.villapagoda.it* – *info@villapagoda.it* – *Fax 010 32 12 18*
13 cam – †125/265 € ††145/325 €, ⊆ 15 € – 4 suites – ½ P 125/165 €
Rist *Il Roseto* – 𝒞 010 32 32 00 – Carta 32/48 €
♦ Vacanze esclusive in una panoramica villa ottocentesca, circondata da un piccolo parco ombreggiato; grande raffinatezza negli interni signorili dall'atmosfera romantica. Arioso ristorante dove il tempo sembra essersi fermato in un momento di dolce serenità.

🏨 **Astor**   🍸 🕸 🕍 🎬 🕸 🛜 ⚙️ 🅿️ 𝖵𝖨𝖲𝖠 ⓜ 𝖠𝖤 ⓘ ⑤
viale delle Palme 16 – 𝒞 010 32 90 11 – *www.astorhotel.it* – *astor@astorhotel.it*
– *Fax 01 03 72 84 86*
41 cam ⊆ – †114/165 € ††144/210 € – ½ P 102/135 €   **Rist** – Carta 34/44 €
♦ Hotel immerso in un piccolo parco secolare, con eleganti interni di taglio moderno, ideale per una clientela d'affari, ma anche per gli amanti di un soggiorno rilassante. Servizio ristorante estivo sulla fresca veranda.

🏨 **Esperia** 🚮 🛋 🗚 ❄ rist, 🕍 🅿 🚾 ⚫ 🅰🅴 ⓪ ⚡
via Val Cismon 1 – 𝒞 *010 32 17 77 – www.hotelesperia.it – info@hotelesperia.it*
– Fax 01 03 29 10 06 – chiuso dal 9 al 22 novembre
27 cam 🍽 – 🛏80/100 € 🛏🛏100/130 € – ½ P 80/95 €
Rist *– (chiuso ottobre-novembre) (solo per alloggiati)* Menu 23/27 €
♦ Albergo fine anni '50, completamente ristrutturato in chiave moderna nel corso degli ultimi anni: funzionali interni d'ispirazione contemporanea, camere lineari.

NERVIANO – Milano (MI) – 561F8 – **17 291 ab. - alt. 175 m** – ⊠ 20014   18 **A2**
🔼 Roma 600 – Milano 25 – Como 45 – Novara 34

🏠 **Antica Locanda del Villoresi** 🗚 ❄ rist, 🅿 🚾 ⚫ 🅰🅴 ⓪ ⚡
strada statale Sempione 4 – 𝒞 *03 31 55 94 50 – www.locandavilloresi.it – info@
locandavilloresi.it – Fax 03 31 49 19 06 – chiuso agosto*
16 cam 🍽 – 🛏65/95 € 🛏🛏80/130 €
Rist *– (chiuso sabato a mezzogiorno e lunedì)* Carta 27/44 €
♦ Vecchia cascina completamente rinnovata, lungo la strada del Sempione; curati spazi interni d'impronta moderna, lineari e confortevoli, camere accoglienti e sobrie. Arioso ristorante arredato in modo gradevole.

🍴🍴 **La Guardia** 🍴 🗚 ❄ ↔ 🅿 🚾 ⚫ 🅰🅴 ⓪ ⚡
via 20 Settembre 73 angolo statale Sempione – 𝒞 *03 31 58 76 15*
*– www.ristorantelaguardia.it – info@ristorantelaguardia.it – Fax 03 31 58 02 60
– chiuso dal 1° al 7 gennaio e dal 9 al 25 agosto*
Rist *– (chiuso lunedì)* Menu 30/40 € – Carta 31/50 €
♦ Lungo la statale del Sempione, isolato dal traffico, un villino indipendente, arredato in stile rustico-elegante e ingentilito da una bella veranda con spioventi di legno.

NETTUNO – Roma (RM) – 563R19 – **39 434 ab.** – ⊠ 00048 ▮ Italia   13 **C3**
🔼 Roma 55 – Anzio 3 – Frosinone 78 – Latina 22
🖼, 𝒞 06 981 94 19

🏨🏨 **Astura Palace Hotel** ⇐ 🛋 🛗 🗚 ❄ rist, 🕆 🕍 🚾 ⚫ 🅰🅴 ⓪ ⚡
viale Matteotti 75 – 𝒞 *069 80 60 85 – www.asturapalace-hotel.it – info@
asturapalace-hotel.it – Fax 069 80 71 55*
57 cam 🍽 – 🛏95/105 € 🛏🛏130/156 € – ½ P 108 €
Rist *– (aprile-settembre) (solo per alloggiati)* Menu 30 €
♦ Di fronte al porto turistico, nella zona più elegante e commerciale della città, un moderno ed imponente albergo, particolarmente indicato per una clientela d'affari.

NEUMARKT = Egna

NEUSTIFT = Novacella

NEVIANO DEGLI ARDUINI – Parma (PR) – 561I12 – **3 747 ab.**   8 **B2**
– alt. 500 m – ⊠ 43024
🔼 Roma 463 – Parma 32 – Modena 65 – Reggio nell'Emilia 35

🍴🍴 **Trattoria Mazzini** 🍴 🗚 ❄ ↔ 🚾 ⚫ 🅰🅴 ⚡
via Ferrari 84 – 𝒞 *05 21 84 31 02 – Fax 05 21 84 31 02 – chiuso ottobre*
Rist *– (chiuso giovedì, anche lunedì da novembre a maggio)* Carta 25/35 €
♦ Una deliziosa saletta - caratterizzata da originali composizioni di fiori e frutta, nonché da una fresca e colorata terrazza - "accoglie" una cucina prevalentemente parmigiana.

NEVIGLIE – Cuneo (CN) – **416 ab.** – ⊠ 12050   25 **C2**
🔼 Roma 662 – Torino 98 – Cuneo 78 – Asti 36

🍴🍴 **Locanda San Giorgio** con cam ⇐ 🍴 🛋 🗚 ❄ cam, 🕆 🅿
località Castellero 9 – 𝒞 *01 73 63 01 15* 🚾 ⚫ ⓪ ⚡
*– www.locandasangiorgio.it – reception@locandasangiorgio.it
– Fax 01 73 63 01 15 – chiuso gennaio-febbraio*
12 cam 🍽 – 🛏65/70 € 🛏🛏80/90 € – ½ P 70 €
Rist *– (chiuso lunedì)* Menu 25/35 € – Carta 32/61 €
♦ Raffinato ristorante situato fuori paese, nella splendida e tranquilla cornice delle Langhe, propone piatti tradizionali a base di funghi e tartufi. Questo casolare ottocentesco, che un tempo è stato convento per frati, propone camere personalizzate e molto carine.

NICASTRO – Catanzaro – 564K30 – Vedere Lamezia Terme

NICOLOSI – Catania – 565O27 – Vedere Sicilia alla fine dell'elenco alfabetico

NICOSIA – Enna – 565N25 – Vedere Sicilia alla fine dell'elenco alfabetico

NIEDERDORF = Villabassa

NIEVOLE – Pistoia – Vedere Montecatini Terme

NIZZA MONFERRATO – Asti (AT) – 561H7 – 9 950 ab. – alt. 138 m   25 **D2**
– ✉ 14049

    ▶ Roma 604 – Alessandria 32 – Asti 28 – Genova 106

🏠   **Doc** senza rist   🖃 ᕕ 🏧 ᶜᵉᵉ 📞 🟦 𝘝𝘐𝘚𝘈 ⓪ 𝔸𝔼 ⓪ ᕕ

    via Tripoli 25 – 𝒞 01 41 72 76 00 – www.piemontehotels.com – scarsi@inwind.it
    – Fax 01 41 72 76 12
    12 cam ⌑ – †65/75 € ††85/100 €
    ♦ Si svolge tutto al primo piano di un palazzo centrale: interni di taglio moderno, semplice e funzionale, camere eterogenee nello stile dell'arredamento.

↑   **Agriturismo Tenuta la Romana** senza rist ≫   ⪕ 🛋 � ᕕ 🎿
    strada Canelli 59, Sud : 2 km   ᶜᵉᵉ 🛁 🅿 𝘝𝘐𝘚𝘈 ⓪ 𝔸𝔼 ᕕ
    – 𝒞 01 41 72 75 21 – www.tenutalaromana.it – info@tenutalaromana.it
    – Fax 01 41 70 24 69 – chiuso dal 2 gennaio al 7 febbraio
    14 cam ⌑ – †80/120 € ††120/140 € – 2 suites
    ♦ Cascinale del '700, completamente ristrutturato, in posizione panoramica ed isolata. Camere ampie e confortevoli; bella piscina circondata dal verde.

NOALE – Venezia (VE) – 562F18 – 15 135 ab. – alt. 18 m – ✉ 30033   36 **C2**

    ▶ Roma 522 – Padova 25 – Treviso 22 – Venezia 20

🏨   **Due Torri Tempesta**   🖃 ᕕ cam, 🏧 🎿 cam, ᶜᵉᵉ 🛁 🅿

    via dei Novale 59 – 𝒞 04 15 80 07 50   𝘝𝘐𝘚𝘈 ⓪ 𝔸𝔼 ⓪ ᕕ
    – www.hotelduetorritempesta.it – hotelduetorritemp@tiscalinet.it
    – Fax 04 15 80 11 00 – chiuso dal 1° al 9 gennaio e dal 10 al 20 agosto
    40 cam ⌑ – †55/75 € ††83/105 € – ½ P 73/80 €
    Rist – (chiuso domenica) (chiuso a mezzogiorno) Carta 22/29 €
    ♦ Poco fuori dal centro, hotel dall'originale design d'impronta contemporanea con piacevoli spazi nei quali predomina il legno elaborato anche in alcuni piloni dalle geometrie particolari. Una sorta di curiosa "ossatura" centrale in legno curvato domina la sala da pranzo.

NOBIALLO – Como – 561D9 – Vedere Menaggio

NOCERA SUPERIORE – Salerno (SA) – 564E26 – 23 924 ab. – alt. 55 m   6 **B2**
– ✉ 84015

    ▶ Roma 246 – Napoli 43 – Avellino 36 – Salerno 15

✗✗   **La Fratanza**   🗔 🗑 🏧 🅿 𝘝𝘐𝘚𝘈 ⓪ 𝔸𝔼 ⓪ ᕕ
    via Garibaldi 9 – 𝒞 08 19 36 83 45 – www.lafratanza.it – info@lafratanza.it
    – Fax 08 10 60 42 24 – chiuso Natale, Ferragosto, sabato a mezzogiorno,
    domenica sera e lunedì
    Rist – Menu 22/35 € – Carta 27/41 €
    ♦ Locale a gestione familiare, ubicato in una zona tranquilla fuori dal centro. L'esterno è circondato dal giardino, all'interno una sala di tono rustico con arredi curati.

✗   **Luna Galante**   🗑 🏧 🎿 🅿 𝘝𝘐𝘚𝘈 ⓪ 𝔸𝔼 ⓪ ᕕ
🐝   via Santa Croce 13 – 𝒞 08 15 17 60 65 – www.lunagalante.it – info@
    lunagalante.it – Fax 08 15 17 60 65 – chiuso dal 23 dicembre al 5 gennaio,
    domenica sera e lunedì
    Rist – Menu 20/30 € – Carta 18/28 €
    ♦ Al confine con Nocera Inferiore, in posizione tranquilla, ristorante dalla motivata gestione familiare. Proposte del territorio, arricchite da fantasia e ottime materie prime.

NOCERA TERINESE – Catanzaro (CZ) – 564J30 – **4 741 ab.** – **alt. 485 m**   5 **A2**
– ⊠ 88047

▶ Roma 560 – Cosenza 47 – Catanzaro 59 – Reggio di Calabria 152

verso Falerna Sud : 5 km

⌂ Agriturismo Vota ♨   🚗 🏠 ⅃ 🅿 P̲ VISA ⓪
contrada Vota 3 ⊠ *88047 Nocera Terinese –* 𝒞 *096 89 15 17 – www.agrivota.it*
– vota@agrivota.it – Fax 096 89 15 17
8 cam – †40 € ††65 €, � 4 € – ½ P 55 €
Rist – (consigliata la prenotazione) Menu 18/28 €
♦ Nella dolce quiete degli uliveti, una risorsa agrituristica dotata di terrazza-giardino con piscina e vista mare e dintorni; piacevoli interni e camere accoglienti. I prodotti dell'azienda per le vostre pause gastronomiche al ristorante.

NOCI – Bari (BA) – 564E33 – **19 489 ab.** – **alt. 424 m** – ⊠ **70015**   27 **C2**
▶ Roma 497 – Bari 49 – Brindisi 79 – Matera 57
🄸 piazza Plebiscito 43 𝒞 080 4978889

Abate Masseria ♨   🚗 🏠 ⅃ ℀ ᴋ cam. 🄰🄺 ℀ 📞 P̲
strada provinciale per Massafra km 0,300, Sud-Est: 1 km   VISA ⓪ 🄰🄴 ⓪ ⚲
– 𝒞 08 04 97 82 88 – www.abatemasseria.it – info@abatemasseria.it
– Fax 08 04 97 82 88 – aprile-ottobre
8 cam ⊠ – †75/148 € ††100/198 € – ½ P 88/93 €
Rist *Il Briale* – (chiuso novembre e mercoledì) Carta 24/46 €
♦ Tipica masseria poco fuori dal centro, dotata di camere confortevoli ricavate nelle antiche stalle o nei caratteristici trulli. Un magnifico prato verde avvolge ogni cosa. Ristorante di tono moderno anche nelle proposte di carne e pesce.

Santarosa Relais   🏠 📶 🄰🄺 ↳ ℀ (ᵗ) VISA ⓪ 🄰🄴 ⓪ ⚲
via Santa Rosa 5 – 𝒞 08 04 94 92 20 – www.santarosarelais.it – info@
santarosarelais.it – Fax 08 04 97 80 35 – chiuso una settimana in gennaio e una settimana in novembre
7 cam ⊠ – †139/174 € ††165/212 € – 2 suites
Rist *I Nusce* – vedere selezione ristoranti
Rist *Pizzichè* – (chiuso lunedì) (chiuso a mezzogiorno) Carta 15/20 €
♦ Le camere di questo antico palazzo - nel cuore storico della località - hanno tutte una particolarità evidenziata nel nome: può essere una caratteristica strutturale o un particolare scorcio panoramico. Design moderno nelle zone comuni e delizioso terrazzino nel punto più alto dello stabile.

Cavaliere   📶 ᴋ 🄰🄺 ℀ rist. (ᵗ) P̲ 🚗 VISA ⓪ 🄰🄴 ⚲
via Tommaso Siciliani 47 – 𝒞 08 04 97 75 89 – www.hotelcavaliere.it – info@
hotelcavaliere.it – Fax 08 04 94 90 25
33 cam ⊠ – †85 € ††110 € – ½ P 70 €
Rist – (chiuso domenica sera) Carta 30/40 €
♦ Una completa ristrutturazione ha riconsegnato un albergo accogliente, con stanze eleganti dalle linee classiche e una bella terrazza per piacevoli serate o per il relax. Due ampie sale da pranzo, molto luminose.

⌂ Agriturismo Le Casedde   🚗 ⅃ ℀ ⛺ ℀ P
strada prov. 239 km 12,800, Ovest : 2,5 km – 𝒞 08 04 97 89 46
– www.lecasedde.com – info@lecasedde.com – Fax 08 04 97 89 46
8 cam ⊠ – †60/68 € ††72/78 € – ½ P 58/65 €
Rist – (prenotazione obbligatoria) Menu 22/30 €
♦ All'interno di caratteristici trulli, una risorsa agrituristica semplice nelle strutture, ma con piacevoli interni d'ispirazione contemporanea, curati e accoglienti. Piatti preparati con prodotti locali, nella sala ristorante con camino centrale.

XXX I Nusce – Santarosa Relais   🏠 🄰🄺 ℀ VISA ⓪ 🄰🄴 ⓪ ⚲
piazza Plebiscito 32 – 𝒞 08 04 94 92 20 – info@santarosarelais.it
– Fax 08 04 97 80 35 – chiuso una settimana in gennaio e una settimana in novembre
Rist – (chiuso lunedì) Menu 38/50 € – Carta 36/46 €
♦ Sotto candide volte, squisita cucina del territorio rivisitata in chiave moderna. Nella bella stagione, servizio anche all'aperto.

✗ **L'Antica Locanda** 🛐 AC VISA ⦾ AE ① 🍴
via Spirito Santo 49 – 𝒞 08 04 97 24 60 – www.pasqualefatalino.it
– anticalocanda@pasqualefatalino.it – Fax 08 04 97 24 60 – chiuso domenica
sera e martedì
Rist – Menu 22/35 € – Carta 27/39 €
♦ In uno dei vicoli del caratteristico borgo, una numerosa famiglia si dedica alla ricerca dei sapori autentici della regione per una cucina che si ispira ai prodotti della terra.

a Montedoro Sud-Est : 3 km – ✉ 70015 – Noci

✗✗ **Il Falco Pellegrino** 🚗 🛐 & AC ⅃Ӿ P VISA ⦾ AE ① 🍴
zona B 47/c – 𝒞 08 04 97 43 04 – falcogest@inwind.it – Fax 08 04 97 02 92
– chiuso lunedì
Rist – Carta 24/38 € 🏵
♦ Ristorante all'interno di una bella villetta nel cuore della campagna, propone specialità di pesce e proposte di cucina locale; invitante servizio estivo in giardino.

NOLA – Napoli (NA) – 564E25 – 33 005 ab. – alt. 40 m – ✉ 80035   6 B2
▶ Roma 217 – Napoli 33 – Benevento 55 – Caserta 34

✗ **Le Baccanti** 🛐 AC ⅃Ӿ VISA ⦾ AE ① 🍴
via Puccini 5 – 𝒞 08 15 12 21 17 – ristorantelebaccanti@alice.it
– Fax 08 15 12 21 17 – chiuso dal 24 al 26 dicembre, dal 25 al 28 marzo,
dal 10 al 30 agosto, domenica sera e lunedì)
Rist – Carta 35/62 € 🏵
♦ Semplice locale dotato di due grandi finestre che si affacciano sulle cucine, dalle quali giungono piatti fantasiosi in cui tradizione e creatività diventano un tutt'uno; servizio informale.

in prossimità casello autostrada A 30

🏠 **Ferrari** 🛐 🛗 & AC ⅃Ӿ ⅃Ӿ 📞 🏊 P 🚗 VISA ⦾ AE ① 🍴
via Nazionale 349, località San Vitaliano, Ovest : 1,5 km – 𝒞 08 15 19 80 83
– www.hotelferrari.it – info@hotelferrari.it – Fax 08 15 19 70 21
102 cam ⌑ – ♦90/130 € ♦♦130/150 €
Rist – *(chiuso dal 24 al 26 dicembre e dal 9 al 16 agosto) (chiuso a mezzo-giorno)* Menu 25 €
♦ Marmi, boiserie ed una raffinata atmosfera per questo moderno hotel a vocazione congressuale; camere arredate con ricercatezza e sale idonee per allestire conferenze o riunioni di lavoro. Legno ed eleganza ritornano anche al ristorante, ideale cornice per cerimonie o cene ispirate ai sapori del mare.

NOLI – Savona (SV) – 561J7 – 2 893 ab. – ✉ 17026 Italia   14 B2
▶ Roma 563 – Genova 64 – Imperia 61 – Milano 187
🚹 corso Italia 8 𝒞 019 7499003, noli@inforiviera.it, Fax 019 7499300

🏨 **Miramare** ← 🛐 🛗 AC ⅃Ӿ rist, VISA ⦾ AE ① 🍴
corso Italia 2 – 𝒞 019 74 89 26 – www.hotelmiramarenoli.it
– hotelmiramarenoli@libero.it – Fax 019 74 89 27 – chiuso novembre
28 cam ⌑ – ♦35/75 € ♦♦65/110 € – ½ P 85/90 €   **Rist** – Carta 30/40 €
♦ In un edificio storico del 1500, abbellito da un rigoglioso giardino e situato a pochi passi dal mare, un hotel con interni d'ispirazione contemporanea e camere spaziose. Proposte culinarie della tradizione nell'ampia sala da pranzo.

🏠 **Residenza Palazzo Vescovile** ← & cam, ⅃Ӿ 📞 🚗
via al Vescovado 13 – 𝒞 01 97 49 90 59   VISA ⦾ AE ① 🍴
– www.vescovado.net – info@vescovado.net – Fax 01 97 49 90 59 – chiuso dal 5
novembre al 6 dicembre
7 cam ⌑ – ♦80/120 € ♦♦120/160 € – ½ P 115/140 €
Rist – *(chiuso martedì, mercoledì, giovedì a mezzogiorno)* Carta 44/58 €
♦ Una suggestiva e indimenticabile vacanza nell'antico Palazzo Vescovile, in ambienti ricchi di fascino, alcuni impreziositi da affreschi e con splendidi arredi d'epoca.

✗ **Nazionale**   AC VISA ⊕⊙ ⎷

corso Italia 37 – ✆ 019 74 88 87 – Fax 019 74 88 87 – chiuso dal 3 novembre al 22 dicembre e lunedì
Rist – Carta 38/53 €
♦ Lungo la statale, all'estremità della località, locale di lunga tradizione familiare "vecchia maniera". Preparazioni semplici, sapori netti, porzioni abbondanti.

✗ **Ines** con cam   AC ⅍ VISA ⎷

via Vignolo 1 – ✆ 01 97 48 54 28 – www.ristorantehotelinesnoli.191.it – inesde03@nolisavona.191.it – Fax 019 74 80 86 – chiuso dal 1° novembre al 15 dicembre
17 cam – ♦45/50 € ♦♦45/75 €, ⊊ 3 € – ½ P 67 €
Rist – *(chiuso lunedì)* Carta 33/48 €
♦ Nel cuore della località, di fianco alla cattedrale di S. Pietro, tranquillo ristorante con camere semplici, ma tenute in modo impeccabile. La cucina propone il mare.

a Voze Nord-Ovest : 4 km – ✉ 17026 – Noli

✗✗ **Lilliput**   🚗 🏠 AC P VISA ⊕⊙ AE ⎷

regione Zuglieno 49 – ✆ 019 74 80 09 – chiuso dal 7 al 29 gennaio, dal 2 novembre al 3 dicembre e lunedì
Rist – *(chiuso a mezzogiorno escluso sabato, domenica e i giorni festivi)* Carta 43/74 €
♦ In una piacevole casa circondata da un giardino ombreggiato con minigolf, un locale dall'ambiente curato che propone piatti di mare; servizio estivo in terrazza.

NONANTOLA – Modena (MO) – 562H15 – 13 287 ab. – alt. 24 m   9 C3
– ✉ 41015 ▮ Italia

▶ Roma 415 – Bologna 34 – Ferrara 62 – Mantova 77
◉ Sculture romaniche★ nell'abbazia

a Rubbiara – ✉ 41015

✗ **Osteria di Rubbiara**   🏠 ⅍ P VISA ⊕⊙
🍝
via Risaia 2/4 – ✆ 059 54 90 19 – Fax 059 54 85 20 – chiuso dal 20 dicembre al 10 gennaio, agosto e martedì
Rist – *(chiuso la sera escluso venerdì e sabato)* (prenotazione obbligatoria) Menu 33 € bc – Carta 17/22 €
♦ In aperta campagna, osteria pluricentenaria dall'ambiente tipico, con sala in stile rustico; annessa l'azienda agricola per la produzione di vino e aceto balsamico, visitabile previo appuntamento.

NORCIA – Perugia (PG) – 563N21 – 4 950 ab. – alt. 604 m – ✉ 06046   33 D2
▶ Roma 157 – Ascoli Piceno 56 – L'Aquila 119 – Perugia 99

🏠🏠🏠 **Salicone** senza rist   🚗 ⚏ ◹ 🏊 ᴸ♭ ⅍ 🍴 ⎷ AC 📶 🛄 P 🚘
viale Umbria – ✆ 07 43 82 80 76   VISA ⊕⊙ AE ① ⎷
– www.bianconi.com – info@bianconi.com – Fax 07 43 82 80 81
71 cam ⊊ – ♦68/122 € ♦♦77/208 €
♦ Alle porte della cittadina, nei pressi del centro sportivo, albergo moderno di recente realizzazione dotato di ogni confort, con ambienti d'ispirazione contemporanea.

🏠 **Grotta Azzurra**   🍴 AC ⅍ rist. 🔥 VISA ⊕⊙ AE ① ⎷
🍝
via Alfieri 12 – ✆ 07 43 81 65 13 – www.bianconi.com – info@bianconi.com
🍝 *– Fax 07 43 81 73 42*
45 cam ⊊ – ♦56/95 € ♦♦65/109 € – 4 suites – ½ P 57/102 €
Rist Granaro del Monte – Carta 21/54 €
♦ Semplice alberghetto in pieno centro storico, in un edificio d'epoca, dove è stata ricreata l'atmosfera del tempo passato con arredi in stile antico; camere funzionali. Nelle sale del ristorante oggetti, dipinti, decorazioni ricordano un tempo ormai lontano.

⌂ **Agriturismo Casale nel Parco dei Monti Sibillini** ♠
Località Fontevena 8,
Nord : 1,5 km – ℰ 07 43 81 64 81 – www.casalenelparco.com – agriumbria@
casalenelparco.com – Fax 07 43 82 42 07 – chiuso dal 10 gennaio al 20 febbraio
15 cam ⌂ – ♦50/75 € – ♦♦80/90 € – ½ P 75/85 €
Rist – (consigliata la prenotazione) Carta 24/36 €

♦ Si respira l'aria della campagna in questo casale immerso nella quiete a solo un chilometro da Norcia; accoglienti ambienti in stile rustico, spazi esterni godibili, piscina. Travi a
vista, bottiglie esposte alle pareti, tocchi di colore e piatti preparati con prodotti biologici.

✗✗ **Taverna de' Massari**
via Roma 13 – ℰ 07 43 81 62 18 – www.tavernademassari.com – info@
tavernademassari.com – Fax 07 43 81 62 18 – chiuso martedì escluso da luglio a
settembre
Rist – Carta 21/48 €

♦ Taverna nel cuore della località: una piccola saletta con tre tavoli, da cui si accede alla
sala principale, con soffitti ad arco e affreschi; piatti della tradizione.

✗ **Dal Francese**
via Riguardati 16 – ℰ 07 43 81 62 90 – Fax 07 43 81 62 90
– chiuso dal 10 al 20 gennaio
Rist – Carta 24/38 €

♦ Alle spalle del Duomo, una trattoria che è la roccaforte del tartufo: ingrediente base
dei piatti proposti agli avventori nella sala lunga e stretta, arredata in modo semplice.

✗ **Beccofino**
piazza San Benedetto 12/b – ℰ 07 43 81 60 86 – Fax 07 43 81 60 86 – chiuso
mercoledì
Rist – (consigliata la prenotazione) Menu 45 € – Carta 28/44 €

♦ Forti legami con la tradizione per la cucina di questo locale situato all'ombra della statua di San Benedetto. Due salette contigue, semplici nello stile con pochi accessori e
pochi orpelli, ma solo un grande affresco ad impreziosire una delle pareti. Bella cantina
con oltre 250 etichette e proposte al bicchiere.

NOSADELLO – Cremona – Vedere Pandino

NOTARESCO – Teramo (TE) – 563O23 – 6 826 ab. – alt. 250 m   1 B1
– ✉ 64024

▶ Roma 180 – Ascoli Piceno 59 – Chieti 55 – Pescara 42

sulla strada statale 150 Sud : 5 km :

✗✗ **3 Archi**
via Antica Salara 25 ✉ 64020 – ℰ 085 89 81 40 – www.trearchi.net – info@
trearchi.net – Fax 085 89 81 40 – chiuso novembre, martedì sera e mercoledì
Rist – Carta 24/34 €

♦ Posto caldo e accogliente, con grande disimpegno piacevolmente arredato sul rustico;
due sale con spazio per la cottura di carni alla griglia, a vista; piatti abruzzesi.

NOTO – Siracusa – 565Q27 – Vedere Sicilia alla fine dell'elenco alfabetico

---

NOVACELLA (NEUSTIFT) – Bolzano (BZ) – 562B16 – alt. 590 m   31 C1
– **Sport invernali : La Plose-Plancios : 1 503/2 500 m** ⟨ 1 ⟨ 9 (Comprensorio
Dolomiti superski Val d'Isarco) ⟨ – ✉ 39040 ▮ Italia

▶ Roma 685 – Bolzano 44 – Brennero 46 – Cortina d'Ampezzo 112
◎ Abbazia★★

🏠 **Pacherhof** ♠
località Varna – ℰ 04 72 83 57 17 – www.pacherhof.com – info@pacherhof.com
– Fax 04 72 80 11 65 – chiuso dal 16 gennaio al 19 marzo
18 cam – 4 suites – solo ½ P 59/96 €   **Rist** – (solo per alloggiati)

♦ Splendidamente incorniciata dai vigneti dei bianchi dell'Alto Adige, questa bella casa
in stile garantisce piacevoli soggiorni conditi con una sana eleganza agreste. Cucina servita in tre caratteristiche stube antiche.

🏨 Pacher   🚗 🍴 🏊 🐕 🛗 🎿 📶 **P** _VISA_ ⭕ ✥
via Pusteria 6 – 𝒞 04 72 83 65 70 – www.hotel-pacher.com – info@
hotel-pacher.com – Fax 04 72 83 47 17 – chiuso dal 6 al 25 novembre
44 cam ⌁ – ♦♦90/115 € – ½ P 63/75 €   Rist – _(chiuso lunedì)_ Carta 31/48 €
♦ Sarà piacevole soggiornare in questa struttura circondata dal verde, con gradevoli interni in moderno stile tirolese e ariose camere. Ampia sala da pranzo completamente rivestita in legno; servizio ristorante estivo in giardino.

🏠 Ponte-Brückenwirt   🜚 🍴 🏊 🐕 & rist, 🎿 cam, **P** _VISA_ ⭕ ⓞ ✥
via Abbazia 2 – 𝒞 04 72 83 66 92 – www.brueckenwirt.it – brueckenwirt@tin.it
– Fax 04 72 83 75 87 – chiuso febbraio
12 cam ⌁ – ♦41/45 € ♦♦82/90 € – ½ P 51/56 €
Rist – _(chiuso mercoledì)_ Carta 21/25 €
♦ A pochi passi dalla famosa abbazia, hotel immerso in un piccolo parco con piscina riscaldata: accoglienti spazi comuni arredati in stile locale, belle camere mansardate. Grande e luminosa sala ristorante, servizio all'aperto nella bella stagione.

NOVAFELTRIA – Pesaro e Urbino (PS) – 563K18 – 6 918 ab.   20 **A1**
– alt. 293 m – ✉ 61015
> ▶ Roma 315 – Rimini 32 – Perugia 129 – Pesaro 83

✕✕ Due Lanterne con cam ⊗   ⪕ 🎿 **P** _VISA_ ⭕ **AE** ⓞ ✥
frazione Torricella 215, Sud : 2 km – 𝒞 05 41 92 02 00 – Fax 05 41 92 02 00
– chiuso dal 23 al 31 dicembre
12 cam ⌁ – ♦40 € ♦♦60 € – ½ P 50 €   Rist – _(chiuso lunedì)_ Carta 20/29 €
♦ Capace gestione familiare in una struttura ben tenuta, situata poco fuori dalla località; sala con arredi semplici, ma curati e presentazione di piatti piemontesi.

✕ Del Turista-da Marchesi con cam   **AE** cam, **P** _VISA_ ⭕ ⓞ ✥
località Cà Gianessi 7, Ovest : 4 km – 𝒞 05 41 92 01 48 – www.damarchesi.it
– Fax 05 41 92 63 27 – chiuso dal 15 giugno al 5 luglio
7 cam ⌁ – ♦31 € ♦♦41 € – ½ P 31/35 €
Rist – _(chiuso martedì)_ Carta 18/30 €
♦ Tra Marche e Romagna, un rifugio per chi riconosce la buona cucina, quella attenta a ciò che la tradizione ha consegnato. Piacevole l'ambiente, di tono rustico, riscaldato da un caminetto in pietra. E' una cortese gestione familiare a curare le camere, semplici e confortevoli.

NOVA LEVANTE (WELSCHNOFEN) – Bolzano (BZ) – 562C16   31 **D3**
– 1 858 ab. – alt. 1 182 m – Sport invernali : 1 182/2 350 m ❄11 (Vedere anche Carezza al Lago e passo di Costalunga) ⚑ – ✉ 39056 ▮ Italia
> ▶ Roma 665 – Bolzano 19 – Cortina d'Ampezzo 89 – Milano 324
>
> 🖅 via Carezza 21 𝒞 0471 613126, info@welschnofen.com, Fax 0471 613360
>
> 🖇 Carezza, 𝒞 0471 61 22 00
>
> 🖾 Lago di Carezza ★★★ Sud-Est : 5,5 km

🏨 Engel ⊗   ⪕ 🚗 🍴 🏊 📟 🐕 🏋 ✕ 🛗 & cam, ❋ **AE** rist, ⇄ 🕾 **P**
via San Valentino 3 – 𝒞 04 71 61 31 31   _VISA_ ⭕ ✥
– www.hotel-engel.com – resort@hotel-engel.com – Fax 04 71 61 34 04 – chiuso dal 14 marzo al 15 maggio
57 cam ⌁ – ♦88/130 € ♦♦170/260 € – 4 suites – ½ P 88/155 €
Rist – Menu 25/50 €
♦ Hotel completamente ristrutturato, offre servizi completi ed un centro benessere tra i più belli della zona. Belle camere, spaziose e signorili. Al ristorante vanno in tavola le specialità locali.

🏨 Posta-Cavallino Bianco   ⪕ 🚗 🍴 🏊 🏊 📟 🐕 🏋 ✕ 🛗 ❋
via Carezza 30 – 𝒞 04 71 61 31 13   **AE** rist, 🕾 **P** _VISA_ ⭕ **AE** ✥
– www.postcavallino.com – posthotel@postcavallino.com – Fax 04 71 61 33 90
– 4 dicembre-6 aprile e 11 giugno-ottobre
45 cam ⌁ – ♦155/170 € ♦♦290/330 € – ½ P 155/175 €   Rist – Carta 28/48 €
♦ Hotel di antica tradizione, gestito dalla stessa famiglia dal 1875: vetri panoramici e calda atmosfera nelle eleganti zone comuni; camere accoglienti, ottimo centro benessere. Ampio ristorante con pavimenti in parquet.

NOVA PONENTE (DEUTSCHNOFEN) – Bolzano (BZ) – 562C16   31 **D3**
– 3 629 ab. – alt. 1 357 m – Sport invernali : a Obereggen : 1 512/2 500 m ⛷ 1 ⛷ 7
(Comprensorio Dolomiti superskiVal di Fassa-Obereggen) ⚲ – ⊠ 39050

> ▶ Roma 670 – Bolzano 25 – Milano 323 – Trento 84
> 🚹 via Castello Thurm 1 ℰ 0471 616567, info@eggental.com, Fax 0471 616727
> 🅿 Petersberg, ℰ 0471 615 12

🏨 **Pfösl** ◈   ≼ 🚗 🛏 🖥 🔞 ﾝ 🛋 🎱 ⅙ cam, ⚐★ 🅿 VISA ◍
via rio Nero 2, Est : 1,5 km – ℰ 04 71 61 65 37 – info@pfosl.it
– Fax 04 71 61 67 60 – 15 dicembre-15 aprile e 15 maggio-9 novembre
40 cam ☕ – †85/160 € ††140/260 € **Rist** – *(chiuso martedì)* Carta 33/43 €
♦ Grande casa in stile montano ristrutturata con gusto moderno, in mezzo al verde, con
incantevole veduta delle Dolomiti; camere rinnovate di recente, bel centro relax. Per
soddisfare l'appetito si può optare per la sala con vista sulla valle o per la stube.

🏠 **Stella-Stern**   ≼ 🖥 ﾝ 🎱 🅿 🚗 VISA ◍ AE ♿
Centro 18 – ℰ 04 71 61 65 18 – www.hotel-stern.it – info@hotel-stern.it
– Fax 04 71 61 67 66 – chiuso novembre e dal 15 aprile al 15 maggio
28 cam ☕ – †50/70 € ††80/120 € – ½ P 60/70 €
Rist – *(chiuso martedì)* Carta 23/40 €
♦ Nella piazza in centro al paese, albergo di tradizione a gestione diretta: parquet e sof-
fitto in legno nel soggiorno d'impronta moderna, camere non recentissime ma funzio-
nali. Presso l'elegante ristorante, un'ottima cucina italiana e tirolese.

a Monte San Pietro (Petersberg)Ovest : 8 km – alt. 1 389 m – ⊠ 39040

🏨 **Peter**   ≼ 🚗 🛏 🖥 ﾝ 🍴 🎱 ⚐★ 🔆 🎱 🅿 🚗 VISA ◍ ♿
Paese 24 – ℰ 04 71 61 51 43 – www.hotel-peter.it – info@hotel-peter.it
– Fax 04 71 61 52 46 – chiuso dal 20 al 30 aprile e dal 7 novembre al 5 dicembre
26 cam ☕ – †60/90 € ††120/200 € – 4 suites – ½ P 80/130 €
Rist – *(chiuso lunedì escluso dal 15 luglio al 20 agosto)* Carta 27/46 €
♦ Tipico albergo tirolese - totalmente ristrutturato - immerso nel verde e nella tranquil-
lità. Romantici spazi interni, camere confortevoli, bella e completa area benessere. Sof-
fitto in legno a cassettoni nella sala da pranzo.

NOVARA 🅿 (NO) – 561F7 – 102 260 ab. – alt. 159 m – ⊠ 28100 ▌ Italia   23 **C2**

> ▶ Roma 625 – Stresa 56 – Alessandria 78 – Milano 51
> 🚹 Baluardo Quintino Sella 40 ℰ 0321 394059, novaratl@tin.it, Fax
> 0321631063
> 🗟 , ℰ 0321 92 78 34
> 👁 Basilica di San Gaudenzio★ AB : cupola★★ – Pavimento★ del Duomo AB

Pianta pagina 790

🏨 **La Bussola**   🎱 AC ﾝ 🔆 VISA ◍ AE ① ♿
via Boggiani 54 – ℰ 03 21 45 08 10 – www.labussolanovara.it – bussola@
labussolanovara.it – Fax 03 21 45 27 86   A**c**
95 cam ☕ – †95/135 € ††115/165 € – ½ P 70/90 €
Rist *Al Vecchio Pendolo* – *(chiuso 3 settimane in agosto e domenica sera)*
Carta 33/49 € 🍽
♦ Struttura che, sotto una nuova gestione, ha subito una prodigiosa serie di rinnovi e
migliorie. Obiettivi ambiziosi a cominciare dalle camere, sia standard che superior.
Curato ristorante di tono elegante.

🏨 **Italia**   🎱 AC 🔆 ﾝ 🔆 VISA ◍ AE ① ♿
via Paolo Solaroli 8/10 – ℰ 03 21 39 93 16 – www.panciolihotels.it – italia@
panciolihotels.it – Fax 03 21 39 93 10   B**x**
63 cam ☕ – †100/135 € ††125/190 € **Rist** *La Famiglia* – Carta 31/58 €
♦ Ambiente signorile in una costruzione di taglio moderno, dotata di un'accessoriata
area convegni, articolata in più sale; hall e zone comuni spaziose, camere accoglienti.
Al ristorante, elegante sala per cene rilassanti.

NOVARA

0 — 400 m

Europa 🏠🅰🅒 📞 🛁 VISA ⬤⬤ 🅰🅴 ⓞ 🅢

corso Cavallotti 38/a – ✆ 032 13 58 01 – hoteleuropanovara@tin.it
– Fax 03 21 62 99 33   B**a**

65 cam 🛆 – ♦85/102 € ♦♦118/135 €

Rist – (chiuso a mezzogiorno) Menu 24/34 €

♦ Adatto all'uomo d'affari, hotel di recente ristrutturazione ubicato in centro: hall spaziosa e signorile, capiente salone congressi, camere confortevoli.

Croce di Malta senza rist 🏠🅰🅒 🚫 ⁽ⁱ⁾ 🛁 VISA ⬤⬤ 🅢

via Biglieri 2/a – ✆ 032 13 20 32 – Fax 03 21 62 34 75 – chiuso agosto
20 cam 🛆 – ♦65/80 € ♦♦100/130 €   A**b**

♦ In posizione centrale, albergo di recente realizzazione vocato a una clientela di lavoro: sobri interni di moderna ispirazione, saletta per riunioni e camere spaziose.

Prima colazione compresa?
Cercate la tazza 🛆, dopo il numero di camere.

XXX **Tantris** (Marta Grassi)   🔥 AC 🛇 VISA 🆎 ① 🔥
corso Risorgimento 384, località Vignale , Nord : 3 km – ℰ 03 21 65 73 43
– tantris.ristorante@libero.it – Fax 03 21 65 73 43 – chiuso dal 1° al 5 gennaio, tre
settimane in agosto, domenica sera e lunedì
Rist – Menu 55/78 € – Carta 57/77 €
Spec. Porchetta, insalata di frutta e sidro. Raviolo liquido di fonduta e vege-
tali. Macedonia di frutta, biscotto, crema di formaggio dolce e cioccolato
fritto.
♦ Piatti semplici e sofisticati allo stesso tempo, ogni proposta è un delicato equilibrio di
diversi ingredienti. Carne, pesce, ma anche selezione di formaggi e cioccolato.

NOVA SIRI MARINA – Matera (MT) – 564G31 – 6 554 ab. – ⌧ 75020   4 **D3**
▷ Roma 498 – Bari 144 – Cosenza 126 – Matera 76

🏠🏠 **Imperiale** senza rist   📶 🔥 AC 🛇 ⸙ 🔥 P 🚗 VISA 🆎 AE ① 🔥
via Pietro Nenni – ℰ 08 35 53 69 00 – www.imperialehotel.it – info@
imperialehotel.it – Fax 08 35 53 65 05
31 cam ⌧ – †65/75 € ††85/110 €
♦ Imponente struttura di taglio moderno, costruita pochi anni fa, con ampi spazi per
meeting e banchetti; piacevoli aree comuni in stile contemporaneo, camere confortevoli.

NOVELLO – Cuneo (CN) – 561I5 – 955 ab. – alt. 471 m – ⌧ 12060   25 **C2**
▷ Roma 620 – Cuneo 63 – Asti 56 – Milano 170

🏠 **Abbazia il Roseto** senza rist   ≤ 🚃 🏠 P
via Roma 38 – ℰ 01 73 74 40 16 – www.abbaziaroseto.it – info@abbaziaroseto.it
– Fax 01 73 74 40 16 – chiuso gennaio e febbraio
6 cam ⌧ – †60 € ††70/80 €
♦ Abbazia e roseti oggi sono visibili solo con l'aiuto della fantasia, ma di certo si può
vivere un soggiorno in una casa accogliente con tratti di antica e sobria eleganza.

🏠 **Agriturismo il Noccioleto** 🐾   ≤ 🚃 ⏃ 🔥 ⸙ 🎣 ⸙ P VISA 🆎 🔥
località Chiarene 4, Ovest : 2,5 km – ℰ 01 73 73 13 23 – www.ilnoccioleto.com
– info@ilnoccioleto.com – Fax 01 73 73 12 51 – chiuso gennaio-15 febbraio
8 cam ⌧ – †40/60 € ††70/110 €
Rist – (chiuso domenica sera e lunedì) Menu 25/30 €
♦ Una bella struttura con camere confortevoli e spazi comuni in quantità. L'ubicazione è
adatta a chi cerca quiete e relax, in piena campagna circondati da vigne e noccioli. Tre
sale ristorante, identificabili con i nomi dei vitigni, propongono le specialità langarole.

NOVENTA DI PIAVE – Venezia (VE) – 562F19 – 6 160 ab. – ⌧ 30020   35 **A1**
▷ Roma 554 – Venezia 41 – Milano 293 – Treviso 30

🏠 **Omniahotel** senza rist   🌡 📶 🔥 AC ↩ 🛇 ⸙ 🎣 P 🚗
via Calnova 140/a – ℰ 04 21 30 73 05   VISA 🆎 AE ① 🔥
– www.omniahotel.it – info@omniahotel.it – Fax 04 21 30 77 85
66 cam ⌧ – †56/67 € ††77/93 € – 2 suites
♦ Facile da raggiungere, all'uscita autostradale. Moderno e funzionale, con spazi comuni
e stanze confortevoli e razionali, l'hotel è stato costruito recentemente.

XX **Guaiane**   AC 🛇 P VISA 🆎 AE ① 🔥
via Guaiane 146, Est : 2 km – ℰ 042 16 50 02 – www.guaiane.com – info@
guaiane.com – Fax 04 21 65 88 18 – chiuso dal 27 dicembre al 12 gennaio,
dal 7 al 23 agosto, lunedì e martedì sera
Rist – Carta 28/73 €   **Rist L' Ostaria** – Carta 23/39 €
♦ Nei suoi 50 anni di storia e di tradizione ha saputo diventare uno dei ristoranti più
gettonati della zona: la cucina locale l'indiscutibile punto fermo, il pesce la specialità.
Valida alternativa al ristorante, nata da una piccola boottega, l'Ostaria propone piatti
più semplici.

NOVENTA PADOVANA – Padova (PD) – 562F17 – 8 490 ab.   36 **C3**
– alt. 14 m – ⌧ 35027▯ Venezia
▷ Roma 501 – Padova 8 – Venezia 37

XX **Boccadoro**   🅰🅲 ⌖ ⇪ 📼 🆎 🆎 🅞 ⛟
via della Resistenza 49 – ℰ 049 62 50 29 – www.boccadoro.it
– info@boccadoro.it – Fax 049 62 57 82
– chiuso dal 1° al 15 gennaio, dal 5 al 25 agosto, martedì sera e mercoledì
Rist – Carta 32/45 € 🍴
♦ Sala arredata sobriamente, ma in modo curato e con tocchi di eleganza; proposte di cucina tipica del territorio e bella cantina aperta ai clienti.

NOVENTA VICENTINA – Vicenza (VI) – 562G16 – 8 390 ab.   35 **B3**
– alt. 16 m – ✉ 36025

▶ Roma 479 – Padova 47 – Ferrara 68 – Mantova 71

XX **Alla Busa** con cam 🐕   🕭 ⏚ 🛋 🖐 🅰🅲 ⬚ 🛜 🅿 📼 🆎 🅞 ⛟
corso Matteotti 70 – ℰ 04 44 88 71 20 – allabusa@cheapnet.it
– Fax 04 44 88 72 87
18 cam ⌑ – †50/65 € ††80/100 € – 1 suite – ½ P 60/70 €
Rist – *(chiuso lunedì)* Carta 26/45 €
♦ Nel centro storico, una struttura a tradizione familiare ampliatasi nel tempo fino alle attuali quattro sale decorate con falsi d'autore. Cucina incentrata sui piatti della tradizione locale. Settore notte con camere classiche, completo nella gamma dei servizi offerti.

X **Primon** con cam   🅰🅲 ⬚ cam, 📼 🆎 🅞 ⛟
via Garibaldi 6 – ℰ 04 44 78 71 49 – www.ristoranteprimon.it
– info@ristoranteprimon.it – Fax 04 44 78 73 68
– chiuso dal 25 luglio al 15 agosto
6 cam – †45 € ††60 €, ⌑ 10 €
Rist – Menu 35 € – Carta 28/45 €
♦ Ristorante di tradizione familiare dal 1875 con cucina di ispirazione regionale, paste fatte in casa e carni cotte su uno spiedo di origine leonardesca. Ambienti di sobria modernità. Camere semplici, ma decorose.

NOVERASCO – Milano – Vedere Opera

NOVI LIGURE – Alessandria (AL) – 561H8 – 27 741 ab. – alt. 197 m   23 **C3**
– ✉ 15067

▶ Roma 552 – Alessandria 24 – Genova 58 – Milano 87
🄸 viale dei Campionissimi 2 ℰ 0143 72585, innovando@
comune.noviligure.al.it, Fax 0143 767657
🄳 Colline del Gavi, ℰ 0143 34 22 64
🄸 Villa Carolina, ℰ 0143 46 73 55

🏠 **Relais Villa Pomela** 🐕   ≤ 🕭 🛋 ⏚ 🅰🅲 ⬚ rist, 🖐 🅿
via Serravalle 69, Sud : 2 km – ℰ 01 43 32 99 10   📼 🆎 🆎 🅞 ⛟
– www.pomela.it – villapomela@pomela.it – Fax 01 43 32 99 12
– chiuso dal 25 dicembre al 7 gennaio e dal 1° al 23 agosto
45 cam ⌑ – †120/180 € ††160/215 € – 2 suites – ½ P 105/143 €
Rist – Carta 29/53 €
♦ Elegante villa dell'800 avvolta nel soave silenzio di un parco dispone di ambienti signorili, sale per congressi, camere accoglienti. Possibilità di visite guidate e degustazioni presso la rimarchevole cantina. Due sale ristorante arredate con gusto.

a Pasturana Ovest : 4 km – ✉ 15060

XX **Locanda San Martino**   🕭 🅰🅲 🅿 📼 🆎 🆎 🅞 ⛟
via Roma 26 – ℰ 014 35 84 44 – www.locandasanmartino.com
– locandasanmartino1@libero.it – Fax 014 35 84 45 – chiuso 3 settimane in gennaio ed 1 settimana in settembre, lunedì sera e martedì
Rist – Carta 34/49 €
♦ Piatti tipici della tradizione piemontese, ligure e lombarda basati essenzialmente su alimenti freschi di stagione in un ambiente caldo ed accogliente tra il verde delle colline.

NUCETTO – Cuneo (CN) – 561I6 – 456 ab. – alt. 450 m – ⊠ 12070   23 **C3**

▶ Roma 598 – Cuneo 52 – Imperia 77 – Savona 53

✗   **Osteria Vecchia Cooperativa**   ※ *VISA* ⦿ AE ① ⑤
⊜   *via Nazionale 54 – ℰ 017 47 42 79 – chiuso lunedì, martedì e le sere di*
    mercoledì-giovedì
    Rist – Carta 18/36 €
    ♦ Fidata piccola osteria dalla calorosa conduzione familiare, propone una tradizionale
    cucina piemontese con elaborazioni casalinghe. Accogliente e informale.

NUMANA – Ancona (AN) – 563L22 – 3 439 ab. – ⊠ 60026   21 **D1**

▶ Roma 303 – Ancona 20 – Loreto 15 – Macerata 42

🖈 (Pasqua-settembre) piazza Santuario 24 ℰ 071 9330612, iat.numana@
regione.marche.it, Fax 071 9330612

🖥 Conero, ℰ 071 736 06 13

🏨   **Scogliera**   ≤ ⊼ ⌷ AC ※ rist, ☏ **P** *VISA* ⦿ ⑤
    via del Golfo 21 – ℰ 07 19 33 06 22 – www.hotelscogliera.it – info@
    hotelscogliera.it – Fax 07 19 33 14 03 – aprile-15 ottobre
    36 cam ⊊ – †80/120 € ††110/180 € – ½ P 95/120 €   **Rist** – Carta 30/60 €
    ♦ In prossimità del centro e del porto turistico, a ridosso della scogliera di Numana, un
    hotel di moderna costruzione con camere confortevoli, gestito dai proprietari. Il punto
    di forza è la ristorazione che propone una cucina regionale e soprattutto di mare
    nella caratteristica saletta con pilastri a specchio.

🏨   **Eden Gigli** ☞   ≤ ⦿ ⊼ ⌱ ♨ ※ ※ ☏ ⚙ **P** 🚗 *VISA* ⦿ ⑤
    viale Morelli 11 – ℰ 07 19 33 06 52 – www.giglihotels.com – info@giglihotels.com
    – Fax 07 19 33 09 30 – aprile-ottobre
    41 cam ⊊ – †80/95 € ††130/150 € – ½ P 110/125 €   **Rist** – Carta 26/44 €
    ♦ Immerso in un ampio parco con campo da tennis, palestra e centro benessere, l'hotel
    dispone di camere rinnovate di recente e di una stradina privata che conduce alla
    spiaggia. Cucina classica nella saletta da pranzo arredata in modo sobrio.

🏠   **La Spiaggiola** senza rist ☞   ≤ AC ※ **P** *VISA* ⦿ ⑤
    via Colombo 12 – ℰ 07 17 36 02 71 – www.laspiaggiola.it – info@laspiaggiola.it
    – Fax 07 17 36 02 71 – Pasqua-settembre
    21 cam ⊊ – †60/80 € ††65/115 €
    ♦ In posizione leggermente isolata, direttamente sul mare e a pochi passi dal centro
    storico, questo piccolo hotel offre ambienti molto semplici ma ben curati.

✗   **La Costarella**   AC ※ *VISA* ⦿ AE ① ⑤
    via 4 Novembre 35 – ℰ 07 17 36 02 97 – Fax 07 17 36 02 97 – Pasqua-ottobre;
    chiuso martedì (escluso da giugno a settembre)
    Rist – Carta 47/68 €
    ♦ Affacciata sulla caratteristica via a gradini, una sala sobria dall'atmosfera familiare ma
    dalla gestione professionale propone gustosi piatti di pesce.

a Marcelli Sud : 2,5 km – ⊠ 60026

🖈 (giugno-settembre) via Litoranea ℰ 071 7390179, iat.marcelli@
regione.marche.it, Fax 071 7390179

🏨   **Marcelli**   ≤ ⊼ ⌷ AC ※ rist, **P** *VISA* ⦿ AE ⑤
⊜   *via Litoranea 65 – ℰ 07 17 39 01 25 – www.hotelmarcelli.it – info@*
    hotelmarcelli.it – Fax 07 17 39 13 22 – 20 aprile-settembre
    39 cam ⊊ – †90/120 € ††140/180 € – ½ P 100/110 €
    Rist – (giugno-settembre) (solo per alloggiati) Menu 20/30 €
    ♦ Solo la piscina separa dal mare questa struttura alberghiera che offre ampi ambienti
    arredati semplicemente, molti dei quali con vista su Monte Conero.

🏨   **Alexander** senza rist   ⊼ ⌷ ⅙ AC ※ ☏ **P** *VISA* ⦿ AE ① ⑤
    via Litoranea 232 – ℰ 07 17 39 13 50 – www.ha-alexander.it – info@
    ha-alexander.it – Fax 07 17 39 13 54
    20 cam ⊊ – †50/80 € ††90/150 €
    ♦ Struttura particolarmente adatta ad una clientela d'affari con ampi spazi comuni,
    camere lineari e una piscina sulla terrazza. A colazione: ricco buffet ed angolo biologico.

XX **Il Saraghino** ← 🕭 🅿 VISA ⬤ AE ① 🕭
via Litoranea 209/a – 𝒞 07 17 39 15 96 – www.saraghino.it – roberto.fiorini70@
libero.it – Fax 07 17 39 15 96 – chiuso dal 10 dicembre a febbraio e lunedì
Rist – Carta 56/70 €
♦ Un ambiente semplice e moderno illuminato da vetrate che si affacciano sul mare,
dove gustare prelibatezze a base di pesce preparate con mano creativa.

XX **Mariolino** ← AC ⇔ VISA ⬤ AE ① 🕭
via Capri 17 – 𝒞 07 17 39 01 35 – ristorante.mariolino@tiscali.it
– Fax 07 17 39 01 35 – chiuso lunedì escluso giugno-agosto
Rist – Carta 31/54 €
♦ Una lunga esperienza per questo accogliente locale in riva al mare che continua a
proporre una classica cucina ittica e paste fatte in casa.

NUSCO – Avellino (AV) – 564E27 – 4 429 ab. – alt. 914 m – ✉ 83051   7 **C2**
◗ Roma 287 – Potenza 107 – Avellino 41 – Napoli 99

XX **La Locanda di Bu** ⅏ ⇔ VISA ⬤ AE 🕭
vicolo dello Spagnuolo 1 – 𝒞 082 76 46 19 – www.lalocandadibu.com – info@
lalocandadibu.com – Fax 082 76 46 19 – chiuso gennaio, febbraio, 1 settimana in
luglio, domenica sera e lunedì
Rist – Menu 50/70 € – Carta 30/75 €
♦ Tra il verde dei Monti Irpini, in un vicolo nel cuore del centro storico, una cucina da
provare per farsi sorprendere dall'interpretazione moderna dei prodotti del territorio.

OBEREGGEN = San Floriano

OCCHIEPPO SUPERIORE – Biella (BI) – 561F6 – 2 948 ab.   23 **C2**
– alt. 456 m – ✉ 13898
◗ Roma 679 – Aosta 98 – Biella 3 – Novara 59

X **Cip e Ciop** AC VISA ⬤ AE 🕭
via Martiri della Libertà 71 – 𝒞 015 59 27 40 – ristorantecipeciop@hotmail.it
– chiuso dal 28 dicembre al 15 gennaio, dal 1° al 15 settembre e domenica
Rist – Carta 26/39 €
♦ Sfiziosa cucina che spazia con una certa ecletticità da piatti tradizionali ad altri più
fantasiosi, in un ristorantino a gestione familiare, ubicato in centro paese.

OCCHIOBELLO – Rovigo (RO) – 562H16 – 10 282 ab. – ✉ 45030   35 **B3**
◗ Roma 432 – Bologna 57 – Padova 61 – Verona 90

🏠 **Unaway Hotel Occhiobello A13** 🕭 🖃 ⅙ cam. AC ⅏ rist. 📞 ⅗
via Eridania 36, prossimità casello autostrada A 🅿 VISA ⬤ AE ① 🕭
13 – 𝒞 04 25 75 07 67 – www.unawayhotels.it – una.occhiobello@
unawayhotels.it – Fax 04 25 75 07 97
112 cam ⌒ – †80/125 € ††120/175 €
Rist – *(chiuso dall'8 al 20 agosto)* Carta 28/53 €
♦ In comoda posizione non lontano dal casello autostradale, design, funzionalità ed
ottima accoglienza fanno di questa struttura l'indirizzo ideale per una clientela d'affari.
Ampie e curate le camere. Grande sala da pranzo con sobri arredi in legno.

a Santa Maria Maddalena Sud-Est : 4,5 km – ✉ 45030

XX **La Pergola** 🕭 AC ⅏ ⇔ VISA ⬤ AE 🕭
via Malcantone 15 – 𝒞 04 25 75 77 66 – Fax 04 25 75 93 71 – chiuso agosto,
sabato e domenica
Rist – Carta 32/47 €
♦ Ambiente caldo ed accogliente, quasi un salotto privato, per questo locale nostalgicamente ubicato sotto l'argine del Po: indirizzo ideale per provare gustosi piatti casalinghi,
presentati a voce.

ODERZO – Treviso (TV) – 562E19 – 18 172 ab. – alt. 16 m – ✉ 31046   35 **A1**
◗ Roma 559 – Venezia 54 – Treviso 27 – Trieste 120
🆔 calle Opitergium 5 𝒞 0422 815251, iat.oderzo@provincia.treviso.it, Fax
0422 814081

Postumiahoteldesign 🏠 ₺ 🗚 🛇 🕬 🎤 🅿 🚾 ⭕ 🆎 ⓪ 🛠

via Cesare Battisti 2 – ☎ *04 22 71 38 20 – www.postumiahoteldesign.it – info@ postumiahoteldesign.it – Fax 04 22 22 00 81*

28 cam ⛌ – ✝70/105 € ✝✝130/145 € – 1 suite – ½ P 100/108 €

Rist – *(chiuso 3 settimane in agosto)* Carta 45/64 €

♦ In pieno centro e lungo la riva del fiume, hotel dal moderno design personalizzato con opere di artisti trevisani e accessori davvero rari; alcune camere dispongono di aroma terapia. Piacevole la zona ristoro esterna affacciata sul corso d'acqua. Interessanti piatti di gusto contemporaneo.

🛏 **Primhotel** senza rist 📶 ₺ 🏕 🗚 🕬 🎤 🅿 🚗 🚾 ⭕ 🆎 ⓪ 🛠

via Martiri di Cefalonia 13 – ☎ *04 22 71 36 99 – www.primhotel.it – primhotel@ iol.it – Fax 04 22 71 38 90*

50 cam ⛌ – ✝54/64 € ✝✝75/95 €

♦ Recente albergo moderno a vocazione congressuale, con ampie zone comuni ben tenute, in stile lineare di taglio contemporaneo; camere confortevoli e funzionali.

🍴🍴🍴 **Gellius** (Alessandro Breda) 🗚 🛇 ⇔ 🚾 ⭕ 🆎 ⓪ 🛠
⍟
calle Pretoria 6 – ☎ *04 22 71 35 77 – www.ristorantegellius.it – ristorante.gellius@ tin.it – Fax 04 22 81 07 56 – chiuso domenica sera e lunedì*

Rist – Carta 60/89 € 🍱

Spec. Antipasto d'astice Gellius. Brodo ristretto ai frutti di mare. Anatra al torchio.

♦ Metà ristorante metà museo, si mangia fra resti archeologici in un ambiente unico. Cucina giovane ed elaborata, le presentazioni sono curate quanto la scelta dei prodotti.

OFFIDA – Ascoli Piceno (AP) – 563N23 – 5 379 ab. – alt. 293 m   **21 D3**
– ⊠ 63035

▶ Roma 243 – Ascoli Piceno 29 – Ancona 102 – L'Aquila 129

verso San Benedetto del Tronto e Castorano Est : 6 km:

⌂ **Agriturismo Nascondiglio di Bacco** senza rist 🦌   ⊲ 🛋 🗚

contrada Ciafone 97 – ☎ *07 36 88 95 37*   🕬 🅿 🚾 ⭕ 🆎 🛠
– www.nascondigliodibacco.it – info@nascondigliodibacco.it – Fax 07 36 88 95 37 – chiuso novembre, gennaio e febbraio

7 cam ⛌ – ✝70/80 € ✝✝100/110 €

♦ In posizione isolata, immersa nella campagna marchigiana, una vecchia cascina ristrutturata offre confortevoli camere in stile rustico realizzate tra travi a vista e mattoni.

OIRA – Verbania – Vedere Crevoladossola

OLANG = Valdaora

OLBIA – Olbia-Tempio (104) – 566E10 – Vedere Sardegna alla fine dell'elenco alfabetico

---

OLCIO – Lecco (LC) – Vedere Mandello del Lario

OLEGGIO – Novara (NO) – 9882 – 12 412 ab. – alt. 232 m – ⊠ 28047   **23 C2**
▶ Roma 637 – Novara 19 – Milano 63 – Monza 69

🏠 **Ramada Ticinum Hotel** 🗶 📶 ₺ 🗚 ↵ 🛇 🕬 🎤 🅿

via per Gallarate 116 a – ☎ *03 21 96 06 38*   🚾 ⭕ 🆎 ⓪ 🛠
– www.ramadamalpensahotel.it – info@ramadamalpensahotel.it – Fax 03 21 96 06 45

132 cam ⛌ – ✝98/152 € ✝✝137/179 € – ½ P 91/112 €

Rist *Riverstone Restaurant* – Carta 35/45 € 🍱

♦ A pochi chilometri da Malpensa, il complesso è stato pensato per una clientela congressuale ed internazionale ed offre camere spaziose arredate in stile minimalista. Interessanti proposte gastronomiche sia nella sala classica sia in quella di impronta esotica.

OLEGGIO CASTELLO – Novara (NO) – 561E7 – 1 900 ab. – alt. 315 m   **24 A2**
– ⊠ 28040

▶ Roma 639 – Stresa 20 – Milano 72 – Novara 43

Luna Hotel Motel Airport senza rist   🛄 🗎 🕭 AC 🛇 🕻 P �car

via Vittorio Veneto 54/c – ✆ 03 22 23 02 57   VISA ⓪ AE ① 🔆

– www.lunahotelmotel.it – info@lunahotelmotel.it – Fax 03 22 53 82 72

51 cam 🖵 – †80/250 € ††95/250 €

♦ Sito lungo la strada che conduce al lago, questo hotel di nuova costruzione è ideale per una clientela d'affari ed offre funzionali ambienti arredati con gusto moderno.

XX **Bue D'Oro**   🏠 P VISA ⓪ AE ① 🔆

via Vittorio Veneto 2 – ✆ 032 25 36 24 – Fax 032 25 36 24

– chiuso dal 1° al 10 gennaio e dal 16 agosto al 4 settembre

Rist – (chiuso mercoledì) Carta 31/64 €

♦ Bel locale a solida gestione familiare, con una sala dall'ambiente rustico-elegante, dove si propongono piatti della tradizione rivisitati e cucina stagionale.

OLEVANO ROMANO – Roma (RM) – 563Q21 – 6 475 ab. – alt. 571 m   **13 C2** – ✉ 00035

▶ Roma 60 – Frosinone 46 – L'Aquila 97 – Latina 64

XX **Sora Maria e Arcangelo**   AC 🛇 ⇄ VISA ⓪ AE ① 🔆

via Roma 42 – ✆ 069 56 40 43 – www.soramariaearcangelo.com – soramaria@libero.it – Fax 069 56 24 02 – chiuso dal 1° al 10 febbraio, dal 10 al 30 luglio, lunedì e mercoledì

Rist – Carta 35/44 € ♨

♦ Scendete le scale per raggiungere le sale ricche di atmosfera, situate negli stessi spazi in cui un tempo si trovavano i granai; dalla cucina, piatti da sempre legati alle tradizioni.

OLGIASCA – Lecco – 561D9 – Vedere Colico

OLGIATE OLONA – Varese (VA) – 561F8 – 11 216 ab. – alt. 239 m   **18 A2** – ✉ 21057

▶ Roma 604 – Milano 32 – Como 35 – Novara 38

XX **Ma.Ri.Na.** (Rita Possoni)   AC 🛇 ⇄ P VISA ⓪ AE ① 🔆

♨   piazza San Gregorio 11 – ✆ 03 31 64 04 63 – ristorantemarina@libero.it

– Fax 03 31 64 04 63 – chiuso dal 25 dicembre al 5 gennaio, agosto e mercoledì

Rist – (chiuso a mezzogiorno escluso domenica) Menu 100/120 €

– Carta 70/98 €

Spec. Mazzancolle marinate in acqua di pomodoro con basilico e menta. Pappardelle farcite con cernia ed insaporite con bottarga di tonno e santoreggia. Aragostella gratinata al balsamico.

♦ Ambiente semplice e gradevole, la cucina di mare predilige la freschezza del pesce in preparazioni semplici e rispettose dei sapori e dei prodotti.

OLIENA – Nuoro – 566G10 – Vedere Sardegna alla fine dell'elenco alfabetico

---

OLMO – Firenze – 563K16 – Vedere Fiesole

OLMO GENTILE – Asti (AT) – 561I6 – 96 ab. – alt. 615 m – ✉ 14050   **25 D2**

▶ Roma 606 – Genova 103 – Acqui Terme 33 – Asti 52

X **Della Posta**   🏠 ⇄ VISA ⓪ 🔆

🕾   via Roma 4 – ✆ 01 44 95 36 13 – chiuso dal 24 dicembre al 15 gennaio e domenica sera

Rist – Menu 16/32 €

♦ Un piccolo paese e questa tipica trattoria dall'ambiente familiare con una sala classica, dove provare casalinghe specialità piemontesi e le celebri robiole della zona.

OME – Brescia (BS) – 561 F12 – 3 077 ab. – alt. 240 m – ⊠ 25050   **19 D1**
> Roma 544 – Brescia 17 – Bergamo 45 – Milano 93

XXX   **Villa Carpino**   🚗 ᕫ AC ⚙ ⇆ P VISA ⓿ AE ① ⓢ
via Maglio 15, alle terme, Ovest : 2,5 km – ℰ 030 65 21 14
– www.villacarpino.com – info@villacarpino.com – Fax 03 06 85 25 26 – chiuso
dal 27 dicembre al 6 gennaio, dal 7 al 20 agosto e lunedì
Rist – Carta 28/46 €
♦ In una grande villa circondata da un giardino curato, locale a gestione diretta, con
eleganti ambienti dallo stile ricercato; cucina con solide radici nel territorio.

ONEGLIA – Imperia – Vedere Imperia

ONIGO DI PIAVE – Treviso – Vedere Pederobba

OPERA – Milano (MI) – 561 F9 – 13 294 ab. – alt. 99 m – ⊠ 20090   **18 B2**
> Roma 567 – Milano 14 – Novara 62 – Pavia 24
🏌 Le Rovedine, ℰ 02 57 60 64 20

a Noverasco Nord : 2 km – ⊠ 20090 – Opera

🏨   **Sporting**   🕭 ᕫ 🛗 ᕫ AC ⇎ ❀ rist. 📶 ㊱ P VISA ⓿ AE ①
via Sporting Mirasole 56 – ℰ 025 76 80 31 – www.milanhotel.com – sporting@
milanhotel.com – Fax 02 45 47 78 34
82 cam ⊇ – ♦103/190 € ♦♦144/320 € – ½ P 97/190 €
Rist – (solo per alloggiati) Carta 28/40 €
♦ Alle porte di Milano, compatta struttura a vocazione congressuale, da poco rinnovata;
confortevoli spazi comuni e camere, comodo servizio navetta per il centro città. Sala
ristorante adatta alle necessità della clientela congressuale e individuale.

OPI – L'Aquila (AQ) – 563 Q23 – 479 ab. – alt. 1 250 m – ⊠ 67030   **1 B3**
> Roma 186 – Campobasso 113 – Frosinone 119 – Isernia 63

lungo la Strada Statale 83, al bivio per Forca D'Acero Sud : 1 km:

X   **La Madonnina**   🏡 ᕫ ❀ ⇆ VISA ⓿ AE ⓢ
⇆   *Via Forca D'Acero – ℰ 08 63 91 27 14 – Fax 08 63 91 60 53*
– chiuso Natale, 24 giugno e lunedì
Rist – Carta 19/33 €
♦ Ai piedi di Opi, bar-trattoria a gestione familiare specializzato in carni alla griglia ma
con un'appetitosa selezione di salumi, formaggi e paste fresche in lista.

OPICINA – Trieste (TS) – 562 E23 – alt. 348 m – ⊠ 34100 🇮🇹 Italia   **11 D3**
> Roma 664 – Udine 64 – Gorizia 40 – Milano 403
👁 ≤ ★★ su Trieste e il golfo
🅖 Grotta Gigante ★ Nord-Ovest : 3 km

🏨   **Nuovo Hotel Daneu** senza rist   🖥 🕭 🛗 ᕫ AC 📶 ㊱ P 🚗
strada per Vienna 55 – ℰ 040 21 42 14   VISA ⓿ AE ① ⓢ
– www.hoteldaneu.com – info@hoteldaneu.com – Fax 040 21 42 15
26 cam ⊇ – ♦95/115 € ♦♦120/155 €
♦ Comodo da raggiungere questo recente hotel d'ispirazione contemporanea, situato
alle porte del paese in direzione del confine. Camere sobrie e confortevoli e zona sportiva dotata di piscina, sauna e bagno turco.

OPPEANO – Verona (VR) – 562 G15 – 7 915 ab. – ⊠ 37050   **35 B3**
> Roma 516 – Venezia 136 – Verona 29 – Vicenza 71

🏨   **Il Chiostro**   AC ❀ 📶 ㊱ P 🚗 VISA ⓿ AE ⓢ
⇆   *via Roma 85 – ℰ 04 56 97 08 68 – www.hotelilchiostro.it – hotelilchiostro@*
libero.it – Fax 04 56 97 94 06 – chiuso 1 settimana a Natale e 1 settimana in
agosto
27 cam – ♦50/75 € ♦♦83/103 €   **Rist** – (chiuso a mezzogiorno) Carta 19/40 €
♦ Fiori, stucchi e persino una fontana decorano il bel chiostro secentesco da cui l'hotel
prende il nome e che conduce direttamente alle camere, arredate in calde e morbide
tonalità. Accogliente la sala da pranzo e suggestivo il terrazzo costeggiato da un fossato
naturale.

ORA (AUER) – Bolzano (BZ) – 562C15 – 3 185 ab. – alt. 263 m   31 **D3**
– ✉ 39040

> 🔟 Roma 617 – Bolzano 20 – Merano 49 – Trento 40

> 🎫 piazza Principale 5 ℰ 0471 810231, info_auer@rolmail.net, Fax 0471 811138

🔟 **Amadeus**   🚗 🛖 ⊼ 🛎 ⅙ cam, 🌊 **P** 🆅🆂🅰 🆎 ① ⑤
via Capitello 23 – ℰ 04 71 81 00 53 – www.hotel-amadeus.it – office@hotel-amadeus.it – Fax 04 71 81 00 00
32 cam ⊊ – 🛇47/54 € 🛇🛇78/84 € – ½ P 49/54 €
Rist – *(aprile-ottobre) (chiuso a mezzogiorno) (solo per alloggiati)*
Carta 35/51 €
♦ Un tipico maso, di gradevole aspetto, dotato di graziose ed accoglienti camere. Il soggiorno è allietato da una gestione familiare calorosa ed ospitale. Al ristorante, cucina regionale accompagnata da vini locali.

ORBASSANO – Torino (TO) – 561G4 – 21 767 ab. – alt. 273 m   22 **A1**
– ✉ 10043

> 🔟 Roma 673 – Torino 17 – Cuneo 99 – Milano 162

Pianta d'insieme di Torino

❌❌ **Il Vernetto**   🅰🅲 🆅🆂🅰 🆎 ① ⑤
via Nazario Sauro 37 – ℰ 01 19 01 55 62 – ilvernetto@tin.it – Fax 01 19 01 55 62 – chiuso domenica sera e lunedì   EU**e**
Rist – Menu 45/60 € (+10 %)
♦ Sembra un salotto caldo e accogliente questo locale familiare ed elegante con soffitti affrescati e mobili in stile; così come i vini, il patron presenta a voce una cucina fantasiosa.

ORBETELLO – Grosseto (GR) – 563O15 – 14 904 ab. – ✉ 58015   29 **C3**
▌ Toscana

> 🔟 Roma 152 – Grosseto 44 – Civitavecchia 76 – Firenze 183

> 🎫 piazza della Repubblica 1 ℰ 0564 860447, proorbet@ouverture.it, Fax0564 860447

🏠 **Relais San Biagio** senza rist   🛎 🅰🅲 🆅🆂🅰 🆎 ① ⑤
via Dante 40 – ℰ 05 64 86 05 43 – www.sanbiagiorelais.com – info@sanbiagiorelais.com – Fax 05 64 86 77 87
33 cam ⊊ – 🛇140/195 € 🛇🛇180/230 € – 8 suites
♦ Albergo di esclusiva eleganza, all'interno di un antico palazzo nobiliare del centro: ambienti signorili e spaziosi nonché rifiniture di tono moderno. Piacevolmente sospeso tra passato e futuro.

sulla strada statale 1 - via Aurelia Est : 7 km :

❌❌ **Locanda di Ansedonia** con cam   🚗 🛖 🅰🅲 🌊 rist, **P**
                                                                    🆅🆂🅰 🆎 ⑤
via Aurelia km 140,500 ✉ 58016 Orbetello Scalo
– ℰ 05 64 88 13 17 – www.lalocandadiansedonia.it – info@locandadiansedonia.it – Fax 05 64 88 17 27 – chiuso 2 settimane in febbraio e 2 settimane in novembre
12 cam ⊊ – 🛇70/85 € 🛇🛇90/130 € – ½ P 90 €
Rist – *(chiuso martedì escluso luglio-agosto)* Carta 36/54 €
♦ Vecchia trattoria riadattata, con grazioso giardino e camere arredate con mobili d'epoca; proposte di cucina di mare e maremmana, servite in una sala di discreta eleganza.

ORIAGO – Venezia – Vedere Mira

ORIGGIO – Varese (VA) – 561F9 – **6 614 ab. – alt. 193 m** – ✉ **21040**   18 **A2**
▶ Roma 589 – Milano 21 – Bergamo 62 – Como 27

XX   **La Piazzetta**   🅰️🅲 ⇕ 🅿️ 🆅🅸🆂🅰 ⓪ 🅰🅴 ⓪ ⚓
*via Gran Paradiso n.2/3 – 🕾 02 96 73 20 07 – www.lapiazzettasnc.it – info@
lapiazzettasnc.it – Fax 02 96 73 93 49 – chiuso agosto, sabato a mezzogiorno e
domenica*
Rist – Carta 25/45 €
♦ In zona residenziale, locale di taglio moderno con interni signorili, dove provare una
linea gastronomica con piatti di terra e di mare rivisitati.

ORISTANO 🅿 – 566H7 – **Vedere Sardegna alla fine dell'elenco alfabetico**

ORMEA – Cuneo (CN) – 561J5 – **1 921 ab. – alt. 719 m – Sport invernali :**   23 **C3**
750/1 600 m ⚹ – ✉ **12078**
▶ Roma 626 – Cuneo 80 – Imperia 45 – Milano 250
🄳 via Roma 3 🕾 0174 392157, comune.ormea@libero.it, Fax 0174 392157

sulla strada statale 28 verso Ponte di Nava Sud-Ovest : 4,5 km :

🏨   **San Carlo**   ≤ 🚃 ✗ 🖥 ✗ rist, 🅿️ 🚗 🆅🅸🆂🅰 ⓪
*via Nazionale 23 ✉ 12078 Ormea – 🕾 01 74 39 99 17
– www.albergosancarlo.com – albergosancarlo@cnnet.it – Fax 01 74 39 99 17
– 26 febbraio-ottobre*
36 cam – ✝40/50 € ✝✝65 €, ☲ 8 € – ½ P 58/60 €
Rist – *(chiuso martedi)* Carta 25/37 €
♦ In posizione panoramica poco fuori dal paese, albergo al centro di una riserva di
pesca privata; atmosfera informale, camere parzialmente rimodernate. Ampia sala dove
gustare una cucina ligure e piemontese, che segue le stagioni.

a Ponte di Nava Sud-Ovest : 6 km – ✉ **12070**

XX   **Ponte di Nava-da Beppe** con cam   ≤ 🖥 🅖 rist, 🅿️
☺   *via Nazionale 32 – 🕾 01 74 39 99 24*   🆅🅸🆂🅰 ⓪ 🅰🅴 ⓪ ⚓
☺   *– www.albergopontedinava.it – albergopontedinava@cnnet.it
– Fax 01 74 39 99 91 – chiuso dal 7 gennaio al 7 febbraio e dal 20 al 30 giugno*
15 cam – ✝40/45 € ✝✝55/60 €, ☲ 5 € – ½ P 45/48 €
Rist – *(chiuso mercoledi)* Carta 21/36 € 🏵
♦ Al confine tra Piemonte e Liguria, un ristorante di antica tradizione familiare, con una
capiente sala dall'ambiente caldo e accogliente; cucina del territorio. Camere semplici e
confortevoli.

ORNAGO – Milano (MI) – **3 662 ab. – alt. 193 m** – ✉ **20060**   18 **B2**
▶ Roma 610 – Bergamo 22 – Milano 30 – Lecco 31

🏨   **Prestige** senza rist 🕭   🅖 🅰🅲 🔀 ✗ ⁽ᵖ⁾ 🅿️ 🆅🅸🆂🅰 ⓪ 🅰🅴 ⓪ ⚓
*via per Bellusco 45 – 🕾 03 96 91 90 62 – www.hotelprestige.it – info@
hotelprestige.it – Fax 03 96 91 97 33*
72 cam ☲ – ✝70/110 € ✝✝90/160 €
♦ Nuova struttura che si sviluppa su un solo piano, frequentata soprattutto da una
clientela d'affari; ambienti funzionali e camere doppie, ciascuna con posto auto.

XX   **Osteria della Buona Condotta**   🍴 🅰🅲 🅿️ 🆅🅸🆂🅰 ⓪ 🅰🅴 ⓪ ⚓
*via per Cavenago 2 – 🕾 03 96 91 90 56 – buonacondotta@virgilio.it
– Fax 03 96 91 96 77 – chiuso dal 26 dicembre al 6 gennaio, dal 10 al 25 agosto
e domenica*
Rist – Carta 44/58 € 🏵
♦ Un cascinale d'inizio '900, sapientemente ristrutturato, ospita questo piacevole ristorante che propone una cucina d'impronta regionale. Pregevole e vasta cantina, ottima
varietà di formaggi, antipasti e piatti di carne.

OROSEI – Nuoro – 566F11 – **Vedere Sardegna alla fine dell'elenco alfabetico**

ORTACESUS – Cagliari (092) – 566I9 – **Vedere Sardegna alla fine dell'elenco
alfabetico**

> ▶ Roma 661 – Stresa 28 – Biella 58 – Domodossola 48
> ℹ via Panoramica 24 ℰ 0322 905163, inforta@distrettolaghi.it, Fax
>   0322905273
> ◉ Lago d'Orta★★ – Palazzotto★ – Sacro Monte d'Orta★
> ◔ Isola di San Giulio★★ : ambone★ nella chiesa

San Rocco ⌛   ◁ 🚗 🍽 🐦 🏢 🎖 📞 🐎 🚗 🚗 VISA ⓜ AE ① ⚡
via Gippini 11 – ℰ 03 22 91 19 77 – www.hotelsanrocco.it – info@
hotelsanrocco.it – Fax 03 22 91 19 64
85 cam 🖙 – ♦144/204 € ♦♦150/246 € – 1 suite – ½ P 125/173 €
Rist – Carta 63/103 €
♦ Esclusivo albergo con incantevole vista sull'isola di San Giulio, in posizione molto tranquilla; interni signorili e amena terrazza fiorita in riva al lago con piscina. Ambiente raffinato nella sala da pranzo con massicce travi di legno a vista.

Villa Crespi   🐦 🐦 🎮 📣 🆎 🎖 rist. ⟨¹⟩ 🅿 VISA ⓜ AE ① ⚡
via Fava 18, Est : 1,5 km – ℰ 03 22 91 19 02 – www.ristorantevillacrespi.it
– info@hotelvillacrespi.it – Fax 03 22 91 19 19 – chiuso dal 7 gennaio all'8 marzo
8 cam 🖙 – ♦200/250 € ♦♦250/300 € – 6 suites – ½ P 205/230 €
Rist Villa Crespi – vedere selezione ristoranti
♦ Stregato dalla bellezza di Baghdad, C.B. Crespi fece costruire nel 1879 questa villa in stile moresco, immersa in un parco degradante verso il lago. Oggi, bellezza del passato e fascino d'Oriente si alleano con i più sofisticati confort per un soggiorno da favola.

La Bussola   ◁ 🚗 🍴 🎮 📣 🆎 ⚘ 🎖 rist. 🅿 VISA ⓜ AE ① ⚡
via Panoramica 24 – ℰ 03 22 91 19 13 – www.hotelbussolaorta.it
– hotelbussola@yahoo.it – Fax 03 22 91 19 34 – chiuso novembre
43 cam 🖙 – ♦80/120 € ♦♦120/180 € – ½ P 75/105 €
Rist – (chiuso martedì escluso da marzo ad ottobre) Carta 34/51 €
♦ A ridosso del centro in posizione elevata, un hotel dall'atmosfera vacanziera con una bella vista sul lago e sull'isola di San Giulio. Camere recenti, bella piscina. La sala ristorante si apre sulla terrazza e sul panorama.

Santa Caterina senza rist   📣 🖫 🆎 🎖 🚗 VISA ⓜ AE ① ⚡
via Marconi 10, Est : 1,7 km – ℰ 03 22 91 58 65 – www.ortainfo.com – see@
ortainfo.com – Fax 032 29 03 77 – 15 marzo-3 novembre
30 cam 🖙 – ♦70/80 € ♦♦90/105 €
♦ Gestione giovane e dinamica in un piccolo e grazioso hotel a pochi minuti dal centro, con luminosi spazi interni di taglio moderno, confortevoli e ben curati.

La Contrada dei Monti senza rist ⌛   🚗 📣 🖫 🎖
via dei Monti 10 – ℰ 03 22 90 51 14   VISA ⓜ AE ① ⚡
– www.lacontradadeimonti.it – info@lacontradadeimonti.it – Fax 03 22 90 58 63
– chiuso gennaio
17 cam 🖙 – ♦90/100 € ♦♦110/130 €
♦ Affascinante risorsa, ricca di stile e cura per i dettagli. Un nido ideale per soggiorni romantici dove si viene accolti con cordialità familiare e coccolati dal buon gusto.

Orta ⌛   ◁ 📣 🆎 rist. VISA ⓜ AE ① ⚡
piazza Motta 1 – ℰ 032 29 02 53 – www.hotelorta.it – info@hotelorta.it
– Fax 03 22 90 56 46 – Pasqua-ottobre
35 cam – ♦62/70 € ♦♦85/108 €, 🖙 10 € – ½ P 70/90 €   **Rist** – Carta 24/44 €
♦ Albergo di grande tradizione in un edificio divenuto monumento storico, ubicato nella piazzetta centrale e lambito dalle acque del lago; accoglienti interni d'atmosfera. Ampia sala ristorante con invidiabile vista del paesaggio lacustre.

AracoEli senza rist ⌛   🆎 🎖 VISA ⓜ AE ① ⚡
piazza Motta 34 – ℰ 03 22 90 51 73 – www.ortainfo.com – portrait@email.it
– Fax 032 29 03 77 – chiuso dal 20 novembre al 15 dicembre
6 cam 🖙 – ♦95/115 € ♦♦130/145 € – 1 suite
♦ Arredi moderni di tono minimalista in questo piccolo e curatissimo hotel. Ottima illuminazione naturale degli ambienti e bagni con particolari docce "a vista".

𝖃𝖃𝖃 **Villa Crespi** (Antonino Cannavacciuolo)   🕭 🛜 AC ⇔ P
🕸 🕸 *via Fava 18, Est : 1,5 km –* 𝒞 *03 22 91 19 02*   VISA ⓜⓞ AE ⓞ ⑤
– *www.hotelvillacrespi.it – info@hotelvillacrespi.it – Fax 03 22 91 19 19*
– *chiuso dal 7 gennaio all'8 marzo*

Rist – *(chiuso lunedì, martedì a mezzogiorno)* Menu 80/120 € – Carta 70/115 € ⅏
Spec. Spiedino di capesante e scampi, cipollotti al limone, infuso di mela
verde e sedano rapa. Linguine di Gragnano con calamaretti spillo, salsa al
pane di Coimo. Piccione, capesante, salsa al fegato grasso e crema di latte
all'aneto.
♦ La ricetta per una cucina eccellente? Materie prime locali e prodotti partenopei uniti
all'estro di un talentuoso cuoco napoletano.

a Sacro Monte Est : 1 km :

𝖃𝖃 **Sacro Monte**   ⇔ P AE
via Sacro Monte 5 ⊠ *28016 –* 𝒞 *032 29 02 20 – www.ibc-sas.com*
– *ristorantesacromonte@tiscalinet.it – Fax 032 29 02 20 – chiuso dal 7 al 30*
gennaio, martedì (escluso agosto) e da novembre a Pasqua anche lunedì sera
Rist – Carta 31/42 € ⅏ (+10 %)
♦ Antica locanda dal tipico ambiente rustico, in uno splendido sito d'arte e naturalistico;
atmosfera d'altri tempi nelle sale con mattoni a vista e luminose vetrate.

ORTE – Viterbo (VT) – 563O19 – 8 099 ab. – alt. 134 m – ⊠ 01028   12 **B1**
🔼 Roma 88 – Terni 33 – Perugia 103 – Viterbo 35

⌂ **La Locanda della Chiocciola** ⌖   ≼ 🚗 🛜 ☃ 🕱 AC 🕸 P
località Seripola Nord-Ovest : 4 km – 𝒞 *07 61 40 27 34*   VISA ⓜⓞ ⑤
– *www.lachiocciola.net – info@lachiocciola.net – Fax 07 61 49 02 54 – marzo-*
novembre
8 cam � – †90/110 € ††120/160 € – ½ P 90/110 €
Rist – *(aperto venerdì sera, sabato e domenica a mezzogiorno; da maggio a*
settembre tutte le sere su prenotazione) Carta 29/36 €
♦ In zona verdeggiante e boschiva, antico casale del XV sec. - totalmente ristrutturato
- ospita camere volutamente semplici con qualche tocco di frivolezza nell'arredamento.
Cucina casalinga servita in una bella sala da pranzo, impreziosita da un camino del XVI
secolo.

ORTISEI (ST. ULRICH) – Bolzano (BZ) – 562C17 – 4 562 ab.   31 **C2**
– **alt. 1 236 m – Sport invernali : della Val Gardena : 1 236/2 518 m ≰10 ≰75**
(Comprensorio Dolomiti superski Val Gardena), ⚲ – ⊠ 39046⍁ Italia
🔼 Roma 677 – Bolzano 36 – Bressanone 32 – Cortina d'Ampezzo 79
🄸 via Rezia 1 𝒞 0471 777600, ortisei@valgardena.it, Fax 0471 796749
🄶 Val Gardena★★★ per la strada S 242 – Alpe di Siusi★★ per funivia

🏨 **Gardena-Grödnerhof**   ≼ 🚗 🔲 ⍟ 🕱 𝕷⑥ 🖹 ᕕ .🕺 AC 🕊 🕸 📞
strada Vidalong 3 – 𝒞 *04 71 79 63 15*   🛆 P 🛏 VISA ⓜⓞ AE ⓞ ⑤
– *www.gardena.it – gardena@relaischateaux.com – Fax 04 71 79 65 13*
– *6 dicembre-14 aprile e 23 maggio-12 ottobre*
46 cam � – †132/540 € ††204/600 € – 5 suites – ½ P 124/320 €
Rist Anna Stuben – vedere selezione ristoranti
Rist – *(solo per alloggiati)* Carta 30/52 € ⅏
♦ Una struttura ampia e capiente con numerosi spazi ben strutturati e ben arredati a
disposizione dei propri ospiti, tra cui spicca il nuovo centro benessere. Ottimo confort.

🏨 **Adler**   ≼ 🕭 🕱 🔲 ⍟ 🕱 𝕷⑥ 🖹 .🕺 AC rist. 🕸 🕈 🛏 VISA ⓜⓞ ⑤
via Rezia 7 – 𝒞 *04 71 77 50 01 – www.adler-resorts.com – info@*
adler-dolomiti.com – Fax 04 71 77 55 55 – chiuso dal 15 aprile al 15 maggio
122 cam ⊠ – †126/343 € ††178/610 € – 6 suites – ½ P 105/321 €
Rist – *(solo per alloggiati)*
♦ Sontuoso hotel storico nel cuore della località, cinto da un grazioso parco, dotato di
centro benessere; all'interno, eleganti ambienti in stile montano. Per i pasti potrete scegliere tra l'ampia sala ristorante e le tre più intime stube.

Angelo-Engel ≤ 🛋 🍳 🔽 🕸 🍸 🎢 🏢 ↩ 💱 rist, 📞 🅿️ 🚗 🔤 🆚 🐃 AE 🐍
via Petlin 35 – 🖋 04 71 79 63 36 – www.hotelangelo.net
– info@hotelangelo.net – Fax 04 71 79 63 23 – chiuso novembre
38 cam 🍽️ – ♦75/110 € ♦♦120/300 € – ½ P 75/190 €
Rist – *(solo per alloggiati)*
♦ Completamente ristrutturato quest'hotel, con accesso diretto alla via pedonale del centro. Nuova e completa zona benessere, così come nuovi sono gli arredi delle camere.

Genziana-Enzian 🔽 🕸 🍸 🎢 🏢 ⅙ 🐎 ↩ 💱 📶 🚗 🆚 🐃 🐍
via Rezia 111 – 🖋 04 71 79 62 46 – www.hotel-genziana.it
– info@hotelgenziana.it – Fax 04 71 79 75 98
– 15 dicembre-Pasqua e 15 maggio-15 ottobre
53 cam 🍽️ – ♦141/189 € ♦♦212/312 € – 1 suite – ½ P 116/166 €
Rist – Carta 22/39 €
♦ Bella struttura di tonalità azzurra, in pieno centro; piacevoli e ampi spazi comuni, zona fitness in stile pompeiano, camere ben arredate. Finestre abbellite da tendaggi importanti, nella sala da pranzo di taglio moderno.

Alpenhotel Rainell 🐎 ≤ 🛋 🍸 🎢 🏢 💱 📶 🅿️ 🆚 🐃 🐍
strada Vidalong 19 – 🖋 04 71 79 61 45 – www.rainell.com – info@rainell.com
– Fax 04 71 79 62 79 – 20 dicembre-Pasqua e 15 giugno-15 ottobre
27 cam 🍽️ – ♦70/140 € ♦♦130/260 € – ½ P 80/140 €
Rist – *(chiuso a mezzogiorno) (solo per alloggiati)*
♦ Circondato da un ampio giardino, l'albergo si trova in posizione isolata e vanta una splendida vista su Ortisei e sulle Dolomiti, interni caratteristici e camere confortevoli. Piatti regionali, un soffitto in legno lavorato ed ampie finestre che si affacciano sul paese caratterizzano la sala ristorante.

Grien 🐎 ≤ 🛋 🍸 🎢 🏢 🐎 💱 📶 🅿️ 🚗 🆚 🐃 🐍
via Mureda 178, Ovest : 1 km – 🖋 04 71 79 63 40 – www.hotel-grien.com – info@
hotel-grien.com – Fax 04 71 79 63 03 – chiuso dal 15 aprile al 20 maggio e
novembre
25 cam 🍽️ – ♦♦240/320 € – ½ P 130/180 €
Rist – *(consigliata la prenotazione)* Carta 28/60 €
♦ Nella quiete della zona residenziale, struttura circondata dal verde, da cui si gode una superba vista del Gruppo Sella e di Sassolungo; accogliente ambiente tirolese. Il panorama è la chicca anche della sala ristorante.

Hell ≤ 🛋 🍸 🎢 🏢 💱 📶 🅿️ 🚗 🆚 🐃 🐍
via Promeneda 3 – 🖋 04 71 79 67 85 – www.hotelhell.it – info@hotelhell.it
– Fax 04 71 79 81 96 – 15 dicembre-21 aprile e 30 giugno-15 ottobre
29 cam 🍽️ – ♦122/175 € ♦♦196/320 € – 1 suite – ½ P 97/170 €
Rist – *(solo per alloggiati)* Menu 27/40 €
♦ Nei pressi di una pista da sci per bimbi e principianti, albergo in tipico stile locale d'ispirazione contemporanea, abbellito da un ameno giardino; camere confortevoli.

Villa Park senza rist ≤ 🛋 🏢 🐃 📶 🅿️ 🆚 🐃 🐍
via Rezia 222 – 🖋 04 71 79 69 11 – www.hotelvillapark.com – info@
hotelvillapark.com – Fax 04 71 79 75 32 – chiuso novembre
18 cam 🍽️ – ♦♦68/150 €
♦ Nel cuore della località, albergo con gradevoli interni illuminati da grandi vetrate; camere confortevoli, alcune dotate anche di angolo cottura.

Fortuna senza rist ≤ 🏢 💱 🅿️ 🚗 🆚 🐃 🐍
via Stazione 11 – 🖋 04 71 79 79 78 – www.hotel-fortuna.it – info@
hotel-fortuna.it – Fax 04 71 79 83 26 – chiuso dal 5 al 30 novembre
15 cam 🍽️ – ♦49/98 € ♦♦78/156 €
♦ In prossimità del centro, piccolo hotel a valida conduzione diretta: ambienti arredati in modo semplice ed essenziale, secondo lo stile del luogo, camere lineari.

Ronce 🐎 ≤ 🛋 🍸 🏢 🐃 cam, 💱 rist, 🅿️ 🚗 🆚 🐃 🐍
via Ronce 1, Sud : 1 km – 🖋 04 71 79 63 83 – www.hotelronce.com
– info@hotelronce.com – Fax 04 71 79 78 90
– 8 dicembre-Pasqua e 15 giugno-15 ottobre
25 cam – ♦♦62/130 € – ½ P 49/95 € **Rist** – *(solo per alloggiati)*
♦ Appagherà i vostri occhi la splendida veduta di Ortisei e dei monti e il vostro spirito la posizione isolata di questa struttura; all'interno, piacevole semplicità.

⌂ **Cosmea** 🛏 🎱 ✠ cam, 🅿 🚗 𝚅𝙸𝚂𝙰 ⊕ ♿
via Setil 1 – ℰ 04 71 79 64 64 – www.hotelcosmea.it – info@hotelcosmea.it
– Fax 04 71 79 78 05 – chiuso dal 25 ottobre al 5 dicembre
21 cam ➱ – ♦50/110 € ♦♦100/180 € – ½ P 95/130 €
Rist – *(chiuso domenica in aprile, maggio, giugno ed ottobre)* Carta 25/37 €
♦ Hotel a gestione diretta con spazi comuni dai colori piacevoli e dagli arredi essenziali, dove prevale l'utilizzo del legno; camere d'ispirazione contemporanea. Divanetti a muro e graziosi lampadari in sala da pranzo.

⌂ **Villa Luise** 🖉 ≤ ✠ 🅿 🚗 𝚅𝙸𝚂𝙰 ⊕ 𝙰𝙴 ① ♿
via Grohmann 43 – ℰ 04 71 79 64 98 – www.villaluise.com – info@villaluise.com
– Fax 04 71 79 62 17 – 15 dicembre-14 maggio e luglio-19 ottobre
13 cam – solo ½ P 58/93 €   **Rist** – *(chiuso a mezzogiorno) (solo per alloggiati)*
♦ Cordiale e simpatica accoglienza in questa pensione familiare all'interno di una piccola casa di montagna; ambiente alla buona e camere in stile lineare, ben tenute.

𝄂𝄂𝄂 **Anna Stuben** – Hotel Gardena-Grödnerhof ✠ ✧ 🅿
𝄐 *strada Vidalong 3 – ℰ 04 71 79 63 15* 𝚅𝙸𝚂𝙰 ⊕ 𝙰𝙴 ① ♿
– www.annastuben.it – gardena@relaischateaux.com – Fax 04 71 79 65 13
– 5 dicembre-14 aprile e 23 maggio-11 ottobre
Rist – *(chiuso a mezzogiorno)* Menu 83/100 € – Carta 58/100 € 🍴
Spec. Capesante con dadolata croccante di polenta saracena, sambuco e marzapane di pinoli di cembro (inverno). Foglie di pasta d'orzo con spinaci selvatici, zigher (formaggio) e lidrone (erba di campo; estate). Piccione con salsa al cioccolato e zenzero (inverno).
♦ Due intime e suggestive stube fra legni più chiari o scuri, la calda e tradizionale atmosfera tirolese e una cucina alla continua ricerca di creatività.

𝄂𝄂 **Concordia** 𝙰𝙺 ✧ 𝚅𝙸𝚂𝙰 ⊕ ♿
via Roma 41 – ℰ 04 71 79 62 76 – www.restaurantconcordia.com – info@restaurantconcordia.com – Fax 04 71 79 62 76 – dicembre-Pasqua e giugno-ottobre
Rist – Carta 28/38 € 🍴
♦ Linea gastronomica legata al territorio, conduzione e ambiente familiare in una bella *stube* interamente rivestita in legno chiaro.

a Bulla (Pufels)Sud-Ovest : 6 km – **alt. 1 481 m** – ✉ 39040 – Ortisei

⌂ **Uhrerhof-Deur** 🖉 ≤ 🛏 🐾 🖙 🎱 ⇕ ✠ 🕪 🅿 🚗 𝚅𝙸𝚂𝙰 ⊕
Bulla 26 – ℰ 04 71 79 73 35 – www.uhrerhof.com – info@uhrerhof.com
Fax 04 71 79 74 57 – chiuso dal 15 al 30 aprile e dal 1° novembre al 20 dicembre
14 cam – 4 suites – solo ½ P 105/154 €
Rist – *(chiuso a mezzogiorno) (solo per alloggiati)*
♦ Una cornice di monti maestosi e una grande casa di cui vi innamorerete subito: calore, tranquillità, romantici arredi curati nei dettagli, per vivere come in una fiaba.

⌂ **Sporthotel Platz** 🖉 ≤ 🛏 🏠 ⚒ 🎣 🐾 ⚞ 🕿 🅿
😊 *via Bulla 12 – ℰ 04 71 79 69 35* 𝚅𝙸𝚂𝙰 ⊕ 𝙰𝙴 ① ♿
– www.sporthotelplatz.com – info@sporthotelplatz.com – Fax 04 71 79 82 28
– dicembre-aprile e giugno-ottobre
23 cam ➱ – ♦40/100 € ♦♦80/200 € – ½ P 50/110 €   **Rist** – Carta 13/58 €
♦ Un angolo di quiete in un paesino fuori Ortisei: un hotel dall'ambiente familiare in posizione panoramica, immerso nella natura; caldo legno negli interni in stile alpino. Accogliente atmosfera e tipici arredi montani nella sala ristorante.

ORTONA – Chieti (CH) – 563O25 – 22 944 ab. – ✉ 66026   2 **C2**
🚹 Roma 227 – Pescara 20 – L'Aquila 126 – Campobasso 139
🚺 piazza della Repubblica 9 ℰ 085 9063841, iat.ortona@abruzzoturismo.it, Fax 085 9063882

⌂ **Ideale** senza rist ≤ 🎱 𝙰𝙺 🚗 𝚅𝙸𝚂𝙰 ⊕ 𝙰𝙴 ① ♿
corso Garibaldi 65 – ℰ 08 59 06 60 12 – www.hotel-ideale.it – info@hotel-ideale.it
– Fax 08 59 06 61 53
24 cam ➱ – ♦60/72 € ♦♦90/95 €
♦ A pochi metri dalla centrale Piazza della Repubblica, un albergo semplice, con camere essenziali recentemente rinnovate, alcune con vista sul porto di Ortona e sul mare.

a Lido Riccio Nord-Ovest : 5,5 km – ✉ **66026** – **Ortona**

Mara
– ☎ *08 59 19 04 16 – www.hotelmara.it – marahotl@tin.it – Fax 08 59 19 05 22*
147 cam ☕ – 🚹80/90 € 🚹🚹90/140 € – ½ P 85/115 € **Rist** – Menu 30/40 €
♦ Hotel di fronte alla spiaggia, ampliato di recente dalla dependance Le Sale, offre interni di taglio moderno, eleganti camere ben arredate, uno splendido giardino con piscina. Proposte di cucina marinaresca.

ORVIETO – Terni (TR) – 563N18 – **20 825 ab.** – **alt. 315 m** – ✉ **05018** 32 **B3**
📕 Italia

[D] Roma 121 – Perugia 75 – Viterbo 50 – Arezzo 110

[i] piazza Duomo 24 ☎ 0763 341772, info@iat.orvieto.tr.it, Fax 0763 344433

👁 Posizione pittoresca★★★ – Duomo★★★ – Pozzo di San Patrizio★★ – Palazzo del Popolo★ – Quartiere vecchio★ – Palazzo dei Papi★ **M2** – Collezione etrusca★ nel museo Archeologico Faina **M1**

La Badia
località La Badia 8, per ② – ☎ *07 63 30 19 59 – www.labadiahotel.it – labadia.hotel@tin.it – Fax 07 63 30 53 96 – chiuso gennaio e febbraio*
22 cam ☕ – 🚹215/260 € 🚹🚹250/300 € – 5 suites – ½ P 175/200 €
Rist – *(chiuso a mezzogiorno escluso sabato e domenica)* Carta 40/60 €
♦ Straordinaria ambientazione per questo hotel, ricavato tra gli ambienti suggestivi di un monastero del VIII sec. Ambienti curati ed eleganti, servizio di ottimo livello. Suggestivo ristorante con affresco della crocifissione.

Alberici (V. degli)	2	Duomo (V. del)	9	Orvieto (V. A. da)	15
Cavallotti (V. Felice)	6	Garibaldi (V.)	10	Popolo (Pza del)	16
Cava (V. della)	5	Maitani (V.)	12	Pza del Popolo (V. di)	17
Cavour (Cso)		Malabranca (V.)	13	Repubblica (Pza della)	19
Duomo (Pza del)	7	Nebbia (V.)	14		

ORVIETO

Maitani senza rist 🏢 AC ⚙ 📶 🚗 VISA 🌐 AE 👌

via Maitani 5 – 🖉 07 63 34 20 11 – www.hotelmaitani.com – direzione@
hotelmaitani.com – Fax 07 63 34 20 12 – chiuso dal 7 al 31 gennaio
39 cam – ♦79 € ♦♦130 €, ☲ 10 €   n
◆ Un hotel che è parte della storia della città: ampi spazi comuni dalla piacevole atmosfera un po' démodé, terrazza colazione con bella vista sul Duomo, camere in stile.

Palazzo Piccolomini senza rist 🏢 👌 AC 🐾 🏋 🚗
piazza Ranieri 36 – 🖉 07 63 34 17 43   VISA 🌐 AE 🌐 👌
– www.hotelpiccolomini.it – piccolomini.hotel@orvienet.it – Fax 07 63 39 10 46
31 cam ☲ – ♦90/97 € ♦♦138/154 €   s
◆ Palazzo del XVI sec completamente ristrutturato: austera zona ricevimento con pavimenti in cotto, moderni arredi ispirati allo stile classico, camere confortevoli.

Duomo senza rist 🏢 👌 AC ⚙ 🏋 **P** VISA 🌐 AE 🌐 👌
vicolo Maurizio 7 – 🖉 07 63 34 18 87 – www.orvietohotelduomo.com
– hotelduomo@tiscalinet.it – Fax 07 63 39 49 73   a
18 cam ☲ – ♦80 € ♦♦100/140 €
◆ A pochi passi dal Duomo, una palazzina da poco completamente restaurata, con facciata in stile liberty; hall ornata con opere del pittore Valentini, camere accoglienti.

Filippeschi senza rist AC ⚙ 🏋 VISA 🌐 AE 🌐 👌
via Filippeschi 19 – 🖉 07 63 34 32 75 – www.albergofilippeschi.it – info@
albergofilippeschi.it – Fax 07 63 34 32 75 – chiuso Natale   c
15 cam – ♦46/65 € ♦♦60/95 €, ☲ 8 €
◆ Nel cuore della cittadina, un albergo piacevolmente collocato in un palazzo con origini settecentesche; accogliente hall con pavimento in cotto, camere lineari.

Corso senza rist 🏢 👌 AC VISA 🌐 AE 🌐 👌
corso Cavour 343 – 🖉 07 63 34 20 20 – www.hotelcorso.net – info@
hotelcorso.net – Fax 07 63 34 20 20 – chiuso 24-25 dicembre   d
16 cam – ♦60/65 € ♦♦75/90 €, ☲ 7 €
◆ In un edificio in pietra che si affaccia sul centrale Corso Cavour, un piccolo hotel dal-
l'ambiente familiare, con camere semplici e funzionali, arredate in legno.

Locanda Palazzone 🦋 ≤ 🚗 🏠 🛋 🏢 👌 AC ⚙ 🏋 **P**
Rocca Ripesena 67, Ovest: 7 km – 🖉 07 63 39 36 14   VISA 🌐 AE 🌐 👌
– www.locandapalazzone.com – info@locandapalazzone.com
– Fax 07 63 39 48 33 – chiuso dal 9 gennaio al 25 marzo
7 suites ☲ – ♦♦235/354 €
Rist – (chiuso a mezzogiorno escluso da giugno ad agosto) (prenotazione
obbligatoria) (solo per alloggiati) Menu 38 €
◆ Un'antica dimora cardinalizia, oggi elegante e moderno relais che conserva la struttura originale con bifore ed alti soffitti nelle suite.

Giglio d'Oro 🏠 AC ♻ VISA 🌐 AE 👌
piazza Duomo 8 – 🖉 07 63 34 19 03 – www.ilgigliodoro.it – ilgigliodoro@libero.it
– Fax 07 63 34 19 03 – chiuso mercoledì   e
Rist – Carta 48/64 €
◆ Ristorante elegante, con una saletta dagli arredi essenziali, pareti bianche e raffinati
tavoli con cristalli e argenteria; incantevole servizio estivo in piazza Duomo.

I Sette Consoli 🚗 🏠 AC VISA 🌐 AE 🌐 👌
piazza Sant'Angelo 1/A – 🖉 07 63 34 39 11 – www.isetteconsoli.it – info@
isetteconsoli.it – Fax 07 63 34 39 11 – chiuso dal 24 al 26 dicembre, mercoledì e
domenica sera da novembre a marzo   g
Rist – (consigliata la prenotazione) Menu 32/45 € – Carta 43/55 € 🍴
◆ In un moderno locale di tono signorile, indimenticabili proposte di cucina creativa e
servizio estivo serale in giardino. A tenervi compagnia... la splendida vista del Duomo!

Del Moro - Aronne VISA 🌐 AE 🌐 👌
via San Leonardo 7 – 🖉 07 63 34 27 63 – www.trattoriadelmoro.info
– Fax 07 63 34 27 63 – chiuso dal 1° al 15 luglio e martedì   r
Rist – Carta 21/28 €
◆ Ambiente informale in un ristorante del centro: quattro salette, recentemente rinno-
vate, all'interno di un palazzo cinquecentesco. Cucina del territorio.

ad Orvieto Scalo per ① : *3 km* – ✉ **05018**

🏠 **Villa Acquafredda** senza rist.   🚗 🛋 📶 🔌 AK ⁽ᵗ⁾ P. VISA ⊕ AE 🔥
località Acquafredda 1 – 𝒞 07 63 39 30 73 – villacquafredda@libero.it
– Fax 07 63 39 02 26 – chiuso dal 19 al 25 dicembre
12 cam ⌑ – ❙36/51 € ❙❙52/69 €
♦ Fuori dal centro, vecchio casale di campagna totalmente ristrutturato: saletta comune con camino, camere nuove stile "arte povera" in legno chiaro, ambiente familiare.

a Morrano Nord : 15 km – ✉ **05018**

🏠 **Agriturismo Borgo San Faustino e Relais del Borgo** ☟
borgo San Faustino 11/12   ≤ 🚗 🛋 🕅 ₤ P. VISA ⊕ 🔥
– 𝒞 07 63 21 53 03 – www.agriturismoborgosanfaustino.it – borgosf@tin.it
– Fax 07 63 21 57 45 – chiuso dall'8 gennaio al 7 febbraio
19 cam ⌑ – ❙80/100 € ❙❙80/120 € – 1 suite – ½ P 55/78 €
Rist – (consigliata la prenotazione) Carta 20/27 €
♦ Davvero un piccolo borgo nel classico stile delle case umbre, che ai confort alberghieri unisce la tipica offerta agrituristica; chiedete le camere con letto a baldacchino. Sana cucina del territorio, realizzata con prodotti coltivati in loco.

OSIMO – Ancona (AN) – 563L22 – 29 780 ab. – alt. 265 m – ✉ 60027   **21 C2**
◼ Roma 308 – Ancona 19 – Macerata 28 – Pesaro 82
🛈 piazza del Comune 1 𝒞 071 7249247, info@comune.osimo.an.it, Fax 0717249271

✗ **Gustibus**   🍴 AK VISA ⊕ ① 🔥
piazza del Comune 11 – 𝒞 071 71 44 50 – gustibus.email@libero.it
– Fax 071 71 44 50
Rist – (chiuso domenica, anche lunedì da ottobre a maggio) Carta 22/47 € ⅋⅋
♦ Un moderno ristorante wine bar in centro, propone pranzi semplici e cene ricercate, da gustare attingendo ad una carta dei vini per accompagnare degnamente i prodotti locali.

OSOPPO – Udine (UD) – 562D21 – 2 932 ab. – alt. 185 m – ✉ 33010   **10 B2**
◼ Roma 665 – Udine 31 – Milano 404

🏠 **Pittis**   🏢 AK 🍴 rist. ⁽ᵗ⁾ P. VISA ⊕ AE ① 🔥
via Andervolti 2 – 𝒞 04 32 97 53 46 – www.hotelpittis.com – info@hotelpittis.com
– Fax 04 32 97 59 16
40 cam – ❙45 € ❙❙68 €, ⌑ 6 € – ½ P 60 €
Rist – (chiuso domenica, dal 25 dicembre al 7 gennaio e dal 9 al 22 agosto) Carta 24/32 €
♦ Tutti i membri della famiglia sono impegnati nella gestione di questo hotel nel centro storico del paese; accoglienza cordiale e confortevoli camere dallo stile essenziale. Spazioso ed elegante, un fogolar a vista, il ristorante propone piatti casalinghi della tradizione veneta e friulana.

OSPEDALETTI – Imperia (IM) – 3 412 ab. – ✉ 18014   **14 A3**
◼ Roma 655 – Imperia 40 – Genova 152 – San Remo 8
🛈 corso Regina Margherita 13 𝒞 0184 689085, aptfiori@apt.rivieradeifiori.travel, Fax 0184 684455

✗✗ **Byblos**   🍴 AK P. VISA ⊕ AE ① 🔥
lungomare Colombo 6 – 𝒞 01 84 68 90 02 – www.ristorantebyblos.it – info@ristorantebyblos.it – Fax 01 84 68 11 08 – chiuso novembre e lunedì
Rist – Carta 33/59 €
♦ Al termine della passeggiata, luminoso ristorante affacciato sul mare, dove viene proposta una fresca e affidabile cucina di mare.

OSPEDALETTO – Verona – Vedere Pescantina

OSPEDALETTO D'ALPINOLO – Avellino (AV) – 564E26 – 1 673 ab.   **6 B2**
– alt. 725 m – ✉ 83014
◼ Roma 248 – Napoli 59 – Avellino 8 – Salerno 44

XX **Osteria del Gallo e della Volpe**   🍴 VISA ⑩ AE ① 🍴

piazza Umberto I 14 – 𝒞 08 25 69 12 25 – www.osteriadelgalloedellavolpe.com
– info@osteriadelgalloedellavolpe.com – Fax 082 52 50 23
– chiuso dal 23 al 31 dicembre, dal 1° al 15 luglio, domenica sera, lunedì
Rist *– (chiuso a mezzogiorno escluso domenica e festivi)* Carta 23/29 € 🏠
♦ Una sala accogliente, pochi tavoli e molto spazio. Conduzione familiare, servizio curato e cordiale, menù che propone la tradizione locale con alcune personalizzazioni.

OSPEDALICCHIO – Perugia – 563M19 – Vedere Bastia Umbra

OSPITALETTO – Brescia (BS) – 561F12 – 11 903 ab. – alt. 155 m   19 **D2**
– ⊠ 25035

▶ Roma 550 – Brescia 12 – Bergamo 45 – Milano 96

X **Hosteria Brescia**   AC VISA ⑩ AE 🍴

via Brescia 22 – 𝒞 030 64 09 88 – Fax 030 64 09 88 – chiuso una settimana in gennaio, tre settimane in agosto e lunedì
Rist – Carta 28/51 €
♦ Ambiente rustico ma ben curato, in questa antica locanda di paese dove gustare la vera cucina regionale. A pranzo: menu d'affari a prezzo contenuto.

OSSANA – Trento (TN) – 562D14 – 770 ab. – alt. 1 003 m – Sport   30 **B2**
invernali : Vedere Tonale (Passo del) – ⊠ 38026

▶ Roma 659 – Trento 74 – Bolzano 82 – Passo del Tonale 17

🔖 a Fucine via San Michele 1 𝒞 0463 751301, info.ossana@virgilio.it, Fax 0463 751301

🏨 **Pangrazzi**   🚗 🔳 🕉 🛎 👤 AC rist, 🍴 cam, 📞 🚗 VISA ⑩ AE 🍴
😊
frazione Fucine alt. 982 – 𝒞 04 63 75 11 08 – www.hotelpangrazzi.com
– info@hotelpangrazzi.com – Fax 04 63 75 13 59
– dicembre-aprile e 15 giugno-10 settembre
32 cam ⊊ – †25/40 € ††50/70 € – 2 suites – ½ P 39/75 €
Rist – *(chiuso a mezzogiorno in dicembre-aprile)* Carta 15/34 €
♦ Struttura rifinita in legno e pietra con invitanti spazi comuni in stile montano. Abbellita da un gradevole piccolo giardino è ideale per un turismo familiare. Al ristorante si servono piatti del territorio e tradizionali.

OSTELLATO – Ferrara (FE) – 562H17 – 6 819 ab. – ⊠ 44020   9 **C2**

▶ Roma 395 – Ravenna 65 – Bologna 63 – Ferrara 33

🏨 **Villa Belfiore** ⊛   🚗 🔳 🕉 AC 🍴 rist, 📞 🍴 📞 📺 VISA ⑩ AE ① 🍴

via Pioppa 27 – 𝒞 05 33 68 11 64 – www.villabelfiore.com – info@
villabelfiore.com – Fax 05 33 68 11 72
18 cam ⊊ – †75/90 € ††100/120 € – ½ P 75/100 €
Rist *– (chiuso gennaio e febbraio) (chiuso a mezzogiorno escluso domenica)* (consigliata la prenotazione) Carta 25/35 €
♦ Un'oasi di tranquillità, immerso nella campagna, offre ambienti dagli arredi rustici ricchi di fascino e un piccolo centro benessere con sauna, massaggi e bagni di fieno. Belle e ampie le camere. Piatti della tradizione e una cucina salutistica a base di erbe officinali coltivate nell'orto biologico di proprietà.

XX **Locanda della Tamerice** con cam   🚗 🔳 📺 🛎 AC 📞
via Argine Mezzano 2, Est : 1 km – 𝒞 05 33 68 07 95   VISA ⑩ AE ① 🍴
– www.locandadellatamerice.com – info@locandadellatamerice.com
Fax 05 33 68 19 62 – chiuso quindici giorni in gennaio e quindici giorni in novembre
5 cam – ††80 €, ⊊ 25 €
Rist *– (chiuso martedì e mercoledì escluso giorni festivi)* (consigliata la prenotazione) Carta 80/135 €
♦ Sulle rive degli stagni, in un caratteristico paesaggio acquatico e ornitologico, una cucina creativa che spazia dalla selvaggina al pesce e gareggia con la sala tra colori e composizioni. La locanda dispone anche di camere semplici e confortevoli, tutte con accesso indipendente.

OSTERIA GRANDE – Bologna – 562I16 – Vedere Castel San Pietro Terme

▶ Roma 530 – Brindisi 42 – Bari 80 – Lecce 73

🖪 corso Mazzini 8 🕾 0831 301268, iatostuni@viaggiareinpuglia.it, Fax 0831 301268

◎ Facciata★ della Cattedrale

◎ Regione dei Trulli★★★ Ovest

🏨 **La Terra** ॐ   🖥 ₺ cam, AK ⁇ 🎄 ♨️ 🚗 VISA ⬤ AE ⬤ ⛟
via Petrarolo 20/24 – 🕾 08 31 33 66 52 – www.laterrahotel.it – info@laterrahotel.it – Fax 08 31 33 66 51
17 cam ☲ – ♦75/105 € ♦♦130/175 € – ½ P 90/130 €
Rist *San Pietro* – *(chiuso mercoledì)* Carta 30/55 €
♦ Un lungo restauro ha restituito splendore al palazzo medievale. Arredi in stile impreziosiscono già la hall, fino ad arrivare alle belle camere con mobili d'epoca ma accessoriate con modernità. In più salette sormontate da volte in pietra, il ristorante propone i piatti della tradizione pugliese, carne e pesce.

🏨 **Novecento** ॐ   ♨️ ⛈ AK ⁇ ♑ **P** VISA ⬤ AE ⬤ ⛟
🤝 *contrada Ramunno Sud : 1,5 km – 🕾 08 31 30 56 66 – www.hotelnovecento.com – Info@hotelnovecento.com – Fax 08 31 30 56 68*
16 cam ☲ – ♦70/100 € ♦♦90/120 € – ½ P 61/80 €   **Rist** – Carta 20/61 €
♦ Il secolo d'oro della villa voluta dal nonno degli attuali proprietari è ricordato nel nome di questo signorile albergo, accogliente e d'epoca, che invita al riposo, alla conversazione e alla lettura. Il secolo d'oro della villa voluta dal nonno degli attuali proprietari è ricordato nel nome di questo signorile albergo, accogliente e d'epoca, che invita al riposo, alla conversazione e alla lettura.

🏠 **Tutosa** senza rist ॐ   🚗 ⛈ 🏌 AK ⁇ **P** VISA ⬤ AE ⬤ ⛟
contrada Tutosa Nord-Ovest : 7,5 km – 🕾 08 31 35 90 46
– www.masseriatutosa.com – tutosa@libero.it – Fax 08 31 35 06 85 – marzo-ottobre
19 cam – ♦120/160 € ♦♦180/280 €, ☲ 8 €
♦ Una vacanza di tutto relax in un'antica masseria fortificata, con giardino e piscina: spazi esterni molto piacevoli, poche camere semplici ed essenziali, ma confortevoli.

🏠 **Masseria Il Frantoio** ॐ   🚗 ⛱ 🏌 **P** VISA ⬤ ⛟
strada statale 16 km 874, Nord-Ovest : 5 km – 🕾 08 31 33 02 76
– www.masseriailfrantoio.it – prenota@masseriailfrantoio.it – Fax 08 31 33 02 76
9 cam ☲ – ♦88/110 € ♦♦176/220 €
Rist – *(chiuso a mezzogiorno in estate)* Menu 31 € bc/55 € bc
♦ Tutto è all'insegna della familiarità, dal fascino dell'abitazione privata all'accoglienza semplice e cordiale. A disposizione degli ospiti anche un giardino ombreggiato e un fresco patio per le colazioni.

✕✕ **Porta Nova**   ⛱ AK ⬇ VISA ⬤ AE ⬤ ⛟
via Petrarolo 38 – 🕾 08 31 33 89 83 – rist_portanova@libero.it
– Fax 08 31 33 89 83
Rist – Carta 41/56 €
♦ Splendida la vista sui dintorni dalla terrazza di questo ristorante del centro storico della cittadina; la cucina propone solo interessanti e guastose specialità di pesce.

✕✕ **Osteria Piazzetta Cattedrale**   AK ⁇ VISA ⬤ AE ⬤ ⛟
🤝 *via Arcidiacono Trinchera 7 – 🕾 08 31 33 50 26 – www.piazzettacattedrale.it*
– info@piazzettacattedrale.it – Fax 08 31 33 50 26 – chiuso febbraio
Rist – *(consigliata la prenotazione)* 30 € – Carta 25/40 €
♦ Nel centro storico, un elegante ristorante con pavimenti in marmetto, luminosi lampadari di cristallo ed arredi in stile. Cucina del territorio rivisitata in chiave moderna.

✕ **Osteria del Tempo Perso**   AK VISA ⬤ AE ⬤ ⛟
via G. Tanzarella Vitale 47 – 🕾 08 31 30 33 20 – www.osteriadeltempoperso.com
– info@osteriadeltempoperso.com – Fax 08 31 30 33 20 – chiuso dal 10 al 31 gennaio e lunedì
Rist – *(chiuso a mezzogiorno da maggio a settembre)* Carta 34/49 €
♦ Suggestivo. In un antico mulino a due passi dalla cattedrale, due salette in sasso scavato per una cucina sfiziosa che propone ricette regionali rivisitate con talento.

a Costa Merlata Nord-Est : 15 km – ✉ 72017

🏚️ **Grand Hotel Masseria Santa Lucia** ⌘   🔥 ※ ⛪ cam, ⚥ 🅰🅲
strada statale 379 km 23,500   ⅍ ⁽ᵖ⁾ ⚿ 🅿 🆅🆂🅰 ⓥ 🅰🅴 ① ⓢ
– ℰ 08 31 35 61 11 – *www.masseriasantalucia.it* – *info@masseriasantalucia.it*
– *Fax 08 31 30 40 90*
127 cam – 4 suites – solo ½ P 130/160 €   **Rist** – Carta 35/68 €
♦ Ricavato dal riadattamento di una antica masseria, ogni ambiente si distingue per eleganza e ricercatezza degli arredi e per un'atmosfera di relax e tranquillità. Vocazione turistica e congressuale.

OTRANTO – Lecce (LE) – 564G37 – **5 456 ab.** – ✉ 73028 🏴 Italia   27 **D3**
▶ Roma 642 – Brindisi 84 – Bari 192 – Gallipoli 47
🛈 piazza Castello 5 ℰ 0836 801436, otranto@pugliaturismo.com
◉ Cattedrale★ : pavimento★★★
🅖 Costa meridionale★ Sud per la strada S 173

🏚️ **Degli Haethey**   🏠 🔥 🈁 & 🅰🅲 ⅍ ⁽ᵖ⁾ 🈂 🍴 🆅🆂🅰 ⓥ 🅰🅴 ① ⓢ
via Sforza 33 – ℰ 08 36 80 15 48 – *www.hoteldeglihaethey.com* – info@
hoteldegliaethey.com – *Fax 08 36 80 15 76*
49 cam ⌑ – ♦55/110 € ♦♦90/220 € – ½ P 70/135 €
Rist – *(maggio-settembre)* Menu 25/30 €
♦ Ad un quarto d'ora dal centro e non lontano dalla spiaggia, apprezzerete la tranquillità della zona residenziale e il confort delle recenti e moderne camere all'ultimo piano.

🏠 **Villa Rosa Antico** senza rist   🚗 & 🅰🅲 ⅍ ⁽ᵖ⁾ 🅿 🆅🆂🅰 ⓥ 🅰🅴 ① ⓢ
strada statale 16 – ℰ 08 36 80 20 97 – *www.hotelrosaantico.it* – info@
hotelrosaantico.it – *Fax 08 36 80 15 63*
28 cam ⌑ – ♦70/90 € ♦♦90/180 €
♦ E' una storica villa di fine Cinquecento ad ospitare il piccolo albergo dall'attenta e capace gestione familiare. Graziose e ben accessoriate le camere, piacevole sostare in giardino.

🏠 **Masseria Panareo** ⌘   < 🚗 🏠 🔥 🅰🅲 ⅍ ⁽ᵖ⁾ 🅿 🆅🆂🅰 ⓥ 🅰🅴 ① ⓢ
litoranea Otranto-S.Cesarea Terme, Sud : 6 km Otranto – ℰ 08 36 81 29 99
– *www.masseriapanareo.com* – *info@masseriapanareo.com* – *Fax 08 36 81 29 99*
– *chiuso novembre*
17 cam ⌑ – ♦98/128 € ♦♦130/170 € – ½ P 95/115 €
Rist – *(chiuso lunedì) (chiuso a mezzogiorno)* Carta 28/43 €
♦ Un antico eremo ospita questa bella masseria, interamente ristrutturata, ubicata in aperta campagna ma non troppo lontana dal mare. Moderna piscina con bella terrazza-solarium per momenti di piacevole relax.

OTTAVIANO – Napoli (NA) – 564E25 – **23 284 ab.** – **alt. 190 m**   6 **B2**
– ✉ 80044
▶ Roma 240 – Napoli 22 – Benevento 70 – Caserta 47

🏠 **Augustus** senza rist   🈁 🅰🅲 ⅏ ⅍ ⁽ᵖ⁾ ⚿ 🚗 🆅🆂🅰 ⓥ 🅰🅴 ① ⓢ
viale Giovanni XXIII 61 – ℰ 08 15 28 84 55 – *www.augustus-hotel.com*
– *prenotazioni@augustus-hotel.com* – *Fax 08 15 28 84 54*
41 cam ⌑ – ♦90/110 € ♦♦120/140 €
♦ Adatto a una clientela d'affari, albergo in posizione centrale con ambienti in stile lineare d'ispirazione contemporanea; ampie e funzionali le camere.

OTTONE – Livorno – Vedere Elba (Isola d') : Portoferraio

OVADA – Alessandria (AL) – 561I7 – **11 608 ab.** – **alt. 186 m** – ✉ 15076   23 **C3**
▶ Roma 549 – Genova 50 – Acqui Terme 24 – Alessandria 40
🛈 via Cairoli 103 ℰ 0143 821043, iat@comune.ovada.al.it, Fax 0143 821043
🅖 Strada dei castelli dell'Alto Monferrato★ (o strada del vino) verso
    Serravalle Scrivia

XX **La Volpina**　　　　　　　　　　　　🏠 ⇄ P VISA ⦿ ① 💲

strada Volpina 1 – ℰ 014 38 60 08 – rist.lavolpina@libero.it
– chiuso dal 24 al 26 dicembre, dall'8 al 30 gennaio, dall'8 al 29 agosto e lunedì
Rist – *(chiuso la sera dei giorni festivi)* Carta 40/53 €
♦ Ristorante all'interno di una villetta, tra il verde delle colline ovadesi: un'atmosfera casalinga da abitazione privata, ma con un pizzico di piacevole raffinatezza. Dalla cucina giungono i migliori piatti della tradizione piemontese.

X **L'Archivolto**　　　　　　　　　　　　& AC VISA ⦿ AE ① 💲

piazza Garibaldi 25/26 – ℰ 01 43 83 52 08 – Fax 01 43 83 27 14
– chiuso 15 giorni a gennaio e 15 giorni a luglio
Rist – Carta 30/48 € 🏠
♦ Cucina piemontese con influenze liguri, porzioni abbondanti e valide materie prime, in una tipica trattoria di paese con prosciutti appesi, gelosamente custoditi in una piccola nicchia, e tovaglie a quadrettoni. Il tutto "condito" da una buona dose di cordialità e simpatia.

OVIGLIO – Alessandria (AL) – 561H7 – **1 259 ab.** – ⊠ 15026　　　　23 **C2**
▶ Roma 601 – Torino 82 – Alessandria 19 – Asti 31 – Pavia 95

🏨 **Castello di Oviglio**　　　⇐ 🚗 🕭 🛎 AC 🍽 rist. 📶 ♨ P

via 24 Maggio 1 ⊠ 15026 Oviglio – ℰ 01 31 77 61 66　　VISA ⦿ AE ① 💲
– www.castellodioviglio.it – info@castellodioviglio.it – Fax 01 31 79 69 28
9 cam �= – ♛♛150 € **Rist** – (prenotazione obbligatoria) Carta 43/72 €
♦ All'interno di un affascinante castello del XIII secolo, raffinato hotel per un soggiorno d'atmosfera. Camere di prestigio e spazi comuni ricercati. Accoglienza di tono familiare.

XX **Donatella**　　　　　　　　　　　　　AC VISA ⦿ 💲
🍀 *piazza Umberto I, 1 – ℰ 01 31 77 69 07 – www.ristorantedonatella.it*
– info@ristorantedonatella.it – Fax 01 31 77 69 07
– chiuso 10 giorni a gennaio e 3 settimane in agosto-settembre
Rist – *(chiuso a mezzogiorno escluso domenica)* Carta 41/66 €
♦ Nell'antica canonica del 1700, un elegante e raffinato locale con mobili di antiquariato e quadri contemporanei: la passione dei titolari si traduce in un'ottima cucina dalle squisite materie prime.

OZZANO DELL'EMILIA – Bologna (BO) – 562I16 – **10 885 ab.**　　　9 **D3**
– alt. 66 m – ⊠ 40064
▶ Roma 399 – Bologna 15 – Forlì 63 – Modena 60

🏨 **Eurogarden Hotel**　　　　🛁 🛎 & AC ↔ 🍽 rist. 📶 ♨ P

via dei Billi 2/a – ℰ 051 79 45 11　　　　　　　VISA ⦿ AE ① 💲
– www.eurogardenhotel.com – info@eurogardenhotel.com – Fax 051 79 45 94
– chiuso Natale ed agosto
72 cam ⊂ – ♛♛89/319 €
Rist *La Corte dell'Ulivo* – ℰ 051 79 00 62 *(chiuso domenica)* *(chiuso a mezzogiorno)* Carta 32/41 €
♦ Albergo moderno in comoda posizione lungo la via Emilia; interni arredati in ciliegio e dotati di ogni confort, nelle camere come negli spazi comuni. Cene a base di specialità del luogo.

PACECO – Trapani (081) – 565N19 – **Vedere Sicilia (Trapani) alla fine dell'elenco alfabetico**

PACENTRO – L'Aquila (AQ) – 563P23 – **1 274 ab.** – alt. 650 m – ⊠ 67030　　1 **B2**
▶ Roma 171 – Pescara 78 – Avezzano 66 – Isernia 82

XX **Taverna De Li Caldora**　　　　　🏠 AC 🍽 VISA ⦿ AE ① 💲
🍝 *piazza Umberto I 13 – ℰ 086 44 11 16 – Fax 08 64 41 09 44*
– chiuso domenica sera, martedì, anche lunedì in inverno
Rist – Carta 24/34 €
♦ Un curioso intrico di stradine disegna il centro storico di Pacentro, mentre nelle cantine di un imponente palazzo del '500 si celebra la cucina regionale. Servizio estivo in terrazza panoramica.

PACHINO (SR) – 565Q27 – **Vedere Sicilia alla fine dell'elenco alfabetico**

PADENGHE SUL GARDA – Brescia (BS) – 561 F13 – 3 883 ab. 17 D1
– alt. 115 m – ✉ 25080

▶ Roma 526 – Brescia 36 – Mantova 53 – Verona 43

XX **Aquariva** AC ⇄ VISA ◉◉ AE ① ♿
via Marconi 57, strada statale Gardesana, Est : 1 km – ✆ 03 09 90 88 99
– www.aquariva.it – info@aquariva.it – Fax 03 09 90 88 99
– chiuso dal 6 al 31 gennaio, dal 18 novembre al 2 dicembre, lunedì, martedì a
mezzogiorno (escluso da maggio a settembre)
Rist – Carta 59/82 €
♦ Locale elegante e luminoso con una terrazza vetrata che si affaccia sul porticciolo turistico privato e una zona di disimpegno con salotto. Cucina di mare e di terra.

PADERNO DEL GRAPPA – Treviso (TV) – 562 E17 – 2 085 ab. 35 B2
– alt. 1 955 m – ✉ 31017

▶ Roma 547 – Padova 61 – Treviso 41 – Venezia 72

🏠 **San Giacomo** senza rist ♿ AC ⟨ᵖ⟩ P VISA ◉◉ AE ① ♿
piazza Martiri 13 – ✆ 04 23 93 03 66 – www.hotelsangiacomo.com
– info@hotelsangiacomo.com – Fax 04 23 93 95 67
– chiuso dal 29 dicembre al 4 gennaio e dal 13 al 21 agosto
30 cam � – †40/80 € ††70/125 €
♦ Sulla piazza centrale, all'esterno si presenta come un edificio nuovo ma in stile mentre
gli interni offrono camere moderne, quelle sul retro hanno una bella vista sul Grappa.

PADERNO DI PONZANO – Treviso – Vedere Ponzano Veneto

PADERNO FRANCIACORTA – Brescia (BS) – 561 F12 – 3 508 ab. 19 D2
– alt. 183 m – ✉ 25050

▶ Roma 550 – Brescia 15 – Milano 84 – Verona 81

🏠 **Franciacorta** senza rist 🚗 🛗 AC 𝄞 ⟨ᵖ⟩ P 🚘 VISA ◉◉ AE ① ♿
via Donatori di Sangue 10 d – ✆ 03 06 85 70 85 – info@hotelfranciacorta.191.it
– Fax 03 06 85 70 82 – chiuso agosto
24 cam ⊆ – †70 € ††90 €
♦ In zona strategica, facile da raggiungere, una risorsa di concezione moderna, quasi
confusa fra le molte altre ville dell'area residenziale in cui si trova.

PADOLA – Belluno – Vedere Comelico Superiore

PADOVA P (PD) – 562 F17 – 208 938 ab. – alt. 12 m – ✉ 35100 Italia 36 C3

▶ Roma 491 – Milano 234 – Venezia 42 – Verona 81

🛈 Stazione Ferrovie Stato ✉ 35131 ✆ 049 8752077, infostazione@
turismopadova.it, Fax 049 8755008
- piazza del Santo (aprile-ottobre) ✉ 35123 ✆ 049 8753087
vicolo Pedrocchi ✉ 35122 ✆ 049 8767927, infopedrocchi@
turismopadova.it

🏌 Montecchia, ✆ 049 805 55 50

🏌 Frassanelle, ✆ 049 991 07 22

🏌 , ✆ 049 919 51 00

◉ Affreschi di Giotto★★★, Vergine★ di Giovanni Pisano nella cappella degli
Scrovegni DY – Basilica del Santo★★ DZ – Statua equestre del
Gattamelata★★ DZ **A** – Palazzo della Ragione★ DZ **J** :
salone★★ – Pinacoteca Civica★ DY **M** – Chiesa degli Eremitani★ DY :
affreschi di Guariento★★ – Oratorio di San Giorgio★ DZ **B** – Scuola di
Sant'Antonio★ DZ **B** – Piazza della Frutta★ DZ **25** – Piazza delle Erbe★ DZ
20 – Torre dell'Orologio★ (in piazza dei Signori CYZ) – Pala d'altare★ nella
chiesa di Santa Giustina DZ

🌄 Colli Euganei★ Sud-Ovest per ⑥

Piante pagine 812-813

PADOVA

(Map of Padova)

NH Mantegna 🔊 🖥 ⚿ AC ⇔ ✗ rist, ⊛ 🖧 🚗 VISA ⚫ AE ① 🔥
via Tommaseo 61, zona Fiera ⊠ 35131 – ℰ 04 98 49 41 11
– www.nh-hotels.com – nhmantegna@nh-hotels.com – Fax 04 98 49 44 44
190 cam ⊊ – ♦87/183 € ♦♦93/206 € – 10 suites   BV**e**
Rist – Carta 40/55 €

♦ L'architettura contemporanea di questo enorme grattacielo anticipa gli ottimi confort
di cui la risorsa è dotata. Adiacente la fiera, stile e design per gli amanti dei tempi
moderni. Non perdetevi la stupenda vista dal ristorante panoramico, al dodicesimo
piano.

Un buon ristorante a prezzo contenuto? Cercate i «Bib Gourmand» ⊛.

PADOVA

🏨 **Grand'Italia** senza rist

corso del Popolo 81 ✉ *35131 –* ℰ *04 98 76 11 11 – www.hotelgranditalia.it*
– info@hotelgranditalia.it – Fax 04 98 75 08 50 DY**a**
63 cam ⌷ – ♦99/165 € ♦♦130/226 € – 3 suites

♦ Trasformato in hotel nel 1907, Palazzo Folchi rappresenta un mirabile esempio di stile liberty: tra alti soffitti nobiliari e stucchi originali, ci si bea di un'eleganza non opulenta, ma raffinata. Le camere, invece, sono state rinnovate secondo criteri di piacevole modernità.

🏨 **Plaza**

corso Milano 40 ✉ *35139 –* ℰ *049 65 68 22 – www.plazapadova.it – plaza@ plazapadova.it – Fax 049 66 11 17* CY**m**
134 cam ⌷ – ♦90/170 € ♦♦140/230 € – 5 suites
Rist – (*chiuso agosto, domenica*) (*chiuso a mezzogiorno*) Carta 42/80 €

♦ In posizione privilegiata, vicino al centro storico, la struttura si presenta con ambienti funzionali, ben distribuiti, con qualche tocco di classica eleganza. Il raffinato ristorante propone piatti di cucina contemporanea.

🏨 **Methis** senza rist

riviera Paleocapa 70 ✉ *35142 –* ℰ *04 98 72 55 55 – www.methishotel.com*
– info@methishotel.com – Fax 04 98 72 51 35 CZ**a**
59 cam ⌷ – ♦100/150 € ♦♦100/200 €

♦ Lungo il canale e non lontano dalla Specola, albergo dagli interni moderni e funzionali. Quattro piani ispirati ai quattro elementi: aria, acqua, terra e fuoco. L'originalità è servita!

🏨 **Biri**

via Grassi 2 ✉ *35129 –* ℰ *04 98 06 77 00 – www.hotelbiri.com – hotelbiri@ hotelbiri.com – Fax 04 98 06 77 48* BV**a**
97 cam ⌷ – ♦60/122 € ♦♦70/178 € – 3 suites
Rist – (*chiuso 2 settimane in agosto e domenica*) (*chiuso a mezzogiorno*) (*solo per alloggiati*) Carta 29/39 €

♦ Recentemente rinnovato, questo imponente hotel (situato in prossimità di un'importante crocevia non lontano dalla zona fieristica) rimane sempre un valido riferimento in città, grazie ai propri spazi comuni, ampi e ariosi, nonché alle belle camere, moderne e funzionali.

🏨 **Accademia Palace**

via del Pescarotto 39 ✉ *35131 –* ℰ *04 97 80 02 33*
– www.accademiapalacepadova.it – info@accademiapalacepadova.it
– Fax 049 77 67 95 BV**d**
95 cam ⌷ – ♦♦90/180 € – 5 suites – ½ P 65/120 € **Rist** – Carta 28/52 €

♦ Nei pressi della Fiera, recente struttura di taglio contemporaneo che si indirizza soprattutto ad una clientela *business*. La modernità trova "spazio" anche nelle zone comuni e nelle piacevoli camere. Al ristorante, pasti serali a base di pesce, ma anche pranzi di lavoro e banchetti.

🏨 **Milano**

via Bronzetti 62/d ✉ *35138 –* ℰ *04 98 71 25 55 – www.hotelmilano-padova.it*
– info@hotelmilano-padova.it – Fax 04 98 71 39 23 CY**g**
80 cam ⌷ – ♦87/115 € ♦♦126/185 €
Rist – (*chiuso sabato-domenica*) (*chiuso a mezzogiorno*) (*solo per alloggiati*) Carta 20/30 €

♦ In un'area cittadina molto comoda sia per raggiungere il centro sia per visitare i dintorni, la struttura dispone di camere graziose e funzionali, quasi tutte spaziose. Gestione familiare anche nelle ampie sale ristorante, dove gustare una genuina cucina del territorio.

🏨 **Donatello** senza rist

via del Santo 102/104 ✉ *35123 –* ℰ *04 98 75 06 34 – www.hoteldonatello.net*
– info@hoteldonatello.net – Fax 04 98 75 08 29
– chiuso dal 12 dicembre al 6 gennaio DZ**z**
44 cam – ♦129 € ♦♦178/201 €, ⌷ 13 €

♦ Nel centro storico della città, di fronte la Basilica di S. Antonio, una struttura d'inizio '900, egregiamente gestita dalla medesima famiglia da diverse generazioni. Particolarmente bella la vista di cui godono alcune camere.

Majestic Toscanelli senza rist
🏨 💠 👟 🅰🅲 📶 ♨ 🚗

via dell'Arco 2 ⊠ 35122 – 𝒞 049 66 32 44
– www.toscanelli.com – majestic@toscanelli.com – Fax 04 98 76 00 25   VISA ⓒⓞ AE ① 💶

34 cam ⊃ – †99/115 € ††159/179 € – 3 suites   DZ**b**

• Uno tra i più vecchi alberghi del centro cittadino, con una zona comune molto elegante e camere in differenti stili per un soggiorno all'insegna del confort. American bar serale.

Europa
🏨 💠 🅰🅲 ❄ 📶 ♨ VISA ⓒⓞ AE ① 💶

largo Europa 9 ⊠ 35137 – 𝒞 049 66 12 00 – www.hoteleuropapadova.com
– hotele@protec.it – Fax 049 66 15 08   DY**c**

80 cam ⊃ – †70/144 € ††90/180 € – ½ P 85/115 €
Rist Zaramella – vedere selezione ristoranti

• Hotel in posizione centrale, recentemente ristrutturato, si presenta con spazi comuni un po' limitati ma piacevolmente luminosi e dai toni caldi. Camere confortevoli, discretamente moderne. A pochi metri: Cappella degli Scrovegni e centro storico.

Giotto senza rist
🏨 💠 🅰🅲 ☏ 🅿 VISA ⓒⓞ AE ① 💶

piazzale Ponte Corvo 33 ⊠ 35121 – 𝒞 04 98 76 18 45 – www.hotelgiotto.com
– info@hotelgiotto.com – Fax 049 66 26 77   DZ**c**

35 cam ⊃ – †70/85 € ††95/120 €

• Poco lontano dalla Basilica di Sant'Antonio, un indirizzo interessante in termini di accoglienza ed ospitalità. Piacevoli camere dal taglio moderno e funzionale.

Igea senza rist
🏠 🅰🅲 📶 🚗 VISA ⓒⓞ AE ① 💶

via Ospedale Civile 87 ⊠ 35121 – 𝒞 04 98 75 05 77 – www.hoteligea.it – info@
hoteligea.it – Fax 049 66 08 65   DZ**d**

54 cam ⊃ – †60/90 € ††85/110 €

• Struttura ideale sia per il turista in visita alla città, sia per l'uomo d'affari che soggiorna per lavoro: camere recentemente rinnovate con soluzioni d'arredo di taglio moderno, che si associano ai classici valori dell'accoglienza ed ospitalità.

Al Cason
🏠 🅰🅲 ❄ 📶 ♨ 🚗 VISA ⓒⓞ AE ① 💶

via Frà Paolo Sarpi 40 ⊠ 35138 – 𝒞 049 66 26 36 – www.hotelalcason.com
– info@hotelalcason.com – Fax 04 98 75 42 17   CDY**d**

48 cam ⊃ – †95 € ††105 € – ½ P 90 €
Rist – (chiuso dal 23 dicembre al 6 gennaio, agosto, sabato e domenica)
Carta 24/32 €

• In prossimità della stazione ferroviaria, risorsa a conduzione familiare interessata da lavori di ristrutturazione negli ultimi anni, che hanno conferito un aspetto più moderno alle camere. Nella sala ristorante: buona cucina casalinga di matrice veneta.

Al Fagiano senza rist
🏠 💠 🅰🅲 🅿 VISA ⓒⓞ AE 💶

via Locatelli 45 ⊠ 35123 – 𝒞 04 98 75 33 96 – www.alfagiano.com – info@
alfagiano.com – Fax 04 98 75 33 96   DZ**n**

40 cam – †55/60 € ††75/90 €, ⊃ 7 €

• Ciò che vorremmo trovare in ogni città, arrivando come turisti: un piccolo hotel, in pieno centro, opere di arte contemporanea disseminate un po' ovunque ed un buon rapporto qualità/prezzo.Vicino alla Basilica di Sant'Antonio.

Belle Parti
🅰🅲 ❄ 💠 VISA ⓒⓞ AE ① 💶

via Belle Parti 11 ⊠ 35139 – 𝒞 04 98 75 18 22 – www.ristorantebelleparti.it
– info@ristorantebelleparti.it – Fax 04 98 75 18 22 – chiuso dal 9 al 16 agosto
e domenica   CDY**e**

Rist – Carta 42/72 €

• Molti quadri alle pareti, specchi e un antico soffitto in legno del XV secolo, impreziosiscono questo raffinato ristorante ubicato in un vicolo del centro. La cucina si distingue per la poliedricità delle proposte, che soddisfa sia coloro che amano la carne, sia coloro che preferiscono il pesce.

Come scegliere fra due strutture equivalenti?
In ogni categoria, hotel e ristoranti sono elencati per ordine di preferenza:
ai primi posti, le scelte Michelin.

XX **Ai Porteghi**   ⬠ 🅰️🅲 🗲 ⇔ 🆅🆂🅰️ 🆎 🅰️🅴 ⓪ ⚄
via Cesare Battisti 105 ⊠ 35121 – ℰ 049 66 07 46
– www.trattoriaaiporteghi.com – info@trattoriaaiporteghi.com
– Fax 04 98 78 96 69 – chiuso dal 12 al 19 agosto, domenica, lunedì a
mezzogiorno   DZ**e**
Rist – Carta 36/56 €
   ♦ In pieno centro, sarete ammaliati dall'atmosfera un po' romantica di questo locale intimo e riservato, che si farà ricordare per la cucina di taglio classico ed il tripudio di legni, che riscaldano la sala principale.

XX **Zaramella** – Hotel Europa   🅰️🅲 ⇔ 🆅🆂🅰️ 🆎 🅰️🅴 ⓪ ⚄
largo Europa 10 ⊠ 35137 – ℰ 04 98 76 08 68 – Fax 049 66 15 08 – chiuso
agosto, sabato a mezzogiorno e domenica   DY**c**
Rist – Carta 28/46 €
   ♦ Azzurro pastello il colore predominante in questo ristorante d'impronta moderna, ma con qualche piacevole suggestione dal passato. Il menu si divide equamente fra carne e pesce.

XX **Alle Piazze-Da Giorgio**   ⬠ 🅰️🅲 🗲 ⇔ 🆅🆂🅰️ 🆎 🅰️🅴 ⚄
via Manin 8/10 ⊠ 35139 – ℰ 04 98 36 09 73 – Fax 04 98 21 99 04 – chiuso
agosto e domenica   CZ**b**
Rist – Carta 33/50 €
   ♦ Nel pieno centro storico della città, locale classico ed elegante, ben reputato in zona, annovera in menu ricette del territorio presentate in chiave moderna e piatti più classici. Gestione di lunga esperienza.

X **Per Bacco**   🕭 🅰️🅲 🗲 🆅🆂🅰️ 🆎 🅰️🅴 ⚄
piazzale Ponte Corvo 10 ⊠ 35121 – ℰ 04 98 75 28 83 – www.per-bacco.it
– ristorante@per-bacco.it – Fax 04 98 75 28 83 – chiuso domenica   DZ**a**
Rist – (consigliata la prenotazione) Menu 30/40 € – Carta 31/39 €
   ♦ Ambiente giovanile di sobria modernità: piatti stuzzicanti, legati al territorio ed in sintonia con le stagioni, per accompagnare un buon bicchiere di vino. Cosa pretendere di più? Perbacco!

X **La Finestra**   🅰️🅲 🆅🆂🅰️ 🆎 🅰️🅴 ⓪ ⚄
via dei Tadi 15 ⊠ 35139 – ℰ 049 65 03 13 – www.ristorantefinestra.it
– finestra.tadi@libero.it – chiuso una settimana a gennaio, tre settimane in
agosto, domenica sera e lunedì   CZ**c**
Rist – (chiuso a mezzogiorno da martedì a giovedì) (consigliata la prenotazione) Carta 35/44 €
   ♦ Ambiente raccolto ed accogliente, dove le importanti esperienze professionali dello chef si riflettono in una prelibata cucina contemporanea, resa originale da qualche spunto creativo, "misurato" e non invadente.

a Camin Est : 4 km per A 4 *BX* – ⊠ 35127

🛏️ **Admiral** senza rist   🐾 🎕 🅰️🅲 🗲 ⁽⁰⁾ 🕭 🅿️ 🆅🆂🅰️ 🆎 🅰️🅴 ⓪ ⚄
via Vigonovese 90 – ℰ 04 98 70 02 40 – www.hoteladmiral.it – info@
hoteladmiral.it – Fax 04 98 70 03 30   BX**d**
46 cam ⌖ – †75/130 € ††110/150 €
   ♦ Sull'arteria principale che attraversa la località, albergo di fattura moderna distribuito su tre edifici: alcuni lavori di ristrutturazione, effettuati di recente, lo mantengono competitivo.

in prossimità casello autostrada A 4 Padova Est per ③: 5 km BV

🏨 **Sheraton Padova Hotel**   🎗️ 🎕 ⬠ 🅰️🅲 🗲 🗲 ⁓ rist. ⁽⁰⁾ 🕭 🅿️
corso Argentina 5 ⊠ 35129 – ℰ 04 97 80 82 30   🆅🆂🅰️ 🆎 🅰️🅴 ⓪ ⚄
– www.sheratonpadova.it – hotel@sheratonpadova.it – Fax 04 98 99 85 55
228 cam ⌖ – †95/170 € ††120/250 € – 2 suites   BV**b**
Rist *Les Arcades* – ℰ 04 98 99 80 86 – Carta 28/57 €
   ♦ Nel cuore del Veneto, la struttura riesce a soddisfare la clientela turistica e d'affari con standard di confort in linea con la catena. Alcune camere, recentemente rinnovate, sfoggiano un look sobriamente più moderno rispetto alle altre di tono più classico. *Les Arcades*: gustosa classicità in menu.

🏠 AC Padova 🕸 ⅃ ⅄ AC "¹" ⅄ P VISA ⅏ AE ⓪ ⑤

via Prima Strada 1 ⊠ *35129 –* ☏ *049 77 70 77 – www.ac-hotels.com*
– acpadova@ac-hotels.com – Fax 049 77 70 81   BV**g**
98 cam ⊆ – ⅄⅄95/186 € **Rist** *– (solo per alloggiati)*
♦ Non lontano dalla fiera e dall'uscita autostradale, il design moderno della struttura
caratterizza tutti gli hotel di questa catena alberghiera. Spazi comuni non ampissimi,
ma organizzati con grande raziocinio; camere di media ampiezza e notevole confort.

in prossimità casello autostrada A 4 Padova Ovest per ①: 6 km *AV*

🏠 Crowne Plaza Padova ⅃ Ⅴ ⅄ AC ⅜ rist. ☏ ⅄ P ⅏

via Po 197 ⊠ *35135 –* ☏ *04 98 65 65 11*   VISA ⅏ AE ⓪ ⑤
– www.crowneplazapadova.it – info.padova@promohotels.it – Fax 04 98 65 65 55
177 cam ⊆ – ⅄85/230 € ⅄⅄95/250 € – 2 suites
Rist *– (solo per alloggiati)*
♦ Recente ed elegante, nel contesto di una città d'arte ricca di storia, annovera ampi
spazi arredati in un design contemporaneo particolarmente luminoso e colorato. Classe
e raffinatezza continuano al ristorante dalle dimensioni modulabili a seconda delle esigenze.

✗✗ Antica Trattoria Bertolini con cam 🕸 ⅄ cam, AC ⅄ ⅜ "¹" P

via Altichiero 162 – ☏ *049 60 03 57*   VISA ⅏ AE ⓪ ⑤
– www.bertolini1849.it – info@bertolini1849.it – Fax 049 60 03 57   AV**t**
14 cam – ⅄⅄43/90 €, ⊆ 7 €
Rist *– (chiuso 3 settimane in agosto, venerdì sera e sabato)* Carta 26/33 €
♦ Buon rapporto qualità/prezzo per un locale attivo ormai da generazioni. Proposte del
territorio sia a base di carne, sia a base di pesce. Piacevoli stanze ben accessoriate.

a Ponte di Brenta Nord-Est : 6 km per S 11 *BV* – ⊠ 35129

🏠 Sagittario ⅄ 🚗 ⅤⅠ AC ⅜ "¹" ⅄ P VISA ⅏ AE ⓪ ⑤

via Randaccio 6, località Torre – ☏ *049 72 58 77 – www.hotelsagittario.com*
– info@hotelsagittario.com – Fax 04 98 93 21 12
– chiuso dal 24 dicembre al 6 gennaio ed agosto
41 cam ⊆ – ⅄55/84 € ⅄⅄80/115 € – ½ P 70/85 €   BV**k**
Rist Dotto di Campagna – vedere selezione ristoranti
♦ Piccolo hotel a conduzione familiare, in posizione tranquilla e defilata: camere semplici ed accoglienti. Un punto di partenza ideale per visitare i dintorni.

✗✗ Dotto di Campagna – Hotel Sagittario 🚗 🕸 AC ⅜ ⇆ P

via Randaccio 4, località Torre – ☏ *049 62 54 69*   VISA ⅏ AE ⓪ ⑤
– www.hotelsagittario.com – risdotto@hotelsagittario.com – Fax 04 98 95 43 37
– chiuso dal 26 dicembre al 6 gennaio, agosto, domenica sera e lunedì
Rist – Carta 32/39 €   BV**k**
♦ Un simpatico indirizzo, un po' fuori città, dove poter assaporare i piatti della tradizione veneta, in particolare padovana. Il menu ruota intorno alla stagionalità dei prodotti, privilegiando la carne.

PAESTUM – Salerno (SA) – 564F27 – ⊠ 84063 ▮ Italia   7 **C3**

▶ Roma 305 – Potenza 98 – Napoli 99 – Salerno 48
ℹ️ via Magna Grecia 887/891 (zona Archeologica) ☏ 0828 811016, info@
infopaestum.it, Fax 0828 722322
◎ Rovine ★★★ – Museo ★★

🏠 Ariston Hotel 🚗 ⅄ ⅄ ⅏ 🕸 ⅃ ⅜ ⅤⅠ AC ⅜ "¹" ⅄ P

via Laura 13 – ☏ *08 28 85 13 33*   VISA ⅏ AE ⓪ ⑤
– www.hotelariston.com – info@hotelariston.comm – Fax 08 28 85 15 96
111 cam – ⅄90/110 € ⅄⅄100/130 €, ⊆ 10 € – 1 suite – ½ P 100 €
Rist – Carta 26/46 €
♦ Un grande complesso turistico alberghiero con ogni sorta di struttura, da quella congressuale a quella sportivo-salutare; camere molto spaziose, dotate di tutti i confort. Sale da pranzo per ogni necessità del cliente, soprattutto per attività banchettistica.

Savoy Beach 🐾   🚗 🛏 🛆 🖼 ♨ ✗ 📺 🕭 cam, ⁂ ℅ 🖢 🅿
via Poseidonia – ☎ 08 28 72 01 00   VISA ⦿ AE ① ⑤
– *www.hotelsavoybeach.it* – *info@hotelsavoybeach.it* – *Fax 08 28 72 08 07*
41 cam ⊃ – †83/180 € †† 110/218 € – 1 suite – ½ P 85/150 €
Rist Tre Olivi – ☎ 08 28 72 00 23 – Carta 30/53 € 🏵

♦ Imponente e sfarzoso hotel, realizzato di recente e votato all'attività congressuale e banchettistica. Hall, saloni e spazi comuni (anche esterni) davvero ampi e suggestivi. Sala ristorante in stile con l'hotel, signorile ed elegante.

Esplanade 🐾   🚗 🛆 🖙 ℅ rist, ⁂ ⤢ ✗ 🕭 🖢 🅿 VISA ⦿ AE ① ⑤
via Poseidonia – ☎ 08 28 85 10 43 – *www.hotelesplanade.com* – *info@hotelesplanade.com* – *Fax 08 28 85 16 00*
24 cam ⊃ – †50/130 € †† 70/140 € – ½ P 55/93 €
Rist – Carta 27/42 € 🏵

♦ Il punto di forza dell'hotel è costituito dal gradevolissimo giardino con piscina e dall'ampia zona verde che conduce direttamente alla spiaggia; settore notte ben tenuto. Al ristorante ambienti e atmosfere signorili, di taglio moderno.

Le Palme 🐾   🚗 🛋 🛆 ✗ 🖼 ⁂ ℅ 🖢 🅿 VISA ⦿ AE ① ⑤
via Poseidonia 123 – ☎ 08 28 85 10 25 – *www.lepalme.it* – *info@lepalme.it*
– *Fax 08 28 85 15 07* – *aprile-28 ottobre*
84 cam ⊃ – †63/105 € †† 90/160 € – ½ P 85/112 €
Rist – *(solo per alloggiati)* Carta 30/38 €

♦ Fuori dall'area dell'antica Poseidonia e non lontano dal mare, una risorsa anni '70 in parte rinnovata nel corso degli anni; offre un settore notte con camere spaziose. Ampia sala ristorante di taglio classico.

Schuhmann 🐾   ◁ 🚗 🖙 ⁂ ℅ 🕭 🖢 🅿 🚙 VISA ⦿ AE ① ⑤
via Marittima 5 – ☎ 08 28 85 11 51 – *www.hotelschuhmann.com* – *info@hotelschuhmann.com* – *Fax 08 28 85 11 83*
53 cam ⊃ – †60/100 € †† 80/160 € – ½ P 110 €
Rist – *(solo per alloggiati)*

♦ Terrazza giardino in riva al mare, per questa piacevole risorsa, molto comoda per chi cerchi anche il relax e la tranquillità del verde e della spiaggia a portata di mano.

Il Granaio dei Casabella   🚗 🏠 ⁂ cam, ℅ rist, 🛆 🅿
via Tavernelle 84 – ☎ 08 28 72 10 14   VISA ⦿ AE ① ⑤
– *www.ilgranaiodeicasabella.com* – *info@ilgranaiodeicasabella.com*
– *Fax 08 28 81 18 93* – *marzo-ottobre*
14 cam ⊃ – †80/100 € †† 100/120 € – ½ P 85 €
Rist Il Granaio dei Casabella – *(chiuso domenica sera e lunedì escluso da aprile a settembre)* Carta 26/55 €

♦ Adiacente al sito archeologico, hotel ricavato da un antico granaio, con esito sorprendente. Camere arredate con gusto, mobili d'epoca o in arte povera. Suggestiva sala ristorante dai toni eleganti.

Villa Rita 🐾   🚗 🛋 ⁂ ℅ 🕭 🛆 🖢 🅿 VISA ⦿ AE ① ⑤
🐾 *zona archeologica* – ☎ 08 28 81 10 81 – *www.hotelvillarita.it* – *info@hotelvillarita.it* – *Fax 08 28 72 25 55* – *20 marzo-ottobre*
20 cam ⊃ – †60/75 € †† 80/120 € – ½ P 60/75 €
Rist – *(solo per alloggiati)* Menu 15 €

♦ Nella campagna prospiciente le antiche mura, immerso in un parco-giardino, un piccolo albergo - gradevolissimo soprattutto negli esterni - con camere semplici, ma ben tenute.

Agriturismo Seliano 🐾   🚗 🏠 🛋 🚴 ⁂ ℅ rist, 🅿
via Seliano – ☎ 08 28 72 36 34   VISA ⦿ AE ① ⑤
– *www.agriturismoseliano.it* – *seliano@agriturismoseliano.it* – *Fax 08 28 72 45 44*
– *Natale, Capodanno e 15 marzo-ottobre*
14 cam ⊃ – †60/100 € †† 75/120 € – ½ P 58/75 €
Rist – *(prenotazione obbligatoria)* Menu 25/30 €

♦ L'allevamento di bufale, ecco la vera chicca di questo agriturismo. Nel casale, quattordici camere, graziose e curate, gestite con professionalità e con grande cordialità. Il ristorante propone un menù fisso con grande spazio ai prodotti dell'azienda.

XX **Nonna Sceppa** 　　　　　　　🔲 AC 🍴 VISA ⓪ AE ⓪ ⛄

via Laura 45 – ☎ 08 28 85 10 64 – www.nonnasceppa.com – info@
nonnasceppa.com – Fax 08 28 85 19 38 – chiuso dal 5 al 24 ottobre e giovedì da
settembre a giugno
Rist – Carta 26/60 € 🏷 (+10 %)

♦ Fondata negli anni '60 da nonna Giuseppa, la trattoria è diventata oggi ristorante, ma la conduzione è sempre nelle mani della stessa famiglia: nipoti e pronipoti si dividono tra sala e cucina. Ricette del cilento nel menu, che cambia quotidianamente. Pizzeria solo la sera.

X **Nettuno** 　　　　　　　🚃 🔲 AC 🍴 P VISA ⓪ AE ⓪ ⛄

🐝 *zona archeologica – ☎ 08 28 81 10 28 – www.ristorantenettuno.com – info@*
ristorantenettuno.com – Fax 08 28 81 10 28 – chiuso dal 7 gennaio al 7 febbraio,
quindici giorni in novembre e la sera
Rist – Carta 20/40 € (+10 %)

♦ Una casa colonica di fine '800, già punto di ristoro negli anni '20, un servizio estivo in veranda con vista su Basilica e tempio di Nettuno; a tavola, fra l'archeologia.

sulla strada statale 166 Nord-Est : 7,5 km

XX **Le Trabe** 　　　　　　　🔥 🔲 AC 🍴 P VISA ⓪ ⓪ ⛄

via Capodifiume 4 – ☎ 08 28 72 41 65 – www.ristoranteletrabe.com
– antoniochiacchiaro@virgilio.it – Fax 08 28 72 41 65 – chiuso dal 20 dicembre
all' 8 gennaio, lunedì e domenica sera da ottobre a marzo
Rist – Carta 30/56 € (+10 %)

♦ All'interno di un parco-giardino lungo il corso di un fiume, vecchia centrale idroelettrica sapientemente restaurata da due giovani fratelli; piatti creativi e di mare.

PAGANICA – L'Aquila – 563O22 – **Vedere L'Aquila**

PALADINA – Bergamo – **Vedere Almè**

PALAGIANELLO – Taranto (TA) – 564F32 – **7 643 ab. – alt. 157 m** 　　27 **C2**
– ✉ 74018

▶ Roma 477 – Bari 62 – Matera 44 – Taranto 33

XX **La Strega** 　　　　　　　🔲 AC VISA ⓪ AE ⓪ ⛄

🏵 *via F.lli Bandiera 61 (trasferimento previsto in Contrada Rocca Pampina)*
– ☎ 09 98 44 46 78 – lastregaristorante@virgilio.it – Fax 09 98 44 88 19 – chiuso
dal 1° al 15 luglio, lunedì, martedì a mezzogiorno
Rist – (consigliata la prenotazione) Menu 48 € – Carta 36/49 € 🏷
Spec. Millefoglie di pane di Laterza con cicorielle e caciocavallo podolico. Tagliolini con ragù di canocchie in fondente di sedano e capperi. Rollé di cernia in guazzetto di lumachine di mare al prosciutto e limone.

♦ Locale di impostazione classica e tradizionale, è la cucina a sorprendere rielaborando ricette regionali in chiave moderna e fantasiosa.

XX **Masseria Petrino** 　　　　　　　🔲 AC 🍴 P VISA ⓪ ⓪ ⛄

zona Petrino – ☎ 09 98 43 40 65 – www.dimmy/masseriapetrino.com – chiuso
una settimana a febbraio, dal 10 al 24 novembre, domenica sera e lunedì
Rist – (consigliata la prenotazione) Carta 30/40 €

♦ In una zona residenziale appena fuori Palagianello, ristorante classico con un tocco di eleganza anche negli arredi e nello stile del servizio. Cucina di impronta contemporanea, che non disdegna le proprie origini.

PALAU – Olbia-Tempio (104) – 566D10 – **Vedere Sardegna alla fine dell'elenco alfabetico**

PALAZZAGO – Bergamo (BG) – 561E10 – **3 589 ab. – alt. 397 m** 　　19 **C1**
– ✉ 24030

▶ Roma 599 – Bergamo 18 – Brescia 68 – Milano 61

✗ Osteria Burligo   🛜 VISA ⓸ ⑤

località Burligo 12, Nord-Ovest : 2,5 km – *035 55 04 56* – osteriaburligo@
areamediaweb.it – *Fax 035 55 04 56* – chiuso lunedì e martedì
Rist – *(chiuso a mezzogiorno escluso i giorni festivi)* Carta 27/33 €
♦ Semplice esercizio fuori porta dalla vivace e volenterosa gestione familiare che propone piatti genuini e gustosi, memoria di una tradizione contadina. Due sale interne e
una terrazza estiva.

PALAZZOLO SULL'OGLIO – Brescia (BS) – 561F11 – 17 840 ab.   19 D2
– alt. 166 m – ⌧ 25036

▶ Roma 581 – Bergamo 26 – Brescia 32 – Cremona 77

✗✗ La Corte   AK ℀ P. VISA ⓸ AE ① ⑤

via San Pancrazio 41 – *03 07 40 21 36* – *Fax 03 07 40 21 36* – chiuso dal 1° al
15 gennaio, dal 7 al 30 agosto, sabato a mezzogiorno e lunedì
Rist – Carta 36/46 € ❀
♦ Ricavati da una casa colonica ristrutturata, ambienti rustici e accoglienti, in cui assapo-
rerete originali proposte culinarie, accompagnate da un'ottima scelta di vini.

✗ Osteria della Villetta con cam   🛜 ㅎ cam, VISA AE ⑤

via Marconi 104 – *03 07 40 18 99* – puntorosso59@libero.it
– *Fax 03 07 40 18 99* – chiuso dal 25 dicembre al 3 gennaio, dal 8 al 30 agosto,
domenica, lunedì e martedì sera
5 cam ⌸ – ✝45/55 € ✝✝65 €   **Rist** – Carta 25/40 €
♦ Nelle vicinanze della stazione, un'antica osteria dagli inizi del secolo scorso: lunghi
tavoloni massicci, una lavagna con la selezione dei piatti del giorno, fragranti e caserecci. Al piano superiore dell'edificio le camere, una simpatica e variopinta sintesi tra
antico e moderno.

PALAZZUOLO SUL SENIO – Firenze (FI) – 563J16 – 1 271 ab.   29 C1
– alt. 437 m – ⌧ 50035

▶ Roma 318 – Bologna 86 – Firenze 56 – Faenza 46

🏠 Locanda Senio ⬙   🛜 ⻐ ㄲ ℀ VISA ⓸ AE ① ⑤

borgo dell'Ore 1 – *05 58 04 60 19* – www.locandasenio.com – info@
locandasenio.com – *Fax 05 58 04 39 49* – chiuso dal 6 gennaio al 13 febbraio
8 cam ⌸ – ✝100/115 € ✝✝150/185 € – 2 suites – ½ P 95/150 €
Rist – *(chiuso a mezzogiorno escluso sabato, domenica e giorni festivi)*
Carta 50/64 €
♦ Come cornice un caratteristico borgo medievale, come note salienti la cura, le personalizzazioni, la bella terrazza con piscina... insomma un soggiorno proprio piacevole. Al
ristorante piatti del territorio e antiche ricette medievali riscoperte con passione.

PALERMO ℙ – 565M22 – Vedere Sicilia alla fine dell'elenco alfabetico

---

PALESTRINA – Roma (RM) – 563Q20 – 17 783 ab. – alt. 465 m   13 C2
– ⌧ 00036 Roma

▶ Roma 39 – Anzio 69 – Frosinone 52 – Latina 58

✗✗ Il Piscarello   🛜 AK ℀ P. VISA ⓸ AE ① ⑤

via del Piscarello 2 – *069 57 43 26* – cl_marini@tiscali.it – *Fax 069 53 77 51*
– chiuso agosto e lunedì
Rist – Carta 33/94 €
♦ Ai margini del paese, accolto tra colline di ulivi, un ristorante inaspettatamente ele-
gante dalle proposte regionali: funghi, pesce e carni alla brace cotte sul camino in sala.
Carrello dei dolci.

PALINURO – Salerno (SA) – 564G27 – ⌧ 84064   7 D3

▶ Roma 376 – Potenza 173 – Napoli 170 – Salerno 119

🛈 (marzo-ottobre) piazza Virgilio *0974 938144*

Grand Hotel San Pietro ⟊ ⟨icons⟩ ⟨icons⟩
via Pisacane – ⟨icon⟩ *09 74 93 14 66* ⟨icons⟩
– www.grandhotelsanpietro.com – info@grandhotelsanpietro.com
– Fax 09 74 93 19 19 – aprile-ottobre
48 cam ⟚ *– ♦*112/190 € ♦♦162/268 € *– ½ P* 108/160 €
Rist *– (solo per alloggiati)* Carta 31/60 €
♦ Un'ubicazione tranquilla, dalla quale è possibile ammirare il Tirreno e la costa del Cilento: in zona centrale, direttamente sulla distesa marina. Camere spaziose.

Santa Caterina ⟨icons⟩
via Indipendenza 53 – ⟨icon⟩ *09 74 93 10 19 – www.albergosantacaterina.com*
– info@albergosantacaterina.com – Fax 09 74 93 83 25
27 cam ⟚ *– ♦*80/120 € ♦♦100/140 € *– ½ P* 60/130 €
Rist *– (giugno-settembre)* Carta 31/56 €
♦ Un rinnovo radicale per un risultato ottimale, così oggi l'hotel appare moderno e al passo coi tempi, ma nel rispetto della propria storia. Bella vista dalle camere. Affidabile ristorante con ampi scorci sul paesaggio.

La Conchiglia ⟨icons⟩
via Indipendenza 52 – ⟨icon⟩ *09 74 93 10 18 – www.hotellaconchiglia.it – info@*
hotellaconchiglia.it – Fax 09 74 93 10 30
30 cam ⟚ *– ♦*64/120 € ♦♦94/175 € *– ½ P* 57/99 €
Rist *– (aprile-ottobre)* Carta 16/40 €
♦ Hotel di taglio moderno, completamente ristrutturato, ubicato in pieno centro. Spazi comuni ampi, camere spaziose, arredi di qualità e una bella terrazza vista mare. Il ristorante dispone di un'ariosa sala interna e di una veranda panoramica.

Lido Ficocella ⟊ ⟨icons⟩
via Ficocella 51 – ⟨icon⟩ *09 74 93 10 51 – www.lidoficocella.com – info@*
lidoficocella.com – Fax 09 74 93 19 97 – Pasqua-ottobre
31 cam ⟚ *– ♦*40/50 € ♦♦80/90 € *– ½ P* 60/95 €   **Rist** *–* Carta 19/25 €
♦ Albergo familiare, situato ancora in centro, rispetto alla località, ma al contempo appartato e direttamente sulla scogliera che scende all'omonima spiaggetta.

Da Carmelo con cam ⟨icons⟩
località Isca, Est : 1 km – ⟨icon⟩ *09 74 93 11 38 – www.dacarmelo.it – info@*
dacarmelo.it – Fax 09 74 93 07 05 – chiuso dal 5 novembre al 27 dicembre
7 cam ⟚ *– ♦♦*70/120 €
Rist *– (chiuso mercoledì escluso da aprile a settembre)* Carta 27/47 € (+10 %)
♦ Al confine della località, lungo la statale per Camerota, un ristorante di grandi dimensioni che propone una gustosa cucina di mare, basata su ottime materie prime.

Da Isidoro ⟨icons⟩
via Indipendenza 56 – ⟨icon⟩ *09 74 93 10 43 – Fax 09 74 93 10 43*
– 15 marzo-15 ottobre
Rist *–* Carta 18/47 €
♦ Trattoria ruspante, gestita con cortesia e onestà. La cucina propone una buona selezione dei piatti della più casereccia e genuina tradizione locale, prediligendo il mare.

PALLANZA – Verbania – 561E7 – Vedere Verbania

PALLUSIEUX – Aosta – Vedere PréSaintDidier

PALMANOVA – Udine (UD) – 562E21 – 5 384 ab. – alt. 26 m   11 C3
– ✉ 33057

▶ Roma 612 – Udine 31 – Gorizia 33 – Grado 28

Commercio ⟨icons⟩
borgo Cividale 15 – ⟨icon⟩ *04 32 92 82 00 – www.albergocommerciozarra.it – info@*
albergocommerciozarra.it – Fax 04 32 92 35 68
33 cam ⟚ *– ♦*38 € ♦♦56 € *– ½ P* 37 €
Rist Da Gennaro *– vedere selezione ristoranti*
♦ Camere non ampie ma certo ben arredate con mobili di sobria modernità per questo hotel nel cuore della cittadina a pianta stellata, recentemente rinnovato.

X **Al Convento** 🔲 %̲ ⇆ 🆅🅸🆂🅰 ⓌⓌ 🅰🅴 ⓄⒾ 👶

*borgo Aquileia 10 – ℰ 04 32 92 30 42 – www.ristorantealconvento.it – info@
ristorantealconvento.it – Fax 04 32 92 30 42 – chiuso due settimane in
gennaio, una settimana in agosto, domenica e lunedì a mezzogiorno*
Rist – (prenotare) Carta 29/47 €
♦ I tavoli nel portico saranno la giusta ambientazione per un pranzo durante la bella
stagione ma il punto forte del locale è il personale, pronto ad accostare il vino giusto
al piatto da voi scelto.

X **Da Gennaro** – Hotel Commercio 🔲 🆅🅸🆂🅰 ⓌⓌ 🅰🅴 ⓄⒾ 👶
🈺 *borgo Cividale 17 – ℰ 04 32 92 87 40 – www.albergocommerciozarra.it – info@
albergocommerciozarra.it – Fax 04 32 92 35 68 – chiuso lunedì*
Rist – Carta 18/35 €
♦ Specialità della tradizione gastronomica friulana, pizze ed altro ancora in questa sala
luminosa ed ordinata. Su tutti i tavoli, un omaggio floreale.

PALMI – Reggio di Calabria (RC) – 564L29 – 19 550 ab. – alt. 250 m   5 **A3**
– ✉ 89015 ▮ Italia
▶ Roma 668 – Reggio di Calabria 49 – Catanzaro 122 – Cosenza 151

X **De Gustibus-Maurizio** 🔲 🔲 %̲ 🆅🅸🆂🅰 ⓌⓌ 🅰🅴 ⓄⒾ 👶
*viale delle Rimembranze 58/60 – ℰ 096 62 50 69 – Fax 096 62 50 69
– chiuso 1 settimana in luglio, 2 settimane in settembre, domenica e lunedì
escluso dal 15 luglio al 30 agosto*
Rist – (chiuso a mezzogiorno dal 15 luglio al 30 agosto) Carta 34/47 €
♦ Ristorante del centro, che nei decori rende omaggio alla città e ad alcuni personaggi
illustri. Dalla cucina: specialità ittiche, variabili a seconda del mercato. Menu, simpaticamente esposto a voce.

PALÙ – Trento (TN) – Vedere Giovo

PALUS SAN MARCO – Belluno – 562C18 – Vedere Auronzo di Cadore

PANCHIÀ – Trento (TN) – 562D16 – 707 ab. – alt. 981 m – Sport   31 **D3**
invernali : Vedere Cavalese (Comprensorio sciistico Val di Fiemme-Obereggen) 🎿
– ✉ 38030
▶ Roma 656 – Bolzano 50 – Trento 59 – Belluno 84
🅉 (luglio-agosto) via Nazionale 32 ℰ 0462 815005

🏠 **Rio Bianco** ⇐ 🚗 🎿 🎿 🏔 %̲ 🛗 ⚭ %̲ 🅿 🆅🅸🆂🅰 ⓌⓌ 👶
*via Nazionale 42 – ℰ 04 62 81 30 77 – info@riobianco.it – Fax 04 62 81 50 45
– gennaio-aprile e giugno-ottobre*
29 cam ⌚ – ✝104 € ✝✝160 € – ½ P 92 €   **Rist** – (solo per alloggiati)
♦ Sorto nella seconda metà dell'800 è proprio sulla statale ma con giardino, piscina
riscaldata e invitante centro benessere. In previsione ulteriori servizi e migliorie. Il ristorante propone una cucina con specialità locali.

PANDINO – Cremona (CR) – 561F10 – 7 994 ab. – alt. 85 m – ✉ 26025   19 **C2**
▶ Roma 556 – Bergamo 36 – Cremona 52 – Lodi 12

a Nosadello Ovest : 2 km – ✉ 26025 – Pandino

XX **Volpi** 🏠 🔲 🅿 🆅🅸🆂🅰 ⓌⓌ 🅰🅴 👶
*via Indipendenza 36 – ℰ 037 39 01 00 – trattoria.volpi@libero.it
– Fax 037 39 14 00 – chiuso dal 1° al 15 gennaio, dal 15 al 30 agosto, sabato a
mezzogiorno, domenica sera e lunedì*
Rist – Carta 29/39 €
♦ Un locale elegante ricavato all'interno di un edificio d'epoca, ideale per cene importanti nelle comode salette interne oppure in veranda.

PANICALE – Perugia (PG) – 563M18 – 5 525 ab. – alt. 441 m – ✉ 06064   32 **A2**
▶ Roma 158 – Perugia 39 – Chianciano Terme 33
🖼 Lamborghini, ℰ 075 83 75 82

Villa le Mura senza rist ⌂ ⤢ 🚗 🏊 🍸 ⁿ P

località Villa le Mura 1, Nord-Est : 1 km – 𝒞 *075 83 71 34 – www.villalemura.com*
– villalemura@alice.it – Fax 075 83 71 34 – marzo-novembre
4 cam ⌷ – ♦♦100/120 € – 2 suites
♦ Grande villa nobiliare, costruita fra il 1690 ed il 1800, contornata da un curato giardino e avvolta da un parco secolare. All'interno ambienti di notevole fascino, saloni sontuosi e camere affrescate.

verso Montali – ✉ 06068 – **Panicale**

 Villa di Monte Solare ⌂ ⤢ 🎭 🏊 🛁 🔥 🐎 ✗ 🅰🅲 ✗ rist, ⁿ 🏋

via Montali 7, località Colle San Paolo, Est : 11 km P VISA ⦿ AE ① 👌
– 𝒞 *07 58 35 58 18 – www.villamontesolare.com – info@villamontesolare.it*
– Fax 07 58 35 54 62
15 cam ⌷ – ♦145 € ♦♦240 € – 10 suites – ½ P 162 €
Rist – Carta 45/58 € ⦂
♦ All'interno di un'area sottoposta a vincolo paesaggistico ed archeologico, una villa patrizia di fine '700 con annessa fattoria. Per una *mens sana in corpore sano*, sosta presso il nuovo centro benessere *Le Muse*. Cucina regionale e creativa: servizio estivo all'aperto, sotto i tigli del giardino all'italiana.

 Agriturismo Montali ⌂ ⤢ 🚗 🏊 ✗ P VISA ⦿ 👌

via Montali 23, località Montali, Nord-Est : 15 km – 𝒞 *07 58 35 06 80*
– www.montalionline.com – montali@montalionline.com – Fax 07 58 35 01 44
– aprile-ottobre
10 cam – solo ½ P 110 €
Rist *– (chiuso a mezzogiorno)* (prenotazione obbligatoria) Menu 50 €
♦ Chilometri di strada panoramica non asfaltata con una vista che spazia sul Lago Trasimeno, il basso Senese e il Perugino: posizione decisamente isolata per questo complesso rurale di grande fascino. Camere accoglienti ed una bella piscina a sfioro. Cucina vegetariana.

PANNESI – Genova – Vedere Lumarzo

PANTELLERIA (Isola di) – Trapani – 565Q17 – Vedere Sicilia alla fine dell'elenco alfabetico

---

PANTIERA – Pesaro-Urbino – Vedere Urbino

PANZA – Napoli – Vedere Ischia (Isola d') : Forio

PANZANO – Firenze – Vedere Greve in Chianti

PARABIAGO – Milano (MI) – 561F8 – 24 463 ab. – alt. 180 m   18 **A2**
– ✉ 20015
▶ Roma 598 – Milano 21 – Bergamo 73 – Como 40

ХХ **Da Palmiro** ♿ 🅰🅲 ✗ VISA ⦿ AE 👌

via del Riale 16 – 𝒞 *03 31 55 20 24 – www.ristorantedapalmiro.it – dapalmiro@*
tiscali.it – Fax 03 31 49 26 12 – chiuso domenica sera e lunedì
Rist – Carta 38/59 €
♦ In posizione centrale, una vera chicca per gli amanti della cucina di mare: ampia scelta e grande varietà anche sul crudo. Non manca qualche piatto stagionale, di terra.

PARADISO – Udine – Vedere Pocenia

PARATICO – Brescia (BS) – 561F11 – 3 675 ab. – alt. 232 m – ✉ 25030   19 **D1**
▶ Roma 582 – Bergamo 28 – Brescia 33 – Cremona 78

🏠 **Ulivi** senza rist ⤢ 🚗 🏊 🛗 ♿ 🅰🅲 📞 🍴 VISA ⦿ AE ① 👌

viale Madruzza 11 – 𝒞 *035 91 29 18 – www.ulivihotel.it – info@ulivihotel.it*
– Fax 03 54 26 19 69 – chiuso Natale
22 cam ⌷ – ♦63/80 € ♦♦85/143 €
♦ Una costruzione un po' atipica, ad un piano, che chiude a ferro di cavallo il giardino e la piscina affacciati proprio sul lago; l'ambiente è nuovissimo e accogliente.

PARCINES (PARTSCHINS) – Bolzano (BZ) – 562B15 – **3 287 ab.**   30 **B2**
– alt. 641 m – ⊠ 39020

> ▶ Roma 674 – Bolzano 35 – Merano 8 – Milano 335
> ℹ via Spauregg 10 ℰ 0473 967157, info@partschins.com, Fax 0473 967798

An der Stachelburg   🚗 🛖 🖼 🌀 ʃ♨ 🛗 🕭 🖈 ⚡ rist, ℗
via Cascata 7 – ℰ 04 73 96 73 10   𝑉𝐼𝑆𝐴 ⓜ ⓘ ⑤
– www.hotel-stachelburg.com – info@hotel-stachelburg.com – Fax 04 73 96 82 30
– marzo-novembre
31 cam – solo ½ P 49/79 €   **Rist** – *(chiuso a mezzogiorno) (solo per alloggiati)*
♦ Piccolo ma piacevole albergo nel centro del paese, molto curato e dotato di camere
recentemente ristrutturate. Notevole attenzione per la cucina, servita anche in veranda.

a Rablà (Rabland)Ovest : 2 km – ⊠ 39020

Hanswirt   🚗 🌀 🛖 🛗 🕭 🖈 ⤴ ⚡ ℗ 🚗 𝑉𝐼𝑆𝐴 ⓜ ⑤
piazza Gerold 3 – ℰ 04 73 96 71 48 – www.hanswirt.com – info@hanswirt.com
– Fax 04 73 96 81 03 – chiuso dal 10 gennaio al 20 marzo
25 cam � – ♦75/140 € ♦♦135/190 € – ½ P 98/125 €
Rist Hanswirt – vedere selezione ristoranti
♦ Struttura recente nata dall'ampliamento di un bell'edificio storico che va ad arricchire
l'offerta dell'omonimo ristorante. Ampi spazi e camere eleganti.

Roessl   ⟨ 🚗 🛖 🛁 🖼 ⊛ 🌀 ʃ♨ 🛗 🖈 🆎 rist, ⚡ ℗ 🚗
via Venosta 26 – ℰ 04 73 96 71 43 – www.roessl.com   𝑉𝐼𝑆𝐴 ⓜ 🆎 ⑤
– info@roessl.com – Fax 04 73 96 80 72 – chiuso dal 20 dicembre al 30 gennaio
49 cam ⊇ – ♦50/130 € ♦♦100/180 € – 3 suites – ½ P 68/100 €
Rist – Menu 23/50 €
♦ Decorato e sito lungo la via principale, con molte stanze affacciate sui frutteti, albergo
con buone attrezzature e piacevole giardino con piscina. Specialità sudtirolesi, in sala o
immersi nell'ambiente tipico delle stube.

Hanswirt – Hotel Hanswirt   🛖 🕭 ⚡ ⟺ ℗ 𝑉𝐼𝑆𝐴 ⓜ ⑤
piazza Gerold 3 – ℰ 04 73 96 71 48 – www.hanswirt.com
– info@hanswirt.com – Fax 04 73 96 81 03
– chiuso dal 10 gennaio al 20 marzo
Rist – Carta 34/47 €
♦ Ricavato all'interno di un antico maso, stazione di posta, un locale elegante e piacevole, dall'ambiente caldo e tipicamente tirolese.

PARCO NAZIONALE D'ABRUZZO – L'Aquila-Isernia-Frosinone – 563Q23
🏳 Italia

PARETI – Livorno – Vedere Elba (Isola d') : Capoliveri

PARGHELIA – Vibo Valentia (VV) – 564K29 – **1 386 ab.** – ⊠ 89861   5 **A2**
> ▶ Roma 600 – Reggio di Calabria 106 – Catanzaro 87 – Cosenza 117

Porto Pirgos 🞔   🚗 🛖 🛁 ⚡ 🖈 🆎 ⚡ ℗ 𝑉𝐼𝑆𝐴 ⓜ 🆎 ⓘ ⑤
località Marina di Bordila, Nord-Est : 3 km – ℰ 09 63 60 03 51
– www.portopirgos.com – info@portopirgos.com – Fax 09 63 60 06 90
– maggio-10 ottobre
18 cam ⊇ – ♦170/290 € ♦♦280/572 € – ½ P 290/319 €
Rist – *(prenotazione obbligatoria)* Menu 30/80 €
♦ Un piccolo gioiello ad alti livelli, molto curato, personalizzato, di grande impatto: dal
restauro di un'antica dimora signorile, sopra un promontorio con discesa a mare. Un
pavimento a mosaico impreziosisce la sala da pranzo interna, ed un colonnato incornicia
le sue terrazze, con splendida vista sul mare.

Panta Rei ⌂ 🏡 🏡 ⇐ 🚗 ☆ ⅀ 🅰🅒 ⅍ 🅿 🆅🆂🅰 ⬤ 🅰🅴 ⓘ ⅍

località Marina di San Nicola, Nord-Est : 2 km – ℰ *09 63 60 18 65*
– www.hotelpantarei.com – info@hotelpantarei.com – Fax 09 63 60 17 21
– maggio-settembre
21 cam *–* solo ½ P 200/300 €
Rist *– (solo per alloggiati)* Menu 30 € (solo a mezzogiorno)/75 €
♦ Esclusiva e lussuosa residenza in pietra con accesso diretto ad una spiaggetta privata. Camere spaziose e confortevoli, tutte con terrazza ed alcune con vista mozzafiato sul mare. Romantiche cene sulla terrazza e pranzi a buffet in riva al mare: abbandonatevi alla piacevolezza della vita, *panta rei...*

PARMA 🅿 (PR) – 562H12 – 164 528 ab. – alt. 52 m – ⊠ 43100 📱 Italia   8 **A3**

🄳 Roma 458 – Bologna 96 – Brescia 114 – Genova 198

ℹ via Melloni 1/A ℰ 0521 218889, turismo@comune.parma.it, Fax 0521 234735

🔟₈ La Rocca, ℰ 0521 83 40 37

Manifestazioni locali

28.02 - 08.03 : mercantinfiera primavera (mostra internazionale di modernariato)

03.10 - 11.10 : mercantinfiera autunno (mostra internazionale di modernariato)

◉ Complesso Episcopale★★★ CY : Duomo★★, Battistero★★ **A** – Galleria nazionale★★, teatro Farnese★★, museo nazionale di antichità★ nel palazzo della Pilotta BY★ – Affreschi★★ del Correggio nella chiesa di San Giovanni Evangelista CYZ – Camera del Correggio★ CY – Museo Glauco Lombardi★ BY **M1** – Affreschi★ del Parmigianino nella chiesa della Madonna della Steccata BZ **E** – Parco Ducale★ ABY – Casa Toscanini★ BY **M2**

Piante pagine 826-827

🏨 Starhotels Du Parc   🔟₆ 📶 🅰🅒 ⅃⅍ ⅍ ⁗⁗ 🔊 🅿 🚗 🆅🆂🅰 ⬤ 🅰🅴 ⓘ ⅍

viale Piacenza 12/c – ℰ *05 21 29 29 29 – www.starhotels.com – duparc.pr@ starhotels.it – Fax 05 21 29 28 28*   AY**a**
163 cam ⌷ *–* 🍴🍴300 € *–* 6 suites   **Rist** *Canova* – Carta 42/57 €
♦ Un possente edificio del 1921, affacciato sul Parco Ducale, ospita questa stella della hotellerie cittadina: signorilità e ogni genere di confort, a pochi passi dal centro. Specialità gastronomiche parmigiane, dalle succulenti paste ripiene ai saporiti arrosti.

🏨 Grand Hotel de la Ville   🏮 🔟₆ 📶 🔊 🅰🅒 ⅃⅍ ⅍ ⁗⁗ 🔊

largo Piero Calamandrei 11 (Barilla Center)   🆅🆂🅰 ⬤ 🅰🅴 ⓘ ⅍
– ℰ *05 21 03 04 – www.grandhoteldelaville.it – info@grandhoteldelaville.it*
– Fax 05 21 03 03 03   CZ**a**
105 cam ⌷ *–* 🍴210/290 € 🍴🍴290/360 € *–* 5 suites
Rist *– (chiuso domenica) (chiuso a mezzogiorno)* Carta 40/52 €
♦ Elegante hall con spazi e luci d'avanguardia per questa risorsa ricavata da un ex pastificio, riprogettato all'esterno da Renzo Piano. Camere moderne dagli arredi più classici. Ristorante con proposte di ogni origine: ricette parmigiane, elaborazioni classiche e specialità di pesce.

🏨 Stendhal   🏮 🅰🅒 ⅃⅍ ⅍ ⁗⁗ 🔊 🚗 🆅🆂🅰 ⬤ 🅰🅴 ⓘ ⅍

piazzetta Bodoni 3 – ℰ *05 21 20 80 57 – www.hotelstendhal.it – info@ hotelstendhal.it – Fax 05 21 28 56 55*   BY**r**
67 cam ⌷ *–* 🍴145/190 € 🍴🍴230/290 € *–* ½ P 152/175 €
Rist *La Pilotta – (chiuso dal 1° al 23 agosto)* Carta 32/46 €
♦ Nel cuore di Parma, in un'area cortilizia dell'antico Palazzo della Pilotta, una piacevole struttura con camere variamente decorate, dallo stile veneziano al Luigi XIII. Luminosa sala ristorante in stile lineare.

🏨 Verdi senza rist   🏮 🅰🅒 ⅍ ⁗⁗ 🅿 🚗 🆅🆂🅰 ⬤ 🅰🅴 ⓘ ⅍

via Pasini 18 – ℰ *05 21 29 35 39 – www.hotelverdi.it – info@hotelverdi.it*
– Fax 05 21 29 35 59 – chiuso dal 23 dicembre al 6 gennaio   AY**b**
20 cam *–* 🍴100/180 € 🍴🍴150/220 €, ⌷ 15 € *–* 3 suites
♦ Dal rinnovo di un edificio in stile liberty, di cui si notano le eco nei begli esterni color glicine e negli interni, un comodo albergo prospiciente il Parco Ducale.

PARMA

🏠 **Farnese International Hotel** 🛜 📠 🚪 🅰🅲 ♿ 💈 rist. 🛜 🕸 🅿
via Reggio 51/a, per via Reggio – 𝒞 05 21 99 42 47   🆅🅸🆂🅰 🆆🅾 🅰🅴 🅾 💲
– www.farnesehotel.it – info@farnesehotel.it – Fax 05 21 99 23 17   BY**a**
76 cam 🛏 – ♦85/135 € ♦♦110/180 €
Rist Cherubino – 𝒞 05 21 29 49 29 – Carta 28/37 €
♦ A pochi metri dalla tangenziale, moderno complesso adatto soprattutto ad una clientela d'affari ma non solo, consente di raggiungere agevolmente stazione, aeroporto e fiera. Sale ristorante di taglio moderno.

🏨 **My Hotels Villa Ducale** 🛜 📠 🚪 🅲 ♿ 🛒 🅰🅲 ♿ rist. 🛜 🕸 🅿
via Moletolo 53/a, 2 km per ① – 𝒞 05 21 27 27 27   🆅🅸🆂🅰 🆆🅾 🅰🅴 🅾 💲
– www.myonehotel.it – infovilladucale@myonehotel.it – Fax 05 21 78 07 56
113 cam 🛏 – ♦70/140 € ♦♦90/180 € – ½ P 60/100 €
Rist – (chiuso agosto, sabato e domenica) Carta 24/34 €
♦ Per una clientela d'affari che ha esigenza di muoversi fra il centro cittadino e l'autostrada, una villa del '700 recentemente ristrutturata: camere moderne e confortevoli

826

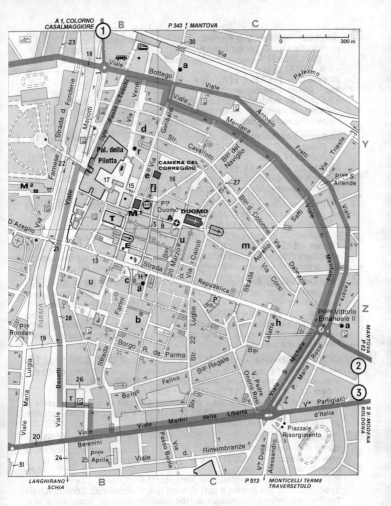

Daniel 🛗 AC ⚡ 🐾 🔊 P VISA ⦿ AE ① ⅚

via Gramsci 16 ang. via Abbeveratoia, per ⑤
– ☎ 05 21 99 51 47 – www.hoteldaniel.biz
– info@hoteldaniel.biz – Fax 05 21 29 26 06
– chiuso dal 24 al 26 dicembre e agosto
32 cam � – 🛉75/120 € 🛉🛉90/170 € – ½ P 110 €
Rist Cocchi – vedere selezione ristoranti

◆ Vicinissima al complesso ospedaliero, sulla via Emilia, sorge questa struttura che
dispone di camere recentemente rinnovate con gusto moderno e colori sobri.

La guida vive con voi: parlateci delle vostre esperienze.
Comunicateci le vostre scoperte più piacevoli e le vostre delusioni.
Buone o cattive sorprese? Scriveteci!

Express Holiday Inn Parma   🛗 ⅀ cam, AC ⅀ rist, 🛜 ⅀ P

via Naviglio Alto 50, per via Trento
– ✆ 05 21 27 05 93 – www.parma.hiexpress.it – info@parma.hiexpress.it
– Fax 05 21 77 28 21   CYh
70 cam ⅀ – 🛏65/120 € 🛏🛏75/130 € – ½ P 50/95 €
Rist – *(chiuso a mezzogiorno)* Carta 27/43 €
♦ Nei pressi dei centri commerciali e in prossimità delle grandi arterie di comunicazione, una struttura moderna nonché funzionale, ideale per una clientela d'affari. Camere confortevoli. Ristorante arredato sobriamente, con proposte anche locali.

Astoria Executive Hotel senza rist   AC ⅀ 🛜 ⅀ VISA ⅀ AE ⅀ ⅀

via Trento 9 – ✆ 05 21 27 27 17 – www.piuhotels.com – info@piuhotels.com
– Fax 05 21 27 27 24   CYa
88 cam ⅀ – 🛏65/135 € 🛏🛏75/210 €
♦ A pochi passi dalla stazione e lungo un'arteria che collega il centro cittadino e l'autostrada, un albergo ideale per clienti d'affari, con camere omogenee e funzionali.

Button senza rist   🛗 AC 🛜 VISA ⅀ AE ⅀ ⅀

via della Salina 7 – ✆ 05 21 20 80 39 – www.hotelbutton.it
– hotelbutton@tin.it – Fax 05 21 23 87 83
– chiuso dal 23 dicembre al 2 gennaio e dal 18 luglio al 18 agosto
40 cam – 🛏72 € 🛏🛏97 €, ⅀ 9 €   BZa
♦ Nel cuore di Parma, nei pressi dell'Università e altre mete cittadine, sorge questa risorsa dove la semplicità delle camere è compensata dall'ampiezza e cortesia nel servizio.

My One Hotel Arte senza rist   🛗 ⅀ AC 🛜 P VISA ⅀ AE ⅀ ⅀

via Mansfield 3, per via Trento – ✆ 05 21 77 69 26 – www.myonehotel.it – arte@
myonehotel.it – Fax 05 21 77 67 23 – chiuso dal 22 dicembre al 4 gennaio
44 cam ⅀ – 🛏45/200 € 🛏🛏50/220 €   CYe
♦ Tra la città e lo sbocco autostradale, piccolo hotel dalle camere confortevoli e funzionali, arredate sobriamente. La calda accoglienza e la cura della prima colazione sono il fiore all'occhiello della struttura.

Villa Fontanorio senza rist ⅀   ⅀ ⅀ 🛗 AC ⅀ ⅀ ⅀ P

via Fontanorio 66, Sud : 5 km – ✆ 05 21 64 91 00   VISA ⅀ AE ⅀
– www.villafontanorio.it – info@villafontanorio.it – Fax 05 21 39 07 17
4 cam ⅀ – 🛏130/150 € 🛏🛏150/180 € – 1 suite
♦ Elegante residenza di campagna, a pochi minuti dalla città ed immersa nel verde di un giardino all'italiana, propone raffinate zone comuni e un piccolo centro benessere per momenti di piacevole relax.

Parizzi   AC ⅀ ⅀ VISA ⅀ AE ⅀ ⅀
❀
strada della Repubblica 71 – ✆ 05 21 28 59 52 – www.ristoranteparizzi.it – info@
ristoranteparizzi.it – Fax 05 21 28 50 27 – chiuso 24-25 dicembre, dall'8 al 15
gennaio, agosto e lunedì   CZh
Rist – (consigliata la prenotazione) Menu 65/75 € – Carta 50/76 € ⅀
Spec. Sgombro con burrata e ricci di mare (primavera-estate). Cono di funghi porcini croccante con misticanza di erbe (autunno-inverno). Sandwich di albicocche con gelato al latte di mandorle e salsa di anice stellato
♦ Un'ottima tavola che ha saputo, partendo da un territorio ricco di tradizioni e cultura gastronomica, rinnovare con semplicità e grazia la propria cucina. E per un *surplus* di ospitalità: piccolo *relais* a disposizione degli ospiti, che gradiscono soggiornare.

La Greppia   AC ⅀ VISA ⅀ AE ⅀ ⅀

strada Garibaldi 39/a – ✆ 05 21 23 36 86 – Fax 05 21 22 13 15
– chiuso dal 23 dicembre al 5 gennaio, luglio, lunedì e martedì   BYe
Rist – Carta 38/54 € ⅀
♦ Locale accogliente e, in fondo, la cucina a vista con esposizione dei tesori della casa: le paste fresche! Sapori del territorio e antiche ricette dell'epoca farnese.

Il Cortile   ⅀ AC ⅀ ⅀ VISA ⅀ AE ⅀ ⅀

borgo Paglia 3 – ✆ 05 21 28 57 79 – www.trattoriailcortile.com – ilcortile@tin.it
– Fax 05 21 50 71 92 – chiuso dal 24 dicembre al 2 gennaio, dal 10 al 22 agosto
e domenica   AZa
Rist – Carta 27/38 €
♦ Locale accogliente, di tono rustico-elegante e tranquillo, nonostante la prossimità al centro. Piatti della tradizione cittadina ai quali si aggiunge un menu per ciliaci.

🍴🍴 **Parma Rotta** ⛱ 🚭 ⇔ [P] VISA [MC] [AE] [DC] [JCB]
via Langhirano 158, per viale Rustici – ☎ 05 21 96 67 38 – www.parmarotta.com – info@parmarotta.com – Fax 05 21 96 81 67 – chiuso dal 23 dicembre al 10 gennaio, dal 23 luglio al 7 agosto, domenica e lunedì BZ**f**
Rist – Carta 36/55 € 🍇
◆ All'interno di una vecchia casa colonica, un labirinto di salette ospita una cucina che trova la propria massima espressione nei dolci e nelle specialità alla griglia con braci di legna.

🍴🍴 **Il Trovatore** ⛱ [AC] VISA [MC] [AE] [DC] [JCB]
via Affò 2/A – ☎ 05 21 23 69 05 – www.iltrovatoreristorante.com – info@iltrovatoreristorante.com – Fax 05 21 23 69 05 – chiuso 24-26 dicembre, dal 5 al 25 agosto e domenica BY**d**
Rist – Menu 29/45 € – Carta 32/58 €
◆ Un omaggio a Verdi per appassionata gestione che ha rinnovato, anche nel nome, un vecchio locale in pieno centro. Vari i piatti, dal parmense al mare.

🍴🍴 **La Filoma** [AC] ⇔ VISA [MC] [AE] [DC] [JCB]
via 20 Marzo 15 – ☎ 05 21 20 61 81 – www.filoma.com – info@filoma.com – Fax 05 21 20 61 81 – chiuso 1 settimana a Natale, dal 20 luglio al 20 agosto, martedì e mercoledì a mezzogiorno, in luglio e agosto sabato e domenica
Rist – Carta 34/48 € CZ**u**
◆ A pochi passi dal Duomo, avvolto in un'atmosfera '800esca, un antico palazzo ospita questo glorioso ristorante della città.Cucina legata al territorio, ma non solo.

🍴🍴 **Folletto** [AC] 🚭 [P] VISA [MC] [AE] [DC] [JCB]
via Emilia Ovest 17/A, per [5] – ☎ 05 21 98 18 93 – ilfolletto90@libero.it – Fax 05 21 98 18 93 – chiuso dal 23 al 28 dicembre, dal 1° al 25 agosto e lunedì
Rist – Carta 30/43 € 🍇
◆ Giovane gestione in un locale semplice e accogliente, un po' decentrato, ma sulla strategica via Emilia; un buon riferimento per gli amanti del pesce.

🍴🍴 **Osteria del Gesso** [AC] VISA [MC] [AE] [JCB]
via Ferdinando Maestri 11 – ☎ 05 21 23 05 05 – www.osteriadelgesso.it – info@osteriadelgesso.it – Fax 05 21 38 53 70 – chiuso dal 4 al 14 gennaio, luglio, mercoledì e giovedì a mezzogiorno in inverno, sabato e domenica in estate
Rist – Carta 39/51 € BZ**b**
◆ Indubbiamente le specialità locali, ma la ricerca dei prodotti e i voli della fantasia fanno fare ai piatti il giro del mondo! La piccola sala al piano interrato riporta alla memoria la locanda settecentesca.

🍴🍴 **Cocchi** – Hotel Daniel [AC] 🚭 ⇔ [P] VISA [MC] [AE] [DC] [JCB]
via Gramsci 16/a, per [5] – ☎ 05 21 98 19 90 – www.hoteldaniel.biz – info@hoteldaniel.biz – Fax 05 21 29 26 06 – chiuso dal 24 dicembre al 6 gennaio, agosto e sabato, anche domenica in giugno-luglio
Rist – Carta 35/50 € 🍇
◆ Annessa all'hotel Daniel, una gloria cittadina che, in due ambienti raccolti e rustici, propone la tipica cucina parmense accompagnati da una ricercata lista vini.

🍴🍴 ✿ **Al Tramezzo** (Alberto Rossetti) ⛱ [AC] ⇔ VISA [MC] [DC] [JCB]
via Del Bono 5/b, 3 km per [3] – ☎ 05 21 48 79 06 – www.altramezzo.it – info@altramezzo.it – Fax 05 21 48 41 96 – chiuso dal 1° al 15 luglio e domenica
Rist – Carta 41/55 € 🍇
Spec. Pesci e verdure con lemongrass e cubetti di cocco tenero. Ravioli di piselli e menta, fonduta ai porri dolci. Spaccato d'agnello di Normandia, roesti di patate.
◆ In zona periferica, semplice e classico negli arredi, le energie si concentrano su una cucina che spazia dalla tradizione parmense, paste e salumi, a piatti più creativi anche di pesce.

🍴 🪙 **Gallo d'Oro** ⛱ ⇔ VISA [MC] [AE] [DC] [JCB]
borgo della Salina 3 – ☎ 05 21 20 88 46 – www.ristorantidiparma.it – info@gallororistorante.it – Fax 05 21 20 88 46 – chiuso Natale, 31 dicembre, dal 15 al 19 agosto e domenica sera BZ**c**
Rist – Carta 21/31 €
◆ Ubicazione centrale, alle spalle della Piazza cittadina per antonomasia, per una tipica taverna con volte antiche e ambiente informale: cucina ancorata al territorio.

X **Osteria del 36** 🗚 🆅🆂🅰 ⓒⓓ 🅰🅴 ① ⓢ
via Saffi 26/a – ℰ *05 21 28 70 61* – *osteriadel36@libero.it* – *Fax 05 21 23 28 63*
– *chiuso dal 15 luglio al 20 agosto e domenica* **CZm**
Rist – Carta 29/39 €
♦ Paste fresche preparate all'istante, selezione di formaggi e torte sono alcuni dei piatti forti di questa informale osteria. Curiosità: il 36 non è il civico di questo locale, ma il nome datogli dai primi avventori, che per distinguerlo dagli altri scelsero il numero di centesimi necessari per un litro di buon vino...

X **I Tri Siochett** 🗚 🕱 ✿ 🅿 🆅🆂🅰 ⓒⓓ 🅰🅴 ① ⓢ
strada Farnese 74, per viale Villetta – ℰ *05 21 96 88 70* – *www.itrisiochett.it*
– *itrisiochett@virgilio.it* – *Fax 05 21 96 88 70* – *chiuso dal 24 dicembre*
al 4 gennaio, dal 24 giugno al 14 luglio, lunedì **AZb**
Rist – *(chiuso a mezzogiorno escluso domenica e festivi)* Carta 21/35 €
♦ Appena fuori dall'agglomerato urbano, in aperta campagna, una bella casa colonica ospita questa originale osteria parmense. Succulente specialità locali per golosi buongustai.

a Coloreto Sud-Est : 4 km per viale Duca Alessandro *CZ* – ⊠ *43100* – **Parma**

XX **Il Piccolo Principe** 🗚 🅿 🆅🆂🅰 ⓒⓓ 🅰🅴 ① ⓢ
strada Budellungo 96 – ℰ *05 21 64 00 54* – *Fax 05 21 64 03 08*
Rist – *(prenotare)* Carta 45/60 €
♦ Piatti locali rivisitati e nuove creazioni gastronomiche, soprattutto a base di pesce, in questa moderna e luminosa struttura. La dimensione bucolica è assicurata!

a Castelnovo di Baganzola per ① : *6 km* – ⊠ *43100*

XX **Le Viole** 🗚 🕱 🅿 🆅🆂🅰 ⓒⓓ 🅰🅴 ⓢ
strada nuova di Castelnuovo 60/a – ℰ *05 21 60 10 00* – *Fax 05 21 60 16 73*
– *chiuso dal 15 gennaio al 10 febbraio, dal 15 al 30 agosto, domenica e lunedì in luglio-agosto, mercoledì e giovedì negli altri mesi*
Rist – Carta 27/37 €
♦ Cucina creativa in questo simpatico indirizzo alle porte di Parma, dove due dinamiche sorelle sapranno allettarvi prendendo semplicemente spunto dai prodotti di stagione.

a Gaione Sud-Ovest : *5 km per via della Villetta* *AZ* – ⊠ *43100*

XX **Trattoria Antichi Sapori** 🗚 ✿ 🆅🆂🅰 ⓒⓓ 🅰🅴 ① ⓢ
via Montanara 318 – ℰ *05 21 64 81 65* – *www.cucinaparmigiana.it* – *info@ cucinaparmigiana.it* – *Fax 05 21 64 95 26* – *chiuso Natale, 3 settimane in agosto e martedì*
Rist – Menu 30 € – Carta 27/34 €
♦ Trattoria di campagna alle porte della città, propone una cucina regionale, accompagnata da qualche piatto di pesce e dal dinamismo di una giovane conduzione.

a Ponte Taro per ⑤ : *10 km* – ⊠ *43010*

🏠 **San Marco & Formula Club** 🕱 🛏 🖫 🕭 rist, 🗚 ⤶ 🕱 rist, 🍴 🔱
via Emilia Ovest 42 – ℰ *05 21 61 50 72* 🅿 🚗 🆅🆂🅰 ⓒⓓ 🅰🅴 ① ⓢ
– *www.hotelsanmarcoclub.com* – *info@hotelsanmarcoclub.it*
– *Fax 05 21 61 50 12*
98 cam ⊊ – †87/145 € ††116/205 € – 14 suites – ½ P 78/128 €
Rist *L'Incontro* – ℰ *05 21 61 50 76 (chiuso dal 10 al 25 agosto)* Carta 25/41 €
♦ Costruzione orizzontale nei pressi dello svincolo autostradale e della fiera, ideale per una clientela commerciale; le camere sono di diverse tipologie, chiedete quelle di rinnovo più recente. Piacevole sala da pranzo, ravvivata dal simpatico pavimento "scozzese". La cucina accontenta clienti di ogni provenienza.

PARTSCHINS = Parcines

PASIANO DI PORDENONE – Pordenone (PN) – 562E19 – 7 530 ab.
– alt. 13 m – ⊠ 33087 **10 A3**
▶ Roma 570 – Udine 66 – Belluno 75 – Pordenone 11

a Cecchini di Pasiano Nord-Ovest : 3 km – ⊠ **33087**

Il Cecchini ⊱ *⚐ ⊨ ⅃ & cam,* ⚏ ⅍ *cam,* ⅋ **P** ⚙ ⱽⁱˢᵃ ⊙⊙ ⵑⵉ ⓞ ⓢ
via Sant'Antonio 9 – ℰ 04 34 61 06 68 – www.ilcecchini.it – info@ilcecchini.it
– Fax 04 34 62 09 76
30 cam ⊊ – ❖45/50 € ❖❖55/60 €
Rist Il Cecchini da Marco e Nicola – vedere selezione ristoranti
Rist *Il Bistrot* – (chiuso dal 10 al 24 agosto e domenica) Menu 20/25 € ⅍
♦ Situato in posizione tranquilla a pochi chilometri da Pordenone, l'hotel offre spazi
comuni e camere confortevoli di taglio moderno. E' sede di numerose manifestazioni
culturali. Tranquillità e modernità continuano nella sala del Bistrot che propone
pasti informali di tradizione e piatti di innovazione.

Il Cecchini da Marco e Nicola (Marco Carraro) – Hotel Il Cecchini
via Sant'Antonio 9 – ℰ 04 34 61 06 68   ⚐ ⚏ ⇔ **P** ⱽⁱˢᵃ ⊙⊙ ⵑⵉ ⓞ ⓢ
– www.ilcecchini.it – info@ilcecchini.it – Fax 04 34 62 09 76 – chiuso
dal 1° all'8 gennaio, dal 10 al 24 agosto, sabato a mezzogiorno e domenica
Rist – Carta 47/62 € ⅍
Spec. Insalata di mare. Aragosta con crema di patate e pomodori. Pesce, lat-
tuga, alici e foie gras.
♦ Eleganza e accoglienza per questo ristorante recentemente rinnovato, nel quale si
uniscono il rustico fascino di una casa antica e la raffinatezza d'arredo delle sale. Una
cucina che sorprende sia per le minuziose elaborazioni sia per la concretezza dei piatti.

a Rivarotta Ovest : 6 km – ⊠ **33087**

Villa Luppis ⊱   ⚐ ⚑ ⅃ ⅄ ⚏ ⅍ ⚏ ⚏ ⓐⓚ ⅍ ⅍ **P** ⱽⁱˢᵃ ⊙⊙ ⵑⵉ ⓞ ⓢ
via San Martino 34 ⊠ 33080 – ℰ 04 34 62 69 69 – www.villaluppis.it – hotel@
villaluppis.it – Fax 04 34 62 62 28
33 cam ⊊ – ❖120/155 € ❖❖205/270 € – 6 suites – ½ P 155/190 €
Rist *Cà Lupo* – ℰ 04 34 62 69 96 (chiuso dal 3 al 18 gennaio, martedì, mercoledì a mezzogiorno) Carta 45/69 € ⅍
♦ Circondato da 50.000 metri quadrati di parco con giardino all'italiana, piscina e campi da
tennis, l'antico convento propone spaziosi ambienti e raffinate atmosfere. Oggetti d'arte ed
eleganza in sala, tradizione e creatività dalla cucina. Dispone anche di una sala per fumatori.

PASSAGGIO – Perugia – 563M19 – **Vedere Bettona**

PASSIGNANO SUL TRASIMENO – Perugia (PG) – 563M18   32 **A2**
– 5 244 ab. – alt. 289 m – ⊠ **06065**
▶ Roma 211 – Perugia 27 – Arezzo 48 – Siena 80

Kursaal ⊱   ⩻ ⚐ ⚑ ⅃ ⚏ & ⓐⓚ *cam,* ⅍ *rist,* ⅋ **P** ⱽⁱˢᵃ ⊙⊙ ⓢ
via Europa 24 – ℰ 075 82 80 85 – www.kursaalhotel.net – info@kursaalhotel.net
– Fax 075 82 71 82 – dicembre-6 gennaio e aprile-ottobre
18 cam ⊊ – ❖65/73 € ❖❖78/92 € – ½ P 62/67 €   **Rist** – Carta 26/44 €
♦ In prima fila rispetto alla riva del lago, hotel rinnovato di recente, offre camere arredate con gusto combinando una sobria eleganza all'atmosfera vacanziera. Servizio ristorante estivo effettuato in veranda sul lungolago.

Lidò ⊱   ⩻ ⚑ ⅃ ⚏ & rist, ⓐⓚ ⅋ ⅍ **P** ⱽⁱˢᵃ ⊙⊙ ⵑⵉ ⓞ ⓢ
via Roma 1 – ℰ 075 82 72 19 – www.umbriahotels.com – lido@
umbriahotels.com – Fax 075 82 72 51 – marzo-ottobre
53 cam ⊊ – ❖50/75 € ❖❖98/130 € – ½ P 65/85 €
Rist *Lidò Perugia* – Carta 26/37 €
♦ Hotel ubicato proprio in riva al lago, la cui vista è una piacevole compagnia durante il
soggiorno. Camere accoglienti: alcune dotate di attrezzi ginnici. Il ristorante si trova su di
un grande pontile, dove la parte terminale è una romantica terrazza affacciata sullo
specchio d'acqua. In menu: prelibatezze lacustri.

Il Fischio del Merlo   ⚐ ⚑ ⅃ & ⓐⓚ **P** ⱽⁱˢᵃ ⊙⊙ ⵑⵉ ⓞ ⓢ
località Calcinaio 17/A, Est : 3 km – ℰ 075 82 92 83 – www.ilfischiodelmerlo.it
– info@ilfischiodelmerlo.it – Fax 075 82 92 83 – chiuso novembre e martedì
Rist – Carta 29/43 €
♦ Fuori dal paese, in un elegante rustico, mura in pietra, grandi finestre e sala soppalcata, o un gradevole servizio all'aperto con cucina del territorio e sapori di pesce.

a Castel Rigone Est : 10 km – ✉ 06060

🏨 **Relais la Fattoria** ॐ   ← 🛰 🔍 🗐 🖐 🖢 🅿 VISA ⏺ AE ⓪ ⓹
via Rigone 1 – ℰ 075 84 53 22 – www.relaislafattoria.com – info@
relaislafattoria.com – Fax 075 84 51 97 – chiuso dall'8 gennaio all'8 febbraio
30 cam ⌲ – ✝50/80 € ✝✝85/160 € – ½ P 57/107 €
Rist *La Corte* – (chiuso a mezzogiorno escluso sabato e domenica)
Carta 31/36 €
♦ La posizione elevata e la distanza dai luoghi più turistici ha preservato questo piccolo, placido borgo medioevale; camere in stile più recente seppure classico. Servizio ristorante estivo su due panoramiche terrazze.

PASSO – Vedere nome proprio del passo

PASSO SELLA – Trento – 562C17 – Vedere Canazei

PASTENA – Frosinone (FR) – 563R22 – 1 647 ab. – alt. 317 m   13 D2
– ✉ 03020

▶ Roma 114 – Frosinone 32 – Latina 86 – Napoli 138

🍴 **Mattarocci**   ← 🛰 ⅋
🍝 piazza Municipio – ℰ 07 76 54 65 37 – Fax 07 76 54 65 37
Rist – Carta 16/19 €
♦ Vicoli stretti in cima al paese, poi la piazza del Municipio: qui un bar-tabacchi. All'interno, un localino noto per le leccornie sott'olio. Servizio estivo in terrazza.

PASTRENGO – Verona (VR) – 561F14 – 2 417 ab. – alt. 192 m   35 A3
– ✉ 37010

▶ Roma 509 – Verona 18 – Garda 16 – Mantova 49

🍴🍴🍴 **Stella d'Italia**   🛰 ⅋ ⇆ VISA ⏺ AE ⓪ ⓹
piazza Carlo Alberto 25 – ℰ 04 57 17 00 34 – www.stelladitalia.it – info@
stelladitalia.it – Fax 04 57 17 00 34 – chiuso domenica sera e mercoledì
Rist – Carta 40/50 € 🏵
♦ Da architetto si è convertito a ristoratore per onorare una tradizione di famiglia. Le sale sono due: un piccolo privée dedicato alla battaglia di Pastrengo e la sala principale ariosa ed elegante. Cucina del territorio.

a Piovezzano Nord : 1,5 km – ✉ 37010

🍴 **Eva**   🛰 ⅋ 🅿 VISA ⏺ AE ⓪ ⓹
🍝 via Due Porte 43 – ℰ 04 57 17 01 10 – www.ristoranteeva.com – info@
ristoranteeva.com – Fax 04 57 17 02 94 – chiuso dall'11 al 19 agosto, martedì
sera e sabato
Rist – Carta 21/27 €
♦ Nelle colline appena fuori dal paese, una trattoria vecchia maniera, con un'ampia sala dagli alti soffitti, gestione familiare e piatti locali, tra cui i bolliti al carrello.

PASTURANA – Alessandria – Vedere Novi Ligure

PAVARETO – La Spezia – 561J10 – Vedere Carro

PAVIA 🅿 (PV) – 561G9 – 71 660 ab. – alt. 77 m – ✉ 27100 █ Italia   16 A3
▶ Roma 563 – Alessandria 66 – Genova 121 – Milano 38
🚹 via Fabio Filzi 2 ℰ 0382 597001, turismo@provincia.pv.it, Fax 0382 597010
◉ Castello Visconteo★ BY – Duomo★ AZ **D** – Chiesa di San Michele★★ BZ **B**
– San Pietro in Ciel d'Oro★ : Arca di Sant'Agostino★ – Tomba★ nella
chiesa di San Lanfranco Ovest : 2 km
🅖 Certosa di Pavia★★★ per ① : 9 km

Pianta pagina a lato

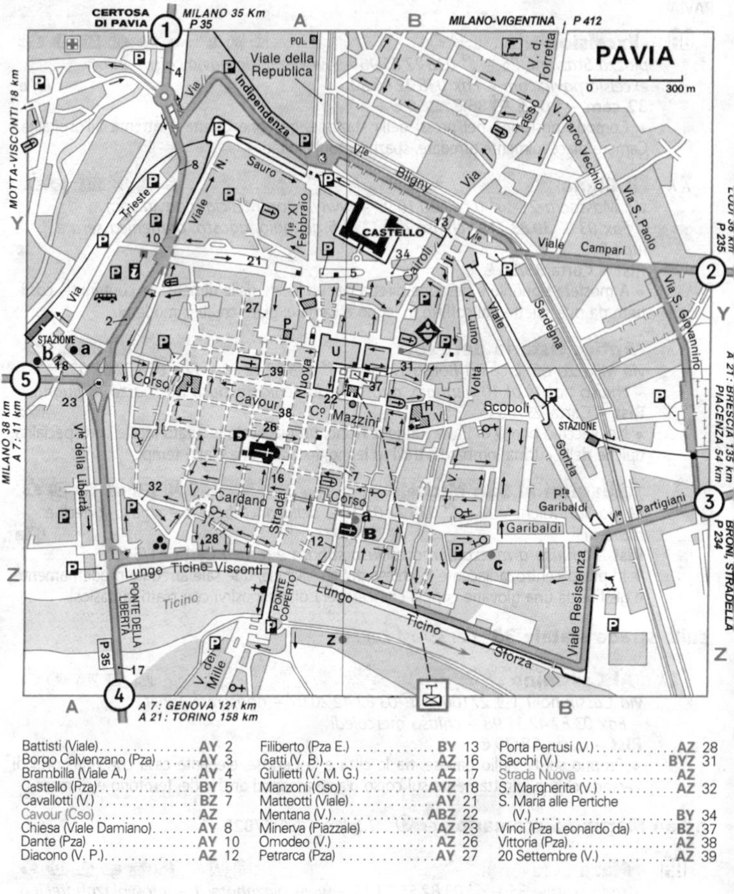

Battisti (Viale)	AY	2
Borgo Calvenzano (Pza)	AY	3
Brambilla (Viale A.)	AY	4
Castello (Pza)	BY	5
Cavallotti (V.)	BZ	7
Cavour (Cso)	AZ	
Chiesa (Viale Damiano)	AY	8
Dante (Pza)	AY	10
Diacono (V. P.)	AZ	12
Filiberto (Pza E.)	BY	13
Gatti (V. B.)	AZ	16
Giulietti (V. M. G.)	AZ	17
Manzoni (Cso)	AYZ	18
Matteotti (Viale)	AY	21
Mentana (V.)	ABZ	22
Minerva (Piazzale)	AZ	23
Omodeo (V.)	AZ	26
Petrarca (Pza)	AY	27
Porta Pertusi (V.)	AZ	28
Sacchi (V.)	BYZ	31
Strada Nuova	AZ	
S. Margherita (V.)	AZ	32
S. Maria alle Pertiche (V.)	BY	34
Vinci (Pza Leonardo da)	BZ	37
Vittoria (Pza)	AZ	38
20 Settembre (V.)	AZ	39

Moderno

viale Vittorio Emanuele 41 – ✆ 03 82 30 34 01 – www.hotelmoderno.it – info@hotelmoderno.it – Fax 038 22 52 25 – chiuso dal 24 dicembre al 1° gennaio e dal 2 al 17 agosto AY**a**

52 cam – 145 € 160 €

Rist *Bistrot Bartolini Pavia* – ✆ 03 82 30 34 02 *(chiuso dal 1° al 24 agosto, sabato a mezzogiorno e domenica)* Carta 39/53 €

◆ Sul piazzale della stazione, un albergo d'inizio '900 che offre validi confort adeguati ai tempi; camere funzionali ristrutturate in anni diversi. Ristorante con una valida cucina mediterranea.

Cascina Scova senza rist

via Vallone 18, per Viale Partigiani 3 km – ✆ 03 82 41 36 04 – www.cascinascova.it – resort@cascinascova.it – Fax 03 82 47 63 28 – chiuso dal 23 dicembre al 3 gennaio e dall'8 al 23 agosto

39 cam – 145 € 160 €

◆ Avvolta dal sottile fascino della campagna pavese, una ex-cascina totalmente ristrutturata secondo i criteri moderni propone ampi spazi comuni ed un attrezzato centro benessere.

Excelsior senza rist 🅱️ 🆎 📞 🚗 VISA ⊕ AE ⓞ 👤

piazza Stazione 25 – ℰ 038 22 85 96 – www.excelsiorpavia.com – info@
excelsiorpavia.com – Fax 038 22 60 30   AY**b**
32 cam – ♦60 € ♦♦86 €, ⌷ 6 €
♦ Comoda posizione nei pressi della stazione, gestione diretta e attenta all'ospitalità.
Camere piacevolmente arredate, spazi comuni limitati.

XX **Il Cigno** 👤 🆎 🍴 VISA ⊕ 👤

via Massacra 2 – ℰ 03 82 30 10 93 – www.ristoranteilcignopavia.com
– Fax 03 82 30 83 71 – chiuso dal 1° al 5 gennaio, agosto, domenica sera e
lunedì   BZ**c**
Rist – Carta 35/54 €
♦ Atmosfera signorile e gestione diretta per un locale dalle dimensioni contenute, costi-
tuito da due salette dal soffitto in legno e camino; piatti creativi, moderni.

XX **Antica Osteria del Previ** 🆎 VISA ⊕ 👤

via Milazzo 65, località Borgo Ticino – ℰ 038 22 62 03 – Fax 038 22 62 03
– chiuso dal 1° al 10 gennaio, agosto e domenica escluso da marzo a giugno
Rist – Carta 29/43 €   ABZ**z**
♦ Nel vecchio borgo di Pavia lungo il Ticino, un piacevole e curato locale con specialità
tipiche della cucina lombarda; travi in legno, focolare, aria d'altri tempi.

X **Villaglori al San Michele** 🍴 🆎 VISA ⊕ AE ⓞ 👤

vicolo San Michele 4 – ℰ 038 22 07 16 – dellazan@libero.it – chiuso lunedì e
martedì   BZ**a**
Rist – *(chiuso a mezzogiorno escluso sabato e festivi)* Carta 41/54 €
♦ In pieno centro, adiacente la chiesa di San Michele, due sale arredate modernamente
e gestite da una giovane coppia che cercherà di incuriosirvi con piatti fantasiosi.

sulla strada statale 35 per ① : 4 km :

XXX **Al Cassinino** 🆎 ⇄ VISA ⊕ 👤

via Cassinino 1 ⊠ 27100 – ℰ 03 82 42 20 97 – agoscrem@tin.it
– Fax 03 82 42 31 98 – chiuso mercoledì
Rist – Carta 58/79 €
♦ Proprio sul Naviglio pavese, tra la città e la Certosa, elegante casa con una sorta di
veranda chiusa, direttamente sul corso d'acqua; sapori anche del territorio e di mare.

a San Martino Siccomario per ④ : 1,5 km – ⊠ 27028

Plaza senza rist 🅱️ 🆎 📶 P VISA ⊕ AE ⓞ 👤

strada statale 35 – ℰ 03 82 55 94 13 – www.plazahotel.it – info@plazahotel.it
– Fax 03 82 55 60 85 – chiuso dal 10 al 20 agosto
51 cam ⌷ – ♦90/125 € ♦♦110/160 €
♦ Comodo per chi deve spostarsi in auto, a pochi km dal centro città; un confortevole
hotel, ideale per clienti d'affari. Confort e servizi al passo coi tempi.

PAVIA DI UDINE – Udine (UD) – 562E21 – ⊠ 33050   11 **C2**
▶ Roma 653 – Trieste 79 – Udine 17 – Gorizia 39

XX **Antico Foledor Conte Lovaria** 🍴 🆎 P VISA ⊕ 👤

via Udine 41 – ℰ 04 32 68 50 10 – www.villalovaria.it – antoniaklugmann@
virgilio.it – Fax 04 32 68 55 24 – chiuso domenica sera e lunedì
Rist – *(chiuso a mezzogiorno)* (consigliata la prenotazione) Menu 35/53 €
♦ Un basso muro su cui fa bella mostra un glicine secolare e una corte d'onore sulla
quale si apre l'edificio secentesco: eleganza e maestosità in cui rivivere una saga familiare.

PAVONE CANAVESE – Torino (TO) – 561F5 – **3 823 ab.** – alt. 262 m   22 **B2**
– ⊠ 10018
▶ Roma 668 – Torino 45 – Aosta 65 – Ivrea 5

Castello di Pavone ⚜ ≤ 🚗 ᴦ AC cam, ⇔ ✗ rist, ¶ ⚙ P
via Ricetti 1 – ℰ *01 25 67 21 11* VISA ⓿ AE ⓪ ⛟
– www.castellodipavone.com – info@castellodipavone.com – Fax 01 25 67 21 14
– chiuso il 25 e 26 dicembre
27 cam ☞ – ♦130 € ♦♦165 € – ½ P 121 €
Rist – *(chiuso a mezzogiorno escluso sabato, domenica e festivi)* (prenotazione obbligatoria) Carta 46/68 €
♦ Ricchi interni splendidamente conservati, saloni affrescati ed una splendida corte interna: una struttura storica e di sicuro fascino dove si respira ancora una fiabesca e pulsante atmosfera medievale. Un cortile con pozzo per le colazioni e romantiche sale con camini al ristorante.

PAVULLO NEL FRIGNANO – Modena (MO) – 562I14 – 15 683 ab. 8 **B2**
– alt. 682 m – ✉ 41026
▶ Roma 411 – Bologna 77 – Firenze 137 – Milano 222

Vandelli 📶 ᴦ rist, AC rist, ✗ rist, ⚙ 🚗 VISA ⓿ AE ⛟
via Giardini Sud 7 – ℰ *053 62 02 88 – www.hotelvandelli.it – info@*
hotelvandelli.it – Fax 053 62 36 08
39 cam ☞ – ♦40/65 € ♦♦65/80 € – ½ P 60/70 €
Rist – (consigliata la prenotazione) Carta 40/60 €
♦ Un tripudio di arredi, decori e tocchi personalizzati, nelle camere, tutte con richiami allo stile liberty, country o neoclassico di sicuro effetto. Ampie sale da pranzo, adatte anche per banchetti: pareti con nicchie, colori, cornici dorate.

✗✗ **Parco Corsini** ✗ VISA ⓿ AE ⓪ ⛟
viale Martiri 11 – ℰ *053 62 01 29 – www.parcocorsini.com – info@*
parcocorsini.com – Fax 053 62 01 29 – chiuso lunedì
Rist – (consigliata la prenotazione) Carta 17/27 €
♦ Locale semplice e piacevole, che evoca il ricordo degli anni Settanta, dove incontrare i sapori di una cucina casereccia fedele alle tradizioni culinarie locali.

PECCIOLI – Pisa (PI) – 563L14 – 4 851 ab. – alt. 144 m – ✉ 56037 28 **B2**
▶ Roma 354 – Pisa 40 – Firenze 76 – Livorno 47

Tenuta di Pratello ⚜ ≤ 🚗 ⅅ ⵣ ✗ ✗ rist, P
località Pratello via di Libbiano 70, Est : 5 km VISA ⓿ AE ⓪ ⛟
– ℰ *05 87 63 00 24 – www.pratello.it – tenuta@pratello.it – Fax 05 87 63 00 37*
– aprile-ottobre
14 cam ☞ – ♦85/140 € ♦♦125/195 €
Rist – *(chiuso a mezzogiorno)* (solo per alloggiati) Carta 33/45 €
♦ Una villa settecentesca al centro di una tenuta faunistico-venatoria con ambienti comuni e camere elegantemente allestiti con pezzi di antiquariato ed una cappella del '600

✗ **La Greppia** ᴦ AC VISA ⓿ ⓪ ⛟
piazza del Carmine 19/20 – ℰ *05 87 67 20 11 – www.ristorantelagreppia.it*
– info@ristorantelagreppia.it – chiuso 10 giorni in gennaio e martedì
Rist – Carta 30/77 € ⅋
♦ Intimo e romantico ristorante, ricavato in antiche cantine, i tavoli sono sistemati nelle nicchie che accoglievano le botti. Proposte eclettiche per accontentare ogni palato.

PECETTO TORINESE – Torino (TO) – 561G5 – 3 759 ab. – alt. 407 m 22 **A1**
– ✉ 10020
▶ Roma 661 – Torino 13 – Alessandria 81 – Asti 46
▣ I Ciliegi Strada Valle Sauglio 130, ℰ 011 860 98 02

Pianta d'insieme di Torino

Hostellerie du Golf senza rist ⚜ ⵣ 🎴 📶 AC ⇔ ✗ ¶ ⚙ P
strada Valle Sauglio 130, Sud : 2 km – ℰ *01 18 60 81 38* VISA ⓿ ⛟
– www.hostelleriedugolf.it – info@hostelleriedugolf.it – Fax 01 18 60 90 48
– chiuso dal 22 dicembre al 6 gennaio e dal 10 al 23 agosto HU**a**
26 cam ☞ – ♦61/92 € ♦♦90/112 €
♦ Nel contesto del Golf Club, l'hotel offre belle camere in stile country ed è ideale tanto per una clientela sportiva che per quella d'affari, considerata la vicinanza a Torino.

PECORONE – Potenza – 564 G29 – Vedere Lauria

PEDEGUARDA – Treviso – 562 E18 – Vedere Follina

PEDEMONTE – Verona – 562 F14 – Vedere San Pietro in Cariano

PEDENOSSO – Sondrio – Vedere Valdidentro

PEDERIVA – Vicenza – Vedere Grancona

PEDEROBBA – Treviso (TV) – 562 E17 – 6 887 ab. – alt. 225 m   36 C2
– ⊠ 31040

> ◗ Roma 560 – Belluno 46 – Milano 265 – Padova 59
> ◖ Possagno : Deposizione★ nel tempio di Canova Ovest : 8,5 km

ad Onigo di Piave Sud-Est : 3 km – ⊠ 31050

XX **Le Rive**   🛋 🏠 ⇔ 𝘷𝘪𝘴𝘢 ⓪ ⑤
⊛ *via Rive 46 – ℰ 042 36 42 67 – chiuso dal 7 gennaio al 2 febbraio,
dall'10 al 19 agosto, lunedì, martedì e mercoledì*
Rist – Carta 25/30 €
♦ Il calore del legno e del camino creano l'atmosfera nei piacevoli e raccolti spazi interni
di questa piccola casa di campagna; in estate, non esitate prendere posto all'aperto,
sotto il pergolato. Piatti casalinghi esposti a voce.

PEDRACES = PEDRATSCHES – Bolzano – Vedere Alta Badia

PEIO – Trento (TN) – 562 C14 – 1 862 ab. – alt. 1 389 m – Sport   30 A2
invernali : 1 400/2 400 m ✎ 1 ✎5, ✷ – ⊠ 38020 ▮ Italia

> ◗ Roma 669 – Sondrio 103 – Bolzano 93 – Passo di Gavia 54
> ◱ alle Terme, via delle Acque Acidule 8 ℰ 0463 753100, peio@valdisole.net,
> Fax 0463 753180

a Cogolo Est : 3 km – ⊠ 38024

🏨 **Kristiania Alpin Wellness**   ≤ 🛋 🏊 ⑨ 🍴 🕯 🖲 � & 🏖 🎾 ⑨
via Sant'Antonio 18 – ℰ 04 63 75 41 57   🏂 📇 🛜 𝘷𝘪𝘴𝘢 ⓪ ⑤
*– www.hotelkristiania.it – info@hotelkristiania.it – Fax 04 63 74 65 10 – dicembre-
aprile e 10 giugno-25 settembre*
39 cam ⊊ – ♦70/95 € ♦♦90/130 € – 5 suites – ½ P 75/134 €
Rist – *(chiuso a mezzogiorno)* Carta 28/39 €
♦ Un gradevole complesso in perfetto stile montano, invitante già dall'esterno; buona la
disposizione degli spazi comuni, nuovo ed esclusivo centro benessere. Un'ampia sala
ristorante dalla calda atmosfera.

🏨 **Cevedale**   🖲 🏊 🕯 🖲 ⓑ 🎾 rist. 🕻 🏂 📇 🚗 𝘷𝘪𝘴𝘢 ⓪ ⑤
*via Roma 33 – ℰ 04 63 75 40 67 – www.hotelcevedale.it – info@hotelcevedale.it
– Fax 04 63 75 45 44 – 5 dicembre-Pasqua e 10 giugno-5 ottobre*
33 cam ⊊ – ♦50/70 € ♦♦80/100 € – ½ P 80/90 €   **Rist** – Carta 22/30 € 🏨
♦ Nato come osteria con camere e poi trasformatosi nel corso di un secolo in un vero e
proprio hotel, un bell'albergo in pieno centro, gestito sempre dalla stessa famiglia. Accogliente sala da pranzo, capiente e tutta rivestita in legno chiaro.

🏠 **Gran Zebrù**   ≤ 🕯 🎾 🕻 📇 🚗 𝘷𝘪𝘴𝘢 ⓪ ⓪ ⑤
*via Casarotti 92 – ℰ 04 63 75 44 33 – www.hotelgranzebru.com – info@
hotelgranzebru.com – Fax 04 63 74 65 56 – dicembre-aprile e 10 giugno-
settembre*
20 cam ⊊ – ♦40/80 € ♦♦60/110 € – ½ P 35/60 €
Rist – *(chiuso a mezzogiorno)* Carta 22/38 €
♦ Hotel posizionato nei pressi delle piste di fondo e di pattinaggio, caratterizzato dal-
l'ambiente familiare in un contesto ospitale e dotato di ogni comodità. Travi lignee al
soffitto, graziose tendine alle finestre e prelibatezze locali dalla cucina.

⚐ **Chalet Alpenrose** ॐ 🕭 🛋 ۞ ⚘ rist. 🕼 **P** 💳 ◎ 🅰🅴 ♿
via Malgamare, località Masi Guilnova, Nord : 1,5 km – ✆ *04 63 75 40 88*
– www.chaletalpenrose.it – alpenrose@tin.it – Fax 04 63 75 40 88 – 6 dicembre-9
aprile e giugno-24 settembre
10 cam ☲ – 🛏🛏100/140 € – ½ P 80/90 €
Rist – *(chiuso a mezzogiorno in bassa stagione)* Carta 26/64 €
♦ Fuori località, nella tranquillità del verde, un maso settecentesco ristrutturato con estrema cura e intimità. Caratteristica sauna ricavata nel capanno del giardino. Ambienti caldi, rifiniti in legno e ben curati in ogni particolare nella zona ristorante.

PELAGO – Firenze (FI) – 563K16 – 7 330 ab. – alt. 310 m – ⊠ 50060   29 **C1**
  � Roma 279 – Firenze 25 – Prato 55 – Arezzo 69

a Diacceto Nord : 3 km – ⊠ 50060

⚐ **Locanda Tinti** senza rist   🅰🅲 ۞ 💳 ◎ ♿
via Casentinese 65 – ✆ *05 58 32 70 07 – www.locandatinti.it – info@*
locandatinti.it – Fax 05 58 32 78 28
6 cam – 🛏🛏80 €, ☲ 8 €
♦ Sei belle camere doppie, distribuite su due piani, attrezzate di tutto punto e arredate con mobilio d'epoca. Sul retro un bel dehors utilizzato anche per la prima colazione.

PELLARO – Reggio di Calabria – 564M28 – Vedere Reggio di Calabria

---

PELLESTRINA (Isola di) – Venezia – 562G18 – Vedere Venezia

PELLIO INTELVI – Como (CO) – 914 ab. – alt. 725 m – ⊠ 22020   16 **A2**
  ▸ Roma 669 – Como 34 – Bergamo 128 – Milano 82

🏨 **La Locanda del Notaio** ॐ   🕭 🛋 📶 ♿ ۞ rist. 🕼 **P**
piano delle Noci, Est : 1,5 km – ✆ *03 18 42 70 16*   💳 ◎ 🅰🅴 ◑ ♿
– www.lalocandadelnotaio.com – info@locandadelnotaio.com
– Fax 03 18 42 70 18 – marzo-ottobre
18 cam ☲ – 🛏100/120 € 🛏🛏120/190 €
Rist – *(chiuso lunedì, martedì a mezzogiorno)* Carta 57/75 €
♦ Villa dell'Ottocento che in passato fu locanda e oggi è una risorsa arredata con grande cura. Belle camere in legno personalizzate; giardino con laghetto d'acqua sorgiva. Elegante sala da pranzo, cucina estrosa.

PENANGO – Asti (AT) – 556 ab. – alt. 264 m – ⊠ 14030   23 **C2**
  ▸ Roma 609 – Alessandria 52 – Asti 19 – Milano 102

a Cioccaro Est : 3 km – ⊠ 14030 – Cioccaro di Penango

🏰 **Locanda del Sant'Uffizio** ॐ   ≤ 🕭 ☲ 🏖 ۞ ♿ 🅰🅲 ↝ ۞ rist. 🕼
strada Sant'Uffizio 1 – ✆ *01 41 91 62 92*   🔼 **P** 💳 ◎ 🅰🅴 ◑ ♿
– www.locandasantuffizio.thi.it – santuffizio@thi.it – Fax 01 41 91 60 68 – chiuso
dal 23 dicembre al 1° febbraio
40 cam ☲ – 🛏128/200 € 🛏🛏180/240 € – 6 suites   **Rist** – Carta 48/72 € ⛴
♦ Nel cuore del Monferrato, un edificio seicentesco, ex convento domenicano, all'interno di un parco con piscina e campo da tennis; camere personalizzate e totale relax. Eleganti salette ristorante, con begli arredi antichi, protese sul verde esterno.

🏨 **Relais Il Borgo** ॐ   ≤ 🕭 ☲ ♿ 🕼 **P** 💳 ◎ ♿
via Biletta 60 – ✆ *01 41 92 12 72 – www.ilborgodicioccaro.com*
– ilborgodicioccaro@virgilio.it – Fax 01 41 92 30 67 – chiuso dal 20 dicembre a
gennaio
12 cam ☲ – 🛏110 € 🛏🛏120 € – ½ P 90 €
Rist – *(chiuso dal 5 al 19 agosto) (chiuso a mezzogiorno) (solo per alloggiati)*
Menu 40/60 €
♦ Un piccolo borgo costruito ex novo con fedeli richiami alla tradizione piemontese. Invece è quasi inglese l'atmosfera delle camere, ricche di tessuti e decorazioni.

PENNA ALTA – Arezzo – Vedere Terranuova Bracciolini

PERA – Trento – Vedere Pozza di Fassa

PERDIFUMO – Salerno (SA) – 564G27 – **1 832 ab.** – **alt. 415 m**   7 **C3**
– ⊠ 84060

    ▶ Roma 334 – Potenza 122 – Castellammare di Stabia 106 – Napoli 124

⛫ **Agriturismo La Mimosa** ⟷   ⟵ 🛋 🍴 🛁 **P** **VISA** ⓿ AE ⓞ ♿
🔊 *contrada Difesa, Est : 7 km* – ℰ 09 74 85 19 98 – *www.agriturismolamimosa.it*
    – *info@agriturismolamimosa.it* – *Fax 09 74 82 40 22*
    – *chiuso dal 1° al 15 novembre*
  14 cam ⌷ – †40/80 € ††58/90 € – ½ P 54/60 €   **Rist** – Menu 20/30 €
    ♦ A poca distanza dal centro storico di Castellabate, un'oasi di tranquillità tra giardini di
    ulivi. Attenta e cortese gestione familiare. Una saletta accogliente e familiare offre i piatti
    della tradizione cilentana preparati con i prodotti di casa.

PERGINE VALDARNO – Arezzo (AR) – 563L17 – **3 129 ab.**   29 **C2**
– **alt. 376 m** – ⊠ 52020

    ▶ Roma 231 – Firenze 62 – Arezzo 19 – Perugia 106

a Montelucci Sud-Est : 2,5 km – ⊠ 52020 – Pergine Valdarno

⛫ **Agriturismo Fattoria Montelucci** ⟷   ⟵ 🏊 🛋 🍴 🛁 rist, ♿
    – ℰ 05 75 89 65 25 – *www.montelucci.it* – *info@*   **P** **VISA** ⓿ AE ⓞ ♿
    montelucci.it – *Fax 05 75 89 63 15* – *chiuso gennaio e febbraio*
  36 cam ⌷ – †105 € ††145 €
  Rist *Locanda di Montelucci* – *(chiuso lunedì e martedì escluso giugno-settem-*
  bre) (prenotare) Carta 30/60 €
    ♦ Fattoria seicentesca, isolata sulle colline e completa di ogni confort, una dimensione
    bucolica ideale per una vacanza di relax, ma anche di sport: passeggiate, piscina, centro
    ippico. Suggestivo ristorante ricavato nell'ex frantoio: prodotti dell'azienda e gustosa
    cucina regionale.

PERGINE VALSUGANA – Trento (TN) – 562D15 – **17 453 ab.**   30 **B3**
– **alt. 482 m** – ⊠ 38057

    ▶ Roma 599 – Trento 12 – Belluno 101 – Bolzano 71
    🛈 *(giugno-settembre)* viale Venezia 2/F ℰ 0461 531258, Fax 0461 531258

🍴🍴 **Castel Pergine** con cam ⟷   ⟵ 🚗 ♿ rist, **P** **VISA** ⓿ ♿
  via al Castello 10, Est : 2,5 km – ℰ 04 61 53 11 58 – *www.castelpergine.it*
    – *verena@castelpergine.it* – *Fax 04 61 53 13 29* – *3 aprile-9 novembre*
  21 cam ⌷ – †36/54 € ††72/108 € – ½ P 54/76 €
  Rist – *(chiuso lunedì a mezzogiorno)* Carta 29/39 € 🍷
    ♦ Sito in posizione particolarmente suggestiva all'interno di un castello medievale,
    presso le due sale dagli alti soffitti a cassettoni potrete gustare la gastronomia locale.
    La risorsa dispone anche di alcune camere dagli arredi sobri ed essenziali, in linea con
    lo stile del maniero.

PERUGIA 🅿 (PG) – 563M19 – **153 857 ab.** – **alt. 493 m** – ⊠ 06100   32 **B2**
▮ Italia

    ▶ Roma 172 – Firenze 154 – Livorno 222 – Milano 449
    🛫 di Sant'Egidio Est per ② : 17 km ℰ 075 592141
    🛈 piazza Matteotti18 ⊠ 06123 ℰ 075 5736458, info@iat.perugia.it, Fax 075
    5720988
    🏌 Perugia, ℰ 075 517 22 04
    ◎ Piazza 4 Novembre★★ BY : fontana Maggiore★★, palazzo dei Priori★★ **D**
    (galleria nazionale dell'Umbria★★) – Chiesa di San Francesco★★ AY – Oratorio
    di San Bernardino★★ AY – Museo Archeologico Nazionale dell'Umbria★★
    BZ **M1** – Collegio del Cambio★ BY **E** : affreschi★★ del Perugino
    – ⟵★★ dai giardini Carducci AZ – Porta Marzia★ e via Bagliona
    Sotterranea★ BZ **Q** – Chiesa di San Domenico★ BZ – Porta San Pietro★ BZ
    – Via dei Priori★ AY – Chiesa di Sant'Angelo★ AY **R** – Arco Etrusco★ BY **K**
    – Via Maestà delle Volte★ ABY **29** – Cattedrale★ BY **F** – Via delle Volte
    della Pace★ BY **55**
    🄶 Ipogeo dei Volumni★ per ② : 6 km

Pianta pagina a lato

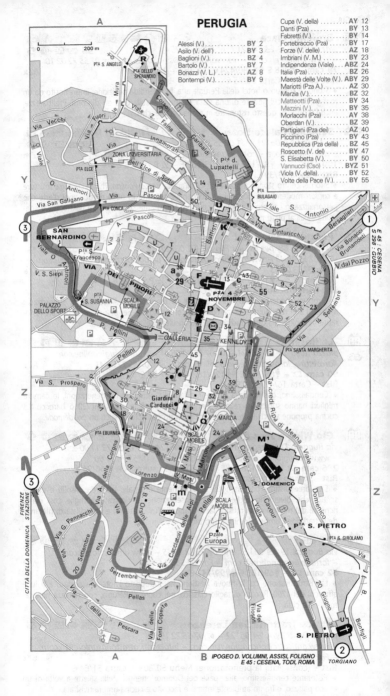

PERUGIA

PERUGIA

🏨🏨🏨 **Brufani Palace** ← 🛜 🔲 🕸 🛌 🖨 ⚓ 🅰🅲 🍽 rist, 📶 🏋 🚗
piazza Italia 12 ✉ *06121 –* ✆ *07 55 73 25 41* 🆅🅸🆂🅰 ⦿ 🅰🅴 ⓪ 💲
– www.sinahotels.com – reservationsbru@sinahotels.it – Fax 07 55 72 02 10
79 cam – 📍258 € 📍📍380/424 €, ⊊ 36 € – 15 suites AZ**x**
Rist *Collins* – Carta 60/85 €
◆ Storico e sontuoso hotel della Perugia alta, in splendida posizione, impreziosito da un
roof-garden da cui godere di una vista incantevole sulla città e i dintorni. Prelibatezze,
anche umbre, in questo ristorante in piena città vecchia.

🏨🏨🏨 **Sangallo Palace Hotel** ← 🔲 🛌 🖨 ⚓ 🅰🅲 ⟵⟶ 🍽 rist, 📶 🏋 🅿
via Masi 9 ✉ *06121 –* ✆ *07 55 73 02 02* 🆅🅸🆂🅰 ⦿ 🅰🅴 ⓪ 💲
– www.sangallo.it – hotel@sangallo.it – Fax 07 55 73 00 68 AZ**m**
100 cam ⊊ – 📍90/119 € 📍📍105/180 € – ½ P 76/113 €
Rist – Carta 31/39 €
◆ Sito nel centro storico a pochi passi dall'antica *Rocca Paolina*, l'hotel coniuga strutture
e *confort* moderni con richiami rinascimentali, soprattutto nelle riproduzioni d'arte che
personalizzano camere e ambienti comuni. Il ristorante soddisfa ogni palato, dalle specialità locali ai piatti nazionali.

🏨🏨🏨 **Perugia Plaza Hotel** 🔲 🕸 🛌 🖨 ⚓ 🅰🅲 🍽 rist, 📶 🏋 🅿
via Palermo 88, per via dei Filosofi ✉ *06129* 🆅🅸🆂🅰 ⦿ 🅰🅴 ⓪ 💲
– ✆ *07 53 46 43 – www.umbriahotels.com – perugiaplaza@umbriahotels.com*
– Fax 07 53 08 63 BZ**a**
108 cam ⊊ – 📍110/150 € 📍📍140/200 € – ½ P 93/123 €
Rist *Fortebraccio* – Carta 27/37 €
◆ Struttura moderna nello stile, comoda da raggiungere all'uscita della superstrada;
ambienti ben distribuiti e stanze con ogni confort. Ideale per una clientela d'affari. Ristorante ove, oltre alla carta tradizionale, si consulta quella di oli e aceti.

🏨🏨 **La Rosetta** 🛜 🖨 🅰🅲 📶 🏋 🆅🅸🆂🅰 ⦿ 🅰🅴 ⓪ 💲
piazza Italia 19 ✉ *06121 –* ✆ *07 55 72 08 41 – www.perugiaonline.com*
/larosetta – larosetta@perugiaonline.com – Fax 07 55 72 08 41 AZ**r**
90 cam ⊊ – 📍85/115 € 📍📍120/182 € – ½ P 87 €
Rist – Carta 16/47 € (+15 %)
◆ Centralissimo, gestito dalla medesima famiglia ormai da tre generazioni, le camere
migliori hanno subito un recente rinnovo con arredi in stile anni '20 o barocco. La
cucina propone specialità regionali umbre, in un contesto classico un po' *démodé*.

🏨🏨 **Giò Wine e Jazz Area** 🖨 ⚓ 🅰🅲 🍽 📶 🏋 🅿 🆅🅸🆂🅰 ⦿ 🅰🅴 ⓪ 💲
via Ruggero D'Andreotto 19, per ③ ✉ *06124 –* ✆ *07 55 73 11 00*
– www.hotelgio.it – reception@hotelgio.it – Fax 07 55 73 11 00
206 cam ⊊ – 📍73/118 € 📍📍100/150 € – 12 suites – ½ P 66/94 €
Rist *– (chiuso domenica sera)* Carta 23/33 € ❀
◆ Due aree distinte per un hotel assolutamente originale: troverete insoliti e curiosi
scrittoi che diventano teche per la conservazione di ricercate bottiglie così come
richiami dal mondo della musica jazz. Grappoli d'uva ai tavoli e una sfilata di pietanze
della tradizione umbra. Primi fra tutti piccione e agnello.

🏨🏨 **Fortuna** senza rist 🖨 🅰🅲 🍽 🆅🅸🆂🅰 ⦿ 🅰🅴 ⓪ 💲
via Bonazzi 19 ✉ *06123 –* ✆ *07 55 72 28 45 – www.umbriahotels.com*
– fortuna@umbriahotels.com – Fax 07 55 73 50 40 AZ**t**
52 cam ⊊ – 📍69/105 € 📍📍99/147 €
◆ La ristrutturazione cui la nuova gestione ha sottoposto l'hotel, ha portato alla luce
affreschi del 1700. Risorsa di taglio classico, nel cuore di Perugia, con terrazza panoramica sulla città.

🍴🍴 **Antica Trattoria San Lorenzo** 🅰🅲 ⟷ 🆅🅸🆂🅰 ⦿ 🅰🅴 ⓪ 💲
piazza Danti 19/A ✉ *06122 –* ✆ *07 55 72 19 56*
– www.anticatrattoriasanlorenzo.com – info@anticatrattoriasanlorenzo.com
– Fax 07 55 72 19 56 – chiuso domenica BY**c**
Rist *– (consigliata la prenotazione)* Menu 50/80 € – Carta 51/64 €
◆ Ristorante centralissimo, alle spalle del Duomo: ottenuto nelle salette a volta di un
antico palazzo, offre un ambiente intimo e raccolto e cucina umbra rivisitata.

❌ **L'Opera Restaurant** 🔲 VISA ⓪ ⑤
via della Stella 6 ✉ 06123 – ☎ 07 55 72 42 86 – lopera@hotmail.it – *chiuso agosto e lunedì* AYa
Rist – (consigliata la prenotazione) Carta 35/45 €
♦ Un simpatico localino con un ottimo rapporto qualità/prezzo nonché uno *chef* capace e determinato sono i presupposti per una cucina che farà parlare di sè: selezione di materie prime di qualità ed elaborazioni semplici e convincenti.

❌ **Alter Ego** 🔲 🎏 VISA ⓪ ⑤
via Floramonti 2/a ✉ 06121 – ☎ 07 55 72 95 27 – www.ristorantealterego.it – info@ristorantealterego.it
Rist – (*chiuso sabato a mezzogiorno e domenica*) (consigliata la prenotazione) Carta 22/40 €
♦ Un ottimo indirizzo dove gustare una cucina moderatamente creativa, che non stravolge i vari elementi ma li esalta con grande maestria.

superstrada E 45 - uscita Ferro di Cavallo Nord-Ovest: 5 km per via Vecchi AY

🏠 **Sirius** ⊗ ≤ 🚗 🎏 📞 ⑤ P VISA ⓪ AE ① ⑤
via Padre Guardiano 9, Ovest: 1 km – ☎ 075 69 09 21 – www.siriush.com – mail@siriush.com – Fax 075 69 09 23 – *chiuso dal 15 gennaio al 15 marzo*
23 cam ⊆ – ✝48/53 € ✝✝52/75 € – ½ P 44/49 € **Rist** – (*solo per alloggiati*)
♦ Uscendo dalla superstrada a Ferro di Cavallo, sarà più facile raggiungere questa bella struttura, immerse nel verde delle colline perugine. Conduzione familiare esperta e motivata. Camere funzionali di diversa tipologia, alcune recentemente ristrutturate.

verso Ponte Felcino per ① : 5 km

🏠 **Agriturismo San Felicissimo** senza rist ⊗ ≤ 🚗 🍳 📞 ⑤ P
strada Poggio Pelliccione ✉ 06077 Perugia – ☎ 07 56 91 94 00 – www.sanfelicissimo.net – Fax 07 57 82 70 43
10 cam ⊆ – ✝60/75 € ✝✝70/98 €
♦ Un piccolo agriturismo periferico, ricavato dalla ristrutturazione di un casolare e raggiungibile dopo un breve tratto di strada sterrata, propone camere semplici con arredi rustici in stile arte povera. Cinto da colline ed uliveti, è l'indirizzo ideale per una vacanza a contatto con la natura.

a Ferro di Cavallo per ③ : 6 km – alt. 287 m – ✉ 06127

🏨 **Arte Hotel** senza rist 🔲🎏🔲 📞 📞 P 🚗 VISA ⓪ AE ① ⑤
strada Trasimeno Ovest 159 z/10 – ☎ 07 55 17 92 47 – www.artehotelperugia.com – info@artehotelperugia.com – Fax 07 55 17 89 47
80 cam ⊆ – ✝64/84 € ✝✝74/104 €
♦ Lungo una strada di grande transito, ma ben insonorizzato e comodo da raggiungere, opere d'arte moderna ispirano gli interni recentemente rinnovati.

a Cenerente Nord-Ovest: 8 km per via Vecchi AY – ✉ 06070

🏨 **Castello dell'Oscano** ⊗ ≤ 🕐 🚗 🍳 📞 🔲 & cam, 🔲 cam,
strada della Forcella 37 🎏 rist, 📞 📞 P VISA ⓪ AE ① ⑤
– ☎ 075 58 43 71 – www.oscano.it – info@oscano.it – Fax 075 69 06 66
18 cam ⊆ – ✝120/190 € ✝✝190/230 € – 4 suites – ½ P 130/145 €
Rist – (*chiuso dal 10 gennaio al 12 febbraio*) (*chiuso a mezzogiorno*) Carta 35/44 €
♦ Un'elegante residenza d'epoca in un grande parco secolare, favoloso; salottini, biblioteche, angoli sempre da scoprire, una terrazza immensa. E stanze con arredi antichi. Al ristorante i piatti si accompagnano con una selezione di vini umbri.

ad Olmo per ③ : 8 km – alt. 284 m – ✉ 06012 – Corciano

🏨 **Relais dell'Olmo** senza rist 🍳 🔲 & 🔲 📞 📞 P 🚗
strada Olmo Ellera 2/4 – ☎ 07 55 17 30 54 VISA ⓪ AE ① ⑤
– www.relaisolmo.com – info@relaisolmo.com – Fax 07 55 17 29 07
32 cam ⊆ – ✝90/135 € ✝✝120/180 €
♦ Camere con arredi curati e di stile elegante in una casa colonica radicalmente ristrutturata e trasformata in una struttura alberghiera moderna e funzionale. Per ritemprare il corpo e non solo la mente, l'hotel si avvale dei servizi di un piccolo centro benessere gestito autonomamente.

a San Martino in Campo Sud : 9 km per viale Roma *BZ* – ⊠ **06079**

🏨 **Alla Posta dei Donini** ॐ 🔊 🎧 ⌫ 🛗 ⌷ cam, 🎛 ⇆ 🎾 ⟨🏋 🛄 🅿
via Deruta 43 – 𝒞 *075 60 91 32* 🚗 🚗 **VISA** **⚫** **AE** **①** **⑤**
– *www.postadonini.it* – *info@postadonini.it* – *Fax 075 60 91 32*
48 cam ⊡ – ♥150/245 € ♥♥175/280 € – ½ P 150/180 € **Rist** – Carta 31/47 €
♦ Una villa settecentesca con interni affrescati, inserita in un parco secolare: da antica e
fine dimora nobiliare, ad elegante ed esclusivo hotel. Per inseguire la bellezza.

a Bosco per ① : *12 km* – ⊠ **06080**

🏨 **Relais San Clemente** ॐ ⪦ 🔊 ⌧ 🎾 🛗 ⌷ 🎛 ⟨🟨 ⟨🏋 🛄 🅿
strada Passo dell' Acqua 34 – 𝒞 *07 55 91 51 00* **VISA** **⚫** **AE** **①** **⑤**
– *www.relais.it* – *info@relais.it* – *Fax 07 55 91 50 01*
64 cam ⊡ – ♥85/170 € ♥♥120/210 € – ½ P 80/135 € **Rist** – Carta 22/35 €
♦ Attiguo alla piccola stazione delle Ferrovie Umbre (che collegano la località al centro-
città in pochi minuti), un relais che trae il nome dalla chiesa consacrata inserita nella
struttura. Camere senza fronzoli, ineccepibili per tenuta e confort. Grande parco circostante.

a Ripa per ① : 14 km – ⊠ **06080**

🏠 **Ripa Relais Colle del Sole** ॐ ⪦ 🎧 ⌧ 🎾 rist, 🛄 🅿
via Aeroporto S. Egidio 5, Sud: 1,5 km **VISA** **⚫** **AE** **①** **⑤**
– 𝒞 *075 60 20 10* – *www.riparelaiscolledelsole.it* – *info@riparelaiscolledelsole.it*
– *Fax 07 56 02 01 96*
12 cam ⊡ – ♥55/100 € ♥♥80/150 € – 4 suites – ½ P 65/100 €
Rist – *(chiuso dal 7 gennaio al 10 febbraio e mercoledì)* (chiuso a mezzogiorno
escluso giugno-agosto) Carta 25/38 €
♦ Romantici letti a baldacchino in ferro battuto, pavimenti in cotto e travi a vista, *suite*
con graziosi angoli soggiorno: tutto concorre a creare un'atmosfera agreste per questa risorsa che si sviluppa su quattro costruzioni, raccolte intorno ad un giardino fiorito
ricco di profumi ed erbe aromatiche

a Casa del Diavolo per ①: 18 km – ⊠ **06085**

🏠 **Cieli Umbri** senza rist ॐ ⪦ 🚗 🔊 ⌧ 🎾 🅿
strada Civitella Benazzone – 𝒞 *07 55 94 13 70* – *www.cieliumbri.it* – *info@*
cieliumbri.it – *Fax 07 55 94 13 70* – *Pasqua-5 novembre*
4 cam ⊡ – ♥120 € ♥♥150 €
♦ Cromoterapia ed aromaterapia nelle antiche vasche di fermentazione del vino,
camere di charme caratterizzate da originali arredi. Spazi comuni impreziositi da collezione di quadri ed opere d'arte. Cappella privata. Insomma, l'indirizzo ideale per catapul-
tarsi in una dimensione onirica.

a Ponte San Giovanni per ② : *7 km* – alt. 189 m – ⊠ **06135**

🏨 **Park Hotel** 🔲 🏋 🏋 🛗 ⌷ 🎛 ⇆ ⟨🎾 🛄 🅿 🚗 **VISA** **⚫** **AE** **①** **⑤**
via Volta 1 – 𝒞 *07 55 99 04 44* – *www.perugiaparkhotel.com* – *info@*
perugiaparkhotel.com – *Fax 07 55 99 04 55* – *chiuso dal 24 al 27 dicembre*
140 cam ⊡ – ♥70/130 € ♥♥80/165 € – ½ P 75/100 € **Rist** – Carta 30/36 €
♦ Una torre "spaziale" unita ad un corpo centrale altrettanto moderno: una grande
struttura, soprattutto per clientela d'affari. Camere con ogni confort e curate nei particolari. La professionalità e la passione dei proprietari spiegano il successo di questa risorsa.
La modernità si declina anche nelle sale-ristorante.

🏨 **Decohotel** 🚗 🛗 ⌷ 🎛 ⇆ 🎾 ⟨🏋 🅿 **VISA** **⚫** **AE** **①** **⑤**
via del Pastificio 8 – 𝒞 *07 55 99 09 50* – *www.decohotel.it* – *info@decohotel.it*
– *Fax 07 55 99 09 70* – *chiuso da 23 al 26 dicembre*
35 cam ⊡ – ♥70/90 € ♥♥100/136 € – ½ P 85 €
Rist Deco – vedere selezione ristoranti
♦ Un invitante albergo in una villetta degli anni '30, all'interno di un giardino con piante
secolari e *dépendance* annessa. Camere arredate con cura e buon gusto: tessuti coordinati e *parquet*. Piacevole ed accogliente la zona comune con angolo caminetto e un piccolo salotto.

🏠 **Tevere** 🖻 ⬛ ⚹ cam, 🅰🅲 ⚹ cam, 🕑 🔊 P̄ 💳 ⬤⬤ 🅰🅴 ⓪ ⚹
via Mario Bochi 14 – ✆ 075 39 43 41 – *www.tevere.it* – *mail@tevere.it*
– Fax 075 39 43 42
49 cam ⬜ – ♦50/78 € ♦♦80/120 € – ½ P 55/70 €
Rist – *(chiuso sabato)* Carta 24/44 €
♦ Allo svincolo del raccordo stradale (e dunque assai pratico da raggiungere) l'hotel, rinnovato recentemente, propone camere spaziose, dotate di un angolo allestito con un tavolino utile sia come piano di lavoro sia per un eventuale *room service*. Nella veranda o nelle sale moderne, la cucina abbraccia i sapori locali.

✗✗ **Deco** – Hotel Decohotel 🍽 🖻 🅰🅲 ⚹ ⟳ P̄ 💳 ⬤⬤ 🅰🅴 ⓪ ⚹
via del Pastificio 8 – ✆ 07 55 99 09 50 – *www.decohotel.it* – *info@decohotel.it*
– Fax 07 55 99 09 50 – chiuso dal 23 dicembre al 3 gennaio, dal 10 al 20 agosto e domenica
Rist – Carta 30/40 €
♦ All'interno del Decohotel, ma in una struttura a parte, cucina locale e specialità ittiche in un ristorante classico, di tono elegante. Piacevole servizio estivo all'aperto.

PESARO 🅿 (PS) – 563K20 – **92 104 ab.** – ⌧ **61100** Italia 20 **B1**
🚩 Roma 300 – Rimini 39 – Ancona 76 – Firenze 196
🅸 piazzale della Libertà 11 ✆ 0721 69341, iat.pesaro@regione.marche.it, Fax 0721 30462 - via Mazzolari 4 ✆ 0721 359501, Fax 0721 33930
◉ Museo Civico★ : ceramiche★★ Z

Pianta pagina 844

🏨 **Vittoria** ⩽ 🖻 🏊 🕸 🛏 ⬛ ⚹★ 🅰🅲 ⇄ ⚹ rist, 🕑 🔊 🅿
piazzale della Libertà 2 – ✆ 072 13 43 43 💳 ⬤⬤ 🅰🅴 ⓪ ⚹
– www.viphotels.it – vittoria@viphotels.it – Fax 072 16 52 04 Y**e**
18 cam – ♦231/252 € ♦♦316/364 €, ⬜ 16 € – 9 suites
Rist Agorà Rossini – ✆ 072 13 43 44 – Carta 40/82 €
♦ In una zona tranquilla e con un'eccellente vista sul mare, la storica villa ospita eleganti spazi arredati con mobili antichi, sale conferenza, sauna ed una piccola palestra. Due sale ristorante apparecchiate con buon gusto e raffinatezza dove assaporare le specialità della cucina tradizionale.

🏨 **Cruiser Congress Hotel** ⩽ 🏊 ⬛ ⚹ ★ 🅰🅲 ⚹ rist, 🕑 🔊 🚗
viale Trieste 281 – ✆ 07 21 38 81 – *www.cruiser.it* 💳 ⬤⬤ 🅰🅴 ⓪ ⚹
– cruiser@cruiser.it – Fax 07 21 38 86 00 Y**m**
88 cam ⬜ – ♦89/175 € ♦♦122/270 € – 32 suites **Rist** – Carta 41/65 €
♦ L'hotel si trova sul lungomare a pochi passi dal centro e dispone di camere confortevoli e sale congressi modulabili, ideali per una clientela di lavoro. La classica sala ristorante, con vista sul mare, propone una cucina tradizionale, mentre il Docks Bar è uno spazio più moderno ed informale.

🏨 **Savoy** 🏊 🕸 🛏 🖻 ⬛ ⚹★ 🅰🅲 ⇄ ⚹ rist, 🕑 🔊 🚗 💳 ⬤⬤ 🅰🅴 ⓪ ⚹
🌚 *viale della Repubblica 22* – ✆ 072 13 31 33 – *www.viphotels.it* – savoy@
viphotels.it – Fax 072 16 44 29 Z**n**
52 cam – ♦129 € ♦♦188 €, ⬜ 13 € – 9 suites – ½ P 116 €
Rist Blue Dream – ✆ 072 16 74 40 – Carta 20/53 €
♦ Sul viale principale, a pochi passi dal mare e dai monumenti più importanti, l'hotel è particolarmente vocato ad una clientela d'affari e vanta ambienti ampi e funzionali. Dalle cucine, un'offerta semplice e tradizionale con specialità di pesce ed offerte regionali in carta a parte.

🏨 **Imperial Sport Hotel** ⩽ 🖻 🏊 🕸 🛏 🖻 ⬛ ⚹★ ⚹ rist, 🕑 🚗
via Ninchi 6 – ✆ 07 21 37 00 77 💳 ⬤⬤ 🅰🅴 ⚹
– www.imperialsporthotel.it – info@imperialsporthotel.it – Fax 072 13 48 77
– aprile-ottobre Y**z**
48 cam ⬜ – ♦45/90 € ♦♦65/110 € – ½ P 42/84 €
Rist – *(solo per alloggiati)* Carta 23/31 €
♦ A pochi passi dal mare, dispone di ampi spazi arredati in stile moderno, una grande piscina, attrezzature ed aree idonee per i bambini ed organizza serate di animazione.

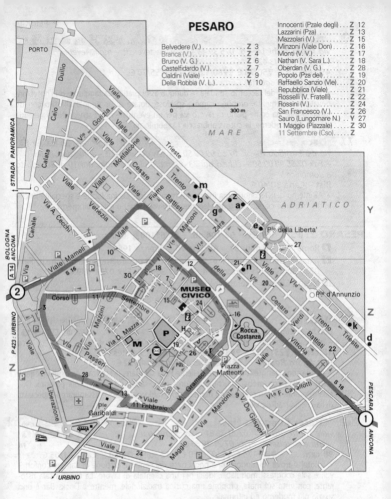

PESARO

Belvedere (V.)	**Z** 3
Branca (V.)	**Z** 4
Bruno (V. G.)	**Z** 6
Castelfidardo (V.)	**Z** 7
Cialdini (Viale)	**Z** 9
Della Robbia (V. L.)	**Y** 10

Innocenti (Pzale degli)	**Z** 12
Lazzarini (Pza)	**Z** 13
Mazzolari (V.)	**Z** 15
Minzoni (Viale Don)	**Z** 16
Monti (V. V.)	**Z** 17
Nathan (V. Sara L.)	**Z** 18
Oberdan (V. G.)	**Z** 28
Popolo (Pza del)	**Z** 19
Raffaello Sanzio (Vle)	**Z** 20
Repubblica (Viale)	**Z** 21
Rosselli (V. Fratelli)	**Z** 22
Rossini (V.)	**Z** 24
San Francesco (V.)	**Z** 26
Sauro (Lungomare N.)	**Y** 27
1 Maggio (Piazzale)	**Z** 30
11 Settembre (Cso)	**Z**

🏨 Perticari ← 🏊 🍸 👤 ♿ rist. 🛜 AC ⚡ rist, ⁽ᵀ⁾ 🏋 🚗 VISA ⑩ AE 🅂

viale Zara 67 – ℰ 072 16 86 40 – www.hotelperticari.com
– info@hotelperticari.com – Fax 07 21 37 00 18   **Ya**
58 cam ☲ – ♛50/110 € ♛♛80/165 € – ½ P 45/85 €
Rist – Carta 23/39 €

♦ Direttamente sul mare - a pochi passi dal centro - camere ampie e confortevoli in una struttura ideale per le famiglie. Piscina olimpionica con solarium attrezzato. Cucina curata a base di specialità locali.

🏨 Spiaggia ← 🚤 🏊 🍸 👤 🛜 AC ⚡ rist, 🅿 VISA ⑩ 🅂
🐾
viale Trieste 76 – ℰ 072 13 25 16 – www.hotelspiaggia.com
– info@hotelspiaggia.com – Fax 072 13 54 19
– 10 maggio-settembre   **Zd**
74 cam ☲ – ♛45/60 € ♛♛68/100 € – ½ P 60/70 €
Rist – *(solo per alloggiati)* Menu 17/22 €

♦ Lungo la via che costeggia la spiaggia, una struttura a gestione familiare con camere confortevoli, una palestra ben attrezzata e piscina circondata da un piccolo giardino.

Bellevue ← ⌖ ⚶ 🛗 ❦ ☀ 🄰🄲 ⚒ rist, ¶¶ 🚗 🆅🅸🆂🅰 ⚬⚬ 🄰🄴 👟

viale Trieste 88 – ℰ 072 13 19 70 – www.bellevuehotel.net – info@
bellevuehotel.net – Fax 07 21 37 01 44 – 18 marzo-10 ottobre   **Zk**
55 cam 🖙 – ✦45/67 € ✦✦73/130 € – ½ P 59/68 €
Rist – *(solo per alloggiati)* Menu 20/35 €

♦ Sul mare e poco distante dal centro di Pesaro, è un albergo dai caratteristici balconi con mosaici in stile mediterraneo, camere confortevoli, palestra, bagno turco e sauna.

Clipper 🏚 🄰🄲 rist, ⚒ rist, 🅿 🆅🅸🆂🅰 ⚬⚬ 🄰🄴 ⓪ 👟

viale Marconi 53 – ℰ 072 13 09 15 – www.hotelclipper.it – info@hotelclipper.it
– Fax 072 13 35 25 – 15 aprile-15 settembre   **Yb**
54 cam 🖙 – ✦48/95 € ✦✦75/135 € – ½ P 51/65 €
Rist – *(solo per alloggiati)* Menu 20/25 €

♦ In "seconda fila" rispetto alla battigia, ma a pochi passi dal mare, l'hotel offre stanze con arredi essenziali e un piacevole terrazzo ombreggiato; gestione familiare.

Le Terrazze ← ᵴ 🄰🄲 ⚒ 🅿 🆅🅸🆂🅰 ⚬⚬ 🄰🄴 ⓪ 👟

via panoramica Ardizio 121, 6 km ① – ℰ 07 21 39 03 18
– www.ristorantealceo.it – info@ristorantealceo.it – Fax 07 21 39 17 82
– chiuso 1 settimana in gennaio
17 cam 🖙 – ✦35/55 € ✦✦55/85 €
Rist Da Alceo – vedere selezione ristoranti

♦ Ubicata in una zona panoramica tra Pesaro e Fano, una struttura moderna circondata dal verde con un'ampia ed elegante hall, camere semplici ma confortevoli.

Villa Serena 🕭 ← 🜊 🕽 ¶¶ 🄰 🅿 🆅🅸🆂🅰 ⚬⚬ 👟

strada San Nicola 6/3, 9 km per ① – ℰ 072 15 52 11 – www.villa-serena.it
– info@villa-serena.it – Fax 072 15 59 27 – chiuso dal 2 al 25 gennaio
9 cam 🖙 – ✦100/140 € ✦✦140/170 €   **Rist** – Carta 50/80 €   **Z**

♦ Cinta da un maestoso parco con piscina, una villa settecesca dove vigono raffinatezza e ospitalità, signorile cornice in cui allestire congressi, sfilate e ricevimenti. Riservata a pochi commensali, la sala da pranzo è illuminata da candelieri e da una sapiente cucina classica.

Lo Scudiero 🆅🅸🆂🅰 ⚬⚬ 🄰🄴 ⓪ 👟

via Baldassini 2 – ℰ 072 16 41 07 – www.ristoranteloscudiero.it – info@
ristoranteloscudiero.it – Fax 072 16 49 43 – chiuso dal 1° al 7 gennaio e luglio
Rist – *(chiuso domenica)* Carta 45/65 € ꕤ   **Zr**

♦ Uno scudo giallo è il simbolo di questo locale con enoteca, dal soffitto a volta e con mattoni a vista, dove gustare i sapori della cucina regionale e specialità di pesce.

Da Alceo (Grazia Ravagnan) – Hotel Le Terrazze ← ᕱ 🄰🄲 ⚒ 🅿

via Panoramica Ardizio 121, 6 km per ①   🆅🅸🆂🅰 ⚬⚬ 🄰🄴 ⓪ 👟
– ℰ 072 15 13 60 – www.ristorantealceo.it – info@ristorantealceo.it
– Fax 07 21 39 17 82 – chiuso lunedì, domenica sera in dicembre-febbraio,
domenica a mezzogiorno in giugno-settembre.
Rist – Carta 50/80 €
Spec. Scampi, canocchie, mazzancolle al vapore con maionese casalinga. Tagliolini della casa ai calamaretti. Rombo chiodato e spiedino di calamaretti alla griglia.

♦ Da sempre il riferimento per il pesce più fresco in preparazioni tradizionali, mediterranee e rispettose dei sapori. D'estate ci si sposta in terrazza con vista mare.

Commodoro ᕱ 🄰🄲 🆅🅸🆂🅰 ⚬⚬ 🄰🄴 ⓪ 👟

viale Trieste 269 – ℰ 072 13 26 80 – www.ilcommodoro.com – info@
ilcommodoro.com – Fax 072 16 49 26 – chiuso dal 7 al 18 gennaio, dal 10 al
20 luglio e lunedì   **Yg**
Rist – Carta 45/65 €

♦ Un locale classico con un piccolo dehors ed un'enoteca con scaffali a vista, dove farsi servire i sapori di una cucina mediterranea attenta alle proposte giornaliere.

Gran lusso o stile informale?
I ⋇ e i 🏚 indicano il livello di confort.

in prossimità casello autostrada A 14 Ovest : 5 km :

⌂ **Locanda di Villa Torraccia** senza rist ✦   ≼ 🚗 Ⓚ 🛈 Ⓟ
strada Torraccia 3 ✉ *61100 –* ℰ *072 12 18 52*   🆅🆂🅰 ⓜⓞ 🅰🅴 ♿
– www.villatorraccia.it – info@villatorraccia.it – Fax 072 12 18 52 – chiuso dal 20 al 28 dicembre
5 suites – ♦♦100/130 €, ☷ 10 €
♦ Ricavata da una piccola torre medievale circondata da piante secolari, una risorsa accogliente con suite suggestive per un romantico soggiorno nel rispetto della tradizione.

PESCANTINA – Verona (VR) – 562 F14 – **13 504 ab.** – alt. 80 m   37 **A2**
– ✉ **37026**

▶ Roma 503 – Verona 14 – Brescia 69 – Trento 85

ad Ospedaletto Nord-Ovest : 3 km – ✉ **37026** – Pescantina

🏠 **Goethe** senza rist   🚗 🛗 Ⓚ ♨ ❖ 🛈 Ⓟ 🚗 🆅🆂🅰 ⓜⓞ 🅰🅴 ① ♿
via Ospedaletto 8 – ℰ *04 56 76 72 57 – www.hotelgoethe.com – info@ hotelgoethe.com – Fax 04 56 70 22 44 – chiuso gennaio*
25 cam ☷ – ♦62/120 € ♦♦80/164 €
♦ Per scoprire il dolce paesaggio della Valpolicella, coi suoi vini e i suoi prodotti tipici, una risorsa familiare, comoda da raggiungere, in parte rinnovata di recente.

✕✕ **Alla Coà**   🏠 Ⓚ Ⓟ 🆅🆂🅰 ⓜⓞ ♿
via Ospedaletto 70 – ℰ *04 56 76 74 02 – Fax 04 56 76 74 02 – chiuso dal 26 dicembre al 26 gennaio, agosto, domenica e lunedì*
Rist – Carta 40/50 €
♦ Lungo una strada piuttosto trafficata, la vecchia casa di paese è stata arredata in stile country e un pizzico di romanticismo e propone ai suoi avventori piatti legati al territorio e alle stagioni.

PESCARA Ⓟ (PE) – 563 O24 – **122 083 ab.** – ✉ 65100   2 **C1**

▶ Roma 208 – Ancona 156 – Foggia 180 – Napoli 247
✈ Pasquale Liberi per ② : 4 km ℰ 899130310
🛈 piazza della Repubblica ℰ 085 4225462, info@proloco.pescara.it, Fax 085 416266
🅖🅡 Cerreto, ℰ 0871 95 05 66

Pianta pagina a lato

🏘 **Esplanade**   ≼ 🏠 🛗 ♿ rist, Ⓚ ❖ rist, 🛈 🅟 🆅🆂🅰 ⓜⓞ 🅰🅴 ① ♿
piazza 1° Maggio 46 ✉ *65122 –* ℰ *085 29 21 41 – www.esplanade.net – reservations@esplanade.net – Fax 08 54 21 75 40*   AX**a**
150 cam ☷ – ♦100/120 € ♦♦140/160 €
Rist *– (chiuso a mezzogiorno)* Carta 31/60 €
♦ Vicino al mare, un edificio del 1905 ristrutturato ospita un hotel elegante dagli interni - aree comuni e camere - spaziosi, curati e con arredi in stile classico. Luminoso ristorante, al sesto piano, dotato di bella terrazza vista mare.

🏘 **Plaza**   Ⓚ ❖ 🛈 🔾 Ⓟ 🆅🆂🅰 ⓜⓞ 🅰🅴 ♿
piazza Sacro Cuore 55 ✉ *65122 –* ℰ *08 54 21 46 25 – www.schiratohotels.it – plaza@schiratohotels.it – Fax 08 54 21 32 67*   AX**b**
68 cam ☷ – ♦89/113 € ♦♦142/178 € – ½ P 96/119 €
Rist *– (chiuso sabato a mezzogiorno e domenica)* Carta 25/36 €
♦ In posizione centrale ma tranquilla, poco distante dalla stazione e dal mare, l'hotel dispone di sale conferenza ed accoglienti ambienti arredati con tessuti eleganti e marmo. La piccola e classica sala ristorante propone i piatti della tradizione italiana e soprattutto specialità di pesce.

🏠 **Victoria** senza rist   🕪 🛗 ♿ Ⓚ ❖ 🛈 🔾 Ⓟ 🆅🆂🅰 ⓜⓞ 🅰🅴 ♿
via Piave 142 ✉ *65122 –* ℰ *085 37 41 32 – www.victoriapescara.com – hotel@ victoriapescara.com – Fax 08 54 22 96 14*   AX**c**
23 cam ☷ – ♦95/102 € ♦♦135/142 € – 1 suite
♦ In pieno centro, nuova risorsa di grande effetto e squisito confort. Modernità e design per una clientela esigente. Piccola zona benessere.

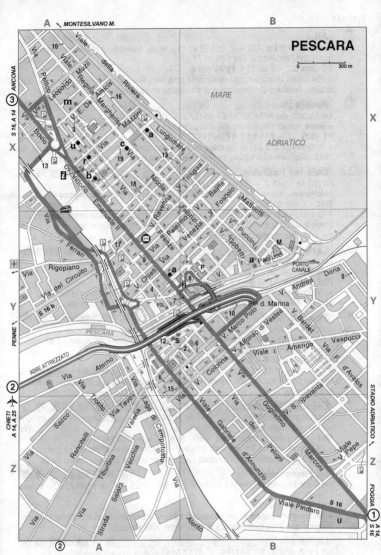

PESCARA

0   300 m

MONTESILVANO M.

ANCONA

S 16, A 14

MARE

ADRIATICO

CHIETI
A 14, A 25

PENNE

STADIO ADRIATICO

FOGGIA

A 14
S 16

Duca D'Aosta senza rist   🅰🅲 📶 🆎 🆅🅸🆂🅰 🆇 🆎 ⓪ ♿

*piazza Duca d'Aosta 4 ⊠ 65121 – ℰ 085 37 42 41 – www.schiratohotels.it/duca
– duca@schiratohotels.it – Fax 085 38 52 82*   AYa

71 cam ⊇ – ♜76/100 € ♜♜95/125 €

♦ L'insegna svetta sull'omonima piazza, in vicinanza del Porto Canale, ma a pochi passi
di distanza dal centro. Da segnalare il bel bar panoramico sul roof-garden.

847

⌂ **Alba** senza rist ⧆ AK ⅍ VISA ⓒⓞ AE ① ⅙
via Forti 14 ✉ 65122 – ℰ 085 38 91 45 – www.hotelalba.pescara.it – info@
hotelalba.pescara.it – Fax 085 29 21 63 AXr
50 cam ⌂ – ♦60/70 € ♦♦90/100 €
◆ Nel centro turistico-commerciale della città, semplice, ma accogliente albergo a conduzione familiare; continue opere di rinnovamento nelle camere di buon confort.

⌂ **Ambra** senza rist ⧆ AK ⅍ (%) VISA ⓒⓞ AE ① ⅙
via Quarto dei Mille 28/30 ✉ 65122 – ℰ 085 37 82 47
– www.hotelambrapalace.it – info@hotelambrapalace.it – Fax 085 37 81 83
61 cam ⌂ – ♦65/85 € ♦♦95/115 € AXu
◆ In centro città, a 300 m dal mare, comodo albergo a gestione familiare, in attività dal
1963; spazi comuni adeguati, camere classiche, con bagni completi e funzionali.

✗✗✗ **Café les Paillotes** ⌂ AK ⅍ VISA ⓒⓞ AE ① ⅙
piazza Le Laudi 2 – ℰ 08 56 18 09 – www.lidodellesirene.com – info@
cafelespaillote.com – Fax 08 54 51 64 42 – chiuso gennaio e domenica
Rist – Carta 55/75 €
◆ Le stelle sopra di voi, colori, fragranze e pezzi di arredo sembrano ammiccare con eleganza a racconti esotici, mentre in cucina non si accettano distrazioni: mare e ricerca
per un'indimenticabile esperienza gourmet.

✗✗✗ **Carlo Ferraioli** AK VISA ⓒⓞ AE ① ⅙
via Paolucci 79 ✉ 65121 – ℰ 08 54 21 02 95 – www.carloferraioli.it
– ristorante@carloferraioli.it – Fax 08 54 21 02 95 – chiuso lunedì BYa
Rist – Menu 30/45 € – Carta 35/50 € ꝏ
◆ Tradizione familiare nella ristorazione per il titolare di questo signorile locale sul lungomare, dove sono marinare sia l'ambientazione, sia le specialità proposte.

✗ **Taverna 58** AK ⅍ ⇔ VISA ⓒⓞ AE ① ⅙
corso Manthoné 46 ✉ 65127 – ℰ 085 69 07 24 – www.taverna58.it
– Fax 08 54 51 56 95 – chiuso dal 24 dicembre al 1° gennaio, agosto, i giorni
festivi, sabato a mezzogiorno e domenica ABYs
Rist – Menu 35 € – Carta 30/38 €
◆ Legata alle tradizioni locali, è nella descrizione dei piatti che la cucina esprime tutta la
fantasia! Locale rustico, con reperti risalenti alle epoche romana e medievale nella cantina visitabile.

✗ **Locanda Manthonè** ⛟ AK ⅍ ⇔ VISA ⓒⓞ AE ① ⅙
corso Manthonè 58 ✉ 65127 – ℰ 08 54 54 90 34 – locandamanthone@virgilio.it
– chiuso domenica AYs
Rist – *(chiuso a mezzogiorno)* Menu 34 € – Carta 31/39 €
◆ La trattoria prende il nome dalla via dove visse D'Annunzio, all'interno gli spazi si snodano tra archi e pavimenti a mosaico. La giovane gestione propone cucina locale.

✗ **La Furnacelle** ⌂ AK ⅍ VISA ⓒⓞ AE ① ⅙
via Colle Marino 25, per via Michelangelo ✉ 65125 – ℰ 08 54 21 21 02 – chiuso
giovedì AXa
Rist – Carta 24/39 €
◆ Andamento familiare in un ristorante tradizionale, ben tenuto, in attività dal 1971, che
propone una linea gastronomica di terra e specialità abruzzesi.

✗ **La Rete** AK ⅍ VISA ⓒⓞ AE ① ⅙
via De Amicis 41 ✉ 65123 – ℰ 08 52 70 54 – debora.giansante@tiscali.it
– Fax 08 52 70 54 – chiuso domenica sera e lunedì a mezzogiorno AXm
Rist – Carta 30/45 €
◆ Nient'altro che il pesce in questo locale familiare da poco rinnovato. Semplice e
gustoso, il menu della giornata è tracciato ogni mattina a seconda di quello che offrono
l'Abruzzo e l'Adriatico.

PESCASSEROLI – L'Aquila (AQ) – 563Q23 – 2 218 ab. – alt. 1 167 m 1 B3
– Sport invernali : 1 167/1 945 m ⛷6; a Opi ⛷ – ✉ 67032▮ Italia
▶ Roma 163 – Frosinone 67 – L'Aquila 109 – Castel di Sangro 42
🛈 via Principe di Napoli ℰ 0863 910461 presidio.pescasseroli@
abruzzoturismo.it, Fax 0863 910461
◉ Parco Nazionale d'Abruzzo★★★

Villa Mon Repos 🔊 📶 🍴 rist. 🅿 VISA ⓂⓄ AE ① ⚡

viale Colli dell'Oro – ☎ 08 63 91 28 58 – www.villamonrepostin.it
– villamonrepos@villamonrepos.it – Fax 08 63 91 28 30
13 cam ⊆ – ♥♥180/230 € – 2 suites – ½ P 110/145 € **Rist** – Carta 28/38 €
♦ Costruita nel 1919 dallo zio di Benedetto Croce, una residenza d'epoca in un parco non lontano dal centro; stile tardo liberty, molto eclettico, anche all'interno. Piatti abruzzesi o di pesce serviti nell'elegante sala dai soffitti a botte.

Paradiso 🚗 📶 ㄟ cam. ♣♣ 🍴 rist. 🅿 VISA ⓂⓄ ① ⚡

via Fonte Fracassi 4 – ☎ 08 63 91 04 22 – www.albergo-paradiso.it – info@
albergo-paradiso.it – Fax 08 63 91 04 98 – chiuso dal 3 al 30 novembre
21 cam – ♥♥70 €, ⊆ 8 € – ½ P 75 €
Rist – *(solo per alloggiati)* Menu 20/30 €
♦ Questo hotel è il risultato dell'unione di due villini, circondati dal verde, a poco più di un chilometro dal centro. Ambienti curati in stile rustico tirolese.

Il Bucaneve ≤ 🚗 ♣♣ 🍴 rist. 🕯 🅿 VISA ⓂⓄ AE ① ⚡

viale Colli dell'Oro – ☎ 08 63 91 00 98 – www.hotelbucaneve.net – h.bucaneve@
tin.it – Fax 08 63 91 16 22
15 cam ⊆ – ♥77/119 € ♥♥110/170 € – ½ P 94/156 € **Rist** – Carta 22/33 €
♦ Deliziosa villetta rosa a poco più di un chilometro dal centro verso gli impianti di risalita; ingresso accattivante, camere con arredi in arte povera, andamento familiare. Simpatica atmosfera informale nella sala da pranzo, con un grande camino sempre acceso.

Alle Vecchie Arcate 📶 🍴 VISA ⓂⓄ ① ⚡

via della Chiesa 57/a – ☎ 08 63 91 06 18 – www.vecchiearcate.iux.nu
– vecchiearcate@mail.com – Fax 08 63 91 25 98
32 cam ⊆ – ♥70 € ♥♥80 € – ½ P 70 € **Rist** – *(solo per alloggiati)*
♦ Un sapiente restauro conservativo ha ricavato un hotel all'interno di un edificio d'epoca in pieno centro storico; gestione familiare, camere con arredi in legno.

Villa La Ruota senza rist ⚡ ≤ 🚗 🕯 🅿 VISA ⓂⓄ AE ① ⚡

Colle Massarello 3 – ☎ 08 15 44 61 09 – www.villalaruota.it – bnb@villalaruota.it
– Fax 08 15 64 49 11
7 cam ⊆ – ♥40/60 € ♥♥75/100 €
♦ Abbracciata da un grande parco, la villa è la soluzione ideale se cercate un soggiorno tranquillo in una casa dove domina una riservata atmosfera familiare.

✗ Alle Vecchie Arcate VISA ⓂⓄ ⚡

via della Chiesa 41 – ☎ 08 63 91 07 81 – Fax 08 63 91 28 73
– chiuso dal 5 novembre al 5 dicembre e lunedì
Rist – Carta 19/30 €
♦ Di proprietà della stessa famiglia che gestisce l'omonimo albergo, il locale offre sapori abruzzesi e piatti invece più tradizionali. Sala con arcate in pietra e camino.

PESCHE – Isernia – 564C24 – **Vedere Isernia**

PESCHICI – Foggia (FG) – 564B30 – 4 314 ab. – ⊠ 71010 ▌ Italia 26 B1
▶ Roma 400 – Foggia 114 – Bari 199 – Manfredonia 80
◪ Promontorio del Gargano★★★ Sud-Est

D'Amato 🚗 ⛱ 🐾 ✗ 📶 ㄟ ♣♣ 📺 🍴 rist. 🔧 🅿 �

località Spiaggia Ovest : 1 km – ☎ 08 84 96 34 15 VISA ⓂⓄ AE ① ⚡
– www.hoteldamato.it – info@hoteldamato.it – Fax 08 84 96 33 91
– Pasqua-15 ottobre
86 cam ⊆ – ♥78/91 € ♥♥120/140 € – ½ P 90/110 € **Rist** – Carta 25/35 €
♦ Non lonatano dal porto, l'hotel è costituito da due strutture e dispone di luminose sale comuni, ampie camere dal sobrio arredo ligneo ed un'invitante piscina. Nel seminterrato, una sala ristorante di tono classico con proposte gastronomiche di taglio nazionale.

Elisa   ⌖ ☃ 🏊 ⚫ cam, 🄰🄲 ⚫ rist, **P** 🚗 **VISA** ⚫⚫ **AE** ⓪ ⚡
borgo Marina 20 – ℰ 08 84 96 40 12 – www.hotelisa.it – info@hotelelisa.it
– Fax 08 84 96 20 71 – aprile-ottobre
44 cam ☞ – ♦55/70 € ♦♦70/120 € – ½ P 53/90 €
Rist – *(solo per alloggiati)* Carta 25/40 €
♦ Ai piedi del borgo marinaro di Peschici e vicino al porto turistico, un hotel a gestione familiare dispone di camere luminose dagli arredi in legno colorato e vista sul mare. Ampie vetrate con vista sulla baia ed ottimi piatti di pesce al ristorante.

Peschici ⚶   ⌖ 🏊 🄰🄲 rist, ⚫ **P** 🚗 **VISA** ⚫⚫ **AE** ⓪ ⚡
via San Martino 31 – ℰ 08 84 96 41 95 – www.hotelpeschici.it – info@
hotelpeschici.it – Fax 08 84 96 41 95 – 30 aprile-ottobre
13 cam – ♦40/50 € ♦♦55/75 €, ☞ 9 € – ½ P 49/74 €
Rist – *(solo per alloggiati)*
♦ Sito sulla scogliera in posizione panoramica ma poco distante dal centro storico, un familiare hotel dalle aree comuni semplici e con camere lineari dal sobrio arredo moderno.

✗✗ **Porta di Basso**   🍴 🄰🄲 **VISA** ⚫⚫ ⓪ ⚡
via Colombo 38 – ℰ 08 84 91 53 64 – www.portadibasso.it – porta.dibasso.@
tiscali.it – Fax 08 84 96 67 47 – chiuso gennaio, febbraio e mercoledì (escluso
giugno-settembre)
Rist – Menu 30/40 € – Carta 34/49 €
♦ Nel centro sorico della città, in un caseggiato di tono moderno in suggestiva posizione a strapiombo sul mare, ristorante di mare con piatti non privi di una creativa elaborazione.

Dormire con tutti i confort a prezzo contenuto?
Cercate i «Bib Hotel» 🏠.

sulla litoranea per Vieste

🏨 **Park Hotel Paglianza Paradiso** ⚶   🎵 ☃ ✗ 🏊 ⛄ 🄰🄲 ⚫ rist,
località Manacore, Est : 10,5 km ✉ 71010   🛁 **P** **VISA** ⚫⚫ **AE** ⓪ ⚡
– ℰ 08 84 91 11 18 – www.grupposaccia.it – parkhotel@grupposaccia.it
– Fax 08 84 91 10 32 – giugno-15 settembre
137 cam   Rist – *(solo per alloggiati solo Pens completa 75/135 €)*
♦ Immerso in una vasta pineta, l'albergo vanta ambienti ben distribuiti, tra cui un'attrezzata area giochi per bambini; all'interno rilassanti ambienti nelle tonalità del verde.

✗ **La Collinetta** con cam   ⌖ 🍴 ⚫ rist, 🄰🄲 rist, ⚫ **P** **VISA** ⚫⚫ ⚡
località Madonna di Loreto, Sud-Est : 2 km ✉ 71010 – ℰ 08 84 96 41 51
– www.lacollinettagargano.com – lacollinetta@yahoo.it – Fax 08 84 96 41 51
– 15 marzo-settembre
25 cam ☞ – ♦♦60/75 € – ½ P 50/70 €   **Rist** – Carta 31/46 €
♦ Un locale a conduzione familiare con sale semplici e ben tenute, nonché una piacevole terrazza panoramica esterna dove gustare prelibatezze di pesce e specialità pugliesi. Dispone anche di camere sobriamente arredate con gusto moderno.

PESCHIERA BORROMEO – Milano (MI) – 561F9 – 20 576 ab.   **18 B2**
– alt. 103 m – ✉ 20068
🅳 Roma 573 – Milano 18 – Piacenza 66

Pianta d'insieme di Milano

🏨 **NH Linate**   🏊 ⚫ 🄰🄲 ⇕ ✗ 🎙 🛁 **VISA** ⚫⚫ **AE** ⓪ ⚡
via Grandi 12 – ℰ 025 47 76 88 11 – www.nh-hotels.com – nhlinate@
nh-hotels.com – Fax 025 47 76 88 06   **CP**z
67 cam ☞ – ♦♦139/169 €   **Rist** – Carta 30/40 €
♦ Nuovo albergo commerciale e congressuale vicino all'aeroporto di Milano Linate propone una buona serie di servizi ed accoglienti camere. Omogeneo, funzionale e dal design minimalista. Zona ristorante ricavata nella hall: piccola carta con servizio sia a pranzo, sia a cena.

Montini senza rist   🛱 ও ॼ ⇇ ☼ 📶 🅿 🆅🆂🅰 ⑳ 🅰🅴 ① 💲
via Giuseppe di Vittorio 39 – ☎ *025 47 50 31 – www.hotelmontini.com
– hotelmontini@hotelmontini.com – Fax 02 55 30 06 10 – chiuso dal 23 dicembre
al 4 gennaio e dal 7 al 23 agosto*   CPc
51 cam ☲ – ∮70/110 € ∮∮95/210 €
◆ Nella zona industriale, alle spalle dell'aeroporto di Milano Linate, brillante conduzione
familiare per questa valida risorsa dal *design* moderno e attuale. Salotto conversazione
con piccola biblioteca e camere di diversa tipologia, che si differenziano soprattutto
per i servizi collaterali offerti.

Holiday Inn Milan Linate Airport   🛱 ও ॼ ⇇ 📶 🔩 🅿
via Buozzi 2, all'idroscalo-lato Est – ☎ *02 55 36 01*   🆅🆂🅰 ⑳ 🅰🅴 ① 💲
*– www.alliancealberghi.com – holidayinn.linate@alliancealberghi.com
– Fax 02 55 30 29 80*   CPa
142 cam ☲ – ∮159/390 € ∮∮189/420 €
Rist *– (chiuso a mezzogiorno in agosto)* Carta 25/60 €
◆ Adeguato agli standard della catena, un hotel accogliente e pratico, sito nella zona
aeroportuale e vicino all'Idroscalo (sede estiva di manifestazioni nonchè concerti).
Camere moderne e funzionali, curate nei dettagli. Al ristorante, menu *à la carte* ed
ampia scelta enologica.

La Viscontina con cam   🛏 ॼ ☼ 🅿 🆅🆂🅰 ⑳ 🅰🅴 ① 💲
via Grandi 5, località Canzo – ☎ *025 47 03 91 – www.laviscontina.it – info@
laviscontina.it – Fax 02 55 30 24 60 – chiuso dal 3 al 26 agosto e domenica sera*
14 cam ☲ – ∮80 € ∮∮110 €   **Rist** – Carta 44/60 €   CPz
◆ Ristorante a conduzione familiare per proposte quotidiane che seguono le stagioni, la
disponibilità del mercato e l'estro dello storico *chef*. Se poi non volete riprendere il cam-
mino, poche camere - spaziose e curate - sono diponibili ad accogliervi.

Trattoria dei Cacciatori   🚗 🛏 ও ॼ ☼ ↩ 🅿 🆅🆂🅰 ⑳ ① 💲
via Trieste 2, località San Bovio, Nord : 4 km – ☎ *027 53 11 54
– www.trattoriacacciatori.it – info@trattoriacacciatori.it – Fax 027 53 12 74
– chiuso dal 31 dicembre al 6 gennaio, dal 9 al 25 agosto, domenica sera e
lunedì*
Rist – Carta 31/45 €
◆ Cascinale all'interno del castello di Longhignana, antica residenza di caccia della famiglia Borromeo; belle sale rustiche, cucina legata alle tradizioni e grigliate.

PESCHIERA DEL GARDA – Verona (VR) – 562 F14 – 8 871 ab.   35 **A3**
– alt. 68 m – ✉ 37019
  ▶ Roma 513 – Verona 23 – Brescia 46 – Mantova 52
  🅸 piazzale Betteloni ☎ 045 7551673, iatpeschiera@provincia.vr.it, Fax045
  7550381

Ai Capitani senza rist   🛱 ও rist, ॼ ⇇ ☼ 📶 🚗 🆅🆂🅰 ⑳ 🅰🅴 ① 💲
via Castelletto 2/4 – ☎ *04 56 40 07 82 – www.aicapitani.com – reservation@
aicapitani.com – Fax 04 56 40 15 71*
15 cam ☲ – ∮170/220 € ∮∮190/300 € – 2 suites
◆ Caratteristici affreschi e un arredo decisamente più moderno con mobili in design e
oggetti d'arte contemporanea. Tra aromi e musiche rilassanti la possibilità di abbandonarsi a trattamenti di benessere.

Puccini senza rist   🚗 ॼ̅ 🛱 ॼ ⇇ ☼ 🔩 🅿 🆅🆂🅰 ⑳ 🅰🅴 ① 💲
via Puccini 2 – ☎ *04 56 40 14 28 – www.hotelpuccini.it – info@hotelpuccini.it
– Fax 04 56 40 14 19 – chiuso dal 23 dicembre al 7 gennaio*
32 cam – ∮47/53 € ∮∮77/85 €, ☲ 8 €
◆ Piacevole hotel, con bella piscina e giardino, posizionato in prossimità del lungolago,
defilato dal centro; ampie stanze, ben tenute, alcune con gradevole tappezzeria colorata.

Bell'Arrivo senza rist   ⟨ 🛱 ॼ ⇇ ☼ 🆅🆂🅰 ⑳ 🅰🅴 💲
piazzetta Benacense 2 – ☎ *04 56 40 13 22 – www.hotelbellarrivo.it – info@
hotelbellarvio.it – Fax 04 56 40 13 11 – chiuso dal 15 novembre all'11 marzo*
27 cam – ∮70/90 € ∮∮90/100 €, ☲ 5 €
◆ Albergo rinnovato di recente che può godere di una bella posizione. Le camere sono
luminose e affacciate sul lago o sul canale. Arredamenti semplici di tipo classico.

XX **Piccolo Mondo** ⬛ AK VISA ◕◕ AE ✦

riviera Carducci 6 – ☏ 04 57 55 00 25 – info@ristorantepiccolomondo.com
– www.ristorantepiccolomondo.com – Fax 04 57 55 22 60 – chiuso gennaio,
dal 30 giugno al 15 luglio, lunedì e martedì
Rist – Carta 34/47 €
✦ Pesce di mare. Esposto in vetrina, così come nel buffet degli antipasti è servito in un'unica grande sala affacciata sul lago; conduzione diretta da più di cinquant'anni.

a San Benedetto di Lugana Ovest : 2,5 km – ✉ 37019

⌂ **Cascina Girolda** senza rist 🚗 AK ↳ ⑳ P VISA ◕◕ ⓘ ✦

strada Santa Cristina, località Ottella – ☏ 04 56 40 25 60 – www.cascinagirolda.it
– cascinagirolda@ottella.it – Fax 04 56 40 25 60 – 16 marzo-ottobre
5 cam ⌑ – ✝65/80 € ✝✝80/100 €
✦ Benvenuti nella vecchia cascina di famiglia! Restaurata con meticolosità e gusto, custodisce anche una sala con quadri d'arte contemporanea per la degustazioni di vini, su prenotazione.

X **Trattoria al Combattente** 🛐 VISA ◕◕ AE ⓘ ✦

strada Bergamini 60 – ☏ 04 57 55 04 10 – www.alcombattente.it
– info@alcombattente.it – Fax 04 57 55 04 10 – chiuso novembre e lunedì
Rist – Carta 25/34 €
✦ Clientela affezionata, atmosfera familiare e solo pesce di lago, elaborato secondo ricette classiche e legato all'offerta del mercato giornaliero.

PESCIA – Pistoia (PT) – 563K14 – 18 570 ab. – alt. 62 m – ✉ 51017   28 **B1**
▌ Toscana

▶ Roma 335 – Firenze 57 – Pisa 39 – Lucca 19

🏠 **Villa delle Rose** 🕉 ◑ ☎ 📶 🔌 rist. AK ⑳ 🔒 P VISA ◕◕ AE ⓘ ✦

via del Castellare 21, località Castellare ✉ 51012 Castellare di Pescia
– ☏ 05 72 46 70 – www.rphotels.com – villarose@rphotels.com
– Fax 05 72 44 40 03
103 cam ⌑ – ✝60/80 € ✝✝110/170 € – 3 suites – ½ P 83/112 €
Rist *Piazza Grande* – (chiuso lunedì e martedì a mezzogiorno) Carta 28/48 €
✦ Una signorile e tranquilla villa nobiliare di fine '700, così denominata per la dedizione contadina alla coltivazione floreale; ubicata nel verde di un parco con piscina. Nella struttura vicino alla villa, ristorante con eleganti ambienti, ampi o più raccolti.

🏠 **San Lorenzo Hotel e Residence** 🕉 ← 🚗 ☎ 🛗 ⚒ AK ⑳ P

località San Lorenzo 15/24, Nord : 2 km VISA ◕◕ AE ⓘ ✦
– ☏ 05 72 40 83 40 – www.rphotels.com – s.lorenzo@rphotels.com
– Fax 05 72 40 83 33
40 cam ⌑ – ✝62/80 € ✝✝103/155 € – 2 suites – ½ P 81/114 €
Rist – (chiuso martedì) (chiuso a mezzogiorno escluso i festivi) Carta 35/55 €
✦ Ubicato sulle pendici del borgo S. Lorenzo, l'albergo è stato inserito in una cartiera del 1700 affacciata sul fiume Pescia; ambienti rustici, molto ben ristrutturati. Sala ristorante con soffitti a volte; simpatica enoteca con vecchi macchinari.

XX **Cecco** con cam 🛐 AK ⑳ VISA ◕◕ AE ⓘ ✦

via Forti 96 – ☏ 05 72 47 79 55 – www.ristorantececco.com – info@
ristorantececco.com – Fax 057 24 73 55 – chiuso lunedì (escluso da marzo a
settembre)
6 cam – ✝40 € ✝✝50 €, ⌑ 10 €   **Rist** – Carta 29/38 €
✦ Storica trattoria, molto semplice nell'ambiente, ma che risulta particolarmente accattivante nella proposta, fortemente tipica e genuina, con le carni in primo piano. Le camere si affacciano sul centro storico.

PESCOCOSTANZO – L'Aquila (AQ) – 563Q24 – 1 210 ab. – alt. 1 360 m   1 **B2**
– ✉ 67033

▶ Roma 198 – Campobasso 94 – L'Aquila 101 – Chieti 89
🛈 vico delle Carceri 4 ☏ 0864 641440, iat.pescocostanzo@abruzzoturismo.it, Fax 0864 641440

🛏️ **Le Torri** 🌿 　　　　　　🚗 🛗 ⚡ 📶 *VISA* 💳 *AE* 🔟 💲
corso Roma 21 – ℰ 08 64 64 20 40 – www.letorrihotel.it – info@letorrihotel.it
– Fax 08 64 64 15 73
22 cam ⊡ – †130/190 € ††146/206 € – ½ P 105/140 €
Rist – *(chiuso a mezzogiorno)* Carta 33/49 €
♦ Un'antica dimora baronale del '600 nel cuore del paese; all'interno, un hotel interamente giocato sul contrasto tra storico e moderno con risultati originali e mai banali. Anche al ristorante, ambiente contemporaneo, dalle linee pulite ed essenziali.

🛏️ **Archi del Sole** senza rist 🌿 　　　　🚗 ⚡ 📶 *VISA* 💳 🔟 💲
via Porta di Berardo 9 – ℰ 08 64 64 00 07 – www.archidelsole.it – booking@archidelsole.it – Fax 08 64 64 00 07 – chiuso dal 15 al 30 giugno
20 cam ⊡ – ††85/100 €
♦ Sorto dalla ristrutturazione di due vecchi edifici del centro, un piccolo albergo di fascino a due passi dalla piazza del Municipio. Recenti lavori di rinnovo hanno conferito ulteriore confort alla struttura. Camere essenziali, ma accoglienti.

🛏️ **Il Gatto Bianco** 🌿 　　　　　🚗 🛋️ ⚡ 📶 *VISA* 💳 *AE* 💲
viale Appennini 3 – ℰ 08 64 64 14 66 – www.ilgattobianco.it – info@ilgattobianco.it – Fax 08 64 64 11 48 – chiuso 20 giorni in aprile
6 cam ⊡ – †150/250 € ††200/300 € – 2 suites – ½ P 140/170 €
Rist – *(dicembre-febbraio e giugno-luglio) (chiuso a mezzogiorno) (solo per alloggiati)*
♦ Nuova risorsa di grande fascino avvolta da un'atmosfera di eleganza ed intimità. Insolito connubio di legno antico e moderno. Piccola zona benessere.

PESEK – Trieste (TS) – 562F23 – **alt. 474 m** – ✉ 34018 – **Basovizza**　　　11 D3
🔼 Roma 678 – Udine 77 – Gorizia 54 – Milano 417

a Draga Sant'Elia Sud-Ovest : 4,5 km – ✉ 34018 – **Sant'Antonio in Bosco**

🍴 **Locanda Mario** con cam 🌿 　　　　🛋️ 🅰️ rist, 🅿️ *VISA* 💳 *AE* 🔟 💲
Draga Sant'Elia 22 – ℰ 040 22 81 93 – Fax 040 22 81 93
7 cam – †40/50 € ††60/70 €, ⊡ 4 € – ½ P 50/65 €
Rist – *(chiuso martedì)* Carta 26/36 €
♦ Nel caratteristico paesino carsico, vicino al confine sloveno, accogliente trattoria gestita da decenni dalla stessa famiglia, dove gustare la cucina del posto: rane, lumache e selvaggina. Semplici, lineari e confortevoli le camere.

PETRALIA SOTTANA – Palermo – 565N24 – Vedere Sicilia alla fine dell'elenco alfabetico

PETRIGNANO DEL LAGO – Perugia – 563M17 – Vedere Castiglione del Lago

PETROGNANO – Firenze – 563L15 – Vedere Barberino Val d'Elsa

PETROSA – 564G27 – Vedere Ceraso

PETROSINO – Trapani – 565N19 – Vedere Sicilia alla fine dell'elenco alfabetico

PETTENASCO – Novara (NO) – 561E7 – **1 313 ab.** – **alt. 301 m**　　　24 A2
– ✉ 28028
🔼 Roma 663 – Stresa 25 – Milano 86 – Novara 48
ℹ️ piazza Unità d'Italia 3 ℰ 0323 89593, pettenasco@distrettolaghi.it,Fax 0323 89593

🏨 **L'Approdo** 　　　≤ 🚗 🛋️ 🏊 🛋️ ⚡ 🛗 🅰️ cam, ⚡ rist, 📶 🧖 🅿️
corso Roma 80 – ℰ 032 38 93 45 　　　　　　　　　　*VISA* 💳 *AE* 🔟 💲
– www.lagodortahotels.com – info@hotelapprodo.it – Fax 032 38 93 38
– chiuso dal 10 gennaio al 15 marzo
64 cam ⊡ – †90/120 € ††120/200 € – ½ P 125 €
Rist – *(chiuso lunedì a mezzogiorno)* Carta 39/57 €
♦ Con un grande sviluppo orizzontale e un grazioso giardino con vista lago e monti, completamente protesa sull'acqua, una valida risorsa per clienti d'affari e turisti. Al ristorante ambienti curati e di tono o una gradevole terrazza esterna.

Giardinetto
< 🏖 ⇅ 🚭 rist, [P] VISA AE
via Provinciale 1 – ☎ 032 38 91 18 – www.lagodortahotels.com – giardinetto@lagodortahotels.com – Fax 032 38 92 19 – 14 aprile-20 ottobre
59 cam ☕ – 🛉60/95 € 🛉🛉80/150 € – ½ P 65/100 €
Rist *Giardinetto* – Menu 30/37 € – Carta 37/51 €
♦ Un bianco albergo lambito dalle acque del lago, una struttura confortevole dotata di camere più che discrete, con arredi classici di buona funzionalità. Posizione invidiabile per la bella veranda sul lago, sotto un gazebo.

PETTINEO – **Messina** – 565N24 – **Vedere Sicilia alla fine dell'elenco alfabetico**

PFALZEN = Falzes

Come scegliere fra due strutture equivalenti?
In ogni categoria, hotel e ristoranti sono elencati per ordine di preferenza: ai primi posti, le scelte Michelin.

PIACENZA [P] (PC) – 562G11 – **98 583 ab.** – **alt. 61 m** – ✉ **29100** Italia 8 **A1**

▶ Roma 512 – Bergamo 108 – Brescia 85 – Genova 148
[i] (chiuso lunedì) piazza Cavalli 7 ☎ 0523 329324, iat@comune.piacenza.it, Fax 0523 306727
[9] La Bastardina, ☎ 0523 97 53 73
[18] Croara, ☎ 0523 97 71 05
⊙ il Gotico★★ (palazzo del comune) : Statue equestri★★ B **D** – Duomo★ B **E**

Pianta pagina a lato

Grande Albergo Roma
🏋 ⇅ ♿ [AC] 🚭 rist, 📶 👥 🚗 VISA AE
via Cittadella 14 – ☎ 05 23 32 32 01 – www.grandealbergoroma.it – hotel@grandealbergoroma.it – Fax 05 23 33 05 48 B**a**
75 cam ☕ – 🛉140/180 € 🛉🛉190/220 € – 1 suite – ½ P 120/135 €
Rist Piccolo Roma – vedere selezione ristoranti
♦ Proprio all'interno dell'antica Cittadella, un'importante risorsa, sapientemente restaurata e ridisegnata in uno stile sobrio ed essenziale. Conduzione familiare, signorile e professionale.

Park Hotel
🏋 ⇅ ♿ [AC] 🚭 rist, 📶 👥 [P] 🚗 VISA AE
strada Valnure 5/7, per ③ – ☎ 05 23 71 26 00 – www.parkhotelpiacenza.com – info@parkhotelpiacenza.com – Fax 05 23 45 30 24
97 cam ☕ – 🛉75/155 € 🛉🛉85/175 € – 2 suites **Rist** – Carta 27/54 €
♦ Taglio spiccatamente moderno per questa struttura a vocazione commerciale, comoda e facile da raggiungere da centro storico e dall'autostrada. Cortese e disponibile il personale. Eleganza e tocchi di contemporaneità nella sala del ristorante.

Hotel Ovest senza rist
⇅ ♿ [AC] 📶 👥 [P] 🚗 VISA AE
via I Maggio 82, per ④ – ☎ 05 23 71 22 22 – www.hotelovest.it – info@hotelovest.it – Fax 05 23 71 13 01
59 cam ☕ – 🛉🛉100/220 €
♦ La conduzione è cordiale e attenta, l'insonorizzazione perfetta e la posizione stradale estremamente pratica. Moderno e signorile, alcune camere presentano una maggiore ricercatezza per il dettaglio.

Classhotel Piacenza Fiera
🏋 ⇅ ♿ cam, [AC] 🚭 rist, 📶 👥 [P] VISA AE
strada Caorsana 127/D, località Le Mose, 2 km per ② – ☎ 05 23 60 60 91 – www.classhotel.com – info.piacenzafiera@classhotel.com – Fax 05 23 59 00 91
80 cam ☕ – 🛉74/150 € 🛉🛉100/200 €
Rist – *(chiuso domenica)* Carta 29/41 €
♦ Di fronte all'insediamento fieristico, una novità nel panorama alberghiero cittadino. Stile attuale con un design moderno ed essenziale, gestione giovane e intraprendente. Al ristorante arredo in design e piatti tradizionali presentati con tocchi di creatività.

PIACENZA

City senza rist

via Emilia Parmense 54, 3 km per ② – 𝒞 05 23 57 97 52
– www.hotelcitypc.it – info@hotelcitypc.it
– Fax 05 23 57 97 84
60 cam ⊵ – †74/120 € ††86/140 €

♦ Annovera venti nuove camere dallo stile vagamente etnico questa moderna struttura a vocazione commerciale situata all'interno di un piccolo spazio verde in zona residenziale.

Antica Osteria del Teatro (Filippo Chiappini Dattilo)

via Verdi 16 – 𝒞 05 23 32 37 77
– www.anticaosteriadelteatro.it
– menu@anticaosteriadelteatro.it
– Fax 05 23 30 49 34
– chiuso dal 1° al 10 gennaio, dal 1° al 25 agosto, domenica e lunedì
Rist – (consigliata la prenotazione) Menu 68/88 €   B**f**
– Carta 66/105 € ⅋

Spec. Medaglione di fegato grasso d'anatra al naturale marinato al Porto e Armagnac. Tortelli dei Farnese al burro e salvia. Treccia di branzino all'olio extravergine, timo, pomodori e sale grosso.

♦ Elegante palazzo quattrocentesco nel cuore cittadino, profusione di legni e mattoni negli austeri interni. La cucina reinterpreta con leggerezza i classici regionali e nazionali.

XXX **Piccolo Roma** – Hotel Grande Albergo Roma ⏣ ⏣ VISA ⏣ AE ⏣ ⏣
via Cittadella 14 – ℰ 05 23 32 32 01 – www.grandealbergoroma.it
– hotel@grandealbergoroma.it – Fax 05 23 33 05 48
– chiuso dal 26 luglio al 1°settembre, sabato, domenica sera **Ba**
Rist – Carta 42/54 €
♦ Autografi e dediche ricoprono quasi interamente le pareti di questo apprezzato ristorante. Seduti tra arredi d'epoca o a lume di candela, le specialità emiliane faranno gli onori di casa.

XX **Vecchia Piacenza** ⏣ ⏣ ⏣ ⏣ VISA ⏣ ⏣ ⏣
via San Bernardo 1 – ℰ 05 23 30 54 62 – www.ristorantevecchiapiacenza.it
– micol_salvoni@virgilio.it – Fax 05 23 30 54 62 – chiuso dal 1° al 6 gennaio,
luglio, Ferragosto e domenica **Ab**
Rist – (consigliata la prenotazione) Carta 33/45 €
♦ Sulla via per il centro storico, un ambiente caratteristico, affrescato e decorato dalla sapiente mano della titolare; il marito, in cucina, realizza piatti fantasiosi.

X **Osteria del Trentino** ⏣ ⏣ VISA ⏣ ⏣
via Castello 71 – ℰ 05 23 32 42 60 – www.osteriadeltrentino.it – chiuso dal 10 al
30 agosto **Ad**
Rist – (consigliata la prenotazione la sera) Carta 24/46 €
♦ Foto d'epoca, pentole di rame e vecchi monili di uso quotidiano decorano le pareti di questa trattoria di quartiere che propone una sfiziosa cucina del territorio cui si affiancano piatti a base di pesce. Gradevole servizio estivo all'aperto.

PIADENA – Cremona (CR) – 561G13 – 3 572 ab. – alt. 35 m – ⏣ 26034   17 **C3**
▶ Roma 489 – Parma 41 – Cremona 28 – Mantova 38

X **Dell'Alba** ⏣ ⏣ ⏣ VISA ⏣ ⏣
via del Popolo 31, località Vho, Est : 1 km – ℰ 037 59 85 39
– www.trattoriadellalba.com – trattoriadellalba@libero.it – Fax 037 59 85 39
– chiuso dal 25 dicembre al 2 gennaio, dal 15 al 30 giugno, dal 30 luglio
al 18 agosto, domenica sera e lunedì
Rist – Carta 20/41 € ⏣
♦ Tradizionale osteria di paese con mescita a bicchiere, solidi tavoli antichi e piatti casalinghi. Le specialità ovviamente derivano dal territorio: oca, arrosti e bolliti.

PIANA DEGLI ALBANESI – Palermo – 565M21 – **Vedere Sicilia alla fine dell'elenco alfabetico**

PIANAZZO – Sondrio – **Vedere Madesimo**

PIANCASTAGNAIO – Siena (SI) – 563N17 – 4 133 ab. – alt. 772 m   29 **D3**
– ⏣ 53025
▶ Roma 176 – Firenze 155 – Perugia 86 – Siena 83

X **Anna** con cam VISA ⏣ AE ⏣ ⏣
viale Gramsci 486 – ℰ 05 77 78 60 61 – Fax 05 77 78 60 61
– chiuso dal 7 al 15 gennaio, dal 10 al 30 settembre e lunedì escluso luglio-agosto
8 cam ⏣ – †40 € ††60 € – ½ P 50/60 €   **Rist** – Carta 19/29 €
♦ Accogliente ristorante a conduzione familiare che sazierà il vostro appetito con genuini piatti del territorio. Per chi desidera fare una sosta, camere semplici e decorose.

PIAN DELLE BETULLE – Lecco – **Vedere Margno**

PIANE DI MONTEGIORGIO – Ascoli Piceno (AP) – **Vedere Montegiorgio**

PIANFEI – Cuneo (CN) – 561I5 – 1 928 ab. – alt. 503 m – ⊠ 12080   22 **B3**
▶ Roma 629 – Cuneo 15 – Genova 130 – Imperia 114

🏨 **La Ruota**   🚗 ⅃ ⋒ ✕ 🍽 ᇰ cam, ᐱ ᴀᴄ ✕ ⒃ 🏧 🄿 🚗
strada statale Monregalese 5 – 𝒞 01 74 58 57 01   *VISA* ⓶ AE ① ⌁
– www.hotelruota.it – info@hotelruota.it – Fax 01 74 58 57 00
63 cam ⌁ – ♦55/80 € ♦♦75/110 € – 4 suites – ½ P 60/85 €
Rist – Carta 23/40 €
♦ Sulla statale Cuneo-Mondovì, una grande struttura particolarmente indicata per accogliere clientela d'affari e gruppi numerosi. Camere spaziose e confortevoli. L'ampia sala ristorante vi proporrà un menù che spazia dalla tipica cucina piemontese a quella internazionale, passando per una vasta scelta di pizze. .

PIANIGA – Venezia (VE) – 562F18 – 9 461 ab. – ⊠ 30030   36 **C2**
▶ Roma 517 – Padova 18 – Ferrara 98 – Venezia 31

🏠 **Hotel 15.92** senza rist   ⋒ 🍽 ᴀᴄ ✕ (ᵞ) 🄿 *VISA* ⓶ AE ⌁
via provinciale Nord 5, località Cazzago di Pianiga, Sud-Est : 5 km
– 𝒞 041 46 45 05 – www.hotel15-92.com – info@hotel15-92.com
– Fax 04 15 13 10 86
15 cam ⌁ – ♦55/80 € ♦♦80/100 € – 1 suite
♦ Suggerito dall'architetto, l'insolito nome indica il grado di curvatura del tetto di questo hotel di piccole dimensioni, una recente struttura dall'arredo sobrio e minimalista.

🏠 **In** senza rist   🍽 (ᵞ) 🄿 *VISA* ⓶ AE ① ⌁
via Provinciale Nord 47, località Cazzago di Pianiga, Sud-Est: 5 Km
– 𝒞 04 15 13 83 36 – www.hotel-in.it – info@hotel-in.it – Fax 04 15 13 12 40
12 cam ⌁ – ♦60/80 € ♦♦90/120 €
♦ Piccolo e moderno hotel a gestione femminile di recente costruzione. Funzionali e realizzate con soluzioni un po' chic, le camere si differenziano nei colori.

PIANO D'ARTA – Udine – Vedere Arta Terme

PIANOPOLI – Catanzaro (CZ) – 564K31 – 2 344 ab. – alt. 250 m   5 **A2**
– ⊠ 88040
▶ Roma 594 – Cosenza 81 – Catanzaro 33

🏠 **Agriturismo Le Carolee** ⌖   🚗 ⅃ ✕ (ᵞ) 🄿 *VISA* ⓶ AE ① ⌁
contrada Gabella 1, Est : 3 km – 𝒞 096 83 50 76 – www.lecarolee.it – lecarolee@
lecarolee.it – Fax 096 83 50 76
7 cam ⌁ – ♦50/60 € ♦♦91/100 € – ½ P 65/75 €   **Rist** – Carta 30/40 €
♦ Una casa padronale ottocentesca fortificata, in splendida posizione e immersa nel silenzio degli ulivi; il passato della terra di Calabria riproposto in chiave moderna.

PIANORO – Bologna (BO) – 562I16 – 16 581 ab. – alt. 187 m – ⊠ 40065   9 **C2**
▶ Roma 370 – Bologna 16 – Firenze 96 – Modena 59

a Rastignano Nord : 8 km – ⊠ 40067

✕✕ **Osteria al numero Sette**   ᴀᴄ ✕ ⇄ *VISA* ⓶ ⌁
via Costa 7 – 𝒞 051 74 20 17 – www.ilgastronomoriluttante.splinder.com
– Fax 051 74 20 17 – chiuso dal 21 dicembre al 5 gennaio, dal 10 al 25 agosto,
domenica sera e lunedì
Rist – Carta 34/44 €
♦ Non più solo *minestre*, come da queste parti vengono chiamati i primi piatti. L'offerta si è ampliata e il merito è da ricondurre alla passione per la ricerca degli ingredienti: territorio e qualità!

PIAZZA – Siena – 563L15 – Vedere Castellina in Chianti

PIAZZA ARMERINA – Enna – 565O25 – Vedere Sicilia alla fine dell'elenco alfabetico

PICCHIAIE – Livorno – Vedere Elba (Isola d') : Portoferraio

PICERNO – Potenza (PZ) – 564F28 – **6 247 ab.** – **alt. 721 m** – ✉ 85055   **3 A2**
> ▶ Roma 307 – Potenza 24 – Bari 165 – Foggia 128

in prossimità Superstrada Basentana Ovest : 3 km :

🏠🏠🏠   **Bouganville**   🚗 🛎 🕭 ⚐ 🏧 ⚙ rist. 📶 🔧 **P** 🆅 🆗 🆎 ⓘ 💲
strada provinciale 83 ✉ *85055 Picerno* – ✆ *09 71 99 10 84*
– www.hotelbouganville.it – info@hotelbouganville.it – Fax 09 71 99 09 21
36 cam ⚏ – 🛏75/116 € 🛏🛏105/136 € – ½ P 78/93 €   **Rist** – Carta 25/48 €
♦ Sulla statale provinciale è facile da raggiungere, una risorsa che - grazie ad importanti lavori di ristrutturazione - si colloca sempre ai migliori livelli tra gli alberghi della zona. Ampi spazi comuni e belle camere. Al ristorante eleganti ambienti, vasti e luminosi, con affaccio esterno.

PICINISCO – Frosinone (FR) – 563R23 – **1 205 ab.** – **alt. 725 m**   **13 D2**
– ✉ 03040
> ▶ Roma 145 – Frosinone 61 – Isernia 74 – Napoli 128

🏠   **Villa Il Noce** senza rist 🐾   🚗 🏊 ⚙ **P** 🆅 🆗
via Antica 1, verso borgo Costellone, Ovest : 2 km – ✆ *077 66 62 59*
– www.villailnoce.com – villailnoce@email.it – Fax 077 66 62 59
4 cam ⚏ – 🛏40/60 € 🛏🛏60/80 €
♦ Nella valle ai piedi della località, una risorsa nella quale è facile sentirsi come a casa propria. Ambiente rilassante con un ampio e curato giardino con piscina.

PIEGARO – Perugia (PG) – 563N18 – **3 651 ab.** – **alt. 356 m** – ✉ 06066   **32 A2**
> ▶ Roma 155 – Perugia 33 – Arezzo 82 – Chianciano Terme 28

🏠   **Ca' de Principi** senza rist   🚗 🏊 ⚙ 🔧 🆅 🆗 🆎 ⓘ 💲
via Roma 43 – ✆ *07 58 35 80 40 – www.dimorastorica.it*
– cadeprincipi@dimorastorica.it – Fax 07 58 35 80 15
– aprile-3 novembre
16 cam ⚏ – 🛏78/83 € 🛏🛏90/120 € – 5 suites
♦ Un edificio settecentesco, appartenuto alla nobile famiglia dei Pallavicini, con affreschi d'epoca, all'interno di un borgo ricco di fascino. Insieme di notevole pregio.

PIENZA – Siena (SI) – 563M17 – **2 227 ab.** – **alt. 491 m** – ✉ 53026   **29 C2**
🏴 Toscana
> ▶ Roma 188 – Siena 52 – Arezzo 61 – Chianciano Terme 22

ℹ *piazza Pio II* ✆ *0578 749071, sm.pienza@qlibero.it, Fax 0578 749071*
◎ Cattedrale★ : Assunzione★★ del Vecchietto – Palazzo Piccolomini★

🏨   **Relais Il Chiostro di Pienza** 🐾   ≤ 🏯 🛖 🏊 🛎 🕭 cam, ⚐ 🏧
corso Rossellino 26 – ✆ *05 78 74 84 00*   ⚙ rist. 🔧 🆅 🆗 🆎 ⓘ 💲
– www.relaisilchiostrodipienza.com – ilchiostrodipienza@virgilio.it
– Fax 05 78 74 84 40 – chiuso dal 7 gennaio al 21 marzo
37 cam ⚏ – 🛏100/160 € 🛏🛏120/340 €
Rist *La Terrazza del Chiostro* – ✆ *05 78 74 81 83 (chiuso gennaio e febbraio)*
Carta 38/48 € (+10 %)
♦ Nel cuore di questo gioiellino toscano voluto da Pio II Piccolomini, un chiostro quattrocentesco incastonato in un convento: per soggiornare nella suggestione della storia. Gradevole servizio ristorante estivo in giardino.

🏨   **San Gregorio**   🛖 🏊 🛎 🏧 ⚙ 📶 **P** 🆅 🆗 🆎 💲
🏃 *via della Madonnina 4 –* ✆ *05 78 74 81 75*
– www.hotelsangregorio.com – info@hotelsangregorio.com
– Fax 05 78 74 83 54
19 cam ⚏ – 🛏65/105 € 🛏🛏80/120 € – ½ P 60/85 €
Rist – Carta 18/36 €
♦ La città rinascimentale progettata dal Rossellino, il vecchio teatro del 1935, oggi riproposto come risorsa ricettiva. Ampie e comode camere, gestione familiare. Al Ristorante "La Piazzetta" le delizie toscane ed il pesce fresco: un ambiente raffinato, ideale per organizzare cerimonie e feste private.

🏠 **Piccolo Hotel La Valle** senza rist   ⟨⟨ 🅰️🄲 🗑️ 🚗 📼 🌀 🅰️🄴 ⑤
via di Circonvallazione 7 – ℰ *05 78 74 94 02 – www.piccolohotellavalle.it*
– info@piccolohotellavalle.it – Fax 05 78 74 98 63
15 cam ⟷ – †70/100 € ††90/130 €
◆ Ambienti comuni dagli spazi contenuti, camere dagli ambienti funzionali e moderni,
arredi nuovi in tutti i locali. Una risorsa in comoda posizione, confort adeguato.

sulla strada statale 146

🏠 **Relais La Saracina** senza rist 🐾   ⟨⟨ 🗑️ 🌫️ ❊ ❊ 🅿️ 📼 🌀 🅰️🄴 ⑤
strada statale 146 km 29,7, Nord-Est : 7,5 km – ℰ *05 78 74 80 22*
– www.lasaracina.it – info@lasaracina.it – Fax 05 78 74 80 18
– chiuso dal 10 gennaio al 1° marzo
6 cam ⟷ – †200/250 € ††230/270 €
◆ In un antico podere tra l'ocra senese degli antichi pendii, la suggestiva magia di un
ambiente di rustica signorilità con camere amene di differenti tipologie.

a Monticchiello Sud-Est : 6 km – ✉ 53026

🏠 **L'Olmo** 🐾   ⟨⟨ 🗑️ 🌫️ ❊ 🅿️ 📼 🌀 🅰️🄴 ⑤
podere Ommio 27 – ℰ *05 78 75 51 33*
– www.olmopienza.it – info@olmopienza.it – Fax 05 78 75 51 24
– aprile-15 novembre
1 cam ⟷ – ††180 € – 6 suites – ††265/280 €
Rist – (prenotazione obbligatoria) *(solo per alloggiati)* Menu 45 €
◆ Locanda seicentesca in mezzo al verde della campagna, piccola bomboniera perfettamente incastonata nel paesaggio toscano e nello spirito di un'agreste raffinatezza.

🍴 **La Porta**   ⟨⟨ 🏠 ❊ 📼 🌀 ⑤
via del Piano 2 – ℰ *05 78 75 51 63 – www.osterialaporta.it – rist.laporta@libero.it*
– Fax 05 78 75 51 63 – chiuso dal 10 gennaio al 5 febbraio e giovedì
Rist – Carta 26/42 €
◆ Come dice il nome, si trova all'ingresso del piccolo e caratteristico borgo di Montic-
chiello questo ristorante simpatico e informale in cui non manca la terrazza panoramica.

PIETOLE DI VIRGILIO – Mantova – 561G14 – Vedere Mantova

PIETRACAMELA – Teramo (TE) – 563O22 – 303 ab. – alt. 1 005 m   1 A1
– Sport invernali : a Prati di Tivo: 1 450/2 912 m ≼7 – ✉ 64047
   ▶ Roma 174 – L'Aquila 61 – Pescara 78 – Rieti 104

a Prati di Tivo Sud : 6 km – alt. 1 450 m – ✉ 64047 – Pietracamela

🏠 **Gran Sasso 3** 🐾   ⟨⟨ 🗑️ 🏠 ❊ 🚗 📼 🌀 🅰️🄴 ⓪ ⑤
🔗 *piazzale Amorocchi 13 –* ℰ *08 61 95 96 39*
– www.montautihotel.it – gransasso.3@tiscali.it – Fax 08 61 95 96 69
– chiuso dal 15 aprile al 15 maggio e dal 15 al 30 novembre
9 cam – solo ½ P 60 € **Rist** – Carta 18/28 €
◆ Custodito dal silenzio e dalla discrezione delle montagne, un edificio anni Settanta
con arredo ligneo in stile dispone di caldi ambienti particolarmente curati. Dalla cucina
i sapori regionali, su una griglia in sala le specialità della casa.

PIETRA LIGURE – Savona (SV) – 561J6 – 9 200 ab. – ✉ 17027   14 B2
   ▶ Roma 576 – Imperia 44 – Genova 77 – Milano 200
   🇮 piazza Martiri della Libertà 30 ℰ 019 629003, pietraligure@inforiviera.it, Fax
   019 629790

🍴🍴 **Buca di Bacco**   🅰️🄲 🅿️ 📼 🌀 🅰️🄴 ⓪ ⑤
corso Italia 149 – ℰ *019 61 53 07*
– bucadibacco@beactive.it – Fax 019 61 89 65
– chiuso dall'8 gennaio all'8 febbraio e lunedì (escluso luglio-agosto)
Rist – Carta 35/52 €
◆ Le specialità marinare, la cura nella scelta delle materie prime e l'originalità del proprietario caratterizzano questo locale, sito nel seminterrato di un edificio.

PIETRALUNGA – Perugia (PG) – 563 L19 – **2 339 ab.** – alt. 565 m   **32 B1**
– ✉ 06026

▷ Roma 225 – Perugia 54 – Arezzo 64 – Gubbio 24

⌂ **Agriturismo La Cerqua e La Balucca** ⟨⟩   ≤ 🛏 🗲 🦐 🄿
case San Salvatore 27, Ovest : 2,2 km alt. 650   🆅🆂🅰 ⚬⚬ 🄰🄴 ① 🄶
– 𝒞 07 59 46 02 83 – www.cerqua.it – info@cerqua.it – Fax 07 59 46 20 33
– *chiuso gennaio e febbraio*
19 cam ⌷ – ♦♦85/105 € – ½ P 65/75 €
Rist – *(chiuso a mezzogiorno escluso domenica)* (prenotazione obbligatoria)
Menu 25/30 €
♦ Sulle spoglie di un antico monastero in cima ad un colle, due tipici casolari (a circa
500 metri di distanza fra loro) si "prestano" magnificamente per una vacanza tutta relax
e belle passeggiate a cavallo. Cucina del territorio con preparazioni caserecce: entrambe
le strutture dispongono di una sala da pranzo.

PIETRANSIERI – L'Aquila – 563 Q24 – Vedere Roccaraso

PIETRAPIANA – Firenze – Vedere Reggello

PIETRASANTA – Lucca (LU) – 563 K12 – **24 469 ab.** – alt. 20 m   **28 B1**
– ✉ 55045 ▮ Toscana

▷ Roma 376 – Pisa 30 – La Spezia 45 – Firenze 104
🛈 piazza Statuto 𝒞 0584 283284, Fax 0584 283284
🔟 Versilia, 𝒞 0584 88 15 74

🏨 **Albergo Pietrasanta** senza rist   🛱 🛗 🛗 🖢 🄰🄲 (¶) 🕸 🖘
via Garibaldi 35 – 𝒞 05 84 79 37 26   🆅🆂🅰 ⚬⚬ 🄰🄴 ① 🄶
– *www.albergopietrasanta.com – info@albergopietrasanta.com*
– *Fax 05 84 79 37 28 – marzo-20 novembre*
19 cam – ♦200/260 € ♦♦320/400 €, ⌷ 20 €
♦ In pieno centro storico, in un palazzo seicentesco con giardino, una gradevole atmosfera di abitazione privata e grande eleganza e gusto nell'unione fra antico e moderno.

🏨 **Versilia Golf** ⟨⟩   🛱 🛖 🔟 🖢 🖢 🄰🄲 🕸 (¶) 🖢 🄿 🆅🆂🅰 ⚬⚬ 🄰🄴 ① 🄶
via della Sipe 100 – 𝒞 05 84 88 02 63 – www.versiliagolf.com – resort@
versiliagolf.com – Fax 05 84 88 16 98
17 cam ⌷ – ♦200/380 € ♦♦250/500 €   **Rist** – Carta 39/51 €
♦ Per gli amanti del golf ma anche de *l'art de vivre*, una raffinata struttura pregna di
fascino: eleganti camere arredate con mobili d'antiquariato e con autentiche opere
d'arte.

🏨 **Palagi** senza rist   🖢 🄰🄲 (¶) 🆅🆂🅰 ⚬⚬ 🄰🄴 ① 🄶
piazza Carducci 23 – 𝒞 058 47 02 49 – www.hotelpalagi.com – info@
hotelpalagi.191.it – Fax 058 47 11 98
18 cam ⌷ – ♦95 € ♦♦170 €
♦ Posizione centrale e comoda, nei pressi della stazione ferroviaria e del Duomo, per
questo albergo a gestione familiare; offre valide zone comuni e arredi dal sapore
moderno.

✕✕ **Martinatica**   🛖 🄰🄲 🄿 🆅🆂🅰 ⚬⚬ 🄰🄴 ① 🄶
località Baccatoio Sud : 1 km – 𝒞 05 84 79 25 34 – Fax 05 84 79 40 31
– *chiuso lunedì*
Rist – Carta 37/47 €
♦ In un antico frantoio ristrutturato, proposte giornaliere, di mare e di terra, legate alle
tradizioni toscane; cucina a vista e ambiente di rustica signorilità.

✕ **Enoteca Marcucci**   🛖 🔁 🆅🆂🅰 ⚬⚬ 🄰🄴 ① 🄶
via Garibaldi 40 – 𝒞 05 84 79 19 62 – enoteca.marcucci@tiscali.it
– *Fax 05 84 79 19 62 – chiuso novembre e lunedì (escluso 15 giugno-15 settembre)*
Rist – *(chiuso a mezzogiorno escluso domenica e festivi nel periodo invernale)*
Carta 42/77 € 🏵
♦ Un locale giovane e sbarazzino, di gran moda, imperniato su una vasta e interessante
selezione di vini; attorno all'originaria mescita ruota una cucina semplice e sfiziosa.

PIETRASANTA (Marina di) – Lucca (LU) – 563K12 – ⊠ **55044**   28 **B1**

> ▶ Roma 378 – Pisa 33 – La Spezia 53 – Firenze 104
>
> 🖪 piazza America 2 ℰ 0584 20331, info@pietrasantaemarina.it, Fax 058424555
>
> 🔞 Versilia, ℰ 0584 88 15 74

🏨 **Joseph**   ≤ 🛋 🗻 ƒ᷈ 🇮🇹 ᷇ & cam, ✳✳ 🔟 ⅞ rist, [P] 🚾 ⓪ 𝖠𝖤 ⓪ 🚭
viale Roma 323, località Motrone – ℰ 05 84 74 58 97 – www.bracciotti.com – hoteljoseph@bracciotti.com – Fax 058 42 22 65 – aprile-ottobre
85 cam � ▾ – ♥80/100 € ♥♥100/120 € – ½ P 88/98 €   **Rist** – Menu 24/35 €
♦ Valida conduzione familiare per questa piacevole struttura con camere sobriamente arredate. Fiore all'occhiello: la bella terrazza con piscina affacciata sul lungomare.

🏨 **Venezia** 🌄   🛋 🗻 ƒ᷈ 🇮🇹 & 🔟 ⅞ [P] 🚾 ⓪ ⓪ 🚭
via Firenze 48, località Motrone – ℰ 05 84 74 57 57 – www.albergovenezia.com – info@albergovenezia.com – Fax 05 84 74 53 73 – aprile-20 settembre
66 cam – ♥80/150 € ♥♥100/180 €, ⊻ 10 € – ½ P 60/120 €
Rist – *(solo per alloggiati)*
♦ Struttura immersa nel verde dei pini marittimi, in una zona residenziale e tranquilla, poco distante dal mare. Camere semplici, ma funzionali. Solida conduzione familiare.

🏠 **Grande Italia** 🌄   🛋 🏠 ⅞ [P]
via Torino 5, a Tonfano – ℰ 058 42 00 46 – www.albergograndeitalia.com – info@albergograndeitalia.it – Fax 058 42 43 50 – giugno-17 settembre
22 cam – ♥50/60 € ♥♥74/94 €, ⊻ 10 € – ½ P 75/86 €
Rist – *(solo per alloggiati)* Menu 25/30 €
♦ Un caseggiato d'inizio secolo scorso quasi immutato all'esterno, arredi in stile nei locali comuni; nel giardino, è stata poi aggiunta una dépendance più recente.

🏠 **Airone**   🛋 ƒ᷈ 🔟 ⅞ rist, ☎ 🚾 ⓪ 𝖠𝖤 ⓪ 🚭
⊝ *via Catalani 46 – ℰ 05 84 74 56 86 – www.landinihotels.it – hotelairone@landinihotels.it – Fax 05 84 74 56 88*
28 cam ⊻ – ♥60/100 € ♥♥80/130 € – ½ P 85/100 €
Rist – *(solo per alloggiati)* Menu 20/35 €
♦ Arretrata rispetto al mare - in zona verde e residenziale - la risorsa dispone di camere semplici ed essenziali, recentemente rinnovate. Bella terrazza per piacevoli momenti di relax!

✕✕ **Alex**   🏠 & 🔟 ⅞ 🚾 ⓪ 𝖠𝖤 ⓪ 🚭
via Versilia 157/159 – ℰ 05 84 74 60 70 – www.ristorantealex.it – info@ristorantealex.it – chiuso martedì e mercoledì (escluso giugno-settembre)
Rist – *(chiuso a mezzogiorno escluso aprile, maggio e festivi)* Carta 42/55 €
♦ In un palazzo d'inizio '900, un piacevole ristorante-enoteca arredato con eco etniche, propone specialità di mare e di terra. Interessante selezione di vini della solatia Spagna!

PIETRAVAIRANO – Caserta (CE) – 564D24 – 3 038 ab. – alt. 250 m   6 **A1**
– ⊠ 81040

> ▶ Roma 165 – Avellino 95 – Benevento 65 – Campobasso 74

✕✕ **La Caveja** con cam   🏠 🇮🇹 & rist, 🔟 ⅞ [P] 🚾 ⓪ 𝖠𝖤 ⓪ 🚭
⊝ *via Santissima Annunziata 10 – ℰ 08 23 98 48 24 – albergoristorantecaveja@virgilio.it – Fax 08 23 98 29 77*
16 cam ⊻ – ♥60 € ♥♥80 €   **Rist** – *(chiuso lunedì)* Carta 26/38 €
♦ La cucina proposta da questo antico cascinale è un'istituzione in zona. Spontanea, varia e genuina, ripercorre i sentieri della tradizione gastronomica locale, rielaborandola con ottimi prodotti.

PIETRELCINA – Benevento (BN) – 564D26 – 3 041 ab. – alt. 345 m   6 **B1**
– ⊠ 82020

> ▶ Roma 253 – Benevento 13 – Foggia 109

🏨 **Lombardi Park Hotel** 🚗 ⛄ 🐾 📶 🛗 & 🗑 ↩ ❄ 🎵 🏋 **P**
⚙ via Nazionale 1 – ✆ 08 24 99 12 06 — 𝘝𝘐𝘚𝘈 ⚫⚫ 𝖠𝖤 ⓪ &
– www.lombardiparkhotel.it – lombardihotel@libero.it – Fax 08 24 99 12 53
51 cam ⚌ – ♚85 € ♚♚110 € – 4 suites
Rist *Cosimo's* – ✆ 08 24 99 11 44 *(chiuso lunedì o martedì)* Carta 19/32 € (+10 %)
♦ Nel paese natale di Padre Pio, vicino al convento dei Cappuccini, un complesso di moderna concezione dagli arredi classici. Servizio impeccabile, valida gestione familiare. Curato ristorante dall'atmosfera tipica.

PIEVE A NIEVOLE – Pistoia – 563K14 – Vedere Montecatini Terme

---

PIEVE D'ALPAGO – Belluno (BL) – 562D19 – 2 035 ab. – alt. 690 m   36 C1
– ✉ 32010

▶ Roma 608 – Belluno 17 – Cortina d'Ampezzo 72 – Milano 346

XXX **Dolada** (Riccardo De Prà) con cam 🐾   ← 🚗 **P** 𝘝𝘐𝘚𝘈 ⚫⚫ 𝖠𝖤 ⓪ &
❀ via Dolada 21, località Plois alt. 870 – ✆ 04 37 47 91 41 – www.dolada.it – info@dolada.it – Fax 04 37 47 80 68
7 cam – ♚78 € ♚♚103 €, ⚌ 13 € – ½ P 110 €
Rist – *(chiuso domenica sera e lunedì escluso luglio-agosto)* (consigliata la prenotazione) Carta 56/69 € 🍴
Spec. Erbe, radici, fiori e lumache. Lasagne con scampi, capesante, calamaretti e ristretto di pesci e crostacei. Agnello dell'Alpago cotto in forno alla maniera tradizionale.
♦ Roccaforte dei sapori regionali, dai fagioli all'agnello passando per le lumache; con l'ingresso del figlio, la cucina si è aperta a proposte più innovative e personalizzate. Non manca un curato giardino utilizzato per i rinfreschi. Dispone anche di alcune camere moderne, spaziose e confortevoli.

PIEVE DI CENTO – Bologna (BO) – 562H15 – 6 683 ab. – alt. 14 m   9 C3
– ✉ 40066

▶ Roma 408 – Bologna 32 – Ferrara 37 – Milano 209

⌂ **Locanda le Quattro Piume** senza rist   🚗 & 𝘝𝘐𝘚𝘈 ⚫⚫ 𝖠𝖤 &
via XXV Aprile 15 – ✆ 05 16 86 15 00 – le-quattro-piume@libero.it
– Fax 051 97 41 91 – chiuso dal 24 dicembre al 7 gennaio ed agosto
16 cam ⚌ – ♚38/86 € ♚♚58/126 €
♦ A pochi metri da una delle porte della località, una semplice locanda familiare nello spirito della Bassa; le camere hanno confort essenziali e sono ben tenute.

XX **Buriani dal 1967**   📶 ❄ ⇆ 𝘝𝘐𝘚𝘈 ⚫⚫ 𝖠𝖤 ⓪ &
via Provinciale 2/a – ✆ 051 97 51 77 – www.ristoranteburiani.com – info@ristoranteburiani.com – Fax 051 97 33 17 – chiuso 15 giorni in agosto, martedì e mercoledì
Rist – Carta 42/66 € 🍴
♦ Sobria eleganza e atmosfera accogliente nel locale presso Porta Bologna: qui la famiglia Buriani insegue la stagionalità dei prodotti, interpretati tra tradizione e ricerca.

PIEVE DI CHIO – Arezzo – Vedere Castiglion Fiorentino

PIEVE DI LIVINALLONGO – Belluno (BL) – 562C17 – alt. 1 475 m   35 B1
– Sport invernali : Vedere Arabba (Comprensorio Dolomiti superski Arabba-Marmolada) – ✉ 32020

▶ Roma 716 – Belluno 68 – Cortina d'Ampezzo 28 – Milano 373

🏠 **Cèsa Padon** 🐾   ← 📶 ❄ 🎵 **P** 🚗 𝘝𝘐𝘚𝘈 ⚫⚫ &
⚙ via Sorarù 62 – ✆ 04 36 71 09 – www.cesa-padon.it – info@cesa-padon.it
– Fax 04 36 74 60 – chiuso dal 20 ottobre al 4 dicembre
21 cam ⚌ – ♚58/70 € ♚♚88/104 € – ½ P 58/76 €
Rist – *(chiuso a mezzogiorno)* Menu 18/23 €
♦ In un'incantevole posizione panoramica, ideale tanto per chi predilige gli sport invernali quanto per chi non può fare a meno di una piacevole passeggiata estiva tra i boschi. Servizio navetta per gli impianti da sci. Il calore del tradizionale arredo ligneo e i piatti della cucina regionale al ristorante.

PIEVE DI SOLIGO – Treviso (TV) – 562E18 – 11 307 ab. – alt. 132 m   36 **C2**
– ✉ 31053

▶ Roma 579 – Belluno 38 – Milano 318 – Trento 124

🏠 **Contà** senza rist   🕸 📶 🕭 🖌 🌿 ⑨ 🍴 🎔 🚗 📮 👁️ 🅰🅴 ⑩ 👌
Borgo Stolfi 25 – 𝒞 04 38 98 04 35 – www.hotelconta.it – hotelconta@nline.it
– Fax 04 38 98 08 96 – chiuso dal 1° al 20 agosto
50 cam 🖂 – †70/90 € ††100/140 €
♦ Hotel a pochi passi dalla piazza centrale, con porticato prospiciente il corso d'acqua, all'interno propone confort moderni e camere generalmente spaziose.

🏠 **Delparco** ⚘   🚗 🍴 🕭 📶 rist. 🌿 🍴 📮 🌿🍴 ⑩ 🅰🅴 ⑩ 👌
via Suoi 4, Nord-Est : 2 km – 𝒞 043 88 28 80 – www.hoteldelparco.it
– hoteldelparco@cusinaveneta.it – Fax 043 88 36 75 – chiuso gennaio e agosto
36 cam 🖂 – †52/90 € ††70/150 € – ½ P 52/85 €
Rist *Loris* – *(chiuso martedì e domenica sera)* Carta 36/49 €
♦ Nel verde di un giardino dotato di un campo di calcio, in aperta campagna con relativa tranquillità, un hotel dall'atmosfera quieta e familiare; a due minuti dal centro. Ristorante in una casa colonica d'inizio '900 ristrutturata; gradevole pergolato estivo.

✕ **Enoteca Corte del Medà**   🍴 📶 🌿 ⟷ 🌿🍴 ⑩ 🅰🅴 👌
🍮 *corte del Medà 15 – 𝒞 04 38 84 06 05 – Fax 04 38 84 06 05 – chiuso dal*
1° al 7 gennaio, una settimana a Pasqua, tre settimane in agosto e domenica
Rist – Carta 16/25 €
♦ Una semplice e informale enoteca con una zona degustazione all'ingresso e una sala nella quale trovare proposte culinarie fragranti, alla buona, ma curate.

a Solighetto Nord : 2 km – ✉ 31053

✕✕ **Da Lino** con cam ⚘   🍴 📶 🌿 🌿 📮 🌿🍴 ⑩ 🅰🅴 ⑩ 👌
via Roma 19 – 𝒞 043 88 21 50 – www.locandadalino.it – dalino@tmn.it
– Fax 04 38 98 05 77 – chiuso sette giorni in febbraio e luglio
17 cam 🖂 – †75 € ††95 €   **Rist** – *(chiuso lunedì)* Carta 33/63 € 🏵
♦ Un caratteristico ambiente ai piedi delle Prealpi Trevigiane: raccolta di bicchieri di Murano, 3.000 pentole di rame al soffitto, quadri e sapori caserecci. Belle camere.

PIEVEPELAGO – Modena (MO) – 562J13 – 2 153 ab. – alt. 781 m   8 **B2**
– ✉ 41027

▶ Roma 373 – Pisa 97 – Bologna 100 – Lucca 77

🏠 **Bucaneve**   🍴 📮 🌿🍴 ⑩ 🅰🅴 👌
🍮 *via Giardini Sud 31 – 𝒞 053 67 13 83 – www.albergobucaneve.com*
– albergobucaneve@tiscali.it – Fax 053 67 13 83 – chiuso novembre
24 cam – †32/50 € ††50/66 €, 🖂 6 € – ½ P 37/52 €
Rist – *(chiuso martedì)* Carta 19/23 €
♦ Poco distante sia dalle piste da sci che dal centro, ideale per una vacanza all'insegna dello sport o alla scoperta dei dintorni, questo piccolo albergo familiare vanta una giovane e intraprendente gestione. Atmosfera semplice e casalinga per gustare piatti tipici locali.

PIEVESCOLA – Siena – 563M15 – Vedere Casole d'Elsa

PIEVE VECCHIA – Brescia – Vedere Manerba del Garda

PIGENO = PIGEN – Bolzano – Vedere Appiano sulla Strada del Vino

PIGNA – Imperia (IM) – 561K4 – 923 ab. – alt. 280 m – ✉ 18037   14 **A3**
▶ Roma 673 – Imperia 72 – Genova 174 – Milano 297

🏠 **Grand Hotel Pigna Antiche Terme** ⚘   🍴 🍴 🕭 🕸 🌿 🌿 🍴
regione lago Pigo   🕭 🚣 🌿 🌿 rist. 🌿 📮 🌿🍴 ⑩ 🅰🅴 ⑩ 👌
– 𝒞 01 84 24 00 10 – www.termedipigna.it – info@termedipigna.it
– Fax 01 84 24 09 49 – 26 dicembre-7 gennaio e marzo-novembre
95 cam 🖂 – †130/190 € ††220/340 € – ½ P 130/190 €   **Rist** – Menu 40 €
♦ Non lesina su spazi e confort, tantomeno su una gestione attenta e professionale questo grande e moderno complesso situato ai piedi del caratteristico bogo di Pigna: vero paradiso per ristabilire corpo e spirito. Al ristorante i sapori di una cucina dietetica e attenta si affiancano ai gustosi piatti del territorio.

✕ **Terme** con cam ⌂   ✅ 🅿️ VISA ⚫ AE ① 🅖
via Madonna Assunta – ☏ 01 84 24 10 46 – cllante@tin.it – Fax 01 84 24 10 46
– chiuso dal 12 gennaio al 20 febbraio
15 cam ⌷ – †40/50 € ††60/65 € – ½ P 50 €
Rist – (chiuso mercoledì escluso agosto; da novembre a marzo la sera solo su prenotazione) Carta 24/34 €
♦ Nell'entroterra ligure, un ristorante-trattoria che offre una serie di piatti ben fatti e fragranti; ambiente piacevole, di rustica semplicità, e gestione familiare.

PILASTRO – Parma – 562H12 – Vedere Langhirano

PINARELLA – Ravenna – 563J19 – Vedere Cervia

PINAROLO PO – Pavia (PV) – 561G9 – 1 562 ab. – alt. 67 m   16 **B3**
– ✉ 27040
▶ Roma 577 – Alessandria 62 – Pavia 20 – Milano 20

↑ **Agriturismo Il Cucinone**   & cam, 🅰️🅲 ✅ 🅿️ VISA ⚫ AE ① 🅖
via Depretis 8 – ☏ 03 83 87 87 95 – www.ilcucinone.it – info@ilcucinone.it
– Fax 03 83 87 87 95
22 cam ⌷ – †49/55 € ††74/85 € – ½ P 52/65 €
Rist – (chiuso venerdì sera e sabato a mezzogiorno) Menu 28/40 €
♦ In centro paese, un cascinale completamente rinnovato per offrire camere confortevoli con arredi in arte povera. In previsione anche una sala riunioni. Ristorante di taglio rustico per proposte di cucina locale.

PINEROLO – Torino (TO) – 561H3 – 33 816 ab. – alt. 376 m – ✉ 10064   22 **B2**
▶ Roma 694 – Torino 41 – Asti 80 – Cuneo 63
🅳 viale Giolitti 7/9 ☏ 0121 794003, pinerolo@montagnedoc.it, Fax 0121794932

🏠 **Relais Barrage**   🚗 🕳 🛏 📶 & 🛁 🅰️🅲 ✅ rist, 🌐 🧖 🅿️
stradale San Secondo 100 – ☏ 01 21 04 05 00   VISA ⚫ AE ① 🅖
– www.relaisbarrage.com – info@relaisbarrage.com – Fax 01 21 04 05 01
38 cam ⌷ – †80/130 € ††95/160 € – 6 suites – ½ P 110/150 €
Rist le Siepi – Carta 46/67 €
♦ Situato ai piedi delle montagne pinerolesi, l'ottocentesco cotonificio è stato convertito con grande maestria in un hotel dalla linearità minimalista, ma dotato di ogni confort. Il nome del ristorante svela il legame col mondo dell'equitazione; le mani dello chef, la passione per le ricette tradizionali e la creatività.

↑ **Il Torrione** senza rist ⌂   🌀 🕳 ✕ & 🛁 ✅ 🅿️ VISA ⚫ 🅖
via Galoppatoio 20 – ☏ 01 21 32 26 16 – www.iltorrione.com – prenotazione@iltorrione.com – Fax 01 21 32 33 58
7 cam ⌷ – †55 € ††90 €
♦ In un ampio e verdeggiante parco all'inglese, la villa neoclassica offre camere confortevoli e graziose: ottimo punto di partenza per vacanze culturali, sportive e di relax.

✕✕ **Taverna degli Acaja**   ✅ VISA ⚫ AE ① 🅖
corso Torino 106 – ☏ 01 21 79 47 27 – www.tavernadegliacaja.it – acaja@tavernadegliacaja.it – Fax 01 21 79 47 27 – chiuso dal 1° al 6 gennaio, 15 giorni in agosto, domenica e lunedì a mezzogiorno
Rist – Menu 38 € – Carta 36/50 € ⅗
♦ E' una giovane coppia a gestire questo piccolo ristorante arredato con calde tonalità color pastello. Situato a pochi passi dal centro, propone piatti regionali, carne e pesce.

✕ **Regina** con cam   🅰️🅲 rist, 🕻 🛁 🅿️ VISA ⚫ AE ① 🅖
piazza Barbieri 22 – ☏ 01 21 32 21 57 – www.albergoregina.net – info@albergoregina.net – Fax 01 21 39 31 33 – chiuso dal 1° al 21 agosto
15 cam – †55/65 € ††82/90 €, ⌷ 8 € – ½ P 65/70 €
Rist – (chiuso domenica) Carta 29/43 €
♦ La scenografia è quella di un ristorante in cui si respira la tradizione piemontese, il cast è costituito dai piatti e dai vini del territorio che qui si susseguono. La risorsa dispone anche di camere semplici ma confortevoli per quanti desiderano prolungare il loro soggiorno nel cuore della città.

PINETO – Teramo (TE) – 563O24 – **13 325 ab.** – ⊠ 64025   **1 B1**

> ▶ Roma 216 – Ascoli Piceno 74 – Pescara 31 – Ancona 136
> 🛈 via Mazzini 50 ℰ 085 9491745, iat.pineto@abruzzoturismo.it, Fax 0859491745

🏨   **Ambasciatori** 🦢   ≤ 🚗 ⛄ 🛗 🗚 ⁇ ⁇ **P** 🆚 🐵 ⚡
via XXV Aprile – ℰ 08 59 49 29 00 – www.pineto.it – ambasc@tin.it
– Fax 08 59 49 32 50
31 cam �*ℤ* – **🛉**70/120 € – **🛉🛉**90/150 € – ½ P 80/115 €
Rist – *(aprile-settembre) (solo per alloggiati)* Menu 25/30 €
♦ Poco fuori dal centro, in zona più quieta, in un giardino sulla spiaggia con piscina: proprio sul mare, un piccolo edificio che risplende ancora della recente costruzione.

🍴🍴   **La Conchiglia d'Oro**   🏠 🛖 🗚 ⁇ 🆚 🐵 ⚡ 🅰🅴 ⓞ ⚡
via Cesare De Titta 16 – ℰ 08 59 49 23 33 – www.ristorantelaconchigliadoro.it
– info@ristorantelaconchigliadoro.it – Fax 08 59 49 23 33
– chiuso dal 25 dicembre al 10 gennaio, domenica sera e lunedì
Rist – Carta 37/57 €
♦ Solo pesce, e rigorosamente locale, viene servito in questo ristorante in posizione leggermente periferica; nato da non molto, si presenta in una veste sobria, ma elegante.

a Mutignano Sud-Ovest : 6,5 km – ⊠ 64038

🍴   **Bacucco D'Oro**   🆚 🐵 ⚡
🍴   via del Pozzo 10 – ℰ 085 93 62 27 – www.bacuccodoro.com – info@
bacuccodoro.com – Fax 085 93 62 27 – chiuso mercoledì
Rist – Carta 19/31 €
♦ Piccolo ristorante di tono rustico a conduzione familiare, dalla cui terrazza estiva si gode una splendida vista della costa. Cucina tipica a base di prodotti locali.

PINO TORINESE – Torino (TO) – 561G5 – **8 607 ab.** – alt. 495 m   **22 A1**
– ⊠ 10025

> ▶ Roma 655 – Torino 10 – Asti 41 – Chieri 6
> 🄶 ≤ ★★ su Torino dalla strada per Superga

Pianta d'insieme di Torino

🍴🍴   **Pigna d'Oro**   🏠 **P** 🆚 🐵 🅰🅴 ⓞ ⚡
via Roma 130 – ℰ 011 84 10 19 – www.pignadoro.com – pignadoro@gmail.com
– Fax 011 84 10 53 – chiuso tre settimane in gennaio, una settimana in
agosto lunedì e martedì a mezzogiorno   **HTt**
Rist – Carta 35/49 €
♦ Lungo la strada che taglia il paese, un piacevole edificio rustico, tipico delle campagne piemontesi, nel quale gustare la cucina locale, i cui ingredienti seguono le stagioni.

PINZOLO – Trento (TN) – 562D14 – **3 058 ab.** – alt. 770 m – Sport   **30 B3**
invernali : 800/2 100 m 🚡 1 💺8, 🎿 – ⊠ 38086

> ▶ Roma 629 – Trento 56 – Bolzano 103 – Brescia 103
> 🛈 piazza Ciclamino 32 ℰ 0465 501007, info@pinzolo.to, Fax 0465 502778
> 🄶 Rendena, ℰ 0465 80 60 49
> 🄶 Val di Genova ★★★ Ovest – Cascata di Nardis ★★ Ovest : 6,5 km

🏨🏨   **Quadrifoglio**   ≤ 🚗 🐈 🛗 🛖 rist, ⁇ rist, **P** 🆚 🐵 🅰🅴 ⓞ ⚡
via Sorano 53 – ℰ 04 65 50 36 00 – www.hotelquadrifoglio.com – info@
hotelquadrifoglio.com – Fax 04 65 50 12 45 – dicembre-marzo e giugno-settembre
30 cam ⊡ – **🛉🛉**116/130 € – ½ P 68/75 €   **Rist** – *(solo per alloggiati)*
♦ Albergo recente, con validi livelli di confort, poco fuori del centro della località e, inoltre, nelle immediate vicinanze degli impianti sciistici; camere confortevoli.

🏨   **Centro Pineta**   🚗 🔲 🕉 🐈 🛁 🛗 🛉 ⁇ **P** 🆚 🐵 ⚡
via Matteotti 43 – ℰ 04 65 50 27 58 – www.centropineta.com – info@
centropineta.com – Fax 04 65 50 23 11
27 cam ⊡ – **🛉🛉**100/230 € – ½ P 108/148 €   **Rist** – Carta 26/40 €
♦ Facciata spiovente, stile "scivolo", per un complesso alberghiero in posizione decentrata e piuttosto tranquilla; gradevole giardino e nuovo centro benessere. Al ristorante, caratteristico e gradevole ambiente, rifinito con travi lignee scure.

Europeo ⇐ ⛝ 🏢 ⌀ 📶 P 🚗 VISA ⚫ 🔥

corso Trento 63 – ☏ 04 65 50 11 15 – www.hoteleuropeo.com
– info@hoteleuropeo.com – Fax 04 65 50 26 16
– 20 dicembre-23 marzo e giugno-20 settembre
50 cam ☷ – †85/130 € ††150/210 €   **Rist** – Menu 45 €
♦ Risorsa accogliente, con profusione di legno chiaro; lungo la strada principale, ma in posizione arretrata. Camere semplici e accoglienti. Caldo ambiente in legno anche al ristorante, con imponenti soffitti a travi e cassettoni.

Cristina 🍴 ⛝ ⌀ 📶 🏢 ♿ 🚶 ⌀ rist, 📞 P VISA ⚫ 🔥

viale Bolognini 39 – ☏ 04 65 50 16 20 – www.hotelcristina.info
– hotelcristina@pinzolo.it – Fax 04 65 51 20 49
– dicembre-aprile e giugno-settembre
30 cam ☷ – †50/150 € ††90/190 € – ½ P 100/125 €   **Rist** – Menu 35/40 €
♦ In posizione strategica per gli impianti, ambiente familiare in un albergo nel più classico stile montano. Dopo una giornata all'aria aperta: una piacevole sosta nel grande, nonché attrezzato centro benessere.

Corona ⌀ 🏢 ⛝ ♿ 🚶 ⌀ rist, P VISA ⚫ ① 🔥

corso Trento 27 – ☏ 04 65 50 10 30 – www.hotelcorona.org
– info@hotelcorona.org – Fax 04 65 50 38 53
– dicembre-aprile e giugno-settembre
45 cam – †53/73 € ††93/133 €, ☷ 10 € – ½ P 62/85 €   **Rist** – Carta 28/36 €
♦ Sempre validamente al passo coi tempi in quanto a nuove proposte per la clientela, un albergo comodo con camere rinnovate in buona parte. Ampia sala da pranzo di taglio classico, con pareti perlinate in legno.

Alpina 🏢 ⌀ 📞

via XXI Aprile 1 – ☏ 04 65 50 10 10 – www.pinzolo.it/hotelalpina
– hotelalpina@pinzolo.it – Fax 04 65 50 10 10
– 20 dicembre-Pasqua e 15 giugno-15 settembre
30 cam ☷ – †48/70 € ††80/120 € – ½ P 70/85 €   **Rist** – Carta 31/40 €
♦ Davvero un bell'edificio, già dall'impatto esterno; ben tenuti e calorosi anche gli spazi interni, in uno stile montano quasi contemporaneo, lineare; centralissimo. Al ristorante, un ambiente accogliente arredato secondo i dettami della tradizione alpina.

Binelli senza rist ⌀ 🏢 P 🚗 VISA ⚫ 🔥

via Genova 49 – ☏ 04 65 50 32 08 – www.binelli.it – info@binelli.it
– Fax 04 65 50 34 65 – dicembre-5 maggio e 15 giugno-settembre
16 cam ☷ – †35/55 € ††60/100 €
♦ In posizione abbastanza tranquilla, ma non lontana dal centro, una piacevole casetta montana con balconcini in legno scuro; confort e stanze mansardate all'ultimo piano.

Ferrari ⛝ 🏢 ⌀ 📞 P VISA ⚫ 🔥

via Matteotti 44 – ☏ 04 65 50 26 24 – www.ferrarihotel.it – info@ferrarihotel.it
– Fax 04 65 51 23 36 – 20 dicembre-Pasqua e 10 giugno-settembre
22 cam ☷ – solo ½ P 48/70 €   **Rist** – Menu 16/30 €
♦ In prossimità della pineta e del palaghiaccio, una casa a conduzione familiare, semplice e dagli arredi in legno: ideale punto di riferimento per gli amanti della natura. La luminosa sala da pranzo arredata in stile montano "accoglie" una classica cucina tradizionale e casalinga.

a Giustino Sud : 1,5 km – **alt. 770 m** – ✉ 38080 – GIUSTINO

Mildas ⌀ ⇆ P VISA ⚫ 🔥

via Rosmini 7, località Vadaione, Sud : 1 km – ☏ 04 65 50 21 04
– www.ristorantemildas.it – info@ristorantemildas.it – Fax 04 65 50 06 54
– dicembre-aprile e luglio-settembre; chiuso lunedì
Rist – *(chiuso a mezzogiorno escluso sabato e i giorni festivi)* Menu 35 €
– Carta 39/56 €
♦ Volte e colonne in pietra, in una ex cripta del '300 arredata come un moderno refettorio minimalista. La cucina è espressione della passione e della fantasia dello chef.

a Sant'Antonio di Mavignola Nord-Est : 6 km – alt. 1 122 m – ⊠ 38080

↑ **Maso Doss** ⌖   ⩽ 🚗 🏠 🐾 **P**.
via Val Brenta 72, Nord-Est : 2,5 km – ℰ 04 65 50 27 58
– www.masodoss.com – info@masodoss.com – Fax 04 65 50 23 11
– dicembre-Pasqua e giugno-settembre
6 cam ☲ – **††**150/270 € – ½ P 110/160 €
Rist – *(solo per alloggiati)*
♦ Un ambiente rustico e davvero suggestivo, quello ricreato in un antico maso immerso nella natura; pochissime stanze, ben curate, e un'accattivante atmosfera ovattata.

PIOLTELLO – Milano (MI) – 561F9 – 32 248 ab. – alt. 123 m – ⊠ 20096   18 **B2**
▶ Roma 563 – Milano 17 – Bergamo 38

a Limito Sud : 2,5 km – ⊠ 20090

✗✗ **Antico Albergo**   🏠 AC ⇔ VISA ⚫ AE ① ⑤
via Dante Alighieri 18 – ℰ 029 26 61 57 – www.anticoalbergo.it – info@ anticoalbergo.it – Fax 02 92 16 11 61 – chiuso dal 26 dicembre al 6 gennaio, agosto, sabato a mezzogiorno e domenica
Rist – Carta 38/53 €
♦ Papà Elio, con la moglie, ha trasmesso ai figli l'amore per la cucina lombarda e per l'ospitalità, in quest'antica, elegante, locanda con servizio estivo sotto un pergolato.

PIOMBINO – Livorno (LI) – 563N13 – 34 230 ab. – ⊠ 57025 █ Toscana   28 **B3**
▶ Roma 264 – Firenze 161 – Grosseto 77 – Livorno 82

🛳 per l'Isola d'Elba-Portoferraio – Navarma-Moby Lines, call center 199 303 040
   – per l'Isola d'Elba-Portoferraio e Rio Marina-Porto Azzurro – Toremar, call center 892 123

🛈 al Porto, via Stazione Marittima ℰ 0565 226627, apt7piombinoporto@ costadeglietruschi.it

🔘 Isola d'Elba★

🏨 **Centrale**   🏢 AC 🐾 ⑪ ⚿ VISA ⚫ AE ① ⑤
piazza Verdi 2 – ℰ 05 65 22 01 88 – www.hotel-centrale.net
– info@hotel-centrale.net – Fax 05 65 22 02 20
41 cam ☲ – **†**110/125 € **††**145/169 € – ½ P 115 €
Rist Centrale – ℰ 05 65 22 18 25 *(chiuso dal 22 dicembre al 7 gennaio, sabato e domenica)* Carta 30/48 €
♦ Facile da raggiungere, forse con qualche problema per il parcheggio, questo famoso hotel nel centro storico di Piombino; in lontananza si possono scorgere Elba e mare. Ampia sala ristorante ben illuminata dalle vetrate affacciate sulla città vecchia.

a Populonia Nord-Ovest : 13,5 km – ⊠ 57020

✗✗ **Il Lucumone**   🏠 AC 🐾 VISA ⚫ AE ① ⑤
al Castello – ℰ 056 52 94 71
– chiuso domenica sera e lunedì da ottobre a maggio
Rist – Carta 38/61 €
♦ In questa zona, il nome del locale non poteva non richiamarsi ad un'antica carica etrusca; nel delizioso borgo, piccolo ed elegante ristorante con specialità di pesce.

a Riotorto Est: 22 km – ⊠ 57025

✗ **Il Tarlo**   🐾 VISA ⚫ AE ① ⑤
piazza del Popolo 17/18 – ℰ 056 52 10 58
– www.trattoriailtarlo.it – info@trattoriailtarlo.it – Fax 056 52 10 58
– chiuso due settimane in novembre, una settimana in febbraio e giovedì escluso in luglio-agosto
Rist – Carta 39/62 €
♦ Cucina contemporanea legata al territorio: carne e pesce in egual misura con proposte che seguono le stagioni.

PIOPPI – Salerno (SA) – 564G27 – ⊠ 84060   7 **C3**

> ▶ Roma 350 – Potenza 150 – Acciaroli 7 – Napoli 144

> ◾ Rovine di Velia★ Sud-Est : 10 km

⌂   **La Vela**   ≤ 斎 ※ ♨ Ⅳ ⅍ P ⅧA ⅏ AE ⑩ ☞

☜ *via Caracciolo 96 – ℰ 09 74 90 50 25 – www.lavelapioppi.com*
 – albergolavela@genie.it – Fax 09 74 90 51 40 – marzo-novembre
 42 cam ⌸ – ♦55 € ♦♦120 € – ½ P 85 €
 Rist – Carta 18/24 € (+10 %)
 ◆ Nel centro del paese, lungo la strada principale, albergo a conduzione familiare, rinnovato in gran parte del settore notte; per un soggiorno marino semplice e gradevole. Servizio ristorante estivo sotto un pergolato, su una bella terrazza affacciata sul blu.

PIOSSASCO – Torino (TO) – 561H04 – 16 808 ab. – alt. 304 m   22 **B2**
– ⊠ 10045

> ▶ Roma 662 – Torino 27 – Cuneo 87 – Milano 163

※※※   **La Maison dei Nove Merli**   🚗 斎 க Ⅳ ⇄ P ⅧA ⅏ AE ⑩ ☞

 via Rapida al Castello 10 – ℰ 01 19 04 13 88 – www.novemerli.it
 – novemerli@novemerli.it – Fax 01 19 04 25 77
 – chiuso dieci giorni in gennaio ed agosto, domenica sera e lunedì
 Rist – Menu 35/50 € – Carta 58/78 € 🏶
 ◆ Un maniero del '500 che domina le colline, fiabeschi ambienti che riportano agli antichi fasti della dimora dei conti di Piossasco; per la regia di uno chef creativo.

> Non confondete le posate ※ e le stelle ۞ !
> Le posate definiscono il livello di confort e raffinatezza,
> mentre la stella premia le migliori cucine, in ognuna di queste categorie

---

PIOVE DI SACCO – Padova (PD) – 562G18 – 17 885 ab. – ⊠ 35028   36 **C3**

> ▶ Roma 514 – Padova 19 – Ferrara 88 – Venezia 43

⌂   **Point Hotel** senza rist   ♨ க Ⅳ ⁽ᵖ⁾ ⅍ P ⅧA ⅏ AE ⑩ ☞

 via Adige 2 – ℰ 04 99 70 52 79 – www.pointhotel.it – info@pointhotel.it
 – Fax 04 99 71 57 36
 71 cam ⌸ – ♦66/85 € ♦♦99/120 €
 ◆ Albergo ubicato in posizione leggermente periferica propone una gestione squisitamente femminile; camere di tono classico in piacevole legno scuro, ben tenute e con confort adeguati alla categoria. Ideale per una clientela d'affari, rimane comunque un indirizzo interessante anche per turisti itineranti.

※※※   **Meridiana**   Ⅳ ⅧA ⅏ AE ⑩ ☞

 via Jacopo da Corte 45 – ℰ 04 95 84 22 75 – ristorantelameridiana@libero.it
 – Fax 04 95 84 22 75 – chiuso lunedì
 Rist – Carta 52/64 €
 ◆ In una barchessa del 1700, in zona residenziale, eleganti ambienti con sale affrescate e una cucina deliziosamente di mare. Piatti presentati con grande senso estetico e utilizzo di eccellenti ingredienti.

※※   **La Saccisica**   க Ⅳ ⅍ ⇄ P ⅧA ⅏ AE ⑩ ☞

 via Adige 18 – ℰ 04 99 70 40 10 – www.saccisica.it
 – ristorante@saccisica.it – Fax 04 99 70 40 10
 – chiuso dal 15 al 30 agosto, domenica sera e lunedì
 Rist – Carta 33/49 € 🏶
 ◆ In un edificio circolare, anche gli ambienti sono divisi in spicchi mentre il vino diventa elemento decorativo oltre che contorno di piatti di mare e terra.

PIOVEZZANO – Verona – Vedere Pastrengo

PISA [P] (PI) – 563K13 – **88 988 ab.** – ✉ **56100** Toscana 28 **B2**

Roma 335 – Firenze 77 – Livorno 22 – Milano 275

✈ Galileo Galilei Sud : 3 km BZ ☎ 050 849300

[i] piazza Miracoli ✉ 56126 ☎ 050 560464, duomo@pisa.turiscmo.toscana.it, Fax 050 8310626 - piazza Stazione ✉ 56125 ☎ 050 42291, stazione@ pisa.turismo.toscana.it, Fax 050 504067 - Aeroporto Galileo Galilei ☎ 050 503700, aeroporto@pisa.turismo.toscana.it

[18] Cosmopolitan, ☎ 050 336 33

[9], ☎ 050 375 18

Torre Pendente★★★ AY – Battistero★★★ AY – Duomo★★ AY: facciata★★★, pulpito★★★ di Giovanni Pisano – Camposanto★★ AY: ciclo affreschi Il Trionfo della Morte★★★, Il Giudizio Universale★★, L'Inferno★ – Museo dell'Opera del Duomo★★ AY **M1** – Museo di San Matteo★★ BZ – Chiesa di Santa Maria della Spina★★ AZ – Museo delle Sinopie★ AY **M2** – Piazza dei Cavalieri★ AY : facciata★ del palazzo dei Cavalieri ABY **N** – Palazzo Agostini★ ABY – Facciata★ della chiesa di Santa Caterina BY – Facciata★ della chiesa di San Michele in Borgo BY **V** – Coro★ della chiesa del Santo Sepolcro BZ – Facciata★ della chiesa di San Paolo a Ripa d'Arno AZ

San Piero a Grado★ per ⑤ : 6 km

Pianta pagina 870

Relais dell'Orologio

via della Faggiola 12 ✉ 56126 – ☎ 050 83 03 61 – www.hotelrelaisorologio.com – info@hotelrelaisorologio.com – Fax 050 55 18 69 AY**s**

19 cam – 150/200 € 200/300 € – 2 suites – ½ P 140/210 €

Rist – *(chiuso 2 settimane in gennaio)* Carta 65/85 €

♦ Una casa-torre trecentesca, nel cuore della città, da sempre appartenuta alla medesima famiglia, eleganza e personalizzazioni in ogni ambiente. Imperdibile sala di lettura. Nella bella stagione il ristorante si sposta nel giardino fiorito.

Repubblica Marinara

via Matteucci 81, per Ponte della Vittoria – ☎ 05 03 87 01 00 – www.hotelrepubblicamarinara.it – info@hotelrm.it – Fax 05 03 87 02 00 BZ

55 cam – 78/108 € 99/134 € – ½ P 72/95 €

Rist *Le Vele della Repubblica* – *(chiuso domenica) (chiuso a mezzogiorno)* Carta 37/49 €

♦ Poco distante dal centro storico, hotel di moderna concezione con interni di buon livello e camere ben accessoriate, funzionali e confortevoli. Ristorante di qualità che presenta anche specialità innovative.

Accademia Palace

viale Gronchi, 5 km per ③ ✉ 56121 – ☎ 050 98 81 81 – www.accademiapalacepisa.it – info@accademiapalacepisa.it – Fax 050 98 81 82

96 cam – 120/140 € 140/180 €

Rist – *(solo per alloggiati)* Carta 32/61 €

♦ Struttura moderna, in posizione periferica e comoda per chi utilizza l'aeroporto, dotata di servizi completi tra cui una soleggiata piscina. Il ristorante presenta una carta classica e sfiziosa.

NH Cavalieri

piazza Stazione 2 ✉ 56125 – ☎ 05 04 32 90 – www.nh-hotels.com – jhpisa@nh-hotels.com – Fax 050 50 22 42 AZ**a**

98 cam – 167/222 € 177/232 € – 2 suites **Rist** – Carta 29/58 €

♦ A pochi metri dalla stazione ferroviaria e dall'air terminal, valida ospitalità (soprattutto per una clientela internazionale), adeguata al gruppo cui l'hotel appartiene. Buon punto di riferimento per chi desidera trovare proposte culinarie toscane.

PISA

0   200 m

Voglia di pranzare all'aperto?
Scegliete un ristorante con terrazza 🏠

🏨 Grand Hotel Bonanno 🛗 ⅗ cam, 🆎 ⁒ rist, 🕻 🕸 🅿
via Carlo Francesco Gabba 17 ⊠ 56122 🆅🆂🅰 ⓞ 🆎 ⑤
– ℰ 050 52 40 30 – www.grandhotelbonanno.it – info@grandhotelbonanno.it
– Fax 050 53 20 72
89 cam ☲ – †115/180 € ††160/230 € – ½ P 90/120 €
Rist – (chiuso a mezzogiorno) (solo per alloggiati) Carta 32/42 €
♦ Hotel adiacente al centro storico, di recente realizzazione, molto comodo per chi viaggia in automobile. Camere di confort omogeneo, ambienti comuni ben distribuiti.

🏠 Amalfitana senza rist 🛗 🆎 ⁒ 🆅🆂🅰 ⓞ 🆎 ⑤
via Roma 44 ⊠ 56126 – ℰ 05 02 90 00 – Fax 05 02 52 18 AYz
21 cam – †60 € ††75 €, ☲ 6 €
♦ In pieno centro storico, all'interno di un antico palazzo ristrutturato, piccolo e curato hotel ideale per turisti in visita a Pisa. Prossimo ai principali monumenti.

XX A Casa Mia 🍴 ⅗ 🆎 ⇔ 🆅🆂🅰 ⓞ 🆎 ① ⑤
via provinciale Vicarese 10, località Ghezzano, 1 km per ③ ⊠ 56126
– ℰ 050 87 92 65 – www.ristoranteacasamia.it – ristoranteacasamia@alice.it
– Fax 050 87 92 65 – chiuso dal 1° al 7 gennaio, agosto, sabato a mezzogiorno e domenica
Rist – Carta 30/44 €
♦ All'interno di una piccola villetta privata, atmosfera curata e una cucina che rielabora ricette tradizionali del territorio in chiave fantasiosa e attuale.

X Osteria del Porton Rosso 🆎 ⁒ 🆅🆂🅰 ⓞ 🆎 ① ⑤
⊛ via Porton Rosso 11 ⊠ 56126 – ℰ 050 58 05 66 – www.osteriadelportonrosso.it
– osteriadelportonrosso@hotmail.it – Fax 050 58 05 66
– chiuso dal 10 al 30 agosto e domenica BYf
Rist – Carta 26/36 €
♦ Nelle strette viuzze di una delle zone più caratteristiche e popolari di Pisa, un rustico angolo gastronomico. Nuova direzione, ma sempre presente la stessa "mano" in cucina. Specialità di mare e di terra.

X La Clessidra 🆎 🆅🆂🅰 ⓞ 🆎 ① ⑤
⊛ via Santa Cecilia 34 ⊠ 56127 – ℰ 050 54 01 60 – www.ristorantelaclessidra.com
– beppedangelo@fastwebnet.it – Fax 05 09 91 01 14 – chiuso dal 24 dicembre al 7 gennaio, dal 5 al 30 agosto, domenica BYa
Rist – (chiuso a mezzogiorno) Carta 21/31 € (+10 %)
♦ Due salette con un numero limitato di coperti, ai fornelli mani esperte che già hanno creato nel campo ristorativo. Proposte locali di mare e di terra, a prezzi interessanti.

X Osteria dei Cavalieri 🆎 ⁒ 🆅🆂🅰 ⓞ 🆎 ⑤
via San Frediano 16 ⊠ 56126 – ℰ 050 58 08 58 – www.osteriacavalieri.pisa.it
– info@osteriacavalieri.pisa.it – Fax 050 58 12 59 – chiuso dal 29 dicembre al 7 gennaio, agosto, sabato a mezzogiorno, domenica AYe
Rist – (consigliata la prenotazione) Menu 26/32 € – Carta 25/38 €
♦ A pochi passi dall'Università, un localino impostato in virtù di una cucina casereccia e fragrante. Ambienti semplici e curati, piatti di terra e di mare.

sulla strada statale 1 - via Aurelia AY

🏨 Holiday Inn Pisa Migliarino 🛗 ⅗ 🆎 ⅌ ⁒ 🕸 🕸 🅿
via Aurelia km 342, 8 km per via Pietrasantina 🆅🆂🅰 ⓞ 🆎 ① ⑤
⊠ 56010 Migliarino Pisano – ℰ 05 08 00 81 00 – www.alliancealberghi.com
– holidayinn.pisa@alliancealberghi.com – Fax 050 80 33 15
62 cam ☲ – †120/200 € ††135/230 €
Rist – (chiuso a mezzogiorno) Carta 25/35 €
♦ Lungo la statale Aurelia, a pochi passi dal casello di Pisa nord, una struttura comoda per raggiungere la città, l'aeroporto e il mare. Standard classici, arredi moderni. Una classica cucina d'albergo, servita nella vasta sala al piano terra.

XX La Rota 🍴 🆎 ⇔ 🅿 🆅🆂🅰 ⓞ 🆎 ① ⑤
⊛ via Aurelia 276, 6,5 km per via Pietrasantina ⊠ 56010 Madonna dell'Acqua
– ℰ 050 80 44 43 – a.virgili@studiovirgili.it – Fax 050 80 31 81 – chiuso martedì
Rist – Carta 21/30 € (+10 %)
♦ Non lontano dall'uscita di Pisa Nord, ristorante di taglio classico: ampio e confortevole, offre piatti di pesce e carni alla griglia, ben elaborati.

sulla strada statale 206 per ④ : 10 km :

※ **Da Antonio**　　　　　　　　　AC P VISA ● AE ● ⑤
via Arnaccio 105 ⊠ *56023 Navacchio –* ℰ *050 74 24 94 – Fax 050 74 44 18*
– chiuso dal 3 al 23 agosto, giovedì e venerdì
Rist – Carta 30/45 €
♦ Storica e familiare questa trattoria sita ad un crocevia, in aperta campagna. Semplice,
a gestione diretta, vi delizierà con sapori toscani e carni al girarrosto e alla brace.

PISA (Marina di) – Pisa (PI) – 563K12 – ⊠ 56128　　　　　　　28 **B2**
▶ Roma 346 – Pisa 13 – Firenze 103 – Livorno 16
ⓘ via Moriconi angolo Via Minorca ℰ 050 311116

※※※ **Foresta**　　　　　　≤ 命 & AC ※ VISA ● AE ● ⑤
via Litoranea 2 – ℰ *05 03 50 82 – www.ristoranteforesta.it – info@*
ristoranteforesta.it – Fax 05 03 50 82 – chiuso giovedì e domenica sera (escluso
giugno-settembre)
Rist – (consigliata la prenotazione) Menu 45/55 € – Carta 45/68 €
♦ Ristorante dall'ambiente elegante, affacciato sul Tirreno. Servizio attento e ottima
accoglienza. La cucina è di qualità e propone molti piatti di pesce.

※※ **Da Gino**　　　　　　　　AC ※ VISA ● AE ● ⑤
via delle Curzolari 2 – ℰ *05 03 54 08 – ristorantedagino@tin.it – Fax 05 03 41 50*
– chiuso Natale, dall' 8 al 23 gennaio, venti giorni in settembre, lunedì e martedì
Rist – Carta 33/59 €
♦ Una ricca esposizione di pesce fresco accoglie i clienti all'ingresso di questo rinomato
ristorante. Ambiente accogliente, gestione familiare dalla collaudata esperienza.

PISCIANO – Perugia – 563L19 – **Vedere Gubbio**

PISCIOTTA – Salerno (SA) – 564G27 – 2 978 ab. – alt. 170 m – ⊠ 84066　　7 **C3**
▶ Roma 367 – Potenza 154 – Castellammare di Stabia 139 – Napoli 156

⌂ **Agriturismo La Locanda del Fiume A' Machina**　　≤ 命 P
contrada Fiori – ℰ *09 74 97 38 76 – www.amachina.it*　　　VISA ● AE ⑤
– info@amachina.it – Fax 09 74 97 37 03 – aprile-ottobre
12 cam ⊊ – †65/85 € ††90/130 €
Rist – (chiuso a mezzogiorno) (solo per alloggiati) Menu 25/30 €
♦ Di fronte al borgo medievale di Pisciotta, risorsa ricavata dall'attenta ristrutturazione di
un opificio del '700. Arredamento curato nelle camere, sale comuni con vista. Al ristorante appetitosi menù degustazione di cucina locale.

PISSIGNANO ALTO – Perugia – 563N20 – **Vedere Campello sul Clitunno**

PISTICCI – Matera (MT) – 564F31 – 17 837 ab. – ⊠ 75015　　　　4 **D2**
▶ Roma 455 – Potenza 93 – Matera 76

a Marconia Sud-Est: 15 km – ⊠ 75020

⌂ **Agriturismo San Teodoro Nuovo**　　　　㇑ ※ rist. P
⊜　 *–* ℰ *08 35 47 00 42 – www.santeodoronuovo.com*　　VISA ● AE ● ⑤
– doria@santeodoronuovo.com – Fax 08 35 47 00 42
9 cam – †70/80 € ††120/140 €, ⊊ 10 € – ½ P 90 €
Rist – (prenotazione obbligatoria) Menu 20/30 €
♦ Tra le mura di una masseria del Novecento adagiata nella pianura metapontina, una
tenuta agricola orto-frutticola ospita appartamenti arredati con ricercatezza e personalità. Presso le antiche scuderie, le specialità della gastronomia regionale.

▶ Roma 311 – Firenze 36 – Bologna 94 – Milano 295

🛈 piazza del Duomo c/o Palazzo dei Vescovi 𝒞 0573 21622, aptpistoia@
tiscalinet.it, Fax 0573 34327

👁 Duomo★ B : dossale di San Jacopo★★★ – Battistero★ B – Chiesa di
Sant'Andrea★ A : pulpito★★ di Giovanni Pisano – Basilica della Madonna
dell'Umiltà★ A **D** – Fregio★★ dell'Ospedale del Ceppo B
– Visitazione★★ (terracotta invetriata di Luca della Robbia), pulpito★ e
fianco Nord★ della chiesa di San Giovanni Fuorcivitas B **R** – Facciata★ del
palazzo del comune B **H** – Palazzo dei Vescovi★ B

🏨 **Villa Cappugi** 🛏 🎵 🏡 🏊 🐾 🛎 📺 ♿ 👟 🗓 🛍 rist, ❦ 🛅 ℙ
via di Collegigliato 45 – 𝒞 05 73 45 02 97   **VISA** 😊 📧 ① 💲
– www.hotelvillacappugi.com – info@hotelvillacappugi.com – Fax 05 73 45 10 09
70 cam ⭐ – ♦115 € – ♦♦175 € – ½ P 108/113 €   **Rist** – Carta 36/59 €
♦ In aperta campagna ai piedi delle colline pistoiesi, albergo attrezzato per la clientela
commerciale ma il cui silenzio ed eleganza saranno apprezzati anche dai turisti.

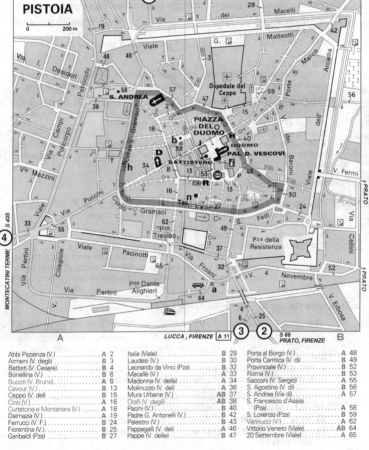

🏠 **Patria** senza rist　　　　　　　　　　　　　　　　AC VISA ⭕ ① 🌜
*via Crispi 8 – ℰ 057 32 51 87 – www.patriahotel.com – info@patriahotel.com
– Fax 05 73 36 81 68*　　　　　　　　　　　　　　　　　　　　　**Bn**
28 cam ⊑ – 📱65/75 € 📱📱80/120 €
♦ Nel pieno centro, una risorsa sempre valida, con camere confortevoli; pur trovandosi in zona a traffico limitato, sono a disposizione pass per le auto dei clienti.

🏠 **Villa de' Fiori**　　🚗 🏊 🕭 cam, 🏌 🍴 rist, 🌐 🍴 🛗 **P** VISA ⭕ AE ① 🌜
*via di Bigiano e Castel Bovani 39, 2,5 km per via di Porta San Marco
– ℰ 05 73 45 03 51 – www.villadefiori.it – info@villadefiori.it – Fax 05 73 45 26 69
– 30 marzo-1° novembre*
7 cam ⊑ – 📱70/100 € 📱📱100/130 € – ½ P 74/89 €
Rist – *(chiuso a mezzogiorno escluso domenica)* Carta 33/67 €
♦ Una villa secentesca con annessa una casa colonica ospita eleganti camere, un parco dove rilassarsi, attrezzature sportive per i più dinamici ed area giochi per i bambini.

🍴🍴 **Manzoni**　　　　　　　　　　　　　　　　　AC VISA ⭕ AE 🌜
*corso Gramsci 112 – ℰ 057 32 81 01 – Fax 05 73 99 30 53 – chiuso agosto,
sabato a mezzogiorno e domenica*　　　　　　　　　　　　　**Ah**
Rist – Carta 40/50 €
♦ Un ottimo indirizzo per scorpacciate di pesce, con un buon rapporto qualità/prezzo; prodotti eccellenti, con preparazioni semplici e fragranti, per piatti esposti a voce.

🍴🍴 **Corradossi**　　　　　　　　　　　AC 🍴 VISA ⭕ AE ① 🌜
*viale Attilio Frosini 112 – ℰ 057 32 56 83 – loriscorradossi@virgilio.it
– Fax 057 32 56 83 – chiuso dal 1° al 6 gennaio, una settimana in giugno e
domenica*　　　　　　　　　　　　　　　　　　　　　　　**Ba**
Rist – Carta 31/40 €
♦ Gradevole, in un intramontabile stile senza tempo, ben quotato in città, molto frequentato a pranzo. A cena, invece, l'ambiente quasi si trasforma: più curato, di tono.

🍴 **Trattoria dell'Abbondanza**　　　　　　　　🍴 VISA ⭕ ① 🌜
*via dell'Abbondanza 10/14 – ℰ 05 73 36 80 37 – chiuso dal 6 al 21 maggio,
dal 2 al 17 ottobre, mercoledì e giovedì a mezzogiorno*　　　　　**Ab**
Rist – Carta 22/26 €
♦ All'insegna della tipicità e della tradizione, in un'atmosfera accogliente e simpatica, propone una cucina di prelibatezze caserecce riscoprendo l'antica gastronomia pistoiese.

a Pontenuovo Nord : 4 km – ✉ 51100

🏨 **Il Convento** ॐ　　　📶 🚗 🏡 🏊 🛗 AC 🍴 🌐 🛗 **P** VISA ⭕ AE 🌜
*via San Quirico 33 – ℰ 05 73 45 26 51 – www.ilconventohotel.com – info@
ilconventohotel.com – Fax 05 73 45 35 78*
30 cam – 📱80/90 € 📱📱120/145 €, ⊑ 8 € – ½ P 90/100 €
Rist – *(chiuso lunedì dal 10 gennaio al 1° febbraio)* Carta 27/42 €
♦ Ciò che nell'800 era un edificio monastico circondato dalle verdi colline toscane, risulta ora una rilassante risorsa signorile ed elegante, dotata di piscina all'aperto. Il ristorante consta di una sala semplice ed accogliente dove gustare una prelibata cucina locale.

a Spazzavento per ④ : 4 km – ✉ 51100 – Pistoia

🍴🍴 **Il Punto**　　　　　　　　　　　　🏡 🕭 AC VISA ⭕ AE ① 🌜
*via Provinciale Lucchese 301 – ℰ 05 73 57 02 67 – ristorante.ilpunto@hotmail.it
– Fax 05 73 57 02 67 – chiuso sabato a mezzogiorno e mercoledì sera*
Rist – Carta 26/39 €
♦ Sulla statale per Lucca, un punto di ristoro a gestione appassionata e competente. Gradevole servizio all'aperto e cucina che si apre con piacere alla creatività.

PITIGLIANO – Grosseto (GR) – 563O16 – ✉ 58017　　　　　29 **D3**
🚗 Roma 153 – Viterbo 48 – Grosseto 78 – Orvieto 51
🅘 piazza Garibaldi 51 ℰ 0564 617111, infopitigliano@lamaremma.info,Fax
0564 617111

✗ **Il Tufo Allegro** ⚜ 🆅🅸🆂🅰 ⊙⊙ 🅰🅴 ⓞ ⓢ
vicolo della Costituzione 5 – ℰ 05 64 61 61 92 – www.sovana.eu – ristorante@
tufoallegro.eu – Fax 05 64 61 73 18 – chiuso dal 9 gennaio al 9 febbraio e
martedì escluso agosto
Rist – Carta 29/41 € ⌂
♦ Nel cuore della località etrusca, nei pressi della Sinagoga: piatti toscani, un piccolo
ristorante con una nutrita cantina di vini e salette ricavate nel tufo.

PIZZIGHETTONE – Cremona (CR) – 561G11 – 6 814 ab. – alt. 46 m   16 **B3**
– ⊠ 26026
▶ Roma 526 – Piacenza 23 – Cremona 22 – Lodi 33

✗✗ **Da Giacomo** 🍴 🅰🅲 🆅🅸🆂🅰 ⊙⊙ ⓢ
piazza Municipio 2 – ℰ 03 72 73 02 60 – Fax 03 72 73 02 60 – chiuso quindici
giorni in gennaio, venti giorni in agosto e lunedì
Rist – (coperti limitati, prenotare) Carta 39/52 €
♦ Nel centro storico di questa pittoresca località cinta da mura, un ristorantino che
esprime una riuscita miscela di rusticità e design. Cucina del territorio reinterpretata.

PIZZO – Vibo Valentia (VV) – 564K30 – 8 843 ab. – alt. 107 m – ⊠ 89812   5 **A2**
▶ Roma 603 – Reggio di Calabria 105 – Catanzaro 59 – Cosenza 88

🏨 **Marinella** 🍴 🍸 🛋 🅰🅲 🐾 🅿 🆅🅸🆂🅰 ⊙⊙ 🅰🅴 ⓞ ⓢ
contrada Marinella Prangi, Nord : 4 km – ℰ 09 63 53 48 64
– www.hotelmarinella.info – hotel_marinella@libero.it – Fax 09 63 53 48 84
45 cam ⌂ – ♦51/70 € ♦♦80/95 € – ½ P 58/78 €   **Rist** – Carta 25/35 €
♦ Grande edificio recentemente rinnovato, sito fuori del centro e non lontano dal
casello; tre piani per le stanze, di cui l'ultimo mansardato, e colazione all'aperto. Ampie
sale da pranzo, quella per cerimonie dispone di una rustica struttura in legno.

✗✗ **Isolabella** 🍴 🅰🅲 🅿 🆅🅸🆂🅰 ⊙⊙ 🅰🅴 ⓞ ⓢ
riviera Prangi, Nord : 4 km – ℰ 09 63 26 41 28 – www.ristoranteisolabella.it
– chiara.isolabella@virgilio.it – Fax 09 63 26 41 28 – chiuso lunedì (escluso luglio
ed agosto)
Rist – Carta 24/39 €
♦ Lungo la strada litoranea, a 200 metri dal mare, Isolabella è il ristorante ideale per gli
amanti del pesce. Piatti curati e, nella bella stagione, servizio all'aperto nel fresco giardino.

PLANAVAL – Aosta – Vedere Valgrisenche

POCENIA – Udine (UD) – 562E21 – 2 561 ab. – ⊠ 33050   10 **B3**
▶ Roma 607 – Udine 35 – Gorizia 53 – Milano 346

a Paradiso Nord-Est : 7 km – ⊠ 33050 – **Pocenia**

✗✗ **Al Paradiso** 🍴 🅰🅲 🅿 🆅🅸🆂🅰 ⊙⊙ ⓢ
via S. Ermacora 1 – ℰ 04 32 77 70 00 – www.trattoriaparadiso.it
– info@trattoriaparadiso.it – Fax 04 32 77 72 70
– chiuso dal 7 al 25 gennaio, dal 25 luglio al 15 agosto, lunedì e martedì
Rist – (chiuso a mezzogiorno) Carta 30/38 €
♦ Sapori locali e specialità di cacciagione, nonché il calore di un camino nelle serate più
fredde vi attendono in romantiche sale ricavate all'interno di un casolare cinquecentesco.

PODENZANA – Massa Carrara (MS) – 563J11 – 1 715 ab. – alt. 32 m   28 **A1**
– ⊠ 54010
▶ Roma 419 – La Spezia 24 – Genova 108 – Parma 99

✗ **La Gavarina d'Oro** ⩽ ⚜ 🅿 🆅🅸🆂🅰 ⊙⊙ ⓢ
🐾 *via del Gaggio 28 – ℰ 01 87 41 00 21 – e.bonfigli_2005@libero.it*
– Fax 01 87 41 19 35 – chiuso dal 20 agosto al 12 settembre, dal 9 al 23 marzo e
mercoledì
Rist – Carta 17/30 €
♦ Un ristorante tradizionale, un punto di riferimento nella zona, ove poter assaggiare
anche la tipica cucina della Lunigiana e specialità come i panigacci. Nella rusticità.

PODERNOVI – Siena – Vedere Montalcino

POGGIBONSI – Siena (SI) – 563L15 – 28 341 ab. – alt. 115 m   29 **D1**
– ✉ 53036

📍 Roma 262 – Firenze 44 – Siena 29 – Livorno 89

🏠 **Villa San Lucchese** ⬧   ⬧ 🐕 🀙 🏊 🎱 📺 ♨ 🌲 🎾 🅰🅲 ⬧ 🅿
località San Lucchese 5, Sud : 1,5 km   𝖵𝖨𝖲𝖠 ⬧ 🅰🅴 ⬧ ⬧
– ☎ 05 77 93 71 19 – www.villasanlucchese.com – info@villasanlucchese.com
– Fax 05 77 93 47 29 – chiuso dal 10 gennaio al 10 febbraio
37 cam ⬧ – †70/124 € ††138/198 € – ½ P 98/128 €
Rist – (chiuso lunedì) (chiuso a mezzogiorno da ottobre a maggio) Carta 27/47 €
♦ Un'antica dimora patrizia del '400, immersa in un parco e affacciata sulle colline senesi; ristrutturata con sobria eleganza, offre un ambiente di charme e confort. Bel ristorante con accogliente terrazza per il servizio estivo.

🍴🍴 **La Galleria**   ♨ 🅰🅲 🍽 𝖵𝖨𝖲𝖠 ⬧ 🅰🅴 ⬧ ⬧
galleria Cavalieri Vittorio Veneto 20 – ☎ 05 77 98 23 56 – Fax 05 77 98 23 56
– chiuso dal 25 aprile al 5 maggio, agosto e domenica
Rist – Carta 28/50 €
♦ All'interno di una galleria commerciale, locale di stampo classico con cucina a vista. Proposte di mare e di terra, elaborate da materie prime scelte con cura.

POGGIO – Livorno – 563N12 – Vedere Elba (Isola d') : Marciana

---

POGGIO A CAIANO – Prato (PO) – 563K15 – 8 835 ab. – alt. 57 m   29 **C1**
– ✉ 59016 ▮ Toscana

📍 Roma 293 – Firenze 17 – Livorno 99 – Milano 300
🛈 via Lorenzo il Magnifico ☎055 8798779, Fax 055 8796937
📷 Villa ★

🏠 **Hermitage** ⬧   ⬧ 🏊 🎱 🍴 🅰🅲 🍽 rist. 🌲 🅿 𝖵𝖨𝖲𝖠 ⬧ 🅰🅴 ⬧ ⬧
via Ginepraia 112 – ☎ 05 58 77 70 85 – www.hotelhermitageprato.it – info@
hotelhermitageprato.it – Fax 05 58 79 70 57
59 cam ⬧ – †70/90 € ††90/130 € – ½ P 65/87 €
Rist – ☎ 055 87 70 40 (chiuso agosto, venerdì e domenica) (chiuso a mezzogiorno) Carta 23/34 €
♦ Struttura di impronta familiare ubicata nei pressi del borgo medievale di Artimino con ambienti semplici e curati. Tappa ideale per un turismo culturale o d'affari. La sala ristorante, semplice ed accogliente, offre soprattutto la possibilità di degustare specialità regionali.

POGGIO ALLE MURA – Siena – Vedere Montalcino

POGGIO ANTICO – Siena – Vedere Montalcino

POGGIO BERNI – Rimini (RN) – 562J19 – 2 971 ab. – alt. 155 m   9 **D2**
– ✉ 47824

📍 Roma 321 – Rimini 16 – Forlì 53 – Pesaro 54

🏠 **I Tre Re** ⬧   ⬧ 🚗 ♨ 🎱 🍴 🅰🅲 🍽 rist. 🍽 🌲 🅿 𝖵𝖨𝖲𝖠 ⬧ 🅰🅴 ⬧ ⬧
via F.lli Cervi 1 ✉ 47824 – ☎ 05 41 62 97 60 – www.itrere.com – info@itrere.com
– Fax 05 41 62 93 68
12 cam ⬧ – †60/100 € ††90/140 € – 1 suite
Rist I Tre Re – (chiuso mercoledì) (chiuso a mezzogiorno escluso i giorni festivi)
Carta 38/56 € ♨
♦ Arredate con mobili e stampe in stile, le camere portano tutte il nome di un re; particolarmente suggestive quelle situate nella torre trecentesca. Prezzi più contenuti e piatti più leggeri all'Osteria.

POGGIO CATINO – Rieti (RI) – 563P20 – 1 265 ab. – alt. 242 m   12 **B1**
– ✉ 02040

📍 Roma 59 – Rieti 47 – Terni 44 – Viterbo 73
📷 Colle dei Tetti, ☎ 0765 262 67

sulla strada statale 313 Est: 10 km

Borgo Paraelios ⌂   🕭 🍴 🎿 🏊 🕭 ♨ ♨ /₅ ✗ 🖼 AC ⅍ "⌐" 🛁 P
località Valle Collicchia ✉ 02040 – ℰ 076 52 62 67   ᴠɪѕᴀ ⓿ Aᴇ ⑤
– www.borgoparaelios.it – info@borgoparaelios.it – Fax 076 52 62 68
– marzo-5 novembre
18 cam ☷ – ♦190/240 € ♦♦270/330 €
Rist – *(chiuso lunedì)* (consigliata la prenotazione) Carta 38/46 €
♦ Una perla di eleganza e di suggestione, a partire dalla piscina coperta avvolta da vetrate che si affacciano sul giardino, nella quale si trova persino un caminetto. Il sogno di romanticismo e raffinatezza continua al ristorante, tra dipinti e caldi tessuti.

POGGIO MURELLA – **Grosseto (GR)** – 563N16 – ✉ 58014   29 **C3**

▶ Roma 163 – Grosseto 63 – Firenze 182 – Perugia 126

Il Cantuccio senza rist ⌂   🛋 AC ⅍ (⌐) ᴠɪѕᴀ ⓿ Aᴇ ① ⑤
via Termine 18 – ℰ 05 64 60 79 73 – www.termesaturnia.it – hotelilcantuccio@gmail.com – Fax 056 46 60 12 42 – chiuso dal 10 al 15 gennaio
6 cam ☷ – ♦45/65 € ♦♦65/90 €
♦ Piccola risorsa in posizione dominante a breve distanza dalle terme di Saturnia. Camere graziose e ricche di decorazioni. Colazione con torte fatte in casa.

POGLIANO MILANESE – **Milano (MI)** – 8 070 ab. – alt. 162 m   18 **A2**
– ✉ 20010

▶ Roma 595 – Milano 20 – Como 41

La Corte   AC ⅍ ᴠɪѕᴀ ⓿ Aᴇ ① ⑤
via Chiesa 36 – ℰ 02 93 25 80 18 – www.lacorteristorante.it – lacorteristorante@fastwebnet.it – Fax 02 93 25 80 18 – chiuso dal 1° al 9 gennaio, agosto, domenica sera e lunedì
Rist – Carta 36/48 € ⌗
♦ Una piccola bomboniera nel cuore dell'industrializzato hinterland milanese; a condurla con passione e professionalità, due giovani e capaci fratelli, davvero creativi.

POIRINO – **Torino (TO)** – 561H5 – 9 287 ab. – alt. 249 m – ✉ 10046   22 **B2**

▶ Roma 661 – Torino 28 – Moncalieri 19

Brindor Hotel   /₅ |♦| ᴊ AC "⌐" 🛁 P 🚗 ᴠɪѕᴀ ⓿ Aᴇ ⑤
via Pessione 12 – ℰ 01 19 45 31 75 – www.brindorhotel.info e www.ristoranteandrea.info – mail@brindorhotel.info – Fax 01 19 45 25 71
– chiuso dal 10 al 20 agosto
45 cam ☷ – ♦75 € ♦♦88 € – 1 suite – ½ P 62 €
Rist Andrea – ℰ 01 19 45 27 28 *(chiuso dal 6 al 26 agosto)* Carta 23/34 €
♦ Distante dal centro, questo hotel recente e di taglio moderno dispone di graziosi spazi comuni e di ampie camere ed è ideale per una clientela d'affari. Ideale per pranzi informali o cene di lavoro, il moderno ristorante propone piatti del territorio, paste fatte in casa e specialità agli asparagi.

POLESINE PARMENSE – **Parma (PR)** – 562G12 – 1 499 ab. – alt. 35 m   8 **A1**
– ✉ 43010

▶ Roma 496 – Parma 43 – Bologna 134 – Cremona 23

Al Cavallino Bianco   🛋 AC P ᴠɪѕᴀ ⓿ Aᴇ ① ⑤
via Sbrisi 2 – ℰ 052 49 61 36 – www.cavallinobianco.it – info@cavallinobianco.it
– Fax 052 49 64 16 – chiuso dall'8 al 23 gennaio e martedì
Rist – Carta 30/44 €
Rist Tipico di Casa Spigaroli – *(chiuso martedì, sabato, giorni festivi)* (chiuso la sera) Menu 15 €
♦ Secolare tradizione familiare alla quale affidarsi per assaporare il proverbiale culatello e specialità regionali, lungo le rive del grande fiume. Al "Tipico di Casa Spigaroli", scelta ristretta di ricette emiliane.

a Santa Franca Ovest : 3 km – ⊠ 43010 – **Polesine Parmense**

XX   **Colombo**   🕏 AC P VISA ⦿ AE ① 🖕
via Mogadiscio 119 – 𝒞 052 49 81 14 – ristorantecolombo@gmail.it
– Fax 052 49 80 03 – chiuso dal 7 al 27 gennaio, dal 19 luglio al 9 agosto, lunedì sera e martedì
Rist – Carta 30/46 €
♦ Servizio estivo sotto un pergolato in una mitica trattoria familiare: l'attuale proprietaria segue le orme paterne anche per produzione e stagionatura di salumi. Da visitare.

POLICORO – Matera (MT) – 564G32 – **15 377 ab.** - **alt. 31 m** – ⊠ 75025   4 D2
🚩 Roma 487 – Bari 134 – Cosenza 136 – Matera 67

al lido Sud-Est : 4 km :

🏨   **Heraclea** ⌂   🌄 🏊 📶 AC 🕩 rist, 🔥 P VISA ⦿ AE ① 🖕
viale Del Lido ⊠ 75025 – 𝒞 08 35 91 01 44 – www.hotelheraclea.com
– hotelheraclea@heraclea.it – Fax 08 35 91 01 47 – chiuso dal 20 al 27 dicembre
86 cam � – †55/100 € ††80/170 € – ½ P 100 €
Rist – *(chiuso domenica escluso da marzo ad ottobre)* Carta 22/32 €
♦ Reca il nome dell'antica colonia della Magna Grecia su cui sorse in seguito Policoro, questo valido hotel non lontano dalla spiaggia; buoni spazi comuni soprattutto esterni. Dispone di una sobria e luminosa sala ristorante nonché di una spaziosa ed elegante sala dove organizzare banchetti.

POLIGNANO A MARE – Bari (BA) – 564E33 – **17 513 ab.** – ⊠ 70044   27 C2
🚩 Roma 486 – Bari 36 – Brindisi 77 – Matera 82

🏨🏨   **Covo dei Saraceni**   ⇐ 🕏 🔥 📶 AC 🕩 🖐 🔥 VISA ⦿ AE ① 🖕
via Conversano 1/1 A – 𝒞 08 04 24 11 77 – www.covodeisaraceni.com – info@covodeisaraceni.com – Fax 08 04 24 70 10
43 cam ⊐ – †130 € ††200 € – 3 suites   **Rist** *Il Bastione* – Carta 31/50 €
♦ Su uno dei promontori della celebre località, ambienti eleganti in stile classico, ma di fresca ispirazione mediterranea. Piacevoli sale ristorante, che offrono un'incantevole vista sulla distesa blu. Cucina regionale e terrazza sugli scogli.

🏨   **Grotta Palazzese** ⌂   ⇐ 🕏 AC 🕩 🖐 VISA ⦿ AE ① 🖕
via Narciso 59 – 𝒞 08 04 24 06 77 – www.grottapalazzese.it – grottapalazzese@grottapalazzese.it – Fax 08 04 24 07 67
24 cam ⊐ – †90/115 € ††150/260 €
Rist – *(lunedì in bassa stagione)* Carta 60/108 €
♦ Puglia, terra di trulli e di grotte: nell'antico borgo di Polignano, un hotel costruito sugli scogli, proprio a strapiombo sul blu. Particolari le camere nella *dépendance* ricavate nel tufo con volte a botte. Oltre al servizio estivo in grotta, vi è una bella sala ristorante con ampie vetrate sul mare.

XX   **Da Tuccino**   ⇐ 🕏 🔥 🖐 P VISA ⦿ AE ① 🖕
via Santa Caterina 69/F, verso San Vito, Nord-Ovest : 1,5 km – 𝒞 08 04 24 15 60 – www.tuccino.it – info@tuccino.it – Fax 08 04 25 10 23 – chiuso dal 15 novembre al 15 gennaio, lunedì a mezzogiorno in agosto, tutto il giorno negli altri mesi
Rist – Carta 42/80 €
♦ Punti di forza del locale sono l'ottima cucina marinara, schietta e fragrante, con prodotti di qualità impeccabile, e un bel dehors panoramico, sul nostro Mediterraneo.

XX   **L'Osteria di Chichibio**   🕏 AC VISA ⦿ AE ① 🖕
largo Gelso 12 – 𝒞 08 04 24 04 88 – www.osteriadichichibio.com
– info@osteriadichichibio.com – Fax 08 05 43 16 06
– chiuso dal 23 dicembre al 31 gennaio e lunedì
Rist – Carta 25/46 €
♦ Connubio di semplicità e allegria, non privo di tratti di eleganza e una rara occasione per mangiare pesce e verdure cotti in un forno a legna e serviti in piatti di ceramica.

POLLEIN – Aosta – **Vedere Aosta**

POLLENZO – Cuneo – 561H5 – **Vedere Bra**

POLLONE – Biella (BI) – 561F5 – 2 238 ab. – alt. 622 m – ⊠ 13814   23 **C2**
> ▶ Roma 671 – Aosta 92 – Biella 9 – Novara 62

XX   **Il Patio** (Sergio Vineis)   🚘 🏛 ✿ **P** 🚻 ∞ 🖭 ⓘ ⚏
 🕸   *via Oremo 14 – ℰ 01 56 15 68 – ilpatio@libero.it – chiuso dal 6 al 22 gennaio,*
dal 15 al 30 agosto, lunedì e martedì
Rist – Menu 50/55 € – Carta 56/75 € ∰
Spec. Coniglio marinato con maionese di mele, mostarda ed insalatina dei
prati. Crema soffice di patate al rosmarino con ravioli di borragine. Zuppa di
ceci profumata all'origano con trancio di baccalà islandese.
♦ Ristorante dall'atipica ambientazione in antiche stalle. I piatti semplici puntano sulla
valorizzazione dei prodotti, ma c'è anche spazio per elaborazioni più complesse.

POLVANO – Arezzo – Vedere Castiglion Fiorentino

POLVERINA – Macerata – 563M21 – Vedere Camerino

POMEZIA – Roma (RM) – 563Q19 – 45 403 ab. – alt. 108 m – ⊠ 00040   12 **B2**
> ▶ Roma 28 – Anzio 31 – Frosinone 105 – Latina 41
> 🏌 Marediroma, ℰ 06 913 32 50

🏨🏨🏨   **Selene**   🚘 ⛴ ┢⑂ 🎇 ☇ 🏊 👯 🎇 ⑾ 🏊 **P** 🚻 ∞ 🖭 ⓘ ⚏
via Pontina km 30 – ℰ 06 91 17 01 – www.hotelselene.com – info@
hotelselene.com – Fax 06 91 17 05 57
193 cam 🖵 – †80/225 € ††100/495 € – 2 suites – ½ P 130/253 €
Rist – *(chiuso 3 settimane in agosto)* Carta 35/50 €
♦ Imponente e moderna struttura alberghiera arredata in stile design, tra essenzialità ed
assenza di colori; il servizio è attento e professionale, le sale comuni ampie ed eleganti.
Ristorante di taglio moderno con vasta scelta di specialità alla griglia.

POMONTE – Livorno – 563N12 – Vedere Elba (Isola d') : Marciana

---

POMPAGNANO – Perugia – 563N20 – Vedere Spoleto

POMPEI – Napoli (NA) – 564E25 – 25 820 ab. – alt. 16 m – ⊠ 80045   6 **B2**
📘 Italia
> ▶ Roma 237 – Napoli 29 – Avellino 49 – Caserta 50
> 🚹 via Sacra 1 ℰ 081 8507255, info@pompeiturismo.it, Fax 081 8632401
> 🔲 Foro★★★ : Basilica★★, Tempio di Apollo★★, Tempio di Giove★★ – Terme
> Stabiane★★★ – Casa dei Vettii★★★ – Villa dei
> Misteri★★★ – Antiquarium★ – Odeon★★ – Casa del Menandro★★ – Via
> dell'Abbondanza★★ – Fullonica Stephani★★ – Casa del Fauno★★ – Porta
> Ercolano★★ – Via dei Sepolcri★★ – Foro Triangolare★ – Teatro
> Grande★ – Tempio di Iside★ – Termopolio★ – Casa di Loreius
> Tiburtinus★ – Villa di Giulia Felice★ – Anfiteatro★ – Necropoli fuori Porta
> Nocera★– Pistrinum★ – Casa degli Amorini Dorati★ – Torre di
> Mercurio★ : ≤★★ – Casa del Poeta Tragico★ – Pitture★ nella casa
> dell'Ara Massima – Fontana★ nella casa della Fontana Grande
> 🔲 Villa di Oplontis★★ a Torre Annunziata Ovest : 6 km

🏨   **Amleto** senza rist   🖵 ⚏ 🆘 🎇 ⑾ 🏊 🚗 🚻 ∞ 🖭 ⓘ ⚏
via Bartolo Longo 10 – ℰ 08 18 63 10 04 – www.hotelamleto.it – info@
hotelamleto.it – Fax 08 18 63 55 85
26 cam 🖵 – †60/90 € ††80/150 €
♦ A pochi passi dal Santuario, edificio degli anni Venti ristrutturato con cura: ingresso in
stile neoclassico, con una breve rampa di scale, e pavimento con riproduzioni musive.

🏨   **Forum** senza rist   🚘 🖵 ⚏ 🆘 ⑾ **P** 🚻 ∞ 🖭 ⓘ ⚏
via Roma 99/101 – ℰ 08 18 50 11 70 – www.hotelforum.it – info@hotelforum.it
– Fax 08 18 50 61 32
35 cam 🖵 – †70/90 € ††120/140 €
♦ Praticamente di fronte all'area archeologica e vicino al famoso Santuario, un esercizio
con un gradevole giardinetto interno; optare per le camere rinnovate più di recente.

🛏️ Maiuri senza rist   🖚 🔥 AC 🎝 🍴 P VISA ⚫ AE ① 🦶
*via Acqua Salsa 20 – ℰ 08 18 56 27 16 – www.maiuri.it – info@maiuri.it
– Fax 08 18 56 27 16*
24 cam ☲ – 🛏70/80 € 🛏🛏89/110 €
♦ Forse un omaggio all'antica Pompei, nella ripresa del nome di un famoso archeologo italiano; certo un hotel nuovo, molto comodo, dai toni pastello anche negli interni.

🛏️ Giovanna senza rist   🚗 🖚 AC 🎝 P VISA ⚫ AE ① 🦶
*via Acquasalsa 18 ⊠ 80045 – ℰ 08 18 50 61 61 – www.hotelgiovanna.it – info@
hotelgiovanna.it – Fax 08 18 50 73 23*
24 cam ☲ – 🛏65/80 € 🛏🛏85/150 €
♦ Un bel giardino fa da cornice a questo albergo consigliato a clienti d'affari e turisti, desiderosi di trovare un'oasi di relax; camere spaziose e confortevoli.

🛏️ Iside senza rist   🖚 🔥 AC 🍴 P VISA ⚫ AE ① 🦶
*via Minutella 27 – ℰ 08 18 59 88 63 – www.hoteliside.it – info@hoteliside.it
– Fax 08 18 59 88 63*
18 cam ☲ – 🛏60/70 € 🛏🛏80/90 €
♦ Non lontano dall'ingresso agli scavi archeologici, in una zona residenziale tranquilla, offre un'accoglienza familiare e ambienti luminosi; alle spalle dell'albergo un orto-agrumeto.

XXX President   🌳 AC 🍴 VISA ⚫ AE ① 🦶
*piazza Schettini 12/13 – ℰ 08 18 50 72 45 – www.ristorantepresident.it – info@
ristorantepresident.it – Fax 08 18 63 81 47 – chiuso dal 23 al 25 dicembre,
dal 10 al 25 agosto, domenica sera, da ottobre ad aprile anche lunedì*
Rist – (consigliata la prenotazione) Carta 36/54 € ⅋
♦ Stucchi e lampadari a gocce impreziosiscono questo elegante ristorante, dove gustare una cucina che propone piatti di mare ... secondo la disponibilità quotidiana del pescato!

X Maccarone   🌳 🔥 AC ⬌ VISA ⚫ AE ① 🦶
*via Acqua Salsa 51 – ℰ 08 18 50 09 67 – www.ristorantemaccarone.it – info@
ristorantemaccarone.it – Fax 08 18 50 09 67 – chiuso Natale*
Rist – (chiuso lunedì a mezzogiorno) Carta 26/38 €
♦ In un edificio che ricorda vagamente una casa colonica, si trova questo ristorante-pizzeria. L'ambiente è moderno, pulito nello stile, e con prezzi competitivi.

PONT – Aosta – Vedere Valsavarenche

PONTE A CAPPIANO – Firenze – 563K14 – Vedere Fucecchio

PONTE A MORIANO – Lucca – 563K13 – Vedere Lucca

PONTE ARCHE – Trento – 562D14 – Vedere Comano Terme

PONTECAGNANO – Salerno (SA) – 564F26 – **23 227 ab.** – **alt. 28 m**   7 **C2**
– ⊠ 84098
▶ Roma 273 – Potenza 92 – Avellino 48 – Napoli 68

a Faiano Nord-Est : 3 km – ⊠ 84093

XX De Gustibus   🌳 AC ⬌ VISA ⚫ AE ① 🦶
piazza San Benedetto 2 – ℰ 089 20 20 32 – chiuso domenica sera e lunedì
Rist – Carta 30/45 € ⅋
♦ Nel cuore del centro storico di Faiano, ristorante dai toni caldi con ambienti di eleganza discreta.

PONTECORVO – Frosinone (FR) – 563R22 – **13 241 ab.** – **alt. 97 m**   13 **D2**
– ⊠ 03037
▶ Roma 121 – Frosinone 43 – Gaeta 50 – Isernia 65

🍴 **Primavera** [A/C]

piazzale Porta Pia 8 – ☎ 33 32 03 89 86 – chiuso dal 24 dicembre al 1° gennaio, dal 14 al 31 agosto e lunedì; solo su prenotazione la sera

Rist – Carta 20/27 €

♦ Una piccola sala allungata sul fondo della quale, incorniciata in una finestra di mattoni, la cucina a vista. Piatti della memoria locale, fatti al momento con qualche tocco creativo.

PONTE DELL'OLIO – Piacenza (PC) – 561H10 – 4 930 ab. – alt. 210 m – ✉ 29028 8 **A2**

Roma 548 – Piacenza 22 – Genova 127 – Milano 100

🍴🍴 **Riva** (Carla Aradelli) [A/C] [VISA] [AE]

via Riva 16, Sud : 2 km – ☎ 05 23 87 51 93 – www.ristoranteriva.it – info@ristoranteriva.it – Fax 05 23 87 11 68 – chiuso lunedì, martedì a mezzogiorno

Rist – Carta 46/63 €

Spec. Risotto al tartufo nero della Val Nure. Piccione con crostone alle olive e verdure. Tortino caldo al cioccolato con spuma allo zafferano.

♦ In un piccolo borgo con un affascinante castello merlato, la moglie propone una cucina raffinata, misurato equilibrio di territorio e creatività; ai vini pensa il marito.

🍴 **Locanda Cacciatori** [A/C] [P] [VISA] [AE]

località Castione, Est : 3 km – ☎ 05 23 87 72 06 – Fax 05 23 87 62 34 – chiuso dal 10 al 30 gennaio e mercoledì

Rist – Carta 20/35 €

♦ 40 anni di esperienza per questa locanda da sempre gestita dalla stessa famiglia. Semplici le quattro sale affacciate sulle colline, dove riscoprire una cucina regionale, gustose paste fatte in casa e tenere carni.

PONTEDERA – Pisa (PI) – 563L13 – 26 421 ab. – alt. 14 m – ✉ 56025 28 **B2**

Roma 314 – Pisa 25 – Firenze 61 – Livorno 32

[i] via della Stazione Vecchia 6 ☎ 0587 53354, ufficioturistico@comune.pontedera.pi.it, Fax 0587 215937

Armonia senza rist [A/C] [VISA] [AE]

piazza Caduti Div. Acqui, Cefalonia e Corfù 11 – ☎ 05 87 27 85 11 – www.hotelarmonia.it – reception@hotelarmonia.it – Fax 05 87 27 85 40

27 cam – †85/160 € ††110/260 € – 4 suites

♦ Storico edificio per una storica accoglienza, in città, sin da metà '800; ospiti illustri, atmosfere eleganti, qualità impeccabile e signorile.

Il Falchetto senza rist [A/C] [VISA] [AE]

piazza Caduti Div. Acqui, Cefalonia e Corfù 3 – ☎ 05 87 21 21 13 – www.paginegialle.it/ilfalchetto-pi – hotelfalchetto@alice.it – Fax 05 87 21 21 83

17 cam – †50/60 € ††70/85 €, ☕ 7 €

♦ Hotel gestito da una coppia di coniugi che ne ha cura quasi come fosse una casa privata; ambienti piacevoli e ricchi di dettagli personali, dotati di ogni confort.

PONTE DI BRENTA – Padova – 562F17 – Vedere Padova

PONTE DI LEGNO – Brescia (BS) – 561D13 – 1 849 ab. – alt. 1 258 m – Sport invernali : – ✉ 25056 17 **C1**

Roma 677 – Sondrio 65 – Bolzano 107 – Bormio 42

[i] corso Milano 41 ☎ 0364 91122, iat.pontedilegno@tiscali.it, Fax 036491949

[9], ☎ 0364 90 03 06

Mirella [P] [VISA] [AE]

via Roma 21 – ☎ 03 64 90 05 00 – www.hotelmirella.it – hotelmirella@pontedilegno.it – Fax 03 64 90 05 30 – chiuso ottobre e novembre

61 cam – †80/140 € ††100/200 € – ½ P 120/160 € **Rist** – Carta 33/51 €

♦ Nato nei primi anni '70, classico, possente albergo di montagna che offre come punto di forza gli ampi spazi comuni, interni ed esterni, ideali per un soggiorno di relax. Imponente sala ristorante con un'infilata di finestroni panoramici.

Sorriso 🕭 ← 🚗 🖄 ❤ 🚭 💑 ❤ P 🚙 VISA ⓪ AE 🕭

via Piazza 6 – ℰ 03 64 90 04 88 – www.hotelsorriso.com – info@hotelsorriso.com
– Fax 036 49 15 38 – dicembre-Pasqua e giugno-settembre
20 cam ⌧ – †70/170 € ††140/240 € – ½ P 90/130 €
Rist – *(solo per alloggiati)* Menu 30/40 €
♦ Una piccola casa soleggiata, dal caratteristico stile alpino, decentrata e tranquilla, affacciata sulla vallata; una conduzione signorile e accurata per un buon confort.

Mignon ← 🚗 🚭 💑 ❤ rist 🕻 📞 P 🚙 VISA ⓪ 🕭

via Corno d'Aola 11 – ℰ 03 64 90 04 80 – www.albergomignon.it – info@
albergomignon.it – Fax 03 64 90 04 80
38 cam – †45/60 € ††72/95 €, ⌧ 7 € – ½ P 65/80 €
Rist – *(chiuso da maggio al 20 giugno, ottobre e novembre)* Carta 22/28 €
♦ Sorta come residenza dei proprietari e poi trasformata in hotel, una risorsa in continua evoluzione, posta ai margini del paese; gestione strettamente familiare. Ristorante familiare, cucina d'impostazione classica.

XX San Marco ❤ VISA ⓪ ① 🕭

piazzale Europa 18 – ℰ 036 49 10 36 – www.ristorante-sanmarco.it
– sanmarcosome@virgilio.it – Fax 036 49 10 36 – chiuso dal 15 al 30 giugno
e lunedì (escluso dicembre-gennaio e luglio-agosto)
Rist – Carta 25/42 €
♦ Centrale, ma non nella zona storica della cittadina, e al piano terra di una villetta; taglio rustico e una cucina di sapore mutevole, tra il camuno e il "tirolese".

PONTE DI NAVA – Cuneo – 561J5 – Vedere Ormea

PONTE DI PIAVE – Treviso (TV) – 562E19 – 7 426 ab. – alt. 10 m   35 A1
– ✉ 31047

▶ Roma 563 – Venezia 47 – Milano 302 – Treviso 19

a Busco Nord : 3 km – ✉ 31047 – Ponte Di Piave

⬆ Agriturismo Cà de Pizzol 🕭 🚗 🚡 🚭 💑 AC ❤ P

via Vittoria 92 – ℰ 04 22 85 32 30 – www.cadepizzol.com – info@cadeipizzol.com
– Fax 04 22 85 34 62
5 cam ⌧ – †30/40 € ††55/60 €
Rist – *(15 settembre-giugno; aperto domenica a mezzogiorno e le sere di venerdì-sabato)* (consigliata la prenotazione) *(solo menu)* Carta 17/27 €
♦ Un caratteristico casolare di campagna, ristrutturato con cura e passione, fa da sfondo a soggiorni dedicati agli amanti autentici della natura e della quiete.

a San Nicolò Est : 3,5 km – ✉ 31047 – Ponte Di Piave

⬆ Agriturismo Rechsteiner 🕭 🚡 💑 AC ↳ P VISA ⓪ AE 🕭

via Montegrappa 3 – ℰ 04 22 80 71 28 – www.rechsteiner.it – rechsteiner@
rechsteiner.it – Fax 04 22 75 21 55
10 cam ⌧ – †30/39 € ††45/62 € – ½ P 36/44 €
Rist – *(consigliata la prenotazione)* Carta 18/30 €
♦ Deliziosa casa colonica di un'antica e nobile famiglia ristrutturata, sita nel verde della campagna, fra i vitigni lungo il Piave; offre buoni confort e molta quiete. Al ristorante si possono degustare vini e prodotti locali.

PONTEGRADELLA – Ferrara – 562H16 – Vedere Ferrara

PONTEGRANDE – Verbania – Vedere Bannio Anzino

PONTE IN VALTELLINA – Sondrio (SO) – 562D11 – 2 230 ab.   16 B1
– alt. 500 m – ✉ 23026

▶ Roma 709 – Sondrio 9 – Edolo 39 – Milano 148

✗✗ Cerere ⇐ 🅐🅚 ⇕ 💳 ⚫⚫ 🅐🅔 ① ⛫

via Guicciardi 7 – ℰ 03 42 48 22 94 – Fax 03 42 48 27 80
– chiuso dal 10 al 20 gennaio, dal 1° al 25 luglio e mercoledì (escluso agosto)
Rist – Menu 22/26 € – Carta 28/36 €
◆ In pieno centro storico, cucina regionale con qualche divagazione per questo ristorante ospitato in un palazzo del 1700, dove parti rustiche ed altre più classiche animano le diverse sale.

PONTE NELLE ALPI – Belluno (BL) – 562D18 – 8 069 ab. – alt. 400 m   36 **C1**
– ✉ 32014

▸ Roma 609 – Belluno 8 – Cortina d'Ampezzo 63 – Milano 348

sulla strada statale 51

🏠 Da Benito *senza rist* ⇐ 🛏 ✼ ⁽ᵖ⁾ 🅰 **P** 🚗 💳 ⚫⚫ 🅐🅔 ① ⛫

località Pian di Vedoia, Nord : 3 km ✉ 32014 – ℰ 04 37 98 12 50
– www.hoteldabenito.it – info@hoteldabenito.it – Fax 04 37 99 04 72 – chiuso una settimana in gennaio e dal 19 al 31 agosto
26 cam �? – ♦45/80 € ♦♦65/80 €
◆ Semplici e confortevoli le camere di questa risorsa familiare.

PONTENUOVO – Pistoia – Vedere Pistoia

PONTENUOVO DI CALENZANO – Firenze – 563K15 – Vedere Calenzano

---

PONTE SAN GIOVANNI – Perugia – 563M19 – Vedere Perugia

PONTE SAN MARCO – Brescia – 561F13 – Vedere Calcinato

PONTE TARO – Parma – 562H12 – Vedere Parma

PONTIDA – Bergamo (BG) – 561E10 – 3 032 ab. – alt. 313 m – ✉ 24030   19 **C1**

▸ Roma 609 – Bergamo 18 – Como 43 – Lecco 26

✗ Hosteria la Marina 🏠 ✼ 💳 ⚫⚫ 🅐🅔 ① ⛫

via Don Aniceto Bonanomi 283, frazione Grombosco, Nord : 2 km
– ℰ 035 79 50 63 – www.ristorantelamarina.it – Fax 035 79 50 63
– chiuso martedì
Rist – Carta 26/35 €
◆ Sulle colline alle spalle di Pontida, una tipica osteria con piatti del territorio legati alla tradizione. Cantina a disposizione della clientela.

PONTI SUL MINCIO – Mantova (MN) – 2 013 ab. – alt. 113 m   17 **D1**
– ✉ 46040

▸ Roma 505 – Verona 32 – Brescia 45 – Mantova 35

🏠 Relais Corte Cavalli 🏠 🍴 ⌇ 🛏 ⛫ rist, 🅐🅚 ✼ ⁽ᵖ⁾ **P** 💳 ⚫⚫ 🅐🅔 ⛫

strada Peschiera 73/2, (Nord: 3 km) – ℰ 037 68 80 94
– www.cortecavalli.it – info@cortecavalli.it – Fax 037 68 80 56
– chiuso dal 26 gennaio al 15 febbraio
19 cam �? – ♦100/120 € ♦♦150/230 € – 1 suite
Rist *La Dinastia* – (chiuso lunedì) Menu 70 € – Carta 36/61 €
◆ Abbracciata dai vigneti e dal verde delle colline moreniche, l'antica corte è stata trasformata in un'oasi di silenzio, ideale per chi cerca tranquillità e armonia. Nell'elegante sala del ristorante, i sapori di terra incontrano quelli di lago.

PONTREMOLI – Massa Carrara (MS) – 563I11 – 8 153 ab. – alt. 236 m   28 **A1**
– ✉ 54027 ▮ Toscana

▸ Roma 438 – La Spezia 41 – Carrara 53 – Firenze 164

↑ Agriturismo Costa D'Orsola ⌖ ≤ ⌂ ⼳ ⵝ ⌁ rist. P

località Orsola, Sud-Ovest : 2 km – ℰ 01 87 83 33 32 VISA ⵝ ⶀ ⵝ
*– www.costadorsola.it – info@costadorsola.it – Fax 01 87 83 33 32 – chiuso
gennaio, febbraio e novembre*
14 cam ⌖ – †60/90 € ††90/120 € – ½ P 60/80 €
Rist – *(chiuso a mezzogiorno)* Carta 21/32 €

♦ Camere di buona fattura, ricavate nei caratteristici locali di un antico borgo rurale
restaurato con cura. Gestione familiare cortese, atmosfera tranquilla e rilassata. Ristorante suggestivo, con ampi spazi esterni.

✗✗ Cà del Moro con cam ⌂ ⵝ AC P VISA ⵝ AE ⶀ ⵝ

via Casa Corvi 9 – ℰ 01 87 83 05 88 – info@cadelmoro.it – Fax 01 87 83 05 88
26 cam ⌖ – †60/80 € ††86/114 € – ½ P 66/75 €
Rist – *(chiuso 2 settimane in gennaio, 2 settimane in novembre, domenica sera
e lunedì)* Carta 27/39 €

♦ Affascinante ristorante con camere, in campagna, ideale per gli amanti del golf che
possono mantenersi in allenamento tra le quattro buche del campo. Cucina del territorio.

PONZA (Isola di) – Latina (LT) – 563S18 – 3 312 ab. ⬛ Italia

⛴ per Anzio e Formia – Caremar, call center 892 123 – per Terracina – Anxur
Tours ℰ 0771 72291
◉ Località ★

PONZA (LT) – ✉ 04027

🛈 molo Musco ℰ 0771 80031, prolocoponza@libero.it, Fax 0771 80031

⌂⌂⌂ Grand Hotel Santa Domitilla ⌖ ⛱ ⼳ ⵝ ⶀ ⵝⵝ AC ⵝ ⵝ P

via Panoramica – ℰ 07 71 80 99 51 ⵝ VISA ⵝ AE ⶀ ⵝ
*– www.santadomitilla.com – info@santadomitilla.com – Fax 07 71 80 99 55
– Pasqua-15 ottobre*
59 cam ⌖ – †200/290 € ††240/390 € – 5 suites – ½ P 150/235 €
Rist Melograno – *(giugno-20 settembre)* (consigliata la prenotazione)
Carta 56/72 €

♦ Nel cuore dell'isola, abbracciato dalla quiete del giardino, l'hotel dispone di graziose
camere, luminosi spazi comuni e tre piscine di cui una ricavata in un'antica grotta. Piatti
di pesce nell'ampia sala da pranzo o sotto il pergolato di glicine. Si consiglia la prenotazione.

⌂ Bellavista ⌖ ≤ ⶀ AC ⵝ VISA ⵝ AE ⶀ ⵝ

*via Parata 1 – ℰ 077 18 00 36 – www.hotelbellavistaponza.it – hotelbellavista@
tin.it – Fax 077 18 03 95 – chiuso dal 15 dicembre al 15 gennaio*
24 cam ⌖ – †120/160 € ††140/200 € – ½ P 150 €
Rist – *(Pasqua-settembre)* Carta 20/50 €

♦ Arroccato su uno scoglio e cullato dalle onde, l'hotel dispone di ampi spazi comuni,
confortevoli camere arredate in legno scuro e un piccolo terrazzo con vista panoramica.
Classico ambiente arredato nelle tinte del verde, la sala da pranzo propone la cucina
mediterranea e quella regionale.

✗✗ Acqua Pazza (Lucia e Patrizia Ronca) ≤ ⌂ AC ⵝ VISA ⵝ AE ⵝ

*piazza Carlo Pisacane – ℰ 077 18 06 43 – www.acquapazza.com – acquapazza@
ponza.com – Fax 077 18 06 43 – marzo-novembre*
Rist – *(chiuso a mezzogiorno)* Menu 70 € – Carta 54/78 € ⸙
Spec. Crudo di pesce. Tortelli di dentice. Tonno scottato con melanzana e
menta.

♦ Nella piccola sala o all'aperto, nel dehors allestito davanti al porto, le specialità ittiche
vengono proposte in patti sia semplici che elaborati. E' preferibile prenotare.

✗✗ Orestorante ≤ ⌂ VISA ⵝ ⶀ ⵝ

*via Dietro la Chiesa 4 – ℰ 077 18 03 38 – www.orestorante.it – orestorante@
tiscali.it – Fax 077 18 03 38 – Pasqua-settembre;*
Rist – *(chiuso a mezzogiorno)* Menu 75 € – Carta 57/78 € ⸙
♦ Un piacevole locale da cui si gode la vista sul mare e sul paesino, dove assaporare
una sapiente cucina di mare accompagnata da una buona bottiglia di vino.

XX **Gennarino a Mare** con cam ⟨ 🏠 🄰🄲 cam, ⅌ cam,
via Dante 64 – ℰ 077 18 00 71 🆅🅸🅂🄰 ⓪ 🄰🄴 ⓪ 🅖
– www.gennarinoamare.com – info@gennarinoamare.com – Fax 077 18 01 40
– chiuso dal 20 dicembre al 30 gennaio
12 cam 🖙 – 🛏150/220 € 🛏🛏240/290 € **Rist** – *(aprile-ottobre)* Carta 50/74 €
♦ In posizione dominante sull'antico porto borbonico, costruito sull'acqua sopra una palafitta di legno, il ristorante offre una cucina mediterranea, soprattutto di pesce. Dispone anche di alcune graziose camere arredate con gusto, all'interno di una struttura dalla facciata azzurra.

X **Il Tramonto** 🏠 🆅🅸🅂🄰 ⓪ 🄰🄴 ⓪ 🅖
via campo Inglese, Nord : 4 km – ℰ 07 71 80 85 63 – tramonto@libero.it
– Fax 07 71 80 85 63 – aprile-settembre
Rist – *(chiuso a mezzogiorno)* Carta 46/59 €
♦ Un servizio giovane e dinamico, una cucina legata alla tradizione isolana dove regna il pesce ed una meravigliosa vista sull'isola di Palmarola per veder declinare il sole.

PONZANO – Firenze – Vedere Barberino Val d'Elsa

PONZANO VENETO – Treviso (TV) – 562E18 – 10 894 ab. – alt. 28 m   35 A1
– ✉ 31050

▶ Roma 546 – Venezia 40 – Belluno 74 – Treviso 5

a Paderno di Ponzano Nord-Ovest : 2 km – ✉ 31050 – PONZANO

🏨 **Relais Monaco** 🌫 🎜 🏠 🎜 🎜 ⅃⅃ ╚ 🄰🄲 ↤ ⅌ 📶 🕍 🄿
via Postumia 63, Nord : 1 km – ℰ 04 22 96 41 🆅🅸🅂🄰 ⓪ 🄰🄴 ⓪ 🅖
– www.relaismonaco.it – mailbox@relaismonaco.it – Fax 04 22 96 45 00
79 cam 🖙 – 🛏120/210 € 🛏🛏160/250 € **Rist** – Carta 48/68 €
♦ Tra i colli della campagna veneta più dolce, una residenza adatta ad ogni esigenza. A poca distanza dall'autostrada, silenziosa villa d'epoca per turisti e uomini d'affari. Al ristorante ambienti e atmosfere eleganti.

XX **Trattoria da Sergio** 🏠 🄿 🆅🅸🅂🄰 ⓪ 🄰🄴 ⓪ 🅖
via Fanti 14 – ℰ 04 22 96 70 00 – Fax 04 22 96 70 00 – chiuso dal 23 dicembre al 6 gennaio, dal 1° al 21 agosto, i giorni festivi, sabato a mezzogiorno e domenica
Rist – Carta 23/41 €
♦ Superate l'aspetto esteriore del locale e varcatene la soglia: una cordiale e simpatica gestione familiare, mamma ai fornelli e figlio in sala. La cucina è casereccia.

Le «promesse», segnalate in rosso nelle nostre selezioni,
distinguono i ristoranti suscettibili di accedere alla categoria superiore,
vale a dire una stella in più.
Le troverete nella lista dei ristoranti stellati, all'inizio della guida.

POPPI – Arezzo (AR) – 563K17 – 6 013 ab. – alt. 437 m – ✉ 52014   29 C1
▌ Toscana

▶ Roma 247 – Arezzo 33 – Firenze 58 – Ravenna 118
🏧 Casentino, ℰ 0575 52 98 10
◉ Cortile★ del Castello★

🏨 **Parc Hotel** 🚗 🏠 ⅃ 🎚 ╚ 🄰🄲 ⅌ 🕍 🄿 🆅🅸🅂🄰 ⓪ 🄰🄴 ⓪ 🅖
via Roma 214, località Ponte a Poppi ✉ 52013 – ℰ 05 75 52 99 94
– www.parchotel.it – info@parchotel.it – Fax 05 75 52 99 84
41 cam 🖙 – 🛏46/57 € 🛏🛏70/105 € – ½ P 55/73 €
Rist Parc – ℰ 05 75 52 91 01 *(chiuso tre settimane in novembre e lunedì escluso agosto)* Carta 21/33 €
♦ Una valida risorsa, di tipo tradizionale, sia per la clientela d'affari che per i turisti di passaggio nel Casentino; settore notte rinnovato di recente, confort moderni. I menù spaziano dalla classica cucina d'albergo, alla gastronomia locale, alle pizze.

🏠 **La Torricella** ⚶　　≼ 🛱 🛊 🖢 **P** 🔲 ⦾ AE ① 🍴
località Torricella 14, Ponte a Poppi ⊠ 52013 – ☎ 05 75 52 70 45
– www.latorricella.com – info@latorricella.com – Fax 05 75 52 70 46
21 cam ☲ – ♦38/55 € ♦♦60/70 € – ½ P 44/50 €　**Rist** – Carta 13/25 €
♦ Sulla cima di una collina panoramica, a due passi dal rinomato borgo medievale ove
sorge il castello dei Conti Guidi, in un tipico casolare toscano ben ristrutturato. Sala da
pranzo rustica con travi in legno e veranda panoramica.

XX **L'Antica Cantina** 　　　　　🛱 AC 🔲 ⦾ 🍴
via Lapucci 2 – ☎ 05 75 52 98 44 – www.anticacantina.com – info@
anticacantina.com – Fax 05 75 52 98 44 – chiuso novembre, lunedì e martedì a
mezzogiorno
Rist – Carta 36/53 € 🕸
♦ Lasciata la parte più moderna del paese a valle, sulla collina è adagiato un incantevole borgo medievale: castello, portici e cantine seicentesche per una sana cucina
toscana.

X **Campaldino** con cam 　　　　　🕾 **P** 🔲 ⦾ AE ① 🍴
via Roma 95, località Ponte a Poppi ⊠ 52013 – ☎ 05 75 52 90 08
– www.campaldino.it – info@campaldino.it – Fax 05 75 52 90 32
10 cam ☲ – ♦50/55 € ♦♦70/75 € – ½ P 55/60 €
Rist – (chiuso febbraio e mercoledì escluso agosto) Carta 20/32 €
♦ Un tributo, nel nome, alla storica Piana ove si tenne la battaglia tra Guelfi e Ghibellini
immortalata nei versi danteschi; un'antica stazione di posta, oggi ristorante.

a Moggiona Sud-Ovest : 5 km – **alt. 708 m** – ⊠ 52014

🏨 **I Tre Baroni** ⚶　　≼ 🛱 🛱 ⫴ 🛱 rist, 🛊 **P** 🔲 ⦾ AE 🍴
via di Camaldoli 52 – ☎ 05 75 55 62 04 – www.itrebaroni.it – info@itrebaroni.it
– Fax 05 75 55 61 35
24 cam ☲ – ♦65/95 € ♦♦80/100 € – ½ P 62/72 €
Rist – (chiuso dal 7 gennaio al 7 marzo, martedì e mercoledì escluso da luglio a
settembre) Carta 30/46 €
♦ Lungo la strada per Camaldoli un piccolo gioiello di ospitalità, in posizione assolutamente tranquilla. Ricavato da un antico fienile, a gestione familiare. Signorile sala ristorante con proposte di cucina toscana.

X **Il Cedro** 　　　　　　　　　≼
via di Camaldoli 20 – ☎ 05 75 55 60 80 – Fax 05 75 55 60 80
– chiuso Natale, 31 dicembre e lunedì (escluso dal 15 luglio ad agosto)
Rist – (consigliata la prenotazione) Carta 19/27 €
♦ A pochi chilometri dal suggestivo convento di Camaldoli, piccola trattoria a conduzione familiare, propone una cucina del territorio dedicata particolarmente a grigliate,
funghi e cacciagione.

POPULONIA – Livorno – 563N13 – **Vedere Piombino**

PORCIA – Pordenone (PN) – 562E19 – **14 099 ab.** – **alt. 29 m** – ⊠ 33080　　10 **A3**
▶ Roma 608 – Belluno 67 – Milano 333 – Pordenone 4

🏨 **Purlilium** senza rist 　　　　🛱 🛊 ⫴ 🕾 **P** 🔲 ⦾ AE ① 🍴
via Bagnador 5, località Talponedo, Ovest: 1 km – ☎ 04 34 92 32 48
– www.hotelpurlilium.it – info@hotelpurlilium.it – Fax 04 34 59 12 28
26 cam ☲ – ♦50/90 € ♦♦70/130 €, ☲ 7 €
♦ Atmosfera riposante, camere luminose e discretamente signorili, spazi comuni con
pietre a vista ed un giardino interno: un moderno hotel custodito tra le mura di un
antico borgo rurale.

PORDENONE ℗ (PN) – 562E20 – **51 008 ab.** – **alt. 24 m** – ⊠ 33170　　10 **B3**
▶ Roma 605 – Udine 54 – Belluno 66 – Milano 343
✈ di Ronchi dei Legionari ☎ 0481 773224
🛈 via Damiani 2/c ☎ 0434 21912, info.pordenone@turismo.fvg.it, Fax 0434
523814
🖾 Castel d'Aviano, ☎ 0434 65 23 05

🏨🏨 **Palace Hotel Moderno** 🕍 ♨ 🏥 ♿ 🆔 💈 📻 📶 ⚂ 🅿 🚗
viale Martelli 1 – 𝒞 *043 42 82 15* 🆅🅸🆂🅰 🆀🅾 🅰🅴 🅾 💈
– www.palacehotelmoderno.it – info@palacehotelmoderno.it
– Fax 04 34 52 03 15
93 cam 🍽 – †92 € ††147 € – 3 suites
Rist Moderno – vedere selezione ristoranti
♦ Accanto al teatro cittadino, il moderno hotel offre ampi spazi comuni, confortevoli camere di notevoli dimensioni e sale ben equipaggiate per soddisfare meeting o banchetti.

🏨 **Minerva** senza rist 🆔 💈 🅰🅲 📶 ⚂ 🅿 🆅🅸🆂🅰 🆀🅾 🅰🅴 🅾 💈
piazza XX Settembre 5 – 𝒞 *043 42 60 66 – www.hotelminerva.it*
– mail@hotelminerva.it – Fax 043 42 97 48
37 cam 🍽 – †65/120 € ††95/140 € – 3 suites
♦ Nel cuore della città e della sua vita socio-culturale, accogliente ambiente che dispone di luminosi spazi comuni dalla piacevole atmosfera retrò e camere signorili.

🏨 **Park Hotel** senza rist 🆔 ♿ 🅰🅲 ♨ 📶 ⚂ 🅿 🆅🅸🆂🅰 🆀🅾 🅰🅴 🅾 💈
via Mazzini 43 – 𝒞 *043 42 79 01 – www.parkhotelpordenone.it – info@
parkhotelpordenone.it – Fax 04 34 52 23 53 – chiuso dal 20 dicembre al 6 gennaio*
66 cam 🍽 – †66/97 € ††100/154 €
♦ Poco distante sia dalla stazione che dal centro storico, la struttura è ideale per chi viaggia per affari e offre camere funzionali e di buona ampiezza.

✕✕ **Moderno** – *Palace Hotel Moderno* ♿ 🅰🅲 ⇔ 🅿 🆅🅸🆂🅰 🆀🅾 🅰🅴 🅾 💈
viale Martelli 1 – 𝒞 *043 42 90 09 – www.eurohotelfriuli.it – pordenone@
eurohotelfriuli.it – Fax 043 42 90 09 – chiuso dal 26 dicembre all'8 gennaio,
dal 7 al 31 agosto, sabato a mezzogiorno e domenica*
Rist – (consigliata la prenotazione) Carta 34/55 €
♦ Il nome evoca l'atmosfera che caratterizza il ristorante. In un bel palazzo del centro, l'esperta gestione propone succulenti piatti di pesce.

✕ **La Vecia Osteria del Moro** 🍴 ♿ 🅰🅲 🆅🅸🆂🅰 🆀🅾 🅰🅴 🅾 💈
via Castello 2 – 𝒞 *043 42 86 58 – www.laveciaosteriadelmoro.it – info@
laveciaosteriadelmoro.it – Fax 043 42 06 71 – chiuso domenica*
Rist – (prenotazione obbligatoria) Carta 23/39 €
♦ E' un convento trecentesco a ospitare questo simpatico ristorante, dove si incontrano una piacevole rustica atmosfera da "vecchia osteria" e piatti della tradizione friulana.

✕ **La Ferrata** 📶 🆅🅸🆂🅰 🆀🅾 💈
via Gorizia 7 – 𝒞 *043 42 05 62 – chiuso luglio e martedì*
Rist – *(chiuso a mezzogiorno escluso sabato, domenica e festivi)* Carta 23/31 €
♦ Foto di locomotive, pentole e coperchi di rame arredano le pareti di questa enoteca-osteria accogliente e conviviale. Dalla cucina, i piatti della tradizione regionale, tra cui gustose lumache al burro.

PORDOI (Passo del) – Belluno e Trento – alt. 2 239 m▮ Italia
◎ Posizione pittoresca ★★★

PORLEZZA – Como (CO) – 561D9 – 4 297 ab. – alt. 271 m – ⊠ 22018   16 **A2**
▶ Roma 673 – Como 47 – Lugano 16 – Milano 95
◎ Lago di Lugano ★★

🏨🏨🏨 **Parco San Marco** 🐾 ⇐ 🐕 🍴 🏊 🛟 🌐 🕍 🕍 🆔 ✕ 🆔 ♿ 🅰🅲 📶 🚗
viale Privato San Marco 1 – 𝒞 *03 44 62 91 11* 🆔 🆅🅸🆂🅰 🆀🅾 🅰🅴 🅾 💈
*– www.parco-san-marco.com – info@parco-san-marco.com – Fax 03 44 62 91 12
– chiuso dal 7 gennaio al 25 marzo*
111 suites 🍽 – †147/177 € ††220/590 € – ½ P 144/329 €
Rist – *(solo per alloggiati)* Menu 39 €
Rist Grotto San Marco – Carta 43/54 €
♦ Ottima struttura in stile svizzero-tedesco, suddivisa in diversi edifici digradanti sul lago. Moderne suite, più o meno spaziose, con angolo cottura. Paradiso dei bambini grazie alle tante attività e spazi a loro dedicati. Assolutamente completo nella gamma dei servizi offerti.

POROTTO – Ferrara – 562H16 – Vedere Ferrara

PORRETTA TERME – Bologna (BO) – 562J14 – 4 746 ab. – alt. 349 m   9 **C2**
– ✉ 40046

> ▶ Roma 345 – Bologna 59 – Firenze 72 – Milano 261
> 🅸 piazza Libertà 11 ✆ 0534 22021, iat@comune.porrettaterme.bo.it, Fax0534 22328

Helvetia   🖥 🕲 🕭 ⅃⅄ ⑁ 🛗 🕭 ♿ 🏃 🅰🅲 ⅄⅃ ⅍ 🎸 🚗 *VISA* ⑩ 🄳
piazza Vittorio Veneto 11 – ✆ 053 42 22 14 – www.helvetiabenessere.it – info@helvetiabenessere.it – Fax 053 42 22 79
48 cam ⚏ – ♦95/105 € ♦♦125/140 € – ½ P 125/135 €   **Rist** – Carta 26/60 €
♦ Preparatevi ad un viaggio nel benessere: dalla familiare accoglienza tipicamente emiliana, ai rilassanti spazi destinati alle cure termali e mediche incorniciati in una suggestiva architettura, alle riposanti moderne camere. L'attenzione alla salute continua a tavola, con prodotti integrali e menu personalizzati.

Santoli   🚄 🕭 ⅃⅄ ⑁ 🛗 🏃 ⅍ 🎸 🕭 🛆 🄿 🚗 *VISA* ⑩ 🄰🄴 🄳 🄳
via Roma 3 – ✆ 053 42 32 06 – www.hotelsantoli.com – info@hotelsantoli.com – Fax 053 42 27 44 – chiuso Natale e Pasqua
48 cam – ♦55/85 € ♦♦80/120 €, ⚏ 10 € – ½ P 60/70 €
Rist *Il Bassotto* – Carta 25/33 €
♦ Complesso adiacente alle terme, in grado di rispondere alle esigenze di una clientela di lavoro o turistica; pulizia, serietà e ampi spazi con alcuni dipinti di fantasia. Ristorante capiente, ornato da decorazioni stagionali tematiche, cucina tradizionale.

PORTALBERA – Pavia (PV) – 561G9 – 1 410 ab. – alt. 64 m – ✉ 27040   16 **B3**
> ▶ Roma 540 – Piacenza 42 – Alessandria 68 – Genova 120

✗ **Osteria dei Pescatori**   🔃 🄿 *VISA* ⑩ 🄰🄴 🄳 🄳
🕭 *località San Pietro 13 – ✆ 03 85 26 60 85 – osteriadeipescatori@alice.it – Fax 03 85 26 60 85 – chiuso dal 1° al 10 gennaio, dal 10 luglio al 1° agosto e mercoledì*
Rist – Carta 20/33 €
♦ Una classica e piacevole trattoria di paese, con marito in cucina e moglie in sala, in questa piccola frazione del Pavese; piatti del territorio dal gusto deciso.

PORTESE – Brescia – Vedere San Felice del Benaco

PORTICO DI ROMAGNA – Forlì-Cesena (FO) – 562J17 – alt. 301 m   9 **C2**
– ✉ 47010
> ▶ Roma 320 – Firenze 75 – Forlì 34 – Ravenna 61

🏠 **Al Vecchio Convento**   ⅍ rist, *VISA* ⑩ 🄰🄴 🄳
via Roma 7 – ✆ 05 43 96 70 14 – www.vecchioconvento.it – info@vecchioconvento.it – Fax 05 43 96 71 57 – chiuso dal 12 gennaio al 12 febbraio
15 cam ⚏ – ♦60 € ♦♦93 € – ½ P 77 €
Rist – *(chiuso mercoledì)* Carta 29/45 €
♦ Palazzotto ottocentesco in centro paese: consente ancora di respirare un'atmosfera piacevolmente retrò, del buon tempo antico che rivive anche nei mobili. Tre salette ristorante rustiche, con camini, cotto a terra e soffitto a travi.

PORTO AZZURRO – Livorno – 563N13 – Vedere Elba (Isola d')

PORTOBUFFOLÈ – Treviso (TV) – 562E19 – 780 ab. – alt. 11 m   36 **C2**
– ✉ 31040
> ▶ Roma 567 – Belluno 58 – Pordenone 15 – Treviso 37

Villa Giustinian 🕭   🕭 🍴 ⅃ ♿ rist, 🏃 🅰🅲 ⅍ rist, 📞 🛆 🄿
via Giustiniani 11 – ✆ 04 22 85 02 44   *VISA* ⑩ 🄰🄴 🄳 🄳
– www.villagiustinian.it – info@villagiustinian.it – Fax 04 22 85 02 60 – chiuso dal 3 al 21 gennaio
35 cam ⚏ – ♦100/130 € ♦♦160/180 € – 8 suites – ½ P 120/125 €
Rist *Ai Campanili* – *(chiuso domenica, lunedì, aperto lunedì sera da maggio al 15 ottobre)* Carta 36/62 €
♦ Nella Marca Trevigiana, prestigiosa villa veneta del XVII secolo, sita in un parco; offre suite ampie e di rara suggestione, decorate da fastosi stucchi e affreschi. Ristorante con cucina di mare nella barchessa.

PORTO CERESIO – Varese (VA) – 561 E8 – 3 045 ab. – alt. 280 m   16 **A2**
– ⊠ 21050

> ▶ Roma 639 – Como 39 – Bergamo 107 – Milano 67

X   **Trattoria del Tempo Perso**   ⌂ _VISA_ ⚫ AE ① ⟊
⊜   _piazza Bossi 17 – ℰ 03 32 91 71 36 – www.latrattoriadeltempoperso.com – info@_
latrattoriadeltempoperso.com – Fax 03 32 91 71 36 – chiuso mercoledì
Rist – Carta 20/31 €
♦ Trattoria dall'ambiente raccolto e familiare. Cucina tradizionale in versione casereccia,
pasta e dolci sono fatti a mano. Una piccola perla, per una sosta sul lungolago.

PORTO CESAREO – Lecce (LE) – 564 G35 – 4 823 ab. – ⊠ 73010   27 **D3**

> ▶ Roma 600 – Brindisi 55 – Gallipoli 30 – Lecce 27

🏠   **Lo Scoglio** ⟑   ⟨ 🚗 ⌂ 🕭 AC ⟑ cam, P _VISA_ ⚫ AE ① ⟊
isola Lo Scoglio, raggiungibile in auto – ℰ 08 33 56 90 79 – www.isolaloscoglio.it
– info@isolaloscoglio.it – Fax 08 33 56 90 78
47 cam – ♦48/78 € ♦♦80/150 €, ⊆ 8 € – ½ P 64/99 €
Rist – _(chiuso novembre e martedì escluso da giugno a settembre)_ Carta 24/36 €
♦ Sito su un isolotto collegato alla terraferma da un ponticello, l'hotel è circondato da
un giardino, vanta ambienti di arredo classico ed è ideale per una vacanza culturale. In
cucina, i sapori della tradizione italiana.

PORTO ERCOLE – Grosseto (GR) – 563 O15 – ⊠ 58018 ▌ Toscana   29 **C3**

> ▶ Roma 159 – Grosseto 50 – Civitavecchia 83 – Firenze 190

🏠   **Don Pedro**   ⟨ ⌂ 🖃 AC cam, ⟑ ⟝ 🛁 P 🚗 _VISA_ ⚫ AE ⟊
via Panoramica 7 – ℰ 05 64 83 39 14 – www.hoteldonpedro.it – hoteldonpedro@
tin.it – Fax 05 64 83 31 29 – Pasqua-ottobre
58 cam ⊆ – ♦80/125 € ♦♦110/160 € – ½ P 105 €
Rist – _(Pasqua-settembre)_ Carta 28/50 €
♦ In posizione dominante il porto, con una bella visuale dell'intera insenatura, vi
godrete ampi spazi comuni e stanze con arredi in uno stile "moresco", tipico negli anni
'70. Piatti toscani e pesce, anche stando accomodati nella grande veranda esterna.

XX   **Osteria dei Nobili Santi**   AC _VISA_ ⚫ AE ① ⟊
via dell'Ospizio 8/10 – ℰ 05 64 83 30 15 – Fax 05 64 83 30 15 – chiuso lunedì
Rist – _(chiuso a mezzogiorno escluso i giorni festivi)_ (consigliata la prenotazione) Menu 38 € – Carta 35/55 €
♦ Un ristorante che ormai si è ricavato un proprio spazio nel panorama gastronomico
cittadino, grazie alla fragranza della sua cucina e alla dedizione del suo titolare.

XX   **Il Gambero Rosso**   ⟨ ⌂ _VISA_ ⚫ AE ① ⟊
_lungomare Andrea Doria 62 – ℰ 05 64 83 26 50 – s_leibacher@yahoo.it_
– Fax 05 64 83 70 49 – chiuso dal 15 novembre al 15 febbraio e mercoledì
Rist – Carta 37/52 €
♦ Un punto di riferimento per il pesce, a Porto Ercole, preso d'assalto nei fine settimana;
un classico locale sulla passeggiata, con servizio estivo in terrazza sul porto.

sulla strada Panoramica Sud-Ovest : 4,5 km :

🏚🏚   **Il Pellicano** ⟑   ⟨ 🚗 ⌂ ⟐ 🕭 ℔ ⟨ AC ⟑ ⟝ 🛁 🚗
⟗   _località Lo Sbarcatello ⊠ 58018 – ℰ 05 64 85 81 11_   _VISA_ ⚫ AE ① ⟊
– www.pellicanohotel.com – info@pellicanohotel.com – Fax 05 64 83 34 18
– 9 aprile-25 ottobre
50 cam ⊆ – ♦405/815 € ♦♦440/850 € – 11 suites – ½ P 308/513 €
Rist – _(chiuso a mezzogiorno escluso aprile ed ottobre)_ Carta 92/129 € ⊗
Spec. Asparago fondente e brasato con lumache e tartufo. Ravioli farciti di
robiola e ricotta di pecora con crema di bieta selvatica e sassifraga. Parfait
alla liquirizia con cristalli di foglie di tabacco, pera alle spezie e crema al caffè.
♦ Nato come un inno all'amore di una coppia anglo-americana che qui volle creare un
nido, uno dei punti più esclusivi della Penisola; villini indipendenti, tra verde e ulivi.
Cucina di grandi virtuosismi che moltiplica le combinazioni inedite e le cotture ricercate.

PORTOFERRAIO – Livorno – 563 N12 – Vedere Elba (Isola d')

PORTOFINO – Genova (GE) – 561J9 – **533 ab.** – ⊠ 16034 Italia 15 C2

▶ Roma 485 – Genova 38 – Milano 171 – Rapallo 8

🗓 via Roma 35 ✆ 0185 269024, iatportofino@apttigullio.liguria.it, Fax0185 269024

◉ Località e posizione pittoresca★★★ ≼★★★ dal Castello

🗓 Passeggiata al faro★★★ Est : 1 h a piedi AR – Strada panoramica★★★ per Santa Margherita Ligure Nord – Portofino Vetta★★ Nord-Ovest : 14 km (strada a pedaggio) – San Fruttuoso★★ Ovest : 20 mn di motobarca

Splendido – (dipendenza: Splendido Mare) ⤳ ≼ ♨ 🕱 ⌬ ⚒ ℔ ※ *salita Baratta 16* 📶 🔃 ☆ rist, ♉ ☆ 🅿 🚐 VISA ⚏ AE ① ⑤ – ✆ 01 85 26 78 01 – www.hotelsplendido.com – info@splendido.net – Fax 01 85 26 78 06 – 3 aprile-ottobre
56 cam ⊆ – �;517/616 € �;�;880/2255 € – 8 suites – ½ P 531/1219 €
Rist – Carta 71/134 € 🎋
♦ In origine villa nobiliare, un hotel esclusivo, di prestigio internazionale, cinto da un rigoglioso parco mediterraneo ombreggiato e affacciato sul promontorio di Portofino. Al ristorante, elitario rifugio di classe, piatti di ligure memoria.

Splendido Mare 🕱 📶 🔃 ☆ rist, ♉ VISA ⚏ AE ① ⑤ *via Roma 2* – ✆ 01 85 26 78 02 – www.hotelsplendido.com – info@splendido.net – Fax 01 85 26 78 07 – 10 aprile-25 ottobre
14 cam ⊆ – �;517/649 € �;�;649/990 € – 2 suites – ½ P 410/580 €
Rist – Carta 61/107 € 🎋
♦ Posizionato proprio sulla nota piazzetta di questa capitale della mondanità, un gioiellino dalla hôtellerie locale: per soggiornare nel pieno confort e nella comoda eleganza. Gustosa cucina mediterranea al ristorante, in un contesto di tono e solo per pochi.

San Giorgio senza rist ⤳ 🕱 📶 🔃 ♉ 🅿 VISA ⚏ AE ① ⑤ *via del Fondaco 11* – ✆ 018 52 69 91 – www.portofinohsg.it – info@ portofinohsg.it – Fax 01 85 26 71 39 – 10 marzo-5 novembre
18 cam ⊆ – �;250/310 € �;�;300/410 €
♦ A monte del centro storico, piccolo hotel rinnovato con buon gusto e soluzioni tecnologiche all'avanguardia. Mobilio in tinta chiara e pareti color pastello.

Piccolo Hotel ≼ 🚐 📶 🔃 ☆ rist, ♉ 🅿 🚐 VISA ⚏ AE ① ⑤ *via Duca degli Abruzzi 31* – ✆ 01 85 26 90 15 – www.dominavacanze.it – piccolo@domina.it – Fax 01 85 26 96 21 – marzo-4 novembre
22 cam ⊆ – �;�;200/500 € – ½ P 200/300 €
Rist – (solo per alloggiati) Carta 40/80 €
♦ Deliziose terrazze-giardino sulla scogliera, con discesa a mare, camere spaziose, quasi tutte con angolo salotto: in un edificio dei primi del '900, oggi hotel di charme.

PORTOFINO (Promontorio di) – Genova Italia

PORTO GARIBALDI – Ferrara – 563H18 – **Vedere Comacchio**

PORTOGRUARO – Venezia (VE) – 562E20 – **24 902 ab.** – ⊠ 30026 36 D2
Italia

▶ Roma 584 – Udine 50 – Belluno 95 – Milano 323

🗓 corso Martiri della Libertà 19-21 ✆ 0421 73558, info@portogruaroturismo.it , Fax 0421 72235

◉ corso Martiri della Libertà★★ – Municipio★

La Meridiana senza rist 📶 🔃 ☆ 🅿 VISA ⚏ AE ① ⑤ *via Diaz 5* – ✆ 04 21 76 02 50 – albergolameridiana@libero.it – Fax 04 21 76 02 59 – chiuso dal 22 al 30 dicembre
13 cam ⊆ – �;65 € �;�;88 €
♦ Villino di fine '800 che sorge proprio di fronte alla stazione; una comoda risorsa, con poche camere, accoglienti e personalizzate. Familiare, piccolo e curato.

PORTOMAGGIORE – Ferrara (FE) – 562H17 – **12 058 ab.** – alt. 3 m 9 C2
– ⊠ 44015

▶ Roma 398 – Bologna 67 – Ferrara 25 – Ravenna 54

a Quartière Nord-Ovest : 4,5 km – ⊠ **44019**

✗✗   **La Chiocciola** con cam ⍟   ⍾ ⅄ rist, ᴀᴄ ⅏ **P** ⍵⍵ ⍵⍵ ᴀᴇ ⍵ ⍄
via Runco 94/F – ℰ *05 32 32 91 51* – *www.locandalachiocciola.it* – *info@*
locandalachiocciola.it – *Fax 05 32 32 91 51* – *chiuso dal 7 al 21 gennaio, dal 2 al*
16 giugno e dal 1° al 15 settembre
6 cam ⌂ – †60 € ††75 €
Rist – *(chiuso domenica sera e lunedì, in luglio-agosto anche domenica a mez-*
zogiorno) Carta 27/50 € ⍟
♦ Ricavato con originalità da un vecchio magazzino di deposito del grano, il locale è
curato sin nei dettagli e propone specialità locali dall'oca, alle rane e alle lumache.
Sobrie e funzionali le camere.

a Runco Nord-Ovest: 6,5 km – ⊠ **44015**

⍐   **Le Occare** ⍟   ⍰ ⅄ ᴀᴄ **P** ⍵⍵ ⍵⍵ ᴀᴇ ⍵ ⍄
via Quartiere 156 – ℰ *05 32 32 91 00* – *www.leoccare.com* – *cris@leoccare.com*
– *Fax 05 32 32 91 00* – *chiuso dal 3 al 10 gennaio, dal 21 febbraio al 7 marzo,*
dal 3 al 16 maggio e dal 3 al 18 ottobre
3 cam – †80/90 € ††110/120 € – ½ P 95 €
Rist – *(chiuso a mezzogiorno)* Carta 40/50 €
♦ Immerso nel verde e nella tranquillità in cui si trovano campi coltivati, la centenaria
fattoria ospita oggi eleganti ambienti nei quali regna una calda atmosfera familiare.
Riscaldato dal grande camino, il ristorante è pensato per gli amanti della cucina ferrarese ed utilizza i prodotti dell'azienda stessa.

PORTO MANTOVANO – Mantova – Vedere Mantova

PORTO MAURIZIO – Imperia – 561K6 – Vedere Imperia

PORTONOVO – Ancona – 563L22 – Vedere Ancona

PORTOPALO DI CAPO PASSERO – Siracusa – 565Q27 – Vedere Sicilia alla
fine dell'elenco alfabetico

PORTO POTENZA PICENA – Macerata (MC) – 563L22 – ⊠ 62018   21 D2
▶ Roma 276 – Ancona 36 – Ascoli Piceno 88 – Macerata 32
🛈 via Ettore Bocci 4 ℰ 0733 687927, iat.portopotenza@libero.it, Fax 0733
687927

⍐   **La Terrazza**   ⍰ ⅄ cam, ᴀᴄ ⍵⍵ **P** ⍵⍵ ⍵⍵ ᴀᴇ ⍵ ⍄
via Rossini 86 – ℰ *07 33 68 82 08* – *www.hotellaterrazza.com* – *info@*
hotellaterrazza.com – *Fax 07 33 68 83 64*
21 cam ⌂ – †50/56 € ††70/78 € – ½ P 66/72 €
Rist – *(chiuso mercoledì)* Carta 26/40 €
♦ Entro un piacevole edificio liberty-moderno, una piccola risorsa, da poco rinnovata e a
gestione familiare, in una tranquilla via interna, comunque non distante dal mare. In una
bella sala dai toni eleganti proverete una rinomata cucina di pescato.

PORTO RECANATI – Macerata (MC) – 563L22 – 10 966 ab.   21 D2
– ⊠ 62017
▶ Roma 292 – Ancona 29 – Ascoli Piceno 96 – Macerata 32
🛈 corso Matteotti 111 ℰ 071 9799084, iat.portorecanati@regione.marche.it,
Fax 071 7597413

⍐   **Mondial**   ⍰ ᴀᴄ ⅏ ⍵⍵ ⍙ **P** ⍐ ⍵⍵ ⍵⍵ ᴀᴇ ⍵ ⍄
⍟   *viale Europa 2* – ℰ *07 19 79 91 69* – *www.mondialhotel.com* – *mondial@*
mondialhotel.com – *Fax 07 17 59 00 95* – *chiuso Natale*
42 cam ⌂ – †55/90 € ††75/120 € – ½ P 51/76 €
Rist – *(chiuso dal 20 dicembre al 10 gennaio)* Carta 21/28 € (+10 %)
♦ Alle porte della località, arrivando da sud, una risorsa di recente rinnovata, con
camere spaziose, lineari ed essenziali. Pratica per il turista e il cliente di lavoro. Luminosa
sala con vivaci pareti gialle e vetrinette d'esposizione per l'oggettistica.

sulla strada per Numana Nord : 4 km :

Il Brigantino ⫷ ⏛ ⏚ 🖳 ⤫ rist, 🛉 ⏛ 🅿 *VISA* 🐵 🆎 🆔 ⚹

*viale Ludovico Scarfiotti 10/12 – ℰ 071 97 66 84 – www.brigantinohotel.it
– info@brigantinohotel.it – Fax 071 97 66 84*
44 cam ⌂ – ☗67/88 € ☗☗87/118 € – ½ P 77 €   **Rist** – Carta 22/36 €
♦ Direttamente sul mare, nella cornice dei monti del Conero che si alzano sullo sfondo, piacevole albergo con scenografica terrazza sul blu. Optate per le camere vista mare. Gradevole ristorante panoramico.

XX Dario ⤫ ⏛ 🅿 *VISA* 🐵 🆔 ⚹

*via Scossicci 9 ✉ 62017 – ℰ 071 97 66 75 – www.ristorantedario.com
– ristorantedario@libero.it – Fax 071 97 66 75 – chiuso dal 23 dicembre
al 26 gennaio, domenica sera (escluso luglio-agosto) e lunedì*
Rist – Carta 43/63 €
♦ Sulla spiaggia, a poche centinaia di metri dai monti del Conero, una graziosa casetta con persiane rosse: il pesce dell'Adriatico e una trentennale gestione.

PORTO SAN GIORGIO – Ascoli Piceno (AP) – 563 M23 – **16 174 ab.** 21 **D2**
– ✉ **63017**

▶ Roma 258 – Ancona 64 – Ascoli Piceno 61 – Macerata 42
▮ via Oberdan 6 ℰ 0734 678461, iat.portosangiorgio@regione.marche.it,Fax
0734 678461

David Palace ⫷ ⏛ ⏛ ⏛ ⏚ 🖳 ⤫ 🛉 🛐 *VISA* 🐵 🆎 🆔 ⚹

*lungomare Gramsci sud 503 – ℰ 07 34 67 68 48 – www.hoteldavidpalace.it
– info@hoteldavidpalace.it – Fax 07 34 67 64 68*
50 cam ⌂ – ☗70/108 € ☗☗110/162 € – ½ P 86/101 €
Rist – *(chiuso una settimana in gennaio e domenica sera escluso
dal 29 novembre al 29 dicembre e a da aprile a settembre)* Carta 27/35 €
♦ Di fronte al porto turistico, la risorsa annovera una hall con disponibilità di quotidiani, confortevoli camere arredate con gusto moderno e vista mare ed una nuova palestra. Specialità marinare e marchigiane presso l'elegante ristorante.

Il Timone ⏛ 🕈 🖳 ⤫ rist, 🛐 🅿 *VISA* 🐵 🆎 🆔 ⚹

*via Kennedy 85 – ℰ 07 34 67 95 05 – www.hoteltimone.com – info@
hoteltimone.com – Fax 07 34 67 95 56*
75 cam ⌂ – ☗85/130 € ☗☗115/130 € – ½ P 85/115 €   **Rist** – Carta 41/63 €
♦ Una risorsa a spiccata vocazione commerciale articolata su due corpi separati, dispone di spaziose e confortevoli camere dagli arredi tipici degli anni Settanta. Spaziose sale da pranzo, con proposte gastronomiche legate alla tradizione italiana.

Il Caminetto ⫷ ⏛ ⏚ rist, 🖳 ⤫ cam, 🛉 🛐 🅿 🚗 *VISA* 🐵 🆎 🆔 ⚹

*lungomare Gramsci 365 – ℰ 07 34 67 55 58 – www.hotelcaminetto.it
– hotel.ilcaminetto@libero.it – Fax 07 34 67 34 77*
34 cam – ☗75/100 € ☗☗120/160 €, ⌂ 8 € – ½ P 80/105 €
Rist – *(chiuso lunedì)* Carta 30/55 €
♦ Frontemare, l'esercizio è adatto per un soggiorno balneare ma anche per una clientela commercilale ed è dotata di un ascensore panoramico in vetro che conduce alla camere. Presso la capiente sala da pranzo arredata nelle calde tinte del rosa e dell'arancione, proposte di stampo nazionali e di pesce.

Tritone ⫷ 🚗 ⏛ ⏛ 🖳 ⤫ 🅿 *VISA* 🐵 🆎 ⚹

*via San Martino 36 – ℰ 07 34 67 71 04 – www.hotel-tritone.it – info@
hotel-tritone.it – Fax 07 34 67 79 62 – chiuso dal 22 dicembre al 10 gennaio*
36 cam – ☗40/45 € ☗☗65/70 €, ⌂ 7 € – ½ P 50/62 €
Rist – *(chiuso dal 7 al 31 gennaio e lunedì)* Carta 25/52 €
♦ Al limitare della località, una risorsa a conduzione familiare che dispone di camere dagli arredi semplici e di un piccolo giardino con piscina sul retro. Presso la sala da pranzo con vista sul verde, i piatti della gastronomia nazionale.

XX Damiani e Rossi 🍴 🅿

*via della Misericordia 7, Ovest : 2 km – ℰ 07 34 67 44 01
– www.trattoriadamianierossi.com – trattoriadamianierossi@libero.it – ottobre-
aprile; chiuso lunedì e martedì*
Rist – *(chiuso a mezzogiorno escluso domenica)* Menu 50 € ⴾ
♦ In posizione elevata dominante sul paese, una casa semplice ed isolata dagli spazi raffinati dove assaporare piatti tipici realizzati con vena creativa.

X **Damiani e Rossi la Pinetina** 🛱 VISA ⓪ ⚡
concessione 29 lungomare Gramsci – ☏ 07 34 67 44 01 – giugno-settembre
Rist – Menu 65 € (solo la sera) – Carta 29/36 €
♦ Ristorante estivo del *Damiani e Rossi*, anche in questa sede la cucina propone gustosi piatti regionali elaborati con estro e fantasia.

PORTO SANTA MARGHERITA – Venezia – Vedere Caorle

PORTO SANT'ELPIDIO – Ascoli Piceno (AP) – 563M23 – 23 598 ab.   21 D2
– ✉ 63018

▶ Roma 265 – Ancona 53 – Ascoli Piceno 70 – Pescara 103

XX **Il Baccaro** 🛱 VISA ⓪ AE ① ⚡
via San Francesco d'Assisi 41 – ☏ 07 34 90 34 36 – www.ilsibillino.it – info@ilsibillino.it – Fax 07 34 90 34 36 – chiuso mercoledì
Rist – *(chiuso a mezzogiorno escluso da settembre a maggio)* Menu 24/38 €
– Carta 30/42 €
♦ Un salotto-enoteca all'ingresso allestito con formaggi salumi e bottiglie di vino; al piano superiore due eleganti salette nelle quali saggiare la creatività di due giovani chef, abili nel ricomporre ricette ormai note.

XX **Il Gambero** con cam 🛱 ⚡ AC 🕙 P VISA ⓪ AE ① ⚡
via Mazzini 1 – ☏ 07 34 90 02 38 – www.ristoranteilgambero.net
– info@ristoranteilgambero.net – Fax 07 34 90 52 80
– chiuso novembre, domenica sera e lunedì
8 cam ☲ – †80 € ††120 € – ½ P 95 €   **Rist** – Carta 37/60 €
♦ Sulla tavola di questo ristorante, sito in un rustico marchigiano, arrivano solo semplici proposte di pesce realizzate con prodotti di qualità.

XX **La Lampara** 🛱 AC 🕙 VISA ⓪ AE ① ⚡
via Potenza 22 – ☏ 07 34 90 02 41 – Fax 07 34 99 38 20
– chiuso dal 1° al 15 settembre, dal 23 al 29 dicembre e lunedì
Rist – Carta 38/53 €
♦ A pochi passi dal mare, il ristorante consta di due salette luminose arricchite da decorazioni murali, dove scegliere tra i molti piatti, esclusivamente a base di pesce.

PORTO SANTO STEFANO – Grosseto (GR) – 563O15 – ✉ 58019   29 C3
▌ Toscana

▶ Roma 162 – Grosseto 41 – Civitavecchia 86 – Firenze 193
🚢 per l'Isola del Giglio – Toremar, call center 892 123 - Maregiglio ☏0564 812920
🎫 piazzale Sant'Andrea s.n.☏ 0564 814208, infoargentario@lamaremma.info, Fax0564 814052
◉ ≤★ dal forte aragonese

🏠 **Baia d'Argento** ≤ 🛱 AC 🕙 rist, 🛁 P VISA ⓪ AE ① ⚡
località Pozzarello 27, Est : 2 km – ☏ 05 64 81 26 43 – www.baiadargento.com
– baiadargento@baiadargento.com – Fax 05 64 81 09 26 – aprile-ottobre
36 cam ☲ – †150/160 € ††185/200 € – 3 suites – ½ P 121/128 €
Rist – *(chiuso a mezzogiorno escluso luglio-agosto)* Carta 44/60 €
♦ All'ingresso della località, fronte mare, e sito in una deliziosa baietta del comprensorio dell'Argentario, un bianco albergo che è stato rinnovato di recente. Sala ristorante ampia e luminosa, con arredi e tendaggi dalle tonalità chiare.

X **La Fontanina** ≤ 🛱 P VISA ⓪ AE ① ⚡
località San Pietro, Sud : 3 km – ☏ 05 64 82 52 61 – www.lafontanina.com
– info@lafontanina.com – Fax 05 64 81 76 20 – chiuso dal 7 gennaio al 14 febbraio, dal 5 al 30 novembre e mercoledì
Rist – Menu 26/60 € – Carta 33/64 € (+12 %)
♦ Servizio estivo sotto un pergolato: siamo in aperta campagna, attorniati da vigneti e frutteti. Solo la musica di cicale e grilli accompagna leccornie di pesce e buoni vini.

a Santa Liberata Est : 4 km – ⊠ **58010**

🏨 **Villa Domizia** ≼ 🚗 ♿ 🄰🄺 🕉 rist. ☎ 🕹 **P** 🌇🌇 ⚏ 🄰🄴 ⓘ ♿
strada provinciale 161, 40 – ℰ *05 64 81 27 35 – www.villadomizia.it – info@
villadomizia.it – Fax 05 64 81 11 19 – chiuso gennaio e febbraio*
39 cam ⌷ – †85/125 € ††108/220 € – ½ P 116/135 €
Rist – Carta 28/51 €
♦ Pochi km separano la località da Orbetello e Porto Santo Stefano. Qui, una villetta proprio sul mare e una caletta privata: lasciatevi incantare dall'amenità del posto. Accattivante ubicazione della sala da pranzo: sarà come mangiare sospesi nell'azzurro.

a Cala Piccola Sud-Ovest : 10 km – ⊠ **58019 – Porto Santo Stefano**

🏨 **Torre di Cala Piccola** ≽ ≼ 🚗 🞄 🄰🄺 🕉 rist. ☎ 🕹 **P**
– ℰ *05 64 82 51 11 – www.torredicalapiccola.com* 🌇🌇 ⚏ 🄰🄴 ⓘ ♿
– info@torredicalapiccola.com – Fax 05 64 82 52 35 – marzo-ottobre
51 cam ⌷ – ††190/370 € – ½ P 140/230 €
Rist – (prenotazione obbligatoria) Carta 45/61 €
♦ Attorno ad una torre saracena, nucleo di rustici villini nel verde di un promontorio panoramico: mare, scogliera, Giglio e Giannutri davanti a voi. Un angolo incantato. Veranda ristorante in stile rustico, sala con travi a vista e pareti in pietra.

PORTOSCUSO – Carbonia-Iglesias (107) – 566J7 – **Vedere Sardegna alla fine dell'elenco alfabetico**

PORTO TORRES – Sassari – 566E7 – **Vedere Sardegna alla fine dell'elenco alfabetico**

PORTOVENERE – La Spezia (SP) – 561J11 – **4 066 ab.** – ⊠ **19025**   15 **D2**
▌ Italia

🄳 Roma 430 – La Spezia 15 – Genova 114 – Massa 47
🄸 piazza Bastreri 7 ℰ 0187 790691, box@portovenere.it, Fax 0187 790215
◎ Località ★★

🏨 **Royal Sporting** ≼ 🚗 🏫 🞄 🏋 ✗ 🗑 🄰🄺 🕹 ⌂ 🌇🌇 ⚏ 🄰🄴 ⓘ ♿
via dell'Olivo 345 – ℰ *01 87 79 03 26 – www.royalsporting.com – royal@
royalsporting.com – Fax 01 87 77 77 07 – 18 marzo-ottobre*
51 cam ⌷ – †90/150 € ††150/240 € – 5 suites – ½ P 110/162 €
Rist *Dei Poeti* – Carta 35/52 €
♦ Un po' defilato rispetto al minuto e pittoresco borgo, ma sul lungomare e dotato di una magica piscina su terrazza panoramica, un albergo direttamente affacciato sul blu. Servizio pranzo, oltre alla colazione, ai bordi della piscina con acqua di mare.

🏨 **Grand Hotel Portovenere** ≼ 🏫 🕉 🗑 🄰🄺 🕉 ☎ 🕹 ⌂
via Garibaldi 5 – ℰ *01 87 79 26 10* 🌇🌇 ⚏ 🄰🄴 ⓘ ♿
– www.portovenerehotel.it – ghp@village.it – Fax 01 87 79 06 61
54 cam ⌷ – †90/157 € ††135/217 € – 2 suites – ½ P 94/146 €
Rist *Al Convento* – (chiuso da novembre a febbraio escluso sabato-domenica e i giorni festivi) Carta 35/63 €
♦ Ricavata all'interno di un monastero del 1300, una seducente finestra sul variopinto porticciolo di Portovenere: un ambiente signorile, con interni moderni. Per sognare. Ristorante nel refettorio dell'antico convento; servizio estivo in terrazza panoramica.

🍴 **Locanda Lorena** con cam ≽ ≼ 🏫 🄰🄺 cam, 🌇🌇 ⚏ 🄰🄴 ♿
via Cavour 4, (sull'isola Palmaria) – ℰ *01 87 79 23 70 – www.locandalorena.it
– locanda_lorena@virgilio.it – Fax 01 87 76 60 77 – febbraio-novembre; chiuso
mercoledì escluso da giugno ad agosto*
7 cam ⌷ – ††130/150 €   **Rist** – Carta 39/57 €
♦ Il servizio barca privato vi condurrà sull'isola Palmaria dove potrete apprezzare piatti di pesce freschissimi e soggiornare immersi nella quiete della natura.

a Le Grazie Nord : 3 km – ⊠ 19025 – Le Grazie Varignano

🏨 **Della Baia** ← 🍴 ⌂ 🕽 & cam, 🛗 🕽 ᴢᴬ 🚾 🚻 ᴬᴱ ① 💰
*via lungomare Est 111 – 𝒞 01 87 79 07 97 – www.baiahotel.com – hbaia@
baiahotel.com – Fax 01 87 79 00 34*
34 cam ⌂ – 🛏100 € 🛏🛏175 € **Rist** – *(chiuso gennaio)* Carta 38/50 €
♦ In quel gioiellino che è il porticciolo delle Grazie, con la sua tranquilla caletta e l'antico
borgo, un hotel da poco rinnovato, con buoni confort e affaccio sul mare. La vecchia
osteria sulle cui ceneri è sorto l'albergo riecheggia nella zona ristorante.

POSITANO – Salerno (SA) – 564F25 – **3 914 ab.** – ⊠ 84017 ▮ Italia 6 **B2**
▶ Roma 266 – Napoli 57 – Amalfi 17 – Salerno 42
🇮 via del Saracino 4 𝒞 089 875067, positanoaast@posinet.it, Fax 089 875760
◎ Località★★
🇬 Vettica Maggiore : ← ★★ Sud-Est : 5 km

🏨 **San Pietro** ⌂ ← 🍴 🕽 ₵₰ 🕽 🛗 🛗 🛗 cam, 🕽 rist, 🕽 **P**
🌸 *via Laurito 2, Est: 2 km – 𝒞 089 87 54 55* ᴢᴬ 🚾 ᴬᴱ ① 💰
*– www.ilsanpietro.it – reservations@ilsanpietro.it – Fax 089 81 14 49
– aprile-3 novembre*
61 cam ⌂ – 🛏420/550 € 🛏🛏420/760 € – 7 suites
Rist – Carta 50/101 € (+15 %)
Spec. Insalata di patate novelle, astice e fagiolini. Tartara di ricciola con cous
cous e salsa all'arancia. Doppia lombata di vitello con caponata napoletana.
♦ E' stato definito uno degli alberghi più belli del mondo. Invisibile all'esterno, si snoda
in un promontorio affacciato su Positano con cui sembra rivaleggiare in bellezza. Una
delle cucine regionali più seducenti d'Italia viene proposta con tutta la forza dei suoi
colori e sapori.

🏨 **Le Sirenuse** ⌂ ← 🍴 🍴 🕽 🕽 ₵₰ 🛗 🛗 cam, 🕽 🕽 **P**
via Colombo 30 – 𝒞 089 87 50 66 – www.sirenuse.it ᴢᴬ 🚾 ᴬᴱ ①
– info@sirenuse.it – Fax 089 81 17 98 – marzo-novembre
63 cam ⌂ – 🛏506/1386 € 🛏🛏550/1386 € – 2 suites
Rist La Sponda – *(consigliata la prenotazione)* Carta 69/115 € 🕽
Rist Oyster e Champagne bar – *(giugno-settembre)* Carta 55/97 €
♦ Dimora patrizia trasformata in raffinato hotel negli anni '50, dove antico e moderno
convivono arminiosamente: i-Pod nelle camere e splendida beauty farm. Cena a lume
di candela e sapori mediterranei nell'affascinante La Sponda. Due terrazze estive per fin-
ger-food, sushi e tante bollicine all'Oyster e Champagne bar.

🏨 **Covo dei Saraceni** ← 🍴 🕽 🛗 🛗 🕽 rist, 🕽 ₵₰ ᴢᴬ 🚾 ᴬᴱ ① 💰
*via Regina Giovanna 5 – 𝒞 089 87 54 00 – www.covodeisaraceni.it – info@
covodeisaraceni.it – Fax 089 87 58 78 – 9 aprile-19 ottobre*
61 cam ⌂ – 🛏🛏264/296 € – ½ P 174/190 €
Rist – *(chiuso sabato a mezzogiorno e domenica)* (consigliata la prenotazione)
Carta 40/67 € (+15 %)
♦ Un'antica casa di pescatori, al limitar del mare, legata alla saga saracena: oggi, una terrazza solarium con piscina d'acqua di mare e signorili angoli, da sogno. Indimenticabili
pasti all'aperto avvolti dalla brezza marina sotto il pergolato.

🏨 **Le Agavi** ⌂ ← 🍴 🕽 🛗 🛗 🕽 ₵₰ **P** ᴢᴬ 🚾 ᴬᴱ ① 💰
*via Marconi 127, località Belvedere Fornillo – 𝒞 089 87 57 33 – www.agavi.it
– agavi@agavi.it – Fax 089 87 59 65 – 10 aprile-20 ottobre*
50 cam ⌂ – 🛏🛏290/550 € – 5 suites – ½ P 205/335 € **Rist** – Menu 60 €
♦ Poco fuori Positano, lungo la Costiera, una serie di terrazze digradanti sino al mare,
con una vista mozzafiato; una riuscita sintesi tra elegante confort e piena natura. Sala
da pranzo dalle tonalità mediterranee e ristorante estivo in spiaggia.

🏨 **Palazzo Murat** ⌂ ← 🍴 🛗 🕽 🕽 🕽 ᴢᴬ 🚾 ᴬᴱ ① 💰
*via dei Mulini 23 – 𝒞 089 87 51 77 – www.palazzomurat.it – info@
palazzomurat.it – Fax 089 81 14 19 – chiuso dal 5 gennaio al 9 aprile*
31 cam ⌂ – 🛏180/265 € 🛏🛏255/475 €
Rist Al Palazzo – vedere selezione ristoranti
♦ A Positano, Murat scelse qui la sua dimora, in questo palazzo in barocco napoletano,
nel cuore del borgo antico; una terrazza-giardino, tra lo charme e scorci incantevoli.

Villa Franca e Residence ⟨ 🛋 🍴 ⒋ ℔ 🛗 🅰🅲 🦺 VISA ⓪ 🅰🅴 ⓪ 🍴

viale Pasitea 318 – ℰ *089 87 56 55 – www.villafrancahotel.it – info@ villafrancahotel.it – Fax 089 87 57 35 – aprile-ottobre*

37 cam ⌧ – ✝160/360 € ✝✝180/410 € – ½ P 135/250 €   **Rist** – Carta 32/52 €

♦ Nella parte alta della località, tripudio di bianco, blu e giallo, di luce che penetra ovunque: un'ambientazione molto elegante ed una terrazza panoramica con piscina. Ottima carta al ristorante: sia che si scelga il pesce, sia che si opti per la carne, i sapori si ispirano sempre al Mediterraneo.

Poseidon ⟨ 🛋 🍴 🔷 ℔ 🛗 🅰🅲 🌐 🚗 VISA ⓪ 🅰🅴 ⓪ 🍴

via Pasitea 148 – ℰ *089 81 11 11 – www.hotelposeidonpositano.it – info@ hotelposeidonpositano.it – Fax 089 87 58 33 – 22 aprile-ottobre*

46 cam ⌧ – ✝270/300 € ✝✝280/310 € – 3 suites – ½ P 180/195 €

Rist – Menu 40 €

♦ Una casa anni Cinquanta, tipicamente mediterranea, sorta come abitazione e successivamente trasformata in hotel dispone di un'ampia e panoramica terrazza-giardino con piscina. Incantevole pergolato dai profumi del mediterraneo, per pasti memorabili.

Eden Roc ⟨ 🍴 ℔ 🔷 🛗 🅰🅲 🌐 🚗 VISA ⓪ 🅰🅴 ⓪ 🍴

via G. Marconi 110 – ℰ *089 87 58 44 – www.edenroc.it – info@edenroc.it – Fax 089 87 55 52 – marzo-novembre*

26 cam ⌧ – ✝100/180 € ✝✝225/330 € – 3 suites – ½ P 167/215 €

Rist – Carta 48/62 €

♦ Uno dei primi alberghi che si incontrano provenendo da Amalfi, presenta un contesto garbato e curato con servizio di buon livello e camere confortevoli ed eleganti. Pasti al ristorante o sulla terrazza con piscina e vista sulla costa.

Marincanto *senza rist* ⟨ 🚗 🔷 🛗 🅰🅲 🌐 🅿 VISA ⓪ 🅰🅴 ⓪ 🍴

via Colombo 50 – ℰ *089 87 51 30 – www.marincanto.it – info@marincanto.it – Fax 089 87 55 95 – aprile-3 novembre*

25 cam ⌧ – ✝140/190 € ✝✝170/210 € – 1 suite

♦ Completamente restaurato qualche anno fa, elegante hotel con bella terrazza-giardino; invitanti poltrone bianche nella hall, arredi stile mediterraneo, camere con vista mare.

Posa Posa ⟨ 🍴 🔷 ⛶ cam, 🚻 🅰🅲 🌐 rist, 🌐 🛁 VISA ⓪ 🅰🅴 ⓪ 🍴

viale Pasitea 165 – ℰ *08 98 12 23 77 – www.hotelposaposa.com – info@ hotelposaposa.com – Fax 08 98 12 20 89 – chiuso dal 4 gennaio al 27 febbraio*

24 cam ⌧ – ✝130/260 € ✝✝165/275 € – ½ P 108/178 €

Rist – *(aprile-ottobre) (chiuso a mezzogiorno) (solo per alloggiati)* Carta 32/44 € (+10 %)

♦ Delizioso edificio a terrazze nel tipico stile di Positano, con una splendida veduta del mare e della città; arredi in stile nelle camere, dotate di ogni confort.

Punta Regina *senza rist* ⟨ 🔷 🅰🅲 🦺 🌐 VISA ⓪ 🅰🅴 🍴

viale Pasitea 224 – ℰ *089 81 20 20 – www.puntaregina.com – info@ puntaregina.com – Fax 08 98 12 31 61 – aprile-novembre*

18 cam ⌧ – ✝150/270 € ✝✝175/315 €

♦ Piccolo hotel dallo *charme* mediterraneo con una terrazza panoramica sulla quale viene allestita la prima colazione. Camere graziose e spaziose, alcune con vasca idromassaggio all'esterno.

Buca di Bacco ⟨ 🍴 🔷 🅰🅲 cam, 🦺 VISA ⓪ 🅰🅴 ⓪ 🍴

via rampa Teglia 4 – ℰ *089 87 56 99 – www.bucadibacco.it – info@ bucadibacco.it – Fax 089 87 57 31 – aprile-ottobre*

47 cam ⌧ – ✝165/205 € ✝✝230/270 €   **Rist** *Buca di Bacco* – Carta 33/63 €

♦ Da un'originaria taverna, sorta ai primi del '900 come covo di artisti, hotel creato da tre corpi collegati, estesi dalla piazzetta alla spiaggia; dispone di stanze diverse. Una veranda, una terrazza protesa sul blu: a tavola, con un teatro naturale davanti.

Casa Albertina ⟨ 🍴 🔷 🅰🅲 🦺 rist, VISA ⓪ 🅰🅴 🍴

via della Tavolozza 3 – ℰ *089 87 51 43 – www.casalbertina.it – info@ casalbertina.it – Fax 089 81 15 40*

19 cam ⌧ – ✝105/210 € ✝✝125/240 € – ½ P 105/150 €   **Rist** – Carta 37/60 €

♦ Sul percorso della mitica Scalinatella, che da Punta Reginella conduce alla parte alta della località, una tipica dimora positanese: intima, quieta, di familiare eleganza. Al ristorante, una sobria atmosfera, un servizio attento e piatti, soprattutto, di pesce.

Miramare senza rist ⬦ ≤ AC P VISA ◯◯ AE ◯ ⬦
via Trara Genoino 27 – ℰ 089 87 50 02 – www.miramarepositano.it
– miramare@starnet.it – Fax 089 87 52 19 – 9 aprile-31 ottobre
16 cam ⬷ – †135/150 € ††185/330 €
◆ Totalmente rinnovato, un rifugio da cui godere della posizione tranquilla e della vista
sulla spiaggia, sul mare e sulla costa, persino da alcuni bagni con vetrate a 360°.

Savoia senza rist ≤ ⬦ AC ◯◯ AE ⬦
via Colombo 73 – ℰ 089 87 50 03 – www.savoiapositano.it – info@
savoiapositano.it – Fax 089 81 18 44 – chiuso dal 2 novembre al 29 dicembre
39 cam ⬷ – †95/130 € ††140/270 €
◆ Una tipica costruzione locale, con pavimenti in maiolica e soffittature costituite da
volte a cupola; una gestione piacevolmente familiare, per vivere il cuore di Positano.

Montemare ≤ 🍴 AC ⬥ P VISA ◯◯ ⬦
viale Pasitea 119 – ℰ 089 87 50 10 – www.hotelmontemare.it – info@
hotelmontemare.it – Fax 089 81 12 51
22 cam ⬷ – †100/130 € ††130/230 € – 3 suites
Rist *Il Capitano* – ℰ 089 87 13 51 (chiuso da novembre al 26 dicembre)
Carta 37/61 €
◆ La vista spazia sul mare e sulla costa in questa struttura familiare che dispone di
ambienti essenziali e funzionali. Rinnovo totale per il *Capitano*, cui rimane sempre uno
spazio in terrazza per il bellissimo dehors. Sull'altra terrazza, la pizzeria.

Royal Prisco senza rist AC 🍴 VISA ◯◯ AE ◯ ⬦
viale Pasitea 102 – ℰ 08 98 12 20 22 – www.royalprisco.com – info@
royalprisco.com – Fax 08 98 12 30 42 – 15 marzo-10 novembre
15 cam ⬷ – †80/160 € ††150/210 €
◆ Giovane gestione familiare in questa risorsa integralmente rinnovata; un importante
scalone conduce alle camere, nuove e spaziose, dove vi sarà anche servita la colazione.

Reginella senza rist ≤ AC ⬥ VISA ◯◯ AE ⬦
via Pasitea 154 – ℰ 089 87 53 24 – www.reginellahotel.it – info@reginellahotel.it
– Fax 089 87 53 24 – chiuso dal 7 gennaio al 15 marzo e dall'8 novembre
al 26 dicembre
10 cam ⬷ – ††100/180 €
◆ Bella vista di mare e costa da un hotel a gestione diretta, con camere semplici, ma
ampie, tutte rivolte verso il mare; un'offerta più che dignitosa a un prezzo interessante.

Villa Rosa senza rist ≤ AC ⬥ VISA ◯◯ AE ⬦
via Colombo 127 – ℰ 089 81 19 55 – www.villarosapositano.it – info@
villarosapositano.it – Fax 089 81 21 12 – aprile-ottobre
12 cam ⬷ – ††160/175 € – 1 suite
◆ Una bella villa a terrazze digradanti verso il mare, nel tipico stile di Positano, con vista
su un panorama da sogno; ampie camere luminose, con piacevoli arredi chiari.

Villa La Tartana senza rist ⬦ ≤ AC ⬥ VISA ◯◯ AE ◯ ⬦
vicolo Vito Savino 6/8 – ℰ 089 81 21 93 – www.villalatartana.it – info@
villalatartana.it – Fax 08 98 12 20 12 – aprile-ottobre
9 cam ⬷ – ††160/175 €
◆ A due passi dalla spiaggia e al tempo stesso nel centro della località, bianca struttura
dai "freschi" interni nei colori chiari e mediterranei; piacevoli e ariose le camere.

La Fenice senza rist ≤ 🚗 ⬥ ⬥ 🚘
via Marconi 8, Est : 1 km – ℰ 089 87 55 13 – fenicepositano@virgilio.it
– Fax 089 81 13 09
12 cam ⬷ – †90 € ††140 €
◆ Due ville distinte, una ottocentesca, l'altra d'inizio '900, impreziosite dalla flora mediterranea che fa del giardino un piccolo orto botanico; camere arredate semplicemente.

XXX **Al Palazzo** – Hotel Palazzo Murat 🚗 🍴 ⬥ VISA ◯◯ AE ◯ ⬦
via Dei Mulini 23/25 – ℰ 089 87 51 77 – www.palazzomurat.it – risto@
palazzomurat.it – Fax 089 81 14 19 – chiuso febbraio e marzo
Rist – (aprile-ottobre) (chiuso a mezzogiorno) Menu 55/75 € – Carta 49/79 € ⬥
◆ Prelibati piatti fantasiosi da assaporare all'aperto in un piccolo angolo di paradiso, un
incantevole giardino botanico; piccole eleganti salette per cene all'interno.

✗✗ **Le Terrazze** ← 🏠 AC 🍴 VISA ⦿ AE ① ♿
via Grotte dell'Incanto 51 – ✆ *089 87 58 74 – www.leterrazzerestaurant.it – info@leterrazzerestaurant.it – Fax 08 98 11 28 07*
Rist *– (chiuso a mezzogiorno)* Carta 59/73 €
♦ Ristorante in incantevole posizione sul mare; all'ingresso elegante wine bar, al primo piano due sale con vista su Praiano e Positano; suggestiva cantina scavata nella roccia.

✗ **Da Vincenzo** 🏠 AC VISA ⦿ ♿
viale Pasitea 172/178 – ✆ *089 87 51 28 – www.davincenzo.it – info@davincenzo.it – marzo-novembre*
Rist – Carta 40/55 €
♦ Nonno Vincenzo fondò il locale oltre 50 anni fa ed, oggi, l'omonimo nipote ne ha preso il timone. I piatti in menu, pur variando a seconda della disponibilità del mercato e del pescato, mantengono sempre quella inconfondibile impronta casareccia di un tempo.

✗ **La Cambusa** ← 🏠 AC VISA ⦿ AE ① ♿
piazza Vespucci 4 – ✆ *089 81 20 51 – www.lacambusapositano.com – info@lacambusapositano.com – Fax 089 87 54 32*
– chiuso dal 6 gennaio al 28 febbraio
Rist – Carta 38/68 €
♦ Nel cuore di Positano, nella piazzetta di fronte alla spiaggia, una specie di terrazza-veranda per gustare piatti legati al territorio. Pesce, *in primis.*

✗ **Chez Black** ← 🏠 🍴 VISA ⦿ AE ① ♿
via del Brigantino 19/21 – ✆ *089 87 50 36 – www.chezblack.it – info@chezblack.it – Fax 089 87 57 89 – chiuso dal 7 gennaio al 7 febbraio*
Rist – Carta 28/46 € ❀ (+12 %)
♦ Una sorta di veranda fissa, in uno dei posti più strategici di Positano, proprio di fronte alla spiaggia: ampia sala marinara e cucina classica italiana con qualche specialità regionale. Pizza cotta nel forno a legna.

POSTA FIBRENO – Frosinone (FR) – 563Q23 – **1 262 ab.** – **alt. 430 m**   13 **D2**
– ✉ 03030
🚗 Roma 121 – Frosinone 40 – Avezzano 51 – Latina 91

sulla strada statale 627 Ovest : 4 km :

✗✗✗ **Il Mantova del Lago** 🚗 AC 🅿 VISA ⦿ AE ① ♿
località La Pesca 9 ✉ 03030 – ✆ *07 76 88 73 44 – www.ilmantovadellago.it – info@ilmantovadellago.it – Fax 07 76 88 73 45 – chiuso dall'11 al 17 agosto, 3 settimane in novembre, domenica sera e lunedì*
Rist – Carta 40/66 €
♦ In riva al piccolo lago, all'interno di un edificio rustico ben restaurato e cinto da un parco, un'elegante oasi di pace: soffitti decorati, sapori di pesce e di carne.

POSTAL (BURGSTALL) – Bolzano (BZ) – 562C15 – **1 562 ab.**   30 **B2**
– **alt. 268 m** – ✉ 39014
🚗 Roma 658 – Bolzano 26 – Merano 11 – Milano 295
ℹ️ via Roma 48 ✆ 0473 291343, Fax 0473 292440

🏨 **Sporthotel Muchele** ← 🚗 🏠 ⛲ 🎿 Ⅰ♨ 🍴 🛎 ♿ cam, 🚻 AC
vicolo Maier 1 – ✆ *04 73 29 11 35* 🍴 rist, 🍷 🅿 🚗 VISA ⦿ AE ♿
– www.muchele.com – info@muchele.com – Fax 04 73 29 12 48
– chiuso dal 9 dicembre al 28 febbraio
26 cam � – ♦100/132 € ♦♦150/180 € – 7 suites – ½ P 72/99 €
Rist – Carta 26/55 €
♦ In questo ameno angolo di Sud Tirolo, immerso tra le montagne e circondato da un giardino fiorito con piscina riscaldata, un bel complesso con numerose offerte sportive. Possibilità di assaporare le delizie culinarie dell'Alto Adige.

✗✗ **Hidalgo** 🏠 🅿 VISA ⦿ AE ① ♿
via Roma 7, Nord : 1 km – ✆ *04 73 29 22 92 – www.restaurant-hidalgo.it – info@restaurant-hidalgo.it – Fax 04 73 29 04 10*
Rist – Carta 32/43 € ❀
♦ Bizzarro, trovare qui un locale che si proponga con una cucina in prevalenza orientata alla tradizione mediterranea; colore bianco e luce ovunque, notevole cantina.

POTENZA P (PZ) – 564F29 – **68 920 ab.** – **alt. 823 m** – ✉ **85100** Italia 3 **B2**

Roma 363 – Bari 151 – Foggia 109 – Napoli 157

via del Gallitello 89 ☎ 0971 507622, info@aptbasilicata.it, Fax 0971507601

Portale★ della chiesa di San Francesco Y

Grande Albergo

rist, VISA AE

corso 18 Agosto 46 – ☎ 09 71 41 02 20 – www.grandealbergopotenza.it – info@grandealbergopotenza.it – Fax 097 13 48 79 Y**a**

63 cam – †78/89 € ††105/120 € – ½ P 80/90 € **Rist** – Carta 27/36 €

◆ Nei pressi del centro storico, una struttura costituita da diversi piani e con vista sulle colline circostanti; ampie e funzionali le aree comuni, comode le stanze. Calde tonalità nella vasta ed elegante sala ristorante, con poltroncine blu.

Vittoria

rist, P VISA AE

via Pertini 1, per ③ – ☎ 097 15 66 32 – www.hotelvittoriapz.it – info@hotelvittoriapz.it – Fax 097 15 68 02

46 cam – †47/82 € ††62/90 € – 1 suite – ½ P 67/70 €

Rist – *(chiuso domenica) (chiuso a mezzogiorno)* Menu 22 €

◆ Quest'hotel, situato all'interno di un edificio basso e di costruzione piuttosto recente, vi accoglie non lontano dalla Basentana: confort sobrio e discreta quiete. Zona ristorante dall'ambiente moderno e luminoso.

Un buon ristorante a prezzo contenuto? Cercate i «Bib Gourmand» .

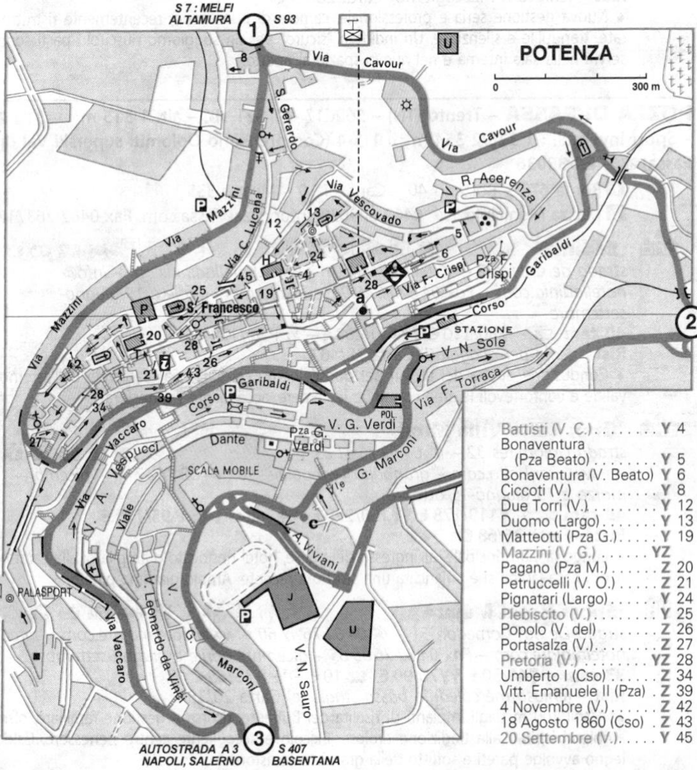

Battisti (V. C.)	**Y** 4
Bonaventura (Pza Beato)	**Y** 5
Bonaventura (V. Beato)	**Y** 6
Ciccotti (V.)	**Y** 8
Due Torri (V.)	**Y** 12
Duomo (Largo)	**Y** 13
Matteotti (Pza G.)	**Y** 19
Mazzini (V. G.)	**YZ**
Pagano (Pza M.)	**Z** 20
Petruccelli (V. O.)	**Z** 21
Pignatari (Largo)	**Y** 24
Plebiscito (V.)	**Y** 25
Popolo (V. del)	**Z** 26
Portasalza (V.)	**Z** 27
Pretoria (V.)	**YZ** 28
Umberto I (Cso)	**Z** 34
Vitt. Emanuele II (Pza)	**Z** 39
4 Novembre (V.)	**Z** 42
18 Agosto 1860 (Cso)	**Z** 43
20 Settembre (V.)	**Y** 45

XX **Antica Osteria Marconi**   舄 VISA ❶❷ AE ♪

viale Marconi 235 – ℰ 097 15 69 00 – info@vineriaonline.com – Fax 097 16 94 37
– chiuso dal 24 al 27 dicembre, dal 10 al 25 agosto, domenica sera e lunedì
Rist – Carta 31/41 €   Z**c**
• In un piccolo stabile, sulle ceneri di un precedente negozio, superato un disimpegno
si aprono due salette separate da un arco: piatti creativi, su basi locali, e pesce.

sulla strada statale 407 Est : 4 km :

🏠 **La Primula** ☜   舄 舄 ⌘ ▣ & cam, ⅗ ⅗ rist, ⅞ ⅃ ▣ ☜
loc. Bucalletto 61-62/a ✉ 85100 – ℰ 097 15 83 10
– www.albergolaprimula.it – info@albergolaprimula.it – Fax 09 71 47 09 02
46 cam ⊇ – ✝75/85 € ✝✝110/150 €   **Rist** – Carta 23/36 €
• Qui si cerca di ricreare l'atmosfera di casa anche nell'accoglienza; stanze personalizzate, arredi di gusto creati da artigiani del posto, ottimi inoltre gli spazi esterni. Al ristorante ambiente elegante e ospitale.

POVE DEL GRAPPA – Vicenza (VI) – 562E17 – 2 957 ab. – alt. 163 m   35 B2
– ✉ 36020

▶ Roma 536 – Padova 50 – Belluno 69 – Treviso 51

🏠 **Miramonti**   ☜ 舄 ▣ & cam, ⅗ ⅗ rist, ⅞ ▣ VISA ❶❷ AE ❶ ♪
via Marconi 1 – ℰ 04 24 55 01 86 – www.miramontihotel.net – info@
miramontihotel.net – Fax 04 24 55 46 66
15 cam ⊇ – ✝55/65 € ✝✝85/95 €
Rist – *(chiuso a mezzogiorno)* Carta 28/33 €
• Nuova gestione seria e professionale, camere di buon tono, recentemente ristrutturate, tranquille e silenziose. Un indirizzo "sicuro" per un soggiorno riuscito! I pasti sono
serviti nella sala interna e nel nuovo spazio all'aperto.

POZZA DI FASSA – Trento (TN) – 562C17 – 1 821 ab. – alt. 1 315 m   31 C2
– Sport invernali : 1 320/2 354 m ✑1 ✑4 (Comprensorio Dolomiti superski Val di
Fassa)✑ – ✉ 38036

▶ Roma 677 – Bolzano 40 – Canazei 10 – Milano 335
🛈 piazza Municipio 1 ℰ 0462 609670, infopozza@fassa.com, Fax 0462 763717

🏠 **Ladinia**   ☜ 舄 ▣ 𝕸 ⅃⅘ ⅗ ▣ & cam, ⅙⅙ ⅗ ⅞ ▣ ☜ VISA ❶❷ ♪
strada de Chieva 2 – ℰ 04 62 76 42 01 – www.hotelladinia.com – info@
hotelladinia.com – Fax 04 62 76 48 96 – 15 dicembre-aprile e 15 giugno-
settembre
40 cam ⊇ – ✝80/110 € ✝✝140/200 € – ½ P 90/120 €
Rist – *(solo per alloggiati)* Carta 28/40 €
• Conduzione diretta dei titolari per quest'albergo centrale, già gradevole dall'esterno;
valide e confortevoli le aree comuni e le camere, accogliente l'atmosfera.

🏠 **Gran Baita Villa Mitzi**   ☜ 舄 𝕸 & cam, ⅗ ⅞ ⅘ ▣ ☜
strada Dolomites 32 – ℰ 04 62 76 41 63   VISA ❶❷ AE ❶ ♪
– www.granbaita.com – granbaita@yahoo.it – Fax 04 62 76 47 45 – dicembre-
marzo e 15 giugno-15 ottobre
49 cam ⊇ – ✝119/178 € ✝✝150/220 € – 4 suites – ½ P 95/115 €
Rist – Carta 26/68 €
• Lungo la via principale, all'ingresso del paese, hotel rinnovato e ampliato: alla caratteristica casa ladina si è affiancata una struttura recente. Ampio giardino-pineta.

🏠 **Sport Hotel Majarè**   ☜ 𝕸 ▣ ⅙⅙ ⅗ ▣ ☜ VISA ❶❷ ❶ ♪
☜ *strada De Sot Comedon 51 – ℰ 04 62 76 47 60 – www.hotelmajare.com – info@*
hotelmajare.com – Fax 04 62 76 35 65 – dicembre-aprile e giugno-settembre
33 cam – ✝40/50 € ✝✝70/90 €, ⊇ 10 € – ½ P 45/65 €
Rist – *(chiuso mercoledì in bassa stagione)* Carta 20/38 €
• A soli 100 m dagli impianti di risalita del Buffaure, risorsa a gestione familiare, offre
ambienti ispirati alla tradizione tirolese. Piccolo e accogliente centro benessere. Caldo
legno avvolge pareti e soffitto della grande sala ristorante.

🏨 René   ≤ 🚗 ♿ 🏖 🕹️ P 🚗 VISA 🆎 ① ⑤

via do la Veis 69 – 𝒞 04 62 76 42 58 – www.hotelrene.com – info@hotelrene.com
– Fax 04 62 76 35 94 – 18 dicembre-aprile e 20 giugno-settembre
36 cam ⌷ – †60/100 € ††50/160 € – ½ P 50/80 €
Rist – *(solo per alloggiati)* Carta 16/35 €
♦ Hotel sito in zona residenziale e tranquilla; sorto alla fine degli anni '70, è andato migliorandosi nei vari settori; da non dimenticare l'ampio giardino soleggiato.

🏨 Terme Antico Bagno ⌂   ≤ 🚗 🏖 ♿ cam, ✦ 🏖 P VISA 🆎 ⑤

strada di Bagnes 25 – 𝒞 04 62 76 32 32 – www.hoteltermeanticobagno.it
– info@hoteltermeanticobagno.it – Fax 04 62 76 32 32
– chiuso dal 5 ottobre al 4 dicembre
23 cam ⌷ – ††80/90 € – ½ P 52/87 €
Rist – *(chiuso a mezzogiorno)* Menu 25/58 €
♦ Alquanto tranquilla l'ubicazione di quest'albergo, fuori dal centro e nelle vicinanze del torrente e di una fonte termale; comodo parcheggio privato e atmosfera familiare. Cucina curata direttamente dai titolari, ristorante classico e informale.

🏨 Touring ⌂   ≤ 🏖 📶 🏖 ♿ cam, ✦ 🏖 rist, P 🚗 VISA 🆎 AE ⑤

Troi de Vich 72, Sud : 2 km – 𝒞 04 62 76 32 68 – www.touringhotel.info
– mail@touringhotel.info – Fax 04 62 76 36 97
– 7 dicembre-20 aprile e 4 giugno-1° ottobre
27 cam ⌷ – †55/96 € ††80/160 € – ½ P 50/86 €   **Rist** – *(solo per alloggiati)*
♦ Gradevole struttura, decentrata e in posizione dominante; rinnovato negli anni, offre una terrazza solarium, un piccolo centro benessere, camere decorose.

✕✕ El Filò   🏖 VISA 🆎 ① ⑤

strada Dolomites 103 – 𝒞 04 62 76 32 10 – nicola.vian@tin.it
– Fax 04 62 76 32 10 – chiuso 20 giorni in giugno, 20 giorni in ottore, mercoledì, giovedì a mezzogiorno
Rist – *(chiuso a mezzogiorno in bassa stagione escluso sabato-domenica)*
(consigliata la prenotazione) Carta 37/48 €
♦ Piacevole ristorante lungo la statale, ambiente in stile ladino caldo ed accogliente. Cucina regionale con spunti di creatività, a pranzo vengono proposti anche piatti unici.

a Pera Nord : 1 km – ✉ 38036 – **Pera di Fassa**

🏨 Soreje   ≤ 🏖 ✦ 🏖 rist, P VISA 🆎 AE ⑤

strada Dolomites 167 – 𝒞 04 62 76 48 82 – www.soreie.com
– info@soreie.com – Fax 04 62 76 37 90
– chiuso da maggio al 9 giugno e dal 5 ottobre al 30 novembre
21 cam ⌷ – †60/70 € ††90/110 € – ½ P 45/70 €   **Rist** – Menu 18/25 €
♦ Balconi in legno e decori in facciata per quest'hotel a gestione familiare, ubicato in una piccola frazione lungo la statale; bell'angolo soggiorno dotato di stube. Una sala ristorante piuttosto ampia e decisamente invitante, cucina generosa.

POZZI – Lucca – Vedere Seravezza

POZZO – Arezzo – 563M17 – Vedere Foiano della Chiana

POZZOLENGO – Brescia (BS) – 561F13 – 3 037 ab. – alt. 135 m   **17 D1**
– ✉ 25010

     ▶ Roma 502 – Brescia 43 – Milano 130 – Padova 116

✕ Antica Locanda del Contrabbandiere con cam ⌂   ≤ 🚗 🏖

                                         🏖 P VISA 🆎
località Martelosio di Sopra 1, Est : 1,5 km
– 𝒞 030 91 81 51 – www.locandadelcontrabbandiere.com – info@
locandadelcontrabbandiere.com – chiuso dal 10 al 30 gennaio
3 cam ⌷ – †80 € ††125 €
Rist – *(chiuso lunedì) (chiuso a mezzogiorno escluso i giorni festivi)*
Carta 31/36 €
♦ Fuori lo spettacolo di un tramonto in aperta campagna; dentro due semplici e intime salette. I piatti del giorno sono quelli consegnati dalla tradizione. Fatevi consigliare dallo chef per comporre il menù. Per chi desidera gustare più a lungo la bellezza del posto, camere d'atmosfera arredate con mobili d'epoca.

POZZUOLI – Napoli (NA) – 564E24 – 80 956 ab. – ⊠ 80078 ▮ Italia 6 **A2**

D Roma 235 – Napoli 16 – Caserta 48 – Formia 74

🚢 per Procida ed Ischia – Caremar, call center 892 123 Medmar 081 3334411

🛈 piazza Matteotti 1/a 𝒞 081 5266639, aziendaturismopozzuoli@libero.it, Fax 081 5265068

◎ Anfiteatro★★ – Tempio di Serapide★ – Tempio di Augusto★ – Solfatara★★ Nord-Est : 2 km

◖ Rovine di Cuma★ : Acropoli★★, Arco Felice★ Nord-Ovest : 6 km – Lago d'Averno★ Nord-Ovest : 7 km – Campi Flegrei★★ Sud-Ovest per la strada costiera – Isola d'Ischia★★★ e Isola di Procida★★

⌂ **Tiro a Volo** senza rist ॐ   🛗 🖾 **P** 𝚅𝙸𝚂𝙰 ◉◎ 🅰🅴 ⓘ ⛎
via San Gennaro 69/A, Est : 3 km – 𝒞 *08 15 70 45 40 – www.hoteltiroavolo.it
– hoteltiroavolo@tin.it – Fax 08 15 70 45 40*
14 cam ⌑ – †55 € ††75 €
♦ Il "tiro" al quale ci si esercitava in quest'area, poco distante dall'area archeologica dei Campi Flegrei, era quello del piccione. Oggi, vi sorge un albergo confortevole e tranquillo.

ჯჯ **Trattoria Ludovico**   🕌 🖾 **P** 𝚅𝙸𝚂𝙰 ◉◎ 🅰🅴 ⓘ ⛎
via Fasano 6 – 𝒞 *08 15 26 82 55 – Fax 08 15 26 54 10
– chiuso dal 24 al 31 dicembre e lunedì*
Rist – Carta 32/53 €
♦ Poco distante dal porto, è ovviamente il pesce il re della tavola in questo ristorante dall'aspetto rustico, dai tavoli ravvicinati. Si entra da un giardinetto.

ჯ **La Cucina degli Amici**   🕌 🖾 𝚅𝙸𝚂𝙰 ◉◎ 🅰🅴 ⓘ ⛎
corso Umberto I 47 – 𝒞 *08 15 26 93 93 – www.cucinadegliamici.it
– Fax 08 15 26 93 93 – chiuso 24-25 e 31 dicembre*
Rist – Carta 30/50 €
♦ Sul lungomare: all'esterno un dehors estivo, all'interno una sala in cui si erge, in bella mostra, una scaffalatura lignea con una consistente esposizione di etichette campane. Cucina di pesce.

a Lucrino Ovest : 2 km – ⊠ 80078

⌂⌂ **Villa Luisa** senza rist   ⚮ ㎙ 🛗 🖾 🛁 📡 🔐 **P** 🚗 𝚅𝙸𝚂𝙰 ◉◎ 🅰🅴 ⓘ ⛎
via Tripergola 50 – 𝒞 *08 18 04 28 70 – www.villaluisaresort.it – info@
villaluisaresort.it – Fax 08 18 04 28 52*
26 cam ⌑ – †75/90 € ††85/119 € – 11 suites
♦ Oasi di ristoro incastonata tra le terme romane neroniane e il lago d'Averno, la villa propone camere arredate in legno chiaro, molte con terrazza, e un piccolo gradevole centro benessere.

a Cuma Nord-Ovest : 10 km – ⊠ 80070

⌂ **Villa Giulia** ॐ   ⬿ 🚗 🏊 📞 **P** 𝚅𝙸𝚂𝙰 ◉◎ 🅰🅴
via Cuma Licola 178 – 𝒞 *08 18 54 01 63 – www.villagiulia.info – info@
villagiulia.info – Fax 08 18 04 43 56*
6 cam ⌑ – †70/100 € ††85/130 €
Rist – (prenotazione obbligatoria) (solo per alloggiati) Menu 25/35 €
♦ Alla fine di una strada che si snoda tra campi ed orti, una piacevole ed elegante casa rivestita in tufo e cinta da giardini molto curati: una terrazza con superba vista sul mare e su Ischia.

POZZUOLO – Perugia – 563M17 – Vedere Castiglione del Lago

PRADELLA – Bergamo – Vedere Schilpario

PRADIPOZZO – Venezia (VE) – 562E20 – ⊠ 30020   36 **D2**

D Roma 587 – Udine 56 – Venezia 63 – Milano 328

ჯ **Tavernetta del Tocai**   🅰 🖾 **P** 𝚅𝙸𝚂𝙰 ◉◎ 🅰🅴 ⓘ ⛎
⊜ *via Fornace 93 –* 𝒞 *04 21 20 47 06 – Fax 04 21 20 42 64 – chiuso
dal 1° al 23 agosto e lunedì; anche domenica sera da giugno a settembre*
🙂 **Rist** – Carta 20/30 €
♦ Ristorante-enoteca a gestione familiare dall'atmosfera rustica e semplice, caratterizzato dal tipico fogolar, propone una cucina stagionale e piatti alla griglia. Organizza serate a tema.

PRAGS = Braies

PRAIA A MARE – Cosenza (CS) – 564H29 – **6 345 ab.** – ⊠ 87028   5 A1

▶ Roma 417 – Cosenza 100 – Napoli 211 – Potenza 139

◉ Golfo di Policastro★★ Nord per la strada costiera

🏠 **Rex**   🗚🗚 🏠 rist, "🍴" 🚾 ⚈ ⑩ 🕭

via Colombo 56 – ℰ 098 57 21 91 – www.rexhotel.it – info@rexhotel.it
– Fax 09 85 77 68 55 – marzo-novembre
19 cam ⊆ – †52/80 € ††65/100 € – ½ P 74/85 €
Rist – (solo per alloggiati) Menu 20/30 €
♦ Tutta rinnovata, una piccola risorsa a conduzione familiare e appassionata; inoltre, dalla cucina, i prodotti dell'azienda agricola di proprietà. Non sul mare, ma godibile.

🏠 **Garden**   🗚 🗚🗚 🏠 rist, 🕻 🅿 🚾 ⚈ ⑩ 🕭

via Roma 8 – ℰ 098 57 28 29 – www.gardenpraia.it – garden.hotel@tiscali.it
– Fax 098 57 28 28 – aprile-ottobre
45 cam ⊆ – †40/65 € ††50/90 € – ½ P 74 €   **Rist** – Carta 22/37 €
♦ Per un soggiorno spiaggia-sole-mare, questa è la soluzione ideale: quasi direttamente sulla sabbia, un ambiente familiare, ben curato, con un bel giardinetto interno. Cucina genuinamente calabra; dehors estivo.

✗ **Taverna Antica**   🗚 🗚🗚 🏠 🚾 ⚈ 🗚 ⑩ 🕭

piazza Dei Martiri 3 – ℰ 098 57 21 82 – Fax 098 57 21 82 – chiuso martedì
escluso giugno-ottobre
Rist – Carta 20/35 €
♦ Un'impresa familiare unita ad una gestione esperta e intraprendente: nel centro di Praia, rinnovata la vecchia casa dei genitori, i figli offrono piatti locali, di pesce.

sulla strada statale 18 Sud-Est : 3 km :

🏠🏠 **New Hotel Blu Eden**   ≤ 🗚 🗚 🗚🗚 🏠 🗚🗚 🅿 🚾 ⚈ ⑩ 🕭

località Foresta ⊠ 87028 – ℰ 09 85 77 91 74 – www.blueden.it – blueden@
webus.it – Fax 09 85 77 92 80
16 cam – †47/85 € ††60/93 €, ⊆ 4 € – ½ P 42/70 €
Rist – (solo per alloggiati) Carta 16/31 €
♦ Hotel realizzato recentemente, dall'aspetto di stile avveniristico, sito in una frazioncina sopra Praia, con appagante vista sul mare e ampia terrazza-solarium. La zona ristorante, con ambienti moderni e luminosi, si apre sul blu del Tirreno.

PRAIANO – Salerno (SA) – 564F25 – **1 963 ab.** – ⊠ 84010   6 B2

▶ Roma 274 – Napoli 64 – Amalfi 9 – Salerno 34

🏠🏠 **Tramonto d'Oro**   ≤ 🗚 🗚🗚 🗚🗚 🗚 🗚 rist, 🕻 🅿 🚾 ⚈ 🗚 ⑩ 🕭

via Gennaro Capriglione 119 – ℰ 089 87 49 55 – www.tramontodoro.it – info@
tramontodoro.it – Fax 089 87 46 70 – aprile-ottobre
40 cam ⊆ – †90/190 € ††140/290 € – ½ P 100/185 €   **Rist** – Carta 36/54 €
♦ Un hotel dal nome già indicativo sulla possibilità di godere di suggestivi tramonti dalla bella terrazza-solarium con piscina; una costruzione mediterranea confortevole. Due ampie sale ristorante al piano terra.

🏠 **Onda Verde** ⊱   ≤ 🗚🗚 🗚 🗚 "🍴" 🅿 🚾 ⚈ 🗚 ⑩ 🕭

via Terra Mare 3 – ℰ 089 87 41 43 – www.ondaverde.it – reservations@
ondaverde.it – Fax 08 98 13 10 49 – aprile-ottobre
25 cam ⊆ – †160/190 € ††140/210 € – ½ P 90/130 €
Rist – Carta 25/40 € (+15 %)
♦ Poco fuori dalla località, lungo la costa, ubicazione tranquilla e suggestiva, a dominare il mare e uno dei panorami più incantevoli della Penisola. Conduzione diretta. La sala ristorante offre una vista mozzafiato a strapiombo sugli scogli ed una semplice e raffinata cucina casalinga dai sapori della costiera.

🏠 **Margherita**   ≤ 🗚 🗚 🗚 🗚🗚 🗚 cam, 🗚 "🍴" 🅿 🚗 🚾 ⚈ 🗚 ⑩ 🕭

via Umberto I 70 – ℰ 089 87 46 28 – www.hotelmargherita.info – info@
hotelmargherita.info – Fax 089 87 42 27 – 6 marzo-15 novembre
28 cam ⊆ – ††90/146 € – ½ P 65/98 €   **Rist** – Carta 23/51 €
♦ Struttura a circa 1 km dalla costa – da sempre di famiglia – oggi gestita dalla nuova generazione: il reparto notte è già stato rimodernato, così come le terrazze all'aperto. Ottima sosta gastronomica al ristorante, dove dominano i sapori della costiera.

✗ **La Brace** ≤ 🏠 🍴 🕴 **P** _VISA_ ⚫ ① 🔥
*via Capriglione 146 – 𝒞 089 87 42 26 – labrace.@divinacostiera.it
– Fax 089 87 42 26 – chiuso mercoledì escluso dal 15 marzo al 15 ottobre*
Rist – Carta 28/44 € (+10 %)
♦ Ristorantino familiare, meta di abitanti della Costiera e di turisti: nel centro di Praiano, una rampa di scale vi introduce in un locale semplice, per mangiate alla buona.

sulla costiera amalfitana Ovest : 2 km :

🏠🏠 **Tritone** 🌿 ≤ 🏠 🍴 **|** 🕴 AK 🎿 rist, 🛋 **P** _VISA_ ⚫ AE ① 🔥
*via Campo 5 ⊠ 84010 – 𝒞 089 87 43 33 – www.tritone.it – tritone@tritone.it
– Fax 089 81 30 24 – 12 aprile-20 ottobre*
43 cam 🖙 – ♦200/250 € ♦♦250/310 € – 16 suites – ½ P 180/200 €
Rist – Carta 44/59 €
♦ Tra Amalfi e Positano, adagiato sulla scogliera dominante il mare e con ascensore per la spiaggia, un confortevole punto di riferimento per i congressi e le vacanze sul blu. A picco sulla Costiera, capiente sala da pranzo; servizio ristorante in terrazza.

PRALBOINO – Brescia (BS) – 561I8 – **2 758 ab.** – alt. **47 m** – ⊠ 25020   17 **C3**
🛣 Roma 550 – Brescia 44 – Cremona 24 – Mantova 61

✗✗✗ **Leon d'Oro** AK 🎿 ↔ _VISA_ ⚫ 🔥
☸ *via Gambara 6 – 𝒞 030 95 41 56 – www.locandaleondoro.it – locandaleondoro@
virgilio.it – Fax 03 09 52 11 91 – chiuso dieci giorni in gennaio, agosto, domenica
sera e lunedì*
Rist – Menu 50/85 € – Carta 55/94 €
Spec. Sauté d'anguilla di fosso, peperoncini ripieni, uova di aringa e bottarga. Tortelli di zucca alla pralboinese in vellutata di burro e pomodoro. Spiedo di quaglia, lombetto al lardo di pata negra, insalata di cipollotto e polenta.
♦ Ospitato in un bel caseggiato rustico in centro paese, caldi ambienti in legno con camino e una simpatica carta che propone piatti creativi a prevalenza di pesce.

PRASCORSANO – Torino (TO) – 561G4 – **775 ab.** – alt. **581 m**   22 **B2**
– ⊠ 10080
🛣 Roma 702 – Torino 43 – Aosta 104 – Ivrea 27

✗✗✗ **Enrietto** 🏠 **P** _VISA_ ⚫ AE 🔥
*via Cerialdo 28 – 𝒞 01 24 69 82 57 – ilaria.enrietto@alice.it – Fax 01 24 69 82 57
– chiuso lunedì e martedì*
Rist – *(chiuso a mezzogiorno escluso sabato e i giorni festivi)* Carta 45/55 € 🏵
♦ I migliori prodotti del territorio e le primizie di tutta Italia si incontrano proprio qui, in questa villetta fuori paese dalla calda atmosfera familiare eppure elegante.

PRATI DI TIVO – Teramo – 563O22 – **Vedere Pietracamela**

PRATO 𝐏 (PO) – 563K15 – **176 013 ab.** – alt. **63 m** – ⊠ 59100   29 **C1**
▌ Toscana
🛣 Roma 293 – Firenze 17 – Bologna 99 – Milano 293
🎗 piazza delle Carceri 15 𝒞 0574 24112, apt@prato.turismo.toscana.it,0574
24112
🖼 Le Pavionere, 𝒞 0574 62 08 55
👁 Duomo★ : affreschi★★ dell'abside (Banchetto di Erode★★★) – Palazzo
Pretorio★ – Affreschi★ nella chiesa di San Francesco **D** – Pannelli★ al
museo dell'Opera del Duomo **M** – Castello dell'Imperatore★ **A**

Pianta pagina a lato

🏠🏠 **Art Hotel Museo** ⌐ **|** 🕭 AK ↔ 🎿 rist, 🕻 🛋 🚗 _VISA_ ⚫ AE ① 🔥
*viale della Repubblica 289, per viale Monte Grappa – 𝒞 05 74 57 87
– www.arthotel.it – info@arthotel.it – Fax 05 74 57 88 80*
110 cam 🖙 – ♦105/200 € ♦♦120/200 € – ½ P 90/160 €
Rist – *(chiuso agosto e domenica)* Carta 28/60 €
♦ Situato vicino al museo Pecci di arte contemporanea, offre ampi spazi comuni e camere moderne dotate di ogni confort, un centro fitness ed una piscina all'aperto. Il ristorante propone pietanze dai sapori nazionali e regionali.

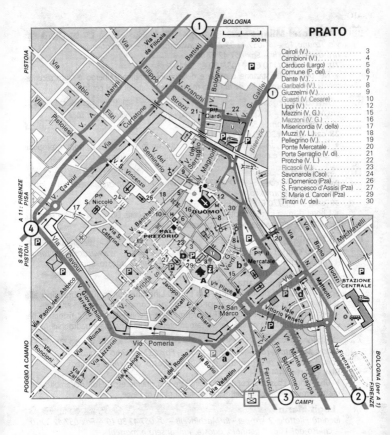

BOLOGNA

0   200 m

President

via Simintendi 20 – ℰ 057 43 02 51 – www.hotel-president.net – info@
hotel-president.net – Fax 057 43 60 64

a

78 cam ⊇ – †85/115 € ††120/155 €
Rist – (chiuso domenica) (chiuso a mezzogiorno) (solo per alloggiati)
Menu 25/35 €

♦ A pochi passi dal Duomo e dal Castello dell'Imperatore, l'hotel vanta una struttura moderna e confortevole ed è dotato di ambienti ampi e luminosi.

Charme Hotel

via delle Badie 228/230 ⊠ 59100 Prato – ℰ 05 74 55 05 41
– www.charmehotel.it – info@charmehotel.it – Fax 05 74 59 76 06
72 cam ⊇ – †85/145 € ††100/170 €
Rist – (chiuso agosto) (chiuso a mezzogiorno) (solo per alloggiati) Carta 24/38 €

♦ In zona residenziale e periferica, un albergo moderno che propone la funzionalità richiesta dalla clientela commerciale ad ambienti ben rifiniti se non eleganti.

Datini

viale Marconi 80, per viale Monte Grappa – ℰ 05 74 56 23 48
– www.hoteldatini.com – info@hoteldatini.com – Fax 05 74 52 79 76
80 cam ⊇ – †60/140 € ††80/170 € – ½ P 55/115 €
Rist – (chiuso agosto e domenica) Carta 25/41 €

♦ In prossimità dell'uscita autostradale, l'hotel è ideale per una clientela business e dispone di camere confortevoli, ampi spazi per convegni ed una piccola palestra. Nell'elegante ed intima sala ristorante, la cucina tradizionale toscana.

Art Hotel Milano senza rist 📶 🕭 🚕 AC ((ŋ)) 🖐 VISA 🐼 AE ① ᏚᏉ

*via Tiziano 15 – 𝒞 057 42 33 71 – www.arthotel.it – reservation@
arthotel-milano.it – Fax 057 42 77 06* **d**

70 cam – †70/110 € ††105/160 €, �welfarecup 10 €

◆ Nei pressi della stazione centrale e delle mura cittadine, l'albergo è stato recentemente ristrutturato: un locale di taglio moderno e dotato di ogni confort.

Giardino senza rist 📶 AC ((ŋ)) VISA 🐼 AE ① ᏚᏉ

*via Magnolfi 4 – 𝒞 05 74 60 65 88 – www.giardinohotel.com – info@
giardinohotel.com – Fax 05 74 60 65 91* **f**

28 cam ⊆ – †50/90 € ††70/100 €

◆ Poco distante dalla stazione, l'albergo è ubicato in un edificio d'epoca e propone ambienti raccolti e curati come punto di appoggio per raggiungere il centro.

San Marco senza rist 📶 AC 🕅 ((ŋ)) P VISA 🐼 AE ᏚᏉ

*piazza San Marco 48 – 𝒞 057 42 13 21 – www.hotelsanmarcoprato.com – info@
hotelsanmarcoprato.com – Fax 057 42 23 78* **v**

39 cam – †55/70 € ††75/85 €, ⊆ 5 €

◆ L'hotel si trova in centro città ed è facile da raggiungere. Dotato di camere semplici, ben arredate e provviste dei confort essenziali.

XXX **Il Piraña** (Gian Luca Santini) AC 🕅 ♻ VISA 🐼 AE ① ᏚᏉ
♧ *via G. Valentini 110, per via Valentini – 𝒞 057 42 57 46 – www.ristorantepirana.it
– info@ristorantepirana.it – Fax 057 42 57 46 – chiuso agosto, sabato a
mezzogiorno e domenica*

Rist – Menu 55 € – Carta 44/60 €

Spec. Polpo con pesto leggero alla ligure. Linguine con ragù di branzino alla
salvia e scorza di limone. Scampi di Viareggio con giardiniera di verdure.

◆ Per chi non ama gli eccessi di tecnicismo e le sperimentazioni, è il ristorante per essere rassicurati dalla qualità del pescato in preparazioni classiche e tradizionali.

XX **Tonio** 🕱 AC ♻ VISA 🐼 AE ① ᏚᏉ

*piazza Mercatale 161 – 𝒞 057 42 12 66 – Fax 057 42 12 66 – chiuso
dal 26 dicembre al 2 gennaio, dal 7 al 31 agosto, domenica e lunedì* **b**

Rist – Carta 34/47 € (+10 %)

◆ Una risorsa classica a conduzione familiare con grande esperienza nell'ambito della gastronomia, specializzata nell'elaborazione di piatti di pesce.

X **Logli Mario** 🕱 🕅 P VISA 🐼 AE ① ᏚᏉ

*località Filettole, 2 km per via Machiavelli – 𝒞 057 42 30 10 – Fax 057 42 30 10
– chiuso dal 1° al 7 gennaio, agosto, lunedì sera e martedì*

Rist – Carta 28/35 €

◆ Profumo di carne alla griglia già all'ingresso: un'invitante accoglienza per farvi accomodare in questa trattoria rustica, sui colli, con un bel servizio estivo in terrazza.

PRATO DELLE MACINAIE – Grosseto – Vedere Castel del Piano

PREDAPPIO – Forlì-Cesena (FO) – 6 290 ab. – alt. 133 m – ⊠ 47016   9 **D2**
◗ Roma 331 – Bologna 89 – Forlì 16 – Ravenna 46

X **Del Moro** 🕅 VISA 🐼 AE ① ᏚᏉ
🐝 *viale Roma 8 – 𝒞 05 43 92 22 57 – Fax 05 43 92 16 26 – chiuso 10 giorni in
gennaio, lunedì e martedì*

Rist – Carta 19/38 €

◆ Sulla via principale, in comoda posizione per quanti arrivano qui per riscoprire o curiosare nella storia del Duce, il locale prorpone una cucina dai sapori regionali, presentati in porzioni abbondanti.

PREDAZZO – Trento (TN) – 562D16 – 4 367 ab. – alt. 1 018 m – Sport   31 **C2**
**invernali : 1 018/2 415 m ⚶7 ⚷38 (Comprensorio Dolomiti superski Val di
Fiemme)⚵ – ⊠ 38037**

◗ Roma 662 – Bolzano 55 – Belluno 78 – Cortina d'Ampezzo 83
🚺 via Cesare Battisti 4 𝒞 0462 501237, Fax 0462 502093

🏨 Ancora 〰️ 🕪 🛇 ⑷ 🔊 🚗 VISA ⚫ AE ① 🜛
via IX Novembre 1 – ✆ 04 62 50 16 51 – www.ancora.it – info@ancora.it
– Fax 04 62 50 27 45 – chiuso maggio e novembre
36 cam ⊑ – ♥74/104 € ♥♥120/180 € – ½ P 72/104 €
Rist – *(chiuso a mezzogiorno escluso giugno-settembre)* Carta 24/42 €
♦ Sito nel centro della località, un hotel di lunga tradizione nell'ospitalità di Predazzo; da un'antica stazione di posta, una realtà polivalente dotata anche di sala riunioni. Due sale da pranzo rivestite di caldo legno e con atmosfera tipica di questi luoghi.

🏨 Sporthotel Sass Maor 〰️ ↕ 🕪 🛇 ⑷ P 🚗 VISA ⚫ AE ① 🜛
via Marconi 4 – ✆ 04 62 50 15 38 – www.sassmaor.com – info@Sassmaor.com
– Fax 04 62 50 15 39 – chiuso dal 10 al 30 novembre
27 cam ⊑ – ♥45/65 € ♥♥70/100 € – ½ P 50/70 €   **Rist** – Carta 24/31 €
♦ Dotata di camere semplici ma confortevoli, in stile montano, e di un curato piano terra, oltre ad un comodo parcheggio privato, una risorsa davvero gradevole. Due piccole e graziose sale ristorante, una stube con legno antico.

PREGANZIOL – Treviso (TV) – 562F18 – **15 382 ab.** – alt. 12 m   35 **A1**
– ✉ 31022

> 🛣 Roma 534 – Venezia 22 – Mestre 13 – Milano 273

🏨🏨 Park Hotel Bolognese-Villa Pace ◐ ⌁ 〰️ 🕪 ⑷ & AC 🛇 ⑷ 🔊
via Terraglio 175, Nord : 3 km – ✆ 04 22 49 03 90   P VISA ⚫ AE ① 🜛
– www.hotelbolognese.com – info@hotelbolognese.com – Fax 04 22 38 36 37
95 cam ⊑ – ♥90/155 € ♥♥150/260 € – ½ P 100/165 €
Rist – Carta 55/115 €
♦ All'interno di un grande parco ombreggiato, due corpi di stile diverso: l'uno, il principale, di fine '800, l'altro, più moderno, con sauna e piscina parzialmente coperta. Ristorante con bella apertura sul verde esterno.

🏨 Park Hotel Villa Vicini senza rist 🚗 ↕ & AC 🛇 ⑷ 🔊 P
via Terraglio 447, Sud 1 km – ✆ 04 22 33 05 80   VISA ⚫ AE ① 🜛
– www.villavicini.com – info@villavicini.com – Fax 04 22 33 15 97
38 cam ⊑ – ♥60/114 € ♥♥80/155 €
♦ Variopinta villa ottocentesca con camere di diverse tipologie: le più tranquille affacciano sul giardino, nella dependance le stanze più semplici ed economiche.

🏨 Crystal & AC 🛇 rist, ☏ 🔊 P VISA ⚫ AE ① 🜛
⊜
via Baratta Nuova 1, Nord : 1 km – ✆ 04 22 63 08 13 – www.crystalhotel.it
– info@crystalhotel.it – Fax 042 29 37 13
69 cam ⊑ – ♥50/100 € ♥♥65/120 € – 3 suites – ½ P 62/92 €
Rist – *(chiuso dal 1° al 25 agosto)* Carta 14/30 €
♦ Albergo moderno di recente realizzazione, sviluppato in orizzontale secondo un impianto con richiami ad uno stile sobrio e minimalista. Ambienti ariosi e camere lineari. Sala ristorante ampia e dalle delicate tinte pastello.

✕✕ Magnolia 🚗 🚏 & AC 🛇 ⑷ P VISA ⚫ AE ① 🜛
via Terraglio 136, Nord : 1 km – ✆ 04 22 63 31 31
– www.magnoliaristorante.com – info@magnoliaristorante.com
– Fax 04 22 63 05 82 – chiuso dal 5 al 25 agosto, domenica sera e lunedì
Rist – Carta 29/49 €
♦ Nel contesto dell'omonimo hotel, ma da esso completamente indipendente, un ristorante a valida gestione familiare con specialità venete, soprattutto a base di pesce.

a San Trovaso Nord : 2 km – ✉ 31022

🏨 Sole senza rist ↕ AC 🛇 ⑷ P 🚗 VISA ⚫ AE ① 🜛
via Silvio Pellico 1 – ✆ 04 22 38 31 26 – www.hotelalsole.com – sole@
hotelalsole.com – Fax 04 22 38 31 26
18 cam ⊑ – ♥45/55 € ♥♥60/95 €
♦ Piccola e accogliente risorsa ubicata in periferia; recentemente ristrutturata, si presenta davvero ben tenuta e ospitale, quasi come una confortevole casa privata.

X **Ombre Rosse**   🏠 🎇 **P** VISA ⚌ ⚫
via Franchetti 78 – € 04 22 49 00 37 – claudioscossa@ombrerosse.tv.it
– Fax 04 22 49 95 74 – chiuso domenica
Rist *– (chiuso a mezzogiorno lunedì e sabato da ottobre a maggio)*
Carta 29/54 €
◆ Nato quasi per caso dalla passione del proprietario per i vini, è divenuto prima una sorta di wine-bar, oggi, in stile "bistrot", accogliente, vanta fragranti leccornie.

PREMIA – Verbano-Cusio-Ossola (VB) – 561D7 – 597 ab. – alt. 810 m   23 **C1**
– ✉ 28866

▶ Roma 730 – Stresa 64 – Domodossola 24 – Milano 150

⌂ **La Meridiana** senza rist e senza ⌖ ☞   ← 🗢 **P** VISA ⚌ ① ⚫
a Cadarese Nord: 2,5 km – € 03 24 24 08 58 – www.ristorantelameridiana.it
– info@ristorantelameridiana.it – Fax 03 24 24 08 58
3 cam – ♟♟70/100 € – 1 suite
◆ Non distante dalle nuovissime piscine termali, immerso nel verde del paesaggio montano, bel rustico ristrutturato con ottime finiture.

PRÉ SAINT DIDIER – Aosta (AO) – 561E2 – 991 ab. – alt. 1 000 m   34 **A2**
– ✉ 11010

▶ Roma 779 – Aosta 30 – Courmayeur 5 – Milano 217

Pianta : vedere Courmayeur

a Pallusieux Nord : 2,5 km – alt. 1 100 m – ✉ 11010 – Pré Saint Didier

🏨 **Le Grand Hotel Courmaison**   ← 🗢 🗔 🕪 🎇 🏋 🏖 🖥 ♨ ⛷
route Mont Blanc – € 01 65 83 14 00   🎇 🕹 **P** 🚗 VISA ⚌ AE ⚫
– www.courmaison.it – hotel@courmaison.it – Fax 01 65 84 76 70 – 6 dicembre-
14 aprile e 26 giugno-6 settembre   BYf
55 cam ⌖ – ♟195/215 € ♟♟310/350 € – 2 suites – ½ P 205 €
Rist – Menu 44/54 €
◆ In posizione isolata, ma ricco di servizi ed attività per un soggiorno "tutto compreso", albergo recente in cui la fresca aria di nuovo si è armoniosamente miscelata con la tradizione degli arredi e delle rifiniture. Grande piscina e camere ampie. Sala ristorante tradizionale: menu con ispirazioni diverse.

🏨 **Beau Séjour** ☞   ← 🗢 🖥 ⛶ 🎇 **P** 🚗 VISA ⚌ ⚫
av. Dent du Géant 18 – € 016 58 78 01 – www.hotelbeausejour.it – info@
hotelbeausejour.it – Fax 01 65 86 77 33 – dicembre-aprile e 15 giugno-settembre
32 cam ⌖ – ♟40/60 € ♟♟80/110 € – ½ P 52/68 €   BYZb
Rist – Menu 22/30 €
◆ Gestione esperta ed affidabile per un hotel indicato sia per un soggiorno estivo sia per una vacanza invernale. Giardino ombreggiato e bella vista sul Monte Bianco. Al ristorante qualche piatto valdostano e proposte nazionali.

PRETURO – L'Aquila – 563O21 – Vedere L'Aquila

PRIMIERO – Trento – Vedere Fiera di Primiero

PRINCIPINA A TERRA – Grosseto – 563N15 – Vedere Grosseto

PRIOCCA D'ALBA – Cuneo (CN) – 561H6 – 1 971 ab. – alt. 253 m   25 **C2**
– ✉ 12040

▶ Roma 631 – Torino 59 – Alessandria 56 – Asti 24

XX **Il Centro**   🃏 ⇆ VISA ⚌ AE ① ⚫
via Umberto I 5 – € 01 73 61 61 12 – Fax 01 73 63 69 05 – chiuso martedì
Rist *– (consigliata la prenotazione)* Carta 30/40 € 🏖
◆ Non solo una "trattoria" di alto livello, curata e ben frequentata, ma anche una cantina molto ben fornita e visitabile, dove fermarsi a gustare il Piemonte più tipico. Indispensabile prenotare con anticipo.

PRIVERNO – Latina (LT) – 563R21 – **13 734 ab.** – alt. 150 m – ✉ **04015**   13 **C3**
> 🄳 Roma 104 – Frosinone 28 – Latina 28 – Napoli 163

sulla strada statale 156 Nord-Ovest : 3,5 km

🍴🍴 **Antica Osteria Fanti**   🅰🄲 ℗ 𝚟𝚒𝚜𝚊 ⚫⚫ 🄰🄴 ⓞ ⚓
località Ceriara – ✆ *07 73 92 40 15* – *www.anticaosteriafanti.it* – *info@*
anticaosteriafanti.it – *chiuso 25-26 dicembre, dal 20 al 30 ottobre e giovedì*
Rist – Menu 35 € – Carta 34/44 € (+10 %)
♦ Quando si dice conduzione familiare: moglie in cucina, marito e figlio ad occuparsi
della sala, in un locale curato con una lista legata al territorio e attenta alle stagioni.

PROCCHIO – Livorno – 563N12 – **Vedere Elba (Isola d') : Marciana**

PROCENO – Viterbo (VT) – **628 ab.** – ✉ **01020**   12 **A1**
> 🄳 Roma 170 – Viterbo 59 – Orvieto 40 – Todi 76

⌂ **Castello di Proceno**   🄠 🔜 ℗ 𝚟𝚒𝚜𝚊 ⚫⚫ 🄰🄴 ⚓
corso Regina Margherita 155 – ✆ *07 63 71 00 72* – *www.castellodiproceno.it*
– *castello.proceno@orvienet.it* – *Fax 07 63 71 00 72*
12 suites – 🛏🛏80/165 €, � 7 €
Rist *Enoteca del Castello* – *(chiuso dal 7 gennaio al 15 febbraio, lunedì e martedì, da giugno a settembre domenica sera e lunedì) (chiuso a mezzogiorno escluso domenica) (consigliata la prenotazione)* Carta 22/28 €
♦ Ai piedi di una fortezza medievale, una risorsa carica di storia, antica e contemporanea: se gli oggetti che arredano gli ambienti parlano del tempo che fu, gli spettacoli musicali allestiti nella corte vi riporteranno al presente. Originale la tomba etrusca all'interno dell'enoteca. Cucina legata al territorio.

PROCIDA (Isola di)★ – Napoli (NA) – 564E24 – **10 671 ab.** – ▯ Italia   6 **A2**
> 🚢 per Napoli, per Pozzuoli ed Ischia – Caremar, call center 892 123
> – per Pozzuoli – Alilauro, al porto ✆ 081 5267736, Fax 081 5268411
> 🄸 stazione Marittima ✆ 081 8101968

PROCIDA (NA) – ✉ **80079**

🏨 **La Casa sul Mare** senza rist �─   ⬅ 🅰🄲 🌂 𝚟𝚒𝚜𝚊 ⚫⚫ 🄰🄴 ⓞ ⚓
via Salita Castello 13 – ✆ *08 18 96 87 99* – *www.lacasasulmare.it* – *info@*
lacasasulmare.it – *Fax 08 18 96 87 99*
10 cam ⊒ – 🛏🛏90/168 €
♦ Il nome certo non cela il potenziale di questa fresca struttura. Lo scorcio più emozionante balzerà ai vostri occhi ogni mattina: accomodatevi in terrazza, in un insospettabile giardino pensile.

🍴 **Gorgonia**   ⬅ 🍴 𝚟𝚒𝚜𝚊 ⚫⚫ 🄰🄴 ⓞ ⚓
località Marina Corricella – ✆ *08 18 10 10 60* – *Fax 08 18 10 10 60* – *marzo-ottobre; chiuso lunedì*
Rist – *(consigliata la prenotazione)* Carta 31/41 €
♦ Un posticino familiare, sito proprio sul porticciolo dei pescatori: sulla banchina si svolge quasi tutto il servizio. A voce, proposte locali e di pescato giornaliero.

🍴 **Scarabeo**   🚗 🍴 ℗ 𝚟𝚒𝚜𝚊 ⚫⚫ 🄰🄴 ⓞ ⚓
via Salette 10 località Ciraccio – ✆ *08 18 96 99 18* – *Fax 08 18 96 99 18* – *chiuso da novembre al 20 dicembre*
Rist – Carta 22/38 €
♦ Piacevole e semplice locale con servizio estivo nel giardino-limonaia e una cucina che s'adatta a quanto il mercato del pesce propone quotidianamente. Gestione familiare.

PROH – Novara – **Vedere Briona**

PRUNETTA – Pistoia (PT) – 563J14 – alt. 958 m – ⊠ 51020   28 **B1**
> ◗ Roma 327 – Firenze 51 – Pisa 82 – Lucca 48

🏠 **Parcohotel Le Lari**   🚗 🏡 ℀ cam, **P.** **VISA** **©©** **AE** 🕭
⊗ *via statale Mammianese 403 –* 𝒞 *05 73 67 29 31 – www.lelari.it – imail.hotel@*
lelari.it – Fax 05 73 67 29 31 – aprile-25 ottobre
25 cam – ♦32 € ♦♦40 €, ⊑ 3 € – ½ P 44 €   **Rist** – Carta 16/33 €
♦ Già stazione climatica sin da tempi remoti, Prunetta offre questo indirizzo familiare, con gradevole e tranquillo giardino sul retro; un vecchio convento ristrutturato. Cucina toscana, con attenzione ai piatti stagionali dell'Appennino.

PUGLIANELLO – Benevento (BN) – 564D25 – 1 424 ab. – alt. 61 m   6 **B1**
– ⊠ 82030
> ◗ Roma 200 – Napoli 58 – Benevento 39 – Latina 23

❌❌ **Il Foro dei Baroni**   **AC** **VISA** **©©** **AE** **①** 🕭
via Chiesa 6 – 𝒞 *08 24 94 60 33 – www.ilforodeibaroni.it – info@ilforodeibaroni.it*
– Fax 08 24 94 60 33 – chiuso due settimane in agosto e lunedì
Rist – *(chiuso a mezzogiorno escluso sabato, domenica e i giorni festivi)*
Carta 31/50 €
♦ Adiacente al castello, dal 1780 la seconda abitazione del paese. La giovane e brillante gestione propone una cucina frutto di un'attenta ricerca dei migliori prodotti locali.

PUIANELLO – Reggio nell'Emilia – 562I13 – **Vedere Quattro Castella**

PULA – Cagliari – 566J9 – **Vedere Sardegna alla fine dell'elenco alfabetico**

PULFERO – Udine (UD) – 562D22 – 1 179 ab. – alt. 221 m – ⊠ 33046   11 **C2**
> ◗ Roma 662 – Udine 28 – Gorizia 42 – Tarvisio 66

🏨 **Al Vescovo**   🏡 🕸 🕭 **VISA** **©©** **AE** **①** 🕭
via Capoluogo 67 – 𝒞 *04 32 72 63 75 – www.alvescovo.com – info@*
alvescovo.com – Fax 04 32 72 63 75 – chiuso febbraio
18 cam – ♦45/48 € ♦♦65/68 €, ⊑ 7 € – ½ P 45/48 €
Rist – *(chiuso mercoledì e da ottobre a marzo anche martedì sera)* Carta 27/33 €
♦ Una tradizione alberghiera che risale ai primi anni dell'Ottocento, accompagnata da sensazioni di armonia e tranquillità e dalle note di un pacifico Natisone. L'ombreggiata terrazza in riva al fiume vi inviterà a concedervi una pausa ristoratrice e qualche istante immersi nei vostri sogni.

PULSANO – Taranto (TA) – 564F34 – 10 452 ab. – alt. 37 m – ⊠ 74026   27 **C3**
> ◗ Roma 536 – Brindisi 68 – Bari 120 – Lecce 78

a Marina di Pulsano Sud : 3 km – ⊠ 74026 – Pulsano

❌❌ **La Barca**   🏡 **AC** **P.** **VISA** **©©** **AE** **①** 🕭
⊛ *litoranea Salentina –* 𝒞 *09 95 33 33 35 – chiuso novembre e lunedì*
Rist – Carta 24/40 €
♦ Desiderate mangiare pesce? La sala costeggia l'acqua e a tavola prodotti freschi e locali. D'estate si esce nella veranda di canne, tra il fresco dei pini marittimi.

PUNTA ALA – Grosseto (GR) – 563N14 – ⊠ 58040 ▌ Toscana   28 **B3**
> ◗ Roma 225 – Grosseto 43 – Firenze 170 – Follonica 18

🏨🏨 **Gallia Palace Hotel**   🚗 🏡 ⌇ 🕸 ℀ 🏊 🕭 **AC** ℀ rist, 🕿 **P.**
via delle Sughere – 𝒞 *05 64 92 20 22*   **VISA** **©©** **AE** **①** 🕭
– www.galliapalace.it – info@galliapalace.it – Fax 05 64 92 02 29
– 16 maggio-28 settembre
83 cam ⊑ – ♦210/260 € ♦♦280/480 € – 5 suites – ½ P 245/286 €
Rist – *(chiuso a mezzogiorno)* Carta 51/69 €
Rist *La Pagoda* – Menu 57/62 €
♦ Punto d'appoggio ideale per una vacanza culturale, in posizione tranquilla nella macchia mediterranea, l'hotel dispone di camere spaziose con elementi di ceramica locale. Al ristorante, proposte gastronomiche nazionali. Pasti più informali presso il caratteristico ristorante sulla spiaggia "La Pagoda".

Cala del Porto ≤ 🚗 🔗 🛦 🖚 🛠 rist, ❝⒫ 🔏 🅿 🚾 🐼 🖭 ① 🔥
via del Pozzo – ☎ 05 64 92 24 55 – www.baglionihotels.com – delporto@
relaischateaux.com – Fax 05 64 92 07 16 – Pasqua-novembre
40 cam ⊆ – ♦220/600 € ♦♦250/690 € – ½ P 185/420 €   **Rist** – Carta 60/75 €
♦ In posizione dominante dall'alto della baia, l'elegante struttura vanta la vista sul porto
e sul mare, dispone di spazi comuni dal grazioso arredo e camere confortevoli. Sulla terrazza panoramica e nella sala ristorante interna, proposte di cucina contemporanea.

PUNTA DEL LAGO – Viterbo – 563P18 – **Vedere Ronciglione**

PUOS D'ALPAGO – Belluno (BL) – 562D19 – 2 361 ab. – alt. 419 m   36 **C1**
– ⊠ 32015

🚩 Roma 605 – Belluno 20 – Cortina d'Ampezzo 75 – Venezia 95

XX   **Locanda San Lorenzo** (Renzo Dal Farra) con cam   🔗 ❝⒫ 🅿
🕸   via IV Novembre 79 – ☎ 04 37 45 40 48   🚾 🐼 🖭 🔥
     – www.locandasanlorenzo.it – info@locandasanlorenzo.it – Fax 04 37 45 40 49
     – chiuso dal 12 marzo al 1° aprile
     11 cam ⊆ – ♦60/70 € ♦♦85/95 € – ½ P 70/82 €
     Rist – (chiuso mercoledì escluso le sere di agosto) Menu 65 € – Carta 54/80 € 🕸
     Spec. Ravioli di melanzane, zenzero, pomodoro fresco e formaggio di capra.
     Crema di fagioli e coregone. Costa di vitello al forno.
     ♦ Passione e costanza sono le caratteristiche di un'intera famiglia che da oltre un
     secolo accoglie gli avventori con una cucina saldamente legata ai prodotti locali,
     oggi reinterpretata con fantasia. Due differenti arredi per le camere: uno sobrio leggermente moderno, l'altro tipicamente rustico.

QUADRIVIO – Salerno – **Vedere Campagna**

QUARONA – Vercelli (VC) – 561E6 – 4 275 ab. – alt. 415 m – ⊠ 13017   23 **C1**
🚩 Roma 668 – Stresa 49 – Milano 94 – Torino 110

🏨   **Grand'Italia** 🔏 🛦 🛠 ❝⒫ 🚗 🚾 🐼 🖭 ① 🔥
     piazza Libertà 19 – ☎ 01 63 43 12 44 – www.albergograditalia.it – info@
     albergograditalia.it – Fax 01 63 43 25 41
     14 cam ⊆ – ♦75/85 € ♦♦105/120 €   **Rist Italia** – vedere selezione ristoranti
     ♦ Completamente trasformato e ristrutturato, è ora un'elegante palazzina con interni
     moderni e spaziosi, linee sobrie ed essenziali ed accenni di design minimalista.

XX   **Italia** 🛠 ⇆ 🚾 🐼 🖭 ① 🔥
     piazza della Libertà 27 – ☎ 01 63 43 01 47 – www.albergograditalia.it – info@
     albergograditalia.it – Fax 01 63 43 25 41 – chiuso dal 1° al 21 agosto e lunedì
     Rist – Carta 32/43 €
     ♦ E' una piacevole sorpresa questo curato e familiare locale di taglio moderno in una
     casa del centro della località; piatti di creativa cucina piemontese.

QUARTACCIO – Viterbo – **Vedere Civita Castellana**

QUARTIERE – Ferrara – 562H17 – **Vedere Portomaggiore**

QUARTO CALDO – Latina – **Vedere San Felice Circeo**

QUARTO D'ALTINO – Venezia (VE) – 562F19 – 7 553 ab. – ⊠ 30020   35 **A1**
🚩 Roma 537 – Venezia 24 – Milano 276 – Treviso 17

🏨   **Villa Odino** senza rist 🕸 🚗 🛦 🕸 🔏 🛦 ❝⒫ 🔏 🅿 🚾 🐼 🖭 ① 🔥
     via Roma 146 – ☎ 04 22 82 31 17 – www.villaodino.it – info@villaodino.it
     – Fax 04 22 82 32 35 – chiuso dal 24 dicembre al 6 gennaio
     27 cam ⊆ – ♦96/148 € ♦♦110/160 € – 3 suites
     ♦ Facile da raggiungere dall'autostrada, è una verde oasi di pace sulla riva del Sile: eleganti
     e confortevoli, le due strutture propongono ambienti arredati in stile. Ricca prima colazione.

Crowne Plaza Venice East　🎧 🎚 & 🔳 🎦 rist. 📞 🛎 🅿

via Della Resistenza 18/20 – ℰ 04 22 70 38 11　🚗 📶 ⓦ 📶 🅰🅴 ⓞ 🔥

– www.holidayinnvenice.it – info.venice@promohotels.it – Fax 04 22 70 38 22

151 cam 🛏 – 📞100/150 € 📞📞120/170 € – 2 suites – ½ P 82/97 €

Rist – Carta 38/42 €

♦ Grande hotel di recente costruzione e in grado di offrire un servizio completo in ambienti dal design semplice ma moderno; mostre d'arte allestite negli spazi comuni. Tre sale ristorante, in menù proposte di mare e di terra.

Park Hotel Junior 📶　🕪 🚶 🔳 📶 🅿 🚗 📶 🅰🅴 ⓞ 🔥

via Roma 93 – ℰ 04 22 82 37 77 – www.parkhoteljunior.it – info@ parkhoteljunior.it – Fax 04 22 82 68 40

15 cam 🛏 – 📞80/95 € 📞📞120/150 €

Rist Park Ristorante Da Odino – vedere selezione ristoranti

♦ Piccola e originale costruzione a un piano, salotti arredati in stile con mobilio d'antiquariato precedono le ampie funzionali camere dai graziosi colori pastello. Ampio parco ombreggiato.

Express by Holiday Inn senza rist　& 🔳 ⅓ 📶 🕪 🅿

via Pascoli 1 – ℰ 04 22 82 50 00　🚗 📶 🅰🅴 ⓞ 🔥

– www.ichotelsgroup.com – info.express@promohotels.it – Fax 04 22 78 06 50

80 cam 🛏 – 📞60/105 € 📞📞70/135 €

♦ Spazi open space di discrete dimensioni, confortevoli camere dall'arredo minimalista tutte provviste di un pratico scrittoio: in comoda posizione stradale, è ideale per una clientela di passaggio.

Park Ristorante Da Odino – Park Hotel Junior　🕪 🍴 & 🔳 🅿

via Roma 89 – ℰ 04 22 82 42 58 – www.daodino.it　🚗 📶 🅰🅴 ⓞ 🔥

– info@daodino.it – Fax 04 22 82 68 40 – chiuso martedì sera e mercoledì

Rist – Carta 44/62 € 🥢

♦ Avvolti da un ampio parco, il locale consta di due sale signorili e eleganti non prive di un interessante tono rustico in cui gustare preparazioni esclusivamente a base di pesce.

Cosmorì　🍴 🔳 🅿 📶 ⓦ 🅰🅴 ⓞ 🔥

viale Kennedy 15 – ℰ 04 22 82 53 26 – chiuso dal 1° al 15 gennaio, dal 5 al 20 agosto e lunedì

Rist – Carta 28/41 €

♦ Piacevole locale dall'accogliente ospitalità familiare; la sala è rallegrata dalla caratteristica illuminaziione che proviene dalle colorate formelle di vetro lavorato. Gustosi piatti di pesce.

QUARTO DEI MILLE – Genova – Vedere Genova

QUARTU SANT'ELENA – Cagliari – 566J9 – Vedere Sardegna alla fine dell'elenco alfabetico

---

QUATTRO CASTELLA – Reggio Emilia (RE) – 562I13 – 11 857 ab.　8 B3
– alt. 162 m – ✉ 42020

▶ Roma 443 – Parma 29 – Bologna 83 – Modena 40

a Rubbianino Nord: 13 km – ✉ 42020

Ca' Matilde (Andrea Incerti Vezzani) con cam 📶　🚗 🍴 🔳 rist. 🕪 🅿

via della Polita 14 – ℰ 05 22 88 95 60 – www.camatilde.it　📶 ⓦ 🅰🅴 🔥

– info@camatilde.it – Fax 05 22 88 68 05 – chiuso dal 7 al 14 gennaio

6 cam – 📞70 € 📞📞90 €, 🛏 10 €

Rist – (chiuso a mezzogiorno escluso festivi) Menu 43/52 € – Carta 49/64 €

Spec. Tortelli di zucca alla reggiana. Stinchetto di maialino da latte con spinaci e patate fondenti, pinoli e salsa alla senape. Zuppa inglese con salame di cioccolato e gelato alla crema.

♦ In aperta campagna, calorosa accoglienza in una casa colonica ristrutturata. Due sale moderne e solari ospitano una cucina che reinterpreta sapientemente i prodotti del territorio. Per un riposo in aperta campagna, a metà strada fra la bassa e le colline, nuove semplici camere dai vivaci colori.

QUERCEGROSSA – Siena – 563L15 – Vedere Siena

QUERCETA – Lucca – 563K12 – Vedere Seravezza

QUINCINETTO – Torino (TO) – 561F5 – 1 052 ab. – alt. 295 m   22 **B2**
– ✉ 10010
- ▶ Roma 694 – Aosta 55 – Ivrea 18 – Milano 131

🏠 **Mini Hotel Praiale** senza rist ॐ   ⇪ ☎ 📺 ⓒⓞ ㏂ ⓞ 🛆
via Umberto I, 5 – ℰ 01 25 75 71 88 – www.hotelpraiale.it – info@hotelpraiale.it
– Fax 01 25 75 73 49
9 cam – ♦35/40 € ♦♦50 €, � 7 €
◆ Era un'abitazione di famiglia. Poi è stata aperta al pubbblico: una piccola e accogliente struttura tra vie strette e tranquille, nel cuore del paese. La colazione è servita nella vecchia stalla, sotto una volta di mattoni.

✗ **Da Marino**   ⇐ 🅿 📺 ⓒⓞ ㏂ ⓞ 🛆
via Montellina 7 – ℰ 01 25 75 79 52 – rist.marino@tiscali.it – Fax 01 25 75 77 23
– chiuso dall'8 gennaio al 4 febbraio, dal 25 agosto al 10 settembre e lunedì
Rist – Carta 24/29 €
◆ Gestione diretta di lunga esperienza in un piacevole locale in posizione panoramica; legno alle pareti, sedie in vimini e ampie vetrate che inondano di luce la sala.

QUINTO DI TREVISO – Treviso (TV) – 562F18 – 9 366 ab. – alt. 17 m   36 **C2**
– ✉ 31055
- ▶ Roma 548 – Padova 41 – Venezia 36 – Treviso 7

✗✗ **Locanda Righetto**   ㏂ 🅿 📺 ⓒⓞ ㏂ ⓞ 🛆
via Ciardi 2 – ℰ 04 22 47 00 80 – info@locandarighetto.it – Fax 04 22 47 00 80
– chiuso dal 1° al 10 gennaio, dall' 11 al 17 agosto e lunedì
Rist – Carta 25/42 €
◆ Affidabile ristorante a gestione familiare generazionale; ambiente in stile rustico, cucina del territorio e tradizionale, con specialità a base d'anguilla.

QUINTO VERCELLESE – Vercelli (VC) – 434 ab. – ✉ 13030   23 **C2**
- ▶ Roma 638 – Alessandria 60 – Milano 70 – Novara 17

✗✗ **Bivio**   ㏂ 🍴 🅿 📺 ⓒⓞ 🛆
via bivio 2 – ℰ 01 61 27 41 31 – ristorantebivio@hotmail.com
– Fax 01 61 27 42 64 – chiuso gennaio, agosto, lunedì e martedì
Rist – Menu 35/45 € – Carta 37/50 € ॐ
◆ Ristorante di recente rinnovo, con una luminosa saletta dagli arredi di taglio moderno e pochi tavoli ben distanziati, dove apprezzare creativi piatti locali.

QUISTELLO – Mantova (MN) – 561G14 – 5 794 ab. – alt. 17 m   17 **D3**
– ✉ 46026
- ▶ Roma 458 – Verona 65 – Ferrara 61 – Mantova 29

✗✗✗✗ **Ambasciata** (Romano Tamani)   ㏂ ⇔ 🅿 📺 ⓒⓞ ㏂ ⓞ 🛆
❀❀ *via Martiri di Belfiore 33 – ℰ 03 76 61 91 69 – www.ristoranteambasciata.it*
– ristoranteambasciata@ristoranteambasciata.it – Fax 03 76 61 82 55
– chiuso dal 30 dicembre al 12 gennaio, dal 4 al 24 agosto, domenica sera, lunedì e le sere di Natale e Pasqua
Rist – Carta 130/175 € ॐ
Spec. Tagliatelle verdi con pomodori, basilico e scampi. Faraona del Vicariato di Quistello con uva, arancia, mostarda di mele campanine, melograna e menta. Cotoletta alla milanese con l'osso, insalata verde all'agro.
◆ Uno sfarzo circense e rinascimentale è il contorno di piatti sontuosi e barocchi, l'eccesso è favorito, la misura osteggiata: i fratelli Tamani mettono in scena i fasti della gloriosa cucina mantovana.

✗✗ **All'Angelo**   ㏂ 📺 ⓒⓞ ㏂ ⓞ 🛆
❀ *via Martiri di Belfiore 20 – ℰ 03 76 61 83 54 – www.allangelo.eu – info@allangelo.eu – Fax 03 76 61 99 55 – chiuso dal 13 al 25 gennaio, dal 14 luglio al 2 agosto, domenica sera e lunedì*
Rist – Menu 18/35 € – Carta 29/41 € ॐ
◆ Trattoria centrale che propone specialità del territorio, piatti tipici della zona e una pregevole carta dei vini; gradevole il salone per banchetti.

RABLÀ = RABLAND – Bolzano – Vedere Parcines

913

RACALE – Lecce (LE) – 564H36 – **10 596 ab.** – ✉ 73055   **27 D3**
▶ Roma 633 – Bari 203 – Lecce 53

✕   **L'Acchiatura**   🏛 AC 🍴 VISA ⬤ AE ① ᕕ
🐟   via Marzani 12 – ℰ 08 33 55 88 39 – www.acchiatura.it – info@acchiatura.it
– Fax 08 33 58 41 21 – chiuso dal 19 al 30 gennaio, dal 6 al 17 ottobre e martedì
Rist – (chiuso a mezzogiorno escluso la domenica da novembre a febbraio)
Carta 19/25 €
♦ La leggenda racconta di un prezioso scrigno colmo di tesori nascosto tra le mura di
questa trattoria. Forse noi abbiamo trovato questo mitico tesoro... prendete posto a
tavola per credere!

RACINES (RATSCHINGS) – Bolzano (BZ) – 3 902 ab. – alt. 1 290 m   **30 B1**
– Sport invernali : 1 300/2 250 m ≼8, ≴ – ✉ 39040
▶ Roma 700 – Bolzano 70 – Cortina d'Ampezzo 111 – Merano 102
🇮 palazzo Municipio ℰ 0472 756666, ratschinqa@dnet.it, Fax 0472 760616

🏨   **Sonklarhof** ⬙   ≼ 🚗 🏛 🏊 🏊 🎵 🌶 ✕ rist, 🍴 rist, ☏ 🅿
località Ridanna alt. 1342 – ℰ 04 72 65 62 12   VISA ⬤ ᕕ
– www.sonklarhof.com – sonklarhof@web.de – Fax 04 72 65 62 24
– chiuso dal 4 novembre al 16 dicembre e dal 30 marzo al 23 aprile
53 cam – 10 suites – solo ½ P 69/78 €   **Rist** – (chiuso la sera) Carta 24/47 €
♦ Struttura ben organizzata, nel cuore della Val Ridanna, in grado di offrire un'accoglienza di buon livello. Apprezzabile il confort delle camere e la dolce atmosfera tirolese.
Ambiente ospitale nella colorata e confortevole sala da pranzo.

🏨   **Gasteigerhof**   ≼ 🚗 🏛 🏊 ⬤ 🎵 🅑 🌶 ⚓ 🍴 ☏ 🅿 VISA ⬤ ① ᕕ
via Giovo 24, località Casateia – ℰ 04 72 77 90 90 – www.hotel-gasteigerhof.com
– info@hotel-gasteigerhof.com – Fax 04 72 77 90 43
– chiuso dal 4 novembre al 5 dicembre
22 cam ⇋ – ✝56/78 € ✝✝98/136 € – 4 suites – ½ P 61/90 €
Rist – Carta 28/40 €
♦ All'inizio della valle un hotel ben tenuto che presenta una struttura con elementi contemporanei accostati ad evidenti richiami alla tradizione. Camere confortevoli. Accogliente sala ristorante, specialità altoatesine.

RADDA IN CHIANTI – Siena (SI) – 563L16 – **1 698 ab.** – alt. 531 m   **29 D1**
– ✉ 53017▮ Toscana
▶ Roma 261 – Firenze 54 – Siena 33 – Arezzo 57
🇮 piazza del Castello ℰ 0577 738494, proradda@chiantinet.it, Fax
0577738494

🏨   **Relais Vignale**   ≼ 🚗 🏛 🏊 AC 🍴 🅿 VISA ⬤ AE ① ᕕ
via Pianigiani 9 – ℰ 05 77 73 83 00 – www.vignale.it – vignale@vignale.it
– Fax 05 77 73 85 92 – 20 marzo-2 novembre
37 cam ⇋ – ✝135/150 € ✝✝195/260 € – 5 suites – ½ P 128/173 €
Rist – Carta 33/59 €
♦ Una dimora elegante, una curata casa di campagna arredata con buon gusto e stile
tipicamente toscani. Molte definizioni, una sola bella realtà. Al ristorante accoglienti e
caratteristici gli ambienti, puntuale il servizio.

🏨   **Palazzo Leopoldo**   🏛 🏊 🎵 AC 🍴 rist, 🍴 🅑 🅿 VISA ⬤ AE ① ᕕ
via Roma 33 – ℰ 05 77 73 56 05 – www.palazzoleopoldo.it – info@
palazzoleopoldo.it – Fax 05 77 73 80 31 – chiuso dal 7 gennaio al 27 febbraio
15 cam – ✝120/154 € ✝✝154/264 €, ⇋ 10 € – 4 suites – ½ P 112/177 €
Rist La Perla del Palazzo – ℰ 05 77 73 92 70 (aprile-ottobre; chiuso mercoledì)
Carta 35/45 € 🍴
♦ Un ottimo esempio di conservazione di un palazzo di origine medievale, capace di
riproporre, con sobrietà ed eleganza immutate, stili ed atmosfere cariche di storia. Ristorante dalla forte impronta locale, sia negli ambienti che nelle proposte gastronomiche.

🏨   **Palazzo San Niccolò** senza rist   🚗 🅑 AC 🍴 🅑 🅿
via Roma 16 – ℰ 05 77 73 56 66   VISA ⬤ AE ① ᕕ
– www.hotelsannicolo.com – info@hotelsanniccolo.com – Fax 05 77 73 90 22
– chiuso gennaio e febbraio
18 cam – ✝112/143 € ✝✝143/245 €, ⇋ 10 €
♦ Tra boschi, vigneti e uliveti, il palazzo quattrocentesco offre ampie camere arredate
con gusto ed un suggestivo salone, al primo piano, interamente affrescato in stile '900.

✗ **Le Vigne**   ≼ 🚗 🏠 **P** 🚾 ⓪ 🅰🅴 ⓪ 👶
podere Le Vigne, Est : 1 km – ℰ 05 77 73 86 40 – Fax 05 77 73 88 09 – marzo-novembre

Rist – Carta 25/33 € (+15 %)

◆ Un ristorante d'impostazione classica, ma posizionato tra gli armoniosi vigneti di Toscana. Appena fuori dal paese, in zona panoramica, con gradevole servizio all'aperto.

verso Volpaia

🛏🅰 **La Locanda** 🍃   ≼ 🏠 🛏 🌿 **P** 🚾 ⓪ 👶
strada sterrata per Panzano, località Montanino, Nord : 10,5 km
– ℰ 05 77 73 88 33 – www.lalocanda.it – info@lalocanda.it – Fax 05 77 73 92 63
– aprile-ottobre; chiuso 10 giorni in agosto

7 cam ⚏ – ♦180/250 € ♦♦200/280 €

Rist – *(aperto le sere di lunedì, mercoledì e venerdì) (solo per alloggiati)* Menu 35 €

◆ Podere in posizione molto isolata che appare come una vera e propria oasi di pace. La vista sulle splendide colline circostanti è davvero eccezionale.

↑ **Agriturismo Podere Terreno**   ≼ 🏠 **P** 🚾 ⓪ 🅰🅴 👶
Nord : 5,5 km ✉ 53017 Radda in Chianti – ℰ 05 77 73 83 12
– www.podereterreno.it – podereterreno@chiantinet.it – Fax 05 77 73 84 00
– chiuso dal 20 al 27 dicembre

6 cam – solo ½ P 95/120 €

Rist – *(chiuso a mezzogiorno) (solo per alloggiati)* Menu 30/40 €

◆ Casa colonica del '500, contornata da vigneti, lo spirito verace di una terra ospitale. Si mangia con i proprietari attorno ad una grande tavola, in una sala con camino.

↑ **Agriturismo Castelvecchi** 🍃   🚗 🌲 **P** 🚾 ⓪ 👶
⊛ *Nord : 6 km ✉ 53017 Radda in Chianti – ℰ 05 77 73 80 50*
– www.castelvecchi.com – castelvecchi@castelvecchi.com – Fax 05 77 73 86 08
– aprile-novembre

11 cam ⚏ – ♦79/92 € ♦♦84/97 €   **Rist** – Menu 20/25 €

◆ Struttura inserita in un'antica tenuta vitivinicola molto attiva, un grazioso borgo di campagna con giardino. Gli ambienti e gli arredi sono di rustica ed essenziale finezza.

sulla strada provinciale 429

🏨🏨 **Radda** 🍃   ≼ 🚗 🌲 📺 🕸 🖨 & 🆔 ⇜ 🌿 rist, 🍸 **P** 🚾 ⓪ 🅰🅴 ⓪ 👶
Loc. La Calvana 138, Ovest : 1,5 km ✉ 53017 – ℰ 057 77 35 11
– www.myonehotel.it – radda@myonehotel.it – Fax 05 77 73 82 84

54 cam ⚏ – ♦70/150 € ♦♦100/230 € – 3 suites – ½ P 80/145 €

Rist – *(chiuso a mezzogiorno escluso da marzo ad ottobre) (solo per alloggiati)* Menu 25/35 €

◆ Sebbene realizzata in pietra e legno, è una nuova costruzione dal design moderno con arredi dai colori che spaziano dal grigio al sabbia, con camere ampie e confortevoli.

🛏🅰 **Il Borgo di Vescine** 🍃   ≼ 🚗 🌲 🌿 🆔 🌿 rist, ⚲ **P**
località Vescine, Ovest : 6,5 km ✉ 53017   🚾 ⓪ 🅰🅴 ⓪ 👶
– ℰ 05 77 74 11 44 – www.vescine.it – info@vescine.it – Fax 05 77 74 02 63
– aprile-novembre

29 cam ⚏ – ♦150/180 € ♦♦190/250 € – ½ P 120/155 €

Rist – *(solo per alloggiati)* Menu 25/30 €

◆ L'abitazione di campagna conserva l'originaria struttura del paesino medievale e dispone di camere confortevoli, sala colazione in terrazza, biblioteca e soggiorno con camino.

↑ **Villa Sant'Uberto** senza rist 🍃   ≼ 🚗 🌲 🌿 **P** 🚾 ⓪ 🅰🅴 ⓪ 👶
loc. S. Uberto 33, Ovest : 6,8 km – ℰ 05 77 74 10 88 – www.villasantuberto.it
– info@villasantuberto.it – Fax 05 77 74 16 09 – marzo-novembre

11 cam ⚏ – ♦76/82 € ♦♦83/95 €

◆ Ben collegata ai principali centri della zona ma anche immersa nel silenzio dei colli, la risorsa, ricavata da un'antica trattoria, offre piacevoli colazioni estive all'aperto

---

RADEIN = Redagno

RADICONDOLI – Siena (SI) – 563M15 – 1 009 ab. – alt. 510 m   **29 C2**
– ✉ 53030

🄳 Roma 270 – Siena 44 – Firenze 80 – Livorno 95

⛪ **Agriturismo Fattoria Solaio** ◈ ⬅ 🌊 ⚔ rist, 🔧 **P**
località Solaio, Sud-Ovest : 12 km ✉ 53030   VISA ⓜⓞ AE 💲
– ☏ 05 77 79 10 29 – www.fattoriasolaio.it – info@fattoriasolaio.it
*– Fax 05 77 79 10 15 – chiuso dal 7 gennaio al 15 marzo e dal 5 novembre
al 26 dicembre*
8 cam ⛌ **– ♦65/80 € ♦♦75/90 €**
Rist *– (chiuso a mezzogiorno) (solo per alloggiati)* Menu 22 € bc
♦ Dopo alcuni km di strada non asfaltata si trovano l'antica fattoria cinquecentesca, la
villa padronale e la chiesetta dell'800. Avvolte da un giardino all'italiana.

RAGONE – Ravenna – 561I18 – *Vedere Ravenna*

RAGUSA P – 565Q26 – *Vedere Sicilia alla fine dell'elenco alfabetico*

RAGUSA (Marina di) – *Vedere Sicilia alla fine dell'elenco alfabetico*

RANCIO VALCUVIA – Varese (VA) – 561E8 – 905 ab. – alt. 296 m   16 **A2**
– ✉ 21030

▶ Roma 651 – Stresa 59 – Lugano 28 – Luino 12

XX **Gibigiana**   🍴 **P** VISA ⓜⓞ ⓞ 💲
⊛ *via Roma 19 – ☏ 03 32 99 50 85 – Fax 03 32 99 50 85 – chiuso dal 1° al 15
agosto e martedì*
Rist – Carta 21/35 €
♦ Caldi e accoglienti ambienti in legno dove apprezzare una cucina affidabile ed incentrata su specialità tradizionali e alla brace, eseguite davanti agli occhi dei clienti.

RANCO – Varese (VA) – 561E7 – 1 202 ab. – alt. 214 m – ✉ 21020   16 **A2**
▶ Roma 644 – Stresa 37 – Laveno Mombello 21 – Milano 67

🏠 **Il Sole di Ranco** ◈ ⬅ 🍷 🎋 🛏 AK 🍴 📶 **P** VISA ⓜⓞ AE ⓞ 💲
*piazza Venezia 5 – ☏ 03 31 97 65 07 – www.ilsolediranco.it – info@
ilsolediranco.it – Fax 03 31 97 66 20 – chiuso dal 15 dicembre al 7 febbraio*
6 cam ⛌ **– ♦166/176 € ♦♦180/190 € – 8 suites – ♦♦309/361 €**
Rist Il Sole di Ranco – vedere selezione ristoranti
♦ In posizione elevata, fronte lago, un'antica villa ha affiancato l'omonimo ristorante:
camere e ambienti comuni molto curati, arredi eleganti. La raffinata atmosfera del ristorante continua la notte...

🏨 **Conca Azzurra** ◈ ⬅ 🍷 🎋 🛏 AK 🍴 rist, 📶 🔧 **P**
via Alberto 53 – ☏ 03 31 97 65 26   VISA ⓜⓞ AE ⓞ 💲
*– www.concazzurra.it – info@concazzurra.it – Fax 03 31 97 67 21
– chiuso dal 7 gennaio al 13 febbraio*
29 cam ⛌ **– ♦75/110 € ♦♦100/170 € – ½ P 75/95 €**
Rist La Veranda – ☏ 03 31 97 57 10 *(chiuso a mezzogiorno escluso sabato,
domenica e maggio-settembre)* Carta 38/63 €
♦ Un albergo di tono classico con una buona offerta di servizi a disposizione dei clienti.
Ideale per un rilassante e panoramico soggiorno in riva al lago. Sala da pranzo classica e
ampia terrazza con vetrate apribili, specialità di pesce.

🏨 **Belvedere** ◈ ⬅ 🍷 🎋 🛏 & cam, AK cam, ↔ 🍴 rist, 📶 🔧 **P**
via Piave 11 – ☏ 03 31 97 52 60   VISA ⓜⓞ AE ⓞ 💲
*– www.hotelristorantebelvedere.it – info@hotelristorantebelvedere.it
– Fax 03 31 97 57 73 – chiuso dal 24 dicembre al 7 febbraio*
12 cam – ♦75/95 € ♦♦110/140 € – ½ P 73/98 €
Rist – *(chiuso mercoledì)* Carta 26/56 €
♦ In centro e contemporaneamente a pochi passi dal lago, l'hotel offre ai suoi ospiti
un'atmosfera familiare ed ampie camere confortevoli arredate con mobili in legno
chiaro. Dalla cucina, specialità di lago, piatti rivisitati in chiave moderna e una lunga tradizione nel campo della ristorazione.

XXX **Il Sole di Ranco** (Davide Brovelli) ≤ 🚗 🏠 🅰️🅲 🍴 🗘 🅿️
☆ *piazza Venezia 5 – 𝒞 03 31 97 65 07* 🆅🆂🅰 🕔🕕 🅰🅴 🕕 🟔
– *www.ilsolediranco.it – info@ilsolediranco.it – Fax 03 31 97 66 20*
– *chiuso dicembre, gennaio, lunedì e martedì, dal 24 marzo a settembre aperto
lunedì sera*
Rist – 120 € – Carta 83/138 € 🥢
Spec. Gomitolo di foie gras. Tagliolini verdi con lavarello al fumo. Piccione allo
spiedo.
♦ Succede che la cucina si allei all'eleganza degli ambienti e ad una terrazza con indimenticabile vista sul lago. Allora tutto congiura per una serata da fiaba.

RANDAZZO – Catania – 565N26 – Vedere Sicilia alla fine dell'elenco alfabetico

---

RANZO – Imperia (IM) – 561J6 – 556 ab. – alt. 300 m – ⊠ 18020   14 **A2**
   ▶ Roma 597 – Imperria 30 – Genova 104 – Milano 228

XX **Il Gallo della Checca**   🅿️ 🆅🆂🅰 🕔🕕 🅰🅴 🕕 🟔
località Ponterotto 31, Est : 1 km – 𝒞 01 83 31 81 97 – Fax 01 83 31 89 21
– *chiuso lunedì*
Rist – (consigliata la prenotazione) Carta 30/62 €
♦ Ristorante-enoteca che offre interessanti proposte gastronomiche sull'onda di una
cucina prevalentemente regionale. In sala bottiglie esposte ovunque: cantina di buon
livello.

RAPALLO – Genova (GE) – 561I9 – 30 134 ab. – ⊠ 16035 🔲 Italia   15 **C2**
   ▶ Roma 477 – Genova 37 – Milano 163 – Parma 142
   🅸 Lungomare Vittorio Veneto 7 𝒞 0185 230346, iatrapallo@
   apttigullio.liguria.it, Fax 0185 63051
   🔟₈, 𝒞 0185 26 17 77
   👁 Lungomare Vittorio Veneto★
   🄶 Penisola di Portofino★★★ per la strada panoramica★★ per Santa
   Margherita Ligure e Portofino Sud-Ovest per ②

RAPALLO

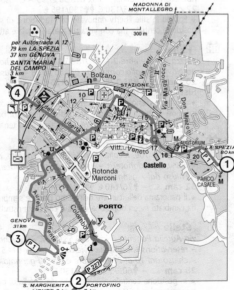

Excelsior Palace Hotel ⬧ ⬧ ⬧ ⬧ ⬧ ⬧ ⬧ ⬧ ⬧ ⬧ ⬧ ⬧ ⬧ rist,
via San Michele di Pagana 8 ⬧ ⬧ ⬧ ⬧ ⬧ ⬧ ⬧ ⬧
– ✆ 01 85 23 06 66 – www.excelsiorpalace.thi.it – excelsior@thi.it
– Fax 01 85 23 02 14   **d**
127 cam ⬚ – ♦170/700 € ♦♦200/700 € – 4 suites
Rist – Carta 66/112 €
Rist Eden Roc – *(giugno-settembre)* (prenotazione obbligatoria) Carta 49/99 €
♦ Struttura composita, con una ricca storia e un insieme eclettico di stili. Lusso, raffinata eleganza e tocchi di classe ovunque. In posizione unica, con vista mozzafiato. Al ristorante, colazione a buffet e golosi piatti creativi. All'Eden Roc ambienti prestigiosi e proposte culinarie legate alla tradizione ligure.

Grand Hotel Bristol ⬧ ⬧ ⬧ ⬧ ⬧ ⬧ ⬧ ⬧ ⬧ ⬧ ⬧ ⬧
via Aurelia Orientale 369 : 1,5 km – ✆ 01 85 27 33 13 ⬧ ⬧ ⬧ ⬧ ⬧
– www.framonhotel.com – reservation.bri@framon-hotels.it – Fax 018 55 58 00
– aprile-novembre
83 cam ⬚ – ♦170/260 € ♦♦260/360 € – 6 suites – ½ P 166/224 €
Rist Le Cupole – *(chiuso a mezzogiorno)* Carta 44/66 €
♦ Anche se completamente rinnovato, l'hotel conserva sempre il fascino che incantò importanti ospiti, quali Guglielmo Marconi, Evita Peron ed Ezra Pound. Frontemare, la struttura dispone di un'elegante hall e spaziose camere. Al ristorante roof garden, i piatti della cucina ligure ed uno spettacolare panorama.

Europa ⬧ ⬧ ⬧ ⬧ ⬧ ⬧ rist, ⬧ ⬧ ⬧ ⬧ ⬧ ⬧ ⬧
via Milite Ignoto 2 – ✆ 01 85 66 95 21 – www.hoteleuropa-rapallo.com – info@
hoteleuropa-rapallo.com – Fax 01 85 66 98 47   **x**
56 cam ⬚ – ♦92/139 € ♦♦118/216 € – ½ P 123/140 €
Rist Il Trattato – *(chiuso novembre)* Carta 35/50 €
♦ Dimora patrizia del XVII sec. riconvertita con gusto a moderna struttura alberghiera. Camere ampie di gradevole effetto, molto curate nei dettagli, decorate con stucchi. Uno stile di semplice raffinatezza caratterizza ambiente e atmosfera del ristorante.

Astoria senza rist ⬧ ⬧ ⬧ ⬧ ⬧ ⬧ ⬧ ⬧ ⬧ ⬧ ⬧
via Gramsci 4 – ✆ 01 85 27 35 33 – www.astoriarapallo.it – info@
hotelsastoriarapallo.it – Fax 018 56 27 93 – chiuso dal 7 gennaio al 15 febbraio
22 cam ⬚ – ♦85/130 € ♦♦130/195 €   **r**
♦ Edificio in stile liberty rinnovato con l'adozione di soluzioni moderne e funzionali, in posizione centrale, ma con vista sul mare. Piccola e attrezzata sala convegni.

Riviera ⬧ ⬧ ⬧ ⬧ ⬧ rist, ⬧ ⬧ ⬧ ⬧ ⬧
piazza 4 Novembre 2 – ✆ 018 55 02 48 – www.hotelrivierarapallo.com – info@
hotelrivierarapallo.com – Fax 018 56 56 68 – chiuso da novembre al 22 dicembre
20 cam ⬚ – ♦85/125 € ♦♦120/170 € – ½ P 98/120 €   **r**
Rist – Carta 41/54 €
♦ Struttura d'epoca, completamente rinnovata, affacciata sul mare, dotata di ampi e luminosi ambienti. Le stanze sono decisamente di buon livello, così come il servizio. Ristorante che alla gradevolezza della sala e della terrazza unisce il valore della cucina.

L'Approdo senza rist ⬧ ⬧ ⬧ ⬧ ⬧ ⬧ ⬧ ⬧
via Pagana 160, località San Michele di Pagana, per ② – ✆ 01 85 23 45 68
– www.approdohotel.it – direzione@approdohotel.it – Fax 01 85 01 45 64
– chiuso dal 7 gennaio al 14 marzo
32 cam ⬚ – ♦76/140 € ♦♦90/170 €
♦ Il panorama dalle camere dell'ultimo piano è sempre magnifico, ma il resto dell'hotel ha cambiato faccia dopo una valida e completa ristrutturazione. Ambienti moderni.

Stella senza rist ⬧ ⬧ ⬧ ⬧ ⬧ ⬧ ⬧ ⬧
via Aurelia Ponente 6 – ✆ 018 55 03 67 – www.hotelstella-riviera.com
– reservations@hotelstella-riviera.com – Fax 01 85 27 28 37
– chiuso dal 10 al 20 dicembre e dal 10 gennaio al 20 febbraio   **u**
28 cam ⬚ – ♦60/95 € ♦♦80/130 €
♦ In posizione centrale, all'inizio della via Aurelia di ponente, dotato di validi sistemi di insonorizzazione. Stanze semplici e funzionali, buona accoglienza generale.

✗✗ **Luca** 🕮 ⏚ⓒ 💳 ⓒⓔ ⓐⓔ ♿
via Langano 32, porto Carlo Riva – ☏ *018 56 03 23*
– www.ristoranteluca.it – ristoranteluca@yahoo.it – Fax 018 56 03 23
– chiuso martedì escluso luglio e agosto **y**
Rist – Carta 39/60 €
♦ Risorsa ubicata proprio lungo il porticciolo turistico della cittadina. La conduzione, di tipo familiare, è attenta e premurosa; l'ambiente è caratteristico la cucina di mare.

✗ **Antica Cucina Genovese** 🕮 ⏚ⓒ ⓟ 💳 ⓒⓔ ⓐⓔ ⓞ ♿
via Santa Maria del Campo 133, 3 km per ④ *–* ☏ *01 85 20 60 36*
– www.anticacucinagenovese.it – anticacucina@libero.it – Fax 01 85 20 63 38
– chiuso dal 12 gennaio al 13 febbraio e lunedì
Rist – Carta 22/33 €
♦ Locale semplice, spazioso e luminoso, dove lasciarsi conquistare dalla passione per la gastronomia dispensata a piene mani dal titolare. Cucina ligure genuina.

RAPOLANO TERME – Siena (SI) – 563M16 – 4 911 ab. – alt. 334 m 29 **C2**
– ✉ 53040
  ▸ Roma 202 – Siena 27 – Arezzo 48 – Firenze 96

🏨 **2 Mari** 🚗 🕮 🏊 🖿 ⏚ⓒ ⚒ ⚴ ⓟ 💳 ⓒⓔ ⓐⓔ ⓞ ♿
via Giotto 1, località Bagni Freddi – ☏ *05 77 72 40 70 – www.hotel2mari.com*
– info@hotel2mari.com – Fax 05 77 72 54 14
– chiuso dal 3 al 28 maggio
58 cam ⊇ – ♦60/74 € ♦♦84/126 € – ½ P 59/80 €
Rist – Carta 26/37 €
♦ Un hotel dalla capace ed attenta gestione familiare, dispone di accoglienti ambienti curati e funzionali, mentre all'esterno un bel giardino custodisce la piscina. Menù regionali presso la sala ristorante di tono classico.

🏠 **Villa Buoninsegna** ≤ 🚗 🏊 ⚒ ⓦⓟ ⓟ 💳 ⓒⓔ ⓞ ♿
località La Buoninsegna, Sud-Est : 5 km – ☏ *05 77 72 43 80*
– www.buoninsegna.it – info@buoninsegna.it – Fax 05 77 72 43 80
– 8 marzo-15 novembre
6 cam ⊇ – ♦80/100 € ♦♦110/130 € – ½ P 81/91 €
Rist – *(chiuso a mezzogiorno)* (prenotazione obbligatoria) *(solo per alloggiati)*
Menu 26 € bc/30 € bc
♦ Una poderosa villa del 1600 al centro di una vastissima proprietà, le cui ampie camere - arredate con mobili antichi - si affacciano sul salone del piano nobile. La struttura dispone di due piscine all'aperto e di vasti percorsi per escursioni.

RASEN ANTHOLZ = Rasun Anterselva

RASUN ANTERSELVA (RASEN ANTHOLZ) – Bolzano (BZ) – 562B18 31 **C1**
– 2 761 ab. – alt. 1 000 m – Sport invernali : 1 030/2 273 m 🚡19 🚠12
(Comprensorio Dolomiti superski Plan de Corones) 🎿 – ✉ 39030
  ▸ Roma 728 – Cortina d'Ampezzo 50 – Bolzano 87 – Brunico 13

a Rasun (Rasen) – alt. 1 030 m – ✉ 39030

  🖪 a Rasun di Sotto ☏ 0474 496269, info@rasen.it, Fax 0474 498099

🏨 **Alpenhof** ≤ 🖾 ⚙ ⚒ 🖿 ♨ ⏚ⓒ ⚒ rist, ⓦⓟ ⓟ 🚗 💳 ⓒⓔ ⓐⓔ ⓞ ♿
a Rasun di Sotto – ☏ *04 74 49 64 51 – www.hotel-alpenhof.info*
– alpenhof@dnet.it – Fax 04 74 49 80 47
– chiuso dal 1° novembre al 3 dicembre
32 cam ⊇ – ♦55/128 € ♦♦86/242 € – 5 suites – ½ P 55/168 €
Rist – Menu 25/38 €
♦ Piacevole hotel che nasce dall'unione di una casa ristrutturata e di un'ala più moderna, offre camere ed ambienti comuni piacevoli, connotati da spunti di eleganza. E' possibile cenare presso caratteristiche stube o nella calda sala con soffitto in legno.

ad Anterselva (Antholz) – alt. 1 100 m – ⊠ 39030

🖼 ad Anterselva di Mezzo 𝒞 0474 492116, antholz@dnet.it, Fax 0474 492370

🏠 **Santéshotel Wegerhof** 🚗 🖥 🕸 🔊 🌊 🛆 cam, 🚵 ↔ 💥 rist, "¶"
⊗ *ad Anterselva di Mezzo, via Centrale 15* **P** 🚾 ⓪ ⓪ ☉ 💲
– 𝒞 04 74 49 21 30 – www.santeshotel.it – info@santeshotel.com
– Fax 04 74 49 24 79 – Natale-Pasqua e maggio-ottobre
28 cam ⊇ – ♥40/90 € ♥♥80/180 € – ½ P 85/125 €
Rist *Peter's Stube* – (giugno-20 ottobre e dicembre-5 aprile) Carta 18/59 €
♦ Struttura caratterizzata da una gestione attenta, capace di mantenersi sempre al passo coi tempi. Grande considerazione per le esigenze dei "grandi" come dei più piccoli. Piccola e intima stube per apprezzare una genuina cucina del territorio.

🏠 **Bagni di Salomone-Bad Salomonsbrunn** ≤ 🚗 🕸 🖨
⊗ *ad Anterselva di Sotto, Sud-Ovest :* 🛆 rist, 💥 rist, **P** 🚾 ⓪ 🅰🅴 💲
1,5 km – 𝒞 04 74 49 21 99 – www.bagnidisalomone.com
– info@bagnidisalomone.com – Fax 04 74 49 23 78
– chiuso maggio e novembre
29 cam ⊇ – ♥55/94 € ♥♥90/170 € – ½ P 55/92 €
Rist – (chiuso giovedì) Carta 18/35 €
♦ Gestione familiare, piena di vitalità, in una bella casa d'epoca: al primo piano, il più caratteristico, c'è un ampio corridoio ricco di arredi e quadri di famiglia. I pasti sono serviti in una sala di taglio decisamente classico-elegante: cucina regionale con qualche spunto mediterraneo.

RASTIGNANO – Bologna – Vedere Pianoro

RATSCHINGS = Racines

RAVALLE – Ferrara – 562H16 – Vedere Ferrara

RAVELLO – Salerno (SA) – 564F25 – 2 472 ab. – alt. 350 m – ⊠ 84010   6 B2
📗 Italia

🚹 Roma 276 – Napoli 59 – Amalfi 6 – Salerno 29
🖼 via Roma 18 bis 𝒞 089 857096, info@ravellotime.it, Fax 089 857977
🔘 Posizione e cornice pittoresche★★★ – Villa Rufolo★★★ : ❋★★★ – Villa Cimbrone★★★ : ❋★★★ – Pulpito★★ e porta in bronzo★ del Duomo – Chiesa di San Giovanni del Toro★

🏰 **Caruso** ⊗ ≤ 🚗 🚏 🔽 🛅 🖨 🚵 🖾 💥 rist, "¶" 🚐 🚾 ⓪ 🅰🅴 ☉ 💲
piazza San Giovanni del Toro 2 – 𝒞 089 85 88 01 – www.hotelcaruso.com
– info@hotelcaruso.net – Fax 089 85 88 06
– 3 aprile-ottobre
42 cam ⊇ – ♥583 € ♥♥781/1012 € – 6 suites – ½ P 478/593 €
Rist – Carta 83/127 €
♦ In splendida posizione, esclusivo hotel all'interno di un palazzo dell'XI secolo: il servizio è impeccabile, gli ambienti sono all'insegna di un lusso rispettoso della storia. Preziosi affreschi. Piatti moderni e fantasiosi presso il ristorante con terrazza estiva affaciata sul mare et sulla costa.

🏰 **Palazzo Sasso** ⊗ ≤ 🚗 🚏 🔽 🐫 🕸 🛅 🖨 🛆 cam, 🖾 💥 "¶" 🎛
via San Giovanni del Toro 28 – 𝒞 089 81 81 81 🚐 🚾 ⓪ 🅰🅴 ☉ 💲
– www.palazzosasso.com – info@palazzosasso.com – Fax 089 85 89 00
– 28 marzo-ottobre
34 cam ⊇ – ♥♥400/715 € – 9 suites
Rist Rossellinis – vedere selezione ristoranti
Rist *Caffè dell'Arte* – Carta 62/85 €
♦ Senza dubbio uno dei migliori alberghi della costiera: grande eleganza e servizio di livello eccellente. Ambienti comuni raffinati, stanze perfette, panorama mozzafiato. Leggere proposte culinarie, da gustare in una distinta saletta o in terrazza.

Villa Cimbrone
[AC] VISA [MC] [AE]
via Santa Chiara 26 – ☎ 089 85 74 59 – www.villacimbrone.com – info@villacimbrone.com – Fax 089 85 77 77 – 6 aprile-ottobre
17 cam – †290/360 € ††330/880 € – 2 suites
Rist – *(chiuso la sera)* Carta 59/81 €
Rist *Il Flauto di Pan* – *(chiuso a mezzogiorno)* Carta 59/77 €
◆ Villa patrizia dell'XI sec., immersa in un parco-giardino (aperto anche al pubblico esterno) da cui è possibile godere di una vista eccezionale sul mare e sulla costa. Tappa gourmet serale al *Flauto di Pan:* sapori mediterrani armonizzati con spezie ed ingredienti da tutto il mondo.

Palumbo
[AC] rist, VISA [MC] [AE]
via San Giovanni del Toro 16 – ☎ 089 85 72 44 – www.hotelpalumbo.it – info@hotelpalumbo.it – Fax 08 98 58 60 84
17 cam – †250/550 € ††250/600 € – ½ P 190/365 €
Rist – *(aprile-ottobre)* Carta 57/91 €
◆ Volte, nicchie, passaggi, corridoi e colonne in stile arabo-orientale. Una dimora del XII sec. con terrazza-giardino fiorita: spazi imprevedibili e piaceri sorprendenti. Imperdibile vista dalla terrazza del ristorante.

Rufolo
[AC] rist, [P] VISA [MC] [AE]
via San Francesco 1 – ☎ 089 85 71 33 – www.hotelrufolo.it – info@hotelrufolo.it – Fax 089 85 79 35
34 cam – †145/180 € ††180/330 € – ½ P 155/200 €
Rist *Sigilgada* – *(chiuso gennaio e febbraio)* Carta 43/58 €
◆ Ottima ubicazione: nel centro storico con panorama sul golfo e sulla vicina Villa Rufolo, la cui vista delizia molte camere. La piscina è ospitata nell'ampio e tranquillo giardino. Il ristorante si affaccia con la terrazza-veranda sulla Costiera: per cenare tra cielo e mare.

Villa Maria
[AC] [P] VISA [MC] [AE]
via Santa Chiara 2 – ☎ 089 85 72 55 – www.villamaria.it – villamaria@villamaria.it – Fax 089 85 70 71
23 cam – †155/185 € ††185/225 € – ½ P 130/150 €
Rist – *(chiuso 24 e 25 dicembre)* Carta 35/50 €
◆ Struttura signorile ubicata in una zona tranquilla del paese e raggiungibile soltanto a piedi (il parcheggio è molto vicino). Dotata di un'elegante zona soggiorno comune. Servizio ristorante estivo sotto un pergolato con una stupefacente vista di mare e costa.

Giordano senza rist
[AC] [P] VISA [MC] [AE]
via Trinità 14 – ☎ 089 85 72 55 – www.giordanohotel.it – giordano@giordanohotel.it – Fax 089 85 70 71 – aprile-ottobre
33 cam – †140/165 € ††160/185 €
◆ A pochi passi dalla piazza, nella direzione di Villa Cimbrone, bella struttura dotata di parcheggio e grazioso giardino con grande piscina. Camere sobrie e funzionali. All'arrivo, si consiglia di contattare l'hotel dalla piazza.

Graal
rist, VISA [MC] [AE]
via della Repubblica 8 – ☎ 089 85 72 22 – www.hotelgraal.it – info@hotelgraal.it – Fax 089 85 75 51
43 cam – †145/275 € ††170/300 € – ½ P 115/180 €
Rist *Al Ristoro del Molo* – ☎ 089 85 79 01 (consigliata la prenotazione) Carta 33/51 €
◆ Vicino al centro storico, in posizione tale da regalare una visuale notevole sul golfo e sui monti circostanti. Struttura recente, dotata di camere di varie tipologie. La sala ristorante colpisce per la luminosità dell'ambiente dovuta alle ampie vetrate.

Le «promesse», segnalate in rosso nelle nostre selezioni, distinguono i ristoranti suscettibili di accedere alla categoria superiore, vale a dire una stella in più.
Le troverete nella lista dei ristoranti stellati, all'inizio della guida.

XXXX **Rossellinis** (Pino Lavarra) – Hotel Palazzo Sasso 🚗 🏠 🆔 🍽
❀❀ *via San Giovanni del Toro 28 –* 𝒞 089 81 81 81 VISA ⓿ AE ① 👍
– *www.palazzosasso.com – info@palazzosasso.com – Fax 089 85 89 00*
– *marzo-ottobre*
Rist – *(chiuso a mezzogiorno)* Menu 75/110 € – Carta 82/114 € ❀
Spec. Parmigiana di zucchine in box di spaghetti e carpaccio di zucchine con alici fritte ripiene di ricotta e ceci croccanti. Spaghetti alla chitarra al sentore di clorofilla con ragù di calamaretti avvolti in foglie di spada e olio nero. Carré d'agnello in crosta di rose e rosolio con asparagi, specchi di patate e salsa ai pomodori secchi.
♦ Sospeso tra mare e cielo su una costa a strapiombo, l'infinita fantasia del cuoco moltiplica gli accostamenti e le invenzioni in piatti dalle citazioni campane ed internazionali.

sulla costiera amalfitana Sud : 6 km :

🏨 **Marmorata** ⊱ ⟨ 🏠 ⊼ 🔐 🎐 🆔 🍽 🍷 🅿 VISA ⓿ AE ① 👍
loc. Marmorata, via Bizantina 3 ⊠ 84010 – 𝒞 089 87 77 77 – *www.marmorata.it*
– *info@marmorata.it – Fax 089 85 11 89 – marzo-novembre*
40 cam ⊡ – ✚87/165 € ✚✚125/250 € – ½ P 98/160 €
Rist *L'Antica Cartiera* – Carta 36/48 €
♦ Arroccato sugli scogli, proprio a picco sul mare, albergo ricavato dall'abile ristrutturazione di un'antica cartiera. Gli arredi interni sono in stile vecchia marina. Ambiente curato nella sala ristorante con soffitto a volte, dalla forma particolare.

🏠 **Villa San Michele** ⊱ ⟨ 🚗 🆔 🍷 🅿 VISA ⓿ AE ① 👍
via Carusiello 2 – 𝒞 089 87 22 37 – *www.hotel-villasanmichele.it – smichele@*
starnet.it – Fax 089 87 22 37 – chiuso dal 15 novembre al 20 febbraio
12 cam ⊡ – ✚✚100/180 € – ½ P 76/125 €
Rist – *(aprile-ottobre) (chiuso a mezzogiorno escluso da giugno a settembre)*
(solo per alloggiati) Menu 26 €
♦ Hotel letteralmente affacciato sul mare, a ridosso degli scogli, inserito in un verde giardino. In perfetta armonia con la natura: per un soggiorno dalle forti emozioni.

RAVENNA ℙ (RA) – 562I18 – 139 021 ab. – ⊠ 48100   9 **D2**
◼ Roma 366 – Bologna 74 – Ferrara 74 – Firenze 136
🄳 *via Salara 8/12* 𝒞 0544 35404, ravenna1@comune.ravenna.it, Fax 0544
482670
(maggio-settembre) via delle Industrie 14 (Mausoleo di Teodorico) 𝒞0544
451539, teodorico.iat@libero.it
◉ Mausoleo di Galla Placidia★★★ Y – Chiesa di San Vitale★★ : mosaici★★★
Y – Battistero Neoniano★ : mosaici★★★ Z – Basilica di Sant'Apollinare
Nuovo★ : mosaici★★★ Z – Mosaici★★★ nel Battistero degli Ariani Y **D**
– Cattedra d'avorio★★ e cappella arcivescovile★★ nel museo
dell'Arcivescovado Z **M2** – Mausoleo di Teodorico★ Y **B** – Statua
giacente★ nella Pinacoteca Comunale Z
◉ Basilica di Sant'Apollinare in Classe★★ : mosaici★★★ per ③ : 5 km

Pianta pagina a lato

🏨 **NH Ravenna** 🕭 ♿ 🆔 ⇆ 🍽 🍷 🛗 VISA ⓿ AE ① 👍
piazza Mameli 1 – 𝒞 054 43 57 62 – *www.nh-hotels.com – jhravenna@*
nh-hotels.com – Fax 05 44 21 60 55   Y**c**
83 cam ⊡ – ✚72/215 € ✚✚95/225 € – 1 suite – ½ P 112/180 €
Rist – Carta 38/50 €
♦ Comodo e funzionale per la clientela commerciale ma anche ricco di attenzione per i particolari e per l'estetica adatta alla clientela turistica. Semplice e luminoso ristorante con proposte classiche alla carta o buffet.

🏨 **Bisanzio** senza rist 🚗 🕭 🆔 ⇆ 🍷 🛗 VISA ⓿ AE ① 👍
via Salara 30 – 𝒞 05 44 21 71 11 – *www.bisanziohotel.com – info@*
bisanziohotel.com – Fax 054 43 25 39   Y**f**
38 cam ⊡ – ✚92/120 € ✚✚114/190 €
♦ Nel centro della località, nei pressi della Basilica di San Vitale, un albergo con marmi e lampadari di Murano nella hall; camere lineari e complete nei servizi.

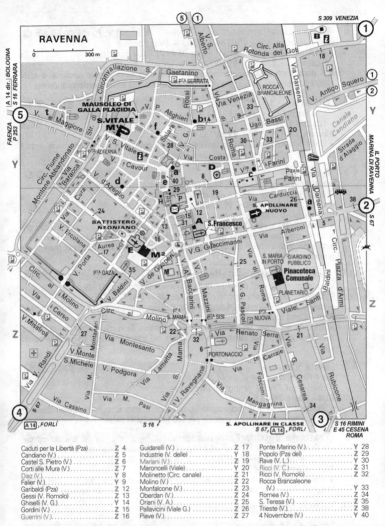

RAVENNA

0 ____ 300 m

A 14 dir.; BOLOGNA
S 16 FERRARA
FAENZA
P 253

S 309 VENEZIA

IL PORTO
MARINA DI RAVENNA

S 67

S 16 RIMINI
E 45 CESENA
ROMA

A 14, FORLÌ

S 16

S. APOLLINARE IN CLASSE
S 67, A 14, FORLÌ

S. Andrea senza rist ⬜ ⬛ & 🅰️🅲 ⌁ (ʳ) VISA 🆖 AE ① ⬤
via Cattaneo 33 – 𝓬 05 44 21 55 64 – www.santandreahotel.com – info@
santandreahotel.com – Fax 05 44 21 55 64 – febbraio-novembre   YZ**d**
12 cam ⬜ – †80/100 € ††90/140 €
♦ Ex convento di origine secentesca, ha conservato l'atmosfera tranquilla acquisendo un
tono familiare più da casa privata che da albergo. Piccolo giardino, grande oasi.

ClassHotel Ravenna ⬛ 🅰️🅲 ⌁ rist, 🕭 ⬤ 🛂 P, VISA 🆖 AE ① ⬤
viale della Lirica 141, prossimità strada statale 16 per ④ – 𝓬 05 44 27 02 90
– www.classhotel.com – info.ravenna@classhotel.com – Fax 05 44 27 01 70
69 cam ⬜ – †60/120 € ††80/150 €
Rist – (chiuso domenica in bassa stagione) Carta 23/33 €
♦ Hotel moderno, a pochi metri dall'uscita della tangenziale e per questo particolarmente indicato per una clientela di lavoro. Servizi e dotazioni recenti e apprezzabili.
Ristorante frequentato soprattutto da ospiti dell'hotel e da uomini d'affari.

RAVENNA

Italia senza rist   ⚘ AC ✗ ⁽¹⁾ P VISA ☺ AE ① ⑤
viale Pallavicini 4/6 – ℰ 05 44 21 23 63 – www.hitalia.it
– info@hotelitaliaravenna.com – Fax 05 44 21 70 04   Za
45 cam ☂ – ♥50/73 € ♥♥60/135 €
♦ A pochi passi dalla stazione ferroviaria, l'hotel dispone di camere funzionali e accoglienti. Adatto a chi ha bisogno di parcheggio e desidera essere prossimo al centro.

Diana senza rist   🕸 ⚘ AC ⁽¹⁾ VISA ☺ AE ① ⑤
via G. Rossi 47 – ℰ 054 43 91 64 – www.hoteldiana.ra.it – info@hoteldiana.ra.it
– Fax 054 43 00 01   Yb
33 cam ☂ – ♥58/86 € ♥♥82/135 €
♦ Hotel del centro città, che presenta ambienti accoglienti, in cui un certo buon gusto è percepibile dallo stile degli arredi. Camere semplici adeguate ai prezzi.

Cappello   🕸 AC ✗ rist, ⁽¹⁾ 🏋 VISA ☺ AE ① ⑤
via IV Novembre 41 – ℰ 05 44 21 98 13 – www.albergocappello.it
– info@albergocappello.it – Fax 05 44 21 98 14   Ya
7 cam ☂ – ♥110/130 € ♥♥130/240 €
Rist – (chiuso domenica sera e lunedì) Carta 30/51 €
♦ E' un piacere, quasi un privilegio, essere ospitati da una risorsa con camere così eleganti e confortevoli. Palazzo del '400 con affreschi e soffitti a cassettoni. Ricercata e antica eleganza anche al ristorante, dove troverete una fragrante cucina di mare rivista quotidianamente.

XXX **Antica Trattoria al Gallo 1909**   ✗ ⟲ VISA ☺ AE ① ⑤
via Maggiore 87 – ℰ 05 44 21 37 75 – www.trattoriaalgallo1909.it
– 1909@anticatrattoriaalgallo.191.it – Fax 05 44 21 37 75
– chiuso dal 20 dicembre al 10 gennaio, Pasqua, domenica sera, lunedì e martedì
Rist – Carta 33/46 €   Yt
♦ Trattoria nel nome, un semplice edificio di mattoni fuori ma un tripudio di decorazioni liberty all'interno. Riferimento ineludibile nel panorama della ristorazione ravennate.

XX **Bella Venezia**   🏠 AC VISA ☺ AE ① ⑤
via 4 Novembre 16 – ℰ 05 44 21 27 46
– chiuso dal 7 al 22 gennaio e domenica   Ye
Rist – Carta 28/43 €
♦ Ristorante classico, di taglio signorile, suddiviso in due accoglienti salette, situato in pieno centro storico. Cucina versatile per soddisfare tutti i palati.

XX **Trattoria Vecchia Falegnameria**   🏠 AC VISA ☺ ① ⑤
⊚ via Faentina 54, per ⑤ – ℰ 05 44 50 18 70 – www.vecchiafalegnameria.it
– vecchiafalegnameria@libero.it – Fax 05 44 50 18 70
Rist – Carta 21/28 €
♦ Una ex-falegnameria restaurata e trasformata in un accogliente locale in stile rustico. In cucina dalle paste romagnole alle grigliate, dalla cacciagione alle insalate.

a San Michele Ovest : 8 km – ✉ 48100 – **Ravenna**

X **Osteria al Boschetto**   🚗 🏠 ✗ ⟲ P VISA ☺ AE ① ⑤
via Faentina 275 – ℰ 05 44 41 43 12 – al-boschetto2002@libero.it
– Fax 05 44 41 43 12 – chiuso dal 7 al 14 gennaio, dal 15 agosto al 4 settembre e giovedì
Rist – (chiuso a mezzogiorno in agosto) Carta 42/62 €
♦ Non lontano dal casello autostradale di S. Vitale, all'interno di una palazzina d'inizio '900 in mattoni rossi, cucina di varia ispirazione. Servizio estivo in giardino.

a Ragone Sud-Ovest : 15 km – ✉ 48100

X **Flora**   🏠 AC ✗ P VISA ☺ AE ① ⑤
⊚ via Ragone 104 – ℰ 05 44 53 40 44 – Fax 05 44 53 40 44
– chiuso dal 20 luglio al 10 agosto e mercoledì
Rist – Carta 16/22 €
♦ Semplice trattoria con bar, oltre alle paste romagnole, in stagione, una buona scelta di funghi e cacciagione. Per arrivare: direzione Forlì e svoltare a destra a Ghibullo.

RAVENNA (Marina di) – Ravenna (RA) – 563I18 – ⊠ 48023 9 **D2**

▶ Roma 390 – Ravenna 12 – Bologna 103 – Forlì 42

🛈 (giugno-settembre) viale delle Nazioni 159 ☎ 0544 530117

🏠 **Bermuda** senza rist   AC ℅ VISA ☯ AE ① ⚡
viale della Pace 363 – ☎ 05 44 53 05 60 – www.hotelbermuda.it
– hotelbermuda@libero.it – Fax 05 44 53 16 43 – chiuso dal 20 dicembre al 10 gennaio
23 cam – ▪60/70 € ▪▪90/110 €, ☷ 10 €
♦ Ubicato lungo la strada che conduce a sud in direzione di Punta Marina, questo alberghetto ospita clientela commerciale d'inverno e turisti nella stagione balneare.

RAVINA – Trento – 562D15 – Vedere Trento

RAZZES = **RATZES** – Bolzano – Vedere Siusi allo Sciliar

RECANATI – Macerata (MC) – 563L22 – 20 653 ab. – ⊠ 62019 21 **C2**

🏨 **Gallery Hotel Recanati**   ⇐ 🛗 🕭 ℅ ☏ 🕌 P VISA ☯ AE ① ⚡
via Falleroni 85 – ☎ 071 98 19 14 – www.ghr.it – info@ghr.it – Fax 07 17 57 42 16
68 cam ☷ – ▪79/99 € ▪▪79/129 €   **Rist** – Carta 23/50 €
♦ Nato dall'accurato restauro di un Seicentesco palazzo nobiliare del centro storico (in seguito diventato seminario e scuola), un hotel che coniuga modernità e recupero di parti storiche.

RECCO – Genova (GE) – 561I9 – 10 282 ab. – ⊠ 16036 15 **C2**

▶ Roma 484 – Genova 32 – Milano 160 – Portofino 15

🛈 via Ippolito D'Aste 2A ☎ 0185 722440, iatpro@libero.it, Fax 0185 721958

🏨 **La Villa**   🍴 ⛱ 🛗 🕭 cam, AC ☏ 🕌 P VISA ☯ AE ① ⚡
via Roma 296 – ☎ 01 85 72 07 79 – www.manuelina.it – manuelina@manuelina.it – Fax 01 85 72 10 95
23 cam ☷ – ▪80/120 € ▪▪100/140 € – ½ P 80 €
Rist Manuelina – ☎ 018 57 41 28 (chiuso gennaio) Carta 37/68 €
♦ Una risorsa di taglio moderno ricavata però in una villa d'epoca in tipico stile genovese, cui recentemente è stata aggiunta una nuova ala; il confort è ben distribuito. Ristorante molto vivo, con personale esperto ed un menu di prelibatezze liguri.

🍴🍴 **Da ö Vittorio** con cam   🛗 🕭 cam, AC rist, P VISA ☯ AE ① ⚡
♨ *via Roma 160 – ☎ 018 57 40 29 – www.daovittorio.it – info@daovittorio.it*
– Fax 01 85 72 36 05
35 cam – ▪41/82 € ▪▪62/115 €, ☷ 6 € – ½ P 65/85 €
Rist – (chiuso dal 20 novembre al 6 dicembre e martedì) Menu 20/38 €
– Carta 30/53 € 🎍
♦ Anticamente era una stazione di posta, oggi un caratteristico ristorante con sala e veranda e una cucina con specialità liguri. Camere moderne nella nuova dépendance.

RECOARO TERME – Vicenza (VI) – 562E15 – 7 252 ab. – alt. 445 m 35 **B2**
– Sport invernali : a Recoaro Mille : 1 000/1 700 m ⛷1 ⛷3, ⛷ – ⊠ 36076

▶ Roma 576 – Verona 72 – Milano 227 – Trento 78

🛈 via Roma 15 ☎ 0445 75070, iat.recoaro@provincia.vicenza.it, Fax 044575158

🏠 **Trettenero** 🎍   🏊 🛁 🛗 🕭 ℅ ☏ P VISA ☯ AE ① ⚡
via V. Emanuele 18 – ☎ 04 45 78 03 80 – www.hoteltrettenero.it – info@hoteltrettenero.it – Fax 04 45 78 03 50
56 cam ☷ – ▪50/70 € ▪▪75/115 € – 1 suite – ½ P 56/80 €
Rist – (chiuso a mezzogiorno dal 15 ottobre al 15 maggio) (consigliata la prenotazione) Carta 28/32 €
♦ Immerso nell'atmosfera mondana e frizzante della Belle Epoque, la struttura sorta all'inizio dell'Ottocento, prende il nome dal suo fondatore. L'originalità dei decori, gli ampi spazi a disposizione ed il piccolo parco concorrono a rendere il soggiorno piacevole e rilassante. Ristorante di discreta eleganza.

🏠 **Verona** 📶 🍴 rist, VISA ⚫ AE ⚡
via Roma 52 – ☎ 044 57 50 10 – www.recoaroterme.com/verona – hverona@
recoaroterme.com – Fax 044 57 50 65 – maggio-ottobre
35 cam ☷ – ♦43/50 € ♦♦60/70 € – ½ P 39/53 € **Rist** – Carta 24/32 €
♦ Albergo centralissimo che presenta un livello di confort e un grado di ospitalità più
che discreto, sotto ogni aspetto. In particolare le stanze sono semplici ma moderne.
Luminosa sala ristorante classica.

RECORFANO – Cremona – Vedere Voltido

REDAGNO (RADEIN) – Bolzano (BZ) – 562C16 – alt. 1 566 m   31 **D3**
– ✉ 39040
▶ Roma 630 – Bolzano 38 – Belluno 111 – Trento 60

🏨 **Zirmerhof** ⚘   ≤ 🚗 🏠 ⅃ 🐾 ⅌ rist, ¶¶ **P** 🚗 VISA ⚫ ⚡
Oberradein 59 – ☎ 04 71 88 72 15 – www.zirmerhof.com – info@zirmerhof.com
– Fax 04 71 88 72 25 – 26 dicembre-15 gennaio e maggio-6 novembre
38 cam ☷ – ♦61/112 € ♦♦110/232 € – ½ P 85/130 € **Rist** – Carta 31/59 €
♦ Albergo di tradizione con arredi d'epoca e quadri antichi, ricavato da un antico maso
tra i pascoli: in pratica, un'oasi di pace con bella vista su monti e vallate. Profusione di
legno per un ambiente caldo e personalizzato nella suggestiva sala ristorante, dove
gustare le specialità della casa.

REGGELLO – Firenze (FI) – 563K16 – 14 588 ab. – alt. 390 m   29 **C1**
– ✉ 50066
▶ Roma 250 – Firenze 38 – Siena 69 – Arezzo 58

a Pietrapiana Nord : 3,5 km – ✉ 50066

🏨 **Archimede** ⚘   ≤ 🚗 ⅃ ※ ⅌ **P** VISA ⚫ AE ① ⚡
strada per Vallombrosa – ☎ 055 86 90 55 – www.ristorantearchimede.it
– archimede@val.it – Fax 055 86 85 84 – chiuso dal 20 al 30 gennaio
19 cam ☷ – ♦50/65 € ♦♦80/95 € – ½ P 70 €
Rist Da Archimede – vedere selezione ristoranti
♦ Albergo sorto a metà anni Ottanta, che si caratterizza per la solida struttura in pietra.
Arredi di taglio classico, bella hall anche se di dimensioni contenute.

🍴🍴 **Da Archimede** – Archimede   ≤ 🚗 ✿ **P** VISA ⚫ AE ① ⚡
strada per Vallombrosa – ☎ 05 58 66 75 00 – www.ristorantearchimede.it
– archimede@val.it – Fax 055 86 85 84 – chiuso dal 20 al 30 gennaio e martedì
escluso da luglio al 15 settembre
Rist – Carta 25/38 €
♦ Ristorante tipico, apprezzato dai clienti del luogo ma ancor più da avventori provenienti da fuori, dove gustare i piatti più tradizionali della cucina toscana.

a Vaggio Sud-Ovest : 5 km – ✉ 50066

🏨 **Villa Rigacci** ⚘   ≤ 🚗 🏠 ⅃ ♣♣ 🅰 ※ rist, ¶¶ **P** VISA ⚫ AE ① ⚡
via Manzoni 76 – ☎ 05 58 65 67 18 – www.villarigacci.it – hotel@villarigacci.it
– Fax 055 58 65 65 37
24 cam ☷ – ♦85/95 € ♦♦120/160 € – 4 suites – ½ P 90/125 €
Rist Relais le Vieux Pressoir – (aprile-ottobre) Carta 26/37 €
♦ Incantevole villa di campagna quattrocentesca - immersa nel verde - dispone di
camere confortevoli, recentemente ristrutturate. Un luogo ideale per trascorrere un indimenticabile soggiorno nell'amena terra toscana. Due calde, accoglienti sale da pranzo e
servizio estivo sopra la piscina.

REGGIO DI CALABRIA Ⓟ (RC) – 564M28 – 181 440 ab. – ✉ 89100   5 **A3**
🏴 Italia
▶ Roma 705 – Catanzaro 161 – Napoli 499
✈ di Ravagnese per ③: 4 km ☎ 0965 642681
🚢 per Messina – Stazione Ferrovie Stato, ☎ 0965 97957
🛈 all'Aeroporto ☎ 0965 364752
👁 Museo Nazionale★★ Y : Bronzi di Riace★★★ – Lungomare★ YZ

Pianta pagina a lato

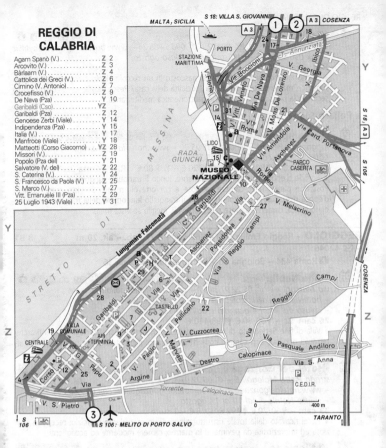

REGGIO DI CALABRIA

🏨 Grand Hotel Excelsior   🛎 🖥 ㅎ rist, 🅰🅒 💉 📶 🏊 🆅🅸🆂🅰 ⓶ 🅰🅴 ⓪ 🔆

via Vittorio Veneto 66 ⊠ 89121 – 𝒞 09 65 81 22 11 – www.montesanohotels.it
– info.excelsior@montesanohotels.it – Fax 09 65 89 30 84   Y**c**
80 cam ⊡ – 📞250/270 € 📞📞340 € – 4 suites – ½ P 210 €
Rist *Galà* – Carta 36/52 €

◆ Struttura dei primi anni '60 assolutamente al passo con i tempi: un punto di riferimento nel panorama dell'ospitalità alberghiera cittadina. Confort e dotazioni ottimi.

🏨 Lungomare senza rist   ≤ ㅎ 🅰🅒 💉 📶 🆅🅸🆂🅰 ⓶ 🅰🅴 ⓪ 🔆

viale Zerbi 13/b ⊠ 89124 – 𝒞 096 52 04 86 – www.hotellungomare.rc.it – info@
hotellungomare.rc.it – Fax 096 52 14 39   Y**a**
32 cam ⊡ – 📞65/80 € 📞📞85/110 €

◆ Sorto dalla ristrutturazione di un palazzo del primo Novecento, offre un'incantevole terrazza panoramica affacciata sul lungomare e sullo Stretto, dove d'estate viene servita la prima colazione.

🍴🍴 Il Fiore del Cappero   🛎 ㅎ 🅰🅒 🆅🅸🆂🅰 ⓶ 🅰🅴 ⓪ 🔆

via Zaleuco 7 ⊠ 89125 – 𝒞 096 52 09 55 – ilfioredelcappero@libero.it – chiuso
dal 7 al 21 gennaio e domenica   Z**a**
Rist – Carta 33/48 €

◆ Alle spalle della bella Villa Zerbi, un ristorante accogliente dall'arredo classico e dal servizio attento, dove gustare specialità siciliane-eoliane e piatti di pesce.

927

X **Baylik** 　　　　　　　　　　 AC VISA ⊚ AE ① ⚡
*vico Leone 1, per ① ⊠ 89122 – ℰ 096 54 86 24 – www.baylik.it – info@baylik.it
– Fax 096 54 55 25 – chiuso lunedì escluso agosto*
Rist – Carta 26/38 €
♦ Siamo alla periferia della località, nascosto in un piccolo vicolo cieco un ristorantino
semplice, ma sempre affidabile. La specialità della casa? Pesce (*baylik*, in turco), proposto
secondo la più squisita tradizione gastronomica mediterranea.

a Pellaro Sud : 8 km – ⊠ 89066

🏠 **La Lampara** 　　　　　 ≤ 🏠 🛗 ఈ AC ✆ P VISA ⊚ AE ① ⚡
*lungomare Pellaro – ℰ 09 65 35 95 90 – www.hotel-lampara.com – info@
hotel-lampara.com – Fax 09 65 35 98 66*
23 cam � – ♦80/95 € ♦♦100/120 € – ½ P 80 €　**Rist** – Carta 26/34 €
♦ Edificio d'epoca ristrutturato totalmente, lungo il tranquillo lungomare della frazione.
Posizione panoramica, camere spaziose e confortevoli, meglio se vista mare. Edificio
d'epoca ristrutturato totalmente, lungo il tranquillo lungomare della frazione. Posizione
panoramica, camere spaziose e confortevoli, meglio se vista mare.

REGGIOLO – Reggio Emilia (RE) – 562H14 – 8 776 ab. – alt. 20 m　　　8 B1
– ⊠ 42046

▶ Roma 434 – Bologna 80 – Mantova 39 – Modena 36

🏨 **Villa Nabila** senza rist 　　　 🚗 AC ❄ ✆ P VISA ⊚ AE ① ⚡
*via Marconi 4 – ℰ 05 22 97 31 97 – www.hotelvillanabila.it
– hotelvillanabila@ilrigoletto.it – Fax 05 22 21 35 98
– chiuso dall'1° al 4 gennaio e dall'8 al 16 agosto*
26 cam ⊒ – ♦60/80 € ♦♦98/110 €
♦ Villa di fine Settecento di taglio moderno, sebbene nel rispetto degli elementi architettonici originali, con camere confortevoli ed accoglienti. Ideale per una clientela d'affari.

🏨 **Hotel dei Gonzaga** senza rist 　　 🛦 🛗 ఈ AC ❄ ✆ 🏊 P
*strada Pietro Malagoli 5 – ℰ 05 22 97 47 37　　　　　 VISA ⊚ AE ① ⚡
– www.hoteldeigonzaga.it – info@hoteldeigonzaga.it – Fax 05 22 97 51 51
– chiuso Natale e dal 10 al 17 agosto*
33 cam – ♦60/70 € ♦♦92 €, ⊒ 8 € – 1 suite
♦ Hotel ricavato dalla totale ristrutturazione di un precedente esercizio: reception spaziosa ed impreziosita da pavimenti in marmo; camere moderne ed accoglienti.

XXX **Il Rigoletto** (Giovanni D'Amato) con cam 　　 🚗 🏠 AC ✆ P
❀❀ *piazza Martiri 29 – ℰ 05 22 97 35 20　　　　　　　 VISA ⊚ AE ① ⚡
– www.ilrigoletto.it – ilrigoletto@ilrigoletto.it – Fax 05 22 21 30 19
– chiuso dal 1° al 10 gennaio, dal 5 al 24 agosto; domenica sera, martedì a
mezzogiorno e lunedì da ottobre a maggio, anche domenica a mezzogiorno da
giugno a settembre*
2 cam – ♦♦200/300 € – 2 suites – ♦♦370/400 €
Rist – Menu 89/145 € – Carta 91/130 € ❀
Spec. Terrina di bolliti con giardiniera di verdure e aceto balsamico tradizionale. Risotto cremoso al pomodoro con carpaccio di pesche e caviale Asetra
(estate). Spigola cotta sui limoni in crosta di pane nero con salsa di mozzarella
di bufala.
♦ Una villa nel centro storico e l'ospitalità di un'elegante casa privata: piatti tecnici nonché fantasiosi che, nell'intelligenza degli accostamenti, rivelano un raro talento. Inaugu-
rate nel 2008 le splendide camere (al secondo piano).

XX **Cavallo Bianco** con cam 　　 🛦 🛗 AC ❄ P VISA ⊚ AE ① ⚡
*via Italia 5 – ℰ 05 22 97 21 77 – www.cavallobianco.it – acb@cavallobianco.it
– Fax 05 22 97 37 98 – chiuso dal 20 aprile al 3 maggio e agosto*
14 cam ⊒ – ♦55/60 € ♦♦75/80 € – ½ P 75/80 €
Rist – (chiuso sabato e domenica sera, anche domenica a mezzogiorno
dal 15 giugno al 31 luglio) Carta 31/57 €
♦ In un edificio storico, adibito a locanda fin dal '600, buona cucina di forte impronta
regionale e piccola carta dei vini dove campeggiano ottimi lambruschi.

verso Gonzaga Nord-Est : 3,5 km :

✗
🍴
Trattoria al Lago Verde   🚗 🏠 ㅎ ⇔ **P** **VISA** **◐◑** **AE** **①** **⑤**
via Caselli 24 ✉ *42046* – ✆ *05 22 97 35 60*
– *lago.verde@tin.it* – *Fax 05 22 21 20 22*
– *chiuso dal 27 dicembre al 5 gennaio, dal 7 al 21 agosto e lunedì*
Rist – Carta 24/41 €
♦ Ambiente accogliente, luminoso e familiare, in questa isolata trattoria di campagna; la
cucina si fa apprezzare per la propria genuinità.

verso Guastalla Ovest : 3 km

🏨
Villa Montanarini   ◁) 🏠 |灣| 🚶‍ 🅰🅲 ↳ 🕉 ⑻ 🛁 **P**
via Mandelli 29, località Villarotta ✉ *42045 Luzzara*   **VISA** **◐◑** **AE** **①** **⑤**
– ✆ *05 22 82 00 01* – *www.villamontanarini.com*
– *villamontanarini@virgilio.it* – *Fax 05 22 82 03 38*
– *chiuso dal 23 dicembre al 6 gennaio e dal 3 al 24 agosto*
16 cam � – †95/115 € ††150 €
Rist *Il Torchio* – *(chiuso agosto, domenica e Natale)* Carta 41/55 €
♦ Villa del Settecento immersa nel verde: atmosfera di classe negli interni in stile.
Camere ampie e confortevoli (soprattutto le *junior suite*). Cucina del territorio nella raffinata sala da pranzo.

REGGIO NELL'EMILIA **P** (RE) – 562H13 – **146 705 ab.** – alt. 58 m   8 B3
– ✉ 42100▮ Italia

▶ Roma 427 – Parma 29 – Bologna 65 – Milano 149
ℹ️ via Farini 1/A ✆ 0522 451152, iat@municipio.re.it,Fax 0522 436739
🏌️ Fattoria del Golf, ✆ 0522 59 93 42
🏌️ Matilde di Canossa, ✆ 0522 37 12 95
👁 Galleria Parmeggiani★ AY **M1**

Piante pagine 930-931

🏨
Albergo delle Notarie |灣| ㅎ cam, 🅰🅲 🕉 rist, ⑻ 🛁 🚗
via Palazzolo 5 – ✆ *05 22 45 35 00*   **VISA** **◐◑** **AE** **①** **⑤**
– *www.albergonotarie.it* – *notarie@albergonotarie.it* – *Fax 05 22 45 37 37*
– *chiuso 3 settimane in agosto*   AZ**r**
51 cam ⊆ – †105/170 € ††130/215 € – 3 suites
Rist *Delle Notarie* – via Aschieri 4, ✆ 05 22 45 37 00 *(chiuso domenica)*
Menu 25/32 € – Carta 29/43 € ⅜ (+10 %)
♦ Tanto parquet, travi a vista e un'inconsueta dinamicità degli spazi. Edificio storico,
dalle vicende complesse, ristrutturato con intelligenza: un soggiorno speciale. Ristorante
raccolto, elegante e curato, propone piatti della tradizione con interessanti "escursioni"
verso il mare e l'innovazione. In sala tanta attenzione e cordialità.

🏨
Posta senza rist   🛁 |灣| 🅰🅲 🕉 ⑻ 🛁 **P** **VISA** **◐◑** **AE** **①** **⑤**
piazza Del Monte 2 – ✆ *05 22 43 29 44* – *www.hotelposta.re.it*
– *booking@hotelposta.re.it* – *Fax 05 22 45 26 02*
– *chiuso Natale, Capodanno e dall'8 al 21 agosto*   AZ**c**
36 cam ⊆ – †108/160 € ††152/205 € – 2 suites
♦ Ubicata nel medievale Palazzo del Capitano del Popolo, una risorsa ricca di fascino e
dalla lunga tradizione di ospitalità: ambienti curati ed eleganti.

Reggio 🏨 – dependance Hotel Posta, senza rist |灣| 🅰🅲 🕉 ⑻ **P**
via San Giuseppe 7 – ✆ *05 22 45 15 33*   **VISA** **◐◑** **AE** **①** **⑤**
– *www.albergoreggio.it* – *info@albergoreggio.it* – *Fax 05 22 45 26 02* – *chiuso*
Natale, Capodanno e dall'8 al 20 agosto   AZ**e**
16 cam – †65/75 € ††80/105 €, ⊆ 9 €
♦ Ideale per partecipare alla vita culturale e commerciale di Reggio, offre ampie camere
dagli arredi classici e lineari; parcheggio e colazione all'hotel *Posta*.

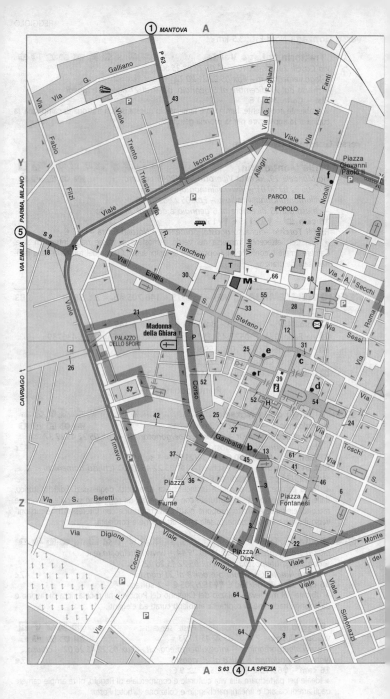

① *MANTOVA* A

P 63

Galliano

Via G. R. Fogliani

Viale

M. Fanti

Via

Via

G.

43

Via

Fabio

Viale

Trento

Trieste

Via

Isonzo

Viale

A. Allegri

Piazza
Giovanni
Paolo II

f

Y

PARMA, MILANO

Filzi

Viale

R.

P

PARCO DEL
POPOLO

L. Nobili

Viale

VIA EMILIA

⑤

S 9

18

15

Via

Emilia

A.

Franchetti

30

b

4

T

M 1

66

T

60

M

Via A. Secchi

Roma

21

S.

33

55

28

Via Sessi

Stefano

12

☒

Via

PALAZZO
DELLO SPORT

**Madonna
della Ghiara**

P

CAVRIAGO

26

P

Corso

25

e

r

31

c

39

ℹ

d

54

Via

Via

57

52

52

H

24

Toschi

42

25

27

Garibaldi

G.

Timavo

37

b

13

61

Via

S.

Piazza
36

45

41

46

Via

Fiume

P

3

Piazza A.
Fontanesi

6

Z

Via

S. Beretti

Via

Digione

Viale

3

22

Monte

dei

Cecati

Timavo

Piazza A.
Diaz

Viale

Viale

Viale

P

Via

F.

64

9

Simonazzi

64

9

A S 63 ④ *LA SPEZIA*

930

REGGIO NELL'EMILIA

Grand Hotel Astoria Mercure

viale Nobili 2 – ℰ 05 22 43 52 45

– www.mercurehotelastoria.com – prenotazioni@mercurehotelastoria.com

– Fax 05 22 45 33 65 AYf

108 cam – †95/180 € ††125/225 €, ⊊ 15 € – 2 suites

Rist – *(chiuso agosto) (solo per alloggiati)* Carta 27/34 €

♦ Una risorsa ben organizzata, in cui lo standard di confort e di accoglienza è notevole: ambienti comuni spaziosi e gradevoli, stanze ampie e luminose. Palestra ben attrezzata e piccola saletta per massaggi. Una luminosa veranda affacciata sul verde fa da cornice alla sala ristorante.

 Europa

viale Olimpia 2 – ℰ 05 22 43 23 23 – www.hoteleuropa.re.it

– info@hoteleuropa.re.it – Fax 05 22 43 24 42 BZa

66 cam ⊊ – †95/135 € ††115/180 € **Rist** – *(chiuso domenica)* Carta 27/51 €

♦ Hotel d'ispirazione moderna, concepito soprattutto per una clientela d'affari: camminando per circa 10 minuti, si raggiunge il centro. Al ristorante, sapori del territorio ed una carta dei vini che ripercorre lo Stivale.

 Airone

via dell'Aeronautica 20, per via Adua – ℰ 05 22 92 41 11 – www.aironehotel.it

– aironehotel@virgilio.it – Fax 05 22 51 51 19 BYa

56 cam ⊊ – †59/99 € ††77/150 € – ½ P 50/80 €

Rist – *(chiuso dal 12 al 19 agosto e domenica) (chiuso a mezzogiorno) (solo per alloggiati)* Carta 23/37 €

♦ L'ubicazione nei pressi della tangenziale, ma a soli due chilometri dal centro, fa di questo albergo un ideale punto d'appoggio per una clientela d'affari.

 Park Hotel

via Guido De Ruggiero 1/b, per ④ – ℰ 05 22 29 21 41 – www.parkhotel.re.it

– parkhotel@virgilio.it – Fax 05 22 29 21 43

63 cam ⊊ – †50/99 € ††70/145 € – ½ P 48/70 €

Rist – *(chiuso dal 12 al 19 agosto) (chiuso a mezzogiorno) (solo per alloggiati)*

Menu 18/25 €

♦ Hotel che sorge in un quartiere residenziale e signorile, tale da consentire un soggiorno all'insegna della tranquillità. Ambienti semplici e camere con carta da parati floreale.

 B&B Del Vescovado senza rist

stradone Vescovado 1 – ℰ 05 22 43 01 57 – frabergomi@yahoo.com

– Fax 05 22 43 01 43 – chiuso agosto AZd

6 cam ⊊ – †62 € ††85 €

♦ Entrando in questa risorsa si assapora la piacevole sensazione di sentirsi a casa. Lo stesso vale per le camere: arredate con mobili d'antiquariato, infondono un senso di grande armonia. A due passi dalla cattedrale.

XX **Caffe' Arti e Mestieri**

via Emilia San Pietro 16 – ℰ 05 22 43 22 02 – www.caffeartiemestieri.it

– Fax 05 22 43 22 24 – chiuso dal 24 al 30 dicembre, dal 3 al 25 agosto,

domenica e lunedì BZy

Rist – Carta 33/52 €

♦ Dietro il cortile interno di un palazzo storico, questo moderno locale su due piani propone una cucina "devota" alla tradizione, ma che non disdegna qualche ricetta moderna. Solo a pranzo, in sostituzione di alcune specialità, è possibile optare per piatti unici.

XX **A Mangiare**

viale Monte Grappa 3/a – ℰ 05 22 43 36 00 – staff@ristoranteamagiare.it

– chiuso domenica BZc

Rist – Menu 35 € – Carta 32/41 €

♦ Gestione giovane e dinamica per un ristorante classico, ubicato sulla cerchia che circonda il centro storico di Reggio: in menu sia la godereccia Emilia, sia i sapori nazionali.

✗✗ Trattoria della Ghiara   ᕼ 🅰🄲 ✗ 𝗩𝗜𝗦𝗔 ⓒⓞ ✦

vicolo Folletto 1/C – ℰ 05 22 43 57 55 – Fax 05 22 43 57 55 – chiuso 1 settimana a Natale e 3 settimane in agosto   **AZb**

Rist – *(chiuso domenica e lunedì)* Menu 40 € – Carta 35/53 €

♦ Piacevole locale in un vicolo del centro, tono moderno e buona accoglienza. La cucina è sempre attenta alle stagioni.

✗✗ Il Pozzo   ᕼ 🅰🄲 ⬌ 𝗩𝗜𝗦𝗔 ⓒⓞ 🄰🄴 ⓞ ✦

viale Allegri 7 – ℰ 05 22 45 13 00 – ilpozzo@libero.it – Fax 05 22 45 13 00 – chiuso dal 9 al 17 agosto, domenica, lunedì a mezzogiorno e in luglio-agosto anche sabato a mezzogiorno   **AYb**

Rist – Carta 34/48 €

♦ Ristorante con enoteca abbinata: ottima la carta dei vini. La cucina rivisita il territorio attraverso preparazioni casalinghe e può essere gustata fino a tarda ora.

a Codemondo Ovest : 6 km – ✉ 42025

✗ La Brace   🅰🄲 ✗ 🅿 𝗩𝗜𝗦𝗔 ⓒⓞ 🄰🄴 ⓞ ✦

via Carlo Teggi 29 – ℰ 05 22 30 88 00 – www.ristorantelabrace.it – info@ ristorantelabrace.it – Fax 05 22 30 01 16 – chiuso dal 27 dicembre al 7 gennaio, agosto, sabato a mezzogiorno e domenica

Rist – Carta 22/45 €

♦ Stile moderno per questo grazioso ristorante a conduzione squisitamente familiare, dove le specialità si ispirano al nome del locale.

sulla strada statale 9 - via Emilia per ③: 4 km

🏠🏠🏠 Classic Hotel   ᕼ 🀆 ♨ ⅃ ⬛ & 🅰🄲 ↔ ✗ rist, 📶 🏵 🅿 �car

via Pasteur 121 ✉ 42100 San Maurizio   𝗩𝗜𝗦𝗔 ⓒⓞ 🄰🄴 ⓞ ✦
– ℰ 05 22 35 54 11 – www.classic-hotel.it – info@classic-hotel.it
– Fax 05 22 33 34 10 – chiuso dal 3 al 24 agosto

91 cam ☲ – †90/180 € ††119/205 € – 2 suites – ½ P 88/138 €

Rist *Sala de l'Amorotto* – *(chiuso domenica a mezzogiorno)* Carta 28/54 €

♦ Nuovo hotel che manifesta esplicitamente l'intenzione di dedicare attenzioni particolari alla clientela d'affari e congressuale. Comoda ubicazione, buoni servizi e confort. Sala ristorante di taglio attuale e al contempo elegante.

REMANZACCO – Udine (UD) – 562D21 – 5 680 ab. – ✉ 33047   11 C2

▶ Roma 659 – Trieste 84 – Udine 9 – Gorizia 37

✗✗ Bibendum (Barbara Martina)   🅰🄲 𝗩𝗜𝗦𝗔 ⓒⓞ ✦

🕸 *piazza A. Angeli 3, fraz. Orzano, Sud-Est: 4 km – ℰ 04 32 64 90 55 – bibendum.orzano@gmail.com – Fax 04 32 64 90 55 – chiuso sabato a mezzogiorno e lunedì*

Rist – Carta 27/35 €

Spec. Prosciutto cotto di petto d'oca con ciliege al Porto e burro al basilico. Fantasia di tortelli ai sapori dell'orto. Zuppetta croccante di banane e amarene caramellate con gelato alla vaniglia e frittella calda.

♦ L'attenzione ai particolari non è riservata solo nel creare l'atmosfera, ma è ben dosata anche nel piatto: una cucina alla moda, dove carne e pesce sono elaborati con fantasia.

RENON (RITTEN) – Bolzano (BZ) – 562C16 – 6 848 ab. – alt. 1 154 m   31 C2
– Sport invernali : 1 530/2 260 m ⚶1 ⚶3, ⚞

▶ Da Collalbo : Roma 664 – Bolzano 16 – Bressanone 52 – Milano 319

a Collalbo (Klobenstein) – alt. 1 154 m – ✉ 39054

🄸 via Paese 5 ℰ 0471 356100, info@ritten.com, Fax 0471 356799

🏠🏠🏠 Bemelmans Post ♨   ♤ ᕼ ⅃ 🀆 ♨ ✗ ⬛ ↟↟ ✗ rist, 📶 🅿 🚗

via Paese 8 – ℰ 04 71 35 61 27 – www.bemelmans.com   𝗩𝗜𝗦𝗔 ⓒⓞ ✦
– info@bemelmans.com – Fax 04 71 35 65 31 – chiuso dal 1° marzo al 5 aprile

49 cam ☲ – †57/86 € ††58/98 € – 7 suites – ½ P 69/98 €

Rist – *(chiuso sabato)* Carta 25/45 €

♦ Un bel parco e un'affascinante fusione di antico e contemporaneo, le stufe originali e i complementi d'arredo più moderni. Può annoverare Sigmund Freud tra i suoi ospiti. Un'ampia sala da pranzo principale e tre stube più piccole ed intime.

🏠 **Kemation** 🌿   ⟨ 🚗 🏠 ⛷ ⚓ ⚙ 🅿 𝘝𝘐𝘚𝘈 ⓒⓞ 🄰🄴 ⚫

località Caminata 29, Nord-Ovest : 2,5 km – ☏ 04 71 35 63 56 – www.kematen.it
– info@kematen.it – Fax 04 71 35 63 63 – chiuso dall' 11 novembre al 6
dicembre ed Epifania
21 cam ⊑ – †56/75 € ††110/169 € – 2 suites – ½ P 65/105 €
Rist Kematen – vedere selezione ristoranti
Rist *– (solo per alloggiati)*
◆ Tipiche stube neogotiche, mobilio e decorazioni in perfetto e omogeneo stile tirolese; posizione meravigliosa e incantevole vista su boschi, pascoli e cime dolomitiche. Due raccolte sale ristorante molto gradevoli grazie all'estrema cura dei dettagli.

🍴🍴 **Kematen**   ⟨ 🏠 ⚙ 🅿 𝘝𝘐𝘚𝘈 ⓒⓞ 🄰🄴 ⚫

località Caminata 29, Nord-Ovest : 2,5 km – ☏ 04 71 35 63 56 – www.kematen.it
– info@kematen.it – Fax 04 71 35 63 63 – chiuso dal 15 novembre al 6 dicembre
e dal 31 marzo al 14 aprile
Rist – Carta 23/48 €
◆ In un antico fienile, circondato da pascoli e boschi, un ristorante con proposte del territorio e specialità di stagione. In estate c'è anche una bella terrazza panoramica.

a Costalovara (Wolfsgruben)Sud-Ovest : 5 km – **alt. 1 206 m** – ✉ 39054
– Soprabolzano

🏠 **Lichtenstern** 🌿   ⟨ 🚗 🏠 🏊 ⚙ ⛷ ⚓ rist. 📞 🅿 𝘝𝘐𝘚𝘈 ⓒⓞ ⚫

via Stella 8, Nord-Est : 1 km – ☏ 04 71 34 51 47 – www.lichtenstern.it
– info@lichtenstern.it – Fax 04 71 34 56 35 – chiuso dal 15 gennaio al 15 aprile
23 cam ⊑ – †50/68 € ††100/140 € – ½ P 60/78 €
Rist *– (chiuso martedì)* Carta 23/26 €
◆ Un'oasi di pace, con uno stupendo panorama sulle Dolomiti. Conduzione familiare caratterizzata da uno spiccato senso dell'ospitalità: ambienti curati, freschi e luminosi. Accogliente sala da pranzo con vetrate per godere della bella vista circostante; dehor estivo e cucina della tradizione.

🏠 **Am Wolfsgrubener See** 🌿   ⟨ 🚗 🏠 🖼 ⚙ 🛏 🅿 𝘝𝘐𝘚𝘈 ⓒⓞ ⚫
🅫

Costalovara 14 – ☏ 04 71 34 51 19 – www.hotel-wolfsgrubenersee.com
– info@hotel-wolfsgrubenersee.com – Fax 04 71 34 50 65
– 26 dicembre-15 febbraio e 9 aprile-3 novembre
25 cam ⊑ – †59/89 € ††118/178 € – ½ P 74/89 €
Rist *– (chiuso lunedì)* Carta 18/41 €
◆ In riva ad un lago che cinge l'albergo su tre lati, gli spazi interni sono generalmente ampi, così come le camere, luminose e arredate secondo lo stile altoatesino. Piacevole *new entry*: il centro benessere! Apprezzato il servizio ristorante all'aperto sulla frersca terrazza: piatti della tradizione e del territorio.

a Soprabolzano (Oberbozen)Sud-Ovest : 7 km – **alt. 1 221 m** – ✉ 39059

🅝 via Paese 16 ☏ 0471 345245

🏠 **Park Hotel Holzner**   ⟨ 🎣 🏠 🏊 ♨ ⚙ 🍴 🛏 ⛷ ↔ ⚓ rist, 🅿
via Paese 18 – ☏ 04 71 34 52 31   𝘝𝘐𝘚𝘈 ⓒⓞ ⚫
– www.parkhotel-holzner.com – info@parkhotel-holzner.com
– Fax 04 71 34 55 93 – 5 dicembre-6 gennaio e 10 aprile-8 novembre
34 cam ⊑ – †106/151 € ††210/300 € – 6 suites – ½ P 117/177 €
Rist *– (chiuso domenica sera e lunedì)* Carta 40/54 €
◆ Affascinante struttura d'inizio secolo sorta con la costruzione della ferrovia a cremagliera che raggiunge la località. Spaziose aree comuni in stile tirolese e camere accoglienti, arredate con gusto. Ideale per famiglie. Gradevole la sala ristorante interna, così come la zona pranzo esterna.

🏠 **Regina**   ⟨ 🚗 ⚙ 🛏 ⚓ rist, 🅿 𝘝𝘐𝘚𝘈 ⓒⓞ ⚫
🅫
via Paese 27 – ☏ 04 71 34 51 42 – www.hotel-regina.it – info@hotel-regina.it
– Fax 04 71 34 55 96 – chiuso dal 9 gennaio al 4 aprile
30 cam ⊑ – †64/76 € ††102/150 € – ½ P 71/80 €
Rist *– (solo per alloggiati)* Menu 20 €
◆ Tra prati e conifere, hotel a conduzione familiare, semplice e curato. Lo stile tirolese orna gli spazi comuni e le camere, conferendo agli ambienti calore e tipicità.

RESCHEN = Resia

RESIA (RESCHEN) – Bolzano (BZ) – 562B13 – alt. 1 494 m – Sport   30 **A1**
invernali : 1 400/2 500 m 🎿 1 ⚡5 5, ⚡ – ✉ 39027
- ▶ Roma 742 – Sondrio 141 – Bolzano 105 – Landeck 49
- 🔃 via Nazionale 22 località Curon Venosta 𝒞 0473 633101, reschen@rolmail.net, Fax 0473 633140

🏠🛏 **Al Moro-Zum Mohren**   🔲 🕸 🖭 **P** **VISA** 🐱 **ᛋ**
     via Nazionale 30 – 𝒞 04 73 63 31 20 – www.mohren.com – info@mohren.com
⊂❍ *– Fax 04 73 63 35 50 – chiuso dal 30 aprile e dal 12 al 20 dicembre*
26 cam ⊑ – ♦50/75 € ♦♦90/150 € – ½ P 53/98 €   **Rist** – Carta 20/30 €
    ♦ Classico e tradizionale albergo di montagna altoatesino, a salda e affidabile conduzione familiare, che si fa apprezzare per la cura generale. Spaziosa zona ristorante, con tocchi di tipicità e tradizione.

REVERE – Mantova (MN) – 561G15 – 2 500 ab. – alt. 15 m – ✉ 46036   17 **D3**
- ▶ Roma 458 – Verona 48 – Ferrara 58 – Mantova 35

❌❌ **Il Tartufo**   🕸 🖭 ⚡ ✿ **VISA** 🐱 **ᛋ**
     via Guido Rossa 13 – 𝒞 03 86 84 61 66 – www.ristoranteiltartufo.com
     – tartufo2000@tele2.it – Fax 03 86 84 60 76 – chiuso dal 15 febbraio al 10 marzo e giovedì
Rist – Menu 65 € – Carta 30/73 €
    ♦ Ristorante accolto da una villetta nella zona residenziale del paese. Cucina mantovana di ricerca, con specialità a base di tartufo. Atmosfera appartata e intima.

REVIGLIASCO – Torino – Vedere Moncalieri

REVINE – Treviso (TV) – 562D18 – alt. 260 m – ✉ 31020   36 **C2**
- ▶ Roma 590 – Belluno 37 – Milano 329 – Trento 131

🏠🛏 **Giulia** ⑆   🚃 🛁 🔩 🕸 🛌 ❌ ♣♣ ⚡ 🕪 🛆 **P** **VISA** 🐱 **AE** **ᛋ**
     via Grava 2 – 𝒞 04 38 52 30 11 – www.cadelach.it – info@cadelach.it
     – Fax 04 38 52 40 00 – chiuso dal 10 al 20 marzo
35 cam ⊑ – ♦55/70 € ♦♦85/105 € – ½ P 80 €
Rist *Ai Cadelach* – 𝒞 04 38 52 30 10 *(chiuso lunedì e martedì a mezzogiorno escluso da maggio a settembre)* Carta 27/43 € 🎋
    ♦ Il giardino con piscina e tennis, il continuo potenziamento della struttura e delle dotazioni, la gestione attenta. E infine le camere, migliori nella dependance sul retro. Al ristorante un'atmosfera romantica; dalla cucina, i sapori regionali. Dispone anche di due sale dove organizzare cerimonie.

REZZATO – Brescia (BS) – 561F12 – 12 724 ab. – alt. 147 m – ✉ 25086   17 **C1**
- ▶ Roma 522 – Brescia 9 – Milano 103 – Verona 63

🏠 **La Pina**   🚃 🛗 ♣♣ 🖭 ⚡ 🕪 🛆 **P** **VISA** 🐱 **AE** **①** **ᛋ**
🍽 *via Garibaldi 98, Sud : 1 km – 𝒞 03 02 59 14 43 – www.lapina.it – info@lapina.it*
     – Fax 03 02 59 19 37
28 cam ⊑ – ♦55/68 € ♦♦78/88 € – ½ P 52/60 €
Rist – *(chiuso agosto domenica sera)* Carta 24/40 €
    ♦ Ottime camere, ampie e curate, mansardate quelle dell'ultimo piano, in un edificio anni '40 completamente ristrutturato. La gestione familiare, attenta e premurosa, vi farà sentire come a casa vostra. Due sale ristorante, la più grande per l'attività banchettistica.

RHÊMES-NOTRE-DAME – Aosta (AO) – 561F3 – 95 ab.   34 **A2**
– alt. 1 723 m – Sport invernali : 1 696/2 200 m ⚡2, ⚡ – ✉ 11010
- ▶ Roma 779 – Aosta 31 – Courmayeur 45 – Milano 216

a Chanavey Nord : 1,5 km – alt. 1 696 m – ✉ 11010 – Rhêmes-Notre-Dame

🏠🛏 **Granta Parey** ⑆   ≤ 🚃 🕸 🛌 🛗 ⚡ ♣♣ ❌ rist. "🕪" **P** **VISA** 🐱 **ᛋ**
     loc. Chanavey – 𝒞 01 65 93 61 04 – www.rhemesgrantaparey.com – info@rhemesgrantaparey.com – Fax 01 65 93 61 44 – chiuso ottobre e novembre
33 cam – ♦35/50 € ♦♦70/100 €, ⊑ 10 € – ½ P 65/70 €   **Rist** – Carta 23/31 €
    ♦ Nelle camere i pavimenti sono in legno e gli arredi in pino. Lo stesso calore, senza ricercatezze, lo si ritrova negli ambienti comuni. A pochi metri dalla pista di fondo. Cucina regionale per gli appassionati di sapori valdostani.

935

RHO – Milano (MI) – 561F9 – **51 136 ab.** – **alt. 158 m** – ✉ **20017** 18 **A2**

▶ Roma 590 – Milano 16 – Como 36 – Novara 38

⛳ Green Club, ☎ 02 937 10 76

🍴🍴 **La Barca** ♿ [AC] ⚭ VISA ⓜ [AE] Ⓢ

via Ratti 54 – ☎ 029 30 39 76 – trattoria.labarca@libero.it – Fax 02 36 54 13 78 – chiuso dal 26 dicembre al 6 gennaio, agosto e martedì

Rist – Menu 67/75 € – Carta 50/83 € 🍷

◆ Da quarant'anni la stessa famiglia è al timone di questo moderno ristorante dalle linee sobrie, ma gradevoli. La cucina trae ispirazione esclusivamente dal mare con aperture alla tradizione pugliese.

RIACE – Reggio di Calabria (RC) – 564L31 – **1 638 ab.** – **alt. 300 m** 5 **B3** – ✉ **89040**

▶ Roma 662 – Reggio di Calabria 128 – Catanzaro 74 – Crotone 128

a Riace Marina Sud-Est : 9 km – ✉ **89040** – **Riace**

🏠 **Federica** ← 🏖 ⛱ [AC] ⚭ rist, 🚗 VISA ⓜ [AE] ⓞ Ⓢ

via nazionale 182 – ☎ 09 64 77 13 02 – www.hotelfederica.it – hotelfederica@bagetur.it – Fax 09 64 77 13 05

16 cam ☕ – †50/75 € ††75/130 € – ½ P 65/85 € **Rist** – Carta 26/33 €

◆ Direttamente sul mare, una struttura contemporanea con camere confortevoli e spazi comuni semplici, ma curati. Specialità marinare nell'ariosa sala ristorante.

Cosa si nasconde dietro questo simbolo rosso 🐦 ?
Un albergo tranquillo, per svegliarsi al canto degli uccelli.

RICCIONE – Rimini (RN) – 562J19 – **34 327 ab.** – ✉ **47838** 9 **D2**

▶ Roma 326 – Rimini 13 – Bologna 120 – Forlì 59

[i] piazzale Ceccarini 10 ☎ 0541 693302, iat@comune.riccione.rn.it, Fax0541 605752

🏨 **Grand Hotel Des Bains** ⛱ 🏊 🏊 [Spa] ♨ 🏋 ⇅ [AC] ⚭ rist, 📶 🏢

viale Gramsci 56 – ☎ 05 41 60 16 50 🚗 VISA ⓜ [AE] ⓞ Ⓢ

– www.grandhoteldesbains.com – info.reception@grandhoteldesbains.com – Fax 05 41 69 77 72

67 cam ☕ – †100/200 € ††195/350 € – 3 suites – ½ P 138/215 €

Rist – *(solo per alloggiati)* Carta 33/82 €

◆ Sfarzo, originalità e charme per questo albergo centrale. L'ingresso è abbellito da una fontana, mentre ogni ambiente pullula di marmi, stucchi, specchi e dorature. Notevole anche la zona benessere.

🏨 **Luna** 🏊 [Spa] ♨ 🏋 ⇅ [AC] 🚭 ⚭ rist, 📶 🏢 🚗 VISA ⓜ [AE] ⓞ Ⓢ

viale Ariosto 5 – ☎ 05 41 69 21 50 – www.lunariccione.it – info@lunariccione.it – Fax 05 41 69 28 97

35 cam ☕ – †120/280 € ††160/360 € – 10 suites – ½ P 140/220 €

Rist – *(maggio-settembre) (solo per alloggiati)* Carta 34/54 €

◆ L'eleganza esterna dell'edificio è solo un anticipo dei luminosi ambienti all'interno: una piccola risorsa in cui confort e raffinatezza si fondono con la verdeggiante tranquillità della zona residenziale in cui si inserisce. Un piacevole stile mediterraneo in sala da pranzo, con accenni di gusto contemporaneo.

🏨 **Atlantic** ← 🏊 🏊 ♨ 🏋 ⇅ 👨‍👧 [AC] ⚭ rist, 📶 🏢 VISA ⓜ [AE] ⓞ Ⓢ

lungomare della Libertà 15 – ☎ 05 41 60 11 55 – www.hotel-atlantic.com – info@hotel-atlantic.com – Fax 05 41 60 64 02

65 cam ☕ – †95/240 € ††160/320 € – 4 suites – ½ P 130/180 €

Rist – Carta 36/53 €

◆ Bianco e blu sono i colori dominanti di questa grande struttura mediterranea affacciata sul mare. A disposizione degli ospiti anche zone relax ben distribuite e una attrezzata zona benessere. Elegante e panoramica la sala da pranzo.

Lungomare ⟨ ⁂ 🏢 🏃 AC ℅ rist. ℡ 🏛 P 🚗 VISA ⑩ AE ① ⛾
lungomare della Libertà 7 – ℰ 05 41 69 28 80 – www.lungomare.com
– lungomare@lungomare.com – Fax 05 41 69 23 54
– chiuso dal 21 al 27 dicembre
56 cam ☲ – †90/220 € ††130/250 € – ½ P 130/180 €
Rist – *(20 maggio-20 settembre) (solo per alloggiati)*
♦ Gestione familiare di classe, con tante piccole attenzioni per gli ospiti. In spettacolare posizione in prima fila sul mare, dispone di ambienti arredati con eco coloniali e signorilità. All'ultimo piano suggestivo ristorante panoramico; in estate si può cenare negli eleganti gazebo in spiaggia, a lume di candela.

 Suite Maestrale 🏛 🏢 🏃 AC ℅ rist. ℡ P 🚗 VISA ⑩ AE ① ⛾
via Carducci 2 – ℰ 05 41 60 27 26 – www.hotelmaestrale.com – info@
hotelmaestrale.com – Fax 05 41 60 39 79
20 cam ☲ – †90/220 € ††130/250 € – 6 suites – ½ P 125/180 €
Rist – *(10 giugno-5 settembre) (solo per alloggiati)*
♦ Familiare ed elegante: decorazioni, mobili e accessori sono quelli che si potrebbero trovare in un salotto di casa. Le suites sono attrezzate con un angolo cottura celato in un armadio in stile.

 Corallo 🏊 🏢 🏃 AC ℅ rist. ℡ 🏛 P 🚗 VISA ⑩ AE ① ⛾
viale Gramsci 113 – ℰ 05 41 60 08 07 – www.corallohotel.com – info@
corallohotel.com – Fax 05 41 60 64 00 – chiuso dal 20 al 27 dicembre
78 cam ☲ – †120/190 € ††130/205 € – 5 suites – ½ P 120/180 €
Rist – *(solo per alloggiati)* Menu 30/40 €
♦ L'attenzione è rivolta soprattutto alle famiglie ed uno speciale programma di intrattenimento è stato pensato per gli ospiti più piccoli. Imponente complesso in zona residenziale. Colori chiari e grandi motivi a rilievo sulle pareti nella spaziosa sala da pranzo.

 Roma ⟨ 🚗 🏊 🏢 AC ℅ rist. ℡ P VISA ⑩ AE ① ⛾
lungomare della Libertà 11 – ℰ 05 41 69 32 22 – www.hotelroma.it
– hotelroma@hotelroma.it – Fax 05 41 69 25 03 – chiuso sino al 30 marzo
36 cam ☲ – †100/205 € ††125/215 € – ½ P 95/140 €
Rist – *(15 maggio-20 settembre) (solo per alloggiati)* Carta 30/50 €
♦ Sulla spiaggia, a pochi passi dal celebre viale Ceccarini è una spaziosa hall simile ad un giardino d'inverno ad introdurvi in questo bell'edificio di inizio Novecento dagli ambienti signorili.

 Des Nations senza rist ⟨ ⁂ 🛏 🏢 AC ↳ ℡ 🔊 P VISA ⑩ ⛾
lungomare Costituzione 2 – ℰ 05 41 64 78 78 – www.desnations.it – info@
desnations.it – Fax 05 41 64 51 54
31 cam ☲ – †98/199 € ††160/275 € – 1 suite
♦ Essenze naturali diffuse negli ambienti, cure alternative che utilizzano colori e massaggi per un check up rivitalizzante e soprattutto una struttura originale dal tocco romantico.

 Dory 🏊 ⁂ 🏢 🏃 AC ℡ P VISA ⑩ AE ① ⛾
viale Puccini 4 – ℰ 05 41 64 28 96 – www.hoteldory.it – info@hoteldory.it
– Fax 05 41 64 45 88 – chiuso dal 1° al 26 dicembre e novembre
43 cam ☲ – †49/230 € ††98/230 € – 2 suites – ½ P 69/135 €
Rist – *(solo per alloggiati)*
♦ Recentemente ampliato con l'acquisto di un vicino residence, la casa ha un piacevole stile mediterraneo con camere che si differenziano per un colorato stile moderno e minimalista.

🅱 **Diamond** 🏢 🏃 AC ℅ rist. P 🚗 VISA ⑩ AE ⛾
viale Fratelli Bandiera 1 – ℰ 05 41 60 26 00 – www.hoteldiamond.it – info@
hoteldiamond.it – Fax 05 41 60 29 35 – Pasqua-settembre
40 cam ☲ – †60/120 € ††100/160 € – ½ P 53/120 € bevande incluse
Rist – *(solo per alloggiati)*
♦ Un bel giardino circonda questo gradevole hotel a conduzione familiare, che dispone di camere confortevoli arredate in stile mediterraneo. Una particolare organizzazione tiene impegnati i piccoli ospiti.

Apollo senza rist 🏨 🆔 📶 🅿 VISA ⚫ AE ⚡

viale D'Annunzio 34 – ℰ 05 41 64 75 80 – www.hotelapollo.net – info@
hotelapollo.net – Fax 05 41 64 76 22 – Capodanno, 15 gennaio-15 febbraio,
marzo-novembre
42 cam ⊊ – †69/138 € ††88/178 €

♦ Vicina al mare, la risorsa ha un taglio più cittadino che balneare. Se non avete intenzione di puntare la sveglia, nessun problema: uno sfizioso brunch è allestito fino alle
13.00!

Select 🚗 🏨 🎿 🆔 ❄ rist, 📶 🚘 VISA ⚫ AE ① ⚡

viale Gramsci 89 – ℰ 05 41 60 06 13 – www.hotelselectriccione.com – info@
hotelselectriccione.com – Fax 05 41 60 02 56 – Capodanno e 15 marzo-ottobre
44 cam ⊊ – †45/110 € ††70/190 €   **Rist** – (solo per alloggiati) Menu 12 €

♦ Un ombreggiato giardino e alberi ad alto fusto circondano l'edificio e garantiscono
una fresca siesta pomeridiana! All'interno, spazi dal design contemporaneo e camere
minimaliste con spaziosi letti gemelli. Servizio esclusivamente a buffet al ristorante.

Novecento 🌊 🕌 👶 🏨 🆗 cam, 🎿 🆔 ❄ rist, 📶 🉐 🅿

viale D'Annunzio 30 – ℰ 05 41 64 49 90   VISA ⚫ AE ① ⚡
– www.hotelnovecento.it – info@hotelnovecento.it – Fax 05 41 66 64 90 – chiuso
novembre
36 cam – †74 € ††168 €, ⊊ 8 € – ½ P 110 €
Rist – (15 maggio-settembre) (solo per alloggiati) Menu 25 €

♦ La bella facciata liberty annuncia subito le sue origini: si tratta di uno dei primi alberghi nati a Riccione agli inizi del XX secolo; all'aperto una piccola piscina con angoli idro-
mssaggio e giochi d'acqua.

Arizona ⟵ 🌊 🕌 🎿 🆔 ❄ 🉐 🅿 VISA ⚫ AE ① ⚡

viale D'Annunzio 22 – ℰ 05 41 64 44 22 – www.hotelarizona.com – info@
hotelarizona.com – Fax 05 41 64 41 08 – chiuso novembre
64 cam – †85/160 € ††140/190 €, ⊊ 6 € – ½ P 80/107 €
Rist – Carta 25/60 €

♦ Mette a disposizione un'area attrezzata per gli appassionati della bicicletta questo
hotel dalla gestione familiare, ma attenta all'innovazione. Camere spaziose e ben arredate con gusto moderno.

Admiral ⟵ 🕌 🆔 ❄ rist, 🅿

viale D'Annunzio 90 – ℰ 05 41 64 22 02 – www.hoteladmiral.com – info@
hoteladmiral.com – Fax 05 41 64 20 18 – 15 maggio-30 settembre
44 cam – †60/80 € ††96/125 €, ⊊ 15 € – ½ P 63/79 €
Rist – (solo per alloggiati)

♦ Validissima gestione familiare, riscontrabile nella cura del minimo dettaglio e nelle
inesauribili attenzioni riservate al cliente. Si respira un'atmosfera di residenza privata.

Augustus 🌊 👶 🕌 🆔 ❄ 🉐 🅿 VISA ⚫ AE ⚡

viale Oberdan 18 – ℰ 05 41 69 33 22 – www.augustusriccione.com – info@
augustusriccione.com – Fax 05 41 69 21 04 – Pasqua-settembre
44 cam ⊊ – †82/130 € ††131/224 € – ½ P 105/127 €
Rist – (giugno-settembre) (solo per alloggiati)

♦ A pochi passi dal centro e dal mare, circondato da alti pini marittimi, l'albergo
dispone di funzionali ambienti dai sobri arredi moderni ed una terrazza-solarium con
piscina.

Gemma ⟵ 🚗 🌊 🕌 🎿 🆔 ❄ rist, 🅿 VISA ⚫ AE ① ⚡

viale D'Annunzio 82 – ℰ 05 41 64 34 36 – www.hotelgemma.it – info@
hotelgemma.it – Fax 05 41 64 49 10 – chiuso dal 20 al 27 dicembre
41 cam ⊊ – †36/62 € ††66/114 € – ½ P 61/82 €
Rist – (marzo-ottobre) (solo per alloggiati) Carta 18/40 €

♦ La passione della gestione, interamente rivolta all'accoglienza degli ospiti, è visibile
tanto negli esterni, quanto negli ambienti comuni e nelle confortevoli stanze.

Soraya ⟵ 🚗 🕌 🆔 rist, ❄ rist, 🅿 VISA ⚫ ⚡

via Torino 27/A – ℰ 05 41 60 09 17 – www.sorayahotel.it – info@sorayahotel.it
– Fax 05 41 69 40 33 – 15 maggio-settembre
44 cam ⊊ – †70/75 € ††90/98 € – ½ P 68/95 €   **Rist** – Menu 25/30 €

♦ Direttamente sulla spiaggia privata - neppure una strada vi separa dal mare - ambienti
semplici, ma molto luminosi e ben tenuti, per un soggiorno all'insegna del relax.

🏨 Poker   🏊 🛎 ⛱ AC 🏐 ⁽ᵗᵖ⁾ 🧖 P VISA ⓜ AE ⓞ 🍴

viale D'Annunzio 61 – 𝒞 05 41 64 77 44 – www.hotelpoker.it – hotelpoker@hotelpoker.it – Fax 05 41 64 86 99

60 cam ⊑ – 🛏40/80 € 🛏🛏70/150 € – ½ P 85/100 €   **Rist** – Carta 28/36 €

◆ Hotel di lunga tradizione, con gestione familiare solida e affidabile. Gli ambienti sono arredati con brio e freschezza. Indicato anche per una clientela d'affari. Cucina di fattura casalinga.

🏨 Gala senza rist   🛎 AC 🏐 ⁽ᵗᵖ⁾ P VISA ⓜ AE ⓞ 🍴

viale Martinelli 9 ⊠ 47838 Riccione – 𝒞 05 41 60 78 22 – www.hotelgalariccione.com – hotelgalariccione@libero.it – Fax 05 41 60 78 22 – chiuso dal 1° al 28 dicembre

28 cam ⊑ – 🛏75/100 € 🛏🛏136/176 €

◆ E' il colore bianco a dominare la hall con le sue vetrate continue e inondata di luce; la sera, tutto si "accende" grazie ai circa 300 faretti che avvolgono la struttura.

🏠 Antibes   🏊 🛎 ⛱ AC 🏐 rist, P VISA ⓜ AE ⓞ 🍴
🚲

via Monteverdi 4 – 𝒞 05 41 64 42 92 – www.hotelantibes.com – info@hotelantibes.com – Fax 05 41 64 34 33 – marzo-ottobre

38 cam ⊑ – 🛏35/65 € 🛏🛏55/115 € – ½ P 65/90 €

Rist – *(aprile-settembre) (solo per alloggiati)* Menu 15/25 €

◆ Ad un centinaio di metri dal mare, in una traversa molto tranquilla, giovane gestione tra camere con arredi neocoloniali e facilitazioni per gli appassionati di bicicletta.

🏠 Darsena   🛎 ⛱ AC 🏐 rist, ⁽ᵗᵖ⁾ P VISA ⓜ AE ⓞ 🍴

viale Galli 5 – 𝒞 05 41 64 80 64 – www.darsenahotel.it – info@darsenahotel.it – Fax 05 41 64 22 64 – marzo-ottobre

36 cam ⊑ – 🛏50/65 € 🛏🛏78/118 € – ½ P 59/74 €

Rist – *(Pasqua-ottobre) (solo per alloggiati)* Carta 25/40 €

◆ Semplice e funzionale, poco lontano dal mare offre camere recentemente ristrutturate, tutte dotate di un piccolo balcone; una di esse è stata proprio dedicata al mare. Accogliente e affidabile gestione familiare.

🏠 Atlas   🛎 ⛱ AC 🏐 P VISA ⓜ 🍴
🚲

viale Catalani 28 – 𝒞 05 41 64 66 66 – www.atlashotel.it – info@atlashotel.it – Fax 05 41 64 76 74 – 10 maggio-25 settembre

38 cam – 🛏50/65 € 🛏🛏100/128 €, ⊑ 8 € – ½ P 65/75 €

Rist – *(solo per alloggiati)* Menu 18 €

◆ Una di quelle strutture che hanno contribuito a costruire la fama e la forza della riviera. Zona tranquilla, gestione familiare, molta attenzione e passione.

🏠 De Londres   🏊 🛎 AC 🏐 rist, 🛋
🚲

via Leopardi 10 – 𝒞 05 41 64 80 74 – www.ghotels.it – info@ghotels.it – Fax 05 41 64 82 42 – Pasqua e maggio-settembre

42 cam – 🛏40/60 € 🛏🛏70/100 €, ⊑ 10 € – ½ P 40/70 €

Rist – *(solo per alloggiati)* Menu 18/24 €

◆ Gestione familiare d'esperienza in questo albergo in parte rinnovato, con ambienti comuni arredati in modo semplice, ma piacevole; camere lineari di taglio moderno.

🏠 Mon Cheri   ≤ 🛎 ⛱ AC 🏐 rist, P VISA ⓜ AE 🍴
🚲

viale Milano 9 – 𝒞 05 41 60 11 04 – www.hotelmoncheri.com – info@hotelmoncheri.com – Fax 05 41 60 16 92 – Pasqua-settembre

52 cam – 🛏45/75 € 🛏🛏90/140 €, ⊑ 10 € – ½ P 80/100 €

Rist – *(solo per alloggiati)* Menu 18/28 €

◆ Bianca struttura moderna in prima fila sul mare, la casa si rivolge chiaramente ad un turismo balneare e le sue attenzioni sono rivolte alle famiglie. Ampi balconi nelle stanze. Luminosa e panoramica la sala da pranzo.

🏠 Romagna   ⁽ᵗᵖ⁾ 🧖 🛎 ⛱ AC 🏐 rist, ⁽ᵗᵖ⁾ P VISA AE 🍴

viale Gramsci 64 – 𝒞 05 41 60 06 04 – www.hotelromagnariccione.com – info@hotelromagnariccione.com – Fax 05 41 69 16 12 – Pasqua-15 settembre

50 cam – 🛏56/66 € 🛏🛏87/107 €, ⊑ 8 € – ½ P 69 €   **Rist** – *(solo per alloggiati)*

◆ Semplicità, affidabilità e cortesia per trasmettere lo spirito più sincero della rinomata ospitalità romagnola. All'aperto un'oasi interamente dedicata al benessere con sauna, bagno turco e palestra.

⌂ Margareth ⟨ 🛗 🚶‍♂️ 🅰🅲 🍴 rist. 🅿 🆅🅸🆂🅰 ⊛ 🅰🅴 ⓞ ⛱

*viale Mascagni 2 – ℰ 05 41 64 53 00 – www.hotelmargareth.com
– hmargareth@hotelmargareth.com – Fax 05 41 64 53 69 – chiuso novembre*
50 cam – ♦52/89 € ♦♦108/184 €, � 17 € – ½ P 66/93 €   **Rist** – Menu 18/32 €
♦ Apparentemente simile a molte altre risorse della costa di Romagna, si fa apprezzare
per la parte notte confortevole e ben accessoriata e per il servizio assai accurato. Nella
panoramica sala da pranzo affacciata sul mare, carne, pesce e paste fatte in casa.

⌂ Lugano 🛗 🅰🅲 🍴 rist. 🅿 🆅🅸🆂🅰 ⊛ ⛱

*viale Trento Trieste 75 – ℰ 05 41 60 66 11 – www.hotellugano.com – info@
hotellugano.com – Fax 05 41 60 60 04 – 15 maggio-settembre*
30 cam – ♦40/60 € ♦♦60/80 €, �P 10 € – ½ P 50/80 €
Rist – *(solo per alloggiati)*
♦ Piccola e semplice struttura dalla cordiale gestione familiare, l'albergo si trova in una
zona tranquilla, in prossimità delle Terme e del fulcro della mondanità cittadina.

⌂ Cannes 🛗 🅰🅲 🍴 rist. 🕪 🅿 🆅🅸🆂🅰 ⊛ 🅰🅴 ⓞ ⛱

*via Pascoli 6 – ℰ 05 41 69 24 50 – www.hotelcannes.net – hotelcannes@
hotelcannes.net – Fax 05 41 42 56 44 – aprile-20 settembre*
27 cam – ♦♦80/150 € – ½ P 50/80 €
Rist – *(20 maggio-settembre) (solo per alloggiati)* Menu 15/25 €
♦ Gestione giovane in un albergo completamente rinnovato, in posizione centrale;
ambienti resi ancor più accoglienti dalle calde tonalità delle pareti e degli arredi.

✕✕ Al Pescatore 🍴 🅰🅲 🆅🅸🆂🅰 ⊛ 🅰🅴 ⓞ ⛱

*via Ippolito Nievo 11 – ℰ 05 41 69 27 17 – info@alpescatore.net
– Fax 05 41 69 32 98 – chiuso giovedì da novembre ad aprile*
Rist – *(chiuso a mezzogiorno escluso sabato e domenica da novembre a marzo)*
Carta 35/50 €
♦ Dalla pizza ai sushi, dal pesce alla carne e numerosi menu tematici tra cui quello per
bambini, ciliaci e vegetariani. Subito all'ingresso un grande acquario sorretto da un
polpo di ceramica.

✕✕ Carlo ⟨ 🍴 🅰🅲 🆅🅸🆂🅰 ⊛ 🅰🅴 ⓞ ⛱

*lungomare della Repubblica, zona 72 – ℰ 05 41 69 28 96
– www.dacarlo.playrestaurant.tv – ristorantecarlo@libero.it – Fax 05 41 47 52 80
– marzo-ottobre*
Rist – Carta 56/79 €
♦ Direttamente sulla rena, all'esterno un elegante dehors, mentre una stretta scala a
chiocciola conduce al piano superiore; la cucina è solo di mare. Organizzano anche
feste sulla spiaggia.

✕✕ Il Casale 🍴 🍴 🅿 🆅🅸🆂🅰 ⊛ 🅰🅴 ⓞ ⛱

*viale Abruzzi, Riccione alta – ℰ 05 41 60 46 20 – info@ilcasale.net
– Fax 05 41 69 40 16 – chiuso lunedì escluso giugno-settembre*
Rist – Carta 26/35 €
♦ Piacevole oasi di pace, nella zona alta della città, un locale molto grande dalle deco-
razioni ispirate al vino. La cucina propone piatti di carne, mentre il pesce è solo su pre-
notazione.

✕✕ Da Fino ⟨ 🍴 🅰🅲 🆅🅸🆂🅰 ⊛ 🅰🅴 ⓞ ⛱

*Via Galli 1 – ℰ 05 41 64 85 42 – www.dafino.it – info@dafino.it
– Fax 05 41 64 53 94 – chiuso dal 10 novembre al 5 dicembre e mercoledì escluso
da giugno a settembre*
Rist – Menu 30/40 € – Carta 34/54 €
♦ Le acque del porto canale lambiscono la terrazza di questo ristorante dal design
moderno; ampie finestre scorrevoli consentono anche a chi pranza all'interno di gustare
con lo sguardo la posizione. Un menù vegetariano ed uno per bambini.

RIETI 🅿 (RI) – 563O2O – 46 515 ab. – alt. 402 m – ⊠ 02100 ▌ Italia   13 **C1**

🚗 Roma 78 – Terni 32 – L'Aquila 58 – Ascoli Piceno 113

🛈 piazza Vittorio Emanuele, portici del Comune ℰ 0746 203220, aptrieti@
apt.rieti.it

🖼 Belmonte in Sabina, ℰ 0765 773 77

🖼 Centro d'Italia, ℰ 0746 22 90 35

◉ Giardino Pubblico★ in piazza Cesare Battisti – Volte★ del palazzo Vescovile

Park Hotel Villa Potenziani ⓈⓀ ≾ 🕭 ⌶ 🖫 ⚒ 📳 🔟 ⚙ 🎙 🏊
via San Mauro 6 – 𝒞 07 46 20 27 65 🅿 🆅🅸🆂🅰 ⊚ 🅰🅴 🔟 💰
– www.villapotenziani.it – info@villapotenziani.it – Fax 07 46 25 79 24
27 cam 🍽 – ♦105 € ♦♦130 € – 1 suite – ½ P 90 €
Rist *Belle Epoque* – *(chiuso 1 settimana in agosto) (chiuso a mezzogiorno)*
Carta 35/54 €
♦ Raffinata ed accogliente, intima e maestosa, la dimora di caccia settecentesca racconta tra gli affreschi e i dettagli dei suoi ambienti la storia della ricca famiglia reatina. Un soffitto ligneo scolpito nei primi anni del secolo scorso sormonta la sontuosa sala da pranzo, riscaldata d'inverno da un enorme camino.

 Miramonti 📳 🛁 rist, ☇★ 🔟 🎙 🏊 🆅🅸🆂🅰 ⊚ 🅰🅴 🔟 💰
piazza Oberdan 5 – 𝒞 07 46 20 13 33 – www.hotelmiramonti.rieti.it
– info@hotelmiramonti.rieti.it – Fax 07 46 20 57 90
25 cam 🍽 – ♦70/90 € ♦♦80/120 € – 2 suites – ½ P 60/90 €
Rist *Da Checco al Calice d'Oro* – *𝒞 07 46 20 42 71 (chiuso dal 27 luglio al 10 agosto e lunedì)* Carta 29/38 € (+5 %)
♦ Soffermatevi nella Sala Romana: di fronte a voi il punto in cui partiva la trecentesca cinta muraria della città! Sarà solo questo il motivo per cui il palazzo è oggi monumento nazionale? Elegante anche il ristorante, ambiente gradevole dove assaporare le specialità della tradizione.

 Grande Albergo Quattro Stagioni senza rist 📳 🔟 🎙 🏊
piazza Cesare Battisti 14 – 𝒞 07 46 27 10 71 🆅🅸🆂🅰 ⊚ 🅰🅴 🔟 💰
– www.hotelquattrostagioni.com – hotelquattrostagioni@libero.it
– Fax 07 46 27 10 90
43 cam 🍽 – ♦62/77 € ♦♦83/98 €
♦ Struttura storica, ubicata nella piazza principale della città. Si distingue per la ricercatezza degli arredi in stile, l'eleganza degli ambienti e il confort delle camere.

✕✕ **Bistrot** 🕯 🆅🅸🆂🅰 ⊚ 🅰🅴 🔟 💰
😊 *piazza San Rufo 25 – 𝒞 07 46 49 87 98 – www.bistrotrieti.com*
– rita_galasetti@fastwebnet.it – Fax 07 46 49 87 98
– chiuso dal 20 ottobre al 15 novembre, domenica e lunedì
Rist – *(chiuso a mezzogiorno)* (consigliata la prenotazione) Carta 27/39 € (+10 %)
Rist *L'Osteria* – *(chiuso a mezzogiorno)* Menu 30 € (+10 %)
♦ Locale caratteristico ed accogliente, affacciato su una graziosa e tranquilla piazzetta, dove gustare le specialità della tradizione locale. Nel pomeriggio, tè e pasticcini. Di recente apertura l'attigua e piccola Osteria, in cui trovare una cucina più semplice legata al territorio.

RIGUTINO – Arezzo – 563I17 – Vedere Arezzo

RIMINI 🅿 (RN) – 562J19 – 131 785 ab. – ✉ 47900 ▮ Italia 9 **D2**
▶ Roma 334 – Ancona 107 – Milano 323 – Ravenna 52
✈ di Miramare per ①: 5 km 𝒞 0541 715711
🛈 piazzale Cesare Battisti 1 (alla stazione) 𝒞 0541 51331, infostazione@comune.rimini.it, Fax 0541 27927
🏌₁₈, 𝒞 0541 67 81 22
◎ Tempio Malatestiano★ ABZ **A**

Pianta pagina 942

 duoMo Hotel 📳 🛁 🔟 ↙ 🎙 rist, 🎙 🏊 🍴 🆅🅸🆂🅰 ⊚ 🅰🅴 🔟 💰
via Giordano Bruno 28 – 𝒞 054 12 42 16 – www.duomohotel.com – info@duomohotel.com – Fax 054 12 78 42 AZ**c**
34 cam 🍽 – ♦132/198 € ♦♦176/264 € – 9 suites
Rist *noMi* – *(chiuso a mezzogiorno)* Carta 24/37 €
♦ Non lasciatevi ingannare dall'architettura del vicino Arco di Augusto, si tratta di un hotel di design, la cui massima espressione è rintracciabile nel banco della reception: una scultura spaziale! La suggestione artistica continua al ristorante-lounge bar: l'aperitivo si consuma intorno a un "fiordo" norvegese.

RIMINI

CESENATICO · A · B

Viale Ortigara

MARE ADRIATICO

Parco F. Fellini

ZONA

AL MARE

RICCIONE

Pte di Tiberio

PARCO XXV APRILE

Arco d'Augusto

A14 : BOLOGNA, FORLÌ RAVENNA, VIA ADRIATICA
P 258 : VERUCCHIO SAN SEPOLCRO

S 16 : AEROPORTO
S 72 : S. MARINO
A 14 : PESARO

S. MARINO

Card International senza rist

via Dante Alighieri 50 – 🞋 054 12 64 12

– www.hotelcard.it – vito@hotelcard.it – Fax 054 15 43 74

53 cam – ♦90/200 € ♦♦120/300 €

♦ Indubbiamente "International", grazie alle foto d'autore che contraddistinguono ogni camera, ciascuna dedicata ai viaggi. Espressamente studiato per una clientela business offre soluzioni tecnologiche e di confort all'avanguardia.

Dallo Zio

via Santa Chiara 16 – 🞋 05 41 78 67 47

– www.ristorantedallozio.it – info@ristorantedallozio.it

– Fax 05 41 78 61 60

Rist – (consigliata la prenotazione) Menu 60/70 €

– Carta 42/79 €

AZ**b**

♦ Rinomato per le sue specialità che esplorano il mondo ittico, preparate secondo la tradizione a partire da un prodotto sempre fresco e servite in accoglienti sale di tono rustico.

942

X **Trattoria Marinelli-da Vittorio**   `AC ⇔ VISA ⭕ AE ① ⑤`
via Circonvallazione Occidentale 36/38 – 𝒞 05 41 78 32 89 – www.damarinelli.it
– info@damarinelli.it – Fax 05 41 78 00 28 – chiuso 25-26 dicembre e lunedì
escluso festivi   AZ**h**
Rist – Carta 41/61 €
♦ Solo pesce in questo locale famoso per la fragranza dei suoi piatti: nuovo indirizzo, ma la memorabile qualità della cucina è rimasta la stessa! Interessante formula a mezzogiorno.

X **Osteria de Börg**   `ကြ VISA ⭕ AE ① ⑤`
via Forzieri 12 – 𝒞 054 15 60 74 – www.osteriadeborg.it – info@osteriadeborg.it
– Fax 054 15 60 74   AY**c**
Rist – *(chiuso a mezzogiorno in giugno, luglio e agosto)* (consigliata la prenotazione) Carta 23/37 €
♦ Ambiente rustico, ma curato, per questo ristorante in Borgo San Giuliano: specialità di carne e selezione di salumi e formaggi di produttori locali. Gradevole dehors estivo.

al mare

🛈 piazzale Fellini 3 𝒞 0541 56902, infomarinacentro@comune.rimini.it,Fax 0541 56598

🏨 **Grand Hotel Rimini**   `≤ 🚗 ☰ ₤♨ ⚹ 🖹 ♣♣ AC ↤ ⚸ rist, ¶¶ 🏋`
parco Federico Fellini 1 – 𝒞 054 15 60 00   `P VISA ⭕ AE ① ⑤`
– www.grandhotelrimini.com – info@grandhotelrimini.com – Fax 054 15 68 66
168 cam ☷ – ♦160/240 € ♦♦200/310 € – 3 suites – ½ P   BY**g**
145/200 €
Rist – *(chiuso a mezzogiorno)* (consigliata la prenotazione) Carta 57/72 €
♦ Passato agli onori della storia grazie al cinema felliniano, una struttura di evidente ispirazione liberty, dagli ambienti ricchi di charme d'altri tempi. Impossibile dimenticare il giardino, ombreggiato, con piscina riscaldata. Magica atmosfera al ristorante: lusso, finezza ed eleganza avvolgono ogni cosa.

🏨 **Holiday Inn Rimini**   `≤ ☰ 𝕟 ₤♨ 🖹 ₺ cam, ♣♣ AC ↤ ⚸ rist, ¶¶ 🏋`
viale Vespucci 16 – 𝒞 054 15 22 55   `P VISA ⭕ AE ① ⑤`
– www.hirimini.com – info@hirimini.com – Fax 054 12 88 06   BY**k**
64 cam ☷ – ♦149/219 € ♦♦159/249 € – ½ P 129/159 €   **Rist** – Carta 65/81 €
♦ Hotel moderno in cui l'ottima organizzazione, unitamente all'eleganza degli ambienti, garantisce un soggiorno di livello elevato anche alla clientela più esigente. Al ristorante panoramico, impeccabile cura sia per gruppi che per clienti in cerca d'intimità.

🏨 **Le Meridien Rimini**   `≤ 🏠 ☰ ⊛ 🖹 ₺ cam, AC ↤ ⚸ rist, ¶¶ 🏋`
lungomare Murri 13 – 𝒞 05 41 39 66 00   `🚗 VISA ⭕ AE ① ⑤`
– www.lemeridien.com/rimini – lemeridienrimini@lemeridien.com
– Fax 05 41 39 66 01   BZ**d**
109 cam ☷ – ♦190/318 € ♦♦230/350 € – 1 suite – ½ P 145/205 €
Rist Soleiado – 𝒞 05 41 39 58 42 *(chiuso lunedì escluso da giugno a settembre)* Carta 39/64 €
♦ Impronta moderna con eleganti rifiniture, in questo edificio irregolare e dinamico, quasi una conchiglia. Molte delle belle camere si affacciano al mare con ampi balconi. Al ristorante ambiente di raffinatezza minimale e sobrietà ricercata.

🏨 **National**   `≤ ☰ 𝕟 🖹 ₺ cam, ♣♣ AC ↤ ⚸ rist, ¶¶ 🏋 P`
viale Vespucci 42 – 𝒞 05 41 39 09 44   `VISA ⭕ AE ① ⑤`
– www.nationalhotel.it – info@nationalhotel.it – Fax 05 41 39 09 54 – chiuso dal
20 dicembre al 15 gennaio   BYZ**b**
84 cam ☷ – ♦95/220 € ♦♦130/250 € – 15 suites – ½ P 100/140 €
Rist – *(maggio-settembre) (solo per alloggiati)* Menu 38/60 €
♦ Nella hall una collezione di vasi, soprattutto cinesi, in color sangue di bue; nelle camere uno stile minimalista-etnico; a meno di 100 metri una dipendenza con sole suites per chi cerca spazio e tranquillità.

🏨 **De Londres** senza rist   `≤ 🖹 ₺ AC ¶¶ 🏋 P VISA ⭕ AE ① ⑤`
viale Vespucci 24 – 𝒞 054 15 01 14 – www.hoteldelondres.it – info@
hoteldelondres.it – Fax 054 15 01 68   BY**w**
50 cam ☷ – ♦99/190 € ♦♦139/250 € – 1 suite
♦ In prima fila sul mare, eleganza e charme si fondono alla tecnologia e ai confort attuali; il candore degli esterni, un piacevole contrappunto ai caldi ambienti che ricreano uno stile anglosassone.

943

Ambasciatori
⟨ ☒ ♨ ♨ 🖧 📶 ∗𝐀 ⓐⓒ ⌧ rist, 🌐 ♨ 🅿

viale Vespucci 22 – ℰ 054 15 55 61 — 𝗩𝗜𝗦𝗔 ⓐ ⒜ ⓞ ♨
– www.hotelambasciatori.it – info@hotelambasciatori.it – Fax 054 12 37 90
62 cam ☐ – ♦115/210 € ♦♦140/250 € – 4 suites – ½ P BY**e**
115/180 €
Rist – Carta 46/60 €
♦ Particolare struttura di design che offre a tutte le camere la possibilità di avere uno scorcio sul mare. Recentemente potenziato il settore notte, moderno e signorile, con particolare attenzione per le suites di eco etnica. Ampia sala da pranzo, con molta luce naturale e l'attenzione per tanti piccoli accorgimenti.

Diplomat Palace
⟨ ☒ 🖧 ⓐⓒ ⌧ rist, 🌐 ♨ 🅿 𝗩𝗜𝗦𝗔 ⓐ ⒜ ⓞ ♨

viale Regina Elena 70 – ℰ 05 41 38 00 11 *– www.diplomatpalace.it*
– diplomat@diplomatpalace.it – Fax 05 41 38 04 14 BZ**a**
75 cam ☐ – ♦120/200 € ♦♦150/200 € – ½ P 100/120 € **Rist** – Carta 34/43 €
♦ Tranquillità e prestigio per questo hotel sul lungomare, dalla facciata rivestita di cristalli. Buona insonorizzazione nelle confortevoli camere dotate di balconcini vista mare. Al primo piano la sala colazioni, molto luminosa grazie alle panoramiche vetrate continue.

Club House senza rist
⟨ ☒ 🖧 ⓑ ⓐⓒ 🌐 ♨ 🅿 𝗩𝗜𝗦𝗔 ⓐ ⒜ ⓞ ♨

Viale Vespucci 52 – ℰ 05 41 39 14 60 *– www.clubhouse.it – info@clubhouse.it*
– Fax 05 41 39 14 42 BZ**d**
48 cam – ♦150/240 € ♦♦190/280 € – 1 suite
♦ Recentemente ristrutturata, una casa dal design moderno ed elegante con ampi balconi che girano intorno a ciascun piano, di cui il primo leggermente sopraelevato. Imperdibile la prima colazione.

Luxor senza rist
🖧 ⓑ ⓐⓒ ⌧ 🌐 🅿 𝗩𝗜𝗦𝗔 ⓐ ⒜ ⓞ ♨

viale Tripoli 203 ✉ *47900 –* ℰ 05 41 39 09 90 *– www.riminiluxor.com*
– info@riminiluxor.com – Fax 05 41 39 24 90
– chiuso dall'8 al 27 dicembre BZ**m**
34 cam ☐ – ♦72/125 € ♦♦102/160 €
♦ Originalità e dinamismo. La realizzazione di questo edificio è stata affidata ad un architetto specializzato in discoteche: ricorrente è il motivo delle conchiglie, dalla facciata alle testiere del letto.

Suite Hotel Parioli senza rist
🖧 ⓐⓒ 🌐 ♨ 🅿 𝗩𝗜𝗦𝗔 ⓐ ⒜ ⓞ ♨

viale Vittorio Veneto 14 – ℰ 054 15 50 78 *– www.tonihotels.it*
– parioli@tonihotels.it – Fax 054 15 54 54 BY**f**
44 cam – ♦80 € ♦♦100/160 €, ☐ 8 €
♦ Soluzione originale e interessante, in posizione tranquilla e poco arretrata rispetto al mare: si tratta di appartamenti, completi e ben rifiniti, con zona soggiorno e angolo cottura.

Villa Bianca & Litoraneo
⟨ ☒ 🖧 ⓑ cam, ⓐⓒ ⌧ rist, 🅿

viale Regina Elena 24 ✉ *47900 –* ℰ 05 41 38 15 88 — 𝗩𝗜𝗦𝗔 ⓐ ⒜ ⓞ ♨
– www.tonihotels.it – litoraneo@tonihotels.it – Fax 05 41 39 42 44 BZ**c**
110 cam ☐ – ♦50/70 € ♦♦60/120 €, ☐ 8 € – ½ P 76/83 €
Rist – *(maggio-settembre) (solo per alloggiati)* Carta 27/30 €
♦ E' un albergo d'affari più che di villeggiatura questa risorsa dalla direzione esclusivamente femminile, composta da due strutture distinte collegate attraverso la hall. Buona posizione frontemare.

Ambienthotels Perù
🖧 📶 ⓐⓒ ♨ ⌧ rist, 🌐 ♨ 🅿

via Metastasio 3, per viale Regina Elena ✉ *47900* — 𝗩𝗜𝗦𝗔 ⓐ ⒜ ⓞ ♨
– ℰ 05 41 38 16 77 *– www.ambienthotels.it/peru*
– peru@ambienthotels.it – Fax 05 41 38 13 80
– chiuso dal 21 al 26 dicembre BZ**b**
40 cam ☐ – ♦35/90 € ♦♦60/120 € – ½ P 45/80 €
Rist – *(maggio-settembre) (solo per alloggiati)*
♦ Otto nuove stanze all'ultimo piano, tutte dotate di moderni accessori e una gestione giovane, dinamica e particolarmente intraprendente, sempre attenta alle esigenze dei propri ospiti.

Levante
≤ | ⚹ ⚹⚹ AC ⚙ cam, ℡ 🛁 P VISA ⊕ AE ① 🕭

*viale Regina Elena 88 – ℰ 05 41 39 25 54 – www.hotel-levante.it – rimini@
hotel-levante.it – Fax 05 41 38 30 74 – chiuso Natale* BZ**c**

54 cam ⌷ – ♦35/100 € ♦♦80/125 € – ½ P 50/120 €

Rist – *(maggio-settembre) (solo per alloggiati)* Carta 22/40 €

♦ Simpatica e suggestiva la piscina idromassaggio con giochi d'acqua che si trova in
giardino! Belle, colorate e confortevoli le camere, realizzate in tre stili leggermente
diversi.

Ariminum
🕉 | ⚹ AC ⚙ rist, ℡ 🛁 P VISA ⊕ AE ① 🕭

*viale Regina Elena 159 – ℰ 05 41 38 04 72 – www.hotelariminum.com – info@
ariminumhotels.it – Fax 05 41 38 93 01* BZ**d**

47 cam ⌷ – ♦40/60 € ♦♦60/110 € **Rist** – *(giugno-settembre)* Carta 26/42 €

♦ Spaziosa la hall, moderna e accogliente, ricca di specchi e di decorazioni dorate; più
sobrie le camere, nelle quali domina il colore rosa. Lungo la passeggiata principale.

Rondinella e Viola
🎣 | ⚹ AC ⚙ rist, VISA ⊕ AE ① 🕭

*via B.Neri 3, per viale Regina Elena – ℰ 05 41 38 05 67 – www.hotelrondinella.it
– info@hotelrondinella.it – Fax 05 41 38 05 67* BZ**e**

59 cam – ♦38/48 € ♦♦56/72 €, ⌷ 4 € – ½ P 35/57 €

Rist – *(Pasqua-settembre) (solo per alloggiati)* Menu 15 €

♦ Una sala di collegamento ha infine unito definitivamente le due strutture, incremen-
tando così le aree comuni a disposizione. Conduzione familiare e impeccabile.

Marittima senza rist
| ⚹ AC ⚟ ⚙ rist, VISA ⊕ AE ① 🕭

*via Parisano 24 – ℰ 05 41 39 25 25 – www.hotelmarittima.it – marittima@
tiscali.it – Fax 05 41 39 08 92 – chiuso dicembre* BZ**b**

40 cam ⌷ – ♦41/58 € ♦♦65/100 €

♦ Attenzione e sobrietà, professionalità e accoglienza: ovunque qui regnano la semplicità e il desiderio di garantire un soggiorno piacevole. L'ingresso è dominato da colori
chiari, bianco e panna in testa.

King
| ⚹ AC ⚙ rist, ℡ 🚗 VISA ⊕ AE ① 🕭

*viale Vespucci 139 – ℰ 05 41 39 05 80 – www.hotelkingrimini.com – info@
hotelkingrimini.com – Fax 05 41 39 06 56 – chiuso Natale* BZ**f**

42 cam ⌷ – ♦90 € ♦♦100 € – ½ P 85 €

Rist – *(Pasqua e giugno-settembre) (solo per alloggiati)* Menu 16/18 €

♦ Poco distante dal centro storico, la struttura offre camere semplici, ordinate e confortevoli arredate secondo lo stile veneziano, caratterizzate da colori differenti a seconda
della tipologia.

Acasamia senza rist
| ⚹ AC ℡ P VISA ⊕ AE ① 🕭

*viale Parisano 34 – ℰ 05 41 39 13 70 – www.hotelacasamia.it – info@
hotelacasamia.it – Fax 05 41 39 18 16 – chiuso dal 20 al 27 dicembre*

40 cam ⌷ – ♦40/75 € ♦♦65/120 € BZ**x**

♦ Luminosa e vivacemente colorata, per una tappa che salta dal salato al dolce, la sala
colazioni sarà il miglior appuntamento per iniziare le vostre giornate; la cordialità e la
disponibilità della famiglia faranno il resto!

Lo Squero
≤ 🍽 AC ⚙ VISA ⊕ AE ① 🕭

*lungomare Tintori 7 – ℰ 054 12 76 76 – www.rist.losquero.com
– Fax 054 15 38 81 – chiuso da novembre al 15 gennaio e martedì in bassa
stagione* BY**h**

Rist – Carta 46/68 €

♦ 30 anni di attività, zelo e una clientela sempre affezionata, grazie all'impiego di una
materia prima di qualità che si tramuta in una cucina fragrante. Un grande acquario
ospita aragoste, granzeole e astici.

Da Oberdan-il Corsaro
AC ⚙ VISA ⊕ AE ① 🕭

*via Destra del Porto 159 – ℰ 054 12 78 02 – Fax 054 15 50 02 – chiuso Natale e
lunedì* BY**a**

Rist – *(consigliata la prenotazione)* Carta 35/53 €

♦ Foto d'epoca, alcune nasse appese in sala fungono da separè e caratterizzano l'atmosfera marinara di questo locale moderno ed elegante, evoluzione di un antico chiosco
sul porto canale. Cucina esclusivamente di mare.

945

a Rivazzurra per ① : *4 km* – ⊠ **47900**

🏨 **De France** ≼ 🍽 🛗 ⅙ cam, 🆐 🎿 rist, 🕻 🅿 📨 ⬧ 🆔 🛇
📎 *viale Regina Margherita 48* ⊠ *47831* – 𝒞 *05 41 37 15 51*
– *www.hoteldefrance.it* – *info@hoteldefrance.it* – *Fax 05 41 42 04 51*
– *9 aprile-2 ottobre*
75 cam ⊊ – ❶65/94 € ❶❶100/158 € – ½ P 65/145 €
Rist – *(chiuso a mezzogiorno) (solo per alloggiati)* Menu 14/28 €
♦ In prima fila sul mare, la hall si apre su un grande portico coperto che diventa la sala di soggiorno estiva, direttamente affacciata sulla piscina. Gestione prettamente familiare.

sulla strada statale 256-Marecchiese per ③ : *4,5 km* – ⊠ **47037** – **Vergiano di Rimini**

✗ **La Baracca** con cam 🍴 🆐 🎿 cam, 🅿 📨 ⬧ 🆔 🛇
📎 *via Marecchiese 373* – 𝒞 *05 41 72 74 83* – *www.labaracca.com* – *info@labaracca.com* – *Fax 05 41 72 71 55*
6 cam ⊊ – ❶50/70 € ❶❶70/90 €   **Rist** – Carta 20/31 €
♦ In realtà sarete accolti in una veranda con pareti mobili di vetro che in estate scorrono sul soffitto. Cucina di terra e carni alla brace offerte in quantità generosa. Graziose le camere, in stile rustico, arredate con tessuti coordinati.

a Viserba per ④ : *5 km* – ⊠ **47811**

🚹 (giugno-settembre) *viale G. Dati 180/a* 𝒞 *0541 738115, infoviserba@comune.rimini.it, Fax 0541 738115*

🏠 **La Torre** senza rist 🍽 🆐 ⅘ 🕪 🅿 📨 ⬧ 🆔 🛇
via Dati 52 ⊠ *47900* – 𝒞 *05 41 73 28 55* – *www.albergolatorre.it* – *info@albergolatorre.it* – *Fax 05 41 73 22 83*
16 cam – ❶50 € ❶❶100 €, ⊊ 5 €
♦ Bella villa di fine Ottocento dalla facciata recentemente rinfrescata nel colore, molto diversa dallo stile della maggior parte degli hotel della zona. Ordinata e confortevole.

🏠 **Zeus** ≼ 🍽 ⛷ 🆐 🎿 rist, 🕪 🅿 📨 ⬧ 🆔 🛇
viale Porto Palos 1 – 𝒞 *05 41 73 84 10* – *www.hotelzeus.net* – *info@hotelzeus.net*
– *Fax 05 41 73 34 52* – *chiuso dal 1° al 28 dicembre*
48 cam ⊊ – ❶60/70 € ❶❶80/120 € – ½ P 65/85 €
Rist – *(solo per alloggiati)* Carta 23/29 €
♦ Praticamente sarete già in spiaggia! Dopo piccoli interventi di manutenzione, questa risorsa dalla gestione familiare presenta camere arredate con semplicità e ben accessoriate.

a Miramare di Rimini per ① : *5 km* – ⊠ **47900**

🚹 (giugno-settembre) *viale Martinelli 11/a* 𝒞 *0541 372112, infomiramare@comune.rimini.it, Fax 0541 372112*

🏨 **Nettunia** 🐬 🛁 🍽 🆐 🎿 rist, 🕪 🚿 📨 ⬧ 🆔 🛇
📎 *viale Regina Margherita 203* – 𝒞 *05 41 37 20 67* – *www.hotelnettunia.it*
– *nettunia@hotelnettunia.it* – *Fax 05 41 37 78 77*
44 cam ⊊ – ❶65/105 € ❶❶110/190 € – ½ P 67/107 €
Rist – *(chiuso a mezzogiorno escluso da giugno a settembre) (solo per alloggiati)* Menu 12/18 €
♦ Elegante, a pochi metri dal mare, un'originale e personalizzata rielaborazione di stili architettonici in cui si fondono elementi neoclassici con altri déco. Nel fresco seminterrato, la sala colazioni. Le poltroncine rosse spiccano nella curata sala da pranzo ad ampiezza modulabile.

✗✗✗ **Guido** (Gian Paolo Raschi) ≼ 🍴 🆐 📨 ⬧ 🆔 🛇
⭐ *lungomare Spadazzi 12* – 𝒞 *05 41 37 46 12* – *www.ristoranteguido.it* – *info@ristoranteguido.it* – *febbraio-ottobre; chiuso lunedì*
Rist – Carta 43/67 €
Spec. Crudo di riva. Seppia e squacquerone. Giardino di crostacei.
♦ Praticamente sulla spiaggia, sono due fratelli ad occuparsi della cucina:una tradizione familiare miglioratasi negli anni sino a trasformarsi nell'odierno, inaspettato risultato. Piatti creativi, sempre a base di pesce.

a Torre Pedrera per ④ : 7 km – ✉ 47812

ℹ (giugno-settembre) viale San Salvador 65/d 𝒞 0541 720182,
infotorrepedrera@comune.rimini.it, Fax, 0541 720182

🏨 **Punta Nord** ⟨ 🚗 ⅃ 𝄞 ✕ 🖥 🛠 🅰🅲 ⅋ rist. 🕻 ♨ 🅿
🐚 *via Tolemaide 4 – 𝒞 05 41 72 02 27* 🆅🅸🆂🅰 ⬤⬤ 🅰🅴 ⓘ 🕭
– www.hotelpuntanord.it – info@hotelpuntanord.it – Fax 05 41 72 05 65
144 cam ⚏ – 🛏55/70 € 🛏🛏90/120 € – ½ P 83/100 € **Rist** – Carta 20/40 €
♦ Un grande complesso, capace di rispondere anche alle esigenze di una clientela fatta
di grandi numeri; camere accoglienti, angolo relax con piscina e tennis, centro congressi.
Al ristorante spazi che sembrano infiniti, ideali per banchetti e congressi.

🏨 **Du Lac** 🖥 🛠 🅰🅲 rist. ⅋ 🅿 🆅🅸🆂🅰 ⬤⬤ 🅰🅴 ⓘ 🕭
🐚 *via Lago Tana 12 – 𝒞 05 41 72 04 62 – www.dulac-hotel.com – tosiroberto@tin.it*
– Fax 05 41 72 02 74 – 15 maggio-20 settembre
52 cam ⚏ – 🛏36/53 € 🛏🛏50/81 € – ½ P 35/54 €
Rist – *(solo per alloggiati)* Menu 18/22 €
♦ Accoglienti camere con balcone, seppur semplici, affacciate su una zona tranquilla.
Una risorsa che consente di godere di un buon relax e dell'agognato, meritato riposo.

a Viserbella per ④ : 6 km – ✉ 47900

🏨 **Apollo** 🚗 ⅃ 𝄞 𝄢 🖥 🛠 🅰🅲 ⅋ 🅿 🆅🅸🆂🅰 ⬤⬤ 🅰🅴 ⓘ 🕭
🐚 *via Spina 3 – 𝒞 05 41 73 46 39 – www.apollohotel.it – info@apollohotel.it*
– Fax 05 41 73 33 70 – 15 giugno-14 settembre
58 cam ⚏ – 🛏🛏70/110 € – ½ P 55/85 €
Rist – *(giugno-14 settembre) (solo per alloggiati)* Menu 20/30 €
♦ Albergo dall'arredo sobrio, ma curato, dispone di un baby club per il divertimento
degli ospiti più piccoli ed il relax di quelli più adulti; il tutto in un contesto tranquillo,
non lontano dalla spiaggia.

🏨 **Life** ⟨ ⅃ 𝄞 𝄢 🖥 🛠 🅰🅲 ⅋ 🕪 🅿 🆅🅸🆂🅰 ⬤⬤ 🕭
🐚 *via Porto Palos 34 – 𝒞 05 41 73 83 70 – www.hotellife.it – info@hotellife.it*
– Fax 05 41 73 48 10 – marzo-ottobre
52 cam ⚏ – 🛏59/90 € 🛏🛏88/120 € – ½ P 69/74 €
Rist – *(solo per alloggiati)* Menu 18/35 €
♦ Un edificio recente che mostra il meglio di sé al proprio interno: camere confortevoli,
nella loro discreta semplicità, nonché spazi comuni ampi e ben rifiniti.

🏨 **Palos** ⟨ 🖥 🛠 🅰🅲 ⅋ rist. 🕪 🅿 🆅🅸🆂🅰 ⬤⬤ 🕭
🐚 *via Porto Palos 154 – 𝒞 05 41 72 18 40 – www.paloshotel.it – info@paloshotel.it*
– Fax 05 41 72 10 34 – aprile-settembre
44 cam ⚏ – 🛏40/60 € 🛏🛏60/100 € – ½ P 40/65 €
Rist – *(solo per alloggiati)* Menu 15/20 €
♦ Sempre un buon indirizzo: hotel a conduzione familiare - rinnovato nel corso del
tempo - si caratterizza per la semplicità delle sue camere, che nulla toglie al confort.
Deliziosamente fronte mare...

🏨 **Albatros** ⟨ ⅃ 🖥 🅰🅲 rist. ⅋ rist. 🕪 🅿 🆅🅸🆂🅰 ⬤⬤ 🕭
🐚 *via Porto Palos 170 – 𝒞 05 41 72 03 00 – www.hotelalbatros.biz – info@
hotelalbatros.biz – Fax 05 41 72 05 49 – 10 maggio-20 settembre*
40 cam ⚏ – 🛏40/52 € 🛏🛏60/70 € – ½ P 53/69 €
Rist – *(20 maggio-20 settembre) (solo per alloggiati)* Menu 20/28 €
♦ Schiettezza e simpatia ben si sposano con la professionalità di questa gestione familiare; posizione strategica - direttamente sul mare - e camere confortevoli, rendono la
risorsa particolarmente interessante per le famiglie.

🏨 **Diana** ⟨ ⅃ 🅰🅲 ⅋ rist. 🕻 🅿 🆅🅸🆂🅰 ⬤⬤ 🅰🅴 ⓘ 🕭
🐚 *via Porto Palos 15 – 𝒞 05 41 73 81 58 – www.hoteldiana-rimini.com – dianaht@
tin.it – Fax 05 41 73 80 96 – marzo-ottobre*
38 cam – 🛏30/45 € 🛏🛏46/68 €, ⚏ 7 € – ½ P 46/64 €
Rist – *(solo per alloggiati)* Menu 16/24 €
♦ Proprio di fronte alla spiaggia, offre una grande piscina, servizio gratuito di biciclette,
ampi spazi all'aperto per il relax e una gestione familiare sempre attenta ai bisogni della
clientela.

RIO DI PUSTERIA (MÜHLBACH) – Bolzano (BZ) – 562B16   31 **C1**

– 2 683 ab. – alt. 777 m – Sport invernali : a Maranza e Valles : 1 350/2 512 m

🚠 3 🚡 13 (Comprensorio Dolomiti superski Valle Isarco) 🏂 – ✉ 39037

🖪 Roma 689 – Bolzano 48 – Brennero 43 – Brunico 25

🖬 via Katerina Lanz 90 🖉 0472 849467, mvs@dnet.it, Fax 0472 849849

⌂   **Giglio Bianco-Weisse Lilie**   🎾 🚗 𝗩𝗜𝗦𝗔 ⓪ 𝗔𝗘 ⓪ ♿

🕅   *piazza Chiesa 2 –* 🖉 *04 72 84 97 40 – www.weisselilie.it – info@weisselilie.it*
        – Fax 04 72 84 97 30 – chiuso dal 5 al 25 novembre
        13 cam ⊑ – 🛏28/36 € 🛏🛏56/72 € – ½ P 40/45 €
        Rist *– (chiuso a mezzogiorno) (solo per alloggiati)*
        ♦ Semplice alberghetto a conduzione familiare, collocato nella piazzetta pedonale del
        caratteristico centro storico della località montana. Poche funzionali camere.

a Valles (Vals)Nord-Ovest : 7 km – **alt. 1 354 m** – ✉ 39037 – Rio di Pusteria

⌂🄷   **Huber** ॐ   ⟵ 🚙 🗎 🖵 ⑨ 🏊 🎮 🖩 ♿ 🏃 𝗔𝗖 rist, 🎾 rist, 🕪 𝗣 🚗
        – 🖉 *04 72 54 71 86 – www.hotelhuber.com*   𝗩𝗜𝗦𝗔 ⓪ ♿
        – info@hotelhuber.com – Fax 04 72 54 72 40
        – chiuso dal 15 aprile al 24 maggio e dal 3 novembre al 20 dicembre
        34 cam ⊑ – 🛏🛏80/200 € – ½ P 68/120 €
        Rist *– (chiuso a mezzogiorno) (solo per alloggiati)* Menu 23/30 €
        ♦ L'inestimabile bellezza delle verdissime vallate, fa da sfondo naturale a vacanze
        serene e tranquille. Accogliente gestione familiare particolarmente indicata per famiglie.

⌂🄷   **Masl**   ⟵ 🚙 🗎 🗎 ⑨ 🎾 🖩 ♿ cam, 🏃 🎾 cam, 🕪 𝗣 🚗 𝗩𝗜𝗦𝗔 ⓪ ♿
        Valles 44 – 🖉 *04 72 54 71 87 – www.hotel-masl.com – info@hotel-masl.com*
        – Fax 04 72 54 70 45 – dicembre-aprile e maggio-ottobre
        45 cam ⊑ – 🛏60/95 € 🛏🛏104/150 € – ½ P 65/95 €   **Rist** *– (solo per alloggiati)*
        ♦ Modernità e tradizione con secoli di vita alle spalle (dal 1680). Grande cordialità in
        questo hotel circondato da boschi e prati, verdi o innevati in base alle stagioni.

⌂   **Moarhof** ॐ   🚙 🗎 ⑨ 🖩 ♿ ⇆ 🎾 rist, 𝗣 𝗩𝗜𝗦𝗔 ⓪ ♿
        – 🖉 *04 72 54 71 94 – www.hotel-moarhof.it – info@hotel-moarhof.it*
        – Fax 04 72 54 12 07 – 20 dicembre-20 aprile e 20 maggio-ottobre
        22 cam ⊑ – 🛏40/56 € 🛏🛏60/92 € – 3 suites – ½ P 60/73 €
        Rist *– (solo per alloggiati)*
        ♦ Questo moderno albergo si trova nella splendida valle Pusteria, accanto ai campi della
        scuola di sci. Camere luminose e confortevoli. Piscina con vetrata sui prati.

a Maranza (Meransen)Nord : 9 km – **alt. 1 414 m** – ✉ 39037 – Rio di Pusteria

🖬 frazione Maranza 123 🖉 0472 520197, info@meransen.com, Fax 0472 520125

⌂🄷   **Gitschberg** ॐ   ⟵ 🚙 🗎 🗎 ⑨ 🖩 ♿ rist, 𝗔𝗖 rist, 🎾 cam, 🕪 𝗣 🚗
🍃   *via Maranza 48 –* 🖉 *04 72 52 01 70 – www.gitschberg.it*   𝗩𝗜𝗦𝗔 ⓪ ♿
        info@gitschberg.it – Fax 04 72 52 02 88 – 21 dicembre-30 marzo e maggio-ottobre
        30 cam ⊑ – 🛏41/76 € 🛏🛏75/142 € – ½ P 61/81 €
        Rist *– (solo per alloggiati)* Carta 20/31 €
        ♦ In ottima posizione, adagiata sui prati e con vista panoramica sui monti circostanti,
        una bella struttura che garantisce ai propri ospiti camere spaziose. Piacevole area benes-
        sere. Al ristorante, gustosi piatti regionali.

RIOFI – Arezzo – Vedere Terranuova Bracciolini

RIOMAGGIORE – La Spezia (SP) – 561J11 – 1 768 ab. – ✉ 19017   15 **D2**
🏴 Italia

🖪 Roma 447 – Genova 123 – Milano 234 – La Spezia 14

🖬 c/o Stazione Ferroviaria 🖉 0187 762187, parconazionale5terre@libero.it,
        Fax 0187 760092

⌂   **Due Gemelli** ॐ   ⟵ 🗎 𝗣 𝗩𝗜𝗦𝗔 ⓪ 𝗔𝗘 ♿
        via Litoranea 1, località Campi, Est : 4,5 km – 🖉 *01 87 92 06 78*
        – www.duegemelli.it – duegemelli@tin.it – Fax 01 87 92 01 11
        15 cam – 🛏60/80 € 🛏🛏70/90 €, ⊑ 6 € – ½ P 70 €   **Rist** – Carta 24/37 €
        ♦ Camere spaziose, tutte con balconi affacciati su uno dei tratti di costa più incontami-
        nati della Liguria. Gli ambienti non sono recenti ma mantengono ancora un buon con-
        fort. Ristorante dotato di una sala ampia con vetrate panoramiche.

RIO MARINA – Livorno – 563N13 – **Vedere Elba (Isola d')**

RIO NELL'ELBA – Livorno – 563N13 – **Vedere Elba (Isola d')**

RIONERO IN VULTURE – Potenza (PZ) – 564E29 – **13 447 ab.**　　　**3 A1**
– alt. 662 m – ✉ 85028
　　　　　▶ Roma 364 – Potenza 43 – Foggia 133 – Napoli 176

ⓗ　　**La Pergola**　　　🚗 🖊 🖥 ⅙ cam. 🄰🄲 "🎵" 🄿 🚗 🆅🆂🄰 🆎 🄰🄴 ① ♿
⊕　　*via Lavista 27/33 – 𝒸 09 72 72 11 79 – www.hotelristorantelapergola.it*
　　– hotel.lapergola@tiscalinet.it – Fax 09 72 72 18 19 – chiuso Natale
　　43 cam – 🛏45/48 € 🛏🛏62/65 €, ⚏ 6 € – ½ P 58/60 €　**Rist** – Carta 17/26 € (+8 %)
　　♦ Albergo che, completamente rinnovato, offre camere confortevoli dall'aspetto sem-
　　plice, ma accogliente; arredi in legno di stile moderno. Buon rapporto qualità/prezzo.
　　Gestione del ristorante molto capace e di lunga esperienza.

ⓗ　　**San Marco**　　　🖥 🄰🄲 🚿 "🎵" 🄿 🆅🆂🄰 🆎 🄰🄴 ① ♿
⊕　　*via largo Fiera – 𝒸 09 72 72 41 21 – www.hotelsanmarcorionero.it – info@*
　　hotelsanmarcorionero.it – Fax 09 72 72 41 21 – chiuso dal 24 al 26 dicembre
　　25 cam ⚏ – 🛏45 € 🛏🛏60/65 € – ½ P 60 €　**Rist** – *(chiuso venerdì)* Carta 18/39 €
　　♦ A poca strada dai Laghi di Monticchio, albergo ancora recente, dagli spazi omogenei.
　　La conduzione familiare è in grado di offrire un soddisfacente rapporto qualità/prezzo.
　　Specialità lucane, oltre alla classica cucina italiana, nell'ampia sala da pranzo.

RIOTORTO – Livorno (LI) – 563N14 – **Vedere Piombino**

RIPA – Pérouse (PG) – **Vedere Perugia**

RIPALTA CREMASCA – Cremona (CR) – 561G11 – **3 048 ab.**　　　**19 C2**
– alt. 77 m – ✉ 26010
　　　　　▶ Roma 542 – Piacenza 36 – Bergamo 44 – Brescia 55

a Bolzone Nord-Ovest : 3 km – ✉ 26010 – **Ripalta Cremasca**

🍴　　**Trattoria Via Vai**　　　🚗 🄰🄲 🆅🆂🄰 ♿
　　via Libertà 18 – 𝒸 03 73 26 82 32 – www.trattoriaviavai.it – info@trattoriaviavai.it
　　– chiuso dal 1° al 10 gennaio, dal 1° al 18 agosto, martedì e mercoledì
　　Rist – *(chiuso a mezzogiorno escluso domenica e giorni festivi)* Carta 31/41 €
　　♦ In un angolo incontaminato della pianura, tra campi di mais ed erbe mediche, un
　　locale semplice dove la cucina nobilita la tradizione, a partire dai tortelli dolci cremaschi.

RIPARBELLA – Pisa (PI) – 563L13 – **1 407 ab. – alt. 216 m** – ✉ 56046　　**28 B2**
　　　　　▶ Roma 283 – Pisa 63 – Firenze 116 – Livorno 41

🍴　　**La Cantina**　　　🄰🄲 🆅🆂🄰 🆎 ① ♿
⊕　　*via XX Settembre 10 – 𝒸 05 86 69 90 72 – www.ristorantelacantina.net*
　　– info@ristorantelacantina.net – Fax 05 86 69 80 87
　　– chiuso dal 1° al 7 febbraio, dal 1° al 15 ottobre e martedì
　　Rist – Carta 23/36 € 🍴
　　♦ Sulla via principale, è un accogliente locale rustico a conduzione familiare dove
　　gustare genuini sapori regionali accompagnati da un buon vino toscano, tra quelli proposti.

RIPATRANSONE – Ascoli Piceno (AP) – 563N23 – **4 360 ab.**　　　**21 D3**
– alt. 494 m – ✉ 63038
　　　　　▶ Roma 242 – Ascoli Piceno 38 – Ancona 90 – Macerata 77

a San Savino Sud : 6 km – ✉ 63038 – **SAN SAVINO**

ⓗⓗ　**I Calanchi** ⌖　　　≤ 🚗 ⚏ 🄰🄲 🚿 "🎵" ⚙ 🄿 🆅🆂🄰 🆎 🄰🄴 ① ♿
　　contrada Verrame 1 – 𝒸 073 59 02 44 – www.i-calanchi.com
　　– info@i-calanchi.com – Fax 07 35 90 70 30
　　– chiuso dal 7 gennaio al 2 aprile e dal 4 novembre al 17 dicembre
　　32 cam ⚏ – 🛏75/110 € 🛏🛏100/140 € – ½ P 75/125 €　**Rist** – Carta 22/45 €
　　♦ Sulle panoramiche colline dell'entroterra, una risorsa ricavata da un antico complesso
　　agricolo e circondata da un paesaggio suggestivo. Recenti lavori di rinnovo hanno confe-
　　rito ulteriore bellezza alla struttura: vera e propria oasi di tranquillità, dotata dei
　　migliori confort moderni. Piatti di terra al ristorante.

RISCONE = REISCHACH – Bolzano – 562B17 – Vedere Brunico

RITTEN = Renon

RIVÀ – Rovigo – 562H18 – Vedere Ariano nel Polesine

RIVA DEL GARDA – Trento (TN) – 562E14 – 15 128 ab. – alt. 70 m   30 **B3**
– ⊠ 38066 Italia

    ▶ Roma 576 – Trento 43 – Bolzano 103 – Brescia 75
    🛈 L.go Medaglie d'Oro al Valor Militare, 5 ℰ 0464 554444, info@
    gardatrentino.it,Fax 0464 520308
    ◉ Lago di Garda★★★ – Città vecchia★

Du Lac et Du Parc ⊗   ≤ 🕭 🛏 ⅃ 🖾 🕭 ⋒ 🖪 ❀ 📶 ⋔ 🅰 ⅍
viale Rovereto 44 – ℰ 04 64 56 66 00   🖄 rist, 🕭 🔊 P 🆅🆂🅰 ⚬⚬ 🅰🅴 ⓞ 🆖
– www.dulacetduparc.com – info@dulacetduparc.com – Fax 04 64 56 65 66
– 5 aprile-8 novembre
159 cam 🖙 – 🛉140/300 € 🛉🛉240/320 € – 67 suites – 🛉🛉350/800 €
– ½ P 150/190 €
Rist – Carta 45/70 €
  ◆ All'interno di un grande parco dove praticare dello sport, la risorsa è vicina al lago e dispone di camere di differenti tipologie, tra cui le nuove suite, piscina e un attrezzato centro benessere. Nell'elegante sala ristorante, cene con menù sempre diversi e proposte dietetiche ed ipocaloriche.

Feeling Hotel Luise   🚗 ⅃ 🖪 🛴 cam, ⋔ 📶 ⅍ 🖄 rist, ⟨𝗉⟩ 🔊 P
viale Rovereto 9 – ℰ 04 64 55 08 58   🆅🆂🅰 ⚬⚬ 🅰🅴 ⓞ 🆖
– www.hotelluise.com – feeling@hotelluise.com – Fax 04 64 55 42 50
67 cam 🖙 – 🛉🛉99/239 € – ½ P 64/144 €
Rist – (chiuso a mezzogiorno) Carta 25/54 €
  ◆ Una struttura fortemente personalizzata, dispone di camere in design arredate con colori caldi ed evidenti eco etniche, nonché una sala riunioni dedicata al futurista Depero. Due tipologie di cucina: una classica, con proposte regionali, e una più leggera.

Villa Miravalle senza rist   🚗 ⅃ 🛴 rist, 🖄 P 🆅🆂🅰 ⚬⚬ 🆖
via Monte Oro 9 – ℰ 04 64 55 23 35 – www.hotelvillamiravalle.com
– info@hotelvillamiravalle.com – Fax 04 64 52 17 07
– chiuso dal 2 novembre al 10 gennaio
30 cam 🖙 – 🛉70/90 € 🛉🛉120/170 €
  ◆ In prossimità delle mura della città, l'albergo è il risultato dell'unificazione di due edifici, dispone di un luminoso soggiorno verandato, camere semplici ma accoglienti.

Parc Hotel Flora senza rist   🚗 ⅃ 🖾 🕭 ⋒ 🖪 📶 ⟨𝗉⟩ P
viale Rovereto 54 – ℰ 04 64 57 15 71   🆅🆂🅰 ⚬⚬ 🅰🅴 🆖
– www.parchotelflora.it – info@parchotelflora.it – Fax 04 64 57 15 55
48 cam 🖙 – 🛉49/79 € 🛉🛉94/218 €
  ◆ Ottenuto dal restauro e dall'ampliamento di una villa liberty, l'albergo è circondato da un giardino con piscina; all'interno ambienti comuni eleganti e camere più classiche.

Europa senza rist   ≤ ⅃ 🖪 📶 ⅍ 🖄 rist, ⟨𝗉⟩ 🔊 P 🆅🆂🅰 ⚬⚬ 🅰🅴 ⓞ 🆖
piazza Catena 9 – ℰ 04 64 55 54 33 – www.hoteleuropariva.it – info@
hoteleuropaviva.it – Fax 04 64 52 17 77 – marzo-novembre
63 cam 🖙 – 🛉65/88 € 🛉🛉110/146 €
  ◆ Situato di fronte all'imbarcadero, l'hotel offre funzionali camere di taglio classico, una terrazza solarium con piscina e bagno turco nonché un piccolo patio interno.

Venezia senza rist ⊗   🚗 ⅃ 🖾 🔊 P 🆅🆂🅰 ⚬⚬ 🅰🅴 🆖
via Franz Kafka 7 – ℰ 04 64 55 22 16 – www.rivadelgarda.com/venezia
– venezia@rivadelgarda.com – Fax 04 64 55 22 16 – 10 marzo-ottobre
21 cam 🖙 – 🛉65/120 € 🛉🛉108/130 €
  ◆ In prossimità del lago, la risorsa è ideale per gli appassionati di sport acquatici e dispone di un ampio soggiorno, camere classiche e piscina nel giardino solarium.

Gabry senza rist 🏠   🚗 🍴 🛏 📶 🆑 🅰️🅲 📺 🛎 🐕 🅿️ VISA ⓒⓞ 🔌

via Longa 6 – 𝒞 04 64 55 36 00 – www.hotelgabry.com – hgabry@tin.it
– Fax 04 64 55 36 24 – aprile-ottobre
42 cam ⊊ – †65/85 € ††95/120 €
♦ Un hotel a conduzione familiare recentemente ristrutturato dotando le camere di ciascun piano di un colore caratteristico, piacevole zona relax ed ampio giardino con piscina.

Vittoria senza rist   📶 🗴 🅰️🅲 📶 VISA ⓒⓞ 🅰️🅴 ⓞ 🔌

via dei Disciplini 18 – 𝒞 04 64 55 92 31 – www.hotelvittoria.it – hotelvittoriasnc@
virgilio.it – Fax 04 64 55 79 07 – chiuso febbraio
11 cam ⊊ – †45/60 € ††75/95 € – ½ P 50/60 €
♦ Uno dei più "vecchi" hotel di Riva del Garda: piccolo, ma molto confortevole. Calorosa gestione familiare.

XX **Kapuziner Am See**   🛋 🗴 🅰️🅲 VISA ⓒⓞ 🅰️🅴 ⓞ 🔌

viale Dante 39 – 𝒞 04 64 55 92 31 – www.kapuzinerriva.it – hotelvittoriasnc@
virgilio.it – Fax 04 64 55 79 07 – chiuso febbraio
Rist – Carta 18/27 €
♦ In centro paese, un locale nel caratteristico stile rustico che dispone di due piacevoli sale dagli arredi lignei, dove gustare la tipica e saporita cucina bavarese.

XX **Al Volt**   🅰️🅲 🗴 VISA ⓒⓞ 🅰️🅴 ⓞ 🔌

via Fiume 73 – 𝒞 04 64 55 25 70 – www.ristorantealvolt.com – info@
ristorantealvolt.com – Fax 04 64 55 25 70 – chiuso dal 15 febbraio al 15 marzo e
lunedì
Rist – (chiuso a mezzogiorno in luglio) Menu 35/45 € – Carta 37/47 €
♦ Sito nel centro storico, un ambiente elegante articolato su più sale comunicanti, con volte basse e mobili antichi propone una cucina trentina con tocchi di creatività.

RIVA DEL SOLE – Grosseto – 563N14 – **Vedere Castiglione della Pescaia**

RIVA DI SOLTO – Bergamo (BG) – 561E12 – 836 ab. – alt. 190 m   19 **D1**
– ✉ 24060

🚩 Roma 604 – Brescia 55 – Bergamo 40 – Lovere 7

XX **Zu'**   🛋 🗴 🅿️ VISA ⓒⓞ 🅰️🅴 ⓞ 🔌

via XXV Aprile 53, località Zù, Sud : 2 km – 𝒞 035 98 60 04 – ristorantezu@tin.it
– Fax 035 98 60 04 – chiuso martedì a mezzogiorno dal 15 giugno al 30 agosto,
lunedì sera e martedì negli altri mesi
Rist – Carta 39/54 €
♦ Servizio in veranda panoramica con vista eccezionale sul lago d'Iseo. Locale d'impostazione classica, che non si limita ad offrire esclusivamente le specialità lacustri.

a Zorzino Ovest : 1,5 km – alt. 329 m – ✉ 24060 – Riva di Solto

XX **Miranda** con cam 🏠   ≤ 🚗 🍴 🛏 🗴 🅰️🅲 rist, 🔊 🅿️ VISA ⓒⓞ 🅰️🅴 ⓞ 🔌

via Cornello 8 – 𝒞 035 98 60 21 – www.albergomiranda.it – info@
albergomiranda.it – Fax 035 98 00 55
25 cam – †42/48 € ††64/76 €, ⊊ 7 € – ½ P 48/57 €   **Rist** – Carta 27/43 €
♦ D'estate l'appuntamento è in terrazza, direttamente affacciati sul giardino e sul superbo specchio lacustre. La cucina è del territorio e privilegia i prodotti di mare e di lago. Belle camere e una fresca piscina a disposizione di chi alloggia.

RIVALTA – Cuneo – **Vedere La Morra**

RIVALTA SCRIVIA – Alessandria – 561H8 – **Vedere Tortona**

RIVALTA TREBBIA – Piacenza – 562H10 – **Vedere Gazzola**

RIVANAZZANO – Pavia (PV) – 561H9 – 4 646 ab. – alt. 157 m   16 **A3**
– ✉ 27055

🚩 Roma 581 – Alessandria 36 – Genova 87 – Milano 71
🏌 Salice Terme, 𝒞 0383 93 33 70

XX **Selvatico** con cam   📶 ⅟ cam, 🆅🅸🆂🅰 ⓪⓪ 🅰🅴 ♻

*via Silvio Pellico 19 – ℰ 03 83 94 47 20 – www.albergoselvatico.com – info@
albergoselvatico.com – Fax 038 39 14 44 – chiuso dal 2 all'8 gennaio*
21 cam – †40/50 € ††70/80 €, ⌑ 5 € – ½ P 45/50 €
Rist *– (chiuso domenica sera e lunedì)* Carta 36/46 € 🕸
♦ Locale con gestione centenaria, si snoda tra ambienti eleganti in cui spiccano graziosi
mobili d'epoca; sala wine-bar. La cucina della tradizione, con specialità di stagione.

RIVAROLO CANAVESE – Torino (TO) – 561F5 – 11 978 ab.   22 B2
– alt. 304 m – ✉ 10086

▶ Roma 702 – Torino 35 – Alessandria 122 – Novara 92

X **Antica Locanda dell'Orco**   🏠 ⅟ 🄰🄺 ⅍ ⇆ 🆅🅸🆂🅰 ⓪⓪ 🅰🅴 ⓪ ♻

*via Ivrea 109 – ℰ 01 24 42 51 01 – Fax 01 24 40 16 95
– chiuso dal 16 agosto al 5 settembre e lunedì*
Rist – Carta 31/40 € 🕸
♦ Ambiente rustico e signorile con tavoli ravvicinati, ai quali accomodarsi per gustare la
tradizionale cucina piemontese. Possibilità di prendere posto all'aperto durante la bella
stagione.

RIVAROLO MANTOVANO – Mantova (MN) – 561G13 – 2 738 ab.   17 C3
– alt. 24 m – ✉ 46017

▶ Roma 484 – Parma 34 – Brescia 61 – Cremona 30

XX **Enoteca Finzi**   🏠 ⅟ 🄰🄺 ⇆ 🆅🅸🆂🅰 ⓪⓪ 🅰🅴 ⓪ ♻

*piazza Finzi 1 – ℰ 037 69 96 56 – www.enotecafinzi.it – info@enotecafinzi.it
– Fax 03 76 95 91 40 – chiuso dal 18 al 25 gennaio, lunedì e martedì*
Rist – Carta 36/49 € 🕸
♦ Antica stazione di posta riaperta in anni recenti, dopo un radicale restauro. La cucina
affonda le radici nel territorio e si libra sulle ali della fantasia. Ottima cantina.

RIVAROTTA – Pordenone – 562E20 – **Vedere Pasiano di Pordenone**

RIVA TRIGOSO – Genova – **Vedere Sestri Levante**

RIVAZZURRA – Rimini – 563J19 – **Vedere Rimini**

RIVERGARO – Piacenza (PC) – 561H10 – 5 894 ab. – alt. 140 m   8 A2
– ✉ 29029

▶ Roma 531 – Piacenza 18 – Bologna 169 – Genova 121

XX **Castellaccio**   ⇐ 🚗 ⅍ 🄿 🆅🅸🆂🅰 ⓪⓪ ♻

*località Marchesi di Travo, Sud-Ovest : 3 km – ℰ 05 23 95 73 33
– www.castellaccio.it – ristorante@castellaccio.it – Fax 05 23 95 64 24 – chiuso
dall' 8 al 22 gennaio, dal 12 al 28 agosto, martedì e mercoledì*
Rist *– (chiuso a mezzogiorno escluso giorni festivi)* (consigliata la prenotazione)
Carta 35/45 € 🕸
♦ Ampie finestre rendono il locale luminoso ed accogliente, ma d'estate sarà senz'altro
più piacevole prendere posto in terrazza. La cucina dimostra salde radici nel territorio,
sapientemente reinterpretate.

RIVIERA DI LEVANTE – Genova e La Spezia ▌ Italia

RIVIGNANO – Udine (UD) – 562E21 – 4 180 ab. – alt. 16 m – ✉ 33050   10 B3
▶ Roma 599 – Udine 37 – Pordenone 33 – Trieste 88

XXX **Al Ferarùt**   🄰🄺 ⅍ ⇆ 🄿 🆅🅸🆂🅰 ⓪⓪ 🅰🅴 ⓪ ♻

*via Cavour 34 – ℰ 04 32 77 50 39 – info@ristoranteferarut.it – Fax 04 32 77 42 45
– chiuso dal 20 giugno al 10 luglio, martedì sera e mercoledì*
Rist – Menu 38/70 € – Carta 42/52 € 🕸
♦ La ristorazione è una tradizione familiare che si rinnova oggi nell'ultima generazione,
spaziando dai classici dell'Alto Adriatico a piatti più moderni. Prodotti ittici locali.

XX **Dal Diaul** 🖾 🛱 💱 ⇔ 🚾 ⬤ 🎫 ⬤ 🕭
*via Garibaldi 20 – ℰ 04 32 77 66 74 – www.daldiaul.com – info@daldiaul.com
– Fax 04 32 77 40 35 – chiuso gennaio e giovedì*
Rist – *(chiuso a mezzogiorno escluso giorni festivi)* Carta 37/70 € 🕸
♦ Molto conosciuto e apprezzato in zona questo locale situato in una via del centro e che
ospita raffinate salette, di cui una con camino a vista. Cucina moderna, carne e pesce.

X **Osteria l'Aghesante** 💱 ⇔ 🚾 ⬤ 🕭
🍴 *piazza IV Novembre 1/a – ℰ 04 32 77 48 02 – chiuso dal 15 al 30 gennaio*
Rist – Carta 18/23 €
♦ Rustica e gradevole osteria che occupa gli spazi di un palazzo del tardo Settecento,
dove prendere posto per gustare i piatti tipici del territorio.

RIVISONDOLI – L'Aquila (AQ) – 563Q24 – 701 ab. – alt. 1 310 m – Sport   1 B3
invernali : a Monte Pratello : 1 370/2 100 m ✆2 ✆25, ✦ – ⊠ 67036▮ Italia
▶ Roma 188 – Campobasso 92 – L'Aquila 101 – Chieti 96
🆔 via Marconi 21 ℰ 0864 69351, iat.rivisondoli@abruzzoturismo.it, Fax0864
69351

🏨 **Como** ⬌ 🖾 📵 💱 📶 🅿 🚾 ⬤ 🎫 ⬤ 🕭
🍴 *via Dante Alighieri 45 – ℰ 08 64 64 19 42 – www.hotelcomo.com
– info@hotelcomo.com – Fax 08 64 64 00 23
– 16 dicembre-14 aprile e 27 giugno-16 settembre*
45 cam – �/42/70 €, �) 75/110 €, 🖵 15 € – ½ P 45/105 €
Rist – *(chiuso lunedì) (chiuso a mezzogiorno)* Carta 20/35 €
♦ Albergo ubicato nella parte bassa della località, a salda gestione familiare, presenta
camere spartane dagli arredi essenziali, preferite quelle con i bagni rinnovati. La cucina
è particolarmente curata.

XX **Reale** (Niko Romito) 🅰🅲 💱 🚾 ⬤ 🎫 ⬤ 🕭
❀❀ *viale Regina Elena 49 – ℰ 086 46 93 82 – www.ristorantereale.it – info@
ristorantereale.it – Fax 086 46 95 43 – chiuso dal 29 aprile al 9 giugno, dal 23
settembre al 7 ottobre, lunedì e martedì escluso agosto*
Rist – Menu 60/90 € – Carta 60/80 € 🕸
Spec. Baccalà, cipollotti, olive e rosmarino. Tagliatelle al ragù di coniglio e
vino bianco. Maialino croccante caramellato con purea di patate.
♦ In un bel palazzo d'epoca, all'ingresso del centro storico, l'interno si fa moderno per
divenire metafora della cucina: preparazioni tecniche e innovative con prodotti tipici.

X **Da Giocondo** 🅰🅲 💱 🚾 ⬤ 🎫 ⬤ 🕭
*via Suffragio 2 – ℰ 086 46 91 23 – www.abruzzoenogastronomico.com
– g.gasbarro@libero.it – Fax 08 64 64 21 36 – chiuso dal 15 al 30 giugno e martedì*
Rist – Carta 29/39 €
♦ Nel centro storico cittadino, la tradizione gastronomica abruzzese di montagna. Il
locale dispone di un'unica sala dai toni caldi e dal clima particolarmente conviviale.

RIVODORA – Torino – Vedere Baldissero Torinese

RIVODUTRI – Rieti (RI) – 563O20 – 1 266 ab. – alt. 560 m – ⊠ 02010   13 C1
▶ Roma 97 – Terni 28 – L'Aquila 73 – Rieti 17

XXX **La Trota** (Sandro Serva) con cam ⬌ 🖾 🛱 🕭 rist, 🅰🅲 ↩ 🏋 🅿
❀ *via Santa Susanna 33, località Piedicolle, Sud : 4 km   🚾 ⬤ 🎫 ⬤ 🕭
– ℰ 07 46 68 50 78 – www.latrota.com – info@latrota.com – Fax 07 46 68 54 48
– chiuso 1 settimana in gennaio e 1 settimana in luglio*
6 cam 🖵 – � 50 € ♩90 €
Rist – *(chiuso domenica sera e mercoledì)* (consigliata la prenotazione)
Carta 56/80 € 🕸
Spec. Riso con bisque di gamberi di torrente e pollastrella su salsa di zucchine alla scapece. Consommé con tortelli di pasta al caffè e colombaccio
con infuso di bosco (novembre-febbraio). Persico reale in consistenze diverse
su salsa di pesche vaniglia (giugno-settembre).
♦ Locale elegante, realizzato tra volte dipinte e chiare tonalità di colore per gustare una
cucina che si ispira soprattutto ai pesci di fiume in piatti di grande fantasia. Piacevoli le
camere ricavate poco distante, nella casa che appartenne al medico condotto.

RIVOIRA – Cuneo – Vedere Boves

RIVOLI – Torino (TO) – 561G4 – **49 868 ab.** – **alt. 386 m** – ✉ **10098** 22 **A1**
Italia

Roma 678 – Torino 15 – Asti 64 – Cuneo 103

Pianta d'insieme di Torino

XXX ✿✿ **Combal.zero** (Davide Scabin)

piazza Mafalda di Savoia – ✆ 01 19 56 52 25 – www.combal.org – combal.zero@combal.org – Fax 01 19 56 52 48 – chiuso dal 24 dicembre al 7 gennaio, dal 3 al 26 agosto, domenica e lunedì

Rist – Carta 80/115 €

Spec. Uovo affogato con salsa d'acciughe e misticanza di stagione. Cyber-eggs. Lingua di vitello brasata al Barolo con puré di patate ratte e cuori di sedano bianco brasato.

◆ Accanto al museo di arte contemporanea, del quale riprende le forme moderne ed essenziali, è il regno dell'eccletismo gastronomico: dai classici piemontesi ai piatti più estrosi.

RIVOLTA D'ADDA – Cremona (CR) – 561F10 – **7 194 ab.** – **alt. 102 m** – ✉ **26027** 19 **C2**

Roma 560 – Bergamo 31 – Milano 26 – Brescia 59

XX **La Rosa Blu**

via Giulio Cesare 56 – ✆ 036 37 92 90 – www.ristoranterosablu.com – rosablu@telemacus.it – Fax 036 37 92 90 – chiuso dall'8 gennaio al 2 febbraio, martedì sera e mercoledì

Rist – Carta 31/42 €

◆ Verso il limitare del paese, locale di tono familiare con camino ed arredi d'epoca dove viene proposta una carta tradizionale di carne e di pesce. Servizio anche all'aperto.

ROBECCO SUL NAVIGLIO – Milano (MI) – 561F8 – **6 293 ab.** – **alt. 129 m** – ✉ **20087** 18 **A2**

Roma 590 – Milano 28 – Novara 24 – Pavia 53

X **L'Antica Trattoria**

via Santa Croce 16 – ✆ 029 47 08 71 – anticatrattoria@gmail.com – Fax 02 94 97 04 16 – chiuso martedì

Rist – Carta 22/42 €

◆ Nuovo *look* per questa bella e curata trattoria, che dispone di due sale: una ampia e luminosa, mentre l'altra (un po' più piccola) è caratterizzata da un antico camino dei primi '900. La cucina rimane sempre d'impronta mediterranea con grande attenzione per le materie prime.

ROCCABRUNA – Cuneo (CN) – 561I3 – **1 454 ab.** – **alt. 700 m** – ✉ **12020** 22 **B3**

Roma 673 – Cuneo 30 – Genova 174 – Torino 103

a Sant'Anna Nord : 6 km – **alt. 1 250 m** – ✉ **12020** – **Roccabruna**

XX **La Pineta** con cam

piazzale Sant'Anna 6 – ✆ 01 71 90 58 56 – www.lapinetaalbergo.it – info@lapinetaalbergo.it – Fax 01 71 91 66 22 – chiuso dal 7 gennaio al 25 febbraio

12 cam – †45 € ††65/70 €, ☕ 5 € – ½ P 52 €

Rist – *(chiuso lunedì sera e martedì escluso dal 20 giugno al 20 settembre)* Menu 20/35 €

◆ Al limitare di una pineta, il ristorante vi delizierà con una gustosa cucina casalinga e con la sua specialità: il goloso fritto misto alla piemontese. Ritroverete simpatia e calore familiare anche nelle graziose camere, dalle quali respirare la tranquillità e la purezza dei monti.

ROCCA CORNETA – Bologna – 561I14 – **Vedere Lizzano in Belvedere**

ROCCA DI MEZZO – L'Aquila (AQ) – 563P22 – 1 564 ab. – alt. 1 329 m   1 A2
– ⊠ 67048

> ▶ Roma 138 – Frosinone 103 – L'Aquila 27 – Sulmona 61

🏠 **Altipiano delle Rocche**   🚗 🛎 👌 📶 **P** **VISA** ☎ **AE** ① 👌
⊛ *strada statale 5 bis 47 – ℰ 08 62 91 70 65 – albergo@inwind.it*
– Fax 08 62 70 80 29
🍽 **26 cam** ⊂⊃ – †45/60 € ††65/90 € – ½ P 40/65 €
Rist – *(chiuso la sera in agosto e a mezzogiorno negli altri mesi)* Menu 20/30 €
♦ Costruzione relativamente recente in gradevole stile alpino, non eccessivamente accentuato; arredi rustici anche nelle stanze, quattro delle quali sono mansardate. Ampia e semplice sala ristorante, contigua alla hall dell'hotel.

ROCCA DI ROFFENO – Bologna – 562J15 – Vedere Castel d'Aiano

ROCCA PIETORE – Belluno (BL) – 562C17 – 1 397 ab. – alt. 1 142 m   35 B1
– Sport invernali : a Malga Ciapela : 1 446/3 265 m (Marmolada) 🎿 5 🎿2 (anche sci estivo), 🎿 – ⊠ 32020

> ▶ Roma 671 – Cortina d'Ampezzo 37 – Belluno 56 – Milano 374
> 🄯 via Roma 15 ℰ 0437 721319, roccapietore@infodolomiti.it, Fax 0437 721290
> 🄶 Marmolada★★★ : ❄★★★ sulle Alpi per funivia Ovest : 7 km – Lago di Fedaia★ Nord-Ovest : 13 km

a Bosco Verde Ovest : 3 km – alt. 1 200 m – ⊠ 32020 – Rocca Pietore

🏠 **Rosalpina**   ⩽ 🏔 🎿 rist, **P** **VISA** ☎ **AE** 👌
⊛ *via Marmolada, 30 – ℰ 04 37 72 20 04 – www.rosalpinahotel.com – rosalpin@ marmolada.com – Fax 04 37 72 20 49 – dicembre-15 aprile e 28 giugno-15 settembre*
32 cam ⊂⊃ – †30/60 € ††55/120 € – ½ P 33/75 €
Rist – *(chiuso a mezzogiorno)* Carta 19/25 €
♦ Immersi nel meraviglioso paesaggio dolomitico, il calore di una casa di montagna e il piacere di sentirsi coccolati dall'estrema cortesia di un'intera famiglia. Parco giochi per i più piccoli. Anche la sala da pranzo è arredata con semplicità, senza togliere calore all'atmosfera.

a Digonera Nord : 5,5 km – alt. 1 158 m – ⊠ 32020 – Laste di Rocca Pietore

🏠 **Digonera**   ⩽ 🏔 🛎 ↤ 🎿 rist, **P** **VISA** ☎ **AE** ① 👌
– ℰ 04 37 52 91 20 – www.digonera.com – info@digonera.com
– Fax 04 37 52 91 50 – chiuso dal 22 aprile al 20 maggio e dal 5 novembre al 6 dicembre
23 cam ⊂⊃ – †40/60 € ††80/110 € – ½ P 45/75 €
Rist – *(chiuso lunedì)* Carta 25/35 €
♦ In una frazione di passaggio, presenta la comodità di essere a pochi minuti d'auto da quattro diversi comprensori sciistici. Raccolto e molto accogliente, offre camere semplici, tutte differenti tra loro. Sala ristorante davvero caratteristica.

ROCCARASO – L'Aquila (AQ) – 563Q24 – 1 654 ab. – alt. 1 236 m   1 B3
– Sport invernali : 1 236/2 140 m 🎿2 🎿25, 🎿 – ⊠ 67037

> ▶ Roma 190 – Campobasso 90 – L'Aquila 102 – Chieti 98
> 🄯 via D'Annunzio 2 ℰ 0864 62210, iat.roccaraso@abruzzoturismo.it, Fax0864 62210

🏨 **Suisse**   🛎 ↤ 🎿 📶 🚗 **VISA** ☎ 👌
via Roma 22 – ℰ 08 64 60 23 47 – www.hotelsuisse.com – info@hotelsuisse.com
– Fax 08 64 61 90 08 – chiuso dal 3 maggio al 20 giugno
45 cam ⊂⊃ – †40/160 € ††70/180 € – ½ P 70/110 €
Rist – *(15 dicembre-aprile e luglio-settembre)* Carta 23/35 €
♦ Affacciato sulla strada più importante della località, si presenta totalmente ristrutturato. Le camere, abbastanza sobrie, hanno arredi in legno scuro e ottimi bagni. Sala ristorante con inserti in legno e pannelli affrescati.

🅱️ Petite Fleur senza rist   🚗 ⚹ 🆔 ⚙ 🕿 📶 💳 ⚙ 🆎 ⓪ 🔆

viale dello Sport 5 c – 🕿 *08 64 60 20 10* – *www.hotelpetitefleur.com* – *info@hotelpetitefleur.com* – *Fax 08 64 60 20 10*

11 cam ⌷ – ♦120/140 € ♦♦160/165 €

♦ Graziosa struttura realizzata con pannelli di rivestimento tecnologici anche se non propriamente montani. La hall piccola ed elegante introduce a camere molto accoglienti e curate.

🅱️ Iris   📶 ♣ ⚙ 🕿 💳 ⚙ 🆎 ⓪ 🔆

viale Iris 5 – 🕿 *08 64 60 23 66* – *www.hoteliris.eu* – *info@hoteliris.eu* – *Fax 08 64 60 23 66* – *dicembre-aprile e giugno-settembre*

52 cam – ♦♦95/100 €, ⌷ 6 € – ½ P 105/110 €   **Rist** – Carta 29/37 €

♦ Centrale, ma contemporaneamente in una posizione tale da offrire una discreta quiete, presenta esterni completamente ristrutturati e stanze in via di ammodernamento. Sala ristorante di tono abbastanza sobrio.

a Pietransieri Est : 4 km – alt. 1 288 m – ✉ 67030

🍴 La Preta   🏡 ⚙ 💳 ⚙ 🆎 ⓪ 🔆

via Adua, 11 – 🕿 *086 46 27 16* – *lapreta@interfree.it* – *Fax 086 46 27 16* – *chiuso martedì in bassa stagione*

Rist – Carta 25/35 €

♦ Piccolo ristorante familiare, custode della memoria storica e gastronomica del paese tra foto d'epoca appese alle pareti e ricette della tradizione servite in tavola.

ad Aremogna Sud-Ovest : 9 km – alt. 1 622 m – ✉ 67037

🅱️ Boschetto ⚘   ⇐ 🔲 🝳 ⌂ 🛌 📶 ♣ ⚙ 🅿 🚗 💳 ⚙ 🆎 🔆

via Aremogna 42 – 🕿 *08 64 60 23 67* – *www.roccaraso.it/hotelboschetto* – *h.boschetto@roccaraso.it* – *Fax 08 64 60 23 82*

48 cam – ♦40/140 € ♦♦80/280 €, ⌷ 15 € – ½ P 85/165 €

Rist – Carta 28/66 €

♦ Per una vacanza tranquilla ed isolata, perfetta anche per gli amanti dello sci. Accoglienti saloni in legno, camere sobrie, costantemente in via di ammodernamento. Sala ristorante dall'ambiente suggestivo, grazie all'incantevole vista sui monti.

🅱️ Pizzalto ⚘   ⇐ ⌂ 📶 ♣ ⚙ 🕿 🔆 🅿 🚙 💳 ⚙ 🆎 ⓪ 🔆

via Aremogna 12 – 🕿 *08 64 60 23 83* – *www.pizzalto.com* – *pizzalto@pizzalto.com* – *Fax 08 64 60 23 83* – *dicembre-aprile e giugno-10 settembre*

53 cam ⌷ – ♦80/120 € ♦♦100/180 € – ½ P 60/160 €   **Rist** – Menu 28/35 €

♦ Grande albergo di montagna a ridosso degli impianti sciistici, è strutturato in modo tale da presentare servizi e dotazioni di ogni tipo, soprattutto estetico e sportivo.

ROCCA SAN CASCIANO – Forlì-Cesena (FO) – 562J17 – 2 132 ab.   **9 C2** – alt. 210 m – ✉ 47017

🚩 Roma 326 – Rimini 81 – Bologna 91 – Firenze 81

🍴 La Pace   ⇔ 💳 ⚙ 🆎 🔆

piazza Garibaldi 16 – 🕿 *05 43 95 13 44* – *chiuso lunedì sera e martedì*

Rist – Carta 15/21 €

♦ Affacciata sulla piazza principale, trattoria molto semplice con accoglienza e servizio familiari. Dal territorio le specialità di stagione, in preparazioni casalinghe.

ROCCA SAN GIOVANNI – Chieti (CH) – 563P25 – 2 332 ab.   **2 C2** – alt. 155 m – ✉ 66020

🚩 Roma 263 – Pescara 41 – Chieti 60 – Isernia 113

in prossimità casello autostrada A 14 - uscita Lanciano Nord-Ovest : 6 km :

🏨 Villa Medici   🔲 🔲 ⌂ ♣ 📶 ♣ 🆔 ⚙ rist. 🔆 🔆 🅿 🅿

contrada Santa Calcagna – 🕿 *08 72 71 76 45*   💳 ⚙ 🆎 ⓪ 🔆

– *www.hotelvillamediciabruzzo.it* – *htlmedici@tiscalinet.it* – *Fax 08 72 70 91 22*

46 cam ⌷ – ♦60/90 € ♦♦90/115 €

Rist – *(chiuso a mezzogiorno escluso agosto)* Carta 25/40 €

♦ Raffinatezza, modernità e confort di alto livello per questo hotel in comoda posizione stradale. Ideale per una clientela d'affari che cerca cortesia, professionalità e un'ampia disponibilità di spazi. L'eleganza continua al ristorante, con un'ampia capacità ricettiva per ogni occasione.

ROCCASTRADA – Grosseto (GR) – 563M15 – ✉ 58036   29 **C2**

▶ Roma 241 – Grosseto 37 – Firenze 129 – Livorno 141

🏥   **La Melosa** 🦢   ≤ 🛋 🍴 🔆 🕸 AC 🍴 rist. 🕿 P VISA ⊛ AE ① Ś
strada Provinciale 157, Nord : 2 km – 𝒞 05 64 56 33 49
– www.lamelosaresort.com – info@lamelosa.it – Fax 05 64 56 32 89
12 cam ⊊ – †138/173 € ††184/230 € – ½ P 127/150 €   **Rist** – Carta 31/50 €
◆ Splendida posizione, defilata e incredibilmente tranquilla, per una struttura elegantemente allestita e arredata che propone un servizio di tono familiare e cortese. Piccolo ristorante, grazioso e accogliente.

ROCCELLA IONICA – Reggio di Calabria (RC) – 564M31 – 6 832 ab.   5 **B3**
– alt. 25 m – ✉ 89047

▶ Roma 687 – Reggio di Calabria 110 – Catanzaro 85 – Vibo Valentia 90

sulla strada statale 106 Sud-Ovest : 2 km :

🏥   **Parco dei Principi Hotel**   🛋 🔆 🕸 🛁 ⬚ ⬚ 🔆 🕷 AC 🍴 ⬚ 🛁 P
Strada Statale 106, località Badessa ✉ 89047   VISA ⊛ AE ① Ś
– 𝒞 09 64 86 02 01 – www.parcodeiprincipi-roccella.com – info@
parcodeiprincipi-roccella.com – Fax 096 48 60 26 20
58 cam ⊊ – †120/150 € ††170/230 € – 2 suites – ½ P 115/139 €
Rist *L'Angolo del Pignolo* – Carta 32/47 €
◆ Hotel di recente realizzazione, dall'aspetto molto vistoso. Sontuosa hall circolare, abbondanza di decorazioni, soffitti affrescati e settore notte di alto livello. Ristorante intimo di tono elegante che affianca l'attività banchettistica.

✗   **La Cascina**   🛋 🍴 AC 🍴 VISA ⊛ AE ① Ś
– 𝒞 09 64 86 66 75 – www.lacascina1899.it – cremadibergamotto@tiscalinet.it
– Fax 09 64 86 66 75 – chiuso martedì
Rist – Carta 34/48 €
◆ Lungo la statale, un piacevole e rustico locale ricavato dalla ristrutturazione di un casolare di fine Ottocento: sale dalle pareti in pietra e dai soffitti in legno; proposte sia di mare sia di terra.

ROCCHETTA TANARO – Asti (AT) – 561H7 – 1 424 ab. – alt. 107 m   25 **D1**
– ✉ 14030

▶ Roma 626 – Alessandria 28 – Torino 75 – Asti 17

✗✗   **I Bologna**   🍴 AC 🍴 ⬚ VISA
via Nicola Sardi 4 – 𝒞 01 41 64 46 00 – trattoria.ibologna@libero.it
– Fax 01 41 64 41 05 – chiuso dal 10 gennaio al 10 febbraio e martedì
Rist – Menu 45 €
◆ Un classico della ristorazione monferrina, da anni propone gli immutabili piatti che ci si aspetta di gustare in Piemonte. Gli ambienti sono rustici e l'atmosfera calda.

RODDI – Cuneo (CN) – 561H5 – 1 385 ab. – alt. 284 m – ✉ 12060   25 **C2**

▶ Roma 650 – Cuneo 61 – Torino 63 – Asti 35

✗✗✗   **Il Vigneto** con cam 🦢   🍴 🕷 🕸 🛁 P VISA ⊛ Ś
località Ravinali 19/20, Sud-Ovest 2,5 Km ✉ 12060 Roddi – 𝒞 01 73 61 56 30
– www.ilvignetodiroddi.com – info@ilvignetodiroddi.com – Fax 01 73 62 08 56
– chiuso da febbraio al 15 marzo
6 cam ⊊ – †65/75 € ††95 €   **Rist** – Carta 38/61 €
◆ Posizione tranquilla, per questa vecchia cascina di campagna restaurata con gusto e raffinatezza, dove assaporare piatti piemontesi e non solo. Piacevole l'ombreggiato dehors. Accoglienza di classe e premurosa attenzione anche nelle camere, dalle cui finestre si dominano le colline dei dintorni.

ROLETTO – Torino (TO) – 561H3 – 2 017 ab. – alt. 412 m – ✉ 10060   22 **B2**

▶ Roma 683 – Torino 37 – Asti 77 – Cuneo 67

✗✗   **Il Ciabot**   🍴 VISA ⊛ Ś
😊   *via Costa 7 – 𝒞 01 21 54 21 32 – Fax 01 21 54 21 32*
– chiuso dal 15 giugno al 3 luglio, domenica sera e lunedì
Rist – *(chiuso a mezzogiorno)* (consigliata la prenotazione) Carta 29/38 €
◆ Piacevolmente riscaldato nei mesi freddi da un caminetto, questo piccolo locale vanta un'appassionata gestione familiare e propone una cucina regionale, attenta alle tradizioni.

Piazza Navona Fontana Nettuno

ROMA

Carta Michelin : n° **563**Q19
Popolazione : 2 542 003 ab
Altitudine : 20 m
Codice Postale : ✉ 00100

🏠 Roma
Carta regionale : 12 **B2**

INFORMAZIONI PRATICHE

🖈 Ufficio Informazioni turistiche
via XX Settembre 26 ✉00185 ☎ 06 421381, info@aptprovroma.it

Aeroporti
✈ di Ciampino Sud-Est : 15 km BR ☎ 06 794941

✈ Leonardo da Vinci di Fiumicino per ⑧: 26 km ☎ 06 65631

Golf
🏌 Parco de' Medici, ☎ 06 655 34 77

🏌 Parco di Roma via Due Ponti 110, ☎ 06 33 65 33 96

🏌 Marco Simone, ☎ 0774 36 64 69

🏌 Arco di Costantino, ☎ 06 33 62 44 40

🏌 ☎ 06 30 88 91 41

🏌 Fioranello, ☎ 06 713 80 80

◉ LUOGHI DI INTERESSE

ROMA ANTICA

Appia Antica★★ - Ara Pacis Augustae★★ - Area Sacra del Largo Argentina★★ - Castel Sant' Angelo★★★ - Colosseo★★★ e arco di Costantino★★★ - Fori Imperiali★★★ e Mercati di Traiano★★ - Foro Romano★★★ e Palatino★★★ - Pantheon★★★ - Terme di Caracalla★★★

LE CHIESE

Chiesa del Gesù★★★ - S. Andrea al Quirinale★★ - S. Andrea della Valle★★ - S. Carlo alle Quattro Fontane★★ - S. Clemente★★ - S. Giovanni in Laterano★★★ - S. Ignazio★★ - S. Lorenzo fuori le Mura★★ - S. Luigi dei Francesi★★ - S. Maria degli Angeli★★ - S. Maria d'Aracoeli★★ - S. Maria Maggiore★★★ - S. Maria sopra Minerva★★ - S. Maria del Popolo★★ - S. Maria in Trastevere★★ - S. Maria della Vittoria★★ - S. Paolo fuori le Mura★★

PIAZZE E FONTANE

Campo dei Fiori★★ - Piazza del Campidoglio★★★ - Piazza Navona★★★ - Piazza del Popolo★★ - Piazza del Quirinale★★ - Piazza di Spagna★★★ Fontana della Barcaccia★ - Fontana di Trevi★★★ - Fontana del Tritone★

GRANDI MUSEI

Galleria Borghese★★★ - Galleria Doria Pamphili★★ - Galleria di Palazzo Barberini★★ - Musei Capitolini★★★ - Museo etrusco di Villa Giulia★★★ - Palazzo Altemps★★★ - Palazzo Massimo alle Terme★★★

VATICANO

Piazza S. Pietro★★★ - Basilica di S. Pietro★★★ - Musei Vaticani★★★

CAPOLAVORI DEL RINASCIMENTO E DEL BAROCCO

Michelangelo: S. Pietro in Vincoli - Vaticano: Pietà nella basilica di S. Pietro, Cappella Sistina **Raffaello:** Galleria Borghese, Galleria di Palazzo Barberini, Villa Farnesina, Vaticano: Stanze di Raffaello e Pinacoteca Vaticana **Bernini:** Galleria Borghese, Fontana dei Fiumi di piazza Navona, S. Andrea al Quirinale, S. Maria della Vittoria - Vaticano: piazza S. Pietro, Baldacchino e cattedra di S. Pietro **Borromini:** Oratorio dei Filippini, S. Agnese in Agone, S. Carlo alle Quattro Fontane, S. Ivo alla Sapienza **Caravaggio:** Galleria Borghese, Galleria Doria Pamphili, Galleria di Palazzo Barberini, Pinacoteca Capitolina, S. Agostino, S. Luigi dei Francesi, S. Maria del Popolo - Vaticano: Pinacoteca Vaticana

ARTE MODERNA E CONTEMPORANEA

GAM (Galleria Nazionale di Arte Moderna) ★★ - Museo MAXXI★ - Museo MACRO - Quartiere E.U.R.★★ - Quartiere Coppedè

I PARCHI

Gianicolo★ - Pincio - Villa Borghese★★★ - Villa Celimontana - Villa Doria Pamphili - Villa Torlonia

LE VIE DELLO SHOPPING

Via dei Coronari★ : antiquariato e brocantage - Il Tridente (via di Ripetta, via del Corso, via del Babuino): negozi di tutti i generi - Via del Babuino: antiquariato e brocantage - Via Margutta: gallerie d'arte e botteghe artigianali - Via Veneto★★ : negozi e hotel di lusso - Via dei Condotti, via Frattina, via Borgognona, via Bocca di Leone: alta moda

DI SERA E DI NOTTE

Trastevere★★ : osterie e trattorie - Testaccio: locali notturni

ROMA DALL' ALTO

Cupola di S. Pietro - Terrazza di Castel S. Angelo - Gianicolo - Pincio - Portico del Vittoriano

ELENCO ALFABETICO DEGLI ALBERGHI

ELENCO ALFABETICO DEI RISTORANTI

ROMA

ROMA

GLI ESERCIZI CON STELLE

BIB GOURMAND

RISTORANTI SECONDO IL LORO GENERE

RISTORANTI CON IL SERVIZIO ESTIVO ALL'APERTO

RISTORANTI APERTI IN AGOSTO

Acquolina Hostaria in Roma N	XX ✿	43
Ambasciata d'Abruzzo	XX	41
Antico Arco	XX	39
Baby	XxxX ✿	41
Bric (Al)	X	28
Ceppo (Al)	XX	41
Cesare (Da)	X	39
Convivio-Troiani (Il)	XxX	26
Corsetti-il Galeone	X	42
Enoteca Capranica	XxX	27
Giggetto-al Portico d'Ottavia	X	28
Maharajah	X	36
Mirabelle	XxxX ✿	33

Ortica (L')	XX	43
Pagliaccio (Il) N	XX ✿✿	27
Pancrazio (Da)	XX	27
Papà Baccus	XX	34
Peppone	XX	34
Pergola (La)	XxXxX ✿✿✿	39
Rinaldo all'Acquedotto	XX	44
Rosetta (La)	XX	27
Shangri Là-Corsetti Rist.	XxX	46
Streghe (Le)	X	28
Terrazza (La)	XxxX	33
Valentino (Il)	XxX	27

INDICE DELLE STRADE DI ROMA

ROMA

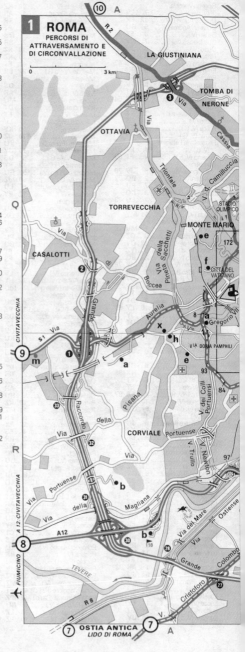

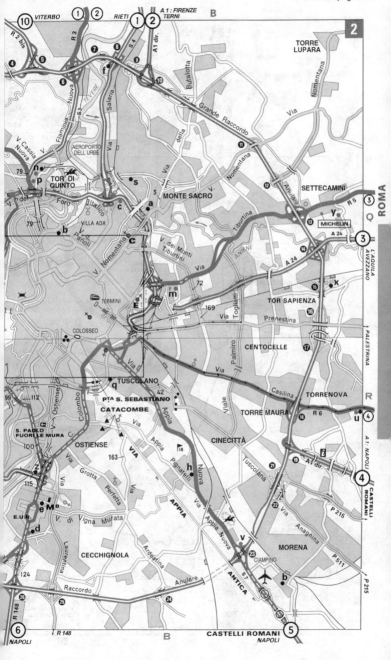

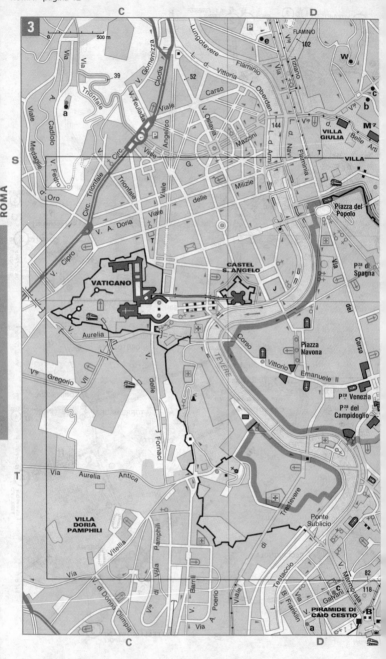

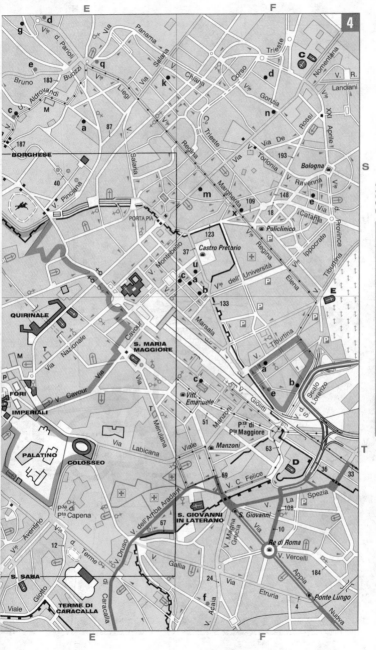

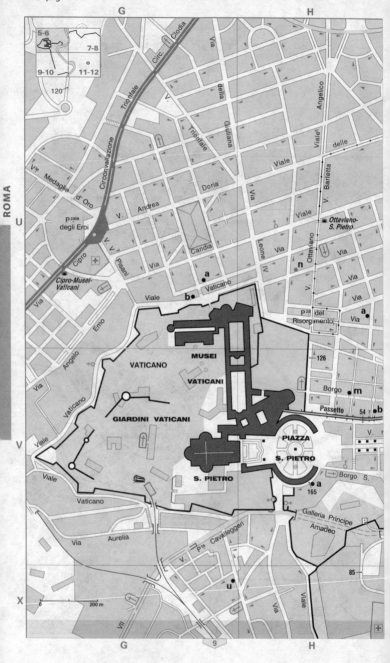

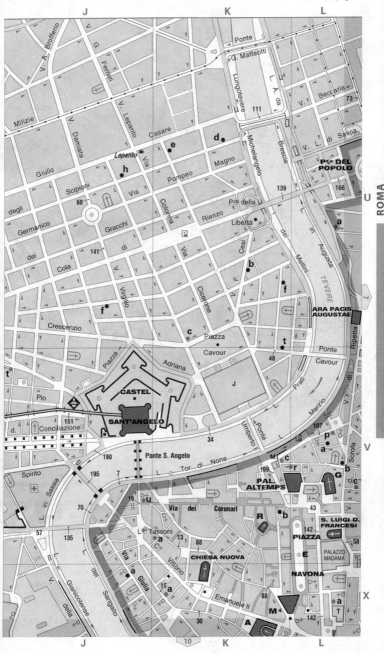

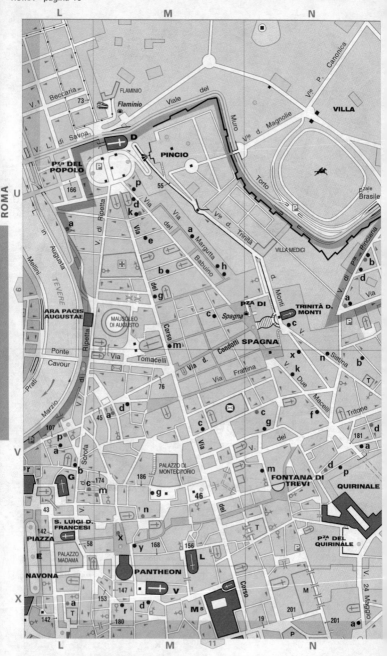

ROMA

5-6
7-8
9-10
11-12

BORGHESE

M⁶

Viale dei Cavalli

Borghese

Pinciana

Museo

Via

Viale

d.

Via Po

V.

Via

Via

Nizza

Tevere

Salaria

Corso

Pza Fiume

Campania

94

27

Co d' Italia

d

U

b

n

p

a

w

Piemonte

T

Boncompagni

Piave

Via

Collina

z

V. Vittorio Veneto

r

g

d

Via

Sallustiana

e

f Ludovisi

m

h

f

b

Montebello

g

V. Vittorio Veneto

L. Bissolati

20 Settembre

Via

e

c

Barberini

S. MARIA D. VITTORIA

Terme di Diocleziano

198

Barberini

Via

c

M⁹

N

Barberini

f

S. SUSANNA

196

Piazza dei Cinquecento

a

PALAZZO BARBERINI

P

Repubblica

61

Via

Pza della Repubblica

e

P

TERMINI

e

delle

Viminale

PAL. MASSIMO

K

Quattro Fontane

b

y

T

del

w

POL.

Via A.

Via

F

138

Nazionale

d

Depretis

a

b

Cavour

k

Principe

g

Via

Milano

Pza d. Esquilino

k

Amedeo

Panisperma

160

S. MARIA MAGGIORE

a

0   200 m

Via

Cavour

T

h

d

Via

z

12

O

P

X

V

ROMA

X

G

5

u

H

85

0   200 m

VII

Via

Viale

Gregorio

S. PIETRO

delle

Mura

di Gianicolo

Passeggiata

Viale

Y

Aurelie

Fornaci

Via   Aurelia   Antica

S. Pancrazio

VILLA DORIA PAMPHILI

V. di

V.

del Vascello

Z

Vitellia

V.le di

Villa

V. Dezza

Fontejana

+ o

Villa

25   171

Carini

Via

Pamphili

Barili

V.

| 5-6 | 7-8 |
| 9-10 | 11-12 |

G

H

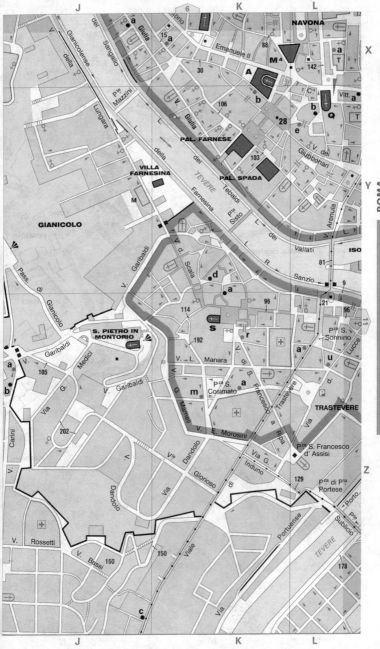

977

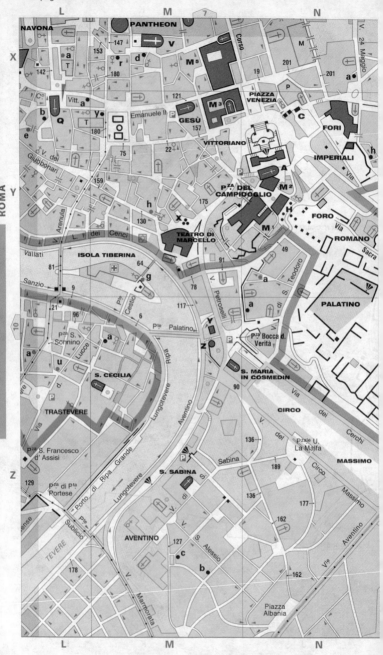

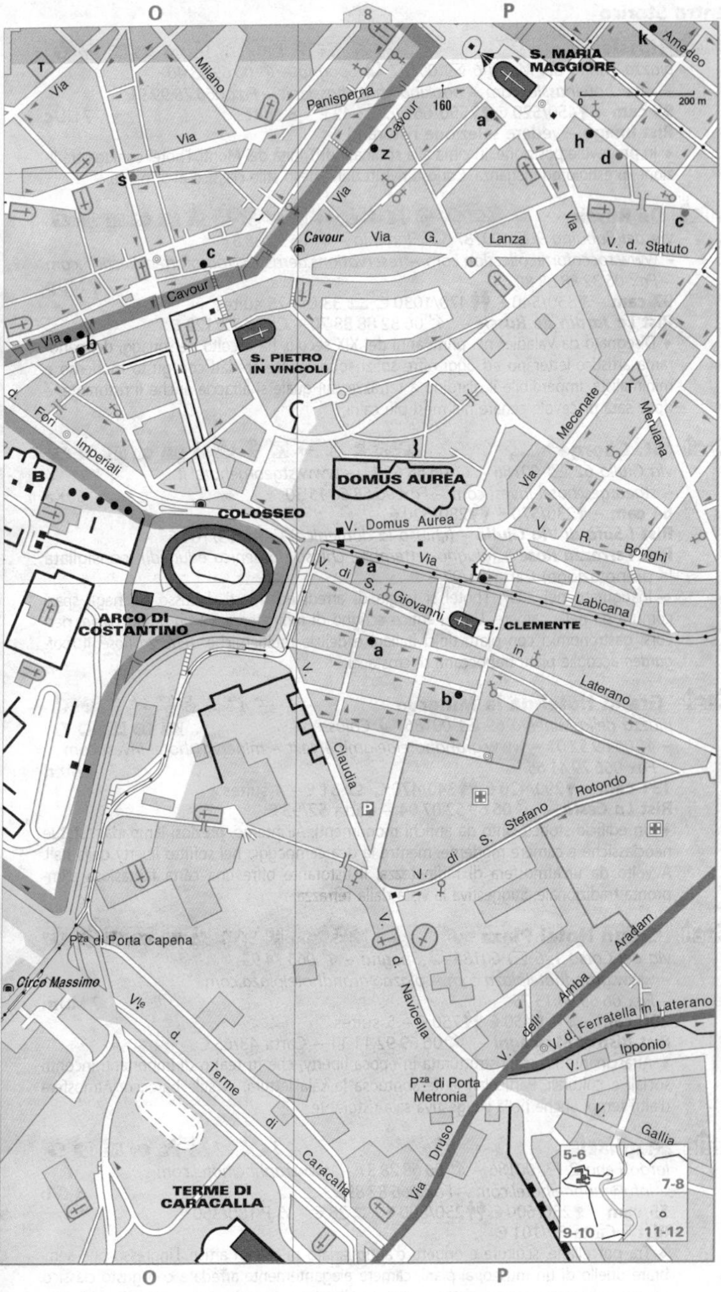
O
P
8
S. MARIA MAGGIORE
Amedeo
Via Milano
Via Panisperna
160
Cavour
0 200 m
X
Via
Via
Cavour
Via G. Lanza
V. d. Statuto
Via
Cavour
Via
S. PIETRO IN VINCOLI
Y
ROMA
d. Fori Imperiali
Mecenate
Merulana
Via
DOMUS AUREA
COLOSSEO
V. Domus Aurea
V. R. Bonghi
Via Labicana
V. di S. Giovanni in Laterano
S. CLEMENTE
ARCO DI COSTANTINO
V.
Claudia
Via di S. Stefano Rotondo
V.
V. d. Navicella
Pza di Porta Capena
Circo Massimo
Z
V. dell' Amba Aradam
V. d. Ferratella in Laterano
V. Ipponio
Vle d. Terme di Caracalla
Pza di Porta Metronia
Via Druso
V. Gallia
TERME DI CARACALLA
5-6
7-8
9-10
11-12
O
P

Centro Storico

Hassler 🛎️ ₤ 🎐 AC 🛇 🛜 🐍 VISA ⦿ AE ⓘ 🚭

piazza Trinità dei Monti 6 ✉ *00187* Ⓜ *Spagna* – ☎ *06 69 93 40*
– *www.hotelhassler.com* – *booking@hotelhassler.it* – *Fax 066 78 99 91*
95 cam – ♦450/520 € ♦♦550/660 €, ⊆ 42 € – 8 suites   7 NU**c**
Rist Imago – vedere selezione ristoranti
♦ In pregevole posizione, in cima alla scalinata di Trinità dei Monti, l'hotel coniuga tradizione, prestigio ed eleganza. Curiosa rivisitazione dello stile classico al 5° piano.

De Russie 🚗 🍴 🛎️ ₤ 🎐 & 🕺 AC ↙ 🛇 🕻 🐍 VISA ⦿ AE ⓘ 🚭

via del Babuino 9 ✉ *00187* Ⓜ *Flaminio* – ☎ *06 32 88 81*
– *www.roccofortecollection.com* – *reservations.derussie@roccofortecollection.com*
– *Fax 06 32 88 88 88*   7 MU**p**
97 cam – ♦350/540 € ♦♦470/1030 €, ⊆ 33 € – 25 suites
Rist Le Jardin de Russie – ☎ *06 32 88 88 70* – Carta 72/122 €
♦ Disegnato da Valadier nei primi anni del XIX secolo, ha accolto personaggi del panorama artistico-letterario ed oggi offre spazi sobriamente aredati con gusto moderno e minimalista. Imperdibile il giardino a terrazze, sul quale si affaccia anche il ristorante, e dove sarà piacevole cenare nei mesi più caldi.

St. George 🍴 🛎️ 🎐 & 🕺 AC 🛇 🕻 🐍 VISA ⦿ AE ⓘ 🚭

via Giulia 62 ✉ *00186* – ☎ *06 68 66 11* – *www.stgeorgehotel.it*
– *stgeorge@hotel-invest.com* – *Fax 06 68 66 15 30*   6 JX**a**
64 cam – ♦230/570 € ♦♦280/620 €
Rist I Sofà di Via Giulia – (chiuso la domenica) Carta 59/101 €
Rist Terrazza Rosé – (giugno-settembre; chiuso domenica e lunedì) (consigliata la prenotazione) Carta 64/97 €
♦ Inaugurato nel 2007, l'hotel si fregia di arredi ed inserti di lusso sia negli spazi comuni sia nelle camere. Un autentico scrigno di raffinatezza. *I Sofà di Via Giulia*: percorsi gastronomici con piatti tipici italiani e delizie multietniche. *Terrazza Rosé*: il *roofgarden* accoglie piatti traboccanti di crostacei.

Grand Hotel de la Minerve 🎐 ₤ 🎐 & AC ↙ 🛇 🕻 🐍

piazza della Minerva 69 ✉ *00186* Ⓜ *Colosseo*   VISA ⦿ AE ⓘ 🚭
– ☎ *06 69 52 01* – *www.grandhoteldelaminerve.it* – *minerva@hotel-invest.com*
– *Fax 066 79 41 65*   7 MX**d**
131 cam – ♦290/420 € ♦♦340/470 €, ⊆ 31 € – 4 suites
Rist La Cesta – ☎ *06 69 52 07 04* – Carta 52/95 €
♦ Un edificio storico cinto da antichi monumenti. All'interno, preziosi lampadari, statue neoclassiche e camere moderne, mentre la dea campeggia nel soffitto liberty della hall. Avvolto da un'atmosfera di raffinatezza, il ristorante offre una carta fantasiosa d'impronta tradizionale. Suggestiva la vista dalla terrazza.

Grand Hotel Plaza 🛎️ & cam, AC 🛇 🛜 🐍 VISA ⦿ AE ⓘ 🚭

via del Corso 126 ✉ *00186* Ⓜ *Spagna* – ☎ *066 74 95*
– *www.grandhotelplaza.com* – *plaza@grandhotelplaza.com*
– *Fax 06 69 94 15 75*   7 MU**m**
200 cam ⊆ – ♦450 € ♦♦750 € – 5 suites
Rist Bistrot-Mascagni – ☎ *06 69 92 11 11* – Carta 43/65 €
♦ Affascinante risorsa, ristrutturata in epoca liberty, che fu teatro di importanti incontri sociali e culturali. Particolarmente sontuosa la sala lettura, in stile barocco. Atmosfera d'altri tempi anche nella suggestiva sala ristorante.

Raphaël 🎐 ₤ 🎐 🛜 🐍 VISA ⦿ AE ⓘ 🚭

largo Febo 2 ✉ *00186* – ☎ *06 68 28 31* – *www.raphaelhotel.com*
– *info@raphaelhotel.com* – *Fax 066 87 89 93*   6 KV**b**
55 cam – ♦230/600 € ♦♦250/800 €, ⊆ 28 € – ½ P 180/360 €
Rist – Carta 59/101 €
♦ Tra porcellane, sculture e oggetti d'antiquariato di celebri artisti, l'ingresso può sembrare quello di un museo; ai piani, camere elegantemente arredate con gusto classico. Cucina italiana e qualche piatto francese nella moderna sala ristorante; nella bella stagione, la panoramica terrazza multilivello.

Piranesi-Palazzo Nainer senza rist 🏠 ᒪᓂ 🇮🇹 📺 🏠 📡
via del Babuino 196 ✉ 00187 Ⓜ Flaminio — 📺 💳 🆔 AE ① ᕮ
— 📞 06 32 80 41 — www.hotelpiranesi.com — info@hotelpiranesi.com
— Fax 063 61 05 97   7 MUd
32 cam ⌹ — 🛏168 € 🛏🛏220/290 €
♦ Eleganti marmi, decorazioni ed una particolare esposizione di tessuti, anche storici, impreziosiscono la hall, le camere ed i corridoi. Roof garden ed un solarium multilivello.

Valadier 🇮🇹 📺 🛁 📡 🏠 🆔 AE ① ᕮ
via della Fontanella 15 ✉ 00187 Ⓜ Flaminio — 📞 063 61 19 98
— www.hotelvaladier.com — info@hotelvaladier.com — Fax 063 20 15 58
66 cam ⌹ — 🛏120/350 € 🛏🛏160/600 € — 4 suites   7 MUk
Rist Il Valentino — vedere selezione ristoranti
♦ Albergo elegante nei pressi di piazza del Popolo, dagli eleganti interni scuri; diverse camere con elementi d'epoca, dai soffitti a cassettoni agli arazzi. Panoramico roof-garden.

Albergo del Senato senza rist ᐸ 🇮🇹 📺 📡 🏠 💳 🆔 AE ① ᕮ
piazza della Rotonda 73 ✉ 00186 Ⓜ Spagna — 📞 066 78 43 43
— www.albergodelsenato.it — info@albergodelsenato.it — Fax 06 69 94 02 97
57 cam ⌹ — 🛏95/245 € 🛏🛏140/390 € — 3 suites   7 MVy
♦ Punto d'incontro tra Rinascimento e Barocco, questo palazzo ottocentesco sfoggia una classica eleganza, dai marmi policromi che impreziosiscono i pavimenti, agli arredi delle camere.

Dei Borgognoni senza rist 🇮🇹 📺 📞 🏠 🚗 💳 🆔 AE ① ᕮ
via del Bufalo 126 ✉ 00187 Ⓜ Spagna — 📞 06 69 94 15 05
— www.hotelborgognoni.it — info@hotelborgognoni.it — Fax 06 69 94 15 01
51 cam ⌹ — 🛏210/240 € 🛏🛏240/340 €   7 NVg
♦ In un palazzo ottocentesco, signorile albergo di atmosfera raffinata, con ampi spazi comuni in design moderno ma dalle confortevoli camere in stile classico. Piacevole giardino d'inverno.

Nazionale 🇮🇹 📺 📡 rist. 📞 🏠 💳 🆔 AE ① ᕮ
piazza Montecitorio 131 ✉ 00186 Ⓜ Barberini — 📞 06 69 50 01
— www.hotelnazionale.it — info@hotelnazionale.it — Fax 066 78 66 77   7 MVg
100 cam ⌹ — 🛏200/280 € 🛏🛏350 € — 1 suite
Rist 31 Al Vicario — 📞 06 69 92 55 30 (chiuso agosto e domenica)
Carta 34/51 €
♦ Affacciato sulla piazza di Montecitorio, l'hotel è ospitato in un edificio settecentesco, originariamente adibito a dimora privata, ed offre interni classici ben curati. Confortevole e raccolta la sala ristorante, dove apprezzare la classica cucina italiana.

Delle Nazioni 🇮🇹 📺 📡 rist. 📡 🏠 💳 🆔 AE ① ᕮ
via Poli 6 ✉ 00187 Ⓜ Spagna — 📞 066 79 24 41 — www.remarhotels.com
— nazioni@remarhotels.com — Fax 066 78 24 00   7 NVm
79 cam ⌹ — 🛏175/260 € 🛏🛏240/320 € — ½ P 190 €
Rist Le Grondici — (chiuso domenica) Carta 31/58 €
♦ A pochi metri dalla fontana di Trevi, all'interno di un palazzo di fine Settecento un hotel recentemente rinnovato, in grado di offrire un confort di buon livello.

Internazionale senza rist 🇮🇹 📺 📡 💳 🆔 AE ① ᕮ
via Sistina 79 ✉ 00187 Ⓜ Spagna — 📞 06 69 94 18 23
— www.hotelinternazionale.com — info@hotelinternazionale.com
— Fax 066 78 47 64   7 NVn
42 cam ⌹ — 🛏120/230 € 🛏🛏180/350 €
♦ Struttura di antiche origini, nella cui hall si trova ancora un registro degli ospiti degli anni Venti; spaziose le camere, particolarmente ricca di fascino la sala colazioni al 3° piano.

Fontanella Borghese senza rist 📺 📞 💳 🆔 AE ① ᕮ
largo Fontanella Borghese 84 ✉ 00186 Ⓜ Spagna — 📞 06 68 80 95 04
— www.fontanellaborghese.com — fontborghese@mclink.it — Fax 066 86 12 95
24 cam ⌹ — 🛏125/175 € 🛏🛏150/255 €   7 MVd
♦ Al 2° e 3° piano di un palazzo appartenuto ai principi Borghese, l'hotel offre camere elegantemente arredate, particolarmente silenziose quelle affacciate sulla corte interna.

ROMA

🏠 **Manfredi** senza rist   🛗 AC ⚡ 📶 VISA ⓪ AE ① ⛵
via Margutta 61 ⊠ 00187 Ⓜ Spagna – ℰ 063 20 76 76
– www.hotelmanfredi.com – info@hotelmanfredi.it – Fax 063 20 77 36
27 cam � – †150/270 € ††180/440 € – 4 suites   7 MU**h**
♦ Al quarto piano di un palazzo d'epoca situato in una silenziosa via centrale, l'hotel
- completamente ristrutturato nel 2008 - propone confortevoli camere impreziosite da
colorati tessuti e decorazioni.

🏠 **Bolivar** senza rist   🛗 AC 📶 VISA ⓪ AE ① ⛵
via della Cordonata 6 ⊠ 00187 Ⓜ Barberini – ℰ 066 79 16 14
– www.bolivarhotel.com – bolivar@ludovicigroup.com – Fax 066 79 10 25
30 cam ⊑ – †80/260 € ††90/310 €   7 NX**a**
♦ In posizione centrale ma tranquilla, a pochi passi da piazza Venezia, una gradevole
risorsa con spaziose camere rinnovate ed una panoramica e graziosa sala colazioni al
3° piano.

🏠 **Santa Chiara** senza rist   🛗 ♿ AC ⚡ 📶 VISA ⓪ AE ① ⛵
via Santa Chiara 21 ⊠ 00186 Ⓜ Spagna – ℰ 066 87 29 79
– www.albergosantachiara.com – info@albergosantachiara.com
– Fax 066 87 31 44   7 MX**r**
93 cam ⊑ – †150/180 € ††245/300 € – 3 suites
♦ Dal 1830 un'ininterrotta tradizione familiare di ospitalità in questo albergo moderno e
funzionale situato alle spalle del Pantheon ed articolato su tre differenti palazzi.

🏠 **White** senza rist   🛗 ✶✶ AC 📶 VISA ⓪ AE ① ⛵
via In Arcione 77 ⊠ 00187 Ⓜ Barberini – ℰ 066 99 12 42
– www.travelroma.com – white@travelroma.com – Fax 066 78 84 51   7 NV**p**
40 cam ⊑ – †170/250 € ††220/300 €
♦ Nelle adiacenze della fontana di Trevi e del Quirinale, un hotel confortevole. Da preferire le camere ai piani inferiori, più recenti, ristrutturate in stile moderno.

🏠 **Due Torri** senza rist   🛗 AC 📞 VISA ⓪ AE ① ⛵
vicolo del Leonetto 23 ⊠ 00186 Ⓜ Barberini – ℰ 066 87 69 83
– www.hotelduetorriroma.com – hotelduetorri@mclink.it – Fax 066 86 54 42
26 cam ⊑ – †110/165 € ††150/240 €   6 LV**a**
♦ In un angolo tranquillo della vecchia Roma, l'accogliente atmosfera di una casa privata che nel tempo ha ospitato cardinali e vescovi. Negli ambienti, arredi in stile e tessuti
rossi.

🏠 **Del Corso** senza rist   🛗 AC ⇎ VISA ⓪ AE ⛵
via del Corso 79 ⊠ 00186 Ⓜ Spagna – ℰ 06 36 00 62 33
– www.hoteldelcorsoroma.com – info@hoteldelcorsoroma.com
– Fax 06 32 60 00 34   7 MU**g**
18 cam ⊑ – †100/180 € ††130/230 €
♦ Spazi comuni ridotti, camere in stile, ricerche di tessuti, bagni in marmo, boiserie e
un'atmosfera ovattata; la colazione è servita al primo piano o in terrazza, tempo permettendo.

🏠 **Gregoriana** senza rist   🛗 AC 📞 VISA ⓪ AE ① ⛵
via Gregoriana 18 ⊠ 00187 Ⓜ Spagna – ℰ 066 79 42 69
– www.hotelgregoriana.it – info@hotelgregoriana.it – Fax 066 78 42 58
19 cam ⊑ – †148/168 € ††248/288 €   7 NV**x**
♦ In una delle strade più eleganti di Roma, questo piccolo albergo occupa un convento
del XVII secolo. Spazi comuni limitati, ma belle camere dalle eleganti decorazioni art
decò.

🏠 **Della Torre Argentina** senza rist   🛗 AC ⇎ ⚡ 📶 ♿
corso Vittorio Emanuele 102 ⊠ 00186 Ⓜ Colosseo   VISA ⓪ AE ① ⛵
– ℰ 066 83 38 86 – www.dellatorreargentina.com – info@
dellatorreargentina.com – Fax 06 68 80 16 41   7 LY**a**
59 cam ⊑ – †120/185 € ††150/245 €
♦ Tra il centro storico e la Roma antica, offre una piacevole atmosfera demodè, ideale
per chi non ama il moderno design. Soffitti alti nelle camere, arredate nelle tinte verde
e rosa.

🏨 **Forte** senza rist 　　　　　　　　🕭 AC "🕆" VISA ◎◎ AE ① ᕕ
via Margutta 61 ⊠ 00187 Ⓜ Spagna – ℰ 063 20 76 25 – www.hotelforte.com
– info@hotelforte.com – Fax 063 20 27 07　　　　　　　　　　7 MU**h**
20 cam ☷ – ♦100/160 € ♦♦120/220 €
♦ Al 1° piano di un palazzo del '700, l'hotel si trova all'inizio della strada dei pittori, via Margutta. I corridoi sono arredati con quadri e sculture, le camere sono ampie e graziose.

🏨 **Mozart** senza rist 　　　　　　　🕭 AC ⅍ "🕆" VISA ◎◎ AE ① ᕕ
via dei Greci 23/b ⊠ 00187 Ⓜ Spagna – ℰ 06 36 00 19 15
– www.hotelmozart.com – info@hotelmozart.com – Fax 06 36 00 17 35
66 cam ☷ – ♦114/190 € ♦♦165/275 €　　　　　　　　7 MU**b**
♦ Ospitato in un palazzo dell'800, l'albergo offre ambienti semplici, eleganti negli arredi, ed un gradevole roof-garden; in una dependance poco distante, moderne camere più recenti.

🏨 **Portoghesi** senza rist 　　　　　　　🕭 AC ⅍ "🕆" VISA ◎◎ ᕕ
via dei Portoghesi 1 ⊠ 00186 Ⓜ Spagna – ℰ 066 86 42 31
– www.hotelportoghesiroma.com – info@hotelportoghesiroma.com
– Fax 066 87 69 76　　　　　　　　　　　　　6 LV**b**
27 cam ☷ – ♦130/170 € ♦♦160/210 €
♦ Accanto alla chiesa intitolata a S.Antonio dei Portoghesi, offre camere rinnovate di recente, impreziosite da decorazioni classiche e da raffinati tessuti. Solo per non fumatori.

🏨 **Condotti** senza rist 　　　　　　　AC ⅍ "🕆" VISA ◎◎ AE ① ᕕ
via Mario dè Fiori 37 ⊠ 00187 Ⓜ Spagna – ℰ 066 79 46 61
– www.hotelcondotti.com – info@hotelcondotti.com – Fax 066 79 04 57
16 cam ☷ – ♦139/215 € ♦♦179/299 €　　　　　　　7 MU**c**
♦ Marmi e preziosi lampadari nella piccola hall, nel seminterrato una raccolta sala colazioni. Di modeste dimensioni anche le stanze in stile classico, alcune in una dependance poco distante.

🏨 **City** senza rist 　　　　　　　　🕭 AC "🕆" VISA ◎◎ AE ① ᕕ
via Due Macelli 97 ⊠ 00187 Ⓜ Spagna – ℰ 066 78 40 37
– www.hotelcityroma.it – info@hotelcityroma.it – Fax 066 79 79 72　7 NV**k**
33 cam ☷ – ♦175 € ♦♦210 €
♦ Gestione e accoglienza familiari, ampie camere con parquet, signorili arredi classici e bagni in marmo, per questo hotel, poco distante da piazza di Spagna e da Trinità dei Monti.

🏠 **Pensione Barrett** senza rist 　　　　　　AC ⅍ "🕆"
largo Torre Argentina 47 ⊠ 00186 Ⓜ Colosseo – ℰ 066 86 84 81
– www.pensionebarrett.com – michele@pensionebarrett.com – Fax 066 89 29 71
20 cam – ♦100/110 € ♦♦120/130 €, ☷8 €　　　　　　11 MY**y**
♦ Calorosa ospitalità familiare ed eco di storia senza fine in questo hotel: un palazzo quattrocentesco con un autentico arco romano e camere dalle decorazioni barocche.

🏠 **Teatro di Pompeo** senza rist 　　　　🕭 AC ⅍ "🕆" VISA ◎◎ AE ① ᕕ
largo del Pallaro 8 ⊠ 00186 Ⓜ Colosseo – ℰ 06 68 30 01 70
– www.hotelteatrodipompeo.it – hotel.teatrodipompeo@tiscali.it
– Fax 06 68 80 55 31　　　　　　　　　　　10 LY**b**
13 cam ☷ – ♦140/160 € ♦♦180/210 €
♦ Su vestigia romane, offre confortevoli camere dai soffitti di legno e con pavimenti in cotto. Sormontata dalle volte del Teatro e particolarmente ricca di fascino la sala colazioni.

🏠 **Centrale** senza rist 　　　　　　🕭 AC ⅍ "🕆" VISA ◎◎ AE ① ᕕ
Via Laurina 34, (rione Campo Marzio) ⊠ 00187 Ⓜ Flaminio – ℰ 06 32 50 16 91
– www.hotelcentraleroma.it – info@hotelcentraleroma.it – Fax 06 32 60 99 54
21 cam – ♦80/160 € ♦♦100/360 €　　　　　　　　7 MU**e**
♦ Alla scoperta della Città Eterna, partendo da questo albergo, recentemente ristrutturato, che dispone di spazi comuni un po' ridotti, ma curati; come del resto le camere: di diversa metratura, ma tutte confortevoli ed accoglienti.

ROMA

🏠 **Parlamento** senza rist   🛗 🅰🅲 🆅🅸🆂🅰 ⊚ 🅰🅴 ⓘ 🖢
via delle Convertite 5 ✉ *00187* Ⓜ *Spagna –* 𝒞 *06 69 92 10 00*
– www.hotelparlamento.it – hotelparlamento@libero.it
– Fax 06 69 92 10 00   7 MV**c**
23 cam � – ♦80/120 € ♦♦90/155 €
♦ Nel cuore della Roma politica, piccolo hotel familiare al 3° e 4° piano di un palazzo secentesco; ascensore privato, camere semplici ed una piccola terrazza per la colazione.

🏠 **Eva's Rooms** senza rist   🅰🅲 🆅🅸🆂🅰 ⊚ 🅰🅴 ⓘ 🖢
via dei Due Macelli 31 ✉ *00187* Ⓜ *Spagna –* 𝒞 *06 69 19 00 78*
– www.evasrooms.com/evarooms – booking@evasrooms.com
– Fax 06 45 42 18 10 – chiuso dal 9 al 17 agosto   7 NV**f**
12 cam ⊠ – ♦73/100 € ♦♦118/150 €
♦ Palazzo ottocentesco a pochi passi da Trinità dei Monti, una risorsa familiare che offre diverse camere dal soffitto affrescato, alcune particolarmente ampie, e buon confort.

🏠 **Fellini** senza rist   🅰🅲 🆇 🆅🅸🆂🅰 ⊚ 🅰🅴 ⓘ 🖢
via Rasella 55 ✉ *00187* Ⓜ *Barberini –* 𝒞 *06 42 74 27 32*
– www.fellinibnb.com – info@fellinibnb.com
– Fax 06 42 39 16 48   7 NV**a**
12 cam ⊠ – ♦90/180 € ♦♦100/200 €
♦ Camere al 3° e al 5° piano di questo edificio a poca distanza dal Quirinale e dalla Fontana di Trevi: una risorsa rinnovata che dispone anche di un terrazzino estivo per le colazioni.

XXXX **Imàgo** - Hotel Hassler   🛋 🅰🅲 🆇 🆅🅸🆂🅰 ⊚ 🅰🅴 ⓘ 🖢
😣 *piazza Trinità dei Monti 6* ✉ *00187* Ⓜ *Spagna –* 𝒞 *06 69 93 47 26*
– www.imagorestaurant.com – imago@hotelhassler.it
– Fax 066 78 99 91   7 NU**c**
Rist – *(chiuso a mezzogiorno in agosto)* Menu 100/130 € – Carta 73/136 €
Spec. Fusilloni con ragù di quaglia alla carbonara. Coda di rospo fiammata con zabaione al marsala e cous cous ai funghi misti. Coscia d'agnello al forno con mais, ricotta salata e santoreggia.
♦ Continua ad incantare i suoi ospiti la sala ristorante grazie alle sue ampie vetrate che si affacciano sull'Urbe. Cucina squisitamente moderna.

XXXX **Hostaria dell'Orso**   🛋 🅰🅲 🆇 ⇄ 🆅🅸🆂🅰 ⊚ 🅰🅴 ⓘ 🖢
via dei Soldati 25/c ✉ *00186* Ⓜ *Spagna –* 𝒞 *06 68 30 11 92*
– www.hdo.it – info@hdo.it – Fax 06 68 21 70 63
– chiuso dal 10 al 25 agosto e domenica   6 KV**c**
Rist – *(chiuso a mezzogiorno)* (consigliata la prenotazione) Menu 75/145 €
– Carta 64/102 € 🍷
♦ Uno storico riferimento della mondanità romana. Elegante, l'atmosfera intima e romantica delle sale, volutamente prive di superflui artifici d'arredo, in simbiosi con la cucina, omaggio alle materie prime prescelte.

XXX **Il Convivio-Troiani**   🅰🅲 ⇄ 🆅🅸🆂🅰 ⊚ 🅰🅴 ⓘ 🖢
vicolo dei Soldati 31 ✉ *00186* Ⓜ *Spagna –* 𝒞 *066 86 94 32*
– www.ilconviviotroiani.com – info@ilconviviotroiani.com
– Fax 066 86 94 32 – chiuso dal 13 al 17 agosto e domenica   6 KLV**r**
Rist – *(chiuso a mezzogiorno)* Carta 89/104 € 🍷
♦ Moderno piglio creativo nelle preparazioni, di pesce e di carne, proposte nelle tre sale di sobria eleganza per questo ristorante nascosto tra le viuzze del centro storico.

XXX **El Toulà**   🅰🅲 🆇 ⇄ 🆅🅸🆂🅰 ⊚ 🅰🅴 ⓘ 🖢
via della Lupa 29/b ✉ *00186* Ⓜ *Spagna –* 𝒞 *066 87 34 98*
– www.toula.it – roma@toula.it – Fax 066 87 11 15
– chiuso dal 24 al 26 dicembre, agosto, domenica, lunedì e sabato a mezzogiorno   7 MV**a**
Rist – Carta 60/85 €
♦ Un susseguirsi di salette intervallate da archi, comode poltrone e un'atmosfera ovattata: un elegante indirizzo, dove risiedono piatti della tradizione veneta e nazionale.

XXX **Antico Bottaro**　　　　　　　　　AC ⌘ VISA ⓪⓪ AE ① ⚫

Passeggiata di Ripetta 15 ⊠ *00186* Ⓜ *Flaminio –* 𝒞 *063 23 67 63*
– www.anticobottaro.it – anticobottaro@anticobottaro.it – Fax 063 23 67 63
– chiuso dal 4 al 31 agosto e mercoledì　　　　　　　　　　7 LU**a**
Rist *– (chiuso a mezzogiorno)* Carta 67/94 €
♦ Elegante dimora privata che sfoggia stucchi e tessuti ricercati, ma la cucina meglio si destreggia sotto il profilo della creatività ed ammicca a citazioni francesi e prodotti pregevoli.

XXX **Enoteca Capranica**　　　　　　　AC ⌘ VISA ⓪⓪ AE ① ⚫

piazza Capranica 99/100 ⊠ *00186* Ⓜ *Spagna –* 𝒞 *06 69 94 09 92*
*– www.enotecacapranica.it – Fax 06 69 94 09 89 – chiuso sabato a mezzogiorno
e domenica*　　　　　　　　　　　　　　　　　7 MV**n**
Rist *– (chiuso a mezzogiorno in agosto)* Menu 65/75 € – Carta 50/78 € ✿
♦ Volte colorate ed una piccola esposizione di bottiglie di vino: a pochi passi da Montecitorio, un'enoteca trasformata in un elegante ristorante, dove gustare la cucina mediterranea.

XXX **Il Valentino** – Hotel Valadier　　　AC ⌘ VISA ⓪⓪ AE ① ⚫

via della Fontanella 14 ⊠ *00187* Ⓜ *Flaminio –* 𝒞 *063 61 08 80*
– info@ilvalentino.com– www.ilvalentino.com
– Fax 063 20 15 58　　　　　　　　　　　　　7 MU**k**
Rist – Carta 60/78 €
♦ Boiserie chiara e colori caldi nella raffinata sala del ristorante. La cucina propone piatti nazionali, talvolta rivisitati. Con la bella stagione si può pranzare nel roof-garden.

XX **Il Pagliaccio** (Anthony Genovese)　　AC ⌘ VISA ⓪⓪ AE ① ⚫
✿✿ *via dei Banchi Vecchi 129* ⊠ *00186 –* 𝒞 *06 68 80 95 95*
– www.ristoranteilpagliaccio.it – info@ristoranteilpagliaccio.it
*– Fax 06 68 21 75 04 – chiuso dal 9 al 17 gennaio, dal 6 al 25 agosto, domenica,
lunedì, martedì a mezzogiorno*　　　　　　　　　6 KX**a**
Rist – Menu 85/150 € – Carta 75/99 €
Spec. Gnocchi d'acqua di patate, ostriche, caviale e crema di burrata alle spezie. San Pietro al forno al profumo di vaniglia, semola e avocado. Sigari di cioccolato amaro con gelato di limone e cannella.
♦ Dall'esperienza mediterranea alle suggestioni orientali, passando per la classicità francese: nessun limite per la giovane, entusiasta gestione.

XX **La Rosetta**　　　　　　　　　🕮 AC ⌘ VISA ⓪⓪ AE ① ⚫

via della Rosetta 8/9 ⊠ *00186 –* 𝒞 *066 86 10 02 – www.larosetta.com – info@
larosetta.com – Fax 06 68 21 51 16 – chiuso dal 7 al 14 gennaio, 2 settimane in
agosto e domenica*　　　　　　　　　　　7 MV**x**
Rist – Carta 65/180 €
♦ Forse il locale è poco caratteristico ed il servizio un po' lento, ma la sala è sempre molto frequentata dagli amanti dei sapori del mare. Proposte più elaborate la sera.

XX **Da Pancrazio**　　　　　　　　　🕮 ⌘ VISA ⓪⓪ AE ① ⚫

piazza del Biscione 92 ⊠ *00186 –* 𝒞 *066 86 12 46 – www.dapancrazio.it – info@
dapancrazio.it – Fax 06 97 84 02 35 – chiuso Natale, dal 12 al 16 agosto e
mercoledì*　　　　　　　　　　　　　10 LY**e**
Rist – Carta 32/57 €
♦ Due ambienti, due stili e duemila anni di storia: se all'ingresso vi circonderà l'atmosfera di un locale ottocentesco, nell'interrato troverete le vestigia del Teatro di Pompeo.

XX **Hamasei**　　　　　　　　　& AC ⌘ ⌘ VISA ⓪⓪ AE ① ⚫

via della Mercede 35/36 ⊠ *00187 –* 𝒞 *066 79 24 13*
– ristorantehamasei@yahoo.it – Fax 066 79 03 77
– chiuso 2 settimane in agosto e lunedì　　　　　7 NV**c**
Rist – Carta 35/65 €
♦ Moderni arredi minimalisti dalle superfici lisce enfatizzano la ricerca dell'armonia e il piacere di assaporare la cucina giapponese: classici di pesce soprattutto, ma anche carne.

XX **Al Presidente** 🍴 AC VISA ⚫⚫ AE ⑤

via in Arcione 95 ✉ *00187* Ⓜ *Barberini –* ☏ *066 79 73 42*
– www.alpresidente.it – info@alpresidente.it – Fax 066 79 73 42
– chiuso 2 settimane in gennaio e 3 settimane in agosto   7 NV**d**
Rist – Carta 46/60 € 🍴 (+10 %)

♦ Sotto un soffitto di candidi archi, quella che era una pizzeria di famiglia, è oggi un ristorante dalla forte vena creativa, capace di muoversi abilmente tra i classici romani. Giovane e promettente lo chef.

XX **Sangallo** AC 🍴 VISA ⚫⚫ AE ⓪ ⑤

vicolo della Vaccarella 11/a ✉ *00186* Ⓜ *Spagna –* ☏ *066 86 55 49*
– www.ristorantesangallo.com – info@ristorantesangallo.com
*– Fax 066 87 31 99 – chiuso dall' 11 al 29 agosto, sabato a mezzogiorno
e domenica*   6 LV**c**
Rist – (consigliata la prenotazione la sera) Menu 60 € – Carta 53/71 €

♦ All'interno di una cucina variegata tendenzialmente mediterranea, primeggiano la bufala e i suoi prodotti, elaborati in invitanti piatti, dagli antipasti alle carni. Passione e fantasia.

X **Al Bric** AC 🔄 VISA ⚫⚫ ⑤

via del Pellegrino 51 ✉ *00186 –* ☏ *066 87 95 33 – www.bric.it*
– info@albric.it – Fax 066 87 95 33
– chiuso 2 settimane in agosto   10 KY**b**
Rist – *(chiuso a mezzogiorno escluso domenica da ottobre a maggio)*
Carta 33/53 € 🍴 (+10 %)

♦ Alle pareti alcuni coperchi lignei con impressi nomi di vini e case vinicole: un originale locale dove incontrare una cucina moderna. Vasta la selezione di formaggi, italiani e francesi.

X **La Campana** AC VISA ⚫⚫ AE ⓪ ⑤

vicolo della Campana 18 ✉ *00186* Ⓜ *Spagna –* ☏ *066 86 78 20*
– www.ristorantelacampana.com – Fax 066 86 78 20
– chiuso agosto e lunedì   6 LV**p**
Rist – Carta 36/48 €

♦ Un locale tra la trattoria ed il ristorante, dove l'informale atmosfera romana è ingentilita da alcune decorazioni: la cucina è quella romana tradizionale e il carciofo un must.

X **Giggetto-al Portico d'Ottavia** 🍴 AC 🍴 🔄 VISA ⚫⚫ AE ⓪ ⑤

via del Portico d'Ottavia 21/a ✉ *00186* Ⓜ *Circo Massimo*
– ☏ *066 86 11 05 – www.giggettoalportico.it – Fax 066 83 21 06*
– chiuso dal 13 al 26 luglio e lunedì   11 MY**h**
Rist – Carta 27/43 € 🍴

♦ Locale familiare, in cui le specialità culinarie romane si incontrano con una storia generazionale di ospitalità e tradizione. Due servizi all'aperto: lato strada o nel cortile interno.

X **Le Streghe** AC VISA ⚫⚫ AE ⑤

vicolo del Curato 13 ✉ *00186 –* ☏ *066 87 81 82*
– www.osterialestreghe.com – osterialestreghe@yahoo.it – Fax 066 86 13 81
– chiuso 20 giorni in agosto e domenica   6 JV**u**
Rist – Carta 27/47 €

♦ Hanno il soffitto di legno le due piccole sale di un grazioso ristorante di ambiente familiare e accogliente, nei pressi del Tevere; cucina romana e laziale.

X **Casa Bleve** AC 🍴 VISA ⚫⚫ AE ⓪ ⑤

via del Teatro Valle 48/49 ✉ *00186 –* ☏ *066 86 59 70*
– www.casableve.it – info@casableve.it – Fax 066 86 48 13
– chiuso domenica e lunedì   6 LX**a**
Rist – Carta 40/55 € 🍴

♦ Enoteca nata con l'intento di proporre grandi vini, così come etichette sconosciute ma di sicura qualità, abbinate ad un'ampia selezione di formaggi ed affettati, nonché stuzzichini vari esposti nel generoso buffet. Solo la sera, qualche piatto espresso. Uno dei migliori *wine-bar* della vociante Roma!

Stazione Termini

St. Regis Grand 　🎬 ᴸᵈ 📶 🅰🄲 🍽 🛜 🛗 VISA ⓪ AE ① 🛎
via Vittorio Emanuele Orlando 3 ⊠ *00185* Ⓜ *Repubblica –* ✆ *064 70 91*
– www.stregis.com/grandrome – stregisgrandrome@stregis.com
– Fax 06 47 09 28 31 – chiuso 2 settimane in agosto　　　　　　8 PV**c**
153 cam – ✝855/950 € ✝✝995/1195 €, � 33 € – 8 suites
Rist *Vivendo –* ✆ *06 47 09 27 36 (chiuso sabato a mezzogiorno e domenica)*
Carta 62/96 € 🍃
♦ Affreschi, tessuti pregiati e antiquariato stile Impero nelle lussuose camere e negli sfarzosi saloni di un hotel tornato agli antichi splendori delle sue origini (1894). Più eclettico ed effervescente il design del ristorante.

The Westin Excelsior 　🅁 🅢🅟🅞 🎬 ᴸᵈ 🅰🄲 🍽 🛜 🛗 VISA ⓪ AE ① 🛎
via Vittorio Veneto 125 ⊠ *00187* Ⓜ *Barberini –* ✆ *064 70 81 – www.westin.com*
/excelsiorrome – excelsiorrome@westin.com – Fax 064 82 62 05　　　8 OU**g**
316 cam – ✝545 € ✝✝895 €, ⊋ 42 € – 35 suites
Rist *Doney –* Carta 52/121 €
♦ Viziatevi con un soggiorno nella suite regale, la più grande d'Europa… Oppure, concedetevi il lusso di soggiornare nelle belle camere, profusione di eleganza e raffinati dettagli che si coniugano, per un confort a tutto tondo, con le più sofisticate tecnologie. La *Dolce Vita* abita qui.

Eden 　🔼 ᴸᵈ 🅰🄲 🍽 🛜 🛗 VISA ⓪ AE ① 🛎
via Ludovisi 49 ⊠ *00187* Ⓜ *Barberini –* ✆ *06 47 81 21 – www.lemeridien.com*
/eden - 1872.resevations@lemeridien.com – Fax 064 82 15 84　　　　7 NU**a**
121 cam – ✝528/550 € ✝✝880/1067 €, ⊋ 54 € – 13 suites
Rist La Terrazza – vedere selezione ristoranti
♦ Classe e sobrietà per un grande albergo dove l'eleganza e il tono non escludono il calore dell'accoglienza. Da alcune camere ai piani alti forse la più bella vista su Roma.

Regina Hotel Baglioni 　🎷 🛗 🅰🄲 🍽 rist, 🛜 🛗 VISA ⓪ AE ① 🛎
via Vittorio Veneto 72 ⊠ *00187* Ⓜ *Barberini –* ✆ *06 42 11 11*
– www.baglionihotels.com – regina.roma@baglionihotels.com
– Fax 06 42 01 21 30　　　　　　　　　　　　　　　　　　　　8 OU**m**
128 cam – ✝240/330 € ✝✝308/462 €, ⊋ 29 € – 8 suites
Rist *Brunello Lounge & Restaurant* – Carta 48/64 €
♦ Un nome storico dell'*hôtellerie* capitolina: in un edificio stile *liberty*, ambienti esclusivi e servizi di alto livello. Splendide le camere: classiche o di *design*. Suggestioni orientali nella calda e raffinata sala ristorante; cucina internazionale in tavola.

Majestic senza rist 　ᴸᵈ 🎷 🛗 🅰🄲 🍽 🛜 🛗 VISA ⓪ AE ① 🛎
via Vittorio Veneto 50 ⊠ *00187* Ⓜ *Barberini –* ✆ *06 42 14 41*
– www.hotelmajestic.com – info@hotelmajestic.com – Fax 064 88 09 84
98 cam – ✝410/510 € ✝✝540/675 €, ⊋ 40 €　　　　　　　　　　8 OU**e**
♦ Limitati spazi all'ingresso compensati dal primo piano dove si aprono eleganti saloni con affreschi di fine '800, una chicca lo splendido ascensore. Camere all'altezza.

Sofitel Rome Villa Borghese 　🎷 🅰🄲 🍽 🛜 🛗 VISA ⓪ AE ① 🛎
via Lombardia 47 ⊠ *00187* Ⓜ *Barberini –* ✆ *06 47 80 21 – www.sofitel.com*
– h1312-re@accor.com – Fax 064 82 10 19　　　　　　　　　　　7 NU**d**
108 cam – ✝400 € ✝✝540 €, ⊋ 25 € – 3 suites　　**Rist** – Carta 61/82 €
♦ Palazzo storico, interni ispirati ad uno stile neoclassico imperiale-romano con statue e calchi collocati ovunque. Bella terrazza con vista panoramica sulla *Caput Mundi*. Elegante ristorante dai soffitti a volta, ricavato nelle ex scuderie del palazzo.

Splendide Royal 　ᴸᵈ 🎷 🛗 🅰🄲 🍽 🛜 🛗 VISA ⓪ AE ① 🛎
via di porta Pinciana 14 ⊠ *00187* Ⓜ *Barberini –* ✆ *06 42 16 89*
– www.splendideroyal.com – reservations@splendideroyal.com
– Fax 06 42 16 88 00　　　　　　　　　　　　　　　　　　　7 NU**b**
60 cam – ✝260/480 € ✝✝300/800 €, ⊋ 35 € – 9 suites
Rist Mirabelle – vedere selezione ristoranti
♦ Stucchi dorati, tessuti damascati e sontuosi arredi antichi: un tributo al barocco romano dedicato a tutti coloro che non apprezzano l'imperante minimalismo. Raffinate camere con piccole personalizzazioni e dieci *suite* di rara eleganza.

ROMA

Aleph 🏯 🕍 🛁 🔥 cam, 🅰 ⇄ 🚫 📞 🚴 🅿 VISA ⑩ 🅰 ⓪ ⚡

via San Basilio 15 ✉ *00187* Ⓜ *Barberini* – ☎ *06 42 29 01*
– *www.boscolohotels.com* – *reception@aleph.boscolo.com* – *Fax 06 42 29 00 00*
96 cam – 🛏🛏307/670 €, ☕ 25 € 8 OU**c**
Rist *Maremoto* – Carta 46/58 €

♦ Architettura d'ispirazione dantesca: l'inferno costituito dalla hall e dai vari spazi comuni di colore rosso; il paradiso, profusione di blu e bianco per il piccolo centro benessere; il purgatorio, ovvero il settore notte con accostamenti chiaro/scuri. Al *Maremoto*, arredi minimalisti e specialità ittiche.

Bernini Bristol 🏯 🏯 🕍 🔥 cam, 🅰 ⇄ rist, 🛜 🚴

piazza Barberini 23 ✉ *00187* Ⓜ *Barberini* VISA ⑩ 🅰 ⓪ ⚡
– ☎ *06 48 89 31* – *www.berninibristol.com* – *reservationsbb@sinahotels.it*
– *Fax 064 82 42 66* 8 OV**f**
117 cam – 🛏490 € 🛏🛏616 €, ☕ 28 € – 10 suites
Rist *L'Olimpo* – ☎ 064 88 93 32 88 – Carta 90/130 €

♦ In un palazzo d'epoca risalente al 1870, hotel elegante con camere dagli arredi classici o di stile contemporaneo, ma è consigliabile scegliere quelle panoramiche poste ai piani più alti. Ristorante *roof-garden* con *dehors* estivo e splendida vista sulla Città Eterna. Cucina contemporanea.

Marriott Grand Hotel Flora 🕍 🏯 🔥 rist, 🅰 ⇄ 🚫 📞 🚴

via Vittorio Veneto 191 ✉ *00187* Ⓜ *Spagna* VISA ⑩ 🅰 ⓪ ⚡
– ☎ *06 48 99 29* – *www.grandhotelflora.net* – *info@grandhotelflora.net*
– *Fax 064 82 03 59* 8 OU**n**
153 cam – 🛏280/485 € 🛏🛏387/760 €, ☕ 30 € – 3 suites Rist – Carta 48/99 €

♦ Dopo la totale ristrutturazione, l'hotel, alla fine di via Veneto, si presenta come un armonioso e funzionale insieme di sobria classicità e di rifiniture moderne. Settore notte con ampie camere ed arredi eleganti. Caldo parquet e finiture in legno nell'elegante ristorante. Spunti di cucina mediterranea.

Empire Palace Hotel 🏯 🕍 🔥 🅰 ⇄ 🚫 📞 🚴 VISA ⑩ 🅰 ⓪ ⚡

via Aureliana 39 ✉ *00187* – ☎ *06 42 12 81* – *www.empirepalacehotel.com*
– *gold@empirepalacehotel.com* – *Fax 06 42 12 84 00* 8 PU**h**
110 cam ☕ – 🛏455 € 🛏🛏512 €
Rist *Aureliano* – (*chiuso domenica*) Carta 46/80 €

♦ Sofisticata fusione di elementi dell'ottocentesca struttura e di *design* contemporaneo, con collezione d'arte moderna negli spazi comuni; sobria classicità nelle camere. Interessanti proposte gastronomiche, d'impronta mediterranea, nella sala da pranzo impreziosita con *boiserie* di ciliegio e lampadari policromi.

Rose Garden Palace 🕍 🏯 🕍 🔥 🅰 ⇄ 🚫 rist, 🛜 🚴

via Boncompagni 19 ✉ *00187* Ⓜ *Barberini* VISA ⑩ 🅰 ⓪ ⚡
– ☎ *06 42 17 41* – *www.rosegardenpalace.com* – *info@rosegardenpalace.com*
– *Fax 064 81 56 08* 8 OU**d**
65 cam ☕ – 🛏368 € 🛏🛏440 € Rist – (*chiuso domenica*) Carta 48/61 €

♦ Il design moderno di tono minimalista, ispirato a colori tenui, ha ispirato lo stile degli arredi di questa risorsa ricavata all'interno di un palazzo d'inizio Novecento. Nel ristorante *à la carte*, in un inaspettato giardino di rose, piatti che s'ispirano ad una cucina squisitamente moderna-contemporanea.

Mecenate Palace Hotel senza rist 🕍 🔥 🅰 ⇄ 🚫 📞 🚴

via Carlo Alberto 3 ✉ *00185* Ⓜ *Vittorio Emanuele* VISA ⑩ 🅰 ⓪ ⚡
– ☎ *06 44 70 20 24* – *www.mecenatepalace.com* – *info@mecenatepalace.com*
– *Fax 064 46 13 54* 8 PX**h**
72 cam ☕ – 🛏120/330 € 🛏🛏200/390 € – 1 suite

♦ I caldi, eleganti interni in stile non tradiscono lo spirito dell'ottocentesca struttura che ospita questo hotel recente. Dai piani alti bella vista su Santa Maria Maggiore.

Artemide senza rist 🏯 🕍 🕍 🔥 🅰 ⇄ 🚫 📞 🚴 VISA ⑩ 🅰 ⓪ ⚡

via Nazionale 22 ✉ *00184* Ⓜ *Repubblica* – ☎ *06 48 99 11*
– *www.hotelartemide.it* – *info@hotelartemide.it* – *Fax 06 48 99 17 00* 8 OV**b**
85 cam ☕ – 🛏150/370 € 🛏🛏150/450 €

♦ In un pregevole edificio *liberty* ristrutturato, un hotel di raffinatezza classica, che soddisfa le esigenze di una moderna ospitalità; spazi congressuali ben organizzati e piccolo centro *fitness*.

🏨 **Victoria** ☂ ⇕ [AC] 🐕 cam, 📶 🏋 [VISA] ●● [AE] ◑ ṡ
via Campania 41 ✉ 00187 [M] Barberini – ☎ 06 42 37 01
– www.hotelvictoriaroma.com – info@hotelvictoriaroma.com – Fax 064 87 18 90
111 cam ☕ – †180/200 € ††250/350 € – ½ P 210 € 8 OU**b**
Rist – Carta 35/62 €
◆ Tra via Veneto e Villa Borghese, una struttura con un intelligente mix di antico e moderno, suggestioni neoclassiche e liberty ma anche innovativi confort tecnologici. Comoda sala ristorante e piacevoli cene estive sul roof-garden.

🏨 **Marcella Royal Hotel** senza rist ⇕ [AC] 🐕 📶 [VISA] ●● [AE] ◑ ṡ
via Flavia 106 ✉ 00187 – ☎ 06 42 01 45 91 – www.marcellaroyalhotel.com
– info@marcellaroyalhotel.com – Fax 064 81 58 32 8 PU**z**
86 cam ☕ – †140/230 € ††180/350 €
◆ Nuova e spaziosa hall per vivere l'albergo non solo nelle camere, comunque curate e confortevoli. Servizio colazioni nel panoramico roof-garden. Verdeggiante terrazza per godersi la magia del fresco ponentino!

🏨 **Canada** senza rist ⇕ [AC] 🐕 📶 [VISA] ●● [AE] ◑ ṡ
via Vicenza 58 ✉ 00185 [M] Castro Pretorio – ☎ 064 45 77 70
– www.hotelcanadaroma.com – info@hotelcanadaroma.com – Fax 064 45 07 49
73 cam ☕ – †128/164 € ††146/225 € 4 FS**u**
◆ In un palazzo d'epoca nei pressi della stazione Termini, un hotel di sobria eleganza, con arredi in stile; stanze signorili: chiedete quelle con il letto a baldacchino.

🏨 **Ambra Palace** senza rist ⇕ ♿ [AC] 🚭 📶 🏋 [VISA] ●● [AE] ◑ ṡ
via Principe Amedeo 257 ✉ 00185 [M] Vittorio Emanuele – ☎ 06 49 23 30
– www.ambrapalacehotel.com – info@ambrapalacehotel.com
– Fax 06 49 23 31 00 4 FT**c**
78 cam ☕ – †109/230 € ††129/430 €
◆ Professionale e attenta gestione per un hotel funzionale ed accogliente, ospitato all'interno di un palazzo dell'Ottocento: per la poliedricità di servizi e *confort* è un indirizzo ideale sia per soggiorni di lavoro sia per piacevoli vacanze romane.

🏨 **Britannia** senza rist ⇕ [AC] 📶 [VISA] ●● [AE] ◑ ṡ
via Napoli 64 ✉ 00184 [M] Repubblica – ☎ 064 88 31 53 – www.hotelbritannia.it
– info@hotelbritannia.it – Fax 06 48 98 63 16 8 PV**y**
33 cam ☕ – †100/200 € ††120/240 €
◆ Angolo bar in stile inglese, marmi e riproduzioni neoclassiche per un albergo di piccole dimensioni, ma curato nei particolari e dai servizi adeguati. Camere di buon confort.

🏨 **The Bailey's Hotel** senza rist ⇕ [AC] 📶 [VISA] ●● [AE] ◑ ṡ
via Flavia 39 ✉ 00187 – ☎ 06 42 02 04 86 – www.hotelbailey.com – info@ hotelbailey.com – Fax 06 42 02 01 70 8 PU**b**
29 cam ☕ – †150/242 € ††190/284 €
◆ Zone comuni ridotte, ma grande confort ed eleganza nelle camere e poi raffinatezza nonchè buon gusto, che si fondono con gli accessori più innovativi. Ottimo servizio: professionale ed attento.

🏨 **Barberini** senza rist ♨ ⇕ [AC] 🐕 📶 [VISA] ●● [AE] ◑ ṡ
via Rasella 3 ✉ 00187 [M] Barberini – ☎ 064 81 49 93 – www.hotelbarberini.com
– info@hotelbarberini.com – Fax 064 81 52 11 8 OV**e**
35 cam ☕ – †187/250 € ††244/344 €
◆ Vicino all'omonimo Palazzo, bei marmi, tessuti raffinati e rifiniture in legno negli eleganti interni: *roof garden* per panoramiche colazioni e mondani aperitivi serali. Zona relax con sauna e vasca idromassaggio per coccolare corpo e mente.

🏨 **Antico Palazzo Rospigliosi** senza rist ⇕ ♿ [AC] 🚭 📶 🏋 [P]
via Liberiana 22 ✉ 00185 [M] Cavour [VISA] ●● [AE] ◑ ṡ
– ☎ 06 48 93 04 95 – www.hotelrospigliosi.com – info@hotelrospigliosi.com
– Fax 064 81 48 37 8 PX**a**
39 cam – †120/240 € ††150/295 €
◆ Residenza nobiliare del 16 sec., dell'epoca mantiene intatti il fascino che aleggia nei grandi saloni e l'eleganza nonchè cura del dettaglio che caratterizzano le belle camere. Pregevole il chiostro-giardino impreziosito da una gorgogliante fontana e la splendida cappella interna del '600, perfettamente conservata.

Ariston senza rist 🈳 ⛱ AC 🛜 🏋 VISA ⚌ AE ① ⚡
via Turati 16 ✉ 00185 Ⓜ Termini – ℰ 064 46 53 99 – www.hotelariston.it
– hotelariston@hotelariston.it – Fax 064 46 53 96 8 PV**g**
86 cam ⌑ – †79/330 € ††85/350 €
♦ La struttura ha subito di recente un intervento di *restyling*: spazi comuni caratterizzati da un *design* moderno, leggermente futuristico, caldo e gioioso. Anche il settore notte è stato parzialmente rinnovato: camere moderne di diversa tipologia e prezzi, a seconda dei servizi di cui dispongono.

La Residenza senza rist 🈳 AC 🛜 VISA ⚌ ⚡
via Emilia 22-24 ✉ 00187 Ⓜ Barberini – ℰ 064 88 07 89
– www.hotel-la-residenza.com – info@hotel-la-residenza.com – Fax 06 48 57 21
28 cam ⌑ – †174/195 € ††200/230 € 8 OU**t**
♦ Ubicato tra via Veneto e Villa Borghese, un hotel di piccole dimensioni, che unisce servizi alberghieri di buon livello all'atmosfera di un'elegante abitazione privata. Camere ampie, arredate con gusto classico.

Astoria Garden senza rist 🚗 🈳 AC 🌣 🛜 VISA ⚌ AE ① ⚡
via Bachelet 8/10 ✉ 00185 Ⓜ Castro Pretorio – ℰ 064 46 99 08
– www.hotelastoriagarden.it – hotelastoriagarden@tiscalinet.it
– Fax 064 45 33 29 4 FS**c**
34 cam ⌑ – †100/185 € ††130/260 €
♦ Un lussureggiante giardino di aranci selvatici e banani: un'occasione quasi unica per rilassarsi e soggiornare nella Città Eterna. Camere elegantemente ristrutturate, alcune con vasca idromassaggio.

Valle senza rist 🈳 AC 🌣 🛜 VISA ⚌ AE ① ⚡
via Cavour 134 ✉ 00184 Ⓜ Cavour – ℰ 064 81 57 36
– www.therelaxinghotels.com – info@hotelvalle.it – Fax 064 88 58 37
42 cam ⌑ – †95/180 € ††120/260 € 8 PX**z**
♦ Spazi limitati in questo albergo nelle vicinanze della basilica di S.Maria Maggiore; curate e gradevoli le camere, in maggior parte dotate di lettore dvd.

Villa San Lorenzo senza rist 🈳 AC P. VISA ⚌ AE ① ⚡
via dei Liguri 7 ✉ 00185 Ⓜ S.Giovanni – ℰ 064 46 99 88
– www.aventinohotels.com – info@hotelvillasanlorenzo.it – Fax 064 95 73 78
39 cam ⌑ – †80/160 € ††120/210 € 4 FT**b**
♦ In una via appartata alle spalle della stazione Termini, ha spazi comuni limitati ma camere in genere più grandi con arredi in stile veneziano o in caldo legno. Piacevole corte interna.

Invictus senza rist 🈳 AC 🌣 🛜 VISA ⚌ AE ① ⚡
via Quintino Sella 15 ✉ 00187 – ℰ 06 42 01 14 33 – www.hotelinvictus.com
– info@hotelinvictus.com – Fax 06 42 01 15 61 8 PU**f**
22 cam – †80/130 € ††95/210 €, ⌑ 10 €
♦ Al secondo piano di un palazzo, un piccolo e semplice albergo con spazi comuni quasi inesistenti, tutta la cura è quindi destinata alle camere avvolte in gradevoli tessuti. Chiedete le ultime "nate", di tono piu moderno.

Columbia senza rist 🈳 AC 🌣 🛜 VISA ⚌ AE ① ⚡
via del Viminale 15 ✉ 00184 Ⓜ Termini – ℰ 064 88 35 09
– www.hotelcolumbia.com – info@hotelcolumbia.com – Fax 064 74 02 09
45 cam ⌑ – †121/132 € ††160/179 € 8 PV**a**
♦ Camere calde e accoglienti con arredi in arte povera in una confortevole risorsa, nei pressi della stazione Termini; prima colazione sulla terrazza roof-garden.

Modigliani senza rist 🈳 AC 🌣 VISA ⚌ AE ① ⚡
via della Purificazione 42 ✉ 00187 Ⓜ Barberini – ℰ 06 42 81 52 26
– www.hotelmodigliani.com – info@hotelmodigliani.com – Fax 06 42 81 47 91
23 cam ⌑ – †80/196 € ††90/280 € 7 NV**b**
♦ Con un tale nome, i gestori non potevano che essere artisti... Tranquillo hotel, ubicato a due passi da via Veneto, al luminoso ed elegante salotto fanno eco camere accoglienti, ingentilite da arredi sobri e bei tendaggi.

⌂ **The Boutique Art Hotel** senza rist   🔲 ⌖ 📶 VISA ⚌ AE ① 📶
via Vittorio Veneto 183 ✉ *00187* Ⓜ *Barberini –* 𝒞 *06 48 67 00*
– www.hotelviaveneto.com – info@hotelviaveneto.com – Fax 06 42 01 24 35
7 cam ⌂ – †150/215 € ††215/265 €   8 OU**p**
♦ Elegante palazzo affacciato su una delle vie più famose al mondo, ospita al suo interno ambienti all'avanguardia arredati con gusto, moderno design e opere d'arte. Tutte le camere sono dotate di PC.

⌂ **66 Imperial-Inn** senza rist   ⇦ 🔲 📶 VISA ⚌ 📶
via del Viminale 66 ✉ *00184* Ⓜ *Termini –* 𝒞 *064 82 56 48*
– www.66imperialinn.com – info@66imperialinn.com – Fax 064 82 56 48
7 cam ⌂ – †80/160 € ††90/170 €   8 PV**d**
♦ Al quarto piano di un palazzo residenziale, originali decorazioni *trompe-l'oeil* caratterizzano questa piacevole struttura dalle camere ampie e confortevoli con bagni in marmo. Colazione a *buffet*.

⌂ **58 Le Real de Luxe** senza rist   ⇦ 🔲 ⌖ 📶 VISA ⚌ 📶
via Cavour 58 ✉ *00184* Ⓜ *Cavour –* 𝒞 *064 82 35 66 – www.lerealdeluxe.com*
– info@58viacavour.it – Fax 064 82 35 66   8 PV**b**
16 cam ⌂ – ††70/135 €
♦ B&B che soddisfa ogni esigenza: si va dalle camere *superior* con schermo tv al plasma ed altre moderne tecnologie, a quelle di taglio più classico-elegante. Spazi comuni un po' limitati con alcune particolarità innovative quali il pavimento illuminato con fibre ottiche.

⌂ **Relais La Maison** senza rist   🔲 ⌖ 📶 VISA ⚌ 📶
via Depretis 70 ✉ *00184* Ⓜ *Repubblica –* 𝒞 *06 48 93 07 74*
– www.relaislamaison.com – info@relaislamaison.com – Fax 06 48 93 07 74
6 cam – †100/175 € ††120/180 €   8 PV**a**
♦ Quasi come essere ospiti di una bella abitazione privata: all'ultimo piano di un palazzo, una piccola "bomboniera" propone poche camere, ma tutte moderne e confortevoli, per un comodo soggiorno nella Città Eterna.

𝕏𝕏𝕏𝕏 **La Terrazza** – Hotel Eden   🔲 ⌖ ⇆ VISA ⚌ AE ① 📶
via Ludovisi 49 ✉ *00187* Ⓜ *Barberini –* 𝒞 *06 47 81 27 52*
– laterrazzadelleden.roma@lemeridien.com – Fax 064 81 44 73   7 NU**a**
Rist – Menu 110 € – Carta 99/148 € ⌘
♦ Un breve tragitto in ascensore vi conduce alla sala da pranzo all'ultimo piano dell'edificio: una parete di vetro continua, per abbracciare con un solo sguardo l'intero centro storico.

𝕏𝕏𝕏𝕏 **Mirabelle** – Hotel Splendide Royal   🏠 ⌖ 🔲 ⌖ ⇆ VISA ⚌ AE ① 📶
ಜ *via di porta Pinciana 14* ✉ *00187* Ⓜ *Barberini –* 𝒞 *06 42 16 88 38*
– www.mirabelle.it – mirabelle@splendideroyal.com – Fax 06 42 16 88 70
Rist – Carta 89/127 €   7 NU**b**
Spec. Crudo di spigola e scampi marinati al pompelmo rosa con insalata di sedano. Scaloppa di fegato d'oca con pere caramellate e gelatina al Sauternes. Soufflé serviti con le loro salse.
♦ Uno dei roof-garden più spettacolari di Roma, la vista spazia dai parchi al Vaticano per fermarsi su piatti di cucina locale e internazionale, presentati con grande cura estetica.

𝕏𝕏𝕏 **Agata e Romeo** (Agata Parisella)   🔲 ⌖ VISA ⚌ AE ① 📶
ಜ *via Carlo Alberto 45* ✉ *00185* Ⓜ *Vittorio Emanuele –* 𝒞 *064 46 61 15*
– www.agataeromeo.it – ristorante@agataeromeo.it – Fax 064 46 58 42 – chiuso dal 1° al 24 gennaio, 7 al 29 agosto, sabato e domenica   8 PX**d**
Rist – Menu 110/160 € – Carta 90/125 € ⌘
Spec. Cinque modi di cucinare il baccalà. Paccheri all'amatriciana. Il millefoglie di Agata.
♦ In un quartiere sempre più multietnico, il ristorante è un'eccezione per la continua ricerca sui prodotti e la rielaborazione di piatti romani e nazionali.

𝕏𝕏 **Giovanni**   ⇆ 🔲 ⇆ VISA ⚌ AE ① 📶
via Marche 64 ✉ *00187* Ⓜ *Barberini –* 𝒞 *064 82 18 34 – Fax 064 81 73 66*
– chiuso agosto, venerdì sera e sabato   8 OU**a**
Rist – Carta 46/56 €
♦ Gestione consolidata (più di 70 anni di attività) per un ristorante di habitué, che nella sua accogliente sala propone piatti romani e specialità ittiche.

ROMA

XX **Peppone**   AC ⚡ ⇔ VISA ⚫ AE ① ⚍

via Emilia 60 ✉ *00187* Ⓜ *Barberini –* 𝄐 *06 48 39 76 – www.peppone.it – info@ peppone.it – Fax 06 99 70 61 39 – chiuso Natale, Pasqua, dal 15 al 30 agosto, sabato e domenica in luglio-agosto, solo domenica negli altri mesi*

Rist – Carta 34/46 € (+15 %)   8 OU**r**

♦ Gestito dalla stessa famiglia dal 1890, un ristorante dove assistere ad una classica carrellata di proposte regionali italiane, con particolare attenzione al Lazio.

XX **Cicilardone a Monte Caruso**   AC ⇔ VISA ⚫ AE ① ⚍

via Farini 12 ✉ *00185* Ⓜ *Termini –* 𝄐 *06 48 35 49 – www.montecaruso.com – cicilardone@tiscali.it – chiuso Natale, agosto, lunedì a mezzogiorno e domenica*   8 PV**k**

Rist – Carta 31/39 €

♦ I sapori del sud in un locale caldo e accogliente a conduzione familiare, con una carta basata sulle specialità lucane, realizzate in modo semplice e genuino.

XX **Papà Baccus**   🏠 AC ⇔ VISA ⚫ AE ① ⚍

via Toscana 32/36 ✉ *00187* Ⓜ *Barberini –* 𝄐 *06 42 74 28 08 – www.papabaccus.com – papabaccus@papabaccus.com – Fax 06 42 01 00 05 – chiuso 15 giorni in agosto, sabato a mezzogiorno e domenica*   8 OU**w**

Rist – Carta 47/62 €

♦ Atmosfera conviviale per questo simpatico ristorante che propone un'invitante cucina toscana (carne chianina e maiale di cinta senese) nonché specialità ittiche, nella prestigiosa zona di via Veneto.

XX **Hostaria da Vincenzo**   🏠 ⇔ VISA ⚫ AE ① ⚍

via Castelfidardo 6 ✉ *00185 –* 𝄐 *06 48 45 96 – Fax 064 87 00 92 – chiuso agosto e domenica*   8 PU**e**

Rist – Carta 23/41 €

♦ Classici sia l'impostazione sia i piatti regionali e nazionali di carne o di pesce. Ambiente simpatico ed accogliente annovera un clientela variegata: business e habitué.

X **Colline Emiliane**   AC ⇔ VISA ⚫ ⚍

via degli Avignonesi 22 ✉ *00187* Ⓜ *Barberini –* 𝄐 *064 81 75 38 – Fax 064 81 75 38 – chiuso agosto, domenica sera e lunedì*   7 NV**d**

Rist – Carta 35/44 €

♦ Piccolo, semplice e accogliente locale a calorosa gestione familiare è l'ideale per gustare i piatti della tradizione emiliana con paste tirate a mano come un tempo.

X **Trimani il Wine Bar**   AC ⚡ ⇔ VISA ⚫ AE ① ⚍

via Cernaia 37/b ✉ *00185 –* 𝄐 *064 46 96 30 – www.trimani.com – info@ trimani.com – Fax 064 46 83 51 – chiuso dall'11 al 24 agosto, domenica (escluso novembre e dicembre) e i giorni festivi*   13 PU**g**

Rist – Carta 29/35 € 🍴

♦ Moderna enoteca costruita nel rispetto di alcune peculiarità tipiche delle antiche mescite di vino capitoline: vastissima scelta di vini, piatti caldi e freddi, buon assortimento di formaggi italiani e d'Oltralpe.

Roma Antica

🏨 **Fortyseven**   🏠 👶 ♿ AC ↯ ⚡ 📶 🍴 VISA ⚫ AE ① ⚍

via Petroselli 47 ✉ *00186 –* 𝄐 *066 78 78 16 – www.fortysevenhotel.com – contact@fortysevenhotel.com – Fax 06 69 19 07 26*   11 NZ**a**

59 cam ⬚ – 🍴250/350 € – 2 suites

Rist – Carta 40/55 € (solo a mezzogiorno)

Rist *Circus* – (chiuso a mezzogiorno) Carta 44/60 €

♦ Nel cuore della Roma antica, in un edificio anni '30 con interni in stile art deco e opere d'arte contemporanea, hotel di raffinata eleganza dove ognuno dei cinque piani è dedicato ad un italiano famoso del XX secolo: Mastroianni, Greco, Modigliani, Quagliata, Guccione.

🏨 **Capo d'Africa** senza rist   👶 📶 ♿ AC ⚡ ⚡ 🍴 VISA ⚫ AE ① ⚍

via Capo d'Africa 54 ✉ *00184* Ⓜ *Colosseo –* 𝄐 *06 77 28 01 – www.hotelcapodafrica.com – info@hotelcapodafrica.com – Fax 06 77 28 08 01*

64 cam ⬚ – 🍴300/320 € 🍴🍴380/400 €   12 PZ**b**

♦ All'ombra del Colosseo, camere di diverse metrature, ma con un comune denominatore: il gusto per il moderno, che contraddistingue tutta la struttura impreziosita da opere d'arte. Terrazza panoramica con servizio di piccola ristorazione.

I Gladiatori senza rist ⟨ 🛦 & 🅰️🅲 ⅏ 📶 VISA ◎ AE ① ⭘
via Labicana 125 ⊠ 00184 **Ⓜ** Colosseo – ℰ 06 77 59 13 80
– www.hotelgladiatori.com – info@hotelgladiatori.it – Fax 067 00 56 38
13 cam ⊆ – †350 € ††410/570 € – 4 suites   12 PYa
♦ Camere e suite, recentemente ristrutturate, si affacciano sul *Colosseo* e sulla *Domus Aurea*, ma il più grande pregio del piccolo quanto elegante hotel è la terrazza roof-garden: per la prima colazione, un drink, o solo per immaginare le gloriose imprese dei gladiatori nell'arena.

Sant'Anselmo senza rist ⤳ 🏯 🛦 & 🅰️🅲 ⅏ ⚙ 🅿 VISA ◎ AE ① ⭘
piazza Sant'Anselmo 2 ⊠ 00153 **Ⓜ** Piramide – ℰ 06 57 00 57
– www.aventinohotels.com – info@aventinohotels.com – Fax 065 78 36 04
34 cam ⊆ – †160/220 € ††180/270 €   16 MZc
♦ Alle spalle del celebre convento benedettino, una bella villa *liberty* trasformata in albergo, dispone di ambienti di lusso con arredi eleganti e camere tutte personalizzate. Un'oasi di quiete, tra balconi fioriti e il giardino che profuma di agrumi.

Borromeo senza rist 🏯 🅰️🅲 ⅏ 🅿 VISA ◎ AE ① ⭘
via Cavour 117 ⊠ 00184 **Ⓜ** Cavour – ℰ 06 48 58 56 – www.hotelborromeo.com
– borromeo@ludovicigroup.com – Fax 064 88 25 41   12 PXz
27 cam ⊆ – †80/260 € ††90/280 € – 3 suites
♦ Nelle vicinanze della basilica di S. Maria Maggiore, comodo albergo con camere confortevoli e ben accessoriate; arredi in stile classico e piacevole roof-garden.

Villa San Pio ⤳ 🏯 🏕 🏯 🅰️🅲 ⅏ ⚙ 🅿 VISA ◎ AE ① ⭘
via di Santa Melania 19 ⊠ 00153 **Ⓜ** Piramide – ℰ 06 57 00 57
– www.aventinohotel.com – info@aventinohotels.com – Fax 065 74 11 12
78 cam ⊆ – †105/160 € ††150/240 €   11 MZb
Rist – (chiuso sabato) (chiuso a mezzogiorno) (solo per alloggiati) Carta 30/53 €
♦ Nell'esclusivo quartiere dell'*Aventino*, la risorsa ha subito importanti lavori di ristrutturazione che hanno aggiunto ulteriore confort alle vecchie mura di quelle ville residenziali dalle quali nacque. Dettagli di stile, mobili pregiati e soffitti a volta si alleano per rendere un'antica storia una raffinata realtà.

Cilicia senza rist 🏯 🏯 & 🅰️🅲 ⅏ ⚙ 🏵 🅿 VISA ◎ AE ① ⭘
via Cilicia 5/7 ⊠ 00179 **Ⓜ** San Giovanni – ℰ 067 00 55 54 – www.hotelcilicia.it
– info@hotelcilicia.com – Fax 06 77 25 00 16   2 BRq
62 cam ⊆ – †70/155 € ††100/210 €
♦ Nata nel 2000 da una sapiente opera di ristrutturazione, risorsa moderna, con comodo parcheggio; bella boiserie negli interni in stile e camere dotate di ogni confort.

Celio senza rist 🏋 🏫 🅰️🅲 ↩ ⅏ 🏵 VISA ◎ AE ① ⭘
via dei Santi Quattro 35/c ⊠ 00184 **Ⓜ** Colosseo – ℰ 06 70 49 53 33
– www.hotelcelio.com – info@hotelcelio.com – Fax 067 09 63 77   12 PZa
19 cam ⊆ – †170/290 € ††190/330 €
♦ Un armonioso *mix* di atmosfera e confort in questa accogliente risorsa, che dispone di camere non molto spaziose ma elegantemente personalizzate. Ottima ubicazione, proprio di fronte al Colosseo; piacevole la prima colazione servita nella corte interna.

Mercure Hotel Roma Delta Colosseo senza rist 🏊 🏯 & 🅰️🅲
via Labicana 144 ⊠ 00184 **Ⓜ** Colosseo   ↩ ⅏ 🏵 VISA ◎ AE ① ⭘
– ℰ 06 77 00 21 – www.accorhotels.com – h2909-re@accor.com
– Fax 06 77 25 01 98   12 PYZt
160 cam – †171 € ††274 €, ⊆ 15 €
♦ Bizzarro contrasto tra la Roma antica e l'edificio contemporaneo di un hotel che ha il suo punto di forza nella piscina e terrazza panoramica con vista sul Colosseo, aperta solo durante il periodo estivo..

Duca d'Alba senza rist 🏯 🅰️🅲 ⅏ VISA ◎ AE ① ⭘
via Leonina 12/14 ⊠ 00184 **Ⓜ** Cavour – ℰ 06 48 44 71
– www.hotelducadalba.com – info@hotelducadalba.com – Fax 064 88 48 40
27 cam ⊆ – †110/180 € ††120/230 €   12 OYc
♦ Nel pittoresco quartiere anticamente detto della *Suburra*, l'albergo è dotato di camere confortevoli, con arredi classico-eleganti: l'arte dell'accoglienza nella *Città Eterna*.

🏨 **Solis** senza rist   🛗 AC ⚡ 🌐 VISA ⑳ AE ⓪ ⛗
via Cavour 311 ⊠ 00184 Ⓜ Cavour – ℰ 06 69 92 05 87 – www.hotelsolis.it
– info@hotelsolis.it – Fax 06 69 92 33 95   12 OY**b**
17 cam ⌓ – †90/140 € ††100/250 €
♦ Camere ampie e ben arredate, nonché confort moderni per questo signorile albergo nelle vicinanze del Colosseo. Piccola hall al piano terra e graziosa saletta colazioni.

🏠 **Nerva** senza rist   🛗 ⛗ AC VISA ⑳ ⓪ ⛗
via Tor de' Conti 3/4/4 a ⊠ 00184 Ⓜ Cavour – ℰ 066 78 18 35
– www.hotelnerva.com – info@hotelnerva.com – Fax 06 69 92 22 04   11 NY**h**
19 cam ⌓ – †80/180 € ††100/260 €
♦ Spazi comuni limitati e camere decorose in questa piccola risorsa a conduzione familiare, ubicata in una via che si affaccia sui Fori Imperiali.

🏠 **Paba** senza rist   🛗 AC 🌐 VISA ⑳ ⛗
via Cavour 266 ⊠ 00184 Ⓜ Cavour – ℰ 06 47 82 49 02 – www.hotelpaba.com
– info@hotelpaba.com – Fax 06 47 88 12 25   12 OY**b**
7 cam ⌓ – †80/130 € ††98/150 €
♦ Al secondo piano di un vecchio palazzo, un piccolo albergo con "micro" spazi comuni, ma camere confortevoli (nelle quali si serve anche la prima colazione). Esperta gestione familiare e prezzi decisamente interessanti.

🏠 **Anne & Mary** senza rist   🛗 AC ⇄ ⚡ 🌐 VISA ⛗
via Cavour 325 ⊠ 00184 Ⓜ Colosseo – ℰ 06 69 94 11 87
– www.anne-mary.com – info@anne-mary.com – Fax 066 78 06 29   12 OY**b**
6 cam ⌓ – †90/100 € ††100/130 €
♦ La gestione affidabile e signorile ha saputo imprimere un'impronta omogenea a questa piccola e graziosa risorsa, ubicata in un elegante palazzo del XIX sec. Lasciatevi avvolgere dalla suggestiva atmosfera della Roma Imperiale, a due passi dal Colosseo.

XX **Checchino dal 1887**   🍴 AC ⚡ VISA ⑳ AE ⓪ ⛗
via Monte Testaccio 30 ⊠ 00153 Ⓜ Piramide – ℰ 065 74 38 16
– www.checchino-dal-1887.com – checchino_roma@tin.it – Fax 065 74 38 16
– chiuso dal 24 dicembre al 2 gennaio, agosto, domenica e lunedì
Rist – Carta 32/51 € ⌂   3 DT**a**
♦ Nel caratteristico quartiere di *Testaccio*, di fronte al museo d'arte contemporanea di Roma (*MACRO*), un indirizzo veramente storico per gustare alcune tipiche specialità della cucina capitolina, basate su carni e frattaglie. Una garanzia gastronomica, confermata dal lontano 1887...

XX **St. Teodoro**   🍴 AC ⚡ VISA ⑳ AE ⛗
via dei Fienili 49 ⊠ 00186 Ⓜ Colosseo – ℰ 066 78 09 33 – www.st-teodoro.it
– info@st-teodoro.it – Fax 066 78 69 65 – chiuso domenica da novembre a
marzo   11 NY**a**
Rist – (consigliata la prenotazione la sera) Carta 59/100 €
♦ In una caratteristica strada della città antica, tra rovine romane, verde e tesori rinascimentali, un ambiente moderno con quadri contemporanei alle pareti e una cucina che rivisita e alleggersce la tradizione.

X **Maharajah**   AC VISA ⑳ AE ⓪ ⛗
via dei Serpenti 124 ⊠ 00184 Ⓜ Cavour – ℰ 064 74 71 44 – www.maharajah.it
– maharajah@maharajah.it – Fax 06 47 88 53 93   12 OY**s**
Rist – Carta 33/35 €
♦ Locale etnico gestito da indiani del nord, che propongono tra luci soffuse e tappeti la tipica cucina (non europeizzata) della loro zona. L'unica incursione di "italianità" è rappresentata dalla carta dei vini: selezione ristretta di etichette esclusivamente italiane. Per un indimenticabile "Passaggio in India".

X **Trattoria Monti**   AC VISA ⑳ ⓪ ⛗
🕮 *via di San Vito 13/a ⊠ 00185 Ⓜ Cavour – ℰ 064 46 65 73 – Fax 064 46 65 73*
– chiuso 10 giorni a Natale, 1 settimana a Pasqua, agosto, domenica sera e
lunedì   12 PY**c**
Rist – (consigliata la prenotazione) Carta 35/43 €
♦ Dopo i lavori di restauro effettuati qualche anno fa, la trattoria si presenta in chiave pacatamente moderna, pur mantenendo un'aura particolare con sedie in legno, tubi in rame e le lampade che scendono sui tavoli. Le specialità spaziano dal *Lazio* alle *Marche*, terra di origine del fondatore della trattoria.

ROMA

✗ Felice a Testaccio   🗚 ⚙ 🆅🅸🆂🅰 ⓪ 🆀 ⚓

*via Mastrogiorgio 29 ✉ 00153 – ℰ 065 74 68 00 – www.feliceatestaccio.com
– Fax 065 74 68 00 – chiuso agosto e domenica sera*   **3 DTc**
Rist – (consigliata la prenotazione) Carta 30/35 €
♦ Vetrate opache, muri con mattoni a vista, tavoli in legno: tutto richiama la schiettezza delle osterie d'inizio secolo. Ultimo ma non ultimo, la simpatia dei gestori, *Franco* e *Flavio*, che sapranno piacevolmente intrattenervi con aneddoti e curiosità sul locale e sui singoli piatti. Cucina rigorosamente romano/laziale

San Pietro (Città del Vaticano)

🏨 Rome Cavalieri   ⇐ 🕭 🕽 🎨 🖵 🎬 🐟 🐾 ₭ 🗚 ✂ 🛜

via Cadlolo 101 ✉ 00136 – ℰ 063 50 91   ₭ 🅿 🚗 🆅🅸🆂🅰 ⓪ 🆀 ⓪ ⚓
– www.hilton.com – sales.rome@hilton.com – Fax 06 35 09 22 41   **3 CSa**
370 cam – ♦380/855 € ♦♦405/910 €, 😂 38 € – 25 suites
Rist La Pergola – vedere selezione ristoranti
Rist L'Uliveto – Carta 82/121 €
♦ E' un imponente edificio che severamente guarda dall'alto l'intera città; all'interno tutto è all'insegna dell'eccellenza, dalla collezione d'arte alle terrazze del giardino con piscina. Ai bordi della piscina, ristorante di ambiente informale per cenare con musica dal vivo.

🏨 NH Villa Carpegna   🎨 🕽 ₭ 🖿 ✂ 🗚 ⚙ rist, ⚓ ₭ 🅿 🚗

via Pio IV 6 ✉ 00165 – ℰ 06 39 37 31   🆅🅸🆂🅰 ⓪ 🆀 ⓪ ⚓
– www.nh-hotels.it – jhromavillacarpegna@nh-hotels.com – Fax 06 63 68 56
201 cam 😂 – ♦105/285 € ♦♦125/300 € – 2 suites – ½ P 190 €   **1 AQa**
Rist – Carta 46/73 €
♦ Su una collinetta, in posizione rialzata rispetto al traffico, è un complesso moderno dall'immensa hall che vi accoglierà all'arrivo alle camere, semplici nella tipologia ma molto accoglienti. Bella la piscina ovale all'aperto. Ristorante classico, d'estate offre servizio in terrazza, affacciati sulla piscina.

🏨 Visconti Palace *senza rist*   ₭ 🖿 ✂ 🖿 🗚 ⚙ 🕾 ₭

via Federico Cesi 37 ✉ 00193 Ⓜ Lepanto   🆅🅸🆂🅰 ⓪ 🆀 ⓪ ⚓
*– ℰ 06 36 84 – www.viscontipalace.com – info@viscontipalace.com
– Fax 063 20 05 51*   **6 KUb**
242 cam 😂 – ♦300/320 € ♦♦350/380 €
♦ Felicemente situato tra piazza di Spagna e San Pietro, l'hotel - rinnovato nel 2007 in un brillante stile contemporaneo - è la residenza ideale per viaggi d'affari, turismo ed eventi. Nuove suite, palestra, patio e terrazza panoramica.

🏨 Grand Hotel del Gianicolo *senza rist*   🚗 🕽 🖿 🖿 🗚 ⚙ ⚓ ₭

viale Mura Gianicolensi 107 ✉ 00152   🚗 🆅🅸🆂🅰 ⓪ 🆀 ⓪ ⚓
Ⓜ *Cipro Musei Vaticani – ℰ 06 58 33 34 05 – www.grandhotelgianicolo.it
– info@grandhotelgianicolo.it – Fax 06 58 17 94 34*   **10 JZb**
48 cam 😂 – ♦160/320 € ♦♦200/360 €
♦ Un'elegante palazzina dotata di curato giardino con piscina, ospita questo hotel di alto livello con camere confortevoli e spaziose e ambienti comuni raffinati.

🏨 Farnese *senza rist*   🖿 🗚 ⚙ ⚓ 🅿 🆅🅸🆂🅰 ⓪ 🆀 ⓪ ⚓

*via Alessandro Farnese 30 ✉ 00192 Ⓜ Lepanto – ℰ 063 21 25 53
– www.hotelfarnese.com – info@hotelfarnese.com – Fax 063 21 51 29*
23 cam 😂 – ♦140/210 € ♦♦190/300 €   **6 KUe**
♦ La hall è un curioso scrigno d'arte e di atmosfera d'epoca con il suo paliotto in marmo policromo del XVII secolo; atmosfera d'epoca e raffinatezza nei curati interni in stile. Dalla terrazza, la cupola di san Pietro.

🏨 Grand Hotel Tiberio   🚗 🐾 🖿 🖿 ✂ 🗚 ⚙ ⚓ ₭ 🅿 🚗

via Lattanzio 51 ✉ 00136 Ⓜ Cipro Musei Vaticani   🆅🅸🆂🅰 ⓪ 🆀 ⓪ ⚓
– ℰ 06 39 96 29 – www.ghtiberio.com – info@ghtiberio.com – Fax 06 39 73 52 02
91 cam 😂 – ♦255 € ♦♦295 € – ½ P 187 €   **1 AQf**
Rist – *(solo per alloggiati)* Carta 25/58 €
♦ Nell'elegante e storica zona residenziale sorta sulle ceneri di un insediamento industriale, la bella facciata anticipa l'eleganza degli interni, dalla hall con grandi vetrate alle camere spaziose e confortevoli.

Starhotels Michelangelo 🗅 ⚅ ⚉ 🅰🅲 ⚇ ⚉ ⚈ 🔊 ⚿

via Stazione di San Pietro 14 ✉ 00165   🆅🅸🆂🅰 🆎 🅰🅴 🅾 ⚉
   Ⓜ *Ottaviano-San Pietro* – ☎ 06 39 87 39 – *www.starhotels.com*
– *michelangelo.rm@starhotels.it* – *Fax 06 63 23 59*   5 GX**u**
171 cam ☷ – 👤👤120/400 € – 8 suites   **Rist** – *(solo per alloggiati)*
♦ Nelle vicinanze di S.Pietro, albergo che offre confort e servizi adeguati alla sua categoria; arredi in stile sia nelle spaziose zone comuni che nelle curate camere. Recentemente
ristrutturato, il ristorante vanta un'ambientazione di sobria classicità.

Dei Consoli *senza rist* 🗅 ⚅ 🅰🅲 ⚇ ⚉ 🆅🅸🆂🅰 🆎 🅰🅴 🅾 ⚉
via Varrone 2/d ✉ 00193 Ⓜ *Ottaviano-San Pietro* – ☎ 06 68 89 29 72
– *www.hoteldeiconsoli.com* – *info@hoteldeiconsoli.com* – *Fax 06 68 21 22 74*
28 cam ☷ – 👤100/220 € 👤👤150/320 €   5 HU**a**
♦ Ospitato in un palazzo d'epoca, un hotel curato nei particolari, pensato per una clientela di gusti raffinati. Ricchi di decorazioni, gli eleganti ambienti arredati in stile impero.

Hotel Alimandi Vaticano *senza rist* 🗅 ✸✸ 🅰🅲 ⚉ 🔊 🚗
viale Vaticano 99 ✉ 00165 Ⓜ *Ottaviano-San Pietro*   🆅🅸🆂🅰 🆎 🅰🅴 🅾 ⚉
– ☎ 06 39 74 55 62 – *www.alimandi.it* – *hotelali@hotelalimandie.191.it*
– *Fax 06 39 73 01 32*   5 GU**b**
24 cam – 👤140/170 € 👤👤160/200 €, ☷ 15 €
♦ Per un gradevole soggiorno proprio di fronte all'ingresso dei Musei Vaticani, marmi e
legni pregiati contribuiscono all'eleganza delle camere, ricche di accessori e dotazioni.

Sant'Anna *senza rist* 🗅 🅰🅲 🔊 🆅🅸🆂🅰 🆎 🅰🅴 🅾 ⚉
borgo Pio 133 ✉ 00193 Ⓜ *Ottaviano-San Pietro* – ☎ 06 68 80 16 02
– *www.hotelsantanna.com* – *santanna@travel.it* – *Fax 06 68 30 87 17*
20 cam ☷ – 👤100/150 € 👤👤150/230 €   5 HV**m**
♦ In un palazzo cinquecentesco a pochissimi passi da San Pietro, un piccolo e accogliente albergo caratterizzato da ambienti d'atmosfera con soffitti a cassettoni e da un
grazioso cortile interno.

Bramante *senza rist* 🅰🅲 ⚉ 🔊 🆅🅸🆂🅰 🆎 🅰🅴 🅾 ⚉
vicolo delle Palline 24 ✉ 00193 Ⓜ *Ottaviano-San Pietro* – ☎ 06 68 80 64 26
– *www.hotelbramante.com* – *hotelbramante@libero.it* – *Fax 06 68 13 33 39*
16 cam ☷ – 👤100/160 € 👤👤150/240 €   5 HV**b**
♦ Tanto piccolo quanto confortevole. A pochi passi dalla Basilica è un piacevole albergo
ideale per chi vuole soggiornare nel cuore della città santa.

Gerber *senza rist* 🗅 🅰🅲 ⚉ 🔊 🆅🅸🆂🅰 🆎 🅰🅴 🅾 ⚉
via degli Scipioni 241 ✉ 00192 Ⓜ *Lepanto* – ☎ 063 21 64 85
– *www.hotelgerber.it* – *info@hotelgerber.it* – *Fax 063 21 70 48*   6 JU**h**
27 cam ☷ – 👤70/120 € 👤👤100/160 €
♦ Nelle vicinanze del metrò, un albergo classico, a conduzione familiare; legno chiaro
sia negli spazi comuni che nelle camere, essenziali, ma confortevoli.

Alimandi *senza rist* 🛌 🗅 🅰🅲 ⚉ 🔊 🚲 🆅🅸🆂🅰 🆎 🅰🅴 🅾 ⚉
via Tunisi 8 ✉ 00192 Ⓜ *Ottaviano-San Pietro* – ☎ 06 39 72 39 41
– *www.alimandi.it* – *alimandi@tin.it* – *Fax 06 39 72 39 43*   5 GU**a**
35 cam ☷ – 👤80/90 € 👤👤150/175 €
♦ Risorsa totalmente rimodernata con camere semplici, ma nuove e funzionali, e una
bella terrazza su cui in estate viene servita la colazione. A due passi dai Musei Vaticani.

Arcangelo *senza rist* ⟨ 🗅 🅰🅲 ⚉ 🔊 🆅🅸🆂🅰 🆎 🅰🅴 🅾 ⚉
via Boezio 15 ✉ 00192 Ⓜ *Lepanto* – ☎ 066 87 41 43
– *www.hotelarcangeloroma.com* – *hotel.arcangelo@travel.it* – *Fax 066 89 30 50*
33 cam ☷ – 👤100/140 € 👤👤170/211 €   6 JU**f**
♦ Si salgono degli scalini per arrivare alla reception del primo piano, mentre il salotto
con sala colazione si trova nel seminterrato e la terrazza offre una stupenda vista sulla
Basilica di S.Pietro.

Cerchiamo costantemente di indicarvi i prezzi più aggiornati…
ma tutto cambia così in fretta! Al momento della prenotazione,
non dimenticate di chiedere conferma delle tariffe.

XXXXX **La Pergola** (Heinz Beck) – Hotel Rome Cavalieri Hilton ≤ 🛉 & 🌃 🌱
🕸🕸🕸 via Cadlolo 101 ⊠ 00136 – 𝄞 06 35 09 21 52 ⇔ P 📷 📶 ⊠ AE ① ⑤
– www.cavalieri-hilton.it – lapergola.rome@hilton.com – Fax 06 35 09 21 65
– chiuso dal 1° al 26 gennaio, dal 9 al 24 agosto, domenica e lunedì
Rist – (chiuso a mezzogiorno) (prenotazione obbligatoria)   3 CSa
Menu 170/195 € – Carta 121/183 € ⌀
Spec. Uovo poché in consommé di asparagi verdi con tartufo bianco d'Alba.
Spalla di maialino iberico alla liquirizia con puré di patate alle erbe e salsa di
olive taggiasche. Gelatina di arancia con sorbetto al bergamotto e fiori.
♦ Indimenticabile, spettacolare vista sulla città eterna e colli circostanti, roof-garden dal-
l'atmosfera ovattata e servizio impeccabile, ai vertici la cucina di impronta mediterranea.

XX **Enoteca Costantini-Il Simposio**   📷 📶 ⊠ AE ① ⑤
piazza Cavour 16 ⊠ 00193 Ⓜ Lepanto – 𝄞 06 32 11 11 31 – ilsimposio@
pierocostantini.it – Fax 06 32 11 11 31 – chiuso agosto, Natale, sabato a
mezzogiorno e domenica   6 KUc
Rist – Carta 43/60 € ⌀
♦ E' una lussureggiante vite metallica a disegnare l'ingresso di questo ristorante-enoteca
dove è possibile gustare foie gras, come specialità, e formaggi, accompagnati da un bicchiere di vino.

XX **Antico Arco**   📷 ⇔ 📶 ⊠ AE ① ⑤
piazzale Aurelio 7 ⊠ 00152 – 𝄞 065 81 52 74 – www.anticoarco.it – info@
anticoarco.it – Fax 065 81 52 74 – chiuso domenica   10 JZa
Rist – (chiuso a mezzogiorno) Carta 44/62 € ⌀
♦ Locale alla moda, molto affollato, completamente rinnovato secondo uno stile minimalista. All'ingresso il wine-bar, il ristorante è suddiviso su due piani; servizio attento.

X **Da Cesare**   📷 🌱 📶 ⊠ AE ① ⑤
via Crescenzio 13 ⊠ 00193 Ⓜ Lepanto – 𝄞 066 86 12 27
– www.ristorantecesare.com – cesarrst@tin.it – Fax 06 68 13 03 51 – chiuso
Natale, dall'11 agosto al 6 settembre e domenica sera   6 KUVs
Rist – Carta 32/60 €
♦ Come allude il giglio di Firenze sui vetri all'ingresso, le specialità di questo locale sono
toscane, oltre che di mare. Ambiente accogliente, la sera anche pizzeria.

Parioli

🏨🏨🏨 **Grand Hotel Parco dei Principi**   ≤ 🕭 🛉 🏊 🎰 📶 ⊠ AE ① ⑤
via Gerolamo Frescobaldi 5 ⊠ 00198   ⇟ 🕪 🍴 🚗 📶 ⊠ AE ① ⑤
– 𝄞 06 85 44 21 – www.parcodeiprincipi.com – principi@parcodeiprincipi.com
– Fax 068 84 51 04   4 ESa
165 cam ⊡ – ♦400/450 € ♦♦550/600 € – 15 suites
Rist *Pauline Borghese* – Carta 64/115 €
♦ Affacciato sul grande parco di Villa Borghese, un'oasi di verde tranquillità nel cuore di
Roma, caratterizzato dall'ampio uso di boiserie negli eleganti ambienti. Stile neoclassico
nella hall. Esclusivo ristorante che propone una cucina eclettica ben interpretata.

🏨🏨🏨 **Aldrovandi Palace Villa Borghese**   🚗 🏊 🎰 🍴 & 📷 ⇟
via Ulisse Aldrovandi 15 ⊠ 00197   🌱 🕪 🍴 P 📶 ⊠ AE ① ⑤
– 𝄞 063 22 39 93 – www.aldrovandi.com – hotel@aldrovandi.com
– Fax 063 22 14 35   4 ESc
96 cam – ♦600/800 € ♦♦650/850 €, ⊡ 33 € – 12 suites
Rist *Baby* – vedere selezione ristoranti
♦ In un elegante palazzo di fine '800, lussuosi interni d'epoca, camere di signorile raffinatezza e, sul retro dell'edificio, un grazioso giardino interno racchiuso tra due ali.

🏨🏨🏨 **Lord Byron** 🌱   🍴 📷 🌱 🕪 📶 ⊠ AE ① ⑤
via G. De Notaris 5 ⊠ 00197 Ⓜ Flaminio – 𝄞 063 22 04 04
– www.lordbyronhotel.com – info@lordbyronhotel.com – Fax 063 22 04 05
26 cam ⊡ – ♦335/425 € ♦♦374/567 € – 6 suites   3 DSb
Rist *Sapori del Lord Byron* – (chiuso domenica) Carta 53/71 €
♦ A pochi metri dal verde di Villa Borghese, una dimora per un soggiorno in cui
regnano eleganza ed eco di art déco; nelle camere lusso e confort moderni. Un impeccabile servizio farà da cornice. Ingresso indipendente per il signorile ristorante: tra specchi, marmi e dipinti di pregio è ideale per cene intime e raccolte.

The Duke Hotel 🛗 ᕃ cam, ⚐ AC ⇔ 🕸 rist, "ï" 🕍 🐝
via Archimede 69 ✉ *00197 –* ☎ *06 36 72 21* VISA ⓜⓞ AE ⓞ 🔥
– www.thedukehotel.com – theduke@thedukehotel.com
– Fax 06 36 00 41 04   3 DS**w**
78 cam ⌷ – †305/410 € ††410/515 €
Rist – Carta 46/74 €

◆ In una tranquilla zona residenziale, una discreta, ovattata atmosfera da raffinato club inglese dagli interni in stile ma con accessori moderni; davanti al camino il tè delle 5. Al ristorante: cucina nazionale ed internazionale rivisitate con creatività.

Mercure Roma Corso Trieste senza rist 🜄 🎿 🛗 ᕃ AC "ï" 🕍
via Gradisca 29 ✉ *00198* Ⓜ *Bologna* 🐝 VISA ⓜⓞ AE ⓞ 🔥
– ☎ *06 85 20 21 – www.accor.com – 3320-re@Accor.com*
– Fax 068 41 24 44   4 FS**d**
97 cam – †145/165 € ††185/200 €, ⌷ 13 €

◆ Moderno e confortevole, in un quartiere quasi esclusivamente residenziale, con qualche richiamo all'art déco; sempre identiche nell'arredo di buon gusto, le camere variano per dimensioni. All'ultimo piano palestra, terrazza e solarium.

Fenix 🜄 🎿 🛗 AC ⇔ 🕸 rist, "ï" 🕍 VISA ⓜⓞ AE ⓞ 🔥
viale Gorizia 5 ✉ *00198* Ⓜ *Bologna –* ☎ *068 54 07 41 – www.fenixhotel.it*
– info@fenixhotel.it – Fax 068 54 36 32   4 FS**n**
73 cam ⌷ – †110/180 € ††150/250 €
Rist *– (chiuso agosto, sabato sera e domenica)* Carta 28/52 €

◆ Sempre attento alle nuove tendenze, pareti e soffitti originali e variopinti per creare curati ambienti signorili, arredati con gusto; piacevole il giardino interno. Vicino al parco di Villa Torlonia. Tenui e raffinati tocchi di colore dominano nell'unica sala da pranzo.

Villa Morgagni senza rist 🜄 🛗 ᕃ AC ⇔ 🕸 "ï" P 🐝
via G.B. Morgagni 25 ✉ *00161* Ⓜ *Policlinico* VISA ⓜⓞ AE ⓞ 🔥
– ☎ *06 44 20 21 90 – www.villamorgagni.it – info@villamorgagni.it*
– Fax 06 44 20 21 90   4 FS**x**
34 cam – †80/150 € ††110/230 €

◆ Riservatezza e silenzio, accanto al ricercato confort delle camere, in un contesto di eleganza liberty. D'estate o d'inverno, il primo pasto della giornata è allestito sul panoramico roof garden.

Degli Aranci 🎿 🜄 ᕃ cam, AC 🕸 "ï" 🕍 VISA ⓜⓞ AE ⓞ 🔥
via Oriani 11 ✉ *00197* Ⓜ *Flaminio –* ☎ *068 07 02 02*
– www.hoteldegliaranci.com – info@hoteldegliaranci.com
– Fax 068 07 07 04   4 ES**g**
58 cam ⌷ – †100/200 € ††180/300 € – 2 suites   **Rist** – Carta 35/55 €

◆ Ovattati interni dai colori pastello, impreziositi da decorazioni cinesi in questo elegante edificio dei primi del '900. In una delle strade residenziali più eleganti del quartiere: tranquillità e la proverbiale cortesia del personale. L'atmosfera all'inglese prosegue al ristorante; finestre affacciate sul verde.

Villa Mangili senza rist AC 🕸 "ï" VISA ⓜⓞ AE ⓞ 🔥
via G. Mangili 31 ✉ *00197* Ⓜ *Flaminio –* ☎ *063 21 71 30*
– www.hotelvillamangili.it – info@hotelvillamangili.it – Fax 063 22 43 13 – chiuso quindici giorni in agosto   3 DS**c**
12 cam ⌷ – †195 € ††245 €

◆ Si gioca su un piacevole contrasto antico-moderno, quello di un edificio d'epoca che custodisce ambienti sorprendentemente moderni e colorati, con richiami etnici. Le camere si affacciano su un tranquillo piccolo giardino.

Villa Glori senza rist 🛗 ⚐ AC ⇔ 🕸 "ï" VISA ⓜⓞ AE ⓞ 🔥
via Celentano 11 ✉ *00196* Ⓜ *Flaminio –* ☎ *063 22 76 58*
– www.hotelvillaglori.it – info@hotelvillaglori.it – Fax 063 21 94 95   3 DS**e**
52 cam ⌷ – †120/220 € ††150/320 €

◆ Nella "piccola Londra", il quartiere dalle caratteristiche case basse precedute da un piccolo giardino, Villa Glori è un indirizzo familiare e accogliente, con interni signorili e funzionali.

🏨 **Buenos Aires** senza rist   🔌 AC (T) 🛏 P VISA ᗝᗝ AE ① ♿

via Clitunno 9 ✉ 00198 – ✆ 068 55 48 54 – www.hotelbuenosaires.it – info@
hotelbuenosaires.it – Fax 068 41 52 72   4 ES**k**

51 cam ⛁ – ♦130/190 € ♦♦180/250 €

♦ Elegante e tranquilla la zona, facilmente raggiungibile il centro; questa palazzina dei
primi del Novecento vanta recenti rinnovi nelle camere, realizzate tra design e forme
ortogonali. Ideale per una clientela sia turistica che di lavoro.

🏨 **Villa Florence** senza rist   🔌 AC ⚡ P VISA ᗝᗝ AE ① ♿

via Nomentana 28 ✉ 00161 Ⓜ Policlinico – ✆ 064 40 30 36
– www.hotelvillaflorence.it – villa.florence@hotelvillaflorence.it – Fax 064 40 27 09

34 cam ⛁ – ♦140/200 € ♦♦170/243 €   4 FS**m**

♦ Arretrato di pochi metri rispetto alla trafficata via Nomentana, una breve passerella tra
gli alberi conduce all'ingresso di questo villino storico dagli elementi liberty. Camere rinnovate e altre più démodé.

🏠 **Suite Oriani** senza rist 🌿   AC ⚡ (T) VISA ᗝᗝ ♿

via Barnaba Oriani 92 ✉ 00197 Ⓜ Euclide – ✆ 063 21 83 53
– www.suiteoriani.it – info@suiteoriani.it – Fax 063 21 83 53 – chiuso gennaio

5 cam ⛁ – ♦99/139 € ♦♦109/159 €   2 BQ**b**

♦ Nulla lascia intuire, se non una piccola targa, l'elegante ospitalità di questa villa liberty.
Così si dorme come in una villetta privata dalle camere raffinate, forse un po' inglesi,
avvolti dal verde e dalla tranquillità del quartiere.

🍴🍴🍴🍴 **Baby** (Alfonso Iaccarino) – Hotel Aldrovandi Palace   🛏 AC ⚡ P
§3 via Ulisse Aldrovandi 15 ✉ 00197 – ✆ 063 21 61 26   VISA ᗝᗝ AE ① ♿
– www.aldrovandi.com – baby@aldrovandi.com – Fax 063 22 14 35 – chiuso
lunedì   4 ES**c**

Rist – Menu 115 € – Carta 90/115 €

Spec. Macedonia di astice con gelatina di pomodoro e basilico. Ravioli di
caciotta fresca e maggiorana con pomodorini vesuviani e basilico. Pesce
spada con pangrattato alla lavanda, asparagi e misticanza.

♦ Frutto della collaborazione con il celebre cuoco di S.Agata, sbarcano a Roma i sapori
campani nei luminosi e minimalisti ambienti dell'elegante albergo.

🍴🍴 **Al Ceppo**   AC VISA ᗝᗝ AE ① ♿

via Panama 2 ✉ 00198 – ✆ 068 55 13 79 – www.ristorantealceppo.it – info@
ristorantealceppo.it – Fax 06 85 30 13 70 – chiuso dall'8 al 24 agosto e lunedì

Rist – Carta 51/68 € 🏵   4 ES**q**

♦ Tono rustico, ma elegante per una cucina mediterranea che presenta piatti interpretati in chiave moderna. Specialità tra i secondi carni e pesce alla griglia, preparati direttamente in sala.

🍴🍴 **Coriolano**   AC VISA ᗝᗝ AE ① ♿

via Ancona 14 ✉ 00198 Ⓜ Castro Pretorio – ✆ 06 44 24 98 63
– Fax 06 44 24 97 24 – chiuso dall'8 agosto al 1° settembre   8 PU**d**

Rist – Carta 34/71 €

♦ Di tono elegante, ma di impronta familiare, un ambiente piacevole e ben curato. La
carta non fa preferenze e riserva spazio e talento ad entrambe le tipologie di cucina:
pesce e piatti della tradizione romana.

🍴🍴 **Ambasciata d'Abruzzo**   🛏 VISA ᗝᗝ AE ① ♿

via Pietro Tacchini 26 ✉ 00197 Ⓜ Euclide – ✆ 068 07 82 56
– www.ambasciatadiabruzzo.com – info@ambasciatadiabruzzo.com
– Fax 068 07 49 64   4 ES**e**

Rist – (prenotare) Carta 28/45 €

♦ Appare quasi inaspettatamente, una trattoria a gestione familiare nel cuore di un
quartiere residenziale. Sin dagli antipasti, i classici della cucina abruzzese, ma anche
piatti laziali e di pesce.

🍴 **Trattoria Fauro**   🛏 AC ⚡ VISA ᗝᗝ AE ① ♿
😊 via R. Fauro 44 ✉ 00197 – ✆ 068 08 33 01 – Fax 068 08 33 01 – chiuso
domenica   7 ES**d**

Rist – Carta 26/34 €

♦ A pochi passi dal teatro Parioli, curata e conviviale trattoria dove gustare sfiziosi piatti
di pesce, ma anche specialità romane e mantovane in onore alle origini dei titolari.

ROMA

Zona Trastevere

ROMA

Trilussa Palace senza rist 🏠 ⅃✶ 🖃 ⅃ ♨ 🅼 ㎉ ⅏ 🛞 ❣ 🚗
piazza Nevio 27/28 ⊠ *00153 –* 𝄢 *065 88 19 63*   VISA ⓪ AE ⓪ 🄢
– www.trilussapalacehotel.it – info@trilussapalacehotel.it – Fax 06 58 33 17 70
40 cam – ♦178/310 € ♦♦230/425 €, ⊒ 20 € – 5 suites   10 JZ**c**
♦ Struttura inaugurata nel 2005, situata tra la stazione ferroviaria di Trastevere ed il quartiere vecchio, si contraddistingue per la profusione di marmo nella hall e nei corridoi. Moderno roof-garden e delizioso centro benessere.

Santa Maria senza rist ⅏ 🚗 🅼 ⅃ ⅏ ㎉ VISA ⓪ AE ⓪ 🄢
vicolo del Piede 2 ⊠ *00153* Ⓜ *Piramide –* 𝄢 *065 89 46 26*
– www.hotelsantamaria.info – info@hotelsantamaria.info – Fax 065 89 48 15
16 cam ⊒ – ♦160/190 € ♦♦175/230 € – 2 suites   10 KYZ**a**
♦ Questo tranquillo *hotel de charme*, sorto in un antico chiostro del 1600, si sviluppa su un piano intorno ad un cortile-giardino: cornice ideale per le colazioni nella bella stagione. Quale punto di partenza migliore per visitare la vicina basilica di S. Maria in Trastevere?

Arco dei Tolomei senza rist 🅼 ⅏ VISA ⓪ AE
via dell'Arco dè Tolomei 27 ⊠ *00153 –* 𝄢 *06 58 32 08 19 – www.inrome.info*
– info@inrome.info – Fax 065 89 97 03   11 MZ**a**
6 cam ⊒ – ♦190 € ♦♦220 €
♦ In un antico palazzo di origine medievale, una residenza privata apre le proprie porte ed accoglie l'ospite facendolo sentire come a casa propria: il calore del parquet nelle belle camere, arredate con gusto e piacevolmente funzionali.

✕✕ Glass Hostaria 🅼 ㎉ VISA ⓪ AE 🄢
vicolo del Cinque 58 ⊠ *00153 –* 𝄢 *06 58 33 59 03 – www.glasshostaria.it*
– infoglass@libero.it – Fax 06 58 34 96 66
– chiuso il 24 e 25 dicembre, dal 12 gennaio al 4 febbraio, dal 20 luglio al 5 agosto e lunedì   10 KY**d**
Rist *– (chiuso a mezzogiorno)* Carta 44/58 € ⅏
♦ Nel cuore di Trastevere un locale all'insegna del *design*, dove un originale e creativo gioco di luci crea un'atmosfera avvolgente, qualche volta piacevolmente conturbante. Ad accendersi in pieno è la cucina: fantasiosamente moderna.

✕✕ Sora Lella 🅼 VISA ⓪ AE 🄢
via di Ponte Quattro Capi 16, Isola Tiberina ⊠ *00186* Ⓜ *Circo Massimo*
– 𝄢 *066 86 16 01 – www.soralella.com – soralella@soralella.com*
– Fax 066 86 16 01 – chiuso 2 settimane in agosto, domenica, martedì a mezzogiorno   11 MY**g**
Rist – Carta 44/78 €
♦ La globalizzazione "gastronomica" non ha raggiunto la tavola di questo storico ristorante, sito sull'Isola Tiberina. Cucina del territorio, recentemente rivisitata e alleggerita, ma sempre memorabile e schietta. Lasciatevi incantare dalla Madonnina della lampada al Tevere, che si scorge da un finestrone del locale...

✕✕ A'Ciaramira 🅼 ㎉ ⇄ VISA ⓪ AE ⓪ 🄢
via Natale del Grande 41 ⊠ *00153 –* 𝄢 *065 88 16 70 – www.aciaramira.it*
– chiuso 1 settimana in agosto e domenica   10 KZ**a**
Rist *– (chiuso a mezzogiorno)* Carta 47/72 €
♦ Dopo i lunghi lavori di ristrutturazione, che hanno interessato il locale, il ristorante ha assunto un taglio più classico rispetto alla precedente impostazione: due belle sale con parquet e soffitto alto a volta. La carta, invece, è rimasta fedele a se stessa: tanto pesce, con qualche accattivante proposta di carne.

✕ Corsetti-il Galeone 🍴 🅼 ⇄ VISA ⓪ AE ⓪ 🄢
piazza San Cosimato 27 ⊠ *00153 –* 𝄢 *065 81 63 11 – www.corsettiilgaleone.it*
– info@corsettiilgaleone.it – Fax 065 89 62 55 – chiuso lunedì   10 KZ**m**
Rist – Carta 26/53 €
♦ Situato nel cuore di Trastevere, il ristorante fu fondato nel 1922 da Elena e Filippo Corsetti. Attualmente, il "testimone" è passato ai loro figli, ma la cucina è rimasta immutata nel tempo: autentiche specialità romane e sfiziosi piatti di pesce.

Zona Urbana Nord-Ovest

Colony senza rist   🏴 🖨 🖥 🛜 🖫 Ⓟ 🆅🆂🅰 ⓞ 🅰🅴 ⓞ Ġ
via Monterosi 18 ✉ 00191 – 𝒞 06 36 30 18 43 – www.colonyhotel.it – info@colonyhotel.it – Fax 06 36 30 94 95   2 BQn
72 cam 😄 – 🛏104/130 € 🛏🛏128/160 €
◆ Moderno, lineare e austero all'esterno, si declina negli spazi in forme barocche sino a velare la casa di un'intrigante e suggestiva atmosfera che racconta esperienze coloniali.

Zone Hotel senza rist 🦮   🏴 🖨 🕭 🖥 🛜 Ⓟ 🚌 🆅🆂🅰 ⓞ 🅰🅴 ⓞ Ġ
via A. Fusco 118 ✉ 00136 – 𝒞 06 35 40 41 11 – www.zonehotel.com – info@zonehotel.com – Fax 06 35 42 03 22   1 AQe
68 cam 😄 – 🛏80/250 € 🛏🛏100/400 €
◆ Anticipa all'esterno la linea moderna di design che domina tra forme bizzarre nella maggior parte delle camere, da poco rinnovate. Servizio attento e premuroso e navetta per il centro.

Acquolina Hostaria in Roma (Giulio Terrinoni)   🏡 🖥 ⇔
via Antonio Serra 60 ✉ 00191 – 𝒞 063 33 71 92   🆅🆂🅰 ⓞ 🅰🅴 Ġ
– www.acquolinahostaria.com – info@acquolinahostaria.com – Fax 063 33 71 92
– chiuso Natale, domenica da aprile a settembre e lunedì negli altri mesi
Rist – (chiuso a mezzogiorno escluso domenica da ottobre a marzo) Carta 59/77 €   2 BQn
Spec. Gran crudo Acquolina. Vermicelli alla carbonara di mare. Torta di baccalà e patate con bagna caoda moderna e cipolla fritta.
◆ Creativa ed entusiasta la giovane conduzione che ha fatto di questo elegante ristorante uno dei punti di riferimento per gli amanti del pesce, dai classici della tradizione a piatti rivisitati e alleggeriti.

L'Ortica   🏡 🖥 ⇔ 🆅🆂🅰 ⓞ 🅰🅴 ⓞ Ġ
via Flaminia Vecchia 573 ✉ 00191 – 𝒞 063 33 87 09
– www.lorticavirnoecucina.it – virnovittorio@yahoo.com – Fax 063 33 87 09
– chiuso 1 settimana in agosto e domenica   2 BQp
Rist – (chiuso a mezzogiorno escluso domenica da ottobre ad aprile) Menu 32 € – Carta 37/51 €
◆ All'inizio della strada, vanta in sala una curiosa collezione di elettrodomestici e di oggetti d'altri tempi di varia utilità. Più meditata la cucina, nella quale rivivono le tradizione campane, a partire dagli antipasti.

Zona Urbana Nord-Est

La Giocca   🏡 🏊 🛋 🏴 🖨 🕭 cam, 🖥 🏋 🛜 Ⓟ 🆅🆂🅰 ⓞ 🅰🅴 ⓞ Ġ
via Salaria 1223 ✉ 00138 – 𝒞 068 80 44 11 – www.lagiocca.it – hotel@lagiocca.it – Fax 068 80 44 95   2 BQf
85 cam 😄 – 🛏115/150 € 🛏🛏151/200 € – 3 suites – ½ P 98/110 €
Rist Pappa Reale – 𝒞 068 80 45 03 (chiuso 10 giorni a Natale e 3 settimane in agosto) Carta 27/38 €
◆ Moderno, confortevole e funzionale, ideale per una clientela di lavoro e di passaggio e soprattutto per chi ama lo sport, grazie alle tante risorse di svago e tempo libero a disposizione dei clienti. Acquari per crostacei e molluschi arredano la sala da pranzo che funge anche da pizzeria. Pasta e pane fatti in casa.

Carlo Magno senza rist   🖨 🖥 🛜 🆅🆂🅰 ⓞ 🅰🅴 ⓞ Ġ
via Sacco Pastore 13 ✉ 00141 – 𝒞 068 60 39 82 – www.carlomagnohotel.com – info@carlomagnohotel.com – Fax 068 60 43 55   2 BQa
65 cam 😄 – 🛏🛏100/125 €
◆ In una tranquilla traversa di via Nomentana, le camere sono confortevoli e tutte identiche tra loro, con letti caratterizzati da deliziose testiere lavorate con intarsi neoclassici.

La Pergola senza rist   🚗 🖨 🖥 🛜 🆅🆂🅰 ⓞ 🅰🅴 ⓞ Ġ
via dei Prati Fiscali 55 ✉ 00141 – 𝒞 068 10 72 50 – www.hotellapergola.com – info@hotellapergola.com – Fax 068 12 43 53   2 BQs
96 cam 😄 – 🛏95/135 € 🛏🛏120/170 €
◆ Al carattere commerciale delle camere, tinteggiate con tinte pastello, e alla cortese familiare ospitalità, la risorsa unisce la passione per le opere d'arte moderna. Comoda per chi arriva dal raccordo di Roma nord.

ROMA

XX **Gabriele**　　　　　　　　　AC ⅍ VISA ⚫ AE ⓿ ⑤

via Ottoboni 74 ✉ *00159* Ⓜ *Tiburtina –* ☏ *064 39 34 98*
– www.ristorantegabriele.com – ristorantegabriele@libero.it – Fax 06 43 53 53 66
– chiuso agosto, sabato, domenica e i giorni festivi　　　　2 BQ**m**
Rist – Carta 45/65 €
♦ Un'esperienza quarantennale si destreggia tra i fornelli e il risultato sono gli esclusivi
ma personalizzati piatti della tradizione italiana. Interessante scelta di vini.

XX **Mamma Angelina**　　　　　　⌂ AC ⍐ VISA ⚫ AE ⓿ ⑤

⊖⊖
🍴 *viale Arrigo Boito 65* ✉ *00199 –* ☏ *068 60 89 28 – mammangelina@libero.it*
– Fax 06 97 61 56 68 – chiuso agosto e mercoledì　　　　2 BQ**c**
Rist – Carta 20/32 € ❀
♦ Dopo il buffet di antipasti, la cucina si trova ad un bivio: da un lato segue la linea del
mare dall'altra la tradizione romana. Doveroso omaggio ai manicaretti della mamma!

Zona Urbana Sud-Est

🏨 **Appia Park Hotel**　🚗 📶 & AC ⇆ ⍐ «» ♨ 🚗 VISA ⚫ AE ⓿ ⑤

via Appia Nuova 934 ✉ *00178* Ⓜ *Colli Albani –* ☏ *06 71 67 41*
– www.appiaparkhotel.it – info@appiaparkhotel.it – Fax 067 18 24 57
110 cam ⌂ – †80/120 € ††90/140 €　　　　2 BR**h**
Rist – *(solo per alloggiati)* Menu 30/60 €
♦ Originale struttura a più edifici, allietata da un piacevole giardino, non lontano dal
complesso archeologico dell'Appia Antica: arredi classici nelle confortevoli camere e
molteplici sale congressi. Ricette romane e cucina tradizionale italiana nel menu del
ristorante.

XX **Rinaldo all'Acquedotto**　　⌂ & AC P VISA ⚫ AE ⓿ ⑤

via Appia Nuova 1267 ✉ *00178 –* ☏ *067 18 39 10 – www.rinaldoallacquedotto.it*
*– info@rinaldoallacquedotto.it – Fax 067 18 29 68 – chiuso dal 10 al 20 agosto e
martedì*　　　　2 BR**v**
Rist – Carta 31/53 €
♦ Locale moderno e luminoso di cucina tradizionale e di mare; curiosa la sala "veranda"
con vetrate scorrevoli, costruita intorno a due alberi che bucano il tetto.

X **Domenico dal 1968**　　　　⌂ AC VISA ⚫ AE ⓿ ⑤

🍴 *via Satrico23/25* ✉ *00183 –* ☏ *06 70 49 46 02 – www.domenicodal1968.it*
*– info@domenicodal1968.it – Fax 06 70 49 46 02 – chiuso 20 giorni in agosto,
domenica e lunedì a mezzogiorno da maggio a settembre, domenica sera e
lunedì negli altri mesi*　　　　4 FT**f**
Rist – (coperti limitati, prenotare) Menu 25/30 € – Carta 34/46 €
♦ Specialità romane e piatti ricchi di gusto e sostanza in una trattoria dall'accogliente
atmosfera familiare; due salette rifinite in legno creano un clima di calda intimità.

Zona Urbana Sud-Ovest

🏨 **Sheraton Roma Hotel**　⌂ ⚓ ⅃ ♨ ℀ 📶 & AC ⇆ «» ♨ P ⌂

viale del Pattinaggio 100 ✉ *00144* Ⓜ *Magliana*　　VISA ⚫ AE ⓿ ⑤
– ☏ *065 45 31 – www.sheraton.com/roma – res497.sheraton.roma@sheraton.
com – Fax 065 94 06 89*　　　　2 BR**z**
628 cam ⌂ – †130/450 € ††145/475 € – 12 suites　　**Rist** – Carta 43/71 €
♦ Camere di diverse tipologie in un imponente complesso moderno e funzionale: indirizzo ideale per le attività congressuali, vanta (oltre ad altri pregevoli *atout*) una nuova
palestra professionale. Ristorante elegante, dove gustare specialità italiane e internazionali.

🏨 **Crowne Plaza Rome St. Peter's & Spa**　🚗 ⌂ ⅃ ⬜ ⚫ ♨

via Aurelia Antica　　℀ ℀ 📶 & AC ⇆ ⍐ «» ♨ P VISA ⚫ AE ⓿ ⑤
415 ✉ *00165* Ⓜ *Cornelia –* ☏ *066 64 20 – www.hotel-invest.com – cpstpeters@
hotel-invest.com – Fax 066 63 71 90*　　　　1 AQR**h**
310 cam – †300 € ††350 €, ⌂ 18 €
Rist *Le Jardin d'Hiver –* ☏ *066 64 21 69 (chiuso a mezzogiorno)* Carta 47/63 €
Rist *Osteria at Crowne Plaza* – Carta 32/44 €
♦ Grande struttura che garantisce ottimi confort sia nelle zone comuni, sia nelle spaziose camere di recente rinnovate. Centro benessere di alto livello. *Le Jardin d'Hiver:*
ristorante serale con cucina cosmopolita. *Osteria al Crowne Plaza:* formula di ristorazione
moderna con sandwich, insalate e qualche piatto in menu.

Rome Marriott Park Hotel 🚗 🍽 🖼 ⊕ 🐬 🎿 🛗 🛊 👌 rist, ⬦

via Colonnello Tommaso Masala 54,
(uscita 31/33 Grande Raccordo Anulare) ✉ 00148 – 𝒞 06 65 88 21
– *www.romemarriottpark.com* – *sales.romepark@marriotthotels.com*
– *Fax 06 65 88 27 50*   6 AR**b**
584 cam – ♥♥180/400 €, ☕ 23 € – 17 suites   **Rist** – Carta 32/52 €
♦ Come anticipa la spaziosa hall, la struttura è smisurata in tutto: dal numero alla qualità delle camere, passando per gli attrezzati spazi destinati allo sport e al benessere. Piatti classici italiani nell'elegante sala da pranzo open space.

Sheraton Golf Parco de' Medici ⊱   🎐 🍽 🖼 🐬 🎿 🔢 🛊 👌

viale Salvatore Rebecchini 39   ⚡ 🖼 ⬦ 🎿 ⁽ᵠ⁾ 🛗 🅿 🚻 🚹 🚼 ① 🛟
✉ 00148 – 𝒞 066 52 88 – *www.sheraton.com/golfrome* – *info@sheratongolf.it*
– *Fax 06 65 28 70 60*
804 cam ☕ – ♥138/418 € ♥♥193/473 € – 32 suites – ½ P 147/287 €   6 AR**b**
Rist – Carta 45/82 €
♦ Immerso in uno splendido parco golf, albergo diviso in più edifici che coniuga la vocazione commerciale ad un'atmosfera quasi vacanziera di spazi all'aperto. Confortevoli camere in stile mediterraneo.

Melià Roma Aurelia Antica 🚗 🍴 🍽 🖼 🛊 👌 🎿 🖼 ⬦ 🎿 ⁽ᵠ⁾

via degli Aldobrandeschi 223 ✉ 00163   🛗 🅿 🚗 🚻 🚹 🚼 ① 🛟
– 𝒞 066 65 44 – *www.solmelia.com* – *melia.roma@solmelia.com*
– *Fax 06 66 41 58 78*   1 AR**a**
270 cam – ♥105/308 € ♥♥105/328 €, ☕ 17 € – 1 suite   **Rist** – Carta 45/74 €
♦ Hotel decentrato, a due chilometri dal grande raccordo anulare, vanta un alto livello di confort nelle spaziose camere. Struttura particolarmente adatta per congressi e riunioni. Piccola, elegante, sala ristorante: specialità *à la carte*.

Atahotel Villa Pamphili ⊱   🚗 🍴 🍽 🖼 👌 🖼 ⬦ 🎿 ⁽ᵠ⁾ 🛗 🅿

via della Nocetta 105 ✉ 00164 – 𝒞 06 66 02
– *www.atahotels.it* – *booking.villapamphili@atahotels.it* – *Fax 06 66 15 77 47*
246 cam ☕ – ♥247 € ♥♥319 € – 11 suites   **Rist** – Carta 35/47 €   1 AR**e**
♦ Ubicazione tranquilla, accanto al parco di Villa Doria Pamphili, per una struttura recente con piacevoli spazi esterni; servizio navetta per piazza Risorgimento o per Trastevere. Dehors con vista sul parco nel moderno ristorante.

Shangri Là-Corsetti 🚗 🍽 🛊 🖼 ⬦ 🎿 ⁽ᵠ⁾ 🛗 🅿 🚻 🚹 🚼 ① 🛟

viale Algeria 141 ✉ 00144 Ⓜ Eur Fermi – 𝒞 065 91 64 41
– *www.shangrilacorsetti.it* – *info@shangrilacorsetti.it* – *Fax 065 41 38 13*
52 cam ☕ – ♥130/170 € ♥♥180/237 €   2 BR**d**
Rist Shangri Là-Corsetti – vedere selezione ristoranti
♦ Nei pressi dell'EUR, bianchi soffitti a vela, marmi e divani nella hall di un hotel anni '60 che si sta piacevolmente rinnovando. Bel giardino alberato, gestione solida e buona clientela *business*.

Black Hotel ⊱   🍽 🐬 🎿 🛊 👌 cam, 🖼 ⬦ 🎿 ⁽ᵠ⁾ 🛗 🅿

via Sardiello 18 ✉ 00165 – 𝒞 06 66 41 01 48   🚻 🚹 🚼 ① 🛟
– *www.blackhotel.it* – *info@blackhotel.it* – *Fax 06 66 41 84 83*   1 AQR**x**
67 cam ☕ – ♥130/190 € ♥♥150/200 €   **Rist Edon** – Carta 28/49 €
♦ Hotel moderno, di grande atmosfera grazie ai ricercati arredi di design: luci soffuse e *moquette* scura. Gli spazi comuni non sono ampi; le camere ultra moderne, decisamente confortevoli. Fantasiosa cucina in ambiente gradevole ed informale oppure, all'aperto, in un giardino di piante secolari.

Dei Congressi 🍴 🛊 👌 🖼 ⬦ 🎿 ⁽ᵠ⁾ cam ⁽ᵠ⁾ 🛗 🚻 🚹 🚼 ① 🛟

viale Shakespeare 29 ✉ 00144 Ⓜ Eur - Fermi – 𝒞 065 92 60 21
– *www.hoteldeicongressiroma.com* – *info@hoteldeicongressiroma.com*
– *Fax 065 91 19 03* – *chiuso dal 30 luglio al 30 agosto*   2 BR**e**
105 cam ☕ – ♥125/160 € ♥♥180/220 €
Rist La Glorietta – *(chiuso dal 28 luglio al 25 agosto e sabato a mezzogiorno)*
Carta 32/56 €
♦ Nelle vicinanze del palazzo dei Congressi all'EUR, una struttura funzionale con numerose sale conferenze ed un confortevole settore notte: camere insonorizzate ed accuratamente rifinite. Cucina classica al ristorante *La Glorietta*, impreziosito da *boiserie*.

XXX **Shangri Là-Corsetti** 🏠 AC P VISA ⊕ AE ① ↺
viale Algeria 141 ✉ *00144* Ⓜ *Eur Fermi –* ☏ *065 91 88 61*
– www.shangrilacorsetti.it – ristorante@shangrilacorsetti.it – Fax 065 91 45 81
Rist – Carta 36/59 € 2 BR**d**
♦ Storico locale molto frequentato: il menu spazia dalla cucina romana ed internazionale, alle specialità di pesce fresco. Nella bella stagione, cene all'aperto ai bordi della piscina sotto la "grande vela".

Dintorni di Roma

uscita 15 Grande Raccordo Anulare Est : 11 km :

🏨 **Novotel Roma la Rustica** ⛲ 🎽 🚸 AC 🍴 rist, 📶 🏋 P 🚗
via Andrea Noale 291 ✉ *00010* Ⓜ *Rebibbia* VISA ⊕ AE ① ↺
– ☏ 06 22 76 61 – www.accorhotels.com/italia – h3303@accor.com
– Fax 062 29 17 50 2 BQ**x**
149 cam – 🛏109/190 €, 🛏🛏109/240 €, � 12 € – 2 suites **Rist** – Carta 34/46 €
♦ Moderna struttura, lungo il Grande Raccordo Anulare, dotata di confort di livello internazionale in linea con gli standard della catena di appartenenza. Belle camere. Gusto minimalista al ristorante, con separè in legno di ciliegio per dare alle sale l'ampiezza voluta.

sulla strada statale 6 - via Casilina Est : 13 km *(Roma : pianta 2)* :

🏨 **Myosotis** 🦢 🚗 🏠 🎽 🌀 🛁 🚶 AC 📶 🏋 P VISA ⊕ AE ① ↺
piazza Pupinia 2, località Torre Gaia ✉ *00133 –* ☏ *062 05 44 70*
– www.myosotishotel.it – hotelmyosotis@tiscali.it – Fax 062 05 36 71 2 BR**u**
50 cam ⊃ – 🛏78 € 🛏🛏114 € – ½ P 77 €
Rist *Villa Marsili* – via Casilina 1604, ☏ 062 05 02 00 *(chiuso dal 10 al 31 agosto)*
Carta 27/36 €
♦ Immersa in un parco di alberi secolari, un'antica residenza nobiliare fine '800 dove godere di una piacevole ambientazione da signorile casa privata e confort di altissimo livello. A circa 200 m il ristorante: mozzarelle di bufala, paste saltate nei sughi più diversi e grigliate espresse.

sulla strada statale 1 - via Aurelia Ovest : 13 km *(Roma: pianta 6)* :

XX **R 13 Da Checco** 🏠 AC 🍽 ⟳ P VISA ⊕ AE ① ↺
via Aurelia 1249 al km 13, uscita zona commerciale ✉ *00166*
– ☏ 06 66 18 00 96 – www.ristorantecheccoal13.com – contatti@
ristorantecheccoal13.com – Fax 06 66 18 25 47 – chiuso agosto, domenica sera e
lunedì 1 AR**m**
Rist – Carta 32/53 €
♦ Tradizione familiare che supera il mezzo secolo per questo ristorante, fuori porta, con spazi ariosi e fresca veranda. Dalla cucina, ricette romane e specialità di pesce fresco...naturalmente esposto in sala.

a Spinaceto uscita 26 Grande Raccordo Anulare Sud : 13 km – ✉ **00100**

🏨 **Four Points Hotel Sheraton Roma West** 🍴 🌀 🛁 🎽 🚸 AC
viale Eroi di Cefalonia 301 🍽 📶 🏋 🚗 VISA ⊕ AE ① ↺
– ☏ 06 50 83 41 11 – www.fourpoints.com/romawest – gm@fourpointsroma.com
– Fax 06 50 83 47 90
240 cam ⊃ – 🛏255/305 € 🛏🛏340 € – 6 suites **Rist** *Apulia* – Carta 47/62 €
♦ Arredi moderni, *savoir-faire* e prezzi competitivi per una struttura che si sviluppa orizzontalmente e che vanta una moderna impostazione generale. Particolarmente indicato per i congressi e alla clientela d'affari. Tappa gastronomica al ristorante: pesce, carne e un'attenzione particolare alla Puglia.

a Ciampino Sud-Est : 15 km *(Roma: pianta 7)* : – ✉ **00043**

🏠 **Villa Giulia** senza rist 🚸 AC 🍽 🚗 VISA ⊕ AE ① ↺
via Dalmazia 9 Ⓜ *Anagnina –* ☏ *06 79 32 18 74 – www.hotelvillagiulia.it*
– villagiuliahotel@virgilio.it – Fax 06 79 32 19 94 2 BR**b**
23 cam ⊃ – 🛏50/100 € 🛏🛏80/140 €
♦ Sembra quasi un'abitazione privata, questo piccolo albergo centrale e tranquillo, semplice ma con camere funzionali e ben accessoriate.

sulla strada statale 3 - via Cassia Nord-Ovest : 15 :

🏨 **Castello della Castelluccia** 🕭 🚗 ⏏ 🍴 🕭 👤 cam, 🅰🅲 ⚡ rist, 📞
località la Castelluccia, via Cavina 40 🅿 P 💳 ⚹⚹ 🅰🅴 ⓘ 💲
☒ 00123 – 𝒞 06 30 20 70 41 – www.lacastelluccia.com
– info@lacastelluccia.com – Fax 06 30 20 71 10
20 cam ⌹ – 🛉150/235 € 🛉🛉180/320 € – 3 suites
Rist Locanda della Castelluccia (prenotazione obbligatoria) Carta 48/68 €
♦ Castello eretto a fine XII sec, sito in una vasta area verde che include anche un giardino all'italiana. Ricco di charme, con una torre/terrazza panoramica, si è arricchito di un bagno turco e di una zona massaggi: quando l'ospitalità incontra la *remise en forme*. Austerità medievale e cucina moderna al ristorante.

sulla via Tiburtina uscita 13 Grande Raccordo Anulare

🍴🍴 **Ore Dodici** 🕭 🕭 🅰🅲 ⚡ 💳 ⚹⚹ 🅰🅴 💲
via di Salone ☒ 00131 – 𝒞 06 41 40 40 58 – www.oredodici.net
– info@oredodici.net – Fax 064 19 39 92
– chiuso dall'8 agosto al 1° settembre   BQy
Rist – Carta 30/44 €
♦ Tra faretti, specchi e TV al plasma, un design restaurant interessante per una curiosa pausa pranzo: piatti apparentemente semplici, preparati con prodotti mediterranei e creatività.

a Casal Palocco uscita 27 Grande Raccordo Anulare Sud: 20 km – ☒ 00124

🏠 **Relais 19** senza rist 🚗 ⏏ 🛴 🅰🅲 📶 🚗 💳 ⚹⚹ 🅰🅴 💲
via Lisippo 21 – 𝒞 06 97 27 33 77 – www.relais19.com – info@relais19.com
– Fax 06 97 27 34 59
6 cam ⌹ – 🛉90/110 € 🛉🛉130/150 €
♦ Per un soggiorno raffinato, nella villa che fu scelta come *buen ritiro* dal regista S. Leone: poche camere, caratterizzate da un colore ed uno stile diverso, ma accomunate da quella cura del dettaglio cha fa la differenza.

🍴🍴 **Le Gemelle** 🕭 🅰🅲 💳 ⚹⚹ 🅰🅴 💲
viale Gorgia di Leontini 3 – 𝒞 06 50 91 22 06 – www.legemelle.it
– le.gemelle@virgilio.it – chiuso dal 2 al 9 gennaio e dal 10 al 23 agosto
Rist – Carta 31/41 €
♦ Conduzione tutta al femminile per questo simpatico locale che trae il proprio nome dalle originarie proprietarie, due gemelle. Tavoli quadrati e rettangolari, ben distanziati, coperto curato, discreta carta dei vini e poi tante proposte di pesce, semplici e moderne.

ROMAGNANO SESIA – Novara (NO) – 561F7 – 4 208 ab. – alt. 268 m   23 **C2**
– ☒ 28078

▶ Roma 650 – Biella 32 – Milano 76 – Novara 30

🍴 **Alla Torre** 🕭 🅰🅲 ⇄ 💳 ⚹⚹ 🅰🅴 ⓘ 💲
via 1° Maggio 75 – 𝒞 01 63 82 64 11 – www.ristoranteallatorre.it – info@
ristoranteallatorre.it – Fax 01 63 82 64 11 – chiuso dal 1° al 20 gennaio e lunedì
Rist – Carta 25/39 € ⏛
♦ Una trattoria di centro paese, ricavata all'interno di una torre del XV secolo, piacevolmente rustica ed informale. Cucina attuale, anche se nel solco della tradizione.

ROMANO CANAVESE – Torino (TO) – 2 957 ab. – alt. 260 m   22 **B2**
– ☒ 10090

▶ Roma 685 – Torino 42 – Alessandria 105 – Asti 112

🏨 **Relais Villa Matilde** 🕭 ≪ 🐕 ⏏ 🍴 🛴 🍴 🕭 👤 cam, 🅰🅲 ⚡ rist,
via Marconi 29 – 𝒞 01 25 63 92 90   📶 👤 🅿 🚗 💳 ⚹⚹ 🅰🅴 ⓘ 💲
– www.relaisvillamatilde.com – villamatilde@sinahotels.it – Fax 01 25 71 26 59
43 cam ⌹ – 🛉180/245 € 🛉🛉248/365 € – 11 suites   **Rist** – Carta 45/65 €
♦ Cinta da un parco rigoglioso, la villa settecentesca è stata convertita in un gradevole e moderno albergo con ambienti comuni dalle sale affrescate, camere di diverse tipologie e un nuovo piccolo centro benessere. Suggestiva ed elegante la sala ristorante, realizzata nella vecchia scuderia.

ROMANO D'EZZELINO – Vicenza (VI) – 562E17 – **13 547 ab.**   35 **B2**
– alt. 132 m – ✉ 36060

> 🚗 Roma 547 – Padova 54 – Belluno 81 – Milano 238

XX **Al Pioppeto**   🚗 🚏 AC ♻ P VISA ⚹⚹ AE ① ♿
via San Gregorio Barbarigo 13, località Sacro Cuore, Sud : 4 km
– 𝒞 04 24 57 05 02 – www.pioppeto.it – info@pioppeto.it – Fax 04 24 57 07 33
– *chiuso dal 1° all' 8 gennaio, dal 3 al 20 agosto e martedì*
Rist – Carta 22/29 €

♦ Risorsa che si propone secondo uno stile classico di buon tono, con grandi spazi sia interni sia esterni. Linea gastronomica d'ispirazione tradizionale: concreta e senza fronzoli.

ROMENO – Trento (TN) – 562C15 – **1 296 ab.** – ✉ 38010   30 **B2**

> 🚗 Roma 644 – Trento 49 – Bolzano / Bozen 38 – Meran / Merano 48

X **Nerina**   🍴 VISA ⚹⚹ AE ① ♿
(⚙) *via De Gasperi 31, località Malgolo* – 𝒞 04 63 51 01 11 – www.albergonerina.it
– *info@albergonerina.it* – Fax 04 63 51 00 01 – *chiuso dal 18 al 31 ottobre e martedì*
Rist – (consigliata la prenotazione) Carta 24/32 €

♦ Piccola sorpresa questa esperta gestione familiare veramente cordiale che con grande semplicità propone piatti regionali trentini così come dolci della terra d'origine: Napoli.

RONCADELLE – Brescia – Vedere Brescia

RONCEGNO – Trento (TN) – 562D16 – ✉ 38050   31 **C3**

> 🚗 Roma 635 – Trento 38 – Vicenza 186

🏨 **Park Hotel Villa Angiolina** ⚘   🚗 🍖 L⅃ 🛗 🍴 rist, 🏋 P
(⚙⚙) *via Roma 5* – 𝒞 04 61 77 10 71 – www.villaangiolina.it   VISA ⚹⚹ ① ♿
– *info@villaangiolina.it* – Fax 04 61 77 16 89
43 cam �! – †60/98 € ††104/140 € – ½ P 60/80 €   **Rist** – Carta 15/47 €

♦ Ricavato da una villa dei primi del Novecento sita nella cornice delle Dolomiti, l'hotel ospita spaziose e confortevoli camere classiche, zona benessere e sala riunioni. Particolarmente vocato alla tradizione banchettistica, il ristorante è articolato su due sale e propone piatti classici regionali.

RONCOFREDDO – Forlì-Cesena (FO) – 562J18 – **2 973 ab.** – alt. 314 m   9 **D2**
– ✉ 47020

> 🚗 Roma 326 – Rimini 27 – Bologna 109 – Forlì 44

🏠 **i Quattro Passeri** senza rist ⚘   ⟨ 🚗 ⅃ 📶 P VISA ⚹⚹ AE ① ♿
località Santa Paola – 𝒞 05 41 94 95 22 – www.4passeri.com – info@
4passeri.com – Fax 05 41 94 95 22 – *chiuso gennaio e febbraio*
6 cam �! – †75/110 € ††110/180 €

♦ Un angolo di paradiso in questo casale del XIX sec., sapientemente ristrutturato, dove eleganza e raffinatezza hanno trovato dimora. Le camere, originali e confortevoli, sono contraddistinte da nomi ornitologici.

a Monteleone Ovest: 6 km – ✉ 47020

🏠 **la Tana del Ghiro** senza rist ⚘   ⟨ 🚗 ⅃ AC 🍴 VISA ⚹⚹ ♿
via provinciale Monteleone 3500 – 𝒞 05 41 94 90 07 – www.tanadelghiro.com
– *info@tanadelghiro.com* – Fax 05 41 80 23 53 – *chiuso dal 15 gennaio al 28 febbraio*
8 cam �! – †60/70 € ††90/110 €

♦ Nella quiete di un piccolo borgo, una casa di campagna (totalmente ristrutturata) gestita da una coppia di coniugi, ritiratisi qui per sfuggire alla frenesia della città. Per un soggiorno di relax, sole e panorama.

RONTI – Perugia – Vedere Città di Castello

RONZONE – Trento (TN) – 562C15 – 369 ab. – alt. 1 097 m – ✉ 38010   30 **B2**
▶ Roma 634 – Bolzano 33 – Merano 43 – Milano 291

XXX   **Orso Grigio** (Cristian Bertol)   🏠 🕭 ♻ 🅿 VISA ⓿ 🅰🅴 ⓿ ⑤
❄️   *via Regole 10 – ✆ 04 63 88 06 25 – www.orsogrigio.it – info@orsogrigio.it*
  – Fax 04 63 88 06 34 – chiuso dal 10 gennaio al 10 febbraio e martedì
  Rist – Carta 42/67 € ❦
  Spec. Terrina di capriolo. Gnocchi alle erbette di campo. Tagliata di cervo al
  mirtillo rosso con polenta di patate e pera.
  ♦ Situato poco fuori il paese - al limitare del bosco - lungo la strada che porta al passo
  della *Mendola*, tavoli spaziosi ed arredi eleganti, ma soprattutto una cucina elaborata
  con proposte e prodotti interessanti. Ottimo servizio e buona cantina. Dieci suite per
  abbandonarsi tra le braccia di Morfeo.

ROSETO DEGLI ABRUZZI – Teramo (TE) – 563N24 – 23 420 ab.   1 **B1**
– ✉ 64026
▶ Roma 214 – Ascoli Piceno 59 – Pescara 38 – Ancona 131
🛈 piazza della Libertà 37/38 ✆ 085 8931608, iat.roseto@abruzzoturismo.it,
  Fax 085 8991157

🏠   **Tonino-da Ada**   🅰🅲 🕭 cam, 🅿 VISA ⓿ 🅰🅴 ⓿ ⑤
  via Mazzini 15 – ✆ 08 58 99 31 10 – www.albergotonino.biz – info@
  albergotonino.biz – Fax 08 58 93 22 10 – Pasqua-settembre
  18 cam – †45/55 € ††50/60 €, � 5 € – ½ P 45/62 €
  Rist – *(chiuso lunedì) (solo per alloggiati)*
  ♦ Nella silenziosa zona residenziale poco distante dal lungomare, una pensione dotata
  di semplici ambienti ma con un'atmosfera familiare e di una calorosa accoglienza.

XX   **Tonino-da Rosanna** con cam   🅰🅲 cam, 🕭 VISA ⓿ ⑤
🍴   *via Volturno 11 – ✆ 08 58 99 02 74 – www.albergotoninodarosanna.com*
  – Fax 08 59 15 00 10 – aprile-settembre
  7 cam – ††45/55 €, � 5 € – ½ P 50/60 €
  Rist – *(chiuso martedì escluso da giugno a settembre)* Carta 30/61 €
  ♦ La freschezza del mare da godere in ambienti di taglio diverso, ma di eguale piacevolezza: dal pranzo veloce, alla cena romantica, passando per l'evento speciale. Dispone
  anche di alcune camere.

ROSOLINI (SR) – 565Q26 – Vedere Sicilia alla fine dell'elenco alfabetico

ROSSANO STAZIONE – Cosenza (CS) – 564I31 – ✉ 87068   5 **B1**
▶ Roma 503 – Cosenza 96 – Potenza 209 – Taranto 154

🏨   **Scigliano**   🔊 🅰🅲 🕭 rist, ❝◉❞ 🕻 🅿 VISA ⓿ 🅰🅴 ⓿ ⑤
  viale Margherita 257 – ✆ 09 83 51 18 46 – www.hotelscigliano.it – hscigliano@
  hotelscigliano.it – Fax 09 83 51 18 47
  36 cam � – †54/65 € ††85/110 € – ½ P 58/63 €   **Rist** – Carta 22/31 €
  ♦ In una moderna palazzina nella zona centrale e commerciale della località, dove le
  camere possono offrire un buon relax, in piccola parte inficiato dal traffico stradale.
  Sala ristorante dalle linee essenziali e dallo stile votato alla funzionalità.

🏠   **Agriturismo Trapesimi** 🌿   🕭 rist, 🅿 VISA ⓿ 🅰🅴 ⓿ ⑤
🐄   *contrada Amica, Est : 4 km – ✆ 098 36 43 92 – www.agriturismotrapesimi.it*
  – info@agriturismotrapesimi.it – Fax 09 83 29 08 48
  7 cam � – †39 € ††78 € – ½ P 50/60 €
  Rist – *(prenotazione obbligatoria)* Menu 18/30 €
  ♦ Caratteristica risorsa ricavata dalla ristrutturazione di un antico casale circondato da
  ulivi. Offre una grande tranquillità, accompagnata dai piaceri di una cucina genuina.

ROTA D'IMAGNA – Bergamo (BG) – 561E10 – 835 ab. – alt. 665 m   19 **C1**
– ✉ 24037
▶ Roma 628 – Bergamo 26 – Lecco 40 – Milano 64

🏨   **Miramonti** 🌿   ⬅ 🚲 🔊 🅰🅲 rist, 🕭 rist, ❝◉❞ 🅿 VISA ⓿ 🅰🅴 ⓿ ⑤
  via alle Fonti 5 – ✆ 035 86 80 00 – www.h-miramonti.it – info@h-miramonti.it
  – Fax 035 86 80 00 – marzo-novembre e 24 dicembre-5 gennaio
  47 cam � – †45/50 € ††65/75 € – ½ P 57/65 €   **Rist** – Carta 23/33 €
  ♦ Confortevoli le belle camere di questa piccola struttura familiare che consentono di abbracciare con lo sguardo la valle. Dispone anche di uno spazio per trattamenti di benessere.

ROTA (Monte) = RADSBERG – Bolzano – Vedere Dobbiaco

ROTONDA – Potenza (PZ) – 564H30 – 3 834 ab. – alt. 634 m – ⊠ 85048   4 **C3**
🚗 Roma 423 – Cosenza 102 – Lagonegro 45 – Potenza 128

XX   **Da Peppe**   🗚 ✿ 𝚅𝙸𝚂𝙰 ⓪ 𝔸𝔼 ① ⤶
🍽   *corso Garibaldi 13 – ℰ 09 73 66 78 38 – www.demarcof.com*
   – dapepperistorante@tiscali.it – Fax 09 73 66 12 51 – chiuso le sere di domenica e
🙂   *lunedì escluso da giugno a settembre*
   Rist – Carta 17/26 €
   ♦ La cucina s'ispira principalmente ai prodotti del territorio, funghi, tartufi e paste fresche, fino ad una selezione di carni esotiche. Due le sale: una ampia a piano terra, l'altra più intima e curata al primo piano.

ROTTOFRENO – Piacenza (PC) – 561G10 – 9 391 ab. – alt. 65 m   8 **A1**
– ⊠ 29010
🚗 Roma 517 – Piacenza 13 – Alessandria 73 – Genova 136

XX   **Trattoria la Colonna**   🗚 𝚅𝙸𝚂𝙰 ⓪ 𝔸𝔼 ① ⤶
  via Emilia Est 6, località San Nicolò, Est : 5 km – ℰ 05 23 76 83 43
   – ristorante.colonna@libero.it – Fax 05 23 76 09 40 – chiuso agosto, domenica,
   martedì sera
   Rist – Carta 36/64 € 🍸
   ♦ Nel '700 era una stazione di posta, oggi può vantarsi di essere l'edificio più longevo della località! Nella vecchia stalla trova posto il ristorante che propone i piatti della tradizione, di terra e di mare.

X   **Antica Trattoria Braghieri**   🗚 🕁 🅿 𝚅𝙸𝚂𝙰 ⓪ 𝔸𝔼 ① ⤶
🍽   *località Centora 21, Sud : 2 km – ℰ 05 23 78 11 23 – Fax 05 23 78 11 23 – chiuso*
   dal 1° al 15 gennaio, dal 25 luglio al 25 agosto, lunedì e la sera (escluso venerdì-sabato)
   Rist – Carta 17/26 €
   ♦ E' dal 1921 che le donne di famiglia si succedono nella gestione della trattoria! Due sale, una sobria l'altra più elegante, dove assaporare paste fatte in casa e preparazioni casalinghe tradizionali.

ROVATO – Brescia (BS) – 561F11 – 15 098 ab. – alt. 172 m – ⊠ 25038   19 **D2**
🚗 Roma 556 – Brescia 20 – Bergamo 33 – Milano 76

XXX   **Due Colombe** (Stefano Cerventi)   🗚 🕁 𝚅𝙸𝚂𝙰 ⓪ 𝔸𝔼 ① ⤶
❀   *via Roma 1 – ℰ 03 07 72 15 34 – www.duecolombe.com – stefano@*
   duecolombe.com – Fax 03 07 70 39 57 – chiuso dal 30 dicembre al 6 gennaio,
   dall'8 al 22 agosto, domenica sera e lunedì (anche domenica a mezzogiorno dal
   1° giugno al 31 agosto)
   Rist – Carta 47/93 € 🍸
   Spec. Caprese liquida con ostriche, burrata e sedano croccante. Spaghetti tiepidi, mazzancolle e polpa di ricci di mare. Gelato mantecato alla crema con confettura tiepida di fragole.
   ♦ Ricavato da un vecchio mulino ad acqua, ristorante di genere moderno-minimalista negli arredi, punta su una cucina estrosa e creativa... vincendo la scommessa.

ROVERETO – Trento (TN) – 562E15 – 34 592 ab. – alt. 212 m   30 **B3**
– ⊠ 38068
🚗 Roma 561 – Trento 22 – Bolzano 80 – Brescia 129
🛈 corso Rosmini 6 ℰ 0464 430363, info@aptrovereto.it, Fax 0464 435528

🏨   **Leon d'Oro** senza rist   🛗 🗚 🕁 🕁 📶 🕁 🅿 🚗 𝚅𝙸𝚂𝙰 ⓪ 𝔸𝔼 ① ⤶
  via Tacchi 2 – ℰ 04 64 43 73 33 – www.hotelleondoro.it – info@hotelleondoro.it
   – Fax 04 64 42 37 77
   56 cam � – ♦69/139 € ♦♦89/159 €
   ♦ Hotel munito di accogliente piano terra con vari ambienti comuni a disposizione degli ospiti e zona notte confortevole con camere dotate di arredi classici-contemporanei.

IERI, OGGI, **DOMENIS**®

IL FUTURO DELLA TRADIZIONE

DOMENIS®
DISTILLATORI DAL 1898

DISTILLERIA DOMENIS SRL - VIA DARNAZZACCO 30 - 33043 CIVIDALE DEL FRIULI (UD) - ITALIA
TEL +39 0432 731023 - FAX +39 0432 701153 - EMAIL INFO@DOMENIS.IT - WWW.DOMENIS.IT

🏨 **Rovereto** 🛏 🕌 🔲 AC ↳ 🌐 🛋 **P** 🚗 VISA ⚏ AE 🖐
*corso Rosmini 82 d – ℰ 04 64 43 52 22 – www.hotelrovereto.it – info@
hotelrovereto.it – Fax 04 64 43 96 44*
49 cam ⊆ – †65/135 € – ††95/155 € – ½ P 73/104 €
Rist *Novecento* – ℰ 04 64 43 54 54 *(chiuso 3 settimane in gennaio, 3 settimane
in agosto e domenica)* Menu 35/45 €
♦ Il completo rinnovo delle camere, avvenuto pochi anni or sono, ha accresciuto il confort delle stanze che ora si distinguono esclusivamente per le diverse metrature. Al ristorante originale ambientazione, fatta di tendaggi, piante, lampade e trompe-l'oeil.

🍴🍴 **San Colombano** 🛏 🕭 🔲 AC ⑤ ⇌ **P** VISA ⚏ AE 🖐
*via Vicenza 30, strada statale 46, Est : 1 km – ℰ 04 64 43 60 06
– sancolombano1@tin.it – Fax 04 64 48 70 42 – chiuso dal 6 al 21 agosto,
dal 28 dicembre al 6 gennaio, domenica sera e lunedì*
Rist – Carta 28/39 €
♦ Situato fuori città lungo la strada che porta a Vicenza, dispone di arredi contemporanei nella sala principale, maggiore intimità nella saletta al primo piano.

ROVETA – Firenze – Vedere Scandicci

ROVIGO ℙ (RO) – 562G17 – 50 778 ab. – ⊠ 45100 36 **C3**
▶ Roma 457 – Padova 41 – Bologna 79 – Ferrara 33
🛈 via Dunant 10 ℰ 0425 3386290, iat.rovigo@provincia.rovigo.it, Fax 0425
386270
📷 , ℰ 0425 41 12 30

🏨 **Cristallo** 🛏 🔲 AC ↳ ⑤ rist, 🌐 🛋 **P** VISA ⚏ AE 🖐 🖐
*viale Porta Adige 1 – ℰ 042 53 07 01 – www.bestwestern.it/cristallo_ro
– cristallo.ro@bestwestern.it – Fax 042 53 10 83*
48 cam ⊆ – †55/100 € ††70/140 € – ½ P 60/95 € **Rist** – Carta 29/37 €
♦ Ottimo punto di partenza per visite a mete naturalistiche e per escursioni nelle vicine città d'arte quali Venezia, Verona, Padova, la struttura - d'impronta moderna - vanta accessori e dotazioni al passo con i tempi. Ristorante classico nell'aspetto e nella proposta gastronomica improntata ad una sobria italianità.

🏨 **Corona Ferrea** *senza rist* 🛏 🔲 AC ⑤ 🌐 VISA ⚏ AE 🖐 🖐
*via Umberto I 21 – ℰ 04 25 42 24 33 – www.hotelcoronaferrea.com – info@
hotelcoronaferrea.com – Fax 04 25 42 22 92*
30 cam ⊆ – †77/83 € ††100/124 €
♦ Spazi comuni leggermente sacrificati, compensati da un ottimo servizio e da camere tutte simili, ma ben arredate. Prossimo al centro storico, ma in un palazzo moderno. Semplicità è la parola d'ordine.

🏠 **Granatiere** *senza rist* 🛏 🔲 AC VISA ⚏ AE 🖐 🖐
*corso del Popolo 235 – ℰ 042 52 23 01 – www.hotelgranatiere.it
– hotel.granatiere@libero.it – Fax 042 52 93 88*
23 cam – †50/67 € ††68/88 €, ⊆ 8 €
♦ Prossima al centro storico, soluzione in grado di offrire un discreto confort ad ottimi prezzi. Per turisti di passaggio, come uomini d'affari, a caccia di semplicità.

🍴 **Tavernetta Dante** 🛏 🔲 AC ⇌ VISA ⚏ 🖐
corso del Popolo 212 – ℰ 042 52 63 86 – chiuso 8 giorni in agosto e domenica
Rist – Carta 29/44 €
♦ Un'oasi lungo il corso trafficato che attraversa il centro di Rovigo: dall'ambientazione all'interno di un piccolo e grazioso edificio, alla cucina di mare e di terra.

RUBANO – Padova (PD) – 562F17 – 14 115 ab. – alt. 18 m – ⊠ 35030 37 **B2**
▶ Roma 490 – Padova 8 – Venezia 49 – Verona 72

🏨 **La Bulesca** ⑤ 🚗 🛏 🔲 AC ⑤ rist, 🌐 🛋 **P** VISA ⚏ AE 🖐 🖐
*via Fogazzaro 2 – ℰ 04 98 97 63 88 – www.labulesca.it – mail@labulesca.it
– Fax 04 98 97 55 43*
54 cam ⊆ – †70/80 € ††90/100 €
Rist La Bulesca – vedere selezione ristoranti
♦ L'ampia hall introduce alla discreta zona comune di questo confortevole hotel, dotato di arredi di grande solidità, anche nelle camere rinnovate. Adatto a clienti d'affari.

🏨 **Maccaroni** senza rist   🛗 🅰🅒 ⚟ 📶 🄿 🆅🅸🆂🅰 ⓒⓞ 🄰🄴 ① 👶

via Liguria 1/A, località Sarmeola – 𝒞 049 63 52 00 – www.alajmo.it
– maccaroni@alajmo.it – Fax 049 63 30 26
33 cam – ♥60/75 € ♥♥100/150 €, ⌿ 8 € – 1 suite
♦ Un albergo senza particolari pretese, ma comunque affidabile grazie alla solida gestione. Le stanze, d'impostazione tradizionale, sono complete di tutti i confort.

🍴🍴🍴 **Le Calandre** (Massimiliano Alajmo)   🅰🅒 ⚟ ⟺ 🄿 🆅🅸🆂🅰 ⓒⓞ 🄰🄴 ① 👶

❁ ❁ ❁ *strada statale 11, località Sarmeola – 𝒞 049 63 03 03 – www.alajmo.it*
– info@alajmo.it – Fax 049 63 30 26
– chiuso dal 1° al 22 gennaio, dal 9 agosto al 2 settembre, domenica e lunedì
Rist – Menu 175/200 € – Carta 84/155 € ⌂
Spec. Cappuccino di seppie al nero. Risotto allo zafferano con polvere di liquirizia. Carne cruda sulla corteccia, salsa d'uovo e tartufo.
♦ Grande tecnica per una cucina sofisticata, che accinge nel copioso patrimonio italiano di ricette alle quali apporta personalizzazione e fantasia. Paladino dell'alta gastronomia, apprezza e seleziona i migliori prodotti nazionali.

🍴🍴 **La Bulesca**   🍽 🅰🅒 ⚟ 🄿 🆅🅸🆂🅰 ⓒⓞ 🄰🄴 ① 👶

via Medi 2 – 𝒞 04 98 97 52 97 – www.ristorante-labulesca.it – info@
ristorante-labulesca.it – Fax 04 98 97 67 47 – chiuso del 31 dicembre al
7 gennaio, agosto, domenica e lunedì a mezzogiorno
Rist – Carta 32/50 € ⌂
♦ Un ristorante che in particolari occasioni può arrivare a ricevere diverse centinaia di persone, ma che sa esprimere una buona accoglienza anche in situazioni più intime.

🍴 **Il Calandrino**   🍽 🅰🅒 ⚟ 🄿 🆅🅸🆂🅰 ⓒⓞ 🄰🄴 ① 👶

strada statale 11, località Sarmeola – 𝒞 049 63 03 03 – www.alajmo.it
– calandrino@alajmo.it – Fax 049 63 30 00 – chiuso domenica sera
Rist – Carta 46/79 €
♦ Fratello minore delle Calandre, presenta una cucina più semplice e tradizionale ma sempre attenta ai prodotti. Snack bar e pasticceria ad orario continuato.

RUBBIANINO – Reggio Emilia (RE) – Vedere Quattro Castella

RUBBIANINO – Reggio Emilia (RE) – Vedere Quattro Castella

RUBBIARA – Modena (MO) – Vedere Nonantola

RUBIERA – Reggio Emilia (RE) – 562|14 – 12 664 ab. – alt. 55 m   8 B2
– ✉ 42048

▶ Roma 415 – Bologna 61 – Milano 162 – Modena 12

🍴🍴 **Osteria del Viandante**   🍽 ⚟ ⟺ 🆅🅸🆂🅰 ⓒⓞ 🄰🄴 ① 👶

piazza 24 Maggio 15 – 𝒞 05 22 26 06 38 – www.osteriadelviandante.com
– info@osteriadelviandante.com – Fax 05 22 26 06 22 – chiuso domenica
Rist – Carta 49/67 € ⌂
♦ Al primo piano di un edificio del 1300, ristorante intimo, piacevolissimo, con diverse sale affrescate. Ampia selezione di vini per accompagnare le ricercate carni.

🍴🍴 **Arnaldo-Clinica Gastronomica** (Anna e Franca Degoli) con cam

❁ *piazza 24 Maggio 3 – 𝒞 05 22 62 61 24*   🛗 ♿ cam, ⚟ 🆅🅸🆂🅰 ⓒⓞ 🄰🄴 ① 👶
– www.clinicagastronomica.com – arnaldo@clinicagastronomica.com
– Fax 05 22 62 81 45 – chiuso dal 24 dicembre al 2 gennaio, Pasqua ed agosto
32 cam ⌿ – ♥70/90 € ♥♥93/110 €
Rist – (chiuso domenica e lunedì a mezzogiorno) Carta 38/53 € (+15 %)
Spec. Spugnolata (lasagnetta con carne, besciamella e sugo di funghi). Carrello dei bolliti e degli arrosti. Torta di riso.
♦ La storia della cucina emiliana corre sui carrelli: dai celebri salumi alle paste asciutte o in brodo, con gustosa sosta sul bollito. Un baluardo della tradizione!

RUBIZZANO – Bologna – Vedere San Pietro in Casale

RUDA – Udine (UD) – 562E22 – **2 941 ab.** – alt. 12 m – ⊠ 33050   **11 C3**

   ▶ Roma 650 – Trieste 56 – Udine 40

XX   **Osteria Altran** (Alessio Devidè)   🍴 ⇔ **P** *VISA* ⦿ **AE** ⑤

🕄   *località Cortona 19, Sud-Est : 4 km – ℰ 04 31 96 94 02 – osteria.altran@libero.it*
– Fax 04 31 96 75 97 – chiuso dieci giorni in febbraio, dieci giorni in luglio, dieci giorni in novembre, lunedì, martedì
Rist – *(chiuso a mezzogiorno escluso sabato e domenica)* Menu 55/65 €
– Carta 54/71 € 🕸

Spec. Riso, farro ed orzo mantecati alle erbe, spuma di pernice. Coscia d'anatra laccata al sesamo. Zuppa di fragole, bavarese alla burrata, granita di frutto della passione.

♦ Rustico e romantico. In un'azienda vinicola immersa nel verde, potrete riscoprire una cucina che guarda alla tradizione, sovente rivisitata in interpretazioni più creative.

RUMIOD DESSUS – vedere Saint Pierre

RUNATE – Mantova – Vedere Canneto sull'Oglio

RUNCO – Ferrara (FE) – Vedere Portomaggiore

RUSSI – Ravenna (RA) – 562I18 – **10 647 ab.** – alt. 13 m – ⊠ 48026   **9 D2**

   ▶ Roma 374 – Ravenna 17 – Bologna 67 – Faenza 16

a San Pancrazio Sud-Est : 5 km – ⊠ 48020

X   **La Cucoma**   **AC** ⇔ **P** *VISA* ⦿ **AE** ① ⑤

   via Molinaccio 175 – ℰ 05 44 53 41 47 – cucoma1@alice.it – Fax 05 44 53 44 40
– chiuso agosto, domenica sera e lunedì
Rist – Carta 29/39 €

♦ Ubicato lungo la strada principale del paese, ristorante familiare con proposte che traggono ispirazione dal mare e ricco buffet di verdure.

RUTTARS – Gorizia – Vedere Dolegna del Collio

RUVIANO – Caserta (CE) – 564D25 – **1 877 ab.** – alt. 80 m – ⊠ 81010   **6 B1**

   ▶ Roma 195 – Napoli 56 – Benevento 41 – Campobasso 77

ad Alvignanello Sud-Est : 4 km – ⊠ 81010

⌂   **Agriturismo le Olive di Nedda** ⧖   ≤ 🐴 🍴 ♨ 🕸 **P**

   via Superiore Crocelle 14 – ℰ 08 23 86 30 52   *VISA* ⦿ **AE** ⑤
– www.olinedda.it – info@olinedda.it – marzo-ottobre
6 cam ⌷ – †100 € – ½ P 75 €   **Rist** – Menu 35 €

♦ Immerso tra verdeggianti colline e cinto da uliveti, una casa accogliente ideale per godersi al meglio una vacanza rilassante. Arredi rustici con mobilio in "arte povera". Cibi genuini e ricette di casa, dalla colazione alla cena.

RUVO DI PUGLIA – Bari (BA) – 564D31 – **25 859 ab.** – alt. 256 m   **26 B2**
– ⊠ 70037█ Italia

   ▶ Roma 441 – Bari 36 – Barletta 32 – Foggia 105

   ◉ Cratere di Talos★★ nel museo Archeologico Jatta – Cattedrale★

X   **U.P.E.P.I.D.D.E.**   ♨ ⇔ *VISA* ⦿ **AE** ① ⑤

🕄   *corso Cavour ang. Trapp. Carmine – ℰ 08 03 61 38 79 – www.upepidde.it*
– info@upepidde.it – Fax 08 03 60 13 60 – chiuso dal 10 luglio al 20 agosto e lunedì
Rist – *(consigliata la prenotazione)* Carta 25/40 € 🕸

♦ Indiscutibilmente caratteristico e fresco! Scavate all'interno della roccia che costituiva le antiche mura aragonesi, le quattro salette si susseguono sotto archi in pietra e mattoni. Altrettanto storica la cucina, tipica delle Murge.

SABAUDIA – Latina (LT) – 563S21 – **17 171 ab.** – ⊠ 04016 ▮ Italia   13 **C3**
> ▶ Roma 97 – Frosinone 54 – Latina 28 – Napoli 142

sul lungomare Sud-Ovest : 2 km :

🏨 **Le Dune** ᠔   ⇐ 🚗 🏠 ⌂ 🐦 𝕃♨ ✗ 🛎 ፅ 🚶 🅰🄲 ✂ 🛁 🅿
via lungomare 16 ⊠ 04016 – ℰ 077 35 12 91   🆅🅸🆂🅰 ◉◉ 🄰🄴 ◉ ċ
– www.ledune.com – hotel@ledune.com – Fax 077 35 12 92 51 – aprile-dicembre
77 cam ⌑ – ♦94/126 € ♦♦172/340 € – ½ P 124/210 €   **Rist** – Carta 41/72 €
♦ Nel cuore del parco del Circeo, un edificio bianco di indubbio fascino, ideale per una vacanza di relax da trascorrere tra mare, campi da tennis ed ampi ambienti luminosi. Presso la spaziosa ed accogliente sala ristorante, la classica cucina nazionale.

🏨 **Zeffiro** senza rist   ፅ 🄰🄲 ✂ 🅿 🆅🅸🆂🅰 ◉◉ 🄰🄴 ◉ ċ
via Tortini – ℰ 07 73 59 32 97 – www.hotelzeffiro.it – info@hotelzeffiro.it
– Fax 07 73 59 35 14
22 cam ⌑ – ♦50/170 € ♦♦60/200 €
♦ Un nuovo hotel situato all'interno di un centro residenziale, vanta camere dagli arredi moderni caratterizzati da accenni di design ed un piccolo giardino privato.

SACERNO – Bologna – Vedere Calderara di Reno

SACILE – Pordenone (PN) – 562E19 – **19 100 ab.** – alt. 25 m – ⊠ 33077   10 **A3**
> ▶ Roma 596 – Belluno 53 – Treviso 45 – Trieste 126

🏨 **Due Leoni** senza rist   🐦 𝕃♨ 🛎 ፅ 🄰🄲 ✂ 🕪 🛁 🚗 🆅🅸🆂🅰 ◉◉ 🄰🄴 ◉ ċ
piazza del Popolo 24 – ℰ 04 34 78 81 11 – www.hoteldueleoni.com – info@
hoteldueleoni.com – Fax 04 34 78 81 12
60 cam ⌑ – ♦110 € ♦♦150 €
♦ Affacciato sulla Piazza, un edificio porticato che nei due leoni in pietra ricorda la storia della città. Ambienti di discreta eleganza, nei quali domina un rilassante colore verde.

SACROFANO – Roma (RM) – 563P19 – **6 239 ab.** – alt. 260 m – ⊠ 00060   12 **B2**
> ▶ Roma 29 – Viterbo 59

✗   **Al Grottino**   🏠 ⇄ 🆅🅸🆂🅰 ◉◉ ◉ ċ
⊖⊙   *piazza XX Settembre 9 – ℰ 069 08 62 63 – Fax 069 08 60 12*
⊛   *– chiuso dal 16 al 28 agosto e mercoledì*
     Rist – Carta 21/33 €
♦ Sembra scavato nella roccia il caratteristico labirinto di sale che si articola sulla piazza del paese; si assaggia un po' di tutto spronati dal fiasco di vino al tavolo. Secondi alla brace.

SACRO MONTE – Novara – Vedere Orta San Giulio

SAINT PIERRE – Aosta (AO) – 561E3 – **2 716 ab.** – alt. 731 m – ⊠ 11010   34 **A2**
> ▶ Roma 747 – Aosta 9 – Courmayeur 31 – Torino 122

🏠 **La Meridiana Du Cadran Solaire**   🛎 ፅ 🛁 🅿 🚗 🆅🅸🆂🅰 ◉◉ ċ
località Chateau Feuillet 17 – ℰ 01 65 90 36 26 – www.albergomeridiana.it
– info@albergomeridiana.it – Fax 01 65 90 98 63
17 cam – ♦60/100 € ♦♦80/120 €, ⌑ 10 €
Rist – *(chiuso mercoledì e giovedì) (chiuso a mezzogiorno)* (prenotazione obbligatoria) Carta 37/66 €
♦ Lungo la strada per Courmayeur, una piccola bomboniera per attenzioni e cura dei particolari in un'atmosfera che rievoca il passato. Gran profusione di legno e arredi vecchio stile dalla sala colazione al salotto per finire alle camere. Il ristorante è nelle sapienti mani di uno chef fantasioso ed affermato.

🏠 **Lo Fleyè** senza rist ᠔   ⇐ ፅ ✂ 🅿 🚗 🆅🅸🆂🅰 ◉◉ 🄰🄴 ◉ ċ
frazione Bussan Dessus 91, Nord :1 km – ℰ 01 65 90 46 25 – www.lofleye.com
– info@lofleye.com – Fax 01 65 90 97 14 – chiuso 15 giorni in gennaio e giugno
13 cam ⌑ – ♦50/85 € ♦♦75/100 €
♦ In zona residenziale, nella parte alta del paese, un gradevole edificio in pietra ospita questo piccolo hotel dotato di belle camere, rinnovate recentemente, e quasi tutte spaziose. Posizione panoramica e tranquilla.

XX **La Tour**   P̲ VISA ⚫⚫ AE ① ♿

rue du Petit St. Bernard 16 – ℰ 01 65 90 44 02 – ristorante.latour@email.it
– Fax 01 65 90 44 02 – chiuso dal 7 al 21 gennaio, dal 1° all'8 ottobre, martedì
sera e mercoledì
Rist – (consigliata la prenotazione) Carta 31/37 €
♦ Un ristorante che farà parlar di sè, grazie ad una cucina che propone un'interessante
sintesi di piatti valdostani e piemontesi alla quale si aggiungono ricette più creative.

a Rumiod Dessus Nord: 8 km – ✉ **11010**

X **Al Caminetto**   🏠 P̲ VISA ⚫⚫ ♿
⌂
  – ℰ 01 65 90 88 32 – *chiuso da 7 al 15 gennaio, lunedì in luglio e agosto, anche*
martedì, mercoledì, giovedì a mezzogiorno da settembre a giugno
Rist – Carta 35/44 €
♦ Siete alla ricerca delle autentiche specialità valdostane, lontane dai cliché turistici e
preparate con intelligenza? Questo indirizzo fa al caso vostro: una semplice trattoria di
paese... ma che cucina!

SAINT RHEMY EN BOSSES – Aosta (AO) – 561E3 – 425 ab.   34 A2
– alt. 1 632 m – Sport invernali : 1 619/2 450 m ✠2, ✵ – ✉ **11010**

▶ Roma 760 – Aosta 20 – Colle del Gran San Bernardo 24 – Martigny 50

X **Suisse** con cam 🌿   ✱ rist, VISA ⚫⚫ AE ♿

via Roma 21 – ℰ 01 65 78 09 06 – www.hotelsuisse.it – info@hotelsuisse.it
– Fax 01 65 78 07 64 – chiuso maggio, ottobre e novembre
8 cam – †45/50 € ††65/72 €, � 7,50 € – ½ P 62/70 €   **Rist** – Carta 31/41 €
♦ A un passo dalla frontiera, in un agglomerato di poche abitazioni incuneate fra due
monti, una casa tipica del XVII secolo per assaporare le specialità valdostane. Camere
confortevoli in un rustico adiacente.

SAINT VINCENT – Aosta (AO) – 561E4 – 4 864 ab. – alt. 575 m   34 B2
– ✉ **11027** Italia

▶ Roma 722 – Aosta 28 – Colle del Gran San Bernardo 61 – Ivrea 46
🆔 via Roma 62 ℰ 0166 512239, info@saintvincentvda.it, Fax 0166 511335

🏨 **De La Ville** senza rist   📶 ♿ AK 🏊 📞 🚗 VISA ⚫⚫ AE ① ♿

via Aichino 6 ang. via Chanoux – ℰ 01 66 51 15 02 – www.hoteldelavillevda.it
– info@hoteldelavillevda.it – Fax 01 66 51 21 42 – chiuso dal 16 al 25 dicembre
39 cam ⊇ – †75/110 € ††95/150 €
♦ Nei pressi della centrale Via Chanoux, in area pedonale, un raffinato rifugio, curato e
di buon gusto, con arredi in legno scuro, confort moderni ed estrema cordialità.

🏨 **Atahotel Miramonti** senza rist   ← 📶 ♿ AK 🏊 ♿ 🚗

via Ponte Romano 25/27 – ℰ 01 66 52 56 11
– www.miramonti.atahotels.it – booking.miramonti@atahotels.it
– Fax 016 65 25 60 01
50 cam ⊇ – †70/100 € ††120/160 €
♦ Hotel completamente rinnovato, dall'aspetto moderno e di notevole impatto. Alle porte
del centro storico, offre spazi comuni ben arredati e camere validamente accessoriate.

🏨 **Paradise** senza rist   ← 🗏 🏊 📶 ♿ 🏃 🏊 📞 P̲ 🚗 VISA ⚫⚫ AE ① ♿

viale Piemonte 54 – ℰ 01 66 51 00 51 – www.hparadise.com – info@
hparadise.com – Fax 01 66 54 63 09
32 cam ⊇ – †50/85 € ††80/130 €
♦ Graziosa hall con ricevimento, salottino e angolo per le colazioni, camere nuove, in
legno chiaro e toni azzurri o salmone, comode; vicina al Casinò, una valida risorsa.

🏨 **Bijou**   📶 ♿ AK 🏊 📞 VISA ⚫⚫ ① ♿
⌂
piazza Cavalieri di Vittorio Veneto 3 – ℰ 01 66 51 00 67 – www.bijouhotel.it
– info@bijouhotel.it – Fax 01 66 51 34 30
31 cam ⊇ – †50/60 € ††80/120 € – ½ P 71/88 €
Rist – *(chiuso lunedì) (chiuso a mezzogiorno)* – Carta 22/42 €
♦ Sulla centrale piazza Cavalieri, salotto di Saint-Vincent, il calore dell'accoglienza e le
tinte degli arredi sono quelli in un'ospitale casa privata. La sala ristorante prosegue l'impressione di vivacità e calore domestico, nei colori e nel camino che rallegrano gli spazi.

Olympic 🏨   ⛀ AC 🌙 cam, ⁣))) 📶 VISA Ⓦ AE ① ⑤

via Marconi 2 – 📞 01 66 51 23 77 – www.holympic.it – hotelolympic@virgilio.it
– Fax 01 66 51 27 85 – chiuso dal 1° al 10 giugno e dal 25 ottobre al 20 novembre
10 cam ⛀ – ●55/70 € ●●65/100 € – ½ P 60/70 €
Rist – (chiuso martedì) Carta 39/49 €
♦ Prossimo al centro, la modesta impressione esterna e la piccola hall sono presto riscattate da eleganti camere e da un ottimo rapporto qualità/prezzo. Il ristorante si compone di due sale, di cui quella più interessante è una luminosa e panoramica veranda.

Les Saisons senza rist 🏠   ← ⛟ 📶 ⛱ ⑤ 🌙 P. VISA Ⓦ ⑤

via Ponte Romano 186 – 📞 01 66 53 73 35 – www.hotellessaisons.com
– lessaisons@inwind.it – Fax 01 66 51 25 73
22 cam ⛀ – ●40/50 € ●●75/80 €
♦ Posizione piuttosto tranquilla e panoramica, ai margini della cittadina: una casetta di recente costruzione, pulita e funzionale, con atmosfera familiare.

Batezar-da Renato XXX   AC VISA Ⓦ AE ① ⑤

via Marconi 1 – 📞 01 66 51 31 64 – Fax 01 66 51 23 78
– chiuso dal 15 al 30 novembre, dal 20 giugno al 10 luglio e mercoledì
Rist – (chiuso a mezzogiorno escluso sabato, domenica e giorni festivi)
Menu 50/80 € – Carta 55/85 € 🍴
♦ Non lontano dal casinò si celebra una cucina versatile e assortita: un'anima valdostana di salumi e polenta, diversi piatti di carne e proposte di pesce.

Le Grenier XX   AC ⟷ VISA ⓌAE ① ⑤

piazza Monte Zerbion 1 – 📞 01 66 51 01 38 – legrenier@alice.it
– Fax 01 66 53 98 53 – chiuso mercoledì
Rist – (chiuso a mezzogiorno escluso venerdì e sabato e festivi) (consigliata la prenotazione) Menu 44/60 € – Carta 49/69 €
♦ Nel cuore di Saint-Vincent, la suggestione di un vecchio granaio (grenier, in francese) con frumento a cascata, camino e utensili d'epoca alle pareti. Ma le sorprese non finiscono qui: è il turno della cucina a sedurre gli ospiti, inaspettatamente moderna con qualche richiamo alle tradizioni valdostane.

Del Viale XX   🏠 VISA Ⓦ ⑤

viale Piemonte 7 – 📞 01 66 51 25 69 – www.ristorantedelviale.com
– ruber.ruber@jumpy.it – Fax 01 66 51 25 69
– chiuso dal 25 maggio al 15 giugno e dal 1° al 20 ottobre
Rist – (chiuso a mezzogiorno) (consigliata la prenotazione) Carta 51/116 €
♦ Piccolo locale dall'atmosfera ovattata e raccolta; la cucina si muove su una linea nazionale sia creativa, sia classica.

Trattoria Amici X   🏠 🌙 VISA Ⓦ ① ⑤
🐾

via Biavaz 11 – 📞 01 66 51 34 72 – chiuso quindici giorni in febbraio e quindici giorni in ottobre
Rist – (chiuso mercoledì es1cuso da giugno a settembre) Carta 18/26 €
♦ Gestione familiare semplice e discreta, lontana dai clamori mondani del casinò: quasi una casa privata che apre le proprie porte per far assaporare la genuina cucina valdostana agli ospiti. Anzi, agli amici.

SALA BAGANZA – Parma (PR) – 562H12 – **4 695 ab.** – **alt. 162 m**   8 **A3**
– ✉ **43038**

▶ Roma 472 – Parma 12 – Milano 136 – La Spezia 105
🔲 La Rocca, 📞 0521 83 40 37
◉ Torrechiara ★ : affreschi ★ e ← ★ dalla terrazza del Castello Sud-Est : 10 km

I Pifferi X   ⛟ 🏠 ⟷ P. VISA Ⓦ AE ① ⑤

via Zappati 36, Ovest : 1 km – 📞 05 21 83 32 43 – ipifferi@tiscali.it
– Fax 05 21 83 10 50 – chiuso 24-25 dicembre e lunedì
Rist – 25 € – Carta 30/40 €
♦ Un solo chilometro basta per abbandonare il paese ed entrare nel verde. Qui si trova la stazione di posta appartenuta a Maria Luigia, incantevole contesto per i piatti parmigiani di sempre.

SALA BOLOGNESE – Bologna (BO) – 562I15 – **5 697 ab.** – **alt. 23 m**   9 **C3**
– ✉ **40010**

▶ Roma 393 – Bologna 20 – Ferrara 54 – Modena 42

✗ **La Taiadèla** 🏠 🅰🅲 ⚅ 🅿 💳 ⚫ 🄰🄴 ⓪ ⓰
via Longarola 25, località Bonconvento, Est : 4 km – ☏ 051 82 81 43
– Fax 051 82 94 16 – chiuso dal 1° al 15 gennaio, dal 1° al 15 luglio e domenica
Rist – Carta 29/40 €
♦ Localino isolato nel verde della Bassa: dietro al semplice bar all'ingresso, tre sale di cui una con veranda estiva, abbellita da vecchi oggetti. Piatti emiliani.

SALA COMACINA – Como (CO) – 561E9 – 598 ab. – alt. 213 m   16 **A2**
– ✉ 22010

▶ Roma 643 – Como 26 – Lugano 39 – Menaggio 11

🏠 **Taverna Bleu** ≤ 🚗 🏠 ▮❚ 🅰🅲 rist, ⚅ cam, ⑪ 🅿 💳 ⚫ 🄰🄴 ⓪ ⓰
via Puricelli 4 – ☏ 034 45 51 07 – www.tavernableu.it – info.reception@
tavernableu.it – Fax 034 45 47 73 – marzo-novembre
13 cam ☕ – ♦90/110 € ♦♦120/180 €   **Rist** – (chiuso martedì) Carta 29/54 €
♦ Piccolo hotel affacciato sul lago, adiacente alla piccola darsena della navigazione lacustre. All'esterno un bel giardino e varie terrazze, dentro camere in arte povera. Ristorante con proposte di cucina locale.

SALEA – Savona – 561J6 – Vedere Albenga

SALE MARASINO – Brescia (BS) – 561E12 – 3 076 ab. – alt. 190 m   19 **D1**
– ✉ 25057

▶ Roma 558 – Brescia 31 – Bergamo 46 – Edolo 67

🏠🏠 **Villa Kinzica** ≤ 🚗 🏠 ⛱ ▮❚ ⚹ cam, ♣ 🅰🅲 ⚅ ⑪ 🅿 🚗
via Provinciale 1 – ☏ 03 09 82 09 75   💳 ⚫ 🄰🄴 ⓪ ⓰
– www.villakinzica.it – info@villakinzica.it – Fax 03 09 82 09 90
17 cam ☕ – ♦80/100 € ♦♦80/100 €
Rist l'Uliveto di Villa Kinzica – ☏ 03 09 86 71 02 (chiuso dal 1° al 15 gennaio, 1 settimana in novembre, domenica sera e lunedì da ottobre ad aprile, lunedì a mezzogiorno da maggio a settembre) Carta 32/56 €
♦ Affacciata sul lago d'Iseo e separata da esso da un grazioso giardino, una bella villa con patio esterno ed ambienti curati in ogni dettaglio. Al posto dei vecchi magazzini, l'accogliente ristorante l'Uliveto propone squisiti piatti regionali.

SALERNO 🅿 (SA) – 564E26 – 136 678 ab. – ✉ 84100▮ Italia   6 **B2**

▶ Roma 263 – Napoli 52 – Foggia 154

🅸 piazza Vittorio Veneto 1 ☏ 089 231432, eptinfo@xcom.it, Fax 089 231432
via Roma 258 ☏ 089 224744, Fax 089 252576

◉ Duomo★★ B – Via Mercanti★ AB – Lungomare Trieste★ AB

🄲 Costiera Amalfitana★★★

Pianta pagina 1016

🏠🏠🏠 **Lloyd's Baia** ≤ ⛱ ▮❚ ♣♣ 🅰🅲 ⚅ rist, ⑪ 🄳 🅿 💳 ⚫ 🄰🄴 ⓰
via de Marinis 2, 3 km per ③ – ☏ 08 97 63 31 11
– www.lloydsbaiahotel.it – reception@lloydsbaiahotel.it – Fax 08 97 63 36 33
121 cam ☕ – ♦115/130 € ♦♦168/180 € – ½ P 107/112 €
Rist – Carta 27/39 €
♦ Aggrappato alla roccia che dà inizio alla costiera, grand hotel con terrazza dalla magnifica vista sulle acque turchine e comodo ascensore per la spiaggia. Siamo a Vietri: naturale, che qui si trovino le sue ceramiche. D'estate è aperto anche un ristorante in riva al mare.

🏠🏠🏠 **Mediterranea Hotel** ▮❚ ♣ 🅰🅲 ⚅ ⑪ 🄳 🅿 🚗 💳 ⚫ 🄰🄴 ⓪ ⓰
⊗ *via Salvador Allende, 4,5 km per ② ✉ 84131 – ☏ 08 93 06 61 11*
– www.mediterraneahotel.it – info@mediterraneahotel.it – Fax 08 95 22 30 56
60 cam ☕ – ♦84/105 € ♦♦104/135 € – ½ P 79/98 €   **Rist** – Carta 20/50 €
♦ In posizione un po' decentrata, moderna e funzionale struttura sulla strada che costeggia il mare. Camere accoglienti ed interni generosi, nonché moderni. Sala ristorante d'impostazione contemporanea e piatti classici in menu.

SALERNO

0   300 m

Circolazione regolamentata nel centro città

Fiorenza senza rist   🅰️🄲 🛜 📞 🦽 🅿️ 🚗 🆅🆂🅰️ 🄼🄲 🄰🄴 🅞 🖐️
*via Trento 145, località Mercatello, 3,5 km per ② ⊠ 84131 – ☏ 089 33 88 00
– www.hotelfiorenza.it – fioreaIb@tin.it – Fax 089 33 88 00*
30 cam ⊊ – †60/72 € ††82/107 €
♦ In posizione periferica, risorsa di buon confort, internamente rimodernata negli ultimi anni, ideale per clientela d'affari; camere funzionali e bagni ben rifiniti.

Plaza senza rist   🔊 🅰️🄲 🛜 📶 🆅🆂🅰️ 🄼🄲 🄰🄴 🅞 🖐️
*piazza Ferrovia o Vittorio Veneto 42 ⊠ 84123 – ☏ 089 22 44 77
– www.plazasalerno.it – info@plazasalerno.it – Fax 089 23 73 11*   B
42 cam ⊊ – †65/75 € ††100/107 €
♦ Un classico albergo di città, che occupa parte di un palazzo fine '800 di fronte alla stazione ferroviaria, comodo per la clientela di passaggio; camere essenziali.

XX **Il Timone**   🅰️🄲 🛜 ♿ 🆅🆂🅰️ 🄼🄲 🄰🄴 🖐️
*via Generale Clark 29/35, 4,5 km per ② ⊠ 84131 – ☏ 089 33 51 11
– ristoranteiltimone@hotmail.it – Fax 089 33 51 11 – chiuso domenica sera e lunedì*
Rist – Carta 35/45 €
♦ Animazione e servizio veloce in un locale sempre molto frequentato, ideale per gustare del buon pesce fresco, che sta in mostra in sala e lì viene scelto dal cliente.

1016

SALGAREDA – Treviso (TV) – 562E19 – 5 215 ab. – ✉ 31040   35 **A1**

▶ Roma 547 – Venezia 42 – Pordenone 36 – Treviso 23

✗✗ **Marcandole**   🛆 AK ⇔ P VISA ⚫ AE ① ✆
via Argine Piave 9, Ovest : 2 km – ✆ *04 22 80 78 81 – www.marcandole.it
– marcandole@alice.it – Fax 04 22 74 70 67 – chiuso mercoledì sera e giovedì*
Rist – Carta 43/65 €
◆ Nei pressi dell'argine del fiume Piave, una giovane conduzione e alcune salette, calde
e accoglienti, con bei soffitti lignei, o un gazebo esterno per sapori di pesce.

SALICE TERME – Pavia (PV) – 561H9 – alt. 171 m – ✉ 27052   16 **A3**

▶ Roma 583 – Alessandria 39 – Genova 89 – Milano 73

🛈 via Marconi 20 ✆ 0383 91207, turismo.salice@provincia.pv.it, Fax 0383 944540
🖾 ✆ 0383 93 33 70

✗✗✗ **Il Caminetto**   🛆 AK ✙ P VISA ⚫ AE ① ✆
via Cesare Battisti 15 – ✆ *038 39 13 91 – www.ilcaminettodisaliceterme.it – info@
ilcaminettodisaliceterme.it – Fax 03 83 94 43 41 – chiuso 1 settimana in gennaio,
1 settimana in giugno, 1 settimana in novembre e lunedì*
Rist – Carta 32/46 €
◆ Un ristorante-enoteca elegante, di lunga tradizione, a salda conduzione familiare;
un'accogliente sala con parquet, toni giallo ocra e camino rifinito in marmo.

✗✗ **Ca' Vegia** (Ivan Musoni)   🛆 AK ✙ VISA ⚫ AE ✆
😊 *viale Diviani 27 –* ✆ *03 83 94 47 31 – www.ristorantecavegia.it – cavegia@
libero.it – Fax 03 83 94 47 31 – chiuso 2 settimane in gennaio, 2 settimane in
ottobre, lunedì, martedì a mezzogiorno*
Rist – Carta 50/87 € 🏵
Spec. Il tonno: le tre età del gusto. Spaghetti di Gragnano con cozze e cioccolato amaro. Trancio di branzino al tè verde.
◆ Centrale, si è avvolti dalla romantica rusticità di pietre a vista e arredi in legno. Se ne
distacca la cucina con piatti più moderni e fantasiosi a prevalenza di pesce.

✗✗ **Guado**   🛆 AK ✙ VISA ⚫ AE ① ✆
viale delle Terme 57 – ✆ *038 39 12 23 – fabdei@libero.it – Fax 038 39 12 23
– chiuso dal 26 dicembre al 15 gennaio, mercoledì e giovedì a mezzogiorno*
Rist – Carta 34/44 €
◆ Una cucina con proposte d'impostazione classica, paste fresche e carni al forno tra le
specialità: un ambiente accogliente, con una sala da pranzo curata e raccolta.

SALÒ – Brescia (BS) – 561F13 – 10 178 ab. – alt. 75 m – ✉ 25087 ▌ Italia   17 **D1**

▶ Roma 548 – Brescia 30 – Bergamo 85 – Milano 126

🛈 piazza Sant'Antonio 4 ✆ 0365 21423, iat.salo@tiscali.it, Fax 0365 21423
🖾 Gardagolf, ✆ 0365 67 47 07
◉ Lago di Garda ★★★ – Polittico ★ nel Duomo

🏨 **Laurin**   🚗 🛆 ⫴ 🎋 ✙ rist, ⚖ P VISA ⚫ AE ① ✆
viale Landi 9 – ✆ *036 52 20 22 – www.laurinsalo.com – laurinbs@tin.it
– Fax 036 52 23 82 – chiuso dal 15 dicembre al 28 febbraio*
33 cam – ♦100/145 € ♦♦120/300 €, ☑ 15 € – ½P 120/195 €   **Rist** Carta 40/62 €
◆ Bella villa liberty con saloni affrescati e giardino con piscina; interni con arredi,
oggetti, dettagli dal repertorio dell'Art Nouveau, per un romantico relax sul Garda. Piatti
classici rivisitati serviti fra un tripudio di decori floreali, dipinti, colonne.

🏨 **Bellerive**   ⪡ 🛆 ⫴ & AK ✙ 📶 ⚖ P VISA ⚫ AE ① ✆
via Pietro da Salò 11 – ✆ *03 65 52 04 10 – www.hotelbellerive.it – info@
hotelbellerive.it – Fax 03 65 29 07 09 – chiuso dal 15 dicembre al 15 gennaio*
40 cam ☑ – ♦165/225 € ♦♦190/275 € – 7 suites   **Rist** – Carta 40/55 €
◆ Affacciato sul porticciolo turistico, un gradevole hotel piacevolmente in riva al lago; bella
piscina circondata da un giardino alla provenzale. Sala ristorante con arredi minimal chic.

🏨 **Vigna** senza rist   ⪡ ⫴ AK 📶 VISA ⚫ AE ① ✆
lungolago Zanardelli 62 – ✆ *03 65 52 01 44 – www.hotelvigna.it – hotel@
hotelvigna.it – Fax 036 52 05 16 – chiuso dal 15 dicembre al 15 gennaio*
27 cam – ♦65/105 € ♦♦85/145 €, ☑ 8 €
◆ Cordiale accoglienza in una storica locanda, oggi una risorsa con un settore notte
totalmente ristrutturato, quindi nuovo e moderno; bella sala colazioni panoramica.

🏠 **Benaco** ← 🍴 📶 🛎 ⚡ rist. 📶 VISA ⬤ AE ① ⓢ
lungolago Zanardelli 44 – ℰ 036 52 03 08 – www.benacohotel.com – info@
hotelbenacosalo.it – Fax 036 52 10 49 – chiuso dicembre e gennaio
19 cam ☞ – ♦65/75 € ♦♦95/115 € – ½ P 75/80 € **Rist** – Carta 32/53 €
◆ Un albergo da poco rinnovato, in felice posizione sul lungolago, in area chiusa al traffico: centrale, ma tranquillo, offre camere confortevoli e conduzione familiare. Fresca
veranda con un panorama delizioso, sul Garda e il territorio, per pasti estivi.

✗✗ **Antica Trattoria alle Rose** 📶 P VISA ⬤ AE ① ⓢ
via Gasparo da Salò 33 – ℰ 036 54 32 20 – ristoranti@roseorologio.it -
www.trattoriaallerose.it – Fax 036 54 32 20 – chiuso mercoledì
Rist – (consigliata la prenotazione) Carta 29/56 € ❀
◆ Di recente ristrutturata totalmente, una trattoria dallo stile tra il rustico e il moderno,
ove confort e tradizione si uniscono; proposte gastronomiche lacustri.

✗✗ **Alla Campagnola** 📶 P VISA ⬤ AE ① ⓢ
via Brunati 11 – ℰ 036 52 21 53 – www.lacampagnoladisalo.it – angelodalbon@
tin.it – Fax 03 65 29 95 88 – chiuso dal 6 gennaio al 10 febbraio e lunedì
Rist – Carta 40/52 € ❀
◆ Non direttamente sul lago, un ambiente piacevole, dai toni caldi, tipici di certe vecchie osterie, e tuttavia oggi raffinato; impronta familiare e ampia terrazza-veranda.

✗ **Osteria dell'Orologio** AC VISA ⬤ AE ① ⓢ
ⓐ *via Butturini 26 – ℰ 03 65 29 01 58 – www.osteriadellorologio.it*
– ristoranti@roseorologio.it – Fax 036 54 32 20
– chiuso mercoledì
Rist – Carta 34/46 € ❀
◆ Una sosta veloce per un bicchiere e qualche stuzzichino oppure un pasto completo?
A voi la scelta, entrambe le soluzioni sono possibili in questa trattoria giovane e informale, in centro paese.

a Barbarano Nord-Est : 2,5 km verso Gardone Riviera – ✉ 25087

🏨 **Spiaggia d'Oro** ⌂ ← 🚗 🍴 🏊 🛎 AC ⚡ rist. 📶 🏋 P
via Spiaggia d'Oro 15 – ℰ 03 65 29 00 34 VISA ⬤ AE ① ⓢ
– www.hotelspiaggiadoro.com – info@hotelspiaggiadoro.com
– Fax 03 65 29 00 92
36 cam ☞ – ♦♦140/230 € – ½ P 100/145 €
Rist *La Veranda* – Carta 32/48 €
◆ Prospiciente il porticciolo di Barbarano e dotato di un giardino direttamente sul lago,
con piscina, gradevole hotel dotato di un'ottima offerta wellness e SPA. Ben organizzato
il ristorante, presso il quale troverete la cucina regionale e piatti regionali.

a Serniga Nord : 6 km – ✉ 25087 – Salò

🏠 **Agriturismo Fattoria il Bagnolo** ⌂ ← 🚗 🍴 ♿ rist. ✗ P
località Bagnolo, Ovest : 1 km – ℰ 036 52 02 90 VISA ⬤ AE ⓢ
– www.ilbagnolo.it – info@ilbagnolo.it – Fax 036 52 18 77 – chiuso gennaio-
febbraio
9 cam ☞ – ♦♦90 € – ½ P 65 €
Rist – (chiuso a mezzogiorno escluso sabato e domenica) Carta 25/33 €
◆ Incantevole posizione, immersa nel verde, per questo complesso rurale di alto livello;
eleganti arredi con personalizzazioni in perfetto stile da casa di campagna. Al ristorante
piatti di carne proveniente dall'azienda agricola stessa.

SALSOMAGGIORE TERME – Parma (PR) – 562H11 – 18 794 ab. 8 A2
– alt. 160 m – ✉ 43039

▶ Roma 488 – Parma 30 – Piacenza 52 – Cremona 57
ℹ Galleria Warowland piazzale Berzieri ℰ 0524 580211, info@
portalesalsomaggiore.it, Fax 0524 580219
🖼 , ℰ 0524 57 41 28

Pianta pagina a lato

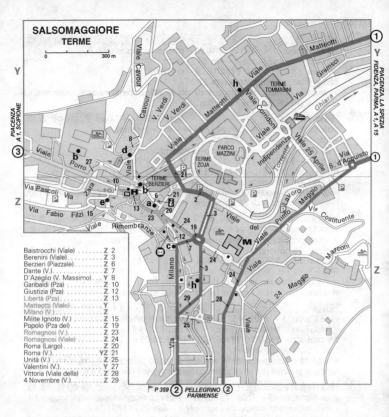

SALSOMAGGIORE TERME

0 — 300 m

PIACENZA A 1, SCIPIONE

PIACENZA, LA SPEZIA FIDENZA, PARMA, A 1, A 15

P 359 ② PELLEGRINO PARMENSE ②

🏨 Grand Hotel Porro 🌳 🔊 🌊 🍴 🛎 AC rist. 🍴 ⚓ 📶 🏊 P

viale Porro 10 – ℰ 05 24 57 82 21   VISA ⓜ AE ① 💲
– www.hotelporro.it – info@hotelporro.it – Fax 05 24 57 78 78   Yb
82 cam ⥮ – †170 € ††250 €   **Rist** – (solo per alloggiati)
♦ Sorto in età monarchica come punto di riposo per l'esercito, questo edificio in stile liberty cinto da un vasto parco offre ambienti spaziosi ed un moderno centro benessere.

🏨 Villa Fiorita   🍴 🛎 🕭 🏊 AC 🍴 rist. 📶 🏊 P ⇌ VISA ⓜ AE ① 💲

via Milano 2 – ℰ 05 24 57 38 05 – info@hotelvillafiorita.it – Fax 05 24 58 11 07
– chiuso dal 22 dicembre all'8 gennaio   Zc
48 cam ⥮ – †80/140 € ††110/190 €   **Rist** – (aprile-dicembre) Menu 35/45 €
♦ Centralissimo albergo rinnovato recentemente grazie all'impegno della nuova conduzione familiare. Ottimo confort sia nelle camere che negli spazi comuni. Comodo parcheggio.

🏨 Romagnosi   🕭 AC 🍴 rist. 📶 P VISA ⓜ AE 💲

piazza Berzieri 3 – ℰ 05 24 57 65 34 – www.albergoromagnosi.it – info@
albergoromagnosi.it – Fax 05 24 57 64 49 – chiuso dal 20 al 26 dicembre
39 cam ⥮ – †70/140 € ††110/180 € – 4 suites – ½ P 90/110 €   Za
Rist – (chiuso dall' 8 gennaio al 1° marzo) Carta 30/45 €
♦ Affacciate sul corso o sulle terme, le camere di questo palazzo settecentesco sono tutte nuove, eleganti con un tocco di rusticità nei soffitti con travi a vista. Gestione familiare. Moderna e luminosa la sala da pranzo.

1019

Kursaal   🖪 ♨ 🖭 ℀ rist. ᐧᑦᐧ 🏊 𝗩𝗜𝗦𝗔 ⊚ 🔆

via Romagnosi 1 – ℰ 05 24 58 40 90 – www.hotelkursaalsalso.it
– info@hotelkursaalsalso.it – Fax 05 24 58 30 57   **Zb**
40 cam ⊊ – ✝60/70 € ✝✝80/105 € – ½ P 78 €
Rist – *(solo per alloggiati)* Carta 27/37 €

♦ Un soffio di modernità in questa classica località; ambienti moderni, minimalisti ed essenziali per chi non ama il superfluo .

Ritz Ferrari   🖪 ♨ 🖭 & 🖭 ℀ 🏊 🄿 𝗩𝗜𝗦𝗔 ⊚ 🄰🄴 🔆

viale Milite Ignoto 5 – ℰ 05 24 57 77 44 – www.hotelrizferrari.it
– info@hotelrizferrari.it – Fax 05 24 57 44 10
– 26 dicembre-7 gennaio e marzo-15 novembre   **Ze**
34 cam – ✝70/90 € ✝✝100/155 €, ⊊ 15 € – ½ P 70/88 €
Rist – *(solo per alloggiati)* Carta 35/45 €

♦ Grazie a una dinamica gestione familiare, che ha rinnovato la struttura nel corso degli anni, l'albergo dispone di confortevoli camere, soprattutto quelle degli ultimi piani. Luminosa e ospitale sala da pranzo, dove gustare genuine ricette emiliane.

Excelsior   🖪 🖭 🖭 🖭 rist. ℀ rist. ᐧᑦᐧ 🏊 🄿 🚲 𝗩𝗜𝗦𝗔 ⊚ 🄰🄴 ① 🔆

viale Berenini 3 – ℰ 05 24 57 56 41 – www.hotelexcelsiorsalsomaggiore.it
– info@hotelexcelsiorsalsomaggiore.it – Fax 05 24 57 38 88
– marzo-25 novembre   **Zh**
60 cam ⊊ – ✝55/70 € ✝✝70/120 € – ½ P 55/70 €
Rist – *(solo per alloggiati)* Menu 15/30 €

♦ Posizione centrale, nei pressi del Palazzo dei Congressi e delle Terme, per questa struttura a conduzione familiare; camere semplici ed essenziali. Piccolo solarium.

Elite   🚲 🖭 & cam, 🖭 ℀ rist. 🄿 🚗 𝗩𝗜𝗦𝗔 ⊚ 🄰🄴 ① 🔆

viale Cavour 5 – ℰ 05 24 57 94 36 – www.hotelelitesalsomaggiore.it
– info@hotelelitesalsomaggiore.it – Fax 05 24 57 29 88   **Yd**
28 cam ⊊ – ✝55/70 € ✝✝100/120 € – ½ P 60/75 €
Rist – *(solo per alloggiati)*

♦ Sobrietà e funzionalità per gli ambienti di questo piccolo hotel: sorto da non molto tempo, si presenta con un'originale architettura in parte con pietra a vista.

Nazionale   🚲 🖭 🖭 ℀ rist. ᐧᑦᐧ 𝗩𝗜𝗦𝗔 ⊚ 🄰🄴 ① 🔆

viale Matteotti 43 – ℰ 05 24 57 37 57 – www.albergonazionalesalsomaggiore.it
– info@albergonazionalesalsomaggiore.it – Fax 05 24 57 31 14
– 26 dicembre-6 gennaio e marzo-7 novembre   **Yh**
42 cam – ✝50/70 € ✝✝80/130 €, ⊊ 10 € – ½ P 55/70 €
Rist – *(solo per alloggiati)* Carta 26/45 €

♦ Piccolo albergo a gestione familiare, semplice nella struttura, ma reso "grande" da una sincera e costante attenzione dei titolari per il benessere dei clienti. Ristorante ben organizzato, propone gustose ricette classiche.

a Cangelasio Nord-Ovest : 3,5 km – ⊠ 43039 – Salsomaggiore Terme

Agriturismo Antica Torre ⤷   ⤶ 🚲 ♨ ⛱ ℀ rist. 🏊 🄿

Case Bussandri 197 – ℰ 05 24 57 54 25 – www.anticatorre.it
– info@anticatorre.it – Fax 05 24 57 54 25
– marzo-novembre
10 cam ⊊ – ✝✝90/110 € – ½ P 65/75 €
Rist – *(chiuso a mezzogiorno) (solo per alloggiati)* Menu 20/25 €

♦ Sulle colline attorno a Salsomaggiore, un complesso rurale seicentesco con torre militare risalente al 1300: bella e piacevole realtà di campagna ove l'ospitalità è di casa.

SALTUSIO = SALTAUS – Bolzano – Vedere San Martino in Passiria

Le «promesse», segnalate in rosso nelle nostre selezioni,
distinguono i ristoranti suscettibili di accedere alla categoria superiore,
vale a dire una stella in più.
Le troverete nella lista dei ristoranti stellati, all'inizio della guida.

SALUDECIO – Rimini (RN) – 562K20 – **2 572 ab.** – **alt. 348 m** – ⊠ **47835** 9 **D3**

▶ Roma 393 – Bologna 152 – Faetano 29 – Montegiardino 35

✗✗ **Locanda Belvedere** con cam ⬧ ⬧ ⬧ ⬧ ⬧ **P** ⬧ ⬧ ⬧ ⬧ ⬧
via San Giuseppe 736, frazione San Rocco – ℰ *05 41 98 21 44*
– www.belvederesaludecio.com – belvederesaludecio@libero.it – Fax 05 41 98 21 44
6 cam ⬧ – †60/75 € ††80/100 € – ½ P 65/75 €
Rist – *(chiuso martedì) (chiuso a mezzogiorno escluso domenica e i giorni festivi)*
(consigliata la prenotazione) Carta 33/61 €
♦ La semplice trattoria-pizzeria è oggi un locale elegante avvolto da una calda accoglienza familiare. Nella nuova sala panoramica una cucina moderna che, tuttavia,
non neglige i prodotti del territorio. Belle e accoglienti camere, arredate con buon
gusto e mobili d'epoca. Tutte affacciate sulla vallata.

SALUZZO – Cuneo (CN) – 561I4 – **16 080 ab.** – **alt. 395 m** – ⊠ **12037** 22 **B3**

▶ Roma 662 – Cuneo 32 – Torino 58 – Asti 76

🅩 piazzetta Mondagli 5 ℰ 0175 46710, iat@comune.saluzzo.cn.it, Fax 0175
46718

🔟 Il Bricco, ℰ 0175 56 75 65

🏠 **Poggio Radicati** ⬧ ⬧ ⬧ ⬧ ⬧ ⬧ **P** ⬧ ⬧ ⬧ ⬧ ⬧
via San Bernardino 19 ⊠ *12037 Saluzzo* – ℰ *01 75 24 82 92*
– www.poggioradicati.com – info@poggioradicati.com – Fax 01 75 24 82 92
9 cam ⬧ – †110/140 € ††140/170 € – ½ P 106/121 €   **Rist** – Carta 38/41 €
♦ Circondata dalle prime colline, una graziosa risorsa di sobria eleganza con camere piacevolmente personalizzate. Lasciatevi coccolare dalla cucina: squisitamente ancorata al territorio.

🏠 **Griselda** senza rist ⬧ ⬧ ⬧ ⬧ ⬧ ⬧ ⬧ **P** ⬧ ⬧ ⬧ ⬧ ⬧
corso 27 Aprile 13 – ℰ *017 54 74 84* – *www.hotelgriselda.it* – *info@*
hotelgriselda.it – *Fax 017 54 74 89*
34 cam ⬧ – †60/85 € ††85/118 €
♦ A breve distanza dal centro storico, una struttura in vetro e cemento, con ricevimento
e salette per la colazione al piano terra e stanze funzionali e confortevoli. Gestione seria
e affidabile.

🏠 **Astor** senza rist ⬧ ⬧ ⬧ ⬧ ⬧ ⬧ ⬧
piazza Garibaldi 39 – ℰ *017 54 55 06* – *www.mtrade.com/astor* – *astor@*
mtrade.com – *Fax 017 54 74 50* – *chiuso dal 20 dicembre al 10 gennaio ed agosto*
22 cam ⬧ – †55/70 € ††80/93 €
♦ Pratico hotel nel centro storico, ma vicino alla stazione ferroviaria e all'area commerciale; settore notte sviluppato su sei piani, zone comuni ampie e gestione cordiale.

✗✗✗ **La Gargotta del Pellico** ⬧ ⬧ ⬧ ⬧ ⬧
piazzetta Mondagli 5 – ℰ *017 54 68 33* – *info@lagargottadelpellico.it*
– Fax 01 75 24 05 07 – *chiuso martedì, mercoledì a mezzogiorno*
Rist – Carta 28/40 €
♦ In pieno centro, a due passi dalla casa natale di Silvio Pellico, due salette con pochi
tavoli ed un arredo essenziale ma curato, dove attendere sapori piemontesi rivisitati.

✗✗ **L'Ostu dij Baloss** ⬧ ⬧ ⬧ ⬧ ⬧
via San Nicola 23 – ℰ *01 75 24 86 18* – *www.ostudijbaloss.it* – *ostu.baloss@*
gmail.com – *Fax 01 75 47 54 69* – *chiuso dal 1° al 10 gennaio, domenica (escluso*
maggio e settembre) e lunedì a mezzogiorno
Rist – Carta 44/55 € ⬧
♦ Lungo una stradina della città vecchia, la dimora nobiliare ha ceduto gli spazi del
primo piano ad un elegante locale dove scoprire una cucina legata al territorio, tra
ricerca e tradizione.

✗ **Taverna San Martino** ⬧ ⬧ ⬧ ⬧ ⬧
⬧⬧ *corso Piemonte 109* – ℰ *017 54 20 66* – *www.tavernasanmartino.com*
– info@tavernasanmartino.com
– chiuso dal 1° al 20 agosto, lunedì sera, martedì sera e mercoledì
Rist – Menu 16/22 €
♦ Un piccolo ristorante con un'unica saletta, ordinata e curata nei particolari: quadri,
travi in legno e sedie impagliate. Piatti casalinghi e piemontesi.

SALVAROSA – Treviso – Vedere Castelfranco Veneto

SAMBUCO – Cuneo (CN) – 561I3 – 89 ab. – alt. 1 184 m – ✉ 12010   22 **B3**

> ▶ Roma 657 – Cuneo 46 – Alessandria 171 – Asti 136

X **Della Pace** con cam ॐ   ⇐ 🚗 ⚑ 𝗩𝗜𝗦𝗔 ◐◉ 𝗔𝗘 ⇓
⊕ *via Umberto I 32* – ✆ 017 19 65 50 – *www.albergodellapace.com*
– *info@albergodellapace.com* – *Fax 017 19 66 28*
⊛ – *chiuso 1 settimana in giugno e 20 giorni in ottobre*
14 cam ☑ – †40/45 € ††67/70 € – ½ P 55/60 €
Rist – *(chiuso lunedì escluso da giugno a settembre)* Carta 20/30 €
♦ Una bella sala luminosa con pareti bianche e numerose finestre, tavoli ben distanziati
e soprattutto un menù con proposte del territorio e di tradizione occitana. Confortevoli
le camere, affacciate sulla pineta o sulle granitiche guglie del Monte Bersaio.

SAMPÈYRE – Cuneo (CN) – 561I3 – 1 129 ab. – alt. 976 m – ✉ 12020   22 **B3**

> ▶ Roma 680 – Cuneo 49 – Milano 238 – Torino 88

🏠 **Torinetto** ॐ   ⇐ 🚗 ▣ ⁂ ⸗ ⚑ 🅿 𝗩𝗜𝗦𝗔 ◐◉ 𝗔𝗘 ① ⇓
⊕ *borgata Calchesio 7, Ovest : 1,5 km* – ✆ 01 75 97 71 81 – *hoteltorinetto@*
tiscalinet.it – *Fax 01 75 97 71 04*
74 cam – †30/60 € ††50/80 €, ☑ 5 € – ½ P 40/55 €   **Rist** – Carta 21/32 €
♦ Un hotel grande, di montagna, recente, poco lontano dalla statale e in posizione
comunque tranquilla; arredi in legno, ambiente sobrio e accogliente. Vaste sale comuni.
Ampia sala ristorante al piano terra dell'albergo: luminosa, semplice.

SAN BARTOLOMEO AL MARE – Imperia (IM) – 561K6 – 3 042 ab.   14 **A3**
– ✉ 18016

> ▶ Roma 606 – Imperia 7 – Genova 107 – Milano 231
> 🛈 piazza XXV Aprile 1 ✆ 0183 400200, infosanbartolomeo@
> rivieradeifiori.travel Fax 0183 403050

🏢 **Bergamo**   🛆 ▣ ⁂ ▣ rist, ⁂ rist, 🛋 𝗩𝗜𝗦𝗔 ◐◉ 𝗔𝗘 ① ⇓
via Aurelia 15 – ✆ 01 83 40 00 60 – *www.hotelbergamomare.it* – *info@*
hotelbergamomare.it – *Fax 01 83 40 10 21* – *aprile-10 ottobre*
52 cam ☑ – †50/60 € ††65/80 € – ½ P 75 €   **Rist** – Menu 25/30 €
♦ Sulla via Aurelia eppure poco lontano dal mare, confortevole hotel a gestione familiare ormai in auge da parecchi anni, offre un ambiente accogliente e vasti spazi
comuni. Classica e luminosa la sala da pranzo, cinta da vetrate continue.

SAN BASILIO – Rovigo – 562H18 – Vedere Ariano nel Polesine

SAN BENEDETTO – Firenze – Vedere Montaione

SAN BENEDETTO DEL TRONTO – Ascoli Piceno (AP) – 563N23   21 **D3**
– 46 057 ab. – ✉ 63039

> ▶ Roma 231 – Ascoli Piceno 39 – Ancona 89 – L'Aquila 122
> 🛈 viale delle Tamerici 3/5 ✆ 0735 592237, iat.sanbenedetto@
> regione.marche.it, Fax 0735 582893

🏢 **Progresso**   ⇐ ▣ ⁂ ▣ ⁂ rist, ☎ ⚑ 𝗩𝗜𝗦𝗔 ◐◉ 𝗔𝗘 ① ⇓
viale Trieste 40 – ✆ 073 58 38 15 – *www.hotelprogresso.it* – *info@*
hotelprogresso.it – *Fax 073 58 39 80*
39 cam – †50/70 € ††80/120 €, ☑ 7 € – ½ P 85 €
Rist – *(marzo-ottobre)* Carta 30/42 €
♦ Sul lungomare, un hotel degli anni '20 che ha mantenuto lo stile architettonico dell'e-
poca. Gli interni, rinnovati e aggiornati, offrono un confort decisamente attuale. Nella
luminosa sala ristorante, la cucina nazionale e tante proposte di pesce.

🏢 **Solarium**   ⇐ ▣ ⁂ ▣ ⁂ rist, ⁕ 🅿 𝗩𝗜𝗦𝗔 ◐◉ 𝗔𝗘 ① ⇓
viale Scipioni 102 – ✆ 073 58 17 33 – *www.hotelsolarium.it* – *info@*
hotelsolarium.it – *Fax 073 58 18 16* – *chiuso dal 15 dicembre al 15 gennaio*
55 cam ☑ – †62/80 € ††82/106 € – ½ P 80/95 €
Rist – *(chiuso lunedì a mezzogiorno)* Carta 28/46 €
♦ Una struttura di color giallo, affacciata direttamente sulla passeggiata mare e rinnovata di recente in molti settori; è ideale punto di riferimento per tutto l'anno. Moderno
ambiente nella sala da pranzo, con vetrate continue e colonne rosse.

🔒 **Regent** senza rist   🏪 AC 🛜 🚗 VISA 🐱 AE ① ⑤

viale Gramsci 31 – ℰ 07 35 58 27 20 – www.hotelregent.it – info@hotelregent.it
– Fax 07 35 58 28 05 – chiuso dal 24 dicembre all'11 gennaio
26 cam ⚌ – †68/80 € ††100/118 €
♦ Un valido servizio, cura e confort, offerti da un albergo già gradevole dall'esterno; nei pressi del centro e del lungomare, nonché della stazione, cortesia e comodità.

🔒 **Arlecchino**   🏪 AC 🍽 🛜 VISA 🐱 AE ⑤

viale Trieste 22 – ℰ 073 58 56 35 – www.hotelarlecchino.it – info@
hotelarlecchino.it – Fax 073 58 56 82
30 cam – †50/70 € ††60/80 €, ⚌ 6 € – ½ P 69/83 €
Rist – *(15 giugno-15 settembre) (solo per alloggiati)*
♦ Lungo il viale che costeggia la marina, una risorsa impreziosita da una luminosa veranda esterna per le prime colazioni; settore notte non molto ampio, ma confortevole.

🏠 **Locanda di Porta Antica** senza rist   🛜 VISA 🐱 ① ⑤

piazza Dante 7 – ℰ 07 35 59 52 53 – www.locandadiportaantica.it – info@
locandadiportaantica.it – Fax 07 35 57 66 31 – chiuso dal 4 novembre al 31 gennaio
4 cam ⚌ – †72/88 € ††104/140 €
♦ Nella parte più antica della località, all'interno di un edificio composto e ricco di storia, poche camere graziose e ricche di personalità, buon gusto ed eleganza.

SAN BENEDETTO DI LUGANA – Verona – Vedere Peschiera del Garda

SAN BENEDETTO PO – Mantova (MN) – 561 G14 – 7 568 ab.   17 D3
– alt. 18 m – ⊠ 46027

▶ Roma 457 – Verona 58 – Mantova 23 – Modena 60

🏠 **Agriturismo Corte Medaglie d'Oro** senza rist 🌿   🚗 P

strada Argine Secchia 63, Sud-Est : 4 km – ℰ 03 76 61 88 02
– www.cortemedagliedoro.it – cobellini.claudio@virgilio.it – Fax 03 76 61 88 02
7 cam ⚌ – †30/40 € ††54/64 €
♦ Un angolo incontaminato della Bassa più autentica, a pochi metri dall'argine del Secchia. Originale atmosfera rurale, immersi tra i frutteti e accolti con passione.

🍴🍴 **L'Impronta**   AC ⇔ P VISA 🐱 AE ① ⑤

via Gramsci 10 – ℰ 03 76 61 58 43 – ristorante.impronta@libero.it
– Fax 03 76 61 58 43 – chiuso lunedì
Rist – *(prenotare)* Carta 27/35 €
♦ Un grazioso edificio d'epoca, restaurato e tinteggiato d'azzurro. In cucina uno chef che ama proporre una cucina personalizzata con estro, partendo dai prodotti del mantovano.

a San Siro Est : 6 Km – ⊠ 46027 – SAN BENEDETTO PO

🍴 **Al Caret**   AC ⇔

via Schiappa 51 – ℰ 03 76 61 21 41 – chiuso dal 10 al 20 agosto e lunedì
Rist – *(consigliata la prenotazione)* Carta 20/24 €
♦ Calda accoglienza e gestione familiare in questa trattoria di paese: una sala semplice, ma ben tenuta, dove gustare piatti locali e carne di bufala, la specialità della casa.

SAN BERNARDINO – Torino – Vedere Trana

SAN BERNARDO – Torino – Vedere Ivrea

SAN BONIFACIO – Verona (VR) – 562 F15 – 18 482 ab. – alt. 31 m   35 B3
– ⊠ 37047

▶ Roma 523 – Verona 24 – Milano 177 – Rovigo 71

🍴🍴🍴 **Relais Villabella** con cam 🌿   🚗 🏡 🏊 AC 🛜 🦌 P

via Villabella 72, Ovest : 2 km – ℰ 04 56 10 17 77   VISA 🐱 AE ① ⑤
– www.relaisvillabella.it – info@relaisvillabella.it – Fax 04 56 10 17 99 – chiuso dal 1° al 10 gennaio
12 cam ⚌ – †85/105 € ††170/190 €
Rist – *(chiuso lunedì sera, sabato a mezzogiorno e domenica)* Carta 32/72 €
♦ Tra i vigneti della Bassa Veronese, un relais di campagna ricavato da una elegante struttura colonica; per una pausa culinaria riservata scegliete la sala riscaldata da un camino intima e romantica. Ricche di fascino e di confort le camere, completate da graziosi piccoli bagni in marmo rosa.

SAN CANDIDO (INNICHEN) – Bolzano (BZ) – 562B18 – **3 120 ab.**   31 **D1**
– alt. 1 175 m – Sport invernali : – ⊠ **39038** Italia

🔁 Roma 710 – Cortina d'Ampezzo 38 – Belluno 109 – Bolzano 110

ℹ piazza del Magistrato 1 ℰ 0474 913149, info@sancandido.info, Fax 0474 913677

🏨 **Dolce Vita Family Chalet Postalpina** ⬉   ≤ 🚗 ⅃ 🖳 ⏰ 🎣
via Elmo 9, località Versciaco, Est 3   🌡 👤 ⚻ ✄ 🕪 **P** 🚐 **VISA** 🐞 **⑤**
Km – ℰ 04 74 91 00 61 – www.posthotel.it – info@posthotel.it
– Fax 04 74 91 36 35 – chiuso maggio e novembre
60 suites – ♦♦89/351 €, ⊆ 10 € – ½ P 75/206 €   **Rist** – Carta 30/65 €
♦ Un piccolo grazioso borgo a sé stante, composto da dieci *chalet* e da un edificio centrale. Gradevole il giardino così come l'armonioso centro benessere: tra natura e relax. Cucina legata alla tradizione nella romantica sala da pranzo.

🏨 **Panoramahotel Leitlhof**   ≤ 🚗 🖳 ⏰ 🎣 🌡 👤 ⚻ ✄ rist, 🕪 **P**
via Pusteria 29 – ℰ 04 74 91 34 40 – www.leitlhof.com   **VISA** 🐞 **⑤**
– info@leitlhof.com – Fax 04 74 91 43 00
– 4 dicembre-29 marzo e 29 maggio-4 ottobre
38 cam ⊆ – ♦60/162 € ♦♦120/275 € – ½ P 128/135 €
Rist – (solo per alloggiati)
♦ In tranquilla posizione periferica, con bel panorama su valle e Dolomiti, hotel recentemente ristrutturato con sapiente utilizzo del legno; attrezzato centro benessere.

🏨 **Cavallino Bianco-Weisses Rössl**   🖳 ⏰ 🎣 🌡 👤 ⚻ ✄ **AK** rist, 🕪
via Duca Tassilo 1 – ℰ 04 74 91 31 35   **P** 🚐 **VISA** 🐞 **AE** ① **⑤**
– www.cavallinobianco.info – hotel@cavallinobianco.info – Fax 04 74 91 37 33
– 15 dicembre-1° aprile e 21 giugno-1° ottobre
42 cam ⊆ – ♦129/149 € ♦♦240/280 € – ½ P 175/199 €   **Rist** – Carta 30/38 €
♦ Le Dolomiti dell'Alta Pusteria fanno da cornice a questo piacevole hotel nella zona pedonale del centro: un susseguirsi di sorprese e cortesia, soprattutto per famiglie. Nell'accogliente stube dalle pareti rivestite in massello, una cucina d'ispirazione moderna.

🏨 **Parkhotel Sole Paradiso-Sonnenparadies** ⬉   🚗 🐾 🖳 ⏰
via Sesto 13   🌡 👤 ✄ 🎣 ✄ rist, 🕪 🛁 **P VISA** 🐞 **⑤**
– ℰ 04 74 91 31 20 – www.sole-paradiso.com – info@soleparadiso.com
– Fax 04 74 91 31 93 – dicembre-marzo e giugno-15 ottobre
28 cam ⊆ – ♦87/180 € ♦♦114/200 € – 14 suites – ½ P 113/149 €
Rist – Carta 29/40 €
♦ Un caratteristico chalet in un parco pineta, un hotel d'inizio secolo scorso in cui entrare e sentirsi riportare indietro nel tempo; fascino, con tocchi di modernità. Al ristorante gradevoli arredi tipici e cucina del territorio.

🏨 **Villa Stefania** ⬉   🚗 🏠 🖳 ⏰ 🌡 👤 ⚻ 🌡 cam, ✄ ✄ rist, 🛁 **P**
via al Ponte dei Corrieri, 1 – ℰ 04 74 91 35 88   **VISA** 🐞 **⑤**
– www.villastefania.com – info@villastefania.com – Fax 04 74 91 62 55 – chiuso dal 14 aprile al 20 maggio e dal 5 ottobre al 28 novembre
31 cam ⊆ – ♦90/175 € ♦♦142/240 € – ½ P 104/155 €
Rist – (solo per alloggiati) Carta 31/43 €
♦ Tra le bellezze dei monti, calda atmosfera familiare per farvi scordare lo stress e coccolarvi con mille attenzioni. A disposizione camere nuove o più "nostalgiche". Grazioso ed attrezzato centro benessere.

🏨 **Dolce Vita Alpina Post Hotel** senza rist   🖳 ⏰ 🎣 ✄ ✄ 🕪 **P**
via Sesto 1 – ℰ 04 74 91 31 33 – www.posthotel.it – info@   **VISA** 🐞 **⑤**
posthotel.it – Fax 04 74 91 36 35 – 18 dicembre-5 aprile e 10 giugno-5 ottobre
48 cam ⊆ – ♦68/124 € ♦♦110/224 €
♦ Un esercizio di antica tradizione, rinnovato in tempi recenti; camere ampie, solari e gradevoli spazi comuni. Amena la terrazza-solarium con bella vista sui dintorni.

🏨 **Letizia** senza rist   ≤ 🚗 ⏰ 🎣 🕪 **P VISA** 🐞 **AE** **⑤**
via Firtaler 5 – ℰ 04 74 91 31 90 – www.sudtirol.com/letizia – hotel.letizia@dnet.it
– Fax 04 74 91 33 72
13 cam ⊆ – ♦♦80/125 €
♦ Un piccolo e piacevole albergo nella zona residenziale del centro; si propone con una conduzione familiare diretta e coordinata dalla simpatica signora Letizia.

SAN CASCIANO DEI BAGNI – Siena (SI) – 563 N17 – 1 729 ab.   29 D3
– alt. 582 m – ⊠ 53040

▶ Roma 158 – Siena 90 – Arezzo 91 – Perugia 58

🏨🏨🏨 **Fonteverde** ⚲   ⟨ ⟩ 🍽 📷 🚬 🐕 🛁 ⛑ ♿ AK ⚿ rist. "🕯" P
località Terme 1 – ✆ 0578 57 24 1   VISA ⓒⓔ AE ① 🔒
– www.fonteverdespa.com – info@fonteverdespa.com – Fax 0578 57 22 00
78 cam ⊃⊂ – ♦270/330 € ♦♦340/690 € – ½ P 206/345 € (solo lunch)
Rist Ferdinando I – (chiuso a mezzogiorno) Carta 53/67 €
♦ L'affascinante residenza medicea custodisce ambienti eleganti e camere in stile rinascimentale con bagni in marmo, ma dotate dei moderni confort; terme e centro benessere. Presso le tre sale da pranzo con vista sul parco o sulla vallata, la cucina tradizionale
si presenta accanto a piatti di ispirazione moderna.

🏨 **Sette Querce** senza rist   ♿ AK ⚿ VISA ⓒⓔ AE 🔒
viale Manciati 2 – ✆ 0578 58 174 – www.settequerce.it – info@settequerce.it
– Fax 0578 58 172 – chiuso dal 10 gennaio al 10 febbraio
9 cam ⊃⊂ – ♦120/150 € ♦♦150/210 €
♦ All'ingresso del paese, un'antica locanda totalmente ristrutturata con buon gusto.
Salette comuni di piccole dimensioni compensate da camere di notevole ampiezza.

✕ **Daniela**   🏠 AK ⚿ VISA ⓒⓔ AE ① 🔒
piazza Matteotti 7 – ✆ 0578 58 041 – info@settequerce.itt – Fax 0578 58 172
– chiuso mercoledì (escluso luglio-settembre), da dicembre a febbraio anche
martedì e giovedì
Rist – Carta 36/52 € (+10 %)
♦ Sulla piazza, nei vecchi magazzini del castello, due ambienti rustici ed informali, con
soffitti a botte e pavimento in pietra grezza. Cucina del territorio.

a Celle sul Rigo Ovest : 5 km – 563 N17 – ⊠ 53040

✕✕ **Il Poggio** con cam ⚲   ⟨ 🚗 🏠 🍽 AK ⚿ "🕯" 🛁 P VISA ⓒⓔ AE ① 🔒
– ✆ 0578 53 748 – www.ilpoggio.net – info@ilpoggio.net – Fax 0578 53 587
– chiuso dal 15 gennaio al 20 febbraio
5 cam ⊃⊂ – ♦140/160 € ♦♦190/220 € – ½ P 130/145 €
Rist – (chiuso martedì da aprile a settembre, anche lunedì, mercoledì e giovedì
negli altri mesi) Carta 29/42 € ❀
♦ Qui troverete succulente proposte della tradizionale cucina del territorio, da gustare
nello scenario delle crete senesi, accomodati in un ambiente rustico e curato.

SAN CASCIANO IN VAL DI PESA – Firenze (FI) – 563 L15   29 D3
– 16 613 ab. – alt. 306 m – ⊠ 50026 ▌ Toscana

▶ Roma 283 – Firenze 17 – Siena 53 – Livorno 84

🏨 **Villa il Poggiale** ⚲   ⟨ 🚗 🏠 🍽 ⛑ AK ⚿ "🕯" 🛁 P VISA ⓒⓔ AE 🔒
via Empolese 69, Nord-Ovest : 1 km – ✆ 055 82 83 11 – www.villailpoggiale.it
– villailpoggiale@villailpoggiale.it – Fax 055 82 94 96 – chiuso febbraio
20 cam ⊃⊂ – ♦130/200 € ♦♦150/240 € – 4 suites – ½ P 103/148 €
Rist – (aprile-1° novembre) (chiuso a mezzogiorno) (solo per alloggiati)
Menu 28 €
♦ Dimora storica cinquecentesca adagiata tra le colline del paesaggio toscano più tipico
e affascinante. Un soggiorno da sogno, tra ambienti originali, a prezzi molto corretti.
Nella sala ristorante, cucina regionale: squisita, come del resto tutta la struttura.

⛨ **Locanda Barbarossa** ⚲   ⟨ 🚗 🍽 ⚿ "🕯" P VISA ⓒⓔ AE ① 🔒
via Sorripa 2, Nord-Ovest : 1 km – ✆ 055 82 90 109 – www.locandabarbarossa.it
– info@locandabarbarossa.it – Fax 055 82 90 552
– chiuso dal 10 gennaio al 28 febbraio
3 cam ⊃⊂ – ♦90/100 € ♦♦115/130 € – 4 suites – ♦♦235/260 € – ½ P 83/155 €
Rist – (chiuso martedì) (chiuso a mezzogiorno escluso giugno-settembre) (consigliata la prenotazione) Carta 28/35 €
♦ Una casa colonica elegantemente ristrutturata, circondata da un ampio e curatissimo
giardino con piscina, dove godere di un soggiorno bucolico e rilassante. Ristorante d'atmosfera dalle massicce mura in pietra, con piccola "vineria" per degustazioni.

a Talente Nord-Ovest : 2,5 km – ✉ 50026 – San Casciano Val di Pesa

⛱ **Villa Talente** senza rist   ⟨ 🐴 ⅃ ⅛ 🔥 🅿 VISA ⓪ ⑤
via Empolese 107 – ℰ 05 58 25 94 84 – www.villatalente.it
– info@villatalente.it – Fax 05 58 25 98 56
– maggio-settembre
10 cam ⇌ – †130 € ††225 €
♦ Immersa nel placido profumo di ulivi secolari e delle colline del Chianti, l'accogliente villa quattrocentesca affrescata con pitture originali si propone per soggiorni esclusivi.

a Mercatale Sud-Est : 4 km : – ✉ 50020

⛱ **Agriturismo Salvadonica** senza rist ⌖   ⟨ 🐴 ⅃ ℀ 📶 🅿
via Grevigiana 82, Ovest : 1 km – ℰ 05 58 21 80 39   VISA ⓪ AE ⑤
– www.salvadonica.com – info@salvadonica.com – Fax 05 58 21 80 43
– 15 marzo-6 novembre
5 cam ⇌ – ††117/130 € – 10 suites – ††130/160 €
♦ Un'oasi di tranquillità e di pace questo piccolo borgo agrituristico fra gli olivi; semplicità e cortesia familiare, in un ambiente rustico molto rilassante, accogliente.

a Cerbaia Nord-Ovest : 6 km – ✉ 50020

XXXX **La Tenda Rossa** (Salcuni e Santandrea)   AC ℀ VISA ⓪ AE ⓪ ⑤
✿ *piazza del Monumento 9/14 – ℰ 055 82 61 32 – www.latendarossa.it*
– info@latendarossa.it – Fax 055 82 52 10
– chiuso Natale, dal 9 al 24 agosto, domenica e lunedì a mezzogiorno
Rist – Menu 65/120 € – Carta 78/100 € ⅏
Spec. Mattonella di capasanta in vellutata di carciofo alla maggiorana con squacquerone e polvere di pane nero tostato. Petto di piccione farcito con le sue rigaglie con tartufo nero e coscetta croccante in foglia di spinaci. Crema di gianduia bruciata con cannoli al mandarino e salsa di cioccolato bianco al ginepro.
♦ Se la ristorazione italiana è tradizionalmente familiare, qui sono persino tre le famiglie che si occuperanno di voi: risultati moltiplicati, dal servizio ai piatti.

SAN CASSIANO = ST. KASSIAN – Bolzano – Vedere Alta Badia

SAN CESAREO – Roma (RM) – 563Q20 – **10 545 ab.** – **alt. 312 m**   13 **C2**
– ✉ 00030

🄳 Roma 33 – Avezzano 108 – Frosinone 55 – Latina 55

X **Osteria di San Cesario** con cam   ⌂ AC rist, VISA ⓪ AE ⑤
via Corridoni 60 – ℰ 069 58 79 50 – www.osteriadisancesario.it
– osteriadisancesario@yahoo.it – Fax 069 58 79 50
– chiuso dal 1° al 15 agosto, lunedì, anche domenica sera da settembre a maggio
5 cam ⇌ – ††70/90 € – ½ P 65/80 €   **Rist** – Carta 35/50 € ⅏
♦ Una piccola località lungo la Casilina, una validissima trattoria ove si possono gustare i veri piatti della campagna romana, genuini e accompagnati da buon vino.

SAN CIPRIANO – Genova (GE) – 561I8 – **alt. 239 m** – ✉ 16010 – Serra   15 **C1**
Riccò

🄳 Roma 511 – Genova 16 – Alessandria 75 – Milano 136

XX **Ferrando**   🐴 ℀ ⇄ 🅿 VISA ⓪ ⑤
✿ *via Carli 110 – ℰ 010 75 19 25 – www.ristorante-ferrando.com*
– info@ristorante-ferrando.com – Fax 01 07 26 80 71
– chiuso 10 giorni in gennaio,
20 giorni in luglio-agosto, domenica sera, lunedì
e martedì
Rist – Carta 24/31 €
♦ Alle pareti, stampe e fotografie raccontano la passione per il vino e per le sue diverse varietà, mentre in cucina si traccia l'indelebile storia della cucina ligure. Bel giardino per un aperitivo o un breve relax.

SAN CIPRIANO = ST. ZYPRIAN – Bolzano – Vedere Tires

SAN CIPRIANO PICENTINO – Salerno (SA) – 564E26 – 6 260 ab.   7 C2
– ✉ 84099

> ▶ Roma 288 – Napoli 78 – Salerno 26 – Torre del Greco 66

XX **Rispoli**   🚗 🛏 ⅍ **P** 🚾 ⓸ ⚅
via dei Tavoloni – ℰ 089 86 21 90 – *pietro.rispoli@alice.it* – Fax 089 86 21 90
– chiuso dal 26 gennaio al 5 febbraio, domenica sera e lunedì
Rist – Carta 45/57 € ⚘

♦ Ad un quarto d'ora circa da Salerno, un'antica proprietà semi abbandonata è diventata punto di ritrovo per irriducibili *gourmet*. Estro e passione sono alla base di una cucina che rielabora antiche ricette con occhio critico e gusto moderno.

SAN CLEMENTE A CASAURIA (Abbazia di) – Pescara – 563P23 ▮ Italia
◙ Abbazia★★ : ciborio★★★

SAN COSTANZO – Pesaro e Urbino (PS) – 563K21 – 4 232 ab.   20 B1
– alt. 150 m – ✉ 61039

> ▶ Roma 268 – Ancona 43 – Fano 12 – Gubbio 96

X **Da Rolando**   🚗 🛏 🎿 ⇔ **P** 🚾 ⓸ 🅰🅴 ⓪ ⚅
corso Matteotti 123 – ℰ 07 21 95 09 90 – *rolando.ramoscelli@libero.it*
– Fax 07 21 95 09 90 – chiuso mercoledì
Rist – Carta 30/55 €

♦ Situato lungo la strada principale, presenta un menù con proposte gastronomiche stagionali a base di carne, funghi, tartufi e formaggi, legate alla tradizione marchigiana.

a Cerasa Ovest : 4 km – ✉ 61039

↑ **Locanda la Breccia** senza rist ⚘   ≤ 🚗 ⅃ **P** 🚾 ⓸ 🅰🅴 ⓪ ⚅
via Caminate 43 – ℰ 33 33 69 89 66 – www.locandalabreccia.com – info@
locandalabreccia.com – Fax 07 21 93 51 21 – chiuso gennaio e febbraio
5 cam ⚌ – ♥60/80 € ♥♥80/100 €

♦ Ubicata in posizione ideale per escursioni alla ricerca delle tradizioni locali, la struttura unisce ad un casale contadino la luminosità dell'arredamento moderno.

SAN DAMIANO D'ASTI – Asti (AT) – 561H6 – 7 960 ab. – alt. 179 m   25 C1
– ✉ 14015

> ▶ Roma 604 – Torino 51 – Alessandria 52 – Asti 17

↑ **Casa Buffetto** senza rist ⚘   ≤ 🚗 ⅃ 🎿 ⅍ 📞 **P** 🚾 ⓸ 🅰🅴 ⓪ ⚅
frazione Lavezzole 67 direzione Cava, Nord-Est : 2 km – ℰ 01 41 97 18 08
– www.casa-buffetto.com – info@casa-buffetto.com – Fax 01 41 98 01 52
– chiuso due settimane in gennaio
7 cam ⚌ – ♥105/115 € ♥♥120/130 €

♦ Sulla sommità di una collina, a dominare il Monferrato, sorge quest'imponente cascina splendidamente ristrutturata. Nelle camere arredi d'epoca con aperture al design moderno.

SAN DANIELE DEL FRIULI – Udine (UD) – 562D21 – 7 965 ab.   10 B2
– alt. 252 m – ✉ 33038

> ▶ Roma 632 – Udine 27 – Milano 371 – Tarvisio 80
> 🚹 via Roma 3 ℰ 0432 940765, info@infosandaniele.com, Fax 0432 940765

🏨 **Al Picaron** ⚘   ≤ 🚗 🛏 🎿 🖥 🅱 🔠 🕍 **P** 🚾 ⓸ 🅰🅴 ⓪ ⚅
via S.Andrat 3, località Picaron, Nord : 1 km – ℰ 04 32 94 06 88
– www.alpicaron.it – info@alpicaron.it – Fax 04 32 94 06 70
35 cam ⚌ – ♥83 € ♥♥116 € – 1 suite – ½ P 86 €   **Rist** – Carta 28/40 €

♦ Sulla sommità di una collina, con bel panorama su San Daniele e sulla vallata, una piacevole struttura cinta da un ampio giardino. Gestione attenta. All'interno sala per la degustazione del mitico prosciutto locale.

🏠 **Alla Torre** senza rist   🖥 🔠 🅰 ⅍ 📞 🚾 ⓸ 🅰🅴 ⓪ ⚅
via del Lago 1 – ℰ 04 32 95 45 62 – www.hotellatorrefvg.it – prenota@
hotellatorrefvg.it – Fax 04 32 95 45 62 – chiuso Natale e Capodanno
27 cam – ♥58/62 € ♥♥88 €, ⚌ 8 €

♦ Gestione familiare e ospitale in questo valido punto di riferimento, sia per clienti di lavoro che di passaggio qui per soste culinarie, in pieno centro.

✗ **Da Scarpan** [AC] [✗] [VISA] [⦿] [AE] [①] [⑤]
via Garibaldi 41 – ℰ 04 32 94 30 66 – scarpan@libero.it – Fax 04 32 94 10 43
– chiuso dal 15 luglio al 10 agosto, martedì sera e mercoledì
Rist – Carta 24/35 €
♦ Un piatto di San Daniele sarà il miglior modo di iniziare il pasto. Situato in una stradina porticata del centro storico, saranno i piatti del territorio a farvi da guida turistica!

SAN DESIDERIO – Genova – **Vedere Genova**

SAND IN TAUFERS = Campo Tures

SAN DOMINO (Isola) – Foggia – 564B28 – **Vedere Tremiti (Isole)**

SAN DONÀ DI PIAVE – Venezia (VE) – 562F19 – **36 887 ab.**   35 **A1**
– ⊠ 30027
▶ Roma 558 – Venezia 38 – Lido di Jesolo 20 – Milano 297

🏨 **Forte del 48** [⟐] [⟐] [AC] [✗] [⟐] [⟐] [P] [VISA] [⦿] [AE] [①] [⑤]
via Vizzotto 1 – ℰ 042 14 40 18 – www.hotelfortedel48.com – info@
hotelfortedel48.com – Fax 042 14 42 44
46 cam ⊑ – ♦57/65 € ♦♦77/87 €
Rist – (chiuso dal 26 dicembre al 7 gennaio, dal 1° al 16 agosto e domenica)
Carta 23/39 €
♦ Al corpo storico dell'hotel si è aggiunta una struttura più recente. Poco lontano dal centro, nei pressi dell'ospedale, funzionali camere in parte da poco rinnovate. Ristorante dominato da un soffitto con lucernari in vetro, clima informale.

a Isiata Sud-Est : 4 km – ⊠ 30027 – **San Donà di Piave**
[AC] [✗] [P] [VISA] [⦿] [AE] [①] [⑤]

✗ **Ramon**
via Tabina 61 – ℰ 04 21 23 90 30 – Fax 04 21 23 90 30 – chiuso dal 27 dicembre
al 10 gennaio, dal 5 al 31 agosto, lunedì sera, martedì
Rist – Carta 25/44 €
♦ Villino vermiglio votato alla semplicità, tanto nell'arredo delle sale interne quanto nell'ambiente, familiare, dove soffermarsi a gustare specialità di pesce. Servizio estivo sotto un porticato.

SAN DONATO IN POGGIO – Firenze – 563L15 – **Vedere Tavarnelle Val di Pesa**

SAN DONATO MILANESE – Milano (MI) – 561F9 – **32 827 ab.**   18 **B2**
– alt. 102 m – ⊠ 20097
▶ Roma 566 – Milano 10 – Pavia 36 – Piacenza 57
Pianta d'insieme di Milano

🏨 **Rege Hotel** [⟐] [⟐] [⟐] [⟐] [AC] [⟐] [✗] [⟐] [⟐] [P] [⟐] [VISA] [⦿] [AE] [①] [⑤]
via Milano 2, tangenziale Est, uscita strada statale Paullese
Ⓜ *San Donato Milanese – ℰ 02 51 62 81 84 – www.regehotel.it – info@*
regehotel.it – Fax 02 51 62 82 16 – chiuso Natale e 2 settimane in agosto
102 cam ⊑ – ♦90/320 € ♦♦110/360 €   CP**e**
Rist *I Sapori de Milan* – (chiuso Natale, 3 settimane in agosto, sabato, domenica a mezzogiorno) Carta 39/60 €
♦ Posizione davvero strategica per questo efficiente ed elegante hotel, di stile moderno, che dispone di camere spaziose e signorili nonché appartamenti ad uso residence. Servizio navetta gratuito "da" e "per" l'aeroporto di Milano Linate e metropolitana. Ambiente curato anche al ristorante: cucina classica e regionale.

🏨 **Santa Barbara** [⟐] [⟐] [⟐] [⟐] [AC] [⟐] [✗] [⟐] [⟐] [P] [VISA] [⦿] [AE] [①] [⑤]
piazzale Supercortemaggiore 4 – ℰ 02 51 89 11 – www.hotelsantabarbara.it
– santabarbarahotel@tiscali.it – Fax 025 27 91 69   CP**u**
158 cam ⊑ – ♦150/210 € ♦♦180/260 €
Rist – (solo per alloggiati) Carta 30/50 €
♦ Squisito senso dell'ospitalità e professionalità vi accoglieranno in una *lobby* calda e sobriamente arredata; camere dotate dei più moderni confort e impreziosite da originali tocchi di raffinata eleganza. Tonificanti sedute in palestra e rilassanti soste nel bagno turco: un'oasi alle porte della frenetica Milano.

✗ I Tri Basei 🄰🄲 VISA ⓿ ⑤

via Emilia 54 Ⓜ San Donato Milanese – ☎ 02 39 98 12 38 – giuseppe.spiranelli@
libero.it – Fax 02 51 48 44 – chiuso 1 settimana in agosto, sabato e domenica
Rist – Carta 16/29 €   CPr
♦ Locale estremamente semplice, ma gradevole, frequentato in prevalenza da una clientela di lavoro soprattutto a pranzo; due salette, un dehors e piatti di tipo classico.

sull'autostrada A 1 - Metanopoli o per via Emilia

🏨 Crowne Plaza Milan Linate 🏾 ♨ 🖪 🖂 ᚛ 🄰🄲 ↵ ※ 🛜 🚅 🅿

via Adenauer 3 ⊠ 20097 San Donato Milanese
– ☎ 02 51 60 01 – www.alliancealberghi.com – crowneplaza.milan@   VISA ⓿ 🄰🄴 ① ⑤
alliancealberghi.com – Fax 02 51 01 15   CPv
416 cam �☝ – ♦189/600 € ♦♦214/825 € – 26 suites
Rist *Il Giardino* – (chiuso agosto) Carta 39/55 €
Rist *Il Buongustaio* – Menu 23 €
♦ Continui lavori di ammodernamento rendono la struttura un valido punto di riferimento per clienti d'affari e turisti: eleganza negli spazi comuni e funzionalità nelle
camere. Navetta gratuita fino alla metropolitana di San Donato. A *Il Giardino*: raffinatezza
e piatti italiani. Ricco buffet a *Il Buongustaio*.

SAN DONATO VAL DI COMINO – Frosinone (FR) – 563Q23   13 D2
– 2 180 ab. – alt. 728 m – ⊠ 03046
🛈 Roma 127 – Frosinone 54 – Avezzano 57 – Latina 111

🏨 Villa Grancassa ⑤ ← 🕭 😤 ※ 🖪 ᚛ rist, 🚶🚶 ※ 🚅 🅿

via Roma 8 – ☎ 07 76 50 89 15   VISA ⓿ 🄰🄴 ① ⑤
– www.villagrancassa.com – info@villagrancassa.com – Fax 07 76 50 89 14
26 cam ⊊ – ♦50/70 € ♦♦80/100 € – ½ P 65/75 €   **Rist** – Carta 19/33 €
♦ E' immersa nella tranquillità di un parco di piante secolari l'ottocentesca e suggestiva
residenza al cui interno vanta corridoi e sale che parlano di storia. Servizio ristorante
estivo in terrazza con vista; in sala ambienti signorili.

SANDRA' – Verona (VR) – 562F14 – Vedere Castelnuovo del Garda

SANDRIGO – Vicenza (VI) – 562F16 – 8 081 ab. – alt. 68 m – ⊠ 36066   37 A1
🛈 Roma 530 – Padova 47 – Bassano del Grappa 20 – Trento 85

✗✗ Antica Trattoria Due Spade ᚛ ⇄ 🅿 VISA ⓿ ⑤

via Roma 5 – ☎ 04 44 65 99 48 – www.duespade.com – duespade@tiscalinet.it
– Fax 04 44 75 81 82 – chiuso dal 1° al 7 gennaio, 15 giorni in agosto, lunedì sera
e martedì
Rist – Carta 25/28 €
♦ Sede storica della Venerabile Confraternita del Baccalà, un'antica trattoria sorta in una
vecchia stalla con porticato e vasta aia. Superfluo dire quale sia la specialità.

SAN FELE – Potenza (PZ) – 564E28 – 3 770 ab. – ⊠ 85020   3 A1

✗ Tipicamente 🄰🄲 ※ VISA ⓿ 🄰🄴 ① ⑤

corso Umberto I 40 – ☎ 097 69 40 04 – tipicamente@libero.it – Fax 097 69 40 04
– chiuso dal 1° al 15 ottobre
Rist – (chiuso lunedì) (consigliata la prenotazione) Menu 24/45 € – Carta 27/42 €
♦ A due passi dal centro, ristorante di taglio moderno dalla giovane e motivata
gestione: piatti del territorio in chiave moderna.

SAN FELICE CIRCEO – Latina (LT) – 563S21 – 8 129 ab. – ⊠ 04017   13 C3
🛈 Roma 106 – Frosinone 62 – Latina 36 – Napoli 141

🏨 Circeo Park Hotel ← 🚗 😤 🌊 🖪 🚶🚶 🄰🄲 ※ 🛜 🚅 🅿

via lungomare Circe 49 – ☎ 07 73 54 88 14   VISA ⓿ ① ⑤
– www.circeopark.net – info@circeopark.it – Fax 07 73 54 80 28 – 30 marzo-
ottobre e 21 dicembre - 6 gennaio
48 cam ⊊ – ♦150/240 € ♦♦180/310 € – 4 suites – ½ P 160/195 €
Rist *La Stiva* – ☎ 07 73 54 72 76 – Carta 33/60 €
♦ Moderno nelle forme e nei materiali ma anche vicino al mare, hotel dotato anche di
strutture per attività congressuali. Lussureggiante giardino di palme e pini marittimi.
Ristorante che si estende luminoso e bianco lungo la spiaggia.

a Quarto Caldo Ovest : 4 km – ⊠ **04017** – **San Felice Circeo**

Punta Rossa ⌂ ≤ 🚗 ⛴ 🏨 AC ⚓ 🅿 VISA ⚫ AE ① 🔻
via delle Batterie 37 – ℰ 07 73 54 80 85 – www.puntarossa.it – punta_rossa@
iol.it – Fax 07 73 54 80 75 – marzo-novembre
37 cam ⊆ – †150/230 € ††200/360 € – 5 suites – ½ P 140/230 €
Rist – Carta 36/66 €
♦ Sulla scogliera, con giardino digradante a mare, il luogo ideale per chi sia alla ricerca
di una vacanza isolata, sul promontorio del Circeo; linee mediterranee e relax. Al ristorante una tavola panoramica da sogno.

SAN FELICE DEL BENACO – Brescia (BS) – 561F13 – 3 085 ab.   17 **D1**
– alt. 119 m – ⊠ 25010
▶ Roma 544 – Brescia 36 – Milano 134 – Salò 7

Garden Zorzi ⌂ ≤ 🚗 AC rist. ℰ 🅿 VISA ⚫ 🔻
viale delle Magnolie 10, località Porticcioli, Nord : 3,5 km – ℰ 03 65 52 14 50
– www.hotelzorzi.it – info@hotelzorzi.it – Fax 036 54 14 89 – Pasqua-10 ottobre
26 cam – †60/70 € ††90/150 €, ⊆ 10 € – ½ P 70/95 €
Rist – (solo per alloggiati)
♦ Una terrazza-giardino sul lago, una bella vista sulla cittadina di Salò, un punto d'attracco privato; in un albergo tranquillo e con un'atmosfera e gestione familiari.

a Portese Nord : 1,5 km – ⊠ 25010 – **San Felice del Benaco**

Bella Hotel e Leisure ⌂ ≤ 🚗 🏠 ⛴ ✗ AC 🛜 🅿
via Preone 6 – ℰ 03 65 62 60 90 – www.bellahotel.com   VISA ⚫ AE ① 🔻
– info@bellahotel.com – Fax 03 65 55 93 58 – chiuso dal 28 dicembre al 1° marzo
22 cam ⊆ – †70/85 € ††110/140 € – ½ P 75/90 €   **Rist** – Carta 28/64 €
♦ Un piccolo hotel, affacciato sull'acqua, con andamento familiare e buon confort nelle
stanze e nelle aree comuni, esterne; offre un servizio estivo in terrazza sul lago. Dalle raffinate sale da pranzo, una meravigliosa vista panoramica attraverso le ampie vetrate.

SAN FELICIANO – Perugia – 563M18 – **Vedere Magione**

SAN FLORIANO (OBEREGGEN) – Bolzano (BZ) – 562C16   31 **D3**
– alt. 1 512 m – Sport invernali : 1 357/2 500 m 🚡 1 ⛷7 (Comprensorio Dolomiti
superski Obereggen) 🎿 – ⊠ 39050 – Ponte Nova
▶ Roma 666 – Bolzano 22 – Cortina d'Ampezzo 103 – Milano 321
🛈 località Obereggen 16 Nova Ponente ℰ 0471 615795, info@eggental.com,
Fax 0471 615848

Sonnalp ⌂ ≤ 🗔 ⚫ 🏨 🎿 🖳 🔺 ✗ 🛜 🚗 VISA ⚫ 🔻
– ℰ 04 71 61 58 42 – www.sonnalp.com – info@sonnalp.com
– Fax 04 71 61 59 09 – 5 dicembre-19 aprile e 6 giugno-3 ottobre
32 cam ⊆ – †111/129 € ††179/216 € – 6 suites – ½ P 109/128 €
Rist – (solo per alloggiati) Menu 47/53 €
♦ Gestione familiare, sempre presente e professionale, camere spaziose con balcone
direttamente sulle piste da sci e sui prati, ben soleggiate e con il massimo dei confort.

Cristal ⌂ ≤ 🗔 ⚫ 🏨 🎿 🖳 🔺 AC rist. ✗ 🛜 🚗 VISA ⚫ 🔻
Obereggen 31 – ℰ 04 71 61 55 11 – www.hotelcristal.com – info@
hotelcristal.com – Fax 04 71 61 55 22 – 6 dicembre-6 aprile e 6 giugno-5 ottobre
48 cam ⊆ – †80/139 € ††120/228 € – 2 suites – ½ P 80/151 €
Rist – Carta 34/49 €
♦ Ubicato nei pressi degli impianti di risalita, belle stanze moderne con arredi in legno
di cirmolo e larice, piacevolmente accessoriate. Molte zone relax per il trattamento del
corpo e dello spirito. La cucina rivela una notevole cura e fantasia.

Maria ≤ 🚗 🏨 🎿 🖳 🔺 ⅄ ✗ rist. 🅿 🚗 VISA ⚫ 🔻
Obereggen 12 – ℰ 04 71 61 57 72 – www.hotel-maria.it – info@hotel-maria.it
– Fax 04 71 61 56 94 – dicembre-aprile e giugno-15 ottobre
22 cam ⊆ – †106/170 € ††230/310 € – 1 suite – ½ P 114/166 €
Rist – (solo per alloggiati)
♦ Quasi un'abitazione privata dall'esterno: una tipica costruzione di queste valli, amore-
volmente tenuta e condotta dalla famiglia dei proprietari; presso le piste da sci.

🏨 **Royal** 🌿   📺 📶 🛗 🆎 rist, 🍴 rist, **P** 🚗 VISA 💲
Obereggen 32 – 𝒞 04 71 61 58 91 – www.h-royal.com – hotel.royal@rolmail.net
– Fax 04 71 61 58 93 – 5 dicembre-25 aprile e 20 maggio-10 ottobre
21 cam – solo ½ P 58/70 €   **Rist** – *(chiuso a mezzogiorno) (solo per alloggiati)*
♦ Nei pressi degli impianti di risalita, un tipico albergo di montagna, ben condotto e ordinato, confortevole sia nel settore notte che nelle aree comuni.

🏠 **Bewallerhof** 🌿   ≤ 🛋 🍴 **P** VISA ⚅ 🅰🅴 ① 💲
verso Pievalle, Nord-Est : 2 km – 𝒞 04 71 61 57 29 – www.bewallerhof.it – info@
bewallerhof.it – Fax 04 71 61 58 40 – chiuso maggio e novembre
18 cam – solo ½ P 58/75 €   **Rist** – *(solo per alloggiati)*
♦ Una gradevole casa circondata dal verde e con una notevole vista sulle vette che creano un suggestivo scenario; ambiente tirolese curato, per sentirsi come a casa.

SAN FOCA – Lecce – 564G37 – **Vedere Melendugno**

SAN FRANCESCO AL CAMPO – Torino (TO) – 561G4 – **4 431 ab.**   22 **B2**
– alt. 324 m – ✉ 10070

   ▶ Roma 703 – Torino 24 – Alessandria 123 – Asti 88

🏨 **Furno** 🌿   🛋 🍴 🛗 ♿ 🏊 🆎 📶 🧖 **P** VISA ⚅ 🅰🅴 ① 💲
via Roggeri 2 – 𝒞 01 19 27 49 00 – www.romantikhoteltorino.it – info@
romantikhotelfurno.it – Fax 01 19 27 93 80 – chiuso dal 10 al 31 agosto
33 cam ⌂ – †85/99 € ††126/165 €
Rist *Restaurant Relais* – *(chiuso sabato a mezzogiorno escluso il periodo estivo)*
Carta 35/46 €
♦ La famiglia è da sempre nel mondo del turismo ed ha realizzato con questo hotel il proprio sogno: signorile e molto tranquillo dispone di ambienti arredati con mobili d'epoca e personalità. Negli spazi dai soffitti ad archi, in un'intima saletta o nel fresco del giardino, specialità di pesce e piatti tipici piemontesi.

SAN FRUTTUOSO – Genova (GE) – 561J9 – ✉ 16030 – **San Fruttuoso**   15 **C2**
di Camogli📍 Italia

   ▶ Roma 500 – Genova 50 – La Spezia 91
   ◎ Posizione pittoresca★★

🍴 **Da Giovanni**   ≤ VISA ⚅ 💲
– 𝒞 01 85 77 00 47 – Fax 01 85 77 00 47 – chiuso novembre; da dicembre a
febbraio aperto solo sabato e domenica
Rist – *(prenotazione obbligatoria)* Carta 37/67 €
♦ Non semplice da raggiungere, ma con una posizione impagabile e invidiabile, tra il monte di Portofino e la baia di S. Fruttuoso, un rifugio per la cucina ligure, di mare.

SAN GABRIELE DELL'ADDOLORATA – Teramo – 563O22 – **Vedere Isola**
del Gran Sasso d'Italia

SAN GENESIO – Bolzano (BZ) – 562C16 – **1 263 ab.** – alt. 1 353 m   31 **C1**
– ✉ 39050

   ▶ Roma 643 – Bolzano 9 – Trento 66

🏨 **Belvedere Schoenblick** 🌿   ≤ 🛋 🍴 🏊 📶 🛗 ♿ ⛷ 🍴 rist, 📞
via Pichl 15 – 𝒞 04 71 35 41 27   **P** VISA ⚅
– www.schoenblick-belvedere.com – info@schoenlick-belvedere.com
– Fax 04 71 35 42 77 – chiuso dal 10 gennaio al 20 marzo
28 cam ⌂ – †71/82 € ††120/154 € – 2 suites – ½ P 74/100 €
Rist – *(chiuso giovedì)* Carta 29/43 €
♦ In posizione panoramica, vanta una gestione familiare giunta alla terza genera-zione: recentemente rinnovato ed ampliato dispone di ampie camere luminose e una nuova *beauty farm*. Originale la cantina a vista, in entrata nella hall. Cucina preva-lentemente del territorio servita in diverse sale e in una piccola stube.

🏠 **Antica Locanda al Cervo-Landgasthof zum Hirschen** ⟨
🍴 *via Schrann 9/c – ℰ 04 71 35 41 95* 🏡 🕸 🛏 ❄ rist. 🔥 P VISA 🌐 🔥
– www.hirschenwirt.it – info@hirschenwirt.it – Fax 04 71 35 40 58 – chiuso febbraio e marzo
21 cam ⚟ – ♦40/60 € ♦♦80/140 € – ½ P 65/75 €
Rist *– (chiuso mercoledì da novembre a giugno)* Carta 21/37 €
♦ I sessanta cavalli del maneggio rendono la locanda un indirizzo ideale per gli appassionati di equitazione. Affidabile e calorosa gestione familiare. Attenzioni particolari sono rivolte all'appetito e al palato della clientela.

SAN GENESIO ED UNITI – Pavia (PV) – 561 G9 – 3 501 ab.   16 **B3**
– alt. 87 m – ✉ 27010
▶ Roma 563 – Alessandria 78 – Milano 34 – Pavia 7

🏨 **Riz** *senza rist* 🕸 📶 🛏 AC ¼ 🔥 🔥 P VISA 🌐 AE ① 🔥
via dei Longobardi 3 – ℰ 03 82 58 02 80 – www.hotelrizpavia.com – info@ hotelrizpavia.com – Fax 03 82 58 00 04
113 cam ⚟ – ♦75/79 € ♦♦95/99 €
♦ In comoda posizione stradale una risorsa funzionale di taglio moderno, ideale per la clientela d'affari con camere spaziose di stile omogeneo. Servizio navetta per Pavia.

SAN GIACOMO DI ROBURENT – Cuneo (CN) – 561 J5   23 **C3**
– alt. 1 011 m – Sport invernali : 1 011/1 610 m ≼4, ≼, – ✉ 12080 – Roburent
▶ Roma 622 – Cuneo 52 – Savona 77 – Torino 92

🏠 **Nazionale** 🚗 🛏 ❄ rist. P VISA 🌐 ① 🔥
🍴 *via Sant'Anna 111 – ℰ 01 74 22 71 27 – www.albergonazionale.cn.it*
– info@albergonazionale.cn.it – Fax 01 74 22 71 27
– chiuso dal 1° novembre al 20 dicembre
33 cam – ♦45/55 € ♦♦80/100 €, ⚟ 8 € – ½ P 65/90 €   **Rist** – Carta 17/31 €
♦ Risorsa familiare recentemente ristrutturata e tinteggiata con colori allegri e riposanti, dispone di ampie camere e spazi comuni accoglienti. Il ristorante pizzeria propone piatti semplici e proposte gastronomiche legate al territorio.

🍴🍴🍴 **Valentine** 🏡 ❄ ⟲ P VISA 🌐 ① 🔥
via Tetti 15 – ℰ 01 74 22 70 13 – www.valentineristorante.it – Fax 01 74 22 71 72
– chiuso 3 settimane in novembre, 10 giorni in dicembre, 2 settimane in maggio, martedì e mercoledì in luglio agosto; anche lunedì a mezzogiorno, giovedì e venerdì a mezzogiorno negli altri mesi
Rist – Menu 40/60 € – Carta 46/73 €
♦ Con un nome così romantico, gli ambienti non potevano essere da meno: *boiserie*, pitture e sculture in uno chalet di lusso sullo sfondo della valle incorniciata dalle Alpi. La cucina è grande come le montagne di queste parti: moderna e raffinata.

SAN GIMIGNANO – Siena (SI) – 563 L15 – 7 283 ab. – alt. 332 m   29 **C2**
– ✉ 53037 Toscana
▶ Roma 268 – Firenze 57 – Siena 42 – Livorno 89
🅘 *piazza Duomo 1 ℰ 0577 940008, prolocsg@tin.it, Fax 0577 940903*
👁 Località ★★★ – Piazza della Cisterna ★★ – Piazza del Duomo ★★:
    affreschi ★★ di Barna da Siena nella Collegiata di Santa Maria Assunta ★,
    ⟨ ★★ dalla torre del palazzo del Popolo ★ **H** – Affreschi ★★ nella chiesa di
    Sant'Agostino

Pianta pagina a lato

🏨 **La Collegiata** ⟨ 🚗 🐾 🏡 🏊 🛏 AC ❄ rist. 📞 P VISA 🌐 AE 🔥
località Strada 27, 1,5 km per ① – ℰ 05 77 94 32 01 – www.lacollegiata.it
– collegiata@relaischateaux.com – Fax 05 77 94 05 66 – chiuso dal 7 gennaio al 19 marzo
20 cam – ♦180/250 € ♦♦345/600 €, ⚟ 20 € – 1 suite – ½ P 173/370 €
Rist – Carta 67/122 € 🏵
♦ Convento francescano cinquecentesco, edificio rinascimentale con giardino all'italiana, raffinato e curato in ogni particolare, in amena quiete. Per un soggiorno da favola. Ambiente suggestivo ed elegante per passeggiare immersi nella storia.

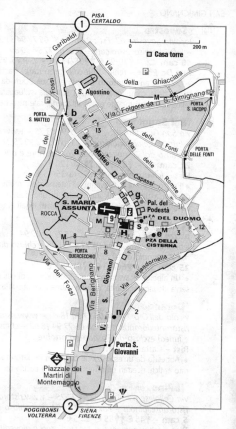

Relais Santa Chiara senza rist 🔊 ⛶ 🚗 🏊 🛎 🚶 AC ⇄ 🧺 🏌
via Matteotti 15, 0,5 km per ② 🅿 VISA ➋➍ AE ① ⚕
– ☎ 05 77 94 07 01 – www.rsc.it – rsc@rsc.it – Fax 05 77 94 20 96
– 27 marzo-8 novembre
41 cam ➄ – ♦130/160 € ♦♦170/195 € – 2 suites
♦ Appena fuori delle mura, un angolo di tranquillità attorniato dal verde della campagna e dotato di giardino con piscina; gradevoli sale e camere confortevoli.

L'Antico Pozzo senza rist 🛎 AC (((ᵗ)) VISA ➋➍ ① ⚕
via San Matteo 87 – ☎ 05 77 94 20 14 – www.anticopozzo.com – info@
anticopozzo.com – Fax 05 77 94 21 17 – chiuso dal 20 gennaio al 20 febbraio
18 cam ➄ – ♦80/100 € ♦♦110/180 €   **a**
♦ In un palazzo del '400 nel cuore del centro storico, stanze affrescate con pavimenti in cotto, ambienti raffinati e di buon gusto; atmosfera di familiare eleganza.

La Cisterna ⛶ 🛎 AC cam, VISA ➋➍ AE ① ⚕
piazza della Cisterna 24 – ☎ 05 77 94 03 28 – www.hotelcisterna.it – info@
hotelcisterna.it – Fax 05 77 94 20 80 – chiuso dal 7 gennaio al 15 marzo
49 cam ➄ – ♦62/90 € ♦♦100/150 € – ½ P 73/98 €   **e**
Rist – (chiuso martedì e mercoledì a mezzogiorno) Carta 29/44 €
♦ Nell'omonima e vivace piazza, all'interno di un edificio medievale, uno storico albergo, "mosso" su vari corpi, panoramico e con una suggestiva sala in stile trecentesco. Favoloso panorama quello che si può amirare dal ristorante, per accompagnare la cucina del territorio.

Sovestro

località Sovestro 63, Est : 2 km – ℰ *05 77 94 31 53 – www.hotelsovestro.com*
– info@hotelsovestro.com – Fax 05 77 94 30 89
40 cam ⌨ – **†**70/95 € **††**95/135 € – ½ P 75/95 €
Rist Da Pode *– (chiuso lunedì) (prenotare)* Carta 28/44 €
♦ Sorto in anni piuttosto recenti, e a soli 2 km da S. Gimignano, hotel immerso nel verde della campagna con una struttura sviluppata in orizzontale; per un moderno relax. Servizio ristorante estivo all'aperto, sale rustiche, con pietra e mattoni a vista.

Bel Soggiorno

via San Giovanni 91 – ℰ *05 77 94 03 75 – www.hotelbelsoggiorno.it*
– info@hotelbelsoggiorno.it – Fax 05 77 90 75 21
– chiuso dal 20 novembre al 26 dicembre e dal 15 febbraio al 15 marzo
21 cam ⌨ – **†**65/95 € **††**90/120 €   n
Rist *– (chiuso mercoledì)* Carta 35/45 €
♦ Presso la Porta S. Giovanni, all'interno delle mura, un confortevole hotel con camere di diversa tipologia, alcune dotate di una bella terrazza che spazia sulla campagna. Ristorante panoramico e rustico, per piatti legati al territorio ma rivisitati.

Leon Bianco *senza rist*

piazza della Cisterna 13 – ℰ *05 77 94 12 94 – www.leonbianco.com – info@*
leonbianco.com – Fax 05 77 94 21 23 – chiuso dal 20 novembre al 28 dicembre e
dal 7 gennaio al 10 febbraio   s
25 cam ⌨ – **†**60/80 € **††**85/115 €
♦ Un albergo ricavato in un edificio d'epoca, di cui, nelle aree comuni soprattutto, conserva alcune peculiarità; camere sobrie e curate, affacciate sulla magnifica piazza.

Dorandò

vicolo dell'Oro 2 – ℰ *05 77 94 18 62 – www.ristorantedorando.it – info@*
ristorantedorando.it – Fax 05 77 94 18 62 – chiuso dal 10 gennaio al 28 febbraio
e lunedì escluso da Pasqua ad ottobre   g
Rist *–* Carta 49/65 €
♦ Abbellito da un'esposizione di quadri di pittori toscani, questo ristorante ha rispolverato antichi ricettari ed offre una schietta cucina regionale, correttamente alleggerita.

Il Pino *con cam*

via Cellolese 6 – ℰ *05 77 94 22 25 – www.ristoranteilpino.it – info@*
ristoranteilpino.it – Fax 05 77 94 04 15 – chiuso dal 10 dicembre al 20 gennaio
5 cam – **†**45 € **††**55 €, ⌨ 5 €   b
Rist *– (chiuso venerdì a mezzogiorno e giovedì)* Carta 38/50 €
♦ Locale di lunga tradizione, con gestione capace e professionale, tramandata da una generazione all'altra; offre i sapori più tipici di questa terra, in atmosfera antica.

verso Certaldo

Villasanpaolo Hotel

località Casini, 5 km per ① ✉ *53037*
– ℰ *05 77 95 51 00 – www.villasanpaolo.com – info@villasanpaolo.com*
– Fax 05 77 95 51 13 – chiuso dal 1° gennaio all'11 febbraio
72 cam ⌨ – **†**130/190 € **††**180/300 € – 6 suites – ½ P 126/210 €
Rist *– (chiuso a mezzogiorno)* Carta 44/69 €
♦ In un superbo contesto panoramico e collinare, armoniosa fusione di moderno e tipico arricchita da una esposizione permanente di dipinti anni '70. Nuovo centro benessere. Al ristorante lo stesso stile e design del resto dell'hotel.

Le Renaie

località Pancole 10/b, 6 km per ① ✉ *53037 Pancole –* ℰ *05 77 95 50 44*
– www.hotellerenaie.it – info@hotellerenaie.it – Fax 05 77 95 51 26 – chiuso
gennaio e febbraio
25 cam ⌨ – **†**72/83 € **††**84/140 € – ½ P 68/93 €
Rist Leonetto *–* ℰ *05 77 95 50 72 –* Carta 27/37 €
♦ Ambienti interni dallo stile sobrio, con tocchi di ricercatezza, e colori tenui; stanze ben accessoriate e posizione tranquilla, immersi nella campagna. Curato ristorante con caminetto, cucina del territorio.

↑ **Agriturismo Il Casale del Cotone** 🏠 🏡 ⌫ ⌬ rist, **P.**
via Cellole 59 ⌧ *53037 San Gimignano*   VISA ◎◎ AE **⑤**
– 𝒞 *05 77 94 32 36* – *www.casaledelcotone.com* – *info@casaledelcotone.com*
– *Fax 05 77 94 32 36* – *chiuso dal 2 novembre al 23 dicembre*
19 cam ⌸ – ♦70/100 € ♦♦110/130 € – ½ P 90 €
Rist – *(chiuso a mezzogiorno) (solo per alloggiati)* 35 € bc
♦ Un complesso rurale di fine '600, cinto da ettari coltivati a vino e olivi; residenza con arredi curati per trascorrere una familiare vacanza nel verde.

↑ **Agriturismo Il Rosolaccio** ⌘   ⪬ 🏠 🏡 ⌫ ⌬ rist, ⟨ℓ⟩ **P.**
località Capezzano ⌧ *53037 San Gimignano*   VISA ◎◎ AE **⑤**
– 𝒞 *05 77 94 44 65* – *www.rosolaccio.com* – *music@rosolaccio.com*
– *Fax 05 77 94 44 67* – *marzo-4 novembre*
6 cam ⌸ – ♦97 € ♦♦110 € – ½ P 80 €
Rist – *(chiuso martedì e mercoledì) (chiuso a mezzogiorno) (solo per alloggiati)*
Menu 30 €
♦ Quasi fuori dal mondo, nella più bella campagna toscana, in una posizione dominante e tranquilla, un casolare che, nella propria eleganza, conserva un'agreste rusticità.

↑ **Agriturismo Fattoria Poggio Alloro** ⌘   ⪬ 🏠 🏡 ⌫ ⌬ **P.**
via Sant'Andrea 23 località Ulignano, 5 km per ⑤   VISA ◎◎ **⑤**
⌧ *53037 San Gimignano* – 𝒞 *05 77 95 01 53* – *www.fattoriapoggioalloro.com*
info@fattoriapoggioalloro.com – *Fax 05 77 95 02 90* – *chiuso dal 7 al 31 gennaio*
10 cam ⌸ – ♦♦83/95 € – ½ P 70/80 €
Rist – *(chiuso a mezzogiorno) (solo per alloggiati)* Menu 30 € bc/40 € bc
♦ Un'azienda per la produzione di olio, vino e l'allevamento di pregiati bovini di razza Chianina; una gestione schietta e cortese, una splendida vista su campagna e storia.

↑ **Agriturismo Podere Villuzza** senza rist ⌘   ⪬ 🏠 ⌫ 📺 ⌬ **P.**
località Strada 25 ⌧ *53037 San Gimignano*   VISA ◎◎ **⑤**
– 𝒞 *05 77 94 05 85* – *www.poderevilluzza.it* – *info@poderevilluzza.it*
– *Fax 05 77 94 05 85* – *chiuso dal 10 gennaio al 28 febbraio*
6 cam ⌸ – ♦65/85 € ♦♦95/120 €
♦ E' un'oasi di pace ideale per una bucolica vacanza di tutto relax questo tipico casale, che regala la vista delle torri di San Gimignano; curati interni, ospitalità toscana.

SANGINETO LIDO – *Cosenza (CS)* – 564I29 – **1 521 ab.** – ⌧ 87020   5 **A1**
🔼 *Roma 464* – *Cosenza 66* – *Catanzaro 125*

✗ **Convito**   📺 ⌬ VISA ◎◎ AE ⓪ **⑤**
㋭ *località Pietrabianca 11, Est : 1 km* – 𝒞 *098 29 63 33* – *www.convito.it*
– *ristorante@convito.it* – *Fax 098 29 63 33* – *chiuso novembre e martedì*
Rist – *(prenotazione obbligatoria)* Carta 30/41 €
♦ A poche centinaia di metri dal mare, lungo la strada per Sangineto, un localino con cucina di terra, fragrante e appetitosa. Arredi classici, atmosfera familiare.

SAN GIORGIO = **ST. GEORGEN** – *Bolzano* – 562B17 – **Vedere Brunico**

SAN GIORGIO CANAVESE – *Torino (TO)* – 561F5 – **2 475 ab.**   22 **B2**
– *alt. 300 m* – ⌧ 10090
🔼 *Roma 704* – *Torino 38* – *Alessandria 115* – *Novara 87*

🏨 **Foresteria del Castello** senza rist ⌘   ⪬ ⏀ 🛆 ⪥ ⟨ℓ⟩ **P**
via Piave 4 – 𝒞 *01 24 45 07 38*   VISA ◎◎ AE ⓪ **⑤**
– *www.foresteriadelcastello.it* – *info@foresteriadelcastello.it* – *Fax 01 24 45 05 98*
– *chiuso dal 3 al 21 agosto*
10 cam ⌸ – ♦90/120 € ♦♦150/190 €
♦ Sontuosa dimora ricavata nella parte più antica del complesso e recentemente riportata al suo originario splendore. Ideale per un soggiorno di relax o per meeting di lavoro.

SAN GIORGIO DI LIVENZA – *Venezia* – **Vedere Caorle**

SAN GIORGIO IN SALICI – *Verona (VR)* – 562F14 – **100 ab.**   35 **A3**
– ⌧ 37060
🔼 *Roma 505* – *Verona 18* – *Brescia 55* – *Padova 102*

XX **Zibaldone** 🏠 ⅃ AC P VISA ⦿ AE ① ⅃

*località Finiletto 8, Sud : 1,5 km – ℰ 04 56 09 51 65 – www.ristorantezibaldone.it
– info@ristorantezibaldone.it – chiuso martedì e mercoledì*
Rist – Carta 60/85 € ⅏
♦ Villa in campagna con un'unica sala, grande e confortevole. Qui vi accoglie il cuoco
per spiegarvi i piatti a voce; pesce o carne poco cambia: i sapori innanzitutto.

SAN GIORGIO MONFERRATO – Alessandria (AL) – 561G7   23 C2
– 1 294 ab. – alt. 281 m – ⊠ 15020

     🄳 Roma 610 – Alessandria 33 – Milano 83 – Pavia 74

XXX **Castello di San Giorgio** con cam ⅏   🎏 ⅃ % rist. ⅄ P

via Cavalli d'Olivola 3 – ℰ 01 42 80 62 03   VISA AE ① ⅃
*– www.castellodisangiorgio.it – info@castellodisangiorgio.it – Fax 01 42 80 65 05
– chiuso dal 27 dicembre al 10 gennaio e dal 1° al 20 agosto*
10 cam � – ♦75/105 € ♦♦130/155 € – 1 suite – ½ P 128 €
Rist – *(chiuso lunedì)* Carta 40/52 €
♦ All'interno di un piccolo parco ombreggiato, sulla sommità di una collina, svetta una
costruzione d'epoca; sale eleganti e dal tocco antico, a tavola, sapori piemontesi.

SAN GIOVANNI – Livorno – Vedere Elba (Isola d'): Portoferraio

---

SAN GIOVANNI AL NATISONE – Udine (UD) – 562E22 – 5 821 ab.   11 C2
– alt. 66 m – ⊠ 33048

     🄳 Roma 653 – Udine 18 – Gorizia 19

XXX **Campiello** con cam   🔊 ⅃ AC % cam, 📶 P VISA ⦿ AE ① ⅃

*via Nazionale 40 – ℰ 04 32 75 79 10 – www.ristorantecampiello.it – info@
ristorantecampiello.it – Fax 04 32 75 74 26 – chiuso dal 23 dicembre al 3 gennaio
e dal 6 al 27 agosto*
17 cam – ♦75 € ♦♦120 €, ⊇ 12 €
Rist – *(chiuso domenica)* Carta 59/79 € ⅏
Rist Hosteria Campiello – Carta 23/33 €
♦ Accomodatevi in questa sala, recentemente rinnovata, per gustare le curiose e originali prelibatezze che provengono dal mare. Le camere, moderne e ben tenute, sono
ottime per una clientela di lavoro o turistica. All'Hosteria wine-bar, invece, l'atmosfera è
più informale e i piatti regionali, più semplici.

SAN GIOVANNI D'ASSO – Siena (SI) – 563M16 – 922 ab.   29 C2
– alt. 322 m – ⊠ 53020

     🄳 Roma 209 – Siena 42 – Arezzo 58 – Firenze 110

🏠 **La Locanda del Castello** ⅏   🏠 AC cam, 📶 VISA ⦿ AE ① ⅃

*piazza Vittorio Emanuele II 4 – ℰ 05 77 80 29 39
– www.lalocandadelcastello.com – info@lalocandadelcastello.com
– Fax 05 77 80 29 42 – chiuso dal 15 gennaio al 28 febbraio*
9 cam ⊇ – ♦100 € ♦♦120/180 €   **Rist** – *(chiuso martedì)* Carta 26/41 €
♦ In centro, adiacente al castello, una nuova risorsa ricca di fascino e storia. Camere
accoglienti, ricche di colori, con pavimenti in legno. Sala ristorante affascinante, con
menù di stagione a base di tartufo.

a Montisi Est : 7 km – ⊠ 53020

🏠 **La Locanda di Montisi** senza rist ⅏   VISA ⦿ AE ① ⅃

*via Umberto 1° 39 – ℰ 05 77 84 59 06 – www.lalocandadimontisi.it
– info@lalocandadimontisi.it – Fax 05 77 84 58 21
– chiuso dal 5 novembre al 26 dicembre e dal 10 gennaio al 1° marzo*
7 cam ⊇ – ♦45/50 € ♦♦75/90 €
♦ In un borgo di pietra e mattoni, nel tipico paesaggio naturalistico toscano, un edificio
del '700 con un salone caratteristico e camere con pavimenti in cotto e travi a vista.

SAN GIOVANNI IN CROCE – Cremona (CR) – 561G13 – 1 612 ab.   17 C3
– alt. 28 m – ⊠ 26037

     🄳 Roma 490 – Parma 37 – Cremona 30 – Mantova 45

🏠 Locanda Ca' Rossa 🌿   🚗 🛋 🦌 ⚿ 🖶 & 🅰 ½ ⚒ ⁗ 🅿

via Giuseppina 20 – ☏ 037 59 10 69   💳 ⬥ 🅰🅴 ① ⟲
– www.locandacarossa.it – info@locandacarossa.it – Fax 03 75 31 20 90 – chiuso
dal 23 dicembre al 5 gennaio e 2 settimane in agosto
14 cam ⌂ – †60/75 € ††90 €
Rist – (chiuso domenica sera e lunedì) Carta 39/62 €
◆ Casa padronale del XVIII sec. divenuta un piccolo albergo pieno di fascino, all'interno
di un'oasi di tranquillità situata a fianco al Parco Villa Medici del Vascello. Piatti creativi
nelle sale del moderno ristorante.

SAN GIOVANNI IN FIORE – Cosenza (CS) – 564J32 – 18 573 ab.   5 B2
– ✉ 87055

🔼 Roma 582 – Cosenza 58 – Catanzaro 75 – Crotone 54

✗✗ L'Antico Borgo   🅰 ⚿ ⇄ 🅿 💳 ⬥ 🅰🅴 ① ⟲
via Salvatore Rota 3 – ☏ 09 84 99 28 39 – ck006@libero.it – Fax 09 84 97 51 02
Rist – Carta 16/26 €
◆ Non aspettatevi di trovarlo nel centro storico, il borgo è stato riscostruito all'interno di
uno spazio chiuso. Tutto è nuovo e scenografico, non reale ma molto originale.

SAN GIOVANNI IN MARIGNANO – Rimini (RN) – 562K20   9 D2
– 8 015 ab. – alt. 29 m – ✉ 47842

🔼 Roma 310 – Rimini 21 – Ancona 85 – Pesaro 20

✗✗ Il Granaio   & 🅰 ⚿ 💳 🅰🅴 ① ⟲
via R. Fabbro 18 – ☏ 05 41 95 72 05 – chiuso martedì
Rist – (consigliata la prenotazione) Carta 28/37 €
◆ Un tempo i locali erano destinati alla fermentazione dei mosti o al deposito del vino,
oggi un allegro caminetto riscalda questo ristorante, in cui trovare piatti di ispirazione
regionale.

SAN GIOVANNI IN PERSICETO – Bologna (BO) – 562I15   9 C3
– 24 498 ab. – alt. 21 m – ✉ 40017

🔼 Roma 392 – Bologna 21 – Ferrara 49 – Milano 193

✗ Osteria del Mirasole   🅰 ⚿ ⇄ 💳 ⬥ 🅰🅴 ① ⟲
via Matteotti 17/a – ☏ 051 82 12 73 – chiuso dal 1° al 15 luglio e lunedì
Rist – (chiuso a mezzogiorno) (prenotazione obbligatoria) Carta 41/53 €
◆ A pochi passi dal Duomo, una piccola osteria stretta e allungata con una profusione
di legni scuri, vecchie foto, utensili vari; sul fondo, una piccola brace. Menù vario.

✗ Giardinetto   🅰 💳 ⬥ 🅰🅴 ① ⟲
circonvallazione Italia 20 – ☏ 051 82 15 90 – www.ristorantegiardinetto.it
– info@ristorantegiardinetto.it – Fax 051 82 15 90
– chiuso dal 16 agosto al 2 settembre e lunedì
Rist – Carta 34/49 €
◆ Una sana conduzione familiare, con le donne intente a tirar la pasta; oggi, dalla sala è
Nicoletta che ne continua la saga. Ormai un'istituzione gastronomica in loco.

SAN GIOVANNI LA PUNTA – Catania – 565O27 – Vedere Sicilia alla fine dell'elenco alfabetico

SAN GIOVANNI LUPATOTO – Verona (VR) – 562F15 – 21 852 ab.   37 B3
– alt. 42 m – ✉ 37057

🔼 Roma 507 – Verona 9 – Mantova 46 – Milano 157

✗✗ Alla Campagna con cam   🛋 & rist, 🅰 ⁗ 🅿 🚗 💳 ⬥ 🅰🅴 ① ⟲
via Bellette 28, Ovest : 1 km – ☏ 045 54 55 13 – www.hotelallacampagna.com
– hotelallacampagna@libero.it – Fax 04 59 25 06 80
13 cam ⌂ – †55/70 € ††79/100 € – ½ P 60/80 €   **Rist** – Carta 21/46 €
◆ Una sala dall'arredamento classico, dove viene proposta una cucina prevalentemente
mediterranea con un'attenzione particolare alla stagionalità dei prodotti. Fiori e cioccola-
tini nelle camere per rilassarsi gustando il dolce più goloso e vivere un soggiorno indimenticabile.

SAN GIOVANNI ROTONDO – Foggia (FG) – 564B29 – 26 437 ab.
– alt. 557 m – ✉ 71013

🚹 Roma 352 – Foggia 43 – Bari 142 – Manfredonia 23

ℹ piazza Europa 104 ☎0882 456240, sangiovannirotondo@
pugliaturismo.com, Fax 0882 456240

Grand Hotel Degli Angeli   ⟨ 🚗 🛏 🖥 AC ☆ P 🚙

prolungamento viale Padre Pio – ☎ 08 82 45 46 46   VISA ⓪ AE ① ⑤
– www.grandhoteldegliangeli.it – info@grandhoteldegliangeli.it
– Fax 08 82 45 46 45 – chiuso dal 12 dicembre al 28 febbraio
113 cam ⊇ – †100 € ††130 € **Rist** – Carta 30/40 €
♦ Ubicato alle porte della località, poco distante dal Santuario, hotel abbastanza recente, signorile e dotato di ottimo livello di confort. Ristorante a gestione diretta, interessata e capace.

Parco delle Rose   🚗 🛏 ✕ 🖥 AC ☆ rist, "⾔" 🛁 P

via Aldo Moro 71 – ☎ 08 82 45 61 61   VISA ⓪ AE ① ⑤
– www.parcodellerose.com – hotel@parcodellerose.com – Fax 08 82 45 64 05
200 cam ⊇ – †55/70 € ††79 € – ½ P 65 €
Rist – (chiuso venerdì) Carta 20/27 €
♦ Grande complesso alberghiero sorto negli anni '70, ma da poco ristrutturato; ideale per gruppi e clienti individuali, offre camere di due differenti tipologie. Sale ristorante molto ampie.

Le Terrazze sul Gargano   ⟨ 🖥 ੬ rist, AC ☆ "⾔" P 🚙

via San Raffaele 9 – ☎ 08 82 45 78 83   VISA ⓪ AE ① ⑤
– www.leterrazzesulgargano.it – info@leterrazzesulgargano.it
– Fax 08 82 45 90 01
31 cam ⊇ – †58 € ††80 € – ½ P 55 €
Rist – (chiuso dal 10 gennaio al 28 febbraio) Carta 20/35 €
♦ Hotel non lontano dal santuario, ma in posizione piacevole, panoramica e tranquilla sulle pendici del monte. Atmosfera raccolta e familiare. Luminosa sala ristorante con pavimenti in marmo.

Cassano senza rist   🖥 ੬ AC ☆ 🚗 VISA ⓪ AE ① ⑤

*viale Cappuccini 115 – ☎ 08 82 45 49 21 – www.hotelcassano.it – hotelcassano@
tiscali.it – Fax 08 82 45 76 85*
20 cam – †49/70 € ††60/75 €, ⊇ 7 €
♦ A pochi passi dal Santuario di Padre Pio e dall'Ospedale, hotel di dimensioni contenute e di taglio contemporaneo, con servizi e confort di ottima qualità.

Colonne   🖥 AC ☆ P 🚗 VISA ⓪ AE ⑤

*viale Cappuccini 135 – ☎ 08 82 41 29 36 – www.hotelcolonne.it – info@
hotelcolonne.it – Fax 08 82 41 32 68*
32 cam – †54 € ††70 €, ⊇ 6 € – ½ P 59 €
Rist – (chiuso martedì) Carta 18/24 €
♦ Conduzione familiare, solida e nel settore da sempre; per una struttura alberghiera d'impostazione tradizionale, che presenta confort omogeneo in tutti i settori. Ristorante d'impostazione classica, cucina d'albergo.

SAN GIULIANO MILANESE – Milano (MI) – 561F9 – 32 814 ab.   18 **B2**
– alt. 97 m – ✉ 20098

🚹 Roma 562 – Milano 12 – Bergamo 55 – Pavia 33

✕ **La Ruota**   AC ☆ P VISA ⓪ AE ① ⑤
*via Roma 57 – ☎ 029 84 83 94 – Fax 02 98 24 19 14 – chiuso 3 settimane in
agosto e martedì*
Rist – Carta 24/41 €
♦ Rustico, luminoso e vasto locale, con prevalenza di cotture alla brace sia per il pesce sia per la carne.

Il rosso è il colore di chi sa distinguersi; i nostri punti di riferimento!

sulla strada statale 9 - via Emilia Sud-Est : 3 km :

XX **La Rampina** 🕎 AK ⇔ P VISA ⓒⓞ AE ① ⑤
frazione Rampina 3 ⊠ 20098 – ℰ 029 83 32 73 – www.rampina.it – rampina@ rampina.it – Fax 02 98 23 16 32 – chiuso mercoledì
Rist – Carta 46/64 € ⅋
Rist *Osteria Nuova – (chiuso agosto) (chiuso a mezzogiorno)* Carta 25/32 €
♦ Da quasi trent'anni, in un cascinale del '500, rinnovato con cura, due fratelli, tra passione e competenza, propongono piatti stagionali e lombardi, spesso rivisitati. Nuova osteria con proposte più semplici ed economiche nel locale annesso.

SAN GIUSTINO VALDARNO – Arezzo (AR) – 563L17 – 100 ab.   29 C2
– ⊠ 52020

▶ Roma 246 – Firenze 60 – Arezzo 20 – Prato 82

X **Osteria del Borro** P VISA ⓒⓞ ⑤
località Borro 52, Sud : 1 km – ℰ 055 97 71 15 – www.osteriadelborro.it – info@ osteriadelborro.it – Fax 055 97 71 15 – chiuso 20 giorni in gennaio, 10 giorni in novembre e mercoledì escluso da maggio ad ottobre
Rist – Carta 27/42 €
♦ Sono cinque briosi ragazzi a condurre l'osteria, un ambiente rusico e curato alle porte del raccolto borgo medievale, dove propongono piatti fantasiosi e gustosi ispirati ai sapori della cucina toscana.

SAN GIUSTO CANAVESE – Torino (TO) – 561G5 – 3 133 ab.   22 B2
– alt. 264 m – ⊠ 10090

▶ Roma 667 – Torino 35 – Ivrea 24 – Milano 133

all'uscita autostrada A 5 - San Giorgio Canavese

🏨 **Santa Fé** 🚗 🖃 🎎 ⅃ヵ ✖ 🕎 🕭 ⅃ऀ‡ AK ↩ ✖ rist. ⑨ ⅍ P
via Anna Magnani 1 ⊠ 10090 – ℰ 01 24 49 46 66   VISA ⓒⓞ AE ① ⑤
– www.hotelsantafe.it – info@hotelsantafe.it – Fax 01 24 49 46 90
– chiuso dal 10 al 24 agosto
101 cam ⊊ – †90/120 € ††100/130 € – ½ P 75/90 €   **Rist** – Carta 27/50 €
♦ Ideale per una clientela di lavoro, albergo di taglio moderno provvisto di una piccola beauty farm, offre spazi comuni di notevoli dimensioni e camere semplici ma confortevoli. Semplice la sala da pranzo con veranda, dove trovare la tradizione piemontese. A mezzogiorno, pasto a prezzi contenuti.

SAN GREGORIO – Lecce (LE) – 564H36 – ⊠ 73053 – Patù   27 D3
▶ Roma 682 – Brindisi 112 – Lecce 82 – Taranto 141

🏨 **Monte Callini** ⅀ ≤ 🚗 🖃 ⅃ AK ⅍ P VISA ⓒⓞ AE ① ⑤
via provinciale San Gregorio-Patù – ℰ 08 33 76 78 50
– www.hotelmontecallini.com – info@hotelmontecallini.com – Fax 08 33 76 78 51
– chiuso dal 1° novembre al 19 dicembre
45 cam ⊊ – †70/110 € ††160/210 € – ½ P 105/135 €
Rist – *(chiuso a mezzogiorno)* Carta 23/33 €
♦ La struttura evoca le antiche masserie salentine dalle grandi arcate, offre camere spaziose e luminose e un bel giardino con vista, dove gustare la colazione a buffet.

X **Da Mimì** 🕎 AK P VISA ⓒⓞ AE ① ⑤
via del Mare – ℰ 08 33 76 78 61 – Fax 08 33 76 51 97 – chiuso dal lunedì al venerdì in novembre
Rist – Carta 19/31 €
♦ Un esercizio a gestione familiare con un'ampia sala interna arredata in modo semplice e una grande terrazza con pergolato dove assaporare piatti di pesce e proposte regionali.

SAN GREGORIO NELLE ALPI – Belluno (BL) – 562D18 – 1 617 ab.   36 C1
– alt. 527 m – ⊠ 32030

▶ Roma 588 – Belluno 21 – Padova 94 – Pordenone 91

XX Locanda a l'Arte 🍴 🖼 P VISA ⬤ AE ① ⑤
via Belvedere 43 – ☎ 04 37 80 01 24 – roberto.merlin@cheapnet.it
– Fax 04 37 80 04 77 – chiuso lunedì
Rist *– (chiuso a mezzogiorno)* Carta 34/48 €
♦ Ampi spazi verdi cingono questo rustico casolare dagli interni signorili nei quali si incontrano piatti tipici del territorio conditi con stagionalità e un pizzico di fantasia.

SAN GUSME' (SI) – 563L16 – Vedere Castelnuovo Berardenga

SANKTA CHRISTINA IN GRÖDEN = Santa Cristina Valgardena

SANKT JOSEPH AM SEE = San Giuseppe al lago

SANKT LEONHARD IN PASSEIER = San Leonardo in Passiria

SANKT MARTIN IN PASSEIER = San Martino in Passiria

SANKT ULRICH = Ortisei

SANKT VALENTIN AUF DER HAIDE = San Valentino alla Muta

SANKT VIGIL ENNEBERG = San Vigilio di Marebbe

SAN LAZZARO DI SAVENA – Bologna (BO) – 562I16 – 29 984 ab.   9 C3
– alt. 62 m – ⊠ 40068
🚗 Roma 390 – Bologna 8 – Imola 27 – Milano 219
Pianta d'insieme di Bologna

🏨 Holiday Inn Bologna San Lazzaro 🌳   🚗 🍴 🖼 ⑤ cam, AC
via Emilia 514, località Idice   🍴 rist, 🛎 ♨ P VISA ⬤ AE ① ⑤
– ☎ 05 16 25 62 00 – www.hisanlazzaro.it – info@hisanlazzaro.it
– Fax 05 16 25 62 43   HVd
108 cam ⊂ – †85/275 € ††95/350 € – ½ P 75/210 €
Rist *La Pietra Cavata* – ☎ 05 16 25 81 81 *(chiuso lunedì)* Carta 30/52 €
♦ L'incantevole villa del '700 con giardino ombreggiato, è stata ampliata con una nuova struttura, le stanze sono ricche di fascino e calore. Per lavorare, e anche per sognare. Ristorante con camino per una cucina della tradizione.

SAN LEO – Pesaro e Urbino (PS) – 563K19 – 2 788 ab. – alt. 589 m   20 A1
– ⊠ 61018 ▌ Italia
🚗 Roma 320 – Rimini 31 – Ancona 142 – Milano 351
🛈 piazza Dante (palazzo Mediceo) ☎ 0541 926967, comune.san-leo@provincia.ps.it, Fax 0541 926913
◉ Posizione pittoresca★★ - Forte★ : ⁂★★★

🏨 Castello 🌳   VISA ⬤ AE ⑤
piazza Dante 11/12 – ☎ 05 41 91 62 14 – www.hotelristorantecastellosanleo.com
– albergo-castello@libero.it – Fax 05 41 92 69 26 – chiuso 2 settimane in febbraio e 2 settimane in novembre
14 cam ⊂ – †45/60 € ††55/76 € – ½ P 45/55 €
Rist *– (chiuso giovedì da ottobre a marzo)* Carta 19/23 €
♦ Alberghetto familiare con bar pubblico, situato in pieno centro, nella piazzetta principale; offre camere semplici, ma funzionali, in un angolo medievale del Montefeltro. Ristorante non molto ampio con caminetto e atmosfera casereccia.

verso Piega Nord-Ovest : 5 km

🏠 Country House Locanda San Leone 🌳   🚗 ♨ P
strada Sant'Antimo 102 ⊠ 61018 – ☎ 05 41 91 21 94   VISA ⬤ ① ⑤
– locanda.sanleone@libero.it – Fax 05 41 91 23 48 – aprile-settembre
8 cam ⊂ – †150/200 € ††190/240 € – 2 suites
Rist *– (chiuso lunedì e martedì) (chiuso a mezzogiorno escluso festivi)*
Menu 30/40 €
♦ Un antico cascinale, già mulino del Montefeltro, posizionato in una piccola e verde valle nei pressi del fiume Marecchia; ospitalità signorile, in mezzo alla natura.

SAN LEONARDO IN PASSIRIA (ST. LEONHARD IN PASSEIER) 30 B1

– Bolzano (BZ) – 562B15 – **3 415 ab.** – alt. 689 m – ✉ 39015 ▮ Italia

> ▶ Roma 685 – Bolzano 47 – Brennero 53 – Bressanone 65
> 🖥 via Passiria 40 ✆ 0473 656188, info@passeiertal.org, Fax 0473 656624
> 🅖 Strada del Passo di Monte Giovo★ : ≼★★ verso l'Austria Nord-Est :20 km
> – Strada del Passo del Rombo★ Nord-Ovest

verso Passo di Monte Giovo Nord-Est : 10 km – alt. m

🏨 **Jägerhof** 🌳   ≼ 🏡 🛏 🥄 rist, ⁽ᵖ⁾ 🅿 🚈 🐞 ⛛

località Valtina 80 ✉ 39010 Valtina – ✆ 04 73 65 62 50 – www.jagerhof.net
– info@jagerhof.net – Fax 04 73 65 68 22
– chiuso dal 9 novembre al 20 dicembre
20 cam ⊡ – †40/60 € ††70/100 € – ½ P 55/85 €
Rist – *(chiuso lunedì)* Carta 24/32 €

♦ Piacevole atmosfera semplice e familiare, un ambiente tipicamente montano con largo utilizzo di legno chiaro e arredi tirolesi. Da provare le 10 camere "biologiche". Al ristorante sapori locali originali.

SAN LEONINO – Siena – Vedere Castellina in Chianti

SAN LORENZO – Macerata – 563M21 – Vedere Treia

SAN LORENZO IN CAMPO – Pesaro e Urbino (PS) – 563L20 20 B1

– **3 401 ab.** – alt. 209 m – ✉ 61047

> ▶ Roma 257 – Ancona 64 – Perugia 105 – Pesaro 51

🏨 **Giardino**   🏡 🍴 🛗 ♿ 🆔 🥄 ⁽ᵖ⁾ 🅿 🚈 🐞 🅰🅴 ⓪ ⛛

🛏 *via Mattei 4, Ovest : 1,5 km – ✆ 07 21 77 68 03 – www.hotelgiardino.it*
– giardino@puntomedia.it – Fax 07 21 73 53 23
– chiuso 24-25 dicembre e dal 10 gennaio al 10 febbraio
18 cam ⊡ – †60/65 € ††74/86 €
Rist – *(chiuso domenica sera e lunedì)* Carta 36/49 € 🍷

♦ Davvero una bella realtà, questo confortevole albergo a gestione familiare poco fuori paese; camere ben arredate e rifinite anche nei particolari. E' nella cucina, solida e dal gusto classico, che risiede la vera forza della casa, eccellente carta dei vini.

SAN LUCA – Perugia – 563N20 – Vedere Montefalco

SAN MAMETE – Como – Vedere Valsolda

SAN MARCELLO PISTOIESE – Pistoia (PT) – 563J14 – **7 024 ab.** 28 B1

– alt. 623 m – ✉ 51028 ▮ Toscana

> ▶ Roma 340 – Firenze 67 – Pisa 71 – Bologna 90
> 🖥 villa Vittoria 129 ✆ 0573 630145, apt12pistoia@tin.it, Fax 0573 622120

🏠 **Il Cacciatore**   🥄 ♿ 🅿 🚈 🐞 🅰🅴 ⛛

via Marconi 727 – ✆ 05 73 63 05 33 – www.albergoilcacciatore.it – info@
albergoilcacciatore.it – Fax 05 73 63 01 34
– chiuso dal 10 al 31 gennaio e dal 5 al 30 novembre
25 cam ⊡ – †45/55 € ††70/80 € – ½ P 52/62 €
Rist – *(chiuso lunedì)* Carta 25/35 €

♦ Ubicato sul passaggio per l'Abetone, un albergo che offre un ambiente familiare, all'insegna della semplicità; settore notte con arredi ben tenuti e stanze pulite. Piatti caserecci in un contesto gradevole.

SAN MARINO (Repubblica di) – 562K19 – Vedere alla fine dell'elenco alfabetico

---

SAN MARTINO – Arezzo – 563PM17 – Vedere Cortona

SAN MARTINO AL CIMINO – Viterbo – 563O18 – Vedere Viterbo

SAN MARTINO BUON ALBERGO – Verona (VR) – 562F15 37 B3

– **13 139 ab.** – alt. 45 m – ✉ 37036

> ▶ Roma 505 – Verona 8 – Milano 169 – Padova 73

SAN MARTINO BUON ALBERGO

in prossimità casello autostrada A 4 Verona Est

Holiday Inn Verona Congress Centre ⌖ rist,
viale del Lavoro – ☏ 045 99 50 00
– www.holidayinn.com – infobookingvr@metha.com – Fax 04 58 78 15 26
132 cam ⌷ – ♦♦60/320 € – ½ P 45/195 €
Rist *Catullo* – Carta 33/51 €
♦ All'uscita autostradale, un hotel d'impostazione classica, elegante e valido punto di riferimento per una clientela di lavoro; piccola hall e camere confortevoli. Tradizionale cucina d'albergo al ristorante dall'apparenza sontuosa.

a Marcellise Nord : 4 km – alt. 102 m – ✉ 37036

✗✗ Vecchia Fontana
via Mezzavilla 29/a – ☏ 04 58 74 04 44 – www.vecchiafontana.com – info@vecchiafontana.com – Fax 04 58 74 04 44 – chiuso martedì
Rist – Menu 25/40 € – Carta 30/38 €
♦ In questa graziosa frazione, un locale classico che non difetta di piccoli eleganti dettagli, dove fermarsi a gustare una cucina realizzata con prodotti provenienti da ogni angolo d'Italia.

a Ferrazzette Nord-Ovest : 2 km – ✉ 37036

⌂ Agriturismo Musella senza rist
corte Ferrazzette 2, località Ferrazze
– ☏ 33 57 29 46 27 – www.musella.it – paulo@musella.it – Fax 04 58 95 62 87
– chiuso dal 15 dicembre al 15 febbraio
14 cam ⌷ – ♦90 € ♦♦135/155 € – 1 suite
♦ La parte più antica di questa risorsa immersa nel verde risale alla fine del '400. Oggi offre camere e appartamenti in stile country, alcuni con caminetto. Troverete vino, olio e miele di loro produzione.

SAN MARTINO DI CASTROZZA – Trento (TN) – 562D17   31 C2
– alt. 1 467 m – Sport invernali : 1 450/2 380 m ⚶3 ⚶16, ⚶; al passo Rolle :
1 884/2 300 m ⚶5, (Comprensorio Dolomiti superski San Martino di Castrozza) ⚶
– ✉ 38054 Italia

▶ Roma 629 – Belluno 79 – Cortina d'Ampezzo 90 – Bolzano 86
🛈 via Passo Rolle 165 ☏ 0439 768867, info@sanmartino.com, Fax 0439 768814
◉ Località ★★

Regina ⌖ rist,
via Passo Rolle 154 – ☏ 043 96 82 21 – www.hregina.it – info@hregina.it
– Fax 043 96 80 17 – dicembre-10 aprile e 15 giugno-settembre
31 cam – ♦80/140 € ♦♦140/260 €, ⌷ 10 € – 5 suites – ½ P 110/170 €
Rist – Carta 22/46 €
♦ Gestita sin dal 1922 dalla medesima famiglia, risorsa molto personalizzata ed originale negli allestimenti. Arredi eleganti, camere differenziate, suites molto spaziose. Sale da pranzo di tono, cucina con qualche divagazione nelle proposte locali.

Letizia ⌖ rist,
via Colbricon 6 – ☏ 04 39 76 86 15 – www.hletizia.it – hotel@hletizia.it
– Fax 04 39 76 71 12 – 4 dicembre-Pasqua e 20 giugno-20 settembre
28 cam ⌷ – ♦70/120 € ♦♦90/200 € – 7 suites – ½ P 120 €
Rist – (solo per alloggiati)
♦ Un albergo dall'elegante atmosfera rustica dove regnano, anche negli spazi adibiti all'esclusivo centro benessere, una notevole cura per i dettagli e le personalizzazioni.

Vienna ⌖ rist,
via Herman Panzer 1 – ☏ 043 96 80 78 – www.hvienna.com – info@hvienna.com
– Fax 04 39 76 91 65 – 3 dicembre-10 aprile e 17 giugno-16 settembre
41 cam – solo ½ P 51/120 €   **Rist** – (solo per alloggiati)
♦ Struttura recente situata ai margini della pista da fondo; conduzione diretta, di lunga esperienza, piacevole centro fitness con percorso all'aperto. Camere in stile tirolese.

San Martino

⛢ ⚁ 🖼 💮 ♨ ✕ 🎮 ♿ rist, ♨ **P** 🚗 **VISA** ⬤ 🅢

via Passo Rolle 279 – 𝒞 043 96 80 11 – www.hotelsanmartino.it – info@
hotelsanmartino.it – Fax 043 96 85 50
– 20 dicembre-20 aprile e 25 giugno-15 settembre
41 cam �️ – †40/80 € ††80/160 € – 4 suites – ½ P 50/110 €
Rist – (solo per alloggiati) Menu 15/30 €
♦ All'ingresso della località, al limitare del bosco, albergo familiare che dispone di confortevoli camere, con arredi rustici e funzionali e centro benessere con piscina.

Jolanda

🚗 🖼 ⑂ 🎮 ✕ rist, **P** 🚗 **VISA** ⬤ **AE** ⓞ 🅢

via Passo Rolle 267 – 𝒞 043 96 81 58 – www.hoteljolanda.com – info@
hoteljolanda.com – Fax 04 39 76 87 18 – dicembre-aprile e giugno-settembre
40 cam – †60/80 € ††100/140 € – ½ P 80/105 € **Rist** – Menu 20/45 €
♦ Si trova nella parte alta della località questo albergo recentemente rinnovato; confort
e semplicità negli ambienti e una moderna e curata zona benessere.

Panorama

⛢ ♨ ⑂ ✕ **P** 🚗 **VISA** ⬤ ⓞ 🅢

via Cavallazza 14 – 𝒞 04 39 76 86 67 – www.hpanorama.it – hotel@hpanorama.it
– Fax 04 39 76 86 68 – 20 dicembre-15 aprile e 28 giugno-16 settembre
20 cam ⊿ – †70/75 € ††118/138 € – ½ P 77/100 € **Rist** – Carta 31/41 €
♦ Un albergo familiare, a pochi passi dalla zona centrale del paese, lungo la strada che
conduce alla pista da fondo; camere semplici e funzionali. Sala classica e luminosa in
stile tirolese contemporaneo.

❌❌ Malga Ces con cam

⛢ 🏠 ♿ rist, **P** **VISA** ⬤ **AE** ⓞ 🅢

località Ces, Ovest : 3 km – 𝒞 043 96 82 23 – www.malgaces.it – info@
malgaces.it – Fax 043 96 82 23 – dicembre-15 aprile e 15 giugno-settembre
7 cam ⊿ – †60/90 € ††100/150 € – ½ P 60/90 € **Rist** – Carta 30/39 €
♦ All'inizio del bosco e delle piste di sci, bella struttura panoramica con camere ampie e
confortevoli. Ristorante molto frequentato con atmosfera vivace e cucina locale.

SAN MARTINO IN CAMPO – Perugia – 563M19 – Vedere Perugia

SAN MARTINO IN PASSIRIA (ST. MARTIN IN PASSEIER)

30 B1

– Bolzano (BZ) – 562B15 – 2 899 ab. – alt. 597 m – ✉ 39010

▶ Roma 682 – Bolzano 43 – Merano 16 – Milano 342

sulla strada Val Passiria Sud : 5 km :

Quellenhof Resort : Una struttura composta da risorse differenti, tutte gestite
dall'intraprendente famiglia Dorfer. Stile omogeneo, confort di diverso livello,
ospitalità sempre calorosa. Per i pasti diverse possibilità di scelta, ma
soprattutto una buona cucina locale.

Parkresidenz – Quellenhof Resort ⚜

⛢ ♨ 🏠 ⚂ 🖼 💮 ♨ ⑂ ✕

✉ 39010 San 🎮 ♿ ✕ **AC** rist, ✕ rist, 📶 **P** 🚗 **VISA** ⬤ **AE** ⓞ 🅢
Martino in Passiria – 𝒞 04 73 64 54 74 – www.quellenhof.it – info@quellenhof.it
– Fax 04 73 64 54 99 – chiuso febbraio
25 suites – solo ½ P 130/300 € **Rist** – (chiuso a mezzogiorno) Menu 35/70 €
♦ Ultimo nato all'interno della struttura, questo impianto è interamente consacrato al
confort e alla riscoperta della bellezza e del benessere da vivere nelle lussuose suite.

Quellenhof-Forellenhof e Landhaus – Quellenhof Resort

⛢

⚂ ♨ ⚁ ♨ 💮 ♨ ⑂ ✕ 🎮 ♿ ✕ **AC** rist, ✕ rist, 📶 **P** 🚗 **VISA** ⬤ **AE** ⓞ 🅢
via Passiria 47 ✉ 39010 San Martino in Passiria – 𝒞 04 73 64 54 74
– www.quellenhof.it – info@quellenhof.it – Fax 04 73 64 54 99 – chiuso febbraio
63 cam ⊿ – ††200/350 € – 10 suites – ½ P 90/150 € **Rist** – Carta 28/35 €
♦ Circondati da un giardino, i tre edifici dispongono di raffinate e spaziose camere,
un'invitante piscina e campi da gioco. Il Quellenhof è fulcro amministrativo del resort.
Luminosi ed accoglienti, il ristorante e le stube propongono specialità sudtirolesi, la
cucina contadina e piatti della tradizione mediterranea.

Alpenschlössl – Quellenhof Resort ⌖ ⟨icons⟩
✉ 39010 San
Martino in Passiria – ℰ 04 73 64 54 74 – www.quellenhof.it – info@quellenhof.it
– Fax 04 73 64 54 99 – chiuso febbraio
17 cam – 4 suites – solo ½ P 110/250 € **Rist** – (solo per alloggiati)
♦ Recente realizzazione; all'avanguardia sia nei materiali utilizzati sia nell'immagine d'insieme, moderna e con dotazioni di prim'ordine; ottima l'area per il relax.

Sonnenalm – Quellenhof Resort ⌖ ⟨icons⟩
✉ 39010 San Martino in
Passiria – ℰ 04 73 64 54 74 – www.quellenhof.it – info@quellenhof.it
– Fax 04 73 64 54 99 – chiuso gennaio e febbraio
19 cam – ♦75/150 € ♦♦130/200 € – 2 suites – ½ P 100/130 €
Rist – (solo per alloggiati)
♦ Un complesso completamente rinnovato: si presenta ora forte di tutti i confort desiderabili, offrendo stanze gradevoli, bella piscina all'aperto e strutture sportive.

a Saltusio (Saltaus)Sud : 8 km – **alt. 490 m** – ✉ 39010

Castel Saltauserhof ⟨icons⟩
via Passiria 6 – ℰ 04 73 64 54 03 – www.saltauserhof.com
– info@saltauserhof.com – Fax 04 73 64 55 15 – marzo-10 novembre
38 cam ⌂ – ♦45/110 € ♦♦90/230 € – 3 suites – ½ P 60/110 €
Rist – (solo per alloggiati)
♦ Una casa con origini che si perdono nel tempo e un ambiente tipico con ottimi confort; un settore notte molto piacevole, con alcuni bagni enormi, e centro fitness.

SAN MARTINO IN PENSILIS – Campobasso (CB) – 564B27   2 **D2**
– 4 821 ab. – **alt. 282 m** – ✉ 86046
▶ Roma 285 – Campobasso 66 – Foggia 80 – Isernia 108

Santoianni ⟨icons⟩
via Tremiti 2 – ℰ 08 75 60 50 23 – hotelsantoianni@hotmail.it – Fax 08 75 60 50 23
15 cam – ♦32/40 € ♦♦46/60 €, ⌂ 3 € **Rist** – (chiuso venerdì) Carta 20/30 €
♦ Una casa di contenute dimensioni, con un insieme di validi confort e una tenuta e manutenzione davvero lodevoli; a gestione totalmente familiare, una piacevole risorsa. Capiente ristorante di classica impostazione.

SAN MARTINO SICCOMARIO – Pavia – 561G9 – Vedere Pavia

SAN MARZANO OLIVETO – Asti (AT) – 561H6 – 1 041 ab.   25 **D2**
– **alt. 301 m** – ✉ 14050
▶ Roma 603 – Alessandria 40 – Asti 26 – Genova 110

Agriturismo Le Due Cascine ⟨icons⟩
regione Mariano 22, Sud-Est : 3 km
– ℰ 01 41 82 45 25 – www.leduecascine.com – info@leduecascine.com
– Fax 01 41 82 90 28 – chiuso dal 10 al 20 gennaio
10 cam ⌂ – ♦55/65 € ♦♦85/95 € – ½ P 75/85 € **Rist** – Menu 20/30 €
♦ Sulle colline del Monferrato, immersi tra i vigneti, sono disponibili camere sobrie e per lo più spaziose. Particolarmente adatta per famiglie.

Del Belbo-da Bardon ⟨icons⟩
valle Asinari 25, Sud-Est : 4 km – ℰ 01 41 83 13 40 – Fax 01 41 82 90 35 – chiuso
dal 18 dicembre al 12 gennaio, dal 16 al 25 agosto, mercoledì e giovedì
Rist – Carta 27/33 € ⌖
♦ La secolare storia della trattoria è raccontata dai contributi che ogni generazione vi ha lasciato: foto e suppellettili d'epoca fino alla esemplare cantina allestita dagli attuali proprietari. Cucina della tradizione astigiana.

SAN MASSIMO ALL'ADIGE – Verona – Vedere Verona

SAN MAURIZIO CANAVESE – Torino (TO) – 561G4 – 7 432 ab.   22 **B2**
– **alt. 317 m** – ✉ 10077
▶ Roma 697 – Torino 17 – Aosta 111 – Milano 142

XXX **La Credenza** (Giovanni Grasso)   🔟 🕉 🛟 𝗩𝗜𝗦𝗔 ⓿ 𝐀𝐄 ⓿ ⓼
🕸 via Cavour 22 – ℰ 01 19 27 80 14 – www.ristorantelacredenza.it – credenza@
tin.it – Fax 01 19 27 80 14 – chiuso dal 1° al 20 gennaio, dal 16 al 30 agosto,
martedì e mercoledì
Rist – Carta 52/70 € 🏵
Spec. Fassone in tre tagli con fonduta e tartufo nero. Ravioli liquidi di piccione.
Gamberoni avvolti di pasta kataify con succo di peperoni.
♦ Un piccolo, grazioso, giardino introduce ad un'elegante sala, avvolta dal legno. La
cucina fa uso delle più moderne tecniche "celandole" dietro un gusto tutto piemontese
per i sapori e la sostanza. Per autentiche emozioni gastronomiche!

SAN MAURO LA BRUCA – Salerno (SA) – 564G27 – **746 ab.**   7 **D3**
– alt. 450 m – ✉ 84070
▶ Roma 364 – Potenza 128 – Napoli 160 – Salerno 105

⇧ **Agriturismo Prisco** 🦋   ≤ ♿ cam, 🛏 ⇆ 🕉 (ꞵ) 🅿
🕸 contrada Valle degli Elci, Sud-Est : 2,5 km   𝗩𝗜𝗦𝗔 ⓿ 𝐀𝐄 ⓿ ⓼
– ℰ 09 74 97 41 53 – www.agriturismoprisco.it – info@agriturismoprisco.it
– Fax 09 74 97 49 28
6 cam – solo ½ P 65 €
Rist – (chiuso a mezzogiorno) (consigliata la prenotazione) Carta 18/30 €
♦ Nel parco del Cilento, ospitalità familiare in un'azienda agricola biologica, specializzata
nell'apicoltura, offre ambienti curati immersi nel silenzio più assoluto. Per i vostri pasti,
una cucina casalinga e genuina realizzata con ingredienti di propria produzione.

SAN MAURO TORINESE – Torino (TO) – 561G5 – **18 343 ab.**   22 **A1**
– alt. 211 m – ✉ 10099
▶ Roma 666 – Torino 9 – Asti 54 – Milano 136

Pianta d'insieme di Torino

🏠 **La Pace** senza rist   🏦 🔟 (ꞵ) 🅿 𝗩𝗜𝗦𝗔 ⓿ 𝐀𝐄 ⓼
via Roma 36 – ℰ 01 18 22 19 45 – info@hotelapace.it – Fax 01 18 22 26 77
35 cam – 🛏50/60 € 🛏🛏60/70 €, � 5 €   HT**s**
♦ Un piccolo e confortevole albergo a gestione familiare posizionato lungo la strada che
attraversa San Mauro: comodo punto di riferimento per il turismo e per gli affari.

X **Frandin-da Vito**   🏦 🕉 🅿 𝗩𝗜𝗦𝗔 ⓿ 𝐀𝐄 ⓿ ⓼
via Settimo 14 – ℰ 01 18 22 11 77 – Fax 01 18 22 11 77 – chiuso dal 16 agosto al
10 settembre e lunedì   HT**a**
Rist – Carta 25/54 €
♦ Cucina langarola e del Monferrato, nonché le specialità di stagione per questa piacevole trattoria familiare, situata in zona periferica, quasi sulle rive del fiume.

SAN MENAIO – Foggia (FG) – 564B29 – ✉ 71010   26 **A1**
▶ Roma 389 – Foggia 104 – Bari 188 – San Severo 71

🏠 **Park Hotel Villa Maria** 🦋   🚗 🏦 🏦 ♿ 🔟 🕉 cam, 🅿
via del Carbonaro 15 – ℰ 08 84 96 87 00   𝗩𝗜𝗦𝗔 ⓿ 𝐀𝐄 ⓿ ⓼
– www.parkhotelvillamaria.it – info@parkhotelvillamaria.it – Fax 08 84 96 88 00
– chiuso dicembre e gennaio
15 cam � – 🛏50/130 € 🛏🛏60/150 € – ½ P 85 €
Rist – (chiuso lunedì da ottobre ad aprile) Carta 33/50 €
♦ Un'affascinante villa di inizio '900 abbracciata da un gradevole giardino, offre confortevoli camere completamente ristrutturate e piacevolmente arredate, alcune con terrazza. Nelle due salette interne lievemente eleganti e presso il dehors estivo, proposte
di carne e di pesce.

SAN MICHELE = **ST. MICHAEL** – Bolzano – Vedere Appiano sulla Strada del
Vino

SAN MICHELE ALL'ADIGE – Trento (TN) – 562D15 – **2 519 ab.**   30 **B2**
– alt. 229 m – ✉ 38010
▶ Roma 603 – Trento 15 – Bolzano 417 – Milano 257

La Vigna senza rist 🏠 🛱 ⟨ AK ✗ 🏝 P ➡ VISA ©© ⑤
via Postal 49/a – ☏ 04 61 65 02 76 – www.garnilavigna.it – info@garnilavigna.it
– *Fax 04 61 66 24 77*
23 cam – ♦50/60 € ♦♦70/90 €
♦ All'uscita del raccordo autostradale e a poche centinaia di metri dal centro, piacevole struttura di recente apertura caratterizzata da interni in legno chiaro, stile *Alto Adige*. Graziose camere, funzionali ed accoglienti. Piacevole *start-up* mattutino nella bella sala colazioni.

SAN MICHELE DEL CARSO – Gorizia – Vedere Savogna d'Isonzo

SAN MICHELE DI GANZARIA – Catania – 565P25 – Vedere Sicilia alla fine dell'elenco alfabetico

---

SAN MICHELE EXTRA – Verona – 562F14 – Vedere Verona

SAN MINIATO – Pisa (PI) – 563K14 – 26 787 ab. – alt. 140 m   28 B2
– ✉ 56028 Toscana

▸ Roma 297 – Firenze 37 – Siena 68 – Livorno 52

🛈 piazza del Popolo 3 ☏ 0571 42745, ufficio.turismo@cittadisanminiato.it, Fax 0571 42745

🖬 Fontevivo, ☏ 0571 41 90 12

Villa Sonnino 🖨 🔑 🛱 ⟨ AK ✗ 🏝 P VISA ©© AE ⑤
via Castelvecchio 9/1 località Catena, Est : 4 km – ☏ 05 71 48 40 33
– www.villasonnino.com – villa@villasonnino.com – *Fax 05 71 48 51 75*
13 cam ☲ – ♦75/85 € ♦♦89/98 € – ½ P 70/79 €
Rist – *(chiuso i mezzogiorno di lunedì, martedì e mercoledì)* Carta 21/34 €
♦ La storia di questa villa ha inizio nel '500 quando viene edificato il corpo centrale, mentre nel '700 si procedette ad un ampliamento. Parco e signorilità sono invariati. Affascinante sala ristorante, proposte di cucina mediterranea.

SAN NICOLÒ – Treviso – 562E19 – Vedere Ponte di Piave

SAN PANCRAZIO – Brescia – Vedere Palazzolo sull'Oglio

SAN PANTALEO – Olbia-Tempio (104) – 566D10 – Vedere Sardegna alla fine dell'elenco alfabetico

---

SAN PAOLO D'ARGON – Bergamo (BG) – 561E11 – 4 700 ab.   19 C1
– alt. 255 m – ✉ 24060

▸ Roma 575 – Bergamo 13 – Brescia 44 – Milano 60

Executive senza rist 🛱 ⟨ AK ⟨ᵗ⟩ 🏝 P VISA ©© AE ⑩ ⑤
via Nazionale 67 – ☏ 035 95 96 96 – www.executive-hotel.it – info@
executive-hotel.it – *Fax 035 95 96 97*
42 cam ☲ – ♦50/140 € ♦♦60/180 €
♦ Nuova struttura in stile moderno, in prossimità della strada statale. Ambienti sobri ed eleganti con camere ben insonorizzate. Adatto per una clientela d'affari e non.

SAN PELLEGRINO (Passo di) – Trento (TN) – 562C17 – alt. 1 918 m   31 C2
– Sport invernali : 1 918/2 513 m ≤3 ≤18 (Comprensorio Dolomiti superski Tre Valli) – ✉ 38035 – Moena

▸ Roma 682 – Belluno 59 – Cortina d'Ampezzo 67 – Bolzano 56

Monzoni ⟨ ⟨ ⑩ 🏠 ⌂ 🛱 ⟨ ↟ ✗ 🏝 P ➡
☏ 04 62 57 33 52 – www.hotelmonzoni.it – info@   VISA ©© AE ⑩ ⑤
hotelmonzoni.it – *Fax 04 62 57 44 90 – 6 dicembre-14 aprile e 5 luglio-agosto*
83 cam ☲ – ♦130 € ♦♦200 € – ½ P 141/171 €   **Rist** – Carta 40/50 €
♦ Una lunga tradizione per quest'originario rifugio alpino d'inizio secolo scorso, divenuto poi albergo, costituito da due edifici collegati. Centro benessere con bella piscina. Due sale ristorante con atmosfera di rustica eleganza e animato bar pubblico.

✗ **Rifugio Fuciade** con cam ⟨icons⟩ ≤ ⟨icons⟩ cam, VISA ⟨icons⟩
– ℰ 04 62 57 42 81 – Fax 04 62 57 42 81
– Natale-Pasqua e 15 giugno-15 ottobre
7 cam ⊑ – ✝40/50 € ✝✝90/100 € – ½ P 70/80 € **Rist** – Carta 31/49 €
♦ A 1980 m, un rifugio in alpeggio da cui si gode un panorama splendido sulle Dolomiti che lo incorniciano; servizio ristorante estivo anche all'aperto, con vista incantevole.

SAN PIERO IN BAGNO – Forlì – 562K17 – Vedere Bagno di Romagna

SAN PIETRO – Verona – Vedere Legnago

SAN PIETRO A CEGLIOLO – Arezzo – 563M17 – Vedere Cortona

SAN PIETRO ALL'OLMO – Milano – 561F9 – Vedere Cornaredo

SAN PIETRO IN CARIANO – Verona (VR) – 562F14 – 12 616 ab. 37 A2
– alt. 160 m – ⊠ 37029

🚗 Roma 510 – Verona 19 – Brescia 77 – Milano 164

🖪 via Ingelheim 7 ℰ 045 7701920, info@valpolicellaweb.it Fax 045 7701920

a Pedemonte Ovest : 4 km – ⊠ 37020

🏠 **Villa del Quar** ⟨icons⟩ ≤ ⟨icons⟩
via Quar 12, Sud-Est : 1,5 km – ℰ 04 56 80 06 81 VISA ⟨icons⟩
– www.hotelvilladelquar.it – info@hotelvilladelquar.it – Fax 04 56 80 06 04
– chiuso dall'8 gennaio al 15 marzo
21 cam ⊑ – ✝240/360 € ✝✝290/360 € – 7 suites
Rist Arquade – vedere selezione ristoranti
♦ Villa secolare nella campagna veneta, con straordinari arredi, tutti originali, recuperati personalmente dal proprietario; eccezionale accoglienza e atmosfera ricca di magia.

✗✗✗ **Arquade** (Bruno Barbieri) – Villa del Quar ⟨icons⟩ P
☼☼ via Quar 12, Sud-Est : 1,5 km – ℰ 04 56 85 01 49 VISA ⟨icons⟩
– www.hotelvilladelquar.it – info@ristorantearquade.it – Fax 04 56 80 06 04
– chiuso lunedì, anche martedì a mezzogiorno in novembre, dicembre e marzo
Rist – Menu 100/180 € – Carta 90/130 € ⟨icon⟩
Spec. Dolce amaro di rose con tartare di cervo, cannolo croccante con misti-canza, pane, ostriche e frutti di bosco. Mantecato di riso ai porri con stufato d'astice e spezie indiane in foglia di banano. Scampi gratinati con pancotto agli aromi, scapece di zucchine all'elisir di pizza.
♦ Preziosa raccolta di arredi e decorazioni d'epoca nelle sale, mentre la cucina si apre alla fantasia policroma e multiforme del cuoco.

Corrubbio Sud-Ovest : 2 km – ⊠ 37029 – San Pietro in Cariano

🏠 **Byblos Art Hotel Villa Amistà** ⟨icons⟩ P
via Cedrare 78 – ℰ 04 56 85 55 55 ⟨icons⟩ VISA ⟨icons⟩
– www.byblosarthotel.com – info@byblosarthotel.com – Fax 04 56 85 55 00
54 cam ⊑ – ✝226/270 € ✝✝297/366 € – 6 suites
Rist Atelier, ℰ 04 56 85 55 83 – Carta 53/74 €
♦ Immerso nel parco, è un hotel di lusso dove la classicità dell'architettura cinquecente-sca si unisce ad una selezione di colori oggetti e tessuti dettati dalla moda attuale. Una cucina contemporanea alla continua ricerca di nuovi sapori attraverso cui reinterpretare piatti regionali ed internazionali.

SAN PIETRO IN CASALE – Bologna (BO) – 562H16 – 10 411 ab. 9 C3
– alt. 17 m – ⊠ 40018

🚗 Roma 397 – Bologna 25 – Ferrara 26 – Mantova 111

✗✗ **Dolce e Salato** con cam ⟨icons⟩ rist, VISA ⟨icons⟩
piazza L. Calori 16/18 – ℰ 051 81 11 11 – www.dolceesalato.org
– claudia.montori@tiscali.it – Fax 051 81 88 18
11 cam ⊑ – ✝50/100 € ✝✝70/100 € **Rist** – Carta 33/68 € ⟨icon⟩
♦ Piazza del mercato: una vecchia casa, in parte ricoperta dall'edera, con salette ralle-grate da foto d'altri tempi. Tante paste fresche e schietti piatti del territorio.

✗ Tubino   🆎 🆅🅸🆂🅰 ⓥⓢ 🅰🅴 ⓞ ⛑

via Pescerelli 98 – ℰ 051 81 14 84 – www.trattoriatubino.com – Fax 051 97 31 03
– chiuso dal 7 al 15 gennaio, 2 settimane in luglio, venerdì e sabato a
mezzogiorno
Rist – Carta 26/41 €
♦ E' la cucina a fare da protagonista in questo locale: semplice e fedele ai sapori della
vera tradizione emiliana, con una notevole ricerca di prodotti. Simpatica e attenta
gestione.

a Rubizzano Sud-Est : 3 km – ✉ 40018 – San Pietro in Casale

✗ Tana del Grillo   🆎 🆉 ⇔ 🅿 🆅🅸🆂🅰 ⓥⓢ 🅰🅴 ⓞ ⛑

via Rubizzano 1812 – ℰ 051 81 09 01 – Fax 051 81 16 48 – chiuso
dal 1° al 10 gennaio, agosto, lunedì sera e martedì, in luglio anche domenica
Rist – (consigliata la prenotazione) Carta 26/43 €
♦ Una frazione di poche case, un'osteria a fianco del bar del paese; all'ingresso, vi accolgono una rossa affettatrice e il profumo del pane. Poi, ghiottonerie casalinghe.

SAN PIETRO IN CORTE – Piacenza – Vedere Monticelli d'Ongina

SAN PIETRO (Isola di) – Carbonia-Iglesias (107) – 566J6 – Vedere Sardegna
alla fine dell'elenco alfabetico

SAN POLO – Parma – Vedere Torrile

SAN POLO D'ENZA – Reggio Emilia (RE) – 562I13 – 5 409 ab.   8 **B2**
– alt. 66 m – ✉ 42020

  🚩 Roma 452 – Parma 24 – Modena 43 – Reggio Emilia 20

✗✗ Mamma Rosa (Antonio Torino)   🏠 🆎 🆉 ⇔ 🅿 🆅🅸🆂🅰 ⓥⓢ 🅰🅴 ⓞ ⛑

via 24 Maggio 1 – ℰ 05 22 87 47 60 – www.mamma-rosa.it – mammaros@
mammarosa.191.it – Fax 05 22 25 20 09 – chiuso dal 24 dicembre al 20 gennaio,
dal 4 al 10 maggio, dal 25 agosto al 20 settembre, lunedì e martedì
Rist – Menu 48/70 € – Carta 45/80 €
Spec. Sformato di melanzane viola e alici marinate con salsa di fragole e
peperoncino (primavera-estate). Cappellacci di baccalà in brodo di crostacei
(inverno). Tegame di pesce, crostacei e frutti di mare con verdure.
♦ Semplice caseggiato ai margini del paese, tutti gli sforzi si concentrano su una cucina
di pesce quotidianamente sostenuta dal migliore pescato. Piatti saporiti di ispirazione
meridionale.

SAN POLO DI PIAVE – Treviso (TV) – 562E19 – 4 668 ab. – alt. 27 m   35 **A1**
– ✉ 31020

  🚩 Roma 563 – Venezia 54 – Belluno 65 – Cortina d'Ampezzo 120

⛩ La Locanda Gambrinus   🚄 🅿 🆎 🆉 🗣 🅿 🆅🅸🆂🅰 ⓥⓢ 🅰🅴 ⓞ ⛑

via Roma 20 – ℰ 04 22 85 52 46 – www.gambrinus.it – lalocanda@gambrinus.it
– Fax 04 22 85 50 44
6 cam ⚏ – †55 € ††90 € – ½ P 80 €
Rist Parco Gambrinus – vedere selezione ristoranti
♦ Risorsa recente, frutto della completa e accurata ristrutturazione di un edificio otto-
centesco, consente di alloggiare in camere ampie, arredate con mobili in stile.

✗✗ Parco Gambrinus – La Locanda Gambrinus   ♨ 🏠 🆎 🆉 🅿

località Gambrinus 18 – ℰ 04 22 85 50 43   🆅🅸🆂🅰 ⓥⓢ 🅰🅴 ⓞ ⛑
– www.gambrinus.it – gambrinus@gambrinus.it – Fax 04 22 85 50 44 – chiuso
dal 7 al 18 gennaio, dal 6 al 19 agosto, domenica sera e lunedì (escluso i giorni
festivi)
Rist – Carta 40/52 €
♦ Locale signorile ed elegante, alle porte del piccolo paese; piacevolissimo il servizio
estivo nel parco con voliere e ruscello; piatti creativi nella campagna trevigiana.

SAN PROSPERO SULLA SECCHIA – Modena (MO) – 562H15   8 **B2**
– 4 880 ab. – alt. 22 m – ✉ 41030

  🚩 Roma 415 – Bologna 58 – Ferrara 63 – Mantova 69

Corte Vecchia ⚗ 🅰🄲 ⚗ 🄿 VISA ⓪ AE 🄶

via San Geminiano 1 – ℰ 059 80 92 72 – www.cortevecchia.com – info@
cortevecchia.com – Fax 059 90 89 93 – chiuso dal 24 dicembre al 3 gennaio e
dall' 8 al 23 agosto
24 cam � – †82/103 € ††121/135 € – ½ P 83/98 €
Rist – (chiuso a mezzogiorno) (solo per alloggiati) – Carta 22/31 €
♦ Ricavato dalla ristrutturazione di un antico casale affacciato su una corte, dispone di
camere spaziose arredate in un armonioso stile classico ma dotate dei moderni confort.

SAN QUIRICO D'ORCIA – Siena (SI) – 563M16 – **2 521 ab.**   29 **C2**
– alt. 424 m – ⊠ 53027 █ Toscana

▶ Roma 196 – Siena 44 – Chianciano Terme 31 – Firenze 111
🄵 via Dante Alighieri 33 ℰ 0577 897211, ufficioturistico@comunesanquirico.it
, Fax 0577 897211

Casanova senza rist ⚗   ← 🅇 🅇 ⊕ 🄼 🄻 ⚗ 🄸 🄶 ⚗ 🅢 🄿 🚗
località Casanova 6/c – ℰ 05 77 89 81 77   VISA ⓪ AE ⓪ 🄶
– www.residencecasanova.it – info@residencecasanova.it – Fax 05 77 89 81 90
– chiuso novembre, gennaio e febbraio
70 cam – †96/116 € ††152/196 €, ⊇ 15 € – ½ P 97/119 €
♦ Circondata dalle colline toscane, la struttura consta di una grande hall in pietra e mat-
tonelle, camere dagli arredi sobri, un soggiorno panoramico ed un centro benessere.

Palazzuolo ⚗   ← 🚗 🄵 🅇 🄸 🄶 ⚗ 🄺 🅰🄲 ⚗ rist, 🅢 🄿
via Santa Caterina da Siena 43 – ℰ 05 77 89 70 80   VISA ⓪ AE ⓪ 🄶
– www.hotelpalazzuolo.it – info@hotelpalazzuolo.it – Fax 05 77 89 82 64 – chiuso
dal 10 gennaio al 15 febbraio
42 cam ⊇ – †52/59 € ††98/112 € – ½ P 66/78 €   **Rist** – Carta 18/27 €
♦ In prossimità del centro storico, l'hotel è circondato da un parco con laghetto e vanta
camere ed arredi semplici. Dal giardino un'esclusiva vista sulle colline. Una sala luminosa
e sobria dove gustare la tipica cucina toscana.

Relais Palazzo del Capitano – Residenza d'epoca   🚗 🅰🄲 ⚗
via Poliziano 18 – ℰ 05 77 89 90 28   VISA ⓪ 🄶
– www.palazzodelcapitano.com – info@palazzodelcapitano.com
– Fax 05 77 89 94 21
8 cam ⊇ – ††120/140 € – 14 suites – ††170/230 € – ½ P 115/150 €
Rist – (chiuso mercoledì) Menu 30/35 €
♦ In pieno centro, all'interno di un palazzo del '400, una nuova realtà che si avvicina ai
sogni di chi ricerca, fascino, storia ed eleganza. Il giardino è fonte di meraviglie.

Agriturismo Il Rigo ⚗   ← 🚗 🄵 ⚗ 🄿 VISA ⓪ 🄶
località Casabianca, Sud-Ovest : 4,5 km – ℰ 05 77 89 72 91
– www.agriturismoilrigo.it – ilrigo@iol.it – Fax 05 77 89 82 36
– chiuso dal 10 gennaio al 13 febbraio
14 cam ⊇ – †75/100 € ††100/130 € – ½ P 75/85 €
Rist – (chiuso a mezzogiorno) (solo per alloggiati) 25 €
♦ In aperta campagna, in un antico casale in cima ad un colle da cui si gode una suggestiva vista sul paesaggio circostante, ambienti piacevolmenti rustici.

Casa Lemmi senza rist   🚗 🄵 🅰🄲 ⚗ VISA ⓪ AE ⓪ 🄶
via Dante Alighieri 29 – ℰ 05 77 89 90 16 – www.casalemmi.com – info@
casalemmi.com – Fax 05 77 89 98 38
3 cam ⊇ – ††80/100 € – ††100/130 €
♦ In un palazzo medievale del centro storico: accessori dell'ultima generazione, ambienti
particolari e personalizzati, nonché un piccolo giardino per la prima colazione. Delizioso!

Trattoria al Vecchio Forno   🄵 VISA ⓪ 🄶
via Piazzola 8 – ℰ 05 77 89 73 80 – www.palazzodelcapitano.com – info@
palazzodelcapitano.com – Fax 05 77 89 94 21 – chiuso gennaio e mercoledì
Rist – Carta 32/41 €
♦ Nel centro storico del borgo medioevale, schietta trattoria caratterizzata da salami
appesi, bottiglie esposte e travi a vista. Piacevole il servizio estivo nel giardino: denso
di ricordi storici, tra un vecchio porticato ed un pozzo ancora funzionante. Cucina
toscana, semplice e sapida.

a Bagno Vignoni Sud-Est : 5 km – ✉ 53027

🏨🏨🏨 **Adler Thermae** ⌂   🚃 ⌂ 🔲 🀄 🕭 ⛱ 🏊 ⚕ 📶 🐾 🚗 _VISA_ ⊛ ⑤
*strada di Bagno Vignoni 1 – 𝒞 05 77 88 90 00 – www.adler-resorts.com
– toscana@adler-resorts.com – Fax 05 77 88 99 99
– chiuso dall' 8 gennaio al 5 febbraio*
90 cam – ♦270/290 € ♦♦400/450 € – ½ P 200/220 €
Rist – *(solo per alloggiati)* Menu 17/57 €
♦ Ospitalità tirolese armoniosamente impiantata nella verde Toscana. Ambienti signorili ed eleganti per dedicarsi in pieno relax alle cure termali e a trattamenti di bellezza.

🏨🏨 **Posta-Marcucci** ⌂   ≤ 🚃 🏠 🔲 🀄 🕭 ✕ 🔲 ⛱ 🏊 _AK_ ⚕ rist, ℗ ♨
via Ara Urcea 43 – 𝒞 05 77 88 71 12   ℗ _VISA_ ⊛ _AE_ ① ⑤
*– www.hotelpostamarcucci.it – info@hotelpostamarcucci.it – Fax 05 77 88 71 19
– chiuso dal 7 al 31 gennaio*
36 cam ⌘ – ♦85/110 € ♦♦150/180 € **Rist** – Carta 29/41 €
♦ Da quattro generazioni un'ospitalità cordiale in ambienti ospitali e personalizzati. Atmosfera familiare e, non solo in estate, una zona all'aperto con grande piscina termale. Classico ristorante frequentato per lo più dai clienti dell'hotel.

🏠 **La Locanda del Loggiato** senza rist   _AK_ ℗ _VISA_ ⊛ _AE_ ① ⑤
*piazza del Moretto 30 – 𝒞 05 77 88 89 25 – www.loggiato.it – locanda@
loggiato.it – Fax 05 77 88 83 70*
8 cam ⌘ – ♦♦130/140 €
♦ Edificio del '400, in pieno centro, confinante con la vasca d'acqua che un tempo fu piscina termale; rivisitato da alcuni giovani, offre oggi un rifugio davvero grazioso.

✕ **Osteria del Leone**   🀄 _VISA_ ⊛ _AE_ ① ⑤
*piazza del Moretto – 𝒞 05 77 88 73 00 – www.illeone.com – osteria.delleone@
gmail.com – Fax 05 77 88 73 00 – chiuso 10 giorni in novembre , dal 12 gennaio
al 9 febbraio e lunedì*
Rist – Carta 29/39 €
♦ Un'osteria di antica tradizione, dispone all'interno di tre salette dove sedersi comodamente per assaporare i sapori della cucina regionale.

SAN QUIRINO – Pordenone (PN) – 562D20 – 3 923 ab. – alt. 116 m   10 **A2**
– ✉ 33080

  ▶ Roma 613 – Udine 65 – Belluno 75 – Milano 352

✕✕✕ **La Primula** (Andrea Canton)   🀄 _AK_ ⚕ ⇄ ℗ _VISA_ ⊛ ⑤
❀   *via San Rocco 47 – 𝒞 043 49 10 05 – www.ristorantelaprimula.it
– info@ristorantelaprimula.it – Fax 04 34 91 75 63
– chiuso dal 12 al 26 gennaio, dal 6 al 31 luglio, domenica sera e lunedì*
Rist – Carta 44/59 € ☕
Spec. Fegato grasso d'anatra dorato con mandorle tostate ed asparagi verdi
(primavera). Trilogia di seppie, calamari, porcini e montasio. Guancia di vitello
salmistrata con purea di sedano rapa e marmellata di bacche di rosa canina
(inverno).
♦ A pochi passi dal centro, vanta oltre cent'anni di attività. Gestita dall'intera famiglia, l'elegante sala è dominata da un camino e da piatti curati nei quali campeggia la fantasia.

✕ **Osteria alle Nazioni**   _AK_ ℗ _VISA_ ⊛ _AE_ ① ⑤
❀   *via San Rocco 47/1 – 𝒞 043 49 10 05 – info@ristorantelaprimula.it
– Fax 04 34 91 75 63 – chiuso dal 12 al 26 gennaio, dal 6 al 31 luglio, domenica
sera e lunedì*
Rist – Carta 20/31 € ☕
♦ Rustico, accogliente e simpatico, un locale dove fermarsi per gustare un piatto tipico regionale preparato con cura, accompagnato da un bicchiere di vino.

    Dormire con tutti i confort a prezzo contenuto?
    Cercate i «Bib Hotel» 🏠.

SAN REMO – Imperia (IM) – 561K5 – 51 159 ab. – ⊠ 18038 ▮ Italia   14 **A3**

▶ Roma 638 – Imperia 30 – Milano 262 – Nice 59

🇮 largo Nuvoloni 1 ℰ 0184 59059, infosanremo@rivieradeifiori.travel, Fax 0184 507649

🏨 Degli Ulivi, ℰ 0184 55 70 93

👁 Località★★ – La Pigna★ (città alta) B : ≼★ dal santuario della Madonna della Costa

🄶 Monte Bignone★★ : ※★★ Nord : 13 km

🏨🏨🏨🏨 **Royal Hotel** ⤳   ≼ 🚗 🏠 🏊 📶 📶 🏛 ⚘ ✕ 🍴 👥 rist, (ツ)
corso Imperatrice 80 – ℰ 01 84 53 91   🏊 🅿 VISA ⓜ AE ⓞ 💳
– www.royalhotelsanremo.com – reservations@royalhotelsanremo.com
– Fax 01 84 66 14 45 – chiuso dal 2 novembre al 15 febbraio   **A**h
113 cam ⊑ – †277/360 € ††377/485 € – 13 suites – ½ P 249/303 €
Rist – Carta 71/104 €

♦ Grand hotel di centenaria tradizione, gestito dal 1872 dalla stessa famiglia. Interni raffinati e parco subtropicale con piscina d'acqua di mare a 27°. In memoria degli antichi fasti, il ristorante decorato con preziosi lampadari in vetro di Murano firmerà una sosta gastronomica davvero esclusiva.

🏨🏨🏨 **Nazionale**   📶 📶 ⅙ AC (ツ) 🏊 VISA ⓜ AE ⓞ 💳
via Matteotti 3 – ℰ 01 84 57 75 77 – www.hotelnazionalesanremo.com
– nazionale.in@bestwestern.it – Fax 01 84 54 15 35   **A**v
84 cam ⊑ – †95/160 € ††150/278 € – ½ P 100/164 €
Rist Rendez Vous – ℰ 01 84 54 16 12 (chiuso martedì in bassa stagione) Carta 28/60 €

♦ A pochi passi dal casinò e dalle boutique delle più celebri firme della moda, offre ambienti moderni caratterizzati da continui ed attenti interventi di rinnovamento. Caldi colori e le specialità della cucina ligure, al ristorante.

🏨🏨🏨 **Europa**   📶 AC (ツ) VISA ⓜ AE ⓞ 💳
corso Imperatrice 27 – ℰ 01 84 57 81 70 – www.hoteleuropa-sanremo.com
– aleuropa@tin.it – Fax 01 84 50 86 61   **A**e
65 cam ⊑ – †90/150 € ††100/180 € – ½ P 70/120 €
Rist – (chiuso mercoledì) Carta 29/46 €

♦ Dal 1923, in questa palazzina tardo Liberty nei pressi del Casinò e del centro storico, un albergo oggi rinnovato; offre gradevoli interni di taglio classico. Restaurato nello stile dei primi anni del secolo scorso, il ristorante propone i piatti della cucina nazionale e i sapori del territorio.

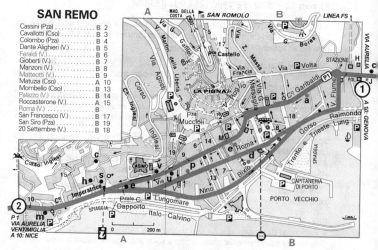

SAN REMO

Cassini (Pza) . . . . B 2
Cavallotti (Cso) . . . . B 3
Colombo (Pza) . . . . B 4
Dante Alighieri (V.) . . . . . B 5
Feraldi (V.) . . . . B 6
Gioberti (V.) . . . . B 7
Manzoni (V.) . . . . B 8
Matteotti (V.) . . . . B 9
Matuzia (Cso) . . . . A 10
Mombello (Cso) . . . . B 13
Palazzo (V.) . . . . B 14
Roccasterone (V.) . . . . . . B 15
Roma (V.) . . . . B
San Francesco (V.) . . . . . . B 17
San Siro (Pza) . . . . B 19
20 Settembre (V.) . . . . . . B 18

Bel Soggiorno
🛗 🆎 📶 📡 **P** 🚗 💳 💳 ⑤

corso Matuzia 41 – ✆ *01 84 66 76 31 – www.belsoggiorno.net*
– info@belsoggiorno.net – Fax 01 84 66 74 71
Am
36 cam � – †60/100 € ††85/130 € – ½ P 62/75 €   **Rist** – Menu 20/25 €
♦ Poco distante dal mare e dal centro, questo edificio d'epoca offre camere recentemente rinnovate, tutte dotate dei moderni confort, differenti solamente per le dimensioni. Parquet, stucchi, l'atmosfera degli anni '30 ed una cucina ligure tradizionale allieta-
ranno i vostri pasti.

Lolli Palace Hotel
≤ 🛗 🆎 📶 rist, 💳 💳 🆎 ⑤

corso Imperatrice 70 – ✆ *01 84 53 14 96 – www.lollihotel.it*
– info@lollihotel.it – Fax 01 84 54 15 74
– chiuso dal 4 novembre al 20 dicembre
As
53 cam ⊆ – †58/85 € ††90/160 € – ½ P 62/90 €   **Rist** – Menu 34/42 €
♦ Il fascino del Liberty echeggia in questo edificio antistante il lungomare, incastonato
tra mare e monti, che ospita graziosi ambienti dalle suggestive vedute. Due le eleganti
sale da pranzo, tra cui un accattivante e piacevolissimo roof-restaurant con vista mare.

Eveline-Portosole senza rist
🛗 🆎 📡 💳 💳 🆎 ① ⑤

corso Cavallotti 111 – ✆ *01 84 50 34 30 – www.evelineportosole.com*
– hotel@evelineportosole.com – Fax 01 84 50 34 31
– chiuso dal 7 al 21 gennaio e 1 settimana in luglio
Bc
21 cam ⊆ – †120/200 € ††140/300 €
♦ E' all'interno che si rivela il fascino di questo villino: arredi d'epoca, piacevoli tocchi
romantici, mazzetti al profumo di lavanda e camere dai tessuti in stile inglese... E per
aggiungere ulteriore charme, le cinque camere *Hammam* e *Japan* offrono spunti per
una sorta di "viaggio nel viaggio".

Bobby Executive
≤ 🍸 🛋 🛗 ♿ 🆎 📡 **P** 💳 💳 🆎 ① ⑤

corso Marconi 208, 2 km per ② *–* ✆ *01 84 66 02 55*
– www.hotelbobby.sistel.it – htlbobby@sistel.it – Fax 01 84 66 02 96
– chiuso dal 6 ottobre al 28 dicembre
96 cam ⊆ – †100/160 € ††125/175 €   **Rist** – Carta 32/52 €
♦ Albergo moderno dalla comoda posizione stradale, particolarmente indicato per una
clientela commerciale. Offre camere con o senza vista, alcune recentemente rinnovate.
Al ristorante, legno alle pareti e proposte di cucina classica.

Eletto
🛗 📶 rist, 📡 **P** 💳 💳 🆎 ① ⑤

via Matteotti 44 – ✆ *01 84 53 15 48 – www.elettohotel.it – info@elettohotel.it*
– Fax 01 84 53 15 06
Bu
23 cam ⊆ – †70/95 € ††80/125 € – ½ P 65/80 €
Rist – *(chiuso novembre)* Menu 25/30 €
♦ Una risorsa semplice, familiare e soprattutto centralissima, nei pressi del Casinò e del
Teatro Ariston; con comodo parcheggio, offre spazi completi e ben tenuti. Sobria e lumi-
nosa la sala ristorante.

𝕏𝕏𝕏 Paolo e Barbara (Paolo Masieri)
🆎 ⇔ 💳 💳 ⑤

via Roma 47 – ✆ *01 84 53 16 53 – www.paolobarbara.it*
– paolobarbara@libero.it – Fax 01 84 54 52 66
– chiuso dal 23 novembre al 30 dicembre, mercoledì, giovedì, venerdì
a mezzogiorno; dal 29 giugno al 13 agosto aperto venerdì, sabato e domenica
sera; dal 15 giugno al 15 settembre chiuso a mezzogiorno
Bp
Rist – Carta 66/105 € 🏵
Spec. Selezione di pesce crudo in stile mediterraneo. Cappon magro
(autunno-primavera). Gamberi di San Remo fiammeggiati al whisky.
♦ Una piccola bomboniera di pochi tavoli e una coppia di coniugi tra cucina e sala: coccolati come in casa, i piatti sono liguri d'origine ma fantasiosi nell'approdo.

𝕏𝕏 Da Vittorio
📶 ⇔ 💳 💳 🆎 ① ⑤

piazza Bresca 16 – ✆ *01 84 50 19 24 – Fax 01 84 50 19 24*
– chiuso dal 10 al 30 novembre e lunedì
Bd
Rist – Carta 41/61 €
♦ Piatti liguri da gustare all'aperto, su un'animata e caratteristica piazza, oppure in una
delle curiose sale interne dal niveo soffitto a volta, anticamente adibite a stalla.

XX **Tony's** 　AC ⇔ VISA ⬤ AE ⓘ ⑤

corso Garibaldi 130 – 𝒞 01 84 50 46 09 – Fax 01 84 50 46 09 – chiuso ottobre e mercoledì 　　B**a**

Rist – Carta 26/53 € (+10 %)

♦ E' il ristorante più vicino al celebre teatro sanremese: un ambiente contemporaneamente semplice e moderno, recentemente rinnovato, lieto di soddisfare ogni palato. Dalla cucina: pizze e piatti liguri.

XX **Vela d'Oro** 　AC VISA ⬤ AE ⓘ ⑤

via Gaudio 9 – 𝒞 01 84 50 43 02 – Fax 01 84 50 43 02 – chiuso dal 12 al 22 gennaio, dal 15 al 25 giugno e domenica escluso luglio e agosto

Rist – (consigliata la prenotazione) Carta 34/62 € 　　B**e**

♦ Nuova veste per questo locale: valido indirizzo di riferimento nella città del festival. Boiserie, parquet e sedie in cuoio intrecciato per un ristorante accogliente ed elegante. La cucina? Sempre curata nella scelta delle materie prime con ottime specialità di pesce.

XX **Ulisse** 　🛋 P VISA ⬤ AE ⑤

via Padre Semeria 620, a Coldiroli – 𝒞 01 84 67 03 38 – www.ristoranteulisse.com – Fax 01 84 67 04 11 – chiuso martedì

Rist – (chiuso a mezzogiorno escluso sabato, domenica e giorni festivi) Carta 34/61 €

♦ Non distante dall'uscita autostradale, è una strada panoramica tra mare e monti a condurre sino a questo locale dove gustare una fragrante cucina di mare; d'estate si pranza in terrazza.

a Bussana Est : 5,5 km – ✉ 18038

XX **La Kambusa** 　🛋 AC ⅍ VISA ⬤ AE ⓘ ⑤

via al Mare 87 – 𝒞 01 84 51 45 37 – Fax 01 84 51 45 37 – chiuso dal 16 al 22 febbraio, dal 1° al 18 settembre e mercoledì

Rist – (chiuso a mezzogiorno) Carta 36/55 €

♦ Situato sul lungomare, il locale vanta una gestione appassionata ed una cucina che spazia tra mare e terra e propone piatti della tradizione, così come creazioni più innovative.

SAN ROCCO – Genova – **Vedere Camogli**

SAN SANO – Siena – **Vedere Gaiole in Chianti**

SAN SAVINO – Ascoli Piceno – 563M23 – **Vedere Ripatransone**

SANSEPOLCRO – Arezzo (AR) – 563L18 – 15 863 ab. – alt. 330 m 　　29 D2
– ✉ 52037 ▯ Toscana

▶ Roma 258 – Rimini 91 – Arezzo 39 – Firenze 114

◉ Museo Civico★★ : opere★★★ di Piero della Francesca
– Deposizione★ nella chiesa di San Lorenzo – Case antiche★

🏛 **Borgo Palace Hotel** 　🛋 ≣ & AC ⅍ ⅍ P VISA ⬤ AE ⓘ ⑤

via Senese Aretina 80 – 𝒞 05 75 73 60 50 – www.borgopalace.it – palace@borgopalace.it – Fax 05 75 74 03 41

75 cam ⚏ – ♉105 € ♉♉180 €

Rist *Il Borghetto* – (chiuso agosto) Carta 25/37 €

♦ Alle porte della città, una moderna struttura con due ascensori panoramici. Interni di sapore neoclassico con camere di confort avvolgente, nulla che vedere con l'esterno! Sala ristorante ricca di tendaggi, specchi ed ornamenti.

🏛 **La Balestra** 　🛋 ≣ AC ⅍ ⅍ P VISA ⬤ AE ⓘ ⑤

via Montefeltro 29 – 𝒞 05 75 73 51 51 – www.labalestra.it – balestra@labalestra.it – Fax 05 75 74 02 82

52 cam ⚏ – ♉70/80 € ♉♉98 € – ½ P 68 €

Rist *La Balestra* – (chiuso dal 23 luglio al 7 agosto e domenica sera) Carta 26/36 €

♦ Arredi e confort di tipo classico, conduzione diretta e professionale a connotare questo valido punto di riferimento nella località, appena fuori dal centro storico. Ristorante dotato anche di spazio all'aperto.

↗ **Relais Palazzo di Luglio** ॐ   ≤ 🏠 🛋 🖼 🌾 rist, (ᵗ⁰) P
frazione Cignano 35, Nord-Ovest : 2 km   VISA ⓞⓞ AE ① Ġ
– ℰ 05 75 75 00 26 – www.relaispalazzodiluglio.com – info@
relaispalazzodiluglio.com – Fax 05 75 75 98 92 – chiuso dal 10 al 20 gennaio
4 cam ⌑ – †90/100 € ††120/130 € – 10 suites – ††170/250 €
– ½ P 100/110 €
Rist – (chiuso a mezzogiorno) (solo per alloggiati) Menu 35/50 €
◆ Sulle prime colline intorno al paese, aristocratica villa seicentesca un tempo adibita a
soggiorni estivi in campagna. Spazi, eleganza e storia si ripropongono immutati.

XX **Oroscopo di Paola e Marco** con cam   🛋 🌾 (ᵗ⁰) P VISA ⓞⓞ ① Ġ
via Togliatti 68, località Pieve Vecchia, Nord-Ovest : 1 km – ℰ 05 75 73 48 75
– www.relaisoroscopo.com – info@relaisoroscopo.com – Fax 05 75 73 48 75
– chiuso dal 1° al 10 gennaio e dal 15 al 30 giugno
12 cam ⌑ – †40/50 € ††60/80 € – ½ P 55/75 €
Rist – (chiuso domenica) (chiuso a mezzogiorno) (consigliata la prenotazione)
Carta 32/45 €
◆ Nella patria di Piero della Francesca, un sussequirsi di minuscole salette arredate signorilmente e con originalità, vi accoglieranno per farvi assaporare una cucina gustosa e
moderna. Colorate tappezzerie nelle spaziose camere con mobili d'epoca francesi e inglesi.

X **Fiorentino e Locanda del Giglio** con cam   🖼 (ᵗ⁰) VISA ⓞⓞ ① Ġ
via Luca Pacioli 60 – ℰ 05 75 74 20 33 – www.ristorantefiorentino.it
– a.uccellini@tiscali.it – Fax 05 75 74 20 12 – chiuso 1 settimana in novembre,
1 settimana in febbraio, dal 24 al 31 luglio e mercoledì
4 cam ⌑ – †60 € ††85 €   **Rist** – Carta 23/37 €
◆ Dopo una vita spesa nell'ambito della ristorazione, i titolari possono vantare una competenza e professionalità fuori dal comune. La cucina è squisitamente regionale: provare
per credere!

X **Da Ventura** con cam   🌾 VISA ⓞⓞ AE ① Ġ
🐾 via Aggiunti 30 – ℰ 05 75 74 25 60 – www.albergodaventura.it – daventura@
alice.it – Fax 05 75 75 95 00 – chiuso 10 giorni in gennaio e 20 giorni in agosto
5 cam ⌑ – †42 € ††63 € – ½ P 48 €
Rist – (chiuso domenica sera e lunedì) Carta 22/31 €
◆ Un unico nome per tre generazioni, perché ciò che più conta è saper entusiasmare
chi ama la cucina locale con prodotti freschi e genuini: dai funghi alla pasta fatta a
mano, proseguendo con il carrello dei bolliti. Le semplici camere, al piano superiore,
hanno subìto recenti lavori di ristrutturazione.

SAN SEVERINO LUCANO – Potenza (PZ) – 564G30 – **1 868 ab.**   4 **C3**
– alt. 884 m – ✉ 85030

    ▶ Roma 406 – Cosenza 152 – Potenza 113 – Matera 139

🏨 **Paradiso** ॐ   ≤ 🛋 🏠 🛋 🌾 🖙 ✦ 🖼 rist, 🎿 P VISA ⓞⓞ Ġ
🐾 via San Vincenzo – ℰ 09 73 57 65 86 – www.hotelparadiso.info – info@
hotelparadiso.info – Fax 09 73 57 65 87
62 cam ⌑ – †45/62 € ††60/94 € – ½ P 44/62 €
Rist – (chiuso mercoledì) Carta 15/25 €
◆ Ideale punto di partenza per gite, motorizzate, a piedi o a cavallo, nel Parco del Pollino; una risorsa ben dotata di strutture sportive all'aperto. Camere semplici. Immersi tra
natura ancora vera, una sosta gastronomica lucana.

SAN SEVERINO MARCHE – Macerata (MC) – 563M21 – **13 213 ab.**   21 **C2**
– alt. 343 m – ✉ 62027

    ▶ Roma 228 – Ancona 72 – Foligno 71 – Macerata 30

🏚 **Palazzo Servanzi Confidati** senza rist ॐ   🛋 Ġ 🖼 (ᵗ⁰) 🎿
via Cesare Battisti 13/15 – ℰ 07 33 63 35 51   VISA ⓞⓞ ① Ġ
– www.servanzi.it – info@servanzi.it – Fax 07 33 63 70 15
– chiuso dal 22 al 28 dicembre
23 cam ⌑ – †60 € ††93 €
◆ Centrale e aristocratico palazzo settecentesco, magnifica corte interna coperta con
lucernario e trasformata in hall, i ballatoi conducono nelle camere in arte "povera".

XX **Locanda Salimbeni** con cam ⏏   ⬚ ⚒ ✿ (ⁱ) ⚔ **P**
🏠 *strada provinciale 361, Ovest : 4 km*   **VISA ⬚ AE ① ⑤**
– 𝒞 07 33 63 40 47 – www.locandasalimbeni.it – info@locandasalimbeni.it
– Fax 07 33 63 39 01
9 cam ⚏ – †48/52 € ††65/70 € – ½ P 52/55 €
Rist – *(chiuso quindici giorni in gennaio e lunedì) (chiuso a mezzogiorno)*
Carta 22/34 €
♦ Oriundi di S. Severino, i fratelli Salimbeni, fra gli artisti più notevoli del '400, danno nome al locale ove l'arte è rievocata sui muri e le Marche rivivono nei piatti. Arredi in stile e letti in ferro battuto nelle camere.

XX **Due Torri** con cam ⏏   ⚓ ✿ rist, **VISA ⬚ AE ① ⑤**
via San Francesco 21 – 𝒞 07 33 64 54 19 – www.duetorri.it – info@duetorri.it
– Fax 07 33 64 51 39 – chiuso dal 20 al 26 dicembre e dal 20 al 30 giugno
15 cam ⚏ – †45/50 € ††60/65 € – ½ P 48 €
Rist – *(chiuso domenica sera e lunedì)* Carta 23/31 €
♦ Nella parte più alta e vecchia del paese, vicino al castello, proposte culinarie selezionate con cura: una cucina familiare alla scoperta delle fragranze del territorio. Vendita di prodotti alimentari tipici locali nel piccolo angolo-enoteca. Camere semplici ed essenziali, per un soggiorno nella tranquillità.

SAN SEVERO – Foggia (FG) – 564B28 – 55 700 ab. – alt. 89 m   26 **A1**
– ✉ 71016

🔼 Roma 320 – Foggia 36 – Bari 153 – Monte Sant'Angelo 57

X **La Fossa del Grano**   **AC** ✿ **VISA ⬚ AE ① ⑤**
🏠 via Minuziano 63 – 𝒞 08 82 24 11 22 – www.lafossadelgrano.it
– lafossadelgrano@tin.it – chiuso dall'8 al 21 agosto, Natale e Pasqua
Rist – *(chiuso sabato e domenica in luglio-agosto, domenica sera e martedì negli altri mesi)* Carta 29/44 €
♦ La passione per i dolci e per la semplicità della cucina pugliese hanno fatto di questo piacevole ristorante a conduzione familiare un punto di ritrovo per chi non vuole dimenticare gli antichi sapori di casa.

SAN SIRO – Mantova – Vedere San Benedetto Po

SANTA BARBARA – Trieste – Vedere Muggia

SANTA CATERINA VALFURVA – Sondrio (SO) – 561C13   17 **C1**
– alt. 1 738 m – Sport invernali : 1 738/2 727 m ⟨⟩ 1 ⟨⟩ 6, ⟨⟩ – ✉ 23030

🔼 Roma 776 – Sondrio 77 – Bolzano 136 – Bormio 13

🏨 **Baita Fiorita di Deborah**   ⚓ ⚗ ⥮ **P** ⇔ **VISA ⬚ AE ① ⑤**
via Frodolfo 3 – 𝒞 03 42 92 51 19 – www.compagnoni.it – deborah@valtline.it
– Fax 03 42 92 50 50 – chiuso maggio, ottobre e novembre
22 cam ⚏ – ††120/240 € – ½ P 85/140 €   **Rist** – Carta 29/86 €
♦ Albergo centrale, di antica tradizione, ristrutturato con buon gusto ed eleganza. A condurlo, la famiglia della grande campionessa di sci. Fra romanticismo e comodità. Al ristorante legni, decorazioni e specialità valtellinesi.

🏠 **Pedranzini**   ⚓ ⚗ ⥮ ⚓ ✿ (ⁱ) **P VISA ⬚ AE ① ⑤**
piazza Magliavaca 5 – 𝒞 03 42 93 55 25 – www.hotelpedranzini.it – info@
hotelpedranzini.it – Fax 03 42 93 55 25 – chiuso ottobre e novembre
18 cam – †80/90 € ††120/170 € – ½ P 70/95 €   **Rist** – Carta 24/40 €
♦ Sulla famosa piazzetta di Santa Caterina, a soli 50 m dagli impianti di risalita, hotel familiare (completamente rinnovato) dispone di ambienti accoglienti e zona relax. Camere di buon livello dal ligneo arredo. Al ristorante, piatti della tradizione.

SANTA CATERINA VILLARMOSA – Caltanissetta – 565O24 – Vedere Sicilia
alla fine dell'elenco alfabetico

SANTA CESAREA TERME – Lecce (LE) – 564G37 – 3 057 ab.   27 **D3**
– alt. 94 m – ✉ 73020

🔼 Roma 633 – Bari 203 – Lecce 49

ℹ️ via Roma 209 𝒞 0836 944043, aptsantacesarea@libero.it, Fax 0836 944043

Alizè
via Paolo Borsellino – ℰ 08 36 94 40 41 – www.hotelalize.it – info@hotelalize.it
– Fax 08 36 94 40 34 – aprile-ottobre
56 cam ☲ – †45/95 € ††90/150 € – ½ P 64/90 €
Rist – *(solo per alloggiati)* Menu 20/30 €
♦ In posizione panoramica e poco distante dal centro, un hotel con eco architettoniche arabeggianti, luminose aree comuni, camere sobrie negli arredi, solarium e piscina. Al ristorante, la classica e gustosa cucina del bel Paese.

SANTA CRISTINA – Perugia – 563M19 – Vedere Gubbio

SANTA CRISTINA VALGARDENA (ST. CHRISTINA IN GRÖDEN) 31 C2
– Bolzano (BZ) – 562C17 – **1 770 ab.** – alt. 1 428 m – **Sport invernali : 1 428/2 518 m**
✆ 10 ✆ 75 **(Comprensorio Dolomiti superski Val Gardena)** ✤ – ✉ 39047 ▮ Italia
▶ Roma 681 – Bolzano 41 – Cortina d'Ampezzo 75 – Milano 338
🔢 strada Chemun 9 ℰ 0471 777800, s.cristina@valgardena.it, Fax 0471 793198

Interski ⌂
strada Cisles 51 – ℰ 04 71 79 34 60 – www.hotel-interski.com
– info@hotel-interski.com – Fax 04 71 79 33 91
– 4 dicembre-15 aprile e 15 giugno-15 ottobre
24 cam ☲ – †50/160 € ††100/380 € – 1 suite – ½ P 109/129 €
Rist – *(chiuso a mezzogiorno) (solo per alloggiati)*
♦ Un completo rinnovo, piuttosto recente, connota questo albergo, già gradevolissimo dall'esterno; stanze di ottimo confort, con legno chiaro e un panorama di raro fascino.

Geier senza rist ⌂
via Chemun 36 – ℰ 04 71 79 33 70 – www.garnigeier.com – garni-geier@valgardena.com – Fax 04 71 79 33 70 – chiuso maggio e novembre
8 cam ☲ – †40/50 € ††64/114 €
♦ Una risorsa che si fa apprezzare innanzitutto per la cordialità della famiglia che la gestisce. Stile sobrio, ma con accessori e dotazioni di buon livello. Camere con parquet.

sulla strada statale 242 Ovest : 2 km :

Diamant Sport & Wellness
via Skasa 1 ✉ 39047 – ℰ 04 71 79 67 80
– www.hoteldiamant.it – info@hoteldiamant.it – Fax 04 71 79 35 80
– 6 dicembre-15 aprile e giugno-15 ottobre
40 cam – 2 suites – solo ½ P 100/210 €   **Rist** – *(solo per alloggiati)*
♦ Una grande struttura, affacciata su una strada, ma con stanze ben posizionate e un giardino sul retro che assicura la quiete; centro benessere e numerosi altri servizi.

SANTA DOMENICA – Vibo Valentia – 564L29 – Vedere Tropea

SANTA FIORA – Grosseto (GR) – 563N16 – 2 799 ab. – alt. 687 m 29 C3
– ✉ 58037
▶ Roma 189 – Grosseto 67 – Siena 84 – Viterbo 75
🔢 piazza Garibaldi 37 ℰ 0564 977142

Il Barilotto
via Carolina 24 – ℰ 05 64 97 70 89 – chiuso dal 25 giugno al 1° luglio, dall'8 novembre all' 8 dicembre e mercoledì
Rist – Carta 20/36 €
♦ Atmosfera e andamento familiari, nel centro storico del paese; piatti del territorio che hanno il proprio punto forte nel periodo autunnale, con funghi e tartufi.

SANTA FLAVIA – Palermo – 565M22 – Vedere Sicilia alla fine dell'elenco alfabetico

SANTA FRANCA – Parma – Vedere Polesine Parmense

SANT'AGATA DE' GOTI – Benevento (BN) – 564D25 – 11 479 ab. 6 B1
– alt. 159 m – ⊠ 82019

▶ Roma 220 – Napoli 48 – Benevento 35 – Latina 36

↑ **Agriturismo Mustilli** 🅰️ cam, ⚙️ 🛁 🅿️ 𝘝𝘐𝘚𝘈 ⊕⊝ 🄰🄴 ⓞ 🚿
piazza Trento 4 – ☎ 08 23 71 81 42 – www.mustilli.com – info@mustilli.com
– Fax 08 23 71 76 19
6 cam ☂ – ♦60 € ♦♦90 € – 1 suite – ½ P 70/75 €
Rist – *(chiuso 24. 25 e 31 dicembre)* (consigliata la prenotazione) Menu 27/32 €
♦ E' magica la combinazione di fascino, storia e cordiale accoglienza familiare in questa
elegante dimora nobiliare settecentesca, in pieno centro, gestita con cura e passione.
Per i pasti il ristorante con cucina casalinga o il wine bar.

SANT'AGATA SUI DUE GOLFI – Napoli (NA) – 564F25 – alt. 391 m 6 B2
– ⊠ 80064 ▌ Italia

▶ Roma 266 – Napoli 55 – Castellammare di Stabia 28 – Salerno 56

🄶 Penisola Sorrentina★★ (circuito di 33 km) : ≤★★ su Sorrento dal capo di
Sorrento (1 h a piedi AR), ≤★★ sul golfo di Napoli dalla strada S 163

🏨 **Sant'Agata** 🚄 🏊 🛗 🕍 🅰️ ⚙️ 🗝️ 🅿️ 𝘝𝘐𝘚𝘈 ⊕⊝ 🄰🄴 ⓞ 🚿
⊗⊗ *via dei Campi 8/A – ☎ 08 18 08 08 00 – www.hotelsantagata.com – info@*
hotelsantagata.com – Fax 08 15 33 07 49 – marzo-novembre
42 cam ☂ – ♦48/70 € ♦♦72/95 € – ½ P 60/78 € **Rist** – Carta 21/35 €
♦ Tranquillità e confort sono i principali atout di questa struttura, particolarmente indicata per spostarsi o soggiornare in Costiera; bel porticato esterno. Ambiente curato al
ristorante: sale capienti con arredi piacevoli.

XXXX **Don Alfonso 1890** (Alfonso ed Ernesto Iaccarino) con cam 🚄 🏊
🕸️🕸️ *corso Sant'Agata 11* 🅰️ rist, ⚙️ 🗝️ 🅿️ 🚗 𝘝𝘐𝘚𝘈 ⊕⊝ 🄰🄴 ⓞ 🚿
– ☎ 08 18 78 00 26 – www.donalfonso.com
– info@donalfonso.com – Fax 08 15 33 02 26
– chiuso novembre-25 marzo
4 cam ☂ – ♦♦400/450 € – 4 suites – ♦♦550/650 €
Rist – *(chiuso lunedì e a mezzogiorno dal 15 giugno al 15 settembre, lunedì e
martedì negli altri mesi)* Menu 140/155 € – Carta 105/141 € ❀
Spec. Zeppola di astice in agrodolce. Vesuvio di rigatoni. Capretto lucano alle
erbe fresche mediterranee.
♦ Immerso in una fitta e profumata macchia mediterranea, il ristorante propone piatti
campani ricchi di gusto, passione e colori, in un ambiente raffinato con mobili d'epoca
e lampadari in vetro di Murano. Incantevole giardino dove si affacciano le suite: lussuose
e policrome. Piscina per refrigeranti soste relax.

SANTA GIULETTA – Pavia (PV) – 1 606 ab. – alt. 80 m – ⊠ 27046 16 B3
▶ Roma 545 – Piacenza 43 – Milano 56 – Pavia 22

a Castello Sud : 4 km – ⊠ 27046 – Santa Giuletta

XX **Conte di Carmagnola** 🕍 🅰️ 𝘝𝘐𝘚𝘈 ⊕⊝ 🚿
via Castellana 7 – ☎ 03 83 89 90 02 – www.ilcontedicarmagnola.it
– info@ilcontedicarmagnola.it – Fax 03 83 89 90 02
– chiuso dal 1° al 7 gennaio, 3 settimane in agosto, lunedì e martedì
Rist – *(chiuso a mezzogiorno escluso domenica e festivi)* Carta 35/45 €
♦ E' un locale piuttosto decentrato, in una frazione della bassa pianura dell'Oltrepò
Pavese. Ambienti eleganti e raffinati, terrazza panoramica per il servizio estivo.

SANT' AGNELLO – Napoli (NA) – 564F25 – 8 744 ab. – ⊠ 80065 6 B2
▶ Roma 255 – Napoli 46 – Castellammare di Stabia 17 – Salerno 48
ℹ️ a Sorrento, via De Maio 35 ☎ 081 8074033, info@sorrentotourism.com,Fax
081 8773397

Grand Hotel Cocumella
🍴 🏛 🏊 🍸 🛁 ✕ 📶 🖥 📠 ✂ rist, ❝❞ ♿
via Cocumella 7 – ☎ 08 18 78 29 33 — 🅿 VISA ⬤ AE ✦
– www.cocumella.com – info@cocumella.com – Fax 08 18 78 37 12 – aprile-ottobre
46 cam 🍽 – †230/340 € ††350/600 € – 7 suites – ½ P 235/360 €
Rist *La Scintilla* – (chiuso a mezzogiorno dal 15 maggio ad agosto)
Carta 69/121 €
◆ La Penisola Sorrentina, il verde che lambisce la scogliera, un complesso raffinato e affascinante per questo ex convento gesuita, immerso in un giardino-agrumeto. Panoramica terrazza sulla scogliera. Piccolo ristorante di estrema eleganza, che dispone di una bella veranda.

Mediterraneo
≤ 🍴 🏊 🖥 🚶 📶 ✂ rist, ❝❞ ♿ 🅿
via Marion Crawford 85 – ☎ 08 18 78 13 52 — VISA ⬤ AE ① ✦
– www.mediterraneosorrento.com – info@mediterraneosorrento.com
– Fax 08 18 78 15 81 – 20 febbraio-20 novembre
70 cam 🍽 – †100/220 € ††120/380 € – ½ P 100/190 € **Rist** – Carta 39/63 €
◆ Fronte mare e abbellito da un ameno giardino con piscina, hotel storico ristrutturato che conserva l'immagine e il fascino di un tempo, offrendo confort adeguati al presente. Accomodatevi sulla bella terrazza panoramica per sorseggiare un cocktail o gustare una pizza oppure assaporare la cucina partenopea.

Caravel
🏊 🖥 📶 ✂ rist, 🅿 VISA ⬤ AE ① ✦
corso Marion Crawford 61 – ☎ 08 18 78 29 55 – www.hotelcaravel.com – info@hotelcaravel.com – Fax 08 18 07 15 57 – marzo-15 novembre
92 cam 🍽 – †75/140 € ††105/190 € – ½ P 70/110 €
Rist – (solo per alloggiati) Menu 22/34 €
◆ Recentemente ristrutturate le moderne camere di questo hotel situato nella zona residenziale della località. Tranquilli gli ambienti, luminosi e ben insonorizzati.

Il Capanno
🏡 ✂ VISA ⬤ AE ✦
via Marion Crawford 58 – ☎ 08 18 78 24 53 – www.rist.ilcapanno.it
– Fax 08 18 78 24 53 – chiuso dal 7 dicembre al 28 febbraio e lunedì (escluso luglio-settembre)
Rist – Menu 18 € – Carta 24/45 €
◆ Una grande veranda, con un settore esclusivamente estivo, per gustare piatti campani con specialità di pesce, paste fresche e, di sera, anche pizze; conduzione familiare.

SANT' AGOSTINO – Ferrara (FE) – 562H16 – 6 273 ab. – alt. 15 m   9 C2
– ✉ 44047
　🛣 Roma 428 – Bologna 46 – Ferrara 23 – Milano 220

Trattoria la Rosa con cam
📶 ✂ VISA ⬤ AE ✦
via del Bosco 2 – ☎ 053 28 40 98 – www.trattorialarosa1908.it – info@trattorialarosa1908.it – Fax 053 28 40 98 – chiuso lunedì e da giugno ad agosto anche sabato a mezzogiorno
5 cam 🍽 – †65 € ††80 € **Rist** – (prenotare) Carta 30/45 € 🌿
◆ Due donne sempre ai fornelli in questa moderna trattoria nata all'inizio del secolo scorso. Classici regionali, salumi e paste restano i maggiori successi nati in cucina. Due donne sempre ai fornelli in questa moderna trattoria nata all'inizio del secolo scorso. Classici regionali, salumi e paste restano i maggiori successi nati in cucina.

SANT'ALESSIO – Lucca (LU) –

SANTA LIBERATA – Grosseto – 563O15 – Vedere Porto Santo Stefano

SANTA LUCIA DEI MONTI – Verona – Vedere Valeggio sul Mincio

SANTA MARGHERITA LIGURE – Genova (GE) – 561J9 – 10 333 ab.   15 C2
– ✉ 16038 ▮ Italia
　🛣 Roma 480 – Genova 40 – Milano 166 – Parma 149
　🅳 via XXV Aprile 2/b ☎ 0185 287485, iatsantamargheritaligure@apttigullio.liguria.it, Fax 0185 283034
　🅶 Penisola di Portofino★★★ per la strada panoramica★★ Sud – Strada panoramica★★ del golfo di Rapallo Nord

Imperiale Palace Hotel
via Pagana 19 – 01 85 28 89 91 – www.hotelimperiale.com – info@hotelimperiale.com – Fax 01 85 28 42 23 – 9 aprile-18 ottobre
86 cam – †280/295 € ††324/430 € – 3 suites – ½ P 222/285 €
Rist – Carta 53/68 €
◆ Imponente struttura fine '800 a monte dell'Aurelia, ma con spiaggia privata; parco-giardino sul mare con piscina riscaldata e fascino di una pietra miliare dell'hôtellerie. Suggestiva sala da pranzo: stucchi e decorazioni davvero unici; signorilità infinita.

Grand Hotel Miramare
lungomare Milite Ignoto 30 – 01 85 28 70 13 – www.grandhotelmiramare.it – miramare@grandhotelmiramare.it – Fax 01 85 28 46 51
80 cam – †175/260 € ††255/425 € – 4 suites – ½ P 215/235 €
Rist *Les Bougainvillées* – Menu 54 €
◆ Un'icona dell'ospitalità di Santa: celebrità qui dall'inizio del secolo scorso, raffinatezza liberty e relax di lusso; parco fiorito, piscina e piccolo centro benessere. Prestigioso ristorante con occasionali pasti in terrazza.

Metropole
rist,
via Pagana 2 – 01 85 28 61 34 – www.metropole.it – hotel.metropole@metropole.it – Fax 01 85 28 34 95
55 cam – †100/134 € ††174/238 € – 4 suites – ½ P 120/138 €
Rist – Carta 41/49 €
◆ Con un parco fiorito, digradante sul mare, e terrazze solatie, tutto il fascino di un hotel d'epoca e la piacevolezza di una grande professionalità unita all'accoglienza. Elegante sala ristorante dove gusterete anche piatti liguri di terra e di mare.

Continental
rist,
via Pagana 8 – 01 85 28 65 12 – www.hotel-continental.it – continental@hotel-continental.it – Fax 01 85 28 44 63
70 cam – †140/211 € ††211/253 € – ½ P 144/156 € **Rist** – Carta 34/55 €
◆ Hotel inizio secolo scorso con grande parco sul mare; lo caratterizza una conduzione attenta e signorile da parte della stessa famiglia, da sempre proprietaria della casa. La sala da pranzo è quasi un tutt'uno con la terrazza, grazie alle ampie vetrate aperte.

Jolanda
rist,
via Luisito Costa 6 – 01 85 28 75 13 – www.hoteljolanda.it – info@hoteljolanda.it – Fax 01 85 28 47 63 – chiuso da novembre al 20 dicembre
47 cam – †65/90 € ††100/150 € – 3 suites – ½ P 80/95 €
Rist – *(chiuso a mezzogiorno)* Carta 27/41 €
◆ Rinnovatosi di recente, l'albergo gode di una posizione arretrata rispetto al mare, raggiungibile però in pochi minuti, e di un servizio attento. Bel centro benessere.

Regina Elena
rist,
lungomare Milite Ignoto 44 – 01 85 28 70 03 – www.reginaelena.it – info@reginaelena.it – Fax 01 85 28 44 73 – chiuso dal 7 gennaio al 7 febbraio
104 cam – †72/133 € ††110/231 € – ½ P 142 € **Rist** – Carta 35/45 €
◆ Passando sotto la strada, un tunnel porta direttamente gli ospiti dell'hotel alla propria spiaggia; punto forte la terrazza solarium con piscina riscaldata e vista sul golfo. Piacevole la sala ristorante dalla foma circolare e avvolta da vetrate.

Laurin senza rist
lungomare Marconi 3 – 01 85 28 99 71 – www.laurinhotel.it – info@laurinhotel.it – Fax 01 85 28 57 09
43 cam – †70/150 € ††129/212 €
◆ Di fronte al grazioso porticciolo, l'hotel è dotato di una terrazza-solarium con piscina e di una raccolta area relax. Tutte le camere si affacciano al mare, alcune con balcone.

Minerva
via Maragliano 34/d – 01 85 28 60 73 – www.hminerva.it – info@hminerva.it – Fax 01 85 28 16 97
35 cam – †75/110 € ††102/162 € **Rist** – Carta 25/50 €
◆ Ubicazione tranquilla, a pochi minuti a piedi dalla marina: una risorsa d'impostazione classica, condotta con professionalità, passione e attenzione per la clientela. Sala ristorante d'impronta moderna, cucina mediterranea.

Tigullio et de Milan *senza rist* | ⚏ AC ⌘ "" VISA ⓪ AE ① ⑤

viale Rainusso 3/a – ℰ 01 85 28 74 55 – www.hoteltigullio.eu – info@
hoteltigullio.eu – Fax 01 85 28 18 60 – *chiuso gennaio e febbraio*
40 cam ⌧ – †60/90 € ††90/160 €

♦ Un albergo rinnovato nel corso degli ultimi anni; offre validi confort, strutture funzionali, ambienti signorili e resi piacevoli dalle tonalità azzurre, terrazza-solarium.

Fiorina | ⚏ AC ⌘ VISA ⓪ AE ① ⑤

piazza Mazzini 26 – ℰ 01 85 28 75 17 – www.hotelfiorina.com – fiorinasml@
libero.it – Fax 01 85 28 18 55 – *chiuso dal 16 ottobre al 23 dicembre*
44 cam ⌧ – †65/110 € ††95/135 € – ½ P 82/103 €
Rist – *(chiuso dal 30 settembre al 23 dicembre e lunedì)* Carta 40/50 €

♦ Camere tutte ammodernate nel corso degli anni, semplici e funzionali, gestione familiare di lunga tradizione, clientela per lo più abituale; una classica risorsa di mare. Spaziosa sala da pranzo ricca di luce.

Fasce *senza rist* ⧉ | ⌘ "" P VISA ⓪ AE ① ⑤

via Bozzo 3 – ℰ 01 85 28 64 35 – www.hotelfasce.com – hotelfasce@hotelfasce.it
– Fax 01 85 28 35 80 – *chiuso gennaio e febbraio*
18 cam ⌧ – †60/100 € ††111/118 €

♦ Un piccolo e ospitale albergo caratterizzato da una conduzione di grande esperienza che farà il possibile per farvi sentire a vostro agio; a pochi minuti dal mare.

Nuova Riviera *senza rist* | ⊟ ⊬ ⌘ P VISA ⓪ ⑤

via Belvedere 10/2 – ℰ 01 85 28 74 03 – www.nuovariviera.com – info@
nuovariviera.com – Fax 01 85 28 74 03 – *chiuso dal 3 novembre al 26 dicembre*
9 cam ⌧ – ††85/110 €

♦ In zona residenziale, non lontano dal mare, hotel a gestione prettamente familiare in un villino liberty del 1921; ampie camere dagli alti soffitti, essenziali, ma ben tenute.

Agriturismo Roberto Gnocchi *senza rist* ⧉ | ⊟ ☏ P

via San Lorenzo 29, località San Lorenzo della Costa, | VISA ⓪ AE ① ⑤
Ovest : 3 km – ℰ 01 85 28 34 31 – www.villagnocchi – roberto.gnocchi@tin.it
– Fax 01 85 28 34 31 – *maggio-15 ottobre*
12 cam ⌧ – ††95/105 €

♦ E' come essere ospiti in una casa privata negli accoglienti interni di questa risorsa in posizione incantevole: vista del mare dalla terrazza-giardino, anche durante i pasti.

✕✕ La Stalla | ⌂ ⇔ P VISA ⓪ AE ① ⑤

via G. Pino 27, frazione Nozarego, Sud-Ovest : 2 km – ℰ 01 85 28 94 47
– www.lastalladeifrati.it – lavinia@lastalladeifrati.it – Fax 01 85 29 14 38 – *chiuso
novembre*
Rist – *(chiuso a mezzogiorno escluso il fine settimana)* Carta 61/83 €

♦ Ristorante esclusivo, caratteristico e accogliente, in posizione panoramica sulla collina; servizio estivo in terrazza con vista sul golfo del Tigullio e piatti locali.

✕✕ L'Ardiciocca | � AC ⇔ VISA ⓪ AE ① ⑤

via Maragliano 17 – ℰ 01 85 28 13 12 – ardiciocca@libero.it – Fax 01 85 28 13 12
– *chiuso giovedì*
Rist – *(chiuso a mezzogiorno escluso sabato e domenica da ottobre ad aprile)*
(prenotare) Menu 60 € – Carta 68/113 €

♦ A pochi passi dal mare, ben inserito nel centro storico, un locale piccolo e grazioso, non privo di eleganza. Grande competenza in cucina come in sala, menù innovativo.

✕✕ Oca Bianca | AC ⇔ VISA ⓪ AE ① ⑤

via XXV Aprile 21 – ℰ 01 85 28 84 11 – www.ocabianca.it – info@ocabianca.it
– *chiuso dal 7 gennaio al 13 febbraio e lunedì*
Rist – *(chiuso a mezzogiorno)* Carta 46/78 €

♦ Dedicato agli estimatori di tutto ciò che non è di mare, un locale con proposte di carni, verdure e formaggi, elaborati anche con fantasia; ambiente raccolto e piacevole.

✕✕ Trattoria Cesarina | ⌂ VISA ⓪ AE ⑤

via Mameli 2/c – ℰ 01 85 28 60 59 – *chiuso dal 20 al 27 dicembre, dal 15 al
31 gennaio e martedì*
Rist – Carta 43/63 €

♦ Nel centro storico, elegante trattoria familiare che offre piatti di mare, liguri, legati alla disponibilità del mercato giornaliero; tavoli anche sotto un bel porticato.

XX **L'Approdo da Felice**   🛖 AC VISA ⓴ AE ⛄

via Cairoli 26 – 𝒞 01 85 28 17 89 – Fax 01 85 28 17 89
– chiuso dal 10 al 27 dicembre, marzo, lunedì e martedì
Rist – Carta 35/81 €
♦ Ristorante moderno e accogliente con spazi raccolti ma dotato anche di un piccolo giardino ombreggiato; troverete una cucina di mare basata sull'offerta quotidiana.

X **La Paranza**   🛖 VISA ⓴ AE ⓵ ⛄

via Ruffini 46 – 𝒞 01 85 28 36 86 – Fax 01 85 28 23 39
– chiuso dal 10 al 25 novembre e lunedì
Rist – Carta 33/57 €
♦ Un grazioso ristorante con un'accogliente verandina di fronte al blu: tradizionale nelle sue proposte gastronomiche a base di pesce, elencate a voce dai proprietari.

SANTA MARIA = AUFKIRCHEN – Bolzano – Vedere Dobbiaco

SANTA MARIA ANNUNZIATA – Naples (NA) – vedere Massa Lubrense

SANTA MARIA DEGLI ANGELI – Perugia – 563M19 – Vedere Assisi

SANTA MARIA DELLA VERSA – Pavia (PV) – 561H9 – **2 555 ab.**   16 **B3**
– alt. 216 m – ✉ 27047

🔽 Roma 554 – Piacenza 47 – Genova 128 – Milano 71
🛈 c/o Municipio 𝒞 0385 278011

XX **Sasseo**   ⟵ 🚗 🛖 AC ⟷ P VISA ⓴ AE ⛄

località Sasseo 3, Sud : 3 km – 𝒞 03 85 27 85 63 – www.sasseo.com – info@
sasseo.com – Fax 03 85 27 85 63 – chiuso gennaio, martedì a mezzogiorno e lunedì
Rist – Carta 33/47 €
♦ Ubicato fra i vigneti, un grande casolare ristrutturato ospita due confortevoli salette con camino arredate con gusto rustico-elegante, dove gustare una cucina fantasiosa.

XX **Al Ruinello**   🚗 🛖 AC ⅍ P VISA ⓴ AE ⓵ ⛄

località Ruinello, Nord : 3 km – 𝒞 03 85 79 81 64 – www.ristorantealruinello.it
– info@ristorantealruinello.it – Fax 03 85 79 81 64 – chiuso dal 10 al 22 gennaio,
luglio, lunedì sera e martedì
Rist – (consigliata la prenotazione) Carta 28/36 €
♦ Sembra di essere a casa propria in questo piacevole ristorante a conduzione familiare, ricavato in una villetta privata; piatti del territorio, secondo la stagione.

SANTA MARIA DI LEUCA – Lecce – 564H37 – Vedere Marina di Leuca

---

SANTA MARIA LA LONGA – Udine (UD) – 562E21 – **2 380 ab.**   11 **C2**
– alt. 39 m – ✉ 33050

🔽 Roma 619 – Udine 17 – Trieste 56 – Venezia 112

a Tissano Nord-Ovest : 4 km – ✉ 33050 – Santa Maria La Longa

🏠 **Villa di Tissano** ⌖   🌙 🛖 🎇 ⌕ cam. P VISA ⓴ ⛄

piazza Caimo 4 – 𝒞 04 32 99 03 99 – www.villaditissano.it – info@villaditissano.it
– Fax 04 32 99 04 35 – chiuso dal 16 novembre al 14 dicembre e dal 6 gennaio al
14 marzo
19 cam – ♦60/100 € ♦♦80/160 €, ⌑ 20 € – 4 suites – ½ P 65/105 €
Rist – *(chiuso a mezzogiorno)* Carta 25/36 €
♦ Antica villa settecentesca immersa in un grande parco: grandi saloni in stile, camere semplici, ma personalizzate e suggestivo dehors per la colazione. Menù sempre diversi e piatti friulani nelle caratteristiche sale del ristorante di tono rustico.

SANTA MARIA MADDALENA – Rovigo – 562H16 – Vedere Occhiobello

SANTA MARIA MAGGIORE Ossola (VB) – 561D7 – **1 225 ab.**   23 **C1**
alt. 816 m – Sport invernali : a Piana di Vigezzo : 800/2 064 m ⛷ 1 ⛷4, ⛷ – ✉ 28857

🔽 Roma 715 – Stresa 50 – Domodossola 17 – Locarno 32
🛈 piazza Risorgimento 5 𝒞 0324 95091, santamariamaggiore@
distrettolaghi.it, Fax 0324 95091

🏠 **Miramonti**　　　　　　　　　　🛜 ﹪ rist, 🕭 🅿️ ᴠɪsᴀ 🆎
piazzale Diaz 3 – ☏ 032 49 50 13 – www.almiramonti.com – info@
almiramonti.com – Fax 032 49 42 83 – chiuso novembre e dicembre
11 cam ⌧ – ♦50/55 € ♦♦100/110 € – ½ P 70/80 €　**Rist** – Carta 21/49 €
♦ Dimora storica nel cuore della località che unisce al calore familiare la discreta eleganza degli ambienti, una piccola realtà ricca di ricordi della Valle e delle sue antiche tradizioni. Sapori ormai noti ai buongustai e nuovi accostamenti: in cucina, la ricerca continua.

✗✗ **Le Colonne**　　　　　　　　　　　　　　ᴠɪsᴀ 🆎 🅞 ⑤
via Benefattori 7 – ☏ 032 49 48 93 – bonagianni1970@libero.it
– Fax 032 49 81 32 – chiuso Natale e mercoledì
Rist – (consigliata la prenotazione) Carta 26/46 €
♦ Nel piccolo centro storico della località, una coppia di grande esperienza gestisce questo ristorante sobrio e curato, dove viene proposta una cucina eclettica.

SANTA MARINELLA – Roma (RM) – 563P17 – **16 376 ab.** – ✉ 00058　　12 **A2**
　　🚹 Roma 58 – Viterbo 65 – Aprilia 94 – Terni 124

🏨 **Cavalluccio Marino**　　　　⩽ 🛜 🏊 🖪 🖹 🄰🄺 ﹪ rist, 🕭 🅿️
lungomare Marconi 64 – ☏ 07 66 53 48 88　　　ᴠɪsᴀ 🆎 🅞 ⑤
– www.roseshotels.it – cavalluccio@roseshotels.it – Fax 07 66 53 48 66 – chiuso
dal 18 dicembre al 6 gennaio
32 cam ⌧ – ♦75/140 € ♦♦90/200 € – ½ P 75/135 €
Rist – (chiuso venerdì escluso giugno-settembre) Carta 33/78 €
♦ Sul lungomare della località, hotel balneare rinnovato di recente, punto di riferimento per godersi con stile vacanze "spiaggia e relax". Le camere sono luminose e piacevoli, alcune con vista. Piatti tradizionali presso la raffinata sala interna o sulla romantica terrazza panoramica.

SANT'AMBROGIO DI VALPOLICELLA – Verona (VR) – 562F14　　35 **A3**
– **10 358 ab.** – alt. 180 m – ✉ 37010
　　🚹 Roma 511 – Verona 20 – Brescia 65 – Garda 19

✗✗ **Groto de Corgnan**　　　　　　　🛜 ﹪ ⇱ ᴠɪsᴀ 🆎 ⑤
via Corgnano 41 – ☏ 04 57 73 13 72 – www.grotodecorgnan.it – groto@
valpolicella.it – Fax 04 57 73 13 72 – chiuso domenica, lunedì a mezzogiorno
Rist – (consigliata la prenotazione) Carta 42/54 € 🍴
♦ In una piacevole casa di paese, con un piccolo dehors, un ambiente decoroso e rallegrato dal camino; troverete cibi ancorati alla tradizione locale, ligi alle stagioni.

a San Giorgio Nord-Ovest : 1,5 km – ✉ 37010 – Sant'Ambrogio di Valpolicella

✗ **Dalla Rosa Alda** con cam 🦢　　🛜 🖹 ⴵ 🄰🄺 cam, ⤵ ﹪ cam, 🕽
strada Garibaldi 4 – ☏ 04 57 70 10 18　　　　　ᴠɪsᴀ 🆎 🅞 ⑤
– www.dallarosalda.it – alda@valpolicella.it – Fax 04 56 80 17 86 – chiuso
gennaio-febbraio
10 cam ⌧ – ♦65/80 € ♦♦80/110 € – ½ P 70/85 €
Rist – (chiuso domenica sera e lunedì escluso dal 21 giugno al 21 settembre)
– Carta 26/50 € 🍴
♦ Una cucina semplice, scandita e dominata dai prodotti del territorio selezionati con cura e passione, accostati ad un'ottima selezione di vini locali. Chiedete consiglio ai proprietari. L'intuizione di accogliere delle camere nella medesima struttura è degli anni Ottanta. Oggi, solo mobili d'epoca e confort.

SANT'ANDREA – Livorno – 563N12 – **Vedere Elba (Isola d') : Marciana**

SANT'ANDREA BAGNI – Parma – 562H12 – **Vedere Medesano**

SANT'ANGELO – Napoli – 564E23 – **Vedere Ischia (Isola d')**

SANT'ANGELO IN PONTANO – Macerata (MC) – 563M22　　21 **C2**
– **1 509 ab.** – alt. 473 m – ✉ 62020
　　🚹 Roma 192 – Ascoli Piceno 65 – Ancona 119 – Macerata 29

X **Pippo e Gabriella**　　　　　　　　　&. ☆ **P** 𝚟𝚒𝚜𝚊 ◑ ⛄
località contrada l'Immacolata 33 – ℰ 07 33 66 11 20 – pippoegabriella@libero.it
– Fax 07 33 66 16 75 – chiuso dal 10 gennaio al 10 febbraio, dal 3 al 9 luglio e
lunedì
Rist – Carta 21/28 €
♦ Un'osteria molto semplice, in posizione tranquilla, dove vige un'atmosfera informale
ma cortese e si possono gustare specialità regionali. Griglia in sala.

SANT'ANGELO LODIGIANO – Lodi (LO) – 561G10 – 12 532 ab.　　　16 **B3**
– alt. 75 m – ⊠ 26866
　　🖪 Roma 544 – Piacenza 43 – Lodi 12 – Milano 38

🏠　**San Rocco**　　　　　　　　　🗐 &. 🄰🄲 ☆ **P** 𝚟𝚒𝚜𝚊 ◑ ⛄
via Cavour 19 – ℰ 037 19 07 29 – www.sanroccoristhotel.it – info@
sanroccoristhotel.it – Fax 03 71 21 02 42 – chiuso dal 1° al 7 gennaio e agosto
16 cam – ♦58/63 € ♦♦78 €, ⊑ 6 € – ½ P 57 €
Rist – (chiuso domenica sera e lunedì) Carta 18/33 €
♦ Piccolo albergo nel centro della località. E' gestito dalla stessa famiglia da tre generazioni. Le camere, quasi tutte rinnovate di recente, offrono un buon confort. La cucina
propone piatti della tradizione locale.

SANT'ANNA – Como – Vedere Argegno

SANT' ANTIOCO – Carbonia-Iglesias (107) – 566J7 – **Vedere Sardegna alla fine
dell'elenco alfabetico**

SANT'ANTONIO DI MAVIGNOLA – Trento – **Vedere Pinzolo**

SANTARCANGELO DI ROMAGNA – Rimini (RN) – 562J19　　　9 **D2**
– 19 807 ab. – alt. 42 m – ⊠ 47822
　　🖪 Roma 345 – Rimini 10 – Bologna 104 – Forlì 43
　　🖪 via Cesare Battisti 5 ℰ 0541 624270, iat@comune.santarcangelo.rn.itFax
　　0541 622570

🏠　**Della Porta** senza rist　　　　🕸 🗐 &. 🄰🄲 ↩ ⁽ᵖ⁾ 🛁 𝚟𝚒𝚜𝚊 ◑ 🄰🄴 ◑ ⛄
via Andrea Costa 85 – ℰ 05 41 62 21 52 – www.hoteldellaporta.com – info@
hoteldellaporta.com – Fax 05 41 62 21 68
22 cam ⊑ – ♦65/98 € ♦♦80/109 €
♦ Soffitti finemente affrescati e mobili antichi nelle quattro graziose camere affacciate
sul cortile, ciascuna in omaggio a un fiore. Di tono più moderno le altre stanze.

🏠　**Il Villino** senza rist　　　　　　🚗 🗐 &. 🄰🄲 ☆ **P** 𝚟𝚒𝚜𝚊 ◑ 🄰🄴 ◑ ⛄
via Ruggeri 48 – ℰ 05 41 68 59 59 – www.hotelilvillino.it – info@hotelilvillino.it
– Fax 05 41 32 62 23
12 cam ⊑ – ♦80/110 € ♦♦120/160 €
♦ Piacevoli ed insoliti contrasti in questa villa di fine '600: le stanze sono tutte diverse
tra loro, da quella in omaggio alla Cina alla camera più austera, in stile napoleonico.

XX　**Osteria la Sangiovesa**　　　　　🍴 🄰🄲 ☆ 𝚟𝚒𝚜𝚊 ◑ 🄰🄴 ◑ ⛄
piazza Simone Balacchi 14 – ℰ 05 41 62 07 10 – www.sangiovesa.it
– sangiovesa@sangiovesa.it – Fax 05 41 62 08 54 – chiuso Natale, 1° gennaio
Rist – (chiuso a mezzogiorno) Carta 33/42 € 🍸
Rist *Osteria* – (chiuso a mezzogiorno) Carta 15/22 € 🍸
♦ Risorsa singolare che ospita contemporaneamente due differenti ristoranti. Sale
rustico-eleganti con luci soffuse e giochi d'ombra, dove gustare piatti dai sapori ricercati.
All'Osteria, invece, un ambiente più informale, semplice ed accogliente in cui domine-
ranno salumi, formaggi e vino... di quello buono.

sulla strada statale 9 via Emilia Est : 2 km

🏠　**San Clemente** senza rist　　　　🗐 &. 🄰🄲 ↩ ⁽ᵖ⁾ **P** 𝚟𝚒𝚜𝚊 ◑ 🄰🄴 ◑ ⛄
via Ferrari 1 – ℰ 05 41 68 08 04 – www.hotelsanclemente.com – info@
hotelsanclemente.com – Fax 05 41 68 13 66
32 cam ⊑ – ♦50/120 € ♦♦80/210 €
♦ Lungo la via Emilia, un complesso inaugurato pochi anni or sono e progettato pen-
sando soprattutto a chi viaggia per lavoro. Insieme curato, dotazioni complete.

a Montalbano Ovest: 6 km – ⊠47822 - *Santarcangelo di Romagna*

⌂ **Agriturismo Locanda Antiche Macine** ⮱ 🛋 🕮 ♨ ⚡ 🏊
via Provinciale Sogliano 1540 ♨ rist, **P** **VISA** 🇨🇴 **AE** ① ⑤
– ℰ 05 41 62 71 61 – www.antichemacine.it – macine.montalbano@tin.it
– *Fax 05 41 68 65 62 – chiuso dal 1° al 21 gennaio*
8 cam � ✝60/80 € ✝✝90/120 € – 3 suites
Rist – *(chiuso lunedì)* Carta 25/40 €
♦ Ricavata in un antico frantoio, locanda accogliente ed elegante, immersa nel verde della campagna riminese. All'esterno, un percorso natura ed un laghetto per la pesca sportiva. In una delle due sale del ristorante, antiche e massicce travi su cui poggiava il movimento delle macine.

SANTA REGINA – Siena – *Vedere Siena*

SANTA SOFIA – Forlì-Cesena (FO) – 562?P47K17 – **4 207 ab.**   **9 D3**
– alt. 257 m – ⊠ 47018
▶ Roma 291 – Rimini 87 – Firenze 89 – Forlì 41

a Corniolo Sud-Ovest : 15 km – **alt. 589 m** – ⊠ 47010

⌂ **Leonardo** ⮱ 🛋 🕮 ♨ 🏨 ❄ **P** **VISA** 🇨🇴 ⑤
località Lago – ℰ 05 43 98 00 15 – www.hotelleonardo.net – info@
hotelleonardo.net – *Fax 05 43 98 00 15*
19 cam ⊒ ✝40/75 € ✝✝45/95 € – ½ P 50/65 €   **Rist** – Carta 26/36 €
♦ Hotel situato fuori località, in una zona tranquilla di fianco al torrente con comodo giardino attrezzato per bimbi. Ambienti semplici e gestione familiare davvero calorosa. Due semplici sale ristorante, cucina familiare a base di prodotti locali.

SANTA TERESA GALLURA – Olbia-Tempio (104) – 566D9 – **Vedere Sardegna** alla fine dell'elenco alfabetico

---

SANTA TRADA DI CANNITELLO – Reggio di Calabria – 564M29 – **Vedere** Villa San Giovanni

---

SANTA VITTORIA D'ALBA – Cuneo (CN) – 561H5 – **2 506 ab.**   **25 C2**
– alt. 346 m – ⊠ 12069
▶ Roma 655 – Cuneo 55 – Torino 57 – Alba 10

🏨 **Castello di Santa Vittoria** ⮱ ⟨ 🛋 🖘 ♨ rist, "📶" 🍴 **P**
via Cagna 4 – ℰ 01 72 47 81 98 **VISA** 🇨🇴 **AE** ① ⑤
– www.santavittoria.org – hotel@santavittoria.org – *Fax 01 72 47 84 65*
39 cam ⊒ ✝85/100 € ✝✝130/140 € – ½ P 95/100 €
Rist Al Castello – *vedere selezione ristoranti*
♦ Adiacente ad un'antica torre di avvistamento e difesa, in posizione dominante e con bella vista su Langhe e Roero, un elegante albergo con stanze sobrie, ma accoglienti.

XX **Al Castello** 🖘 ❄ **P** **VISA** 🇨🇴 **AE** ① ⑤
via Cagna 4 – ℰ 01 72 47 81 47 – www.santavittoria.org – info@santavittoria.org
– *Fax 01 72 47 84 65 – chiuso dal 1° al 7 gennaio e mercoledì a mezzogiorno*
Rist – Carta 37/49 €
♦ Antichi affreschi che affiorano da pareti e soffitti, un nobile camino e arredi d'epoca per un ristorante raffinato e d'atmosfera; servizio estivo in terrazza, buona cantina.

SANT'ELPIDIO A MARE – Ascoli Piceno (AP) – 563M23 – **15 740 ab.**   **21 D2**
– alt. 251 m – ⊠ 63019
▶ Roma 267 – Ancona 49 – Ascoli Piceno 85 – Macerata 33

XX **Il Melograno** 🖘 ❄ ♻ **VISA** 🇨🇴 ⑤
via Gherardini 9 – ℰ 07 34 85 80 88 – www.ristoranteilmelograno.it – info@
ristoranteilmelograno.it – *Fax 07 34 81 76 11 – chiuso 15 giorni in agosto lunedì sera e martedì*
Rist – Carta 22/38 €
♦ Un palazzo del Seicento in cui sorgono oggi ambienti ospitali, sulle calde tonalità dell'ocra e del bianco: per scoprire sapori casalinghi. Vista panoramica incantevole.

SAN TEODORO – Olbia-Tempio (104) – 566E11 – Vedere Sardegna alla fine dell'elenco alfabetico

---

SANT'ERMETE – Savona – 561J7 – Vedere Vado Ligure

SANT'EUFEMIA DELLA FONTE – Brescia – Vedere Brescia

SANT'EUFEMIA LAMEZIA – Catanzaro – 564K30 – Vedere Lamezia Terme

---

SANT'ILARIO D'ENZA – Reggio Emilia (RE) – 562H13 – **10 001 ab.**   8 **A3**
– alt. 58 m – ✉ 42049

    🚩 Roma 444 – Parma 12 – Bologna 82 – Milano 134

XX   **Prater**   🗚 🕸 ⇔ 🅿 ᵥₛₐ ⑳ ㎒ ① ⑤
via Roma 39 – 𝒞 05 22 67 23 75 – www.praterfood.it – info@praterfood.it
– Fax 05 22 67 12 36 – chiuso dal 1° al 25 agosto, sabato a mezzogiorno,
domenica in giugno-luglio, mercoledì negli altri mesi
Rist – Carta 30/54 €

    ♦ Proposte assai variegate in questo locale di lunga tradizione: pesce, qualche piatto moderno e un menu degustazione all'aceto balsamico. Il tutto accompagnato da una nutrita selezione di vini.

SANT'OMOBONO IMAGNA – Bergamo (BG) – 561E10 – **3 078 ab.**   19 **C1**
– alt. 498 m – ✉ 24038

    🚩 Roma 625 – Bergamo 23 – Lecco 39 – Milano 68

🏠🏠 **Villa delle Ortensie** ⑤   ⇐ 🖵 ⑳ 🔊 🛁 ⚕ 🖥 �& ⚡️ ⅍ 🕸 rist, 🍴
viale alle Fonti 117 – 𝒞 035 85 11 14   🅿 ᵥₛₐ ⑳ ㎒ ① ⑤
– www.villaortensie.com – info@villaortensie.com – Fax 035 85 11 48 – chiuso dal 10 al 27 dicembre
39 cam ⊑ – 🛏89/117 € 🛏🛏148/170 € – ½ P 84/95 €   **Rist** – Carta 30/40 €

    ♦ Nel cuore verde della valle Imagna, un'elegante residenza gentilizia di fine '800 ospita una struttura ben "articolata" per dimensioni e servizi offerti, soprattutto in ambito salutistico. Nel ristorante, la cucina tradizionale si accompagna ad una gustosa ed equilibrata selezione di ricette vegetariane.

XX   **Posta**   🗚 ᵥₛₐ ⑳ ㎒ ① ⑤
🍝 *viale Vittorio Veneto 169 – 𝒞 035 85 11 34 – www.frosioristoranti.it – posta@*
frosioristoranti.it – Fax 035 85 11 34 – chiuso dal 1° al 15 luglio e martedì
(escluso dal 15 luglio al 15 settembre)
Rist – Menu 20 € (solo a mezzogiorno) – Carta 38/71 €

    ♦ Fantasia e tradizioni concorrono a determinare la cucina che a pranzo propone un menu del giorno, mentre la sera si articola in una carta più elaborata. Esperta conduzione familiare.

XX   **Taverna 800**   🐴 ⇔ ᵥₛₐ ⑳ ㎒ ① ⑤
piazza Mazzoleni 2, Nord-Ovest: 2 km – 𝒞 035 85 11 62 – mirkomazzoleni@
tiscali.it – Fax 035 85 11 62 – chiuso 2 settimane in giugno e martedì
Rist – Carta 30/46 € (+5 %)

    ♦ Bel ristorante affacciato sulla piazza del paese, dove deliziarsi con una cucina locale e menù degustazione che - a dispetto della collocazione geografica - spesso, d'estate, è basato su specialità di pesce.

SANTO STEFANO AL MARE – Imperia (IM) – 561K5 – **2 237 ab.**   14 **A3**
– ✉ 18010

    🚩 Roma 628 – Imperia 18 – Milano 252 – San Remo 12

XX   **La Riserva**   🐴 🗚 ⇔ ᵥₛₐ ⑳ ㎒ ① ⑤
via Roma 51 – 𝒞 01 84 48 41 34 – la.riserva@live.it – Fax 01 84 48 41 34
– chiuso ottobre, lunedì in giugno, luglio e settembre, anche domenica sera negli altri mesi
Rist – Carta 37/52 €

    ♦ Un lungo corridoio nel quale si allineano diverse salette per arrivare, in fondo, alla cucina: un ambiente caratteristico per gustare menù liguri, soprattutto di mare. Ha da poco festeggiato i 25 anni!

✗ **La Cucina**　　　　　　　　　　🏠 AC VISA ⓜ AE ⓞ ⑤
piazza Cavour 7 – ℰ 01 84 48 50 40 – Fax 01 84 48 50 40
– chiuso dal 7 al 21 marzo, dal 5 al 20 novembre, lunedì, anche a mezzogiorno
escluso sabato e domenica in luglio e agosto
Rist – Carta 24/44 €
♦ Il turista non può che trovare di proprio gradimento questo locale! Tra i carruggi del centro, l'ingresso attraverso una veranda estiva, poi una sala più caratteristica, rustica e simpatica. Proposte locali, soprattutto marinare.

SANTO STEFANO BELBO – Cuneo (CN) – 561H6 – 3 996 ab.　　　25 **D2**
– alt. 175 m – ✉ 12058

▶ Roma 573 – Alessandria 48 – Genova 100 – Asti 26

🏨 **Relais San Maurizio** 🌿　　　⇐ 🚗 ⤢ 🗔 ⊕ ⑰ 🖥 ♿ AC 🎿 ⑼ 🏋 **P**
località San Maurizio 39, Ovest : 3 km　　　　　VISA ⓜ AE ⓞ ⑤
– ℰ 01 41 84 19 00 – www.relaissanmaurizio.it – maurizio@relaischateaux.com
– Fax 01 41 84 38 33 – chiuso dal 14 dicembre al 1° marzo
22 cam – ⑦170/190 € ⑦⑦240/435 €, � 20 € – 9 suites
Rist Il Ristorante di Guido da Costigliole – vedere selezione ristoranti
♦ Un'oasi di pace e di lusso nella tranquillità di un monastero seicentesco, sulla sommità di una collina prospiciente il paese natale di Pavese. Interni con soffitti affrescati e attrezzato centro benessere.

✗✗✗ **Il Ristorante di Guido da Costigliole** (Luca Zecchin) – Relais San Maurizio
🏵 *località San Maurizio, Ovest : 3 km*　　　🚗 🏠 AC ⇔ **P** VISA ⓜ AE ⓞ ⑤
– ℰ 01 41 84 44 55 – www.relaissanmaurizio.it – vinoevita@libero.it
– Fax 01 41 84 40 01 – chiuso dal 20 dicembre al 1° marzo e martedì
Rist – *(chiuso a mezzogiorno escluso domenica)* Menu 60/80 € – Carta 68/88 € 🕮
Spec. Faraona in agrodolce di miele. Agnolotti del plin. Capretto da latte al forno.
♦ Magnifica sintesi di ogni promessa paesaggistica e gastronomica langarola: sulla sommità di una panoramica collina, splendido edificio d'epoca, cucina avvolgente ed illustre cantina.

SANTO STEFANO DI CADORE – Belluno (BL) – 562C19 – 2 826 ab.　　36 **C1**
– alt. 908 m – ✉ 32045

▶ Roma 653 – Cortina d'Ampezzo 45 – Belluno 62 – Lienz 78
🛈 piazza Roma 37 ℰ 0435 62230, santostefano@infodolomiti.it, Fax 043562077

🏠 **Monaco Sport Hotel**　　⇐ ⑰ 🖥 AC rist. 🎿 **P** 🚙 VISA ⓜ AE ⓞ ⑤
via Lungo Piave 60 – ℰ 04 35 42 04 40 – www.monacosporthotel.com
– info@monacosporthotel.com – Fax 043 56 22 18
– chiuso dal 4 novembre al 7 dicembre e dal 30 marzo al 14 aprile
26 cam ⊑ – ⑦45/55 € ⑦⑦79/110 € – ½ P 45/80 €
Rist – *(chiuso domenica sera e lunedì)* Carta 34/54 € 🕮
♦ Fuori dal centro, oltre il fiume, risorsa dall'atmosfera familiare che propone gradevoli aree comuni e camere semplici e confortevoli, arredate nel caratteristico stile montano. Un'ampia sala ristorante e una più piccola e accogliente stube. Da visitare la fornita cantina che custodisce centinaia di etichette.

SAN TROVASO – Treviso – Vedere Preganziol

SANTUARIO – Vedere nome proprio del santuario

SAN VALENTINO ALLA MUTA　　　　　　　　　　　　　　30 **A1**
(ST. VALENTIN AUF DER HAIDE) – Bolzano (BZ) – 562B13
– alt. 1 488 m – **Sport invernali : 1 500/2 700 m** 🎿 1 🎿4, 🎿 – ✉ 39020

▶ Roma 733 – Sondrio 133 – Bolzano 96 – Milano 272
🛈 via Principale ℰ 0473 634603, st.valentin@suedtirol.com, Fax 0473 634713

🏠 **Stocker** ⟨ 🚗 🏠 ⅃♨ 🏊 📶 ⅃ cam, 🅰🅒 rist, ⅃ ❄ 💯 **P**, **VISA** 🐵 💲
*via Principale 42 – ℰ 04 73 63 46 32 – www.hotel-stocker.com – info@
hotel-stocker.com – Fax 04 73 63 46 68 – 16 dicembre-Pasqua e maggio-20 ottobre*
36 cam 🖭 – 🛉35/55 € 🛉🛉60/99 € – ½ P 51/62 €
Rist – *(chiuso lunedì) (chiuso a mezzogiorno)* Carta 23/31 €
♦ Bella casa di montagna a conduzione familiare, ampliata e rimodernata nel corso
degli anni; offre camere di diversa tipologia, alcune completamente in legno. Una sala
ristorante classica e una più calda e più tipica.

SAN VALENTINO IN ABRUZZO CITERIORE – Pescara (PE) 1 B2
– 563P24 – **1 955 ab. – alt. 457 m** – ⊠ 65020

▶ Roma 185 – Pescara 40 – Chieti 28 – L'Aquila 76

✗ **Antichi Sapori** 🏠 ⅃ 🅰🅒 💯 **P**, **VISA** 🐵 **AE** ① 💲
*contrada Cerrone-Solcano 2, Nord : 2 km – ℰ 08 58 54 40 53 – antichisaporisnc@
tin.it – Fax 08 58 54 40 53 – chiuso giovedì*
Rist – Carta 22/34 €
♦ Sotto all'omonimo bar, una sala curata d'ambiente rustico-classico. Il servizio cordiale
propone una cucina abruzzese rivisitata e, solo di sera, il servizio pizzeria.

SAN VIGILIO – Bergamo (016) – Vedere Bergamo

SAN VIGILIO DI MAREBBE (ST. VIGIL ENNEBERG) – Bolzano (BZ) 31 C1
– 562B17 – **alt. 1 201 m – Sport invernali : 1 200/2 275m ⬆ 19 ⬇12 (Comprensorio
Dolomiti superski Plan de Corones) ⚡ – ⊠ 39030 Italia**

▶ Roma 724 – Cortina d'Ampezzo 54 – Bolzano 87 – Brunico 18
ℹ Str. Catarina Lanz 14 ℰ 0474 501037, info@sanvigilio.com, Fax 0474 501566

🏨 **Excelsior** ⬛ ⟨ 🚗 🖵 ⊕ 🏠 ⅃♨ 📶 ⅃ 🏊 💯 **P**, 🚗
via Valiares 44 – ℰ 04 74 50 10 36 **VISA** 🐵 **AE** ① 💲
*– www.myexcelsior.com – info@myexcelsior.com – Fax 04 74 50 16 55 – chiuso
dal 14 aprile al 30 maggio*
40 cam 🖭 – 🛉110/157 € 🛉🛉229/330 € – 7 suites – ½ P 140/190 €
Rist – *(solo per alloggiati)* Carta 38/65 €
♦ In zona tranquilla e panoramica, un hotel già invitante dall'esterno, con bei balconi in
legno e la nuova veranda; gradevoli spazi comuni interni, luminoso centro benessere.

🏨 **Almhof-Hotel Call** ⟨ 🚗 🖵 🏠 📶 ⅃ cam, 💯 rist, **P**, **VISA** 🐵 💲
*via Plazores 8 – ℰ 04 74 50 10 43 – www.almhof-call.com – info@
almhof-call.com – Fax 04 74 50 15 69 – chiuso dal 30 marzo al 20 maggio e dal
20 ottobre al 30 novembre*
36 cam – solo ½ P 135/145 € **Rist** – Carta 38/60 €
♦ Un piacevolissimo rifugio montano, valido punto di riferimento per concedersi un
soggiorno all'insegna della natura, del relax e del benessere, coccolati dal confort. Al
ristorante per un curato momento dedicato al palato.

🏨 **Monte Sella** ⟨ 🚗 🏠 📶 ⅃ 💯 rist, 📶 **P**, 🚗 **VISA** 🐵 💲
*strada Catarina Lanz 7 – ℰ 04 74 50 10 34 – www.monte-sella.com – info@
monte-sella.com – Fax 04 74 50 17 14 – dicembre-15 aprile e giugno-settembre*
32 cam 🖭 – 🛉80/120 € 🛉🛉120/200 € – 5 suites – ½ P 100/120 €
Rist – *(solo per alloggiati)*
♦ Un'elegante casa d'inizio '900, uno degli hotel più vecchi della località, in cui si è cer-
cato di mantenere il più possibile intatta l'atmosfera del buon tempo che fu.

🏨 **Aqua Bad Cortina-Oasis Hotel** ⬛ 🏠 📶 💯 rist, ⓦ **P**,
Strada Fanes 40 – ℰ 04 74 50 12 15 **VISA** 🐵 **AE** ① 💲
*– www.badcortina.it – info@aquabadcortina.com – Fax 04 74 50 17 78
– dicembre-aprile e 15 giugno-settembre*
21 cam 🖭 – 🛉95/100 € 🛉🛉150/170 € – ½ P 85/95 € **Rist** – Menu 22/60 €
♦ Alcune camere sono dedicate alle leggende che avvolgono di mistero la tradizione
locale, altre si ispirano all'acqua e alle proprietà salubri e curative della sorgente attorno
alla quale l'"Oasi" si colloca. Il soffitto finemente decorato e il calore che solo una casa di
montagna può offrire, nell'accogliente stube.

✕✕ Tabarel ⟷ 🚫 💳 🅐🅔 ① ⬧

via Catarina Lanz 28 – ✆ 04 74 50 12 10 – tabarel1978@yahoo.it
– Fax 04 74 50 65 78 – dicembre-aprile e giugno-novembre
Rist – Carta 39/50 €

◆ Sulla piazza del paese questo locale vi darà la possibilità di scegliere: ambiente rustico-classico al bistrot per pranzi veloci oppure l'enoteca serale. Piatti ladini.

✕ Fana Ladina 🏠 🅟 💳 🅞🅔 ⬧

strada Plan de Corones 10 – ✆ 04 74 50 11 75 – www.fanaladina.com – info@ fanaladina.com – Fax 04 74 50 63 26 – dicembre-Pasqua e luglio-settembre
Rist – (chiuso a mezzogiorno in inverno escluso Natale e fine settimana)
Carta 29/37 €

◆ In una delle case più antiche di San Vigilio questo ristorante offre proposte tipiche della cucina ladina in sale arredate con abbondanza di legno e con una graziosa stube.

SAN VINCENZO – Livorno (LI) – 563M13 – 6 685 ab. – ✉ 57027 28 **B2**

⬛ Toscana

▶ Roma 260 – Firenze 146 – Grosseto 73 – Livorno 60

🖼 via della Torre ✆ 0565 701533, apt7sanvincenzo@costadeglietruschi.it, Fax 0565 706914

🏨 I Lecci Park Hotel ⬧ 🔊 🏠 ﹌ 🍽 ✕ 📶 ⬥ 🅐🅚 🎿 (ᵖ) 🔊 🅿

via della Principessa 116, Sud : 1,7 km 💳 🅞🅔 🅐🅔 ① ⬧
– ✆ 05 65 70 41 11 – www.ilecci.net – info@ilecci.net – Fax 05 65 70 32 24
– aprile-ottobre
70 cam ⬰ – ♦85/183 € ♦♦150/480 € – 2 suites – ½ P 120/380 €
Rist *La Campigiana* – Carta 32/51 €

◆ Immerso in un tranquillo parco di lecci, l'hotel è stato recentemente rinnovato per offrire maggiore confort e piacevolezza ai propri ospiti. Camere di moderna concezione. Grazioso dehors e specialità ittiche al ristorante.

🏨 Kon Tiki ﹌ ⬥ 🅐🅚 (ᵖ) 🅿 🚗 💳 🅞🅔 ⬧

via Umbria 2 – ✆ 05 65 70 17 14 – www.kontiki.toscana.it – vacanze@ kontiki.toscana.it – Fax 05 65 70 50 14 – chiuso dal 24 dicembre al 7 gennaio
25 cam ⬰ – ♦50/100 € ♦♦80/150 € – ½ P 90/110 €
Rist – (solo per alloggiati) Menu 20/50 €

◆ Nel nome, un omaggio alla famosa zattera norvegese che raggiunse la Polinesia: qui, tra il mare e le conifere, un po' isolato, un hotel semplice, con camere spaziose.

🏠 Il Delfino senza rist ≤ 🖥 ⬥ 🅐🅚 🎿 (ᵖ) 🚗 💳 🅞🅔 🅐🅔 ① ⬧

via Cristoforo Colombo 15 – ✆ 05 65 70 11 79 – www.hotelildelfino.it – info@ hotelildelfino.it – Fax 05 65 70 13 83
53 cam ⬰ – ♦50/100 € ♦♦80/160 €

◆ Solo una strada poco trafficata la separa dal blu; una struttura con spazi comuni non immensi, ma pieni di luce, e stanze rinnovate negli ultimi anni, confortevoli.

🏠 Il Pino 🖥 🏠 🖥 🅐🅚 🎿 🅿 💳 🅞🅔 ⬧

via della Repubblica 19 – ✆ 05 65 70 16 49 – www.ilpino.li.it – hotel.ilpino@ alice.it – Fax 05 65 70 16 49 – 15 marzo-15 ottobre
45 cam ⬰ – ♦60/100 € ♦♦74/150 € – ½ P 60/100 € **Rist** – Carta 23/39 €

◆ Del tutto ristrutturato di recente, un albergo sito nella zona residenziale di San Vincenzo: un'area verde e tranquilla, ideale cornice per una casa familiare e semplice. Ristorante classico.

🏠 La Coccinella senza rist 🖥 ﹌ 🖥 🅐🅚 🎿 🅿 💳 🅞🅔 🅐🅔 ⬧

via Indipendenza 1 – ✆ 05 65 70 17 94 – www.hotelcoccinella.it – coccinella@ infol.it – Fax 05 65 70 17 94 – 20 aprile-settembre
27 cam ⬰ – ♦50/85 € ♦♦80/135 €

◆ Indirizzo raccolto e semplice, con una gestione familiare e attenta; raggiungibile facilmente, lungo la strada che porta a Piombino; servizio spiaggia compresa nel prezzo.

🏠 Villa Marcella 🖥 ⬥ cam, 🅐🅚 🎿 (ᵖ) 💳 🅞🅔 🅐🅔 ⬧

via Palombo 1 – ✆ 05 65 70 16 46 – www.villamarcella.it – info@villamarcella.it – Fax 05 65 70 21 54
45 cam ⬰ – ♦54/100 € ♦♦78/155 € – ½ P 85/107 € **Rist** – Carta 25/45 €

◆ A pochi passi dalla spiaggia, albergo familiare rinnovatosi di recente: camere lineari in stile moderno. Specialità mediterranee al ristorante.

XXX **Gambero Rosso** (Fulvio Pierangelini)   ⟨ 🗚 𝗩𝗜𝗦𝗔 ⓪ 🗚 ⓪ 👍
❀❀ *piazza della Vittoria 13 – 𝒞 05 65 70 10 21 – Fax 05 65 70 45 42*
– chiuso dal 29 ottobre al 20 marzo, lunedì, martedì, mercoledì a mezzogiorno
Rist – Carta 100/140 € ⌘
Spec. Passatina di ceci con gamberi. Zuppetta di burrata con ravioli di aringa.
Piccione in casseruola.
♦ Tanti anni di lavoro ed un instancabile desiderio di migliorarsi ed innovare : nell'apparente semplicità dei piatti ha trovato uno stile imitato e copiato ovunque, ma l'originale è sul porto di San Vincenzo.

sulla strada per San Carlo Est : 2 km :

⌂ **Poggio ai Santi** ⌘   ⟨ 🗖 🜂 🏠 ⚏ 🗚 ✿ cam, 𝗩𝗜𝗦𝗔 ⓪ 🗚 👍
via San Bartolo 100, frazione San Carlo Est 3,5 km – 𝒞 05 65 79 80 32
– www.poggioaisanti.com – poggioaisanti@toscana.com – Fax 05 65 79 80 90
– chiuso dal 10 gennaio al 10 febbraio
2 cam ⌑ – ♦♦136/218 € – 9 suites – ♦♦153/396 €
Rist *Il Sale* – *(chiuso martedì a mezzogiorno da maggio ad ottobre, tutto il giorno negli altri mesi)* (prenotazione obbligatoria) Carta 29/90 €
♦ Immerso nella campagna toscana, splendido *relais* ospitato in una dimora del XIX secolo: materiali naturali e colori locali nelle camere e nelle suite di alto livello. Indimenticabile...

SAN VITO AL TAGLIAMENTO – Pordenone (PN) – 562 E20   10 B3
– 13 522 ab. – alt. 31 m – ⌧ 33078

▶ Roma 600 – Udine 42 – Belluno 89 – Milano 339

🏨 **Patriarca**   🛏 🗲 ⚅ cam, 🗚 ⁽ᵗ⁾ 🕃 🅿 𝗩𝗜𝗦𝗔 ⓪ 👍
☞ *via Pascatti 6 – 𝒞 04 34 87 55 55 – www.hotelpatriarca.it – hotelpatriarca@hotelpatriarca.it – Fax 04 34 87 53 53*
27 cam ⌑ – ♦49/89 € ♦♦69/119 € – ½ P 50/80 €
Rist – *(chiuso domenica)* Carta 20/47 €
♦ Accanto al municipio e all'ombra della torre Raimonda eretta alla fine del Duecento dall'omonimo Patriarca, offre una cordiale gestione familiare e luminose confortevoli camere. Nella piccola e graziosa sala da pranzo, proposte di mare e di terra. Ideale per pranzi di lavoro.

SAN VITO DI CADORE – Belluno (BL) – 562 C18 – 1 745 ab.   36 C1
– alt. 1 010 m – Sport invernali : 1 100/1 536 m ⚡ 6 ⚡ 31 (Comprensorio Dolomiti superski Cortina d'Ampezzo) ⚡ – ⌧ 32046 ▮ Italia

▶ Roma 661 – Cortina d'Ampezzo 11 – Belluno 60 – Milano 403
🛈 corso Italia 92 𝒞 0436 9119, sanvito@infodolomiti.it, Fax 0436 99345

🏛 **Ladinia** ⌘   ⟨ 🗖 🖵 ⓪ 🜂 🗟 ⚏ 🗟 ⛎ ✿ rist, 🅿 🚗 𝗩𝗜𝗦𝗔 ⓪ 👍
via Ladinia 14 – 𝒞 04 36 89 04 50 – www.hladinia.it – ladinia@sunrise.it
– Fax 043 69 92 11 – 8 dicembre-24 marzo e 16 giugno-14 settembre
30 cam ⌑ – ♦60/120 € ♦♦100/240 € – ½ P 120/145 €   **Rist** – Carta 25/35 €
♦ Ben posizionato, nella parte alta e soleggiata della località, in zona tranquilla e panoramica, un hotel completo di ogni confort e con un validissimo centro benessere.

🏠 **Nevada**   ⟨ 🗟 𝗩𝗜𝗦𝗔 ⓪ 🗚 ⓪ 👍
corso Italia 26 – 𝒞 04 36 89 04 00 – nevadah@tin.it – Fax 04 36 89 04 17 – 6 dicembre-Pasqua e 16 giugno-settembre
31 cam – ♦40/55 € ♦♦60/94 €, ⌑ 10 €   **Rist** – Carta 26/44 €
♦ Semplice e curata, a gestione familiare, la risorsa va fiera della sua superba posizione alle pendici del monte Pelmo, nel centro di San Vito. Camere semplici e confortevoli. Caldi arredi in legno e graziosi lampadari musivi in sala da pranzo.

X **Rifugio Larin**   ⟨ 🗖 🏠 🅿 𝗩𝗜𝗦𝗔 ⓪ 🗚 ⓪ 👍
☞ *località Senes, Ovest : 3 km – 𝒞 04 36 91 12 – danilobettio@libero.it – giugno-settembre*
Rist – Carta 21/34 €
♦ È un ristorante estivo questo rifugio panoramico raggiungibile anche in auto; ordinato e pulito, in carta presenta i semplici piatti della tradizione montana e cadorina.

SAN VITO DI LEGUZZANO – Vicenza (VI) – 562E16 – 3 566 ab.   35 B2
– alt. 158 m – ✉ 36030

▶ Roma 540 – Verona 67 – Bassano del Grappa 38 – Padova 62

XX **Antica Trattoria Due Mori** con cam   🗛 (ŋ) 🅿 🚗
(a) *via Rigobello 39 – ☏ 04 45 51 16 11 – info@*   VISA 🆖 AE ① 🅢
     trattoriaduemori.it – Fax 04 45 67 16 35 – chiuso agosto
     10 cam – †55 € ††65 €, ⌸ 11 €
     Rist – *(chiuso lunedì)* Carta 28/35 €
     ◆ La stessa famiglia da sempre al timone del ristorante propone una linea gastronomica
     basata sulla memoria veneta con alcune specialità della casa. Antipasti a vista, dal pesce
     alla carne e alle verdure. Confortevoli le camere al primo piano, mansardate e più carat-
     teristiche quelle al secondo.

SAN VITO LO CAPO – Trapani – 565M20 – Vedere Sicilia alla fine dell'elenco
alfabetico

SAN VITTORE DEL LAZIO – Frosinone (FR) – 563R23 – 2 711 ab.   13 D2
– alt. 210 m – ✉ 03040

▶ Roma 137 – Frosinone 62 – Caserta 62 – Gaeta 65

X   **All'Oliveto**   🏠 🗛 ⟷ 🅿 VISA 🆖 AE ① 🅢
    via Passeggeri – ☏ 07 76 33 52 26 – www.ristorantealloliveto.it – info@
    ristorantealloliveto.com – Fax 07 76 33 54 47 – chiuso lunedì
    Rist – Carta 26/48 €
    ◆ Proprio ai margini di questo bel paese, ingresso importante, fra ulivi e piante ben
    curate; servizio estivo all'aperto con vista sui colli e la vallata. Pesce, da Formia.

SAN VITTORE OLONA – Milano – 561F8 – 7 759 ab. – alt. 197 m   18 A2
– ✉ 20028

▶ Roma 593 – Milano 24 – Como 37 – Novara 39

🏨 **Poli Hotel**   🕹 🗛 (ŋ) 🚗 VISA 🆖 AE ① 🅢
    strada statale Sempione ang. via Pellico – ☏ 033 42 34 11 – www.polihotel.com
    – info@polihotel.com – Fax 03 31 42 34 80
    56 cam ⌸ – †88/189 € ††118/219 € – 4 suites
    Rist La Fornace – vedere selezione ristoranti
    ◆ Nuovo hotel, lungo la statale del Sempione, contraddistinto da modernità ed ottimo
    confort. Gestione cordiale e competente. Ideale per una clientela *business*.

XXX **La Fornace**   🗛 VISA 🆖 AE ① 🅢
     strada statale Sempione ang.via Pellico – ☏ 03 31 51 83 08 – www.polihotel.com
     – info@ristorantelafornace.it – Fax 03 31 42 34 80
     – chiuso dal 26 dicembre al 1° gennaio e agosto
     Rist – *(chiuso domenica)* Carta 35/60 €
     ◆ Nel contesto strutturale dell'hotel Poli, ma con ingresso indipendente, raccolto e
     curato ristorante con proposte stuzzicanti e gestione familiare consolidata.

SAN ZENO DI MONTAGNA – Verona (VR) – 562F14 – 1 300 ab.   35 A2
– alt. 590 m – ✉ 37010

▶ Roma 544 – Verona 46 – Garda 17 – Milano 168

🛈 (giugno-settembre) via Cà Montagna ☏ 045 6289296, iatsanzeno@
   provincia.vr.it, Fax 045 7285076

🏨 **Diana** ⌂   ≤ 🛋 🍜 🏖 🎭 🏋 🕹 cam, 🗛 rist, 🎭 🅿 VISA 🆖 🅢
    via Cà Montagna 54 – ☏ 04 57 28 51 13 – www.hoteldiana.biz – info@
    finottihotels.it – Fax 04 57 28 57 75 – Pasqua-ottobre
    53 cam ⌸ – †62/85 € ††100/126 € – ½ P 65/75 €   Rist – Carta 25/38 €
    ◆ Una grande struttura, immersa nel verde di un boschetto-giardino e con vista sul
    Lago di Garda, aggiornata di continuo in servizi e dotazioni; sport, relax e benessere.
    Dal ristorante ci si affaccia sulla verde quiete lacustre.

SAN ZENONE DEGLI EZZELINI – Treviso (TV) – 562E17 – 6 860 ab.   35 B2
– alt. 117 m – ✉ 31020

▶ Roma 551 – Padova 53 – Belluno 71 – Milano 247

XX **Alla Torre**   🏠 🛖 **P** 🗺️ 💳 **AE** ⚡

via Castellaro 25, località Sopracastello, Nord : 2 km – ℰ 04 23 56 70 86
– www.allatorre.it – info@allatorre.it – Fax 04 23 56 70 86 – chiuso martedì,
mercoledì a mezzogiorno
Rist – Carta 26/39 €
◆ Dell'antico maniero medievale resta oggi solo la torre, nelle vicinanze; servizio estivo
sotto un pergolato con vista su colli. Sapori locali e qualche proposta di pesce.

SAPPADA – Belluno (BL) – 562C20 – **1 414 ab. – alt. 1 250 m – Sport**   36 **C1**
invernali : 1 250/2 000 m ⚠️16, ⚷ – ✉️ 32047
   ◫ Roma 680 – Udine 92 – Belluno 79 – Cortina d'Ampezzo 66
   🚲 borgata Bach 9 ℰ 0435 469131, sappada@infodolomiti.it, Fax 0435 66233

🏨 **Haus Michaela**   ⬅️ 🚲 🛏️ 🏠 🍽️ ⚡ **P** 🚗 🗺️ 💳 ⚡

borgata Fontana 40 – ℰ 04 35 46 93 77 – www.hotelmichaela.com – info@
hotelmichaela.com – Fax 043 56 61 31 – dicembre-marzo e 15 maggio-4 ottobre
18 cam ⊑ – †60/98 € ††86/150 € – ½ P 53/99 €
Rist – *(chiuso a mezzogiorno) (solo per alloggiati)* Menu 32/45 €
◆ Signorili ambienti, accoglienti camere in stile montano e una piccola area benessere
caratterizzano questa risorsa situata in posizione soleggiata e panoramica.

🏨 **Bladen**   ⬅️ 🚲 🛎️ 🎿 ⚡ ⚡ **P** 🗺️ 💳 ⚡
😊
borgata Bach 155 – ℰ 04 35 46 92 33 – www.hotelbladen.it – info@
hotelbladen.it – Fax 04 35 46 97 86 – chiuso maggio e ottobre
27 cam ⊑ – †35/70 € ††70/140 € – ½ P 60/75 €   **Rist** – Carta 21/28 €
◆ La calda atmosfera familiare sarà indubbiamente il piacevole benvenuto offerto da questo hotel al limitare del bosco. Rinnovate di recente le semplici e graziose camere. Particolarmente curata la cucina, con una ricca proposta di interessanti e sfiziosi piatti locali.

🏠 **Claudia** senza rist   🛎️ ⚡ **P** 🗺️ 💳 ⚡

borgata Fontana 38 – ℰ 043 56 62 41 – Fax 04 35 46 61 54
– 20 dicembre-15 aprile e 20 giugno-15 settembre
13 cam ⊑ – †50/70 € ††80/120 €
◆ Quasi una casa privata, calorosa e ospitale, per trascorrere un soggiorno coccolati e
rilassati; l'accogliente sala colazioni vi farà riscoprire l'importanza e il piacere del primo
pasto della vostra giornata.

🏠 **Cristina** 🐾   ⬅️ ⚡ rist, **P** 🗺️ 💳 **AE** ❶ ⚡

borgata Hoffe 19 – ℰ 04 35 46 94 30 – www.albergocristina.it – info@
albergocristina.it – Fax 04 35 46 97 11 – chiuso dal 10 maggio al 14 giugno e dal
14 ottobre al 30 novembre
8 cam – †50/60 € ††80/100 €, ⊑ 8 € – ½ P 55/85 €
Rist – *(chiuso lunedì escluso dicembre, luglio ed agosto)* Carta 26/36 €
◆ Tranquillo, piccolo hotel a conduzione familiare, ricavato dalla ristrutturazione di un
vecchio fienile: una deliziosa facciata vi accoglie in un ambiente semplice ed intimo;
all'esterno un prato soleggiato. Legno scuro, soffitto decorato, tipico arredo montano e
una cucina casereccia: eccovi al ristorante!

🏠 **Posta**   ⬅️ 👁️ ⚡ rist, **P** 🗺️ 💳 **AE** ❶ ⚡
😊
via Palù 22 – ℰ 04 35 46 91 16 – www.hotelpostasappada.com – info@
hotelpostasappada.com – Fax 04 35 46 95 77 – chiuso maggio, ottobre e novembre
17 cam ⊑ – †30/50 € ††60/100 € – ½ P 58/75 €
Rist – *(chiuso ottobre)* Carta 21/41 €
◆ Piccole dimensioni ma grande accoglienza: tutta la famiglia è coinvolta nella gestione
della casa, fortemente motivata a rendere piacevole il soggiorno dei propri ospiti.Piccola
area relax. Una sala ristorante rallegrata dagli arredi e dalle rifiniture in legno chiaro.

XX **Laite** (Fabrizia Meroi)   ⚡ ⚡ rist 🗺️ 💳 **AE** ❶ ⚡
❀
Borgata Hoffe 10 – ℰ 04 35 46 90 70 – www.ristorantelaite.com
– ristorantelaite@libero.it – Fax 04 35 46 90 70 – chiuso giugno, ottobre,
mercoledì e giovedì a mezzogiorno (escluso agosto)
Rist – Carta 58/75 € 🌿
Spec. Manicaretti alle erbe. Lepre cotta a bassa temperatura all'olio di semi di
zucca. Tiramisù.
◆ Nella parte più tranquilla e autentica del paese, il calore delle stube si coniuga con
una cucina d'ispirazione contemporanea che conserva, in una mano femminile, l'amore
per i sapori tradizionali.

🍴🍴 **Baita Mondschein**　　　　　　　　&. ⌗ P VISA ⓘ AE ⑤

via Bach 96 – ⌒ 04 35 46 95 85 – www.ristorantemondschein.it
– Fax 04 35 46 95 59 – chiuso dal 2 al 22 giugno e dal 3 novembre al 3 dicembre
Rist – (consigliata la prenotazione) Carta 25/59 €

♦ Nel solco dell'atmosfera ospitale delle baite montane, a pranzo il locale è frequentato soprattutto da sciatori e dagli amanti delle passeggiate tra i boschi. Maggior intimità la sera.

a Cima Sappada Est : 4 km – alt. 1 295 m – ⊠ 32047 – Sappada

🏠 **Belvedere**　　　　　　　　⇄ ⇥ ⟩⟩ 🍴 ⌗ P VISA ⓘ ⑤

– ⌒ 04 35 46 91 12 – www.hotelbelvederesappada.it
– info@hotelbelvedere.tiscali.it – Fax 043 56 62 10
– dicembre-Pasqua e 20 giugno-20 settembre
7 cam ⌑ – ✝35/70 € ✝✝50/120 € – 2 suites – ½ P 59/90 €
Rist – *(solo per alloggiati)*

♦ E' al momento della colazione che è possibile riscontrare la straordinaria accoglienza dei gestori: torte fatte in casa ogni giorno e un'evidente attenzione per ogni dettaglio. Nel centro di una pittoresca frazione.

🏠 **Agriturismo Voltan Haus** senza rist　　　⇄ ⌗ P VISA ⓘ AE ⓪ ⑤

via Cima 65 ⊠ 32047 Sappada – ⌒ 043 56 61 68 – www.voltanhaus.it
– info@voltanhaus.it – Fax 043 56 61 68
– chiuso dal 10 al 20 maggio e dal 29 settembre al 10 ottobre
6 cam ⌑ – ✝35/50 € ✝✝70/100 €

♦ Cortesia, calore familiare, tranquillità e ricordi saranno i vostri ospiti in questa casa del 1754 dagli originali ambienti montani ricchi di fascino e di attenta cura per i dettagli. Nella graziosa stube è servita la colazione.

SAPRI – Salerno (SA) – 564G28 – **6 975 ab.** – ⊠ 84073　　　　　**7 D3**
　　　📕 Roma 407 – Potenza 131 – Castrovillari 94 – Napoli 201
　　　🄶 Golfo di Policastro★★ Sud per la strada costiera

🏠 **Pisacane**　　　　　⇐ ⇥ AC ⌗ rist, ⚐ VISA ⓘ AE ⓪ ⑤
⚮
via Carlo Alberto 35 – ⌒ 09 73 60 50 74 – www.hotelpisacane.it – info@
hotelpisacane.it – Fax 09 73 60 48 74
16 cam ⌑ – ✝60/80 € ✝✝70/160 € – ½ P 65/90 €
Rist – *(luglio-agosto)* Carta 18/48 €

♦ Di recente apertura, hotel di piccole dimensioni dotato di camere arredate con mobilio di tono moderno e decorate con ceramiche. Graziosa facciata con balconi fioriti. Ristorante con servizio estivo sulla curata terrazza.

🏠 **Tirreno**　　　　　　　　🔲 AC ⌗ rist, VISA ⓘ AE ⓪ ⑤

Lungomare Italia 44 – ⌒ 09 73 39 10 06 – www.hoteltirrenosapri.it
– hoteltirreno@libero.it – Fax 09 73 39 11 57
44 cam ⌑ – ✝40/100 € ✝✝50/130 € – ½ P 40/120 €
Rist – *(giugno-settembre)* Carta 30/38 €

♦ Di fronte ai giardini del lungomare, ideali per passeggiate distensive all'ombra di pini ed eucalipti, una risorsa accogliente pensata per una clientela turistica ma anche d'affari. Al ristorante cucina cilentana e nazionale con succulenti specialità a base di pesce e verdure.

🏠 **Mediterraneo**　　　　⇐ ⇥ ⇥ ⚡ AC ⌗ rist, P VISA ⓘ AE ⓪ ⑤

via Verdi 15 – ⌒ 09 73 39 17 74 – www.hotelmed.it – info@hotelmed.it
– Fax 09 73 39 20 33 – aprile-settembre
20 cam – ✝30/100 € ✝✝50/135 €, ⌑ 12 € – ½ P 40/110 €　　**Rist** Carta 31/39 €

♦ All'ingresso della località, direttamente sul mare, un albergo familiare, di recente rimodernato; dotato di parcheggio privato, costituisce una comoda e valida risorsa. Cucina da gustare in compagnia del mare, un'infinita distesa blu.

🍴 **Lucifero**　　　　　　　　　　AC ⌗ VISA ⓘ AE ⓪ ⑤

corso Garibaldi I traversa – ⌒ 09 73 60 30 33 – Fax 09 73 60 48 25 – chiuso
novembre e mercoledì escluso dal 15 luglio al 15 settembre
Rist – Carta 25/54 €

♦ Un locale con pizzeria serale, sito nel centro di Sapri; all'ingresso, una sala principale, poi, un secondo ambiente, più grande. Proposte locali e non, di pesce e carne.

SARAGANO – Perugia (PG) – Vedere Gualdo Cattaneo

SARDEGNA (Isola) – 566 – Vedere alla fine dell'elenco alfabetico

SARENTINO (SARNTHEIN) – Bolzano (BZ) – 562C16 – **6 651 ab.**   30 **B2**
– alt. 966 m – Sport invernali : 1 570/2 460 m ✦ 1 ✦3, ✦ – ✉ 39058

> ▣ Roma 662 – Bolzano 23 – Milano 316

> ℹ via Europa 15/a ✆ 0471 623091, info@sarntal.com, Fax 0471 622350

✗✗   **Bad Schörgau** con cam ⚜   🚗 🏠 🛏 ⅙ ⚑ **P** *VISA* 💲
     Sud : 2 km – ✆ *04 71 62 30 48 – www.bad-schorgau.com – info@*
     bad-schoergau.com – Fax 04 71 62 24 42
     20 cam ☷ – ♦73/92 € ♦♦170/214 € – 5 suites – ½ P 113/135 €
     Rist – *(chiuso lunedì, martedì a mezzogiorno)* (consigliata la prenotazione)
     Menu 72 € bc – Carta 51/63 €
     ♦ Ai Bagni di Serga, un'accogliente casa montana con ambienti caldi e design rustico-moderno per una caratteristica sosta gastronomica. In settimana, piccola carta a pranzo.

✗✗   **Auener Hof** (Heinrich Schneider) con cam ⚜   ≤ 🚗 🏠 📶 **P**
✿   *località Prati 21, Ovest : 7 km, alt. 1 600*   *VISA* 🆇 AE ⓪ 💲
     – ✆ *04 71 62 30 55 – www.auenerhof.it – info@auenerhof.it – Fax 04 71 62 30 55*
     7 cam ☷ – ♦♦70/80 € – ½ P 50/60 €
     Rist – *(chiuso domenica sera e mercoledì)* Carta 35/55 € ⌂
     Spec. Galantina calda di patate e testina di vitello con crescione. Taglierini con pesto alle erbe selvatiche e pomodori ciliegia. Variazione di fiori di tarassaco.
     ♦ Al termine di un tratto di strada tra i boschi, il piacere di assaporare i piatti della tradizione locale rivisitati in chiave moderna arricchiti dalla passione e dalla fantasia dello chef. Ambiente raffinato. Confortevoli e spaziose camere per recuperare le energie e poi partire alla scoperta delle montagne.

SAREZZO – Brescia (BS) – 561F12 – **12 097 ab.** – ✉ 25068   17 **C2**

✗   **Osteria Vecchia Bottega**   🏠 ⅙ *VISA* 🆇 💲
     piazza Cesare Battisti 29 – ✆ *03 08 90 01 91 – www.osteriavecchiabottega.it*
     – *daniele.chef@libero.it – Fax 03 05 05 11 52 – chiuso domenica sera a lunedì*
     Rist – Menu 26/38 € – Carta 32/46 €
     ♦ Bianco, beige e marrone sono i colori che predominano negli antichi spazi di questa simpatica trattoria situata sulla piazza centrale. In tavola, è la cucina regionale a farla da padrona.

SARNANO – Macerata (MC) – 563M21 – **3 417 ab.** – alt. 539 m – Sport   21 **C3**
invernali : a Sassotetto e Maddalena : 1 250/1 450 m ✦10, ✦ – ✉ 62028

> ▣ Roma 237 – Ascoli Piceno 54 – Ancona 89 – Macerata 39

> ℹ largo Enrico Ricciardi 1 ✆ 0733 657144, iat.sarnano@regione.marche.it, Fax
>   0733 657343

🏨   **Montanaria** ⚜   ≤ 🚗 🐕 🏠 ⛓ 📶 ⅙ ✗ ⅙ AK ⚑ rist. ☎ ⚘ **P**
     località Marinella, Sud-Ovest : 3 km – ✆ *07 33 65 84 22*   *VISA* 🆇 AE ⓪ 💲
     – *www.montanaria.it – info@montanaria.it – Fax 07 33 65 72 95 – chiuso novembre*
     43 cam ☷ – ♦65/80 € ♦♦90/120 € – 2 suites – ½ P 75/85 €
     Rist – *(chiuso lunedì)* Carta 25/35 €
     ♦ Struttura adatta soprattutto a soggiorni di relax da trascorrere presso la beauty farm o sui campi da tennis. All'interno, camere confortevoli arredate in maniera classica. Presso il ristorante si possono gustare piatti della tradizione gastronomica nazionale.

SARNICO – Bergamo (BG) – 561E11 – **5 870 ab.** – alt. 197 m – ✉ 24067   19 **D1**

> ▣ Roma 585 – Bergamo 28 – Brescia 36 – Iseo 10

> ℹ via Lantieri 6 ✆ 035 910900, proloco.sarnico@tiscalinet.it, Fax 035 4261334

✗✗   **Al Tram**   🏠 AK ⅙ **P** *VISA* 🆇 💲
⊕   *via Roma 1* – ✆ *035 91 01 17 – info@ilcalepino.it – Fax 03 54 42 50 50 – chiuso*
     mercoledì escluso dal 15 giugno al 15 settembre
     Rist – Menu 25 € – Carta 31/40 €
     ♦ Sul lungolago, luminoso ed elegante; è d'uopo il servizio estivo all'aperto! In cucina vengono proposti piatti locali, sia di carne che di pescato, con menù degustazione a prezzi particolarmente interessanti.

SARNTHEIN = Sarentino

SARONNO – Varese (VA) – 561F9 – **37 213 ab. – alt. 212 m** – ✉ 21047   18 **A2**
- Roma 603 – Milano 26 – Bergamo 67 – Como 26
- Green Club, ☎ 02 937 10 76

🏨 **Albergo della Rotonda**   📶 ⅍ cam, 🖥 ⌘ rist, 🕯 🛁 🅿 🚗
via Novara 53 svincolo autostrada   💳 🐬 🅰🅴 ① ⑤
– ☎ 02 96 70 32 32 – www.albergodellarotonda.it – reception@
albergodellarotonda.it – Fax 02 96 70 27 70
92 cam ⛙ – ♦70/295 € ♦♦80/420 €
Rist *Mezzaluna* – ☎ 02 96 70 35 93 – Carta 37/63 €
♦ Hotel signorile, di stampo contemporaneo, sito nei pressi dello svincolo autostradale, proprio di fianco alla Lazzaroni, cui appartiene. Ideale per clienti d'affari. Ristorante dai toni eleganti, piatti classici.

🏨 **Cyrano** senza rist   📶 ⅍ 🖥 🕯 🛁 🚗 💳 🐬 🅰🅴 ① ⑤
via IV Novembre 11/13 – ☎ 02 96 70 00 81 – www.hotelcyrano.it – info@
hotelcyrano.it – Fax 02 96 70 45 13
40 cam ⛙ – ♦110/130 € ♦♦150/180 €
♦ Alle spalle del municipio, valida impressione già dalla hall: ambienti e atmosfera raffinati, curati, con stanze spaziose e confortevoli, differenziate nei colori.

🏠 **Mercurio** senza rist   📶 🖥 ⌘ 🕯 🚗 💳 🐬 🅰🅴 ① ⑤
via Hermada 2 – ☎ 029 60 27 95 – info@mercuriohotel.com – Fax 029 60 93 30
– chiuso dal 24 dicembre al 1° gennaio e dal 14 al 16 agosto
23 cam ⛙ – ♦65/70 € ♦♦90/95 €
♦ Ubicazione "cittadina", ma abbastanza tranquilla e in area verdeggiante. Gestione diretta che propone ambienti semplici e accoglienti.

✕✕ **Principe** con cam   📶 🖥 ⌘ rist, 🕯 💳 🐬 🅰🅴 ① ⑤
via Caduti della Liberazione 18/22 – ☎ 02 96 70 10 73
– www.hotelprincipedisaronno.it – info@hotelprincipedisaronno.it
– Fax 02 96 70 23 48 – chiuso 15 giorni in agosto
39 cam – ♦70/110 € ♦♦90/180 € – ½ P 65/110 €
Rist – (chiuso domenica) Carta 29/53 €
♦ Vicino alla stazione, locale a conduzione familiare rinnovato di recente. Cucina di pesce con proposte sfiziose e possibilità di alloggio nelle camere del settore hotel.

✕ **La Cantina di Manuela**   🍴 ⅍ 🖥 ⌘ 🅿 💳 🐬 🅰🅴 ⑤
via Frua 12 – ☎ 029 60 00 75 – saronno@lacantinadimanuela.it
– Fax 029 60 00 75 – chiuso domenica
Rist – Carta 29/45 € ❀
♦ Interessante enoteca che propone anche ristorazione, dove passare piacevoli momenti in compagnia. Cucina legata al territorio e scelta enologica di tutto rispetto.

SARRE – Aosta – 561E3 – **Vedere Aosta**

SARSINA – Forlì-Cesena (FO) – 562K18 – **3 748 ab. – alt. 243 m**   9 **D3**
– ✉ 47027
- Roma 305 – Rimini 72 – Arezzo 100 – Bologna 115

✕ **Le Maschere**   🖥 ⌘ ⌘ 💳 🐬 🅰🅴 ① ⑤
via Cesio Sabino 33 – ☎ 054 79 50 79 – www.lemaschere.it – info@lemaschere.it
– Fax 054 79 50 79 – chiuso 15 giorni in giugno, lunedì, martedì a mezzogiorno
Rist – Carta 30/54 € ❀
♦ Locale del centro storico che deve il nome alle molte maschere appese alle pareti. Gestione e servizio familiari, la cucina offre un sentito omaggio ai prodotti locali.

SARTEANO – Siena (SI) – 563N17 – **4 641 ab. – alt. 573 m** – ✉ 53047   29 **D2**
▯ Toscana
- Roma 156 – Perugia 60 – Orvieto 51 – Siena 81

🏠 **Agriturismo Le Anfore** ❀   ⪬ 🚗 🍴 🍜 🅿 💳 🐬 🅰🅴 ⑤
via Oriato 2/4, Est : 3 km – ☎ 05 78 26 55 21 – www.balzarini.it – leanfore@
priminet.com – Fax 05 78 26 55 21 – aprile-settembre
9 cam ⛙ – ♦50 € ♦♦90 € – 1 suite
Rist – (chiuso a mezzogiorno) (solo per alloggiati) Menu 30 €
♦ In un vecchio casale ristrutturato, ambienti rustici e curati dall'arredo classico, un piacevole soggiorno con caminetto, giardino e piscina. Vendita diretta di olio e vino.

XX **Santa Chiara** con cam ⌂ ← 🚗 �n P. VISA ⨂ AE ① 🔧
piazza Santa Chiara 30 – ℰ 05 78 26 54 12 – www.conventosantachiara.it
– conventosantachiara@tiscalinet.it – Fax 05 78 26 68 49 – febbraio-novembre
10 cam ⌂ – †100/130 € ††130/150 € – 1 suite – ½ P 80/93 €
Rist – (chiuso martedì) (chiuso a mezzogiorno escluso sabato e domenica)
Carta 30/43 € ☕

♦ Splendida collocazione in un convento del XV secolo immerso nel verde per questo
locale con camere; sala con travi e mattoni a vista, ameno servizio estivo in giardino.

SARZANA – La Spezia (SP) – 561J14 – **20 126 ab.** – **alt. 27 m**   15 **D2**
– ✉ 19038 Italia

🔼 Roma 403 – La Spezia 16 – Genova 102 – Massa 20

🛈 piazza San Giorgio ℰ 0187 620419, iat.sarzana@libero.it, Fax 0187 634249
👁 Pala scolpita★ e crocifisso★ nella Cattedrale – Fortezza di Sarzanello★ :
❄★★ Nord-Est : 1 km

X **La Giara**   AC ⇔ VISA ⨂ AE ① 🔧
😊 via Bertoloni 35 – ℰ 01 87 62 40 13 – Fax 01 87 62 40 13 – chiuso martedì,
mercoledì a mezzogiorno
Rist – Carta 24/36 €

♦ Tra i palazzi signorili del centro storico, una raccolta e informale trattoria familiare propone una cucina locale semplice e gustosa, fatta di prodotti stagionali. Marmi
e bei faretti per un tocco di originalità.

X **I Capitelli**   �n AC VISA ⨂ AE ① 🔧
piazza Matteotti 38 – ℰ 01 87 62 28 92 – luca_tonelli@tiscali.it – chiuso febbraio,
10 giorni in settembre, lunedì
Rist – (chiuso a mezzogiorno escluso sabato e i giorni festivi) (consigliata la
prenotazione) Carta 36/65 €

♦ All'aperto, sotto i portici, oppure in una piccola sala sormontata da una volta di mattoni
rossi, due fratelli propongono piatti di pesce squisitamente reinterpretati in chiave personale.

SASSARI P – 566E7 – Vedere Sardegna alla fine dell'elenco alfabetico

---

SASSELLA – Sondrio – Vedere Sondrio

SASSELLO – Savona (SV) – 561I7 – **1 780 ab.** – **alt. 386 m** – ✉ 17046   14 **B2**
🔼 Roma 559 – Genova 65 – Alessandria 67 – MIlano 155

🛈 (maggio-settembre) via Badano 45 ℰ 019 724020, sassello@inforiviera.it,
Fax 019 723832

🏨 **Pian del Sole**   🛐 📶 🔧 AC rist, 🛁 P. 🚗 VISA ⨂ 🔧
😊 località Pianferioso 23 – ℰ 019 72 42 55 – www.hotel-piandelsole.com – info@
hotel-piandelsole.com – Fax 019 72 00 38 – chiuso 2 settimane in gennaio
32 cam ⌂ – †45/65 € ††69/95 € – ½ P 64/74 €
Rist Pian del Sole – Carta 20/29 €

♦ A pochi passi dal centro, struttura di taglio moderno a gestione familiare, con ampie
zone comuni e spaziose camere piacevolmente arredate. Rist Pian del Sole: ottima
cucina dove primeggiano i sapori del territorio, ma anche piatti più moderni.

SASSETTA – Livorno (LI) – 563M13 – **531 ab.** – **alt. 337 m** – ✉ 57020   28 **B2**
🔼 Roma 279 – Grosseto 77 – Livorno 64 – Piombino 40

🔼 **Agriturismo La Bandita** ⌂ ← 🚗 ⊐ 🍴 🌿 rist, "🗣" P
via Campagna Nord 30, Nord-Est : 3 km   VISA ⨂ AE ① 🔧
– ℰ 05 65 79 42 24 – www.labandita.com – bandita@tin.it – Fax 05 65 79 43 50
– 4 aprile-2 novembre
24 cam ⌂ – †80/150 € ††100/170 € – ½ P 80/115 €
Rist – (prenotazione obbligatoria) Menu 30 €

♦ All'interno di una vasta proprietà, un'elegante villa di fine '700 fa sfoggio di arredi
d'antiquariato ed oggetti d'epoca sia nelle belle sale, sia nelle camere personalizzate.
Fiori ai tavoli, paste fatte in casa e selvaggina nella luminosa sala da pranzo.

SASSO MARCONI – Bologna (BO) – 562I15 – **14 117 ab.** – **alt. 124 m**   9 **C2**
– ✉ 40037

🔼 Roma 361 – Bologna 16 – Firenze 87 – Milano 218

XX **Marconi** (Aurora Mazzucchelli) 🛋 & 🄰🄲 ♿ 🄿 🆅🅸🆂🅰 ⬤ 🄰🄴 ⓘ ⓢ
❀ *via Porrettana 291 – ℰ 051 84 62 16 – www.ristorantemarconi.it*
– enoteca.marconi@virgilio.it – Fax 051 84 62 16
– chiuso dal 9 agosto al 9 settembre, domenica sera e lunedì
Rist – Carta 56/71 € 🏵
Spec. Oca allevata allo stato brado e battuta al coltello con zabaione al té nero. Spaghetti mantecati con triglie, crudo e corallo di capasanta. Maialino di razza mora romagnola: carré al forno e pancetta cotta a bassa temperatura.
♦ Ormai da alcuni anni la gestione è passata dai genitori ai figli che continuano a proporre mare o terra, talora rielaborati con creatività. Ristorante decisamente moderno.

SASSUOLO – Modena (MO) – 562I14 – 41 393 ab. – alt. 121 m   8 B2
– ✉ 41049

▶ Roma 421 – Bologna 61 – Milano 177 – Modena 18

🏠🏠 **Leon d'Oro** senza rist   🛋 & 🄰🄲 ↯ ⁽ᵗ⁾ ⅏ 🄿 🚗 🆅🅸🆂🅰 ⬤ 🄰🄴 ⓢ
via Circonvallazione Nord/Est 195 – ℰ 05 36 81 33 81 – www.hotel-leondoro.it
– info@hotel-leondoro.it – Fax 05 36 81 33 74
– chiuso dal 24 dicembre al 6 gennaio e dall'8 al 21 agosto
92 cam – †60/135 € ††95/165 € – 2 suites
♦ Pianta curva, eleganza, caldi colori rilassanti, design contemporaneo e dotazioni tecnologiche d'avanguardia per questo hotel di recente apertura, vocato ad una clientela d'affari.

🏠🏠 **Michelangelo**   🛋 & 🄰🄲 ↯ ℀ ⁽ᵗ⁾ ⅏ 🄿 🚗 🆅🅸🆂🅰 ⬤ 🄰🄴 ⓘ ⓢ
via Circonvallazione 85 – ℰ 05 36 99 85 11 – www.michelangelohp.com – hotel@
michelangelohp.com – Fax 05 36 81 54 10 – chiuso Natale, Capodanno e agosto
76 cam – †50/106 € ††60/166 €
Rist Contessa Matilde – ℰ 05 36 80 83 56 *(chiuso domenica)* Carta 23/40 €
♦ All'interno di un contesto residenziale, un elegante albergo di gusto classico, sobriamente arredato con legni, marmi e tessuti dalle calde tonalità. Dominato dal caratteristico camino in pietra, il ristorante è ideale anche per pranzi di lavoro.

XXX **Osteria dei Girasoli**   & 🄰🄲 ℀ ♿ 🆅🅸🆂🅰 ⬤ 🄰🄴 ⓢ
via Circonvallazione Nord-est 217/219 – ℰ 05 36 80 12 33
– www.osteriadeigirasoli.com – info@osteriadeigirasoli.com – Fax 05 36 88 96 79
– chiuso agosto
Rist – (consigliata la prenotazione) Carta 29/45 € 🏵
♦ Eleganza e modernità si coniugano perfettamente in questo ristorante di design che dispone di una saletta privè e di un'ottima cantina. Cucina contemporanea e del territorio.

XX **La Paggeria**   🄰🄲 ♿ 🆅🅸🆂🅰 ⬤ 🄰🄴 ⓘ ⓢ
via Rocca 16/20 – ℰ 05 36 80 51 90 – www.ristorantelapaggeria.com – info@
ristorantelapaggeria.com – Fax 05 36 80 51 90 – chiuso gennaio, agosto, sabato
a mezzogiorno e domenica
Rist – (consigliata la prenotazione) Carta 27/42 €
♦ Accanto al Palazzo Ducale, conserva qualche vestigia d'epoca. Cucina classica e regionale e, al primo piano, due salette a vocazione banchettistica.

SATURNIA – Grosseto (GR) – 563O16 – alt. 294 m – ✉ 58014   29 C3
▌Toscana

▶ Roma 195 – Grosseto 57 – Orvieto 85 – Viterbo 91

🏠 **Bagno Santo** ⌛   ≤ 🚲 🎿 🎾 🄰🄲 ℀ rist, 🕭 🄿 🆅🅸🆂🅰 ⬤ 🄰🄴 ⓘ ⓢ
località Pian di Cataverna, Est : 3 km – ℰ 05 64 60 13 20
– www.bagnosantohotel.it – bagnosanthotel@tin.it – Fax 05 64 60 13 46 – chiuso
dal 7 al 30 gennaio
14 cam ⌷ – †90/100 € ††130/150 € – ½ P 160/180 €
Rist – *(chiuso mercoledì) (chiuso a mezzogiorno)* Carta 29/35 €
♦ Splendida vista su campagna e colline, tranquillità assoluta e ambienti confortevoli; piacevoli le camere in stile lineare, notevole piscina panoramica. Capiente sala da pranzo dagli arredi essenziali e dall'atmosfera raffinata.

Saturno Suites ≤ 🐎 🏊 🅰🄲 ⚙ rist. 🕾 🅿 🚾 ☎ 🄰🄴 ① ⛟

località La Crocina, Sud : 1 km – ℰ 05 64 60 13 13 *– www.saturnosuites.com*
– saturnosuites@tiscali.it – Fax 05 64 60 11 11 – chiuso dal 10 al 30 novembre
10 suites – ♥♥110/150 € – ½ P 78/90 €
Rist *– (chiuso a mezzogiorno) (solo per alloggiati)* Carta 23/31 €
♦ In posizione panoramica, tra il paese e le terme, un hotel a conduzione familiare con confort di buon livello. Bella piscina con vista e piccolo centro estetico.

Villa Clodia senza rist 🦢 ≤ 🐎 🏊 🕅 🏋 🅰🄲 ⚙ 🚾 ⛟

via Italia 43 – ℰ 05 64 60 12 12 *– www.hotelvillaclodia.com –*
hotelvillaclodia.com – Fax 05 64 60 13 05 – chiuso dal 10 gennaio al 1° febbraio
10 cam � – ♥60/80 € ♥♥100/115 €
♦ Nel centro, in zona panoramica, bella villa circondata dal verde; ambiente familiare negli interni decorati con gusto, ma originale e personalizzato; camere accoglienti.

Villa Garden senza rist 🦢 ≤ 🐎 🅰🄲 ⚙ 🅿 🚾 ☎ ⛟

via Sterpeti 56, Sud : 1 km – ℰ 05 64 60 11 82 *– www.countryvillagarden.com*
– info@villagardensaturnia.com – Fax 05 64 60 11 82
– chiuso dal 10 al 20 gennaio
9 cam ⊆ – ♥75/83 € ♥♥98/103 €
♦ A metà strada tra il paese e le Terme, una villetta immersa nella quiete, con un gradevole giardino; piacevoli e curati spazi comuni, camere di buon livello.

I Due Cippi-da Michele 🏠 ⚙ ⟳ 🚾 ☎ 🄰🄴 ① ⛟

piazza Veneto 26/a – ℰ 05 64 60 10 74 *– www.maremmacomera.com – michele.*
aniello@bcc.tin.it – Fax 05 64 60 12 07 – chiuso dal 9 al 25 gennaio e martedì
(escluso agosto)
Rist *–* Carta 33/58 € 🍷
Rist Enoteca-Da Alessandro e Elena *–* ℰ 05 64 60 15 26 *(chiuso dal 10 al 31 gennaio, dal 10 al 20 luglio e giovedì)* Carta 52/73 € 🍷
♦ Nella piazza del paese, ristorante a gestione diretta in cui gustare piatti toscani, dotato anche di enoteca con ottima scelta di vini e vendita di prodotti della zona.

alle terme Sud-Est : 3 km :

Terme di Saturnia Spa & Golf Resort ≤ 🏠 🕭 ⑩ 🕅 🏋
🍷 ⚙ 🎬 🏢 🕭 🅰🄲 ⚙ rist. 🍴 🦺 🅿 🚾 ☎ 🄰🄴 ① ⛟

via della Follonata – ℰ 05 64 60 01 11 *– www.termedisaturnia.it – info@*
termedisaturnia.it – Fax 05 64 60 12 66 – chiuso dal 7 al 25 gennaio
140 cam ⊆ – ♥275/410 € ♥♥220/600 € – 5 suites **Rist** – Menu 50/60 €
♦ Vacanza rigenerante, in un esclusivo complesso dotato di ogni confort, con camere di differenti tipologie; attrezzato centro benessere, piscina termale naturale. Al ristorante, una cucina moderna orientata al benessere: proposte fantasiose a partire dai sapori della tradizione toscana e mediterranea.

SAURIS – Udine (UD) – 562C20 – 413 ab. – alt. 1 390 m – Sport   10 **A1**
invernali : 1 200/1 450 m ✔3, ✝ – ⊠ 33020

    ▶ Roma 723 – Udine 84 – Cortina d'Ampezzo 102
    🛈 a Sauris di Sotto ℰ 0433 86076, Fax 0433 866900

Schneider ≤ 🕭 ⚙ 🛋 🚾 ☎ ⛟

via Sauris di Sotto 92 – ℰ 043 38 62 20 *– futurasauris@tiscali.it*
– Fax 04 33 86 63 10 – chiuso dal 1° al 15 dicembre e dal 15 giugno al 7 luglio
8 cam ⊆ – ♥40/50 € ♥♥60/78 € – ½ P 60 €
Rist Alla Pace *–* vedere selezione ristoranti
♦ Una decina di camere spaziose, signorili e confortevoli che consentono di godere di un soggiorno ideale per apprezzare le bellezze naturali della località.

Alla Pace *–* Hotel Schneider ⟳ 🚾 ☎ ⛟

via Sauris di Sotto 38 – ℰ 043 38 60 10 *– allapace@tiscali.it – Fax 04 33 86 63 10*
– chiuso dal 1° al 15 dicembre e dal 15 giugno al 7 luglio
Rist *– (chiuso mercoledì escluso luglio-settembre)* Carta 25/33 € 🍷
♦ Locanda di tradizione situata in un antico palazzo fuori dal centro e gestita dalla stessa famiglia dal 1804. Accoglienti le salette, arredate con panche che corrono lungo le pareti, dove gustare cucina tipica del luogo.

SAUZE D'OULX – Torino (TO) – 561 G2 – 1 085 ab. – alt. 1 509 m   22 **A2**
– Sport invernali : 1 350/2 823 m (Comprensorio Via Lattea ✦6 ✦72) – ⊠ 10050

▶ Roma 746 – Briançon 37 – Cuneo 145 – Milano 218

🔢 via Genevris 7 ✆ 0122 858009, sauze@montagnedoc.it, Fax 0122 850700

Jouvenceaux Ovest : 2 km – ⊠ 10050 – Sauxe d'Oulx

🏠   **Chalet Chez Nous** senza rist 🍃   🕊 *VISA* ᗝᗝ 🖢
  – ✆ 01 22 85 97 82 – www.chaletcheznous.it – info@chaletcheznous.it
  – Fax 01 22 85 39 14 – 7 dicembre-15 aprile e 20 giugno-10 settembre
  10 cam ⌂ – †40/50 € ††90/120 €
  ♦ In un borgo con strade strette e case in pietra, è una vecchia stalla adattata ad ospitare questo albergo accogliente e tranquillo, dotato di buoni confort. Sala colazioni con
  soffitto a volte.

a Le Clotes 5 mn di seggiovia o E : 2 km (solo in estate) – **alt. 1 790 m** – ⊠ 10050
– Sauze d'Oulx

🏠   **Il Capricorno** 🍃   ≼ 🞐 🕱 🕻 🕊 *VISA* ᗝᗝ 🖢
  via Case Sparse 21 – ✆ 01 22 85 02 73 – www.chaletilcapricorno.it
  – danilamanzetto@libero.it – Fax 01 22 85 00 55 – dicembre-marzo e 15 giugno-
  15 settembre
  7 cam ⌂ – †130/150 € ††180/220 € – ½ P 155/180 €
  Rist – (consigliata la prenotazione) Carta 38/67 €
  ♦ In una splendida pineta e in comoda posizione sulle piste da sci, offre una magnifica
  vista su monti e sulle vallate. D'inverno, sarà una motoslitta ad accompagnarvi in hotel!
  Calda atmosfera, travi a vista, camino, arredi in legno e piatti regionali nella graziosa sala
  da pranzo.

SAVELLETRI – Brindisi (BR) – 564 E34 – ⊠ 72010   27 **C2**

▶ Roma 509 – Bari 65 – Brindisi 54 – Matera 92

🔢 San Domenico a Fasano, ✆ 080 482 92 00

🏨   **Masseria San Domenico** 🍃   🞐 🕱 ⽊ 🞐 👀 🕱 ℅ 🞐 🞐 🞐
  strada litoranea 379, località Petolecchia   🕊 🞐 **P** *VISA* ᗝᗝ AE ⓪ 🖢
  Sud-Est : 2 km ⊠ 72010 – ✆ 08 04 82 77 69 – www.masseriasandomenico.com
  – info@masseriasandomenico.com – Fax 08 04 82 79 78 – chiuso dal 10 gennaio
  al 31 marzo
  38 cam ⌂ – †214/330 € ††330/638 € – 10 suites – ½ P 225/379 €
  Rist – (chiuso a mezzogiorno) (prenotazione obbligatoria) (solo per alloggiati)
  Carta 45/60 €
  ♦ Relax, benessere ed eco dal passato in questa masseria del '400 tra ulivi secolari e
  ampi spazi verdi; un caratteristico frantoio ipogeo ed un'incantevole piscina con acqua
  di mare. Nell'elegante terrazza come nella bella sala dal soffitto a volte i capolavori di
  una cucina della tradizione.

🏨   **Masseria Torre Coccaro** 🍃   🞐 🕱 ⽊ 👀 🞐 🞐 🞐 🞐 AC ℅ rist,
  contrada Coccaro 8, Sud-Ovest : 2 km   🕊 🞐 **P** *VISA* ᗝᗝ AE ⓪ 🖢
  – ✆ 08 04 82 93 10 – www.masseriatorrecoccaro.com – info@
  masseriatorrecoccaro.com – Fax 08 04 82 79 92
  33 cam ⌂ – †222/675 € ††262/715 € – 1 suite – ½ P 186/413 €
  Rist – (prenotare) Carta 53/84 €
  ♦ Elegante e particolare struttura che rispetta l'antico spirito fortilizio del luogo conservando la torre cinquecentesca. Camere quasi tutte nello stesso stile, ma di diverse tipologie. Suggestivo anche il ristorante, accolto in sale ricavate nelle stalle settecentesche.

🏨   **Masseria Torre Maizza** 🍃   🞐 🕱 ⽊ 🞐 🞐 🞐 🞐 cam, AC ℅ 🞐
  contrada Coccaro, Sud Ovest : 2 Km   🞐 **P** *VISA* ᗝᗝ AE ⓪ 🖢
  – ✆ 08 04 82 78 38 – www.masseriatorremaizza.com – info@
  masseriatorremaizza.com – Fax 08 04 41 40 59
  26 cam ⌂ – †239/410 € ††279/662 € – 2 suites – ½ P 200/391 €
  Rist – Carta 51/77 €
  ♦ Scorci di Mediterraneo davanti ai vostri occhi, frutteti e coltivazioni i sentieri che attra-
  verserete: l'eleganza del passato si unisce a una storia più recente e alla sete di benessere. Molto bello il dehors con un agrumeto davanti dove gustare piatti della regione e
  mediterranei.

XX **Da Renzina** ⫷ 🛪 AC ⅍ P̲ VISA ⓒⓄ AE ⓪ ⓖ
*piazza Roma 6 – 𝒞 08 04 82 90 75 – www.darenzina.it – info@darenzina.it
– Fax 08 04 82 90 75 – chiuso gennaio e giovedì*
Rist – Carta 42/60 €
♦ Lungo due lati corrono ampie vetrate che offrono una splendida vista sul mare; proprio da qui prende spunto la cucina di ogni giorno che propone piatti di pesce molto fragranti.

SAVIGLIANO – Cuneo (CN) – 561I4 – 20 259 ab. – alt. 321 m   22 **B3**
– ⌑ 12038
▶ Roma 650 – Cuneo 33 – Torino 54 – Asti 63
🛈 c/o Torre Civica P.zza Santarosa𝒞 0172 31162, turismo@
comune.savigliano.cn.it, Fax 0172 715467

🏠 **Cosmera** senza rist � & AC ⅍ P̲ VISA ⓒⓄ AE ⓖ
📧 *via Alba 31, Est : 2 km – 𝒞 01 72 72 63 49 – ronco.mauro@tiscali.it
– Fax 01 72 72 56 64*
27 cam ⌑ – †47/50 € ††68/70 € – 1 suite
♦ Struttura di taglio turistico, ma frequentata con piacere anche dalla clientela d'affari, hotel comodo sia per ubicazione sia per organizzazione interna. Camere ben curate.

SAVIGNANO SUL PANARO – Modena (MO) – 562I15 – 8 521 ab.   9 **C3**
– alt. 102 m – ⌑ 41056
▶ Roma 394 – Bologna 29 – Milano 196 – Modena 26

a Formica – ⌑ 41056

XX **Il Formicone** AC P̲ VISA ⓒⓄ ⓖ
*via Tavoni 463, verso Vignola, Sud : 1 km – 𝒞 059 77 15 06 – www.ilformicone.it
– info@ilformicone.it – Fax 059 76 21 49 – chiuso dal 1° al 6 gennaio,
dal 10 al 28 luglio e martedì*
Rist – (consigliata la prenotazione) Carta 38/45 € ⅜
♦ Ex stazione di posta, nell'acetaia (visitabile) si produce aceto balsamico, mentre in cucina si rinnova il successo dei piatti della tradizione locale. Molto utilizzati il camino e la griglia.

SAVIGNANO SUL RUBICONE – Forlì-Cesena (FO) – 562J19   9 **D2**
– 15 496 ab. – ⌑ 47039

🏠 **Rubicone** senza rist 🛗 & AC ⅍ ⁽ᵗ⁾ 🚗 VISA ⓒⓄ AE ⓪ ⓖ
*via Mazzini 1/B – 𝒞 05 41 94 28 81 – www.rubiconehotel.it – info@
rubiconehotel.it – Fax 05 41 94 21 08*
22 cam – †45/65 € ††65/90 €, ⌑ 5 €
♦ A 100 metri dalla via Emilia, piccola ed omogenea risorsa a conduzione familiare. Indirizzo funzionale e comodo.

SAVIGNO – Bologna (BO) – 562I15 – 2 570 ab. – alt. 259 m – ⌑ 40060   9 **C2**
▶ Roma 394 – Bologna 39 – Modena 40 – Pistoia 80

X **Trattoria da Amerigo** (Alberto Bettini) con cam 🛪 ↳ ⁽ᵗ⁾
❀ *via Marconi 16 – 𝒞 05 16 70 83 26* VISA ⓒⓄ AE ⓪ ⓖ
*– www.amerigo1934.it – info@amerigo1934.it – Fax 05 16 70 85 28 – chiuso dal
20 gennaio al 10 febbraio e dal 20 agosto al 10 settembre*
5 cam – †50/80 € ††70/100 €, ⌑ 7 €
Rist – (chiuso a mezzogiorno escluso i giorni festivi, lunedì e da gennaio a
maggio anche martedì) Menu 39/50 € – Carta 36/47 € ⅜
Spec. Battuta al coltello di manzo modenese con tartufo scorzone, scalogno
ed olio. Tortelli di parmigiano e prosciutto di mora romagnola. Pollo cotto al
forno con salsicciotto di petto e patate al rosmarino.
♦ Autentica, caratteristica trattoria familiare in centro paese; la cucina propone le tradizioni emiliane, fragranti e saporite, l'attuale generazione premia i migliori prodotti.

SAVIGNONE – Genova (GE) – 561I8 – 3 161 ab. – alt. 471 m   15 **C1**
– ⌑ 16010
▶ Roma 514 – Genova 27 – Alessandria 60 – Milano 124

SAVIGNONE

🏨 Palazzo Fieschi 🐕 🗑 ⚖ 🍽 🚐 **P** VISA ⑩ AE ① 🌣

piazza della Chiesa 14 – ✆ *01 09 36 00 63*
– *www.palazzofieschi.it* – *info@palazzofieschi.it*
– *Fax 010 93 68 21*
– *chiuso da novembre a marzo*
20 cam ⌷ – †70/100 € ††99/220 € – ½ P 80/110 €
Rist – *(chiuso a mezzogiorno escluso luglio-agosto)* Carta 31/69 €
◆ Nella piazza centrale del paese, in una dimora patrizia cinquecentesca con un grande giardino, un albergo a gestione diretta; interni confortevoli, ampie stanze in stile. Soffitto decorato, camino e luminose vetrate nell'elegante sala ristorante.

SAVOGNA D'ISONZO – Gorizia (GO) – 562E22 – **1 753 ab.**   11 **C2**
– alt. 40 m – ✉ 34070

▶ Roma 639 – Udine 40 – Gorizia 5 – Trieste 29

a San Michele del Carso Sud-Ovest : 4 km – ✉ **34070**

✕✕ Lokanda Devetak con cam   � 🏡 AC 🍽 **P** VISA ⑩ AE ① 🌣

Brezici 22 – ✆ *04 81 88 24 88* – *www.devetak.com* – *info@devetak.com*
– *Fax 04 81 88 29 64*
8 cam ⌷ – †70/90 € ††110/135 €
Rist – *(chiuso lunedì e martedì) (chiuso a mezzogiorno)* (prenotare)
Carta 30/40 € 🍸
◆ Trattoria di famiglia dal 1870, a pochi chilometri dal confine sloveno, propone la cucina tipica del posto, dalle forti influenze slave ed austriache, interpretata in chiave moderna. Le camere sono state realizzate da poco.

SAVONA Ⓟ (SV) – 561J7 – **61 881 ab.** – ✉ 17100 ▌ Italia   14 **B2**

▶ Roma 545 – Genova 48 – Milano 169

🛈 corso Italia 157/r ✆ 019 8402321, savona@inforiviera.it, Fax 019 8403672

Pianta pagina a lato

🏨 Mare 📶 🏡 🏊 🗑 AC 📶 🚐 **P** 🚗 VISA ⑩ AE ① 🌣

via Nizza 89/r – ✆ *019 26 40 65* – *www.marehotel.it* – *info@marehotel.it*
– *Fax 019 26 32 77*   AY**c**
66 cam – †75/95 € ††120/165 €, ⌷ 10 €
Rist A Spurcacciun-a – vedere selezione ristoranti
Rist Bagni Marea – *(aprile-ottobre)* (consigliata la prenotazione la sera)
Carta 15/30 €
◆ Sulla spiaggia, hotel in stile lineare con camere confortevoli: ideale per una clientela d'affari ma, vista la bellezza degli esterni sul mare, anche per piacevoli vacanze. Rist *Bagni Marea*: all'aperto tra spiaggia e piscina, piatti semplici, insalate e panini. A pranzo, solo self-service.

✕✕ L'Arco Antico (Flavio Costa)   AC ✥ VISA ⑩ AE ① 🌣

piazza Lavagnola 26 r – ✆ *019 82 09 38*
– *www.ristorantearcoantico.it* – *info@ristorantearcoantico.it*
– *Fax 019 82 09 38*
– *chiuso dieci giorni in gennaio, dieci giorni in settembre, domenica e i mezzogiorno di lunedì e martedì*   BV**a**
Rist – (consigliata la prenotazione a mezzogiorno) Menu 45/100 €
– Carta 52/76 € 🍸
Spec. Crema di zucchette trombette con seppie al nero e scorzette di limone candito (marzo-novembre). Raviolini pizzicati farciti di pomodoro confit con intingolo di pesce bianco e timo. "Friscieu" (frittella) di scampi con verdure in agrodolce.
◆ La moderna periferia lascia posto a case d'epoca, tra le quali questo edificio del Sette-cento. Eleganti salette sormontate da antichi archi in mattoni o soffitto in legno: la crea-tiva carta propone equamente piatti di carne e di pesce.

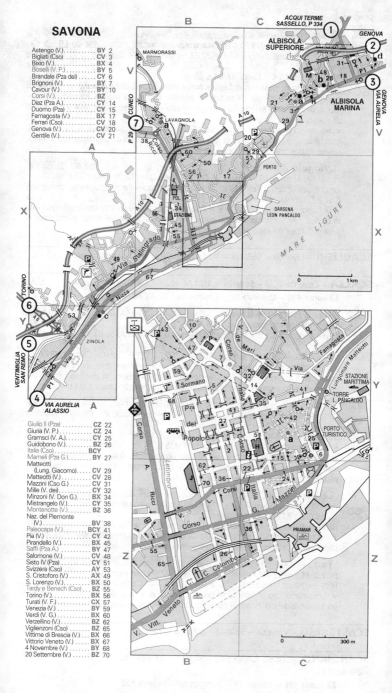

SAVONA

ACQUI TERME
SASSELLO, P 334

GENOVA

ALBISOLA
SUPERIORE

ALBISOLA
MARINA

GENOVA
VIA AURELIA

MARMORASSI

CUNEO

LAVAGNOLA

MARE LIGURE

PORTO

DARSENA
LEON PANCALDO

TORINO

VENTIMIGLIA
SAN REMO

ZINOLA

VIA AURELIA
ALASSIO

0   1 km

V. de Mari

Corso

Via   Famagosta

STAZIONE
MARITTIMA

Lungomare Matteotti

TORRE
L. PANCALDO

Sormano

Corso Italia

PORTO
TURISTICO

Corso

Pza
del
Popolo

Letimbro

Corso Italia

Corso

V. Ricci

V. Corso

Mazzini

PRIAMAR

C° Colombo

Vitt. Veneto

0   300 m

1081

XX **A Spurcacciun-a** (Claudio Tiranini) – Hotel Mare   ⟨ 🚗 🛜 AK P
❀   *via Nizza 89/r* – ☏ *019 26 40 65* – *www.marehotel.it*   VISA ⓪ AE ⓘ ⌣
– *info@marehotel.it* – *Fax 019 26 32 77* – *chiuso dal 24 dicembre al 21 gennaio e*
mercoledì   AYc
Rist – Menu 85 € – Carta 47/84 € ❀❀
Spec. Crudo di pesce, gamberi, scampi con capperi di Favignana in corolla di
ricci. "Ciuppin": zuppa di pesce di scoglio con salsa aioli e formaggio. Scaloppa di branzino selvaggio con trombette e zucchine in scapece al profumo
di menta e piccola tartara.
 ◆ Bel *design* e ambiente vivace, ottima rielaborazione di tradizionali ricette di mare,
nonché ameno servizio estivo in giardino. Originale il menu da degustare con le mani,
servito su uno speciale tavolo con getti d'acqua.

X   **L'Angolo dei Papi**   AK VISA ⓪ AE ⓘ ⌣
vicolo del Marmo 10 – ☏ *019 85 42 63* – *www.langolodeipapi.eu* – *info@*
langolodeipapi.eu – *Fax 019 85 42 63* – *chiuso sabato a mezzogiorno, domenica*
Rist – (prenotare) Carta 38/52 €   CYa
 ◆ Di fronte alla Cappella Sistina e al Duomo, locale piacevolmente moderno: modulato
in diverse sale e riscaldato da un *parquet* in legno di acacia; nel menu: pochi piatti di
terra o di mare dai sapori squisitamente liguri.

SCAGLIERI – Livorno – 563N12 – **Vedere Elba (Isola d') : Portoferraio**

SCALEA – Cosenza (CS) – 564H29 – **10 174 ab.** – ✉ **87029**   5 **A1**
 ▶ Roma 428 – Cosenza 87 – Castrovillari 72 – Catanzaro 153

🏨🏨🏨 **Grand Hotel De Rose**   ⟨ 🚗 ⌇ Ⓕ♨ XX 🖐 AK ⅀ rist, ¶¶ 🛁 P
lungomare Mediterraneo – ☏ *098 52 02 73*   VISA ⓪ AE ⓘ ⌣
– *www.hoteldeose.it* – *scalea@hoteldeose.it* – *Fax 09 85 92 01 94* – *6 aprile-*
ottobre
66 cam ⌑ – †87/139 € ††96/163 € – ½ P 87/127 €   **Rist** – Carta 22/37 €
 ◆ In posizione panoramica dominante il mare, imponente struttura immersa nel verde:
grandi spazi interni e camere in stile navale. Gradevole piscina in giardino pensile. Elegante sala da pranzo con deliziose proposte di cucina mediterranea e del territorio.

🏨🏨 **Talao**   ⟨ 🚗 ⌇ 🖐 ⋆⋆ AK ⅀ rist, 🛁 P VISA ⓪ AE ⌣
corso Mediterraneo 66 – ☏ *098 52 04 44* – *www.hoteltalao.it* – *info@hoteltalao.it*
– *Fax 098 52 09 27* – *chiuso gennaio*
59 cam ⌑ – †40/70 € ††65/125 € – ½ P 38/100 €
Rist – (10 marzo-10 novembre) Carta 16/35 €
 ◆ Efficiente gestione diretta in un albergo confortevole, dotato di accesso diretto al
mare; ariosi ambienti comuni piacevolmente ornati, camere in stile lineare. Arredi semplici ed essenziali nella capiente sala ristorante.

X   **La Rondinella**   🛜 AK ⅀ ↻ VISA ⓪ AE ⓘ ⌣
via Vittorio Emanuele III 21 – ☏ *098 59 13 60* – *www.la-rondinella.it*
– *Fax 098 59 13 60*
Rist – (chiuso domenica da ottobre ad aprile) Carta 18/30 €
 ◆ Nel centro storico, un piccolo ristorante che utilizzando i prodotti dell'azienda agrituri-
stica familiare, recupera in modo intelligente i piatti tipici calabresi.

X   **Tarì**   🛜 AK VISA ⓪ AE ⓘ ⌣
piazza Maggiore De Palma – ☏ *098 59 17 77* – *chiuso gennaio*
Rist – (chiuso mercoledì) (chiuso a mezzogiorno) Carta 29/40 €
 ◆ Ristorante del borgo antico con una sala interna di tono rustico, un ambiente curato e
un piacevole dehors estivo. In cucina gustose ed elaborate proposte di pesce.

SCALTENIGO – Venezia – 562F18 – **Vedere Mirano**

SCANDIANO – Reggio Emilia (RE) – 562I14 – **23 129 ab.** – **alt. 95 m**   8 **B2**
– ✉ **42019**
 ▶ Roma 426 – Parma 51 – Bologna 64 – Milano 162

🏠 **Sirio** senza rist   🛗 AC 🛇 (ᐧ) 🚗 VISA ◎ AE ① ⑤

via Palazzina 32 – 𝒞 05 22 98 11 44 – www.hotelsirio.net – info@hotelsirio.net
– Fax 05 22 98 40 84 – chiuso dal 7 al 15 agosto
32 cam �') – †55/75 € ††75/90 €
♦ Alle porte della località, semplice struttura a gestione familiare di moderna concezione, sempre "competitiva" grazie a piccoli rinnovi annuali. Spaziose e funzionali le
camere.

✗ **Osteria in Scandiano**   🏠 AC 🛇 ⇔ VISA ◎ AE ① ⑤

piazza Boiardo 9 – 𝒞 05 22 85 70 79 – www.osteriainscandiano.com
– osteriainscandiano@libero.it – Fax 05 22 85 70 79
– chiuso dal 24 dicembre al 7 gennaio e agosto
Rist – (chiuso domenica in giugno-luglio, giovedì negli altri mesi) Carta 36/47 € 🕸
♦ Piccolo ristorante all'interno di un palazzo del Seicento, di fronte alla rocca Boiardo:
tono familiare, ma raffinatezza ai tavoli... per apprezzare al meglio la cucina emiliana.

ad Arceto Nord-Est : 3,5 km – ✉ 42010

✗✗✗ **Rostaria al Castello**   🏠 AC 🛇 VISA ◎ AE ① ⑤

via Pagliani 2 – 𝒞 05 22 98 91 57 – www.larostaria.it – alcastello@larostaria.it
– Fax 05 22 98 91 57 – chiuso dal 7 al 14 gennaio, dal 23 al 30 giugno, dal 1° al
7 settembre, lunedì e martedì a mezzogiorno
Rist – Menu 45 € – Carta 44/64 € 🕸
♦ Ristorante intimo in un antico edificio sapientemente ristrutturato: elegante sala di
tono rustico con soffitto a botte e mattoni a vista; servizio estivo all'aperto.

sulla strada statale 467 Nord-Ovest : 4 km :

✗✗ **Bosco**   🏠 AC 🛇 ⇔ P VISA ◎ AE ① ⑤

via Bosco 133 ✉ 42019 – 𝒞 05 22 85 72 42 – www.ristorantebosco.it
– info@ristorantebosco.it – Fax 05 22 76 76 63
– chiuso dal 24 dicembre al 5 gennaio e agosto
Rist – (chiuso domenica e lunedì in luglio, lunedì e martedì negli altri mesi)
Carta 39/53 € 🕸
♦ Ottimo indirizzo - a gestione familiare - con tre sale arredate in modo semplice, ma
curato e piatti legati alla stagione nonché al territorio. Interessante carta dei vini.

SCANDICCI – Firenze (FI) – 563K15 – 50 379 ab. – alt. 49 m – ✉ 50018   29 **D3**
   D Roma 278 – Firenze 6 – Pisa 79 – Pistoia 36
   i piazza della Resistenza 𝒞 055 7591302, urp@comune.scandicci.fi.it, Fax 055
   7591320

a Mosciano Sud-Ovest : 3 km – ✉ 50018 – Scandicci

⛰ **Le Viste** senza rist ⅖   ⇐ 🚗 🏊 🏕 AC (ᐧ) P VISA ◎ AE ① ⑤

via del Leone 11 – 𝒞 055 76 85 43 – www.tenuta-leviste.it – info@tenuta-leviste.it
– Fax 055 76 85 31 – chiuso dal 23 al 27 dicembre
5 cam ☷ – †130/150 € ††179/220 €
♦ In posizione dominante sulla città di Firenze, un'oasi di pace avvolta dal profumo degli ulivi,
una elegante residenza di campagna dagli eleganti ambienti arredati con mobili d'epoca.

a Roveta Sud-Ovest : 8 km – ✉ 50018 – Scandicci

🏨 **Sorgente Roveta** ⅖   ⇐ 🚗 🏊 🏠 🛁 ⅃ rist, AC 🛇 (ᐧ) 🛠 P
via di Roncigliano 11 – 𝒞 05 59 06 53 01   VISA ◎ AE ① ⑤
– www.sorgenteroveta.it – info@sorgenteroveta.it – Fax 05 59 06 53 24 – chiuso
dal 10 al 31 gennaio
38 cam ☷ – †90/150 € ††120/190 €
Rist – 𝒞 055 76 85 70 (chiuso dicembre) (chiuso a mezzogiorno) Carta 30/40 €
♦ Roveta era nota sin dall'800 per le proprietà curative delle sue acque e la tradizione
continua oggi, in quest'antica villa, dove troverete tempo e tranquillità per prendervi
cura di voi. Ristorante classico, dall'atmosfera calda e raffinata, dove gustare i piatti
della tradizione toscana, non privi di fantasia.

SCANDOLARA RIPA D'OGLIO – Cremona (CR) – 561G12 – 641 ab.   17 **C3**
– alt. 47 m – ✉ 26047
   D Roma 528 – Brescia 50 – Cremona 15 – Parma 68

XX **Al Caminetto**   �😋 AC 📶 VISA ⦿⦿ AE ① 🍴

via Umberto I, 26 – ☎ 037 28 95 89 – www.ristorantealcaminetto.com
– alcaminetto@tin.it – Fax 037 28 95 89 – chiuso dal 7 al 15 gennaio
e dal 29 luglio al 26 agosto
Rist *– (chiuso lunedì e martedì) (chiuso a mezzogiorno)* (consigliata la prenotazione) Carta 46/63 €
♦ Un locale dall'indiscutibile atmosfera signorile, ideale per festeggiare importanti ricorrenze, propone una prelibata cucina creativa.

SCANNO – L'Aquila (AQ) – 563Q23 – **2 090 ab.** – alt. 1 050 m – ✉ 67038   1 B2

📗 Italia

> 🚩 Roma 155 – Frosinone 99 – L'Aquila 101 – Campobasso 124
> 🗺 piazza Santa Maria della Valle 12 ☎ 0864 74317, iat.scanno@
> abruzzoturismo.it, Fax 0864 747121
> 📷 Lago di Scanno★ Nord-Ovest : 2 km
> 📷 Gole del Sagittario★★ Nord-Ovest : 6 km

🏠 **Vittoria** 🌫   ← 🛗 ⇆ 📶 P VISA ⦿⦿ AE ① 🍴

via Domenico di Rienzo 46 – ☎ 086 47 43 98 – www.abruzzo-green.com/vittoria
– hotelvittoriasas@virgilio.it – Fax 08 64 74 71 79 – 20 dicembre-10 gennaio,
Pasqua e maggio-ottobre
27 cam ⊆ – †† 85 € – ½ P 75 €   **Rist** – Carta 30/37 €
♦ Nella parte alta della località, una struttura semplice a gestione familiare. Particolarmnte
affascinante la vista sul centro storico: chiedete una camera che vi si affacci... Nella sobria
sala ristorante, i piatti della tradizione italiana interpretati con spunti moderni.

🏠 **Grotta dei Colombi**   ← 🛗 📶 rist. P VISA ⦿⦿ 🍴

🐾 *viale dei Caduti 64 – ☎ 086 47 43 93 – www.grottadeicolombi.it*
– grottadeicolombi@tiscalinet.it – Fax 086 47 43 93 – chiuso novembre
16 cam – † 35 € †† 45/50 €, ⊆ 6 € – ½ P 50/58 €
Rist *– (chiuso mercoledì)* Carta 20/26 €
♦ Nel centro storico, una pensione familiare articolata su due piani con camere e spazi
comuni sobri e confortevoli identici nell'arredo, curiosamente perlinati in legno bianco.
Dalla cucina, sapori e prodotti locali.

XX **Osteria di Costanza e Roberto**   VISA ⦿⦿ AE ① 🍴

😊 *via Roma 15 – ☎ 086 47 43 45 – www.costanzaeroberto.it*
– info@costanzaeroberto.it – Fax 08 64 74 78 21
– chiuso dal 15 novembre al 15 dicembre
Rist *– (chiuso lunedì e martedì in bassa stagione)* Carta 29/40 € 🍸
♦ A due passi dalla chiesa, un piccolo e vivace ristorante fedele alla tradizione gastronomica abruzzese senza rinunciare a qualche tocco di creatività nelle presentazioni.

X **Lo Sgabello**   📶 P VISA ⦿⦿ AE ① 🍴

🐾 *via Pescatori 45 – ☎ 08 64 74 74 76 – Fax 08 64 74 74 76*
Rist *– (chiuso mercoledì escluso da giugno a settembre)* Carta 21/28 €
♦ In un paese tranquillo e caratteristico, un ristorante semplice dalla seria conduzione
dove apprezzare piatti fedeli alla tradizione abruzzese.

al lago Nord : 3 km :

🏠🏠 **Acquevive** 🌫   ← 🚲 🛗 📶 P VISA ⦿⦿ AE ① 🍴

via Circumlacuale – ☎ 086 47 43 88 – acquevive@tin.it – Fax 086 47 43 34
– Pasqua-settembre
33 cam – † 55/60 € †† 60/100 €, ⊆ 7 € – ½ P 70/80 €   **Rist** – Carta 23/34 €
♦ In un'incantevole zona in riva al lago, una risorsa a gestione familiare particolarmente
accogliente, dispone di spaziose camere luminose, discretamente eleganti negli arredi.
Ampia e lievemente rustica, la sala da pranzo propone una cucina nazionale.

SCANSANO – Grosseto (GR) – 563N16 – **4 476 ab.** – alt. 500 m   29 **C3**
– ✉ 58054

> 🚩 Roma 180 – Grosseto 29 – Civitavecchia 114 – Viterbo 98

Antico Casale di Scansano ⌂⌂ 🐾 ≤ 🚗 🏠 🏊 🗖 📡 🎿 ⚿ cam, ⚭ rist, **P** 🅿 **VISA** **AE** ① 🤏
località Castagneta, Sud-Est : 3 km
– ☎ 05 64 50 72 19 – www.anticocasalediscansano.it – info@
anticocasalediscansano.it – Fax 05 64 50 78 05
27 cam ⌂ – †100/105 € ††160/210 € – 5 suites – ½ P 110/135 €
Rist – *(chiuso dal 10 gennaio al 10 febbraio)* Menu 30/45 €
♦ Corsi di cucina, un centro equitazione e sentieri benessere disegnati nel bosco: avvolti dalla natura incontaminata della Maremma, l'antico casolare è perfetto per una vacanza rigenerante. Presso l'elegante e familiare sala da pranzo i piatti tipici della regione.

✗✗ **La Cantina** 🏠 ⚭ **VISA** **AE** 🤏
via della Botte 1 – ☎ 05 64 50 76 05 – enoteca.lacantina@virgilio.it
– Fax 05 64 50 76 05 – chiuso dal 10 gennaio al 9 marzo
Rist – *(chiuso domenica sera e lunedì escluso agosto)* Carta 36/69 € 🏠
♦ Un ristorante ricavato in un edificio secentesco del centro con soffitto a volta in pietra e tavoli in legno massiccio; la cantina vanta un'ottima scelta di vini regionali.

SCANZANO IONICO – Matera (MT) – 564G32 – 6 855 ab. – alt. 14 m   4 D2
– ⊠ 75020

▶ Roma 483 – Matera 63 – Potenza 125 – Taranto 64

🏨🏨 **Miceneo Palace Hotel** 🚗 🏠 🏊 🗖 👥 ⚿ ☂☂ 📡 ⚿ ⚭ rist, 📶 🕍 **P**
via provinciale – ☎ 08 35 95 32 00 **VISA** **AE** ① 🤏
– www.miceneopalace.it – info@miceneopalace.it – Fax 08 35 95 30 44
43 cam – †65/80 € ††80/120 € – 3 suites – ½ P 70/80 €
Rist – Carta 26/51 € 🏠
♦ Poco fuori dal centro, albergo recente a vocazione congressuale: ampia hall di moderna concezione, camere confortevoli piacevolmente arredate, numerose sale per meeting. Capiente sala ristorante di tono elegante.

SCAPEZZANO – Ancona – 563K21 – **Vedere Senigallia**

SCARLINO – Grosseto (GR) – 563N14 – 3 282 ab. – alt. 230 m   28 B3
– ⊠ 58020

▶ Roma 231 – Grosseto 43 – Siena 91 – Livorno 97

⌂ **Madonna del Poggio** *senza rist* ≤ 🚗 🏊 **P** **VISA** **AE** 🤏
località Madonna del Poggio – ☎ 056 63 73 20 – www.madonnadelpoggio.it
– madonnadelpoggio@libero.it – Fax 056 63 73 20
7 cam ⌂ – †55/74 € ††68/106 €
♦ In un giardino con olivi secolari, una ex-chiesa del 1200, poi casello del dazio e casa colonica, è oggi un piccolo e originale bed and breakfast con camere semplici ma ampie.

SCARPERIA – Firenze (FI) – 563K16 – 7 166 ab. – alt. 292 m – ⊠ 50038   29 C1
▶ Roma 293 – Firenze 30 – Bologna 90 – Pistoia 65

a Gabbiano Ovest : 7 km – ⊠ 50038 – **Scarperia**

🏨🏨 **Una Poggio Dei Medici** 🐾 ≤ 🏠 🏊 🎬 🔲 🗖 ⚿ 📡 ⚿ rist, 📶 🕍
via San Gavino 27 – ☎ 05 58 43 50 **P** **VISA** **AE** ① 🤏
– www.unahotels.it – una.poggiodeimedici@unahotels.it – Fax 05 58 43 04 39
63 cam ⌂ – †113/248 € ††113/330 € – 7 suites **Rist** – Carta 36/62 €
♦ Intorno al nucleo originario della cinquecentesca Villa Cignano, un complesso recente, immerso nel verde e nella tranquillità, a ridosso del campo da golf. Ristorante ampliato di recente, ricavato nella nuova ala dell'hotel.

SCENA (SCHENNA) – Bolzano (BZ) – 562B15 – 2 713 ab. – alt. 640 m   30 B1
– ⊠ 39017

▶ Roma 670 – Bolzano 33 – Merano 5 – Milano 331
🛈 piazza Arciduca Giovanni I 1/D ☎ 0473 945669, info@schenna.com,
Fax 0473 945581

Pianta : vedere Merano

🏨 **Hohenwart** ⮫ ≤ 🚗 🏡 ⛱ 🔲 🏧 🦢 ▮♬ ✕ 📶 🅰🅺 rist, 🦞 rist, ⁇ 🔥
via Verdines 5 – ℰ 04 73 94 44 00 **P** 🚗 **VISA ⊙⊙ ⑤**
– www.hohenwart.com – info@hohenwart.com – Fax 04 73 94 59 96 – chiuso
dal 6 al 17 dicembre e dal 10 gennaio al 13 marzo B**h**
87 cam ⚏ – ♟77/150 € ♟♟170/285 € – ½ P 98/171 € **Rist** – Carta 39/56 €
◆ Bella struttura completa di ogni confort, con un'incantevole vista dei monti e della
vallata, dotata di gradevole giardino con piscina riscaldata; ampie camere. Cucina del
territorio nella capiente sala da pranzo.

🏨 **Schlosswirt** ≤ 🚗 🏡 ⛱ 📶 ⁇ **P** **VISA ⊙⊙ ⑤**
via Castello 2 – ℰ 04 73 94 56 20 – www.schlosswirt.it – info@schlosswirt.it
– Fax 04 73 94 55 38 – chiuso gennaio e febbraio B**u**
33 cam ⚏ – ♟60/110 € ♟♟120/200 € – ½ P 74/119 €
Rist – *(chiuso lunedì)* Carta 30/70 €
◆ Bella terrazza con vista e piscina riscaldata in giardino in questa centralissima struttura
con interni in stile locale di moderna concezione; gradevoli le camere. Luminose finestre
rischiarano la capace sala ristorante.

🏨 **Gutenberg** ⮫ ≤ 🚗 🔲 🏧 ▮♬ 📶 🏃 ✕ rist, ⁇ **P**
via Ifinger 14, Nord : 1 km – ℰ 04 73 94 59 50 **VISA ⊙⊙ ① ⑤**
– www.gutenberg.schenna.com – gutenberg@schenna.com – Fax 04 73 94 55 11
– chiuso dal 9 al 18 dicembre e dal 6 gennaio al 12 febbraio B**v**
27 cam ⚏ – ♟69/74 € ♟♟130/156 € – ½ P 75/89 € **Rist** – *(solo per alloggiati)*
◆ In zona tranquilla e panoramica, fuori dal centro, bianca costruzione immersa nel
verde: ambiente familiare negli interni in tipico stile tirolese, grandi camere lineari.

SCHEGGINO – Perugia (PG) – 563N20 – 457 ab. – alt. 367 m – ✉ 06040 33 **C3**
🔽 Roma 131 – Terni 28 – Foligno 58 – Rieti 45

✕✕ **Del Ponte** con cam ⮫ 🚗 🏡 & ✕ **P VISA ⊙⊙ 🅰🅴 ⑤**
via borgo 15 ✉ 06040 – ℰ 074 36 12 53 – www.bellaumbria.net/hotel-delponte
– roncamar@tiscali.it – Fax 074 36 11 31 – chiuso dal 2 al 28 novembre
12 cam – ♟25/45 € ♟♟33/60 €, ⚏ 3 € – ½ P 50 €
Rist – *(chiuso lunedì)* Carta 23/33 €
◆ I prodotti tipici della zona - trote e tartufi - sono i principali ingredienti ai quali si
ispira la cucina. In sala: *boiserie* verde acqua alle pareti e vetrata affacciata sul fiume.
Nasceva come locanda e ora dispone di accoglienti camere colorate e allegre, per un
soggiorno immerso nella tranquillità della natura.

SCHENNA = Scena

SCHILPARIO – Bergamo (BG) – 561D12 – 1 294 ab. – alt. 1 124 m 17 **C1**
– Sport invernali : ⛷ – ✉ 24020
🔽 Roma 161 – Brescia 77 – Bergamo 65 – Milano 113

a Pradella Sud-Ovest : 2 km – ✉ 24020

✕ **San Marco** con cam ⮫ ≤ 🚗 ▮♬ ✕ **P VISA ⊙⊙ ⑤**
via Pradella 3 – ℰ 034 65 50 24 – www.scalve.com/albergo.sanmarco
– albergo.sanmarco@scalve.com – Fax 034 65 50 24
18 cam – ♟30/35 € ♟♟45/59 €, ⚏ 6 € – ½ P 33/55 €
Rist – *(chiuso lunedì)* Carta 23/33 €
◆ Da sempre nelle mani della stessa famiglia, ambiente familiare in cui gustare una
cucina casalinga che fa ampio uso di verdure biologiche coltivate nel proprio orto. Interessante raccolta di fossili e minerali. Al piano superiore, semplici e confortevoli camere.

SCHIO – Vicenza (VI) – 562E16 – 38 313 ab. – alt. 200 m – ✉ 36015 35 **B2**
🔽 Roma 562 – Verona 70 – Milano 225 – Padova 61

🏨 **Nuovo Miramonti** senza rist ▮♬ & 🅰🅺 🏃 🐾 🚗 **VISA ⊙⊙ 🅰🅴 ① ⑤**
via Marconi 3 – ℰ 04 45 52 99 00 – www.hotelmiramonti.com – info@
hotelmiramonti.com – Fax 04 45 52 81 34
63 cam ⚏ – ♟80/125 € ♟♟110/135 €
◆ Hotel sorto nel lontano 1927, dell'originale struttura ha mantenuto solo l'architettura
esterna. Gli spazi interni sono stati, invece, completamente ristrutturati in modo tale da
garantire migliori e più moderni confort. Parti d'arredo che rendono omaggio ai celebri
lanifici conferiscono originalità alle belle camere.

SELLIA MARINA – Catanzaro (CZ) – 564K32 – **5 884 ab.** – ⊠ 88050   5 **B2**
> ▶ Roma 628 – Cosenza 116 – Catanzaro 23 – Crotone 52

⌂   **Agriturismo Contrada Guido** ⌖   🚗 🏠 ⬛ AC 🛁 📶 P
   località contrada Guido, strada statale 106 km 202   VISA ⓶⓪ AE ① ⛽
   – ☎ 09 61 96 14 95 – www.contradaguido.it – sophietalarico@hotmail.com
   – Fax 09 61 96 14 95 – chiuso dall'8 al 31 gennaio
   12 cam ⊿ – †75/95 € ††130/170 € – ½ P 85 €
   Rist – (chiuso lunedì) (chiuso a mezzogiorno) Menu 30/35 €
   ♦ Un signorile borgo agricolo settecentesco con una bella piscina circondata da piante
   e fiori. Camere raffinate, cura per i dettagli. Cucina di insospettabile fantasia.

SELVA – Brindisi – 564E34 – Vedere Fasano

SELVA DI CADORE – Belluno (BL) – 562C18 – **553 ab.** – alt. 1 415 m   36 **C1**
– Sport invernali : 1 347/2 100 m ⛷ 2 ⛷23 (Comprensorio Dolomiti superski
Civetta) ⛷ – ⊠ 32020
> ▶ Roma 651 – Cortina d'Ampezzo 39 – Belluno 60 – Bolzano 82

⌂   **Ca' del Bosco** ⌖   ← 🏠 📶 ♿ cam, 📶 📶 P VISA ⓶⓪ AE ① ⛽
   via Monte Cernera 10, località Santa Fosca, Sud-Est : 2 km – ☎ 04 37 52 12 58
   – www.hotelcadelbosco.it – info@hotelcadelbosco.it – Fax 04 37 52 12 59
   – 26 dicembre-25 marzo e 15 giugno-7 settembre
   12 cam ⊿ – †40/75 € ††80/170 € – ½ P 50/85 €
   Rist – (chiuso a mezzogiorno) Carta 25/33 €
   ♦ Moderna struttura che ben si integra con il contesto paesaggistico, panoramico e
   quieto, che la avvolge. Particolarmente curati gli arredi negli ambienti e nelle belle
   camere affrescate.

SELVA DI VAL GARDENA (WOLKENSTEIN IN GRÖDEN)   31 **C2**
– Bolzano (BZ) – 562C17 – **2 571 ab.** – alt. 1 567 m – Sport invernali : della Val
Gardena 1 536/2 682 m ⛷10 ⛷75 (Comprensorio Dolomiti superski Val Gardena)
⛷ – ⊠ 39048▮ Italia
> ▶ Roma 684 – Bolzano 42 – Brunico 59 – Canazei 23
> 🅸 strada Mëisules 213 ☎ 0471 777900, selva@valgardena.it, Fax 0471 794245
> ◉ Postergale ★ nella chiesa
> 🆖 Passo Sella★★★ : ❄★★★ Sud : 10,5 km – Val Gardena★★★ per la strada
> S 242

🏨   **Alpenroyal Grand Hotel - Gourmet & S.p.A.**   ← 🚗 ⬛ 🖳
   via Meisules 43   ⓢⓟ 📶 🛁 🛗 ♿ ⛷ 📶 rist, 📶 🛁 P 🚗 VISA ⓶⓪ AE ⛽
   – ☎ 04 71 79 55 55 – www.alpenroyal.com – info@alpenroyal.com
   – Fax 04 71 79 41 61 – dicembre-20 aprile e giugno-20 ottobre
   45 cam – 20 suites – solo ½ P 90/413 €   **Rist** – Menu 70/90 € ⅏
   ♦ Amena vista del gruppo Sella e Sassolungo da un hotel con ampi spazi esterni e bella
   piscina scoperta a forma di laghetto; caldi interni in stile alpino di taglio moderno. Accogliente ristorante con caratteristica stube del XVII secolo.

🏨   **Gran Baita** ⌖   ← 🚗 🖳 📶 🛁 🛗 ♿ cam, ⛷ 📶 rist, 📶 P 🚗
   via Nives, 11 – ☎ 04 71 79 52 10 – www.hotelgranbaita.com   VISA ⓶⓪ ⛽
   – info@hotelgranbaita.com – Fax 04 71 79 50 80
   – 2 dicembre-14 aprile e 9 giugno-7 ottobre
   43 cam ⊿ – 12 suites – solo ½ P 70/154 €   **Rist** – Carta 29/42 €
   ♦ Hotel di tradizione, recentemente rinnovato, con vista sulle Dolomiti: il sapiente utilizzo del legno regala agli ambienti un'atmosfera avvolgente; camere luminose. Soffitto
   in legno, comode poltroncine e grandi vetrate in sala ristorante.

🏨   **Granvara Sport-Wellnesshotel** ⌖   ← 🚗 ⬛ 🖳 ⓢⓟ 📶 🛁 🛗
   strada La Selva 66, Sud-Ovest : 1,5 km   ♿ ⛷ 📶 P 🚗 VISA ⓶⓪ ⛽
   – ☎ 04 71 79 52 50 – www.granvara.com – info@granvara.com
   – Fax 04 71 79 43 36 – 2 dicembre-10 aprile e giugno-10 ottobre
   35 cam ⊿ – †60/210 € ††90/240 € – 4 suites – ½ P 125/340 €
   Rist – (solo per alloggiati) Carta 40/106 €
   ♦ In favolosa posizione nella quiete assoluta delle Dolomiti e di Selva, un indirizzo speciale per rilassarsi nell'abbraccio della natura così come nei caldi ambienti in stile tirolese. L'intimità di una stube per le vostre cene.

Chalet Portillo ⟨icons⟩
via Meisules 65 – ℰ *04 71 79 52 05 – www.chaletportillo.com*
– info@chaletportillo.com – Fax 04 71 79 43 60
– 5 dicembre-31 marzo e giugno-settembre
35 cam ⊏⊐ – †150/200 € ††200/450 € – ½ P 120/245 €
Rist *– (solo per alloggiati)*
♦ Calorosa ospitalità in un hotel all'interno di una tipica casa di montagna: Spa e wellness centre di nuova concezione con piscina riscaldata. Camere molto ampie, arredate con gusto.

Tyrol ⟨icons⟩
strada Puez 12 – ℰ *04 71 77 41 00 – www.tyrolhotel.it*
– info@tyrolhotel.it – Fax 04 71 79 40 22
– 7 dicembre-20 aprile e 10 giugno-ottobre
50 cam – solo ½ P 80/98 € **Rist** – Carta 22/60 €
♦ Nella tranquillità dei monti, un albergo che "guarda" le Dolomiti: zone comuni signorili con soffitti in legno lavorato e tappeti. Camere spaziose ed eleganti. Nuova area benessere con numerose saune e bagni turchi, nonché bella piscina interna riscaldata. Ambiente raccolto nella capiente sala ristorante.

Genziana ⟨icons⟩
via Ciampinei 2 – ℰ *04 71 77 28 00 – www.hotel-genziana.it – info@callegari.it*
– Fax 04 71 79 43 30 – dicembre-20 aprile e 25 giugno-settembre
27 cam – solo ½ P 148/258 €
Rist *– (chiuso a mezzogiorno) (solo per alloggiati)*
♦ In centro e comodissimo per gli impianti di risalita, albergo con giardino e zone comuni non spaziose ma dall'atmosfera intima, piacevolmente arredate in stile tirolese. Camere confortevoli.

Mignon ⟨icons⟩
via Nives 10 – ℰ *04 71 79 50 92 – www.hotel-mignon.it*
– info@hotel-mignon.it – Fax 04 71 79 43 56
– 5 dicembre-14 aprile e 20 giugno-settembre
28 cam ⊏⊐ – †105/155 € ††180/290 € – 1 suite – ½ P 125/200 €
Rist *– (chiuso a mezzogiorno escluso da maggio a agosto) (solo per alloggiati)*
♦ Solo pochi passi separano questa risorsa dal centro cittadino, un albergo con un bel giardino e caratteristici interni in stile locale di moderna ispirazione; camere confortevoli e graziose.

Nives ⟨icons⟩
Via Nives 4 – ℰ *04 71 77 33 29 – www.hotel-nives.com – info@hotel-nives.com*
– Fax 04 71 77 10 52 – 4 dicembre-13 aprile e 29 maggio-11 ottobre
11 cam – †80/255 € ††140/260 € – 2 suites – ½ P 80/140 €
Rist Nives – vedere selezione ristoranti
Rist *– (solo per alloggiati)*
♦ Hotel nuovissimo dall'architettura accattivante: struttura quasi interamente in legno, con un'originale forma a mezzaluna. Buona parte delle camere sono disposte sul lato sole e godono di ampio balcone.

Welponer ⟨icons⟩
strada Rainel 6 – ℰ *04 71 79 53 36 – www.welponer.it – info@welponer.it*
– Fax 04 71 77 17 30 – 20 dicembre-15 aprile e 20 maggio-2 novembre
23 cam ⊏⊐ – †90/180 € ††120/300 € – ½ P 75/220 €
Rist *– (chiuso a mezzogiorno) (solo per alloggiati)*
♦ Appagante vista di Dolomiti e pinete in un hotel dal curato ambiente familiare, dotato di ampio giardino soleggiato con piscina riscaldata; camere confortevoli.

Freina ⟨icons⟩
via Freina 23 – ℰ *04 71 79 51 10 – www.hotelfreina.com – info@hotelfreina.com*
– Fax 04 71 79 43 18 – dicembre-Pasqua e 10 giugno-15 ottobre
20 cam ⊏⊐ – †64/167 € ††120/360 € – ½ P 124/186 € **Rist** – Carta 29/37 €
♦ In centro e, al tempo stesso, vicino agli impianti di risalita: piacevoli ambienti riscaldati dal sapiente uso del legno e spaziose camere ben accessoriate, in moderno stile locale. Tradizionale sala ristorante in stile tirolese.

Linder ≤ 🏠 🖿 🕴 ⚸ cam, 🍴 rist, 🕪 🅿 🚗 VISA ⚛ 💲

strada Nives 36 – ℰ *04 71 79 52 42* – *www.linder.it* – *info@linder.it*
– *Fax 04 71 79 43 20* – *dicembre-Pasqua e 15 giugno-settembre*
29 cam ⌂ – ♦59/130 € ♦♦84/254 € – ½ P 54/139 €
Rist – *(chiuso a mezzogiorno) (solo per alloggiati)*
♦ Piacevole aspetto esterno in stile tirolese, per questa struttura a gestione diretta pluri-decennale; le camere sono spaziose e gradevoli.

Small & Charming Hotel Laurin 🚗 🏠 🖿 🕴 🕴 🍴 🕪 🅿

strada Meisules 278 – ℰ *04 71 79 51 05* 🚗 VISA ⚛ 💲
– *www.hotel-laurin.it* – *info@hotel-laurin.it* – *Fax 04 71 79 43 10*
– *dicembre-15 aprile e luglio-settembre*
25 cam ⌂ – ♦40/80 € ♦♦70/140 € – ½ P 80/200 €
Rist – *(chiuso a mezzogiorno) (solo per alloggiati)* Menu 25/40 €
♦ Giovane gestione per questo hotel centrale, ben tenuto e abbellito da un giardino. Spazi comuni scaldati da soffitti in legno, camere accoglienti. Completo centro benessere con area *fitness.* Capiente sala da pranzo completamente rivestita in legno e calda moquette.

Dorfer ≤ 🚗 🏠 🕴 ⚸ cam, 🕪 🅿 VISA ⚛ 💲

via Cir 5 – ℰ *04 71 79 52 04* – *www.hoteldorfer.com*
– *info@hoteldorfer.com* – *Fax 04 71 79 50 68*
– *dicembre-15 aprile e maggio-15 ottobre*
30 cam ⌂ – ♦60/120 € ♦♦130/380 € – ½ P 150/190 €
Rist – *(chiuso a mezzogiorno)* Menu 35/50 €
♦ Hotel rinnovato nel segno dell'accoglienza e dello stile tirolese che continua a perpetuarsi grazie alla cordiale gestione familiare. Graziose camere, tutte con balcone. Dalle cucine, antipasti e pane fatto in casa accanto ai piatti della tradizione altoatesina.

Pralong ≤ ⚛ 🏠 🕴 🍴 🕪 🅿 VISA ⚛ 💲

via Meisules 341 – ℰ *04 71 79 53 70* – *www.val-gardena.com/hotel/pralong*
– *pralong@val-gardena.com* – *Fax 04 71 79 41 03* – *4 dicembre-8 aprile e giugno-settembre*
25 cam – ♦55/65 € ♦♦90/110 € – solo ½ P 87/104 €
Rist – *(chiuso a mezzogiorno) (solo per alloggiati)*
♦ Simpatica e cordiale gestione in una piccola struttura, con spazi comuni in stile tirolese di taglio moderno dalla calda atmosfera; camere molto confortevoli.

Pozzamanigoni ☜ ≤ 🚗 🖐 🏠 🕴 🅿 🚗 VISA ⚛ ◐ 💲

strada La Selva 51, Sud-Ovest : 1 km – ℰ *04 71 79 41 38*
– *www.pozzamanigoni.it* – *info@pozzamanigoni.it* – *Fax 04 71 77 08 98*
– *dicembre-aprile e giugno-ottobre*
13 cam ⌂ – ♦50/80 € ♦♦100/160 € – ½ P 50/110 € **Rist** – Carta 20/36 €
♦ Tranquillità e splendida vista su Sassolungo e pinete da un albergo a gestione diretta, dotato di maneggio e laghetto con pesca alla trota. Camere ben tenute e piccola, ma attrezzata, area benessere.

Armin 🏠 🕴 🍴 rist, 🅿 VISA ⚛ 💲

via Meisules 161 – ℰ *04 71 79 53 47* – *www.hotelarmin.com* – *info@hotelarmin.com* – *Fax 04 71 79 43 63* – *5 dicembre-15 aprile e 10 giugno-settembre*
27 cam ⌂ – ♦62/130 € ♦♦124/200 € – ½ P 95/150 €
Rist – *(solo per alloggiati)*
Rist Grillstube – *(20 dicembre-20 marzo; chiuso sabato) (chiuso a mezzogiorno)* Carta 29/46 €
♦ Semplice hotel familiare di buon confort, con accoglienti interni luminosi e camere lineari, tra cui alcune mansardate, ampie e ben arredate con mobilio chiaro. Ambiente curato e gradevole nella Grillstube.

Concordia *senza rist* ≤ 🚗 🏠 🕴 🍴 🅿 🚗 VISA ⚛ 💲

strada Puez 10 – ℰ *04 71 79 52 23* – *www.garni-concordia.it* – *info@garni-concordia.it* – *Fax 04 71 79 45 11* – *5 dicembre-Pasqua e giugno-settembre*
16 cam ⌂ – ♦30/90 € ♦♦60/140 €
♦ Confortevole "garni" che offre il calore della gestione familiare e quello degli arredi tipici ove abbonda il legno chiaro. Camere pulite e ben tenute.

↑ **Villa Prà Ronch** senza rist ⚜ ⟨⟨ ⟨ ⟨ 🅿
via La Selva 80 – ☎ 04 71 79 40 64 – www.villapraronch.com – info@
villapraronch.com – Fax 04 71 79 40 64 – chiuso novembre
5 cam ⌒ – †34/60 € ††56/108 €
◆ Una bella casa incastonata all'interno di un apprezzabile giardino panoramico. Semplice, accogliente e familiare, insomma una vacanza ideale all'insegna del relax.

XX **Nives** – Hotel Nives 🍴 🗗 VISA 🐵 ⑤
via Nives 4 – ☎ 04 71 77 33 29 – info@hotel-nives.com – Fax 04 71 77 10 52
– 4 dicembre-13 aprile e 29 maggio-11 ottobre
Rist – (consigliata la prenotazione) Carta 43/54 €
◆ Un *wine bar* con banco mescita vi accoglierà all'ingresso, mentre una bella sala ristorante - più classica seppur in stile montano - vi ospiterà per ineffabili soste gastronomiche. In tavola: ricette moderne che "simpatizzano" con gli ingredienti regionali. Graziosa *stube*, interamente in legno.

verso Passo Gardena (Grödner Joch)Sud-Est : 6 km :

XX **Chalet Gerard** con cam 🏠 ⇕ 🅿 VISA 🐵 ⑤
via Plan de Gralba 37 ⌧ 39048 – ☎ 04 71 79 52 74 – www.chalet-gerard.com
– info@chalet-gerard.com – Fax 04 71 79 45 08 – 5 dicembre-29 marzo e giugno-
ottobre
9 cam – solo ½ P 66/82 € **Rist** – Carta 29/51 €
◆ Invidiabile vista da un ristorante di montagna con proposte di cucina del luogo; servizio all'aperto con splendida vista del gruppo Sella e Sassolungo. Belle camere.

SELVAZZANO DENTRO – Padova (PD) – 562F17 – 20 558 ab. 35 **B3**
– alt. 16 m – ⌧ 35030
▶ Roma 492 – Padova 12 – Venezia 52 – Vicenza 27
🏌 Montecchia, ☎ 049 805 55 50

XXX **La Montecchia** (Massimiliano Alajmo) 🅰🅲 🍴 🅿 VISA 🐵 AE ⑩ ⑤
🏵 via Montecchia 12, Sud-Ovest : 3 km – ☎ 04 98 05 53 23 – www.alajmo.it
– montecchia@alajmo.it – Fax 04 98 05 53 68 – chiuso dal 25 dicembre al
7 gennaio, dal 22 luglio all'11 agosto, lunedì e martedì
Rist – Carta 56/83 € ⌘
Spec. Baccalà mantecato. Polpo al vapore con crema di patate all'olio, capperi di Pantelleria e limone. Coscia d'oca croccante con crema di patate, caponata e salsa ai pepi.
◆ Amena ubicazione nel Golf Club della Montecchia per un locale originale e signorile ricavato in un vecchio essicatoio per il tabacco; piatti creativi su base tradizionale.

a Tencarola Est : 3 km – ⌧ 35030

🏨 **Piroga Padova** 🗗 🏠 🏊 🕅 🅰🅲 ⟨ 🗗 🅿 VISA 🐵 AE ⑩ ⑤
via Euganea 48 – ☎ 049 63 79 66 – www.piroga.it – info@hotelpiroga.com
– Fax 049 63 74 60
62 cam ⌒ – †75/95 € ††85/120 €
Rist – (chiuso 15 giorni in agosto e lunedì) Carta 22/46 €
◆ Strutture di prim'ordine in un hotel recentemente ampliato e ristrutturato, abbellito da un giardino; ariosi interni di taglio moderno, area congressi, camere ben arredate. Sala da pranzo illuminata da grandi finestre e ornata solo da raffinati tavoli rotondi.

SELVINO – Bergamo (BG) – 561E11 – 2 044 ab. – alt. 956 m – Sport 19 **C1**
invernali : 1 000/1 400 m ✦ 1 ✦ 2 – ⌧ 24020
▶ Roma 622 – Bergamo 22 – Brescia 73 – Milano 68
🚺 (chiuso giovedì) corso Milano 19 ☎ 035 765959, iatselvino@apt.bergamo.it,
Fax 035 701707

🏨 **Elvezia** ⚜ 🗗 🅰🅲 rist. 📞 🅿 VISA 🐵 AE ⑩ ⑤
⚭ via Usignolo 2 – ☎ 035 76 30 58 – www.hotelelvezia.com – info@
hotelelvezia.com – Fax 035 76 30 58 – dicembre e giugno-settembre
19 cam ⌒ – †52 € ††75 € – ½ P 65 € **Rist** – (chiuso lunedì) Carta 18/35 €
◆ In centro e in posizione tranquilla, un'accogliente struttura abbellita da un giardino ben curato; piacevoli spazi comuni di moderna ispirazione e confortevoli camere in stile rustico. Interessanti proposte gastronomiche legate al territorio.

SEMPRONIANO – Grosseto (GR) – 563N16 – 1 281 ab. – alt. 601 m   29 **C3**
– ✉ 58055

▶ Roma 182 – Grosseto 61 – Orvieto 85

a Catabbio Sud : 6 km – ✉ 58050

Ⅹ   **La Posta**   🍴 ᵛⁱˢᵃ ⓒⓞ ⛯
via Verdi 9 – ℰ 05 64 98 63 76 – www.trattorialaposta.com – info@
trattorialaposta.com – Fax 05 64 98 63 76 – chiuso dal 7 al 30 gennaio,
dal 14 al 30 luglio e lunedì
Rist – (chiuso a mezzogiorno escluso i giorni festivi, week end e agosto)
Carta 27/37 €
♦ La proprietaria in cucina e i figli in sala in una curata trattoria di paese: locale genuino
tanto nella tavola e nei piatti, quanto nel servizio schietto e informale.

SENAGO – Milano (MI) – 561F9 – 19 447 ab. – alt. 176 m – ✉ 20030   18 **B2**
▶ Roma 591 – Milano 17 – Bergamo 51 – Brescia 97

ⅩⅩ   **La Brughiera**   🍴 ᴬᴷ 🍴 ⇔ 🅿 ᵛⁱˢᵃ ⓒⓞ ᴬᴱ ① ⛯
via XXIV Maggio 23 – ℰ 029 98 21 13 – www.labrughiera.it – info@labrughiera.it
– Fax 02 99 81 30 05 – chiuso due settimane in agosto
Rist – Carta 41/54 € ❀
♦ Locale ad andamento familiare ricavato da una vecchia cascina ora compresa nel
parco delle Groane. Ampio e grazioso l'interno. Cucina curata, ampia carta dei vini.

SENALES (SCHNALS) – Bolzano (BZ) – 561B14 – 1 403 ab.   30 **B1**
– alt. 1 327 m – **Sport invernali : a Maso Corto : 2 000/3 200 m** ⛷ 1 ⛷ 11 (anche sci
estivo), ⛷ – ✉ 39020

▶ Da Certosa : Roma 692 – Bolzano 55 – Merano 27 – Milano 353
🛈 piazza Arciduca Giovanni 1 ℰ 0473 679148, touristinfo@dnet.it, Fax 073
679177

a Madonna di Senales (Unserfrau)Nord-Ovest : 4 km – alt. 1 500 m – ✉ 39020
– Senales

🏠   **Croce d'Oro - Goldenes Kreuz**   ⪜ 🍴 🍴 rist, 🛜 ᵛⁱˢᵃ ⓒⓞ ⛯
via Madonna 27 – ℰ 04 73 66 96 88 – www.goldener-kreuz.com – info@
goldener-kreuz.com – Fax 04 73 66 97 71 – chiuso dal 10 al 30 novembre
27 cam – ♦34/61 € ♦♦70/130 € – ½ P 58/75 €
Rist – (chiuso mercoledì) Carta 22/53 €
♦ Recentemente rinnovata, è un'accogliente casa a misura di famiglia situata in posizione
tranquilla tra prati e cime; perfetta per un soggiorno di passeggiate, sport e relax. La calda
stube vi attende per cene a lume di candela così come per più informali e golose grigliate.

SENIGALLIA – Ancona (AN) – 563K21 – 43 597 ab. – ✉ 60019   21 **C1**
▶ Roma 296 – Ancona 29 – Fano 28 – Macerata 79
🛈 piazzale Morandi 2 ℰ 071 7922725, iat.senigallia@regione.marche.it,Fax
071 7924930

🏨   **Terrazza Marconi**   ⪜ 🍴 🛗 🍴 ᴬᴷ 🍴 🛜 ᵛⁱˢᵃ ⓒⓞ ᴬᴱ ① ⛯
lungomare Marconi 37 ✉ 60019 Senigallia – ℰ 07 17 92 79 88
– www.terrazzamarconi.it – info@terrazzamarconi.it – Fax 07 17 92 03 64
26 cam – ♦90/250 € ♦♦125/299 € – 3 suites
Rist – (chiuso novembre e mercoledì) Carta 31/48 €
♦ Proprio di fronte alla Rotonda, una casa di taglio moderno con terrazza sul mare, offre
spazi ampi un servizio curato e belle camere, nonchè un nuovo piccolo centro benessere. Piatti regionali e di pesce nell'ampia ed elegante sala da pranzo che dispone
anche di un servizio all'aperto.

🏨   **City**   ⪜ 🛏 🛗 🍴 cam, ⚹ ᴬᴷ 🍴 🛜 🛝 🍴 ᵛⁱˢᵃ ⓒⓞ ᴬᴱ ① ⛯
lungomare Dante Alighieri 14 – ℰ 07 16 34 64 – www.cityhotel.it – info@
cityhotel.it – Fax 071 65 91 80
64 cam ⌑ – ♦86/120 € ♦♦96/160 € – ½ P 103/120 €
Rist – (chiuso domenica in inverno) (chiuso a mezzogiorno) Carta 20/32 €
♦ Fronte mare, l'hotel presenta una facciata anni Sessanta ma interni moderni e funzionali, arredati in design e due attrezzate sale congressi.

1093

Ritz ⟨ 🚗 ⅃ ⅋ ⋈⟩ ⟨⟩ 🖳 ⌲ ⋈⋈ AC 𝕊⟨ rist, 𝕊𝔸 P VISA ⋈⋈ AE ⟨⟩ 𝕊

lungomare Dante Alighieri 142 – 𝒞 07 16 35 63 – www.hritz.it – info@hritz.it
– Fax 07 17 92 20 80 – aprile-ottobre
140 cam ⌑ – 💁72/82 € 💁💁114/134 € – 10 suites – ½ P 81/95 €
Rist – *(giugno-agosto) (solo per alloggiati)* Menu 30/35 €
♦ A pochi passi dalla spiaggia, l'albergo vanta ampi spazi, ben 3 piscine, un giardino privato con percorso vita, un centro congressi e campi da tennis minigolf e bocce.

Bologna ⟨ 💁 ⌲ rist, ⋈⋈ AC 𝕊⟨ VISA ⋈⋈ AE ⟨⟩ 𝕊

lungomare Mameli 57 – 𝒞 07 17 92 35 90 – www.hbologna.net
– info@hbologna.net – Fax 07 17 92 12 12
37 cam ⌑ – 💁50/90 € 💁💁80/130 € **Rist** – *(maggio-settembre)* Menu 25/50 €
♦ Particolarmente idoneo per famiglie con bambini, l'albergo dispone di camere d'ispirazione contemporanea ed ampi spazi attrezzati per animare le giornate dei più piccoli. Un'ampia sala ristorante rimodernata dove gustare una cucina nazionale e di pesce, mentre l'originale Angolo di Capitan Uncino accoglie i bimbi.

Holiday Inn Express *senza rist* 💁 ⌲ AC ⤵ ⟨⟩⟨ 𝕊𝔸 P

via Nicola Abbagnano 12, prossimità casello VISA ⋈⋈ AE ⟨⟩ 𝕊
autostrada – 𝒞 07 17 93 13 86 – www.hiexpress.it/exsenigallia
– prenotazioni@hotelexpress-senigallia.it – Fax 07 17 93 13 87
84 cam ⌑ – 💁80/100 € 💁💁90/110 €
♦ Nei pressi dell'uscita autostradale, l'hotel, ideale per una clientela d'affari, è dotato di camere nuove e spaziose e 7 sale riunioni per grandi e piccoli gruppi di lavoro.

Mareblù ⟨ ⅃ 💁 AC 𝕊⟨ VISA ⋈⋈ ⟨⟩ 𝕊

lungomare Mameli 50 – 𝒞 07 17 92 01 04 – www.hotel-mareblu.it
– info@hotel-mareblu.it – Fax 07 17 92 54 02 – Pasqua-settembre
53 cam ⌑ – 💁40/70 € 💁💁50/120 € – ½ P 44/82 € **Rist** – *(solo per alloggiati)*
♦ Una piccola risorsa fronte mare a gestione familiare con ambienti classici e semplici negli arredi, sala giochi, biblioteca ed ampio giardino con piscina.

Bice 🍴 💁 ⌲ AC 𝕊⟨ ⟨⟩⟨ 🚗 VISA ⋈⋈ AE ⟨⟩ 𝕊
ॐ

viale Giacomo Leopardi 105 – 𝒞 07 16 52 21 – www.albergobice.it
– info@albergobice.it – Fax 07 16 52 21
34 cam ⌑ – 💁55/63 € 💁💁80/95 € – ½ P 63/70 €
Rist – *(chiuso dal 27 settembre al 4 ottobre e domenica sera escluso da giugno a settembre)* Carta 20/43 €
♦ Appena fuori le mura del centro, un hotel a conduzione familiare dai luminosi interni di taglio moderno e caratteristiche camere arredate in modo piacevole. Presso l'ampia sala ristorante dalle calde tonalità, piatti tipici della tradizone locale.

L'Arca di Noè ⟨⟩ ⟨ 🚗 🍴 ⅃ 💁 ⋈⋈ AC P VISA ⋈⋈ AE ⟨⟩ 𝕊

via del Cavallo 79 – 𝒞 07 17 93 14 93 – www.arcadinoecountryhouse.com
– rmorpu@tin.it – Fax 07 17 91 57 00
9 cam ⌑ – 💁70/85 € 💁💁85/130 € – ½ P 80 €
Rist – *(chiuso lunedì) (chiuso a mezzogiorno)* (consigliata la prenotazione)
Carta 27/31 €
♦ Non lontano dal mare, un suggestivo ed accogliente rifugio con ampi spazi, alcuni arredati in chiave moderna altri con pezzi antichi, provvisto di area giochi per i piccoli. Le sale da pranzo dalle ampie vetrate che danno sul giardino, propongono i piatti della tradizione culinaria nazionale.

XXX Uliassi ⟨ 🍴 𝕊⟨ VISA ⋈⋈ AE ⟨⟩ 𝕊
ॐ ॐ

banchina di Levante 6 – 𝒞 07 16 54 63 – www.uliassi.it
– info@uliassi.it – Fax 071 65 93 27
– chiuso dal 27 dicembre a marzo e lunedì (escluso dall'8 al 22 agosto)
Rist – Menu 65/110 € – Carta 75/100 € ⊛
Spec. Patata, ostrica, gelato di cipolla di Tropea caramellata e cacao. Spaghetti affumicati alle vongole e pendolini alla griglia. Capretto alla marchigiana, pizza al formaggio e pomodori confit.
♦ Quasi in spiaggia, è un trionfo di luce, sorrisi e piacevolezza. Cucina di mare in continua crescita, qualche classico ma soprattutto la dirompente personalità del cuoco.

Ⅹ **Il Barone Rosso** con cam   🛜 AC 🍴 cam, VISA ◐◐ AE ① 🔥
via Savona 4 – 𝒞 07 17 92 68 23 – www.ristorantebaronerosso.com
– Fax 07 17 92 89 49 – chiuso dal 2 al 25 gennaio
7 cam ☐ – †42/60 € ††52/82 €
Rist – (chiuso lunedì escluso dal 15 giugno ad agosto) Carta 31/59 €
♦ Nelle sue caratteristiche tinte dell'azzurro, il ristorante consta di due sale classiche e molto semplici dove gustare specialità di pesce e pasta fatta in casa. Sette camere nuove, colorate e spaziose, cornice ideale per un soggiorno rilassante.

a Marzocca Sud : 6 km – ✉ 60019

ⅩⅩⅩ **Madonnina del Pescatore** (Moreno Cedroni)   ≤ 🛜 AC
🏵🏵 *lungomare Italia 11 ✉ 60017 Marzocca di Senigallia*   VISA ◐◐ AE ① 🔥
   – 𝒞 071 69 82 67 – www.morenocedroni.it – cedronisrl@tiscali.it
   – Fax 071 69 84 84 – chiuso lunedì
Rist – Menu 100/140 € – Carta 80/115 € 🦐
Spec. Il mare, coreografia di crostacei e molluschi. Baccalà "che salo io" con insalata sbollentata, maionese al cappero e salsa agrodolce. Tortellini di carciofo con rombo, fegato grasso e riduzione al balsamico.
♦ La luce gioca senza restrizioni: l'elegante sala è una scatola di cristallo dalla parete di fondo color oro, mentre in cucina rifulgono la creatività e l'equilibrio dei sapori.

a Scapezzano Ovest : 6 km – ✉ 60010

🏠 **Bel Sit** 🌿   ≤ ♨ ⤴ 🏠 🛁 Ⅹ 🔥 🛜 AC 🍴 rist, "🖐" 🎿 P
🐘 *via dei Cappuccini 15 – 𝒞 071 66 00 32 – www.belsit.net*   VISA ◐◐ AE ① 🔥
   – info@belsit.net – Fax 07 16 60 83 35 – chiuso dal 2 al 10 gennaio
38 cam – †58/80 € ††65/98 €, ☐ 7 € – ½ P 59/72 €
Rist – (10 aprile-20 settembre) (solo per alloggiati) Carta 20/30 €
♦ Abbracciato da un parco secolare e con vista sul mare, la villa ottocentesca dispone di un nuovo centro benessere, sale comuni con arredi lignei e semplici camere spaziose.

🏠 **Locanda Strada della Marina**   ≤ ♨ 🛜 ⤴ 🛁 AC cam, 🍴 rist,
strada della Marina 265 – 𝒞 07 16 60 86 33   "🖐" VISA ◐◐ AE ① 🔥
   – www.locandastradadellamarina.it – stefaniabecci@alice.it – Fax 07 16 61 17 27
9 cam ☐ – †73/83 € ††140/160 € – ½ P 172 €
Rist – (chiuso ottobre) Carta 31/48 €
♦ Una casa colonica circondata dal parco offre camere sapientemente ristrutturate, arredate con mobili d'epoca, pavimenti lignei e sale per colazioni di lavoro e cerimonie. Quello che un tempo fu un essicatoio, è ora un elegante ristorante con varie proposte regionali di carne e di pesce.

🏠 **Antica Armonia** 🌿   ♨ 🛜 ⤴ AC P VISA ◐◐ AE ① 🔥
🍽 *via del Soccorso 67 – 𝒞 071 66 02 27 – www.anticaarmonia.it – anticaarmonia@libero.it – Fax 071 66 02 27 – chiuso dal 15 al 30 ottobre*
10 cam ☐ – †50/60 € ††80/90 € – ½ P 65/70 €
Rist – (chiuso lunedì) (chiuso a mezzogiorno) Carta 25/30 €
♦ Ubicata nel verde delle colline marchigiane, una familiare ospitalità custodisce camere confortevoli e sale comuni: comodi divani in pelle davanti allo scoppiettante camino. A tavola, piatti della tradizione regionale e del Bel Paese.

a Bettolelle Sud-Ovest^: 8,5^km – ✉ 60019

🏠 **Il Papavero** 🌿   ≤ 🛜 🍴 rist, P VISA ◐◐ 🔥
strada provinciale Arceviese 98 ✉ 60019 – 𝒞 07 16 64 05
– www.agrituristilpapavero.it – info@agrituristilpapavero.it – Fax 07 16 51 11
7 cam ☐ – ††90/100 € – ½ P 70 €
Rist – (chiuso a mezzogiorno) Carta 28/39 €
♦ Circondata dalla tranquillità delle colline, la casa colonica è stata tipicamente trasformata in un agriturismo dotato di camere arredate in un sobrio stile country. Il ristorante propone una cucina tradizionale da consumare nella sala al piano terreno dell'edificio, oppure a lume di candela nello splendido dehors.

SENORBÌ – Cagliari – 566I9 – Vedere Sardegna alla fine dell'elenco alfabetico

SERAVEZZA – Lucca (LU) – 563K12 – **12 916 ab.** - alt. 55 m – ✉ 55047   28 **B1**
▌ Toscana

   ◀ Roma 376 – Pisa 40 – La Spezia 58 – Firenze 108

a Pozzi Sud : 3,5 km – ✉ 55047 – **Seravezza**

ХХ **Antico Uliveto** 🚗 🛏 ⚙ 🅿 🆚🆂🅰 ⓶ 🅰🅴 ⓪ ⑤
via Martiri di Sant'Anna 76 – 𝒞 05 84 76 88 82 – www.antico-uliveto.it – info@
antico-uliveto.it – Fax 05 84 79 80 81
Rist – (chiuso a mezzogiorno in luglio-agosto, escluso sabato e domenica, e
giovedì negli altri mesi) Carta 40/50 € 🏵
♦ Annovera un nuovo wine-bar in giardino ideale per aperitivi e dopo cena la bella casa
nella frazione di Pozzi. All'interno due sale di taglio rustico-signorile, accoglienza cortese
e cucina sfiziosa.

a Querceta Sud-Ovest : 4 km – ✉ 55046

ХХ **Da Alberto** 🚗 🛏 ⚙ 🅿 🆚🆂🅰 ⓶ 🅰🅴 ⓪ ⑤
via delle Contrade 235 – 𝒞 05 84 74 23 00 – Fax 05 84 74 23 00 – chiuso dal 1° al
15 febbraio, dal 1° al 15 novembre e mercoledì
Rist – Carta 42/62 €
♦ Gestione giovane e dinamica in un bel locale dall'ambiente elegante e curato, dove
gustare una cucina creativa di terra e di mare; buona scelta in cantina.

SEREGNO – Milano (MI) – 561F9 – 39 227 ab. – alt. 224 m – ✉ 20038   18 **B2**
🚗 Roma 594 – Como 23 – Milano 25 – Bergamo 51

🏨 **Umberto Primo** senza rist 🛗 🚫 ⚙ 🆗 🌐 🍸 🚗 🆚🆂🅰 ⓶ 🅰🅴 ⓪ ⑤
via Dante 63 – 𝒞 03 62 22 33 77 – www.hotelumbertoprimo.it – info@
hotelumbertoprimo.it – Fax 03 62 22 19 31 – chiuso dal 24 dicembre al 2 gennaio
e dal 3 al 26 agosto
52 cam 😑 – †95/115 € ††125/130 €
♦ Albergo recentemente rinnovato, particolarmente adatto a una clientela di lavoro;
ariose zone comuni nelle tonalità del legno, piacevoli camere spaziose e lineari.

ХХ **Osteria del Pomiroeu** 🛏 🆚🆂🅰 ⓶ 🅰🅴 ⑤
via Garibaldi 37 – 𝒞 03 62 23 79 73 – www.pomiroeu.it – giancarlo@pomiroeu.it
– Fax 03 62 32 53 40 – chiuso 1 settimana in gennaio e 3 settimane in agosto
Rist – (chiuso lunedì, martedì a mezzogiorno) Carta 65/90 € 🏵
♦ Nel centro storico, ambiente rustico di tono elegante in un locale accogliente, con
una fornitissima cantina e un abile sommelier pronto a consigliarvi; piatti creativi.

SERIATE – Bergamo (BG) – 561E11 – 21 221 ab. – alt. 248 m – ✉ 24068   19 **C1**
🚗 Roma 568 – Bergamo 7 – Brescia 44 – Milano 52

Х **Vertigo** 🛏 🅰🅲 🆚🆂🅰 ⓶ 🅰🅴 ⓪ ⑤
via Decò e Canetta 77 – 𝒞 035 29 41 55 – www.ristorantevertigo.it – info@
ristorantevertigo.it – chiuso dal 1° all'8 gennaio e sabato a mezzogiorno
Rist – (chiuso a mezzogiorno dal 7 al 21 agosto) Carta 31/44 €
♦ Semplice e colorato ambiente informale, due salette abbellite da quadri di autori contemporanei; proposte culinarie esotiche e vegetariane, così come insalate e piatti unici.

SERINO – Avellino (AV) – 564E26 – 7 131 ab. – alt. 415 m – ✉ 83028   7 **C2**
🚗 Roma 260 – Avellino 14 – Napoli 55 – Potenza 126

🏨 **Serino** 🌿 ← 🚗 🛏 🏊 🛗 🚶 🅰🅲 ⚙ 🌐 🍸 🅿 🚗 🆚🆂🅰 ⓶ 🅰🅴 ⓪ ⑤
🐾 via Terminio 119, Est : 4 km – 𝒞 08 25 59 49 01 – www.hotelserino.it
– hotelserino@hotelserino.it – Fax 08 25 59 41 66
54 cam 😑 – †80 € ††98 € – ½ P 75 €
Rist Antica Osteria "O Calabrisuotto" – Carta 20/29 € (+15 %)
♦ Grande struttura in posizione tranquilla abbellita dal giardino con piscina. Le camere
si affacciano sui boschi e sono ben accessoriate: in particolare, le suite con vasca idromassaggio. Capiente sala da pranzo di taglio moderno, rischiarata da vetrate.

verso Giffoni Sud : 7 km :

Х **Chalet del Buongustaio** ← 🛏 ♻ 🅿 🆚🆂🅰 ⓶ 🅰🅴 ⓪ ⑤
🐾 via Giffoni ✉ 83028 – 𝒞 08 25 54 29 76 – www.katabusiness.com/av/chalet
– didimattia@gmail.com – Fax 08 25 54 29 76
Rist – (chiuso martedì e da dicembre a marzo aperto solo sabato e domenica)
Carta 18/28 €
♦ Avvolto dalla cornice verde dei castagneti, ristorante dall'ambiente familiare, semplice e
accogliente, dove gustare una casereccia cucina del territorio accompagnata da vini locali.

SERLE – Brescia (BS) – 561F13 – **2 966 ab.** – alt. 493 m – ⊠ 25080   **17 D1**

    ▶ Roma 550 – Brescia 21 – Verona 73

a Valpiana Nord : 7 km – ⊠ 25080 – Serle

※ **Valpiana**   ⟨ 🚗 🏠 ℅ ⇔ **P** 𝗩𝗜𝗦𝗔 ◍ 𝗔𝗘 ⓘ ⚡
  località Valpiana 2 – ℰ 03 06 91 02 40 – Fax 03 06 91 02 40
  – chiuso dal 1° gennaio al 15 febbraio
  Rist – *(chiuso lunedì)* Carta 25/30 €
  ♦ In posizione quieta e pittoresca, incorniciato dai boschi e con una splendida vista
  sulle colline e sul lago, un locale rustico dalla cucina casereccia, funghi e cacciagione.

SERMONETA – Latina (LT) – 563R20 – **6 782 ab.** – alt. 257 m   **13 C2**
– ⊠ 04013

    ▶ Roma 77 – Frosinone 65 – Latina 17

🏠 **Principe Serrone** senza rist ⌂   ⟨ 𝗔𝗖 ℅ 𝗩𝗜𝗦𝗔 ◍ 𝗔𝗘 ⚡
  via del Serrone 1 – ℰ 077 33 03 42 – www.hotelprincipeserrone.it
  – principeserrone@virgilio.it – Fax 077 33 03 36
  17 cam ⌂ – †40/55 € ††75/95 €
  ♦ Nel borgo medievale, con bella vista sulla vallata, un edificio storico ospita questo
  hotel ideale per trascorrere soggiorni tranquilli; camere semplici ma confortevoli.

SERNIGA – Brescia – 561F13 – Vedere Salò

SERPIOLLE – Firenze – Vedere Firenze

SERRA DE' CONTI – Ancona (AN) – 563L21 – **3 564 ab.** – alt. 217 m   **20 B2**
– ⊠ 60030

    ▶ Roma 242 – Ancona 61 – Foligno 89 – Gubbio 57

🏠 **De' Conti** senza rist   🚗 📶 ⛢ 𝗔𝗖 ℅ ⓦ **P** 𝗩𝗜𝗦𝗔 ◍ 𝗔𝗘 ⓘ ⚡
  via Santa Lucia 58 – ℰ 07 31 87 99 13 – www.hoteldeconti.it – hoteldeconti@
  libero.it – Fax 07 31 87 04 81
  28 cam ⌂ – †50 € ††80 €
  ♦ Sita nel cuore delle colline del Verdicchio, questa struttura offre camere molto ampie
  caratterizzate da un arredo moderno in tinte chiare.

SERRAMAZZONI – Modena (MO) – 562I14 – **7 392 ab.** – alt. 822 m   **8 B2**
– ⊠ 41028

    ▶ Roma 357 – Bologna 77 – Modena 33 – Pistoia 101

a Montagnana Nord : 10 km – ⊠ 41028

XXX **La Noce**   ℅ **P** 𝗩𝗜𝗦𝗔 ◍ 𝗔𝗘 ⓘ ⚡
  via Giardini Nord 9764 – ℰ 05 36 95 71 74 – www.lanoce.it – info@lanoce.it
  – Fax 05 36 95 72 66 – chiuso dal 1° al 25 agosto
  Rist – *(chiuso domenica) (chiuso a mezzogiorno)* Carta 55/65 € ⌘
  ♦ Locale elegante di stile rustico, propone piatti locali. Annessa al ristorante un'acetaia
  visitabile, dove si trovano antichi utensili d'uso comune. Vendita di marmellate e miele.

SERRA SAN QUIRICO – Ancona (AN) – 563L21 – **3 003 ab.**   **20 B2**
– ⊠ 60048

    ▶ Roma 234 – Ancona 54 – Perugia 93 – Rimini 111

※ **La Pianella**   🏠 **P** 𝗩𝗜𝗦𝗔 ◍ 𝗔𝗘 ⓘ ⚡
  via Gramsci, Nord-Ovest : 1,3 km – ℰ 07 31 88 00 54 – Fax 07 31 88 00 54
  – chiuso dal 26 dicembre al 6 gennaio e 2 settimane in luglio
  Rist – Carta 28/38 €
  ♦ Piacevole trattoria appena fuori paese che propone esclusivamente piatti della tradizione marchigiana, abbinati a vini di selezione locale.

SERRAVALLE LANGHE – Cuneo (CN) – 561I6 – **341 ab.** – alt. 762 m   **25 C3**
– ⊠ 12050

    ▶ Roma 593 – Genova 121 – Alessandria 75 – Cuneo 55

XX **La Coccinella** ⌂ P VISA ⦿ AE ⬧

via Provinciale 5 – ℰ 01 73 74 82 20 – www.trattoriacoccinella.com
– ale_coccinella@libero.it – Fax 01 73 74 82 20 – chiuso dal 6 gennaio
al 10 febbraio, dal 25 giugno al 5 luglio
Rist *– (chiuso mercoledì a mezzogiorno e martedì)* (consigliata la prenotazione)
Carta 32/43 €
♦ Tre fratelli, tutti esperti, conducono con passione questo valido ristorante. La recente ristrutturazione ne ha accresciuto il confort e la notorietà. Cucina piemontese.

SERRUNGARINA – Pesaro e Urbino (PS) – 563K20 – **2 264 ab.**   20 **B1**
– alt. 209 m – ✉ **61030**

▶ Roma 245 – Rimini 64 – Ancona 70 – Fano 13

a Bargni Ovest : 3 km – ✉ **61030**

⌂ **Casa Oliva** ⬧ ⟨ 🕸 📶 ⅃ cam, 🆎 rist, 🚫 rist, P VISA ⦿ AE ⓪ ⬧

via Castello 19 – ℰ 07 21 89 15 00 – www.casaoliva.it – casaoliva@casaoliva.it
– Fax 07 21 89 15 00 – chiuso dal 7 gennaio al 2 febbraio
18 cam ⌷ – †60/70 € ††85/95 € – 2 suites – ½ P 60/70 €
Rist *– (chiuso lunedì) (chiuso a mezzogiorno)* Carta 25/47 €
♦ Nella quiete della campagna marchigiana, hotel diviso in diversi caseggiati in mattoni di un caratteristico borgo d'epoca; camere di taglio moderno, nuova piccola beauty farm. Proposta di piatti caserecci con radici nel territorio.

⌂ **Villa Federici** ⬧ 🚗 🕸 ⟨📞 P VISA ⦿ AE ⓪ ⬧

via Cartoceto 4 – ℰ 07 21 89 15 10 – www.villafederici.com – info@
villafederici.com – Fax 07 21 89 15 10
6 cam ⌷ – †70/75 € ††85/95 € – ½ P 130/140 €
Rist *– (chiuso mercoledì) (chiuso a mezzogiorno)* (prenotazione obbligatoria)
Carta 26/39 €
♦ Bel rustico di campagna attorniato da tre ettari di ulivi: interni signorili con ampie camere in stile, alcune con mobili dell'800; "calda" atmosfera nelle salette comuni. Menù giornaliero a base di piatti della tradizione.

SESSAME – Asti (AT) – 561H7 – **281 ab.** – ✉ **14058**   25 **D2**

▶ Roma 598 – Torino 100 – Asti 39 – Alessandria 52

X **Il Giardinetto** 🕸 P VISA ⦿ ⓪ ⬧

strada provinciale Valle Bormida 24, Sud: 4 km – ℰ 01 44 39 20 01
– ilgiardinetto@alice.it – Fax 01 44 39 20 01 – chiuso 15 giorni in febbraio,
15 giorni in luglio e 1 settimana in novembre
Rist *– (chiuso giovedì)* Carta 22/33 € ⅏
♦ Gli antipasti sono fissati quotidianamente, si scelgono invece le portate successive, specialità casalinghe piemontesi e liguri. Piccolo e tranquillo il dehors.

SESTO (SEXTEN) – Bolzano (BZ) – 562B19 – **1 918 ab.** – alt. 1 311 m   31 **D1**
– Sport invernali : 1 310/2 200 m ⌁2 ⌁7, ⌁; a Versciaco Monte Elmo : 1 131/
2 050 m ⌁1 ⌁4 (Comprensorio Dolomiti superski Alta Pusteria) – ✉ 39030 ▮ Italia

▶ Roma 697 – Cortina d'Ampezzo 44 – Belluno 96 – Bolzano 116
🛈 via Dolomiti 45 ℰ 0474 710310, info@sesto.it, Fax 0474 710318
🄶 Val di Sesto★★ Nord per la strada S 52 e Sud verso Campo Fiscalino

⌂⌂ **San Vito-St. Veit** ⬧ ⟨ 🚗 🖳 ⦿ 🕸 ⌖ ⋆⋆ 🚫 🚫 ⟨📞 P VISA ⦿ ⬧

via Europa 16 – ℰ 04 74 71 03 90 – www.hotel-st-veit.com – info@
hotel-st-veit.com – Fax 04 74 71 00 72 – Natale-Pasqua e giugno-15 ottobre
43 cam – solo ½ P 96/130 €   **Rist** – Carta 26/32 €
♦ Gestione dinamica in un albergo in area residenziale, dominante la vallata; zona comune ben arredata, camere tradizionali e con angolo soggiorno, ideali per famiglie. Nella sala da pranzo, vetrate che si aprono sulla natura; accogliente stube caratteristica.

a Moso (Moos) Sud-Est : 2 km – **alt. 1 339 m** – ✉ 39030 – Sesto

🏨 **Sport e Kurhotel Bad Moos** ⚜   ≤ 🚗 🏊 🖥 🌐 🏠 🖼 ♨ 🛗
via Val Fiscalina 27   🏃 🆚 rist, ❝¶❞ � 🖪 🅿 🚗 💳 ⓥ 🅰🅴 ① 👍
– 𝒞 04 74 71 31 00 – www.badmoos.it – info@badmoos.it – Fax 04 74 71 33 33
– 4 dicembre-9 aprile e giugno-4 novembre
73 cam ⫠ – †79/160 € ††140/378 € – ½ P 78/173 €   **Rist** – Carta 33/38 €
◆ Suggestiva veduta delle Dolomiti da un hotel moderno, dotato di buone attrezzature
e adatto anche a una clientela congressuale; camere confortevoli ed enorme, attrezzata,
SPA per eliminare *stress* e tensioni. Calda atmosfera nella sala da pranzo; ristorante
serale in stube del XIV-XVII secolo.

🏨 **Berghotel e Residence Tirol** ⚜   ≤ 🚗 🏊 🖥 🌐 🏠 🖼 🛗 🏃
via Monte Elmo 10 – 𝒞 04 74 71 03 86   🏢 rist, ❝¶❞ 🅿 🚗
– www.berghotel.com – info@berghotel.com – Fax 04 74 71 04 55 – 6 dicembre-
Pasqua e 28 maggio-15 ottobre
45 cam – solo ½ P 89/136 €
Rist – *(chiuso a mezzogiorno) (solo per alloggiati)* Menu 35/50 €
◆ Splendida vista sulle Dolomiti e sulla valle Fiscalina: zona comune classica, in stile
montano ma di taglio moderno. Camere luminose e centro *wellness* fra i più notevoli,
nonché completi, del comprensorio. Profusione di legno e specialità territoriali nel grazioso ristorante.

🏨 **Tre Cime-Drei Zinnen**   ≤ 🚗 🏊 🏠 🛗 ❝¶❞ 🅿 💳 ⓥ 🅰🅴 ① 👍
via San Giuseppe 28 – 𝒞 04 74 71 35 00 – www.hoteltrecime.it – info@
hotel-drei-zinnen.com – Fax 04 74 71 00 92 – 22 dicembre-Pasqua e 10 giugno-
ottobre
41 cam ⫠ – †95/170 € ††150/280 € – ½ P 70/150 €
Rist – *(solo per alloggiati)* Menu 28/52 €
◆ Cordiale conduzione in una struttura in posizione dominante, progettata da un
famoso architetto viennese nel 1930 (fra i primi alberghi sorti in Alto Adige). Interni
luminosi ed eleganti, camere con arredi d'epoca per una risorsa di indiscussa tradizione.

a Monte Croce di Comelico (Passo) (Kreuzbergpass)Sud-Est : 7,5 km
– **alt. 1 636 m** – ✉ 39030 – Sesto

🏨 **Passo Monte Croce-Kreuzbergpass** ⚜   ≤ 🏔 🖥 🌐 🏠 🖼
via San Giuseppe 55   ⚒ 🔟 cam, 🏃 🏢 rist, ❝¶❞ 🅿 💳 ⓥ 🅰🅴 ① 👍
✉ 39030 Sesto in Pusteria – 𝒞 04 74 71 03 28 – www.passomontecroce.com
– hotel@passomontecroce.com – Fax 04 74 71 03 83
– dicembre-10 aprile e 28 maggio-9 ottobre
34 cam ⫠ – †95/119 € ††160/210 € – 24 suites – ††190/220 €
– ½ P 85/110 €
Rist – Carta 25/52 €
◆ Nel silenzio di suggestive cime dolomitiche, una struttura a ridosso delle piste da sci,
con campo pratica golf; all'interno ambienti eleganti e centro benessere. I pasti sono
serviti al moderno ristorante a tema, in terrazza o nella suggestiva cantina.

CAMPO FISCALINO (Fischleinboden)Sud : 4 km – **alt. 1 451 m** – ✉ 39030 – Sesto

🏨 **Dolomiti-Dolomitenhof** ⚜   ≤ 🚗 🖥 🌐 🏠 🛗 ❝¶❞ 🅿 🚗
via Val Fiscalina 33 – 𝒞 04 74 71 30 00   💳 ⓥ 👍
– www.dolomitenhof.com – info@dolomitenhof.com – Fax 04 74 71 30 01
– 18 dicembre-20 marzo e 10 giugno-6 ottobre
42 cam ⫠ – †60/108 € ††100/206 € – 3 suites – ½ P 60/113 €
Rist – Carta 26/43 €
◆ La cornice naturale fatta di monti e pinete, avvolge questo albergo a gestione familiare in stile anni '70, con centro benessere; alcune camere di ispirazione bavarese.
Cucina del territorio nell'ampia sala da pranzo.

SESTO AL REGHENA – Pordenone (PN) – 562E20 – **5 546 ab.**   10 **B3**
– **alt. 13 m** – ✉ 33079
   ▶ Roma 570 – Udine 66 – Pordenone 22 – Treviso 52

🏨 **In Sylvis** 🛗 🅰 🅺 ↯ �🄰 🄿 🆅🆂🅰 🄼🄾 🄰🄴 🅾 ⚡

via Friuli 2 – ℰ 04 34 69 49 11 – www.hotelinsylvis.com – insylvis@libero.it
– Fax 04 34 69 49 90
37 cam ⌷ – ♦65 € ♦♦85 € – ½ P 58 €
Rist Abate Ermanno – ℰ 04 34 69 49 50 *(chiuso lunedì a mezzogiorno)*
Carta 27/37 €
♦ Sebbene di recente realizzazione, si respira una storica tradizione in questa risorsa non lontana dalla suggestiva abbazia benedettina di S.Maria; interni in stile sobrio e funzionale. Accogliente il ristorante, con salette private cinte da grandi finestre velate da morbide tende e servizio estivo nel patio interno.

SESTO CALENDE – Varese (VA) – 561E7 – 10 095 ab. – alt. 198 m   16 A2
– ✉ 21018

▶ Roma 632 – Stresa 25 – Como 50 – Milano 55
ℹ viale Italia 1 ℰ 0331 923329
⛳ Arona a Borgo Ticino, ℰ 0321 90 70 34

🏨 **Tre Re** ≼ 🛗 🅰 🅺 ⚡ 🆅🆂🅰 🄼🄾 🄰🄴 ⚡

piazza Garibaldi 25 – ℰ 03 31 92 42 29 – www.hotel3re.it – info@hotel3re.it
– Fax 03 31 91 30 23 – chiuso dal 20 dicembre a gennaio
31 cam – ♦70/95 € ♦♦100/150 €, ⌷ 10 € – ½ P 90/100 €
Rist – Carta 33/44 €
♦ Piacevolmente ubicato in riva la lago, albergo classico recentemente rinnovato, belle camere accoglienti, di buon confort e con dotazioni moderne. Luminosa e moderna sala ristorante fronte lago.

🏠 **Locanda Sole** ≼ 🅰 🅺 ⚡ cam, ⚡ 🆅🆂🅰 🄼🄾 🄰🄴 ⚡

via Ruga del porto vecchio 1 – ℰ 03 31 91 42 73 – www.trattorialocandasole.it
– info@trattorialocandasole.it – Fax 03 31 92 17 59
7 cam ⌷ – ♦85 € ♦♦110 € – ½ P 90 €   **Rist** – *(chiuso martedì)* Carta 31/44 €
♦ Simpatica locanda a pochi passi dal lungolago, all'interno di un isolato costituito da caratteristiche case di ringhiera degli anni '40. Camere confortevoli, in stile rustico. Cucina mediterranea al ristorante.

🍴🍴 **La Biscia** 🍴 🆅🆂🅰 🄼🄾 🄰🄴 🅾 ⚡

piazza De Cristoforis 1 – ℰ 03 31 92 44 35 – Fax 03 31 92 44 35 – chiuso dal 26 al 31 gennaio e dal 16 agosto al 3 settembre
Rist – *(chiuso domenica sera e lunedì)* Carta 28/59 €
♦ Nel centro del paese, sul lungolago, ristorante con una confortevole sala di tono signorile e piacevole dehors fronte lago; linea culinaria di pesce, di mare e di lago.

a Lisanza Nord-Ovest : 3 km – ✉ 21018 – Sesto Calende

🍴🍴 **La Vela** 🍴 🅰 🆅🆂🅰 🄼🄾 🄰🄴 🅾 ⚡

piazza Colombo 1 – ℰ (0331) 03 31 97 40 00 – www.lavela.playrestaurant.tv
– info@ristorantelavela.it – Fax 03 31 97 75 00
Rist – Carta 37/76 €
♦ Ambiente informale, ma carino, per questo bel locale che già dall'esterno trasmette un senso di cura e pulizia. La buona impressione viene confermata, accomodandosi al tavolo, da una genuina cucina mediterranea di pesce.

SESTOLA – Modena (MO) – 562J14 – 2 662 ab. – alt. 1 020 m – Sport   8 B2
invernali : 1 020/2 000 m ⏜1 ⛷13, ⚡ – ✉ 41029

▶ Roma 387 – Bologna 90 – Firenze 113 – Lucca 99
ℹ corso Umberto I, 3 ℰ 0536 62324, infosestola@msw.it, Fax 0536 61621

🏨 **Al Poggio** ≼ 🚗 ⌷ ⌷ 🅰 🅺 ⚡ rist, 🄿 🆅🆂🅰 🄼🄾 🄰🄴 🅾 ⚡
⚡

via Poggioraso 88, località Poggioraso, Est : 2 km ✉ 41029 – ℰ 053 66 11 47
– www.alpoggio.it – alpoggio@libero.it – Fax 053 66 16 26 – chiuso novembre
32 cam ⌷ – ♦50/80 € ♦♦90/120 € – 1 suite – ½ P 50/105 €
Rist – Carta 16/50 €
♦ Hotel ubicato in posizione tranquilla, che offre una vista meravigliosa della vallata in particolar modo da alcune delle camere. Conduzione familiare al femminile. Sale sobrie e confortevoli dove accomodarsi a gustare la cucina tipica locale.

Roma senza rist   🚣 📶 **P** 𝘝𝘐𝘚𝘈 ⓪ 𝖠𝖤 ⓘ ♿
corso Libertà 59 – ℰ 05 36 90 80 03 – www.hotelromasestola.it – hotel-roma@
appenninobianco.it – Fax 053 66 08 57
19 cam � – †60/80 € ††80/110 €
♦ Accogliente risorsa situata in comoda posizione centrale. Di taglio moderno la sala
colazioni e la saletta soggiorno al primo piano. Belle le camere, sobriamente eleganti.

San Rocco con cam   📶 ♿ 𝖠𝖢 ⇇ ⅏ 📶 🚗 𝘝𝘐𝘚𝘈 ⓪ 𝖠𝖤 ⓘ ♿
corso Umberto I 39 – ℰ 053 66 23 82 – www.hotelristorantesanrocco.com
– info@hotelristorantesanrocco.com – Fax 053 66 08 20 – chiuso maggio
10 cam – †60/70 € ††90/99 €, � 10 € – 1 suite – ½ P 82 €
Rist – (chiuso lunedì) Menu 45/68 €
♦ Dopo una giornata sulle piste da sci o una visita al "Giardino Esperia" concedetevi una
cena rigenerante a base di ricette tradizionali in questo piacevole ristorante. Completamente ristrutturato, propone camere di design moderno e contemporaneo.

SESTO SAN GIOVANNI – Milano (MI) – 561F9 – 79 131 ab.   18 B2
– alt. 137 m – ✉ 20099
▶ Roma 565 – Milano 9 – Bergamo 43

Pianta d'insieme di Milano

Grand Hotel Villa Torretta   🏠 🛁 📶 𝖠𝖢 ⅏ ℰ 📶 𝘝𝘐𝘚𝘈 ⓪ 𝖠𝖤 ⓘ ♿
via Milanese 3 – ℰ 02 24 11 21 – www.villatorretta.it   𝘝𝘐𝘚𝘈 ⓪ 𝖠𝖤 ⓘ ♿
– info@villatorretta.it – Fax 022 41 12 80 00   BOf
67 cam ⊘ – †98/501 € ††128/541 € – 10 suites
Rist – (chiuso natale, due settimane in agosto, sabato a mezzogiorno, domenica)
Menu 40/75 € – Carta 44/84 €
♦ Realtà molto elegante ricavata dalla ristrutturazione di una villa suburbana seicentesca. Gli interni sono molto curati e le camere ben tenute e sempre di ottimo livello.
Ristorante con sale affrescate ed ambienti esclusivi, servizio accurato.

Abacus   �) 🖪 🏠 ♿ 𝖠𝖢 ⅏ 📶 🚗 𝘝𝘐𝘚𝘈 ⓪ 𝖠𝖤 ⓘ ♿
via Monte Grappa 39 – ℰ 02 26 22 58 58 – www.abacushotel.com – reception@
abacushotel.it – Fax 02 26 22 58 60 – chiuso Natale ed agosto   BOh
92 cam ⊘ – †70/200 € ††90/300 € – 2 suites
Rist – (chiuso a mezzogiorno) (solo per alloggiati)
♦ Moderna e confortevole struttura in comoda posizione a pochi metri dal metrò e
dalla stazione ferroviaria: eleganti interni, attrezzato centro fitness, camere lineari.

NH Concordia   🛁 📶 ♿ 𝖠𝖢 ⇇ ⅏ 📶 𝖠 **P** 𝘝𝘐𝘚𝘈 ⓪ 𝖠𝖤 ♿
viale Edison 50 – ℰ 02 24 42 96 11 – www.nh-hotels.com – nhconcordia@
nh-hotels.com – Fax 02 24 42 96 12   BOw
155 cam ⊘ – †89/370 € ††109/400 € – 3 suites – ½ P 135/230 €
Rist – Carta 32/61 €
♦ Nuova struttura alle porte di Milano: un parallelepipedo di dieci piani, moderno e funzionale. Completo nella gamma dei servizi offerti è l'indirizzo ideale per una clientela business.

SESTRIERE – Torino (TO) – 561H2 – 873 ab. - alt. 2 033 m – Sport   22 A2
invernali : 1 350/2 823 m (Comprensorio Via Lattea ✦ 6 ⩔72) ⅏ – ✉ 10058
▶ Roma 750 – Briançon 32 – Cuneo 118 – Milano 240
🚻 via Louset 14 ℰ 0122 755444, sestriere@montagnedoc.it, Fax 0122 755171
🖼, ℰ 0122 79 94 11

Grand Hotel Sestriere   🚣 🎿 🏠 📶 ♿ ⅏ rist, 📶 🖼 🚗
via Assietta 1 – ℰ 012 27 64 76   𝘝𝘐𝘚𝘈 ⓪ 𝖠𝖤 ⓘ ♿
– www.grandhotelsestriere.it – info@grandhotelsestriere.it – Fax 012 27 67 00
– chiuso da maggio al 26 giugno
104 cam ⊘ – †90/160 € ††140/210 € – 3 suites – ½ P 120/195 €
Rist – Menu 30/58 €
Rist La Vineria del Colle – Carta 35/55 €
♦ Dalle finestre e dai balconi di questo nuovo hotel si potranno vedere le piste olimpiche e negli ambienti potrete ritrovare un'atmosfera rustica ed elegante. Beauty farm con
vinoterapia. Il ristorante è ricavato in una vecchia cantina: portatevi un maglione, perché
la temperatura è quella originaria!

🏛 Cristallo　🅿 ⓘ 🎐 ⓫ 💺 ⌿ 🛎 🍴 🛏 ⟨⟩ 🚗 VISA ⓪ ⑩ ⚅

via Pinerolo 5 – ✆ *01 22 75 01 90* – *www.newlinehotels.com*
– *info@newlinehotels.com* – *Fax 01 22 75 51 52*
– *chiuso maggio e ottobre*
46 cam ⊡ – ♟140/250 € – ½ P 130/190 € **Rist** – Carta 22/65 €
◆ Di fronte agli impianti di risalita, questo moderna ed imponente struttura propone camere eleganti ed accoglienti; di maggiore attrattiva quelle con vista sul colle. Sala ristorante ampia e luminosa.

🏨 Belvedere　🎐 ⓫ 💺 ⌿ 🍴 P VISA ⓪ ⑩ ⚅

via Cesana 18 – ✆ *01 22 75 06 98* – *www.newlinehotels.com*
– *info@newlinehotels.com* – *Fax 01 22 75 51 52*
– *chiuso maggio e ottobre*
36 cam ⊡ – ♟120/230 € – 1 suite – ½ P 105/120 € **Rist** – Carta 22/65 €
◆ Incomiciato da un incantevole paesaggio sulla strada per Cesana Torinese, la struttura offre confortevoli ambienti di tono rustico che tuttavia non difettano in eleganza. Tra tradizione e modernità e circondati dalla calda atmosfera di un camino, al ristorante vengono proposte serate a tema.

SESTRI LEVANTE – Genova (GE) – 561J10 – 18 844 ab. – ✉ 16039　　15 C2
▌ Italia

　▶ Roma 457 – Genova 50 – Milano 183 – Portofino 34
　🅘 piazza Sant'Antonio 10 ✆ 0185 457011, iatsestrilevante@
　　apttigullio.liguria.it, Fax 0185 459575

🏛 Grand Hotel Villa Balbi　🔊 🍴 🎐 🝔 AC ⌿ ⟨⟩ 🛎 P

viale Rimembranza 1 – ✆ *018 54 29 41*　　　　　　　　VISA ⓪ AE ⑩ ⚅
– *www.villabalbi.it* – *villabalbi@villabalbi.it* – *Fax 01 85 48 24 59*
– *chiuso dal 14 ottobre al 20 dicembre*
105 cam ⊡ – ♟80/130 € ♟♟110/310 € – ½ P 85/185 € **Rist** – Carta 35/50 €
◆ Sul lungomare, una villa aristocratica del '600 con un rigoglioso parco-giardino e piscina: splendidi interni in stile con affreschi, camere eleganti. Continuate a viziarvi pasteggiando nella raffinata sala da pranzo.

🏛 Vis à Vis 🏊　⟨⟩ 🝔 🍴 🎐 🝔 💺 cam, ⚮ AC ⌿ rist, ⟨⟩ 🛎 P

via della Chiusa 28 – ✆ *018 54 26 61*　　　　　　　　VISA ⓪ AE ⑩ ⚅
– *www.hotelvisavis.com* – *visavis@hotelvisavis.com* – *Fax 01 85 48 08 53*
– *chiuso dal 14 gennaio al 12 febbraio*
46 cam ⊡ – ♟120/160 € ♟♟170/270 € – ½ P 150/170 €
Rist Olimpo – ✆ 01 85 48 08 01 – Carta 36/58 €
◆ Albergo panoramico collegato al centro da un ascensore scavato nella roccia; splendida terrazza-solarium con piscina riscaldata, accoglienti interni di taglio moderno. Semplice, confortevole e panoramica, la sala da pranzo vi delizierà con i sapori mediterranei.

🏛 Grand Hotel dei Castelli 🏊　⟨⟩ 🝔 🎐 AC ⌿ rist, ⟨⟩ P

via alla Penisola 26 – ✆ *01 85 48 70 20*　　　　　　　VISA ⓪ AE ⑩ ⚅
– *www.hoteldeicastelli.com* – *info@hoteldeicastelli.com* – *Fax 018 54 47 67*
– *30 marzo-4 novembre*
41 cam ⊡ – ♟110/130 € ♟♟210/270 € – 7 suites – ½ P 170 €
Rist – Carta 37/113 €
◆ Su un promontorio con bella vista di mare e coste, caratteristico hotel con costruzioni in stile medievale e ascensori per il mare; interni dalle moderne linee essenziali. Sottili colonne centrali nella raffinata sala da pranzo.

🏛 Grande Albergo　🝔 🍴 🎐 💺 AC ⌿ ⟨⟩ 🛎 P VISA ⓪ AE ⑩ ⚅

via Vittorio Veneto 2 – ✆ *01 85 45 08 37* – *www.grandalbergo-sestrilevante.com*
– *info@grandalbergo.sestrilevante.com* – *Fax 01 85 45 05 47* – *marzo-novembre*
68 cam ⊡ – ♟105/135 € ♟♟170/250 € – ½ P 140/160 €
Rist – *(aprile-ottobre) (chiuso a mezzogiorno) (solo per alloggiati)*
◆ Storico hotel della Riviera di Levante, da pochi anni ha riaperto i battenti in seguito ad una salutare e radicale ristrutturazione. Atmosfera signorile, posizione suggestiva. Bell'ambientazione per la capiente sala ristorante, dehors per i mesi estivi.

Miramare   ← 🏠 🏦 AC 🌙 ⟨⟩ 🍴 🚗 VISA ◎ AE ① ⚡

via Cappellini 9 – ☎ 01 85 48 08 55 – www.miramaresestrilevante.com
– info@miramaresestrilevante.com – Fax 018 54 10 55
– chiuso dal 7 gennaio al 28 febbraio
32 cam – 🛏200/250 € 🛏🛏250/300 € – 4 suites – ½ P 165/200 €
Rist *Baia del Silenzio* – ☎ 01 85 48 58 07 – Carta 52/72 €
♦ A ridosso della quieta Baia del Silenzio, la struttura è stata interamente rinnovata: le camere sono ora all'insegna del design attuale, molte con un'incantevole vista sulla distesa blù. Elegante sala fronte mare, dove gustare proposte culinarie a base di pesce.

Due Mari   ← 🚗 🏠 🔳 🔲 🐾 🏋 🍴 👬 🍴 AC 🌙 rist, 🍴 P 🚗

vico del Coro 18 – ☎ 018 54 26 95   VISA ◎ AE ① ⚡
– www.duemarihotel.it – info@duemarihotel.it – Fax 018 54 26 98
– chiuso dal 15 ottobre al 24 dicembre
53 cam ⌑ – 🛏50/95 € 🛏🛏95/180 € – 2 suites – ½ P 87/120 €
Rist – Carta 30/45 €
♦ Tra romantici edifici pastello, un classico palazzo seicentesco da cui si scorge la Baia del Silenzio, abbellito da un piccolo e suggestivo giardino; interni in stile. Elegante sala da pranzo, specialità di terra e di mare.

Suite Hotel Nettuno   ← 🍴 AC 🌙 ⟨⟩ P VISA ◎ AE ① ⚡

piazza Bo 23/25 – ☎ 01 85 48 17 96 – www.suitehotelnettuno.com – info@
suitehotelnettuno.com – Fax 01 85 48 24 59
18 cam ⌑ – 🛏100/180 € 🛏🛏150/330 €
Rist – (chiuso dal 12 ottobre al 3 dicembre) Carta 32/58 €
♦ Edificio in stile "belle epoque" ubicato sulla passeggiata lungomare. Camere caratteristiche con soppalco per il letto e soggiorno ampio e godibile. Ristorante di grandi dimensioni.

Helvetia senza rist ⚜   ← 🚗 🍴 AC ⟨⟩ 🚗 VISA ◎ AE ⚡

via Cappuccini 43 – ☎ 018 54 11 75 – www.hotelhelvetia.it – helvetia@
hotelhelvetia.it – Fax 01 85 45 72 16 – aprile-ottobre
21 cam ⌑ – 🛏🛏150/200 €
♦ In un angolo tranquillo e pittoresco di Sestri, una costruzione d'epoca ristrutturata con eleganza, adornata da terrazze-giardino fiorite; ariosi ambienti lineari.

Marina   VISA ◎ AE ⚡

via Fascie 100 – ☎ 01 85 48 73 32 – www.marinahotel.it
– marinahotel@marinahotel.it – Fax 018 54 15 27
– chiuso dal 7 gennaio al 1° marzo e dal 2 novembre al 1° dicembre
22 cam – 🛏40/55 € 🛏🛏50/60 €, ⌑ 5 € – ½ P 44/50 €
Rist – (solo per alloggiati)
♦ Sulla statale Aurelia, hotel in posizione centrale recentemente rimodernato, che dispone di ampie e funzionali camere per famiglie e di una saletta biliardo.

XX Dal Marchesino   🍴 VISA ◎ ⚡

via Nazionale 26 – ☎ 018 54 14 01 – dalmarchesino@fastwebnet.it
– Fax 018 54 14 01 – marzo-20 ottobre; chiuso mercoledì
Rist – Carta 31/54 €
♦ Aperto da pochi anni, gestito con passione, ristorante dall'ambiente suggestivo con gradevoli richiami al lontano oriente. La cucina di mare propone tradizione e gusto.

XX El Pescador   ← AC 🌙 P VISA ◎ AE ① ⚡

via Queirolo, al porto – ☎ 018 54 28 88 – elpescador@elpescador.191.it
– Fax 018 54 14 91 – chiuso dal 15 dicembre al 1° marzo e martedì
Rist – Carta 40/65 €
♦ Lungo le pareti delle due sale corrono ampie vetrate che si affacciano su una colorata Baia delle Favole mentre tra i fornelli è esaltata la cucina regionale, carni alla griglia e fragranze marine.

XX San Marco 1957   ← 🍴 VISA ◎ AE ① ⚡

via Queirolo 27, al porto – ☎ 018 54 14 59 – www.sanmarco1957.it
– info@sanmarco1957.it – Fax 018 54 14 59
– chiuso dall' 8 al 25 gennaio, dal 16 al 22 ottobre e mercoledì
Rist – (chiuso a mezzogiorno in agosto) Carta 27/42 € 🍴
♦ Sulla punta estrema della banchina del porticciolo, direttamente sul mare, un ristorante pieno di luce e mondano, arredato in stile marina; proposte di piatti di pesce.

XX **Portobello** 🏤 ♿ 🎧 ⇆ 💳 ⦿ 🎫 ⓘ 🅢
via Portobello 16 – ℰ 018 54 15 66 – 28 febbraio-5 novembre
Rist – *(chiuso mercoledì escluso luglio-agosto)* Carta 36/71 €
♦ Sulla Baia del Silenzio, ristorante recentemente ampliato, con rustica sala in stile marinaresco; servizio estivo nel dehors sulla spiaggia, piatti a base di pesce.

XX **Rezzano Cucina e Vino** 🏤 💳 ⦿ 🎫 🅢
via Asilo Maria Teresa 34 – ℰ 01 85 45 09 09 – rezzanocucinaevino@libero.it
*– Fax 01 85 45 09 09 – chiuso 2 settimane in febbraio, 2 settimane in novembre,
lunedì*
Rist – *(chiuso a mezzogiorno escluso i giorni festivi da ottobre a giugno)*
Carta 43/67 €
♦ Ristorante aperto nel corso del 2003, completamente rinnovato, presenta un ambiente signorile ma senza sofisticazioni. Tavoli in legno e cucina gustosa, di provata esperienza.

a Riva Trigoso Sud-Est : 2 km – ✉ 16037

XX **Asseü** ⇐ 🏤 🅿 💳 ⦿ 🎫 ⓘ 🅢
via G.B. da Ponzerone 2, strada per Moneglia – ℰ 018 54 23 42
– www.asseu.it – info@asseu.it – Fax 018 54 23 42
– chiuso novembre
Rist – *(chiuso mercoledì, escluso agosto, anche lunedì e martedì in gennaio-
marzo)* (consigliata la prenotazione) Carta 32/54 €
♦ In bellissima posizione sulla spiaggia sassosa, un ristorante con piacevole sala in stile marina, dove gustare cucina di pesce; ameno servizio estivo in terrazza sul mare.

SESTRI PONENTE – Genova – Vedere Genova

SETTEQUERCE = SIEBENEICH – Bolzano – Vedere Terlano

SETTIMO TORINESE – Torino (TO) – 561G5 – 47 227 ab. – alt. 207 m   22 B1
– ✉ 10036

▶ Roma 698 – Torino 12 – Aosta 109 – Milano 132

Pianta d'insieme di Torino

🏠 **Green Center Hotel** senza rist 📶 ♿ 🎧 ⒫ ♨ 🅿 💳 ⦿ 🎫 ⓘ 🅢
via Milano 177, Nord-Est : 2 km – ℰ 01 18 00 56 61 – www.green-center.it
– info@green-center.it – Fax 01 18 00 44 19
41 cam ⌂ – †80/90 € ††98/120 €
♦ Benessere e accoglienza al primo posto. Questa moderna casa di campagna offre camere graziose e confortevoli, tutte diverse. Poco distante, piscina, campi da tennis e cavalli.

SEVESO – Milano (MI) – 561F9 – 19 384 ab. – alt. 207 m – ✉ 20030   18 B2
▶ Roma 595 – Como 22 – Milano 21 – Monza 15
🏌 Barlassina, ℰ 0362 56 06 21

XX **La Sprelunga** 🏤 🎧 🍴 🅿 💳 ⦿ 🎫 ⓘ 🅢
via Sprelunga 55 – ℰ 03 62 50 31 50 – www.lasprelunga.it – info@lasprelunga.it
*– Fax 03 62 64 21 56 – chiuso dal 1° al 7 gennaio, 3 settimane in agosto,
domenica sera e lunedì*
Rist – Carta 46/76 €
♦ Proposte culinarie quasi esclusivamente a base di pesce in un confortevole locale, recentemente rinnovato.

SEXTEN = Sesto

SEZZE – Latina (LT) – 563R21 – 22 651 ab. – alt. 319 m – ✉ 04018   13 **C2**

▶ Roma 85 – Frosinone 41 – Napoli 153

in prossimità della strada statale 156 Sud-Est : 11 km

XX   **Da Angeluccio**   🚃 Ⓐ🖥 🎾 P VISA ⑳ AE ① 🕭
via Ponte Ferraioli 48, Migliara 47 ✉ *04010* – ℰ *07 73 89 91 46*
– www.angeluccio.com – info@angeluccio.com – Fax 07 73 89 95 61 – chiuso dal
1° al 15 novembre e lunedì
Rist – Carta 23/43 € (+10 %)
♦ Elegante locale con ampia disponibilità di spazi: fuori un piacevole giardino, dentro un'ampia e classica sala. Dalla cucina piatti di terra ma soprattutto di mare.

SFERRACAVALLO – Palermo – 565M21 – Vedere Sicilia (Palermo) alla fine dell'elenco alf

---

SGONICO – Trieste (TS) – 562E23 – 2 159 ab. – alt. 282 m – ✉ 34010   11 **D3**

▶ Roma 656 – Udine 71 – Portogruaro 86 – Trieste 14

a Devincina Sud-Ovest : 3,5 km – ✉ 34100 – Sgonico

X   **Savron**   🚃 Ⓐ P VISA ⑳ AE ① 🕭
via Devincina 25 – ℰ *040 22 55 92 – labbate.savron@tiscali.it – Fax 040 22 55 92*
– chiuso 1 settimana in febbraio e 1 settimana in settembre
Rist – Carta 24/37 €
♦ Locale rustico articolato in due sale, la più piccola delle quali è decorata con fotografie e storie di personaggi della storia austro-ungarica. Al tavolo, la cucina mitteleuropea.

SIBARI – Cosenza (CS) – 564H31 – ✉ 87011▯ Italia   5 **A1**

▶ Roma 488 – Cosenza 69 – Potenza 186 – Taranto 126

🔠   **Il Borghetto**   🏊 🎐 ⅃ゟ 🎾 ⅓ Ⓐ 🎾 rist, 🛜 🔰 VISA ⑳ AE 🕭
a Marina di Sibari, località Salicetta, Est: 3 km – ℰ *09 81 78 41 79*
– www.ilborghettosibari.it – info@ilborghettosibari.it – Fax 09 81 78 41 87
33 cam ⌑ – ✝70/125 € ✝✝100/180 € – ½ P 70/120 €   **Rist** – Carta 26/65 €
♦ In posizione decentrata, vicino ai campi da golf, albergo recente dal confort moderno. Maneggio ed altre attività sportive per gli amanti della vita all'aria aperta.

sulla strada statale 106 al km 28,200 Nord : 2 km :

🔠   **Sybaris**   ⅃ 🎾 🏩 ⅓ Ⓐ 🎐 🔰 P 🚗 VISA ⑳ AE ① 🕭
🕭   *località Bruscate Piccola* – ℰ *09 81 78 41 40 – www.sybarismotel.com – info@*
sybarismotel.com – Fax 09 81 78 41 11
96 cam ⌑ – ✝50/130 € ✝✝70/190 € – ½ P 70/115 €   **Rist** – Carta 18/46 €
♦ In comoda posizione stradale un complesso caratterizzato da varie strutture, dotato di ampio parcheggio, piscina e camere molto ampie. Spiaggia privata a un chilometro. Ristorante di notevoli dimensioni, utilizzato anche per banchetti.

ai Laghi di Sibari Sud-Est : 7 km :

X   **Oleandro** con cam 🐾   🚃 ⅃ Ⓐ 🛜 P VISA ⑳ AE 🕭
contrada Casa Bianca, località Cassano Jonio ✉ *87070* – ℰ *09 81 79 49 28*
– www.hoteloleandro.it – info@hoteloleandro.it – Fax 098 17 91 41
23 cam ⌑ – ✝40/60 € ✝✝80/110 € – ½ P 65/75 €   **Rist** – Carta 25/37 €
♦ Una sosta rilassante tra i laghi artificiali di Sibari, per passare una giornata nel verde e gustare cucina marinara nella luminosa sala; piacevole servizio all'aperto. Camere confortevoli.

SICILIA (Isola di) – 565 – Vedere alla fine dell'elenco alfabetico

---

SICULIANA – Agrigento – 565O22 – Vedere Sicilia alla fine dell'elenco alfabetico

SIDERNO – Reggio di Calabria (RC) – 564M30 – **17 176 ab.** – ⊠ **89048**   5 **B3**

> ▶ Roma 697 – Reggio di Calabria 103 – Catanzaro 93 – Crotone 144

✗ **La Vecchia Hosteria**   &. 🆎 🎇 VISA ⑩ 🅰🅴 ☝

⊛ *via Matteotti 5 – ℰ 09 64 38 88 80 – www.lavecchiahostaria.com – info@
lavecchiahostaria.com*
Rist – *(chiuso mercoledì escluso luglio-agosto)* (consigliata la prenotazione)
Carta 26/39 €

♦ Poco lontano dalla stazione, ristorante dall'accogliente ambiente rustico: soffitto a
volte con mattoni a vista e arredi in legno. Piatti di mare e specialità locali.

SIEBENEICH = Settequerce

SIENA 🅿 (SI) – 563M16 – **54 370 ab.** – alt. 322 m – ⊠ 53100 ▌ Toscana   29 **C2**

> ▶ Roma 230 – Firenze 68 – Livorno 116 – Milano 363

> 🅸 piazza del Campo 56 ℰ 0577 280551, aptsiena@terresiena.it Fax 0577
> 270676

> ◉ Piazza del Campo★★★ BX : palazzo Pubblico★★★ **H**, ❊★★ dalla Torre
> del Mangia – Duomo★★★ AX – Museo dell'Opera Metropolitana★★ ABX
> **M1** – Battistero di San Giovanni★ : fonte battesimale★★ AX **A** – Palazzo
> Buonsignori★ : pinacoteca★★★ BX – Via di Città★ BX – Via Banchi di
> Sopra★ BVX **4** – Piazza Salimbeni★ BV – Basilica di San Domenico★ :
> tabernacolo★ di Giovanni di Stefano e affreschi★ del Sodoma AVX
> – Adorazione del Crocifisso★ del Perugino, opere★ di Ambrogio
> Lorenzetti, Matteo di Giovanni e Sodoma nella chiesa di Sant'Agostino BZ

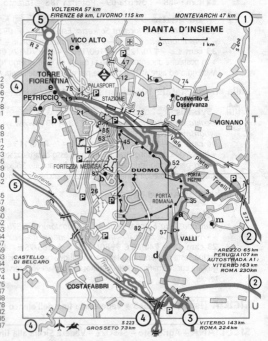

Circolazione
regolamentata nel centro città

SIENA

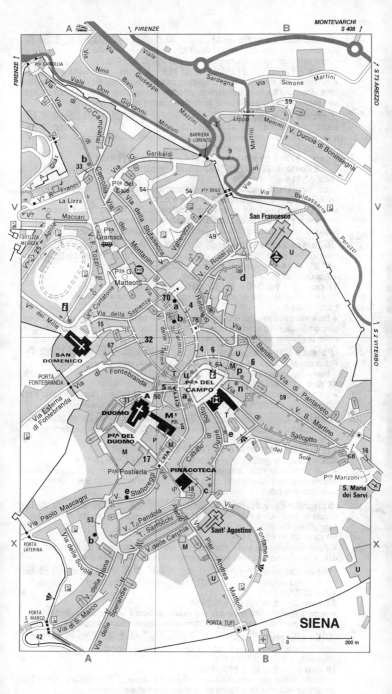

SIENA

0   200 m

Grand Hotel Continental 🛗 ♿ [AC] 🚭 rist, 📶 🏋 [VISA] [MC] [AE] [D] $

via Banchi di Sopra 85 – ☎ 057 75 60 11 – www.royaldemeure.com
– reservation.ghc@royaldemeure.com – Fax 057 75 60 15 55 BV**a**

46 cam – 🛏211/352 € 🛏🛏284/638 €, ☕ 26 € – 5 suites **Rist** Carta 43/67 € 🍷

◆ Hotel ospitato all'interno di un prestigioso palazzo seicentesco del centro storico. Riaperto dopo una totale ristrutturazione, presenta un magnifico salone affrescato. Originale ristorante ricavato nella corte interna, per gustare piatti del territorio.

Certosa di Maggiano 🌙 ≤ 🌳 ☂ 🏊 🎾 [AC] cam, 🚭 📶 [P]

✿ *strada di Certosa 82 – ☎ 05 77 28 81 80* [VISA] [MC] [AE] $
– www.certosadimaggiano.com – certosa@relaischateaux.com
– Fax 05 77 28 81 89 – marzo-novembre U**m**

9 cam – 🛏238 € 🛏🛏388/428 €, ☕ 31 € – 8 suites – 🛏🛏588 €

Rist *Il Canto* – ☎ 05 77 28 81 82 *(chiuso martedì) (chiuso a mezzogiorno)*
Carta 60/91 € 🍷

Spec. Gnocchi di patate, limone candito e cumino. Monocromo di scampi. Soufflé al pan pepato, schiuma di latte e rum.

◆ Un soggiorno esclusivo in una splendida certosa del XIV sec., impreziosita da un incantevole parco con piscina riscaldata; ambienti di estrema raffinatezza, belle camere. Sala ristorante tanto ricca di richiami storici quanto moderna ed avvincente la cucina.

Villa Scacciapensieri 🌙 🏞 🌳 ☂ 🏊 🎾 🛗 ♿ cam, [AC] 🚭 rist,

strda di Scacciapensieri 10 📶 🏋 [P] [VISA] [MC] [AE] [D] $
– ☎ 057 74 14 41 – www.villascacciapensieri.it – villasca@tin.it
– Fax 05 77 27 08 54 – marzo-novembre T**k**

31 cam ☕ – 🛏85/140 € 🛏🛏130/265 € – ½ P 112/180 €

Rist – *(chiuso mercoledì) (chiuso a mezzogiorno escluso giugno-settembre)*
Carta 47/64 €

◆ Bella villa padronale dell'800 immersa in un parco con splendida vista sulla città e sui colli; gradevole saletta con camino centrale, camere con arredi in stile. Servizio ristorante estivo in giardino fiorito, cucina eclettica.

Palazzo Ravizza senza rist 🏞 🛗 [AC] 📶 [P] [VISA] [MC] [AE] [D] $

Piano dei Mantellini 34 – ☎ 05 77 28 04 62 – www.palazzoravizza.com
– bureau@palazzoravizza.it – Fax 05 77 22 15 97 AX**b**

34 cam ☕ – 🛏120/170 € 🛏🛏145/230 € – 4 suites

◆ Un tuffo nel passato in un'incantevole costruzione del XVII sec. raccolta intorno a un pittoresco giardinetto; mobilio d'epoca, suggestive camere di monacale semplicità.

Garden 🌙 🌳 ☂ 🏊 🎾 🛗 [AC] 📶 🏋 [P] [VISA] [MC] [AE] [D] $

via Custoza 2 – ☎ 05 77 56 71 11 – www.gardenhotel.it – info@gardenhotel.it
– Fax 057 74 60 50 T**b**

125 cam ☕ – 🛏102/184 € 🛏🛏108/252 € – ½ P 79/154 €

Rist – *(chiuso a mezzogiorno da dicembre a marzo)* Carta 28/49 €

◆ Alle porte della città, complesso a vocazione congressuale in un rigoglioso parco ombreggiato: eleganti ambienti con soffitti decorati, confortevoli camere rinnovate. Servizio ristorante estivo in terrazza panoramica.

Sangallo Park Hotel senza rist ≤ 🏞 🏊 ♿ [AC] 📶 [P] [VISA] [MC] $

strada di Vico Alto 2 – ☎ 05 77 33 41 49 – www.sangalloparkhotel.it – info@sangalloparkhotel.it – Fax 05 77 33 33 06 T**c**

50 cam ☕ – 🛏🛏60/140 €

◆ Recente struttura di taglio moderno, con giardino, in strategica posizione per ospedale, centro convegni e città; interni funzionali, camere sobrie, in legno chiaro.

Santa Caterina senza rist 🏞 🛗 [AC] 📶 [P] [VISA] [MC] [AE] [D] $

via E. S. Piccolomini 7 – ☎ 05 77 22 11 05 – www.hscsiena.it – info@hscsiena.it
– Fax 05 77 27 10 87 U**a**

22 cam ☕ – 🛏65/125 € 🛏🛏98/185 €

◆ Appena fuori le mura, gradevole villa raccolta intorno a un suggestivo giardino; all'interno collezione di stampe e oggetti, camere eterogenee, alcune soppalcate.

Villa Liberty senza rist 🏞 🛗 [AC] 🚭 📶 [VISA] [MC] [AE] $

viale Vittorio Veneto 11 – ☎ 057 74 49 66 – www.villaliberty.it – info@villaliberty.it – Fax 057 74 47 70 TU**b**

18 cam ☕ – 🛏60/80 € 🛏🛏90/140 €

◆ Villetta liberty alle porte della città, vicino alla chiesa di S. Domenico: interni ben tenuti e veranda che ne potenzia gli spazi comuni; camere funzionali.

⌂ **Villa Piccola Siena** senza rist   [AC] 🛈 [P] [VISA] 🐵 [AE] ① ⚂
*via Petriccio Belriguardo 7 – ℰ 05 77 58 80 44 – www.villapiccolasiena.com
– info@villapiccolasiena.com – Fax 05 77 58 95 10*   T**e**
13 cam ⌂ – †50/80 € ††60/130 €
♦ Alle porte della città, piccolo albergo all'interno di due edifici d'epoca: camere accoglienti e curate, arredate con mobilio in stile, non prive di confort.

⌂ **Duomo** senza rist   ⪡ [❘❙] [AC] 🛈 [VISA] 🐵 [AE] ① ⚂
*via Stalloreggi 38 – ℰ 05 77 28 90 88 – www.hotelduomo.it – booking@
hotelduomo.it – Fax 057 74 30 43*   AX**e**
20 cam ⌂ – †85/125 € ††105/150 €
♦ A due passi dal Duomo, un albergo all'interno di un palazzo seicentesco, con una piccola terrazza panoramica; zone comuni lineari, camere di taglio moderno.

↑ **Antica Residenza Cicogna** senza rist   [AC] 🛠 🛈 [VISA] 🐵 ⚂
*via dei Termini 67 – ℰ 05 77 28 56 13 – www.anticaresidenzacicogna.it – info@
anticaresidenzacicogna.it – Fax 05 77 28 56 13*   BV**b**
5 cam ⌂ – †70/90 € ††85/100 €
♦ Al primo piano di un palazzo di origini medievali, camere graziosamente arredate, personalizzate con affreschi ottocenteschi o liberty, una con letto a baldacchino.

XXX **Antica Trattoria Botteganova** (Michele Sorrentino)   [AC] 🛠 ⟷
⁂   *strada Chiantigiana 29, per Montevarchi*   [P] [VISA] 🐵 [AE] ① ⚂
*– ℰ 05 77 28 42 30 – www.anticatrattoriabotteganova.it – info@
anticatrattoriabotteganova.it – Fax 05 77 27 15 19 – chiuso domenica*
Rist – Carta 51/65 €   T**g**
Spec. Tortelli di pecorino con fonduta di parmigiano e tartufo. Coniglio farcito alle olive verdi su carciofi brasati. Tortino di cioccolato nero su salsa di cioccolato bianco.
♦ Oltre l'ingresso, due piccole ma eleganti sale - ricche di decorazioni e con belle esposizioni di vini e riviste - dove assaporare una cucina toscana di alto profilo.

XX **Al Mangia**   ⪡ 🛋 [AC] [VISA] 🐵 [AE] ① ⚂
*piazza del campo 42 – ℰ 05 77 28 11 21 – www.almangia.it – almangia@
almangia.it – Fax 057 74 39 97*   BX**u**
Rist – *(chiuso giovedì escluso da marzo ad ottobre)* Carta 51/64 €
♦ In splendida posizione sulla Piazza del Campo, ristorante con una sala elegante, con mattoni a vista; ameno, imperdibile, servizio estivo all'aperto.

XX **Tre Cristi**   [AC] [VISA] 🐵 [AE] ① ⚂
*vicolo di Provenzano 1/7 – ℰ 05 77 28 06 08 – www.trecristi.com – info@
trecristi.com – Fax 05 77 28 06 08 – chiuso 10 giorni in gennaio*   BV**d**
Rist – *(chiuso domenica)* Menu 35/65 € – Carta 41/55 € (+10 %)
♦ Storico ristorante senese ritornato in auge grazie alla nuova e appassionata gestione. Ambiente elegante dove apprezzare lo stuzzicante menù di mare.

XX **Enzo**   [AC] [VISA] 🐵 [AE] ① ⚂
via Camollia 49 – ℰ 05 77 28 12 77 – Fax 05 77 24 77 76   AV**b**
Rist – *(consigliata la prenotazione)* Menu 29/55 € – Carta 32/47 €
♦ Piccolo e classico locale a conduzione familiare con sala d'impostazione elegante; il menu propone una buona selezione di piatti di terra e di mare.

XX **Mugolone**   [AC] 🛠 ⟷ [VISA] 🐵 [AE] ① ⚂
*via dei Pellegrini 8 – ℰ 05 77 28 30 39 – Fax 05 77 21 90 91
– chiuso dal 21 gennaio al 10 febbraio*   BX**s**
Rist – *(chiuso giovedì e domenica sera)* Carta 31/38 € (+10 %)
♦ Contesto tradizionale, ambiente curato con attenta gestione familiare giunta alla terza generazione. Menu legato alle stagioni, funghi e tartufi tra le specialità.

X **Osteria le Logge**   [AC] ⟷ [VISA] 🐵 [AE] ① ⚂
*via del Porrione 33 – ℰ 057 74 80 13 – www.osterialelogge.it – lelogge@
osterialelogge.it – Fax 05 77 22 47 97 – chiuso dal 7 gennaio al 2 febbraio*
Rist – *(chiuso domenica)* Carta 35/44 € 🕸   BX**p**
♦ In centro, una nota trattoria: all'ingresso la cucina a vista e una saletta con alti mobili a vetri, al piano superiore una sala più classica; piatti locali rivisitati.

✗ La Taverna di San Giuseppe   ♿ 𝗩𝗜𝗦𝗔 ⓜⓞ 𝗔𝗘 ⓘ 💰

via Giovanni Duprè 132 – ☎ 057 74 22 86 – www.tavernasangiuseppe.it
– ristorante@tavernasangiuseppe.it – Fax 05 77 21 96 20
– chiuso dal 15 al 30 gennaio e dal 15 al 30 luglio   BX**c**
Rist – *(chiuso domenica)* Carta 25/46 € ⓪ (+10 %)
♦ Gestione giovane in un ristorante caratteristico nel cuore di Siena: ambiente rustico con bei tavoli in legno massiccio. Cantine nel tufo di un'antica casa etrusca.

✗ Trattoria Fori Porta   𝗔𝗖 ⟷ 𝗩𝗜𝗦𝗔 ⓜⓞ 𝗔𝗘 ⓘ 💰

via Claudio Tolomei 1 (angolo via E. S. Piccolomini) – ☎ 05 77 22 21 00
– www.foriporta.com – foriporta@libero.it – Fax 05 77 22 21 00   U**d**
Rist – Carta 24/50 €
♦ Fuori le mura, oltre Porta Romana, ristorante dall'ambiente semplice con rifiniture in legno e proposte gastronomiche regionali. Pizze, la sera.

✗ Nello "La Taverna"   𝗔𝗖 𝗩𝗜𝗦𝗔 ⓜⓞ 💰

via del Porrione 28 – ☎ 05 77 28 90 43 – spaghettialdente@email.com – chiuso gennaio e domenica   BX**n**
Rist – Carta 26/34 €
♦ A pochi passi da Piazza del Campo, un locale informale dall'ambiente rustico-moderno. Atmosfera raccolta; piatti del territorio, anche vegetariani, in chiave moderna.

✗ Trattoria Papei   🎔 𝗩𝗜𝗦𝗔 ⓜⓞ 𝗔𝗘 ⓘ 💰

piazza del Mercato 6 – ☎ 05 77 28 08 94 – Fax 05 77 28 08 94 – chiuso dal 20 al 31 luglio e lunedì sera   BX**e**
Rist – Carta 22/30 €
♦ Locale raccolto e informale gestito da un'intera famiglia: la mamma in cucina propone i piatti più autentici della Toscana. Nelle vicinanze, la piazza del palio.

---

per Santa Regina Est : 2,5 km – ✉ 53100 – Siena

⌂ Frances' Lodge senza rist ✍   ⬉ 🚗 ⌱ 𝗔𝗖 ⇚ ⅏ 𝗣 𝗩𝗜𝗦𝗔 ⓜⓞ 💰

strada Valdipugna 2 – ☎ 05 77 28 10 61 – www.franceslodge.it
– Fax 05 77 28 10 61 – chiuso dal 10 gennaio al 28 febbraio
6 cam ⊊ – †140/150 € ††190/220 €
♦ Casa immersa nel verde delle colline, impreziosita da un giardino storico in cui spicca la limonaia. Ambienti di charme e gusto, camere personalizzate, da sogno.

---

a Vagliagli Nord-Est : 11,5 km per Statale 222 *T* – ✉ 53010

🏘 Relais Borgo Scopeto ✍   ⬉ 🚗 🎔 ⌱ ⅏ 🖳 ♿ ⚘ 𝗔𝗖 ⇚ ☏ 🕮

strada Comunale 14 Vagliagli – ☎ 05 77 32 00 01   𝗣 𝗩𝗜𝗦𝗔 ⓜⓞ 𝗔𝗘 💰
– www.borgoscopetorelais.it – info@borgoscopetorelais.it – Fax 05 77 32 05 55
45 cam ⊊ – †146/216 € ††187/291 € – 13 suites   **Rist** – Menu 42 €
♦ Attorno ad un'antica torre di avvistamento del XIII sec, dove già nel 1700 sono stati costruiti altri rustici, si snoda questa originale struttura caratterizzata da camere estremamente personalizzate e curate nei dettagli. Ottime finiture e, in alcune, arredi costituiti da autentici pezzi di antiquariato.

🏠 Casali della Aiola senza rist ✍   ⬉ 🚗 ⅏ 𝗣 𝗩𝗜𝗦𝗔 ⓜⓞ 𝗔𝗘 ⓘ 💰

località l'Aiola, Est : 1 km ✉ 53019 – ☎ 05 77 32 27 97
– www.aiola.net – casali_aiola@hotmail.com – Fax 05 77 32 25 09
– chiuso dicembre-febbraio
8 cam ⊊ – †86 € ††96 €
♦ Un soggiorno nella natura, tra vigneti e dolci colline, in un antico fienile restaurato: camere molto piacevoli (una con salottino), con arredi in legno e travi a vista.

✗ La Taverna di Vagliagli   🎔 ⅏ 𝗩𝗜𝗦𝗔 ⓜⓞ 𝗔𝗘 ⓘ 💰

via del Sergente 4 – ☎ 05 77 32 25 32 – Fax 05 77 32 18 42
– chiuso dal 20 gennaio al 20 febbraio
Rist – *(chiuso martedì) (chiuso a mezzogiorno escluso sabato e domenica)* Carta 29/43 €
♦ In un caratteristico borgo del Chianti, locale rustico molto gradevole, con pietra a vista e arredi curati; specialità alla brace, cucinate davanti ai clienti.

a Corsignano Nord : 9 km – ✉ 53010

⋔ **Casa Lucia** senza rist ⪡ 🚗 **P** 𝗩𝗜𝗦𝗔 ⓐⓔ ⑤
località Corsignano 4, Vagliagli – ☎ *05 77 32 25 08 – www.casalucia.it – info@
casalucia.it – Fax 05 77 32 25 10 – chiuso dal 10 gennaio al 10 marzo*
14 cam – †69/76 € ††79/86 €, ☲ 5 €
♦ Tra vigne e ulivi una risorsa composta da due distinti edifici, egualmente gradevoli e
affascinanti. Una fornace e un pagliaio, sapientemente ristrutturati.

SIETI – Salerno – 564E26 – **Vedere Giffoni Sei Casali**

SIGNATO – Bolzano – **Vedere Bolzano**

SILANDRO (SCHLANDERS) – Bolzano (BZ) – 562C14 – **5 788 ab.**   30 **A2**
– alt. 721 m – ✉ 39028
  🚩 Roma 699 – Bolzano 62 – Merano 34 – Milano 272
  🛈 via Covelano 27 ☎ 0473 737050, schlanders@suedtirol.com, Fax 0473 621615

a Vezzano (Vezzan)Est : 4 km – ✉ 39028 – Silandro

🏨 **Sporthotel Vetzan** ⪡ 🚗 🏠 ▨ 🕙 🐬 ⅃₆ ❀ ⎈ 🄟 🚗 𝗩𝗜𝗦𝗔 ⓐ ⑤
– ☎ *04 73 74 25 25 – www.sporthotel-vetzan.com – info@sporthotel-vetzan.com
– Fax 04 73 74 24 67 – Natale-7 gennaio e Pasqua-novembre*
23 cam ☲ – †66/86 € ††120/142 € – 1 suite – ½ P 76/93 €
Rist – *(chiuso a mezzogiorno) (solo per alloggiati)* Menu 25/45 €
♦ Per vacanze nel verde, un albergo immerso tra i frutteti in posizione soleggiata e tranquilla; zone comuni in stile montano di taglio moderno, spaziose camere classiche.

🏨 **Vinschgerhof** ⪡ 🏠 ▨ 🕙 ⎈ 🄟 🚗 𝗩𝗜𝗦𝗔 ⓐ ⑤
– ☎ *04 73 74 21 13 – www.vinschgerhof.com – info@vinschgerhof.com
– Fax 04 73 74 00 41 – chiuso gennaio*
30 cam ☲ – †38/58 € ††70/110 € – ½ P 50/75 €
Rist – *(chiuso lunedì)* Carta 24/41 €
♦ Per soggiorni tranquilli, piacevole struttura dalla gestione solida e affidabile, dotata di servizi completi e di un rilassante centro benessere. Ristorante molto attivo e frequentato.

SILEA – Treviso (TV) – 562F18 – **9 602 ab.** – ✉ 31057   35 **A1**
  🚩 Roma 541 – Venezia 26 – Padova 50 – Treviso 5

✗✗ **Da Dino** 🏠 🄰🄲 ❀ 🄟 𝗩𝗜𝗦𝗔 ⓐ ⑤
via Lanzaghe 13 – ☎ *04 22 36 07 65 – www.trattoriadadino.com
– chiuso dal 24 dicembre al 6 gennaio e 15 giorni in estate*
Rist – *(chiuso martedì sera e mercoledì)* Carta 30/39 €
♦ Locale semplice e familiare: ambiente accogliente nelle due salette in stile rustico di
tono signorile; proposte gastronomiche con radici nel territorio.

SILVIGNANO – Pérouse (PG) – 563N20 – **vedere Spoleto**

SILVI MARINA – Teramo (TE) – 563O24 – **15 329 ab.** – ✉ 64028   1 **B1**
  🚩 Roma 216 – Pescara 19 – L'Aquila 114 – Ascoli Piceno 77
  🛈 via Garibaldi 208 ☎ 085 930343, iat.silvi@abruzzoturismo.it, Fax 085930026
  🄶 Atri : Cattedrale★★ Nord-Ovest : 11 km – Paesaggio★★ (Bolge), Nord-
  Ovest : 12 km

🏢 **Mion** ⪡ 🏠 ⃒ 🄸 ⎈ ⚶ 🄰🄲 ⅘ ❀ 🕙 🄟 🚗 𝗩𝗜𝗦𝗔 ⓐ ⓐⓔ ① ⑤
viale Garibaldi 22 – ☎ *08 59 35 09 35 – www.mionhotel.com – info@
mionhotel.com – Fax 08 59 35 08 64 – maggio-settembre*
64 cam – ††125/225 €, ☲ 18 € – ½ P 135/185 € **Rist** – Carta 40/58 €
♦ Fronte mare, l'hotel è cinto da un curato giardino, offre piacevoli spazi comuni arredati con eleganza e gusto coloniale ed alcune camere impreziosite da mobilio d'epoca.
Nell'elegante sala ristorante proposte di cucina italiana; d'estate il servizio è anche nella
fiorita terrazza accanto alla piscina.

🏨 **Parco delle Rose** ≪ 🚗 🏊 🎐 ♨ 🅰️🅒 cam, 🍴 rist, 🅿️
viale Garibaldi 36 – 🕿 *08 59 35 09 89* 𝘝𝘐𝘚𝘈 ⓸ 🄰🄴 ⓸ ⓼
– www.parcodellerose.it – info@parcodellerose.it
– Fax 08 59 35 09 87 – 26 maggio-15 settembre
63 cam 🛏 – 🕴55/80 € 🕴🕴82/102 € – ½ P 76/104 € **Rist** – Menu 30/50 €
◆ Una bianca costruzione circondata da un profumato giardino di gelsomini e rose, dispone di vasti spazi comuni arredati con pezzi d'antiquariato e semplici camere confortevoli. Prodotti locali e nazionali presso le classiche sale da pranzo.

🏠 **Cirillo** ≪ 🎐 ♨ 🅰️🅒 🍴 𝘝𝘐𝘚𝘈 ⓸ ⓼
viale Garibaldi 238 – 🕿 *085 93 04 04 – www.hotelcirillo.it – hcirillo@insinet.it*
– Fax 08 59 35 09 50 – giugno-14 settembre
48 cam – 🕴70/75 € 🕴🕴85/95 €, 🛏 4 € – ½ P 66/96 € **Rist** – Menu 22/24 €
◆ Situata in posizione tranquilla, la risorsa - completamente ristrutturata nel 2008 - dispone di un diretto accesso alla spiaggia, spazi curati e camere modernamente arredate. La sala ristorante con vista mare propone una gustosa cucina moderna, con prevalenza di specialità ittiche.

🏠 **Miramare** ≪ 🚗 🏡 🏊 🎐 ♨ 🅰️🅒 rist, 🍴 rist, 𝘝𝘐𝘚𝘈 ⓸ 🄰🄴 ⓸ ⓼
viale Garibaldi 134 – 🕿 *085 93 02 35 – www.miramaresilvi.it – info@miramaresilvi.it – Fax 08 59 35 15 33 – aprile-settembre*
55 cam – 🕴35/65 € 🕴🕴70/130 €, 🛏 10 € – ½ P 85 € **Rist** – Carta 25/31 €
◆ Circondato da un giardino, l'albergo vanta un'atmosfera indiscutibilmente familiare e dispone di campi da gioco e confortevoli camere arredate con gusti differenti. Al ristorante, sobri arredi in calde tonalità, cucina nazionale e piatti di pesce.

🍴🍴 **Don Ambrosio** con cam ⌂ 🚗 🏡 🅰️🅒 rist, 🍴 rist, 🅿️
☺ *contrada Piomba 49 –* 🕿 *08 59 35 10 60* 𝘝𝘐𝘚𝘈 ⓸ 🄰🄴 ⓸ ⓼
– www.donambrosio.it – info@donambrosio.it – Fax 08 59 35 51 40 – chiuso dal 7 al 21 gennaio, dal 14 al 21 aprile e dal 22 al 27 settembre
10 cam 🛏 – 🕴40/50 € 🕴🕴70/90 € – ½ P 55/70 €
Rist – *(chiuso martedì e mercoledì a mezzogiorno)* Carta 28/59 € 🏵
◆ In un edificio rustico, il locale si articola in tre salette con archi in mattoni dove gustare una cucina regionale e di carne. D'estate è disponbile un servizio all'aperto. Confortevoli camere country, alcune con vista sul mare.

SINAGRA – Messina – 565M26 – **Vedere Sicilia alla fine dell'elenco alfabetico**

SINALUNGA – Siena (SI) – 563M17 – **12 092 ab. – alt. 365 m** 29 **C2**
– ✉ 53048 ▮ Toscana

🄳 Roma 188 – Siena 45 – Arezzo 44 – Firenze 103
🄸 piazza della Repubblica 8 🕿 0577 636045, infosinalunga@freemail.it,Fax 0577 636938

🏨🏨 **Locanda dell'Amorosa** ⌂ ≪ 🚗 🏡 🏊 🅰️🅒 🍴 🛰 ⛴ 🅿️
Sud : 2 km – 🕿 *05 77 67 72 11 – www.amorosa.it* 𝘝𝘐𝘚𝘈 ⓸ 🄰🄴 ⓸ ⓼
– locanda@amorosa.it – Fax 05 77 63 20 01 – chiuso dall' 7 gennaio al 7 marzo
27 cam 🛏 – 🕴190/325 € 🕴🕴253/388 €
Rist *Le Coccole dell'Amorosa* – *(chiuso lunedì e martedì a mezzogiorno)*
Menu 50 € – Carta 43/56 €
◆ Un'antica fattoria, al cui interno sono stati ricavati ampi e luminosi spazi comuni dall'arredo rustico ma suggestivo. Fuori, una piscina panoramica tra le colline senesi. Un ambiente rustico, un camino ed archi in mattoni, per gustare una cucina regionale e scegliere tra un intressante ventaglio di vini.

🏠 **Santorotto** 🎐 🍴 rist, 🛰 🅿️ 𝘝𝘐𝘚𝘈 ⓸ 🄰🄴 ⓸ ⓼
☺☺ *via Trento 171, Est : 1 km –* 🕿 *05 77 67 90 12 – www.santorotto.it – hotel@santorotto.it – Fax 05 77 67 90 12*
27 cam – 🕴40/48 € 🕴🕴70 €, 🛏 6 € – ½ P 50 €
Rist – *(solo per alloggiati)* Menu 16 €
◆ Una piccola e moderna costruzione situata in posizione centrale e, pertanto, facilmente raggiungibile, dispone di camere ampie e confortevoli recentemente rinnovate.

↑↑ **San Giustino** ⚘ ≤ 🕭 🈑 ☰ 🍴 📶 🍴 🎇 P VISA ⓪ AE ① 👶
via Dei Frati 171, Ovest : 2 km – ℰ *05 77 63 04 14 – www.sangiustino.com
– info@sangiustino.com – Fax 05 77 63 22 85 – 25 dicembre-7 gennaio e aprile-
ottobre*
12 cam ⌑ – ♦80/110 € ♦♦110/170 € – 2 suites – ½ P 85/115 €
Rist – Carta 22/38 €
◆ In aperta campagna, circondata da cipressi ed ulivi, questa elegante villa del '500 propone ampi spazi comuni dagli arredi classici, ma conformi ai canoni delle esigenze
moderne. Circondato da ulivi ed affacciato alla piscina, il ristorante propone le ricette
tipiche toscane.

XX **Da Santorotto** 🈑 AC P VISA ⓪ AE 👶
via Trento 173, Est : 1 km – ℰ *05 77 67 86 08 – santorotto@inwind.it
– Fax 05 77 67 86 08 – chiuso dal 10 al 23 agosto, sabato a mezzogiorno e
martedì sera*
Rist – Carta 22/31 €
◆ Un locale classico ben illuminato e dall'arredamento moderno, propone una cucina
semplice, attenta ai prodotti, e prevalentemente regionale.

a Bettolle Est : 6,5 km – ✉ 53040

🏠 **Locanda La Bandita** ⚘ 🚃 🈑 🍴 P VISA ⓪ AE ① 👶
via Bandita 72, Nord : 1 km – ℰ *05 77 62 46 49 – www.locandalabandita.it
– info@locandalabandita.it – Fax 05 77 62 46 49
– chiuso dal 10 gennaio al 10 febbraio*
9 cam ⌑ – ♦70/80 € ♦♦80/100 € – ½ P 70/80 €
Rist – *(chiuso dal 10 al 25 gennaio e martedì)* Carta 29/35 €
◆ Un bel cascinale circondato da un'ampia pineta dà ai suoi ospiti la possibilità di soggiorni rilassanti in camere e spazi comuni in stile antico e primi '900. Presso il ristorante
proposte stagionali dai sapori del territorio. Servizio estivo all'aperto e degustazione di
vini ed olii nel porticato.

SINIO – Cuneo (CN) – 561I6 – 474 ab. – alt. 357 m – ✉ 12050 25 **C2**
🔺 Roma 605 – Cuneo 63 – Asti 47 – Savona 72

↑↑ **Agriturismo Le Arcate** ⚘ ≤ 🍴 ⒫ P VISA ⓪ AE ① 👶
🐾 *località Gabutto 2 –* ℰ *01 73 61 31 52 – www.agriturismolearcate.it – learcate@
agriturismolearcate.it – Fax 01 73 61 31 52 – chiuso dall'8 gennaio al 15 febbraio*
8 cam ⌑ – ♦50 € ♦♦65/68 € – ½ P 52 € **Rist** – Menu 20/28 €
◆ Recentemente ampliata con una piscina all'interno della zona verdeggiante, l'azienda
agricola propone stanze molto luminose che si aprono sulla campagna circostante punteggiata di castelli. Piatti piemontesi e una panoramica balconata per le cene estive.

SINISCOLA – Nuoro – 566F11 – **Vedere Sardegna alla fine dell'elenco alfabetico**

SIRACUSA P – 565P27 – **Vedere Sicilia alla fine dell'elenco alfabetico**

SIRIO (Lago) – Torino – **Vedere Ivrea**

SIRMIONE – Brescia (BS) – 561F13 – **7 061 ab.** – alt. 68 m – ✉ 25019 17 **D1**
📗 Italia

🔺 Roma 524 – Brescia 39 – Verona 35 – Bergamo 86
🛈 viale Marconi 2 ℰ 030 916114, iat.sirmione@tiscali.it, Fax 030 916245
◎ Località ★★ – Grotte di Catullo : cornice pittoresca ★★ – Rocca Scaligera ★

🏨🏨 **Villa Cortine Palace Hotel** ⚘ 🕭 🈑 🍴 🎇 ≢ AC 🎇 rist, ☖ P
via Grotte 12 – ℰ *03 09 90 58 90* VISA ⓪ AE ① 👶
*– www.palacehotelvillacortine.com – info@hotelvillacortine.com
– Fax 030 91 63 90 – 9 aprile-18 ottobre*
52 cam ⌑ – ♦420/490 € ♦♦480/680 € – 2 suites – ½ P 310/410 €
Rist – Carta 52/80 €
◆ Una vacanza esclusiva in una villa ottocentesca in stile neoclassico all'interno di uno
splendido grande parco digradante sul lago; incantevoli interni di sobria eleganza. Raffinatezza e classe nell'ampia sala da pranzo; romantico servizio estivo all'aperto.

Grand Hotel Terme ⟨ 🍴 rist,
viale Marconi 7 – ✆ *030 91 62 61* 🅿 VISA ⦿ AE ⓪ ⚎
– *www.termedisirmione.com* – *booking@termedisirmione.com* – *Fax 030 91 65 68*
– *chiuso sino a febbraio*
57 cam ⊠ – ♦190/291 € ♦♦238/470 € – ½ P 159/275 €
Rist *L'Orangerie* – Carta 43/63 €
♦ Un giardino in riva al lago con piscina impreziosisce questa bella struttura panoramica: colori vivaci negli interni arredati con gusto, wellness completo e area congressi. Comodi a tavola per ammirare il paesaggio lacustre e per assaporare la tradizione mediterranea.

Olivi ⟨ 🍴 rist, 🅿 VISA ⦿ AE ⚎
via San Pietro 5 – ✆ *03 09 90 53 65* – *www.hotelolivi.com* – *info@hotelolivi.com*
– *Fax 030 91 64 72* – *marzo-novembre*
64 cam ⊠ – ♦84/150 € ♦♦120/222 € – ½ P 95/146 € **Rist** – Carta 47/58 €
♦ Albergo dall'arredamento originale: dalla hall alle stanze, quasi tutte diverse tra loro, si è voluto sfuggire all'omologazione; ameno giardino ombreggiato con piscina. Ampia sala da pranzo di tono elegante, utilizzata anche per banchetti.

Sirmione ⟨ 🍴 rist, 🅿 VISA ⦿ AE ⓪ ⚎
piazza Castello 19 – ✆ *030 91 63 31* – *hs@termedisirmione.com*
– *Fax 030 91 65 58*
101 cam ⊠ – ♦130/194 € ♦♦162/284 € – 2 suites – ½ P 104/165 €
Rist – Carta 37/55 €
♦ Nel centro storico, ma affacciato sul lago, un albergo in parte rinnovato, diviso in due corpi separati e dotato di centro termale interno, per un soggiorno rigenerante. Raffinata sala ristorante; gradevole servizio estivo sotto un pergolato in riva al lago.

Catullo ⟨ 🍴 rist, VISA ⦿ AE ⓪ ⚎
piazza Flaminia 7 – ✆ *03 09 90 58 11* – *www.hotelcatullo.it* – *info@hotelcatullo.it*
– *Fax 030 91 64 44* – *chiuso febbraio*
56 cam ⊠ – ♦70/110 € ♦♦110/145 € – ½ P 80/90 €
Rist – *(solo per alloggiati)*
♦ Uno dei più antichi alberghi di Sirmione, annoverato tra i "Locali storici d'Italia"; bel giardino in riva al lago con pontile-solarium, interni eleganti e confortevoli. Affacciato sul suggestivo giardino che ricorda antichi fasti, il ristorante propone la cucina nazionale.

Du Lac ⟨ cam, 🅿 VISA ⦿ ⚎
via 25 Aprile 60 – ✆ *030 91 60 26* – *www.hoteldulacsirmione.com* – *info@*
hoteldulacsirmione.com – *Fax 030 91 65 82* – *aprile-18 ottobre*
35 cam ⊠ – ♦70/85 € ♦♦96/130 € – ½ P 75/85 €
Rist – *(chiuso a mezzogiorno) (solo per alloggiati)* Menu 28/38 €
♦ Gestione diretta d'esperienza in un hotel classico, in riva al lago, dotato di spiaggia privata; zone comuni con arredi di taglio moderno stile anni '70, camere lineari. Fresca sala da pranzo, affidabile cucina d'albergo.

Pace VISA ⦿ AE ⓪ ⚎
piazza Porto Valentino – ✆ *03 09 90 58 77* – *www.pacesirmione.it* – *info@*
pacesirmione.it – *Fax 03 09 19 60 97* – *chiuso dal 2 novembre al 20 dicembre*
22 cam ⊠ – ♦60/100 € ♦♦100/130 € – ½ P 65/80 € **Rist** – Carta 46/88 €
♦ Strategica ubicazione nel centro storico e fronte lago: camere semplici o più ricercate, incantevole giardino-terrazza con pontile-solarium. Il ristorante è specializzato in cucina di lago, la zuppa di pesce d'acqua dolce è tra i piatti forti.

Marconi senza rist ⟨ VISA ⦿ AE ⓪ ⚎
via Vittorio Emanuele II 51 – ✆ *030 91 60 07* – *www.hotelmarconi.net* – *info@*
hotelmarconi.net – *Fax 030 91 65 87* – *7 marzo-22 novembre*
23 cam ⊠ – ♦50/65 € ♦♦80/115 €
♦ In centro, direttamente sul lago, hotel con razionali ambienti per concedersi un momento di relax, con arredi stile anni '70 d'ispirazione contemporanea; camere lineari.

Villa Rosa senza rist 🅿 VISA ⦿ ⚎
via Quasimodo 4 – ✆ *03 09 19 63 20* – *www.hotel-villarosa.com* – *info@*
hotel-villarosa.com – *Fax 03 09 19 72 37* – *marzo-novembre*
14 cam – ♦49/59 € ♦♦58/74 €, ⊠ 10 €
♦ Piccolo hotel a gestione familiare completamente ristrutturato. La luminosa sala colazioni e le camere molto graziose favoriscono un soggiorno rilassante e piacevole.

🏠 **Corte Regina** senza rist   🛗 ঙ 🔼 🅿 🆅🆂🅰 ⓸ 🅰🅴 🅾 ݛ
via Antiche Mura 11 – ℰ 030 91 61 47 – www.corteregina.it – lorenzoronchi@
libero.it – Fax 03 09 19 64 70 – aprile-novembre
14 cam ⌂ – †45/70 € ††65/100 €
♦ Sorto dalla totale ristrutturazione di una vecchia pensione, piccolo albergo centrale
con ambienti arredati in modo sobrio e lineare; resti romani visibili all'interno.

🏠 **Mon Repos** senza rist ঙ   ≤ 🚗 🍴 🔼 🕻 🅿 🆅🆂🅰 ⓸ ݛ
via Arici 2 – ℰ 03 09 90 52 90 – www.hotelmonrepos.com – info@
hotelmonrepos.com – Fax 030 91 65 46 – Pasqua-novembre
23 cam ⌂ – †65/95 € ††105/140 €
♦ Veri gioielli di questo hotel sono la splendida posizione, all'estremità della penisola, e
il rigoglioso giardino-uliveto con piscina; interni essenziali, camere funzionali.

🍴🍴🍴 **La Rucola** (Gionata Bignotti)   🔼 🆅🆂🅰 ⓸ 🅰🅴 ݛ
🍀 vicolo Strentele 7 – ℰ 030 91 63 26 – www.ristorantelarucola.it – elens1970@
libero.it – Fax 03 09 19 65 51 – chiuso da gennaio al 14 febbraio, giovedì e
venerdì a mezzogiorno
Rist – Carta 70/90 € ঙ
Spec. Variazione di scampi. Ravioli di ricotta e burrata con gamberi rossi e lenticchie. Portafoglio di branzino con funghi porcini, spinaci e salsa al Riesling.
♦ Vicino al castello, sale moderne e luminose per una cucina contemporanea: pesce e
carne in proposte gustosamente creative.

🍴🍴🍴 **Signori**   ≤ 🏠 🆅🆂🅰 ⓸ 🅰🅴 🅾 ݛ
via Romagnoli 17 – ℰ 030 91 60 17 – www.ristorantesignori.it – info@
ristorantesignori.it – Fax 030 91 60 17 – chiuso da novembre al 15 dicembre e
lunedì
Rist – Carta 74/98 € ঙ
♦ Locale d'ispirazione contemporanea con una sala, abbellita da quadri moderni, che si
protende sul lago grazie alla terrazza per il servizio estivo; piatti rielaborati.

🍴🍴🍴 **La Speranzina**   ≤ 🏠 🔼 🍸 🆅🆂🅰 ⓸ 🅰🅴 🅾 ݛ
via Dante 16 – ℰ 03 09 90 62 92 – www.lasperanzina.it – info@lasperanzina.it
– Fax 03 09 19 91 71 – chiuso dal 6 gennaio al 10 febbraio e lunedì da ottobre a
marzo
Rist – Carta 59/75 € ঙ
♦ Vicino al castello e con il lago che sembra una cartolina, gli ambienti ammiccano alla
campagna provenzale mentre la cucina sforna piatti creativi e ricercati.

🍴🍴 **Trattoria Antica Contrada**   🏠 🔼 🆅🆂🅰 ⓸ 🅰🅴 🅾 ݛ
via Colombare 23 – ℰ 03 09 90 43 69 – www.anticacontrada.it
– anticacontrada@alice.it – Fax 03 09 90 43 69 – chiuso gennaio, lunedì, martedì
a mezzogiorno
Rist – Carta 33/66 €
♦ Locale dall'ambiente rustico di taglio moderno, situato sulla via che porta al centro
storico; gustose specialità di mare, servite d'estate nel raccolto dehors.

a Colombare di Sirmione Sud : 3,5 km – ✉ 25019

🏨 **Europa** ঙ   ≤ 🚗 🏠 🔼 🔼 🕻 🅿 🆅🆂🅰 ⓸ 🅰🅴 🅾 ݛ
via Liguria 1 – ℰ 030 91 90 47 – www.europahotelsirmione.it – info@
europahotelsirmione.it – Fax 03 09 19 64 72 – aprile-ottobre
25 cam ⌂ – †50/115 € ††80/140 € – ½ P 70/90 €   **Rist** – (solo per alloggiati)
♦ In riva al lago, abbellito da un verde giardino, albergo di taglio lineare con spiaggetta,
pontile privato e piscina; camere di taglio moderno e personalizzate.

a Lugana Sud-Est : 5 km – ✉ 25019 – Colombare di Sirmione

🏠 **Bolero** senza rist   🚗 🔼 🔼 🕻 🅿 🆅🆂🅰 ⓸ 🅰🅴 🅾 ݛ
via Verona 254 – ℰ 03 09 19 61 20 – www.hotelbolero.it – info@hotelbolero.it
– Fax 03 09 90 42 13
8 cam – †55/110 € ††62/142 €, ⌂ 14 €
♦ Sembra di essere in una casa privata in questo tranquillo e intimo albergo familiare;
spazi comuni in stile rustico, abbelliti da quadri, camere confortevoli.

XXX **Vecchia Lugana**　🚗 🏠 ♿ 🅰️🅲 ⚙️ 🅿️ 🆚🅰 🆖 🅰🅴 ⓪ ⓢ
*piazzale Vecchia Lugana 1 – ☎ 030 91 61 63 – www.vecchialugana.com – info@
vecchialugana.com – Fax 03 09 90 40 45 – chiuso gennaio e lunedì*
Rist – Menu 70/90 € – Carta 42/80 €
♦ Dopo una breve pausa, questo storico locale riapre i battenti con rinnovato entusiasmo ed una continuità di cucina che celebra i sapori del territorio. Gradevole servizio all'aperto, in riva al lago.

SIROLO – Ancona (AN) – 563L22 – **3 376 ab.** – ✉ **60020**　　　21 **D1**
▶ Roma 304 – Ancona 18 – Loreto 16 – Macerata 43
🛈 (giugno-settembre) via Peschiera ☎ 071 9330611, iat.sirolo@
regione.mrche.it, Fax 071 9330789
🏖 Conero, ☎ 071 736 06 13

🏨 **Sirolo**　　≤ 🏊 🏠 🖥️ ♿ 🅰🅲 ↳ ⚙️ rist, 🛜 🔒 🆚🅰 🆖 🅰🅴 ⓪ ⓢ
*via Grilli 26 – ☎ 07 19 33 06 65 – www.hotelsirolo.it – info@hotelsirolo.it
– Fax 07 19 33 03 73 – chiuso gennaio-marzo*
30 cam 🛏 – ♦68/90 € ♦♦108/144 € – ½ P 92/102 €
Rist – *(chiuso a mezzogiorno escluso domenica) (solo per alloggiati)*
♦ Costruito nel cuore della città, all'interno del Parco del Conero, hotel moderno composto da ampi spazi comuni, arredati con mobili in ferro battuto e caldi colori mediterranei. Specialità marinare nella luminosa sala affacciata sul giardino (in estate, l'angolo
ristoro è sotto un gazebo vicino alla piscina).

🏡 **La Conchiglia Verde** 🌿　　🚗 🏊 🅰🅲 ⚙️ rist, 🅿️ 🆚🅰 🆖 🅰🅴 ⓪ ⓢ
*via Giovanni XXIII, 12 – ☎ 07 19 33 00 18 – www.conchigliaverde.it
– Fax 07 19 33 00 19*
27 cam 🛏 – ♦50/90 € ♦♦80/120 € – ½ P 85 €
Rist – *(chiuso sabato e domenica da dicembre a gennaio) (chiuso a mezzogiorno)* Menu 25/35 €
♦ In una tranquilla zona residenziale, una casa d'altri tempi sempre ordinata e dall'atmosfera particolare, dispone di camere accoglienti e luminose. Nella calda sala da pranzo
con pavimento in ceramica di Faenza, prelibatezze regionali e a base di pesce.

🏠 **Locanda Ristorante Rocco**　　🏠 🖥️ 🅰🅲 ⚙️ 🆚🅰 🆖 ⓢ
*via Torrione 1 – ☎ 07 19 33 05 58 – www.locandarocco.it – info@locandarocco.it
– Fax 07 19 33 05 58 – chiuso gennaio e febbraio*
7 cam 🛏 – ♦♦125/165 €
Rist – *(Pasqua-ottobre; chiuso martedì escluso da giugno a settembre)* (coperti
limitati, prenotare) Carta 43/57 €
♦ Una struttura giovane e moderna tra le mura di una locanda trecentesca: design e
tinte vivaci nelle accoglienti camere. Ideale punto di partenza alla scoperta della Riviera
del Conero. La piccola sala ristorante dai pavimenti color melanzana offre pietanze
nazionali con tocchi di moderna creatività.

🏠 **Valcastagno** senza rist 🌿　　🏠 🅰🅲 ⚙️ 🛜 🅿️ 🆚🅰 🆖 🅰🅴 ⓪ ⓢ
*Contrada Valcastagno 12 – ☎ 07 17 39 15 80 – www.valcastagno.it – info@
valcastagno.it – Fax 07 17 39 27 76*
8 cam 🛏 – ♦♦75/165 €
♦ Ricavato in una casa colonica e immerso nella natura incontaminata del Parco, un piccolo hotel con camere accoglienti e graziose sapientemente arredate in ferro battuto.

al monte Conero (Badia di San Pietro) Nord-Ovest : 5,5 km – **alt. 572 m**
– ✉ **60020** – Sirolo

🏨 **Monteconero** 🌿　　≤ 🐕 🚗 🏊 🎾 🖥️ 🅰🅲 ⚙️ rist, 🛜 🔒 🅿️
via Monteconero 26 – ☎ 07 19 33 05 92　　　🆚🅰 🆖 🅰🅴 ⓪ ⓢ
*– www.hotelmonteconero.it – info@hotelmonteconero.it – Fax 07 19 33 03 65
– 15 marzo-15 novembre e capodanno*
49 cam 🛏 – ♦80/120 € ♦150/160 € – 12 suites – ½ P 97/110 €
Rist – Carta 27/37 € (+10 %)
♦ Sito alla sommità del monte che nel medioevo ospitò e nascose degli eremiti, l'hotel
domina sul mare e sul parco ed accoglie ampi ambienti dai semplici arredi. La panoramica
e luminosa sala ristorante propone piatti classici legati ai sapori della tradizione locale.

SISTIANA – Trieste – 562E22 – Vedere Duino Aurisina – ✉ **34019**

SIUSI ALLO SCILIAR (SEIS AM SCHLERN) – Bolzano (BZ) – 562C16
– alt. 988 m – Sport invernali : vedere Alpe di Siusi – ⊠ 39040

▶ Roma 664 – Bolzano 24 – Bressanone 29 – Milano 322
🖬 via Sciliar 16 ℰ 0471 706124, info@seis.it, Fax 0471 706600

🏨 **Diana** ☞ ⊐ ⊠ ⊛ ⅏ 𝄞 ⎍ ⎑ & cam, ☆☆ ⅍ rist, ⍟ 🅿 🚗 VISA ⚫ 🔆
via San Osvaldo 3 – ℰ 04 71 70 40 70 – www.hotel-diana.it
– info@hotel-diana.it – Fax 04 71 70 60 03
– 20 dicembre-30 marzo e giugno-25 ottobre
54 cam ⊊ – †70/140 € ††100/240 € – ½ P 107/129 €
Rist – (solo per alloggiati)
♦ Una gradevole struttura circondata dal verde, provvista di ampie e piacevoli zone comuni in stile montano di taglio moderno, dalla calda atmosfera; camere accoglienti.

🏨 **Europa** ⩽ ☞ ⊠ ⅏ ⎍ ⎑ ☆☆ ⅍ rist, ⍟ 🅿 🚗 VISA ⚫ 🔆
piazza Oswald Von Wolkenstein 5 – ℰ 04 71 70 61 74
– www.wanderhoteleuropa.com – info@wanderhoteleuropa.com
– Fax 04 71 70 72 22 – chiuso dal 15 aprile al 20 maggio e dal 2 novembre
al 18 dicembre
33 cam ⊊ – †60/110 € ††110/220 € – 2 suites – ½ P 70/130 €
Rist – (chiuso a mezzogiorno) (solo per alloggiati) Menu 30/55 €
♦ Tradizionale ospitalità altoatesina in un albergo in posizione centrale; classica zona comune in stile montano, camere luminose e accoglienti, moderna zona relax. Intima ed accogliente la sala ristorante, dove assaporare la cucina altoatesina.

🏨 **Genziana-Enzian** ⩽ ☞ ⊠ ⊛ ⅏ ⎍ ⎑ AC rist, ⅍ cam, ⍟ 🅿
piazza Oswald Von Wolkenstein 2 – ℰ 04 71 70 50 50 VISA ⚫ 🔆
– www.enzianhotel.com – info@enzianhotel.com – Fax 04 71 70 70 10
– chiuso dall'11 aprile al 18 maggio e dal 3 novembre al 4 dicembre
33 cam ⊊ – †60/95 € ††110/205 € – ½ P 70/140 €
Rist – (solo per alloggiati)
♦ Uno dei primi hotel della località, ubicato nella piazza principale; interni razionali, dotati di buoni confort, caratterizzati dal sapiente uso del legno, belle camere.

🏨 **Silence & Schlosshotel Mirabell** ⌘ ⩽ ☞ ⊐ ⅏ ⎑ ⅍ rist,
🛁 via Laranza 1, Nord : 1 km – ℰ 04 71 70 61 34 🅿 VISA ⚫ 🔆
– www.hotel-mirabell.net – info@hotel-mirabell.net – Fax 04 71 70 62 49
– 20 dicembre-18 aprile e 16 maggio-2 novembre
35 cam ⊊ – ††140/265 € – ½ P 90/173 €
Rist – (chiuso a mezzogiorno) (solo per alloggiati) Menu 20/40 €
♦ Una bella casa, recentemente ristrutturata, presenta spaziose ed accoglienti salette per il relax, nonchè un grande giardino con piscina dal quale ammirare il profilo dei monti. Pregevole il nuovo centro benessere.

🏠 **Schwarzer Adler** ☞ ⊐ ⅏ ⎑ & ⅍ rist, 🅿 VISA ⚫ AE ① 🔆
via Laurin 7 – ℰ 04 71 70 61 46 – www.hotelaquilanera.it
– info@hotelaquilanera.it – Fax 04 71 70 63 35
– 20 dicembre-29 marzo e 27 maggio-18 ottobre
21 cam ⊊ – †50/131 € ††100/210 € – ½ P 60/115 €
Rist – Menu 29/40 €
♦ Nel cuore della località, una bianca struttura che ospita un albergo di antica tradizione rinnovato nel tempo; camere confortevoli con graziosi arredi in legno chiaro. La cucina offre piatti saldamente legati al territorio.

✗✗ **Sasegg** 🅿 VISA ⚫ AE ① 🔆
via Sciliar 9 – ℰ 04 71 70 42 90 – www.sassegg.it
– info@sassegg.it – Fax 04 71 70 86 35
– chiuso 3 settimane in giugno, 3 settimane in ottobre, lunedì, anche da
mercoledì a sabato nei mesi di dicembre, gennaio ed agosto
Rist – (chiuso a mezzogiorno escluso domenica) Carta 48/63 € 🍸
♦ Il design accattivante, l'ampio utilizzo di rivestimenti in pelle e legno, costituiscono la giusta ambientazione per un menù che spazia dalla tradizione locale al mare.

SIVIZZANO – Parma – 562I12 – Vedere Terenzo

SIZZANO – Novara (NO) – 561F13 – **1 458 ab.** – **alt. 225 m** – ⊠ 28070   23 **C2**
> ▶ Roma 641 – Stresa 50 – Biella 42 – Milano 66

XX   **Impero**   🔲 🔄 📶 🔟 🅰🅴 ⤸
ⓒ   *via Roma 13 – ℰ 03 21 82 05 76 – Fax 03 21 82 05 76 – chiuso dal 26 dicembre al 4 gennaio, agosto, domenica sera e lunedì*
     Rist – Carta 28/43 €
     ◆ La solida conduzione familiare, affabile e premurosa, e la gustosa cucina del territorio sapientemente rielaborata sono senz'altro i punti di forza di questa moderna trattoria.

SOAVE – Verona (VR) – 562F15 – **6 787 ab.** – **alt. 40 m** – ⊠ 37038   35 **B3**
> ▶ Roma 524 – Verona 22 – Milano 178 – Rovigo 76
> 🚹 Foro Boario ℰ 045 6190773, iat@estveronese.it, Fax 045 6190773

🏨   **Roxy Plaza** senza rist   🛗 🛗 ⚕ 🔲 📶 🔟 🚗 📶 🔟 🅰🅴 🔟 ⤸
     via San Matteo 4 – ℰ 04 56 19 06 60 – www.hotelroxyplaza.it – roxyplaza@tin.it – Fax 04 56 19 06 76
     44 cam ⚏ – ♦62/82 € ♦♦90/160 €
     ◆ In pieno centro, albergo moderno dagli ambienti arredati nelle tonalità del legno e del nocciola e abbelliti da tappeti; piacevoli le camere, alcune con vista sul castello.

X   **Al Gambero** con cam   📶 📶 🔟 🅰🅴 ⤸
     corso Vittorio Emanuele 5 – ℰ 04 57 68 00 10
     – www.ristorantealgamberosoave.it – info@ristorantealgamberosoave.it
     – Fax 04 56 19 83 01 – chiuso 1 settimana in gennaio, agosto e mercoledì
     12 cam ⚏ – ♦35 € ♦♦55 €
     Rist – Carta 24/38 € (+10 %)
     Rist *Osteria La Scala* – Carta 22/30 €
     ◆ Sorto come locanda nella seconda metà dell'800, questo edificio storico ospita un'ampia sala, accogliente e rustica, dove gustare i piatti della tradizione veneta, di terra e di mare. Graziose le camere, arredate con mobili d'epoca. Qualche piatto e i dolci per un pasto veloce nella semplice osteria wine-bar.

SOCI – Arezzo – 562K17 – **Vedere Bibbiena**

SOGHE – Vicenza – **Vedere Arcugnano**

SOIANO DEL LAGO – Brescia (BS) – 561F13 – **1 601 ab.** – **alt. 203 m**   17 **D1**
– ⊠ 25080
> ▶ Roma 538 – Brescia 27 – Mantova 77 – Milano 128

XX   **Villa Aurora**   ⇐ 🏡 🔲 📶 **P** 📶 🔟 🅰🅴 🔟 ⤸
ⓒ   *via Ciucani 1/7 – ℰ 03 65 67 41 01 – villa-aurora@libero.it – Fax 03 65 67 41 01 – chiuso mercoledì*
     Rist – Carta 27/37 €
     ◆ Signorile e familiare, una splendida vista sul lago; nelle luminose e originali sale del locale, una cucina del territorio, di carne e di pesce, rivisitata con estro.

SOLAROLO RAINERIO – Cremona (CR) – 561G13 – **996 ab.**   17 **C3**
– **alt. 28 m** – ⊠ 26030
> ▶ Roma 487 – Parma 36 – Brescia 67 – Cremona 27

XX   **La Clochette** con cam   🚗 🏡 🔲 📶 **P** 📶 🔟 🅰🅴 🔟 ⤸
     via Borgo 2 – ℰ 037 59 10 10 – www.ristorantelaclochette.com – laclochette@virgilio.it – Fax 03 75 31 01 51 – chiuso dal 7 al 22 gennaio e dal 1° al 14 agosto
     12 cam – ♦45 € ♦♦65 €, ⚏ 4 €   **Rist** – (chiuso martedì) Carta 29/56 €
     ◆ In una villa d'epoca con parco, sale per privati e per banchetti comunque eleganti e signorili, con decorazioni e soffitti a volta; dotato anche di una sala più riservata. Accoglienti e confortevoli le camere.

SOLDA (SULDEN) – Bolzano (BZ) – 562C13 – **alt. 1 906 m** – **Sport**   30 **A2**
invernali : 1 860/3 150 m ⚐1 ⚐9, ⚐ – ⊠ 39029
> ▶ Roma 733 – Sondrio 115 – Bolzano 96 – Merano 68
> 🚹 via Principale località Gomagoi ℰ 0473 611811, sulde@suedtirol.com, Fax 0473 611811

🏨 Sporthotel Paradies Residence ⟵ 🕭 🕸 🔊 🖂 🛁 & ⚄ rist, 🍷
via Principale 87 – ☏ 04 73 61 30 43 **🅿** 🚗 🆅🆂🅰 🆎 &
– www.sporthotel-paradies.com – info@sporthotel-paradies.com
– Fax 04 73 61 32 43 – chiuso dal 6 al 31 maggio e dal 25 settembre
al 13 novembre
57 cam – solo ½ P 80/120 € **Rist** – Carta 31/86 €
♦ Risorsa dall'affidabile gestione per una vacanza all'insegna di una genuina atmosfera
di montagna. Tutti gli spazi offrono un buon livello di confort, soprattutto le camere.
Sala ristorante ricca di decorazioni.

🏨 Cristallo ⟵ 🚗 🖂 🕭 🕸 🛁 🖂 🏃 ⚄ rist, 🍷 **🅿** 🚗 🆅🆂🅰 🆎 &
Solda 31 – ☏ 04 73 61 32 34 – www.cristallo.info – info@cristallosulden.it
– Fax 04 73 61 31 14 – 15 novembre-5 maggio e 15 giugno-30 settembre
33 cam – 🛏52/75 € 🛏🛏90/136 € – ½ P 69/105 € **Rist** – Menu 28/38 €
♦ In posizione centrale e panoramica, albergo ammodernato con spazi comuni luminosi
e confortevoli. Centro benessere ben ristrutturato, camere spaziose. Ristorante con
annessa stube tirolese.

🏨 Eller 🖔 ⟵ 🚗 🖂 🕸 🖂 🏃 ⚄ 📞 **🅿** 🆅🆂🅰 🆎 &
Solda 15 – ☏ 04 73 61 30 21 – www.hoteleller.com – info@hoteleller.com
– Fax 04 73 61 31 81 – dicembre-5 maggio e luglio-29 settembre
44 cam – 🛏52/62 € 🛏🛏85/115 € – ½ P 70/85 €
Rist – (chiuso a mezzogiorno nella stagione invernale) Carta 38/47 €
♦ In posizione panoramica, albergo di tradizione rinnovato negli ultimi anni: ampi spazi
comuni e piccolo centro relax; accoglienti camere spaziose. Capiente ristorante in stile
montano di taglio moderno.

SOLIERA – Modena (MO) – 562H14 – 13 783 ab. – alt. 29 m – ⊠ 41019   8 B2
▶ Roma 420 – Bologna 56 – Milano 176 – Modena 12

a Sozzigalli – ⊠ 41019

🍴 **Osteria Bohemia** con cam 🖔   📡 & rist, 🅰🅲 ⚄ rist, **🅿**
(😊) via Canale 497 (Nord: 1,5 km), (a Sozzigalli NE 6 km)   🆅🆂🅰 🆎 🆎🅴 ⓞ &
– ☏ 059 56 30 41 – www.osteriabohemia.it – info@osteriabohemia.it
– Fax 059 56 30 41 – chiuso domenica e lunedì
2 cam 🖵 – 🛏40 € 🛏🛏65 € **Rist** – (consigliata la prenotazione) Carta 28/38 €
♦ Piccola ed accogliente casa di campagna illuminata da lampade cupree. Nell'orto si
coltivano erbe e verdure, ingredienti base dei piatti proposti ai commensali dal creativo
chef. Graziose e semplici le due camere, ideali per fermarsi ad assaporare la quiete dei
dintorni.

SOLIGHETTO – Treviso – Vedere Pieve di Soligo

SOLIGO – Treviso – Vedere Farra di Soligo

SOLOFRA – Avellino (AV) – 564E26 – 11 968 ab. – ⊠ 83029   7 C2
▶ Roma 271 – Napoli 75 – Avellino 15 – Benevento 53

🏨 Solofra Palace 🚗 🖂 🖂 🏃 🅰🅲 ⚄ 🍷 🎣 **🅿** 🆅🆂🅰 🆎 🆎🅴 ⓞ &
(😊) via Melito 6/a – ☏ 08 25 53 14 66 – www.solofrapalacehotel.com – info@
solofrapalacehotel.com – Fax 08 25 53 19 68
32 cam – 🛏85/110 € 🛏🛏90/140 € **Rist** – Menu 20 €
♦ Situato alle porte della località, l'hotel vanta soprattutto una clientela d'affari e
dispone di spaziosi ambienti arredati con gusto nonchè di una piccola Beauty farm. Il
ristorante si articola su due sale a differente vocazione: una ideale per allestire banchetti,
l'altra con cucina regionale e servizio pizzeria.

SOLOMEO – Perugia – Vedere Corciano

SOLONGHELLO – Alessandria (AL) – 237 ab. – ⊠ 15020   23 **C2**
- ▶ Roma 641 – Torino 78 – Alessandria 51 – Asti 35 – Vercelli 35

🏠 **Locanda dell'Arte** seuza rist 🐾   🛬 🖻 🕅 🖨 🖭 🗚 🔏 🗴 🖪
     via Asilo Manacorda 3 – 🖉 01 42 94 44 70 – www.   VISA ⓦⓞ ⓪ 🖔
     lovandadell'arte.it – info@locandadellarte.it – Fax 01 42 94 40 77 – chiuso gennaio
     14 cam ⌷ – 🛏90/110 € 🛏🛏130/150 € – 1 suite
     ◆ Camere ampie e confortevoli all'interno di una villa del 1700 ubicata sulle pittoresche
     colline del Monferrato. Calorosa accoglienza e gestione diretta.

SOMMACAMPAGNA – Verona (VR) – 562F14 – 13 520 ab.   37 **A3**
- alt. 121 m – ⊠ 37066
- ▶ Roma 500 – Verona 15 – Brescia 56 – Mantova 39
- 🚉 Verona, 🖉 045 51 00 60

🏠 **Scaligero**   🖨 🕭 🕅 🗚 🗴 🖐 🖪 🚗 VISA ⓦⓞ ⓐⓔ ⓪ 🖔
🍴 via Osteria Grande 41 – 🖉 04 58 96 91 30 – www.hotelscaligero.com – info@
     hotelscaligero.com – Fax 04 58 97 87 35
     23 cam ⌷ – 🛏55/100 € 🛏🛏70/150 € – ½ P 50/90 € **Rist** – Carta 14/35 €
     ◆ Una struttura nuova, a conduzione familiare, dotata di camere confortevoli, semplici
     ed ordinate, arredate in chiare tonalità. Tranquilla e sobriamente elegante l'atmosfera.
     La ristorazione consiste nell'attività originaria dei proprietari: buona cucina veneta ed
     internazionale ma anche pizzeria.

🍴🍴 **Merica** con cam   🕅 rist. 🖪 VISA ⓦⓞ ⓐⓔ ⓪ 🖔
🙂 via Rezzola 93, località Palazzo , Est : 1,5 km – 🖉 045 51 51 60
     – Fax 045 51 53 44 – chiuso dal 25 dicembre al 6 gennaio e agosto
     10 cam – 🛏50/60 € 🛏🛏70/90 €, ⌷ 5 €   **Rist** – (chiuso lunedì) Carta 26/39 €
     ◆ Il servizio è veloce e di certa esperienza in questo grazioso ristorante che occupa gli
     spazi di una villetta di campagna. La cucina è fedelmente ancorata alla tradizione. Gra-
     ziose e sorprendentemente confortevoli le camere di questo hotel familiare.

a Custoza Sud-Ovest : 5 km – ⊠ 37060

🍴🍴 **Villa Vento**   🛬 🍴 🕭 🕅 🗚 🖐 🖪 VISA ⓦⓞ ⓐⓔ 🖔
     strada Ossario 24 – 🖉 045 51 60 03 – www.ristorantevillavento.com
     – info@ristorantevillavento.com – Fax 045 51 62 88
     – chiuso dal 12 al 30 gennaio, dal 28 ottobre al 6 novembre, lunedì e martedì
     Rist – Carta 27/38 €
     ◆ In una villa d'epoca, il ristorante vanta un andamento familiare. Dalla cucina, piatti tipici
     del posto ed in sala una griglia sempre calda. Il piccolo parco ombreggia la terrazza.

sull'autostrada A 4 area di servizio Monte Baldo Nord o per Caselle Est :
5 km

🏠 **Saccardi Quadrante Europa**   🍴 🗆 🖻 ⓦ 🕅 🖽 🖨 🕭 🕅 🗲 🗚
     via Ciro Ferrari 8 ⊠ 37060 Caselle di   🗴 🔏 🖪 🚗 VISA ⓦⓞ ⓐⓔ ⓪ 🖔
     Sommacampagna – 🖉 04 58 58 14 00 – www.hotelsaccardi.it – info@
     hotelsaccardi.it – Fax 04 58 58 14 02
     120 cam – 🛏55/180 € 🛏🛏83/215 €, ⌷ 12 € – 6 suites – ½ P 67/135 €
     Rist – Carta 30/47 €
     ◆ Disponibilità, cortesia ed efficienza caratterizzano questo elegante complesso, punto
     d'incontro per la clientela d'affari. All'interno, camere di sobria modernità e centro fit-
     ness. Atmosfera raffinata e piatti della tradizione italiana al ristorante. È possibile pran-
     zare anche in giardino, a bordo piscina.

SOMMA LOMBARDO – Varese (VA) – 561E8 – 16 449 ab.   16 **A2**
- alt. 281 m – ⊠ 21019
- ▶ Roma 626 – Stresa 35 – Como 58 – Milano 49
- 🛩 Arona a Borgo Ticino, 🖉 0321 90 70 34

🏠 **Domina Inn Malpensa**   🖨 🕭 🖧 🕅 🗲 🗚 rist. 🗴 🔏 🖪 🚗
     via Lazzaretto 1 – 🖉 033 12 78 81   VISA ⓦⓞ ⓐⓔ ⓪ 🖔
     – www.dominahotels.com – innmalpensa@domina.it – Fax 03 31 27 87 99
     143 cam ⌷ – 🛏110/300 € 🛏🛏130/350 €   **Rist** – Menu 25/30 €
     ◆ Hotel immaginato per la clientela business, a poca distanza dell'aeroporto. Struttura
     contemporanea con camere ben accessoriate e ampio parcheggio. Ampia sala ristorante
     d'impostazione classica.

Hilton Garden Inn Milan Malpensa
via Mazzini 63 – ℰ 03 31 27 89 11
www.milmamalpensa.hgi.com – milma-salesadm@hilton.com – Fax 03 31 27 89 50
195 cam – 80/250 € – 8 suites   **Rist** – Carta 27/65 €
♦ Hotel moderno, dalle linee pulite e funzionali, è indicato soprattutto per una clientela d'affari: camere con dotazioni tecnologiche e sale *meeting* attrezzate. Ristorazione che consente sia pasti veloci a prezzo fisso, sia pause gastronomiche più "importanti".

Corte Visconti
via Roma 9 – ℰ 03 31 25 48 73 – www.cortevisconti.it – info@cortevisconti.it
– Fax 03 31 25 48 73 – chiuso dal 16 agosto al 3 settembre, lunedì, martedì a mezzogiorno   **Rist** – Menu 48/60 € – Carta 49/65 €
♦ Ambiente classico di tono rustico, con mura in pietra, volte in mattone e soffitti in legno e pietra. La cucina invece, pur partendo dal territorio, spicca per creatività.

a Case Nuove Sud : 6 km – ✉ 21019 – Somma Lombardo

Crowne Plaza Milan Malpensa Airport
via Ferrarin 7 – ℰ 003 12 11 61
– www.crownplazamalpensa.com – info@crownplazamalpensa.com
– Fax 03 31 21 16 63
135 cam – 125/345 € 145/365 €, 15 €   **Rist** – Carta 37/67 €
♦ Nuova struttura di moderna concezione propone un elevato confort nelle belle camere insonorizzate, dove le dotazioni rispondono allo standard della catena. Design moderno nelle zone comuni con utilizzo di marmo e pannelli di legno *wenge*. Piccolo centro benessere con attrezzature cardio fitness.

First Hotel Malpensa
via Baracca 34 – ℰ 03 31 71 70 45 – www.firsthotel.it
– info@firsthotel.it – Fax 03 31 23 08 27
58 cam – 99/230 € 110/250 €   **Rist** – Carta 28/54 € (+10 %)
♦ Non lontano dall'aeroporto di Malpensa, nuova struttura dalla linea essenziale; all'interno originali ambienti personalizzati da moderne soluzioni di design, camere sobrie. La sala da pranzo è decorata con parti di aeroplani.

La Quercia
via Tornavento 11, a Case Nuove – ℰ 03 31 23 08 08 – laquercia@ pedrinazzi.191.it – chiuso dal 23 dicembre al 5 gennaio e martedì
Rist – Carta 27/35 €
♦ Buona accoglienza in un locale familiare da 40 anni nei pressi dell'aeroporto di Malpensa: classica sala dove gustare carrello di arrosti e bolliti.

SONA – Verona (VR) – 562F14 – 14 683 ab. – alt. 169 m – ✉ 37060   35 **A3**
  ▶ Roma 433 – Verona 15 – Brescia 57 – Mantova 39

El Bagolo
via Molina 1 – ℰ 04 56 08 21 17 – elbagolo@gmail.com – Fax 04 56 08 21 17
– chiuso dal 15 al 25 febbraio, dal 1° al 21 settembre e lunedì
Rist – *(chiuso a mezzogiorno escluso domenica)* Carta 26/38 €
♦ Questa semplice dimora del XIII secolo è diventata una trattoria a gestione familiare dalla simpatica atmosfera in cui gustare cucina del territorio, tradizionale o rivisitata; gradevole servizio in giardino.

SONDRIO Ⓟ (SO) – 561D11 – 21 612 ab. – alt. 307 m – ✉ 23100   16 **B1**
  ▶ Roma 698 – Bergamo 115 – Bolzano 171 – Bormio 64
  🄸 piazzale Bertacchi 77 ℰ 0342 451150, infovaltellina@provincia.so.it, Fax 0342 573472
  🄶 Valtellina, ℰ 0342 35 40 09

Europa
lungo Mallero Cadorna 27 – ℰ 03 42 51 50 10 – www.albergoeuropa.com
– info@htleuropa.com – Fax 03 42 51 28 95
41 cam – 58/75 € 85/95 €, 8 € – ½ P 60/74 €
Rist – *(chiuso domenica)* Carta 26/33 €
♦ Albergo a gestione familiare, ubicato nel centro della località: camere in stile lineare, ampie, con confort adeguati alla categoria. Il ristorante propone ricette classiche della tradizione gastronomica italiana.

XX **Sale e Pepe**　　　　　　　　🍴 VISA 🚫 AE ① 💲
piazza Cavour 13 – 🕿 03 42 21 22 10 – www.ristorantesalepepe.it
– info@ristorantesalepepe.it – Fax 03 42 21 22 10
– chiuso dal 6 al 12 aprile, dal 24 agosto al 6 settembre e domenica
Rist – Menu 32/42 € – Carta 36/48 €
◆ Alla fine di una via pedonale che si apre sulla piccola piazza del vecchio mercato, locale caldo e signorile personalizzato alle pareti con quadri contemporanei dai colori decisi.

XX **Trippi Grumello**　　　　　　🍴 ⇔ P VISA 🚫 AE ① 💲
via Stelvio 23, Est : 1 km ✉ 23020 Montagna in Valtellina – 🕿 03 42 21 24 47
– marcobaruta@virgilio.it – Fax 03 42 51 85 67 – chiuso domenica
Rist – Carta 31/45 €
◆ Atmosfera e proposte gastronomiche tipiche in un ristorante storico: accoglienti sale di buon livello, dove gustare caratteristici piatti del territorio, quali gli spiedi *tzigeuner*.

X **Il Bàcaro**　　　　　　　　　　VISA 🚫 AE ① 💲
via Romegialli 2 – 🕿 03 42 21 06 74 – www.ristoranteilbacaro.com – info@
ristoranteilbacaro.com – chiuso 1 settimana in luglio e lunedì
Rist – (coperti limitati, prenotare) Carta 32/53 €
◆ Una giovane ed appassionata coppia vi delizierà con piatti veneti, esclusivamente a base di pesce, all'interno di un palazzo del quattrocento: bassi soffitti a volta e solo due salette con pochi coperti.

a Montagna in Valtellina Nord-Est : 2 km – **alt. 567 m** – ✉ 23020

XX **Dei Castelli**　　　　　　　　🍴 P VISA 🚫 AE ① 💲
via Crocefisso 10 – 🕿 03 42 38 04 45 – chiuso dal 25 maggio al 15 giugno, dal 25 ottobre al 15 novembre, domenica sera e lunedì
Rist – Carta 28/46 €
◆ Ambiente caldo e accogliente, curato nella sua semplicità: tavoli di legno elegantemente ornati, camino acceso e atmosfera familiare; proposte di cucina valtellinese.

a Moia di Albosaggia Sud : 5 km – **alt. 409 m** – ✉ 23100 – Sondrio

🏨 **Campelli**　　　　　≤ 🚗 🍴 🕸 🛎 க cam, 🆎 rist, ⁒ 🏋 P 🚗
via Moia 6 – 🕿 03 42 51 06 62 – www.campelli.it　　　VISA 🚫 AE ① 💲
– info@campelli.it – Fax 03 42 21 31 01
35 cam ☷ – †60 € ††90 € – 1 suite
Rist – (chiuso dal 1° al 20 agosto, domenica sera e lunedì a mezzogiorno) Carta 36/51 €
◆ In posizione dominante la valle, albergo dai caldi ambienti e dal moderno confort: camere ampie ed ottimo rapporto qualità-prezzo. Ristorante dove gustare proposte culinarie legate alla tradizione e al territorio.

SOPRABOLZANO = OBERBOZEN – Bolzano – Vedere Renon

SORAFURCIA – Bolzano – Vedere Valdaora

SORAGA – Trento (TN) – 562C16 – **673 ab.** – **alt. 1 209 m** – Sport　　31 **C2**
invernali : Comprensorio Dolomiti superski Val di Fassa – ✉ 38030
▶ Roma 664 – Bolzano 42 – Cortina d'Ampezzo 74 – Trento 74
🛈 stradon de Fascia 1🕿 0462 609750, infosoraga@fassa.com, Fax 0462 768461

🏠 **Arnica** 🌣　　　　　　🚗 🕸 🛎 ⁒ 🌐 P VISA 🚫 💲
strada De Parlaut 4 – 🕿 04 62 76 84 15 – www.hoelarnica.net – info@
hotelarnica.net – Fax 04 62 76 82 20 – dicembre-aprile e giugno-settembre
17 cam ☷ – †45/100 € ††70/160 € – ½ P 75/90 €
Rist – (chiuso a mezzogiorno) Carta 38/51 €
◆ Albergo recente nella parte alta della località: ambiente familiare, interni funzionali, grazioso centro benessere e camere semplici, tre delle quali in un fienile attiguo. Luminosa sala da pranzo in stile montano con una graziosa stube.

SORAGNA – Parma (PR) – 561H12 – 4 447 ab. – alt. 47 m – ⊠ 43019   8 **B2**
   ▶ Roma 480 – Parma 27 – Bologna 118 – Cremona 35

🏨 **Locanda del Lupo** 🍴 🛏️ AC 🍽️ rist. 🚿 P VISA ☻ AE ① 🍴
   via Garibaldi 64 – ℰ 05 24 59 71 00 – www.locandadellupo.com
   – info@locandadellupo.com – Fax 05 24 59 70 66
   - chiuso dal 23 al 29 dicembre e dal 5 al 23 agosto
   46 cam – †80/90 € ††114/144 €, ⇆ 8 € – ½ P 80/95 €   **Rist** – Carta 36/57 €
   ◆ Bella costruzione del XVIII sec. sapientemente restaurata: soffitti con travi a vista negli
   interni di tono elegante con arredi in stile; camere accoglienti e sala congressi. Calda
   atmosfera al ristorante con bel mobilio in legno.

✗✗ **Locanda Stella d'Oro** (Marco Dallabona) con cam   🏠 AC VISA ☻ 🍴
🏵️   via Mazzini 8 – ℰ 05 24 59 71 22 – www.stelladoro.biz – stellaorosoragna@
   libero.it – Fax 05 24 59 70 43
   14 cam – †60/80 € ††90/120 €, ⇆ 5 €
   Rist – (chiuso lunedì) Menu 55 € – Carta 47/70 € 🍸
   Spec. Animelle in casseruola con sandwich di patate e timo. Nidi di pappardelle con pasta di salame e corona di fonduta. Guanciale alle erbe fini, aspro
   di pomodoro e giardiniera di verdure.
   ◆ Nelle terre verdiane, l'ambiente offre ancora tutto il sapore e la magia di una trattoria.
   Neppure la cucina se ne discosta tanto : è la tradizione personalizzata.

a Diolo Nord : 5 km – ⊠ 43019 – Soragna

✗ **Osteria Ardenga** 🏠 AC ⇆ P VISA ☻ AE ① 🍴
   via Maestra 6 – ℰ 05 24 59 93 37 – www.osteriardenga.it – info@osteriardenga.it
   – Fax 05 24 59 79 12 – chiuso dal 7 al 27 gennaio, dal 10 al 31 luglio, martedì
   sera e mercoledì
   Rist – Carta 22/32 €
   ◆ Locale molto gradevole caratterizzato da uno stile rustico, ma signorile. Tre salette, di
   cui una dedicata alle coppie, per apprezzare la genuina e gustosa cucina parmense.

SORANO – Grosseto (GR) – 563N17 – 3 840 ab. – alt. 374 m – ⊠ 58010   29 **D3**
   ▶ Roma 153 – Viterbo 60 – Grosseto 87 – Orvieto 47

🏠 **Della Fortezza** senza rist 🗲   🗲 P VISA ☻ AE ① 🍴
   piazza Cairoli – ℰ 05 64 63 20 10 – www.sovana.eu – info@hoteldellafortezza.it
   – Fax 05 64 63 32 09 – chiuso dal 9 gennaio al 29 febbraio
   15 cam ⇆ – †70/100 € ††90/130 €
   ◆ Suggestiva collocazione all'interno della fortezza Orsini, imponente struttura militare
   medievale, per un albergo dagli interni in stile, di tono elegante; belle camere.

SORBO SERPICO – Avellino (AV) – 581 ab. – ⊠ 83050   7 **C2**
   ▶ Roma 272 – Napoli 76 – Avellino 22 – Benevento 52

✗✗ **Marenna'** 🗲 🏠 🚿 AC 🍽️ P VISA ☻ AE ① 🍴
🏵️   località Cerza Grossa – ℰ 08 25 98 66 66 – www.marenna.it – marenna@
   marenna.it – Fax 08 25 98 62 30 – chiuso tre settimane in gennaio, domenica
   sera, lunedì e martedì
   Rist – Carta 38/48 €
   Spec. Alici con polenta di mais bianco e fonduta di provola. Guancia di manzo
   brasata, purea di zucca, salsa all'Aglianico e liquirizia. Selezione di formaggi.
   ◆ Nata da un connubio di idee tra designer italo-americani-giapponesi, la sala propone
   una cucina fedele alla gastronomia locale, ma rivisitata con tocchi di modernità.

SORGONO – Nuoro – 566G9 – Vedere Sardegna alla fine dell'elenco alfabetico

---

SORI – Genova (GE) – 561I9 – 4 241 ab. – ⊠ 16030   15 **C2**
   ▶ Roma 488 – Genova 17 – Milano 153 – Portofino 20

✗ **Al Boschetto** VISA ☻ AE ① 🍴
   via Caorsi 44 – ℰ 01 85 70 06 59 – Fax 01 85 70 06 59
   – chiuso dal 15 al 25 marzo, dal 10 settembre al 10 ottobre e martedì
   Rist – Carta 29/51 €
   ◆ Lungo il fiume, un locale familiare e luminoso caratterizzato da sale dalle ampie
   vetrate, dove gustare una cucina locale di terra e di mare. Servizio serale di focacceria.

SORICO – Como (CO) – 1 182 ab. – alt. 208 m – ✉ 22010   16 **B1**

▶ Roma 684 – Como 82 – Sondrio 45 – Lugano 53

🏠 **Berlinghera** ॐ   📶 AC rist, P VISA ⑳ AE ① ♿
località Dascio, Nord-Est : 3,5 km – ℰ 034 48 40 37 – www.hotelberlinghera.com
– info@hotelberlinghera.com – Fax 034 48 40 37
18 cam ⌷ – ♦30 € ♦♦60 € – ½ P 40/45 €
Rist – *(chiuso mercoledì in inverno)* Carta 26/36 €
♦ Tra il lago di Como e quello di Mezzola, in posizione tranquilla e piacevole, un hotel
gestito da sempre dalla stessa intraprendente famiglia. Al ristorante proposte tradizionali
con specialità di pesce.

SORISO – Novara (NO) – 561E7 – 747 ab. – alt. 452 m – ✉ 28010   24 **A2**

▶ Roma 654 – Stresa 35 – Arona 20 – Milano 78

XXXX **Al Sorriso** (Luisa Valazza) con cam   AC rist, ⇆ ⅍ rist, ☎
🏵🏵🏵 *via Roma 18 – ℰ 03 22 98 32 28 – www.alsorriso.com*   VISA ⑳ AE ① ♿
– sorriso@alsorriso.com – Fax 03 22 98 33 28 – chiuso dall'8 al 23 gennaio e
dal 6 al 24 agosto
8 cam ⌷ – ♦130 € ♦♦200 € – ½ P 220 €
Rist – *(chiuso lunedì e martedì)* Carta 104/140 € ⅋
Spec. Ristretto di melanzane con capesante, cannolo croccante all'origano e
caviale di basilico. Risotto con zucca gialla, gorgonzola fresco di capra, ama-
retti e aceto balsamico tradizionale. La gallina faraona con fonduta di porri e
di Cervere, battuta d'interiora con tartufo bianco d'Alba.
♦ Marito in sala e moglie in cucina, una gestione familiare ai vertici della cucina italiana;
locale di classica eleganza, cucina più eclettica, dai piatti piemontesi al pesce.

SORNI – Trento – Vedere Lavis

SORRENTO – Napoli (NA) – 564F25 – 16 384 ab. – ✉ 80067 🛗 Italia   6 **B2**

▶ Roma 257 – Napoli 49 – Avellino 69 – Caserta 74

🚢 per Capri – Caremar, call center 892 123

🛈 via De Maio 35 ℰ 081 8074033, info@sorrentotourism.com, Fax 081
8773397

🔭 Villa Comunale : ≼★★ A – Belvedere di Correale ≼★★ B **A** – Museo
Correale di Terranova★ B **M** – Chiostro★ della chiesa di San Francesco A **F**

🔳 Penisola Sorrentina★★ : ≼★★ su Sorrento dal capo di Sorrento (1 h a
piedi AR), ≼★★ sul golfo di Napoli dalla strada S 163 per ② (circuito di
33 km) – Costiera Amalfitana★★★ – Isola di Capri★★★

Pianta pagina a lato

🏨🏨🏨 **Grand Hotel Excelsior Vittoria**   ≼ 🚗 🏠 ⌁ 📶 ⚑ AC ⅍ rist,
piazza Tasso 34 – ℰ 08 18 77 71 11   ☎ 🛁 P VISA ⑳ AE ① ♿
– www.excelsiorvittoria.com – exvitt@exvitt.it – Fax 08 18 77 12 06   B**u**
82 cam ⌷ – ♦210/320 € ♦♦240/550 € – 16 suites – ½ P 180/335 €
Rist – Carta 60/80 €
♦ Il giardino con piscina, il nuovo piccolo centro benessere olistico e un susseguirsi di
saloni dal solare giardino d'inverno, alla sala della musica: sontuoso, storico e signorile.
Maestosa la sala da pranzo, con eleganti pilastri di marmo e uno stupendo soffitto
dipinto.

🏨🏨🏨 **Hilton Sorrento Palace** ॐ   ≼ 🚗 🏠 ⌁ 🏊 🎪 ⅍ 📶 ⚑ cam,
via Sant'Antonio 13   🎪 AC ⇆ ⅍ ☎ 🛁 P VISA ⑳ AE ① ♿
– ℰ 08 18 78 41 41 – www.sorrento.hilton.com – event.sorrento@hilton.com
– Fax 08 18 78 39 33
373 cam ⌷ – ♦170/585 € ♦♦195/610 € – 4 suites   **Rist** – Carta 38/52 €
♦ Affacciato sul Golfo di Napoli e in posizione tranquilla, un grand hotel capace di unire
e fondere stile e confort moderni, ad un paesaggio pittoresco e scenografico. Varie sale
ristorante, la più originale con pareti in roccia, a fianco alla piscina.

S. Antonino (Pza) . . . . . . **B** 6
S. Cesareo (V.) . . . . . . **AB** 7
S. Maria d. Grazie
  (V.) . . . . **A** 8
Vittoria (Pza della) . . . . **A** 9

De Maio (V.) . . . . **B** 3
Italia (Cso) . . . . **AB**

Grand Hotel Capodimonte

via Capo 14 – ℰ 08 18 78 45 55
– www.manniellohotels.com – capodimonte@manniellohotels.com
– Fax 08 18 07 11 93 – 3 aprile-ottobre   A**g**
187 cam ⊒ – †195/305 € ††210/325 € – 2 suites – ½ P 135/210 €
Rist – Carta 46/58 €

♦ Il Vesuvio e Napoli visibili in lontananza da un albergo abbellito da terrazze fiorite con piscine digradanti circondate da ulivi; curati spazi interni, ampi e luminosi. Ariosa sala da pranzo con pareti decorate e vetrate sull'affascinante paesaggio esterno.

Bellevue Syrene 1820 ⌂

piazza della Vittoria 5 – ℰ 08 18 78 10 24
– www.bellevue.it – info@bellevue.it – Fax 08 18 78 39 63
– aprile-ottobre   A**k**
48 cam ⊒ – †330/530 € ††350/550 € – 2 suites – ½ P 235/335 €
Rist – Carta 48/61 €

♦ Un soggiorno da sogno in un'incantevole villa del '700 a strapiombo sul mare: vista sul golfo, terrazze fiorite e ascensore per la spiaggia; raffinati ambienti con affreschi. Dalla colazione alla cena in una sala con ampie vetrate a picco sul mare, per ammirare il sorgere del giorno e il calare della sera.

Grand Hotel Riviera ⌂

via Califano 22 – ℰ 08 18 07 20 11
– www.hotelriviera.com – info@hotelriviera.com – Fax 08 18 77 21 00
– marzo-ottobre   B**m**
105 cam ⊒ – †135/160 € ††200/260 € – 1 suite – ½ P 135/165 €
Rist – (solo per alloggiati) Carta 45/60 €

♦ Incantevole la posizione dell'hotel, a strapiombo sulla scogliera con la sua terrazza e la bella piscina; all'interno domina invece il bianco, dai marmi di Carrara all'elegante arredo. Dalla tradizione alla creatività, la cucina è servita in una candida sala, allestita con sontuosità.

Imperial Tramontano

via Vittorio Veneto 1 – ℰ 08 18 78 25 88
– www.hoteltramontano.it – info@hoteltramontano.it – Fax 08 18 07 23 44
– chiuso gennaio e febbraio   A**b**
108 cam ⊒ – †215/270 € ††230/340 € – 5 suites
Rist – Menu 40/55 €

♦ Un bel giardino e terrazze a strapiombo su Marina Piccola, per questa risorsa ospitata in un edificio del '500 (casa natale di T. Tasso). Camere arredate con sobria eleganza. Dalla sala da pranzo potrete ammirare un paesaggio che sembra dipinto.

Royal   ← 🚗 🏠 ⅃ 🛗 AK 🍴 rist, 🚗 VISA 🐵 AE ① ⑤

via Correale 42 – ℰ 08 18 07 34 34 – www.royalsorrento.com – royal@
manniellohotels.com – Fax 08 18 77 29 05 – aprile - dicembre   **Bg**
93 cam ⌂ – †130/400 € ††150/420 € – 3 suites – ½ P 180/255 €
Rist – (chiuso a mezzogiorno) Carta 50/60 € (+10 %)

♦ Sulla scogliera, a picco sul mare, con terrazze, piscina e un indispensabile ascensore
per la spiaggia; negli ambienti, mobili ad intarsio tipici dell'artigianato sorrentino.
Ambiente distinto e arredi lineari nell'ariosa sala da pranzo. Terrazza all'aperto per uno
snack e per cene estive.

Grand Hotel Ambasciatori   ← 🚗 ⅃ 🛗 AK 🍴 rist, 📞 🕾 P

via Califano 18 – ℰ 08 18 78 20 25   VISA 🐵 AE ① ⑤
– www.ambasciatorisorrento – ambasciatori@manniellohotels.com
– Fax 08 18 07 10 21 – 7 marzo-ottobre   **Bm**
97 cam ⌂ – †160/310 € ††220/420 € – 6 suites – ½ P 140/230 €
Rist – Carta 50/60 €

♦ Struttura a strapiombo sulla scogliera, la cui eleganza è dettata dai mobili di pregio
con tipici intarsi sorrentini che arredano gli ambienti. Piacevole relax nel giardino. Ristorante classico di tono elegante, con spazi all'aperto per allestire rinfreschi e buffet.

Antiche Mura senza rist   🚗 ⅃ 🛗 AK 📞 🕾 🚗 VISA 🐵 AE ① ⑤

via Fuorimura 7 (Piazza Tasso) – ℰ 08 18 07 35 23 – www.hotelantichemura.com
– info@hotelantichemura.com – Fax 08 18 07 13 23   **Bc**
44 cam ⌂ – †125/225 € ††130/250 € – 4 suites

♦ Lampadari di Murano, ceramiche di Vietri, intarsiato sorrentino: un elegante albergo
lungo il percorso delle mura medievali. Bella piscina circondata dai limoni.

Bristol   ← 🚗 🏠 ⅃ 🔊 ⅃ᵦ 🛗 AK 🍴 rist, P VISA 🐵 AE ① ⑤

via Capo 22 – ℰ 08 18 78 45 22 – www.acampora.it/bristol – bristol@
acampora.it – Fax 08 18 07 19 10   **Aa**
146 cam ⌂ – †100/200 € ††140/280 € – ½ P 120/180 €
Rist – Carta 50/65 €

♦ Complesso in posizione dominante il Mediterraneo, abbellito da amene terrazze con
piscina. Camere quasi tutte disposte sul lato mare, più silenziose agli ultimi piani. Un
incantevole panorama e specialità regionali vi attendono nella spaziosa sala ristorante.

Maison la Minervetta senza rist 🌭   ← 🛗 AK ↯ 🍴 ① ⑤ P

Via Capo 25 ✉ 80067 Sorrento – ℰ 08 18 77 44 55   VISA 🐵 AE ① ⑤
– www.laminervetta.com – info@laminervetta.com – Fax 08 18 78 46 01 – chiuso
dal 5 al 22 gennaio   **Ac**
12 cam ⌂ – ††300/400 €

♦ Spettano al proprietario i riconoscimenti per l'elegante struttura dell'albergo: la hall è
un elegante salotto di casa, le stanze, tutte diverse fra loro, affacciate al mare. Gradini
privati conducono al borgo di pescatori di Marina Grande.

La Tonnarella 🌭   ← 🏠 🛗 AK 🍴 ⑴ P VISA 🐵 AE ① ⑤

via Capo 31 – ℰ 08 18 78 11 53 – www.latonnarella.it – info@latonnarella.it
– Fax 08 18 78 21 69 – marzo-15 novembre   **Ay**
24 cam ⌂ – ††150/195 € – ½ P 100/123 €
Rist – Carta 30/50 €
Rist Tonnarella a Mare – ℰ 08 18 78 10 16 (maggio-settembre; chiuso la sera)
Carta 27/39 €

♦ Aggrappato alla roccia, in basso la spiaggia, raggiungibile con un ascensore privato,
l'albergo sorge dove un tempo esisteva la tonnara, da cui ha preso il nome. I piatti
della tradizione in una sala luminosa e sulla bella terrazza panoramica. In estate, a
pochi passi dall'acqua al ristorante "Tonnarella a Mare".

Villa di Sorrento senza rist   🛗 AK 🍴 ⑴ VISA 🐵 AE ① ⑤

viale Enrico Caruso 6 – ℰ 08 18 78 10 68 – www.villadisorrento.it – info@
villadisorrento.it – Fax 08 18 78 57 67   **Be**
21 cam – †78/84 € ††135/140 €, ⌂ 14 €

♦ Adatta a una clientela itinerante, una costruzione d'epoca dagli ambienti classici in
uno stile intramontabile, uno scorcio di mare dai piani alti. Semplice, accogliente e funzionale.

🏨 **Gardenia** senza rist   ⌁ 🕭 AC ☏ P VISA ⬤ AE ① ♿

corso Italia 258, per ① – ℰ 08 18 77 23 65 – www.hotelgardenia.com – info@
hotelgardenia.com – Fax 08 18 07 44 86
27 cam – †70/130 € ††80/140 €, ⌑ 15 €
• Ad una decina di minuti a piedi dal centro; silenzioso e ben arredate, le camere sono
state recentemente rinnovate e dotate di balcone. Comodo servizio di parcheggio.

XXX **Caruso**   AC ⇆ VISA ⬤ AE ① ♿

via Sant'Antonino 12 – ℰ 08 18 07 31 56 – www.ristorantemuseocaruso.com
– info@ristorantemuseocaruso.com – Fax 08 18 07 28 99   Bf
Rist – Carta 40/66 € 🕸
• Ambiente ispirato al famoso cantante lirico: quattro piacevoli salette, decorate con
foto e oggetti dedicati al maestro; cucina di mare d'ispirazione partenopea, ininterrotta
da mezzogiorno a mezzanotte!

XX **L'Antica Trattoria**   🕯 AC ⇆ VISA ⬤ AE ① ♿

via Padre R. Giuliani 33 – ℰ 08 18 07 10 82 – www.lanticatrattoria.com
– info@lanticatrattoria.com – Fax 08 15 32 46 51
– chiuso dal 15 gennaio al 15 febbraio e lunedì (escluso da marzo a ottobre)
Rist – (consigliata la prenotazione) Menu 49/110 €   Ae
– Carta 60/97 € 🕸
• Varie salette di taglio elegante, impreziosite con caratteristici elementi decorativi, per
questo ristorante che propone soprattutto piatti di pesce. Ameno servizio estivo.

XX **Il Buco** (Giuseppe Aversa)   🕯 AC ⅋ VISA ⬤ AE ① ♿

☸   *Il Rampa Marina Piccola 5 – ℰ 08 18 78 23 54 – www.ilbucoristorante.it*
– info@ilbucoristorante.it – Fax 08 18 78 23 54
– chiuso da gennaio al 15 febbraio e mercoledì   Bb
Rist – (consigliata la prenotazione la sera) Menu 60 € bc/90 € – Carta 61/81 €
🕸

Spec. Capesante al salto con burrata su pomodoro fiascone, origano, olio e
basilico. Sorrentini al ragù di mare su vellutata di broccoli e capperi in fiore.
Trancio di ricciola scottato alla piastra con insalata di rinforzo ed emulsione
alle olive nere.
• Cucina creativa ed elaborata in questo ristorante, nel cuore di Sorrento, ricavato dalle
cantine di un ex monastero: pesce e carne in ricercati piatti d'ispirazione campana.

X **Zi' ntonio**   AC VISA ⬤ AE ① ♿

via De Maio 11 – ℰ 08 18 78 16 23 – www.zintonio.it – info@zintonio.it
– Fax 08 18 78 16 23   Ba
Rist – (consigliata la prenotazione) Carta 25/38 €
• Ristorante dall'ambiente caratteristico: due sale rivestite in tufo al piano interrato e
una curiosa soluzione a soppalco al piano terra; ampia proposta culinaria e pizze.

X **La Basilica**   🕯 AC VISA ⬤ AE ① ♿

via Sant'Antonino 28 – ℰ 08 18 77 47 90 – www.ristorantelabasilica.com – info@
ristorantelabasilica.com – Fax 08 18 07 28 99   Bf
Rist – Carta 25/35 € 🕸
• Cucina calda ininterrotta da mezzogiorno all'una di notte, per questo locale attiguo
alla piccola basilica dalla quale trae il nome. Proposte di terra, di mare nonchè vegetariane, in un'ampia sala dove troneggiano grandi quadri rappresentanti il Vesuvio in eru-
zione.

sulla strada statale 145 per ② :

🏨 **Grand Hotel President** ⬙   ≤ 🚗 🕯 🎇 🏊 ⑉ Ⅰ🕭 🕭 AC ⅋ rist, ☏

via Colle Parisi 4, Ovest : 3 km   🔒 P VISA ⬤ AE ① ♿
✉ *80067 Sorrento – ℰ 08 18 78 22 62 – www.ghpresident.com*
– president@acampora.it – Fax 08 18 78 54 11
– 15 marzo-ottobre
108 cam ⌑ – †78/200 € ††93/290 € – 1 suite – ½ P 93/180 €
Rist – (chiuso a mezzogiorno) Carta 45/57 €
• Incantevole vista su Napoli e Sorrento in questo hotel con giardino fiorito e grotte
naturali. Camere luminose e confortevoli, nonché piacevole centro benessere. Splendida
vista dalla capiente ed elegante sala ristorante. A pranzo, servizio a bordo piscina.

SOVANA – Grosseto (GR) – 563O16 – **alt. 291 m** – ⊠ 58010⬛ Toscana 29 **D3**

▶ Roma 172 – Viterbo 63 – Firenze 226 – Grosseto 82

🏠 **Sovana** senza rist 🌳 ☰ 🗄 & 🅿 VISA ⚫ AE ① 🔧
via del Duomo 66 – 𝒞 *05 64 61 70 30* – *www.sovana.eu*
– *info@sovanahotel.it* – *Fax 05 64 61 71 26* – *chiuso dal 9 gennaio al 29 febbraio*
18 cam � – 🛏90/130 € 🛏🛏130/180 €
♦ Di fronte al duomo, casa colonica completamente rinnovata, ideale per un soggiorno ambientato nell'eleganza degli ambienti con divagazioni nel verde degli uliveti.

🏠 **Scilla** 🌳 AC 🅿 VISA ⚫ AE ① 🔧
via R. Siviero 1/3 – 𝒞 *05 64 61 65 31* – *www.sovana.eu* – *info@scilla-sovana.it*
– *Fax 05 64 61 43 29*
8 cam ⊖ – 🛏45/75 € 🛏🛏70/105 € – ½ P 60/78 €
Rist Dei Merli – vedere selezione ristoranti
♦ Questa piccola struttura ubicata all'interno di un borgo medievale tra i più belli d'Italia propone ai propri ospiti camere di differenti dimensioni e di raffinata semplicità.

🏠 **Pesna** senza rist AC ⅀ VISA ⚫ AE 🔧
via del Pretorio, 9 – 𝒞 *05 64 61 41 20* – *www.pesna.it* – *info@pesna.it*
6 cam ⊖ – 🛏40/53 € 🛏🛏70/90 €
♦ Nel centro storico del paese, un antico palazzo il cui nome deriva da quello di un valoroso guerriero etrusco, dispone di funzionali e gradevoli camere recentemente rinnovate.

✕✕ **Taverna Etrusca** con cam 🍴 AC VISA ⚫ AE ① 🔧
piazza del Pretorio 16 – 𝒞 *05 64 61 61 83* – *www.sovana.eu*
– *info@latavernaetrusca.it* – *Fax 05 64 61 43 29*
12 cam – 🛏45/75 € 🛏🛏70/105 € – ½ P 60/78 €
Rist – *(chiuso mercoledì)* Carta 38/53 €
♦ Nel centro del piccolo borgo, un locale caratterizzato dalla cura degli arredi e dalle fantasiose proposte legate alle ricette locali. Camere confortevoli per riposare.

✕✕ **Dei Merli** – Hotel Scilla ☰ 🍴 AC 🅿 VISA ⚫ AE ① 🔧
via Rodolfo Siviero 1/3 – 𝒞 *05 64 61 65 31* – *www.sovana.eu*
– *info@ristorantedeimerli.eu* – *Fax 05 64 61 43 29*
– *chiuso dal 9 gennaio al 28 febbraio e martedì escluso agosto*
Rist – Carta 26/35 € 🏵
♦ Nel caratteristico borgo di origine etrusca un locale con una sala luminosa e specialità tipiche maremmane; nella bella stagione ci si accomoda in giardino.

SOVERATO – Catanzaro (CZ) – 564K31 – **10 805 ab.** – ⊠ 88068 5 **B2**

▶ Roma 636 – Reggio di Calabria 153 – Catanzaro 32 – Cosenza 123

🏠 **Il Nocchiero** 🗄 AC ⅀ «ツ» 🛁 VISA ⚫ AE ① 🔧
piazza Maria Ausiliatrice 18 – 𝒞 *096 72 14 91* – *www.hotelnocchiero.com*
– *hotelnocchiero@libero.it* – *Fax 096 72 36 17*
– *chiuso dal 21 dicembre al 7 gennaio*
36 cam ⊖ – 🛏45/85 € 🛏🛏65/125 € – ½ P 45/85 € **Rist** – Carta 22/28 €
♦ Valida conduzione diretta in una struttura semplice, situata nel centro della cittadina, con interni decorosi dagli arredi lineari; camere confortevoli e rinnovate. Sala da pranzo classica ed essenziale, con pareti ornate da quadri e bottiglie esposte.

✕ **Riviera** & AC ⅀ VISA ⚫ AE ① 🔧
via Regina Elena 4/6 – 𝒞 *09 67 53 01 96* – *ivanvitale70@yahoo.it*
– *Fax 096 13 40 54*
Rist – Carta 38/51 €
♦ Vicino al mare, piccolo locale familiare di tono classico: proposte sia di mare sia di terra legate alle ricette regionali.

Voglia di pranzare all'aperto?
Scegliete un ristorante con terrazza 🍴

SOVICILLE – Siena (SI) – 563M15 – **8 669 ab.** – **alt. 265 m** – ⊠ **53018**   29 **C2**
▶ Roma 240 – Siena 14 – Firenze 78 – Livorno 122

dalla strada statale 541 km 1,300 direzione Tonni

🏨 **Borgo Pretale** ⚜ ≤ 🕭 🎇 ⏳ 🐎 🕰 ⚒ 🏧 ❀ ♨ **P**
località Pretale, Sud-Ovest : 13 km – ☎ 05 77 34 54 01   🚾 ⚫ 🄰🄴 ⊙ ⚓
– www.borgopretale.it – info@borgopretale.it – Fax 05 77 34 56 25 – Pasqua-
ottobre
27 cam ⊃ – ♦110/135 € ♦♦150/205 € – 7 suites – ½ P 114/140 €
Rist – (chiuso a mezzogiorno) Carta 39/50 €
♦ In posizione bucolica all'interno di un antico borgo circondato dal parco e sormontato
da una torre, la struttura offre ambienti arredati in pietra, legno e tessuti di pregio. Nella
suggestiva sala ristorante che domina la vallata, prodotti stagionali di tradizione regionale.

SOZZIGALLI – Modena (MO) – Vedere Soliera

SPARONE – Torino (TO) – 561F4 – **1 160 ab.** – **alt. 552 m** – ⊠ **10080**   22 **B2**
▶ Roma 708 – Torino 48 – Aosta 97 – Milano 146

🍴🍴🍴 **La Rocca** ⇔ **P** 🚾 ⚫ ⚓
via Arduino 6 – ☎ 01 24 80 88 67 – www.laroccasparone.it – chiuso dal 7 gennaio
al 13 febbraio, dal 1° al 14 agosto, da lunedì a giovedì da ottobre a maggio
Rist – (chiuso a mezzogiorno escluso domenica) (prenotazione obbligatoria)
Carta 27/37 €
♦ Alle porte del paese, locale elegante con una sala dalla parete rocciosa, dove apprezzare una cucina fantasiosa, con piatti di terra e, soprattutto, di mare.

SPARTAIA – Livorno – Vedere Elba (Isola d') : Marciana Marina

---

SPAZZAVENTO – Pistoia – Vedere Pistoia

SPELLO – Perugia (PG) – 563N20 – **8 510 ab.** – **alt. 314 m** – ⊠ **06038**   33 **C2**
▮ Italia
▶ Roma 165 – Perugia 31 – Assisi 12 – Foligno 5
🄹 piazza Matteotti 3 ☎ 0742 301009, prospello@libero.it, Fax 0742 301009
◎ Affreschi★★ del Pinturicchio nella chiesa di Santa Maria Maggiore

🏨 **Palazzo Bocci** senza rist ≤ 🛗 🕭 🏧 ❀ (ⁱ) 🚾 ⚫ 🄰🄴 ⊙ ⚓
via Cavour 17 – ☎ 07 42 30 10 21 – www.palazzobocci.com
– info@palazzobocci.com – Fax 07 42 30 14 64
21 cam ⊃ – ♦80/120 € ♦♦130/160 € – 2 suites
♦ Confort moderni e ospitalità di alto livello in una signorile residenza d'epoca: eleganti
spazi comuni in stile, tra cui una sala splendidamente affrescata, belle camere.

🏨 **La Bastiglia** ⚜ ≤ 🎇 ⏳ 🏧 (ⁱ) ♨ 🚾 ⚫ 🄰🄴 ⊙ ⚓
🕸 via Salnitraria 15 – ☎ 07 42 65 12 77 – www.labastiglia.com
– fancelli@labastiglia.com – Fax 07 42 30 11 59 – chiuso dal 7 al 31 gennaio
33 cam ⊃ – ♦70/105 € ♦♦80/300 € – ½ P 195 €
Rist – (chiuso mercoledì e giovedì a mezzogiorno) Menu 48/78 €
– Carta 48/73 € ✿
Spec. Carciofo al mattone, ricotta tiepida, battuto di pomodori secchi. Picchia-
relli di farina di farro bruciata, sugo di capretto e asparagi selvatici. Petto di
piccione rosolato, tegame di gnocchi e ragù di coscia, marmellata di porri ed
agrumi.
♦ Ubicato nella tranquilla parte alta del paese e ricavato dalla ristrutturazione di un antico
mulino, un albergo con eleganti interni in stile rustico e camere spaziose. La tradizione
umbra si riconferma negli arredi del ristorante da cui si distacca una cucina più creativa.

🏨 **Del Teatro** senza rist ≤ 🛗 ❀ 🏧 🚾 ⚫ 🄰🄴 ⊙ ⚓
via Giulia 24 – ☎ 07 42 30 11 40 – www.hoteldelteatro.it – info@hoteldelteatro.it
– Fax 07 42 30 16 12
12 cam ⊃ – ♦65/75 € ♦♦95/110 €
♦ Nel caratteristico centro storico, piccolo albergo a conduzione familiare in un palazzo
settecentesco ristrutturato; interni essenziali, confortevoli camere con parquet.

⛺ **Agriturismo Le Due Torri** 🐕 🕭 ⅁ ⚒ 📶 **P** 🆅🅸🆂🅰 ⓒⓞ 🅰🅴 ⓘ ⚒
📻 via Torre Quadrano 1, località Limiti, Ovest : 4,5 km – ℰ 07 42 65 12 49
– www.agriturismoleduetorri.com – info@agriturismoleduetorri.com
– Fax 07 43 27 02 73 – chiuso dal 15 gennaio al 15 febbraio
4 cam ⚏ – ♥♥80 €
Rist – (chiuso a mezzogiorno) (solo per alloggiati) Menu 20/30 €
♦ All'ombra di una torre di avvistamento medioevale, una casa colonica con camere curate, arredi in stile, piacevoli spazi comuni. Bella piscina nel verde.

🍴🍴 **Il Molino** 🕭 🅰🅲 🆅🅸🆂🅰 ⓒⓞ 🅰🅴 ⓘ ⚒
piazza Matteotti 6/7 – ℰ 07 42 65 13 05 – ristoranteilmolino@libero.it
– Fax 07 42 30 22 35 – chiuso dal 10 al 31 gennaio e martedì
Rist – Carta 37/50 €
♦ Nel centro del paese, locale ricavato da un vecchio mulino a olio con fondamenta del 1300; sala con soffitto ad archi in mattoni e camino per preparare carni alla griglia.

SPERLONGA – Latina (LT) – 563S22 – 3 187 ab. – ✉ 04029 ▮ Italia   13 **D3**
🛣 Roma 127 – Frosinone 76 – Latina 57 – Napoli 106
🛈 corso San Leone 22 ℰ 0771 557000 - via del Porto ℰ 0771 557341

🏨 **Virgilio Grand Hotel** 🕭 ⅁ ⚒ 📶 ♨ 🆚 🛗 ⚒ 🅰🅲 ⚒ rist, 🦽 �car
via Prima Romita – ℰ 07 71 55 76 00   🆅🅸🆂🅰 ⓒⓞ 🅰🅴 ⓘ ⚒
– www.virgiliograndhotel.it – info@virgiliograndhotel.it – Fax 07 71 54 84 67
– chiuso dall'8 gennaio all'8 marzo
72 cam ⚏ – ♥90/210 € ♥♥120/300 € – ½ P 95/185 €
Rist – (chiuso a mezzogiorno) Carta 35/63 €
♦ Risorsa di recente apertura articolata su tre edifici comunicanti, ospita all'interno generosi spazi comuni e nelle camere un mix di legno, tessuti colorati e bagni a mosaico.

🏨 **Aurora** senza rist ⚒ 🕭 🆚 🅰🅲 🆅🅸🆂🅰 ⓒⓞ 🅰🅴 ⓘ ⚒
via Cristoforo Colombo 15 – ℰ 07 71 54 92 66 – www.aurorahotel.it – info@
aurorahotel.it – Fax 07 71 54 80 14 – Pasqua-ottobre
49 cam ⚏ – ♥90/162 € ♥♥100/200 €
♦ Direttamente sul mare, albergo immerso nel verde di un giardino mediterraneo, un'impronta artistica contribuisce a rendere l'atmosfera familiare e straordinaria al contempo. Piacevole terrazza sul borgo antico.

🏨 **La Playa** ⅁ 🕭 🅰🅲 ⚒ 📶 **P** 🆅🅸🆂🅰 ⓒⓞ 🅰🅴 ⓘ ⚒
via Cristoforo Colombo – ℰ 07 71 54 94 96 – www.laplayahotel.it
– hotel.laplaya@tiscali.it – Fax 07 71 54 81 06
62 cam ⚏ – ♥68/118 € ♥♥122/202 € – ½ P 72/122 €
Rist – (maggio-ottobre) Menu 25/50 €
♦ Direttamente sul mare, ospita una rilassante piscina e camere dai nuovi arredi, alcune delle quali con pavimenti in maiolica. Graziose terrazze si affacciano sulla spiaggia.

🏨 **La Sirenella** 🕭 🆚 🅰🅲 **P** 🔊 🆅🅸🆂🅰 ⓒⓞ 🅰🅴 ⚒
via Cristoforo Colombo 25 – ℰ 07 71 54 91 86 – www.lasirenella.com – albergo@
lasirenella.com – Fax 07 71 54 91 89
40 cam ⚏ – ♥100/110 € ♥♥130/150 €
Rist – (solo per alloggiati) Menu 25/40 €
♦ Cordiale conduzione familiare per una piacevole struttura situata in prossimità del mare: camere ben tenute e confortevoli. Cucina casalinga nel ristorante con terrazza affacciata sul blu del Mediterraneo.

🍴🍴 **Gli Archi** 🕭 🅰🅲 ⚒ 🆅🅸🆂🅰 ⓒⓞ 🅰🅴 ⚒
via Ottaviano 17, centro storico – ℰ 07 71 54 83 00 – www.gliarchi.com – info@
gliarchi.com – Fax 07 71 55 70 35 – chiuso gennaio e mercoledì
Rist – Carta 39/61 €
♦ Nel cuore della località, annovera una piccola sala ad archi ed un ambiente all'aperto dove gustare una cucina semplice, fedele ai prodotti ittici. Si consiglia di prenotare.

SPEZIALE – Brindisi – 564E34 – Vedere Fasano

SPEZZANO PICCOLO – Cosenza (CS) – 564J31 – **2 072 ab.**   5 **A2**
– alt. 720 m – ✉ 87050
🛣 Roma 529 – Cosenza 15 – Catanzaro 110

Petite Etoile 🏠 ⋆ 🕆 💷 P VISA ⦵ AE ① 💲

contrada Acqua Coperta, Nord-Est : 2 km – ℰ 09 84 43 51 82 – hotelpetiteetoile@ email.it – Fax 09 84 43 59 12

15 cam – ♦55/60 € ♦♦60/70 €, � 5 € – ½ P 55/65 € **Rist** – Carta 20/27 €

♦ Albergo a gestione familiare, situato fuori dal paese: interni classici e camere in legno, arredate in modo semplice. Una buona soluzione per una sosta tranquilla. Spaziosa sala da pranzo al primo piano; buon rapporto qualità/prezzo.

SPIAZZO – Trento (TN) – 562D14 – **1 164 ab.** – alt. 650 m – ⊠ 38088   30 **B3**

▶ Roma 622 – Trento 49 – Bolzano 112 – Brescia 96

1/2 Soldo-dal 1897 con cam 🛗 🕆 P VISA ⦵ 💲

a Mortaso , Nord : 1 km – ℰ 04 65 80 10 67 – www.mezzosoldo.it – info@ mezzosoldo.it – Fax 04 65 80 10 78 – 5 dicembre-15 aprile e 15 giugno-25 settembre

26 cam ⊒ – ♦35/55 € ♦♦70/85 € – ½ P 48/74 €

Rist – *(chiuso giovedì in bassa stagione)* Menu 28/39 €

♦ Quattro sale personalizzate ma sempre con ambiente tipico e arredi d'epoca, dove assaporare specialità trentine, tra cui piatti non comuni, con materie prime ricercate.

SPILAMBERTO – Modena (MO) – 562I15 – **11 228 ab.** – alt. 69 m   9 **C3**
– ⊠ 41057

▶ Roma 408 – Bologna 38 – Modena 16

Da Cesare 💷 VISA ⦵ AE 💲

via San Giovanni 38 – ℰ 059 78 42 59 – chiuso dal 15 al 30 maggio, dal 20 luglio al 20 agosto, domenica sera, lunedì e martedì

Rist – *(consigliata la prenotazione)* Carta 20/35 €

♦ Trattoria dagli interni arredati con gusto classico, frequentata soprattutto da una clientela abituale, fedele ad una cucina ancorata alle tradizioni regionali.

SPILIMBERGO – Pordenone (PN) – 562D20 – **11 475 ab.** – alt. 132 m   10 **B2**
– ⊠ 33097

▶ Roma 625 – Udine 30 – Milano 364 – Pordenone 33

La Torre AC VISA ⦵ AE ① 💲

piazza Castello 8 – ℰ 042 75 05 55 – www.ristorantelatorre.net – info@ ristorantelatorre.net – Fax 042 75 05 55 – chiuso domenica sera e lunedì

Rist – *(consigliata la prenotazione)* Carta 31/40 € ⦿

♦ Nella particolare cornice del castello medievale di Spilimbergo, due raccolte salette rustico-eleganti dove gustare piatti legati alla tradizione del territorio.

Osteria da Afro con cam 🛗 💷 🕆 P VISA ⦵ AE ① 💲

via Umberto I 14 – ℰ 04 27 22 64 – www.osteriadaafro.it – osteriadaafro@tin.it – Fax 04 27 22 64 – chiuso dal 1° al 10 gennaio

8 cam ⊒ – ♦65/70 € ♦♦90/120 € – ½ P 65/85 €

Rist – *(chiuso domenica sera)* (consigliata la prenotazione) Carta 25/34 €

♦ Trattoria dall'esperta conduzione a familiare, poco distante dal centro storico: due salette, di cui una con camino, e genuini piatti del giorno presentati su una lavagnetta. Confortevoli e sobriamente eleganti le camere, arredate in legno di abete e caldi toni di colore.

SPINACETO – Roma – Vedere Roma

SPINETTA MARENGO – Alessandria – 561H8 – Vedere Alessandria

SPIRANO – Bergamo (BG) – 561F11 – **4 707 ab.** – alt. 156 m – ⊠ 24050   19 **C2**

▶ Roma 591 – Bergamo 16 – Brescia 48 – Milano 42

3 Noci-da Camillo 🛗 💷 VISA ⦵ AE ① 💲

via Petrarca 16 – ℰ 035 87 71 58 – www.ristorantetrenoci.it – info@ ristorantetrenoci.it – Fax 03 54 87 80 08 – chiuso dal 1° al 10 gennaio, dal 10 al 25 agosto, domenica sera e lunedì

Rist – Carta 35/47 €

♦ Piacevole ambiente rustico in un locale di tradizione, dove gustare ruspanti sapori della bassa e carni cotte sulla grande griglia in sala; gazebo per il servizio estivo.

– ✉ 06049▮ Italia

▶ Roma 130 – Perugia 63 – Terni 28 – Ascoli Piceno 123
ℹ piazza Libertà 7 🕾 0743 218611, info@iat.spoleto.pg.it, Fax 0743 218641
◉ Piazza del Duomo★ : Duomo★★ Y – Ponte delle Torri★★ Z – Chiesa di San Gregorio Maggiore★ Y **D** – Basilica di San Salvatore★ Y **B**
◖ Strada★ per Monteluco per ②

Pianta pagina a lato

San Luca senza rist   ⛭ 📶 ﺕ AC 📶 🏊 🚗 VISA 🐵 AE ① ⓢ
via Interna delle Mura 21 – 🕾 07 43 22 33 99 – www.hotelsanluca.com
– sanluca@hotelsanluca.com – Fax 07 43 22 38 00   Y**b**
35 cam ⊡ – ♦85/170 € ♦♦110/240 € – 1 suite
♦ Una volta conceria, oggi uno dei più bei palazzi della città. Tonalità ocra accompagnano i clienti dalla corte interna alle camere, passando per raffinati saloni e corridoi.

Albornoz Palace Hotel   ≤ ⛭ 🌊 📶 ﺕ cam, AC ↔ 🌊 rist, 📶 🔏
viale Matteotti, 1 km per ②   P 🚗 VISA 🐵 AE ① ⓢ
– 🕾 07 43 22 12 21 – www.albornozpalace.com
– info@albornozpalace.com – Fax 07 43 22 16 00
96 cam ⊡ – ♦69/141 € ♦♦94/165 € – 2 suites – ½ P 85/111 €
Rist – (chiuso lunedì) Carta 28/45 €
♦ Hotel moderno con originali e ampi interni abbelliti da opere di artisti contemporanei; camere eleganti e "artistiche", attrezzato ed apprezzato centro congressi. Spazioso ristorante dove prevalgono le tonalità pastello.

Cavaliere Palace Hotel senza rist   ⛭ 📶 ﺕ AC ↔ 🌊 rist, 🔏
corso Garibaldi 49 – 🕾 07 43 22 03 50   VISA 🐵 AE ① ⓢ
– www.hotelcavaliere.eu – info@hotelcavaliere.eu
– Fax 07 43 22 45 05   Y**a**
31 cam ⊡ – ♦70/130 € ♦♦120/240 €
♦ Nella parte bassa della città storica, un palazzo cardinalizio la cui bellezza seicentesca è stata recentemente evidenziata dal restauro. Affascinante terrazza panoramica.

Dei Duchi   ≤ 🍴 📶 AC 🌊 rist, 📶 🔏 P VISA 🐵 AE ① ⓢ
viale Matteotti 4 – 🕾 074 34 45 41 – www.hoteldeiduchi.com
– hoteldeiduchi.com – Fax 074 34 45 43   Z**c**
49 cam ⊡ – ♦75/100 € ♦♦110/150 € – 2 suites – ½ P 75/100 €
Rist – (chiuso martedì) Carta 24/39 €
♦ Edificio in mattoni fine anni '50: divani in pelle nella luminosa hall panoramica e terrazza con vista sul Teatro Romano. Struttura versatile in virtù della sua posizione prossima al centro storico ma, al tempo stesso, immersa in una cornice verde di alberi secolari.

Clitunno   📶 ﺕ AC 🌊 📶 🔏 VISA 🐵 AE ① ⓢ
piazza Sordini 6 – 🕾 07 43 22 33 40 – www.hotelclitunno.com
– info@hotelclitunno.com – Fax 07 43 22 26 63   Z**a**
52 cam ⊡ – ♦45/90 € ♦♦75/150 € – ½ P 110 €
Rist San Lorenzo – 🕾 07 43 22 18 47 (chiuso martedì)
Carta 30/46 €
♦ La passione della proprietà per l'antiquariato è chiaramente percepibile dai vari elementi disseminati nella hall e nelle stanze: tappeti e oggetti rari che creano un atmosfera di calda e accogliente intimità. Camere con letti in ferro battuto o testiere imbottite, alcune con soffitti a cassettone. Cucina estrosa.

Gattapone senza rist ᗡ   ≤ ⛭ AC 🔏 VISA 🐵 AE ① ⓢ
via del Ponte 6 – 🕾 07 43 22 34 47 – www.hotelgattapone.it
– info@hotelgattapone.it – Fax 07 43 22 34 48   Z**d**
15 cam ⊡ – ♦90/130 € ♦♦120/230 €
♦ Intrigante architettura per questa bella struttura affacciata sulla lussureggiante valle delimitata dal Monteluco e dal famoso Ponte delle Torri: ambienti comuni e camere caratterizzate da colori accesi, arredi in pelle, scalini nonché soppalchi in un originale gioco di livelli sfalsati.

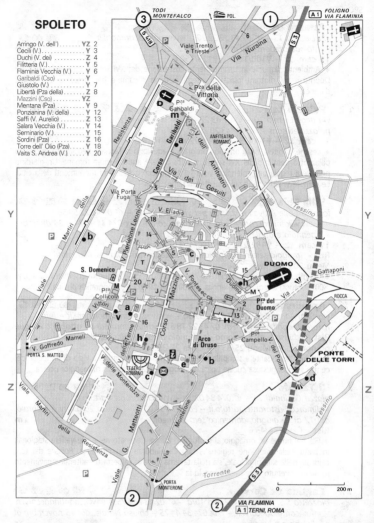

SPOLETO

Charleston senza rist ⌂ 🛗 🅰🅲 (🕪) 🛁 🚗 🆅🅸🆂🅰 🆖 🅰🅴 ⓪ 🚿
piazza Collicola 10 – ℰ 07 43 22 00 52 – www.hotelcharleston.it
– info@hotelcharleston.it – Fax 07 43 22 12 44   Z**v**
18 cam ⊑ – ♦45/75 € ♦♦65/135 €

♦ Un albergo centrale, in un palazzo seicentesco, affacciato su una graziosa piazzetta: spazi comuni ridotti anche se rallegrati da un caminetto; camere discrete nella
loro austera semplicità.

Aurora � 🅰🅲 🆅🅸🆂🅰 🆖 🅰🅴 ⓪ 🚿
via Apollinare 3 – ℰ 07 43 22 03 15 – www.hotelauroraspoleto.it
– info@hotelauroraspoleto.it – Fax 07 43 22 18 85   Z**h**
23 cam ⊑ – ♦40/65 € ♦♦55/100 €
Rist Apollinare – vedere selezione ristoranti

♦ A pochi passi dalla centralissima via Mazzini, ma lontano dai rumori della strada, hotel
a gestione familiare con piacevoli interni e camere interamente rinnovate.

↑ **Palazzo Dragoni** – Residenza d'epoca senza rist ≤ |≋| AC ⁽¹⁾ ṣÀ
via Duomo 13 – ℰ 07 43 22 22 20 – www.palazzodragoni.it VISA ⬤⬤ ⑤
– info@palazzodragoni.it – Fax 07 43 22 22 25 Yh
15 cam ⚏ – †100/120 € ††125/150 €
♦ Ambiente signorile in un'imponente costruzione del XVI secolo, con bella vista sul Duomo e sui dintorni; piacevoli interni eleganti e camere ben arredate con mobili d'epoca.

↑ **Palazzo Leti** senza rist ⚘ ≤ ⊯ |≋| AC ⅜ ⁽¹⁾ VISA ⬤⬤ AE ① ⑤
via degli Eremiti 10 – ℰ 07 43 22 49 30 – www.palazzoleti.com – info@
palazzoleti.com – Fax 07 43 20 26 23 Zb
11 cam ⚏ – †100/130 € ††140/200 € – 1 suite
♦ Lesene, capitelli, ovali ornano con grande equilibrio la facciata neoclassica di questo palazzotto gentilizio del XVI secolo, a ridosso delle antiche mura romane. Un giardino pensile vi regala una splendida vista sul Monteluco e su alcuni monumenti della città. Le camere vi illuminano sul concetto di raffinatezza.

↑ **Villa Milani** ⚘ ≤ ⊯ ⍝ 命 ⅃ ⅜ rist, ⁽¹⁾ ṣÀ P VISA ⬤⬤ AE ① ⑤
località Colle Attivoli 4, 2,5 km per viale Matteotti – ℰ 07 43 22 50 56
– www.villamilani.com – info@villamilani.com – Fax 074 34 98 24 – 23 dicembre
- 7 gennaio e aprile - 2 novembre Za
11 cam ⚏ – †192/211 € ††240/418 €
Rist – *(maggio-settembre) (chiuso a mezzogiorno) (solo per alloggiati)*
Menu 50 €
♦ Un tributo all'omonimo architetto che progettò e visse in questa eclettica villa di fine '800. Sontuosi arredi di ogni epoca, giardino all'italiana e scenografica piscina.

XXX **Apollinare** – Hotel Aurora 命 AC ⅜ VISA ⬤⬤ AE ① ⑤
via Sant'Agata 14 – ℰ 07 43 22 32 56 – www.ristoranteapollinare.it – info@
ristoranteapollinare.it – Fax 07 43 22 18 85 – chiuso martedì da ottobre a Pasqua
Rist – *(chiuso a mezzogiorno da gennaio a Pasqua)* (consigliata la Zh
prenotazione) Menu 25/35 € – Carta 27/35 €
♦ Ambiente elegante e signorile nella sala con pietre e mattoni a vista di un locale del centro storico; gustosa cucina tipica del luogo e qualche piatto di maggior ricerca.

XX **Il Tartufo** 命 AC VISA ⬤⬤ AE ① ⑤
piazza Garibaldi 24 – ℰ 074 34 02 36 – www.ristoranteiltartufo.it
– dimarco@ristoranteiltartufo.it – Fax 074 34 02 36 – chiuso 20 giorni a febbraio,
dal 12 al 19 giugno, domenica sera e lunedì Ym
Rist – Carta 34/43 €
♦ Già nel nome un omaggio al profumato fungo, declinato nelle sue varietà stagionali in piatti della tradizione regionale, talvolta elaborati con creatività. *Boiserie* dai toni caldi sia nella sala principale, sia nella taverna dove si calpesta un autentico pavimento romano rinvenuto oltre mezzo secolo fa.

XX **Cantina de Corvi** AC ⅜ VISA ⬤⬤ AE ① ⑤
🈯 *piazzetta S.S. Giovanni e Paolo 10/a – ℰ 074 34 44 75 – www.cantinadecorvi.it*
– info@cantinadecorvi.it – Fax 074 34 44 75 – chiuso Natale, dal 15 novembre al
1° dicembre e lunedì Yc
Rist – *(consigliata la prenotazione)* Menu 25 € – Carta 27/37 €
♦ Qualche tocco di ricercatezza in un ambiente rustico con antiche volte in mattoni: piccolo di dimensioni, in quanto tutta la grandezza è stata consacrata alla cucina, deliziosamente creativa.

XX **Il Tempio del Gusto** 命 AC ⅜ VISA ⬤⬤ AE ① ⑤
via Arco di Druso 11 – ℰ 074 34 71 21 – www.iltempiodelgusto.com – info@
iltempiodelgusto.com – Fax 074 34 71 21 – chiuso febbraio o marzo, giugno o
settembre e giovedì Ze
Rist – *(consigliata la prenotazione la sera)* Carta 26/46 €
♦ Pareti in pietra, tavoli piccoli e ravvicinati, perfino un reperto archeologico (un antichissimo selciato visibile attraverso un cristallo) tutto sembrerebbe orientato in una certa direzione… se non fosse per la cucina: autentico tempio del gusto, dove si "celebra" la creatività.

sulla strada statale 3 - via Flaminia YZ

X **Al Palazzaccio-da Piero** 🛱 🕸 **P** 🚾 ☎ 🍴
località San Giacomo km 134, Nord : 8 km ⊠ *06048 San Giacomo di Spoleto*
– 𝒞 *07 43 52 01 68* – *www.alpalazzaccio.it*
– *ristalpalazzaccio@libero.it* – *Fax 07 43 52 08 45*
– *chiuso Natale e lunedì*
Rist – *(consigliata la prenotazione)* Carta 20/34 €
♦ Un accogliente angolo familiare, che rima quasi con il mezzo secolo di attività: una meta gastronomica con gustosi piatti locali e specialità al tartufo, per un'amichevole sosta in compagnia.

a Pompagnano Sud-Ovest : 4 km – ⊠ 06049 – Spoleto

🏠 **Agriturismo Convento di Agghielli** 🕸 ≼ 🖼 🛱 ༖ 🕭 🔱
frazione Pompagnano – 𝒞 *07 43 22 50 10*   **P** 🚾 ☎ ① 🍴
– *www.agghielli.it* – *info@agghielli.it* – *Fax 07 43 22 50 10*
– *chiuso dal 10 al 30 novembre*
16 cam ⌑ – ✝85/110 € ✝✝120/150 € – 6 suites – ½ P 83/98 €
Rist – *(chiuso a mezzogiorno escluso agosto, sabato-domenica e giorni festivi)* Carta 24/47 €
♦ Immerso in un'oasi di pace, un convento del 1200 - ristrutturato secondo i diktat della bioarchitettura - propone camere con materassi in cocco, schermate dalle onde elettromagnetiche, nonché graziosi spazi dove sono bandite colle, vernici e metalli. Massaggi e tecniche orientali per decollare in direzione "relax".

a Silvignano Nord-Est : 13 km – ⊠ 06049

🏠 **Le Logge di Silvignano** 🕸 🖼 🛱 🕭 🕸 ⁽ᵖ⁾ 🚾 ☎ 🆎 🍴
– 𝒞 *07 43 27 40 98* – *www.leloggedisilvignano.it*
– *mail@leloggedisilvignano.it* – *Fax 07 43 27 05 18*
– *marzo-novembre*
7 cam – ✝✝120 € – 6 suites – ✝✝180/250 € – ½ P 90/95 €
Rist – *(solo per alloggiati)*
♦ Splendido esempio di architettura medievale, in passato sede di guarnigione militare e residenza patrizia, con un loggiato del '400 che ne orna la facciata: all'interno la cura del dettaglio si declina nei pavimenti in cotto, nelle ceramiche di Deruta o nelle maioliche di Vietri. Soggiorno in una dimensione atemporale.

SPOTORNO – Savona (SV) – 561J7 – **3 957 ab.** – ⊠ 17028   14 **B2**
▶ Roma 560 – Genova 61 – Cuneo 105 – Imperia 61
🛈 piazza Matteotti 6 𝒞 019 7415008, spotorno@inforiviera.it, Fax 019 7415811

🏨 **Villa Imperiale** ≼ 🛱 🖃 🕭 cam, 🆔 ⁽ᵖ⁾ 🕭 🚾 ☎ 🆎 🍴
via Aurelia 47 – 𝒞 *019 74 51 22* – *www.villaimperiale.it* – *info@villaimperiale.it*
– *Fax 019 74 77 59*
26 cam ⌑ – ✝55/87 € ✝✝88/196 € – 9 suites – ½ P 92/113 €
Rist Terredimare – *(chiuso martedì da novembre a febbraio)* Carta 37/61 € 🕸
♦ Villa anni '30 interamente ristrutturata, in pieno centro lungo la passeggiata. Camere ampie, spesso personalizzate, buona distribuzione di spazi comuni. Piacevole ristorante con ingresso indipendente: ottima cucina ligure e buona carta dei vini.

🏨 **Acqua Novella** 🕸 ≼ 🕭 🎬 🖃 🕭 🆔 🕸 ⁽ᵖ⁾ 🕭 **P**
via Acqua Novella 1, Est : 1 km – 𝒞 *019 74 16 65*   🚾 ☎ 🆎 ① 🍴
– *www.acquanovella.it* – *info@acquanovella.it* – *Fax 019 74 16 61 55*
– *marzo-ottobre*
46 cam ⌑ – ✝70/180 € ✝✝90/230 € – ½ P 60/135 €
Rist – *(chiuso a mezzogiorno)* Menu 30/50 €
♦ Hotel rinnovato completamente nel 2001, in posizione elevata e panoramica. Camere luminose, impreziosite da belle ceramiche di Vietri, molte di esse con vista. Ristorante con grandi vetrate... per non perdersi lo spettacolo!.

Tirreno
⟨ 🛋 🖼️ 🅰️ⓒ ⚓ rist. "¶" 🔊 🅿️ 𝗩𝗜𝗦𝗔 ⓪ 🄰🄴 ⓪ ⚓

via Aurelia 2 – ☎ 019 74 51 06 – www.hotel-tirreno.it – info@hotel-tirreno.it
– Fax 019 74 50 61 – chiuso dal 20 ottobre al 20 dicembre
48 cam ☖ – ♦60/130 € ♦♦100/230 € – 5 suites – ½ P 70/125 €
Rist – Carta 25/35 €
♦ Albergo ubicato sulla spiaggia, ma non lontano dal centro. Luminosi spazi comuni e camere accoglienti con mobili in stile anni '60: più recenti quelle al secondo piano. Valida gestione diretta. Allegra sala da pranzo per un pasto rigenerante dopo una dinamica giornata di mare.

Premuda
⟨ 🛋 "¶" 🅿️ 𝗩𝗜𝗦𝗔 ⓪ 🄰🄴 ⓪ ⚓

piazza Rizzo 10 – ☎ 019 74 51 57 – www.hotelpremuda.it – info@
hotelpremuda.it – Fax 019 74 74 16 – Pasqua-4 novembre
21 cam – ♦55/115 € ♦♦80/135 €, ☖ 8 €
Rist – (maggio-settembre) (chiuso la sera) Carta 21/38 €
♦ Un dancing degli anni '30 divenuto ora un piccolo albergo ordinato e ben gestito, in bella posizione in riva al mare; piacevoli e "freschi" interni, camere lineari. Ariosa sala da pranzo resa luminosa dalle ampie vetrate che si aprono sulla spiaggia.

Riviera
🚲 ☖ 🍽️ 🖼️ 🚶‍♂️ 🅰️ⓒ ⚓ "¶" 🔊 🚗 𝗩𝗜𝗦𝗔 ⓪ 🄰🄴 ⓪ ⚓

via Berninzoni 24 – ☎ 019 74 10 44 – www.rivierahotel.it – info@rivierahotel.it
– Fax 019 74 77 82
43 cam ☖ – ♦45/85 € ♦♦60/110 € – ½ P 45/85 €   **Rist** – Carta 20/55 €
♦ Hotel ben tenuto, dotato di gradevoli spazi esterni con giardino, tennis e piscina, non-ché accoglienti interni di moderna concezione. Camere recenti e confortevoli. Capiente sala ristorante ornata in modo semplice; proposte gastronomiche del territorio.

Al Cambio
🅰️ⓒ 𝗩𝗜𝗦𝗔 ⓪ 🄰🄴 ⚓

via XXV Aprile 72 – ☎ 01 97 41 55 37 – dino.balzano@libero.it – chiuso due settimane in dicembre o gennaio, giovedì, venerdì a mezzogiorno
Rist – (chiuso a mezzogiorno da giugno al 15 settembre) Carta 37/64 €
♦ A pochi passi dalla passeggiata, il locale propone la tradizione gastronomica ligure rie-laborata in una sfiziosa cucina mediterranea.

STAVA – Trento – 562D16 – **Vedere Tesero**

STEGONA = STEGEN – Bolzano – 562B17 – **Vedere Brunico**

STEINEGG = **Collepietra**

STENICO – Trento (TN) – 562D14 – 1 089 ab. – alt. 660 m – ☒ 38070   30 **B3**
▶ Roma 603 – Trento 31 – Brescia 103 – Milano 194

a Villa Banale Est : 3 km – ☒ **38070**

Alpino ⚐
🛋 ⚓ 🅿️ 𝗩𝗜𝗦𝗔 ⚓

via Leone Salvini 1 – ☎ 04 65 70 14 59 – www.hotalpino.it – info@hotalpino.it
– Fax 04 65 70 25 99 – aprile-ottobre
33 cam ☖ – ♦36/42 € ♦♦63/70 € – ½ P 44/55 €   **Rist** – Menu 17/20 €
♦ In posizione tranquilla vicino alla Terme di Comano, l'hotel garantisce un soggiorno di relax a contatto con la natura nei suoi ampi spazi arredati nello stile montano. Classica e luminosa l'ampia sala da pranzo arredata nelle tinte del rosa, dove assaporare la tradi-zionale cucina regionale.

STERZING = **Vipiteno**

STIA – Arezzo (AR) – 2 981 ab. – ☒ 52017 – Stia   29 **C1**
▶ Roma 274 – Firenze 50 – Arrezo 48

Falterona senza rist
🛋 ⚓ 𝗩𝗜𝗦𝗔 ⓪ 🄰🄴 ⚓

piazza Tanucci 85 – ☎ 05 75 50 45 69 – www.albergofalterona.it – info@
albergofalterona.it – Fax 05 75 50 49 82
23 cam ☖ – ♦50/60 € ♦♦70/100 €
♦ Palazzo di origini Quattrocentesche - affacciato sulla piazza principale - dispone di una stanza dal pregevole soffitto affrescato e di alcune camere nella prospicente dépen-dance. Piccola corte interna per la prima colazione.

✗ **Falterona gli Accaniti**　　　　　　　&. Ⓜ️ VISA ⓪ ✆
piazza Tanucci 9 – 𝒞 05 75 58 12 12 – www.gliaccaniti.it – falterona@gliaccaniti.it
Rist – Carta 25/38 €
♦ Riuscito matrimonio tra elementi moderni ed aspetti rustici. In menu: prelibatezze regionali accompagnate da una buona selezione enologica.

STILFSER JOCH = Stelvio Passo dello

STINTINO – Sassari – Vedere Sardegna alla fine dell'elenco alfabetico

---

STORO – Trento (TN) – 562E13 – 4 500 ab. – alt. 409 m – ✉ 38089　　　30 **A3**
▶ Roma 601 – Brescia 64 – Trento 65 – Verona 115

a Lodrone Sud-Ovest : 5,5 km – ✉ **38089**

🏠 　**Castel Lodron**　　　 🚗 🔲 🏠 ✗ 🛗 ✗ 🛜 🛁 🅿 VISA ⓪ Ⓐ ① ✆
☁ 　*via 24 Maggio 41 – 𝒞 04 65 68 50 02 – www.hotelcastellodron.it – info@hotelcastellodron.it – Fax 04 65 68 54 25*
41 cam ☕ – ♦40/50 € ♦♦70/90 € – ½ P 45/50 €　　**Rist** – Carta 20/29 €
♦ Cortese ospitalità in un albergo completamente rinnovato: rigoglioso giardino, godibile centro benessere, nonché camere classiche e ben tenute. Classica, capiente sala da pranzo, arredata in modo semplice; ampio salone banchetti.

STRADA IN CHIANTI – Firenze – 563L15 – Vedere Greve in Chianti

---

STRADELLA – Pavia (PV) – 561G9 – 10 799 ab. – alt. 101 m – ✉ 27049　　16 **B3**
▶ Roma 547 – Piacenza 37 – Alessandria 62 – Genova 116
🅸 corso XXVI Aprile 13 𝒞 0385 245912

🏠 　**Italia**　　　　　　　🛗 Ⓜ️ 🛁 🅿 VISA ⓪ Ⓐ ① ✆
via Mazzini 4 – 𝒞 03 85 24 51 78 – www.hotelitalia.ws – info@hotelitalia.ws – Fax 03 85 24 08 47
30 cam – ♦55/69 € ♦♦75/96 €, ☕ 6 € – ½ P 55/69 €
Rist – *(chiuso mercoledì)* Carta 22/35 €
♦ Classico hotel ideale per una clientela d'affari: accogliente area ricevimento dove prevale l'uso del legno e camere di semplice funzionalità. Al ristorante un menù con i piatti della cucina pavese.

STREGNA – Udine (UD) – 562D22 – 443 ab. – alt. 404 m – ✉ 33040　　11 **C2**
▶ Roma 659 – Udine 29 – Gorizia 43 – Tarvisio 84

✗ 　**Sale e Pepe**　　　　　　　✗ ⇔ VISA ⓪ Ⓐ ✆
via Capoluogo 19 – 𝒞 04 32 72 41 18 – alsalepepe@libero.it – chiuso martedì e mercoledì
Rist – *(chiuso a mezzogiorno escluso sabato-domenica)* Carta 25/35 €
♦ Bella e accogliente trattoria ubicata nel centro della località, caratterizzata da una gestione volenterosa e davvero appassionata. Cucina con aperture mitteleuropee.

STRESA Verbano-Cusio-Ossola – Verbano-Cusio-Ossola (VB) – 561E7　　24 **A2**
– 4 919 ab. – alt. 200 m – Sport invernali : a Mottarone: 803/1 492 m ⚡2 ⚡6
– ✉ 28838▮ Italia
▶ Roma 657 – Brig 108 – Como 75 – Locarno 55
🅸 piazza Marconi 16 (imbarcadero) 𝒞 0323 30150, turismo@comune.stresa.vb.it, Fax 0323 32561
🔢 Iles Borromeés, 𝒞 0323 92 92 85
🔢 Alpino di Stresa, 𝒞 0323 206 42
◎ Cornice pittoresca★★ – Villa Pallavicino★ Y
🔲 Isole Borromee★★★ : giro turistico da 5 a 30 mn di battello
– Mottarone★★★ O : 29 km (strada di Armeno) o 18 km (strada panoramica di Alpino, a pedaggio da Alpino) o 15 mn di funivia Y

Pianta pagina 1138

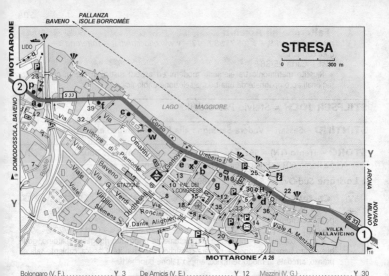

Bolongaro (V. F.)	Y 3
Borromeo (V. F.)	Y 4
Cadorna (Pza.)	Y 5
Canonica (V. P.)	Y 6
Cardinale F. Borromeo (V.)	Y 7
Carducci (V. G.)	Y 8
Cavour (V.)	Y 9
D'Azeglio (V. M.)	Y 10
Devit (V.)	Y 14

De Amicis (V. E.)	Y 12
De Martini (V. C.)	Y 13
Europa (Piazzale)	Y 15
Fulgosi (V.)	Y 18
Garibaldi (V. G.)	Y 17
Gignous (V.)	Y 20
Italia (Cso)	Y 22
Lido (Viale)	Y 23
Marconi (Pza)	Y 25

Mazzini (V. G.)	Y 30
Monte Grappa (V. del)	Y 32
Principe Tomaso (V.)	Y 33
Roma (V.)	Y 35
Rosmini (V. A.)	Y 36
Sempione (Strada statale del)	Y 39
Volta (V. A.)	Y 42

Grand Hotel des Iles Borromées

lungolago Umberto I

67 – ℰ 03 23 93 89 38 – www.borromees.it – borromees@borromees.it
– Fax 032 33 24 05 – chiuso 3 settimane tra dicembre e gennaio Yw
164 cam ⊡ – ♦275/325 € ♦♦325/429 € – 15 suites – ½ P 218/270 €
Rist Il Borromeo – (chiuso 3 settimane tra dicembre e gennaio) Carta 60/94 €
♦ Abbracciato dal verde del parco e affacciato sul lago, un maestoso palazzo carico di
fascino ospita ambienti lussuosi arredati nelle preziose tinte porpora, oro e indaco.
Vista paradisiaca ed un'attrezzata Spa per inneggiare all'antico adagio: "mens sana in
corpore sano"! Sapori ricercati nel lussuoso ristorante.

Grand Hotel Bristol

lungolago Umberto I 73/75 – ℰ 032 33 26 01
– www.zaccherahotels.com – info@grandhotelbristol.com – Fax 032 33 36 22
– aprile-ottobre Yc
252 cam ⊡ – ♦70/280 € ♦♦90/400 € – 8 suites – ½ P 60/300 €
Rist – Carta 32/95 €
♦ Una conduzione professionale per questo hotel dagli interni arredati con pezzi antichi, lampadari di cristallo e cupole in vetro policromo e nel parco una piscina riscaldata.
Affacciata sulle Isole Borromee, la sontuosa sala ristorante propone una carta moderna,
ricca di specialità regionali.

Regina Palace

lungolago Umberto I 29 – ℰ 03 23 93 69 36
– www.regina-palace.it – sales@regina-palace.it – Fax 03 23 93 66 66 – chiuso
dal 21 dicembre al 7 gennaio Yb
203 cam ⊡ – ♦260 € ♦♦365 € – 11 suites – ½ P 240 €
Rist – Menu 39 €
Rist Charleston – (chiuso a mezzogiorno) Carta 54/82 €
♦ Situato proprio in centro, questo hotel storico (1908) propone una superba vista sulle
isole Borromee. Un ampio parco con piscina, il campo da tennis e quello da calcetto, nonché lo sporting club completano l'offerta. Due ristoranti, di cui il Charleston à la carte.

La Palma
lungolago Umberto I 33 – *℘ 032 33 24 01*
– *www.hlapalma.it* – *info@hlapalma.it* – *Fax 03 23 93 39 30*
– *chiuso dal 20 dicembre al 15 febbraio*   Ye
118 cam – †120/185 € ††190/270 € – 2 suites – ½ P 120/150 €
Rist – Carta 38/57 €

♦ Risorsa a gestione attenta, con accoglienti camere signorili e rilassanti spazi comuni. Dalla magnifica piscina riscaldata in riva al lago si vedono già le isole Borromee! L'accogliente ed intima sala ristorante, propone menù di alta cucina italiana e internazionale ed è disponibile anche per allestire banchetti.

Villa Aminta
strada statale del Sempione 123, 1,5 km per ②
– *℘ 03 23 93 38 18* – *www.villa-aminta.it* – *villa-aminta@villa-aminta.it*
– *Fax 03 23 93 39 55* – *chiuso gennaio*
69 cam – †210/288 € ††210/402 €, � 30 € – 10 suites – ½ P 187/283 €
Rist *Le Isole* – Menu 70 €
Rist *I Mori* – Carta 60/80 €

♦ Abbracciata dal verde e dal lago, l'elegante villa custodisce spazi dall'arredo ricercato e gode di una paradisiaca vista sulle isole Borromee. Specchi, arazzi e cucina classica al ristorante Le Isole. Suggestione ed incanto a I Mori, dove la carta parla la lingua della creatività... senza dimenticare la tradizione.

Astoria
lungolago Umberto I 31 – *℘ 032 33 25 66* – *www.hotelstresa.info* – *h.astoria@hotelstresa.info* – *Fax 03 23 93 37 85* – *aprile-20 ottobre*   Yx
91 cam � – †130 € ††220 € – ½ P 125 €   **Rist** – Menu 26 €

♦ Un albergo moderno situato sul lungolago, dispone di ampi spazi, un luminoso soggiorno, un rilassante e fiorito giardino con piscina e snack bar ed un roof garden con solarium. Affacciato sul lago, un ristorante dall'arredo semplice e moderno dove gustare una sapiente cucina regionale di stampo moderno.

Royal
strada statale del Sempione 22 – *℘ 032 33 27 77* – *www.hotelroyalstresa.com*
– *info@hotelroyalstresa.com* – *Fax 032 33 36 33* – *marzo-ottobre*   Yz
72 cam – †80/100 € ††100/160 €, � 13 € – ½ P 70/110 €
Rist – Menu 20/30 €

♦ Suggestivi scorci sul Golfo Borromeo, sulle isole e sulla montagna per questa villa degli anni '20 circondata da un parco fiorito. Camere personalizzate, tutte con balcone e vista lago o giardino. Spazi comuni moderni e confortevoli. Ristorante illuminato da ampie vetrate con dehors panoramico per l'estate.

Della Torre
strada statale del Sempione 45 – *℘ 032 33 25 55* – *www.hoteldellatorrestresa.net*
– *hdt@hoteldellatorrestresa.net* – *Fax 032 33 11 75* – *marzo-ottobre*
64 cam – †53/105 € ††80/140 €, � 13 € – ½ P 55/100 €   Ya
Rist – *(chiuso a mezzogiorno)* Menu 20/50 €

♦ Poco distante dall'imbarcadero per le Isole Borromee, l'accogliente risorsa dispone di semplici spazi modernamente arredati con mobili in legno ed un giardino con piscina. Nella spaziosa sala ristorante potrete gustare la tradizionale cucina mediterranea e sapori internazionali.

Du Parc *senza rist*
via Gignous 1 – *℘ 032 33 03 35* – *www.duparc.it* – *info@duparc.it*
– *Fax 032 33 35 96* – *Pasqua-15 ottobre*   Yy
21 cam – †60/90 € ††80/130 €, ⊆ 10 €

♦ Avvolta da una rilassante cornice verde, una villa d'epoca dagli ambienti signorili ed accoglienti arredati in tinte turchesi e piacevoli spazi per il relax.

Flora
strada statale del Sempione 26 – *℘ 032 33 05 24* – *www.hotelflorastresa.com*
– *info@hotelflorastresa.com* – *Fax 032 33 33 72* – *15 marzo-3 novembre*
32 cam – †70/90 € ††75/110 €, ⊆ 15 € – ½ P 70/95 €   Yp
Rist – *(chiuso a mezzogiorno)* Carta 24/50 €

♦ A pochi minuti dal centro della località, l'hotel è stato recentemente ristrutturato ed ampliato e dispone di nuove e moderne camere, nonchè di una piccola piscina. Nella sobria sala da pranzo una cucina raffinata e fantasiosa, mentre d'estate è possibile anche il servizio in giardino.

🏠 **Saini** senza rist   🕭 🕪 📶 VISA 🐵 AE ① ⑤

via Garibaldi 10 – ℰ 03 23 93 45 19 – www.hotelsaini.it – info@hotelsaini.it
– Fax 032 33 11 69   **Yd**
14 cam ♌ – ♦58/82 € ♦♦69/102 €
♦ Un piccolo meuble tra le caratteristiche stradine del centro storico dispone di pochi spazi comui dalle pareti con piete a vista e calde camere moderne con arredi in legno.

🏠 **La Fontana** senza rist   ≼ 🗝 🕭 📶 🅿 VISA 🐵 AE ① ⑤
🏨 *strada statale del Sempione 1 – ℰ 032 33 27 07 – www.lafontanahotel.com*
– direzione@lafontanahotel.com – Fax 032 33 27 08 – chiuso dicembre e gennaio
20 cam ♌ – ♦65/70 € ♦♦75/85 €, ♌ 10 €   **Yf**
♦ Una piccola e graziosa villa degli anni '40 immersa in un rigoglioso parco, dispone di camere semplici e confortevoli spazi comuni dove sostare per rilassarsi o conversare.

🍴🍴 **Piemontese**   🏯 VISA 🐵 AE ⑤
via Mazzini 25 – ℰ 032 33 02 35 – www.ristorantepiemontese.com
– info@ristorantepiemontese.com – Fax 032 33 02 35
– chiuso dicembre, gennaio, lunedì e da ottobre a marzo anche domenica sera
Rist – Carta 41/53 € 🏵   **Yt**
♦ Sito nel cuore della località, una raccolta sala ristorante personalizzata da alcuni quadri a pastello alle pareti: una piacevole atmosfera dove gustare pietanze regionali. Bel giardino esterno con pergolato.

🍴 **Stornello**   🏯 💱 VISA 🐵 AE ① ⑤
via Cavour 35 – ℰ 032 33 04 44 – Fax 032 33 04 44
– chiuso dal 13 dicembre a febbraio e martedì   **Yg**
Rist – Carta 38/53 €
♦ Locale storico nel centro della località, spazioso dehors estivo e squisita cucina casalinga.

a Vedasco Sud : 2,5 km – ✉ 28838 – Stresa

🍴 **Vecchio Tram**   ≼ 🏯 🅿 VISA 🐵 AE ① ⑤
via per Vedasco 20 – ℰ 032 33 17 57 – www.vecchiotram.net
– osteria@vecchiotram.net
– chiuso martedì; da novembre a febbraio anche i mezzogiorno di lunedì, mercoledì, giovedì e venerdì
Rist – Carta 32/64 €
♦ Alle spalle di Stresa, la trattoria consta di una raccolta e rustica sala interna e di un dehors più spazioso dove gustare una curata cucina che si ispira alle nuove tendenze.

STRONCONE – Terni (TR) – 563O20 – alt. 451 m – ✉ 05039   33 **C3**
▶ Roma 112 – Terni 12 – Rieti 45

🏠 **La Porta del Tempo** senza rist �   VISA 🐵 AE ⑤
via G.Contessa 22 – ℰ 07 44 60 81 90 – www.portadeltempo.com
– info@portadeltempo.com – Fax 07 44 60 90 34
8 cam ♌ – ♦40/55 € ♦♦70/110 €
♦ In un palazzo antico nel cuore del borgo medievale, una piccola locanda a gestione familiare dall'atmosfera calda e raccolta; camere tutte diverse, arredate con gusto.

🍴🍴 **Taverna de Porta Nova**   VISA 🐵 AE ① ⑤
via Porta Nova 1 – ℰ 074 46 04 96 – Fax 07 44 60 72 53
– chiuso 1 settimana in gennaio, dal 1° al 15 agosto e mercoledì
Rist – *(chiuso a mezzogiorno escluso i giorni festivi)* Menu 30/38 €
– Carta 29/35 €
♦ All'interno di un ex convento quattrocentesco, un locale con quattro salette dall'ambiente rustico di tono signorile, dove provare cucina del territorio e carne alla brace.

STROVE – Siena – 563L15 – Vedere Monteriggioni

SUBBIANO – Arezzo (AR) – 563 L17 – **5 748 ab. – alt. 266 m** – ✉ 52010   29 **D2**

▶ Roma 224 – Rimini 131 – Siena 75 – Arezzo 15

🏨 **Relais Torre Santa Flora**   ≤ 🚗 🍴 🎄 AC 🛁 💅 🛜 P VISA ⑩ AE 🛎

località Il Palazzo 169, Sud-Est : 3 km – ☎ 05 75 42 10 45
– *www.torresantaflora.it* – *info@torresantaflora.it* – *Fax 05 75 48 96 07*
– *chiuso 2 settimane in gennaio*
15 cam – ♦85/95 € ♦♦105/125 €, ☑ 10 € – 1 suite – ½ P 83/93 €
Rist – *(chiuso lunedì e martedì da ottobre ad aprile) (chiuso a mezzogiorno)*
Carta 31/38 €
♦ Residenza di campagna seicentesca immersa nel verde: calda atmosfera negli splendidi interni in elegante stile rustico. Camere piacevoli ed accoglienti, di cui quattro nella torre medievale affacciata sul fiume. Cucina toscana con spunti creativi nelle quattro salette dal soffitto in mattoni o travi a vista.

✗ **La Corte dell'Oca** con cam   🍴 🏥 AC 🛎 VISA ⑩ AE ① 🛎

viale Europa 16 – ☎ 05 75 42 13 36 – *www.cortedelloca.it* – *info@cortedelloca.it*
– *Fax 05 75 42 04 12*
24 cam – ♦47 € ♦♦62 €, ☑ 5 € – ½ P 62 €   **Rist** – Menu 25 € – Carta 26/34 €
♦ Tra tortellini e bolliti si è avverato un sogno, quello del titolare, che ha raccolto oggetti, riviste e suppellettili degli anni '50 per ricreare un'atmosfera da amarcord. Tutte differenti tra loro, le camere si affacciano sul cortile o sul borgo.

SULDEN = Solda

SULMONA – L'Aquila (AQ) – 563 P23 – **25 345 ab. – alt. 375 m**   1 **B2**
– ✉ 67039 ▮ Italia

▶ Roma 154 – Pescara 73 – L'Aquila 73 – Avezzano 57
ℹ️ *corso Ovidio 208* ☎ 0864 53276, iatsulmona@abruzzoturismo.it,
Fax 0864 53276
◉ Palazzo dell'Annunziata★★ – Porta Napoli★
◔ Itinerario nel Massiccio degli Abruzzi★★★

🏨 **Santacroce Ovidius**   🛗 AC 💅 🛜 🏊 VISA ⑩ AE 🛎

via Circo Occidentale 177 – ☎ 086 45 38 24 – *www.hotelovidius.it*
– *info@hotelovidius.it* – *Fax 086 45 38 24*
29 cam – ♦65 € ♦♦95 €, ☑ 5 € – ½ P 65 €   **Rist** – Carta 22/36 €
♦ A due passi dal Duomo hotel moderno dalle calde sale rivestite in legno e camere dalle linee contemporanee, ben accessoriate.

✗ **Gino**   AC 💅 VISA ⑩ AE 🛎

piazza Plebiscito 12 – ☎ 086 45 22 89 – *marcoallega@virgilio.it*
– *Fax 086 45 40 26 – chiuso domenica*
Rist – *(chiuso la sera)* Carta 23/35 €
♦ Nei locali di un antico palazzo del centro, un tempo adibito alla produzione vinicola, un ristorante a tradizione familiare: bianca sala con volte in pietra, cucina locale.

sulla strada statale 17 Nord-Ovest : 3,5 km :

🏨 **Santacroce**   🚗 🎄 🏋 🛗 🏥 AC 💅 🛜 🏊 P 🏰 VISA ⑩ AE ① 🛎
🐾

✉ 67039 – ☎ 08 64 25 16 96 – *www.hotelsantacroce.com* – *meeting@arc.it*
– *Fax 08 64 25 16 96*
78 cam – ♦60 € ♦♦81 €, ☑ 5 € – ½ P 60 €
Rist – *(chiuso dal 1° al 10 novembre e venerdì)* Carta 20/35 €
♦ Nella zona industriale della città, bianca struttura con un verde giardino; luminosi spazi interni di moderna concezione, confortevoli camere nelle tonalità del verde. Proposte culinarie che vanno dal locale all'internazionale.

SULZANO – Brescia (BS) – 561 E12 – **1 475 ab. – alt. 205 m** – ✉ 25058   19 **D1**

▶ Roma 586 – Brescia 33 – Bergamo 56 – Cremona 76

🏨 **Rivalago** senza rist   ≤ 🚗 🎄 🛗 🏥 AC 💅 🛜 P VISA ⑩ AE ① 🛎

via Cadorna 7 – ☎ 030 98 50 11 – *www.rivalago.it* – *info@rivalago.it*
– *Fax 030 98 57 20*
28 cam – ☑ – ♦66/88 € ♦♦98/180 €
♦ Una giovane coppia - esperta nel settore -gestisce con competeza e savoir-faire questo nuovo albergo, deliziosamente in riva al lago : carino, lindo e con camere accoglienti.

※ **Afilod'acqua**   ◁ 🅰️🅲 🄿 *VISA* 🄼🄾 🄰🄴 ⚡

via Cesare Battisti 9, località Vertine – 𝒞 *33 87 41 63 90 – luisa.franceschetti@*
tin.it – chiuso gennaio
Rist *– (chiuso a mezzogiorno)* (consigliata la prenotazione) Menu 65 €
– Carta 49/72 €
♦ Palazzina sul lago, sapientemente ristrutturata per ospitare un locale gradevole,
intimo e raccolto, gestito da una coppia appassionata. Cucina stagionale di gusto
moderno.

SUNA – Verbania – 561E7 – Vedere Verbania

SUSA – Torino (TO) – 561G3 – 6 633 ab. – alt. 503 m – ✉ 10059   22 **B2**

▸ Roma 718 – Briançon 55 – Milano 190 – Col du Mont Cenis 30

🅸 Corso Inghilterra 39 𝒞 0122 622447, info.susa@turismotorino.org, Fax 0122
628430

🏠 **Napoleon** senza rist   🕉 🛗 🎮 🐾 🅰️🅲 📶 🏋️ 🚗 *VISA* 🄼🄾 🄰🄴 🄾 ⚡

via Mazzini 44 – 𝒞 *01 22 62 28 55 – www.hotelnapoleon.it – hotelnapoleon@*
hotelnapoleon.it – Fax 012 23 19 00
62 cam 🖵 – ♦65/75 € ♦♦85/100 €
♦ Nel cuore della località, l'hotel vanta una gestione familiare e dispone di moderne e
graziose camere, nonchè di spazi per lettura, conversazioni e riunioni. Ottima la piccola
palestra.

SUSEGANA – Treviso (TV) – 562E18 – 11 193 ab. – alt. 77 m   36 **C2**
– ✉ 31058

▸ Roma 572 – Belluno 57 – Trento 143 – Treviso 22

🏡 **Maso di Villa** senza rist 🌥   ◁ 🍴 🎾 🄿 *VISA* 🄼🄾 ⚡

via Col di Guarda 15, località Collalto, Nord-Ovest : 5 km
– 𝒞 *04 38 84 14 14 – www.masodivilla.it – info@masodivilla.it*
– Fax 04 38 98 17 42
6 cam 🖵 – ♦100/120 € ♦♦130 €
♦ Incantevole posizione collinare tra i vigneti per questa casa colonica di inizio '900
restaurata con gusto e materiali d'epoca: decorazioni in legno di un artista umbro, cura
del dettaglio, morbidi tessuti e squisite prime colazioni...

sulla strada provinciale Conegliano-Pieve di Soligo Nord : 3 km :

※※ **La Vigna**   ◁ 🏡 🅰️🅲 🎾 🔄 🄿 *VISA* 🄼🄾 🄰🄴 🄾 ⚡

via Val Monte 7, località Crevada – 𝒞 *043 86 24 30 – www.ristorantelavigna.com*
– info@ristorantelavigna.com – Fax 04 38 65 68 50 – chiuso domenica sera e
lunedì
Rist – Carta 24/31 €
♦ In collina, circondata dal verde, struttura di nuova creazione che ricorda un casolare di
campagna, ma con interni d'ispirazione contemporanea; piatti del luogo.

SUTRI – Viterbo (VT) – 563P18 – 5 482 ab. – alt. 270 m – ✉ 01015   12 **B1**

▸ Roma 52 – Viterbo 31 – Civitavecchia 60 – Terni 76

🅸 Le Querce, 𝒞 0761 60 07 89

sulla strada statale Cassia al km 46,700 Est : 3 Km :

🏠 **Il Borgo di Sutri**   🚗 🏡 🛗 🎮 🅰️🅲 cam, 🕿 🄿 *VISA* 🄼🄾 🄰🄴 🄾 ⚡

località Mezzaroma Nuova km 46,700 ✉ *01015 –* 𝒞 *07 61 60 86 90*
– www.ilborgodisutri.it – info@ilborgodisutri.it – Fax 07 61 60 83 08
21 cam 🖵 – ♦93/115 € ♦♦125/190 € – 4 suites – ½ P 88/120 €
Rist *– (chiuso martedì)* Carta 32/70 €
♦ Silenzioso, elegante e confortevole, come suggerisce il nome, l'hotel si trova nel contesto di un antico borgo agricolo; all'esterno ampi spazi verdi ed una chiesetta consacrata. Negli spazi di quella che un tempo era la casa colonica, il ristorante propone una
cucina che segue le stagioni. Ampio dehors estivo.

SUTRIO – Udine (UD) – 562C20 – **1 394 ab. – alt. 572 m** – ⊠ 33020   10 **B1**
> ▶ Roma 690 – Udine 63 – Lienz 61 – Villach 104

✗   **Alle Trote**   🚗 🏠 ℅ ✿ **P** 🆚 ⑳ 🗛 🖢
⊗   *via Peschiera, frazione Noiaris, Sud : 1 km – ℰ 04 33 77 83 29 – alletrote@*
     tiscalinet.it – chiuso dal 9 al 24 marzo e martedì escluso luglio e agosto
     Rist – Carta 18/26 €
     ♦ Nei pressi del torrente, un locale a gestione diretta, rinnovato "dalle fondamenta ai
     soffitti" al fine di accrescere il livello di confort; annesso allevamento di trote.

SUVERETO – Livorno (LI) – 563M14 – **2 928 ab. – alt. 127 m** – ⊠ 57028   28 **B2**
> ▶ Roma 232 – Grosseto 58 – Livorno 87 – Piombino 27
> 🛈 (giugno-settembre) via Matteotti ℰ 0565 829304, apt7suvereto@
>   costadeglietruschi.it

⋔   **Agriturismo Bulichella** ⌘   🚗 🏠 🔥 **P** 🆚 ⑳ ① 🖢
     località Bulichella 131, Sud-Est : 1 km – ℰ 05 65 82 98 92 – www.bulichella.it
     – info@bulichella.it – Fax 05 65 82 95 53
     21 cam ⊇ – ♥60/75 € ♥♥76/100 € – ½ P 72 €
     Rist – (chiuso a mezzogiorno) (solo per alloggiati)
     ♦ Immersa nel verde delle prime colline toscane, tra vigneti e uliveti, l'azienda agricola
     biologica offre ospitalità in camere confortevoli e tranquille. Possibilità di visitare la can-
     tina e degustare i vini.

✗✗ **Eno-Oliteca Ombrone**   🏠 🕭 🆚 ⑳ 🖢
     piazza dei Giudici 1 – ℰ 05 65 82 93 36 – www.ristoranteombrone.it
     – info@ristoranteombrone.it – Fax 05 65 82 73 42
     – chiuso dall'8 gennaio al 28 febbraio e lunedì
     Rist – (chiuso a mezzogiorno escluso sabato - domenica) (consigliata la preno-
     tazione) Menu 35/50 € – Carta 32/64 €
     ♦ Nel centro storico, un ristorante all'interno di un vecchio frantoio del '300, celebre per la
     sua raccolta di olii da gustare con il pane: cucina tipica del luogo con qualche rivisitazione.

SUZZARA – Mantova (MN) – 561I9 – **18 158 ab. – alt. 20 m** – ⊠ 46029   17 **C3**
> ▶ Roma 453 – Parma 48 – Verona 64 – Cremona 74

✗✗ **Cavour**   🏠 🆎 ℅ ✿ 🆚 ⑳ ① 🖢
     via Cavour 25 – ℰ 03 76 53 12 98 – www.ristorantecavour.com
     – silvio@ristorantecavour.com – Fax 03 76 53 12 98 – chiuso dal 14 al 25 gennaio,
     dal 10 al 25 luglio, lunedì, anche domenica sera da ottobre a maggio
     Rist – Carta 32/44 €
     ♦ Due sale separate da un corridoio dove accomodarsi a gustare un menù di terra e
     soprattutto di mare. Giovedì e sabato sera la sala più piccola è adibita anche a piano bar.

TABIANO BAGNI – Parma (PR) – 562H12 – **alt. 162 m** – ⊠ 43039   8 **A2**
> ▶ Roma 486 – Parma 31 – Piacenza 57 – Bologna 124
> 🛈 viale alle Terme 32ℰ 0524 565482 tabianoturismo@
>   comune.salsomaggiore-terme.pr.it Fax 0524 567533

🏨 **Park Hotel Fantoni** ⌘   🚗 ⅃ 🏠 ⅃⅄ 🛗 🛆🛆 🆎 ℅ rist, 🍴
     via Castello 6 – ℰ 05 24 56 51 41   🆚 ⑳ 🗛 ① 🖢
     www.parkhotelfantoni.it – phfantoni@tin.it – Fax 05 24 56 51 51 – aprile-novembre
     34 cam ⊇ – ♥45/75 € ♥♥70/110 € – ½ P 60/70 €   **Rist** – Carta 25/32 €
     ♦ In area un po' defilata e già collinare, si apre un giardino con piscina: una parentesi
     blu nel verde, preludio alla comodità dell'hotel. Ascensore diretto per le terme. Per i
     pasti anche un angolo grill nel parco, per fresche cenette estive.

🏨 **Rossini** ⌘   🏠 🛆 ℅ rist, 🕭 **P** 🆚 ⑳ 🖢
     via delle Fonti 10 – ℰ 05 24 56 51 73 – www.hotelrossini.net – hotel.rossini@
     libero.it – Fax 05 24 56 57 34 – aprile-novembre
     50 cam – ♥80 € ♥♥110 €, ⊇ 8 € – ½ P 60 €
     Rist – (solo per alloggiati) Menu 28 €
     ♦ Un valido albergo che, nel corso degli anni, ha saputo mantenere alti la qualità e il
     livello dell'offerta; terrazza solarium con una vasca idromassaggio per più persone.

TALAMONE – Grosseto – 563O15 – Vedere Fonteblanda

TALENTE – Firenze – Vedere San Casciano in Val di Pesa

TAMBRE – Belluno (BL) – 562D19 – 1 513 ab. – alt. 922 m – ✉ 32010   36 **C1**
– TAMBRE

> ▶ Roma 613 – Belluno 30 – Cortina d'Ampezzo 83 – Milano 352
>
> 🖪 piazza 11 Gennaio 1945 1 ✆ 0437 49277, tambre@infodolomiti.it, Fax 0437 49246
>
> 🖪 Cansiglio, ✆ 0483 58 53 98

🏠   **Alle Alpi**   🚗 🏚 ✕ 🖬 🅿 𝑽𝑰𝑺𝑨 ⑩
☎   *via Campei 32 – ✆ 043 74 90 22 – www.allealpi.it – hotel.alpi@libero.it
– Fax 04 37 43 96 88 – chiuso ottobre e novembre*
28 cam ☷ – ♦34/45 € ♦♦50/72 € – ½ P 50/56 €   **Rist** – Menu 16/25 €
♦ A poche decine di metri dalla chiesa e dal centro, albergo familiare dalla caratteristica struttura alpina ideale per vacanze tranquille e riposanti. Ristorante dall'ambiente curato e semplice, come a casa vostra per piatti casarecci di tradizione locale.

TAMION – Trento – Vedere Vigo di Fassa

TAORMINA – Messina – 565N27 – Vedere Sicilia alla fine dell'elenco alfabetico

---

TARANTO 🅿 (TA) – 564F33 – 199 131 ab. – ✉ 74100 Italia   27 **C2**

> ▶ Roma 532 – Brindisi 70 – Bari 94 – Napoli 344
>
> 🖪 corso Umberto I 121 ✆ 099 4532397, apttaranto@pugliaturismo.com, Fax 099 4520417
>
> 🖪 Riva dei Tessali, ✆ 099 843 18 44
>
> ◎ Museo Nazionale★★ : ceramiche★★★, sala degli ori★★★ – Lungomare Vittorio Emanuele★★ – Giardini Comunali★ – Cappella di San Cataldo★ nel Duomo

Pianta pagina a lato

🏨   **Akropolis**   🛖 🖿 🕰 ✕ ☎ 🚗 𝑽𝑰𝑺𝑨 ⑩ 🄰🄴 ① 🛠
*vico I° Seminario 3 – ✆ 09 94 70 41 10 – www.hotelakropolis.it – info@
hotelakropolis.it – Fax 09 94 70 41 10*   **a**
13 cam ☷ – ♦110/125 € ♦♦145/165 €
Rist – *(chiuso lunedì) (chiuso a mezzogiorno)* Carta 34/48 €
♦ Il palazzo racconta la storia di Taranto, dalle fondamenta greche agli interventi succedutisi fino all'800. Pavimenti in maiolica del '700, splendida terrazza sui due mari. Elementi d'antiquariato anche nella sala-ristorante e wine bar per una ristorazione veloce.

🏨   **Europa**   🛥 🖿 🕰 ✕ ☎ 𝑽𝑰𝑺𝑨 ⑩ 🄰🄴 ① 🛠
*via Roma 2 – ✆ 09 94 52 59 94 – www.hoteleuropaonline.it – info@
hoteleuropaonline.it – Fax 09 94 52 59 94*   **e**
42 cam ☷ – ♦75/115 € ♦♦120/145 € – 2 suites   **Rist** – Carta 27/51 €
♦ Sul Mar Piccolo con vista su ponte girevole e castello aragonese, funzionale hotel, ex residence, che offre moderne camere molto ampie, spesso sviluppate in due ambienti.

🏨   **Al Faro**   🛥 🚗 🛖 ᚷ 🕰 ✕ ☎ 🅿 𝑽𝑰𝑺𝑨 ⑩ 🄰🄴 ① 🛠
*strada vicinale Fonte delle Citrezze 4000, Nord : 1,5 km – ✆ 09 94 71 44 44
– www.alfarotaranto.it – info@alfarotaranto.it – Fax 09 94 71 20 20*
18 cam ☷ – ♦90/140 € ♦♦120/180 €   **Rist** – Carta 38/50 €
♦ Atipica masseria settecentesca, costruita in riva al mare per l'allevamento dei molluschi. L'attività volge oggi all'ospitalità alberghiera, di ottimo livello in ogni aspetto. Sala ristorante ricavata sotto suggestive volte a crociera.

✕✕   **Il Caffè**   🛖 🕰 𝑽𝑰𝑺𝑨 ⑩ 🄰🄴 🛠
*via d'Aquino 8 – ✆ 09 94 52 50 97 – Fax 09 94 52 50 97 – chiuso domenica sera e
lunedì a mezzogiorno escluso da giugno a settembre*   **b**
Rist – Carta 35/55 €
♦ Accogliente angolo gourmet in centro città questo ristorante-pizzeria, con sala più informale al pianterreno e una più curata al 1° piano; piatti di cucina marinara.

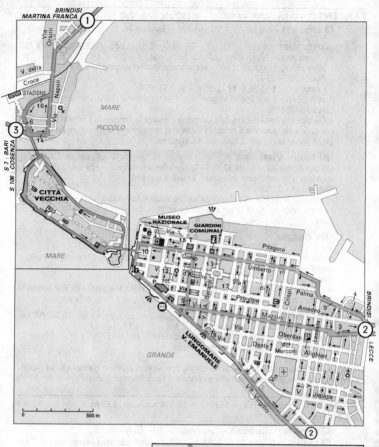

TARANTO

TARCENTO – Udine (UD) – 562D21 – 8 857 ab. – alt. 230 m – ⌧ 33017   11 **C2**

▶ Roma 657 – Udine 19 – Milano 396 – Tarvisio 76

%%   **Costantini** con cam   🚗 📶 ⚅ 🗚 📶 rist, **P** 🚗 **VISA** ⚾ **AE** ① ✆
via Pontebbana 12, località Collalto, Sud-Ovest : 4 km – ✆ *04 32 79 20 04*
– www.albergocostantini.com – prenotazioni@albergocostantini.com
– Fax 04 32 79 23 72
22 cam ⌁ – †53/65 € ††75/95 € – ½ P 55/65 €
Rist *– (chiuso 1 settimana in gennaio, 1 in novembre, domenica sera e lunedì)*
Carta 30/68 € ⬡
♦ Già tappa di sosta per chi dalla Germania si recava in Terrasanta, il ristorante propone una cucina che valorizza il prodotto locale con accostamenti leggermente fusion. Accoglienti anche le camere di tono classico elegante.

%%   **Al Mulin Vieri**   ≤ 📶 **P** **VISA** ⚾ **AE** ① ✆
via Dei Molini 10 – ✆ *04 32 78 50 76 – mulinvieri@alice.it – Fax 04 32 78 50 76*
– chiuso una settimana in agosto, lunedì e martedì
Rist – Carta 27/38 €
♦ Non solo piatti friulani per una cucina che vuole accontentare tutti i gusti. Nelle giornate più calde scegliete la terrazza per approfittare dell'effetto rinfrescante del piccolo fiume.

%   **Da Gaspar**   ≤ ⚘
via Gaspar 1, località Zomeais, Nord : 2,5 km – ✆ *04 32 78 59 50*
– Fax 04 32 78 59 50 – chiuso dal 1° al 10 gennaio, dal 15 giugno al 15 luglio,
lunedì e martedì
Rist – Carta 27/38 €
♦ Sembrerà di trovarsi protagonisti di una fiaba: un'unica sala gestita da due sorelle, le finestre affacciate sul bosco e sul torrente, la cucina segue il ritmo delle stagioni.

%   **Osteria di Villafredda**   📶 **P** **VISA** ⚾ **AE** ① ✆
⊜   *via Liruti 7, località Loneriacco Sud : 2 km –* ✆ *04 32 79 21 53*
   – www.villafredda.com – info@villafredda.com – Fax 04 32 79 21 53 – chiuso
(≈)   *gennaio, agosto, domenica sera e lunedì*
Rist – Carta 21/33 €
♦ Tranquilla e defilata casa di campagna con servizio estivo in giardino; in un piccolo borgo rurale, antistante una villa padronale, il tipico "fogolar" friulano.

TARQUINIA – Viterbo (VT) – 563P17 – 15 818 ab. – alt. 133 m   12 **A2**
– ⌧ 01016▯ Italia

▶ Roma 96 – Viterbo 45 – Civitavecchia 20 – Grosseto 92

🄳 barria San Giusto 23 ✆ 0766 849292, comunetarquinia@tarquinia.net, Fax 0766 849286

🔟 , ✆ 0766 812109

◉ Necropoli Etrusca★★ : pitture★★★ nelle camere funerarie Sud-Est : 4 km – Palazzo Vitelleschi★ : cavalli alati★★★ nel museo Nazionale Tarquiniense★ – Chiesa di Santa Maria in Castello★

%   **Arcadia**   📶 🗚 **VISA** ⚾ **AE** ① ✆
⊜   *via Mazzini 6 –* ✆ *07 66 85 55 01 – www.on-web.it/arcadia – arcadiaristorante@*
libero.it – Fax 07 66 85 55 01 – chiuso gennaio e lunedì (escluso agosto)
Rist – Carta 19/48 €
♦ Si trova in un antico edificio del centro storico questo piacevole ristorante dove gustare specialità regionali di terra e di mare. Entusiasmo e passione in un'atmosfera di cordiale familiarità.

a Lido di Tarquinia Sud-Ovest : 6 km – ⌧ 01010

🏠   **La Torraccia** senza rist   🚗 🗚 ⚘ 📶 **P** **VISA** ⚾ **AE** ① ✆
viale Mediterraneo 45 – ✆ *07 66 86 43 75 – www.torraccia.it – torraccia@tin.it*
– Fax 07 66 86 42 96 – chiuso dal 22 dicembre al 17 gennaio
18 cam ⌁ – †55/80 € ††75/100 €
♦ In una tranquilla pineta dove assaporare momenti di piacevole relax, l'albergo - recentemente rinnovato con gusto - dispone di camere piccole ma personalizzate. Ottima posizione, vicino al mare.

XX **Gradinoro** 🏠 AC VISA ⓾ AE ⓸ 👍

*lungomare dei Tirreni 17 – ℰ 07 66 86 40 45 – www.gradinoro.com – info@
gradinoro.com – Fax 07 66 86 98 34*
Rist – Carta 45/75 €
♦ Ai fornelli c'è sempre la tenace signora Urbani, garante di una cucina della tradizione
che propone succulenti preparazioni di pesce fresco. Design moderno-contemporaneo
per la sala.

TARTANO – Sondrio (SO) – 561D11 – 240 ab. – alt. 1 147 m – ✉ 23010   16 **B1**

▶ Roma 695 – Sondrio 34 – Chiavenna 61 – Lecco 77

🏠 **La Gran Baita** 👍 ← 🚗 🕸 📶 🍽 rist, **P** VISA ⓾ 👍
ⓢ
*via Castino 7 – ℰ 03 42 64 50 43 – www.albergogranbaita.it – htl.granbaita@
virgilio.it – Fax 03 42 64 53 07 – chiuso dal 6 gennaio al 31 marzo*
34 cam – ♦33/35 € ♦♦55/58 €, ⌚ 5 € – ½ P 40/43 €   **Rist** – Carta 21/29 €
♦ In Val Tartano, nel Parco delle Orobie, un'oasi di assoluta pace e relax ove potersi
godere anche vari servizi naturali per la salute; conduzione familiare e confort. Al ristorante ambiente rustico avvolto dal legno, con vetrate sulla natura.

TARVISIO – Udine (UD) – 562C22 – 5 055 ab. – alt. 754 m – Sport   11 **C1**
invernali : 750/1 780 m ✭ 3 ⚡13, ⚡ – ✉ 33018

▶ Roma 730 – Udine 95 – Cortina d'Ampezzo 170 – Gorizia 133
🛈 via Roma 10 ℰ 0428 2135, apt@tarvisiano.org, Fax 0428 2972
📷 , ℰ 0428 20 47

🏠 **Locanda Edelhof** 🚗 🏠 📶 📡 **P** VISA ⓾ AE ⓸ 👍
*via Diaz 13 – ℰ 04 28 64 40 25 – www.hoteledelhof.it – info@hoteledelhof.it
– Fax 04 28 64 47 35*
16 cam ⌚ – ♦50/60 € ♦♦85/90 € – 2 suites – ½ P 65/70 €
Rist – *(chiuso due settimane in maggio, due settimane in novembre e lunedì)*
(consigliata la prenotazione) Carta 27/38 €
♦ Albergo dallo stile originale, ispirato alla zona e creato da una serie di ambienti d'ispirazione tardo gotica. Ampie e personalizzate le camere dal confort al passo coi tempi.
Ricostruzione di una stube d'epoca, al ristorante potrete assaporare i piatti simbolo
della regione.

TAUFERS IM MÜNSTERTAL = Tubre

TAVARNELLE VAL DI PESA – Firenze (FI) – 563L15 – 7 279 ab.   29 **C2**
– alt. 378 m – ✉ 50028

▶ Roma 268 – Firenze 29 – Siena 41 – Livorno 92
🛈 via Roma 190 ℰ 055 8077832, turismo.tavarnelle@bcc.tin.it, Fax 055
8077832

🏛 **Castello del Nero** 👍 🍸 🏠 🗻 🕸 🎣 🍽 ⓰ AC ✂ 🛎 🕹 ⛳ **P**
VISA ⓾ AE ⓸ 👍
*strada Spicciano 7 – ℰ 055 80 64 70
– www.castellodelnero.com – reservations@castellodelnero.com
– Fax 055 80 64 77 77*
50 cam – ♦♦550/990 €, ⌚ 30 € – 18 suites   **Rist** – Carta 45/106 €
♦ In posizione dominante sulle colline, una residenza di campagna di origini duecentesche, dove gli elementi storici si fondono con arredi moderni e accessori d'avanguardia.
Sapori tipici toscani interpretati con estro creativo in cucina.

🏠 **Antica Pieve** 🚗 🗻 AC 📡 VISA ⓾ AE ⓸ 👍
*strada della Pieve 1 – ℰ 05 58 07 63 14 – www.anticapieve.net – info@
anticapieve.net – Fax 05 58 07 65 22 – chiuso febbraio*
6 cam ⌚ – ♦♦100/130 € – ½ P 85/90 €
Rist – *(chiuso dall'8 al 31 gennaio) (chiuso a mezzogiorno)* Carta 23/36 €
♦ Gestione giovane e motivata per un bed and breakfast con camere ben accessoriate
e curate. Piscina e giardino per rilassanti momenti en plein air. Specialità regionali al
ristorante.

✗ **La Gramola** 🏠 ⅋ VISA ⓶ AE ⓪ ⛎
via delle Fonti 1 – ℰ *05 58 05 03 21 – www.gramola.it – osteria@gramola.it*
– Fax 05 58 07 73 68 – chiuso martedì
Rist *– Carta 25/30 € ⅋*
♦ Doppia sala interna con attrezzi agricoli e cortile per il servizio estivo: leccornie
toscane in un'accogliente osteria al centro del paese. Ampia scelta di vini.

in prossimità uscita superstrada Firenze-Siena Nord-Est : 5 km :

🏠 **Park Hotel Chianti** senza rist 🏊 ⅋ AC ⁽ᵗ⁾ ⅋ P VISA ⓶ AE ⛎
località Pontenuovo ⊠ *50028 –* ℰ *05 58 07 01 06 – www.parkhotelchianti.com*
– info@parkhotelchianti.com – Fax 05 58 07 01 21
– chiuso dal 24 dicembre al 7 gennaio
43 cam ⚏ *–* ¶50/105 € ¶¶85/140 €
♦ Adiacente alla superstrada Firenze-Siena, ma nel bel mezzo della campagna toscana
più tipica, un riferimento ideale per clienti di lavoro o per turisti di passaggio.

a San Donato in Poggio Sud-Est : 7 km – ⊠ 50020

✗✗ **La Locanda di Pietracupa** con cam e senza ⚏ 🏠 ⁽ᵗ⁾
via Madonna di Pietracupa 31 – ℰ *05 58 07 24 00* VISA ⓶ AE ⓪ ⛎
– www.locandapietracupa.com – info@locandapietracupa.com
– Fax 05 58 07 21 42
5 cam *–* ¶¶60 €
Rist *– (chiuso dal 26 dicembre al 3 febbraio e martedì) (consigliata la prenota-*
zione) Carta 35/44 € ⅋
♦ Immerso tra le dolci colline del Chianti, d'estate è senz'altro piacevole prendere posto
ai tavoli in giardino; in cucina c'è passione e fantasia perchè ogni stagione sia rappresentata dal menu più consono. Colori tenui e rilassanti nelle camere e da tutte una
vista spettacolare sul verde.

✗ **La Toppa** 🏠 ⇄ VISA ⓶ AE ⛎
🐾 *via del Giglio 43 –* ℰ *05 58 07 29 00 – www.trattorialatoppa.com*
– Fax 05 58 07 29 00 – chiuso dal 7 gennaio all'8 febbraio, lunedì ed in agosto
anche a mezzogiorno
Rist *– Carta 22/28 € (+10 %)*
♦ Re della cantina e della tavola, solerte e allegro messaggero che ha ispirato il nome
della trattoria, il Chianti fa da scorta alle storiche ricette di famiglia e domina su un paesaggio di colline e profumo.

a Badia a Passignano Est : 7 km – ⊠ 50028 – Tavarnelle Val di Pesa

✗✗ **Osteria di Passignano** 🏠 ⅋ AC ⅋ VISA ⓶ AE ⓪ ⛎
⅋⅋ *via Passignano 33 –* ℰ *05 58 07 12 78 – www.osteriadipassignano.com*
– marcello.crini@tin.it – Fax 05 58 07 12 78 – chiuso dal 12 gennaio all'8
febbraio, dal 17 al 24 agosto e domenica
Rist *– (consigliata la prenotazione) Menu 60 € – Carta 52/64 € ⅋*
Spec. Vellutata di ceci neri con baccalà dorato e calamari al rosmarino. Piccione al forno con cosce croccanti, crema di cipolle, cannoli di piselli e mandorle. Gnudi dolci di ricotta di pecora in zuppetta di pere e gelato alla grappa.
♦ Nell'affascinante contesto di una campagna toscana da cartolina, le cantine Antinori
propongono una saporita cucina di stampo regionale, fortemente ancorata alla tradizione.

TAVAZZANO CON VILLAVESCO – Lodi (LO) – 561G10 – **5 177 ab.**   19 **C3**
– alt. 80 m – ⊠ 26838
🗺 Roma 543 – Milano 29 – Piacenza 48 – Bergamo 56

🏠 **Napoleon** senza rist 🏊 ⅋ AC ⁽ᵗ⁾ P VISA ⓶ AE ⓪ ⛎
via Garibaldi 34 – ℰ *03 71 76 08 24 – www.hotelnapoleon-italia.com – info@*
hotelnapoleonsrl.191.it – Fax 03 71 76 08 27
26 cam ⚏ *–* ¶75/88 € ¶¶88/128 €
♦ Piccolo albergo in comoda posizione, tra Lodi e Milano, indicato anche per la clientela
fieristica; conduzione familiare e camere spaziose, con arredi moderni.

TAVIANO – Lecce (LE) – 564H36 – **12 604 ab. – alt. 55 m** – ✉ 73057   27 **D3**

▶ Roma 616 – Brindisi 91 – Bari 203 – Lecce 55

✗   **A Casa tu Martinu** con cam   🚲 🏠 🕪 Ⓐ🅲 cam, ☆ ⑨ 🚗
      via Corsica 97 – ℰ 08 33 91 36 52   𝐕𝐈𝐒𝐀 ⓪ 🄰🄴 ⓪ 🖒
😊   – *www.acasatumartinu.com – info@acasatumartinu.com*
😊   – *Fax 08 33 91 36 52*
      – *chiuso lunedì*
      11 cam 🖵 – †45/55 € ††80/100 €
      Rist – *(chiuso a mezzogiorno da giugno ad agosto)* Carta 21/29 € 🌼
      ♦ Alla cucina tipica del Salento, semplice e gustosa, sommate la possibilità di pranzare all'aperto avvolti dal profumo di agrumi e nespole. Romantico e incantato. Dispone anche di alcune confortevoli camere dall'arredamento ligneo.

TEGLIO – Sondrio (SO) – 561D12 – **4 714 ab. – alt. 856 m** – ✉ 23036   16 **B1**

▶ Roma 719 – Sondrio 20 – Edolo 37 – Milano 158

🏠   **Combolo**   🕪 👪 rist, ☆ 🆊 🄿 🚗 𝐕𝐈𝐒𝐀 ⓪ 🄰🄴 ⓪ 🖒
      via Roma 5 – ℰ 03 42 78 00 83 – www.hotelcombolo.it
😊   – *info@hotelcombolo.it – Fax 03 42 78 11 90*
      – *chiuso dal 15 al 30 novembre*
      44 cam – †43/55 € ††68/90 €, 🖵 6 € – ½ P 47/75 €
      Rist – *(chiuso martedì escluso da giugno a settembre)* Carta 21/40 €
      ♦ Solida gestione familiare per un hotel che ha già soffiato sulle cento candeline! Accogliente e confortevole, la struttura - ubicata nella piazzetta centrale del paese - è in grado di soddisfare molteplici richieste. Al ristorante vi attende una vasta scelta di proposte gastronomiche regionali.

sulla strada statale 38 al km 38,750 Sud-Est: 4 km

✗   **Fracia**   🏠 👪 𝐕𝐈𝐒𝐀 ⓪ 🄰🄴 ⓪ 🖒
      località Fracia ✉ 23036 Teglio – ℰ 03 42 48 26 71 – www.fracia.it
      – *info@fracia.it – chiuso dal 15 al 30 giugno*
      Rist – *(coperti limitati, prenotare)* Carta 27/36 €
      ♦ Tra terrazze digradanti e vigneti, un rustico cascinale in pietra ospita il ristorante che gode di una vista panoramica sulla valle circostante. Interni sobri con pareti anch'esse in pietra ed una bella stufa; il menu annovera ottime specialità valtellinesi. Un'oasi di tradizione e gusto.

TELLARO – La Spezia – 561J11 – **Vedere Lerici**

TEMPIO PAUSANIA – Olbia-Tempio (104) – 566E9 – **Vedere Sardegna alla fine dell'elenco alfabetico**

TENCAROLA – Padova – **Vedere Selvazzano Dentro**

TENNA – Trento (TN) – 562D15 – **894 ab. – alt. 556 m** – ✉ 38050   30 **B3**

▶ Roma 607 – Trento 18 – Belluno 93 – Bolzano 79

🛈 (giugno-settembre) via Alberè 35 t° 0461 706396, Fax 0461 706396

🏠   **Margherita** 🌾   🐾 🏠 🏊 ♨ ☆ 🕪 ☆ rist, 🄿 𝐕𝐈𝐒𝐀 ⓪ 🄰🄴 ⓪ 🖒
      località Pineta Alberè 2, Nord-Ovest : 2 km – ℰ 04 61 70 64 45
      – *www.hotelmargherita.it – info@hotelmargherita.it – Fax 04 61 70 78 54*
      – *15 aprile-ottobre*
      50 cam 🖵 – †45/65 € ††80/110 € – ½ P 60/80 €   **Rist** – Carta 27/37 €
      ♦ Nel cuore della pineta di Alberè, l'albergo vanta un ampio parco privato con piscina, campi da tennis e da calcetto e camere classiche arredate in legno di rovere. Nelle luminose sale del ristorante o ai tavoli all'aperto vengono proposti piatti tipici della classica gastronomia regionale.

TEOLO – Padova (PD) – 562F17 – **8 302 ab. – alt. 175 m** – ✉ 35037   35 **B3**

▶ Roma 498 – Padova 21 – Abano Terme 14 – Ferrara 83

🏨 **Villa Lussana** ← & cam, 🖸 💯 **P** 🚗 *VISA* 🐱 **AE** ⓪ **⑤**
🍽️ via Chiesa 1 – ☎ 04 99 92 55 30 – www.villalussana.com – info@villalussana.com
– Fax 04 99 92 55 30 – chiuso dal 7 al 30 gennaio
11 cam ☲ – ♦60/75 € ♦♦90 € – ½ P 67 €
Rist – (chiuso martedì escluso da giugno a settembre) Carta 21/34 €
♦ Nella zona centrale della località, ma con un panorama molto bello sui verdi Colli
Euganei, una piccola ed elegante villa in stile liberty, tinteggiata in delicato rosa. L'ele-
gante ed intima sala da pranzo offre la vista sul paesaggio circostante e gustosi pasti.

a Castelnuovo Sud-Est : 3 km – ✉ 35038

🍴 **Trattoria al Sasso** 🏡 & 💯 ⇔ **P** *VISA* 🐱 **⑤**
via Ronco 11 – ☎ 04 99 92 50 73 – Fax 04 99 92 55 59 – chiuso mercoledì
Rist – Carta 34/47 € 🌿
♦ Potrebbe essere una classica meta delle passeggiate sui colli, con proposte culinarie
legate al territorio; semplicità, con un tocco di eleganza, e porzioni abbondanti.

TERAMO **P** (TE) – 563O23 – **52 696 ab. – alt. 265 m** – ✉ 64100   1 **B1**

▶ Roma 182 – Ascoli Piceno 39 – Ancona 137 – L'Aquila 66
🛈 via Oberdan 16☎ 0861 244222, presidio.teramo@abruzzoturismo.it, Fax
0861 244357

🍴🍴 **Duomo** 🏡 🖸 💯 *VISA* 🐱 **AE** **⑤**
via Stazio 9 – ☎ 08 61 24 17 74 – www.ristoranteduomo.com – info@
ristoranteduomo.com – Fax 08 61 24 17 74 – chiuso dal 7 al 27 gennaio, una
settimana in agosto, domenica sera e lunedì
Rist – Carta 26/33 €
♦ Tranquillo, a pochi passi dal Duomo, un locale di solida gestione e di elegante atmosfera. Menù esposto sul leggio all'ingresso e piatti abruzzesi con spunti nazionali.

TERENZO – Parma (PR) – 562I12 – **1 262 ab. – alt. 540 m** – ✉ 43040   8 **B2**

▶ Roma 456 – Parma 35 – Milano 147 – Piacenza 87

a Sivizzano Nord-Est : 10 km – ✉ 43050

⛺ **Agriturismo Selva Smeralda** 🌿 ← 🐾 ⚲ **P**
località Selva Smeralda – ☎ 05 25 52 00 09 – www.selvasmeralda.it
– Fax 05 25 52 00 09 – febbraio-ottobre
5 cam ☲ – ♦45 € ♦♦80 € – ½ P 50 €
Rist – (chiuso a mezzogiorno da lunedì a giovedì) (prenotazione obbligatoria)
Menu 30/35 €
♦ Qualche chilometro in salita oltre Savizzano, si raggiunge un'oasi di riservatezza e
ristoro tra le stanze di un castello trecentesco, ristrutturato con un occhio di riguardo
per la semplicità. In cucina si utilizzano diversi prodotti dell'azienda agricola, a cominciare dalle carni bovine.

TERLANO (TERLAN) – Bolzano (BZ) – 562C15 – **3 763 ab. – alt. 246 m**   31 **D3**
– ✉ 39018

▶ Roma 646 – Bolzano 9 – Merano 19 – Milano 307
🛈 piazza Weiser 2 ☎ 0471 257165, info@tvterlan.com, Fax 0471 257830

🏨 **Weingarten** 🚗 🏡 ⬛ 🏊 & ⬧ **P** *VISA* 🐱 **⑤**
via Principale 42 – ☎ 04 71 25 71 74 – www.hotel-weingarten.com
– weingarten@dnet.it – Fax 04 71 25 77 76 – chiuso dal 6 gennaio al 13 marzo
21 cam ☲ – ♦55/61 € ♦♦88/106 € – ½ P 61/71 €   **Rist** – Carta 31/47 €
♦ Giardino ombreggiato con piscina riscaldata, a due passi dal centro di Terlano, tra
vigneti e frutteti. L'albergo dispone di camere luminose e panoramiche. Servizio ristorante all'aperto, all'ombra degli alberi, o nelle tipiche stube.

a Settequerce (Siebeneich)Sud-Est : 3 km – ✉ 39018

✗ **Patauner** 🏠 🅿 💳 ⊚ 🅰🅴 ⑤
via Bolzano 6 – ☎ 04 71 91 85 02 – Fax 04 71 91 85 02
– chiuso dal 20 febbraio al 10 marzo, dal 30 giugno al 20 luglio, domenica
dal 15 giugno al 15 settembre, giovedì negli altri mesi
Rist – Carta 22/33 €
♦ Un indirizzo semplice e utile per chi vuole gustare i piatti della tradizione altoatesina:
ambiente pulito e ordinato con due salette graziosamente arredate.

a Vilpiano (Vilpian)Nord-Ovest : 4 km – ✉ 39010

🏠 **Sparerhof** 🚗 🏠 ⌿ ⥀ ⌿ rist, 🅿 💳 ⊚ ⑤
⊕ via Nalles 2 – ☎ 04 71 67 86 71 – www.hotelsparerhof.it – info@hotelsparerhof.it
– Fax 04 71 67 83 42
15 cam ⌑ – ♦50/55 € ♦♦80/90 € – ½ P 52/57 €
Rist – (chiuso a mezzogiorno) Menu 18/38 €
♦ Simpatici e ospitali, i proprietari comunicano brio all'ambiente, gradevole e singolare;
oggetti di design e opere d'arte sparsi un po' ovunque, anche nelle piccole camere.
Nella semplice ed accogliente sala da pranzo oppure nel fresco giardino, piatti appetitosi e creativi.

TERME – Vedere di seguito o al nome proprio della località termale

TERME LUIGIANE – Cosenza (CS) – 564|29 – alt. 178 m – ✉ 87020   5 **A2**
– Acquappesa
▶ Roma 475 – Cosenza 49 – Castrovillari 107 – Catanzaro 110

🏠 **Grand Hotel delle Terme** ⌿ 🛁 ⛱ 🀫 🅰🅲 ⌿ rist, 🕪 🎿 🅿
via Fausto Gullo 6 – ☎ 098 29 40 52 💳 ⊚ 🅰🅴 ⓪ ⑤
– www.termeluigiane.it – grandhotel.terme@libero.it – Fax 098 29 44 78
– 15 maggio-ottobre
125 cam – ♦80/100 € ♦♦100/120 €, ⌑ 10 € – ½ P 90 € **Rist** – Menu 25 €
♦ Collegato alle Thermae Novae mediante un passaggio interno, ecco un hotel ideale
per i soggiorni terapeutici e dotato di ogni confort e servizi appropriati.

🏠 **Parco delle Rose** ⌿ 🀫 ⌖ ⌿ rist, 🅿 💳 ⊚ 🅰🅴 ⓪ ⑤
via Pantano 78 – ☎ 098 29 40 90 – www.hotelparcodellerose.it – info@
hotelparcodellerose.it – Fax 098 29 44 79 – maggio-ottobre
55 cam ⌑ – ♦35/60 € ♦♦50/90 € – ½ P 65/80 € **Rist** – Carta 25/52 €
♦ Ambiente familiare e ospitale per un albergo ubicato non lontano dalle strutture termali, a pochi minuti di automobile dal mare. Camere semplici, ma accoglienti. Cucina
classica nello spazioso ristorante, dotato di una nuova sala (ideale per ricevimenti).

TERMENO SULLA STRADA DEL VINO   31 **D3**
(TRAMIN AN DER WEINSTRASSE) – Bolzano (BZ) – 562C15 – 3 197 ab.
– alt. 276 m – ✉ 39040
▶ Roma 630 – Bolzano 24 – Milano 288 – Trento 48
🅾 via Julius V. Payer 1 ☎ 0471 860131, info@tramin.com, Fax 0471 860820

🏠 **Mühle-Mayer** 🖎 ⪡ 🚗 🏠 🔲 🀫 ⌿ 🅿 💳 ⊚ ⑤
via Molini 66, Nord : 1 km – ☎ 04 71 86 02 19 – www.muehle-mayer.it
– muehle-mayer@dnet.it – Fax 04 71 86 09 46 – 20 marzo-10 novembre
12 cam ⌑ – ♦80/90 € ♦♦140/160 € – ½ P 80/106 €
Rist – (chiuso a mezzogiorno) (solo per alloggiati)
♦ Tra i verdi e riposanti vigneti in una zona isolata e tranquilla, un gradevole giardino-
solarium e una casa situata su un antico mulino di stanze eleganti e personalizzate.

🏠 **Tirolerhof** ⪡ 🚗 🏠 ⌿ 🀫 🛁 🎮 ⌿ rist, 🕪 🅿 💳 ⊚ ⑤
via Parco 1 – ☎ 04 71 86 01 63 – www.tirolerhof.com – tirolerhof@tirolerhof.com
– Fax 04 71 86 01 54 – Pasqua-15 novembre
30 cam ⌑ – ♦60/75 € ♦♦92/118 € – ½ P 62/72 € **Rist** – (solo per alloggiati)
♦ Conduzione familiare ben rodata per quest'albergo che si sviluppa su due costruzioni, vicino al centro storico. Deliziosi il giardino e la veranda nonché gli spazi interni.
Le camere, non molto spaziose, sono tuttavia ben arredate e confortevoli.

⌂ **Schneckenthaler Hof** ⌖ ⪡ 🚗 🏡 🗳 🐾 ⛟ 🛏 ↳ 🎿 rist, **P**
via Schneckenthaler 25 – ℰ 04 71 86 01 04 VISA ⬤⬤ 💰
– www.schneckenthalerhof.com – info@schneckenthalerhof.com
– Fax 04 71 86 08 24 – 5 aprile-1° novembre
25 cam ⊑ – †55/75 € ††90/140 € – ½ P 55/65 € **Rist** – Carta 26/54 €
♦ Risorsa ubicata nella parte alta e panoramica della località, immersa tra i filari dei
vigneti. Camere accoglienti e confortevoli, seppur semplici ed essenziali. Cucina sana e
genuina, di fattura casalinga, nella sala ristorante intima e raccolta.

✗ **Enoteca Hofstatter** VISA ⬤⬤ ⬤ 💰
piazza Municipio 7 – ℰ 04 71 09 00 03 – www.hofstatter.com – info@
hofstatter.com – Fax 04 71 86 07 89 – chiuso dal 15 al 30 giugno e 2 settimane
in novembre
Rist – (consigliata la prenotazione) Carta 34/46 € 🌿
♦ Un angolo gastronomico moderno e minimalista ospita una cucina contemporanea,
basata su un menu giornaliero con poche proposte ma ben variegate.

TERME VIGLIATORE – Messina – 565M27 – **Vedere Sicilia alla fine dell'elenco
alfabetico**

TERMINI – 564F25 – **Vedere Massa Lubrense**

TERMINI IMERESE – Palermo – 565N23 – **Vedere Sicilia alla fine dell'elenco
alfabetico**

TERMOLI – Campobasso (CB) – 564A26 – 30 816 ab. – ✉ 86039   2 **D2**
▶ Roma 300 – Pescara 98 – Campobasso 69 – Foggia 88
🛈 piazza Melchiorre Bega 1 ℰ 0875 703913, Fax 0875 704956

🏨🏨🏨 **Santa Lucia** senza rist ⪡ 🗳 AC 🎿 cam, "📶" VISA ⬤⬤ AE 💰
largo Piè di Castello – ℰ 08 75 70 51 01 – www.santaluciahotel.it – info@
santaluciahotel.it – Fax 08 75 70 51 01
19 cam – †85/110 € ††120/150 €, ⊑ 5 € - 1 suite
♦ Ai piedi dell'imponente Castello Svevo, hotel dagli ambienti raffinati in cui prevalgono
i colori caldi. Camere di buon livello sia per confort sia per cura e stile negli arredi.

🏨🏨 **Mistral** ⪡ 🗳 AC 🎿 "📶" 🚗 VISA ⬤⬤ AE ⬤ 💰
lungomare Cristoforo Colombo 50 – ℰ 08 75 70 52 46 – www.hotelmistral.net
– info@hotelmistral.net – Fax 08 75 70 52 20
66 cam ⊑ – †78/105 € ††125 € – 2 suites – ½ P 80 € **Rist** – Carta 35/50 €
♦ Una struttura bianca che svetta sul lungomare prospiciente la spiaggia; di tono piuttosto moderno, a prevalente vocazione estiva, offre camere funzionali. Capiente sala da
pranzo movimentata da colonne e una vista sul blu dalle vetrate.

🏨🏨 **Meridiano** ⪡ 🗳 AC 🎿 rist, "📶" 🛝 **P** VISA ⬤⬤ AE ⬤ 💰
lungomare Cristoforo Colombo 52/a – ℰ 08 75 70 59 46
– www.hotelmeridiano.com – info@hotelmeridiano.com – Fax 08 75 70 26 96
81 cam ⊑ – †68/90 € ††100/110 € – ½ P 70 €
Rist – (chiuso a mezzogiorno da ottobre ad aprile) Carta 28/38 €
♦ Affacciato sulla passeggiata mare, un albergo ideale sia per clienti di lavoro che per
turisti: discreti spazi esterni, con parcheggio, e confortevole settore notte. Ristorante
con vista sul Mediterraneo e sulle mura del centro storico.

⌂ **Residenza Sveva** senza rist AC 🎿 "📶" VISA ⬤⬤ AE ⬤ 💰
piazza Duomo 11 – ℰ 08 75 70 68 03 – www.residenzasveva.com – info@
residenzasveva.com – Fax 08 75 70 68 03
21 cam ⊑ – †55/69 € ††79/120 € – 1 suite
♦ Nel borgo antico, varie camere distribuite tra i vicoli, tutte affascinanti per raffinatezza
e personalizzazioni. Un'opportunità di soggiorno inusuale e molto gradevole.

⌂ **Locanda Alfieri** senza rist ⌖ AC 🎿 "📶" VISA ⬤⬤ 💰
via Duomo 39 ✉ 86039 Termoli – ℰ 08 75 70 81 12 – www.locandaalfieri.com
– info@locandaalfieri.com – Fax 08 75 70 81 12
10 cam – †50/70 € ††70/120 €
♦ Nel pittoresco centro del Borgo Vecchio, un'antica dimora con camere coloratissime,
letti in ferro battuto, mobili in arte povera e dettagli di personalizzazione. Sotto l'into-
naco fanno capolino le antiche mura.

TERMOLI

XX **Federico II°**   🛋 AK 🍴 VISA 🚫 AE ① 💪
Via Duomo 30 (Borgo Vecchio) – ☏ 087 58 54 14 – chiuso domenica sera e lunedì
Rist – (consigliata la prenotazione) Carta 35/49 €
♦ All'interno del suggestivo Borgo Vecchio, squisite prelibatezze termolesi in questo piacevole locale ricavato sotto antiche volte in mattoni. Nella bella stagione, il servizio si sposta all'aperto sulla piazzetta antistante.

XX **Nonna Maria** con cam   🛋 AK 🍴 cam, "📡" VISA 🚫 AE 💪
via Oberdan 14 – ☏ 087 58 15 85 – www.nonnamaria.it – info@nonnamaria.it – Fax 087 58 15 85 – chiuso dal 10 al 25 gennaio
5 cam ☲ – ♦40/60 € ♦♦50/80 € – ½ P 65/70 €   **Rist** – Carta 29/40 €
♦ Simpatica conduzione familiare per questa raccolta e curata trattoria del centro, recentemente ampliata. In menu, un'appetitosa lista di piatti tradizionali e di preparazioni a base di pesce fresco. Graziose camere arredate con letti in ferro battuto e colori pastello.

X **Borgo**   🛋 🍴
via Borgo 10 – ☏ 08 75 70 73 47 – chiuso lunedì da ottobre a marzo
Rist – Carta 27/40 €
♦ Nelle strette viuzze del nuovo centro storico, un ristorantino accogliente, con appassionata gestione familiare; proposte termolesi, soprattutto di pesce.

X **Da Noi Tre**   🛋 AK 🍴 VISA 🚫 AE ① 💪
😊 *via Cleofino Ruffini 47 – ☏ 08 75 70 36 39 – chiuso dal 24 al 26 dicembre e lunedì*
Rist – (consigliata la prenotazione) Carta 22/43 €
♦ Alle pareti vecchie foto d'epoca e qualche richiamo alla vita marinara; in tavola: cucina di mare e specialità termolesi. In estate, il servizio si trasferisce all'aperto sulla piccola piazza pedonale.

sulla strada statale 16-Litoranea

XX **Torre Sinarca**   ⟨ 🛋 AK 🍴 P VISA 🚫 AE ① 💪
Ovest : 3 km ✉ 86039 – ☏ 08 75 70 33 18 – giacomolanzone@tin.it – Fax 08 75 70 33 18 – chiuso novembre, domenica sera e lunedì
Rist – Carta 40/60 €
♦ All'interno di una suggestiva torre del XVI secolo, eretta contro l'arrivo dei Saraceni dal mare; di fronte, infatti, solo la spiaggia e il blu. Piatti locali, di pesce.

XX **Villa Delle Rose**   AK 🍴 P VISA 🚫 AE ① 💪
s.s.16, n° 122, Ovest : 5 km ✉ 86039 – ☏ 087 55 25 65 – ristorantevilladellerose@virgilio.it – Fax 087 55 25 65 – chiuso dal 7 al 31 gennaio e lunedì
Rist – Carta 32/47 €
♦ Bel ristorante moderno e luminoso, ricavato da una nuova costruzione lungo la statale. Viene proposta una cucina di mare, ma non solo, tradizionale o più "adriatica".

TERNI 🅿 (TR) – 563019 – 108 403 ab. – alt. 130 m – ✉ 05100 Italia   33 **C3**
🚗 Roma 103 – Napoli 316 – Perugia 82
🛈 via Cassian Bon 4 ☏ 0744 423047, info@iat.terni.it, Fax 0744 427259
🏙 Romita, ☏ 0744 40 78 89
🎦 Cascata delle Marmore★★ per ③ : 7 km

Pianta pagina 1154

🏨 **Michelangelo Palace**   🛋 ⛲ 🏋 📶 & cam, AK 🍴 "📡" 🧖 P ☕
😊 *viale della Stazione 63 – ☏ 07 44 20 27 11   VISA 🚫 AE ① 💪
– www.michelangelohotelumbria.it – info@michelangelohotelumbria.it – Fax 074 42 02 72 00*   BY**a**
78 cam ☲ – ♦75/110 € ♦♦105/140 €   **Rist** – Carta 21/33 €
♦ Dotato di ogni confort, avvolto da un'atmosfera moderna, ma elegante, un hotel recente, di fronte alla stazione; ideale per clienti d'affari e per turisti di passaggio. Ubicato all'ultimo piano, piacevole ristorante panoramico grazie alle vetrate continue.

1153

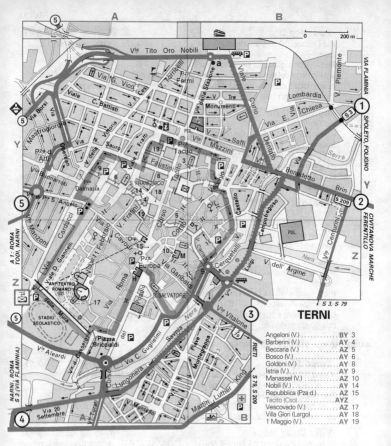

TERNI

Angeloni (V.) . . . . **BY** 3
Barberini (V.) . . . . **AY** 4
Beccaria (V.) . . . . **AZ** 5
Bosco (V.) . . . . **AY** 6
Goldoni (V.) . . . . **AY** 8
Istria (V.) . . . . **AY** 9
Manassei (V.) . . . . **AZ** 10
Nobili (V.) . . . . **AY** 14
Repubblica (Pza d.) . . . . . **AZ** 15
Tacito (Cso) . . . . **AYZ**
Vescovado (V.) . . . . **AZ** 17
Villa Glori (Largo) . . . . . . **AY** 18
1 Maggio (V.) . . . . **AY** 19

 Locanda di Colle dell'Oro senza rist ᠑ ⟨ ⚍ ⤓ ⅋ AK ⦿ P
strada di Palmetta 31, Nord : 1 km VISA ⦿ AE ① ⤓
– ℰ 07 44 43 23 79 – www.colledelloro.it – locanda@colledelloro.it
– Fax 07 44 43 78 26
11 cam ⫘ – ♥60/80 € ♥♥70/100 €

♦ Dal restauro di vecchi edifici rurali, una magnifica casa in collina con vista su Terni e la vallata; poche camere, curatissime, con uno charme di raffinata rusticità.

uscita raccordo Terni Ovest

 Garden Hotel ⚍ ⤓ ⅏ ⦿ ▤ AK ⤶ ⅗ rist, ℰ ⌁ P VISA ⦿ AE ① ⤓
viale Donato Bramante 4/6, per via Cesare Battisti
– ℰ 07 44 30 00 41 – www.gardenhotelterni.it – info@gardenhotelterni.it
– Fax 07 44 30 04 14   AY
92 cam ⫘ – ♥75/90 € ♥♥99/132 €
Rist *Il Melograno*, ℰ 07 44 30 03 75 *(chiuso domenica sera)* Carta 23/40 €

♦ Gradevole costruzione creata da basse terrazze digradanti, piuttosto mimetizzate nella vegetazione e affacciate sulla zona piscina; confortevole e con ambiente signorile. Eleganti atmosfere per le moderne sale del ristorante.

🏨 **ClassHotel Terni**   🖢 ᶘ cam, 🆎 ↔ 🦷 rist, ☏ 🕸 **P**
via Dalla Chiesa 24 – ℰ *07 44 30 60 24*   🆅🆂🅰 ⑳ 🅰🅴 ⓪ 🕭
– www.classhotel.com – info.terni@classhotel.com – Fax 07 44 30 06 28
69 cam � – **†**42/95 € **††**68/125 €
Rist *– (chiuso domenica) (chiuso a mezzogiorno)* Carta 23/32 €
◆ Due costruzioni gemelle in vetro e cemento collegate dalle aree comuni, un albergo dotato di tutti i confort, consoni all'offerta della catena a cui appartiene. Cucina di ispirazione regionale nel ristorante dalla tenuta impeccabile.

TERNO D'ISOLA – Bergamo (BG) – 5 598 ab. – ✉ 24030   19 **C1**
▶ Roma 624 – Milano 64 – Bergamo 17 – Monza 47

🍴🍴 **Osteria della Cuccagna**   ᶘ 🆎 **P** 🆅🆂🅰 ⑳ 🅰🅴 ⓪ 🕭
via Milano 15 – ℰ *035 90 43 36 – lacuccagna@cheapnet.it – Fax 03 54 94 47 10*
chiuso una settimana in giugno, tre settimane in agosto, domenica sera e martedì
Rist *– (consigliata la prenotazione)* Carta 49/65 € ⓑ
◆ Un'esperta conduzione, tutta al femminile, è il punto fermo di questo simpatico ristorante. Al tavolo, abbondanti porzioni di una cucina che s'ispira alle tradizioni regionali, personalizzandole con fantasia.

TERRACINA – Latina (LT) – 563S21 – 41 997 ab. – ✉ 04019▮ Italia   13 **C3**
▶ Roma 109 – Frosinone 58 – Gaeta 35 – Latina 39
🚢 per Ponza – Anxur Tours, viale della Vittoria 40 ℰ 0773 723978, Fax 0773 723979
🛈 via Leopardi ℰ 0773 727759, Fax 0773 727964
◎ Candelabro pasquale★ nel Duomo
◉ Tempio di Giove Anxur★ : ≋★★ Est : 4 km e 15 mn a piedi AR

🏨🏨 **Grand Hotel Palace**   ≤ 🖙 🖢 ᶘ cam, 🆎 🦷 rist, 🖄 **P**
lungomare Matteotti 2 – ℰ *07 73 70 95 23*   🆅🆂🅰 ⑳ 🅰🅴 ⓪ 🕭
– www.grandhotel-palace.it – gh.palace@libero.it – Fax 07 73 70 96 23
72 cam � – **†**80/160 € **††**135/270 € – ½ P 106/180 €
Rist *– (aprile-15 ottobre) (chiuso a mezzogiorno escluso giugno - settembre)*
Carta 31/82 €
◆ In fondo al corso principale, nella baia dove si trova il tempio di Giove Anxur, un hotel semplice con confortevoli camere moderne, sala congressi e roof-garden con solarium. Nella graziosa sala ristorante, una cucina classica con piatti di pesce dai sapori nazionali e locali.

🏨 **Poseidon** senza rist   🚗 🏊 🖢 🆎 🦷 ⟵ 🆅🆂🅰 ⑳ 🕭
via Piemonte, snc – ℰ *07 73 73 36 60 – www.hotelposeidon-terracina.com*
– hotelposeidon@libero.it – Fax 07 73 73 36 60 – marzo-novembre
46 cam – **†**70/140 € **††**80/140 €, � 10 €
◆ Un piacevole hotel ben curato e dall'originale architettura a forma di nave da crociera, frequentato soprattutto da una clientela straniera: ideale per un soggiorno balneare.

🍴🍴 **Il Grappolo d'Uva**   ≤ 🖙 🆎 **P** 🆅🆂🅰 ⑳ 🅰🅴 ⓪ 🕭
lungomare Matteotti 1 – ℰ *07 73 70 25 21 – www.grappoloduva.it – info@ grappoloduva.it – Fax 07 73 70 43 80 – chiuso novembre e mercoledì*
Rist *–* Carta 40/64 €
◆ Situato proprio sul mare ma altettanto vicino al centro, il locale dispone di una sala dalle ampie vetrate cui si accede da una scalinata; dalla cucina specialità di pesce.

🍴🍴 **Bottega Sarra 1932**   ≤ 🆎 🦷 ⟳ 🆅🆂🅰 ⑳ 🕭
via San Francesco 52-54 ✉ *04019 –* ℰ *07 73 70 20 45 – chiuso lunedì e martedì escluso agosto*
Rist *– (consigliata la prenotazione)* Menu 35/50 € – Carta 32/59 €
◆ Recentemente trasferito al limitare del centro storico, un piccolo locale con una sala in stile contemporaneo dai richiami etnici e una cucina di pesce, territorio e fantasia.

TERRALBA – Cagliari – 566H7 – Vedere Sardegna alla fine dell'elenco alfabetico

---

TERRANOVA DI POLLINO – Potenza (PZ) – 564H30 – 1 646 ab.   4 **C3**
– alt. 920 m – ✉ 85030
▶ Roma 467 – Cosenza 157 – Matera 136 – Potenza 152

Picchio Nero ⓢ ≤ 🚗 |🎐| ☆ **P** **VISA** **🆚** **AE** **❶** **⑤**
via Mulino 1 – ℰ 097 39 31 70 – www.picchionero.com – picchionero@
picchionero.com – Fax 097 39 31 70 – chiuso novembre o dicembre
25 cam ⌧ – †65 € ††72 € – ½ P 63 €   **Rist** – Carta 24/34 €
♦ Piacevole gestione familiare per questa risorsa, nel Parco del Pollino, ideale per gli appassionati di montagna; camere confortevoli, in uno stile adeguato al luogo. Deliziose proposte culinarie legate al territorio e alla cucina lucana.

Luna Rossa ≤ 🏠 ⇄ **VISA** **🆚** **AE** **⑤**
via Marconi 18 – ℰ 097 39 32 54 – www.federicovalicenti.it – info@
federicovalicenti.it – Fax 097 39 32 54 – chiuso mercoledì
Rist – (consigliata la prenotazione) Carta 22/32 €
♦ La ricerca dei piatti della tradizione parte dal mondo contadino per concretizzarsi nella continua passione e nel rinnovato talento dello chef. Panoramica terrazza affacciata sulla valle.

TERRANUOVA BRACCIOLINI – Arezzo (AR) – 563L16 – **11 616 ab.**   29 **C2**
– alt. 156 m – ✉ 52028
▶ Roma 227 – Firenze 47 – Siena 51 – Arezzo 37

a Penna Alta Nord-Est : 3 km – ✉ 52028 – Terranuova Bracciolini

Il Canto del Maggio ≤ 🚗 🏠 **P** **VISA** **🆚** **⑤**
– ℰ 05 59 70 51 47 – www.cantodelmaggio.com – info@cantodelmaggio.com
– Fax 05 59 70 51 47 – chiuso lunedì, anche martedì da ottobre a maggio
Rist – (chiuso a mezzogiorno escluso domenica) Carta 26/33 €
♦ Marito e moglie hanno creato questo rifugio per i buongustai in un piccolo borgo toscano ristrutturato: servizio estivo in giardino e piatti regionali, anche molto antichi.

a Montemarciano Nord : 5 km – ✉ 60018

La Cantinella 🚗 🏠 **P** **VISA** **🆚** **⑤**
– ℰ 05 59 17 27 05 – lacantinella2@virgilio.it – Fax 05 59 17 11 52 – chiuso dal
1° al 15 gennaio, lunedì
Rist – (chiuso a mezzogiorno escluso i giorni festivi) (consigliata la prenotazione) Carta 25/38 €
♦ Ristorantino di campagna degli interni piacevolmente personalizzati, ma anche con un godevole servizio estivo in terrazza. La cucina rivisita la tradizione toscana.

a Riofi Nord-Ovest : 7 km – ✉ 52028 – Terranuova Bracciolini

Agriturismo Villa Riofi senza rist ⓢ 🚗 🌊 ☆ **P** **VISA** **🆚** **AE** **⑤**
via Piantavrigne 67 – ℰ 05 59 12 06 96 – www.mad.it/villariofi – villariofi@mad.it
– Fax 055 94 31 89 – chiuso dal 15 al 31 gennaio
12 cam ⌧ – †50 € ††62 €
♦ Signorile villa settecentesca lungo una verde e tranquilla valle, punteggiata da scenografiche balze. Camere accoglienti e confortevoli.

TERRASINI – Palermo – 565M21 – **Vedere Sicilia alla fine dell'elenco alfabetico**

TESERO – Trento (TN) – 562D16 – **2 684 ab.** – alt. 991 m – Sport   31 **D3**
invernali : all'Alpe di Pampeago : 1 757/2 415 m ⚡7 (Comprensorio Dolomiti superski Val di Fiemme-Obereggen) ⚐ – ✉ 38038
▶ Roma 644 – Bolzano 50 – Trento 54 – Belluno 91
🛈 via Roma 37 ℰ 0462 810097, infotesero@valdifiemme.info, Fax 0462 810097

Park Hotel Rio Stava ≤ 🚗 🌊 |🎐|🍴| ☆★ ☆ rist, ⁽¹⁾ **P** 🚗
via Mulini 20 – ℰ 04 62 81 44 46 – www.hotelriostava.com **VISA** **🆚** **❶** **⑤**
– info@hotelriostava.com – Fax 04 62 81 37 85 – chiuso novembre
46 cam ⌧ – †45/75 € ††72/130 € – ½ P 67/75 €   **Rist** – Carta 17/35 €
♦ Una gradevole casa di montagna, in posizione isolata, poco fuori dal centro e cinta da un giardino; dispone di un'accogliente hall in legno e di camere ben rifinite. Il ristorante offre un caldo ambiente in legno, elegante, o la stube.

a Stava Nord : 3,5 km – **alt. 1 250 m** – ⊠ 38038 – Tesero

🏨 **Villa di Bosco** ≤ 🛵 ⊠ 🏐 ⚿ 🔥 🛎 ᇰ ⚙ «٣» P 🚗 VISA ⚫ ⚓
– ✆ 04 62 81 37 38 – www.hotel-villadibosco.com – info@hotel-villadibosco.com
– Fax 04 62 81 37 55 – dicembre-aprile e giugno-settembre
53 cam 🖵 – †50/90 € ††80/140 € – ½ P 46/80 € **Rist** – Carta 26/34 €
♦ Dal 1998 l'hotel offre ai propri ospiti la possibilità di trascorrere un soggiorno montano godendo di vari apprezzabili servizi, coordinati da una valida gestione familiare. Sala da pranzo dalla classica atmosfera familiare, accogliente stube.

TESIDO = TAISTEN – Bolzano – Vedere Monguelfo

TESIMO (TISENS) – Bolzano (BZ) – 562C15 – 1 825 ab. – alt. 631 m   30 **B2**
– ⊠ 39010
    ▶ Roma 648 – Bolzano 20 – Merano 20 – Trento 77
    🅱 Bäcknhaus 54 ✆ 0473 920822, tisens-prissian@meranerland.com, Fax 0473 921010

🟆🟆 **Zum Löwen** (Anna Matscher) ⚙ VISA ⚫ AE ① ⚓
🕱 via Principale 72 – ✆ 04 73 92 09 27 – www.zumloewen.it – zumloewen@rolmail.net – Fax 04 73 92 73 12 – chiuso lunedì e martedì a mezzogiorno
Rist – Menu 52/70 € – Carta 48/69 €
Spec. Cappuccino d'animelle di vitello. Ravioli ripieni di fonduta delle nostre malghe con tartufo nero. Sella di capriolo e foie gras su puré di sedano con aceto balsamico.
♦ Tradizione e armonia in questa antica casa tra le strette vie del centro: la cucina altoatesina trova qui spunti e talento per essere reinterpretata in modo fantasioso e personale.

TESSERA – Venezia (VE) – 562F18 – **alt. 3 m** – ⊠ 30030   36 **C2**
    ▶ Roma 527 – Venezia 12 – Mestre 8 – Padova 43
    ✈ Marco Polo Est : 1 km ✆ 041 2606111

🏨 **Venice Resort** senza rist 🛵 ᇰ 🔜 «٣» P VISA ⚫ AE ① ⚓
via Triestina 153 – ✆ 04 15 41 68 26 – www.veniceresort.it – info@veniceresort.it
– Fax 04 15 41 66 37
33 cam 🖵 – †80/130 € ††120/180 €
♦ Poco distante dall'areoporto, tre strutture di tono moderno e ampi spazi verdeggianti compongono l'antico casale veneto. Eleganti gli spazi destinati alle camere.

TEZZE DI VAZZOLA – Treviso (TV) – 562E19 – **alt. 36 m** – ⊠ 31028   35 **A1**
    ▶ Roma 560 – Belluno 58 – Padova 77 – Treviso 21

🟆🟆 **Strada Vecchia** 🛵 🏠 🔜 P VISA ⚫ ⚓
via strada Vecchia 64 – ✆ 04 38 48 80 94 – ristorantestradavecchia@hotmail.it
– Fax 04 38 48 80 94 – chiuso dal 7 al 14 gennaio, dal 7 al 25 agosto e mercoledì
Rist – Carta 24/36 €
♦ D'estate ci si accomoda in giardino, nei mesi più freddi invece nella sala di taglio classico, calda e accogliente. Carne e pesce in piatti locali e nazionali.

TIERS = Tires

TIGLIOLE – Asti (AT) – 561H6 – 1 656 ab. – **alt. 239 m** – ⊠ 14016   25 **C1**
    ▶ Roma 628 – Torino 60 – Alessandria 49 – Asti 14

🟆🟆 **Vittoria** (Alessandra Strocco) con cam ⌂ ≤ 🛵 🔜 🛎 ᇰ 🔜 ⚙ P
🕱 via Roma 14 – ✆ 01 41 66 77 13 – www.ristorantevittoria.it VISA ⚫ AE ① ⚓
– giampieromusso@libero.it – Fax 01 41 66 76 30 – chiuso gennaio ed agosto
11 cam 🖵 – †100/125 € ††150 € – ½ P 120 €
Rist – (chiuso domenica sera e lunedì) (chiuso a mezzogiorno escluso i giorni festivi e prefestivi) Menu 45/70 € – Carta 40/70 € ⅋
Spec. Millefoglie di anguilla e foie gras, mela verde e salsa di scalogno. Triangoli di pasta fresca con gamberi al profumo di basilico. Fegatelli di coniglio su porri stufati.
♦ Nel cuore di un villaggio da cartolina, la stessa famiglia accoglie i clienti con serietà e professionalità piemontesi da generazioni. E la regione ritorna nei piatti.

TIGNALE – Brescia (BS) – 561E14 – 1 291 ab. – alt. 560 m – ⊠ 25080   17 **C2**

▶ Roma 574 – Trento 72 – Brescia 57 – Milano 152

La Rotonda ◈   ← 🚗 🔟 📺 🐧 ⚡ ✗ 🛏 👤 ㅈ rist. 🍴 rist. 🛜 🅿
via Provinciale 5, località Gardola – ℰ 03 65 76 00 66   🆅🅸🆂🅰 ⓤ🅱 🅰🅴 ⓘ 👤
– *www.hotelresidencelarotonda.it* – *info@hotelresidencelarotonda.it*
– *Fax 03 65 76 02 14* – *28 marzo-2 novembre*
59 cam – 🚹30/42 € 🚹🚹45/64 €, ⊆ 8 € – ½ P 44/48 €   **Rist** - Carta 14/29 €
◆ Ha subito di recente alcune ristrutturazioni quest'ampia risorsa ubicata sulle verdi pendici del Monte Castello e a picco sul Lago di Garda; valide strutture e confort. Capiente sala ristorante: ambiente di tipo classico, ma bella vista del lago.

TIRANO – Sondrio (SO) – 561D12 – 9 155 ab. – alt. 450 m – ⊠ 23037   17 **C1**
▮ Italia

▶ Roma 725 – Sondrio 26 – Passo del Bernina 35 – Bolzano 163
🄳 piazza Stazione ℰ 0342 706066, infotirano@provincia.so.it, Fax 0342706066

Bernina   🏠 ㅈ rist. 🄰🄺 rist. 🐧 🔊 🆅🅸🆂🅰 ⓤ🅱 🅰🅴 ⓘ 👤
via Roma 24 – ℰ 03 42 70 13 02 – www.saintjane.eu – bernina@saintjane.it
– *Fax 03 42 70 14 30*
37 cam ⊆ – 🚹60/80 € 🚹🚹86/110 € – ½ P 57/73 €
Rist – *(chiuso lunedì escluso maggio-ottobre)* Carta 23/47 €
◆ A due passi dalla stazione ferroviaria, hotel di recente rinnovo dalle moderne e confortevoli camere: ideale punto di appoggio per visitare i pittoreschi dintorni. Al ristorante: piatti locali e ... pizze!

sulla strada statale 38 Nord-Est : 3 km

Valchiosa   ← 🖥 ㅈ rist. 🄰🄺 rist. 🅿 🆅🅸🆂🅰 ⓤ🅱 👤
via Valchiosa 17 ⊠ 23030 Sernio – ℰ 03 42 70 12 92 – www.valchiosa.it
– *valchiosa@libero.it – Fax 03 42 70 54 84*
– *chiuso dal 7 al 27 gennaio*
18 cam ⊆ – 🚹45/50 € 🚹🚹80/90 € – ½ P 55/68 €
Rist – *(chiuso venerdì escluso agosto)* Carta 21/33 €
◆ Direttamente sulla statale, albergo familiare con camere contraddistinte da un buon livello di confort. Indirizzo ideale per una sosta anche culinaria con piatti tipici valtellinesi.

TIRES (TIERS) – Bolzano (BZ) – 562C16 – 903 ab. – alt. 1 028 m   31 **D3**
– ⊠ 39050

▶ Roma 658 – Bolzano 16 – Bressanone 40 – Milano 316
🄳 via San Giorgio 38 ℰ 0471 642127, info@tiers.it, Fax 0471 642005

a San Cipriano (St. Zyprian)Est : 3 km – ⊠ 39050 – Tires

Cyprianerhof ◈   ← 🚗 🏠 📺 🖥 ㅈ 🛜 🅿 🆅🅸🆂🅰 ⓤ🅱 👤
via San Cipriano 88/a – ℰ 04 71 64 21 43 – www.cyprianerhof.com
– *hotel@cyprianerhof.com – Fax 04 71 64 21 41*
– *chiuso dal 10 novembre al 25 dicembre*
32 cam ⊆ – 🚹90/180 € 🚹🚹114/230 € – ½ P 97/150 €
Rist – *(chiuso giovedì escluso da maggio a novembre)* Carta 24/48 €
◆ Proprio di fronte al Catinaccio, una piacevole casa dalla tipica atmosfera tirolese, ideale per chi ama i monti e l'escursionismo anche invernale con le ciaspole. Ristorante dalla tipica atmosfera tirolese.

Stefaner   ← 🚗 📺 🖥 ⚡ 🅿 🆅🅸🆂🅰 ⓤ🅱 👤
via San Cipriano 88 d – ℰ 04 71 64 21 75 – www.stefaner.com – info@
stefaner.com – Fax 04 71 64 23 02 – chiuso dall'8 novembre al 26 dicembre
18 cam ⊆ – 🚹🚹90/126 € – ½ P 49/67 €
Rist – *(chiuso a mezzogiorno) (solo per alloggiati)*
◆ Un decoroso alberghetto, con balconi in legno, immerso nello splendido scenario alpino; gradevole conduzione familiare grazie all'intraprendenza di due coniugi.

TIRIOLO – Catanzaro (CZ) – 564K31 – 4 066 ab. – alt. 690 m – ⊠ 88056   5 **B2**
- ▶ Roma 604 – Cosenza 91 – Catanzaro 16 – Reggio di Calabria 154

Due Mari ⧖   ⫷ ⅋ 🅰🄲 🄰 🆂🅰 🄿 🆅🅸🆂🅰 🄮 🄰🄴 🄾 ⌚

*via Cavour 46 – ℰ 09 61 99 10 64 – www.duemari.com – due.mari@tin.it
– Fax 09 61 99 09 84*
12 cam ⌘ – †60/65 € ††80 € – 4 suites – ††100 € – ½ P 55 €
Rist Due Mari – vedere selezione ristoranti
♦ Inaugurato nel 2000, un hotel e residence in bella posizione panoramica, da cui nelle giornate terse si vedono davvero i "due mari"; moderni confort in ambiente familiare.

Due Mari   ⫷ 🅰🄲 🄿 🆅🅸🆂🅰 🄮 🄰🄴 🄾 ⌚

*via Seggio 2 – ℰ 09 61 99 10 64 – www.duemari.com – due.mari@tin.it
– Fax 09 61 99 09 84 – chiuso lunedì escluso da giugno a settembre*
Rist – Carta 14/22 €
♦ Come l'omonimo albergo, anche il ristorante è panoramico; pluridecennale conduzione della stessa famiglia, cucina calabrese e dehors estivo per il servizio di pizzeria.

TIRLI – Grosseto – Vedere Castiglione della Pescaia

TIROLO (TIROL) – Bolzano (BZ) – 562B15 – 2 370 ab. – alt. 592 m   30 **B1**
– ⊠ 39019 Italia
- ▶ Roma 669 – Bolzano 32 – Merano 4 – Milano 330
- 🄴 via Principale 31 ℰ 0473 923314, info@dorf-tirol.it, Fax 0473 923012

                    Pianta : vedere Merano

Castel ⧖   ⫷ 🚗 🏠 🏊 🗔 🌐 🐚 🎴 🅴 ⅋ 🆇 rist, 🎵 ⮕ 🆅🅸🆂🅰 🄮 ⌚
*vicolo dei Castagni 18 – ℰ 04 73 92 36 93 – www.hotel-castel.com – info@
hotel-castel.com – Fax 04 73 92 31 13 – 15 marzo-15 novembre*   A**u**
44 cam – 11 suites – solo ½ P 215 €
Rist Trenkerstube – vedere selezione ristoranti
Rist – *(solo per alloggiati)*
♦ Struttura lussuosa e moderno centro benessere: il concretizzarsi di un sogno, in un panorama incantevole. Comodità e tradizione ai massimi livelli.

Erika ⧖   ⫷ 🚗 🏠 🏊 🗔 🌐 🐚 🎴 🅴 🅰🄲 rist, ⅋ 🆇 rist, 🎵 ⮕ 🆅🅸🆂🅰 🄮 ⌚
*via Principale 39 – ℰ 04 73 92 61 11 – www.erika.it – info@erika.it
– Fax 04 73 92 61 00 – chiuso gennaio e febbraio*   A**u**
62 cam ⌘ – †89/148 € ††150/296 € – 8 suites – ½ P 112/219 €
Rist – Carta 45/67 €
♦ Organizzazione interna eccellente per l'hotel ospitale e familiare, riccamente arredato in stile tirolese e dotato di giardino con piscina riscaldata e centro benessere. Al ristorante, specialità locali e serate a tema.

Gartner   ⫷ 🚗 🏠 🏊 🗔 🌐 🐚 🎴 🅴 🅳 ⅚ ⅋ 🎵 🄿 🆅🅸🆂🅰 🄮 ⌚
*via Principale 65 – ℰ 04 73 92 34 14 – www.hotelgartner.it – info@hotelgartner.it
– Fax 04 73 92 31 20 – 4 aprile-16 novembre*   AB**z**
40 cam ⌘ – †91/106 € ††162/270 € – 2 suites – ½ P 91/145 €
Rist – Carta 32/40 €
♦ All'ingresso della località con bella visuale sulla magica natura circostante e un rilassante giardino con piscina, un albergo nel solo dello stile tirolese. Il menù vanta proposte d'impronta classica, serviti in ambiente elegante.

Patrizia ⧖   ⫷ 🚗 🏠 🏊 🗔 🌐 🐚 🎴 🅳 ⅚ ⅋ 🎵 🄿 ⮕ 🆅🅸🆂🅰 🄮 ⌚
*via Lutz 5 – ℰ 04 73 92 34 85 – www.hotel-patrizia.it – info@hotel-patrizia.it
– Fax 04 73 92 31 44 – 20 marzo-16 novembre*   A**c**
38 cam – 11 suites – solo ½ P 96/130 €   **Rist** – *(solo per alloggiati)*
♦ Camere di varie tipologie, confortevoli e curate, per concedersi un meritato soggiorno per corpo e spirito; godendosi la quiete del giardino con piscina, fra i monti.

Küglerhof ⧖   ⫷ 🚗 🏠 🏊 🐚 🎴 ⅋ 🆇 rist, 🎵 🄿 🆅🅸🆂🅰 🄮 🄰🄴 ⌚
*via Aslago 82 – ℰ 04 73 92 33 99 – www.kueglerhof.it – info@kueglerhof.it
– Fax 04 73 92 36 99 – aprile-11 novembre*   A**r**
35 cam ⌘ – †110/138 € ††160/240 € – ½ P 108/140 €
Rist – *(solo per alloggiati)* Carta 37/44 €
♦ Avrete la sensazione di trovarvi in un'elegante casa, amorevolmente preparata per farvi trascorrere ore di quiete e svago, anche nel giardino con piscina riscaldata.

🏠🗗 Golserhof 🕭   ← 🚗 🗠 🔄 🦮 🕸 🐾 🕯 ⅙ cam, ↳ 🕱 rist, **P** 🚗
🕸   *via Aica 32 – ℰ 04 73 92 32 94 – www.golserhof.it*   🆅🅸🆂🅰 ☯ 🕭
   – info@golserhof.it – Fax 04 73 92 32 11
   – chiuso dal 10 gennaio a febbraio e dal 15 al 30 novembre   **Bw**
30 cam 🖵 – †75/170 € ††130/220 € – 7 suites – ½ P 88/150 €
Rist – *(chiuso a mezzogiorno) (solo per alloggiati)* Menu 17 €
♦ Vista meravigliosa, atmosfera informale ed una grande tradizione nonché passione per l'ospitalità. Gli intraprendenti titolari organizzano piacevoli escursioni in montagna. Ottima cucina per buongustai.

XXXX Trenkerstube   ← 🚗 🗠 🔄 ⅙ 🕱 🕭 🆅🅸🆂🅰 ☯ 🅰🅴 🕭
🕸   *vicolo dei Castagni 18 – ℰ 04 73 92 36 93 – www.hotel-castel.com*
   – info@hotel-castel.com – Fax 04 73 92 31 13 – aprile-15 ottobre   **Au**
Rist – *(chiuso domenica e lunedì) (chiuso a mezzogiorno)* (consigliata la prenotazione) Menu 89/135 € – Carta 75/100 €
Spec. Cannelloni di patate con funghi gallinacci e burro nocciola. Sella di capriolo arrostita. Soufflé allo yogurt di capra.
♦ Un'elegante stube fa da cornice ad una cucina creativa dalle presentazioni elaborate e sofisticate. Impeccabile servizio per un ristorante che non smette mai di crescere.

TIRRENIA – Pisa (PI) – 563L12 – ⌀ 56128▮ Toscana   28 **B2**
   🇩 Roma 332 – Pisa 18 – Firenze 108 – Livorno 11
   🇮 (maggio-settembre) viale del Tirreno 26/b ℰ 050 32510
   🇷 Cosmopolitan, ℰ 050 336 33
   🇬 ℰ 050 375 18

🏠🏠 Grand Hotel Continental   ← 🚗 🔄 🖂 🕯 ⅙ cam, 🅰🅲 🕱 rist, 🕯
   largo Belvedere 26 – ℰ 05 03 70 31   🆂🅰 🕭 🆅🅸🆂🅰 ☯ 🅰🅴 🅾 🕭
   – www.grandhotelcontinental.it – info@grandhotelcontinental.it
   – Fax 05 03 72 83
175 cam 🖵 – †98/126 € ††140/196 € – 4 suites – ½ P 96/125 €
Rist – *(solo per alloggiati)* Carta 35/48 €
♦ Direttamente sul mare, nel cuore della località, un hotel completamente rinnovato; offre confort di qualità e tutte le comodità e gli spazi desiderabili, interni ed esterni. Al ristorante vengono servite proposte di cucina mediterranea.

🏠 Medusa 🕭   🚗 🅰🅲 🕱 🕸 **P** 🆅🅸🆂🅰 ☯ 🅰🅴 🅾 🕭
🕸   *via degli Oleandri 37 – ℰ 05 03 71 25 – www.hotelmedusa.com – info@*
   hotelmedusa.com – Fax 05 03 04 00 – chiuso dal 20 dicembre al 7 gennaio
32 cam 🖵 – †50/67 € ††60/104 € – ½ P 72 €
Rist – *(solo per alloggiati)* Menu 18/20 €
♦ Ambiente familiare nella zona verdeggiante residenziale di Tirrenia, a pochi metri dalla marina; indirizzo semplice e gradevole per vacanze sole e bagni.

XX Dante e Ivana   🅰🅲 🕱 🆅🅸🆂🅰 ☯ 🅰🅴 🅾 🕭
   via del Tirreno 207/c – ℰ 050 38 48 82 – www.danteivana.it – dantegrassi@
   interfree.it – Fax 05 03 25 49 – chiuso dal 20 dicembre al 30 gennaio, domenica e lunedì
Rist – Carta 46/58 €
♦ Sul lungomare - poco a sud di Tirrenia - la simpatia del marito coinvolge la sala, mentre la fantasia della moglie esalta la tavola con mediterranee ricette di pesce. Interessante selezione enologica, dall'originale cantina "a vista".

a Calambrone Sud : 3 km – ⌀ 56100 – Tirrenia

🏠🏠 Green Park Resort 🕭   🔄 🦮 🕸 🛋 ⚭ 🕱 🕯 ⅙ 🅰🅲 ↳ 🕱 🕯 🆂🅰 **P**
   via dei Tulipani 1 – ℰ 05 03 13 57 11   🆅🅸🆂🅰 ☯ 🅰🅴 🅾 🕭
   – www.greenparkresort.com – info@greenparkresort.com – Fax 050 38 41 38
148 cam 🖵 – †115/131 € ††159/254 € – 4 suites – ½ P 176/187 €
Rist – Carta 39/51 €
Rist Lunasia – *(chiuso dal 23 al 31 dicembre, domenica e lunedì)* (chiuso a mezzogiorno) Carta 51/89 €
♦ Un'oasi di pace inserita in una rigogliosa pineta, ideale per una clientela esigente in cerca di un soggiorno dedicato al relax e al benessere. Attrezzato centro congressuale. Il ristorante propone le antiche ricette toscane. Atmosfera moderna per Lunasia, dove regna una cucina creativa.

TISENS = Tesimo

TISSANO – Udine – Vedere Santa Maria La Longa

TITIGNANO – Terni (TR) – 563N18 – alt. 521 m – ⊠ 05010   32 **B3**
> ▶ Roma 140 – Perugia 58 – Viterbo 66 – Orvieto 24

⌂ **Agriturismo Fattoria di Titignano** ⌖   ⇐ 🚗 ⫶ ⚹ ⫶ rist. 🛏
  – ☎ 07 63 30 80 22 – www.titignano.com   🅿 🆅🅸🆂🅰 ⬤ 🅢
  – info@titignano.com – Fax 07 63 30 80 02
20 cam ⌸ – †60 € ††90 € – ½ P 60 €
Rist – (prenotazione obbligatoria) Menu 20/25 €
  ♦ In un antico borgo umbro rimasto intatto nei secoli, con vista sulla valle e sul Lago di Corbara, una tenuta agricola, di proprietà nobiliare, con un fascino senza tempo. Le tradizioni umbre e toscane nella caratteristica sala da pranzo.

TIVOLI – Roma (RM) – 563Q20 – 49 768 ab. – alt. 225 m – ⊠ 00019   13 **C2**
 Roma

> ▶ Roma 36 – Avezzano 74 – Frosinone 79 – Pescara 180
> 🅳 vicolo Barchetto snc☎ 0774 334522, Fax 0774 331294
> ◉ Località ★★★ – Villa d'Este ★★★ – Villa Gregoriana ★★ : grande cascata ★★
> 🅖 Villa Adriana ★★★ per ③ : 6 km

Pianta pagina 1162

🏨 **Torre Sant'Angelo** ⌖   ⇐ 🚗 🏠 ⫶ ▯ ⚹ 🆎 ᐧᐧ 🛏 🅿
via Quintilio Varo, per via Quintilio Varo   🆅🅸🆂🅰 🆎 ⓞ 🅢
– ☎ 07 74 33 25 33 – www.hoteltorresangelo.it – info@hoteltorresangelo.it
– Fax 07 74 33 25 33
31 cam ⌸ – †130/155 € ††155/180 € – 4 suites – ½ P 110/130 €
Rist – (chiuso lunedì) (chiuso a mezzogiorno) Menu 32/35 €
  ♦ Sulle rovine della villa di Catullo, la città vecchia alle spalle sembra la scenografia di uno spettacolo; interni molto eleganti e piscina su una terrazza con vista di Tivoli e della vallata. Estremamente raffinata la sala ristorante, con tessuti damascati e lampadari di cristallo. Servizio estivo nella corte centrale.

✕✕ **Vesta**   🏠 🆎 ⚹ ⇆ 🆅🅸🆂🅰 ⬤ 🆎 🅢
🌸 piazza delle Mole 3 – ☎ 07 74 33 37 86 – www.vestaristorante.it
– vestaristorante@hotmail.it – Fax 07 74 70 89 50
– chiuso due settimane in gennaio o febbraio, dal 12 al 19 agosto e mercoledì
Rist – (chiuso a mezzogiorno escluso domenica e festivi) Menu 45/55 €
– Carta 42/54 € ⌘
Spec. Ricotta artigianale di pecora su velo di pomodori datterini, basilico e croccante di pane. Gnocchi di patate con ragù di quaglia, mirtilli e salvia. Sandwich di coscia di pollo con patate al rosmarino e sorbetto al peperone piccante.
  ♦ All'interno di un edificio storico, accanto al tempio della Sibilla, locale moderno con luci soffuse e candele la sera; privé con vista sul tempio e ben due dehors! Cucina contemporanea, ma con forti legami al territorio di cui si selezionano le migliori materie prime.

a Villa Adriana per ③ : 6 km – ⊠ 00010

✕✕ **Adriano** con cam ⌖   🚗 🏠 ✕ 🆎 ᐧᐧ 🅿 🆅🅸🆂🅰 ⬤ 🆎 ⓞ 🅢
Largo M. Yourcenar 2 – ☎ 07 74 38 22 35 – www.hoteladriano.it
– info@hoteladriano.it – Fax 07 74 53 51 22
10 cam ⌸ – †90/100 € ††100/120 € – ½ P 80/90 €
Rist – (chiuso domenica sera dal 1° novembre al 1° aprile) Carta 40/50 €
  ♦ In mezzo al verde dei cipressi, adiacente all'entrata di Villa Adriana, ristorante classico di tono elegante dove trovare proposte locali e nazionali. Tra le camere, di diverse tipologie, molto gettonata è quella dedicata a Marguerite Yourcenar, con vista sulla villa dell'imperatore.

 Un buon ristorante a prezzo contenuto? Cercate i «Bib Gourmand» 🅐.

1161

TIVOLI

a Bagni di Tivoli Ovest : 9 km – ⊠ 00011

Grand Hotel Duca d'Este   ⊟ ⌿ ☒ ☜ ⊕ ⋙ ℔ ⅙ % ▤ ⅙ cam, 𝔸ℂ
via Tiburtina Valeria 330   ⅍ ⁈ ⅍ ℗ 𝖵𝖨𝖲𝖠 ⬭ 𝔸𝔼 ⓪ ⅾ
– ℰ 07 74 38 83 – www.siriohotel.com – ducadeste@ducadeste.com
– Fax 07 74 38 81 01
184 cam ⊐ – ⅋80/110 € ⅋⅋124/160 € – 8 suites – ½ P 90 €
Rist *Il Granduca* – Carta 30/39 €
♦ Elegante albergo circondato dal verde, dispone di confortevoli aree comuni nelle quali trascorrere momenti di tranquillità con le note di un pianoforte come sottofondo. Parco con piscina sul retro. La raffinatezza continua nella sala da pranzo, dall'atmosfera ovattata, ideale per cene intime.

Tivoli senza rist   ⊟ ⌿ ▤ ⅙ 𝔸ℂ ⅍ ⅍ ℗ 𝖵𝖨𝖲𝖠 ⬭ 𝔸𝔼 ⓪ ⅾ
via Tiburtina Valeria 340 – ℰ 07 74 35 61 21 – www.siriohotel.com – hoteltivoli@
siriohotel.com – Fax 07 74 37 90 34
44 cam ⊐ – ⅋60/90 € ⅋⅋90/140 €
♦ Adiacente al Grand Hotel, del quale condivide gli stessi spazi verdi, è una soluzione più semplice e di taglio moderno, dotata di camere confortevoli dalle allegre tonalità di colore.

TIZZANO VAL PARMA – Parma (PR) – 562|12 – 2 153 ab. – alt. 814 m   8 B2
– ⊠ 43028

▶ Roma 503 – Parma 40 – Bologna 140 – Modena 105

Agriturismo Casa Nuova ☜   ⅍ ⅍ ⁈ ⅍ ℗
strada di Carobbio 11, Sud-Ovest : 2 km – ℰ 05 21 86 82 78
– www.agriturismocasanuova.com – agriturismocasanuova@libero.it
– Fax 05 21 86 82 78
6 cam ⊐ – ⅋40/60 € ⅋⅋60/70 € – ½ P 45/50 €
Rist – (prenotazione obbligatoria) Menu 20/30 €
♦ Un viaggio nella musica per gli interessati e un percorso in giardino predisposto ad hoc per non vedenti; nella verde quiete di un bosco le camere sono state ricavate in un vecchio fienile. Accogliente e caratteristica come l'intera struttura, al ristorante primeggiano i prodotti dell'azienda, dalla frutta al miele.

TOBLACH = Dobbiaco

TODI – Perugia (PG) – 563N19 – **17 047 ab.** – **alt. 411 m** – ✉ **06059** 32 **B3**
Italia

Roma 130 – Perugia 47 – Terni 42 – Viterbo 88

piazza del Popolo 28/29, ✆ 075 8945416, info@iat.todi.pg.it, Fax 075 8942406

Piazza del Popolo★★ : palazzo dei Priori★, palazzo del Capitano★, palazzo del Popolo★ – Chiesa di San Fortunato★★ – ≤★★ sulla vallata da piazza Garibaldi – Duomo★ – Chiesa di Santa Maria della Consolazione★ Ovest : 1 km per la strada di Orvieto

Fonte Cesia

via Lorenzo Leonj 3 – ✆ 07 58 94 37 37 – www.fontecesia.it – fontecesia@fontecesia.it – Fax 07 58 94 46 77
36 cam – 117/120 € 147/172 € – ½ P 107/119 €
Rist *Le Palme* – *(chiuso dall'11 gennaio al 28 febbraio e martedì)* Carta 26/52 €
◆ In pieno centro storico, e perfettamente integrato nel contesto urbano, un rifugio signorile, con volte in pietra a vista, sobrio nei raffinati arredi, curato nei confort. Ristorante con panorama su tetti e colline, servizio estivo all'aperto.

Bramante

via Orvietana 48 – ✆ 07 58 94 83 82 – www.hotelbramante.it – bramante@hotelbramante.it – Fax 07 58 94 80 74
54 cam – 110/130 € 130/190 € – 6 suites – ½ P 100/165 €
Rist – *(chiuso lunedì)* Carta 42/56 €
◆ Ricavato da un convento del XII secolo, a 1 km dal nucleo cittadino e nei pressi di una rinascimentale chiesa opera del Bramante, un complesso comodo e tradizionale. Servizio estivo in terrazza: un paesaggio dolcissimo fa da cornice alla tavola.

Villaluisa

via Cortesi 147 – ✆ 07 58 94 85 71 – www.villaluisa.it – villaluisa@villaluisa.it – Fax 07 58 94 84 72
39 cam – 50/80 € 75/125 € – ½ P 65/80 €
Rist – *(chiuso mercoledì da novembre a marzo)* Carta 21/46 €
◆ Inserito in un verde parco, nella zona più moderna di Todi e quindi agevole da raggiungere, un albergo semplice e funzionale, con solida gestione familiare. Nell'accogliente sala che conserva ancora qualche eco rustica, una cucina legata alle tradizioni contadine e ai sapori della nostra terra.

San Lorenzo Tre – Residenza d'epoca senza rist

via San Lorenzo 3 – ✆ 07 58 94 45 55 – www.sanlorenzo3.it – lorenzotre@tin.it – Fax 07 58 94 45 55 – chiuso dal 9 dicembre al 9 marzo
6 cam – 65/75 € 75/110 €
◆ Nel centro di Todi, a pochi passi dalla piazza centrale, un vecchio palazzo borghese: solo sei camere, piccoli curati gioielli, con arredi d'epoca e d'antiquariato.

Agriturismo Borgo Montecucco senza rist

frazione Pian di Porto, vocabolo Rivo 197 – ✆ 34 75 51 54 38 – www.borgomontecucco.it – info@borgomontecucco.it – Fax 07 58 98 08 26 – chiuso dal 15 al 28 febbraio
10 cam – 75/95 €
◆ In un contesto agricolo lussureggiante, una serie di casolari della fine del XIX sec. - sapientemente restaurati - dispongono di camere rustiche arredate con mobili di arte povera. Un giardino curatissimo ospita un'originale scacchiera gigante per ludici momenti ricreativi.

Umbria

via Bonaventura 13 – ✆ 07 58 94 27 37 – Fax 07 58 94 27 37 – chiuso martedì
Rist – Carta 33/45 €
◆ Nei pressi del Duomo, ristorante di lunga tradizione, con una terrazza a picco sulla vallata e due salette: una rallegrata da uno scoppiettante camino ed un'altra, denominata del '400, con affreschi che ricordano un momento storico della città. Cucina regionale.

Antica Hosteria De La Valle

via Ciuffelli 19 – ✆ 07 58 94 48 48 – Fax 07 54 65 80 06 – chiuso lunedì
Rist – (coperti limitati, prenotare) Carta 25/43 €
◆ Una piccola osteria con banco da bar e bottiglie esposte e una saletta con arco in mattoni; un angolo raccolto per poche proposte giornaliere, caserecce e fantasiose.

a Chioano Est: 4,5 km – ⊠ 06059

⌂   **Residenza Roccafiore** senza rist ॐ   ⟨ ⌧ ⊠ 🕭 🐾 ⅍ 🔟 ↔ ⅏ (𝕪)
        località Collina – 𝒞 *07 58 94 24 16*   👍 **P** 🆅🆂🅰 🐵 🅰🅴 ⓘ ⑤
        – *www.roccafiore.it* – *info@roccafiore.it* – *Fax 07 58 94 87 54*
        – *chiuso dal 7 gennaio al 6 febbraio*
        13 cam 🖙 – †144/176 € ††180/230 €
        ♦ Un casolare agricolo e una dimora in pietra degli anni '30: il fienile è stato trasformato
        in una sala-soggiorno polivalente e un tunnel collega la struttura alla residenza princi-
        pale nonché al centro benessere. Le camere si caratterizzano per eleganza ed ecletti-
        smo. Per un soggiorno nell'incontaminata natura umbra.

✕✕   **Fiorfiore**   🎜 🅰🅲 ⅍ ⟳ **P** 🆅🆂🅰 🐵 🅰🅴 ⓘ ⑤
        località Collina – 𝒞 *07 58 94 24 16* – *www.roccafiore.it* – *info@roccafiore.it*
        – *Fax 07 58 94 87 54* – *chiuso dal 7 gennaio al 6 febbraio e martedì*
        Rist – (consigliata la prenotazione) Carta 30/46 €
        ♦ In una villa degli anni '30, totalmente ristrutturata nel rispetto della tipicità della
        costruzione, atmosfera signorile ed arredamenti di grande pregio; terrazza estiva pano-
        ramica e cucina di respiro contemporaneo.

verso Duesanti Nord-Est : 5 km:

⌂   **Agriturismo Casale delle Lucrezie** ॐ   ⟨ 🚗 🎜 ⌧ & ⅍ (𝕪)
🐾   *frazione Duesanti, Vocabolo Palazzaccio* ⊠ *06059*   **P** 🆅🆂🅰 🐵 ⑤
        – 𝒞 *07 58 98 74 88* – *www.agriturismo-casaledellelucrezie.com* – *info@*
        casaledellelucrezie.com – *Fax 07 58 98 74 88* – *chiuso dal 15 al 31 gennaio*
        13 cam 🖙 – †50/60 € ††60/80 € – ½ P 60 €
        Rist – (chiuso a mezzogiorno) Carta 21/29 €
        ♦ Insediamento romano, archi etruschi, residenza delle monache lucrezie dal 1200:
        punto privilegiato di osservazione su Todi, aperto di recente al pubblico con camere
        semplici. Pareti e soffitti in pietra anche nella sala ristorante.

verso Collevalenza Sud-Est : 8 km :

🏠   **Relais Todini** ॐ   ⟨ 🝙 🎜 🕭 🐾 🛌 ✕ 🅰🅲 ⅍ (𝕪) 👍 **P**
        vocabolo Cervara 24 – 𝒞 *075 88 75 21*   🆅🆂🅰 🐵 🅰🅴 ⓘ ⑤
        – *www.relaistodini.com* – *relais@relaistodini.com* – *Fax 075 88 71 82*
        12 cam 🖙 – †115/200 € ††160/290 € – 3 suites – ½ P 120/190 €
        Rist – (chiuso lunedì e il mezzogiorno di martedì e mercoledì) Carta 35/48 €
        ♦ All'interno di una vasta tenuta agricola e di un parco che accoglie laghetti ed animali,
        la residenza trecentesca dispone di incantevoli camere dal mobilio antico. Nuovo centro
        benessere. Il panoramico ristorante che si affaccia sulla città, propone specialità di pesce
        e piatti della tradizione umbra.

⌂   **Villa Sobrano** – Country House ॐ   ⟨ 🝙 🎜 ⌧ ⅍ rist, 🕻 **P**
🐾   *vocabolo Sobrano, frazione Rosceto 30/32*   🆅🆂🅰 🐵 🅰🅴 ⓘ ⑤
        𝒞 *075 88 75 15* – *www.villasobrano.com* – *info@villasobrano.com* – *Fax 075 88 75 15*
        10 cam 🖙 – †60/80 € ††70/104 € – 3 suites – ½ P 65/85 €
        Rist – (solo per alloggiati) Menu 20/30 €
        ♦ In un complesso con tanto di cappella privata e castello di origini duecentesche, sog-
        giornerete nelle poche, confortevoli stanze di una suggestiva residenza d'epoca.

per la strada statale 79 bis Orvietana bivio per Cordigliano Ovest: 8,5 km:

⌂   **Agriturismo Tenuta di Canonica** ॐ   ⟨ 🚗 🎜 ⌧ ⅍ **P**
        vocabolo Casalzetta, Canonica 75 – 𝒞 *07 58 94 75 45*   🆅🆂🅰 🐵 🅰🅴 ⓘ ⑤
        – *www.tenutadicanonica.com* – *tenutadicanonica@tin.it* – *Fax 07 58 94 75 81*
        – *chiuso dal 1° dicembre al 1° marzo*
        13 cam 🖙 – ††150/185 € – ½ P 110/130 €
        Rist – (chiuso lunedì) (chiuso a mezzogiorno) (solo per alloggiati) 40 €
        ♦ Annessa ad una fattoria dell'800, una splendida residenza di campagna di origini medie-
        vali elegantemente arredata: prezioso punto di ristoro situato sulla sommità d'un colle.

TOIRANO – Savona (SV) – 561J6 – 2 205 ab. – alt. 45 m – ⊠ 17055   14 **B2**
- ➡ Roma 580 – Imperia 43 – Genova 87 – San Remo 71
- 🛈 piazzale Grotte 🕿 0182 989938, toirano@inforiviera.it, Fax 0182 98463

✗   **Al Ravanello Incoronato**   🏦 AC VISA 🐗 AE ① 🖫

(😊)   *via Parodi 27/A – 🕿 01 82 92 19 91 – www.alravanelloincoronato.it*
– bianco49g@libero.it – Fax 019 66 74 84 – chiuso dal 20 gennaio al 10 febbraio
e martedì
Rist – *(chiuso a mezzogiorno escluso domenica e da giugno a settembre)* (consigliata la prenotazione) Carta 28/37 €
♦ Una breve passeggiata tra i vicoli del borgo antico, la simpatica insegna del locale e la cucina che si presenta con piatti del territorio, accattivanti e ricchi di gusto. D'estate in giardino.

✗   **Il Cappello di Guguzza**   AC VISA 🐗 🖫

via Polla 22 – 🕿 01 82 92 20 74 – www.ilcappellodiguguzza.com – info@
ilcappellodiguguzza.com – chiuso 1 settimana in maggio e 3 in novembre
Rist – *(chiuso a mezzogiorno escluso domenica da ottobre a giugno)* (prenotazione obbligatoria) Menu 25/37 € – Carta 30/44 €
♦ Un ex frantoio, le cui origini si perdono nel '500, piacevolmente ristrutturato in chiave antico-moderna. In cucina, trionfo di sapori italiani.

TOLÈ – Bologna (BO) – 562J15 – alt. 678 m – ⊠ 40040   9 **C2**
- ➡ Roma 374 – Bologna 42 – Modena 48 – Pistoia 66

🏨   **Falco D'Oro**   🏦 🖭 ⚄ rist, 🛈 ⚱ P VISA 🐗 AE ① 🖫

via Venola 27 ⊠ 40038 – 🕿 051 91 90 84 – www.falcodoro.com – info@
falcodoro.com – Fax 051 91 90 68 – marzo-ottobre
62 cam ⊆ – †55/170 € ††70/175 € – ½ P 54/60 €   **Rist** – Carta 23/34 €
♦ Ormai un'istituzione a Tolè, tanto che l'insegna dell'hotel è la più visibile in paese; edificio centrale con bar pubblico, periodicamente rinnovato. Al ristorante casereccia cucina locale.

TONALE (Passo del) – Brescia (BS) – 562D13 – alt. 1 883 m – Sport   17 **C1**
invernali : 1 880/3 069 m ⛷3 ⛷26, ⛷ (anche sci estivo) collegato con impianti di
Ponte di Legno
- ➡ Roma 688 – Sondrio 76 – Bolzano 94 – Brescia 130
- 🛈 a Ponte di Legno via Nazionale Vermiglio 🕿 0364 903838, tonale@
valdisole.net, Fax 0364 903895

🏨   **La Mirandola** 🖄   ⛷ ⏧ ⚒ P VISA 🐗 AE 🖫

località Ospizio 3 ⊠ 38020 Passo del Tonale – 🕿 03 64 90 39 33
– www.lamirandolahotel.it – info@lamirandolahotel.it – Fax 03 64 90 39 22
– dicembre-Pasqua e 15 giugno-15 settembre
27 cam ⊆ – †52/117 € ††80/180 € – ½ P 95/105 €   **Rist** – Carta 27/46 €
♦ Dall'accurato restauro dell'antico ospizio di S. Bartolomeo, per viandanti e pellegrini, risalente al 1100, un caldo rifugio: originale, di particolare fascino e confort. Specialità locali e cacciagione in caldi ambienti con soffitti a volte e pietre a vista.

🏨   **Delle Alpi**   ⛷ ⏧ ⚒ ⚄ rist, P 🐗 VISA 🐗 AE 🖫

(😊)   *via Circonvallazione 20 ⊠ 38020 Passo del Tonale – 🕿 03 64 90 39 19*
– www.iridehotels.com – dellealpi@iridehotels.com – Fax 03 64 90 37 29
– dicembre-Pasqua e 15 giugno-15 settembre
34 cam ⊆ – †45/60 € ††90/145 € – ½ P 100 €   **Rist** – Carta 21/31 €
♦ Vicino alla seggiovia di Valbiolo, un giovane e simpatico albergo realizzato in un personale stile montano; belle aree comuni con stube, camere soppalcate e soleggiate. Gradevoli ambienti accoglienti al ristorante: arredi e pavimenti lignei e pareti decorate.

🏨   **Orchidea**   ⛷ 🏦 ⚄ P 🚗 VISA 🐗 AE ① 🖫

(😊)   *via Ciconvallazione 24 ⊠ 38020 Passo del Tonale – 🕿 03 64 90 39 35*
– www.hotelorchidea.net – hotelorchidea@tin.it – Fax 03 64 90 35 33
– 4 dicembre-20 aprile
30 cam – †45/220 € ††70/260 €, ⊆ 7 € – ½ P 110/140 €
Rist – Carta 14/36 €
♦ Di recente costruzione e gestito direttamente dai titolari, hotel con una tradizionale impostazione rustico-alpina; semplice funzionalità. Piccolo centro benessere. Rosa e legno in sala da pranzo, dove gustare piatti tipici trentini.

TORBIATO – Brescia (BS) – Vedere Adro

TORBOLE-NAGO – Trento (TN) – 562E14 — Italia   30 **B3**
> ▶ Roma 569 – Trento 39 – Brescia 79 – Milano 174
> **i** a Torbole lungolago Verona 19 ✆ 0464 505177, Fax 0464 505643

TORBOLE (TN) – alt. 85 m – ✉ 38069

🏠 **Piccolo Mondo**   🛋 ⏚ 🖼 ⓪ 🛎 ⒑ 🎽 ⛭ 🔲 ⒜ 🎿 rist, 📞 **P**
via Matteotti 7 – ✆ 04 64 50 52 71   𝗩𝗜𝗦𝗔 ◉◉ ① 💰
– www.hotelpiccolomondotorbole.it – info@hotelpiccolomondotorbole.it
– Fax 04 64 50 52 95 – chiuso due settimane in febbraio e due in marzo
58 cam ⊇ – †73/104 € ††136/168 € – 4 suites – ½ P 89/104 €
Rist *Piccolo Mondo* – (chiuso martedì, escluso in estate) Carta 30/43 €
♦ Risorsa di recente ampliamento, pensata per un soggiorno di relax, dispone di camere
spaziose e ben arredate, giardino con piscina ed un attrezzato centro benessere. Nell'e-
legante sala ristorante proposte di cucina regionale e gustose specialità alla mela.

XX **La Terrazza**   🔲 ⇔ 𝗩𝗜𝗦𝗔 ◉◉ 𝗔𝗘 ① 💰
via Benaco 14 – ✆ 04 64 50 60 83 – www.allaterrazza.com – info@
allaterrazza.com – Fax 04 64 50 60 83 – chiuso febbraio, marzo, novembre e
martedì escluso giugno-settembre
Rist – Carta 30/43 €
♦ Una piccola sala interna ed una veranda con vista sul lago, che in estate si apre completamente, dove farsi servire piatti di forte ispirazione regionale e specialità di lago.

TORCELLO – Venezia – Vedere Venezia

TORGIANO – Perugia (PG) – 563M19 – 5 588 ab. – alt. 219 m   32 **B2**
– ✉ 06089 — Italia
> ▶ Roma 158 – Perugia 15 – Assisi 27 – Orvieto 60
> 💿 Museo del Vino★

🏠 **Le Tre Vaselle**   ⪕ 🛋 🏡 ⏚ 🛎 ⒑ 🎽 ⛭ 🔲 ⒜ 🎿 rist, 📶 ⛷ **P** 🚗
via Garibaldi 48 – ✆ 07 59 88 04 47 – www.3vaselle.it   𝗩𝗜𝗦𝗔 ◉◉ 𝗔𝗘 ① 💰
– 3vaselle@3vaselle.it – Fax 07 59 88 02 14
60 cam ⊇ – †180 € ††210/240 € – ½ P 150/165 €
Rist *Le Melagrane* – Carta 48/60 €
♦ Tre boccali conventuali all'ingresso, danno il nome a questa intrigante struttura : una
casa patrizia sviluppatasi in diverse epoche a partire dal '600. E per rilassarsi e, al contempo, tenersi in forma un po' di nuoto controcorrente nell'apposita piscina. Piatti ricercati nel raffinato ristorante, *Le Melagrane*.

Piazza Castello

TORINO

Carta Michelin : n° **561**G5
Popolazione : 867 857 ab
Altitudine : 239 m
Codice Postale : ✉ 10100

▶ Roma 669 – Briançon 108
  – Chambéry 209 – Genève 252
🗍 Italia
Carta regionale : 22 **A1**

INFORMAZIONI PRATICHE

🛈 Uffici informazioni turistiche

Piazza Castello ✉10123 ✆011 535181 info.torino@turismotorino.org Fax 011 530070

Aeroporto

🛪 Città di Torino di Caselle per ①: 15 km ✆ 011 5676361

Golf

🏌 I Roveri, ✆ 011 923 57 19

🏌 Torino, ✆ 011 923 54 40

🏌 Le Fronde, ✆ 011 932 80 53

🏌 Stupinigi, ✆ 011 347 26 40

🏌 I Ciliegi, ✆ 011 860 98 02

Fiera

14.05. - 18.05. : fiera internazionale del libro

◉ LUOGHI DI INTERESSE

CENTRO MONUMENTALE

Duomo★ - Palazzo Carignano★★ -
Palazzo Madama★★ - Palazzo Reale★ -
Piazza Castello★ - Piazza S. Carlo★★

QUADRILATERO ROMANO

Palazzo Barolo★ - Piazza del Palazzo di
Cttà★ - Santuario della Consolata★ -
S. Domenico★

DA PIAZZA CASTELLO AL PO

Via Po★ - Mole Antoneliana★ - Museo
di Arti Decorative★ - Piazza Vittorio
Veneto★ - Parco del Valentino★

I MUSEI

GAM (Galleria di Arte Moderna)★★ -
Galleria Sabauda★★ - Museo di Arte
Antica di Palazzo Madama★★ -
Museo dell'Automobile★★ -
Museo del Cinema★★★ -
Museo Egizio★★★ -
Museo del Risorgimento★★

DINTORNI

Corona di delizie sabauda★★ : Reggia
di Venaria, La Mandria, Castello di
Rivoli e Museo di Arte Contemporanea,
Palazzina di Caccia di Stupinigi - La
collina★★ : Basilica di Superga e Colle
della Maddalena - Sacra di San Michele
in Val di Susa★★★

ACQUISTI

Via Garibaldi e Via Roma: negozi di tutti
i generi - Via Cavour, Via Accademia
Albertina, Via Maria Vittoria:
antiquariato - Quadrilatero romano:
botteghe artigiane e brocantage
- Mercato alimentare di Porta Palazzo
in Piazza Repubblica - Via Borgo Dora:
mercato delle pulci del Balôn il sabato
mattina e Gran Balôn (antiquariato e
brocantage) la seconda domenica del
mese

Golden Palace 🛁 🏊 🈁 🈁 ⚡ 🈁 ☝ 🛗 🅰🅲 🅰🅴 ⟨⟨⟩⟩ 🈁
via dell'Arcivescovado 18 ⊠ 10121 – ☎ 01 15 51 21 11
– www.goldenpalace.thi.it – goldenpalace@thi.it – Fax 01 15 51 28 00   CXY**h**
195 cam ☁ – ♟185/475 € ♟♟205/475 € – 12 suites – ½ P 278/293 €
Rist _Winner_ – (chiuso agosto) Carta 53/80 €
♦ Nel cuore della città, un hotel di lusso, d'ispirazione decò e di design minimalista, in cui ori, argenti e ottoni intendono evocare i colori delle medaglie olimpiche. L'eleganza continua nel ristorante, riscaldato dalla luce che penetra DALLA _bow window_, dove lasciarsi deliziare da una cucina innovativa.

Principi di Piemonte 🈁 🅰🅲 🈁 ☝ 🅰🅲 ⚡ 🈁 rist. ⟨⟨⟩⟩ 🈁
via Gobetti 15 ⊠ 10123 – ☎ 01 15 51 51   ⓋⓈⒶ ⓂⓄ 🅰🅴 – Fax 01 15 18 58 70
– www.atahotels.it – prenotazione@principidipiemonte.com – Fax 01 15 18 58 70
81 cam ☁ – ♟♟280/450 € – 18 suites   CY**a**
Rist _Casa Savoia_ – Carta 50/88 €
♦ A due passi dal centro, questo storico edificio anni '30 vanta camere spaziose e ricche di marmo, rinnovate in omaggio al lusso e al confort per creare un'elegante atmosfera moderna. Lo sfarzo è ripreso anche nella sala ristorante, dove nessun dettaglio è lasciato al caso, perchè la tappa gastronomica resti memorabile.

Le Meridien Turin Art+Tech 🈁 ☝ 🛗 🅰🅲 ⚡ 🈁 ⟨⟨⟩⟩ 🈁 🅿 🚗
via Nizza 230 ⊠ 10126 – ☎ 01 16 64 20 00   ⓋⓈⒶ ⓂⓄ 🅰🅴 – Fax 01 16 64 20 04
– www.lemeridien.com – reservations_turin@lemeridien.com – Fax 01 16 64 20 04
– chiuso agosto   GU**b**
140 cam – ♟♟150/410 €, ☁ 13 € – 1 suite
Rist – Carta 36/52 €
♦ L'ascensore panoramico conduce alle balconate su cui si affacciano le camere, arredate con soli mobili di design. Gemello dell'hotel Lingotto, offre in aggiunta soluzioni più moderne. Ampi spazi, luce e legni di ciliegio fanno del ristorante un ambiente elegante e informale, dove trovare i piatti della tradizione.

Le Meridien Lingotto 🚗 🛁 🈁 ☝ 🛗 🅰🅲 ⚡ 🈁 ⟨⟨⟩⟩ 🈁 🅿
via Nizza 262 ⊠ 10126 – ☎ 01 16 64 20 00   ⓋⓈⒶ ⓂⓄ 🅰🅴 ⓄⒷ 🈁
– www.lemeridien.com – reservations_turin@lemeridien.com – Fax 01 16 64 20 01
240 cam ☁ – ♟110/300 € ♟♟125/300 € – 14 suites   GU**a**
Rist _Torpedo_ – Carta 36/52 €
♦ Moderno hotel nel palazzo del Lingotto: un riuscito esempio del recupero di un immobile industriale. Camere in design nate dalla creatività di Renzo Piano e un giardino tropicale. Nell'elegante e luminosa sala ristorante, comode poltroncine ai tavoli e una cucina di ottimo livello.

Grand Hotel Sitea 🈁 🅰🅲 ⟨⟨⟩⟩ 🈁 ⓋⓈⒶ ⓂⓄ 🅰🅴 ⓄⒷ 🈁
via Carlo Alberto 35 ⊠ 10123 – ☎ 01 15 17 01 71 – www.sitea.thi.it – sitea@thi.it
– Fax 011 54 80 90   CY**t**
120 cam ☁ – ♟135/294 € ♟♟171/320 € – 1 suite – ½ P 128/202 €
Rist _Carignano_ – Carta 53/71 €
♦ La raffinata tradizione dell'ospitalità alberghiera si concretizza qui, in questo hotel nato nel 1925, dove l'atmosfera è dettata dagli eleganti arredi, classici e d'epoca. Piatti internazionali e piemontesi i protagonisti della bella e discreta sala da pranzo, illuminata da ampie finestre che si affacciano sul verde.

Starhotels Majestic 🅰🅲 🈁 ☝ cam, 🅰🅲 ⚡ 🈁 ⟨⟨⟩⟩ 🈁 ⓋⓈⒶ ⓂⓄ 🅰🅴 ⓄⒷ 🈁
corso Vittorio Emanuele II 54 ⊠ 10123 – ☎ 011 53 91 53 – www.starhotels.com
– majestic.to@starhotels.it – Fax 011 53 49 63   CY**e**
159 cam ☁ – ♟♟99/340 € – 2 suites
Rist _Le Regine_ – (chiuso domenica) Carta 40/60 €
♦ Sotto i portici di fronte alla stazione centrale, questo elegante hotel dispone di accoglienti camere di differenti tipologie, tutte spaziose e ben arredate. Cucina internazionale nella saletta à la carte; riposante e di suggestione il salone sormontato da una grande cupola di vetro policromo.

AC Torino 🅰🅲 🈁 ☝ 🅰🅲 ⚡ 🈁 ⟨⟨⟩⟩ 🈁 🅿 🚗 ⓋⓈⒶ ⓂⓄ 🅰🅴 ⓄⒷ 🈁
via Bisalta 11 ⊠ 10126 – ☎ 01 16 39 50 91 – www.ac-hotels.com
– actorino@ac-hotels.com – Fax 01 16 67 78 22   GU**d**
89 cam ☁ – ♟♟110/330 € – 6 suites
Rist – (solo per alloggiati) Menu 35/70 €
♦ In un ex pastificio, l'hotel è raccolto in una tipica costruzione industriale d'inizio '900 e presenta interni dallo stile caldo e minimalista; confort e dotazioni all'avanguardia.

TORINO

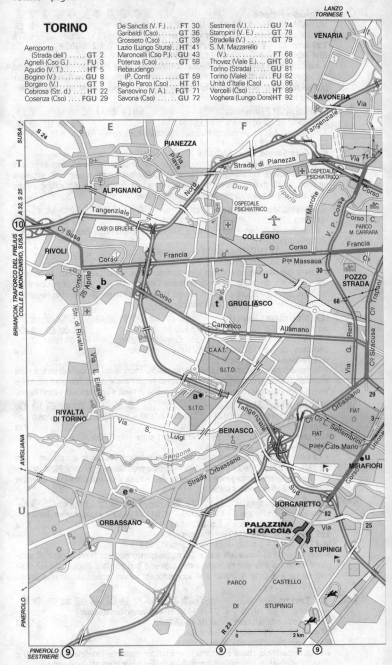

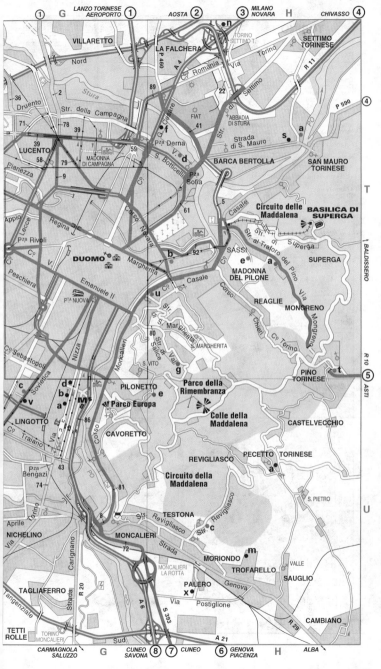

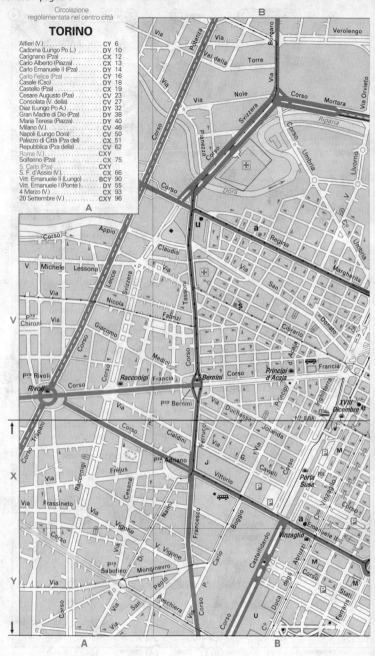

Circolazione
regolamentata nel centro città

TORINO

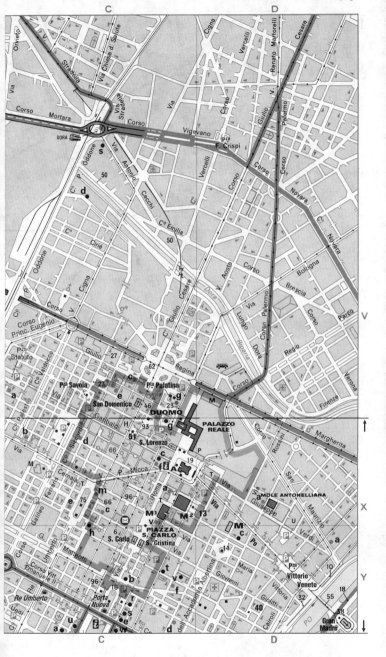

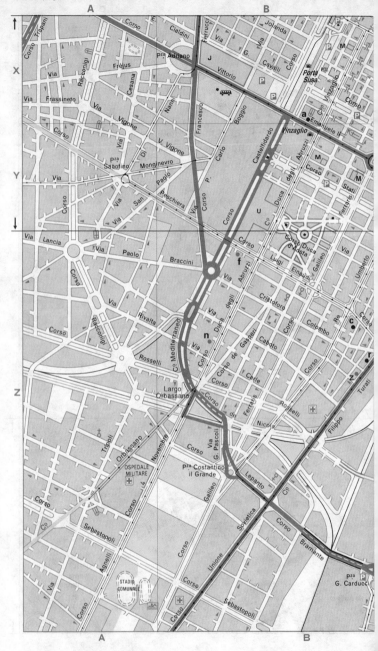

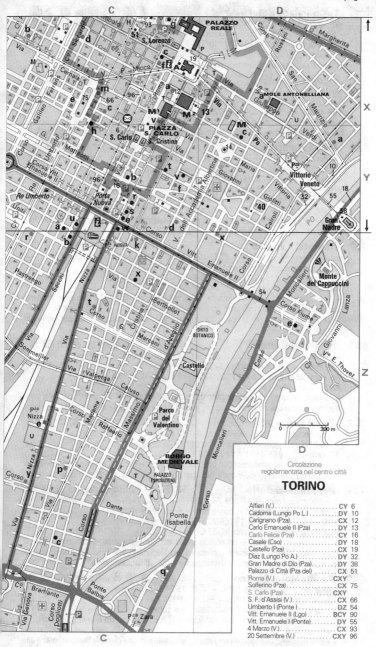

Circolazione
regolamentata nel centro città

TORINO

🏨 **Turin Palace Hotel** senza rist 🛗 [AC] 📶 🧑‍💼 [VISA] [MC] [AE] ⦿ $

via Sacchi 8 ✉ 10128 – ☎ 01 15 62 55 11 – www.thi.it – palace@thi.it – Fax 01 15 61 21 87 – chiuso agosto CY**u**

122 cam ☕ – 👤140/230 € 👥190/295 € – 2 suites

◆ Interessato da importanti interventi di ristrutturazione, in questo storico hotel vigono tradizione e raffinatezza; calda atmosfera e sobria eleganza nelle camere e negli spazi comuni.

🏨 **Victoria** senza rist 🏞 🏋 🛗 [AC] 📶 🧑‍💼 [VISA] [MC] [AE] ⦿ $

via Nino Costa 4 ✉ 10123 – ☎ 01 15 61 19 09 – www.hotelvictoria-torino.com – reservation@hotelvictoria-torino.com – Fax 01 15 61 18 06 CY**v**

106 cam ☕ – 👤150/200 € 👥220/260 €

◆ Mobili antichi, sinfonie di colori ed una attenta cura nel servizio e nei dettagli garantiscono calore ed accoglienza a questa elegante dimora. Nuovo centro benessere in stile egizio.

🏨 **NH Santo Stefano** ⛱ 🏋 🛗 ♿ [AC] 📶 🧑‍💼 [VISA] [MC] [AE] ⦿ $

via Porta Palatina 19 ✉ 10122 – ☎ 01 15 22 33 11 – www.nh-hotels.com – info.nhsantostefano@nh-hotels.com – Fax 01 15 22 33 13 CX**g**

125 cam ☕ – 👤99/270 € 👥129/360 €

Rist – *(chiuso dal 25 luglio al 24 agosto)* Menu 28 €

◆ Costruito ex novo nell'elegante e tranquillo quartiere del Quadrilatero Romano, vanta camere confortevoli in stile minimalista, cui si accede percorrendo l'alta rampa di scale all'ingresso. Piatti piemontesi e nazionali presso la sala ristorante di tono moderno, dall'illuminazione calda ed accogliente.

🏨 **Atahotel Concord** 🛗 ♿ [AC] 🚭 rist, 📶 🧑‍💼 [VISA] [MC] [AE] ⦿ $

via Lagrange 47 ✉ 10123 – ☎ 01 15 17 67 56 – www.hotelconcorde.com – booking.concord@atahotels.it – Fax 01 15 17 63 05 CY**s**

139 cam ☕ – 👤138/280 € 👥158/340 €

Rist – *(chiuso a mezzogiorno)* Carta 41/63 €

◆ In posizione centrale, poco distante da Porta Nuova, questo hotel è ideale per ospitare congressi e dispone di ampi spazi comuni e camere confortevoli. Di tono elegante, il ristorante è adiacente ad un american bar e propone la cucina italiana. Piatti più leggeri a pranzo.

🏨 **Art Hotel Boston** ⛱ 🛗 [AC] ⇄ 🚭 rist, 📶 🧑‍💼 [VISA] [MC] [AE] ⦿ $

via Massena 70 ✉ 10128 – ☎ 011 50 03 59 – www.hotelbostontorino.it – info@hotelbostontorino.it – Fax 011 59 93 58 BZ**c**

86 cam ☕ – 👤80/160 € 👥105/195 € – 1 suite – ½ P 75/120 €

Rist – Carta 25/60 €

◆ Camere confortevoli e caratterizzate da richiami alla storia dell'arte contemporanea, contraddistinguono questo hotel di design, poco distante dalle maggiori collezioni della città.

🏨 **Town House 70** senza rist 🛗 [AC] ☎ 🧑‍💼 [VISA] [MC] [AE] ⦿ $

via XX Settembre 70 ✉ 10122 – ☎ 011 19 70 00 03 – www.townhouse.it – townhouse70@townhouse.it – Fax 011 19 70 01 88 CX**c**

47 cam ☕ – 👤95/410 € 👥106/459 € – 1 suite

◆ Nuovo hotel dai colori tenui con belle camere spaziose e lineari. Un unico grande tavolo nella piccola sala colazioni, al quale gli ospiti potranno iniziare insieme la giornata.

🏨 **NH Ambasciatori** 🛗 [AC] ⇄ 🚭 rist, 📶 🧑‍💼 [VISA] [MC] [AE] ⦿ $

corso Vittorio Emanuele II 104 ✉ 10121 – ☎ 01 15 75 21 – www.nh-hotels.it – jhtorinoambasciatori@nh-hotels.com – Fax 011 54 49 78 BX**a**

195 cam – 👤145/260 € 👥169/270 €, ☕ 22 € – 4 suites

Rist *Il Diplomatico* – Carta 32/65 €

◆ Hotel moderno situato in un edificio squadrato, ideale per ospitare congressi, sfilate o ricevimenti, dispone di camere confortevoli ed eleganti in stile anni '80. Grandi vetrate inondano di luce l'elegante sala del ristorante, dalla raffinata atmosfera.

🏨 **Pacific Hotel Fortino** ♿ [AC] ⇄ 🚭 ☎ 🧑‍💼 🚗 [VISA] [MC] [AE] ⦿ $

strada del Fortino 36 ✉ 10152 – ☎ 01 15 21 77 57 – www.pacifichotels.it – hotelfortino@pacifichotels.it – Fax 01 15 21 77 49 CV**d**

92 cam ☕ – 👤80/160 € 👥100/180 € – 8 suites

Rist – *(chiuso sabato e domenica) (chiuso a mezzogiorno da lunedì a venerdì)* Carta 24/46 €

◆ Hotel moderno che soddisfa soprattutto le esigenze di una clientela business, grazie alle sale attrezzate per ospitare conferenze. Camere calde e accoglienti con dotazioni d'avanguardia. Una trattoria tipica, dove gustare le specialità regionali.

City senza rist 🛗 & 🅰🅲 ↵ ⁽¹⁾ 🛋 🚗 🚂 🆅🆂🅰 🆆🅾 🅰🅴 🅾 🔴
via Juvarra 25 ✉ 10122 – ☏ 011 54 05 46 – www.bwhotelcity-to.it – city.to@
bestwestern.it – Fax 011 54 81 88   BV**e**
61 cam ☞ – ♦115/280 € ♦♦149/320 €
♦ Il legno dell'arredamento gioca in contrasto con le sue forme, moderne e funzionali, di
gusto contemporaneo. Situato vicino alla stazione di Susa, offre camere confortevoli.

Novotel Torino 🚿 🛗 & 🅰🅲 ↵ 🍴 rist, ⁽¹⁾ 🛋 🅿 🆅🆂🅰 🆆🅾 🅰🅴 🅾 🔴
corso Giulio Cesare 338/34 ✉ 10154 – ☏ 011 12 60 12 11 – www.novotel.com
– h3306-GM@accor.com – Fax 011 20 05 74   HT**f**
162 cam – ♦119/144 € ♦♦144/169 €, ☞ 12 €
Rist – (solo per alloggiati) Carta 40/52 €
♦ Struttura moderna e razionale in zona periferica, che tende ad unire il confort ad un'atmosfera familiare. Camere ampie e luminose, tutte dotate di divano letto e di ampio scrittoio. La sala da pranzo si affaccia sul giardino e viene utilizzata anche come sala colazioni.

Holiday Inn Turin City Centre 🛗 & cam, 🅰🅲 ↵ 🍴 rist, ⁽¹⁾ 🛋 🚗
via Assietta 3 ✉ 10128 – ☏ 01 15 16 71 11
🆅🆂🅰 🆆🅾 🅰🅴 🅾 🔴
– www.holiday-inn.it – hi.torit@libero.it – Fax 01 15 16 76 99   CY**a**
57 cam ☞ – ♦92/119 € ♦♦110/249 €
Rist – (chiuso a mezzogiorno) Menu 18/22 €
♦ Poco distante dalla stazione, l'hotel occupa gli spazi di un palazzo ottocentesco e
dispone di un comodo garage e di camere ben tenute, dotate di servizi dalla tecnologia
avanzata. Tono di contemporanea ispirazione anche al ristorante; la sera si cena à la carte.

Genio senza rist 🛗 🅰🅲 ↵ ⁽¹⁾ 🛋 🆅🆂🅰 🆆🅾 🅰🅴 🅾 🔴
corso Vittorio Emanuele II 47 ✉ 10125 – ☏ 01 16 50 57 71 – www.hotelgenio.it
– info@hotelgenio.it – Fax 01 16 50 82 64   CYZ**w**
128 cam ☞ – ♦90/140 € ♦♦140/200 € – 3 suites
♦ Opportunamente ampliato in occasione delle Olimpiadi, l'hotel offre camere curate nei
dettagli. Il tocco di eleganza è dato da alcuni pavimenti artistici, nei corridoi e nelle stanze.

Genova senza rist 🛗 & 🅰🅲 ↵ ⁽¹⁾ 🛋 🆅🆂🅰 🆆🅾 🅰🅴 🅾 🔴
via Sacchi 14/b ✉ 10128 – ☏ 01 15 62 94 00 – www.albergogenova.it – info@
albergogenova.it – Fax 01 15 62 98 96   CZ**b**
78 cam ☞ – ♦75/160 € ♦♦100/230 €
♦ La struttura ottocentesca ospita un ambiente signorile e curato, dove la classicità si
coniuga con le moderne esigenze di confort. Una decina di camere vanta affreschi al soffitto.

Mercure Torino Royal 🛗 ⅟⅟ 🅰🅲 🍴 rist, ⁽¹⁾ 🛋 🅿 🚗
corso Regina Margherita 249 ✉ 10144
🆅🆂🅰 🆆🅾 🅰🅴 🅾 🔴
– ☏ 01 14 37 67 77 – www.hotelroyaltorino.it – info@hotelroyaltorino.it
– Fax 01 14 37 63 93   BV**u**
75 cam ☞ – ♦59/180 € ♦♦75/205 € – ½ P 48/110 € **Rist** – Carta 54/68 €
♦ A breve distanza dal centro storico, l'albergo lavora sia con una clientela turistica che
con il mondo business: offre un attrezzato centro congressi, camere confortevoli e un
ampio parcheggio. Ambiente classico in cui si respira una discreta raffinatezza, al ristorante.

Piemontese senza rist 🛗 & 🅰🅲 ↵ ⁽¹⁾ 🛋 🅿 🆅🆂🅰 🆆🅾 🅰🅴 🅾 🔴
via Berthollet 21 ✉ 10125 – ☏ 01 16 69 81 01 – www.hotelpiemontese.it – info@
hotelpiemontese.it – Fax 01 16 69 05 71   CZ**x**
39 cam ☞ – ♦65/140 € ♦♦80/160 €
♦ Tra Porta Nuova e il Po, l'hotel è stato rinnovato con colorate ma raffinate soluzioni d'arredo e con personalizzazioni nelle camere. Per la colazione ci si può accomodare in veranda.

Lancaster senza rist 🛗 🅰🅲 ⁽¹⁾ 🛋 🆅🆂🅰 🆆🅾 🅰🅴 🅾 🔴
corso Filippo Turati 8 ✉ 10128 – ☏ 01 15 68 19 82 – www.lancaster.it – hotel@
lancaster.it – Fax 01 15 68 30 19 – chiuso dal 5 al 20 agosto   BZ**r**
83 cam ☞ – ♦73/95 € ♦♦101/137 €
♦ Ogni piano di questo albergo si distingue per il colore. Piacevoli gli arredi, tutti personalizzati che rendono moderni gli spazi comuni, classiche le camere e country la sala colazioni.

Art Hotel Olympic 🚿 🛗 🅰🅲 ☏ 🚗 🆅🆂🅰 🆆🅾 🅰🅴 🅾 🔴
via Verolengo 19 ✉ 10149 – ☏ 01 13 99 97 – www.arthotelolympic.it – info@
arthotelolympic.it – Fax 01 13 99 98
147 cam ☞ – ♦100/250 € ♦♦120/350 € – ½ P 80/195 €
Rist – (solo per alloggiati)
♦ Come suggerisce il nome, l'hotel mette d'accordo arte e sport: nato in occasione dei recenti
giochi invernali, vanta ambienti di design e spazi comuni abbelliti da alcune opere d'arte.

Giotto senza rist 🛗 AC ⸤🕻⸥ ⸤⸥ VISA ⬤⬤ AE ⓪ ⸤⸥

via Giotto 27 ✉ 10126 – ℰ 01 16 63 71 72 – www.hotelgiottotorino.it
– info@hotelgiottotorino.it – Fax 01 16 63 71 73   CZ**c**
50 cam ⸤⸥ – †80/125 € ††90/162 €

◆ Non lontano dal Valentino, in una zona residenziale che costeggia il Po, un moderno albergo con camere spaziose e complete nei confort, molte con vasche o docce idromassaggio.

Crimea senza rist 🛗 ⸤⸥ AC ⸤🕻⸥ ⸤⸥ VISA ⬤⬤ AE ⓪ ⸤⸥

via Mentana 3 ✉ 10133 – ℰ 01 16 60 47 00 – www.hotelcrimea.it
– info@hotelcrimea.it – Fax 01 16 60 49 12 – chiuso dal 12 al 22 agosto
48 cam ⸤⸥ – †80/130 € ††110/200 € – 1 suite   DZ**e**

◆ La tranquillità dei dintorni e la sobria eleganza dell'arredo distinguono questo hotel, situato in zona residenziale lungo il Po, in parte recentemente ristrutturato. Piacevoli interni e confortevoli camere.

Gran Mogol senza rist 🛗 AC ⸤⸥ ⸤🕻⸥ VISA ⬤⬤ AE ⓪ ⸤⸥

via Guarini 2 ✉ 10123 – ℰ 01 15 61 21 20 – www.hotelgranmogol.it
– info@hotelgranmogol.it – Fax 01 15 62 31 60
– chiuso dal 23 dicembre al 1° gennaio e dal 30 luglio al 25 agosto   CY**r**
45 cam ⸤⸥ – †70/140 € ††90/200 €

◆ Nei pressi del museo egizio, un hotel signorile dagli interni riposanti, pensato sia per una clientela di lavoro che turistica; le stanze sono confortevoli, arredate con gusto classico.

President senza rist 🛗 ⸤⸥ AC ⸤⸥ ⸤⸥ ⸤🕻⸥ ⸤⸥ 🚗 VISA ⬤⬤ AE ⓪ ⸤⸥

via Cecchi 67 ✉ 10152 – ℰ 011 85 95 55 – www.hotelpresident-to.it
– info@hotelpresident-to.it – Fax 01 14 12 18 55   CV**s**
72 cam ⸤⸥ – †50/190 € ††70/250 €

◆ Situato nei pressi del parco scientifico e tecnologico, la struttura è facilmente raggiungibile dall'autostrada e dispone di camere tutte identiche, di discreto confort.

Cairo senza rist 🛗 AC ⸤⸥ ⸤🕻⸥ P VISA ⬤⬤ AE ⓪ ⸤⸥

via La Loggia 6 ✉ 10134 – ℰ 01 13 17 15 55
– www.hotelcairo.it – info@hotelcairo.it – Fax 01 13 17 20 27   GU**v**
60 cam ⸤⸥ – †110/150 € ††130/180 €

◆ A breve distanza dal polo fieristico, risorsa dagli interni accoglienti. Un consiglio: chiedete le nuove camere realizzate nella dependance, offrono un confort superiore.

Des Artistes senza rist 🛗 AC VISA ⬤⬤ AE ⓪ ⸤⸥

via Principe Amedeo 21 ✉ 10123 – ℰ 01 18 12 44 16
– www.desartisteshotel.it – info@desartisteshotel.it – Fax 01 18 12 44 66
– chiuso dall'8 al 23 agosto   DY**c**
22 cam ⸤⸥ – †70/98 € ††95/130 €

◆ Varcato l'ingresso di quella che pare una palazzina residenziale, vi attenderà un'accoglienza garbata e attenta. L'albergo è in attività dal 1990 e propone ambienti puliti e curati.

XXXX **Del Cambio** ⸤⸥ AC ⸤⸥ ⸤⸥ VISA ⬤⬤ AE ⓪ ⸤⸥

piazza Carignano 2 ✉ 10123 – ℰ 011 54 37 60 – www.thi.it
– cambio@thi.it – Fax 011 53 52 82
– chiuso dal 1° al 6 gennaio e domenica escluso gennaio-febbraio   CX**a**
Rist – (consigliata la prenotazione) 75 € – Carta 64/89 € 🕸 (+15 %)

◆ In 250 anni ha accolto e saziato personaggi come Cavour, Rattazzi e Lamarmora: ora attende voi, tra i suoi velluti rossi, per deliziarvi con piatti tradizionali e creativi.

XXX **Vintage 1997** (Pierluigi Consonni) AC VISA ⬤⬤ AE ⓪ ⸤⸥
🕸

piazza Solferino 16/h ✉ 10121 – ℰ 011 53 59 48 – www.vintage1997.com
– info@vintage1997.com – Fax 011 53 59 48
– chiuso dal 1° al 7 gennaio, dal 6 al 31 agosto, sabato a mezzogiorno e domenica
Rist – Carta 45/82 € 🕸   CX**e**
Spec. Risotto con gamberi rossi crudi. Trittico di baccalà. Igloo (semifreddo di gianduja).

◆ Tessuti scarlatti, paralumi ed eleganti boiserie ovattano l'interno di questo elegante ristorante, mentre la creatività prende spunto dalla tradizione per volteggiare in molteplici forme.

XXX **Guidopereataly-Casa Vicina** (Claudio Vicina Mazzaretto) ⬧ 🅰️🅲️
via Nizza 224 ✉ 10126 – ✆ 011 19 50 68 40 🆅🅸🆂🅰 ⓜⓞ 🅰️🅴 ⬧
– www.casavicina.it – casavicina@libero.it – Fax 011 19 50 68 95 – chiuso periodo natalizio, dal 10 agosto all'8 settembre, domenica sera e lunedì CZ**e**
Rist – Menu 50/100 € – Carta 61/83 € 🕸
Spec. Tonno di coniglio grigio con giardiniera in agrodolce. Agnolotti pizzicati a mano al sugo d'arrosto. Rognone "à la coque" con vellutata di senape e aglio in camicia.
♦ All'interno di Eataly, primo supermercato italiano con prodotti alimentari di "nicchia", ristorante di genere minimalista per una cucina creativa di grande spessore.

XXX **La Barrique** (Stefano Gallo) 🅰️🅲️ ⬧ 🆅🅸🆂🅰 ⓜⓞ ⬧
corso Dante 53 ✉ 10126 – ✆ 011 65 79 00 – www.labarriqueristorante.it
– labarriquedigallostefano@virgilio.it – Fax 011 65 79 95 – chiuso domenica e lunedì
Rist – Menu 65 € – Carta 68/92 € 🕸 CZ**y**
Spec. Fagottini al nero di seppia con sugo di pescatrice (primavera-estate). Riso mantecato ai gamberi rossi, funghi porcini secchi e seppie (autunno). Hamburger di coda di vitella piemontese brasata al vino nebbiolo.
♦ Simpatica gestione familiare per questa cucina che unisce classici regionali, paste fresche, carne e l'inevitabile trionfo di cioccolato a proposte più creative e di pesce.

XXX **Marco Polo** 🅰️🅲️ ⬧ 🆅🅸🆂🅰 ⓜⓞ 🅰️🅴 ⓞ ⬧
via Marco Polo 38/40 ✉ 10129 – ✆ 011 50 00 96 – www.ristorantemarcopolo.to.it
– ristorantemarcopolo@libero.it – Fax 011 59 99 00 – chiuso sabato a mezzogiorno
Rist – Carta 44/70 € 🕸 BZ**f**
Rist Flù – ✆ 011 50 33 33 *(chiuso dall'11 al 26 agosto e lunedì) (chiuso a mezzogiorno)* Carta 35/58 €
♦ Eleganti sale distribuite su due piani ed un'originale varietà gastronomica: crostacei e frutti di mare crudi, specialità preparate con cura e passione. Nell'adiacente osteria Flù si prepara carne alla griglia: a voi scegliere se consumarla qui oppure al *Marco Polo*.

XX **Moreno La Prima dal 1979** 🅰️🅲️ 🍴⬧ 🆅🅸🆂🅰 ⓜⓞ 🅰️🅴 ⓞ ⬧
corso Unione Sovietica 244 ✉ 10134 – ✆ 01 13 17 91 91 – www.laprimamoreno.it
– info@laprimamoreno.it – Fax 01 13 14 34 23 – chiuso venti giorni in agosto e lunedì a mezzogiorno GU**c**
Rist – Carta 60/70 €
♦ Un'inattesa ubicazione nel verde custodisce questo elegante locale; all'interno, gradevoli tavoli collocati vicino a vetrate affacciate sul giardino ed una cucina che si muove tra tradizione e moderne elaborazioni.

XX **Locanda Mongreno** (Pier Bussetti) 🍴 ⬧ 🆅🅸🆂🅰 ⓜⓞ 🅰️🅴 ⬧
strada comunale di Mongreno 50 (trasferimento previsto a Govone-CN- secondo semestre 2009) ✉ 10132 – ✆ 011 89 30 – www.locandamongreno.it – info@ locandamongreno.it – Fax 01 18 22 73 45 – chiuso dal 26 dicembre al 10 gennaio, dal 25 agosto al 10 settembre e lunedì HT**e**
Rist – *(chiuso a mezzogiorno)* Menu 60/85 € – Carta 61/83 € 🕸
Spec. Insalata russa in due versioni. Risotto al té con calamaretti e profumo di lime (primavera-estate). Succo di fragole con fragole, gelato al fior di panna e gelatina di limone (primavera-estate).
♦ L'appassionata gestione raffina con il tempo questo locale fuori Torino: dalla cucina emergono capolavori di pesce e di carne che giocano instancabilmente tra tradizione e creatività.

XX **Neuv Caval 'd Brôns** 🅰️🅲️ ⬧ 🆅🅸🆂🅰 ⓜⓞ 🅰️🅴 ⓞ ⬧
piazza San Carlo 151 ✉ 10123 – ✆ 011 53 90 30 – www.cavallodibronzo.it – info@ cavallodibronzo.it – Fax 01 15 92 04 85 – chiuso dieci giorni a ferragosto e domenica sera CX**v**
Rist – Carta 62/76 €
♦ La tradizione piemontese è lavorata con personalità in questo elegante ristorante cittadino situato sotto i portici di un palazzo ottocentesco. Proposte anche di pesce.

XX **Al Garamond** 🅰️🅲️ ⬧ 🆅🅸🆂🅰 ⓜⓞ 🅰️🅴 ⬧
via Pomba 14 ✉ 10123 – ✆ 01 18 12 27 81 – www.algaramond.it – info@ algaramond.it – chiuso sabato a mezzogiorno e domenica CY**f**
Rist – Carta 45/72 € 🕸
♦ Il nome di questo piccolo locale si ispira a quello di un luogotenente dei Dragoni di Napoleone. Entusiasta la conduzione, che si esibisce nella creazione di estrosi piatti moderni.

XX **Villa Somis** ← 🚗 🕭 🛋 🛄 🗚 ⇔ **P** 𝚅𝙸𝚂𝙰 ⬤⬤ 𝙰𝙴 ⓘ 🍴
strada Val Pattonera 138 ⊠ *10133 –* 𝒞 *01 16 31 26 17 – www.villasomis.it – info@*
villasomis.it – Fax 01 16 31 23 36 – chiuso dal 10 al 20 agosto, 1 settimana in
gennaio, domenica sera e lunedì   HU**e**
Rist *– (chiuso a mezzogiorno)* Menu 35/100 € *–* Carta 58/76 € 𝖇𝖇
◆ Abbracciata dalle colline, la villa settecentesca, che fu dimora dell'omonima famiglia di
musicisti, ospita un elegante locale alla carta con piatti di moderna impostazione.

XX **'L Birichin** 𝙰𝙲 ⇔ 𝚅𝙸𝚂𝙰 ⬤⬤ 𝙰𝙴 ⓘ 🍴
via Vincenzo Monti 16/A ⊠ *10126 –* 𝒞 *011 65 74 57 – www.birichin.it – batavia@*
birichin.it – Fax 011 65 74 57 – chiuso agosto e domenica   CZ**p**
Rist *–* Carta 46/76 € 𝖇𝖇
◆ Il giovane cuoco di questo locale dalle luci soffuse propone una cucina creativa, spesso
di pesce, a volte con richiami ai prodotti del sud, ma senza mai dimenticare il Piemonte.

XX **Conti di Saluzzo** 𝙰𝙲 ⇔ 𝚅𝙸𝚂𝙰 ⬤⬤ 𝙰𝙴 ⓘ 🍴
via Saluzzo 36 ⊠ *10125 –* 𝒞 *01 16 50 73 14 – www.ristoranti-piemonte.com – conti_*
di_saluzzo@libero.it – chiuso 2 settimane in agosto, lunedì, sabato a mezzogiorno
Rist *– (consigliata la prenotazione)* Menu 32 € *–* Carta 33/48 €   CZ**t**
◆ Le curate salette ed i soffitti a volta creano quasi un'atmosfera austriaca. Mettetevi
comodi al tavolo ed affidatevi all'esperienza di questa coppia ed alla sua saporita cucina.

XX **Al Gatto Nero** 𝙰𝙲 𝕏 ⬤⬤ 𝙰𝙴 ⓘ 🍴
corso Filippo Turati 14 ⊠ *10128 –* 𝒞 *011 59 04 14 – www.gattonero.it – info@*
gattonero.it – Fax 011 50 22 45 – chiuso domenica   BZ**z**
Rist *–* Carta 45/62 € 𝖇𝖇
◆ Una cucina che parla piemontese e toscano, con qualche eco mediterranea, ed una cantina che ospita circa mille etichette: un locale affermato, che espone gatti di tutte le forme.

XX **Galante** 𝙰𝙲 𝚅𝙸𝚂𝙰 ⬤⬤ 𝙰𝙴 ⓘ 🍴
corso Palestro 15 ⊠ *10122 –* 𝒞 *011 53 77 57 – www.ristorantegalante.it*
– didomax@hotmail.it – Fax 01 15 17 82 07 – chiuso tre settimane in agosto,
sabato a mezzogiorno e domenica   CX**b**
Rist *–* Carta 35/50 €
◆ Una sala classica ed elegante, arredata in toni chiari e con sedie imbottite, tra colonne e
specchi. Dalla cucina giungono due differenti proposte: una piemontese ed una di pesce.

XX **Porta Rossa** 𝙰𝙲 𝕏 𝚅𝙸𝚂𝙰 ⬤⬤ 𝙰𝙴 ⓘ 🍴
via Passalacqua 3/b ⊠ *10122 –* 𝒞 *011 53 08 16 – www.laportarossa.it – info@*
laportarossa.it – Fax 011 53 08 16 – chiuso dal 26 dicembre al 6 gennaio, sabato a
mezzogiorno e domenica   CV**a**
Rist *–* Carta 37/68 € 𝖇𝖇
◆ Piccolo locale moderno allestito con tavoli vicini, specializzato nella preparazione di piatti
a base di pesce o con prodotti di stagione. Vicino a piazza Statuto.

XX **Tre Galline** 𝙰𝙲 ⇔ **P** 𝚅𝙸𝚂𝙰 ⬤⬤ 𝙰𝙴 ⓘ 🍴
via Bellezia 37 ⊠ *10122 –* 𝒞 *01 14 36 65 53 – www.3galline.it – info@3galline.it*
– Fax 01 14 36 00 13 – chiuso dal 30 dicembre all'8 gennaio, Pasqua,
dal 1° al 9 agosto, domenica e lunedì a mezzogiorno   CV**c**
Rist *–* Menu 35/55 € *–* Carta 36/52 € 𝖇𝖇
◆ A prima vista può sembrare una semplice trattoria, ma non lasciatevi ingannare: il locale
propone la cucina tipica piemontese, semplice e fragrante, e presenta un'ampia scelta di vini.

XX **La Cloche** 🕭 𝙰𝙲 ⇔ **P** 𝚅𝙸𝚂𝙰 ⬤⬤ 𝙰𝙴 ⓘ 🍴
strada al Traforo del Pino 106 ⊠ *10132 –* 𝒞 *01 18 99 42 13 – www.lacloche.it*
– lacloche@tiscalinet.it – Fax 01 18 98 15 22 – chiuso tre settimane in luglio,
domenica sera e lunedì   HT**a**
Rist *–* Carta 32/44 €
◆ Funghi e tartufi in autunno, i prodotti della campagna in primavera... Qualunque sia la
vostra scelta, questo grazioso locale sulle pendici della collina di Torino offre ai suoi ospiti
la passione per la tradizione gastronomica piemontese.

XX **Babette** 𝙰𝙲 𝚅𝙸𝚂𝙰 ⬤⬤ 𝙰𝙴 ⓘ 🍴
via Alfieri 16/F ⊠ *10121 –* 𝒞 *011 54 78 82 – www.ristorantebabette.it – info@*
ristorantebabette.it – Fax 011 19 50 34 12 – chiuso dall'8 al 31 agosto, sabato a
mezzogiorno e domenica
Rist *–* Carta 37/47 € 𝖇𝖇
◆ Stupore ed eleganza saltano subito all'evidenza: un locale moderno, allestito con gusto
minimalista e ricercato tra pietra e legno. Tra classico e creativo anche la cucina che
dispone di un'eccellente cantina.

🍴🍴 **Perbacco** [AC] ⇔ [VISA] [MC] [AE] [D] ♿
via Mazzini 31 ✉ 10123 – ☎ 011 88 21 10 – www.ristoranteperbacco.torino.it – Fax 011 83 75 17 – chiuso agosto e domenica DZ**x**
Rist – *(chiuso a mezzogiorno)* Menu 35 €
♦ Moderno locale scelto dal popolo delle ore piccole e da molti personaggi dello spettacolo; il menu a 4 portate si costruisce a scelta dalla piccola carta. Centenaria esperienza familiare.

🍴🍴 **Locanda Botticelli** [AC] [P] [VISA] [MC] [AE] ♿
strada Arrivore 9 ✉ 10154 – ☎ 01 12 42 20 12 – www.locandabotticelli.it – locandabotticelli@libero.it – Fax 01 12 46 46 62 – chiuso agosto e domenica
Rist – (consigliata la prenotazione) Carta 34/48 € HT**d**
♦ Varcato il cancello, ci si lascia alle spalle la periferia per entrare in un bell'ambiente dalla particolare atmosfera; ottima scelta di piatti della tradizione, carne e pesce.

🍴🍴 **Solferino** [AC] [VISA] [MC] [AE] ♿
piazza Solferino 3 ✉ 10121 – ☎ 011 53 58 51 – www.ristorantesolferino.com – Fax 011 53 51 95 – chiuso dal 25 dicembre al 2 gennaio, Pasqua, agosto, sabato a mezzogiorno e domenica CX**m**
Rist – Carta 33/42 €
♦ E' in questo locale che circa 30 anni fa è approdata la passione toscana nel campo della ristorazione. Oggi, la carta propone piatti di casa e, ovviamente, i classici piemontesi.

🍴🍴 **Etrusco** [AC] ⇔ [VISA] [MC] ♿
via Cibrario 52 ✉ 10144 – ☎ 011 48 02 85 – Fax 011 48 02 85 – chiuso dal 10 gennaio al 10 febbraio e lunedì BV**s**
Rist – Carta 28/54 €
♦ A dispetto del nome, le specialità di questo locale situato in una delle zone più trafficate della città non sono toscane, bensì di pesce. A gestirlo, una coppia di coniugi.

🍴 **San Tommaso 10 Lavazza** [AC] [VISA] [MC] [AE] [D] ♿
via San Tommaso 10 ✉ 10122 – ☎ 011 53 42 01 – www.lavazza.it – f.sgura@lavazza.it – Fax 011 54 93 04 – chiuso agosto e domenica CX**f**
Rist – Carta 38/73 €
♦ Proprio dietro al bar, l'estetica è l'elemento che caratterizza ogni creazione, il piacere si affaccia alla vista e delizia il palato, la fantasia reinterpreta la cucina italiana in delicate e intriganti ricette.

🍴 **C'era una volta** [AC] 🚭 ⇔ [VISA] [MC] [AE] [D] ♿
corso Vittorio Emanuele II 41 ✉ 10125 – ☎ 01 16 50 45 89 – www.ristoranteceraunavolta.it – info@ristoranteceraunavolta.it – Fax 01 16 50 57 74 – chiuso domenica CZ**k**
Rist – *(chiuso a mezzogiorno)* Carta 31/46 €
♦ Rinnovato in occasione delle Olimpiadi, il locale ha conservato l'originale accogliente atmosfera; la cucina si ispira ai sapori regionali, ma c'è comunque spazio per la creatività.

🍴 **Trattoria Torricelli** ☂ [AC] [VISA] [MC] [AE] [D] ♿
via Torricelli 51 ✉ 10129 – ☎ 011 59 98 14 – www.trattoriatorricelli.it – info@trattoriatorricelli.it – Fax 01 15 81 95 08 – chiuso dal 1° al 6 gennaio, dal 10 al 30 agosto, domenica, lunedì a mezzogiorno BZ**n**
Rist – Carta 35/50 € 🍇
♦ Una moderna trattoria, la cui cucina reinterpreta con fantasia i prodotti del territorio; all'esterno è stata recentemente aggiunta una veranda, chiusa per l'inverno e aperta d'estate.

🍴 **Sotto la Mole** [AC] [VISA] [MC] ♿
via Montebello 9 ✉ 10124 – ☎ 01 18 17 93 98 – www.sottolamole.eu – info@sottolamole.eu – Fax 01 18 17 93 98 – chiuso domenica da giugno a settembre, mercoledì e a mezzogiorno (escluso domenica) negli altri mesi DX**a**
Rist – Carta 31/47 €
♦ Il nome non lascia dubbi sull'ubicazione. Piccolo e gradevole, il ristorante presenta una raccolta di manifesti pubblicitari d'epoca e propone piatti che s'ispirano solo alla tradizione.

🍴 **Monferrato** [AC] 🚭 ⇔ [VISA] [MC] [AE] ♿
via Monferrato 6 ✉ 10131 – ☎ 01 18 19 06 74 – www.ristorantemonferrato.com – monferrato@ristorantemonferrato.com – Fax 01 18 19 76 61 HT**u**
Rist – Carta 30/40 € 🍇
♦ In un piacevole quartiere dell'Oltrepò, il locale propone la tradizione gastronomica del territorio, a partire da un'attenta ricerca dei prodotti. L'ambiente è informale, di tono moderno.

✗ Ponte Vecchio ☒ 🅐🅒 🆅🅸🆂🅰 ⓮ 🅰🅴 ⓪ 🖢

via San Francesco da Paola 41 ☒ *10123 –* 𝒞 *011 83 51 00 – www.ristorantino.net*
– Fax 011 88 38 79 – chiuso agosto, lunedì e martedì a mezzogiorno   CY**d**
Rist – Carta 26/50 €

♦ Classici sia l'arredo di inizio '900 sia la cucina, regionale e nazionale: giunto alla terza generazione di una capace gestione familiare, il locale è stato parzialmente rinnovato.

✗ Taverna delle Rose 🅐🅒 🍴 🆅🅸🆂🅰 ⓮ 🅰🅴 ⓪ 🖢

via Massena 24 ☒ *10128 –* 𝒞 *011 53 83 45 – tavernadellerose@gmail.com*
– Fax 011 53 83 45 – chiuso agosto, sabato a mezzogiorno e domenica
Rist – Carta 25/43 €   CZ**r**

♦ Ambiente accattivante ed informale, con un'ampia scelta di piatti tradizionali accanto a classici italiani; la sera accomodatevi nella romantica sala con mattoni a vista e luci soffuse.

✗ Zafferano Cafe 🏠 🆅🅸🆂🅰 ⓮ 🅰🅴 🖢

via Sant'Agostino 15/b ☒ *10122 –* 𝒞 *01 15 21 73 56 – www.zafferanocafe.it*
– info@zafferanocafe.it – Fax 01 14 60 18 96 – chiuso agosto e lunedì
Rist – *(chiuso a mezzogiorno)* (consigliata la prenotazione)   CV**e**
Menu 25/45 € – Carta 42/57 €

♦ Piccolo locale centrale, su due piani, caratterizzato da un tranquillo dehors sul retro, propone una cucina quasi esclusivamente di pesce: un gioiellino nella città della Mole!

✗ L'Osteria del Corso 🅐🅒 ♿ 🆅🅸🆂🅰 ⓮ 🅰🅴 ⓪ 🖢

corso Regina Margherita 252/b ☒ *10144 –* 𝒞 *011 48 06 65*
– www.osteriadelcorso.it – info@osteriadelcorso.it – Fax 011 48 05 18 – chiuso dal 6 al 12 gennaio, dall'8 al 18 agosto e domenica   BV**a**
Rist – Menu 20/35 € – Carta 22/40 €

♦ Piccolo ristorante semplice e familiare, sito in un'arteria commerciale, dove è possibile gustare piatti di mare. A pranzo si può optare per un buffet a buon prezzo. Gradevole la veranda.

✗ Da Toci 🏠 🅐🅒 🆅🅸🆂🅰 ⓮ 🅰🅴 🖢

corso Moncalieri 190 ☒ *10133 –* 𝒞 *01 16 61 48 09 – www.ristoratori.it – chiuso dal 13 agosto al 5 settembre, domenica e lunedì*   CZ**q**
Rist – Carta 25/42 €

♦ Leit motiv di questo ristorante, semplice e ben tenuto, è quello del mare, tuttavia non mancano i sapori caratteristici della terra d'origine del suo titolare: la Toscana.

✗ Ristorantino Tefy 🅐🅒 🆅🅸🆂🅰 ⓮ 🅰🅴 🖢

corso Belgio 26 ☒ *10153 –* 𝒞 *011 83 73 32 – dodocleo88@yahoo.it – Fax 011 83 73 32*
– chiuso dal 15 al 30 gennaio, agosto, sabato a mezzogiorno e domenica
Rist – Carta 30/38 €   HT**b**

♦ Un locale accogliente per un'esperienza gastronomica che viaggia tra Umbria e Piemonte: dalla cucina soprattutto i sapori della terra; il venerdì e il sabato si propone anche il pesce.

✗ Mon Ami 🏠 🅐🅒 🆅🅸🆂🅰 ⓮ 🅰🅴 🖢

via San Dalmazzo 16 ang. via Santa Maria ☒ *10122 –* 𝒞 *011 53 82 88*
– annabatty@libero.it – Fax 01 15 13 27 84 – chiuso agosto, domenica sera e lunedì
Rist – Carta 26/42 €   CX**d**

♦ Tre sale dai tavoli ravvicinati, due delle quali, d'estate, si aprono sul dehors: accanto alle proposte nazionali, questa semplice trattoria offre specialità di mare.

✗ Piccolo Lord 🅐🅒 🍴 🆅🅸🆂🅰 ⓮ 🅰🅴 🖢

corso San Maurizio 69 bis/G ☒ *10124 –* 𝒞 *011 83 61 45*
– www.ristorantepiccololord.it – piccololord@fastwebnet.it – chiuso 1 settimana in gennaio, 2 settimane in agosto e domenica   DY**a**
Rist – *(chiuso a mezzogiorno)* Menu 32/42 € – Carta 37/48 €

♦ Locale moderno ed accogliente nel quale si destreggiano due giovani cuochi, in grado di realizzare ricette semplici ma caratterizzate da una forte impronta personale. Servizio informale.

TORNELLO – Pavia – Vedere Mezzanino

TORNO – Como (CO) – 561E9 – **1 217 ab.** – **alt. 225 m** – ☒ **22020** 🏛 Italia   **18 B1**
▶ Roma 633 – Como 7 – Bellagio 23 – Lugano 40
◎ Portale ★ della chiesa di San Giovanni

Vapore ⬅ 🚗 🏡 🍽 cam, 📶 VISA ⓒ 🅢
via Plinio 20 ⊠ 22020 Torno – ☏ 031 41 93 11 – www.hotelvapore.it – info@
hotelvapore.it – Fax 031 41 90 31 – chiuso gennaio e febbraio
12 cam – ♦65/71 € ♦♦75/85 €, ☰ 9 € – ½ P 65/75 €
Rist – *(chiuso mercoledì escluso dal 15 giugno al 20 settembre)* (consigliata la
prenotazione) Carta 23/43 €
♦ Nel centro storico della pittoresca località, piccolo hotel affacciato sul lago e dotato di
camere luminose e molto piacevoli. Particolare il ristorante dalla cui terrazza si ammira
lo specchio lacustre: sicuro appagamento di vista e gusto...

TORRE A MARE – Bari (BA) – 564D33 – ⊠ 70045   27 **C2**
▶ Roma 463 – Bari 12 – Brindisi 101 – Foggia 144

✗ **Da Nicola** ⬅ 🏡 🍽 P VISA ⓒ AE ① 🅢
via Principe di Piemonte 3 – ☏ 08 05 43 00 43 – www.ristorantedanicola.com
– info@ristorantedanicola.com – Fax 08 05 43 00 43
– chiuso dal 20 dicembre al 20 gennaio, domenica sera e lunedì
Rist – Carta 29/42 €
♦ Un buon localino, semplice e familiare, ubicato in riva al mare e a pochi passi dal centro
del paese; piatti marinari e fresca terrazza esterna sul porticciolo.

TORRE ANNUNZIATA – Napoli (NA) – 564E25 – **47 780 ab.** - alt. 14 m   6 **B2**
– ⊠ 80058 Italia
▶ Roma 240 – Napoli 27 – Avellino 53 – Caserta 53

👁 Villa di Oplontis★★

Grillo Verde 🛗 AC ↯ 📶 P 🚗 VISA ⓒ AE ① 🅢
piazza Imbriani 19 – ☏ 08 18 61 10 19 – www.hotelgrilloverde.it
– hgv@hotelgrilloverde.it – Fax 08 18 61 12 90
15 cam ☰ – ♦62 € ♦♦85 € – ½ P 60 €
Rist – *(chiuso martedì)* Carta 22/31 € (+15 %)
♦ Nei pressi della stazione ferroviaria e degli scavi di Oplontis e di Pompei, sorge questa struttura abilmente gestita da una famiglia con lunga esperienza nel settore. Sala ristorante semplice e piuttosto ampia, ove gustare menù casalinghi.

TORRE BOLDONE – Bergamo (BG) – 561E11 – **7 873 ab.** - alt. 280 m   19 **C1**
– ⊠ 24020
▶ Roma 618 – Milano 57 – Bergamo 6 – Lecco 47

✗✗ **Don Luis** 🏡 🍽 P VISA ⓒ AE 🅢
via De Paoli 2 – ☏ 035 34 13 93 – www.ristorantedonluis.com – iron957@yahoo.it
– Fax 035 36 25 83 – chiuso agosto, lunedì sera e martedì
Rist – Carta 27/47 €
♦ Edificio d'epoca sulle rive di un torrente che nei mesi estivi assicura la giusta frescura
durante i pasti all'aperto; due belle sale e una solida conduzione familiare.

✗✗ **Papillon** ⬅ 🏡 AC P VISA ⓒ AE ① 🅢
via Gaito 36, Nord-Ovest : 1,5 km – ☏ 035 34 05 55 – www.papillonristorante.it
– ristorante.papillon@virgilio.it – Fax 035 34 05 55
– chiuso dal 1° al 5 gennaio, 3 settimane in agosto, lunedì e martedì
Rist – Menu 34 € – Carta 39/60 €
♦ Immerso nel verde d'un grande parco è un locale dalla lunga ed esperta tradizione familiare. Nelle sale d'ispirazione classica, piatti contemporanei e specialità alla griglia.

TORRE CANNE – Brindisi (BR) – 564E34 – ⊠ 72010   27 **C2**
▶ Roma 517 – Brindisi 47 – Bari 67 – Taranto 57

🏨 **Del Levante** 🌿 ⬅ 🚗 🏊 🍽 🛗 ⅃ rist, ✸✸ AC 🍽 📶 🏛 P
via Appia 22 – ☏ 08 04 82 01 60 – www.gesthotels.com   VISA ⓒ AE ① 🅢
– info@dellevante.com – Fax 08 04 82 00 96
149 cam ☰ – ♦98/240 € ♦♦115/260 € – ½ P 165/177 €
Rist – *(marzo-15 novembre)* Carta 35/42 €
♦ Ideale non solo per chi vuole spendervi le vacanze ma anche per chi è in viaggio per
lavoro, grande e moderno complesso in riva al mare con ampi spazi esterni. Bella la grande
piscina in giardino. Delicate tonalità mediterranee rendono accogliente la sala da pranzo.

1185

🏠 **Eden** 🗙 🖩 ㅎ cam. ✶✶ 🃏 ⅌ 🕬 🖄 **P** 𝗩𝗜𝗦𝗔 ⓒⓞ ㅿㅌ ① ㅎ
*via Potenza 46 – ℰ 08 04 82 98 22 – www.hoteldentorrecanne.it – info@
hoteledentorrecanne.it – Fax 08 04 82 03 30 – aprile-ottobre*
87 cam 🖙 – ∱59/106 € ∱∱76/146 € – ½ P 98 € **Rist** – Menu 25/50 €
♦ A pochi metri dal mare, in una località di antiche tradizioni marinare, risorsa dagli ampi
spazi di taglio classico ed una terrazza roof-garden con solarium e piscina. Gestione familiare. Nei luminosi spazi della sala ristorante, la cucina tipica nazionale.

TORRECHIARA – Parma (PR) – 562I12 – ✉ 43010   8 **A3**
📭 Roma 469 – Parma 19 – Bologna 109 – Milano 141

✗✗ **Taverna del Castello** con cam ⓑ   🏠 🃏 𝗩𝗜𝗦𝗔 ⓒⓞ ㅿㅌ ㅎ
*via del Castello 25 – ℰ 05 21 35 50 15 – www.tavernadelcastello.it – info@
tavernadelcastello.it – Fax 05 21 35 58 49 – chiuso dal 24 al 26 dicembre*
5 cam 🖙 – ∱65 € ∱∱100 € **Rist** – (chiuso lunedì) Menu 26/33 € – Carta 36/51 €
♦ Un castello medioevale in pietra, quasi una fortezza se visto dal basso, da qui la vista sulle colline circostanti. Quattro le sale dedicate alla ristorazione per una cucina tradizionale e creativa.
Nelle camere l'atmosfera d'un tempo tra travi e pietre a vista nelle pareti: piccole e suggestive.

TORRE DEL GRECO – Napoli (NA) – 564E25 – 89 198 ab. – ✉ 80059   6 **B2**
📭 Roma 227 – Napoli 15 – Caserta 40 – Castellammare di Stabia 17

🔲 Scavi di Ercolano★★ Nord-Ovest : 3 km
🔲 Vesuvio★★★ Nord-Est : 13 km e 45 mn a piedi AR

in prossimità casello autostrada A 3

🏨 **Sakura** ≤ 🔔 🗙 🖩 🃏 ↯ ⅌ rist. 🕬 🖄 **P** 𝗩𝗜𝗦𝗔 ⓒⓞ ㅿㅌ ① ㅎ
*via De Nicola 26/28 ✉ 80059 – ℰ 08 18 49 31 44 – www.hotelsakura.it – info@
hotelsakura.it – Fax 08 18 49 11 22*
77 cam 🖙 – ∱95/115 € ∱∱125/150 € – ½ P 100/110 € **Rist** – Menu 25/50 €
♦ Freschezza, eleganza ed accoglienza per questo hotel avvolto dal verde e collocato ai piedi
del Vesuvio; le camere sono confortevoli e rilassanti, arredate con ricercatezza. L'atmosfera ha
un sapore più contemporaneo al ristorante, tra decorazioni floreali e delicati abbinamenti.

🏠 **Marad** ⓑ   🚃 🏠 🗙 🖩 ㅎ ⅌ 🕬 🖄 **P** 𝗩𝗜𝗦𝗔 ⓒⓞ ㅿㅌ ① ㅎ
*via Benedetto Croce 20 ✉ 80059 – ℰ 08 18 49 21 68 – www.marad.it – marad@
marad.it – Fax 08 18 82 87 16*
74 cam 🖙 – ∱75/99 € ∱∱90/140 € – ½ P 70/90 € **Rist** – Carta 25/45 €
♦ Alle falde del Vesuvio e comodo da raggiungere dal casello autostradale, un piacevole
albergo dotato di corpo centrale e dépendance; gestione appassionata e professionale.

TORRE DEL LAGO PUCCINI – Lucca (LU) – 563K12 – ✉ 55048   28 **B1**
📗 Toscana
📭 Roma 369 – Pisa 14 – Firenze 95 – Lucca 25

al mare Ovest : 2 km :

✗✗ **Il Pescatore Ristoro** 🏠 ㅎ 🃏 ⅌ ↻ **P** 𝗩𝗜𝗦𝗔 ⓒⓞ ㅎ
*viale Europa 15 – ℰ 05 84 34 06 10 – www.ilpescatore.com – ilpescatoreristoro@
libero.it – chiuso novembre e lunedì escluso luglio-agosto*
Rist – (chiuso a mezzogiorno escluso sabato e domenica) Carta 53/73 €
♦ Ristorante d'inaspettata eleganza e raffinato buongusto. Una statua di Puccini vi dà il
benvenuto all'ingresso, la sala è suggestiva e ricca di carattere: una sorta di serra all'inglese
o veranda coperta. Specialità prevalentemente di pesce.

al lago di Massaciuccoli Est : 1 km :

✗✗ **Da Cecco** 🏠 🃏 ⅌ 𝗩𝗜𝗦𝗔 ⓒⓞ ㅿㅌ ㅎ
*Belvedere Puccini ✉ 55049 – ℰ 05 84 34 10 22 – Fax 05 84 34 10 22 – chiuso
domenica sera e lunedì (escluso luglio-agosto)*
Rist – Carta 24/40 €
♦ Affacciato sul lago da uno scenografico belvedere, a fianco alla casa museo di Puccini,
carne e pesce si dividono la carta in proposte classiche.

TORRE DI FINE – Venezia – 562F20 – Vedere Eraclea

TORREGROTTA – Messina – 565M28 – Vedere Sicilia alla fine dell'elenco alfabetico

---

TORRE PEDRERA – Rimini – 563J19 – Vedere Rimini

TORRE SAN GIOVANNI – Lecce (LE) – 564H36 – ⊠ 73059 – Ugento   27 **D3**
▶ Roma 652 – Brindisi 105 – Gallipoli 24 – Lecce 62

🏨 **Hyencos Calòs e Callyon**   ≼ ᴵ ⌷⓪ ⍩⍩ 🄰🄲 ⌘ rist, ♨ 🅿
⌾   *piazza dei Re Ugentini* – ℰ 08 33 93 10 88   🆅🅸🆂🅰 ⓪⓪ 🄰🄴 ⓞ ⑤
– www.hyencos.com – info@hyencos.com – Fax 08 33 93 10 97 – *maggio-settembre*
61 cam ⌓ – ❭40/120 € ❭❭80/240 € – ½ P 57/140 €
Rist – *(17 maggio-settembre)* Carta 20/58 €
♦ In posizione centrale, all'interno di una villa dell'800, la struttura dispone di luminosi spazi, camere funzionali e semplici negli arredi, nonché di una terrazza con vista.

TORRETTE – Ancona – 563L22 – Vedere Ancona

TORRIANA – Rimini (RN) – 562K19 – 1 254 ab. – alt. 337 m – ⊠ 47825   9 **D2**
▶ Roma 307 – Rimini 21 – Forlì 56 – Ravenna 60

❌❌ **Il Povero Diavolo** con cam   🏠 ⓣ ♨ 🆅🅸🆂🅰 ⓪⓪ 🄰🄴 ⑤
via Roma 30 – ℰ 05 41 67 50 60 – www.ristorantepoverodiavolo.com
– info@ristorantepoverodiavolo.com
– *chiuso dal 28 maggio al 15 giugno e dal 15 al 25 settembre*
4 cam ⌓ – ❭60 € ❭❭90 €
Rist – *(chiuso mercoledì) (chiuso a mezzogiorno escluso domenica e i giorni festivi da ottobre a maggio)* (consigliata la prenotazione) Carta 51/64 € ❀
♦ In omaggio ad un'osteria degli inizi del '900, punto d'incontro della vita paesana per oltre mezzo secolo, il locale ha saputo seguire i tempi in un connubio di rusticità, modernità e fantasia. Sobrie ed eleganti le camere, dotate di una piccola biblioteca e di una piacevole tranquillità nella quale gustare il riposo.

❌ **Il Chiosco di Bacco**   🏠 ♨ 🅿 🆅🅸🆂🅰 ⓪⓪ 🄰🄴 ⓞ ⑤
via Santarcangiolese 62 – ℰ 05 41 67 83 42 – www.chioscodibacco.it – info@
chioscodibacco.it – Fax 05 41 67 83 42 – *chiuso 2 settimane in settembre e dal 24 al 31 dicembre*
Rist – *(chiuso a mezzogiorno escluso domenica e festivi)* (consigliata la prenotazione) Carta 27/35 €
♦ Un vero paradiso per gli amanti della carne. E poi formaggi e piatti della tradizione romagnola, il tutto in un ambiente rustico con finestre che corrono lungo tutto il perimetro.

TORRI DEL BENACO – Verona (VR) – 562F14 – 2 723 ab. – alt. 68 m   35 **A2**
– ⊠ 37010
▶ Roma 535 – Verona 37 – Brescia 72 – Mantova 73
🚢 per Toscolano-Maderno – Navigazione Lago di Garda, viale Marconi 8 ℰ 045 6290272
🇮 (Pasqua-settembre) via fratelli Lavanda 5 ℰ045 7225120, iattorri@
provincia.vr.it, Fax 045 7225120

🏨 **Gardesana**   ≼ 🏠 ⌷⓪ ⓖ 🄰🄲 ⍩ ♨ rist, ⑪ 🅿 🆅🅸🆂🅰 ⓪⓪ 🄰🄴 ⓞ ⑤
piazza Calderini 20 – ℰ 04 57 22 54 11 – www.hotel-gardesana.com – info@
hotel-gardesana.com – Fax 04 57 22 57 71 – *14 marzo-3 novembre*
34 cam ⌓ – ❭70/160 € ❭❭100/170 €
Rist – *(chiuso martedì escluso da giugno a settembre) (chiuso a mezzogiorno)* Carta 39/57 €
♦ All'ombra del turrito castello scaligero, le origini dell'edificio risalgono all'epoca tardo medievale. L'eleganza di un mitico passato si unisce ad una discreta ospitalità. Sala ristorante e un'ambita terrazza al primo piano, ideale per una cena e una vista davvero indimenticabili.

🏨 **Galvani**   ≼ 🚲 ᴵ ⍾ 🄰🄲 ⍩ ⌷⓪ 🄰🄲 ♨ 🅿 🐾 🆅🅸🆂🅰 ⓪⓪ ⑤
località Pontirola 7, Nord : 1 km – ℰ 04 57 22 51 03 – www.hotelgalvani.it
– info@hotelgalvani.it – Fax 04 56 29 66 18
– *chiuso dall'8 gennaio al 13 marzo e dal 7 novembre al 20 dicembre*
35 cam – ❭55/140 € ❭❭64/150 €, ⌓ 17 € – ½ P 64/99 €
Rist – *(chiuso martedì)* Carta 32/44 € ❀
♦ A 2 km da Torri del Benaco, in posizione tranquilla di fronte al lago, l'hotel dispone di valide strutture sportive e belle camere, alcune rinnovate altre mansardate. Calda atmosfera nella piacevole e invitante sala da pranzo, rustica e di tono elegante.

🏠 Al Caminetto   🚗 🚬 📶 AC ↵ ✂ 🅿 VISA ◍ ♻

*via Gardesana 52 – ℰ 04 57 22 55 24 – www.hotelalcaminetto.it
– info@hotelalcaminetto.it – Fax 04 57 22 50 99 – Pasqua-novembre*
20 cam ⛱ – ♦48/80 € ♦♦84/115 € – ½ P 59/64 €
Rist – *(chiuso a mezzogiorno) (solo per alloggiati)* Menu 18/20 €
♦ Una gestione familiare di rara cortesia e un'accurata attenzione per i particolari per questa piccola, deliziosa risorsa a breve distanza tanto dal centro storico quanto dal lago.

🏠 Al Caval senza rist   🐬 ♨ 🗓 ♿ AC ⁽¹⁾ 🅿 VISA ◍ ♻

*via Gardesana 186 – ℰ 04 57 22 56 66 – www.hotelalcaval.it – info@hotelalcaval.it
– Fax 04 56 29 65 70 – chiuso dal 15 gennaio al 15 marzo*
20 cam ⛱ – ♦50/65 € ♦♦90/115 €
♦ Cordialità e savoir-faire nell'incantevole scenario della punta Caval a Torri del Benaco. Camere accoglienti e tutto il calore di una conduzione familiare.

✕✕ Al Caval (Isidoro Consolini)   🚬 AC ✂ 🅿 VISA ◍ AE ① ♻
🕸

*via Gardesana 186 – ℰ 04 57 22 50 83 – www.ristorantealcaval.com
– info@ristorantealcaval.com – Fax 04 57 22 58 55
– chiuso gennaio o febbraio, mercoledì e a mezzogiorno (escluso i giorni festivi)*
Rist – Menu 55/65 € – Carta 62/76 € 🕸
Spec. Spaghetti tirati a mano con sarde, pomodori confit e carpaccio di gamberi del Garda. Luccio con salsa gardesana ripensata. Variazione sul lavarello all'antica.
♦ Di design e tendenza, sono l'illuminazione e i materiali impiegati a creare la particolare atmosfera del locale giocando sui colori e sulle forme, mentre la cucina dello chef Isidoro coniuga tradizione e innovazione.

✕ Bell'Arrivo   🌡 VISA ◍ AE ♻

piazza Calderini 10 – ℰ 04 56 29 90 28 – chiuso lunedì escluso luglio-agosto
Rist – Carta 34/59 € 🕸
♦ Piccolo locale nel centro storico della località, calorosa trattoria dai toni rustici ma curati dove gustare proposte del territorio, di pesce e di carne.

ad Albisano Nord-Est : 4,5 km – ✉ 37010 – Torri del Benaco

🏠 Panorama   ≼ 🚗 🗓 🗓 ♿ AC cam. ⁽¹⁾ 🅿 VISA ◍ AE ① ♻

*via S. Zeno 9 – ℰ 04 57 22 51 02 – www.panoramahotel.net – info@
panoramahotel.net – Fax 04 56 29 01 62 – marzo-ottobre*
28 cam – ♦52/58 € ♦♦82/100 €, ⛱ 10 € – ½ P 54/64 €   **Rist** – Carta 25/40 €
♦ Nel nome tutto ciò che delizierà la vostra vacanza: tranquillità, riservatezza, una vista spettacolare e un'ubicazione unica, dominante il lago. All'interno, semplicità e ordine. Fiore all'occhiello è il servizio ristorante estivo in terrazza panoramica.

🏠 Alpino   🚗 🗓 🗓 ♿ ✳ AC ↵ ✂ 🅿 VISA ◍ ♻

*via San Zeno 8, località Albisano – ℰ 04 57 22 51 80 – www.albergo-alpino.it
– albergoalpino@tiscalinet.it – Fax 04 56 29 65 93 – 20 marzo-15 novembre*
13 cam – ♦60/90 € ♦♦80/170 €, ⛱ – ½ P 82/92 €
Rist – *(chiuso a mezzogiorno) (solo per alloggiati)* Menu 35/45 €
♦ Piccolo albergo completamente ristrutturato; la piacevolezza del soggiorno è assicurata dalla capace conduzione familiare e dalla qualità di camere e dotazioni. Graziosa sala ristorante e cucina casalinga.

TORRILE – **Parma (PR)** – 562H12 – **6 386 ab.** – **alt. 32 m** – ✉ 43030   8 **B1**
   ◱ Roma 470 – Parma 13 – Mantova 51 – Milano 134

a San Polo Sud-Est : 4 km – ✉ 43056

🏠 Ducathotel   🗓 AC ✂ ⁽¹⁾ 🅿 VISA ◍ AE ① ♻

*via Achille Grandi 7 – ℰ 05 21 81 99 29 – www.ducathotel.com – ducathotel@tin.it
– Fax 05 21 81 34 82*
21 cam – ♦55/75 € ♦♦75/105 € – ½ P 59/85 €
Rist – *(chiuso agosto, venerdì, sabato e domenica) (chiuso a mezzogiorno) (solo per alloggiati)* Menu 18/35 €
♦ Un piccolo hotel a conduzione familiare, senza pretese e decoroso, posizionato nella zona residenziale e non lontano dalla ferrovia; adeguato nei confort.

a Vicomero Sud : 6 km – ✉ 43031

XX **Romani** ☆ 🄰🄲 ⇔ 🄿 🆅🅸🆂🄰 ⑳ 🄰🄴 ① ♿
ⓘ *via dei Ronchi 2 – € 05 21 31 41 17 – www.ristoranteromani.it – info@*
ristoranteromani.it – Fax 05 21 31 42 92 – chiuso dal 26 dicembre al 6 gennaio,
dal 15 luglio al 13 agosto, mercoledì e giovedì
Rist – Carta 24/35 € 𝕘

♦ Tradizione e genuinità, eleganza ed eco contadine: la passione per la cucina emiliana si
concretizza in un attento utilizzo dei prodotti locali. Vino e salumi per iniziare.

TORRITA DI SIENA – Siena (SI) – 563M17 – ✉ 53049   29 **D2**
▶ Roma 199 – Firenze 100 – Siena 56 – Arezzo 43

⌂ **Residenza D'Arte** senza rist ☜ 🚗 ℅ 🄰🄲 🄿 🆅🅸🆂🄰 ⑳ 🄰🄴 ① ♿
località Poggio Madonna dell'Olivo – € 33 84 81 43 84 – www.residenzadarte.com
– residenzadarte@fastwebnet.it – Fax 05 77 68 42 52 – 25 marzo-1° novembre
8 cam � – 🛉125/185 € 🛉🛉135/230 €

♦ In posizione panoramica sul paese, un living-museum d'arte contemporanea all'interno
di un borgo medievale per un soggiorno tra arredi antichi e nuove espressioni artistiche.

TORTOLÌ – Ogliastra – 566H10 – Vedere Sardegna alla fine dell'elenco alfabetico

TORTONA – Alessandria (AL) – 561H8 – 26 570 ab. – alt. 114 m – ✉ 15057   23 **C2**
▶ Roma 567 – Alessandria 22 – Genova 73 – Milano 73
ⓘ corso Alessandria 62 € 0131 864297, affarigenerali@comune.tortona.al.it, Fax
0131 864267

🏨 **Villa Giulia** senza rist 🅙 🄰🄲 ℅ ⑴ 🔦 🄿 🆅🅸🆂🄰 ⑳ 🄰🄴 ① ♿
s.s. Alessandria 7/A – € 01 31 86 23 96 – www.villagiulia-hotel.com – info@
villagiulia-hotel.com – Fax 01 31 86 85 61
12 cam ⊊ – 🛉83/95 € 🛉🛉113 €

♦ Un'antica villa dei primi del novecento situata accanto alla statale, all'ingresso della località arrivando da Alessandria, dispone di spazi comuni non molto ampi ma accoglienti.
Pavimenti in marmo e bei parquet nelle ampie e comode camere.

⌂ **Casa Cuniolo** senza rist ☜ ≼ 🚗 🄰🄲 ⑴ 🄿 🆅🅸🆂🄰 ⑳ 🄰🄴 ① ♿
viale Giovanni Amendola 6, zona Castello – € 01 31 86 21 13 – www.gabriella
cuniolo.com – info@gabriellacuniolo.com – Fax 01 31 86 68 31 – chiuso agosto
4 cam ⊊ – 🛉90/150 € 🛉🛉100/160 €

♦ A casa di un celebre pittore paesaggista, nella parte alta della collina, circondati dal
verde e coccolati da un'ottima gestione. Poche camere, eleganti e raffinate, quadri ovunque e una bella terrazza.

X **Vineria Derthona** 🄰🄲 🆅🅸🆂🄰 ⑳ ♿
ⓘ *via Perosi 15 – € 01 31 81 24 68 – www.vineriaderthona.it – girespi@libero.it*
– Fax 01 31 81 24 68 – chiuso Natale, Pasqua, 2 settimane in agosto, lunedì,
sabato, domenica a mezzogiorno
Rist – Carta 22/31 € 𝕘

♦ Non sarà facile trovare posteggio nelle vicinanze di questo locale che ricorda nel nome
l'antica colonia romana, in compenso è un autentico wine-bar dai saporiti piatti locali e dal-
l'ambiente piacevolmente conviviale.

sulla strada statale 35 Sud : 1,5 km :

XX **Aurora Girarrosto** con cam 🚗 ☆ 🅙 🄰🄲 🔄 🄿 🆅🅸🆂🄰 ⑳ ♿
strada statale dei Giovi 13 ✉ 15057 – € 01 31 86 30 33
– www.auroragirarrosto.com – info@auroragirarrosto.com – Fax 01 31 82 13 23
19 cam ⊊ – 🛉60/70 € 🛉🛉90/100 €
Rist – *(chiuso 3 settimane in agosto)* Carta 33/50 €

♦ Sulla via per Genova, un indirizzo che può soddisfare, a validi livelli, esigenze sia di ristorazione sia di pernottamento. Eclettismo a tavola con ricette di carne e di pesce ed
ottime specialità cotte sul girarrosto a vista. Per gli irriducibili della sigaretta, una sala fumatori è a loro disposizione.

TORTORETO – Teramo (TE) – 563N23 – 8 088 ab. – alt. 227 m – ✉ 64018   1 **B1**
▶ Roma 215 – Ascoli Piceno 47 – Pescara 57 – Ancona 108
ⓘ via Archimede 15 € 0861 787726, iat.tortoreto@abruzzoturismo.it, Fax0861
778119

a Tortoreto Lido Est : 3 km – ⊠ **64019**

🏠 **Green Park Hotel** 🚗 ⌁ 🛄 🖧 ⛤ cam, ⛤⛤ 🆔 🕸 ᐧᛃᐧ 🅿 VISA ⓜ ⓪ 🖕
via F.lli Bandiera 32 ⊠ 64018 – 𝒞 08 61 77 71 84 – www.hgreenpark.com – info@
hgreenpark.com – Fax 08 61 78 83 62 – maggio-settembre
48 cam ⌑ – †60/85 € ††60/95 € – ½ P 45/90 €
Rist – (solo per alloggiati)
♦ Un piacevole edificio moderno dalla facciata gialla, incorniciato da un fresco giardino
con piscina ed area giochi per bambini; all'interno spazi luminosi ed accoglienti.

🏠 **Costa Verde** ⪜ 🚗 ⌁ 🛄 ⛤⛤ 🆔 🕸 rist, 🅿 🚗 VISA ⓜ 🖕
🏖 lungomare Sirena 356 – 𝒞 08 61 78 70 96 – www.hotel-costaverde.com – info@
hotel-costaverde.com – Fax 08 61 78 66 47 – maggio-settembre
50 cam – †50/60 € ††60/80 €, ⌑ 6 € – ½ P 55/85 €
Rist – Menu 20/25 €
♦ Una costruzione moderna sul lungomare con ambienti demodé semplici ed essenziali;
all'esterno, cinta dal verde, la piscina: una soluzione ideale per vacanze di sole e mare.
Nella sobria sala da pranzo illuminata da grandi vetrate che si aprono sul cortile, la cucina
mediterranea.

TORVAIANICA – Roma (RM) – 563R19 – ⊠ **00040**   12 **B2**
🚘 Roma 34 – Anzio 25 – Latina 50 – Lido di Ostia 20
📷 Marediroma, 𝒞 06 913 32 50

✗ **Zi Checco** ⪜ 🏠 🕸 🅿 VISA ⓜ AE ⓪ 🖕
lungomare delle Sirene 1 – 𝒞 069 15 71 57 – www.zichecco.it – Fax 069 15 71 57
– chiuso dal 9 dicembre al 6 gennaio
Rist – (chiuso domenica sera e lunedì in inverno) (consigliata la prenotazione)
Carta 32/46 €
♦ Come è intuibile dalla posizione sulla spiaggia, le specialità sono di mare: un locale semplice dalla gestione familiare di lunga data. Vetrinetta di antipasti self service.

TOVO DI SANT'AGATA – Sondrio (SO) – 561D12 – 580 ab. – alt. 531 m   17 **C1**
– ⊠ **23030**
🚘 Roma 680 – Sondrio 33 – Bormio 31

✗✗ **Franca** con cam 🏠 🖧 ᐧᛃᐧ 🅿 🚗 VISA ⓜ 🖕
via Roma 11 – 𝒞 03 42 77 00 64 – www.albergofranca.it – info@albregofranca.it
– Fax 03 42 77 00 64 – chiuso dal 1° al 15 luglio
14 cam ⌑ – †45/48 € ††85 € – ½ P 50/60 €
Rist – (chiuso domenica escluso 15 luglio-15 agosto) Carta 22/32 €
♦ A metà strada tra Bormio e Sondrio, una villetta di recente costruzione con buone
camere ma anche un menù interessante, che spazia tra proposte classiche e valtellinesi.

TRADATE – Varese (VA) – 561E8 – 16 028 ab. – alt. 303 m – ⊠ **21049**   18 **A1**
🚘 Roma 614 – Como 29 – Gallarate 12 – Milano 39

✗✗ **Tradate** con cam 🕸 rist, VISA ⓜ 🖕
via Volta 20 – 𝒞 03 31 84 14 01 – aposson@tin.it – Fax 03 31 84 14 01 – chiuso dal
24 dicembre al 5 gennaio, agosto, domenica e lunedì
8 cam – †52 € ††65 €, ⌑ 5 € – ½ P 55 €
Rist – Carta 39/65 €
♦ Due sorelle gestiscono ormai da parecchi anni questo locale sito nel centro del paese.
Ambiente raccolto e ospitale, con arredi in stile e camino; specialità di pesce.

TRAMIN AN DER WEINSTRASSE = Termeno sulla Strada del Vino

TRANA – Torino (TO) – 561G4 – 3 489 ab. – alt. 372 m – ⊠ **10090**   22 **B2**
🚘 Roma 661 – Torino 29 – Aosta 135 – Asti 727

a San Bernardino Est : 3 km - ⊠ **Briona**
✗✗ **La Betulla** 🏠 🆔 🕸 🅿 VISA ⓜ AE 🖕
strada provinciale Giaveno 29 – 𝒞 011 93 31 06 – www.ristorantelabetulla.it
– info@ristorantelabetulla.it – Fax 01 19 35 58 42 – chiuso dal 7 al 21 gennaio, dal
16 al 22 agosto e lunedì
Rist – Menu 33/45 € – Carta 39/52 €
♦ Ristorante luminoso, con ampie vetrate e giochi di specchi. Tocchi di eleganza e possibilità di pranzare all'aperto. Cucina del territorio rivisitata. Ottima cantina.

TRANI – Bari (BA) – 564D31 – 53 639 ab. – ✉ 70059 ▯ Italia   26 **B2**

▶ Roma 414 – Bari 46 – Barletta 13 – Foggia 97

🛈 piazza Trieste 10 ✆ 0883 588830, Fax 0883 588830

◉ Cattedrale★★ – Giardino pubblico★

🏨 **San Paolo al Convento** senza rist   🛗 🖭 ꄱ 🔻 🖭 🚳 🖭 ❶ ♿

via Statuti Marittimi 111 – ✆ 08 83 48 19 53 – hotelsanpaolo@chiarigest.com
– Fax 08 83 48 70 96

33 cam 🖵 – †110/130 € ††135/180 €

◆ Nel quattrocentesco convento dei padri barnabiti, con pavimenti e cenacolo originali, belle camere affacciate sul chiostro, sull'incantevole porto, o sui giardini pubblici.

XX **Il Melograno**   🛖 🖭 ꄱ 🖭 🚳 🖭 ❶ ♿

via Bovio 189 – ✆ 08 83 48 69 66 – www.ilmelogranotrani.it – ilmelogranotrani@
libero.it – Fax 08 83 40 10 06 – chiuso gennaio, 1 settimana in agosto e mercoledì

Rist – Carta 28/48 €

◆ Ristorante centrale e accogliente, con due salette ben arredate e ordinate; gestione familiare e cucina a base di pescato con proposte del territorio o più classiche.

TRAPANI ℗ – 565M19 – Vedere Sicilia alla fine dell'elenco alfabetico

---

TRAVAZZANO – Piacenza – 561H11 – Vedere Carpaneto Piacentino

TRAVERSAGNA – Pistoia – Vedere Montecatini Terme

TRAVERSELLA – Torino (TO) – 561F5 – 369 ab. – alt. 827 m – ✉ 10080   22 **B2**

▶ Roma 703 – Aosta 85 – Milano 142 – Torino 70

XX **Le Miniere** con cam ⚜   ≼ 🚗 🛖 🛗 🖭 📶 🖭 🚳 🖭 ❶ ♿

😊 piazza Martiri – ✆ 01 25 79 40 06 – www.albergominiere.com – albergominiere@
albergominiere.com – Fax 01 25 79 40 07 – chiuso dall'8 gennaio al 10 febbraio

25 cam 🖵 – †38 € ††60 € – ½ P 48 €

Rist – (chiuso lunedì e martedì dal 15 ottobre al 15 giugno) Carta 24/40 €

◆ Lunga tradizione familiare per questo ristorante in bella posizione panoramica, in un paesino in fondo alla Valchiusella; sapori d'ispirazione piemontese, con fantasia.

TREBBO DI RENO – Bologna – 562I15 – Vedere Castel Maggiore

TREBISACCE – Cosenza (CS) – 564H31 – 9 100 ab. – ✉ 87075   5 **A1**

▶ Roma 484 – Cosenza 85 – Castrovillari 40 – Catanzaro 183

🏠 **Stellato**   ≼ 🛗 🖭 ꝅ 🄿 🚗 🖭 🚳 🖭 ❶ ♿

riviera dei Saraceni 34 – ✆ 09 81 50 04 40 – www.hotelstellato.it – info@
hotelstellato.it – Fax 09 81 50 04 40

21 cam 🖵 – †30/65 € ††50/110 €, ½ P 50/89 €   **Rist** – (chiuso lunedì)
Carta 23/30 €

◆ Piccolo albergo a conduzione familiare, totalmente ristrutturato. Vista l'apprezzabile ubicazione sul lungomare, offre ai propri ospiti anche il servizio di spiaggia. Classico ristorante d'albergo con parete a specchio ad "accrescere" lo spazio.

TRECASTAGNI – Catania – 565O27 – Vedere Sicilia alla fine dell'elenco alfabetico

---

TRECCHINA – Potenza (PZ) – 564G29 – 2 425 ab. – alt. 500 m – ✉ 85049   3 **B3**

▶ Roma 408 – Potenza 112 – Castrovillari 77 – Napoli 205

X **L'Aia dei Cappellani**   🛖 🖭 ꝅ 🄿

😊 contrada Maurino, Nord : 2 km – ✆ 09 73 82 69 37 – Fax 09 79 82 69 37 – chiuso
😊 2 settimane in novembre o febbraio e martedì (escluso dal 15 giugno al 30 agosto)

Rist – Menu 18/20 €

◆ In sala vecchie foto e utensili di vita contadina, dalla terrazza l'intera vallata. Tra distese erbose e ulivi, potrete gustare prodotti freschi e piatti locali caserecci.

TRECENTA – Rovigo (RO) – 562G16 – 3 116 ab. – alt. 11 m – ✉ 45027   35 **B3**

▶ Roma 451 – Padova 72 – Ferrara 33 – Rovigo 34

🏨 **La Bisa** senza rist ⚜   🚗 🍽 ♿ 🖭 📶 🔻 🄿 🖭 🚳 🖭 ❶ ♿

via Tenuta Spalletti 400 – ✆ 04 25 70 04 04 – www.labisa.eu – info@labisa.eu
– Fax 04 25 71 60 07   **17 cam** 🖵 – †58/65 € ††90 €

◆ Negli ampi spazi della pianura, una realtà avvolta dal verde in cui trovano posto una bella piscina, un attrezzato centro ippico e vari edifici che ospitano confortevoli camere.

TREDOZIO – Forlì-Cesena (FO) – 562J17 – **1 315 ab.** – **alt. 334 m** – ⊠ 47019   9 **C2**

▶ Roma 327 – Firenze 89 – Bologna 80 – Forlì 43

XX **Mulino San Michele**   ⌂

via Perisauli 6 – 𝒞 *05 46 94 36 77 – www.mulinosanmichele.it – info@
mulinosanmichele.it – chiuso lunedì*
Rist – *(chiuso a mezzogiorno escluso i giorni festivi)* (prenotazione obbligatoria)
45 € bc

◆ Nelle vicinanze del fiume, in un angolo caratteristico e ricavato da un ex mulino del '300,
serate a tema, proposte di cucina cinquecentesca toscana rivisitata, pesce.

TREGNAGO – Verona (VR) – 562F15 – **4 851 ab.** – **alt. 317 m** – ⊠ 37039   37 **B2**

▶ Roma 531 – Verona 22 – Padova 78 – Vicenza 48

XX **Villa De Winckels** con cam   🚗 🏠 👪 **P** **VISA** **@©** **AE** 👍

via Sorio 30, località Marcemigo, Nord-Ovest : 1 km – 𝒞 *04 56 50 01 33*
– www.villadewinckers.it – ristorante@villadewinckels.it – Fax 04 56 50 01 33
– chiuso dal 1° al 5 gennaio, lunedì e martedì sera
10 cam ⊂⊃ – †† 50/90 €
Rist – Carta 22/36 €
Rist *Cantina del Generale* – *(chiuso lunedì, martedì)* (chiuso a mezzogiorno)
Carta 23/35 € 🍴

◆ In un piacevole complesso storico, la villa cinquecentesca è stata ricavata da un convento e successivamente trasformata in un piacevole ristorante gestito da tre giovani fratelli. In omaggio all'ultimo discendente della famiglia, alla Cantina potrete degustare vini
accompagnati da stuzzichini e dolci casalinghi.

TREGOLE – Siena – Vedere Castellina in Chianti

TREIA – Macerata (MC) – 563M21 – **9 567 ab.** – **alt. 342 m** – ⊠ 62010   21 **C2**

▶ Roma 238 – Ancona 49 – Ascoli Piceno 89 – Macerata 16

a San Lorenzo Ovest : 5 km – ⊠ 62010 – Treia

XX **Il Casolare dei Segreti** con cam e senza ⊂⊃   ≼ 🚗 🏠 🍴 **P**
🏡 *contrada San Lorenzo 28 –* 𝒞 *07 33 21 64 41*   **VISA** **@©** **①** 👍
– www.casolaredeisegreti.it – info@casolaredeisegreti.it – Fax 07 33 21 64 41
– chiuso dal 3 al 19 novembre
3 cam – †40 € ††65 €
Rist – *(chiuso lunedì e martedì)* (chiuso a mezzogiorno escluso festivi)
Carta 28/35 €

◆ Ristorante a conduzione familiare, giovane e motivata. All'interno quattro rustiche salette
dove apprezzare una saporita cucina marchigiana. Camere confortevoli.

TREISO – Cuneo (CN) – 561H6 – **769 ab.** – **alt. 412 m** – ⊠ 12050   25 **C2**

▶ Roma 644 – Torino 65 – Alba 6 – Alessandria 65

XXX **La Ciau del Tornavento** (Maurilio Garola)   **VISA** **@©** 👍
🌸 *piazza Baracco 7 –* 𝒞 *01 73 63 83 33 – www.laciaudeltornavento.it – info@
laciaudeltornavento.it – Fax 01 73 63 83 52 – chiuso dal 15 gennaio al 15
febbraio, giovedì a mezzogiorno e mercoledì*
Rist – Menu 60/70 € – Carta 50/68 € 🍴
Spec. Plin di verza e fagiano con il suo ristretto. Tagliata di fassone di vitello con
zabaione salato. Raviolo trasparente di moscato con mango, salsa al melone e
riduzione di lamponi.

◆ Uno dei panorami più suggestivi delle langhe si combina con una cucina creativa e fantasiosa, audace negli accostamenti e sorprendente nelle coreografiche presentazioni.

TREMEZZO – Como (CO) – 561E9 – **1 317 ab.** – **alt. 245 m** – ⊠ 22019   16 **A2**

🏨 Italia

▶ Roma 655 – Como 31 – Lugano 33 – Menaggio 5
🅱 (maggio-ottobre) piazzale Trieste 1 𝒞 0344 40493, Fax 0344 40493
◎ Località ★★★ – Villa Carlotta ★★★ – Parco comunale ★
◙ Cadenabbia ★★ : ≼ ★★ dalla cappella di San Martino (1 h e 30 mn a piedi AR)

Grand Hotel Tremezzo Palace

via Regina 8
– ☎ 034 44 24 91 – www.tremezzopalace.com – info@grandhoteltremezzo.com
– Fax 034 44 02 01 – marzo-22 novembre
94 cam ⌑ – ♦264/358 € ♦♦264/605 € – 2 suites – ½ P 231/341 €
Rist – Carta 55/70 €
♦ Splendido edificio d'epoca testimone dei fasti della grande hotellerie lacustre, vanta ora anche una nuova area benessere con esclusive sale per trattamenti e massaggi. Da sogno. Atmosfera raffinata al ristorante: ambienti in stile e incantevole terrazza sul blu.

Villa Edy *senza rist*

località Bolvedro, Ovest : 1 km – ☎ 034 44 01 61
– www.villaedy.com – villaedy@libero.it – Fax 034 44 00 15
– aprile-ottobre
16 cam – ♦95/100 € ♦♦110/120 €, ⌑ 12 €
♦ Piccolo e accogliente albergo, inserito nel verde e in posizione tranquilla; offre spazi di semplice confort, camere dignitose e ampie, e una gestione familiare.

Rusall

località Rogaro, Ovest : 1,5 km – ☎ 034 44 04 08 – www.rusallhotel.com – rusall@
tiscalinet.it – Fax 034 44 04 47 – chiuso dal 2 gennaio al 15 marzo; dal 5 novembre
al 20 dicembre aperto solo nei fine settimana
23 cam ⌑ – ♦65/80 € ♦♦88/105 € – ½ P 68/75 €
Rist – *(chiuso mercoledì e a mezzogiorno)* Carta 27/40 €
♦ Familiare e accogliente risorsa con ubicazione quieta e panoramica; qui troverete una terrazza-giardino con solarium, zone relax e stanze con arredi rustici.

Villa Marie *senza rist*

via Regina 30 – ☎ 034 44 04 27 – www.hotelvillamarie.com – info@
hotelvillamarie.com – Fax 034 44 04 27 – aprile-ottobre
21 cam ⌑ – ♦65/80 € ♦♦90/130 €
♦ All'interno di un giardino con piccola piscina, una villa liberty-ottocentesca fronte lago, con alcune delle stanze affrescate; darsena con terrazza per rilassarsi.

TREMITI (Isole) ★ – Foggia (FG) – 564A28 – **374 ab.** – alt. 116 m   26 **A1**
   Isola di San Domino★ – Isola di San Nicola★

SAN DOMINO (ISOLA) (FG) – ⊠ 71040 – SAN DOMINO

San Domino

via Matteotti 1 – ☎ 08 82 46 34 04 – www.hotelsandomino.it – hdomino@
tiscalinet.it – Fax 08 82 46 32 21
25 cam ⌑ – ♦♦150/160 € – ½ P 99 €   **Rist** – Carta 32/56 €
♦ Nella parte alta dell'isola, un hotel a conduzione familiare ospita ambienti dai piacevoli arredi in legno, ideale punto di appoggio per gli appassionati di sport acquatici. L'elegante ristorante propone la cucina tradizionale italiana.

Baely Resort

via Matteotti – ☎ 08 82 46 37 67 – www.baely.it – info@baely.it
– Fax 08 82 46 37 69
11 cam ⌑ – ♦54/117 € ♦♦80/190 € – ½ P 80/125 €
Rist – *(solo per alloggiati)* Carta 38/48 €
♦ Una struttura di piccole dimensioni con camere particolarmente confortevoli, differenti tra loro per tipologia di arredi ed accessori che spaziano dal classico all'etnico.

TREMOSINE – Brescia (BS) – 561E14 – **1 918 ab.** – alt. 414 m – ⊠ 25010   17 **C2**
   ▶ Roma 581 – Trento 62 – Brescia 64 – Milano 159

Pineta Campi

via Campi 2, località Campi-Voltino alt. 690
– ☎ 03 65 91 20 11 – www.hotelpinetacampi.com – info@hotelpinetacampi.com
– Fax 03 65 91 70 15 – 28 marzo-17 ottobre
82 cam ⌑ – ♦51/81 € ♦♦78/138 € – ½ P 61/67 €   **Rist** – Carta 19/28 €
♦ I paesaggi del Parco Alto Garda Bresciano, l'infilata del lago cinto dalle alture, il confort di una struttura ideale per turisti e tennisti: regalatevi tutto questo. Luminosa sala da pranzo di stampo classico.

🏠 Villa Selene senza rist ⬸ 🚗 🏠 AC 🍴 P VISA ⬵ AE ⬙
via Lò, località Pregasio alt. 478 – 𝒞 *03 65 95 30 36 – www.hotelvillaselene.com*
– info@hotelvillaselene.com – Fax 03 65 91 80 78
– chiuso dal 15 novembre al 18 dicembre
22 cam ⬷ – ††92/138 €
♦ Una gestione familiare e una posizione panoramica per questo piccolo hotel che offre camere molto curate e personalizzate, persino dotate di idromassaggio.

🏠 Lucia ⬸ ⬸ 🚗 �🏊 🏠 🛋 🍴 🍴 rist, ⬙ P VISA ⬵ AE ⬙
via del Sole 2, località Arias alt. 460 – 𝒞 *03 65 95 30 88 – www.hotellucia.it*
– reception@hotellucia.it – Fax 03 65 95 34 21 – aprile-ottobre
40 cam ⬷ – †37/50 € ††60/86 € **Rist** *– (solo per alloggiati)* Carta 18/33 €
♦ Belle le zone esterne, con ampio giardino con piscina, una spaziosa terrazza-bar e comode stanze, site anche nelle due dépendance; ambiente familiare, tranquillo. Due vaste sale ristorante: l'una più elegante e di gusto retrò, l'altra il taglio rustico.

🏠 Miralago ⬸ 🛋 ⬙ ⚹ VISA ⬵ ⬙
piazza Cozzaglio 2, località Pieve alt. 433 – 𝒞 *03 65 95 30 01 – www.miralago.it*
– info@miralago.it – Fax 03 65 95 30 46
30 cam ⬷ – †36/48 € ††64/85 € – ½ P 45/54 €
Rist *– (chiuso giovedì escluso da aprile ad ottobre)* Carta 20/31 €
♦ Centrali, ma tranquilli, posti su uno spuntone di roccia proteso direttamente sul Garda, due alberghi, due corpi distinti; alcune stanze sono state rinnovate di recente. Ristorante con veranda a strapiombo sul lago, ricavato in parte entro una cavità rocciosa.

TRENTO P (TN) – 562D15 – 108 577 ab. – alt. 194 m – Sport invernali : 30 **B3**
vedere Bondone (Monte) – ✉ **38100** ▮ Italia

▶ Roma 588 – Bolzano 57 – Brescia 117 – Milano 230

🅹 via Manci 2 𝒞 0461 216000, informazioni@apt.trento.it, Fax 0461 216060

◎ Piazza del Duomo ★ BZ **10** : Duomo★, museo Diocesano★ **M1** – Castello del Buon Consiglio★★ BYZ – Palazzo Tabarelli★ BZ **F**

🅶 Massiccio di Brenta★★★ per ⑤

Pianta pagina a lato

🏨 Grand Hotel Trento 🛋 🏨 ⬙ rist, ⚹ AC ⬙ 🍴 rist, ⬙ 🕴 P 🚗
via Alfieri 1/3 – 𝒞 *04 61 27 10 00* VISA ⬵ AE ⬙ ⬙
www.grandhoteltrento.com – reservation@grandhoteltrento.com – Fax 04 61 27 10 01
136 cam ⬷ – †160/232 € ††170/242 € – 6 suites – ½ P 156 € BZ**a**
Rist *Clesio –* Carta 39/52 €
♦ A ridosso del centro storico, un edificio discretamente elegante d'inizio secolo con servizi e spazi da grande albergo, camere classiche ed un piccolo centro benessere. Raffinato ristorante dai signorili tocchi d'antico.

🏨 Buonconsiglio senza rist 🛋 ⬙ AC ⬙ VISA ⬵ AE ⬙ ⬙
via Romagnosi 16/18 – 𝒞 *04 61 27 28 88 – www.hotelbuonconsiglio.it – hotelhb@tin.it – Fax 04 61 27 28 89 – chiuso dal 23 al 30 dicembre e dal 10 al 25 agosto*
46 cam ⬷ – †90 € ††118 € BY**a**
♦ Centrale, a 200 mt dalla stazione e a pochi passi dal centro, una risorsa con aspetto e caratteristiche del tutto moderne; offre camere ampie ideali per uomini d'affari.

🏠 Sporting Trento ⬙ ⚹ 🍴 rist, ⬙ 🕴 🚗 VISA ⬵ AE ⬙ ⬙
via R. da Sanseverino 125, 1 km per ④ *–* 𝒞 *04 61 39 12 15*
– www.hotelsportingtrento.com – info@hotelsportingtrento.com – Fax 04 61 39 20 52
41 cam ⬷ – †66/78 € ††100/122 € – ½ P 80/92 €
Rist *Olympic – (chiuso agosto e domenica)* Carta 23/43 €
♦ Nuova risorsa con molti aspetti innovativi e di design. Particolarmente adatto per la clientela business, in comoda posizione lungo la tangenziale ma vicino al centro. Piacevole ristorante con un menù d'ispirazione molto attuale.

🏠 America 🛋 AC ⚹ ⬙ 🕴 VISA ⬵ AE ⬙ ⬙
via Torre Verde 50 – 𝒞 *04 61 98 30 10 – www.hotelamerica.it*
– info@hotelamerica.it – Fax 04 61 23 06 03 **66 cam** ⬷ – †70/80 € ††108/120 €
Rist *– (chiuso dal 23 luglio al 13 agosto e domenica)* Menu 20/22 € BYZ**d**
♦ A ridosso del centro storico, alcune camere offrono una bella vista sul Castello del Buonconsiglio, da preferire quelle con terrazzo. L'atmosfera è calda e familiare. Bar e sala da pranzo con veranda, dalla cucina qualche specialità locale.

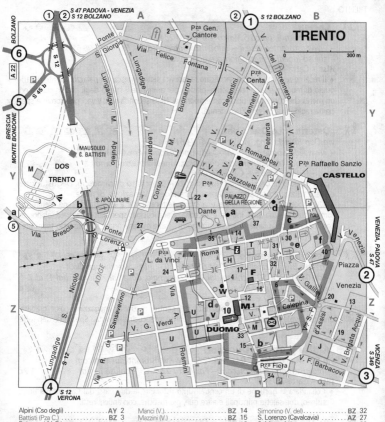

San Giorgio della Scala senza rist   ⟨ ⪢ 🕿 **P** _VISA_ **@O** **AE** ① 🐾

via Brescia 133, 1 km per ⑤ – ℰ 04 61 23 88 48 – www.garnisangiorgio.it – info@
garnisangiorgio.it – Fax 04 61 23 88 08   AZ**a**

14 cam � – ♦57/75 € ♦♦87/95 €

◆ Piacevole garni in posizione dominante sulla città e la valle. Camere arredate secondo
un caldo stile rustico, molte dispongono di balcone o terrazzo.

XXX   **Scrigno del Duomo**   **AK** ⇔ _VISA_ **@O** **AE** ① 🐾

ॐ   piazza Duomo 29 – ℰ 04 61 22 00 30 – www.scrignodelduomo.com
– info@scrignodelduomo.com – Fax 04 61 23 52 89   BZ**d**

Rist – (chiuso 10 giorni in gennaio, 20 in agosto, lunedì e sabato a mezzogiorno; in
luglio anche domenica) Menu 60/70 € – Carta 50/72 € ⅋

Rist Wine Bar – Menu 25/35 € – Carta 34/47 €

Spec. Carpaccio di piccione al miele di montagna con porcini e vinaigrette all'a-
ceto tradizionale. Ravioli di porri su carpaccio di scampi crudi e bottarga di
muggine. Suprema di fagiano al pepe verde con pesche bianche e timballo di
zucchine.

◆ Palazzo storico su una scenografica piazza, si entra attraverso un wine bar ma il ristorante gourmet è tra le fondamenta romane. La cucina rielabora prodotti regionali e non.
Al Wine Bar aperitivi e cene sfiziose e saporite.

XXX **Chiesa** VISA ⓂⓄ AE Ⓞ ⑤
via Marchetti 9, parco S.Marco – ✆ 04 61 23 87 66
– *www.ristorantechiesa.it* – *info@ristorantechiesa.it* – *Fax 04 61 98 61 69*
– *chiuso lunedì a mezzogiorno e domenica*   BZf
Rist – Carta 46/85 €
♦ Il recente *restyling* non ha sacrificato la facciata settecentesca del palazzo. All'interno: tripudio di modernità con televisori al plasma per ammirare il lavoro degli *chef* in cucina ed
un menu che contempla piatti contemporanei. Nella seconda sala: vivaci policromie e specialità regionali a prezzi più contenuti.

XX **Osteria a Le Due Spade** 🎍 AC VISA ⓂⓄ AE Ⓞ ⑤
🕄 *via Don Rizzi 11 ang. via Verdi* – ✆ 04 61 23 43 43
– *www.leduespade.com* – *info@leduespade.com* – *Fax 04 61 22 02 01*
– *chiuso dal 16 al 30 giugno, domenica, lunedì a mezzogiorno*   BZv
Rist – Menu 45/66 € – Carta 44/60 €
Spec. Strudel ai bruscandoli (luppolo) con prosciutto di camoscio. Degustazione
della tradizione con strangolapreti e canederli. Variazione di mele.
♦ Quattrocento anni di storia e una stube settecentesca: è la meta di cene eleganti e
romantiche, in una sala intima e raccolta. Dalla cucina, specialità curate ed elaborate
con maestria: dalla fantasia e dall'impiego di ottime materie prime scaturiscono piatti pre-
gni di tradizione, ma non solo.

XX **Osteria Il Cappello** 🎍 AC VISA ⓂⓄ AE Ⓞ ⑤
piazzetta Bruno Lunelli 5 – ✆ 04 61 23 58 50 – *info@osteriailcappello.it*
– *Fax 04 61 23 58 50* – *chiuso dal 1° al 7 gennaio, dal 1° al 7 giugno, dal 1° al 7*
luglio, domenica sera e lunedì   BZe
Rist – Carta 33/42 €
♦ Nel contesto di una bella piazzetta del centro, in un ex magazzino color granata,
una piacevole taverna dotata di una confortante cucina a vista. Specialità del territorio.

X **Antica Trattoria Due Mori** 🎍 AC 🍽 VISA ⓂⓄ AE Ⓞ ⑤
via San Marco 11 – ✆ 04 61 98 42 51 – *www.ristoranteduemori.com*
– *info@ristoranteduemori.com* – *Fax 04 61 22 13 85* – *chiuso lunedì*   BZc
Rist – Carta 23/36 €
♦ Collaudata la gestione di un centralissimo ristorante, a due passi dal Castello del Buon
Consiglio; due salette principali e altre due, più rustiche, con antichi resti.

X **Ai Tre Garofani - Antica Trattoria** 🎍 ➭ VISA ⓂⓄ Ⓞ ⑤
via Mazzini 33 – ✆ 04 61 23 75 43 – *tre.garofani@libero.it* – *Fax 04 61 23 75 43*
– *chiuso 1 settimana in gennaio, 2 settimane in giugno o luglio, 1 settimana in*
novembre e domenica   BZb
Rist – (consigliata la prenotazione) Carta 37/44 €
♦ Un ristorante di lunga tradizione familiare riproposto in chiave originale tra tavoli rustici
e tovagliette all'americana, sapori etnici e informale eleganza.

X **Il Libertino** AC VISA ⓂⓄ AE ⑤
piazza Piedicastello 4/6 – ✆ 04 61 26 00 85 – *libertino@alvin.191.it*
– *chiuso luglio e martedì*
Rist – Menu 33/40 € – Carta 33/42 € 🏵
♦ Un locale rustico ed informale ricavato dall'insolita ed originale trasformazione di un'offi-
cina, propone piatti tradizionali accompagnati da vini del Trentino.

a Cognola per ② : *3 km* – ✉ 38050

🔠 **Villa Madruzzo** 🔖 ≤ 🕊 🎍 🖼 ᬁ cam, 🍽 🛁 🅿 VISA ⓂⓄ AE Ⓞ ⑤
via Ponte Alto 26 – ✆ 04 61 98 62 20 – *www.villamadruzzo.it*
– *info@villamadruzzo.it* – *Fax 04 61 98 63 61*
51 cam ⌑ – †69/90 € ††97/115 € – ½ P 70/80 €
Rist – (chiuso domenica) Carta 31/42 €
♦ Villa ottocentesca in un parco ombreggiato: scelta ottimale per chi voglia fuggire il traffico del centro e preferisca concedersi una sosta più riposante, nel confort. La sala ristorante principale affaccia sul parco, la più piccola si trova nella ex cappella.

a Ravina *per* ④ : *4 km* – ✉ **38040**

XXX **Locanda Margon** (Walter Miori)   ≼ 🚗 🛏 **P** 𝘝𝘐𝘚𝘈 ⓸ 🄰🄴 ⓞ 💲
🍃 *via Margone 15 –* 𝒞 *04 61 34 94 01 – www.locandamargon.it – contact@locandamargon.it – Fax 04 61 34 90 80 – chiuso lunedì sera e martedì*
Rist – Menu 55 € – Carta 57/79 €
Spec. Morbidelle di ricotta di capra su crema d'asparagi (aprile-maggio). Anguilla del Garda in guazzetto di verdure e puré di patate. Guanciale di vitello in umido con polenta di Storo (inverno).
♦ Tra le cantine Ferrari e la storica villa Margon, in questo elegante locale di recente apertura la tradizione si fonde con un'elaborazione assolutamente innovativa.

TRESCORE BALNEARIO – Bergamo (BG) – 561E11 – **8 702 ab.**   19 **D1**
– **alt. 271 m** – ✉ **24069**
▶ Roma 593 – Bergamo 15 – Brescia 49 – Lovere 27

🄵 *via Suardi 20* 𝒞 *035 944777, info@prolocotrescore.it, Fax 035 944777*

🏨 **Della Torre**   🚗 🛏 🚹‍🚹 🛜 🛁 **P** 🚘 𝘝𝘐𝘚𝘈 ⓸ 🄰🄴 ⓞ 💲
🍃 *piazza Cavour 26 –* 𝒞 *035 94 13 65 – www.albergotorre.it – info@albergotorre.it – Fax 035 94 08 89*
34 cam ⊊ – 🛏65/80 € 🛏🛏100/130 € – ½ P 75/85 €
Rist – Carta 19/35 € 🕮
Rist Sala del Pozzo – *(chiuso una settimana in gennaio, domenica sera e lunedì)* Carta 40/65 € 🕮
♦ Nel centro del paese, un edificio d'antica fondazione, costituito da un'ala storica e da una parte più recente, offre confortevoli ambienti ed un gradevole cortile interno. In cucina, i piatti si basano sulla tradizione locale. Alla Sala del Pozzo, un ambiente raccolto ed elegante in un'atmosfera d'altri tempi.

XX **Loro**   🄰🄲 🕮 🔄 𝘝𝘐𝘚𝘈 ⓸ 🄰🄴 💲
via della Resistenza 34 – 𝒞 *035 94 50 73 – ristorante.loro@virgilio.it – Fax 035 94 50 73 – chiuso dal 27 dicembre al 6 gennaio, 15 giorni in agosto, domenica sera e lunedì*
Rist – Carta 38/54 €
♦ Sorta dalle ceneri di una trattoria di paese per volontà di due giovani dinamici e con esperienza, la risorsa annovera due salette rustiche e una cucina d'ispirazione moderna.

TRESCORE CREMASCO – Cremona (CR) – 561F10 – **2 447 ab.**   19 **C2**
– **alt. 86 m** – ✉ **26017**
▶ Roma 554 – Bergamo 37 – Brescia 54 – Cremona 45

XX **Trattoria del Fulmine** (Clemi Lupo Stanghellini)   🛏 🄰🄲
🍃 *via Carioni 12 –* 𝒞 *03 73 27 31 03 – Fax 03 73 27 31 03*   𝘝𝘐𝘚𝘈 ⓸ 🄰🄴 ⓞ 💲
– chiuso dal 1° al 10 gennaio, agosto, domenica sera, lunedì e martedì sera
Rist – Carta 46/63 €
Spec. Risotto con verza, pasta di salame e pistilli di zafferano. Zuppa di zucca e porri all'amaretto. Cappone disossato e ripieno di carne di maiale, fegato d'oca e castagne al profumo di Marsala.
♦ Per chi ama la tradizione, qui il nome trattoria non è una concessione alla moda ma l'introduzione ad una cucina del territorio fatta di salumi, animali da cortile e gli imperdibili tortelli dolci cremaschi.

XX **Bistek**   🄰🄲 🕮 **P** 𝘝𝘐𝘚𝘈 ⓸ 🄰🄴 ⓞ 💲
viale De Gasperi 31 – 𝒞 *03 73 27 30 46 – www.bistek.it – ristorante@bistek.it – Fax 03 73 29 12 32 – chiuso dal 2 al 7 gennaio, dal 23 luglio al 19 agosto, martedì sera e mercoledì*
Rist – 35 € – Carta 30/46 €
♦ Due sale dove si organizzano manifestazioni gastronomiche a tema e domina la creatività: una carta regionale con specialità locali e qualche prodotto d'importazione.

TREVENZUOLO – Verona (VR) – 562G14 – **2 536 ab.** – ⊠ 37060   35 **A3**

▶ Roma 488 – Verona 30 – Mantova 24 – Modena 83

a Fagnano Sud : 2 km – ⊠ 37060 – Trevenzuolo

✗ **Trattoria alla Pergola**   🎴 🕎 VISA AE ① ✆

via Sauro 9 – ℰ 04 57 35 00 73 – Fax 04 56 68 00 11 – chiuso dal 24 dicembre al 7 gennaio, dal 15 luglio al 20 agosto, domenica e lunedì

Rist – Carta 25/35 €

◆ Semplice ma invitante, di quelle che ancora si trovano in provincia; giunta con successo alla terza generazione, la trattoria propone la classica cucina del territorio, risotti e bolliti al carrello come specialità.

TREVI – Perugia (PG) – 563N20 – **7 923 ab.** – **alt. 412 m** – ⊠ 06039   33 **C2**

▶ Roma 150 – Perugia 48 – Foligno 13 – Spoleto 21

🏠 **Trevi**   ⬳ 🕎 ⎸⎹ ㊂ cam, 🕎 rist, ✆ VISA ⓤ AE ✆
🔛

via Fantosati 2 – ℰ 07 42 78 09 22 – www.trevihotel.net – info@trevihotel.net – Fax 07 42 78 07 72 – chiuso dall'8 gennaio all'8 febbraio

12 cam ⊏ – †72/105 € ††80/145 € – ½ P 75/95 €

Rist – (prenotazione obbligatoria) *(solo per alloggiati)* Menu 18/22 €

◆ Appena oltre una delle porte della città, lo *charme* di una casa privata con volte, roccia al vivo, capitelli ed immense travature in legno. Camere tutte diverse fra loro, ma arredate con mobili di castagno e letti in ferro battuto. Terrazza panoramica, ideale per la prima colazione: il buon giorno si vede dal mattino!

TREVIGLIO – Bergamo (BG) – 561F10 – **26 773 ab.** – **alt. 126 m** – ⊠ 24047   19 **C2**

▶ Roma 576 – Bergamo 21 – Brescia 57 – Cremona 62

✗✗✗ **San Martino** (Beppe Colleoni) con cam   🏠 🎴 🕎 cam, ᵗᵖ
❀   *viale Cesare Battisti 3 – ℰ 036 34 90 75*   VISA ⓤ AE ① ✆
– www.sanmartinotreviglio.it – info@sanmartinotreviglio.it – Fax 03 63 30 15 72 – chiuso dal 26 dicembre al 7 gennaio e dal 9 al 26 agosto,

10 cam ⊏ – ††100/250 €

Rist – *(chiuso domenica sera e lunedì)* Menu 50/80 € – Carta 70/100 € ⅜

Spec. Plateau royal di ostriche, conchiglie, pesce marinato e crostacei al vapore. Fritto leggero di pescato e verdure. Cotoletta alla milanese "come una volta".

◆ Un giardino interno sul quale si affacciano sale eleganti e spaziose: ristorante rinomato per il pesce, vi conquisterà anche per alcuni ottimi prodotti francesi.

TREVIGNANO ROMANO – Roma (RM) – 563P18 – **4 923 ab.**   12 **B2**
– **alt. 166 m** – ⊠ 00069

▶ Roma 49 – Viterbo 44 – Civitavecchia 63 – Terni 86

✗ **La Grotta Azzurra**   ⬳ 🏠 🕎 VISA ⓤ AE ① ✆

piazza Vittorio Emanuele 18 – ℰ 069 99 94 20 – Fax 069 98 50 72 – chiuso Natale, dal 15 settembre al 14 ottobre e martedì   **Rist** – Carta 29/36 €

◆ Cucina del territorio e di lago, semplice e casalinga, in questa moderna trattoria dall'esperta conduzione familiare; siete sulla piazza centrale del paese eppure, a pochi metri, c'è già il lago.

TREVINANO – Viterbo (VT) – 563N17 – **Vedere Acquapendente**

TREVIOLO – Bergamo (BG) – 561E10 – **9 122 ab.** – **alt. 222 m** – ⊠ 24048   19 **C1**

▶ Roma 584 – Bergamo 6 – Lecco 26 – Milano 43

🏢 **Maxim** senza rist   ⎸⎹ ㊂ 🎴 🕎 ᵗᵖ 🅿 VISA ⓤ AE ① ✆

via Compagnoni 31, Ovest : 1 km – ℰ 035 20 11 00 – www.hotel-maxim.it – info@hotel-maxim.it – Fax 035 69 26 05 **63 cam** ⊏ – †50/100 € ††55/150 €

◆ Recente hotel, in comoda posizione sulle vie di collegamento per la città, ideale per clienti di lavoro; ampia hall-bar con saletta colazioni, validi confort e servizio.

TREVISO 🅿 (TV) – 562E18 – **81 516 ab.** – **alt. 15 m** – ⊠ 31100 ▌ Italia   35 **A1**

▶ Roma 541 – Venezia 30 – Bolzano 197 – Milano 264

🛈 piazza Monte di Pietà 8 ℰ 0422 547632, iat.treviso@provincia.treviso.it, Fax 0422 419092

🏌 Villa Condulmer, ℰ 041 45 70 62

◉ Piazza dei Signori★ BY **21** : palazzo dei Trecento★ **A**, affreschi★ nella chiesa di Santa Lucia **B** – Chiesa di San Nicolò★ AZ

Piante pagine 1200-1201

🏛 Cà del Galletto 　🍴 ⛵ 🏠 ♨ ✂ 🖥 📶 🎦 🗓 ♿ 🅿 VISA ⊚ AE ⓪ ✿

via Santa Bona Vecchia 30, per viale Luzzatti – ✆ 04 22 43 25 50
– *www.hotelcadelgalletto.com* – *info@hotelcadelgalletto.it*
– *Fax 04 22 43 25 10*　　　　　　　　　　　　　　　　　　　　　　　AY
67 cam 🗓 – †95/115 € ††140/180 €
Rist *Al Migò* – ✆ 042 22 23 39 *(chiuso dal 1° al 7 gennaio, due settimane in agosto, domenica) (chiuso a mezzogiorno escluso giovedì e venerdì)* Menu 37/58 €
– Carta 35/46 €
♦ In zona periferica relativamente tranquilla, grande complesso con camere generalmente ampie e moderne. Biciclette a disposizione dei clienti più sportivi. Gradevole e curata sala da pranzo d'impostazione moderna.

🏠 Al Foghèr 　　　🖥 🎦 ♨ ✂ rist, 📶 🗓 🅿 🚗 VISA ⊚ AE ⓪ ✿

viale della Repubblica 10, per ⑤ – ✆ 04 22 43 29 50 – *www.hotelalfogher.it*
– *htl@alfogher.com* – *Fax 04 22 43 03 91*
55 cam 🗓 – †85/110 € ††100/150 € – ½ P 78/103 €
Rist – *(chiuso agosto e domenica)* Carta 28/41 €
♦ In zona periferica e abbastanza trafficata, troverete un albergo confortevole e accogliente, con camere dagli arredi standard e assolutamente funzionali. Ristorante dall'ambiente curato, molto frequentato anche da clienti di passaggio.

🏠 Scala *senza rist* 　　　　　　　🚻 🎦 📶 🅿 VISA ⊚ AE ⓪ ✿

viale Felissent angolo Cal di Breda 1, per ① – ✆ 04 22 30 76 00
– *www.hotelscala.com* – *info@hotelscala.com*
– *Fax 04 22 30 50 48*
20 cam 🗓 – †65/90 € ††90/140 €
♦ Appena fuori dal cuore della città e cinta da un piccolo parco, una piacevole villa padronale realizzata nell'architettura tipica di queste zone. Atmosfera familiare.

🏠 Al Giardino *senza rist* 　　　🚗 🖥 ♿ 🎦 ✂ VISA ⊚ AE ⓪ ✿

via Sant'Antonino 300/a, Sud : 1,5 km – ✆ 04 22 40 64 06 – *www.hotelalgiardino.it*
– *info@hotelalgiardino.it* – *Fax 04 22 40 64 06*
43 cam 🗓 – †54/60 € ††75/85 €
♦ Il nome invita ad entrare in questa risorsa immersa nel verde, fuori Treviso; un piccolo e semplice albergo, a gestione familiare, da poco rinnovato nell'ala sul retro.

🏡 Agriturismo Il Cascinale ⚘ 　　　　　🚲 🍴 🎦 ✂ cam, 📶 🅿

via Torre d'Orlando 6/b, Sud-Ovest : 3 km – ✆ 04 22 40 22 03
– *www.agriturismoilcascinale.it* – *info@agriturismoilcascinale.it* – *Fax 04 22 34 64 18*
– *chiuso dal 7 al 18 gennaio e dal 16 agosto al 3 settembre*
14 cam – †35/40 € ††49/55 €, 🗓 8 €
Rist – *(aperto domenica e le sere di venerdì-sabato)* Carta 18/22 €
♦ Ubicato nella prima periferia, ma già totalmente in campagna, un rustico ove troverete ambiente ospitale e familiare e camere molto confortevoli, realizzate di recente.

✕✕ Beccherie 　　　　　　　　　🍴 🎦 ✂ VISA ⊚ ⓪ ✿

piazza Ancillotto 10 – ✆ 04 22 54 08 71 – *Fax 04 22 54 08 71*
– *chiuso dal 15 al 30 luglio, domenica sera e lunedì*　　　　　　　　　　BY**c**
Rist – Carta 32/45 €
♦ Dietro al Palazzo dei Trecento, in un edificio dalle tradizionali linee delle antiche case veneziane, un locale noto in città per la cucina squisitamente trevigiana.

✕✕ L'Incontro 　　　　　　　　　　　🎦 ✂ VISA ⊚ AE ⓪ ✿

largo Porta Altinia 13 – ✆ 04 22 54 77 17 – *lincontro@sevenonline.it*
– *Fax 04 22 54 76 23*
– *chiuso dal 10 al 31 agosto, mercoledì, giovedì a mezzogiorno*　　　　　BZ**a**
Rist – Carta 40/52 € (+12 %)
♦ Sotto le volte dell'antica porta Altinia, un ambiente sorto dalla fantasia d'un noto architetto e dalla passione di due dinamici soci, propone sapori del territorio.

✕ All'Antica Torre 　　　　　　　　🎦 ✂ 🔄 VISA ⊚ AE ⓪ ✿

via Inferiore 55 – ✆ 04 22 58 36 94 – *www.anticatorre.info* – *info@anticatorre.info*
– *Fax 04 22 54 85 70* – *chiuso agosto, giovedì sera e domenica*　　　　　BY**a**
Rist – Carta 32/54 €
♦ Rustica trattoria ricavata all'interno di una torre duecentesca; ampia collezione di quadri e oggetti d'antiquariato, proposte locali e marinare. Vasta scelta di vini.

TREVISO

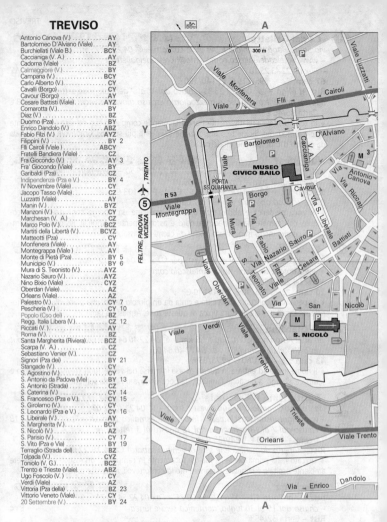

✗ **Toni del Spin**   AC VISA ◎◎ AE ① ⑤
via Inferiore 7 – ℰ 04 22 54 38 29 – www.ristorantetonidelspin.com
– info@ristorantetonidelspin.com – Fax 04 22 58 31 10
– chiuso dal 20 giugno al 15 luglio, domenica, lunedì a mezzogiorno
Rist – Carta 24/33 €   BY**g**
♦ Storica trattoria riccamente decorata con menù esposto su lavagne, ove poter mangiare
in un ambiente raccolto e caratteristico terminando con l'invitante carrello dei dolci.

TREZZANO SUL NAVIGLIO – Milano (MI) – 561F9 – 18 498 ab.   18 **B2**
– alt. 116 m – ✉ 20090

   🄳 Roma 595 – Milano 13 – Novara 43 – Pavia 34

🏠 **Eur** senza rist   🛎 AC ⟨⟨ᵖⁱ⟩⟩ ⬩Å P, VISA ◎◎ AE ① ⑤
viale Leonardo da Vinci 36a – ℰ 024 45 19 51 – www.hoteleurmilano.com
– info@hoteleurmilano.it – Fax 024 45 10 75   **39 cam** � – †72/112 € ††95/146 €
♦ Comodamente posizionato rispetto all'uscita Nuova Vigevanese della tangenziale ovest,
accogliente albergo anni '60, aggiornato di recente, con un'esperta gestione familiare.

1200

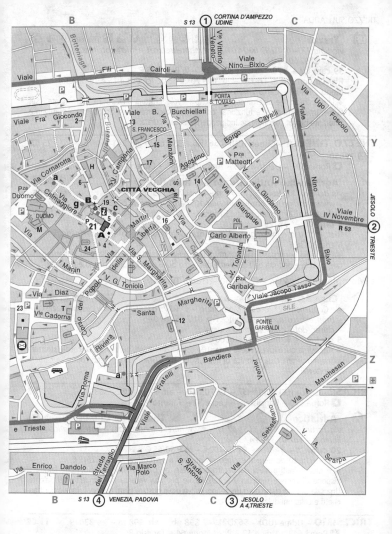

B · C

Viale · Bottenigra

Viale · Flli · Cairoli

Viale · Nino Bixio

PORTA S. TOMASO

Viale Fra' Giocondo · Viale B. Burchiellati

S. FRANCESCO · Borgo · Cavalli

Via Ugo Foscolo

C. Burchiellati · Manzoni · Agostino

P za Matteotti

Y

Via Cornarotta · H · CITTÀ VECCHIA · S. Girolamo

P za Duomo · a · Calmaggiore · g · B · c · Martiri · Via Stangade · Nino

DUDMO · M · P · 21 · A · 5 · Libertà · 16 · Via C. · POL. · Viale IV Novembre

JESOLO TRIESTE ②

R 53

24 · Manin · Via della · V. G. Tonioli · Carlo Alberto · V. Tolpada · P za Garibaldi

Via Diaz · Corso del Popolo · Via S. Margherita · Viale Jacopo Tasso

23 · T · V le Cadorna · Santa · Margherita · SILE

Riviera · 12 · PONTE GARIBALDI

Bandiera · Vieneri

Via A. Marchesan

a · Fratelli · Sebastiano · P

Z

Via Roma · Viale · V. A. Scarpa

e Trieste · Via Enrico Dandolo · Strada del Terraglio · Via Marco Polo · S. Strada Antonio · Via

⚒ **Bacco e Arianna** 🔥 AC P VISA 🞀 AE ① 🖢
via Circonvallazione 1 – ☎ 02 48 40 38 95 – Fax 02 48 40 38 95
– chiuso sabato a mezzogiorno e domenica
Rist – Carta 38/49 €

♦ Raccolto, curato negli arredi, con piatti che seguono le stagioni nel solco della tradizione lombarda. Una piacevole scoperta, a due passi da Milano.

> Un buon ristorante a prezzo contenuto? Cercate i «Bib Gourmand» ⊕.

TREZZO SULL'ADDA – Milano (MI) – 561F10 – 12 005 ab. – alt. 187 m 19 **C2**
– ✉ 20056

▶ Roma 597 – Bergamo 17 – Lecco 36 – Milano 34

Trezzo 🏨 🛗 & 🆔 ↳ 🛎 🌐 🖧 ℗ 📶 ⑩ 🅰🅴 ⓞ 🔑
via Sala 17 – ℰ *02 92 00 24 01* – *www.hoteltrezzo.it* – *info@hoteltrezzo.it*
– Fax 02 92 00 24 02
39 cam ☕ – †70/220 € ††80/280 € – ½ P 60/175 €
Rist *La Cantina di Trezzo* – ℰ *029 20 02 48 02 (chiuso il 15 e 16 agosto)*
Menu 24/40 € – Carta 29/38 €
♦ Lunga tradizione alberghiera per una piacevole struttura affacciata - lateralmente - sul fiume. Interni moderni e funzionali con camere confortevoli ed accoglienti. Accattivante ristorante-bistrot con ingresso indipendente: cucina curata.

TREZZO TINELLA – Cuneo (CN) – 561H6 – 353 ab. – alt. 341 m   25 C2
– ✉ 12050
▶ Roma 593 – Genova 115 – Alessandria 66 – Cuneo 74

🏡 **Agriturismo Antico Borgo del Riondino** ⌘   ← 🐾 ℗
via dei Fiori 12, Nord-Est : 3,5 km – ℰ *01 73 63 03 13*   📶 ⑩ 🔑
– www.riondino.it – *borgodelriondino@libero.it* – *Fax 01 73 63 03 29*
– chiuso dal 21 dicembre al 15 marzo
8 cam ☕ – ††120 €
Rist – *(chiuso a mezzogiorno)* (prenotazione obbligatoria) *(solo per alloggiati)*
Menu 30/36 €
♦ Dista solo pochi passi dalla struttura principale dell'antico borgo il nuovo laghetto naturale, piccola e perfetta oasi nel verde del parco dove potrete fare il bagno e rilassarvi.

a Mompiano Sud : 4 km – ✉ 12050 – Trezzo Tinella

🏡 **Casa Branzele** senza rist ⌘   ← 🚲 ↳ 🖧 ℗ 📶 ⑩
via Cappelletto 27 località Mompiano – ℰ *01 73 63 00 00* – *www.casabranzele.com*
– branzele@casabranzele.com – *Fax 01 73 63 09 07*
– chiuso dal 7 gennaio al 15 marzo
5 cam ☕ – †70/80 € ††80/100 €
♦ Atmosfera bucolica con bella vista sulle colline circostanti, per questa piacevole struttura all'interno di una casa colonica di inizio Novecento. Gradevoli ambienti comuni e camere confortevoli.

TRICASE – Lecce (LE) – 564H37 – 17 705 ab. – alt. 97 m – ✉ 73039   27 D3
▶ Roma 670 – Brindisi 95 – Lecce 52 – Taranto 139

🏠 **Adriatico** 🍴 🛗 🆔 🌐 cam, ℗ 📶 ⑩ 🅰🅴 ⓞ 🔑
via Tartini 34 – ℰ *08 33 54 47 37* – *www.hotel-adriatico.com* – *hoteladriatico@libero.it* – *Fax 08 33 54 47 33*
20 cam ☕ – †48/65 € ††75/100 € – ½ P 50/65 €
Rist – *(chiuso domenica escluso da giugno a settembre)* Carta 22/42 €
♦ A dieci minuti a piedi dal centro del paese, un piccolo hotel a conduzione familiare, dispone di camere semplici e lineari: ideale per una vacanza alla scoperta del Salento. Una sala di tono classico ed un dehors estivo dove gustare piatti nazionali. Ideale per banchetti e colazioni di lavoro.

TRICESIMO – Udine (UD) – 562D21 – 7 398 ab. – alt. 198 m – ✉ 33019   11 C2
▶ Roma 642 – Udine 12 – Pordenone 64 – Tarvisio 86

✗✗ **Antica Trattoria Boschetti** 🍴 & 🆔 ⇄ ℗ 📶 ⑩ 🅰🅴 🔑
piazza Mazzini 10 – ℰ *04 32 85 12 30* – *www.ristoranteboschetti.com* – *info@ristoranteboschetti.com* – *Fax 04 32 85 12 30* – *chiuso domenica sera e lunedì*
Rist – Carta 32/40 €
♦ Elegante ristorante dall'ambiente signorile, una sala rivestita in legno e riscaldata da un camino, l'altra più elegante, dove gustare una cucina regionale e mediterranea. Cantina a vista.

✗ **Miculan** 🍴 📶 ⑩ 🅰🅴 ⓞ 🔑
piazza Libertà 16 – ℰ *04 32 85 15 04* – *www.trattoriamiculan.com* – *info@trattoriamiculan.com* – *Fax 04 32 85 15 04* – *chiuso dal 12 al 27 luglio, mercoledì sera e giovedì*
Rist – Carta 24/32 €
♦ Sulla piazza di Tricesimo, una trattoria con avviato bar pubblico dispone di una saletta con il tradizionale caminetto centrale e piatti friulani con divagazioni di pescato.

TRIESTE 🅟 (TS) – 562F23 – 208 309 ab. – ✉ 34100 Italia   11 **D3**

▶ Roma 669 – Udine 68 – Ljubljana 100 – Milano 408

✈ di Ronchi dei Legionari per ① : 32 km 🕾 0481 773224

🚉 piazza Unità d'Italia 4/b 🕾 040 3478312, info@trietstetourism.it, Fax 040 3478320

🚗, 🕾 040 22 61 59

👁 Colle San Giusto★★ AY – Piazza della Cattedrale★ AY **9** – Basilica di San Giusto★ AY : mosaico★★ nell'abside, ≼★ su Trieste dal campanile – Collezioni di armi antiche★ nel castello AY – Vasi greci★ e bronzetti★ nel museo di Storia e d'Arte AY **M1** – Piazza dell'Unità d'Italia★ AY **35** – Museo del Mare★ AY **M2** : sezione della pesca★★

🏰 Castello e giardino★★ di Miramare per ① : 8 km – ≼★★ su Trieste e il golfo dal Belvedere di Villa Opicina per ② : 9 km – ⁂★★ dal santuario del Monte Grisa per ① : 10 km

Piante pagine 1204-1205

Grand Hotel Duchi d'Aosta   ris
piazza Unità d'Italia 2 ✉ 34121 – 🕾 04 07 60 00 11 – www.magesta.com – info@duchi.eu – Fax 040 36 60 92   AYr
53 cam ☲ – ♦182/287 € ♦♦240/370 € – 2 suites
Rist Harry's Grill – 🕾 040 66 06 06 (chiuso domenica) Carta 33/69 €
♦ Affacciato su una delle piazze più scenografiche e suggestive del Paese, offre interni di sobria eleganza, particolarmente nelle piacevoli camere, tutte personalizzate. Accattivanti proposte gastronomiche d'ispirazione contemporanea al ristorante.

NH Trieste
corso Cavour 7 ✉ 34132 – 🕾 04 07 60 00 55 – www.nhhotels.it – jhtrieste@nh-hotels.it – Fax 040 36 26 99   AXc
174 cam ☲ – ♦90/190 € ♦♦120/220 € – 3 suites   **Rist** – Carta 38/62 €
♦ Poco lontano dal centro, lungo la via che costeggia il mare, questa struttura attentamente rimodernata offre camere sobrie e confortevoli e spazi per convegni. Al ristorante, proposte nazionali e piatti protesi alla valorizzazione della cultura gastronomica regionale.

Urban Hotel Design senza rist
via Androna Chiusa 4 ✉ 34121 – 🕾 040 30 20 65 – www.urbanhotel.it – info@urbanhotel.it – Fax 040 30 72 23   AYx
40 cam – ♦100/200 € ♦♦120/240 €
♦ Recente l'apertura dell'hotel, nato dalla fusione di palazzi rinascimentali: particolare la sala colazione nella quale è possibile ammirare sul pavimento le vestigia romane dell'antico muro di cinta della città.

Colombia senza rist
via della Geppa 18 ✉ 34132 – 🕾 040 36 93 33 – www.hotelcolombia.it – colombia@hotelcolombia.it – Fax 040 36 96 44   AXa
40 cam ☲ – ♦100/200 € ♦♦130/260 €
♦ Spazi comuni recentemente rinnovati con mobili in design, ampie camere funzionali arredate con pezzi d'epoca ed accurati accostamenti di colore. Centrale, poco distante dalla stazione.

Italia senza rist
via della Geppa 15 ✉ 34132 – 🕾 040 36 99 00 – www.hotel-italia.it – info@hotel-italia.it – Fax 040 63 05 40   AYd
38 cam ☲ – ♦65/125 € ♦♦85/165 €
♦ Nel cuore della città, una moderna struttura alberghiera che dispone di ampi spazi comuni e camere arredate con mobili in legno di ciliegio. Ideale per una clientela d'affari.

James Joyce senza rist
via Cavazzeni 7 ✉ 34121 – 🕾 040 31 10 23 – www.hoteljamesjoyce.com – info@hoteljamesjoyce.com – Fax 040 30 26 18   AYe
15 cam ☲ – ♦60/90 € ♦♦100/150 €
♦ In un vicolo del centro storico, la struttura si sviluppa in altezza attorno a una particolare scala a chiocciola: un ambiente gradevole e curato con semplici camere dai soffitti lignei.

Abbazia senza rist
via della Geppa 20 ✉ 34132 – 🕾 040 36 94 64 – www.albergoabbazia.com – info@albergoabbazia.com – Fax 040 36 53 14   AXa
21 cam ☲ – ♦85/90 € ♦♦115/140 €
♦ Risorsa accogliente, con una piacevole hall di gusto classico e poche camere, tutte differenti tra loro per tipologia e dimensione. Frequentata soprattutto dalla clientela business.

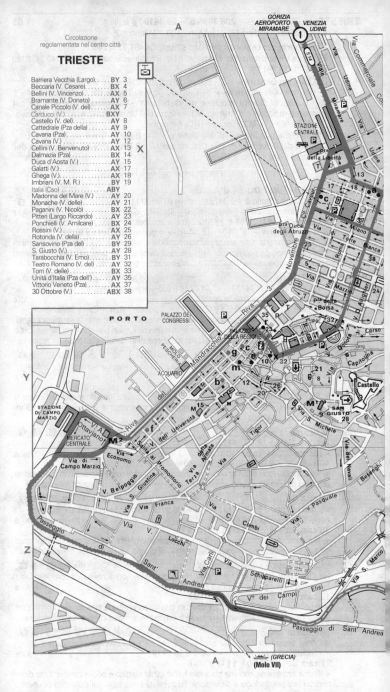

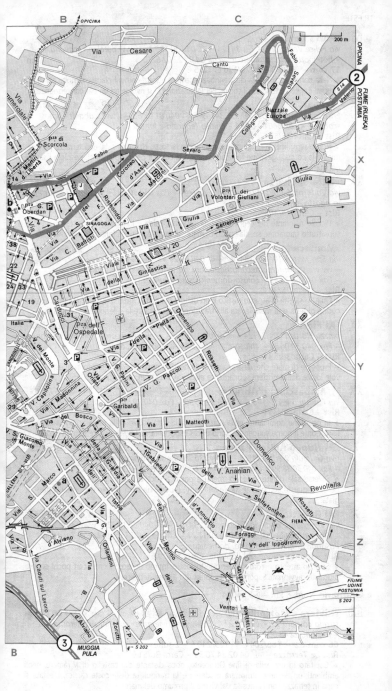

🏠 **Porta Cavana** senza rist ⬛ *VISA* 🆗 AE 🔧

via Felice Venezian 14 ✉ 34124 – ℰ 040 30 13 13 – www.hotelportacavana.it
– hotelportacavana@libero.it – Fax 04 03 22 02 62   AY**m**
17 cam – †30/70 € ††70/120 €, ⬜ 5 €

◆ Nella parte vecchia della città, annovera camere e spazi comuni piacevoli, molto curati ed arredati in allegre tonalità di colore. Per la colazione ci si rivolge ad un bar convenzionato.

XX **Scabar** ⬅ 🏠 ⬛ **P** *VISA* 🆗 AE ① 🔧

Erta Sant'Anna 63, per ③ ✉ 34149 – ℰ 040 81 03 68 – www.scabar.it – info@
scabar.it – Fax 040 83 06 96 – chiuso febbraio e lunedì
Rist – Carta 38/57 €

◆ Non è semplice da raggiungere, ma merita la sosta. Un'unica sala, una terrazza panoramica e la cordiale gestione familiare saranno la cornice per un pranzo che esplora i sapori del mare.

XX **Città di Cherso** AC *VISA* 🆗 AE ① 🔧

via Cadorna 6 ✉ 34124 – ℰ 040 36 60 44 – Fax 040 30 68 94 – chiuso 3 settimane
in agosto e martedì   AY**c**
Rist – Carta 34/46 €

◆ Piccolo ristorante del centro con una sola sala, calda e luminosa, un cortese servizio e soprattutto fragranti e speciali piatti di mare sui quali domina la fantasia dello chef.

XX **Montecarlo** 🏠 *VISA* 🆗 🔧

via San Marco 10/9 ✉ 34144 – ℰ 040 66 25 45
– www.ristorantemontecarlotrieste.com – montecarloemilio@yahoo.com
– Fax 040 66 25 45 – chiuso domenica sera e lunedì   BZ**a**
Rist – Carta 25/30 €

◆ Quattro salette di aspetto rustico e un dehors nel cortile interno: qui potrete gustare una cucina di terra e di mare legata alla tradizione. Interessante la selezione di formaggi.

XX **Ai Fiori** AC *VISA* 🆗 AE 🔧

piazza Hortis 7 ✉ 34124 – ℰ 040 30 06 33 – www.aifiori.com – info@aifiori.com
– Fax 040 30 06 33 – chiuso domenica, lunedì a mezzogiorno   AY**b**
Rist – Carta 38/58 €

◆ Proposte di mare che variano a seconda delle disponibilità del mercato in questo piacevole locale dall'atmosfera sobriamente elegante, situato in pieno centro.

XX **L'Ambasciata d'Abruzzo** 🏠 AC **P** *VISA* 🆗 AE 🔧

via Furlani 6 ✉ 34149 – ℰ 040 39 50 50 – Fax 040 39 50 50 – chiuso lunedì
Rist – Carta 30/35 €   CZ**x**

◆ In posizione dominante, nella parte alta della città, locale dalla calda accoglienza familiare. Come il nome suggerisce, sono di casa specialità abruzzesi e paste fatte in casa.

X **Al Nuovo Antico Pavone** AC ⇔ *VISA* 🆗 AE ① 🔧

riva Grumula 2 e ✉ 34123 – ℰ 040 30 38 99 – nuovo.pavone@libero.it
– Fax 040 30 38 99 – chiuso domenica e lunedì   **Rist** – Carta 32/46 €   AY**f**

◆ Diverse sale rifinite in legno, menù esposto a voce e una fragrante cucina a base di pesce in questo accogliente locale antistante il porto turistico. Ampio dehors sulla passeggiata.

X **Al Bagatto** AC *VISA* 🆗 AE 🔧

via Venezian 2 ang. via Cadorna ✉ 34124 – ℰ 040 30 17 71 – www.albagatto.it
– albagatto@libero.it – Fax 040 30 17 71 – chiuso dal 23 dicembre al 7gennaio,
Pasqua, 15 giorni in agosto, domenica   AY**g**
Rist – (prenotazione obbligatoria) Carta 55/79 €

◆ Servizio attento e cordiale per questo locale, intimo ed accogliente, con pochi coperti piuttosto ravvicinati. Saporiti piatti soprattutto a base di pesce.

a Grignano Nord: 5 km – ✉ **34014**

🏨 **Riviera e Maximilian's** ⬅ 🚃 🏢 AC ✗ rist, 🚶 🕏 **P** *VISA* 🆗 AE 🔧

strada costiera 22 – ℰ 040 22 45 51 – www.rivieramax.eu – info@rivieramax.eu
– Fax 040 22 43 00
66 cam ⬜ – †88/204 € ††125/240 € – 2 suites
Rist *Le Terrazze* – ℰ 04 02 24 70 33 – Carta 36/51 €

◆ Ospitato in una villa di fine Ottocento, poco distante dal castello di Miramare; negli ambienti, un'elegante atmosfera moderna e la tranquillità della costa carsica. D'estate si cena in terrazza con la musica dal vivo e il profumo del mare.

Miramare $\leqslant$ 🏧 ♻ rist, ☏ **P** 𝗩𝗜𝗦𝗔 ⓜⓞ 𝗔𝗘 ⓞ ♿
via Miramare 325/1 – ☎ 04 02 24 70 85 – www.hotelmiramaretrieste.it – info@
hotelmiramaretrieste.it – Fax 04 02 24 70 86
32 cam ⌑ – **†**100/200 € **††**140/280 €
Rist *Le Vele* – *(chiuso dal 24 dicembre al 6 gennaio) (chiuso a mezzogiorno)*
Carta 44/61 € 🥢
◆ A breve distanza dall'omonimo castello, un hotel recente che propone ambienti confortevoli, arredati in tenue e rilassanti tonalità, nel contemporaneo gusto minimalista. Al ristorante, la meravigliosa vista sul mare ed una cucina che nasce dalla vena creativa del giovane ed abile chef.

TRINITÀ D'AGULTU – Olbia-Tempio (104) – 566E8 – **Vedere Sardegna alla fine
dell'elenco alfabetico**

TRIORA – Imperia (IM) – 561K5 – 410 ab. – alt. 776 m – ⊠ 18010   14 **A2**
▶ Roma 661 – Imperia 51 – Genova 162 – Milano 285

Colomba d'Oro $\leqslant$ 🚗 🏡 ♻ rist, 𝗩𝗜𝗦𝗔 ⓜⓞ ♿
corso Italia 66 – ☎ 018 49 40 51 – www.colombadoro.it – info@colombadoro.it
– Fax 018 49 40 89 – chiuso da gennaio al 15 marzo
28 cam ⌑ – **†**35/80 € **††**60/90 €   **Rist** – *(chiuso lunedì)* Menu 22 €
◆ Appoggiato alle mura di una chiesa cinquecentesca ancora in parte esistente, semplice
hotel a gestione familiare, dal servizio attento e cordiale servizio. Camere recentemente rinnovate. La cucina è legata alla tradizione ma aperta alle nuove influenze e propone piatti
sapientemente rivisitati con creatività.

TRISSINO – Vicenza (VI) – 562F16 – 8 058 ab. – alt. 221 m – ⊠ 36070   37 **A1**
▶ Roma 550 – Verona 49 – Milano 204 – Vicenza 21

XXX **Relais Cà Masieri** con cam ⌓ 🏡 ♨ 🏧 ℭ⁀ **P** 𝗩𝗜𝗦𝗔 ⓜⓞ 𝗔𝗘 ⓞ ♿
via Masieri 16, Ovest : 2 km – ☎ 04 45 96 21 00 – www.camasieri.com – info@
camasieri.com – Fax 04 45 49 04 55 – chiuso novembre
12 cam ⌑ – **†**50/70 € **††**80/110 €
Rist – *(chiuso dal 24 dicembre al 10 gennaio, domenica, lunedì a mezzogiorno)*
Carta 37/47 €
◆ Un signorile casale di campagna, un complesso rurale del XVIII secolo; servizio estivo
all'aperto, fra le colline e salette ove ancora si respira un'atmosfera antica.

TRIVIGNO – Potenza (PZ) – 564F29 – 791 ab. – alt. 735 m – ⊠ 85018   3 **B2**
▶ Roma 385 – Potenza 26 – Matera 83

Agriturismo La Foresteria di San Leo ⌓ 🚗 ♨ 🏧 ♻ rist,
contrada San Leo, Sud-Ovest : 5 km – ☎ 09 71 98 11 57   **P** 𝗩𝗜𝗦𝗔 ⓜⓞ ⓞ ♿
– mariagiovanna.allegretti@tin.it – Fax 09 71 44 26 95 – aprile-ottobre
5 cam – **†**50/55 € **††**80/92 €, ⌑ 8 € – ½ P 66 €
Rist – *(chiuso a mezzogiorno) (solo per alloggiati)* Menu 22/28 €
◆ Sorta dal restauro di un eremo benedettino, una piacevole risorsa che conserva ancora i
resti di un monastero del '300; cinta dal verde e con vista delle Dolomiti Lucane.

TROFARELLO – Torino (TO) – 561H5 – 10 985 ab. – alt. 276 m   22 **A1**
– ⊠ 10028
▶ Roma 656 – Torino 15 – Asti 46 – Cuneo 76

Pianta d'insieme di Torino

Park Hotel Villa Salzea ⌓ ♨ 🎮 🏃 ♻ ☏ 🎱 **P**
via Vicoforte 2 – ☎ 01 16 49 78 09 – www.villasalzea.it   𝗩𝗜𝗦𝗔 ⓜⓞ 𝗔𝗘 ♿
– parkhotel@villasalzea.it – Fax 01 16 49 85 49   **HUm**
22 cam ⌑ – **†**75/95 € **††**90/120 €
Rist – *(consigliata la prenotazione)* Carta 34/64 €
◆ La settecentesca villa del conte Negri è oggi un elegante hotel avvolto dal silenzio e dai
colori dell'ampio parco; all'interno, spaziose camere confortevoli e ricche di fascino. Raffinatezza ed antico buon gusto regnano anche nelle intime sale da pranzo; ambienti più ampi
per cerimonie.

TROPEA – Vibo Valentia (VV) – 564K29 – **6 974 ab.** – ✉ 89861 ▮ Italia   5 **A2**
> ▶ Roma 636 – Reggio di Calabria 140 – Catanzaro 92 – Cosenza 121

XX   **Pimm's**   🅰🅲 ℀ 𝖵𝖨𝖲𝖠 ⓜⓞ ⓘ ⚡
largo Migliarese 2 – ☎ *09 63 66 61 05* – *Fax 09 63 66 61 05*
Rist – (consigliata la prenotazione) Carta 30/52 €
♦ Percorsa la via dello "struscio" serale, a fianco della mini terrazza, un rifugio a picco sul
mare, con balconcino sulla distesa smeraldo; in bocca, sapore di pesce.

a Santa Domenica Sud-Ovest : 6 km – ✉ 89866

🏨   **Cala di Volpe** 🍃   ≤ � 🏠 ⿻ 𝕏 ⅀ ⚡ rist, ⫩ 🅿 𝖵𝖨𝖲𝖠 ⓜⓞ ⚡
contrada Torre Marino – ☎ *09 63 66 96 99* – *www.caladivolpe.it* – *info@*
caladivolpe.it – *Fax 09 63 66 97 33* – *9 maggio-19 ottobre*
50 cam � – †70/80 € ††120/140 € – ½ P 98/110 €   **Rist** – Carta 22/34 €
♦ Direttamente affacciato su mare e spiaggia, immersi in un grande giardino tropicale,
avrete la possibilità di trascorrere una vacanza optando per la formula hotel o residence.
Ristorante panoramico, suggestivo nei mesi estivi.

TRULLI (Regione dei) – Bari e Taranto – 564E33 ▮ Italia

TUSCANIA – Viterbo (VT) – 563O17 – **7 763 ab.** – **alt. 166 m** – ✉ 01017   12 **A1**
▮ Italia
> ▶ Roma 89 – Viterbo 24 – Civitavecchia 44 – Orvieto 54

🔎 Chiesa di San Pietro★★: cripta★★ – Chiesa di Santa Maria Maggiore★:
portali★★

🏠   **Tuscania Panoramico** senza rist   ≤ ⫩ 🅰🅲 ⁽ᵖ⁾ 🅿 𝖵𝖨𝖲𝖠 ⓜⓞ 🄰🄴 ⓘ ⚡
via dell'Olivo 53 – ☎ *07 61 44 40 80* – *www.tuscaniahotel.it* – *info@tuscaniahotel.it*
– Fax 07 61 44 43 80   **25 cam** ⊠ – †45/55 € ††73/83 €
♦ In posizione panoramica, le antiche mura della città raggiungibili anche a piedi, dalle
camere una bella vista sulle Basiliche di San Pietro e di Santa Maria Maggiore.

🏠   **Locanda di Mirandolina**   🏠 🅰🅲 rist, ⁽ᵖ⁾ 𝖵𝖨𝖲𝖠 ⓜⓞ 🄰🄴 ⓘ ⚡
🛏 *via del Pozzo Bianco 40/42* – ☎ *07 61 43 65 95* – *www.mirandolina.it*
– info@mirandolina.it – *Fax 07 61 43 65 95*
5 cam ⊠ – †40/50 € ††60/70 €
Rist – *(chiuso lunedì)* (consigliata la prenotazione) Carta 31/47 €
♦ Gradevole risorsa ospitata in un edificio d'inizio '900 con camere recentemente rinnovate e
personalizzate con estrema raffinatezza. Nuova gestione: seria e appassionata. Il parco fa da
cornice ad un piacevole ristorante, dove gustare piatti genuini realizzati con cura e fantasia.

XX   **Al Gallo** con cam 🍃   📶 🅰🅲 ⅄ ⁽ᵖ⁾ 🅿 𝖵𝖨𝖲𝖠 ⓜⓞ 🄰🄴 ⓘ ⚡
via del Gallo 22 – ☎ *07 61 44 33 88* – *www.algallo.it* – *gallotus@tin.it*
– Fax 07 61 44 36 28 – *chiuso dal 7 gennaio al 6 febbraio*
13 cam ⊠ – †48/81 € ††78/122 € – ½ P 70/106 €
Rist – *(chiuso lunedì)* Carta 37/47 €
♦ Tra stoffe a quadri bianchi e rossi si ha l'impressione di entrare in una ricercata casa di
bambole; con vista sui tetti del centro storico. Cucina classica, che insegue le stagioni.

UDINE 🅿 (UD) – 562D21 – **96 196 ab.** – **alt. 114 m** – ✉ 33100 ▮ Italia   11 **C2**
> ▶ Roma 638 – Milano 377 – Trieste 71 – Venezia 127

✈ di Ronchi dei Legionari per ③ : 37 km ☎ 0481 773224, Fax 0481 474150
🛈 piazza I Maggio 7 ☎ 0432 295972, info.udine@turismo.fvg.it, Fax 0432 504743
🔟₈, ☎ 0432 80 04 18
🔎 Piazza della Libertà★★ AY **14** – Decorazioni interne★ nel Duomo ABY **B**
– Affreschi★ nel palazzo Arcivescovile BY **A**
🔵 Passariano : Villa Manin★★ Sud-Ovest : 30 km

Pianta pagina a lato

🏨   **Astoria Hotel Italia**   📶 🅰🅲 ⁽ᵖ⁾ ⛷ 🚗 𝖵𝖨𝖲𝖠 ⓜⓞ 🄰🄴 ⓘ ⚡
piazza 20 Settembre 24 – ☎ *04 32 50 50 91* – *www.hotelastoria.udine.it* – *astoria@*
hotelastoria.udine.it – *Fax 04 32 50 90 70*   AZ**a**
70 cam ⊠ – †80/153 € ††120/224 € – 5 suites
Rist – *(chiuso 2 settimane in agosto)* Carta 32/53 €
♦ Punto di riferimento per chi cerca prestigio eleganza e comodità, governati da una centenaria
esperienza nel settore dell'ospitalità; ampie camere in stile. Un'atmosfera di luminosità e raffinatezza abbraccia l'ampio salone per banchetti e una cucina che spazia tra il classico e il regionale.

UDINE

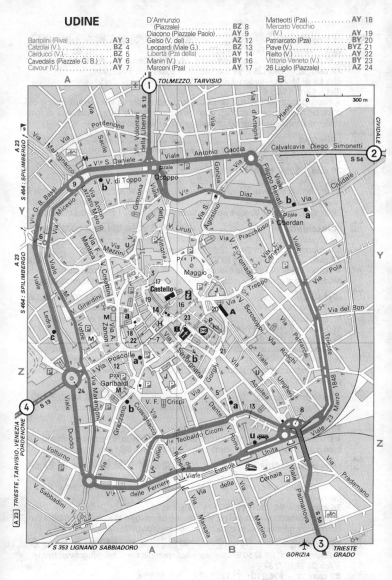

ᴀ⌂ᴀ **Ambassador Palace** senza rist   ⏸ & **AC** ⌀ ⟨⟩ ⅏ **VISA** ⏺⏺ **AE** ⏺ ⮐
via Carducci 46 – ☎ 04 32 50 37 77 – www.ambassadorpalacehotel.it
– info@ambassadorpalacehotel.it – Fax 04 32 50 37 11   BZ**a**
78 cam ⌸ – ♟120 € ♟♟160 € – 2 suites
  ♦ Un grazioso giardino ed un elegante scalone vi introdurranno in questo elegante
hotel a pochi passi dal centro; ambienti confortevoli e luminosi, arredati in calde tonalità
di colore.

Là di Moret

🎋 ⬜ 🐾 🦮 ✕ 🎏 🛗 🆔 ✑ rist. 🅟

viale Tricesimo 276, Nord: 2 km ✉ *33100 Udine* — 🅥🅘🅢🅐 🆎 🆗 🆎 ⬤ 🆔
– ✆ *04 32 54 50 96 – www.ladimoret.it – hotel@ladimoret.it – Fax 04 32 54 50 96*
88 cam ⬜ – †80/125 € ††100/160 € – 4 suites – ½ P 80/100 €
Rist Là di Moret – *vedere selezione ristoranti*
Rist – Carta 15/25 €
◆ Piacevoli spazi per il relax e campi da gioco coperti, per un week-end all'insegna del dolce far niente o per ritemprarsi dopo giornata di intenso lavoro. Atmosfera di tono moderno al ristorante, ideale per un pasto veloce a mezzogiorno.

Allegria

🎏 🆔 ✑ rist. 🤙 🆔 🚗 🅥🅘🅢🅐 🆗 🆎 🆔

via Grazzano 18 – ✆ 04 32 20 11 16 – www.hotelallegria.it – info@hotelallegria.it
– Fax 04 32 20 11 16   AZ**b**
20 cam – †95 € ††140 €
Rist – *(chiuso domenica sera e lunedì a mezzogiorno)* Carta 25/35 €
◆ L'architettura medievale si trasforma all'interno in spazi arredati con un ricercato design. Il risultato? Una curiosa modernità custodita da un calore familiare di decennale esperienza. Giochi di luce e ombra, bianco e nero; tra tavoli quadrati sfilano i prodotti della tradizione.

Clocchiatti *senza rist*

🚆 🎋 🖐 🆔 🅟 🅥🅘🅢🅐 🆗 🆎 ⬤ 🆔

via Cividale 29 – ✆ 04 32 50 50 47 – www.hotelclocchiatti.it – info@
hotelclocchiatti.it – Fax 04 32 50 50 47 – chiuso a Natale e ferragosto
27 cam ⬜ – †68/140 € ††100/250 €   BY**a**
◆ Classico o design? La risorsa è ideale tanto per gli amanti della tradizione quanto per chi desidera stare al passo con la moda: scegliete l'ambiente che più si intona al vostro carattere.

Friuli

🎏 🖐 🆔 🅟 🅥🅘🅢🅐 🆗 🆎 ⬤ 🆔

viale Ledra 24 – ✆ 04 32 23 43 51 – www.hotelfriuli.udine.it – friuli@
hotelfriuli.udine.it – Fax 04 32 23 46 06 – chiuso dal 22 dicembre al 7 gennaio
100 cam – †74/87 € ††94/119 €, ⬜ 11 € – ½ P 81/89 €   AY**c**
Rist – *(chiuso domenica)* Carta 26/43 €
◆ A pochi passi del centro storico, albergo moderno ideale per un turismo d'affari: gradevoli ambienti dotati di ogni confort e ben arredati, camere accoglienti e luminose. Luminoso e arredato con buon gusto il ristorante, dove troverete una cucina mediterranea non priva di spunti di fantasia.

Suite Inn *senza rist*

🆔 ✑ 🤙 🅟 🅥🅘🅢🅐 🆗 🆎 ⬤ 🆔

via di Toppo 25 – ✆ 04 32 50 16 83 – www.hotelsuiteinn.it – info@suiteinn.it
– Fax 04 32 20 05 88   AY**b**
13 cam ⬜ – †70/90 € ††110/130 €
◆ E' una mano femminile a prendersi cura di questa villa di inizio Novecento, ristrutturata con buon gusto e con curiosi accostamenti design-rustico-classico. Belle camere personalizzate.

Art Hotel Udine *senza rist*

🎏 🖐 🆔 🅟 🅥🅘🅢🅐 🆗 🆎 ⬤ 🆔

via Paparotti 11, 4 km per ③ *– ✆ 04 32 60 00 61 – www.arthoteludine.com*
– info@arthoteludine.com – Fax 04 32 52 24 32 – chiuso dal 23 dicembre al 6 gennaio
36 cam ⬜ – †65/80 € ††85/140 € – 2 suites
◆ Dall'arredamento ai dettagli, l'intera struttura è un omaggio all'espressione artistica contemporanea: minimalismo, essenzialità e design ma soprattutto ospitalità e confort.

President

🎏 🖐 cam, 🆔 ✑ 🤙 🅟 🅥🅘🅢🅐 🆗 🆎 ⬤ 🆔

via Duino 8 – ✆ 04 32 50 99 05 – www.hotelpresident.tv – info@hotelpresident.tv
– Fax 04 32 50 72 87   BY**b**
80 cam ⬜ – †90/110 € ††120/140 € – ½ P 85/95 €
Rist – *(chiuso sabato e domenica) (chiuso a mezzogiorno) (solo per alloggiati)*
Carta 25/41 €
◆ Una sobria e moderna eleganza caratterizza questa risorsa in cui troverete caldi e spaziosi ambienti dai luminosi colori, tanta tranquillità e sicura discrezione.

Principe *senza rist*

🎏 🖐 ✑ 🅟 🅥🅘🅢🅐 🆗 🆎 ⬤ 🆔

viale Europa Unita 51 – ✆ 04 32 50 60 00 – www.principe-hotel.it – info@
principe-hotel.it – Fax 04 32 50 22 21   BZ**u**
26 cam – †60/70 € ††90/99 €, ⬜ 9 €
◆ Comodo da raggiungere, nei pressi della stazione, piccolo e tranquillo hotel con accoglienti seppur limitati spazi comuni dai colori caldi e camere semplici ma confortevoli.

✗✗ **Vitello d'Oro** 🏠 🛇 AC ⇄ VISA ⊛ AE ⑩ 🕭
via Valvason 4 – ℰ 04 32 50 89 82 – www.vitellodoro.com – info@vitellodoro.com
– Fax 04 32 50 89 82 – chiuso lunedì a mezzogiorno e mercoledì, da giugno a
settembre domenica e lunedì a mezzogiorno AY**a**
Rist – (consigliata la prenotazione) Carta 38/70 €
♦ E' il frammento di un articolo di giornale del 1849 a testimoniare per primo l'esistenza di questo elegante locale. Da allora, un solo leit Motiv: gustose elaborazioni, soprattutto a base di pesce.

✗✗ **Là di Moret** – Hotel Là di Moret 🛇 AC ⇄ P VISA ⊛ AE ⑩ 🕭
viale Tricesimo 276, Nord : 2 km – ℰ 04 32 54 50 96 – www.ladimoret.it
– hotel@ladimoret.it – Fax 04 32 54 50 96
Rist – Menu 35/48 € – Carta 32/56 € 𝒷
♦ Oltre un secolo fa qui nasceva un'osteria; ora, nelle intime salette di questo locale regna una sobria eleganza e si incontrano un estro creativo e la tradizione friulana.

✗ **Hostaria alla Tavernetta** 🏠 AC ⇄ VISA ⊛ AE ⑩ 🕭
via di Prampero 2 – ℰ 04 32 50 10 66 – www.allatavernetta.com – info@
allatavernetta.com – Fax 04 32 50 10 66 – chiuso 2 settimane in giugno
Rist – Carta 30/44 € BZ**b**
♦ Accomodatevi in sala, al calore e alla luce di uno scoppiettante caminetto, oppure sulla tranquilla terrazza, per una cena a lume di stelle; ovunque vi aspetteranno i sapori della regione.

✗ **Alla Vedova** 🍴 🏠 P VISA ⊛ 🕭
via Tavagnacco 9, per ① – ℰ 04 32 47 02 91 – zamarian@libero.it
– Fax 04 32 47 02 91 – chiuso dal 10 al 25 agosto, domenica sera e lunedì
Rist – Carta 24/34 €
♦ Oltre un secolo di vita per questo ristorante, che agli albori ricordava l'imperatore. Oggi come allora specialità alla griglia e cacciagione da gustare, in estate, nel piacevole giardino.

a Godia per ① : 6 km – ✉ 33100

✗✗ **Agli Amici** (Emanuele Scarello) 🏠 AC ⇄ P VISA ⊛ AE ⑩ 🕭
⸎ *via Liguria 250 – ℰ 04 32 56 54 11 – www.agliamici.it – info@agliamici.it*
– Fax 04 32 56 55 55 – chiuso domenica e lunedì da giugno ad agosto; domenica
sera, lunedì e martedì a mezzogiorno negli altri mesi
Rist – Carta 47/95 € 𝒷
Spec. Cappesante con té di patate grigliate, erba cipollina e caviale iraniano. Piccione in quattro modi: petto con riduzione alla melagrana, coscia con polenta, ravioli e paté. Cagliata di cioccolato bianco, meringa leggera alle noci e limone a cubetti.
♦ Eleganza e una cucina creativa legata al territorio per questo locale che vanta la medesima conduzione da più di un secolo. Ma sempre al passo con i tempi!

UGENTO – Lecce (LE) – 564H36 – 11 799 ab. – ✉ 73059 – UGENTO 27 **D3**
▶ Roma 641 – Bari 211 – Lecce 66

sulla strada provinciale Ugento-Torre San Giovanni Sud-Ovest: 4 km

🏠 **Masseria Don Cirillo** senza rist 📎 🍴 AC 🎿 📶 P VISA ⊛ ⑩ 🕭
strada Provinciale Ugento-Torre S. Giovanni Km 3 – ℰ 08 33 93 14 32
– www.kalekora.it – masseriadoncirillo@kalekora.it – 13 aprile-31 ottobre
10 cam – ♦98/148 € ♦♦146/250 €
♦ Abbracciata da profumate distese di ulivi, una piacevole risorsa ricavata da una tenuta nobiliare settecentesca custodisce ampi spazi arredati in rilassanti e chiare tonalità.

UGGIANO LA CHIESA – Lecce (LE) – 564G37 – 4 309 ab. – alt. 76 m 27 **D3**
– ✉ 73020
▶ Roma 620 – Brindisi 84 – Gallipoli 47 – Lecce 48

✗✗ **Masseria Gattamora** con cam 📎 🍴 🏠 AC 🎿 cam, P
via campo Sportivo 33 – ℰ 08 36 81 79 36 VISA ⊛ AE ⑩ 🕭
– www.gattamora.it – info@gattamora.it – Fax 08 36 81 45 42
– chiuso gennaio o febbraio
11 cam 🖵 – ♦40/65 € ♦♦70/110 € – ½ P 60/80 €
Rist – *(chiuso lunedì escluso agosto) (chiuso a mezzogiorno escluso sabato e domenica)* Carta 24/45 €
♦ Nel verde della campagna salentina, in giardino zampilla persino una fontana, nella caratteristica sala a volte arredata in stile rustico i sapori del posto, rivisti con creatività. Nel vecchio frantoio alcune camere dalla deliziosa atmosfera.

ULIVETO TERME – Pisa (PI) – 563K13 – ✉ 56010 28 **B2**
 ◗ Roma 312 – Pisa 13 – Firenze 66 – Livorno 33

XXX **Osteria Vecchia Noce** 🕿 AK P VISA ⊚ AE ① ♻
*località Noce, Est : 1 km – 𝒞 050 78 82 29 – www.ostreiavecchianoce.it – info@
osteriavecchianoce.it – Fax 050 78 97 14 – chiuso dal 5 al 25 agosto, martedì sera e
mercoledì*
Rist – Carta 44/71 €
 ◆ All'interno di un antico frantoio del 1700 nel centro di questo piccolo paese, un caratteristico ambiente, elegante e caldo dove assaggiare piatti del territorio.

X **Da Cinotto** 🕿 AK P VISA ⊚ ♻
via Provinciale Vicarese 132 – 𝒞 050 78 80 43 – chiuso agosto, venerdì sera e sabato
Rist – Carta 25/33 €
 ◆ Trattoria a conduzione familiare dove fermarsi per apprezzare una sincera e casereccia
cucina toscana e locale. Ambiente semplice, atmosfera informale.

ULTEN = Ultimo

ULTIMO (ULTEN) – Bolzano (BZ) – 562C15 – **2 998 ab.** – **alt. 1 190 m** 30 **B2**
– Sport invernali : a Santa Valburga : 1 192/2 600 m �533, 🎿 – ✉ 39016
 ◗ Da Santa Valburga : Roma 680 – Bolzano 46 – Merano 28 – Milano 341
 🄸 a Santa Valburga, via Principale 154 ✉ 39016 𝒞 0473 795387, ultenttal@
 rolmail.net, Fax 0473 7950493

a San Nicolò (St. Nikolaus)Sud-Ovest : 8 km – **alt. 1 256 m** – ✉ 39016

🄷🄷 **Waltershof** ⌂ ≤ ⊕ 🖬 ⑨⑨ ⍟ ⌘ ⌘ rist, 🕪 P VISA ⊚ ① ♻
 – 𝒞 04 73 79 01 44 – www.waltershof.it – info@waltershof.it – Fax 04 73 79 03 87
 – 25 dicembre-4 aprile e 15 maggio-4 novembre
31 cam ⊑ – †89/102 € ††154/178 € – ½ P 89/144 €
Rist – *(chiuso a mezzogiorno) (solo per alloggiati)* Menu 30/85 €
 ◆ Struttura con bei balconi fioriti, piacevolmente accolta in un verde giardino e dotata di
spazi "goderecci": taverna e fornita enoteca; zona per serate di musica e vino.

URBANIA – Pesaro e Urbino (PS) – 563K19 – **6 766 ab.** – **alt. 273 m** 20 **A1**
– ✉ 61049
 ◗ Roma 260 – Rimini 75 – Ancona 112 – Pesaro 47

↑ **Agriturismo Mulino della Ricavata** ⌂ 🕿 P
*via Porta Celle 5, Nord : 2 km – 𝒞 07 22 31 03 26 – www.mulinodellaricavata.com
– info@mulinodellaricavata.com – Fax 07 22 31 03 26 – chiuso a Natale*
4 cam ⊑ – †40/55 € ††70/85 € – ½ P 60/75 €
Rist – *(chiuso lunedì) (chiuso a mezzogiorno)* (prenotazione obbligatoria)
Menu 27/32 €
 ◆ Una tipica casa colonica in pietra dove già nel '300 i frati venivano a macinare le olive.
Oggi si coltivano fiori e si può soggiornare in camere sobrie ed essenziali.

URBINO – Pesaro e Urbino (PS) – 563K19 – **15 489 ab.** – **alt. 451 m** 20 **B1**
– ✉ 61029 ▮ Italia
 ◗ Roma 270 – Rimini 61 – Ancona 103 – Arezzo 107
 🄸 via Puccinotti 35 𝒞 0722 2613, iat.urbino@regione.marche.it,Fax 0722 2441
 👁 Palazzo Ducale★★★ : galleria nazionale delle Marche★★ **M** – Strada
 panoramica★★ : ≤★★ – Affreschi★ nella chiesa-oratorio di San Giovanni
 Battista **F** – Presepio★ nella chiesa di San Giuseppe **B** – Casa di Raffaello★ **A**

Pianta pagina a lato

🏛 **Mamiani** ⌂ ≤ |⌘ ⅋ AK ↔ ⌘ rist, 🕪 🕹 P VISA ⊚ AE ① ♻
*via Bernini 6, per via Giuseppe di Vittorio – 𝒞 07 22 32 23 09
– www.hotelmamiani.it – info@hotelmamiani.it – Fax 07 22 32 77 42 – chiuso Natale*
72 cam ⊑ – ††165 €
Rist *Il Giardino della Galla* – 𝒞 07 22 24 55 *(chiuso dal 1° al 15 agosto)*
Carta 23/34 €
 ◆ Albergo moderno situato in zona tranquilla, fuori dal centro storico: servizio impeccabile,
grande cortesia e camere ampie accessoriate con confort all'avanguardia. Gradevoli colori
sapientemente abbinati nella spaziosa sala da pranzo di tono elegante.

URBINO

Circolazione regolamentata
nel centro città

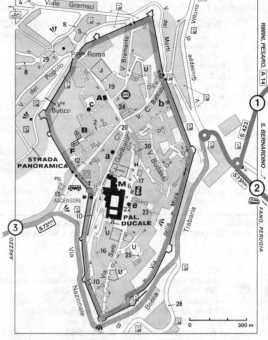

San Domenico senza rist 🚗 📶 ☕ ♿ ✸ 🅰🅲 📶 🅿 VISA ☎ 🅰🅴 ⓪ ☉
*piazza Rinascimento 3 – ℰ 07 22 26 26 – www.viphotels.it – domenico@viphotels.it
– Fax 07 22 27 27* **31 cam** – 🛏111 € 🛏🛏200/215 €, � 13 €   e
◆ Fra l'università, il duomo e Santa Chiara, a pochi passi dai più importanti musei e monumenti cittadini, l'hotel si trova all'interno di un convento del 1400, ristrutturato nel rispetto
dell'elegante semplicità originaria. Signorili ambienti comuni e camere spaziose.

Italia senza rist 📶 ♿ 🅰🅲 VISA ☎ 🅰🅴 ⓪ ☉
*corso Garibaldi 38 – ℰ 07 22 27 01 – www.albergo-italia-urbino.it – info@albergo-italia
-urbino.it – Fax 07 22 32 26 64* **43 cam** ⊒ – 🛏47/70 € 🛏🛏70/120 €   a
◆ Già attivo come locanda alla fine dell'Ottocento, ora albergo del centro con confortevoli
camere in stile essenziale e moderno. Per soggiornare nel cuore di Urbino.

Raffaello senza rist 📶 🅰🅲 📶 VISA ☎ 🅰🅴 ☉
*via Santa Margherita 40 – ℰ 07 22 48 96 – www.albergoraffaello.com – info@
albergoraffaello.com – Fax 07 22 32 85 40 – chiuso 23, 24 e 25 dicembre e dal 7 al
17 gennaio* **14 cam** ⊒ – 🛏50/80 € 🛏🛏90/115 €   c
◆ Tra i vicoli del centro storico, non lontano dalla casa natale di Raffaello, hotel all'interno
di un palazzo del '500: ambienti comuni piacevoli, camere accoglienti e splendida vista dal
terzo piano...

XX **Vecchia Urbino** 🅰🅲 VISA ☎ 🅰🅴 ⓪ ☉
*via dei Vasari 3/5 – ℰ 07 22 44 47 – www.vecchiaurbino.it – info@vecchiaurbino.it
– Fax 07 22 44 47 – chiuso dal 15 al 25 dicembre, dal 25 gennaio al 10 febbraio, dal 1°
al 10 luglio e martedì* **Rist** – Menu 35 € bc/40 € bc – Carta 39/56 €   b
◆ Nell'antica strada dei Vasari, nella contrada di Lavagine, un locale a gestione diretta dal-
l'atmosfera informale, dove la carta parla marchigiano.

X **Nenè** con cam 🌸 ⇐ 🚗 🍴 ⊒ ♿ 🅰🅲 rist, 🅿 VISA ☎ 🅰🅴 ⓪ ☉
*strada per campus Sogesta, 2,5 km per ③ – ℰ 07 22 35 01 61
– www.neneurbino.com – nene@neneurbino.com – Fax 07 22 35 13 57*
7 cam – 🛏40/60 € 🛏🛏60/80 €, ⊒ 6 € **Rist** – (chiuso lunedì) Carta 18/37 €
◆ Fabbricato rurale ristrutturato nella pace della campagna a circa 3 km da Urbino. Una
saletta rustica con mattoni a vista e un grande salone; cucina locale e nazionale.

a Gadana Nord-Ovest : 3 km – ⊠ 61029 – Urbino

↑ **Agriturismo Cà Andreana** 🐾   🚗 🛜 ⅃ ⅍ cam, 🍽 rist, **P**
via Cà Andreana 2 – 𝒞 07 22 32 78 45 – www.caandreana.it   **VISA** ⚫ 🗝
– info@caandreana.com – Fax 07 22 32 78 45
– chiuso dal 9 al 27 gennaio
6 cam ⌁ – †65/75 € ††80/98 € – ½ P 60/75 €
Rist *– (chiuso domenica sera, escluso agosto, e lunedì) (chiuso a mezzogiorno)*
Carta 27/39 €
♦ In piena campagna, rustico ben tenuto, da cui si gode una splendida vista dei dintorni; offre belle camere, semplici, ma complete di tutti i confort. Le materie prime prodotte in azienda permettono di realizzare un'ottima scelta di piatti caserecci.

a Pantiera Nord : 13 km – ⊠ 61029 – Urbino

✗✗ **San Giacomo di Urbino**   🛜 ⅍ **P** **VISA** ⚫ **AE** 🗝
via San Giacomo in Foglia 15 – 𝒞 07 22 58 04 30 – www.sangiacomodiurbino.com
– info@sangiacomodiurbino.com – Fax 07 22 58 04 30 – chiuso lunedì
Rist – Menu 35/58 € – Carta 46/64 €
♦ Cullato dal verde, un ambiente rustico-elegante con un bel camino nel centro, alti soffitti lignei ed illuminazione suggestiva, dove gustare piatti interpretati con fantasia.

URGNANO – Bergamo (BG) – 561F11 – **8 616 ab.** – alt. 173 m – ⊠ 24059   **19 C2**
▶ Roma 584 – Bergamo 12 – Lecco 45 – Milano 46

a Basella Est : 2 km – ⊠ 24050

✗ **Quadrifoglio** con cam   🛜 📶 ⅍ **AC** 🍴 🚗 **VISA** ⚫ **AE** ⓪ 🗝
via Dante Alighieri 780 – 𝒞 035 89 46 96 – www.hotelquadrifoglio.it
– info@hotelquadrifoglio.it – Fax 035 89 46 96
– chiuso dal 1° al 20 agosto
12 cam ⌁ – †47/72 € ††72/103 € – ½ P 59/96 €
Rist – Menu 12/25 € – Carta 18/32 €
♦ A poche centinaia di metri dal parco del fiume Serio e dal palazzo che ospita l'importante Museo Africano, ristorante dall'esperta gestione familiare che propone una cucina del territorio dalle abbondanti porzioni. Tra gli spazi di questa cascina di campagna, camere semplici e funzionali.

USSEAUX – Torino (TO) – 561G3 – **193 ab.** – alt. 1 217 m – ⊠ 10060   **22 B2**
▶ Roma 806 – Torino 79 – Sestriere 18

🅰 *via Eugenio Brunetta 53* 𝒞 0121 884400, info.usseaux@alpimedia.it, Fax 0121 83948

✗ **Lago del Laux** con cam 🐾   🍽 **P** **VISA** ⚫ **AE** ⓪ 🗝
via al Lago 7, Sud : 1 km – 𝒞 012 18 39 44 – www.hotellaux.it – laux@charmerelax.it – Fax 012 18 39 44
– chiuso 2 settimane in maggio e 2 settimane in settembre
7 cam ⌁ – †105/115 € ††105/126 € – ½ P 74/84 €
Rist *– (chiuso mercoledì (escluso da giugno ad agosto) e da novembre a marzo anche martedì)* Carta 25/40 €
♦ In riva a un laghetto con minigolf e pesca sportiva, in questo ristorante potrete gustare i piatti della tradizione piemontese. Percorrete il sentiero che conduce al borgo per scoprirne la storia. Semplici, colorate ed accoglienti le camere in legno d'abete, tutte con vista sul parco.

VADA – Livorno (LI) – 563L13 – ⊠ 57018   **28 B2**
▶ Roma 292 – Pisa 48 – Firenze 143 – Livorno 29

🅰 *piazza Garibaldi 93* 𝒞 0584 788373, apt7vada@costadeglietruschi.it, Fax 0584 785030

↑ **Agriturismo le Biriccoccole** senza rist e senza ⌁   🚗 🛐 **AC** **P**
via Vecchia Aurelia 200, Nord 1 km – 𝒞 05 86 78 83 94   **VISA** ⚫ **AE** 🗝
– www.biriccoccole.it – biriccoccole@biriccoccole.it – Fax 05 86 78 83 94
6 cam – ††90/180 €
♦ Edificio agricolo della prima metà dell'800 dotato di belle stanze, ognuna di colore diverso. Cucina in comune dove organizzarsi pranzi e cene in massima libertà.

XX **Il Ducale** 🔲 VISA 🔳 AE 🔳 ⭐
*piazza Garibaldi 33 – 𝒞 05 86 78 86 00 – ristoranteilducale@virgilio.it
– Fax 05 86 78 86 00 – chiuso lunedì* **Rist** – Carta 50/71 €
♦ A rendere piacevole un pranzo o una cena qui sarà la freschezza del pesce che gusterete, ma anche l'ambiente: arazzi, fiori, tappeti e libri sotto volte di mattoni.

VADO LIGURE – Savona (SV) – 561J7 – **8 195 ab.** – ⊠ **17047** 14 **B2**
🄳 Roma 535 – Genova 58 – Cuneo 90 – Imperia 69

a Sant'Ermete Sud-Ovest : 3,5 km – ⊠ **17047** – Vado Ligure

XX **La Fornace di Barbablù** (Giuseppe Ricchebuono) 🕌 ♻ VISA AE ⭐
☒ *via Lazio 11/a – 𝒞 019 88 85 35 – www.lafornacedibarbablu.it – barbablu@
lafornacedibarbablu.it – Fax 019 88 89 07 – chiuso lunedì e martedì a mezzogiorno*
Rist – Menu 55/80 € – Carta 65/94 € 🏵
Spec. Cappon magro. Pansotti farciti di cipolla con bottarga (estate). Nasello da
palamito croccante con parmigiana di melanzane (estate).
♦ Se la priorità è la cucina e non la vista sul mare, questa ex fornace in zona industriale sforna i piatti che vi conquisteranno: di origini liguri, ma dalle esecuzioni più estrose.

VAGGIO – Firenze – 563L16 – **Vedere Reggello**

VAGLIAGLI – Siena – **Vedere Siena**

VAHRN = Varna

VAIANO – Prato (PO) – 563K15 – **9 443 ab.** – alt. 150 m – ⊠ 59021 29 **C1**
🄳 Roma 325 – Firenze 41 – Prato 9 – Bologna 122

X **Trattoria La Tignamica** 🕌 🔲 ♻ VISA 🔳 AE ⭐
*via Val di Bisenzio 110/c, località La Tignamica, Sud : 3 km – 𝒞 05 74 98 52 16
– www.lafontanatrattoria.it – info@lafontanatrattoria.it – Fax 05 74 98 68 92
– chiuso domenica sera e lunedì*
Rist – Carta 25/43 €
♦ Locale di recente apertura, gestito da personale che vanta grande esperienza nella ristorazione; un ambiente dove apprezzare le specialità della cucina toscana.

VAIRANO PATERNORA – Caserta (CE) – 564C24 – **6 348 ab.** 6 **A1**
– alt. 250 m – ⊠ 81058
🄳 Roma 165 – Campobasso 91 – Caserta 43 – Napoli 70

XX **Vairo del Volturno** (Martino Renato) ♿ 🔲 ♻ VISA 🔳 AE 🔳 ⭐
☒ *via IV Novembre 60 – 𝒞 08 23 64 30 18 – www.vairodelvolturno.com
– renatomartino2@virgilio.it – Fax 08 23 64 38 35 – chiuso tre settimane in luglio,
domenica sera e martedì*
Rist – Carta 42/62 €
Spec. Tortino di fagioli cannellini con pane raffermo. Ravioli di mozzarella con
melanzane e pomodorini (estate). Anatra alla mela annurca (inverno).
♦ Il nome dell'animale da cui prende il nome è leggendario, ma la cucina percorre la
strada dell'innovazione. Si parte da una cucina del territorio per esaltare i prodotti in
memorabili preparazioni.

VALBREMBO – Bergamo (BG) – 561E10 – **3 592 ab.** – alt. 260 m 19 **C1**
– ⊠ 24030
🄳 Roma 606 – Bergamo 11 – Lecco 29 – Milano 47

XX **Ponte di Briolo** 🕌 ♻ 🅿 VISA 🔳 AE 🔳 ⭐
*via Briolo 2, località Briolo Ovest : 1,5 km – 𝒞 035 61 11 97 – www.ristoranteponte
dibriolo.com – augusto.assolari@virgilio.it – Fax 035 61 11 97 – chiuso mercoledì*
Rist – Carta 41/72 €
♦ Un ristorante che da vecchia trattoria di paese si è trasformato in un locale raffinato e di
tono; interessante e solida la proposta, sia di terra che di mare.

VALBRUNA – Udine – 562C22 – **Vedere Malborghetto**

VALDAGNO – Vicenza (VI) – 562F15 – **27 293 ab.** – alt. 266 m – ✉ **36078**   35 **B2**
> ◻ Roma 561 – Verona 62 – Milano 219 – Trento 86

✗ **Hostaria a le Bele**   ✗ ✪ **P** 𝗩𝗜𝗦𝗔 ◍ 𝗔𝗘 ① ♿

località Maso 11, Ovest : 4 km – ✆ 04 45 97 00 34 – pianego2@
pianegondavittorio.191.it – Fax 04 45 97 09 35 – chiuso dal 10 al 20 gennaio,
agosto, lunedì, martedì a mezzogiorno
Rist – Carta 28/38 €
♦ Sulle colline, lontano dalla frenesia di Valdagno, una rustica trattoria, tipica come la sua cucina
che prende spunto dalla tradizione vicentina per arricchirsi di ispirazione contemporanea.

VALDAORA (OLANG) – Bolzano (BZ) – 562B18 – **2 857 ab.** – alt. 1 083 m   31 **C1**
– Sport invernali : 1 080/2 275 m – ❄ 19 ❄ 12 **(Comprensorio Dolomiti superski Plan de
Corones)** ❄ – ✉ **39030**
> ◻ Roma 726 – Cortina d'Ampezzo 51 – Bolzano 88 – Brunico 11

🈳 a Valdaora di Mezzo-palazzo del Comune ✆ 0474 496277, info@
olang.comFax 0474 498005

🏨 **Mirabell**   ⪡ 🚗 🖼 ⑳ 𝕸 𝕷⑤ 🔁 🔥 ⚓⚓ rist. ⑪ 🈝 **P** 🚗 𝗩𝗜𝗦𝗔 ◍ ♿

via Hans Von Perthaler, località Valdaora di Mezzo – ✆ 04 74 49 61 91
– www.mirabell.it – hotel@mirabell.it – Fax 04 74 49 82 27
– chiuso dal 22 marzo al 19 giugno
55 cam – solo ½ P 101/192 €   Rist – Carta 43/55 €
♦ Struttura rinnovata mantenendo inalterato lo stile architettonico locale. L'interno presenta abbondanza di spazi, signorilmente arredati con molto legno, anche nelle camere.

🏨 **Post**   ⪡ 🖼 ⑳ 𝕸 🔁 ✗ rist. ⑪ **P** 🚗 𝗩𝗜𝗦𝗔 ◍ ♿

vicolo della Chiesa 6, a Valdaora di Sopra – ✆ 04 74 49 61 27
– www.post-tolderhof.com – info@post-tolderhof.com – Fax 04 74 49 80 19
– 4 dicembre-19 aprile e 10 maggio-22 ottobre
36 cam ⌛ – ♦70/136 € ♦♦115/250 € – ½ P 140 €   Rist – Carta 26/53 €
♦ Centrale, signorile albergo di tradizione, dotato di maneggio con scuola di equitazione;
settore notte funzionale, rinnovato in anni recenti. Calda atmosfera e raffinata ambientazione tirolese nella sala ristorante.

🏨 **Markushof** ♖   ⪡ 🚗 🏠 ⑳ 🔁 ✗ ⑪ **P** 🚗 𝗩𝗜𝗦𝗔 ◍ ♿

via dei Prati 9, a Valdaora di Sopra – ✆ 04 74 49 62 50 – www.markushof.it – info@
markushof.it – Fax 04 74 49 82 41 – 5 dicembre-15 aprile e 24 maggio-14 ottobre
28 cam ⌛ – ♦42/70 € ♦♦84/120 € – ½ P 46/72 €
Rist – (chiuso a mezzogiorno) (solo per alloggiati) Menu 20/25 €
♦ Gestione familiare cortese e ospitale in un confortevole hotel che ha una posizione
soleggiata e tranquilla; camere ampie e piacevole servizio ristorante in terrazza.

🏨 **Messnerwirt**   🚗 🏠 ⑳ ⚓⚓ 📶 **P** 🚗 𝗩𝗜𝗦𝗔 ◍ ① ♿

vicolo della Chiesa 7, a Valdaora di Sopra – ✆ 04 74 49 61 78
– www.messnerwirt.com – info@messnerwirt.com – Fax 04 74 49 80 87 – chiuso dal
20 ottobre al 4 dicembre
21 cam ⌛ – ♦52/80 € ♦♦72/128 € – ½ P 49/77 €   Rist – Carta 20/43 €
♦ Tradizionale albergo di montagna, solido sia nelle strutture di buon confort, che nella
conduzione familiare; camere con arredi di legno chiaro. Ampia sala da pranzo per gli
alloggiati, per i clienti esterni un'intima stube.

a Sorafurcia Sud : 5 km – ✉ **39030** – **Valdaora**

🏨 **Berghotel Zirm** ♖   ⪡ 🖼 ⑳ 𝕸 🔁 ✗ rist. ⑪ **P** 🚗 𝗩𝗜𝗦𝗔 ◍ ♿

via Egger 16, alt. 1 360 – ✆ 04 74 59 20 54 – www.berghotel-zirm.com – info@
berghotel-zirm.com – Fax 04 74 59 20 51 – dicembre-20 aprile e giugno-20 ottobre
30 cam ⌛ – ♦♦66/133 € – ½ P 58/73 €   Rist – (solo per alloggiati)
♦ Vi riempirete gli occhi di un panorama splendido da questa tranquilla risorsa, di fianco
alla pista da sci; confort e calore negli spazi comuni e nelle camere rinnovate.

🏨 **Hubertus**   ⪡ 🚗 🖼 ⑳ 𝕸 𝕷⑤ 🔁 🆎 rist. ✗ rist. ⑪ **P** 🚗 𝗩𝗜𝗦𝗔 ◍ ① ♿

via Furcia 5, alt. 1 250 – ✆ 04 74 59 21 04 – www.hotel-hubertus.com – info@
hotel-hubertus.com – Fax 04 74 59 21 14 – 20 dicembre-5 aprile e giugno-19 ottobre
40 cam ⌛ – ♦115/165 € ♦♦160/210 € – ½ P 80/90 €
Rist – (chiuso a mezzogiorno) (solo per alloggiati)
♦ Posizione isolata e vista impareggiabile sulla vallata per un'accogliente struttura dagli
interni in stile tirolese; nuove camere con ampi spazi, scenografica piscina.

VALDERICE – Trapani – 565M19 – **Vedere Sicilia alla fine dell'elenco alfabetico**

VALDIDENTRO – Sondrio (SO) – 561C12 – **3 959 ab.** – **alt. 1 345 m**   17 **C1**
– Sport invernali : 1 345/2484 m ⚡9, ☆ – ✉ 23038
   ▶ Roma 711 – Sondrio 73 – Bormio 9 – Milano 210

   🅸 piazza 4 novembre 1 località Isolaccia ℰ 0342 985331, infovdd@valdtline.it,
   Fax 0342 921140
   🔟, ℰ 0342 91 07 30

a Pedenosso Est : 2 km – ✉ 23038 – Valdidentro

⛺ **Agriturismo Raethia** 🐿   ≤ 🚲 🏠 ℀ cam, 🅿 🚗
   via Sant'Antonio 1 – ℰ 34 97 38 89 56   🆅🅸🆂🅰 ⚫⚫ 🅰🅴 ⓄⒹ ⑤
   – www.agriturismoraethia.it – info@agriturismoraethia.it – Fax 03 42 98 61 34
   – chiuso dal 15 al 30 maggio e dal 5 al 30 novembre
   8 cam ☐ – †40/50 € ††60/80 € – ½ P 53/58 €
   Rist – (chiuso a mezzogiorno) (prenotazione obbligatoria) Menu 24/30 €
   ◆ Risorsa agrituristica ubicata in posizione tranquilla e dominante sulla soleggiata valle.
   Gestione familiare capace di trasmettere un genuino e caloroso spirito d'accoglienza. Tipica
   cucina valtellinese in una sala accogliente e caratteristica. La vacanza puo' iniziare!

a Bagni Nuovi Est : 6 km – ✉ 23032 – Valdidentro

🏨 **Grand Hotel Bagni Nuovi** 🐿   ⚜ ⏳ 🖧 🍴 🆎 ⇘ ℀ rist, ❨¹❩ 🆚 🅿
   via Bagni Nuovi 7 – ℰ 03 42 91 01 31   🆅🅸🆂🅰 ⚫⚫ 🅰🅴 ⓄⒹ ⑤
   – www.bagnidibormio.it – info@bagnidibormio.it – Fax 03 42 91 01 31
   74 cam ☐ – †187/244 € ††248/328 € – **Rist** (chiuso a mezzogiorno) Carta 50/84 €
   ◆ Prestigioso albergo conosciuto già dal 1836, al centro di un vasto parco-pineta con percorsi salute. Centro Spa con suggestive vasche termali all'aperto e grotte naturali. Ampis-
   sima sala ristorante con alti soffitti affrescati; nel menu: proposte mediterranee d'ispirazione
   contemporanea.

VAL DI VIZZE = PFITSCH – Bolzano – 562B16 – Vedere Vipiteno

VALDOBBIADENE – Treviso (TV) – 562E17 – **10 660 ab.** – **alt. 252 m**   36 **C2**
– ✉ 31049
   ▶ Roma 563 – Belluno 47 – Milano 268 – Trento 105

🏨 **Diana** senza rist   🍴 🆎 🆎 ❨¹❩ 🆚 🚗 🆚 ⚫⚫ 🅰🅴 ⑤
   via Roma 49 – ℰ 04 23 97 62 22 – www.hoteldiana.org – info@hoteldiana.org
   – Fax 04 23 97 22 37   **47 cam** ☐ – †72/84 € ††98/108 €
   ◆ A pochi metri dalla piazza centrale, una struttura di concezione moderna, elegante e
   confortevole, con spaziose e articolate zone comuni e calde camere ben accessoriate.

a Bigolino Sud : 5 km – ✉ 31030

🍴 **Tre Noghere**   🏠 🆎 ℀ 🅿 🆚 ⚫⚫ 🅰🅴 ⓄⒹ ⑤
   via Crede 1 – ℰ 04 23 98 03 16 – www.trenoghere.com – info@trenoghere.com
   – Fax 04 23 98 13 33 – chiuso dal 1° al 20 luglio, domenica sera e lunedì
   Rist – Carta 25/35 €
   ◆ Trentennale gestione familiare e ambiente informale per un ristorante di campagna, in
   un rustico ristrutturato; ampia sala con camino e piccolo dehors sotto un porticato.

🍴 **Casa Caldart**   🏠 🆎 ℀ 🅿 🆚 ⚫⚫ 🅰🅴 ⓄⒹ ⑤
   via Erizzo 265 – ℰ 04 23 98 03 33 – Fax 04 23 98 03 33 – chiuso lunedì sera e
   martedì   **Rist** – Carta 19/31 €
   ◆ Sala di stampo moderno e ampio gazebo per il servizio estivo in un locale molto frequentato da clientela di lavoro. Tradizionale cucina veneta.

VALEGGIO SUL MINCIO – Verona (VR) – 562F14 – **11 657 ab.**   35 **A3**
– **alt. 88 m** – ✉ 37067 Italia
   ▶ Roma 496 – Verona 28 – Brescia 56 – Mantova 25

   ◉ Parco Giardino Sigurtà ★★
🏨 **Eden**   🍴 🆎 🆎 ℀ ❨¹❩ 🆎 🅿 🆚 ⚫⚫ 🅰🅴 ⓄⒹ ⑤
   via Don G. Beltrame 10 – ℰ 04 56 37 08 50 – www.albergoedenvaleggio.com
   – eden@albergoedenvaleggio.com – Fax 04 56 37 08 60
   37 cam ☐ – †47/67 € ††74/88 € – ½ P 50/60 €
   Rist – (chiuso dal 23 luglio al 14 agosto, martedì e mercoledì sera) Carta 18/25 €
   ◆ Moderne camere e sale riunioni in questo hotel ideale per una clientela di lavoro ma
   anche per quanti sono tentati dalle molteplici escursioni alle attrazioni turistiche della
   zona. Un'unica semplice sala per i vostri pasti, nella quale assaporare la cucina regionale.

✗✗ **Alla Borsa** 🛋 🕭 🕭 🕭 🕭 🕭 P VISA ⫯ 🕭
*via Goito 2 – 𝒞 04 57 95 00 93 – www.ristoranteborsa.it – info@ristoranteborsa.it
– Fax 04 57 95 07 76 – chiuso dal 26 febbraio al 10 marzo, dal 10 luglio al
10 agosto, martedì sera, mercoledì, anche domenica sera da novembre a marzo*
Rist – Carta 25/40 €

◆ Attivo da quasi 50 anni, due sale rustiche e una più piccina dall'atmosfera elegante. La
gestione è familiare e la ricetta da sempre la stessa, piatti di cucina veronese e mantovana
che si alternano.

✗✗ **La Lepre** 🛋 🕭 VISA ⫯ AE ① 🕭
*via Marsala 5 – 𝒞 04 57 95 00 11 – Fax 04 56 37 07 35 – chiuso dal 15 gennaio
al 5 febbraio, 10 giorni in giugno, mercoledì e giovedì a mezzogiorno*
Rist – Carta 25/31 €

◆ Osteria nell'800, poi ristorante, è oggi un locale di antica tradizione, nel cuore della cittadina; atmosfera simpatica e gustosi piatti del territorio, tra cui ovviamente la lepre.

a Borghetto Ovest : 1 km – **alt. 68 m** – ✉ 37067 – **Valeggio sul Mincio**

🔠 **Faccioli** ⫰ 🕭 P VISA ⫯ AE 🕭
*via Tiepolo 4 – 𝒞 04 56 37 06 05 – www.valeggio.com/faccioli – Fax 04 56 37 05 71
– chiuso dal 6 al 16 gennaio*
17 cam ⫯ – ♦60/65 € ♦♦90/95 €
Rist *La Cantina* – (chiuso dal 30 gennaio al 15 febbraio, dal 1° al 10 agosto,
martedì e mercoledì) (chiuso a mezzogiorno) Carta 26/39 €

◆ Una bella e romantica posizione nel piccolo borgo medievale per questo piccolo hotel a
conduzione familiare, una casa contadina ristrutturata per offrire un soggiorno tranquillo e
signorile. Al ristorante, un'atmosfera rustica e semplici preparazioni regionali.

✗✗ **Al Ponte** 🛋 🕭 VISA ⫯ 🕭
*via Buonarroti 26 – 𝒞 04 56 37 00 74 – www.bottegaosteriaalponte.com – chiuso
dal 28 gennaio al 6 febbraio, 1 settimana a giugno, dal 3 al 20 novembre, martedì
e mercoledì* **Rist** – Menu 30/55 € – Carta 40/60 € ⬚

◆ In un palazzo quattrocentesco ristrutturato nuova sede per un ristorante esistente già da
tempo. Anche salumeria-drogheria con vendita di prodotti di nicchia e wine-bar.

✗ **Gatto Moro** 🛋 ⫯ P VISA ⫯ AE 🕭
*via Giotto 21 – 𝒞 04 56 37 05 70 – Fax 04 56 37 05 71 – chiuso dal 30 gennaio al 15
febbraio, dal 1° al 10 agosto, martedì e mercoledì* **Rist** – Carta 26/37 €

◆ Sedie in legno massiccio, il piacere di sedersi a tavola in compagnia, la trattoria propone
una sala enorme e due più intime e curate ed una cucina che si sbizzarrisce tra il veneto e
il mantovano.

a Santa Lucia dei Monti Nord-Est : 5 km – **alt. 145 m** – ✉ 37067 – **Valeggio sul
Mincio**

✗ **Belvedere** con cam ⫰ 🚊 🛋 🕭 cam, 🕭 P VISA ⫯ 🕭
*– 𝒞 04 56 30 10 19 – rist.belvedere@tin.it – Fax 04 56 30 36 52 – chiuso dal 15 al
28 febbraio, dal 20 giugno al 1° luglio e dall'11 al 30 novembre*
13 cam – ♦40 € ♦♦60 €, ⫯ 6 € – ½ P 52 €
Rist – (chiuso mercoledì e giovedì) Carta 25/37 €

◆ Molto apprezzato da chi lo conosce da sempre, è la griglia situata all'ingresso ad annunciare le specialità della casa: paste fatte in casa e tradizione regionale. Servizio estivo in giardino. Il silenzio e la tranquillità dell'alto del colle culleranno il riposo nelle semplici stanze.

VAL FERRET – Aosta – Vedere Courmayeur

VALFLORIANA – Trento (TN) – 562D16 – 100 ab. – alt. 1 154 m   31 D3
– ✉ 38040

🚗 Roma 648 – Trento 48 – Bolzano 57 – Verona 144

⌂ **Agriturismo Fior di Bosco** ⫰ ⫯ P VISA ⫯ AE ① 🕭
*località Sicina 55 – 𝒞 04 62 91 00 02 – www.girovagandointrentino.it
– graziano.lozz@libero.it – Fax 04 62 91 00 02 – 7 dicembre-7 gennaio, Pasqua e
giugno-settembre*
10 cam ⫯ – ♦30/35 € ♦♦60/70 € – ½ P 45 €
Rist – (chiuso martedì) Carta 24/38 €

◆ Delizioso agriturismo con annesso caseificio con certificazione biologica. Offre camere di
taglio rustico, ideale per apprezzare lo spirito naturale di questi luoghi. Cucina d'ispirazione
regionale, molto gettonata la caratteristica stube.

VALLE AURINA (AHRNTAL) – Bolzano (BZ) – 562B17 – 5 483 ab.   31 **C1**
– alt. 1 457 m – Sport invernali : 951/2 350 m a Cadipietra: 1 050/2 050 m ⚡1 ⚡10,
⚞ – ⌧ 39030
> ▶ Roma 726 – Cortina d'Ampezzo 78 – Bolzano 94 – Dobbiaco 48

a Cadipietra (Steinhaus) – **alt. 1 054 m** – ⌧ 39030

> 🅸 via Valle Aurina 95 ☎ 0474 652198, Fax 0474 652491

🏠🏠   **Alpenschlössl & Linderhof**   ⟵ 🜍 🖻 ⓦ ⌘ 🛁 🎿 ⓖ cam, ♨
Cadipietra 123 – ☎ 04 74 65 21 90   🆔 cam, ♨ ﹝℡﹞ 🄿 ⛟ 𝗩𝗜𝗦𝗔 ⓿ 🆂
– www.alpenschloessl.com – info@linderhof.it – Fax 04 74 65 24 14
37 cam ⌑ – †95/220 € ††180/400 € – ½ P 150/190 €
Rist – *(solo per alloggiati)* Menu 35/45 €
♦ Elegante albergo in due edifici gemelli, che nei luminosi interni propone un'interpretazione moderna dello stile tirolese; ampie camere, anche con letti a baldacchino. Rigenerante centro benessere. Ristorante di signorile raffinatezza.

🍴   **Spezialitäten-Stube**   🄿
🍽 *Cadipietra 21, Nord-Est 1 km – ☎ 04 74 65 21 30 – www.spezialitaetenstube.com*
– Fax 04 74 65 23 21 – chiuso giugno e da novembre al 20 dicembre
Rist – Carta 17/32 €
♦ In una graziosa casa di montagna, due piccole stube di atmosfera gradevole e una cucina semplice, con porzioni abbondanti di piatti sia italiani che tipici del luogo.

a Lutago (Luttach) – **alt. 956 m** – ⌧ 39030

> 🅸 via Aurina 22 ☎ 0474 671136, info@ahrntal.it, Fax 0474 671666

🏠🏠   **Schwarzenstein** ⟍   ⟵ 🚃 🜍 🖻 ⓦ ⌘ 🛁 🎿 ⓖ cam, ♨ 🍴 ﹝℡﹞ 🄿
via del Paese 11 – ☎ 04 74 67 41 00 – www.scwarzenstein.com   𝗩𝗜𝗦𝗔 ⓿ 🆂
– info@schwarzenstein.com – Fax 04 74 67 44 44
– 5 dicembre-19 aprile e 16 maggio-8 novembre
81 cam – 6 suites – solo ½ P 78/194 €   **Rist** – *(solo per alloggiati)*
♦ Grande struttura tradizionale di alto confort, con ampie sale comuni ben disposte ed eleganti camere rinnovate, tutte con balcone. Nuova e completa beauty farm.

a Casere (Kasern) – **alt. 1 582 m** – ⌧ 39030 – Predoi

🏠   **Berghotel Kasern** ⟍   ⟵ 🚃 🍴 ⌘ 🎿 rist, 🍴 🄿 𝗩𝗜𝗦𝗔 ⓿ 🄰🄴 🆂
🍽 *via Casere 10 – ☎ 04 74 65 41 85 – www.kasern.com – info@kasern.com*
– Fax 04 74 65 41 90 – 26 dicembre-10 maggio e 23 giugno- novembre
36 cam ⌑ – †47/76 € ††74/132 € – ½ P 61/74 €   **Rist** – *(chiuso mercoledì escluso luglio, agosto e dal 26 dicembre al 6 gennaio)* Carta 18/30 €
♦ Esiste da quattrocento anni come luogo di posta, oggi è un tipico hotel, con camere graziose ed accoglienti: ottima base per passeggiate o per lo sci di fondo. Al ristorante la stessa atmosfera genuina e familiare dell'omonimo albergo.

VALLECROSIA – Imperia (IM) – 561K4 – 7 181 ab. – alt. 45 m – ⌧ 18019   14 **A3**
> ▶ Roma 652 – Imperia 46 – Bordighera 2 – Cuneo 94

🍴🍴   **Giappun**   🍴 🆔 𝗩𝗜𝗦𝗔 ⓿ 🄰🄴 ⓪ 🆂
via Maonaira 7 – ☎ 01 84 25 05 60 – Fax 01 84 25 59 86 – chiuso novembre, mercoledì, giovedì a mezzogiorno
Rist – Menu 40 € (solo a mezzogiorno) – Carta 80/125 € ❀
♦ La freschezza delle materie prime è la carta vincente di questo locale, nato come stazione di posta e che ancora ricorda nel nome il suo fondatore. Pesce del giorno e accattivanti presentazioni.

🍴🍴   **Torrione**   🆔 𝗩𝗜𝗦𝗔 ⓿ 🄰🄴 ⓪ 🆂
via Aprosio 394 – ☎ 01 84 29 56 71 – chiuso dal 1° al 10 luglio, dal 20 al 30 ottobre, domenica sera e lunedì   **Rist** – Carta 45/70 €
♦ Si trova lungo la via Aurelia: due salette in successione per pochi coperti e una cucina che si ispira solamente al mare e alla disponibilità del mercato locale. Gestione familiare.

VALLE DI CASIES (GSIES) – Bolzano (BZ) – 562B18 – 2 126 ab.   31 **D1**
– alt. 1 262 m – Sport invernali : a Plans de Corones : 1 200/2 275 m ⚡19 ⚡12
(Comprensorio Dolomitisuperski Plans de Corones) ⚞ – ⌧ 39030
> ▶ Roma 746 – Cortina d'Ampezzo 59 – Brunico 31

> 🅸 a San Martino piazza Centrale t° 0474 978436, Fax 0474 978226

Quelle 🏠 ⬅ 🚗 🍴 🗔 🗐 🌐 🕸 🏌 🞧 ⬅ cam, 🎿 ⅋ 🕹 🚗 **P** 🚗
a Santa Maddalena alt. 1 398 – ℰ 04 74 94 81 11 — VISA ⓪ 🍴
– www.hotel-quelle.com – info@hotel-quelle.com – Fax 04 74 94 80 91
– 5 dicembre-10 aprile e 15 maggio-10 novembre
49 cam ⬜ – †95/130 € ††150/200 € – 16 suites – ½ P 130/160 €
Rist – (solo per alloggiati) Menu 35/55 €
♦ In un giardino con laghetto e torrente, una bomboniera di montagna, ricca di fantasia, decorazioni, proposte di svago; curatissime camere, centro benessere completo. Legno, bei tessuti, profusione di addobbi e atmosfera raffinata nella sala ristorante.

Durnwald 🞧 **P**
a Planca di Sotto alt. 1 223 – ℰ 04 74 74 69 20 – durnwald@dnet.it
– Fax 04 74 74 68 86 – chiuso giugno e lunedì — Rist – Carta 25/37 €
♦ Un inno al territorio, tanto nel paesaggio, che potrete ammirare dalle finestre affacciate alle piste da sci, quanto nella cucina, depositaria della genuina tradizione altoatesina.

VALLE IDICE – Bologna – 562J15 – Vedere Monghidoro

VALLELUNGA (LANGTAUFERS) – Bolzano (BZ) – 562B13 – **alt. 1 912 m**   30 **A1**
– ✉ **39020** – Curon Venosta
▶ Da Melago: Roma 740 – Sondrio 148 – Bolzano 116 – Landeck 63

Alpenjuwel ⬅ 🗐 🌐 🕸 🏌 🞧 ⬅ cam, ⅋ cam, **P** 🚗
a Melago – ℰ 04 73 63 32 91 – www.alpenjuwel.it — VISA ⓪ AE ① 🍴
– info@alpenjuwel.it – Fax 04 73 63 35 02 – chiuso dal 10 giugno al 1° luglio e dal 1° novembre al 20 dicembre
16 cam – solo ½ P 56/67 €   **Rist** – (chiuso a mezzogiorno) Carta 48/63 €
♦ Soggiornare qui e dimenticare il resto del mondo: è ciò che promette e mantiene un piccolo, panoramico hotel alla fine della valle; camere non ampie, ma accoglienti.

VALLERANO – Viterbo (VT) – 563O18 – **2 546 ab.** – alt. 403 m – ✉ **01030**   12 **B1**
▶ Roma 75 – Viterbo 15 – Civitavecchia 83 – Terni 54

Al Poggio 🞧 AC ⅋ **P** VISA ⓪ AE ① 🍴
via Janni 7 – ℰ 07 61 75 12 48 – poggioferr@libero.it – Fax 07 61 09 51 81 – chiuso martedì   **Rist** – Carta 21/37 €
♦ Un grande camino decora la sala dall'arredamento sobrio che d'estate si apre in una gradevole terrazza parzialmente coperta. Paste fatte in casa e il fine settimana anche pesce.

VALLES = VALS – Bolzano – Vedere Rio di Pusteria

VALLESACCARDA – Avellino (AV) – 564D27 – **1 472 ab.** – alt. 600 m   7 **C1**
– ✉ **83050**
▶ Roma 301 – Foggia 65 – Avellino 60 – Napoli 115

Oasis-Sapori Antichi (Lina e Maria Luisa Fischetti) AC ✿
via Provinciale Vallesaccarda – ℰ 082 79 70 21 — VISA ⓪ AE ① 🍴
– www.oasis-saporiantichi.it – info@oasis-saporiantichi.it – Fax 082 79 75 41
– chiuso dal 1° al 15 luglio, giovedì e le sere dei giorni festivi
Rist – (consigliata la prenotazione) Menu 35/45 € – Carta 33/50 € ❀
Spec. Zuppa di sedano e patate con baccalà (estate). Triilli (pasta) con broccoli, pecorino e peperoni secchi. Agnello a lunga cottura con riduzione di taurasi.
♦ Un'intera famiglia da tempo alla guida del ristorante; la calorosa ospitalità è rimasta la stessa, ambienti e cucina si sono raffinati in un crescendo di eleganza e sapori.

Minicuccio con cam 🞧 AC 🚗 **P** VISA ⓪ ① 🍴
via Santa Maria 24/26 – ℰ 082 79 70 30 – www.minicuccio.com – minicuccio@tiscali.it – Fax 082 79 74 54
10 cam – †45 € ††75 €, ⬜ 5 € – ½ P 60 €   **Rist** – (chiuso lunedì) Carta 21/27 €
♦ Dall'inizio del '900 nel rinomato ristorante, quattro generazioni hanno coltivato l'arte del buon mangiare, con le ricette di questa terra; ambienti classici, camere decorose.

VALLE SAN FLORIANO – Vicenza – Vedere Marostica

VALLO DELLA LUCANIA – Salerno (SA) – 564G27 – **8 899 ab.**   7 **C3**
– alt. 380 m – ✉ **84078**
▶ Roma 343 – Potenza 148 – Agropoli 35 – Napoli 143

※ **La Chioccia d'Oro** 🕏 AC ﻼ P VISA ◑ AE ① ᔕ
località Massa-al bivio per Novi Velia ⊠ 84050 Massa della Lucania
– ℰ 097 47 00 04 – www.chiocciadoro.com – chiuso dal 1° al 10 settembre e
venerdì
Rist – Carta 14/21 €
♦ Solida gestione familiare da oltre 20 anni per questo locale: in una sala sobria ed essenziale, o nel dehors estivo, piatti della tradizione locale, a base di carne.

VALLO DI NERA – Perugia (PG) – 563N20 – 446 ab. – alt. 450 m 33 **C2**
– ⊠ 06040
▶ Roma 147 – Terni 39 – Foligno 36 – Rieti 57

※※ **La Locanda di Cacio Re** con cam ᔕ ≤ 🕏 🕏 🖹 ﻼ rist. ⑱ P
località i Casali – ℰ 07 43 61 70 03 – www.caciore.com
– info@caciore.com – Fax 07 43 61 72 14 – chiuso novembre o gennaio
8 cam ⊆ – †55/60 € ††70/80 € – ½ P 60/70 € **Rist** – Carta 30/47 €
♦ Ai margini di un suggestivo borgo, un casolare del 1500 ristrutturato con incantevole vista su monti e vallata. Cucina locale con particolare attenzione ai formaggi.

VALLONGA – Trento – Vedere Vigo di Fassa

VALMADRERA – Lecco (LC) – 561E10 – 10 998 ab. – alt. 237 m 18 **B1**
– ⊠ 23868
▶ Roma 626 – Como 27 – Bergamo 37 – Lecco 4

※※ **Villa Giulia-Al Terrazzo** con cam ≤ 🕏 🕏 ⑱ ᔕ P
via Parè 73 – ℰ 03 41 58 31 06 – www.alterrazzo.com VISA ◑ AE ① ᔕ
– info@alterrazzo.com – Fax 03 41 20 11 18
12 cam ⊆ – †65/85 € ††125/150 € – ½ P 85/90 €
Rist – (chiuso domenica sera e lunedì a mezzogiorno in novembre e gennaio)
Carta 43/56 €
♦ Un palcoscenico sul lago: una deliziosa terrazza ed una bella veranda dove gustare piatti classici nazionali in sintonia con le stagioni. Gradevoli camere nell'Ottocentesca villa.

VALNONTEY – Aosta – 561F4 – Vedere Cogne

VALPELLINE – Aosta (AO) – 561E3 – 615 ab. – alt. 954 m – ⊠ 11010 34 **A2**
▶ Roma 752 – Aosta 17 – Colle del Gran San Bernardo 39 – Milano 203

🏠 **Le Lievre Amoureux** ≤ 🕏 ᔕ ⚑ 🖹 & ⚶ ﻼ rist. ℰ ᔕ P
località Chozod 12 – ℰ 01 65 71 39 66 – www.lievre.it VISA ◑ ① ᔕ
– info@lievre.it – Fax 01 65 71 39 60
31 cam ⊆ – †47/65 € ††92/130 €
Rist – (chiuso dal 2 novembre al 2 dicembre e dall' 8 al 28 gennaio) Carta 32/40 €
♦ Gestione seria e accoglienza familiare in una curata, tipica, casa di montagna con camere variopinte e ben tenute. Sala riccamente decorata e ospitale, in linea con il resto dell'albergo.

VALPIANA – Grosseto – 563M14 – Vedere Massa Marittima

VALSAVARENCHE – Aosta (AO) – 561F3 – 194 ab. – alt. 1 540 m 34 **A2**
– ⊠ 11010
▶ Roma 776 – Aosta 29 – Courmayeur 42 – Milano 214

a Eau Rousse Sud : 3 km – ⊠ 11010 – Valsavarenche

🏠 **A l'Hostellerie du Paradis** ᔕ 🖹 ᔕ & ﻼ rist. P
– ℰ 01 65 90 59 72 – www.hostellerieduparadis.it VISA ◑ AE ① ᔕ
– info@hostellerieduparadis.it – Fax 01 65 90 59 71 – chiuso dall'8 al 31 gennaio e
novembre
29 cam – †72 € ††90 €, ⊆ 8 € – ½ P 75/80 € **Rist** – Carta 32/40 €
♦ Per esplorare un "grande paradiso" naturale, è perfetto questo caratteristico borgo di montagna, dove sta acquattato un originale hotel d'atmosfera e di buon confort. Il ristorante è una delle attrattive dell'albergo e dispone di spazi curati.

a Pont Sud : 9 km – alt. 1 946 m – ⊠ 11010 – **Valsavarenche**

🏠 **Genzianella** �_ ⩽ ⚑ rist, **P** VISA 🛥
⚭ – ☏ 016 59 53 93 – www.genzianella.aosta.it – info@genzianella.aosta.it
– Fax 016 59 53 97 – 15 giugno-20 settembre
26 cam – †38/50 € ††59/82 €, ⌑ 9 € – ½ P 67 €   **Rist** – Carta 20/31 €
♦ Alla fine della valle, in un'oasi di tranquillità e di "frontiera", simpatica risorsa familiare, con rustici arredi montani nelle parti comuni e nelle camere. Calda, caratteristica ambientazione e casalinghe proposte culinarie in sala da pranzo.

VALSOLDA – Como (CO) – 561D9 – 1 747 ab. – alt. 265 m – ⊠ 22010   16 **A2**
▶ Roma 664 – Como 41 – Lugano 9 – Menaggio 18

a San Mamete – alt. 265 m – ⊠ 22010

🏨 **Stella d'Italia** ⩽ ⩪ ⩫ 📶 🛰 VISA ⓪ AE ① 🛥
piazza Roma 1 – ☏ 034 46 81 39 – www.stelladitalia.com – info@stelladitalia.com
– Fax 034 46 87 29 – 9 aprile-9 ottobre
34 cam – †100/120 € ††125/160 €   **Rist** – Carta 30/60 €
♦ E' lambito dalle acque del lago di Lugano il giardino di questo comodo albergo; atmosfera intima e familiare nei piccoli salotti con librerie, camere per metà rinnovate. Quasi un angolo da cartolina la suggestiva terrazza ristorante sul lago.

VALTOURNENCHE – Aosta (AO) – 561E4 – 2 292 ab. – alt. 1 524 m   34 **B2**
– Sport invernali : 1 600/3 100 m ⛷ 1 ⛷6, (Comprensorio Monte Rosa ski collegato con Breuil Cervina e Zermatt - Svizzera) ⛷ – ⊠ 11028
▶ Roma 740 – Aosta 47 – Breuil-Cervinia 9 – Milano 178

🆔 via Guido Rey 17 ☏ 0166 949136, breuil-cervinia@montecervino.it, Fax 0166 949137

🏨 **Tourist** ⩫ 📶 ⛄ ⚑ cam, **P** VISA ⓪ AE ① 🛥
⚭ via Roma 32 – ☏ 016 69 20 70 – www.hotel-tourist.it – info@hotel-tourist.it
– Fax 016 69 31 29 – chiuso ottobre
34 cam – solo ½ P 50/75 €   **Rist** – Menu 18 € bc
♦ Gestione familiare ed efficiente per questa piacevole struttura dalle camere sobrie, ma spaziose: preferire quelle sul retro con vista sui monti. Navetta gratuita che conduce agli impianti di risalita. Cucina nazionale e serate valdostane al ristorante.

🏠 **Grandes Murailles** 🐾 📶 ⛄ ⚑ 🛰 VISA ⓪ 🛥
⚭ via Roma 78 – ☏ 01 66 93 27 02 – www.hotelgmurailles.com – info@ hotelgmurailles.com – Fax 01 66 93 29 56 – chiuso maggio e giugno; in ottobre e novembre aperto solo venerdì e sabato
16 cam ⌑ – †58/101 € ††90/200 € – ½ P 60/130 €   **Rist** – (aperto solo in inverno) (chiuso a mezzogiorno) (solo per alloggiati) Menu 15/30 €
♦ Lo charme e l'atmosfera di questo vecchio albergo anni '50 sono quelli di una casa privata, arredata con mobili d'epoca di famiglia. Piccola brasserie serale per gli ospiti. Ristretta scelta di piatti nel piccolo ristorante-brasserie.

VALVERDE – Forlì-Cesena – 563J19 – Vedere Cesenatico

VANDOIES – Bolzano (BZ) – 562B17 – 3 162 ab. – alt. 750 m – ⊠ 39030   31 **C1**
▶ Roma 685 – Bolzano 55 – Brunico 20 – Milano 327

🆔 via J. Anton Zoller 1 località Vandoies di Sotto ☏ 0472 869100, tourismus.vintl@rolmail.net, Fax 0472 869260

✗✗ **Tilia** (Chris Oberhammer) con cam 📶 ⟿ 📶 **P** VISA ⓪ AE ① 🛥
🕸 via Weisskircher 33, località Vandoies di Sopra – ☏ 04 72 86 81 85
– www.chris-oberhammer.com – chriso73@mac.com – Fax 04 72 86 98 89
– chiuso dal 24 giugno al 15 luglio   **13 cam** ⌑ – †35/50 € ††70/100 €
Rist – (chiuso martedì e mercoledì) Menu 50/60 € – Carta 44/77 € 🏵
Spec. Risotto al tartufo nero e formaggio caprino. Verdure in umido con erbe e filetto di manzo poché. Galletto arrostito intero e ripieno di tartufo e verdure brasate.
♦ Caratteristico ristorante all'interno di una sede giudiziaria del 1600: arredato con gusto, secondo lo stile locale, propone una cucina dei sapori, fantasiosa ed esperta. Graziose camere dal fascino discreto.

La Passion (Wolfgang Kerschbaumer)   AC P VISA ⑳ AE ⑤

via San Nicolò 5/b, Vandoies di Sopra – 𝒞 04 72 86 85 95 – www.lapassion.com
– lapassion@dnet.it – Fax 04 72 86 99 66 – chiuso lunedì
Rist – Carta 36/58 €
Spec. Testina di vitello con cipolla e mirtilli rossi. Risotto con asparagi su gamberi crudi. Sella di vitello da latte gratinata con crosta d'aglio orsino e verdure.
♦ E' stata ricreata una caratteristica stube tra le mura di questa piccola casa privata, intima e accogliente, con graziose tendine alle finestre. Lei in sala, lui in cucina, a tavola la tradizione.

VARALLO SESIA – Vercelli (VC) – 561E6 – 7 442 ab. – alt. 451 m   23 C1
– ✉ 13019

▶ Roma 679 – Biella 59 – Milano 105 – Novara 59

i corso Roma 38 t° 0163 564404, info@atlvalsesiavercelli.it, Fax 0163 53091
◉ Sacro Monte ★★

a Crosa Est : 3 km – ✉ 13853

Delzanno   🕿 ⅍ P VISA ⑳ AE ⓞ ⑤

località Crosa – 𝒞 016 35 14 39 – delzannorist@tiscali.it – Fax 016 35 14 39 – chiuso
lunedì escluso maggio-settembre   **Rist** – Carta 22/36 €
♦ Nel 2005 ha compiuto 155 anni questo storico locale, sempre gestito dalla stessa famiglia; due salette raccolte, una con camino, all'insegna di semplicità e schiettezza.

a Sacro Monte Nord : 4 km – ✉ 13019 – **Varallo Sesia**

Sacro Monte 🍃   🕿 🕿 ⅍ rist, P VISA ⑳ AE ⓞ ⑤

località Sacro Monte 14 – 𝒞 016 35 42 54 – www.sacromontealbergo.it – info@
sacromontealbergo.it – Fax 016 35 11 89 – aprile-ottobre
24 cam ⌷ – †45/55 € ††76/86 € – ½ P 48/58 €
Rist – (chiuso lunedì escluso luglio-agosto) Carta 21/39 €
♦ Vicino a un sito religioso meta di pellegrinaggi, ambiente piacevolmente "old fashion" in un hotel con spazi esterni tranquilli e verdeggianti; camere di buona fattura. Gradevole sala ristorante con camino e utensili di rame appesi alle pareti.

VARANO DE' MELEGARI – Parma (PR) – 562H12 – 2 408 ab.   8 A2
– alt. 190 m – ✉ 43040

▶ Roma 489 – Parma 36 – Piacenza 79 – Cremona 85

Castello   🕿 ⅍ ⇆ P VISA ⑳ ⑤

via Martiri della Libertà 129 – 𝒞 052 55 31 56 – ristorantecastello@libero.it
– Fax 052 55 31 56 – chiuso dal 20 dicembre al 20 gennaio, dal 12 al 19 settembre,
dal 12 al 19 giugno, lunedì e martedì
Rist – (chiuso a mezzogiorno escluso domenica) Carta 43/56 €
♦ Tra antico e moderno, proprio dove sorgeva il posto di guardia dell'attiguo castello, un piccolo e curato locale che propone estrose interpretazioni di piatti del territorio.

VARAZZE – Savona (SV) – 561I7 – 13 782 ab. – ✉ 17019 ▮ Italia   14 B2
▶ Roma 534 – Genova 36 – Alessandria 82 – Cuneo 112

i corso Matteotti 56 𝒞 019 935043, varazze@inforiviera.it, Fax 019 935916

El Chico   ≤ ⑭ ⌿ ₤ AC ⅍ ⑺ ⅍ P VISA ⑳ AE ⓞ ⑤

strada Romana 63, strada statale Aurelia Est : 1 km – 𝒞 019 93 13 88
– www.bestwestern.it – elchico.sv@bestwestern.it – Fax 019 93 24 23 – chiuso dal
20 dicembre a gennaio
38 cam ⌷ – †112 € ††145 € – ½ P 95 €   **Rist** – Menu 25 €
♦ Struttura anni '60 immersa in un parco ombreggiato con piscina; gradevoli e comodi spazi comuni, sia esterni che interni. Nuove sale riunioni per la clientela business. Ampia, luminosa sala da pranzo di taglio moderno, dove si propone cucina mediterranea.

Eden senza rist   ⅋ AC ⅍ ⑺ ⅍ P VISA ⑳ AE ⓞ ⑤

via Villagrande 1 – 𝒞 019 93 28 88 – www.hoteledenvarazze.it – eden-hotel@
interbusiness.it – Fax 01 99 63 15 – chiuso dal 15 dicembre al 6 gennaio
45 cam – †50/75 € ††95/120 €, ⌷ 8 €
♦ Comoda risorsa - in posizione centrale ma anche a pochi metri dal mare - si fa apprezzare per la sua versatilità, in quanto adatta ad ogni tipo di clientela: zone comuni signorili e ben distribuite, stanze confortevoli.

Cristallo 🛗 ⭐ 🅰️🅲 ✂️ rist. 🍽️ 🍴 🅿️ 🚗 💳 📷 🅰️🅴 ⓘ 💲

via Cilea 4 – ✆ *01 99 72 64* – *www.cristallohotel.it* – *info@cristallohotel.it*
– *Fax 01 99 35 57 57* – *chiuso dal 21 dicembre al 7 gennaio*
45 cam – 🛏️60/87 € 🛏️🛏️85/126 €, 🖵 8 € – ½ P 75/95 €
Rist – *(da settembre a giugno chiuso venerdì-sabato-domenica) (chiuso a mezzogiorno)* Menu 27/32 €
◆ Per un soggiorno marino in ambiente signorile ed ospitale, hotel dall'ottima gestione che propone camere di diversa tipologia, funzionali anche se con bagni un po' piccoli. Gradevole sala ristorante, di impostazione classica; piatti italiani e liguri.

Villa Elena 🚗 ⭐ ⭐ 🐾 🅰️🅲 rist. ✂️ rist. 🅿️ 💳 📷 🅰️🅴 ⓘ 💲

via Coda 16 – ✆ *01 99 75 26* – *www.genovesevillaelena.it* – *info@ genovesevillaelena.it* – *Fax 019 93 42 77* – *chiuso da ottobre a Natale*
50 cam – 🛏️50/65 € 🛏️🛏️95/110 €, 🖵 8 € – ½ P 70/80 €   **Rist** – Carta 32/47 €
◆ Accoglienza cordiale e affezionata clientela di *habitué* in questa bella villa liberty, che conserva elementi architettonici originali. Camere di più tipologie: chiedete le nuove. Ligneo soffitto a cassettoni intarsiato e lampadari in stile nella raffinata sala ristorante.

Le Roi 🚗 ⭐ ⭐ rist. 🅰️🅲 ✂️ cam. 🍽️ 🅿️ 💳 📷 🅰️🅴 ⓘ 💲

via Genova 43 – ✆ *01 99 59 02* – *www.leroi.it* – *hotel@leroi.it* – *Fax 01 99 59 03*
– *chiuso dal 20 dicembre al 6 gennaio*
11 cam 🖵 – 🛏️65/90 € 🛏️🛏️100/120 € – ½ P 75/80 €
Rist *Blu di Mare* – *(chiuso lunedì)* Carta 29/43 €
◆ Non lontano dal casello dell'autostrada, confortevole albergo fronte mare dalla premurosa gestione familiare; *parquet* e tinte solari nelle camere moderne e personalizzate. Profumi della cucina mediterranea e luminosa sala da pranzo con vista mare.

Ines ✂️ rist. 🅿️ 🚗 💳 📷 🅰️🅴 ⓘ 💲

via Cavour 10 – ✆ *01 99 73 02* – *www.hotelinesvarazze.it* – *hotel.ines@tiscali.it*
– *Fax 01 99 35 45 99*
12 cam – 🛏️40/50 € 🛏️🛏️60/90 € – ½ P 47/61 €   **Rist** – *(solo per alloggiati)*
◆ Non lontano dal mare, villetta *liberty* caratterizzata da graziosi interni con originali pavimenti a mosaico e camere di taglio classico. Cucina semplice, ma gustosa, nel piccolo ristorantino-veranda.

Bri 🍽️ 💳 📷 🅰️🅴 ⓘ 💲

piazza Bovani 13 – ✆ *019 93 46 05* – *www.ristorantebri.it* – *info@ristorantebri.it*
– *Fax 019 93 17 13* – *chiuso novembre e mercoledì (escluso giugno-settembre)*
Rist – Carta 38/53 €
◆ Mantiene la sua originaria "anima" di osteria, familiare e informale, questo ristorante classico; pochi fronzoli nella solida cucina, che è tipica ligure e di pesce.

VARENA – Trento (TN) – 562D16 – **824 ab.** – alt. **1 155 m** – Sport invernali :   **31 D3**
Vedere Cavalese (Comprensorio Dolomiti superski Val di Fiemme) – ✉️ **38030**
🚗 Roma 638 – Trento 64 – Bolzano 44 – Cortina d'Ampezzo 104

Alpino ⛷️ 🚗 ⭐ 🏔️ ⭐ ⭐ cam. 🐾 🅰️🅲 rist. ✂️ rist. 🍽️ 🅿️ 💳 📷 💲

via Mercato 8 – ✆ *04 62 34 04 60* – *www.albergoalpino.it* – *info@albergoalpino.it*
– *Fax 04 62 23 16 09* – *chiuso 20 giorni in maggio e 20 giorni in novembre*
28 cam – 🛏️50/70 € 🛏️🛏️70/120 € – ½ P 47/75 €   **Rist** – Carta 24/33 €
◆ Nel centro di questo piccolo paese della Val di Fiemme, un gradevole albergo familiare, con giardino e accoglienti spazi comuni per tranquilli momenti di relax. Moderna sala ristorante dall'ambiente informale, servizio estivo in giardino.

VARENNA – Lecco (LC) – 561D9 – **864 ab.** – alt. **220 m** – ✉️ **23829** ▌ Italia   **16 B2**
🚗 Roma 642 – Como 50 – Bergamo 55 – Chiavenna 45

🚢 per Menaggio e Bellagio – Navigazione Lago di Como, call center 800 551 201

🅱️ via 4 Novembre ✆ 0341 830367, Fax 0341 830367

◎ Giardini ★★ di villa Monastero

Royal Victoria ⛷️ 🚗 ⭐ 🏊 ⭐ ⭐ 🅰️🅲 ✂️ 📞 🅿️ 💳 📷 🅰️🅴 ⓘ 💲

piazza San Giorgio 2 – ✆ *03 41 81 51 11* – *www.royalvictoria.com* – *info@ royalvictoria.com* – *Fax 03 41 83 07 22*
43 cam 🖵 – 🛏️90/180 € 🛏️🛏️130/220 € – ½ P 110/135 €   **Rist** – Carta 38/55 €
◆ Tradizione, signorilità e buon confort garantiti sin dagli inizi dell'800; incantevole terrazza-giardino con piscina in riva al lago. Frequentato sia per affari che turismo. Sobria eleganza nella sala ristorante e nella sala-veranda affacciata sul giardino.

Du Lac senza rist ⟨icons⟩

via del Prestino 11 – ℰ 03 41 83 02 38 – www.albergodulac.com – albergodulac@tin.it – Fax 03 41 83 10 81 – marzo-15 novembre

16 cam ⟷ – †85/150 € ††145/185 €

♦ Sembra spuntare dall'acqua questo grazioso albergo ristrutturato, in splendida posizione panoramica; piacevoli ambienti comuni e un'amena terrazza-bar in riva al lago.

VARESE P (VA) – 561E8 – 80 107 ab. – alt. 382 m – ✉ 21100 Italia   18 A1

▶ Roma 633 – Como 27 – Bellinzona 65 – Lugano 32

ℹ via Carrobbio 2 ℰ 0332 283604, Fax 0332 283604

⟨icon⟩ , ℰ 0332 22 93 02

⟨icon⟩ Dei Laghi, ℰ 0332 97 81 01

◉ Sacro Monte★★ : ⟨⟩★★ Nord-Ovest : 8 km – Campo dei Fiori★★ : ⟨⟩★★ Nord-Ovest : 10 km

Palace Grand Hotel Varese ⟨icons⟩

via L. Manara 11, a Colle Campigli   ⟨icons⟩
ℰ 03 32 32 71 00 – www.palacevarese.it – info@palacevarese.it – Fax 03 32 31 28 70
112 cam ⟷ – †350 € ††450 € – ½ P 315 €   **Rist** – Carta 36/75 €

♦ Si erge in un parco questo imponente palazzo, nei cui sontuosi interni liberty aleggia ancora l'atmosfera inizio '900 dei suoi esordi; eleganza e confort di alto livello. Raffinatezza e curata ambientazione nella sala e nel salone banchetti del ristorante.

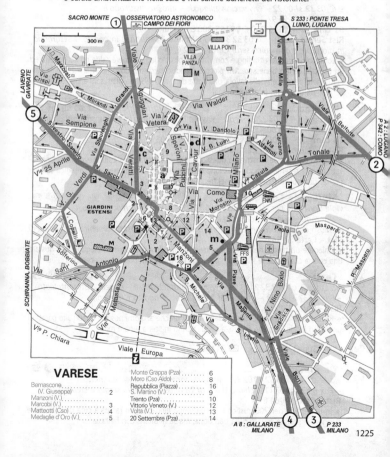

VARESE

Art Hotel senza rist 🚗 📶 🔌 AC ♨ 🐶 📵 P 🚉 VISA 🏧 AE ❺

viale Aguggiari 26, per ① – ℰ 03 32 21 40 00 – www.arthotelvarese.it – info@
arthotelvarese.it – Fax 03 32 23 95 53 – chiuso dal 10 al 25 agosto
28 cam 🖵 – †105/180 € ††105/200 €
♦ E' una affascinante dimora storica settecentesca ad accogliere questo nuovo hotel nella
prima periferia della città arredato con gusto moderno e accessori di ultima generazione.

Crystal Hotel senza rist 📶 AC ♨ VISA 🏧 AE ❶ ❺

via Speroni 10 – ℰ 03 32 23 11 45 – www.crystal-varese.it – info@crystal-varese.it
– Fax 03 32 23 71 81 – chiuso agosto e Natale   **d**
44 cam 🖵 – †80/130 € ††130/210 €
♦ Dopo la recente ristrutturazione, si presenta ora come una risorsa dal confort omogeneo
nei vari settori; zone comuni non ampie, camere funzionali ed accoglienti.

City Hotel senza rist 📶 AC ♨ 🛁 🚗 VISA 🏧 AE ❶ ❺

via Medaglie d'Oro 35 – ℰ 03 32 28 13 04 – www.cityhotelvarese.com – info@
cityhotelvarese.com – Fax 03 32 23 28 82 – chiuso dal 21 dicembre al 6 gennaio e
dal 14 al 24 agosto   **m**
46 cam 🖵 – †99/127 € ††155/209 €
♦ In centro città, vicino alla stazione ferroviaria, struttura funzionale, con sale riunioni,
adatta a clientela sia d'affari che turistica; moderne le camere rinnovate.

Relais sul Lago 🚗 🏡 ⛴ 📺 🌐 🏊 🐶 AC ♨ ♨ 🛁 P

via Giovanni Macchi 61, 3 km per viale 25 Aprile VISA 🏧 AE ❶ ❺
– ℰ 03 32 31 00 22 – www.relaissullago.it – info@relaissullago.it
– Fax 03 32 31 26 97
61 cam 🖵 – †125/250 € ††155/300 € – 1 suite
Rist *Sergio 1950* – ℰ 03 32 31 35 71 *(chiuso 2 settimane in agosto, 1 settimana
in dicembre e domenica sera)* Carta 48/72 € 🍴
♦ Lontano dal centro cittadino e con vista sul piccolo lago: camere calde ed accoglienti ed
un ospitale centro benessere. Un piccolo paradiso terrestre, dove riconciliarsi con la vita.
Per godere dei piaceri della tavola, una sosta da *Sergio 1950* tra piatti sani e sfiziosi, accompagnati da una vasta selezione di vini.

Bologna 🏡 📶 🐶 cam, AC 🕻 🚗 VISA 🏧 AE ❶ ❺

via Broggi 7 – ℰ 03 32 23 43 62 – www.albergobologna.it – info@albergobologna.it
– Fax 03 32 28 75 00 – chiuso dal 1° al 15 agosto   **c**
18 cam 🖵 – †70/75 € ††90/95 € – ½ P 95/105 €
Rist – *(chiuso sabato)* Carta 30/40 €
♦ Gestito dalla stessa famiglia da quasi 50 anni, un semplice, ma confortevole hotel, rinnovato in anni recenti; comoda posizione centrale e camere ben arredate. Simpatica sala da
pranzo di ambientazione rustica nel frequentato ristorante.

XXX Al Vecchio Convento 🐶 AC P VISA 🏧 AE ❶ ❺

viale Borri 348, per ③ – ℰ 03 32 26 10 05 – www.alvecchioconvento.it
– ristorante@alvecchioconvento.it – Fax 03 32 81 07 01
– chiuso dal 27 dicembre al 4 gennaio, dall'11 al 30 agosto, domenica sera e lunedì
Rist – Carta 27/54 €
♦ Chiedete un tavolo nella sala principale, d'atmosfera e con arredi eleganti, per gustare
una cucina che segue le stagioni e predilige la Toscana. In posizione decentrata.

XX Teatro AC ♨ VISA 🏧 AE ❶ ❺

via Croce 3 – ℰ 03 32 24 11 24 – www.ristoranteteatro.it – angelo@ristoranteteatro.it
– Fax 03 32 23 59 83 – chiuso dal 25 luglio al 25 agosto e martedì   **a**
Rist – Carta 37/50 €
♦ Raccontano la storia del teatro, dalle origini greche ai giorni nostri, i quadri alle pareti di
un antico locale, in pieno centro; a tavola vanno in scena terra e mare.

a Capolago Sud-Ovest : 5 km – ✉ 21100

XX Da Annetta 🏡 AC ⇦ P VISA 🏧 AE ❶ ❺

via Fè 25 – ℰ 03 32 49 02 30 – www.daannetta.it – info@daannetta.it
– Fax 03 32 49 02 11 – chiuso dal 3 al 28 agosto, martedì sera e mercoledì
Rist – Carta 46/64 € 🍴
♦ In un edificio del '700, rustico e al contempo elegante con raffinata cura della tavola e
cucina che prende spunto dalla tradizione, ma sa rivisitarla con fantasia.

a Calcinate del Pesce Est : 7 km – ⊠ 21100

XXX **Quattro Mori** (Massimo Sola) 🚙 🗚 ⇔ P VISA ⦿ AE ⑤
✿ *via E. Ponti 126 – 𝒞 03 32 31 08 36 – www.massimosola.it – quattromori@tin.it
– Fax 03 32 32 90 12 – chiuso dal 26 dicembre al 5 gennaio, dal 6 al 26 luglio,
domenica sera e lunedì*
Rist – Menu 30/75 € – Carta 55/88 € ⦿
Spec. Giusto rosa di vitello con salsa tonnata e capperi. Risotto agli asparagi o
quasi (primavera-estate). Maialino da latte cotto a bassa temperatura, cotenna
croccante e friggitelli ripieni.
♦ Locale accogliente di tono elegante, ristrutturato di recente, con pareti in stucco veneziano e un giardino curato. Cucina di mare e piatti ricchi di fantasia.

VARESE LIGURE – La Spezia (SP) – 561I10 – 2 283 ab. – alt. 353 m   15 D2
– ⊠ 19028
▶ Roma 457 – La Spezia 57 – Bologna 194 – Genova 90

🅘 (maggio-settembre) via Portici 19 𝒞 0187 842094, Fax 0187 842094

🏠 **Amici** 🚙 ▯ ᵗ P VISA ⦿ AE ⑤
🐾 *via Garibaldi 80 – 𝒞 01 87 84 21 39 – www.albergoamici.com – info@
albergoamici.com – Fax 01 87 84 08 91 – chiuso dal 20 dicembre al 15 gennaio*
29 cam – ♮38/45 € ♮♮50/60 €, � 5 € – ½ P 45/50 €
Rist – *(chiuso mercoledì da ottobre a maggio)* Carta 18/33 €
♦ Nella cittadina dell'entroterra, dove visitare il Castello e l'originale Borgo Rotondo, hotel
familiare con buon rapporto qualità/prezzo. Parte delle camere sono state recentemente
rimodernate. In una zona dove il biologico è una filosofia di vita: cucina semplice, ma "pre-
giata" per la qualità dei prodotti.

X **La Taverna del Gallo Nero** 🞿 VISA ⦿ AE ① ⑤
🐾 *piazza Vittorio Emanuele 26 – 𝒞 01 87 84 05 13 – taverna_gallonero@yahoo.it
– Fax 01 87 84 08 42 – chiuso gennaio e giovedì*
🐾 Rist – *(prenotazione obbligatoria la sera)* Carta 20/32 €
♦ Locale rustico ed accogliente nel cuore della località. Tre salette caratterizzate da pietra
viva e travi di legno. Carta con poche, ma curate proposte: elencati a voce i piatti del
giorno.

VARIGOTTI – Savona (SV) – 561J7 – ⊠ 17029   14 B2
▶ Roma 567 – Genova 68 – Imperia 58 – Milano 191

🅘 (maggio-settembre) via Aurelia 79 𝒞 019 698013, varigotti@inforiviera.it, Fax
019 6988842

🏠 **Al Capo** ▯ 🗚 cam, ⅏ �car VISA ⦿ ⑤
*vico Mendaro 3 – 𝒞 01 96 98 80 66 – www.hotelalcapo.com
– hotel.alcapo@tiscalinet.it – Fax 01 96 98 80 66 – 30 marzo-3 novembre*
25 cam � – ♮56/72 € ♮♮90/120 € – ½ P 60/75 €
Rist – *(Pasqua, 25 maggio-25 settembre) (chiuso a mezzogiorno) (solo per alloggiati)* Menu 25/30 €
♦ Il bianco impera sia all'esterno, sia nei freschi e moderni interni di una struttura rinnovata in anni recenti; ambiente familiare, stanze accoglienti e funzionali. Sapori mediterranei
e piatti della tradizione ligure al ristorante.

XX **Muraglia-Conchiglia d'Oro** con cam e senza ⊒ ⅏ 👐 P
via Aurelia 133 – 𝒞 019 69 80 15 VISA ⦿ AE ① ⑤
– chiuso dal 15 gennaio al 15 febbraio
6 cam – ♮50/70 € ♮♮70/90 €
Rist – *(chiuso mercoledì e da ottobre a maggio anche martedì)* Carta 56/79 €
♦ Locale semplice e luminoso per sentirsi a proprio agio in visita nel caratteristico borgo
saraceno. La cucina punta sulla qualità del pesce, piatti liguri, anche alla griglia.

X **La Caravella** ≤ 🗚 ⅏ P VISA ⦿ ① ⑤
*via Aurelia 56 – 𝒞 019 69 80 28 – gonella.bruno@alice.it
– Fax 019 69 80 28 – chiuso novembre e lunedì*
Rist – *(consigliata la prenotazione)* Carta 32/62 €
♦ Un'ampia sala luminosa con vetrate che si affacciano sul mare e sulla spiaggia sotto-
stante per una cucina per lo più di pesce; familiari la gestione e l'atmosfera.

VARZI – Pavia (PV) – 561H9 – **3 525 ab.** – **alt. 416 m** – ✉ **27057**   16 **B3**
▶ Roma 585 – Piacenza 69 – Alessandria 59 – Genova 111

ℹ piazza della Fiera ✆ 0383 545221

✗✗   **Sotto i Portici**   🏠 ♿ 𝚅𝙸𝚂𝙰 ⓶ ⚡
via del Mercato 10 – ✆ 038 35 29 90 – www.sottoiportici.com
– sottoiportici@libero.it – Fax 038 35 91 11
– chiuso lunedì e martedì
Rist – *(chiuso a mezzogiorno escluso sabato, domenica e festivi)* Carta 25/43 €
◆ Sotto i portici del centro storico, un gradevolissimo locale di sobria eleganza, con servizio accurato; tocco moderno in una cucina saldamente legata alla tradizione.

verso Pian d'Armà Sud : 7 km :

✗   **Buscone**   🍴 ♻ 𝚅𝙸𝚂𝙰 ⓶ 𝙰𝙴 ⓪ ⚡
⊜   *località Bosmenso 41, Sud : 7 km – ✆ 038 35 22 24*
– www.ristorantebuscone.it – info@ristorantebuscone.it – Fax 03 83 54 16 98
– chiuso lunedì
Rist – Carta 20/30 €
◆ La difficoltà che forse incontrerete per raggiungere questa trattoria, sarà ricompensata dalla piacevolezza e dalla cura dell'ambiente familiare; genuina cucina casalinga.

VASON – Trento – Vedere Bondone (Monte)

VASTO – Chieti (CH) – 563P26 – **35 916 ab.** – **alt. 144 m** – ✉ **66054**   2 **C2**
▶ Roma 271 – Pescara 70 – L'Aquila 166 – Campobasso 96

ℹ piazza del Popolo 18 ✆ 0873 367312, iat.vasto@abruzzoturismo.it,
Fax0873 367312

✗✗   **Castello Aragona**   ⟨ 🚗 🏠 𝙰𝙲 ♻ 𝙿 𝚅𝙸𝚂𝙰 ⓶ 𝙰𝙴 ⓪ ⚡
via San Michele 105 – ✆ 087 36 98 85 – www.castelloaragona.it
– info@castelloaragona.it – Fax 087 36 98 85
– chiuso dal 24 dicembre al 4 gennaio e lunedì
Rist – Carta 35/53 €
◆ La suggestiva atmosfera di memoria storica e il servizio estivo sulla terrazza-giardino con splendida vista sul mare caratterizzano questo ristorante, dove potrete gustare specialità di mare.

✗✗   **Lo Scudo**   𝙰𝙲 𝚅𝙸𝚂𝙰 ⓶ 𝙰𝙴 ⓪ ⚡
corso Garibaldi 39 – ✆ 08 73 36 77 82 – www.ristoranteloscudo.it
– info@ristoranteloscudo.it – Fax 08 73 36 52 28
– chiuso martedì in bassa stagione
Rist – Carta 30/40 € (+10 %)
◆ Il nome e l'atmosfera di questo ristorante s'ispirano ai fasti medievali del vicino castello Caldoresco. Anche la cucina prende spunto dal passato e propone i tipici piatti regionali, pesce e paste fatte in casa.

VASTO (Marina di) – Chieti (CH) – 563P26 – ✉ **66054**   2 **C2**
▶ Roma 275 – Pescara 72 – Chieti 74 – Vasto 3

sulla strada statale 16

🏨   **Excelsior**   ⟨ 🛝 ⁊ ♿ cam, ✢✢ 𝙰𝙲 ♻ rist, 🎵 ⚑ 𝙿
contrada Buonanotte, Sud : 4 km ✉ 66055   𝚅𝙸𝚂𝙰 ⓶ 𝙰𝙴 ⓪ ⚡
– ✆ 08 73 80 22 22 – www.hotelexcelsiorvasto.com – info@hotelexcelsiorvasto.com
– Fax 08 73 80 22 22 – chiuso dal 23 dicembre al 2 gennaio
45 cam ⊑ – †70/90 € ††95/150 € – 10 suites – ½ P 65/95 €
Rist – *(chiuso a mezzogiorno escluso da giugno a settembre)* Carta 27/40 €
◆ Funzionalità e confort in questa accogliente struttura realizzata in anni recenti che dispone di ambienti di notevole ampiezza. Ideale per una clientela d'affari. Impostazione classica di tono elegante nell'ampia sala ristorante.

🏨   **Sporting**   🚗 ⁊ ♻ 🛎 𝙰𝙲 ♻ rist, 𝙿 🚗 𝚅𝙸𝚂𝙰 ⓶ 𝙰𝙴 ⓪ ⚡
Sud : 2,5 km ✉ 66055 – ✆ 08 73 80 19 08 – www.hotelsportingvasto.it – info@
hotelsportingvasto.it – Fax 08 73 80 96 22
22 cam ⊑ – †65/78 € ††90/122 € – ½ P 60/75 €   **Rist** – Carta 22/32 €
◆ Circondato da una fiorita terrazza-giardino e poco distante dal mare, la curata struttura è ideale per un soggiorno di relax in un ambiente signorile ma familiare. Cucina genuina a base di prodotti locali, gestita direttamente dal titolare.

XX **Villa Vignola** con cam ⌂   ← 🍴 🏠 AC 🌿 rist, ⁽⁽•⁾⁾ P
località Vignola, Nord : 6 km ✉ *66054*   VISA ⑩ AE ① 🍴
– 🕾 08 73 31 00 50 – www.villavignola.it – villavignola@interfree.it
– Fax 08 73 31 00 60 – chiuso dal 21 al 28 dicembre
5 cam 🖵 – 🛏80/100 € 🛏🛏120/140 €
Rist – Carta 35/45 €
♦ In un giardino con accesso diretto al mare e con una splendida vista della costa, ristorante di tono elegante, dove trovare soprattutto proposte di mare. La sera, servizio all'aperto. Camere curate e accoglienti, arredate con mobili d'antiquariato, per un soggiorno votato alla tranquillità.

X **Il Corsaro**   ← 🏠 AC 🌿 P VISA ⑩ 🍴
località Punta Penna-Porto di Vasto, Nord : 8 km ✉ *66054 – 🕾 08 73 31 01 13*
– chiuso lunedì escluso da aprile ad ottobre
Rist – Carta 40/55 € (+10 %)
♦ Una cordiale famiglia si divide tra sala e fornelli di questa storica trattoria, con servizio estivo in terrazza sul mare; solida cucina basata sul pescato giornaliero.

VATICANO (Città del) – Roma – **Vedere Roma**

VEDASCO – Verbania – 561E7 – **Vedere Stresa**

VEDOLE – Parma – **Vedere Colorno**

VELLETRI – Roma (RM) – 563Q20 – **50 036 ab.** – **alt. 352 m** – ✉ **00049**   13 **C2**
🏛 Roma
▶ Roma 36 – Anzio 43 – Frosinone 61 – Latina 29

🅖 Castelli romani★★ Nord-Ovest per la via dei Laghi o per la strada S 7, Appia Antica (circuito di 60 km)

🏨 **Da Benito al Bosco** ⌂   🄰🄿 🏠 ⅃ ♨ AC 🌿 🄢 P VISA ⑩ AE ① 🍴
*via Morice 96 – 🕾 069 63 39 91 – www.benitoalbosco.com – info@
benitoalbosco.com – Fax 069 64 14 14*
60 cam 🖵 – 🛏55/65 € 🛏🛏80 € – ½ P 70 €
Rist – *(chiuso martedì)* Carta 27/47 € 🕸
♦ Situato in zona collinare e residenziale, l'albergo ospita recenti camere classiche di notevoli dimensioni, arredate con gusto moderno ed inserti in marmo. Il ristorante privilegia ovviamente la cucina di mare. Appena il clima lo consente, ci si posta all'aperto, a bordo piscina o all'ombra dei castagni.

VELLO – Brescia (BS) – 561E12 – **alt. 190 m** – ✉ **25054** – **Marone**   19 **D1**
▶ Roma 591 – Brescia 34 – Milano 100

X **Trattoria Glisenti**   🏠 🌿
*via Provinciale 34 – 🕾 030 98 72 22 – chiuso dal 6 gennaio al 12 febbraio e giovedì,
da settembre a maggio anche mercoledì*
Rist – Carta 23/36 €
♦ Un indirizzo consigliabile agli appassionati del pesce di lago: semplice trattoria di lunga tradizione familiare, sulla vecchia strada costiera del lago d'Iseo.

VELO D'ASTICO – Vicenza (VI) – 562E16 – **2 345 ab.** – **alt. 362 m**   35 **B2**
– ✉ **36010**
▶ Roma 551 – Trento 57 – Treviso 83 – Verona 81

XX **Giorgio e Flora** con cam   ← 🏠 AC 🌿 P VISA ⑩ AE 🍴
*via Baldonò 1, al lago di Velo d'Astico, Nord-Ovest : 2 km
– 🕾 04 45 71 30 61 – www.giorgioeflora.it
– info@giorgioeflora.it – Fax 04 45 71 41 43
– chiuso dal 1° al 15 gennaio, dal 15 al 30 giugno, mercoledì sera e giovedì*
6 cam – 🛏95 € 🛏🛏160/200 €
Rist – (coperti limitati, prenotare) Carta 31/53 €
♦ Una villetta tipo *chalet* che domina la valle, due sale, di cui una più raccolta ed elegante, un panoramico *dehors*. E, poi, *Giorgio* e *Flora*: compagni di vita e di lavoro ricreano i piatti della tradizione regionale... con uno squisito tocco personale.

VELO VERONESE – Verona (VR) – 562F15 – 799 ab. – alt. 1 087 m 35 B2
– ✉ 37030

[D] Roma 529 – Verona 35 – Brescia 103 – Milano 193

🍴 **13 Comuni** con cam 🌳 🚭 cam, [VISA] [MC] $

piazza della Vittoria 31 – ☎ 04 57 83 55 66 – hotel13comuni@libero.it – Fax 04 57 83 55 66 – chiuso ottobre

13 cam ☕ – 👤30/50 € 👤👤58/75 € – ½ P 40/55 €

Rist – *(chiuso lunedì sera e martedì escluso da giugno e settembre)* Carta 23/32 €

◆ Nella piazza del paese, classica risorsa familiare, con camere funzionali e cucina del territorio; soffitto di legno nella spaziosa sala ristorante di stile montano.

VENARIA REALE – Torino (TO) – 561G4 – 35 363 ab. – alt. 258 m 22 A1
– ✉ 10078

[D] Roma 667 – Torino 11 – Aosta 116 – Milano 143

🏨 **Galant** senza rist ⇕ [AC] 🚭 📶 [P] [VISA] [MC] [AE] [D] $

corso Garibaldi 155 – ☎ 01 14 55 10 21 – www.hotelgalant.it – info@hotelgalant.it – Fax 01 14 55 12 19

39 cam ☕ – 👤91/139 € 👤👤133/190 €

◆ A meno di un chilometro dal "delle Alpi", struttura di taglio moderno, ideale per una clientela d'affari, dispone di piacevoli ambienti comuni e di camere semplici ma confortevoli.

🏨 **Cascina di Corte** 🌳 [AC] 🚭 📶 [VISA] [MC] [AE] [D]

via Amedeo di Castellamonte 2 – ☎ 01 14 59 32 78 – www.cascinadicorte.it – info@cascinadicorte.it – Fax 01 14 59 83 95 – chiuso dal 10 al 23 agosto

10 cam – 👤130/220 € 👤👤160/280 € – 2 suites **Rist** – Carta 29/54 €

◆ Alle porte della celebre reggia, cascina ottocentesca con annessa ghiacciaia ancora conservata. Sobrio stile architettonico di impronta locale, ma - all'interno - l'atmosfera rustica con mattoni a vista nelle camere cede il passo a moderne installazioni e confort.

🍴🍴🍴 ✿ **Dolce Stil Novo alla Reggia** (Alfredo Russo) 🌳 ♿ [AC] 🚭 ⊡ [VISA] [MC] [AE] [D] $

piazza della Repubblica 4 – ☎ 01 14 99 23 43 – www.dolcestilnovo.com – info@dolcestilnovo.com – Fax 01 14 99 23 42 – chiuso due settimane in gennaio, due settimane in agosto, domenica sera e lunedì

Rist – (coperti limitati, prenotare) Menu 70/90 € – Carta 66/90 €

Spec. Fritto ipercroccante di pesce e verdure. Coscia d'anatra morbida profumata agli agrumi. Crema di pan di spezie con mandarino e yogurt naturale (inverno).

◆ Ospitato all'interno del *Torrione del Garove*, il ristorante dispone di una bella terrazza affacciata sui giardini della *Reggia di Venaria*. Due ampie sale con tavoli spaziosi, alle quali si contrappongono arredi minimalisti, accolgono una cucina del territorio con qualche specialità di mare.

🍴🍴🍴 **Il Reale** [AC] ⊡ [VISA] [MC] [AE] [D] $

corso Garibaldi 153 – ☎ 01 14 53 04 13 – www.ilreale.it – info@ilreale.it – Fax 01 14 54 09 35 – chiuso dal 10 al 25 agosto

Rist – Menu 30/40 € – Carta 35/45 € 🍇

◆ Locale nato nel 2000, strutturato in due sale moderne ed eleganti nelle quali gustare una cucina regionale e di pesce arricchita da spunti di fantasia.

Basilica

VENEZIA

Carta Michelin : n° **562**F19
Popolazione : 271 663 ab
Codice Postale : ⊠ 30100

▶ Roma 544 – Treviso 43 – Padova 50 – Vicenza 73
▮ Venezia
Carta regionale : 36 **C2**

INFORMAZIONI PRATICHE

◪ Uffici Informazioni turistiche
calle Ascensione - San Marco 71/f ⊠30124 ✆ 041 5298711, info@turismovenezia.it, Fax 041 5230399 - Stazione Santa Lucia ⊠30121 ✆ 041 5298711, Fax 041 5230399 - Aeroporto Marco Polo ✆ 041 5415887, Fax 041 5415887

Aeroporto
◪ Marco Polo di Tessera, Nord-Est : 13 km ✆ 041 2606111

Trasporti marittimi
◪ da piazzale Roma (Tronchetto) per il Lido-San Nicolò – dal Lido Alberoni per l'Isola di Pellestrina-Santa Maria del Mare

Golf
◪ ✆ 041 73 13 33

◪ Cá della Nave, ✆ 041 540 15 55

◪ Villa Condulmer, ✆ 041 45 70 62

◎ LUOGHI DI INTERESSE

GLI IMPERATIVI CATEGORICI

Basilica di S. Marco★★★ e Museo, con i cavalli di bronzo dorato★★ - Palazzo Ducale★★★ e "Itinerari segreti" - Gallerie dell'Accademia★★★ - Scuola Grande di S. Rocco★★★ - Ca' d'Oro★★★ - Scuola di S. Giorgio degli Schiavoni★★★ - Vista★★★ dal Campanile di S. Giorgio Maggiore - Frari★★★ - Rialto★★ - Vista★★ dal Campanile di S. Marco - S. Maria della Salute★★ - S. Zaccaria★★ - Scala del Bovolo★

MUSEI VENEZIANI

Gallerie dell'Accademia★★★ - Ca' d'Oro★★★ : Galleria Franchetti - Ca' Rezzonico★★ : Museo del Settecento Veneziano - Museo Correr★★ - Collezione Peggy Guggenheim★★ - Fondazione Querini Stampalia★ - Museo Storico Navale★

LA VENEZIA DI ATMOSFERA: LE PASSEGGIATE PER I SESTIERI

S. Pietro di Castello★ - Arsenale★ e S. Francesco della Vigna★ - Campo dell'Abbazia, Sacca della Misericordia, Madonna dell'Orto★, Campo dei Mori e S. Alvise★ - Dogana, Zattere, squero di S. Trovaso, S. Sebastiano★★, Campo S. Margherita - S. Giorgio dei Greci, Campo S. Maria Formosa, SS. Giovanni e Paolo★★ (S. Zanipòlo), S. Maria dei Miracoli★, Fondamenta Nuove, Gesuiti★.

ACQUISTI

Articoli in vetro, moda, maschere, ex libris e carta marmorizzata si troveranno un po' ovunque. Si segnalano le zone più commerciali: Piazza S. Marco, Mercerie★, Rialto, Strada Nuova.

LE ISOLE

Burano★★ : Museo del Merletto - Murano★★ : Museo di Arte Vetraria★, S. Maria e Donato★★ - Torcello★★ : mosaici★★ della Basilica - S. Francesco del Deserto★ - S. Lazzaro degli Armeni★

DINTORNI DI VENEZIA CON RISORSE ALBERGHIERE

ᏫᏫᏫᏫ Cipriani & Palazzo Vendramin 🌿   ≤ 🛋 🛜 ⑂ 🏊 ♨ ✂ 🍴 📶
🅰️🅲 🍽 📶 🄰 VISA ⓦ 🄰🄴 ➊ 🅖

*isola della Giudecca 10, 5 mn di navetta
privata dal pontile San Marco* ✉ *30133 –* ☎ *04 15 20 77 44
– www.hotelcipriani.com – info@hotelcipriani.it
– Fax 04 15 20 39 30 – 3 aprile-27 ottobre*   FV**h**

74 cam 🖵 – †759 € ††858/1452 € – 24 suites
Rist Cip's Club – vedere selezione ristoranti
Rist – Carta 91/119 €

♦ Appartato e tranquillo, in un giardino fiorito con piscina riscaldata, grande albergo lussuoso ed esclusivo. Maggiordomo a disposizione nelle raffinate dépendance. In un'elegante saletta interna, sulla fiorita terrazza oppure presso la piscina olimpica, il ristorante offre comunque la vista sulla laguna e sulla città.

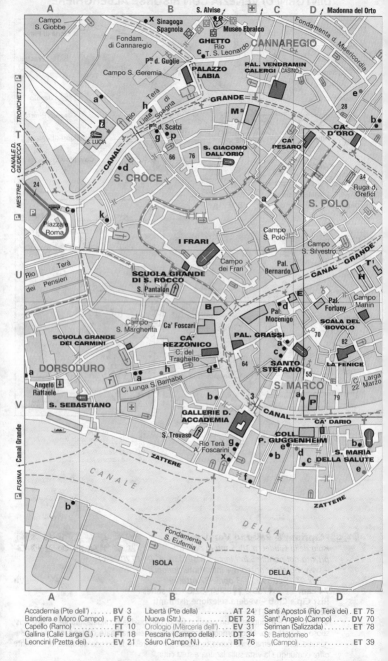

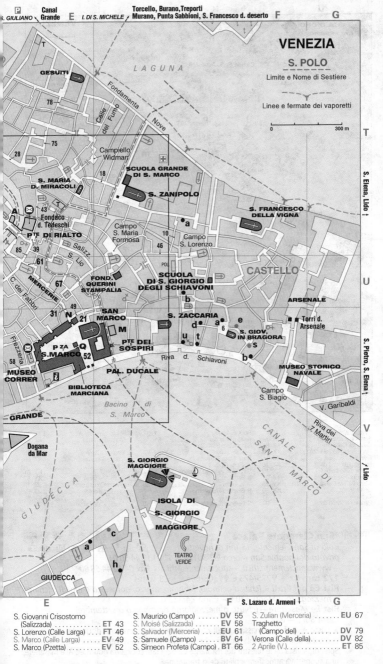

VENEZIA

S. POLO

Limite e Nome di Sestiere

Linee e fermate dei vaporetti

0   300 m

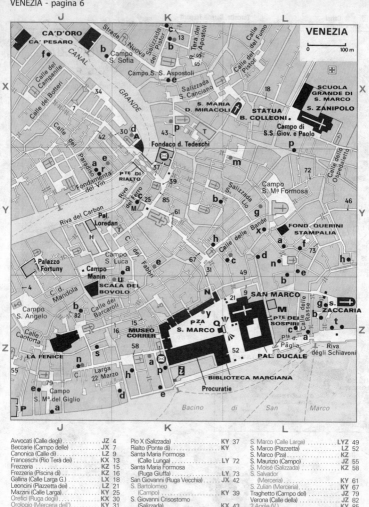

VENEZIA

0   100 m

San Clemente Palace ♠

isola di San Clemente, 15 mn di navetta privata dal pontile San Marco ✉ 30124 – ℰ 04 12 44 50 01
– www.sanclemente.thi.it – sanclemente@thi.it – Fax 04 12 44 58 00
172 cam ⌂ – †275/473 € ††308/605 € – 28 suites
Rist Cà dei Frati – *(chiuso gennaio, febbraio, marzo, domenica e lunedì) (chiuso a mezzogiorno)* Menu 130 € – Carta 84/132 €
Rist Le Maschere – *(chiuso a mezzogiorno da maggio a settembre)*
Carta 80/104 €
♦ Lusso e confort ai massimi livelli coinvolgono tutti gli ambienti di questa affascinante struttura, ubicata sull'isola privata che accoglieva un convento camaldolese del '400. Splendida vista dalle finestre del ristorante Cà dei Frati, cucina da gourmet. Alle Maschere, una suggestiva atmosfera e piatti della tradizione.

Gritti Palace ≤ 余 🛗 AC ↳ ⌀ 📞 VISA ⓦ AE ① ⚹

campo Santa Maria del Giglio 2467, San Marco ✉ 30124
– ℰ 041 79 46 11 – www.starwoodhotels.com/grittipalace
– grittipalace@luxurycollection.com – Fax 04 15 20 09 42   JZa
85 cam – ☗285/560 €, ☗☗390/1360 €, ⌸ 52 € – 6 suites
Rist Club del Doge – Carta 117/155 €
♦ Prezioso e raccolto gioiello dell'hôtellerie veneziana, dove il lusso e l'ospitalità sono avvolgenti, ma con raffinata discrezione. Palazzo cinquecentesco sul Canal Grande. Sapori mediterranei e veneti, rivisitati con fantasia, nell'elegante sala da pranzo. Splendida terrazza per cene romantiche.

Danieli ≤ 余 🛗 AC ↳ ⌀ rist. ⌀ ⌸ VISA ⓦ AE ① ⚹

riva degli Schiavoni 4196, Castello ✉ 30122 – ℰ 04 15 22 64 80
– www.starwoodhotels.com/danieli – danieli@luxurycollection.com
– Fax 04 15 20 02 08   LZa
233 cam – ☗470 €, ☗☗810 €, ⌸ 52 € – 6 suites
Rist Terrazza Danieli – Carta 96/128 €
♦ Tre diversi edifici, da Palazzo Dandolo al "Danielino", fino al cortile coperto che fu mercato di spezie orientali e prelude a un grande albergo dal fascino unico. Panoramica sala da pranzo al roofgarden, completamente rinnovata, con servizio estivo in terrazza e bar pomeridiano aperto agli esterni.

Bauer Hotel 余 ⌀ 🖪 🛗 ⌀ cam. AC ↳ ⌀ cam. ⌀ ⌸

campo San Moisè 1459, San Marco ✉ 30124   VISA ⓦ AE ① ⚹
– ℰ 04 15 20 70 22 – www.bauerhotels.com – marketing@bauervenezia.com
– Fax 04 15 20 75 57   KZh
109 cam – ☗☗450/850 €, ⌸ 50 € – 18 suites   **Rist De Pisis** – Carta 81/133 €
♦ Prestigiosa struttura di lunga tradizione e sofisticata atmosfera veneziana, cui si è aggiunto lo sfarzoso Palazzo del '700, con ambienti ancor più esclusivi. Splendidi pranzi in riva al Canal Grande o nell'elegante sala.

Bauer il Palazzo 🏠🏠🏠 ⌀ 🖪 🛗 ⌀ ⌀ ⌸

campo San Moisè 1459, San Marco   VISA ⓦ AE ① ⚹
– ℰ 04 15 20 70 22 – info@bauervenezia.com – Fax 04 15 20 75 57
82 cam – ☗☗600/1500 €, ⌸ 50 € – 38 suites
♦ Camere in stile veneziano e sala colazioni al 7° piano del Palazzo.

Bauer Casa Nova 🏠🏠 ⌀ 🖪 🛗 ⌀ VISA ⓦ AE ① ⚹

calle Tredici Martiri 1459, San Marco – ℰ 04 15 20 70 22 – www.bauerhotels.com
– info@bauervenezia.com – Fax 04 15 20 75 57
10 cam – ☗☗380/650 €, ⌸ 50 € – 9 suites – ☗☗560/1570 €
♦ Confort, stile, antiche dimore.

Cà Sagredo ≤ 余 🛗 ⌀ AC ↳ ⌀ rist. ⌀ VISA ⓦ AE ① ⚹

campo Santa Sofia 4198, Cannaregio ✉ 30121 – ℰ 04 12 41 31 11
– www.casagredohotel.com – info@casagredohotel.com
– Fax 04 12 41 35 21   JXb
27 cam ⌸ – ☗280/500 € ☗☗300/550 € – 15 suites   **Rist** – Carta 65/84 €
♦ Palazzo cinquecentesco affacciato sul Canal Grande, accanto alla Cà d'Oro: un'imponente scalinata vi dà il benvenuto. Alle pareti affreschi del Tiepolo, Longhi e Tirali. Camere personalizzate ed arredate in stile.

Luna Hotel Baglioni 🛗 ⌀⌀ AC ↳ ⌀ rist. ⌀ ⌸ VISA ⓦ AE ① ⚹

calle larga dell'Ascensione 1243, San Marco ✉ 30124 – ℰ 04 15 28 98 40
– www.baglionihotels.com – luna.venezia@baglionihotels.com
– Fax 04 15 28 71 60   KZp
89 cam – ☗☗451/880 €, ⌸ 40 € – 15 suites   **Rist Canova** – Carta 65/132 €
♦ Già al tempo delle crociate ostello per templari e pellegrini, oggi hotel di aristocratica raffinatezza; suite con terrazza, salone con affreschi della scuola del Tiepolo. Molto elegante, il ristorante propone piatti curati di cucina eclettica.

Gran lusso o stile informale?
I ⌘ e i 🏠 indicano il livello di confort.

Monaco e Grand Canal ≤ 🏠 🖥 ⑤ 🎬 ↔ ♨ 🕻 🛦

calle Vallaresso 1332, San Marco ✉ *30124*　　　　ⅤⅠⓈⒶ ⑥⑥ ⒶⒺ ① 🛵
– *𝒞 04 15 20 02 11 – www.hotelmonaco.it – mailbox@hotelmonaco.it*
– *Fax 04 15 20 05 01*　　　　　　　　　　　　　　　　　　　　　KZe
93 cam ⌂ – ♦100/350 € ♦♦160/690 € – 6 suites
Rist Grand Canal – Carta 69/102 €
♦ In comoda posizione panoramica, struttura confortevole dagli interni di tono e raffinatezza classica, con camere molto curate; recente ampliamento in chiave più moderna. Sala da pranzo di sobria eleganza e, d'estate, terrazza sul Canal Grande.

Grand Hotel dei Dogi 🌿 🕭 🏠 🕉 🖪 🖥 🎬 ♨ rist. 🕻 🛦

fondamenta Madonna dell'Orto 3500, Cannaregio, per　　　ⅤⅠⓈⒶ ⑥⑥ ⒶⒺ ① 🛵
Madonna dell'Orto ✉ *30121 – 𝒞 04 12 20 81 11 – www.boscolohotels.com*
– *reception@deidogi.boscolo.com – Fax 041 72 22 78*　　　　　　　DTy
71 cam ⌂ – ♦♦300/850 € – 1 suite　**Rist** – Carta 55/85 € (+10 %)
♦ Fuori delle rotte turistiche, un palazzo seicentesco, con parco secolare affacciato sulla laguna, ospita un hotel dagli eleganti e ariosi interni in stile '700 veneziano. Incorniciata dal silenzioso giardino, una lussuosa atmosfera di gusto moderno con cucina veneta ed iternazionale.

Metropole (Corrado Fasolato) ≤ 🍴 🏠 🖥 🎬 ♨ rist. 🛦

riva degli Schiavoni 4149, Castello ✉ *30122*　　　　　ⅤⅠⓈⒶ ⑥⑥ ⒶⒺ ① 🛵
– *𝒞 04 15 20 50 44 – www.hotelmetropole.com – venice@hotelmetropole.com*
– *Fax 04 15 22 36 79*　　　　　　　　　　　　　　　　　　　　FVt
67 cam ⌂ – ♦220/470 € ♦♦250/750 € – 9 suites
Rist Met – 𝒞 04 15 24 00 34 *(chiuso dal 19 al 26 gennaio, dal 27 luglio al 3 agosto e lunedì) (chiuso a mezzogiorno escluso sabato e domenica)*
Menu 85/125 € – Carta 72/95 € 🏵
Spec. Sformatino di alici in saor ai lamponi. Risotto mantecato all'origano con crudo di crostacei alla catalana. Preziozi di bassa marea.
♦ Eleganti ambienti comuni d'ispirazione orientale: tappeti, tessuti damascati, spezie sui tavoli e tutte le variazioni del rosso acceso. Atmosfera romantica al ristorante con prodotti, tecnica e fantasia a grandi livelli.

Molino Stucky Hilton ≤ 🏊 ⑥⑥ 🕉 🖪 🖥 🎬 ↔ ♨ rist. 🕻 🛦

Giudecca 810, 10 mn di navetta privata dal pontile　　　ⅤⅠⓈⒶ ⑥⑥ ⒶⒺ ① 🛵
San Marco ✉ *30133 – 𝒞 04 12 72 33 11 – www.hilton.com/venice*
– *info.venice@hilton.com – Fax 04 12 72 34 90*　　　　　　　AVb
329 cam – ♦200/750 € ♦♦275/825 €, ⌂ 45 € – 50 suites
Rist Aromi – canale della Giudecca 810 *(Natale e marzo-ottobre; chiuso lunedì) (chiuso a mezzogiorno)* Carta 74/99 €
Rist Il Molino – canale della Giudecca 810 *(ottobre-aprile)* Carta 60/72 €
♦ Ricavato dal restauro conservativo del molino Stucky, una delle architetture industriali tra le più note, l'hotel vanta un'impronta decisamente originale e di grande prestigio; indicato per una clientela a 360°. Cucina locale in una cornice intima e raffinata all'Aromi. Piatti mediterranei nell'informale Il Molino.

Londra Palace ≤ 🏠 🖥 ↔ ♨ 🕻 ⅤⅠⓈⒶ ⑥⑥ ⒶⒺ ① 🛵

riva degli Schiavoni 4171 ✉ *30122 – 𝒞 04 15 20 05 33 – www.hotelondra.it*
– *info@hotelondra.it – Fax 04 15 22 50 32*　　　　　　　　　LZt
53 cam ⌂ – ♦265/450 € ♦♦395/625 € – ½ P 262/378 €
Rist Do Leoni – *(chiuso gennaio e febbraio)* Carta 56/88 €
♦ Scrigno di charme, eleganza e preziosi dettagli in questo storico albergo, di recente ristrutturato in stile neoclassico, che si annuncia con "cento finestre sulla laguna". Terrazza ristorante estiva sulla "riva" più affollata della città, menu light a pranzo.

The Westin Europa e Regina ≤ 🏠 🖥 🎬 ↔ ♨ 🛦

corte Barozzi 2159, San Marco ✉ *30124*　　　　　　ⅤⅠⓈⒶ ⑥⑥ ⒶⒺ ① 🛵
– *𝒞 04 12 40 00 01 – www.westin.com/europaregina*
– *europa&regina@westin.com – Fax 04 15 23 15 33*　　　　KZd
175 cam – ♦195/465 € ♦♦265/1040 €, ⌂ 52 € – 9 suites
Rist La Cusina – Carta 90/150 €
♦ Cinque edifici fusi in un trionfo di marmi, damaschi, cristalli e stucchi negli interni di un hotel affacciato sul Canal Grande, che offre ottimi confort in ogni settore. Cucina a vista nel ristorante riccamente decorato; terrazza estiva sul canale.

Sofitel Venezia 📶 AC ↳ ✻ 🛜 🛁 VISA ⓪ AE ⓪ ⑤
Santa Croce 245 ✉ *30135 –* 𝒞 *041 71 04 00 – www.sofitel-venezia@accor.com*
– h1313@accor.com – Fax 041 71 03 94 BT**k**
97 cam – 📞380/400 € 📞📞490/510 €, ⌖ 25 € – ½ P 170/550 €
Rist – Carta 58/89 €
♦ Vicino a piazzale Roma, hotel elegante, con raffinati arredi classici e dotazioni moderne, sia nelle aree comuni, che nelle camere, con mobili in stile '700 veneziano. Originale ristorante rivestito di sughero e piante: un imprevedibile giardino d'inverno.

 Ca' Pisani 🏡 🔆 📶 & AC ↳ ✻ 🛜 VISA ⓪ AE ⓪ ⑤
rio terà Foscarini 979/a, Dorsoduro ✉ *30123 –* 𝒞 *04 12 40 14 11*
– www.capisanihotel.it – info@capisanihotel.it – Fax 04 12 77 10 61 BV**g**
29 cam ⌖ *–* 📞210/391 € 📞📞230/411 € – ½ P 165/256 €
Rist *La Rivista* – 𝒞 *04 12 40 14 25 (chiuso lunedì)* Carta 43/54 €
♦ Struttura del '400, arredi in stile anni '30-'40, opere d'arte futuriste e tecnologia d'avanguardia: inusitato, audace connubio per un originale *design hotel*. Marmi policromi, cuoio amaranto e parquet di bambù nel *wine & cheese bar*.

 Palazzo Sant'Angelo sul Canal Grande senza rist 📶 AC ↳ ⚫
San Marco 3878/b ✉ *30124 –* 𝒞 *04 12 41 14 52* VISA ⓪ AE ⓪ ⑤
– www.sinahotels.com – palazzosantangelo@sinahotels.it
– Fax 04 12 41 15 57 CUV**d**
26 cam ⌖ *–* 📞440 € 📞📞528/550 €
♦ All'interno di un piccolo palazzo direttamente affacciato sul Canal Grande, una risorsa affascinante, apprezzabile anche per il carattere intimo e discreto.

Colombina e Locanda Remedio senza rist 📶 & AC ↳
calle del Remedio 4416, Castello ✉ *30122* VISA ⓪ AE ⓪ ⑤
– 𝒞 *04 12 77 05 25 – www.hotelcolombina.com – info@hotelcolombina.com*
– Fax 04 12 77 60 44 LY**d**
32 cam ⌖ *–* 📞140/360 € 📞📞180/440 €
♦ Dà sul canale del Ponte dei Sospiri questa raffinata risorsa, che offre moderni confort ed eleganti arredi in stile veneziano; belle le camere con vista sul famoso ponte.

Bauer Palladio ⚘ ← 🚃 🔆 🛁 & AC ↳ ✻ rist, 🛜 🛁
Isola della Giudecca ✉ *30133 –* 𝒞 *04 12 70 38 01* VISA ⓪ AE ⓪ ⑤
– www.bauerhotels.com – info@bauervenezia.it – Fax 04 15 20 75 57
– 15 marzo-15 novembre EV**a**
37 cam – 📞📞495/825 €, ⌖ 50 € – 13 suites
Rist – *(chiuso a mezzogiorno)* Carta 63/79 €
♦ La storia rieccheggia tra le mura di questo ex convento del XVI secolo. Oggi: ampio giardino, bel chiostro con fontana e confort moderni nelle preziose camere. Cucina classica e nazionale al ristorante, che vanta un grazioso dehors.

 Ca' Maria Adele senza rist ← AC ✻ 🛜 VISA ⓪ AE ⓪ ⑤
rio Terà dei Catecumeni, Dorsoduro 111 ✉ *30123 –* 𝒞 *04 15 20 30 78*
– www.camariaadele.it – info@camariaadele.it – Fax 04 15 28 90 13 DV**b**
12 cam ⌖ *–* 📞📞341/528 € – 2 suites
♦ Affacciata sulla Chiesa della Salute, un'affascinante e pittoresca casa veneziana che presenta la tradizione dello stile locale. Lussuose camere a tema.

Duodo Palace Hotel senza rist 📶 AC ↳ ✻ 🔊 VISA ⓪ AE ⓪ ⑤
calle Minelli 1887/1888, San Marco ✉ *30124 –* 𝒞 *04 15 20 33 29*
– www.duodopalacehotel.com – info@duodopalacehotel.com – Fax 04 12 41 59 40
– chiuso gennaio JZ**b**
38 cam ⌖ *–* 📞📞195/270 €
♦ A pochi passi dalla Fenice, la signorile dimora secentesca conserva preziosi stucchi ed un pozzo con stemma di famiglia e dispone di camere arredate in sobrio stile veneziano.

 Liassidi Palace senza rist 📶 AC ↳ ✻ VISA ⓪ AE ⓪ ⑤
ponte dei Greci 3405, Castello ✉ *30122 –* 𝒞 *04 15 20 56 58*
– www.liassidipalacehotel.com – info@liassidipalacehotel.com
– Fax 04 15 22 18 20 FU**b**
26 cam ⌖ *–* 📞📞150/580 €
♦ Edificio della seconda metà del '400, finestre ad archi al piano nobile che si affaccia sulla porta d'acqua del canale. Camere personalizzate, con falsi d'autore alle pareti.

🏨 **Palazzo Stern** senza rist   ⟨ �" �ँ & 📠 ⇄ ☼ 🕾 📞 VISA ⓪ AE ① 💲

Dorsoduro 2792/a ✉ *30123 –* 𝓒 *04 12 77 08 69*
– *www.palazzostern.it – info@palazzostern.it*
– *Fax 04 12 41 24 56*   BV**d**
24 cam ⌑ – 🛏450 € 🛏🛏550 €
♦ Bel palazzo affacciato sul Canal Grande, di fianco a Cà Rezzonico, dispone di una piacevole terrazza per la prima colazione. All'interno, eleganti spazi comuni e lussuose camere personalizzate. Antichità, statue e mobili di pregio.

🏨 **Giorgione**   🖆 & 📠 ⇄ ☼ VISA ⓪ AE ① 💲

calle larga dei Proverbi 4587, Cannaregio ✉ *30131 –* 𝓒 *04 15 22 58 10*
– *www.hotelgiorgione.com – giorgione@hotelgiorgione.com*
– *Fax 04 15 23 90 92*   KX**b**
76 cam ⌑ – 🛏80/200 € 🛏🛏100/500 €
Rist Osteria Enoteca Giorgione – vedere selezione ristoranti
♦ Nelle vicinanze della Ca' d'Oro, raffinato albergo raccolto intorno a una gradevole corte interna fiorita; eleganti arredi, esposizione di stampe originali del Giorgione.

🏨 **Kette** senza rist   🖆 📠 ☼ VISA ⓪ AE ① 💲

piscina San Moisè 2053, San Marco ✉ *30124 –* 𝓒 *04 15 20 77 66*
– *www.hotelkette.com – info@hotelkette.com – Fax 04 15 22 89 64*   JZ**s**
62 cam ⌑ – 🛏440 € 🛏🛏460 €
♦ Nelle vicinanze della Fenice, affacciato su un canale, albergo totalmente ristrutturato, con arredi e accessori di qualità, sia nelle zone comuni che nelle camere.

🏨 **Ca' Nigra Lagoon Resort** senza rist   🚍 🖆 📠 ⇄ 🕾

campo San Simeon Grande 927, Santa Croce   VISA ⓪ AE ① 💲
✉ *30135 –* 𝓒 *04 15 24 27 90 – www.hotelcanigra.com – info@hotelcanigra.com*
– *Fax 04 12 44 87 21*   BT**g**
21 cam ⌑ – 🛏150/650 € 🛏🛏180/700 €
♦ Oriente ed occidente fusi tra loro, si sposano con una modernità tecnologica che assicura confort ed efficienza. Splendido giardino affacciato sul Canal Grande.

🏨 **Locanda Vivaldi**   ⟨ 🖆 📠 ☼ rist. 🖫 VISA ⓪ AE ① 💲

riva degli Schiavoni 4150/52, Castello ✉ *30122 –* 𝓒 *04 12 77 04 77*
– *www.locandavivaldi.it – Fax 04 12 77 04 89*
27 cam ⌑ – 🛏130/410 € 🛏🛏180/525 €   FV**u**
Rist – *(giugno-settembre) (solo per alloggiati)* Carta 60/75 €
♦ Adiacente alla chiesa della Pietà è nato di recente un hotel raffinato, con ampie camere in stile; alcune junior suite sono in un edificio attiguo collegato dal cortile.

🏨 **Saturnia e International**   🖆 📠 ⇄ ☼ rist. 📞 🖫 VISA ⓪ AE ① 💲

calle larga 22 Marzo 2398, San Marco ✉ *30124 –* 𝓒 *04 15 20 83 77*
– *www.hotelsaturnia.it – info@hotelsaturnia.it – Fax 04 15 20 71 31*   JZ**n**
91 cam ⌑ – 🛏128/320 € 🛏🛏204/510 € – ½ P 315 €
Rist La Caravella – vedere selezione ristoranti
♦ In un palazzo patrizio del XIV secolo, un hotel affascinante, gestito dalla stessa famiglia dal 1908; camere con mobili in stile art deco; panoramica terrazza solarium.

🏨 **Ai Mori d'Oriente** senza rist   🖆 & 📠 🖫 VISA ⓪ AE ① 💲

fondamenta della Sensa 3319, Cannaregio, per Madonna dell'Orto ✉ *30121*
– 𝓒 *041 71 10 01 – www.hotelaimoridoriente.it – info@hotelaimoridoriente.it*
– *Fax 041 71 42 09*   DT
61 cam ⌑ – 🛏150/360 € 🛏🛏250/460 €
♦ Poco distante dalla chiesa della Madonna dell'Orto che conserva i dipinti del Tintoretto, un nuovo albergo dagli originali arredi moreschi ricavato in un palazzo d'epoca.

🏨 **A la Commedia** senza rist   🖆 & 📠 ⇄ ☼ 🕾 🖫 VISA ⓪ AE ① 💲

corte del Teatro Goldoni 4596/a, San Marco ✉ *30124 –* 𝓒 *04 12 77 02 35*
– *www.hotelalacommedia.it – info@hotelalacommedia.it*
– *Fax 04 12 77 05 88*   KY**c**
33 cam ⌑ – 🛏100/300 € 🛏🛏150/470 € – 2 suites
♦ Adiacente al Teatro Goldoni e nelle vicinanze del Ponte di Rialto, arredi in stile veneziano rivisitati, suggestivo bar nel *roof garden* con terrazza e vista sulla città. Eleganza e signorilità.

Sant'Elena 🏠   ⬜ |≋| &. cam, 🛬 AC 🕉 rist, "(™)" VISA ⦿ AE ① ☉
calle Buccari 10, Sant'Elena, per Riva dei 7 Martiri ✉ 30132 – ☎ 04 12 71 78 11
– www.hotelsantelena.com – mailbox@hotelsantelena.com – Fax 04 12 77 15 69
– chiuso dal 12 al 27 gennaio   GV}
76 cam � – †96/277 € ††112/325 €
Rist – (chiuso domenica) (chiuso a mezzogiorno) (solo per alloggiati)
Carta 30/65 €
♦ Nella zona più verdeggiante di Venezia un nuovo hotel dagli arredi minimalisti ma dal confort elevato, nato dalla trasformazione di una struttura religiosa degli anni '30.

Bisanzio senza rist 🏠 |≋| AC ↳/ "(™)" VISA ⦿ AE ① ☉
calle della Pietà 3651, Castello ✉ 30122 – ☎ 04 15 20 31 00 – www.bisanzio.com
– email@bisanzio.com – Fax 04 15 20 41 14   FVd
44 cam ⊂⊃ – †90/220 € ††130/330 €
♦ In una calle tranquilla, un'armoniosa fusione di antico e moderno nei raffinati interni; sobrie e accoglienti le camere, alcune con piccolo terrazzo privato.

Gabrielli Sandwirth   ⬜ ⛱ |≋| AC VISA ⦿ AE ① ☉
riva degli Schiavoni 4110, Castello ✉ 30122 – ☎ 04 15 23 15 80
– www.hotelgabrielli.it – info@hotelgabrielli.it – Fax 04 15 20 94 55
– chiuso dal 22 novembre al 4 febbraio   FVb
100 cam ⊂⊃ – †250 € ††460 € – ½ P 260 €   **Rist** – Carta 39/58 €
♦ In uno storico palazzo sulla laguna, albergo dal 1851, che dispone di una piccola terrazza con vista sul canale di S.Marco e corte interna con piccolo giardino fiorito. Il ristorante d'estate offre servizio all'aperto nel caratteristico cortile interno.

Pensione Accademia-Villa Maravage senza rist   ⬜ 🛬 AC 🕉 "(™)"
fondamenta Bollani 1058, Dorsoduro ✉ 30123   VISA ⦿ AE ① ☉
– ☎ 04 15 23 78 46 – www.pensioneaccademia.it – info@pensioneaccademia.it
– Fax 04 15 23 91 52   BVb
27 cam ⊂⊃ – †80/160 € ††140/279 €
♦ Ha un fascino particolare questa villa del '600 immersa nel verde di un giardino fiorito tra calli e canali della Venezia storica; spaziosi e curati interni in stile.

San Cassiano-Cà Favretto senza rist   ≼ AC 🕉 "(™)" VISA ⦿ AE ① ☉
calle della Rosa 2232, Santa Croce ✉ 30135 – ☎ 04 15 24 17 68
– www.sancassiano.it – info@sancassiano.it – Fax 041 72 10 33   JXf
35 cam ⊂⊃ – †75/350 € ††90/500 €
♦ Atmosfera di austera eleganza classica negli spazi comuni e nelle stanze di un hotel ubicato in un antico palazzo veneziano sul Canal Grande, di fronte alla Ca' d'Oro.

Montecarlo   ⛱ |≋| AC 🕉 rist, ℘ VISA ⦿ AE ① ☉
calle dei Specchieri 463, San Marco ✉ 30124 – ☎ 04 15 20 71 44
– www.venicehotelmontecarlo.com – mail@venicehotelmontecarlo.com
– Fax 04 15 20 77 89   LYc
51 cam ⊂⊃ – †90/280 € ††110/350 € – ½ P 115/235 €
Rist – Carta 60/90 € ♨ (+12 %)
♦ Nei pressi di piazza S.Marco, un hotel, che offre un servizio attento e curato; camere di ottimo livello, arredate con gusto in stile veneziano, preziosi marmi nella hall. Un ristorante classico di tono elegante, vocato all'attività prevalentemente serale; cucina tradizionale, con specialità stagionali e veneziane; ottima la cantina.

Cà dei Conti senza rist 🏠 |≋| 🛬 AC ↳/ ℘ VISA ⦿ AE ☉
fondamenta Remedio 4429, Castello ✉ 30122 – ☎ 04 12 77 05 00
– www.cadeiconti.com – info@cadeiconti.com – Fax 04 12 77 07 27   LYa
30 cam ⊂⊃ – †170/400 € ††180/450 € – 4 suites
♦ A pochi passi da piazza San Marco, contornato per metà da un canale, un grazioso albergo con camere di gran confort. Doppio accesso da due pittoreschi ponticelli.

Palazzo Priuli senza rist   AC ↳/ 🕉 "(™)" VISA ⦿ AE ① ☉
fondamenta Osmarin 4979/B, Castello ✉ 30122 – ☎ 04 12 77 08 34
– www.hotelpriuli.com – info@hotelpriuli.com – Fax 04 12 41 12 15   LYh
10 cam ⊂⊃ – ††450 €
♦ Bella la bifora ad angolo che decora la facciata di questo palazzo nobiliare che ospita un elegante albergo, curata nei particolari; camere spaziose e tutte diverse.

Casa Verardo – Residenza d'epoca senza rist
campo SS. Filippo e Giacomo 4765, Castello ⊠ 30121
– ℰ 04 15 28 61 27 – www.casaverardo.it – info@casaverardo.it
– Fax 04 15 23 27 65   LY**f**
23 cam ⊆ – ♦♦90/360 €
♦ Residenza d'epoca databile al XVI secolo con piccola corte interna e terrazza. Completamente ristrutturato, presenta camere in stile veneziano e ampi saloni al piano nobile.

Abbazia senza rist
Calle Priuli dei Cavaletti 68, Cannaregio ⊠ 30121 – ℰ 041 71 73 33
– www.abbaziahotel.com – info@abbaziahotel.com – Fax 041 71 79 49
50 cam ⊆ – ♦♦95/270 €   BT**a**
♦ In un convento di Frati Carmelitani Scalzi ristrutturato, suggestivo hotel dagli ambienti austeri, come il bar, che è l'antico refettorio, con tanto di stalli e pulpito.

Ala senza rist
campo Santa Maria del Giglio 2494, San Marco ⊠ 30124 – ℰ 04 15 20 83 33
– www.hotelala.it – info@hotelala.it – Fax 04 15 20 63 90 – chiuso dal 7 al
22 gennaio   JZ**e**
85 cam ⊆ – ♦80/220 € ♦♦110/420 €
♦ In un antico palazzo in un "campo" non lontano da S.Marco, un albergo, recentemente ristrutturato, con una piccola collezione di armi e armature antiche; camere confortevoli.

San Zulian senza rist
campo de la Guerra 527, San Marco ⊠ 30124 – ℰ 04 15 22 58 72
– www.sanzulian.it – info@hotelsanzulian.it – Fax 04 15 23 22 65   KY**h**
22 cam ⊆ – ♦70/223 € ♦♦80/262 €
♦ Nel cuore della città, una casa calda e accogliente, rinnovata e potenziata negli ultimi anni; servizio attento e ampie camere accessoriate, con tipici arredi veneziani.

Santa Chiara senza rist
fondamenta Santa Chiara 548, Santa Croce ⊠ 30125 – ℰ 04 15 20 69 55
– www.hotelsantachiara.it – info@hotelsantachiara.it – Fax 04 15 22 87 99
40 cam ⊆ – ♦80/190 € ♦♦110/240 €   AT**c**
♦ Unica a Venezia, una risorsa raggiungibile in auto, affacciata sul Canal Grande e sull'affollato piazzale Roma; camere classiche o più nuove e molto grandi nella dépendance.

Antiche Figure senza rist
fondamenta San Simeon Piccolo 687, Santa Croce ⊠ 30135 – ℰ 04 12 75 94 86
– www.hotelantichefigure.it – info@hotelantichefigure.it – Fax 04 12 75 66 40
22 cam ⊆ – ♦100/220 € ♦♦120/260 €   BT**d**
♦ Di fronte alla stazione ferroviaria una risorsa totalmente rinnovata che oggi presenta camere confortevoli, arredi signorili e dotazioni adatte anche alla clientela d'affari.

Paganelli senza rist
riva degli Schiavoni 4687, Castello ⊠ 30122 – ℰ 04 15 22 43 24
– www.hotelpaganelli.com – info@hotelpaganelli.com – Fax 04 15 23 92 67
22 cam ⊆ – ♦90/170 € ♦♦170/300 €   LZ**t**
♦ Indirizzo semplice, ma interessante per l'ottima posizione e per il confort offerto anche nella dépendance, dove si trova la sala colazioni; suggestive altane panoramiche.

American-Dinesen senza rist
fondamenta Bragadin 628, Dorsoduro ⊠ 30123 – ℰ 04 15 20 47 33
– www.hotelamerican.com – reception@hotelamerican.com – Fax 04 15 20 40 48
30 cam ⊆ – ♦130/230 € ♦♦190/390 €   CV**b**
♦ Lungo un tranquillo canale, signorili spazi comuni, con tanto legno e arredi classici, e camere in stile veneziano, molte con terrazzino affacciato sull'acqua.

Al Codega senza rist
San Marco 4435 ⊠ 30124 – ℰ 04 12 41 32 88 – www.alcodega.it – info@
alcodega.it – Fax 04 12 41 46 21   KY**a**
28 cam ⊆ – ♦90/200 € ♦♦120/410 €
♦ All'interno di una corte tranquillissima, ma a pochi passi dalla celebre Piazza San Marco, struttura nuova e moderna con camere carine e ben accessoriate; pregevoli quelle all'ultimo piano con vista sui tetti!

Castello senza rist   AC VISA ᴏᴏ AE ᵍ
calle Figher 4365, Castello ✉ *30122 –* ✆ *04 15 23 02 17 – www.hotelcastello.it*
– info@hotelcastello.it – Fax 04 15 21 10 23   LY**b**
26 cam ⌂ – ✝✝80/290 €
♦ Nelle adiacenze di piazza S.Marco, una struttura con interni di ambientazione classica tipicamente veneziana; camere in stile, dotate di moderni confort.

Ca' d'Oro senza rist   ▥ AC ⇄ ✖ ⟨ᵗ⟩ VISA ᴏᴏ AE ➀ ᵍ
corte Barbaro 4604, Cannaregio ✉ *30131 –* ✆ *04 12 41 12 12*
– www.venicehotelcadoro.com – info@venicehotelcadoro.com – Fax 04 12 41 43 85
27 cam ⌂ – ✝70/170 € ✝✝90/250 €   KX**c**
♦ Da pochi anni nel panorama alberghiero cittadino, una risorsa a gestione diretta, curata nei particolari; confortevoli interni con la classica impronta veneziana.

Pausania senza rist   ≠ AC ⟨ᵗ⟩ VISA ᴏᴏ AE ᵍ
fondamenta Gherardini 2824, Dorsoduro ✉ *30123 –* ✆ *04 15 22 20 83*
– www.hotelpausania.it – info@hotelpausania.it – Fax 04 15 22 29 89   BV**a**
24 cam ⌂ – ✝80/170 € ✝✝110/260 €
♦ In un edificio trecentesco, che conserva nella corte un pozzo e una scala originali dell'epoca, un hotel dagli ambienti sobri e funzionali, con piccolo giardino interno.

Ai Due Fanali senza rist   ▥ AC ⟨ᵗ⟩ VISA ᴏᴏ AE ➀ ᵍ
campo San Simeon Grande 946, Santa Croce ✉ *30135 –* ✆ *041 71 84 90*
– www.aiduefanali.com – request@aiduefanali.com – Fax 04 12 44 87 21
16 cam ⌂ – ✝90/185 € ✝✝100/235 €   BT**p**
♦ Risultato di una bella ristrutturazione, un hotel vicino alla stazione, con una hall accogliente, camere curate e confortevoli e un'altana adibita a solarium.

Belle Arti senza rist   ≠ ▥ ⅙ AC VISA ᴏᴏ ᵍ
rio terà Foscarini 912/A, Dorsoduro ✉ *30123 –* ✆ *04 15 22 62 30*
– www.hotelbellearti.com – info@hotelbellearti.com – Fax 04 15 28 00 43
65 cam ⌂ – ✝95/150 € ✝✝150/240 €   BV**g**
♦ Nei pressi delle Gallerie dell'Accademia, struttura recente, funzionale e comoda, con cortile interno attrezzato e ampi spazi interni; camere dotate di buoni confort.

Canaletto senza rist   ⅙ AC ⇄ ✖ ⟨ᵗ⟩ VISA ᴏᴏ AE ➀ ᵍ
calle de la Malvasia 5487, Castello ✉ *30122 –* ✆ *04 15 22 05 18*
– www.hotelcanaletto.com – info@hotelcanaletto.com – Fax 04 15 22 90 23
38 cam ⌂ – ✝250 € ✝✝280 €   KY**b**
♦ Una risorsa di buon confort, tra piazza S.Marco e il ponte di Rialto, che offre camere ristrutturate, con arredi in stile; visse tra queste mura l'omonimo pittore.

La Calcina   ≤ 🏠 AC ✖ ⟨ᵗ⟩ VISA ᴏᴏ AE ➀ ᵍ
fondamenta zattere ai Gesuati 780, Dorsoduro ✉ *30123 –* ✆ *04 15 20 64 66*
– www.lacalcina.com – info@lacalcina.com – Fax 04 15 22 70 45   BV**f**
27 cam ⌂ – ✝90/120 € ✝✝110/250 €   **Rist** – Carta 43/54 €
♦ Ospitalità discreta in una suggestiva risorsa, dove vivrete la rilassata atmosfera della "vera" Venezia d'altri tempi; bella la terrazza bar sul canale della Giudecca. Piccolo e grazioso ristorante magnifica vista servizio all'aperto sulle fondamenta.

Palazzo Abadessa senza rist ⧉   ≠ AC VISA ᴏᴏ AE ➀ ᵍ
calle Priuli 4011, Cannaregio ✉ *30121 –* ✆ *04 12 41 37 84 – www.abadessa.com*
– info@abadessa.com – Fax 04 15 21 22 36   DT**b**
15 cam ⌂ – ✝✝165/345 €
♦ Storica residenza di una casata di Dogi, abbellita da un prezioso giardino fiorito. Mobilio d'epoca, soffitti affrescati, grandi lampadari a testimoniare il nobile passato.

Antico Doge senza rist   AC ✖ ⟨ᵗ⟩ VISA ᴏᴏ ➀ ᵍ
campo Santi Apostoli 5643, Cannaregio ✉ *30131 –* ✆ *04 12 41 15 70*
– www.anticodoge.com – info@anticodoge.com – Fax 04 12 44 36 60   KX**e**
20 cam ⌂ – ✝199 € ✝✝225 €
♦ Palazzo gotico appartenuto al doge Marin Falier, affacciato su un canale e sul pittoresco campo dei SS. Apostoli. All'interno preziosi broccati arredano camere in stile.

⌂ **Locanda Sturion** senza rist   🅰🅒 ⅋ (ⁱ⁾ 🆅🅸🆂🅰 ⚬⚬ 🅰🅴 ⛄
calle Sturion 679, San Polo ✉ *30125 –* ✆ *04 15 23 62 43*
– www.locandasturion.com – info@locandasturion.com – Fax 04 15 22 83 78
11 cam ⌷ – ♥♥100/280 €   JY**a**
♦ Al secondo piano di un edificio sul Canal Grande, antichissima locanda di atmosfera intima e familiare, accoglienza cordiale e buon confort; camere spaziose, in stile.

⌂ **Locanda Ovidius** senza rist   ⋮⋮ 🅰🅒 ⅋ 🆅🅸🆂🅰 ⚬⚬ 🅰🅴 ⛄
calle Sturion 678/a, San Polo ✉ *30125 –* ✆ *04 15 23 79 70*
– www.hotellocandaovidius.com – info@hotelovidius.com – Fax 04 15 20 41 01
15 cam ⌷ – ♥♥150/450 €   JY**r**
♦ Una risorsa in un palazzo ottocentesco in zona Rialto; sala colazioni affacciata sul Canal Grande, mobili recenti in stile '700 veneziano nelle camere.

⌂ **Locanda Fiorita** senza rist   🅰🅒 ⅋ (ⁱ⁾ 🆅🅸🆂🅰 ⚬⚬ 🅰🅴 ⛄
campiello Novo 3457/A, San Marco ✉ *30124 –* ✆ *04 15 23 47 54*
– www.locandafiorita.com – info@locandafiorita.com – Fax 04 15 22 80 43
10 cam ⌷ – ♥90/130 € ♥♥120/170 €   CV**a**
♦ In un suggestivo campiello, nelle vicinanze di Palazzo Grassi, un indirizzo valido ed interessante: camere dagli arredi in stile '700, ordinate ed accoglienti.

⌂ **Campiello** senza rist   ⋮⋮ 🅰🅒 ⅋ 🆅🅸🆂🅰 ⚬⚬ 🅰🅴 ⛄
calle del Vin 4647, Castello ✉ *30122 –* ✆ *04 15 20 57 64 – www.hcampiello.it*
– campiello@hcampiello.it – Fax 04 15 20 57 98 – chiuso dal 7 al 23 gennaio
15 cam ⌷ – ♥50/210 € ♥♥70/400 €   LZ**b**
♦ Edificio del XVI secolo, ex convento oggi albergo dall'atmosfera familiare con camere curate e accoglienti. Caratteristiche e panoramiche altane tra i tetti.

⌂ **Don Orione Artigianelli** senza rist   ⋮⋮ ⅋ ⅋ (ⁱ⁾ 🅰 🆅🅸🆂🅰 ⚬⚬ ⛄
Zattere 909/a, Dorsoduro ✉ *30123 –* ✆ *04 15 22 40 77*
– www.donorione-venezia.it – info@donorione-venezia.it – Fax 04 15 28 62 14
62 cam ⌷ – ♥80/88 € ♥♥135/145 €   BV**x**
♦ Un complesso conventuale quattrocentesco, che fu casa d'accoglienza per orfani e minori, ospita ora un tranquillo albergo con camere semplici ed un moderno centro congressi.

⌂ **Villa Igea** senza rist   ⋮⋮ 🅰🅒 ⅋ (ⁱ⁾ 🆅🅸🆂🅰 ⚬⚬ 🅰🅴 ① ⛄
campo San Zaccaria 4684, Castello ✉ *30122 –* ✆ *04 12 41 09 56*
– www.hotelvillaigea.it – info@hotelvillaigea.it – Fax 04 15 20 68 59
17 cam ⌷ – ♥201 € ♥♥288 €   LZ**g**
♦ Edificio di fine '800 di fronte alla chiesa rinascimentale di San Zaccaria e all'omonimo campo. Camere in stile veneziano, risultato di un'attenta ristrutturazione.

⌂ **Santo Stefano** senza rist   ⋮⋮ 🅰🅒 ⅋ (ⁱ⁾ 🆅🅸🆂🅰 ⚬⚬ 🅰🅴 ⛄
campo Santo Stefano 2957, San Marco ✉ *30124 –* ✆ *04 15 20 01 66*
– www.hotelsantostefanovenezia.com – info@hotelsantostefanovenezia.com
– Fax 04 15 22 44 60   CV**c**
11 cam ⌷ – ♥170/270 € ♥♥220/320 €
♦ Hotel d'atmosfera, ricavato in una torre di guardia quattrocentesca al centro di campo S.Stefano; di tono superiore le camere, con mobili dipinti e lampadari di Murano.

⌂ **Tiziano** senza rist   ⅋ 🅰🅒 ⅋ (ⁱ⁾ 🆅🅸🆂🅰 ⚬⚬ 🅰🅴 ① ⛄
calle Rielo, Dorsoduro 1873 ✉ *30123 –* ✆ *04 12 75 00 71*
– www.hoteltizianovenezia.it – info@hoteltizianovenezia.it – Fax 04 12 75 63 12
14 cam ⌷ – ♥80/300 € ♥♥100/350 €   AV**a**
♦ In posizione defilata e tranquilla, a due passi dalla stazione S. Lucia, hotel con interni ristrutturati, camere spaziose e arredi piacevoli. Gestione esperta e affidabile.

⌂ **Commercio e Pellegrino** senza rist   ⋮⋮ 🅰🅒 ⅋ 🆅🅸🆂🅰 ⚬⚬ 🅰🅴 ① ⛄
calle della Rasse 4551/A, Castello ✉ *30122 –* ✆ *04 15 20 79 22*
– www.commercioepellegrino.com – htlcomm@tin.it – Fax 04 15 22 50 16 – chiuso dal 10 al 28 dicembre   LZ**c**
25 cam ⌷ – ♥50/200 € ♥♥80/290 €
♦ Di lato a piazza S.Marco, un hotel che si rinnova periodicamente. Camere tradizionali in stile accanto a soluzioni contemporanee più standard.

Bridge senza rist   AC ⇆ 🚭 VISA ⑳ AE ① 🅖
calle della Sacrestia 4498, Castello ✉ 30122 – ℰ 04 15 20 52 87
– *www.hotelbridge.com* – *info@hotelbridge.com* – Fax 04 15 20 22 97   LYe
10 cam ⌑ – ♙♙106/230 €
♦ Vicino a piazza S. Marco, un bell'esempio di recupero strutturale, con un'ottima zona notte: travi a vista al soffitto e arredi in stile nelle camere curate.

Charming House I Qs senza rist ॐ   AC ⇆ 🔊 VISA ⑳ AE 🅖
Campiello Querini, Dorsoduro ✉ 30123 – ℰ 04 12 41 00 62
– *www.thecharminghouse.com* – *info@iqs4425.com* – Fax 04 15 20 70 67
1 cam ⌑ – ♙♙200/500 € – 3 suites – ♙♙350/625 €   LYx
♦ Una piccola residenza di gran lusso: pontile privato con scalinata e banco ricevimento, arredi di design dove predominano minimalismo e colori scuri. Originalità e dintorni!

Novecento senza rist   AC ⇆ 🔊 VISA ⑳ AE ① 🅖
calle del Dose da Ponte 2683/84, San Marco ✉ 30124 – ℰ 04 12 41 37 65
– *www.novecento.biz* – *info@novecento.biz* – Fax 04 15 21 21 45   DVa
9 cam ⌑ – ♙♙150/280 €
♦ Risorsa ricca di stile e buongusto, in cui mobilio e arredi fondono armoniosamente l'antico e il moderno, Venezia e l'Oriente. All'interno di un palazzo del Settecento.

La Residenza senza rist   AC ⅗ 🔊 VISA ⑳ 🅖
campo Bandiera e Moro 3608, Castello ✉ 30122 – ℰ 04 15 28 53 15
– *www.venicelaresidenza.com* – *info@venicelaresidenza.com* – Fax 04 15 23 88 59
14 cam ⌑ – ♙50/100 € ♙♙80/180 €   FVa
♦ Un antico salone con stucchi e quadri settecenteschi è la hall di questa suggestiva risorsa situata al piano nobile di uno storico palazzo quattrocentesco.

Locanda Art Decò senza rist   AC 🔊 VISA ⑳ AE ① 🅖
calle delle Botteghe 2966, San Marco ✉ 30124 – ℰ 04 12 77 05 58
– *www.locandaartdeco.com* – *info@locandaartdeco.com* – Fax 04 12 70 28 91
6 cam ⌑ – ♙♙70/200 €   CVa
♦ In una calle con tanti negozi d'antiquariato, nuovissima, confortevole locanda i cui titolari, come annuncia il suo nome, prediligono questa arte degli inizi del '900.

Charming House DD 724 senza rist   🛗 AC 🔊 VISA ⑳ AE ① 🅖
ramo da Mula 724, Dorsoduro ✉ 30123 – ℰ 04 12 77 02 62 – *www.dd724.com*
– *info@dd724.com* – Fax 04 12 96 06 33   CVe
7 cam ⌑ – ♙♙280/350 €
♦ Piccola locanda di charme e design contemporaneo: opere pittoriche si integrano con dettagli *high-tech* e confort. Tutte le camere godono di una bella vista sul canale.

Cà Bauta senza rist ॐ   AC ⇆ VISA ⑳ AE 🅖
calle Muazzo 6457, Castello ✉ 30122 – ℰ 04 12 41 37 87
– *www.cabauta.com* – *info@cabauta.com* – Fax 04 15 21 23 13
– *chiuso dal 7 al 29 gennaio*   FTa
6 cam ⌑ – ♙70/190 € ♙♙180/280 €
♦ Una casa d'epoca del '400 con alti soffitti dalle travi in legno scuro, mobilio classico, notevoli lampadari e grandi quadri. Camere ampie, bagni di dimensioni contenute.

Locanda la Corte senza rist   ఉ AC ⇆ 🔊 VISA ⑳ AE ① 🅖
calle Bressana 6317, Castello ✉ 30122 – ℰ 04 12 41 13 00
– *www.locandalacorte.it* – *info@locandalacorte.it* – Fax 04 12 41 59 82
16 cam ⌑ – ♙80/140 € ♙♙99/180 €   LYp
♦ Prende nome dal pittoresco cortile interno, sorta di "salotto all'aperto", intorno a cui si sviluppa e dove d'estate si fa colazione; stile veneziano nelle stanze.

Locanda Ca' del Brocchi senza rist ॐ   AC ⅗ 🔊 VISA ⑳ ① 🅖
rio terà San Vio 470, Dorsoduro ✉ 30123 – ℰ 04 15 22 69 89
– *www.cadelbrocchi.com* – *locanda@cadelbrocchi.com* – Fax 04 15 22 69 89
– *chiuso dicembre e gennaio*   DVc
6 cam ⌑ – ♙♙90/180 €
♦ Piccolo edificio del XVI secolo, in posizione tranquilla e centrale. Arredi in stile ben bilanciati da confort moderni. Eccellente rapporto qualità/prezzo.

⋔ **Locanda del Ghetto** senza rist   🏠 AC ⇔ 🛜 ⁽ᵗ⁾ VISA 🆎 AE ① 🅐

campo del Ghetto Nuovo 2892, Cannaregio ⌧ 30121 – 𝒞 04 12 75 92 92
– www.locandadelghetto.net – info@locandadelghetto.net – Fax 04 12 75 79 87
– chiuso dal 16 novembre al 4 dicembre   BT**e**
6 cam ⌁ – †80/150 € ††100/185 €
◆ Piccola e confortevole risorsa affacciata sulla piazza principale del Ghetto, ricavata all'interno di un edificio che un tempo ospitava una sinagoga. Colazione kasher.

⋔ **Cà Dogaressa** senza rist   AC ⇔ 🛜 ⁽ᵗ⁾ VISA 🆎 AE 🅐

fondamenta di Cannaregio 1018 ⌧ 30121 – 𝒞 04 12 75 94 41
– www.cadogaressa.com – info@cadogaressa.com – Fax 04 12 75 77 71
– chiuso gennaio   BT**x**
6 cam ⌁ – †70/140 € ††85/220 €
◆ Vicino al Ghetto, dove si respira l'aria di una Venezia autentica, una locanda di recente apertura. Camere eleganti, alcune affacciate sul canale, spazi comuni minimi.

⋔ **Locanda Casa Querini** senza rist 🈺   AC 🛜 VISA 🆎 🅐

campo San Giovanni Novo 4388, Castello ⌧ 30122 – 𝒞 04 12 41 12 94
– www.locandaquerini.com – casaquerini@hotmail.com – Fax 04 15 23 61 88
– chiuso dal 22 al 27 dicembre e dal 7 al 27 gennaio   LY**n**
6 cam ⌁ – †62/145 € ††93/190 €
◆ Cordiale gestione al femminile per una sobria locanda di poche stanze, accoglienti e di buona fattura, alcune con accesso indipendente. In un caratteristico, quieto campiello.

⋔ **Casa Martini** senza rist   AC ⇔ 🛜 VISA 🆎 🅐

rio Terà San Leonardo 1314, Cannaregio ⌧ 30121 – 𝒞 041 71 75 12
– www.casamartini.it – info@casamartini.it – Fax 04 12 75 83 29
14 cam ⌁ – †60/140 € ††70/180 €   BT**c**
◆ "Casa Martini" appartiene all'omonima famiglia da più di tre secoli e da qualche tempo, al terzo piano, sono state ricavate alcune gradevoli camere. Colazione in terrazzo.

⋔ **Locanda Cà le Vele** senza rist   AC 🛜 ⁽ᵗ⁾ VISA 🆎 🅐

calle delle Vele 3969, Cannaregio ⌧ 30131 – 𝒞 04 12 41 39 60
– www.locandalevele.com – info@locandalevele.com – Fax 04 12 41 42 80
6 cam ⌁ – †70/110 € ††80/160 €   DT**b**
◆ Quattro camere e due junior suites, ricavate da un palazzo del '500 e tutte arredate in stile veneziano. Soggiorno suggestivo a prezzi interessanti con colazione in camera.

⋔ **Casa Rezzonico** senza rist   AC 🛜 VISA 🆎 🅐

fondamenta Gherardini 2813, Dorsoduro ⌧ 30123 – 𝒞 04 12 77 06 53
– www.casarezzonico.it – info@casarezzonico.it – Fax 04 12 77 54 35   BV**a**
6 cam ⌁ – †70/130 € ††80/160 €
◆ Struttura dotata di poche camere, due con bella vista e tutte rinnovate con gusto. Nella bella stagione la colazione viene servita in giardino.

🎭🎭🎭🎭 **Caffè Quadri**   ≼ AC 🛜 ⇔ VISA 🆎 AE ① 🅐

piazza San Marco 120 ⌧ 30124 – 𝒞 04 15 22 21 05 – www.quadrivenice.com
– quadri@quadrivenice.com – Fax 04 15 20 80 41 – chiuso lunedì da novembre a
marzo escluso Natale e Carnevale   **Rist** – Carta 61/96 €   KZ**y**
◆ Nella cornice più prestigiosa di Venezia, elegante trionfo di stucchi, vetri di Murano e tessuti preziosi in uno storico locale; raffinata cucina nazionale e veneziana.

🎭🎭🎭 **Osteria da Fiore** (Mara Zanetti)   AC ⇔ VISA 🆎 AE 🅐
£3

calle del Scaleter 2202/A, San Polo ⌧ 30125 – 𝒞 041 72 13 08 – www.dafiore.net
– ristorantedafiore@hotmail.com – Fax 041 72 13 43 – chiuso dal 25 dicembre
all'11 gennaio, dal 2 al 24 agosto, domenica e lunedì   CT**a**
Rist – Carta 77/122 € 🍴
Spec. Torre di insalata di mare. Spaghetti con ragù di scorpena (pesce) e cornetti in salsa. Coda di rospo arrotolata nel lardo con flan di zucchine e uovo di quaglia.
◆ Elegante nei suoi tessuti damascati, sempre in voga e frequentato da turisti e veneziani, propone una cucina regionale a base di pesce. Particolarmente richiesto il tavolo sul canale.

🎭🎭🎭 **Ai Mercanti**   🍴 AC 🛜 ⇔ VISA 🆎 AE 🅐

corte Coppo 4346/A, San Marco ⌧ 30124 – 𝒞 04 15 23 82 69
– www.aimercanti.com – info_aimercanti@libero.it – Fax 04 15 23 82 69 – chiuso
domenica e lunedì a mezzogiorno   **Rist** – Carta 75/99 €   KZ**u**
◆ Celato in una piccola corte del centro, nero e beige dominano l'aspetto moderno dell'ultimo rinnovo, signorile ed elegante non privo di calore. Piatti di carne e di pesce.

RAMOS PINTO

Est. 1880

La Guida MICHELIN

Una collana da gustare!

Belgique & Luxembourg
Deutschland
España & Portugal
France
Great Britain & Ireland
Italia
Nederland
Österreich
Portugal
Suisse-Schweiz-Svizzera
Main Cities of Europe

Ed anche:

Hong Kong - Macau
Las Vegas
London
Los Angeles
New York City
Paris
San Francisco
Tokyo

XXX **La Caravella** – Hotel Saturnia e International   🔲 AK 🍴
calle larga 22 Marzo 2397, San Marco ✉ *30124*   VISA ⓒⓞ AE ① 🍴
– ℰ *04 15 20 89 01* – *www.restaurantlacaravella.com*
– *info@restaurantlacaravella.com* – *Fax 04 15 20 58 58*   **JZn**
Rist – Carta 64/88 €
♦ In un caratteristico locale che ricorda gli interni di un'antica caravella, una cucina classica con piatti di stagione. D'estate, servizio all'aperto in un cortile veneziano.

XX **Fiaschetteria Toscana**   🔲 AK ⇄ VISA ⓒⓞ 🍴
San Giovanni Grisostomo 5719, Cannaregio ✉ *30121* – ℰ *04 15 28 52 81*
– *www.fiaschetteriatoscana.it* – *Fax 04 15 28 55 21*
– *chiuso agosto, martedì, mercoledì a mezzogiorno*   **KXp**
Rist – Carta 40/60 € ❀
♦ Cortesia e ambiente vivace in un locale caldo ed accogliente, con tavoli molto ravvicinati. Cucina del territorio, di pesce e di carne; dehors estivo in piazzetta.

XX **Do Forni**   AK 🍴 ⇄ VISA ⓒⓞ AE ① 🍴
calle dei Specchieri 457/468, San Marco ✉ *30124* – ℰ *04 15 23 21 48*
– *www.doforni.it* – *info@doforni.it* – *Fax 04 15 28 81 32*   **LYc**
Rist – Carta 54/81 € ❀ (+12 %)
♦ Una saletta intima e curata e altri spazi più semplici e ampi in uno storico ristorante frequentato da turisti e clientela di lavoro; piatti della tradizione e locali.

XX **Cip's Club** – Hotel Cipriani   🔲 AK 🍴 VISA ⓒⓞ AE ① 🍴
fondamenta de le Zitelle 10, Giudecca ✉ *30133* – ℰ *04 15 20 77 44*
– *www.hotelcipriani.com* – *info@hotelcipriani.it* – *Fax 04 12 40 85 19*
– *2 aprile- 26 ottobre*   **FVc**
Rist – *(chiuso a mezzogiorno)* Carta 91/119 €
♦ Ambiente elegante, ma informale in un locale che offre servizio estivo sul canale della Giudecca; cucina tradizionale, di carne e di pesce, con specialità venezie.

XX **Lineadombra**   🚹 AK VISA ⓒⓞ AE ① 🍴
ponte dell'Umiltà 19, Dorsoduro ✉ *30123* – ℰ *04 12 41 18 81*
– *www.ristorantelineadombra.com* – *info@ristorantelineadombra.com*
– *Fax 04 12 41 56 17* – *chiuso dal 9 dicembre all' 11 febbraio e mercoledì*
Rist – Carta 70/118 €   **DVe**
♦ Ristorante dal design moderno che fonde cristallo, legno, acciaio e pelle con una stupenda terrazza sul canale della Giudecca. Cucina moderna con radici nella tradizione.

XX **Hostaria da Franz**   🔲 AK 🍴 VISA ⓒⓞ AE 🍴
fondamenta San Giuseppe 754, Castello, per riva dei 7 Martiri ✉ *30122*
– ℰ *04 15 22 08 61* – *www.hostariadafranz.com* – *info@hostariadafranz.com*
– *Fax 04 12 41 92 78* – *chiuso dal 30 novembre al 15 febbraio*   **GV~**
Rist – Carta 55/79 €
♦ Nel sestiere di Castello, fuori dalle rotte turistiche, un ristorante classico di atmosfera rustica, ma dai toni raffinati. D'estate si pranza all'aperto, accanto al canale.

XX **Al Covo**   🔲 AK ⇄ VISA ⓒⓞ 🍴
campiello della Pescaria 3968, Castello ✉ *30122* – ℰ *04 15 22 38 12*
– *www.ristorantealcovo.com* – *info@ristorantealcovo.com* – *Fax 04 15 22 38 12*
– *chiuso mercoledì e giovedì*   **FVs**
Rist – Carta 35/71 € (+12 %)
♦ Vicino alla Riva degli Schiavoni, un ristorante rustico-elegante, molto alla moda, che propone un menù degustazione di pesce e alcuni piatti di carne. Servizio estivo esterno.

XX **Bistrot de Venise**   🔲 AK VISA ⓒⓞ AE 🍴
calle dei Fabbri 4685, San Marco ✉ *30124* – ℰ *04 15 23 66 51*
– *www.bistrotdevenise.com* – *info@bistrotdevenise.com* – *Fax 04 15 20 22 44*
– *Chiuso dal 21 al 26 dicembre*   **KYe**
Rist – Menu 45/65 € – Carta 61/77 € (+12 %)
♦ Nel cuore di Venezia, sorge questo piacevole ristorante dove assapore la storica cucina veneziana e lasciarsi "stuzzicare"da un'entusiamante carta dei vini.

ⅩⅩ Ai Gondolieri 〔AC〕 🍴 ⇄ 〔VISA〕 ⓪ 〔AE〕 ① 🍴

fondamenta de l'Ospedaleto 366, Dorsoduro ✉ *30123* – ✆ *04 15 28 63 96*
– www.aigondolieri.it – info@aigondolieri.it – Fax 04 15 21 00 75 – chiuso martedì,
Natale **DVd**
Rist – *(chiuso a mezzogiorno luglio-agosto)* **(prenotazione obbligatoria la sera)**
Carta 57/86 € (+10 %)
♦ Alle spalle del museo Guggenheim, un locale rustico con tanto legno alle pareti, che
propone un fantasioso menù solo di terra legato alla tradizione classica e veneta.

ⅩⅩ L'Osteria di Santa Marina 〔AC〕 🍴 〔VISA〕 ⓪ 🍴

campo Santa Marina 5911, Castello ✉ *30122* – ✆ *04 15 28 52 39*
– www.osteriadisantamarina.it – ostsmarina@libero.it – Fax 04 15 28 52 39
– chiuso dall'8 al 23 gennaio, dal 1° al 15 agosto, domenica e lunedì
Rist – Carta 52/66 € **LYm**
♦ Ristorante classico, anche se l'ambiente richiama atmosfere da osteria; linea culinaria di
mare, con piatti tradizionali e altri innovativi e fantasiosi.

ⅩⅩ Osteria Enoteca Giorgione – H. Giorgione 〔AC〕 〔VISA〕 ⓪ 🍴

calle Larga dei Proverbi 4582/A, Cannaregio ✉ *30131* – ✆ *04 15 22 17 25*
– www.osteriagiorgione.it – osteriagiorgione@katamail.com – Fax 04 15 22 17 25
– chiuso dal 27 luglio al 10 agosto **KXb**
Rist – *(chiuso lunedì)* Carta 36/50 €
♦ Attiguo all'omonimo albergo, locale caratteristico caratterizzato da una curiosa collezione di "ex voto". Cucina marinara d'ispirazione mediterranea.

Ⅹ Bacaro Lounge Bar 〔AC〕 〔VISA〕 ⓪ 〔AE〕 ① 🍴

salizada San Moisè 1345, San Marco ✉ *30124* – ✆ *04 12 96 06 87*
– bacarolounge@yahoo.it – Fax 04 12 41 48 85 **KZa**
Rist – Carta 48/76 €
♦ Nei locali dell'ex cinema San Marco, a due passi dall'omonima piazza, ristorante di tono
giovane ed informale. Bella sala superiore, cucina di ampio respiro.

Ⅹ Vini da Gigio 〔AC〕 〔VISA〕 ⓪ 🍴

fondamenta San Felice 3628/a, Cannaregio ✉ *30131* – ✆ *04 15 28 51 40*
– www.vinidagigio.com – info@vinidagigio.com – Fax 04 15 22 85 97 – chiuso dal
15 gennaio al 7 febbraio, dal 15 agosto al 7 settembre, lunedì e martedì
Rist – Carta 37/60 € 🍸 **DTe**
♦ Nel sestiere di Cannaregio, ambiente rustico e servizio informale in un'osteria con
cucina a vista, che offre piatti sia di pesce che di carne; buona scelta di vini.

Ⅹ Trattoria alla Madonna 〔AC〕 🍴 〔VISA〕 ⓪ 〔AE〕 🍴

calle della Madonna 594, San Polo ✉ *30125* – ✆ *04 15 22 38 24*
– www.ristoranteallamadonna.com – Fax 04 15 21 01 67 – chiuso dal 24 dicembre
a gennaio, dal 4 al 17 agosto e mercoledì **JYe**
Rist – Carta 29/42 € (+12 %)
♦ Nei pressi del ponte di Rialto, storica trattoria veneziana, grande, sempre affollata, dove
in un ambiente semplice ma animato si gusta la tipica cucina locale.

Ⅹ Corte Sconta 〔AC〕 〔VISA〕 ⓪ 🍴

calle del Pestrin 3886, Castello ✉ *30122* – ✆ *04 15 22 70 24 – corte.sconta@*
yahoo.it – Fax 04 15 22 75 13 – chiuso dal 7 al 30 gennaio, dal 20 luglio
al 16 agosto, domenica e lunedì **Rist** – Carta 46/72 € **FVe**
♦ Piacevole locale inizio secolo, nato come bottiglieria, con una vite centenaria a pergolato nella corte interna, dove si svolge il servizio estivo; curata cucina veneziana.

Ⅹ Anice Stellato 🍴 〔VISA〕 ⓪ 🍴

fondamenta della Sensa 3272, Cannaregio, per fondamenta della Misericordia
✉ *30121* – ✆ *041 72 07 44 – chiuso lunedì e martedì* **CDT【**
Rist – Carta 32/46 €
♦ Osteria fuori mano, molto frequentata da veneziani, con una cucina genuina e generosa
a base di pesce. Ambiente e servizio informali, valida e affidabile gestione familiare.

Ⅹ Antica Trattoria Furatola 〔AC〕 ⇄ 〔VISA〕 ⓪ 〔AE〕 ① 🍴

calle lunga San Barnaba 2870, Dorsoduro ✉ *30123* – ✆ *04 15 20 85 94*
– Fax 04 15 20 85 94 – chiuso dal 15 al 21 agosto, lunedì a mezzogiorno e giovedì
Rist – Carta 55/100 € (+10 %) **BVh**
♦ Trattoria caratteristica, a conduzione familiare, che in un ambiente semplice, decorato
con stampe e foto d'epoca, propone una cucina marinara. Curato privè.

✗ Alle Testiere AK VISA ⓂⓄ ⑤

calle del Mondo Novo 5801, Castello ⊠ 30122 – ✆ 04 15 22 72 20
– www.osterialletestiere.it – osterialletestiere@yahoo.it – Fax 04 15 22 72 20
– chiuso dal 20 dicembre al 12 gennaio, dal 2 agosto al 1° settembre, domenica e
lunedì LY**g**

Rist – Carta 49/66 €

♦ Un "bacaro" raffinato, che dell'osteria ha i tavoli di legno con apparecchiatura semplice e la simpatica atmosfera informale; solo piatti di pesce, curati e fantasiosi.

✗ Naranzaria 🍴 VISA ⓂⓄ ⑤

Naranzaria 130, San Polo ⊠ 30125 – ✆ 04 17 24 10 35 – www.naranzaria.it
– naranzaria@naranzaria.it – Fax 04 17 24 10 35 – chiuso dal 5 al 20 gennaio e
lunedì KX**d**

Rist – Carta 39/54 €

♦ Ai piedi del ponte, ristorante su due livelli piccolo e accogliente. Il meglio è offerto dallo spazio all'aperto con vista sul Canal Grande. Cucina veneta o giapponese.

al Lido 15 mn di vaporetto da San Marco *KZ* – ⊠ **30126 – Venezia Lido**

🛈 (giugno-settembre) Gran Viale S. M. Elisabetta 6 ✆ 041 5298711 :

The Westin Excelsior ≤ 🍴 ⌛ ♨ 👙 🏊 🚻 AK 🛗 ⚕ rist, 📞 🏋 P

lungomare Marconi 41 – ✆ 04 15 26 02 01 🚗 VISA ⓂⓄ AE ① ⑤
– www.westin.com – reservation@westinexcelsior.com – Fax 04 15 26 72 76
197 cam ⊇ – †250/970 € ††330/1070 € – ½ P 325/560 € **s**

Rist – Carta 67/101 €

♦ Proprio sulla spiaggia, ha tutto il fascino dei suoi storici sfarzi questo palazzo merlato in stile moresco, luogo di eventi mondani fin dall'apertura (1908). Lobby anni '70. L'eleganza del ristorante è consona alla cornice prestigiosa in cui si trova.

Villa Mabapa 🚗 🍴 📶 👙 🚻 AK ⚕ rist, 📞 🏋 VISA ⓂⓄ AE ① ⑤

riviera San Nicolò 16 – ✆ 04 15 26 05 90 – www.villamabapa.com – info@
villamabapa.com – Fax 04 15 26 94 41 **a**
67 cam – †130/242 € ††238/380 €, ⊇ 16 € – ½ P 184/235 €

Rist – Carta 45/76 €

♦ Villa anni '30 completata da due edifici attigui, ognuno con caratteristiche proprie, collegati dal giardino. Camere con arredi d'epoca o contemporanei. Sala da pranzo in stile classico-elegante; d'estate servizio nel bel giardino.

Quattro Fontane – Residenza d'Epoca ⚜ 🚗 🍴 ✗ AK ⚕ 📶 🏋

via 4 Fontane 16 – ✆ 04 15 26 02 27 P VISA ⓂⓄ AE ① ⑤
– www.quattrofontane.com – info@quattrofontane.com – Fax 04 15 26 07 26
– aprile-1° novembre **r**
58 cam ⊇ – †130/460 € ††160/480 € – ½ P 145/300 € **Rist** – Carta 55/76 €

♦ Residenza d'epoca che per atmosfera assomiglia ad una casa privata, dove da sempre due sorelle raccolgono ricordi di viaggio e mobili pregiati. Rigoglioso giardino. D'estate il servizio ristorante si svolge all'ombra di un enorme platano secolare.

Grande Albergo Ausonia & Hungaria senza rist 🚗 🍴 👙 rist,

Gran Viale S. M. Elisabetta 28 AK ⚕ ✗ 📞 📶 P VISA ⓂⓄ AE ① ⑤
– ✆ 04 12 42 00 60 – www.hotelhungaria.com – info@hungaria.it
– Fax 04 15 26 41 11 – chiuso gennaio e febbraio **e**
78 cam ⊇ – †150/370 € ††150/380 € – 4 suites

♦ Edificio d'inizio '900 arricchito da un rivestimento in maioliche policrome. Arredi in gran parte in stile liberty, al quarto piano fresco mobilio in midollino.

Villa Tiziana senza rist ⚜ AK ⚕ ✗ 📞 VISA ⓂⓄ AE ⑤

via Andrea Gritti 3 – ✆ 04 15 26 11 52 – www.hotelvillatiziana.net – info@
hotelvillatiziana.net – Fax 04 15 26 21 45 – chiuso dicembre e gennaio
16 cam ⊇ – †60/310 € ††80/350 € **f**

♦ Villino in posizione defilata con camere rinnovate in stile fresco e sobrio. La gestione è accurata e garantita dalla presenza dei titolari.

Ca' del Borgo senza rist 🚗 AK ⚕ VISA ⓂⓄ AE ① ⑤

piazza delle Erbe 8, località Malamocco, Sud : 6 km – ✆ 041 77 07 49
– www.cadelborgo.com – info@cadelborgo.com – Fax 041 77 07 44
6 cam ⊇ – †80/200 € ††95/268 €

♦ Lo charme raffinato e raccolto di una residenza privata, con arredi antichi e tessuti preziosi, nei saloni e nelle camere di questo hotel in una villa nobiliare del XV sec.

⌂ **Villa Casanova** senza rist ⚜   AC ⟲ VISA ⦿ AE ⚓

*via Orso Partecipazio 9 – ℰ 04 15 26 28 57 – www.casanovavenice.com – info@
casanovavenice.com – Fax 041 77 02 00 – chiuso dal 30 novembre al 15 gennaio*
6 cam ⌷ – ♝♝70/220 €   **m**

♦ Graziosa villetta anni '30 in un'area residenziale del Lido, circondata da un curato giardino sfruttato per il servizio colazioni. Camere spaziose, curate e romantiche.

⌂ **Le Garzette** ⚜   🌳 🍴 AC ⚿ rist, P

*lungomare Alberoni 32 Malamocco – ℰ 041 73 10 78 – www.legazzette.it
– legarzette@yahoo.it – Fax 041 73 10 78 – chiuso dal 20 novembre al 15 dicembre*
5 cam ⌷ – ♝♝90/160 €
Rist – *(chiuso martedì)* (coperti limitati, prenotare) Carta 30/50 €

♦ Occorre un po' di impegno per arrivare, ma ne vale la pena: si soggiorna immersi tra orti e serre, fra la laguna e il mare aperto. Valida e accogliente gestione familiare.

a Murano 10 mn di vaporetto da Fondamenta Nuove *EFT* e 1 h 10 mn di vaporetto da
Punta Sabbioni – ✉ **30141**

✗ **Busa-alla Torre**   🌳 VISA ⦿ AE ⚓

*campo Santo Stefano 3 – ℰ 041 73 96 62 – Fax 041 73 96 62
– chiuso Natale e la sera*
Rist – Carta 37/52 € (+12 %)

♦ Simpatica trattoria rustica, dotata di grande dehors estivo su una suggestiva piazzetta con un pozzo al centro; cucina di mare e specialità veneziane e contagiosa simpatia.

✗ **Ai Frati**   🌳 VISA ⦿ ⚓

*fondamenta Venier 4 – ℰ 041 73 66 94 – Fax 041 73 93 46
– chiuso dal 1° al 10 gennaio, dal 1° al 10 agosto e giovedì*
Rist – *(chiuso la sera)* Carta 37/54 €

♦ Mescita vini dalla metà dell'800 e da 60 anni con cucina, trattoria marinara fortemente legata alla vita dell'isola "del vetro"; servizio estivo in terrazza sul canale.

a Burano 50 mn di vaporetto da Fondamenta Nuove *EFT* e 32 mn di vaporetto da
Punta Sabbioni – ✉ **30012**

✗ **Da Romano**   🌳 AC VISA ⦿ AE ⓞ ⚓

*via Galuppi 221 – ℰ 041 73 00 30 – www.daromano.it – info@daromano.it
Fax 041 73 52 17 – chiuso dal 17 dicembre al 3 febbraio, domenica sera e martedì*
Rist – Carta 38/59 € (+12 %)

♦ Sull'isola "dei merletti", un locale con più di 100 anni di storia alle spalle, tappezzato di quadri di pittori contemporanei, dove gustare una fragrante cucina di mare.

✗ **Al Gatto Nero-da Ruggero**   🌳 AC VISA ⦿ AE ⓞ ⚓

*fondamenta della Giudecca 88 – ℰ 041 73 01 20 – www.gattonero.com – info@
gattonero.com – Fax 041 73 55 70 – chiuso dal 1° al 7 luglio, novembre e lunedì*
Rist – Menu 45/65 € – Carta 50/75 €

♦ Impronta familiare, servizio informale, cura nella scelta delle materie prime in una accogliente trattoria tipica con cucina veneziana e di mare; gradevole dehors estivo.

a Torcello 45 mn di vaporetto da Fondamenta Nuove *EFT* e 37 mn di vaporetto da
Punta Sabbioni – ✉ **30100** – **Burano**

✗✗ **Locanda Cipriani** con cam ⚜   🚗 🌳 AC ⚿ ⟨⟩ VISA ⦿ AE ⓞ ⚓

*piazza Santa Fosca 29 – ℰ 041 73 01 50 – www.locandacipriani.com – info@
locandacipriani.com – Fax 041 73 54 33 – chiuso dal 5 gennaio al 5 febbraio*
6 cam ⌷ – ♝100/130 € ♝♝200/260 € – ½ P 180/230 €
Rist – *(chiuso martedì)* Carta 61/102 €

♦ Suggestivo locale di grande tradizione, con interni e atmosfera da trattoria d'altri tempi e raffinata cucina tradizionale; ameno servizio estivo in giardino. Nuove camere.

a Pellestrina 1 h e 10 mn di vaporetto da riva degli Schiavoni *GZ* o 45 mn di autobus
dal Lidoautobus dal Lido – ✉ **30010**

✗ **Da Celeste**   🌳 ⚿ AC VISA ⦿ ⚓

*via Vianelli 625/B – ℰ 041 96 70 43 – Fax 041 96 73 55 – marzo-ottobre; chiuso
mercoledì*
Rist – Carta 32/45 €

♦ Trattoria d'impronta moderna, decorata con grandissimi dipinti contemporanei, che ha il suo punto di forza nella terrazza su palafitte sul mare; cucina solo di pesce.

VENOSA – Potenza (PZ) – 564 E29 – 12 159 ab. – alt. 412 m – ⊠ 85029   3 **B1**

▌ Italia

> ▶ Roma 327 – Bari 128 – Foggia 74 – Napoli 139
> ◉ Abbazia della Trinità★

Il Guiscardo   🚘 |🕏| 🗚 🛠 «¹» 🛱 🄿 🖦 🚾 ◍ 🗚 ◍ 🕏

via Accademia dei Rinascenti 106 – ℰ 097 23 23 62 – www.hotelilguiscardo.it
– hotel.guiscardo@tiscali.it – Fax 097 23 29 16
36 cam ⥮ – †55/60 € ††70/80 € – ½ P 55/60 €
Rist – *(chiuso domenica sera)* Carta 18/30 €
♦ Per clientela d'affari o per chi viene a visitare questa antica cittadina, albergo classico, con giardino e sale per convegni; essenziali arredi moderni nelle camere. Il ristorante dispone di capienti spazi ideali per banchetti e di un'altra sala più raccolta.

VENTIMIGLIA – Imperia (IM) – 561 K4 – 24 866 ab. – ⊠ 18039 ▌ Italia   14 **A3**

> ▶ Roma 658 – Imperia 48 – Cuneo 89 – Genova 159
> 🛈 via Cavour 61 ℰ 0184 351183, infoventimiglia@rivieradeifiori.travel, Fax 0184 351183
> ◐ Giardini Hanbury★★ a Mortola Inferiore Ovest : 6 km – Riviera di Ponente★ Est

Pianta pagina 1254

Sole Mare   ≤ |🕏| 🗚 🛠 cam, 🚾 ◍ 🗚 ◍ 🕏

via Marconi 22 – ℰ 01 84 35 18 54 – www.hotelsolemare.it – info@hotelsolemare.it
– Fax 01 84 23 09 88   **a**
28 cam – †58/95 € ††80/120 €, ⥮ 7 €
Rist Pasta e Basta – ℰ 01 84 23 08 78 *(chiuso lunedì escluso agosto)*
Carta 15/32 €
♦ Nella tranquilla parte occidentale della città, l'hotel offre accoglienti camere dall'arredo moderno, tutte con vista sul mare. Ogni piano è caratterizzato da un colore. Ambiente informale al ristorante, specializzato in un'infinita varietà di paste.

Posta senza rist |🕏| 🕭 🗚 🖳 🚾 ◍ 🗚 ◍ 🕏

via Sottoconvento 15 – ℰ 01 84 35 12 18 – www.postahotel.net – info@postahotel.net – Fax 01 84 23 16 00   **u**
26 cam ⥮ – †60/85 € ††85/100 €
♦ Piccolo albergo animato dalla vita del centro, caratterizzato da un'esperta tradizione familiare e lentamente rinnovatosi con gli anni. Camere semplici ma accoglienti e confortevoli.

Sea Gull senza rist   ≤ |🕏| 🗚 🚾 ◍ 🗚 🕏

via Marconi 24 – ℰ 01 84 35 17 26 – www.seagullhotel.it – info@seagullhotel.it
– Fax 01 84 23 12 17   **k**
27 cam ⥮ – †70/125 € ††80/130 €
♦ Familiari la conduzione e l'ambiente di una comoda risorsa ubicata su una passeggiata a mare, adatta anche a soggiorni prolungati; chiedete le camere con vista mare.

✕✕ Marco Polo   🌤 🗚 🚾 ◍ 🗚 🕏

passeggiata Cavallotti 2 – ℰ 01 84 35 26 78 – marcop56@hotmail.com
– Fax 01 84 35 56 84 – chiuso dal 12 gennaio al 3 marzo   **b**
Rist – Menu 52 € – Carta 36/49 €
♦ Una graziosa palafitta d'insospettabile eleganza, il cui servizio all'aperto si protende ulteriormente verso la spiaggia. La cucina esplora il mondo ittico.

✕✕ Cuneo   🗚 🚾 ◍ ◍ 🕏

via Aprosio 16 – ℰ 01 84 23 17 11 – www.ristorantecuneo.com – info@ristorantecuneo.com – chiuso 10 giorni in gennaio, dal 20 giugno al 10 luglio, domenica, lunedì sera   **x**
Rist – Carta 27/53 € (+10 %)
♦ Elegante sala sempre molto frequentata, che sfoggia un'atmosfera più piemontese che ligure. Al confine tra le due regioni, la cucina che si destreggia tra paste, piatti di carne e di pesce.

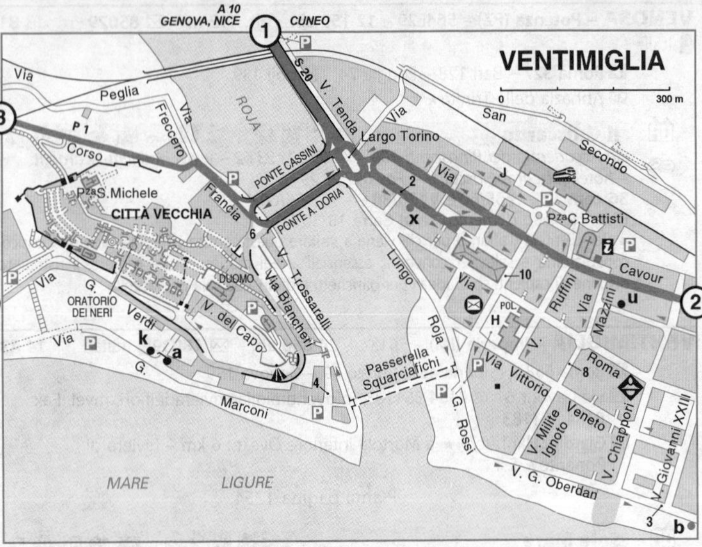

Aprosio (V.) 2
Cavallotti (Passeggiata F.) 3
Cavour (V.) . . . .
Colombo (V.) 4
Costituente (Pza della) 6
Garibaldi (V.) 7
Matteotti (V. G.) 8
Repubblica (Cso della) 10

a Castel d'Appio per ③ : *5 km* – alt. 344 m – ✉ 18039

🏠 **La Riserva di Castel D'Appio** 🌿 ← rist, [A/C]
località Peidaigo 71 – ☎ 01 84 22 95 33 [P] [VISA] [AE]
– www.lariserva.it – info@lariserva.it – Fax 01 84 22 97 12 – Pasqua-settembre
8 cam – 👤90/110 € 👥120/140 €, ☕ 8 € – 6 suites – ½ P 95/105 €
Rist – Carta 45/86 €
◆ La tranquilla posizione in collina, con magnifica vista del mare e della costa, è la carta vincente di questa risorsa signorile; camere luminose e confortevoli. Elegante cura della tavola nella sala interna e nella panoramica terrazza per il servizio estivo.

verso la frontiera di Ponte San Ludovico

🍴🍴🍴🍴 **Baia Beniamin** con cam 🌿 ← [A/C] cam, [P] [VISA] [AE]
corso Europa 63, località Grimaldi Inferiore, 6 km per corso Francia
✉ 18039 Ventimiglia – ☎ 018 43 80 02 – www.baiabeniamin.it – baiabeniamin@libero.it – Fax 018 43 80 02 – chiuso 10 giorni in marzo e novembre
5 cam ☕ – 👥280 €
Rist – *(chiuso domenica sera e lunedì, in luglio-agosto solo lunedì)* Menu 60/90 € – Carta 63/166 € 🍇
◆ Il nome ricorda una delle baie più scenografiche della regione ed è ovviamente il mare il vero protagonista della sala, incorniciato dalle ampie vetrate. Splendida terrazza per il servizio estivo. Nelle camere, la calda eleganza e la profusione di legni evocano il soggiorno a bordo di uno yacht.

🍴🍴🍴 **Balzi Rossi** [A/C] [VISA] [AE]
via Balzi Rossi 2-ponte San Ludovico, alla frontiera, 8 km per corso Francia
✉ 18039 Ventimiglia – ☎ 018 43 81 32 – www.balzirossi.com – Fax 018 43 85 32 – chiuso dall'8 al 25 gennaio, una settimana in giugno, una settimana in ottobre, lunedì, martedì a mezzogiorno ed in agosto anche domenica a mezzogiorno
Rist – Menu 70 € – Carta 75/143 €
◆ A pochi metri dal confine con la Francia, elegante sala con spettacolare panorama in terrazza sulla costa azzura. Dalla cucina i classici di pesce liguri e nazionali.

VENTIMIGLIA DI SICILIA – **Palermo** – 565N22 – **Vedere Sicilia alla fine dell'elenco alfabetico**

VENTURINA – Livorno (LI) – 563M13 – alt. 276 m – ⊠ 57021   28 B2

▶ Roma 235 – Firenze 143 – Livorno 71 – Lucca 116

Ⅹ **Otello**   & 𝔸ℂ 🅿 𝗩𝗜𝗦𝗔 ⦿ 𝔸𝔼 ⅾ
via Indipendenza 1/3/5 – 📞 05 65 85 12 12 – www.ristoranteotello.it
– Fax 05 65 85 85 56 – chiuso dal 10 al 30 gennaio, dal 20 al 30 giugno e lunedì
Rist – Carta 25/40 €
♦ Ristorante di taglio classico, ubicato lungo la statale, ma dotato di un dehors protetto
da una fitta fila di piante. Cucina varia, di terra e di mare, a prezzi interessanti.

VENUSIO – Matera – 564E31 – Vedere Matera

VERBANIA ℙ (VB) – 561E7 – 30 548 ab. – alt. 197 m   24 B1

▶ Roma 674 – Stresa 17 – Domodossola 38 – Locarno 42

🚢 da Intra per Laveno-Mombello – Navigazione Lago Maggiore: a Intra 📞 0323
407120

🛈 a Pallanza, corso Zanitello 6/8 📞 0323 503249, turismo@comune.verbania.it,
Fax 0323 507722

🏌 Verbania, 📞 0323 808 00

🏌 Piandisole, 📞 0323 58 71 00

◉ Pallanza★★ – Lungolago★★ – Villa Taranto★★

◎ Isole Borromee★★★ (giro turistico : da Intra 25-50 mn di battello e da
Pallanza 10-30 mn di battello)

a Intra – ⊠ 28921

🏠 **Intra** senza rist   🛁 🕴 & 🚶 𝔸ℂ 🕻 𝗩𝗜𝗦𝗔 ⦿ 𝔸𝔼 ⓪ ⅾ
corso Mameli 133 – 📞 03 23 58 13 93 – www.verbaniahotel.it – intra@
verbaniahotel.it – Fax 03 23 58 14 04
40 cam ⌧ – ♦42/57 € ♦♦68/114 €
♦ La struttura si affaccia sul lungolago e annovera una nuova saletta comune, spaziose
camere con arredi di gusto classico e una sala colazioni con soffitti lignei a cassettoni.

ⅩⅩ **La Tavernetta**   🍴 𝗩𝗜𝗦𝗔 ⦿ 𝔸𝔼 ⓪ ⅾ
via San Vittore 22 – 📞 03 23 40 26 35 – Fax 03 23 40 26 35 – chiuso novembre e
martedì
Rist – Carta 30/38 €
♦ Un locale accogliente ed originale nel cuore della località, ricavato in un edificio di fine
Ottocento, propone una cucina nazionale riproposta con tocchi di creatività.

ⅩⅩ **Taverna Mikonos**   𝔸ℂ 𝗩𝗜𝗦𝗔 ⦿ 𝔸𝔼 ⓪ ⅾ
via Tonazzi 5 – 📞 03 23 40 14 39 – bramclaudio@libero.it – Fax 03 23 40 14 39
– chiuso dal 17 al 31 gennaio, dal 5 al 20 settembre, lunedì, martedì a
mezzogiorno, mercoledì
Rist – Carta 29/43 €
♦ Una trattoria moderna dalle vivaci tinte bianche e blu che richiamano i colori del Mediterraneo sono un evidente richiamo alla Grecia, di cui propone la tipica gastronomia.

ⅩⅩ **Le Volte**   🍴 𝗩𝗜𝗦𝗔 ⦿ 𝔸𝔼 ⓪ ⅾ
via San Vittore 149 – 📞 03 23 40 40 51 – levolt03@ristorantelevolte.191.it
– Fax 03 23 40 40 51 – chiuso dal 15 febbraio al 7 marzo e dal 25 luglio
al 10 agosto
Rist – *(chiuso mercoledì)* Menu 22/35 € – Carta 28/41 €
♦ Sotto bianche volte, in una sala scandita da colonne in pietra, o in un grazioso dehors
estivo, gusterete una cucina della tradizione rivisitata con approccio personale.

a Pallanza – ⊠ 28922

🏨 **Grand Hotel Majestic**   ≤ 🚗 🍴 🖥 ⑂ 🛁 🕴 & 𝔸ℂ 🍽 rist, 🐾 🏋
via Vittorio Veneto 32 – 📞 03 23 50 97 11   🅿 𝗩𝗜𝗦𝗔 ⦿ 𝔸𝔼 ⓪ ⅾ
– www.grandhotelmajestic.it – info@grandhotelmajestic.it – Fax 03 23 55 63 79
– maggio-17 ottobre
90 cam ⌧ – ♦170/530 € ♦♦190/550 € – 2 suites – ½ P 144/324 €
Rist *La Beola* – Carta 54/80 €
♦ Direttamente sul lago, abbracciata dal verde e dalla tranquillità dell'acqua, una struttura
affascinante con camere spaziose e bagni in marmo, dotata di un centro benessere. Elegante ristorante à la carte, propone la tradizione gastronomica locale interpretata in
chiave contemporanea.

🏠 **Pallanza** senza rist   ⟨ ₠ AC ⊬ ⅋ rist, (⁽ᵗ⁾) 🚗 VISA ⓿⓿ AE ① ⑤

viale Magnolie 8 – ℰ 03 23 50 32 02 – www.pallanzahotels.com – belvedere@
pallanzahotels.com – Fax 03 23 50 51 94
48 cam – ♚90/130 € ♚♚105/139 €, � 13 € – ½ P 90/115 €
♦ Rinnovato negli ultimi anni, l'hotel è testimone dell'architettura del primo '900 e
dispone di camere spaziose ed accoglienti e di una panoramica terrazza con vista sul lago.

🏠 **Santanna**   ₠ cam, AC ⊬ (⁽ᵗ⁾) ⅍ P VISA ⓿⓿ AE ⑤

via Sant'Anna 65 – ℰ 03 23 55 60 86 – www.hotelsantanna.it – info@
hotelsantanna.it – Fax 03 23 55 77 77 – marzo-2 novembre
30 cam ⊇ – ♚75/100 € ♚♚95/140 € – ½ P 66/88 €
Rist – *(chiuso mercoledì) (chiuso a mezzogiorno)* Carta 18/38 €
♦ Poco distante dal lago e da Villa Taranto, una struttura moderna immersa in un tranquillo paesaggio che annovera sale riunioni, spazi comuni e camere discretamente eleganti. Una graziosa trattoria dal semplice arredo ligneo, propone la tradizionale cucina
piemontese.

🏠 **Aquadolce** senza rist   ⟨ 📶 ⅋ (⁽ᵗ⁾) VISA ⓿⓿ AE ① ⑤

via Cietti 1 – ℰ 03 23 50 54 18 – www.hotelaquadolce.it – info@hotelaquadolce.it
– Fax 03 23 55 75 34 – chiuso febbraio
13 cam ⊇ – ♚60/80 € ♚♚80/105 €
♦ E' stata recentemente ristrutturata questa piccola e graziosa casa azzurra a conduzione
familiare, la maggior parte degli ambienti si affaccia direttamente sul lago, tra questi la
bella sala colazioni.

✗✗ **Il Torchio**   AC VISA ⓿⓿ AE ① ⑤

via Manzoni 20 – ℰ 03 23 50 33 52 – www.iltorchio.net – info@iltorchio.net
– Fax 03 23 50 33 52 – chiuso mercoledì, giovedì a mezzogiorno
Rist – Carta 36/55 €
♦ Ristorante rustico, suddiviso in due salette con travature a vista e un look caldo e acco-
gliente; in cucina una mano estrosa e moderna rielabora ricette tradizionali.

✗✗ **Il Portale**   ⍟ VISA ⓿⓿ ① ⑤

via Sassello 3 – ℰ 03 23 50 54 86 – ristorante.portale@libero.it – Fax 03 23 50 54 86
– chiuso 15 giorni a gennaio, 15 giorni a novembre, martedì, mercoledì a
mezzogiorno
Rist – *(consigliata la prenotazione)* Carta 41/63 €
♦ Cucina moderna in un delizioso ristorante ubicato nel centro storico della località. Piacevole servizio estivo sulla piazza principale affacciata sul lago.

✗ **Osteria dell'Angolo**   ⍟ VISA ⓿⓿ AE ① ⑤

piazza Garibaldi 35 – ℰ 03 23 55 63 62 – osteriadellangolo@yahoo.it
– Fax 03 23 55 63 62 – chiuso dal 25 dicembre all'8 gennaio e lunedì
Rist – Carta 28/49 €
♦ Nel cuore della città, un piccolo locale dagli ambienti interni recentemente rinnovati e
con dehors sotto un piacevole pergolato propone una cucina piemontese e di lago.

✗ **Dei Cigni**   ⍟ AC ⅋ VISA ⓿⓿ ① ⑤

vicolo dell'Arco 1, angolo viale delle Magnolie – ℰ 03 23 55 88 42
– Fax 03 23 55 88 42 – chiuso dal 12 gennaio al 5 febbraio, martedì a mezzogiorno
e mercoledì
Rist – *(consigliata la prenotazione)* Carta 24/39 €
♦ Ha la meglio la cucina di pesce, sia di lago che di mare, seppur non mancano piatti a
base di carne. Pochi tavoli quadrati con un grazioso coperto da trattoria moderna e un
bel terrazzo estivo con vista.

a Suna Nord-Ovest : 2 km – ✉ 28925

✗✗✗ **Il Monastero**   AC ⇔ VISA ⓿⓿ AE ① ⑤

via Castelfidardo 5/7 – ℰ 03 23 50 25 44 – Fax 03 23 50 25 44 – chiuso 2 settimane
in luglio-agosto, lunedì e martedì
Rist – *(consigliata la prenotazione)* Carta 56/74 €
♦ Di tono rustico e discreta eleganza, la risorsa consta di due salette dove vengono servite
proposte di gastronomia nazionale e locale affidate ad una moderna rivisitazione.

a Fondotoce Nord-Ovest : 6 km – ✉ 28924

XXX   **Piccolo Lago** (Marco Sacco)   ⪡ 🚗 AC 🍴 P VISA ⓒⓞ AE ⓘ 🛴
❀❀   *via Turati 87, al lago di Mergozzo, Nord-Ovest : 2 km – ℰ 03 23 58 67 92*
  – www.piccololago.it – h.piccololago@stresa.net – Fax 03 23 58 67 91 – chiuso
  gennaio, febbraio, lunedì e martedì; anche domenica sera da ottobre a maggio
  Rist *– (chiuso a mezzogiorno escluso sabato e domenica)* Carta 76/106 € 🍴
  Spec. Tortello con farcia di stoccafisso, salsa di ostriche e latte di mandorla, trippette di baccalà in insalata, profumo di menta. Merluzzo a pelle nera del Bal-
  tico, carciofo, leggera bagna caoda alla banana. Maialino da latte in doppia cottura, spuma di patata, salsa alla liquirizia.
  ♦ Un trampolino sul lago di Mergozzo, si mangia sullo sfondo di un incantevole paesaggio
  d'acqua e monti da cui provengono diversi degli ingredienti trasformati da un'estrosa cucina.

a Cima Monterosso Ovest : 6 km – ✉ 28900

⬆   **Agriturismo Il Monterosso** 🍃   ⪡ 🚗 🌿 P VISA ⓒⓞ 🛴
🍴   *via Cima Monterosso 30 – ℰ 03 23 55 65 10 – www.ilmonterosso.it – info@*
  ilmonterosso.it – Fax 03 23 51 97 06 – chiuso gennaio e febbraio
  9 cam ⊂⊃ – †40/45 € ††75/85 € – ½ P 60/65 €
  Rist *– (chiuso lunedì e martedì)* Carta 22/43 €
  ♦ Prati verdi, aria salubre e un panorama mozzafiato sulle valli dell'Ossola e sui quattro
  laghi certamente compenseranno la pazienza e la prudenza impiegate ad affrontare i tornanti! L'ampia sala ristorante propone una cucina tipica nazionale ma anche internazionale e grigliate su fuoco a legna.

VERBANO – Vedere Lago Maggiore

VERCELLI P **(VC)** – 561G7 – **44 892 ab.** – alt. 131 m – ✉ 13100   23 **C2**
  ▶ Roma 633 – Alessandria 55 – Aosta 121 – Milano 74
  🛈 viale Garibaldi 90 ℰ 0161 58002, info@atlvalsesiavercelli.it, Fax 0161 257899

XX   **Giardinetto** con cam   🚗 AC VISA ⓒⓞ AE ⓘ 🛴
  via Sereno 3 – ℰ 01 61 25 72 30 – www.hrgiardinetto.com – giardi.dan@libero.it
  – Fax 01 61 25 93 11 – chiuso 1 settimana in gennaio e agosto
  8 cam ⊂⊃ – †75 € ††85 € – ½ P 95 €   **Rist** *– (chiuso lunedì)* Carta 24/43 €
  ♦ A pochi passi dal centro storico, una comoda risorsa, a conduzione familiare, che
  dispone di camere ben arredate e accessoriate; piacevole il giardino interno. Raffinati
  toni pastello, soffitto di legno e grandi vetrate sul giardino nel rinomato ristorante.

X   **Il Paiolo**   AC 🍴 VISA ⓒⓞ 🛴
  viale Garibaldi 72 – ℰ 01 61 25 05 77 – Fax 01 61 25 05 77
  – chiuso dal 20 luglio al 20 agosto e giovedì
  Rist – Carta 26/36 €
  ♦ Si trova lungo un viale alberato centrale questa accogliente trattoria di ambiente rustico
  e familiare, dove gustare una casalinga e sostanziosa cucina locale.

VERDUNO – Cuneo (CN) – 561I5 – **513 ab.** – alt. 378 m – ✉ 12060   25 **C2**
  ▶ Roma 645 – Cuneo 59 – Torino 61 – Asti 45

🏠   **Real Castello** 🍃   ⪡ 🚗 🍴 rist, P VISA ⓒⓞ AE ⓘ 🛴
  via Umberto I 9 – ℰ 01 72 47 01 25 – www.castellodiverduno.com
  – info@castellodiverduno.com – Fax 01 72 47 02 98
  – 19 marzo-novembre
  20 cam ⊂⊃ – †100/125 € ††105/150 € – ½ P 93/115 €
  Rist *– (chiuso mercoledì) (chiuso a mezzogiorno escluso sabato-domenica)*
  Carta 45/65 € 🍴
  ♦ Il tempo sembra essersi fermato nella quiete di questa risorsa, che occupa parte di un
  castello sabaudo del XVIII secolo. Rigorosi arredi d'epoca nelle camere affrescate ed esposizioni d'arte nelle zone comuni. Fascino antico nel curato ristorante, dove gustare piatti
  tipici piemontesi.

↑ Cà del Re   🛋 &. cam, 🍴 rist, VISA ⦿ 🍴
⊝ *via Umberto I° 14 – ℰ 01 72 47 02 81 – www.castellodiverduno.com*
– cadelre@castellodiverduno.com – Fax 01 72 47 02 81
– chiuso dal 20 dicembre al 12 febbraio
5 cam ⊆ – ♦50 € ♦♦70 €
Rist – *(chiuso a mezzogiorno escluso venerdì, sabato e domenica)* (prenotazione obbligatoria) Carta 21/27 €
♦ Grande cascina di mattoni rossi costruita nel IXX sec. per il fattore del locale castello, attualmente vanta belle camere ed un appartamento predisposto per i disabili, con angolo cottura. Accogliente sala con soffitto a volta dove, solo di sera, viene proposta un'accattivante cucina piemontese.

✗ Il Falstaff   AC 🍴 ⟲ VISA ⦿ AE ⓘ 🍴
via Comm. Schiavino 1 – ℰ 01 72 47 02 44 – Fax 01 72 47 02 44
– chiuso dal 20 dicembre al 20 febbraio, dal 20 luglio al 20 agosto e lunedì
Rist – *(chiuso a mezzogiorno escluso domenica)* (prenotazione obbligatoria) Carta 25/35 €
♦ Pochi tavoli ravvicinati e impostazione classica in un piccolo locale del centro, il cui titolare propone cucina tipica locale esclusivamente in menù degustazione.

Cerchiamo costantemente di indicarvi i prezzi più aggiornati…
ma tutto cambia così in fretta! Al momento della prenotazione,
non dimenticate di chiedere conferma delle tariffe.

VERGNE – Cuneo – 561I5 – **Vedere Barolo**

VERNAGO = **VERNAGT** – Bolzano – **Vedere Senales**

VERNANTE – Cuneo (CN) – 561J4 – **1 303 ab.** – **alt. 790 m** – ⊠ **12019**   22 **B3**
▷ Roma 634 – Cuneo 23 – Alessandria 148 – Asti 112

✗✗ Nazionale con cam   🏠 P VISA ⦿ AE ⓘ 🍴
via Cavour 60 – ℰ 01 71 92 01 81 – www.ilnazionale.com
– ristorante@albergonazionale.it – Fax 01 71 92 02 52
18 cam ⊆ – ♦35/50 € ♦♦65/100 €
Rist – *(chiuso mercoledì escluso da luglio al 15 ottobre)* Carta 35/44 € ⅋
♦ Varie sale, di cui la più accogliente con volte in mattoni e travi a vista, e una fresca veranda estiva. La cucina è piemontese doc, ma con alcuni tocchi di fantasia. Camere confortevoli, arredate con sobrietà.

VEROLI – Frosinone (FR) – 563Q22 – **19 932 ab.** – **alt. 594 m** – ⊠ **03029**   13 **C2**
▷ Roma 99 – Frosinone 13 – Avezzano 69 – Fiuggi 29

🏨 Antico Palazzo Filonardi ⌂   ← 🏐 &. ⛬ 🍴 ⟨⟩ P
piazza dei Franconi 1 – ℰ 07 75 23 52 96   VISA ⦿ AE ⓘ 🍴
– www.palazzofilonardi.it – info@palazzofilonardi.it
– Fax 07 75 23 50 79
– chiuso dall'8 al 31 gennaio
30 cam – ♦65/90 € ♦♦85/105 €, ⊆ 12 € – ½ P 75 €
Rist – *(chiuso lunedì)* Carta 35/45 €
♦ Nel centro di questo borgo medievale, nuovo, suggestivo albergo ricavato in un ex convento ottocentesco, con chiesa sconsacrata e panoramica terrazza sui colli ciociari. Al ristorante due eleganti sale "degli Angeli", così denominate per le decorazioni sulle volte.

▶ Roma 503 – Milano 157 – Venezia 114

🛪 di Villafranca per ④ : 14 km ℰ 045 8095666

🛈 via degli Alpini 9 ⊠ 37121 ℰ 045 8068680, iatverona@provincia.vrt.it, Fax 045 8003638 - Stazione Porta Nuova ⊠ 37138 ℰ 045 8000861, iatfs@tiscali.it, Fax 045 8000861 - aeroporto Villafranca ⊠ 37060 ℰ 045 8619163, iataeroporto@tiscalinet.it, Fax 045 8619163

🖫 Verona, ℰ 045 51 00 60

Manifestazioni locali

02.04 - 06.04 : vinitaly (salone internazionale del vino e dei distillati) e agrifood (salone internazionale del prodotto agroalimentare di qualità)

◉ Chiesa di San Zeno Maggiore★★ : porte★★★, trittico del Mantegna★★ AY – Piazza delle Erbe★★ CY **10** – Piazza dei Signori★★ CY **39** – Arche Scaligere★★ CY **K** – Arena★★ : ※★★ BCYZ – Castelvecchio★★ : museo d'Arte★★ BY – Ponte Scaligero★★ BY – Chiesa di Sant'Anastasia★★ : affresco★★ di Pisanello CY **F** – ⋲★★ dalle terrazze di Castel San Pietro CY **D** – Teatro Romano★ CY **C** – Duomo★ CY **A** – Chiesa di San Fermo Maggiore★ CYZ **B** – Chiesa di San Lorenzo★ BY

Piante pagine 1260-1261

🏨🏨🏨 **Due Torri Baglioni**   🕭 🖾 ↵ 🍴 rist, 🎝 🌢 🏊 VISA ⨀ AE ① ♿
piazza Sant'Anastasia 4 ⊠ 37121 – ℰ 045 59 50 44 – www.baglionihotels.com
– reservations.duetorriverona@baglionihotels.com
– Fax 04 58 00 41 30   CY**x**
91 cam � – ♦400/506 € ♦♦572/1023 €
Rist Brunello – Carta 55/66 €
♦ Narra la storia della città l'edificio trecentesco in cui si inserisce questo prestigioso albergo di tradizione e fascino; nelle eleganti camere, l'arredo si ispira soprattutto al '700 e all'800. Raffinata modernità al ristorante, per scoprire una fantasiosa cucina contemporanea.

🏨🏨🏨 **Gabbia d'Oro** senza rist   🕭 🖾 ↵ 🎝 🌢 VISA ⨀ AE ① ♿
corso Porta Borsari 4/a ⊠ 37121 – ℰ 04 58 00 30 60 – www.hotelgabbiadoro.it
– gabbiadoro@easyasp.it – Fax 045 59 02 93   CY**t**
8 cam – ♦160/290 € ♦♦220/380 €, ⊆ 23 € – 19 suites – ♦♦300/850 €
♦ Dalla discrezione e dalla cortesia di un servizio inappuntabile, un opulento scrigno di preziosi e ricercati dettagli che echeggiano dal passato; piccolo hotel di charme e lusso con un suggestivo giardino d'inverno.

🏨🏨 **Victoria** senza rist 🌢   🛁 🕭 ♿ 🖾 🎝 🌢 🚗 VISA ⨀ AE ① ♿
via Adua 6 ⊠ 37121 – ℰ 045 59 05 66 – www.hotelvictoria.it – victoria@hotelvictoria.it – Fax 045 59 01 55   BY**r**
71 cam ⊆ – ♦175/235 € ♦♦230/335 €
♦ Annovera anche reperti archeologici questo raffinato hotel, in cui antichità e modernità si amalgamano con armonia; soluzioni diverse e indovinate nelle camere, dotate della tecnologia più avanzata.

🏨🏨 **Accademia** senza rist   🕭 🛱 🖾 🌢 🎝 🌢 🚗 VISA ⨀ AE ① ♿
via Scala 12 ⊠ 37121 – ℰ 045 59 62 22 – www.accademiavr.it – accademia@accademiavr.it – Fax 04 58 00 84 40   CY**d**
94 cam ⊆ – ♦111/273 € ♦♦154/310 €
♦ Solerte e professionale il servizio, di ottimo livello il confort. La risorsa si trova in un edificio storico che si sta lentamente rinnovando, adiacente all'elegante via Mazzini, arteria ideale per lo shopping.

🏨🏨 **Colomba d'Oro** senza rist   🕭 🖾 ↵ 🌢 🎝 🌢 🚗 VISA ⨀ AE ♿
via Cattaneo 10 ⊠ 37121 – ℰ 045 59 53 00
– www.colombahotel.com – info@colombahotel.com
– Fax 045 59 49 74   BY**n**
51 cam ⊆ – ♦173 € ♦♦278 €
♦ Un albergo di tradizione e di atmosfera, realizzato in ambienti del primo Ottocento. L'affascinante hall con dipinti alle pareti e al soffitto è il biglietto da visita, non meno eleganti le camere, curate nei dettagli.

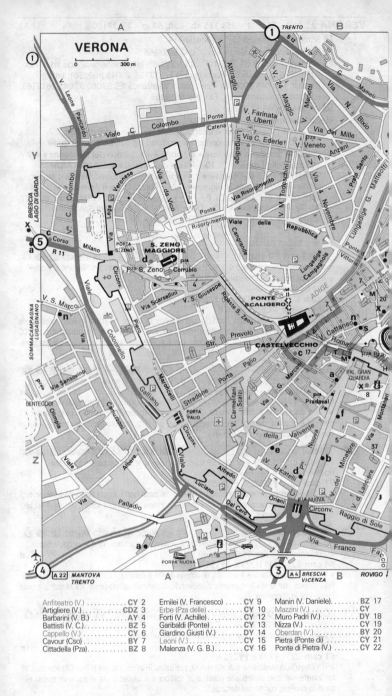

VERONA

0   300 m

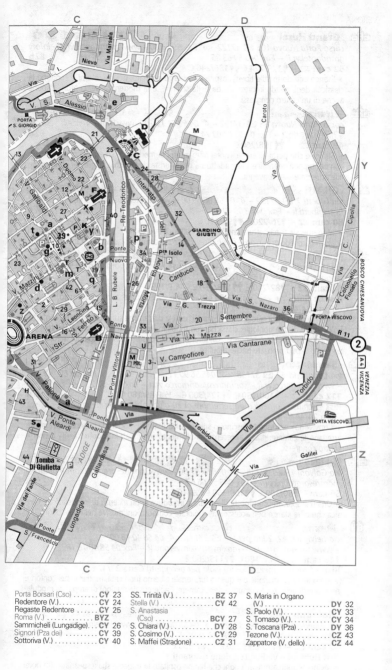

Grand Hotel senza rist

corso Porta Nuova 105 ✉ *37122* – ✆ *045 59 56 00* – *www.grandhotel.vr.it* – *info@grandhotel.vr.it* – *Fax 045 59 63 85* BZ**b**
62 cam � – ✝129/224 € ✝✝186/246 €

◆ Storico edificio in stile liberty, ospita un albergo raffinato, nei cui interni si fondono la classicità degli arredi, impreziositi da belle sculture, e la modernità dei confort; dispone anche di un centro congressi.

Firenze senza rist

corso Porta Nuova 88 ✉ *37122* – ✆ *04 58 01 15 10* – *www.hotelfirenze.it* – *hfirenze@tin.it* – *Fax 04 58 03 03 74* BZ**d**
49 cam ☝ ☂128/260 €

◆ Sul viale che porta all'Arena, l'hotel offre interni di moderna e curata eleganza, arredati con bei tappeti orientali e kilim; adatto sia per il turista sia per chi viaggia per affari grazie alle attrezzate sale convegni.

Giberti senza rist

via Giberti 7 ✉ *37122* – ✆ *04 58 00 69 00* – *www.hotelgiberti.it* – *info@hotelgiberti.it* – *Fax 04 58 00 19 55* BZ**e**
80 cam ☝ – ✝76/220 € ✝✝98/310 €

◆ Moderne sia l'architettura che la funzionalità di questo hotel cittadino che offre ampi spazi di parcheggio; luminose e confortevoli le zone comuni, piacevoli le stanze rinnovate.

Leopardi

via Leopardi 16 ✉ *37138* – ✆ *04 58 10 14 44* – *www.leopardi.vr.it* – *leopardi@leopardi.vr.it* – *Fax 04 58 10 05 23* AY**a**
81 cam ☝ – ✝82/210 € ✝✝118/230 € – ½ P 155 €
Rist *La Ginestra* – ✆ 045 56 24 49 – Menu 22 € (buffet a mezzogiorno) – Carta 34/44 €

◆ Fuori le mura, risorsa ideale sia per una clientela d'affari che turistica, propone confortevoli camere di due tipologie: classiche, con mobili in legno scuro, o moderne, dai toni più chiari; attrezzato centro congressi. Un intero capitolo di storia per il ristorante; solo a mezzogiorno si può pranzare anche a buffet.

San Marco

via Longhena 42 ✉ *37138* – ✆ *045 56 90 11* – *www.sanmarco.vr.it* – *sanmarco@sanmarco.vr.it* – *Fax 045 57 22 99* AY**n**
112 cam ☝ – ✝100/250 € ✝✝124/300 € – ½ P 85/180 €
Rist – *(chiuso domenica da settembre al 20 giugno) (solo per alloggiati)* Carta 24/44 €

◆ Convivono con discreto fascino lo stile classico e quello moderno che alternativamente arredano le camere: grazie al recente ampliamento sono stati introdotti beauty center e centro congressi.

Palace senza rist

via Galvani 19 ✉ *37138* – ✆ *045 57 57 00* – *www.montresorgroup.com* – *palace@montresorgroup.com* – *Fax 045 57 66 67* AY**x**
66 cam – ✝80/300 € ✝✝100/350 €, ☝ 10 €

◆ Una hall spaziosa, con tocchi di eleganza, introduce in un albergo di impostazione classica che offre stanze ben accessoriate. Colorate composizioni musive nei nuovi bagni.

Maxim

via Belviglieri 42, 2 km per ② ✉ *37131* – ✆ *04 58 40 18 00* – *www.maximverona.it* – *maxim@maximverona.it* – *Fax 04 58 40 18 18*
146 cam ☝ – ✝80/180 € ✝✝115/260 €
Rist – *(chiuso a mezzogiorno) (solo per alloggiati)* Carta 33/42 €

◆ Imponente costruzione per questo funzionale albergo fuori città, moderno nel confort e negli arredi delle zone comuni e delle camere. Capienti sale riunioni di ampiezza modulabile.

Bologna

via Alberto Mario 18 ✉ *37121* – ✆ *04 58 00 68 30* – *www.hotelbologna.vr.it* – *hotelbologna@tin.it* – *Fax 04 58 01 06 02* BY**x**
32 cam ☝ – ✝135 € ✝✝220 € – ½ P 135 €
Rist Rubiani – vedere selezione ristoranti

◆ Vicino all'anfiteatro e ai luoghi che hanno ospitato la tragedia shakespeariana, un hotel di discreto confort con arredi recenti nelle camere ben tenute. Chiedete quelle con vista su Piazza Bra.

🏨 **Ramada Fiera** 🏗 🎿 ᪲ cam, 🆔 (ᵠ) 🅿️ 🚗 🆅🆂🅰 ⓜⓞ 🅰🅴 ⓞ 🔆
via Zannoni 26/28, 1 km per ③ 🖂 37136 – 𝒞 04 58 20 44 85
– www.fabbrihotels.com – ramadafiera@fabbrihotels.com
– Fax 04 58 23 13 78
82 cam ⌕ – †85/290 € ††105/335 € – ½ P 68/188 €
Rist – (chiuso domenica) (solo per alloggiati) Carta 22/50 €
♦ Vicina alla Fiera, la struttura annovera nei suoi ambienti confortevoli dotazioni impiantistiche ed una piccola palestra: la soluzione ideale per gli amanti del fitness. .

🏨 **Giulietta e Romeo** senza rist 🎿 🆔 ⥮ ⃠ (ᵠ) 🅰🆅🆂🅰 ⓜⓞ 🅰🅴 ⓞ 🔆
vicolo Tre Marchetti 3 🖂 37121 – 𝒞 04 58 00 35 54
– www.giuliettaeromeo.com – info@giuliettaeromeo.com
– Fax 04 58 01 08 62   CYz
34 cam ⌕ – †80/140 € ††105/240 €
♦ Dedicata ai due innamorati immortalati da Shakespeare, una risorsa che si rinnova negli
anni, a conduzione diretta; camere tranquille, la più panoramica con vista sull'Arena.

🏨 **Verona** senza rist 🎿 ⊹⊹ 🆔 (ᵠ) 🅿️ 🆅🆂🅰 ⓜⓞ 🅰🅴 ⓞ 🔆
corso Porta Nuova 47/49 🖂 37122 – 𝒞 045 59 59 44
– www.hotelverona.it – info@hotelverona.it – Fax 045 59 43 41   BZf
31 cam ⌕ – †90/180 € ††100/215 €
♦ Di sobria semplicità all'esterno, l'hotel offre interni recenti ed invitanti, realizzati
secondo i canoni del design attualmente in voga e camere molto confortevoli. A breve
distanza dall'Arena.

🏨 **De' Capuleti** senza rist 🎿 🆔 ⥮ ⃠ (ᵠ) 🆅🆂🅰 ⓜⓞ 🅰🅴 ⓞ 🔆
via del Pontiere 26 🖂 37122 – 𝒞 04 58 00 01 54
– www.hotelcapuleti.it – info@hotelcapuleti.it
– Fax 04 58 03 29 70   CZs
42 cam ⌕ – †65/105 € ††90/200 €
♦ Vicino alla Tomba di Giulietta, omaggia la sventurata nobildonna shakespeariana. D'impostazione classica, l'hotel prevede camere di due tipologie, le più nuove con parquet e
travi a vista, le altre classiche e con moquette.

🏨 **Mastino** senza rist 🎿 🆔 ⥮ 🎿 🆅🆂🅰 ⓜⓞ 🅰🅴 ⓞ 🔆
corso Porta Nuova 16 🖂 37122 – 𝒞 045 59 53 88 – www.hotelmastino.it
– info@hotelmastino.it – Fax 045 59 77 18   BZa
54 cam ⌕ – †90/140 € ††90/198 €
♦ Potrete andare a piedi all'Arena, se alloggerete in questo hotel, confortevole e ben
tenuto; arredamento moderno e piacevole nelle stanze, recentemente ristrutturate.

🏨 **Novo Hotel Rossi** senza rist 🎿 🎿 🆔 (ᵠ) 🅿️ 🆅🆂🅰 ⓜⓞ 🅰🅴 ⓞ 🔆
via delle Coste 2 🖂 37138 – 𝒞 045 56 90 22 – www.novohotelrossi.it
– info@novohotelrossi.it – Fax 045 57 82 97   AZa
38 cam ⌕ – †90/150 € ††130/240 €
♦ Comodo sia per l'ubicazione, nei pressi della stazione ferroviaria, sia per il parcheggio
interno, un albergo classico, di buon confort, rinnovato negli ultimi anni.

🏠 **Aurora** senza rist 🆔 🆅🆂🅰 ⓜⓞ 🅰🅴 ⓞ 🔆
piazzetta XIV Novembre 2 🖂 37121 – 𝒞 045 59 47 17 – www.hotelaurora.biz
– info@hotelaurora.biz – Fax 04 58 01 08 60   CYg
19 cam ⌕ – †58/130 € ††100/150 €
♦ Camere sobrie e confortevoli, ma soprattutto la possibilità di consumare il primo pasto
della giornata affacciati sulla celebre Piazza delle Erbe, comodamente seduti sulla bella
terrazza.

🏠 **Torcolo** senza rist 🎿 🆔 ⥮ 🆅🆂🅰 ⓜⓞ 🅰🅴 ⓞ 🔆
vicolo Listone 3 🖂 37121 – 𝒞 04 58 00 75 12 – www.hoteltorcolo.it
– hoteltorcolo@virgilio.it – Fax 04 58 00 40 58
– chiuso 2 settimane in febbraio   BYs
19 cam – †50/96 € ††75/127 €, ⌕ 14 €
♦ Per un soggiorno veronese a due passi dalla leggendaria Arena, un hotel semplice ed
accogliente con mobili d'epoca in alcune stanze. Con la bella stagione, la colazione è servita all'aperto, sulla piazzetta.

🍴🍴🍴 **Il Desco** (Elia e Matteo Rizzo) [AC] [VISA] [MC] [AE] [D] [S]
✿✿ *via Dietro San Sebastiano 7 ✉ 37121 – ☎ 045 59 53 58 – www.ildesco.com – Fax 045 59 02 36 – chiuso dal 25 dicembre al 7 gennaio, 2 settimane in giugno, domenica e lunedì; in luglio, agosto e dicembre aperto lunedì sera* CY**q**
Rist – Menu 90/130 € – Carta 92/130 € 🍇
Spec. Millefoglie di gamberi crudi e porcini con latte di cocco ed erbette aromatiche. Spaghettini tiepidi al pomodoro crudo con scampi, zucchine e coriandolo. Brasato di guancia di manzo con fegato d'oca, purea di patate e porro fritto.
♦ Il salotto cittadino per eccellenza, dall'elegante sala alla cucina tutto è espressione della personalità del cuoco in equilibrio tra innovazione e tradizione, forme e sapori.

🍴🍴🍴 **Baracca** ☂ [AC] 🚭 ⇔ [P] [VISA] [MC] [AE] [D] [S]
via Legnago 120, 2,5 km per ③ ✉ 37134 – ☎ 045 50 00 13 – www.ristorantelabaracca.it – info@ristorantelabaracca.it – Fax 045 50 00 13 – chiuso dal 1° al 7 gennaio, sabato a mezzogiorno e domenica
Rist – (consigliata la prenotazione) Carta 55/75 €
♦ Fuori delle affollate rotte turistiche, signorile ristorante gestito da cinquant'anni da una intraprendente famiglia, dove troverete gusterete una consolidata e tradizionale cucina di pesce.

🍴🍴🍴 **Arche** [AC] ⇔ [VISA] [MC] [AE] [D] [S]
via Arche Scaligere 6 ✉ 37121 – ☎ 04 58 00 74 15 – www.ristorantearche.com – arche@ristorantearche.com – Fax 04 58 00 74 15 – chiuso dal 7 al 31 gennaio, domenica, lunedì a mezzogiorno CY**y**
Rist – Menu 45/65 € – Carta 56/74 € 🍇
♦ E' stato il bisnonno dello chef ad inaugurare nel 1879 questo elegante locale. Da allora la tradizione si rinnova di generazione in generazione, proponendo una cucina di terra e di mare, di tradizione e di ricerca.

🍴🍴 **Desinare a Santa Teresa** ♿ [AC] [VISA] [MC] [AE] [S]
via Santa Teresa 77, per ③ ✉ 37135 – ☎ 04 58 23 01 52 – www.ristorantedesinare.com – desinareasantateresa@tiscali.it – Fax 04 58 23 01 52 – chiuso venti giorni in gennaio, venti giorni in agosto, domenica
Rist – Carta 47/60 €
♦ Conduzione esperta in questo elegante ristorantino che prende spunto dalla tradizione veneta ed italiana; raffinate sia la cura della tavola sia la presentazione dei piatti, molti dei quali a base di pesce.

🍴🍴 **Ai Teatri** ☂ [AC] ⇔ [VISA] [MC] [AE] [D] [S]
via Santa Maria Rocca Maggiore 8 ✉ 37129 – ☎ 04 58 01 21 81 – www.ristoranteaiteatri.it – ristoranteaiteatri@tiscalinet.it – Fax 04 58 02 00 98 – chiuso dal 1° al 15 gennaio, domenica e lunedì a mezzogiorno CY**p**
Rist – (consigliata la prenotazione la sera) Menu 40/45 € – Carta 40/55 € 🍇
♦ Esperienza più che decennale nella ristorazione veronese per il titolare di un locale nato da poco al di là dell'Adige; ambiente ricercato e cucina di approccio creativo, sia di terra che di mare.

🍴🍴 **Osteria la Fontanina** (Nicola Tapparini) ☂ [AC] [VISA] [MC] [AE] [D] [S]
✿ *Portichetti Fontanelle Santo Stefano 3 ✉ 37129 – ☎ 045 91 33 05 – www.ristorantelafontanina.com – fontanina@ristorantelafontanina.com – Fax 045 91 33 05 – chiuso una settimana in gennaio, una settimana in giugno, due settimane in agosto, domenica e lunedì a mezzogiorno*
Rist – (consigliata la prenotazione) Carta 56/81 € 🍇 CY**e**
Spec. Nuvola croccante con farcia di tuorlo d'uovo su crema di cipolle, formaggio e tartufo. Risotto mantecato al recioto di Soave con scaloppa di fegato d'oca e riduzione al Porto. Guanciale di vitello brasato all'amarone con cipolle glassate e polenta.
♦ Presso la chiesa di Santo Stefano, ristorante caratteristico dall'atmosfera intima e ovattata: il vino è onnipresente con arredi d'antiquariato, stampe e argenti.

XX **Al Cristo** 🏠 AC ⇄ VISA ⬤ AE ① ⑤
piazzetta Pescheria 6 ✉ *37121 –* ℰ *045 59 42 87 – www.ristorantealcristo.it*
– info@ristorantealcristo.it – Fax 04 58 00 20 10 – chiuso lunedì CY**b**
Rist – Carta 35/74 € 🏠
♦ Nei pressi di Ponte Nuovo un edificio cinquecentesco accoglie questo ristorante articolato su tre livelli, con splendida cantina e bel dehors. Diverse linee dalla cucina: regionale, internazionale e sushi-sashimi.

XX **Tre Marchetti** AC ⇄ VISA ⬤ ⑤
vicolo Tre Marchetti 19/b ✉ *37121 –* ℰ *04 58 03 04 63 – www.tremarchetti.com*
– tremarchetti@yahoo.it – Fax 04 58 00 29 28 – chiuso 1 settimana a giugno, dal
1° al 15 settembre, lunedì in luglio-agosto, domenica negli altri mesi
Rist – Carta 44/61 € 🏠 CY**z**
♦ Si mangia gomito a gomito con i vicini in questo ristorante, tuttavia l'accoglienza è calorosa, i ritmi alquanto veloci e il servizio informale ma attento ad ogni dettaglio. Specialità del territorio.

XX **Alla Fiera-da Ruggero** 🏠 AC VISA ⬤ AE ① ⑤
via Scopoli 9, 1 km per ③ ✉ *37136 –* ℰ *045 50 88 08 – ristofiera.luca@libero.it*
– Fax 045 50 08 61 – chiuso dal 10 al 18 agosto e domenica
Rist – Carta 29/67 €
♦ Acquari con crostacei e vasche con molluschi vari. Si tratta di uno dei ristoranti ittici più rinomati in città, l'ambiente curato, una solida gestione familiare e, al tavolo, segnaposto stilizzati da un artista.

XX **Al Capitan della Cittadella** AC VISA ⬤ AE ① ⑤
piazza Cittadella 7/a ✉ *37122 –* ℰ *045 59 51 57 – alcapitan@solopesce.191.it*
– Fax 04 58 03 78 42 – chiuso una settimana in gennaio, 3 settimane in agosto,
domenica e lunedì a mezzogiorno BZ**x**
Rist – (consigliata la prenotazione) Carta 48/73 € 🏠
♦ Un locale rustico ricavato in un antico palazzo: quadri moderni alle pareti e sculture lignee dedicati ai pesci. La predilezione per il mondo marino arriva fino in cucina. Ampia scelta di vini locali.

XX **Rubiani** – Hotel Bologna 🏠 AC ⅍ VISA ⬤ AE ① ⑤
piazzetta Scalette Rubiani 3 ✉ *37121 –* ℰ *04 58 00 68 30*
– www.ristoranterubiani.it – info@ristoranterubiani.it – Fax 04 58 01 06 02
– chiuso dal 2 al 30 gennaio e domenica (escluso da giugno a settembre)
Rist – Carta 34/50 € BY**x**
♦ All'interno dell'hotel Bologna, un signorile ristorante d'impostazione classica, che offre un'intima saletta ed un piacevole dehors estivo affacciato sull'Arena dove gustare i piatti della cucina locale.

XX **Greppia** 🏠 AC VISA ⬤ AE ① ⑤
vicolo Samaritana 3 ✉ *37121 –* ℰ *04 58 00 45 77 – www.ristorantegreppia.com*
– Fax 045 59 50 90 – chiuso 15 giorni in giugno e lunedì CY**m**
Rist – Carta 28/50 €
♦ In una nascosta viuzza del centro, una sala con soffitto a volte e colonne o un gradevole spazio esterno per l'estate in un locale dalle proposte tradizionali e locali.

XX **Calanova** 🏠 AC ⅍ ⇄ VISA ⬤ AE ① ⑤
via XX Settembre 13 ✉ *37129 –* ℰ *04 58 00 83 09 – www.ristorantecalanova.com*
– info@ristorantecalanova.com – Fax 04 58 01 86 65 – chiuso 10 giorni a gennaio
e 1 settimana ad agosto
Rist – Carta 44/60 €
♦ Nient'altro che pesce fresco, proposto solamente nelle preparazioni più semplici e classiche, da assaporare nell'intima saletta dalle comode poltroncine, oppure all'aperto, nel cortile interno.

XX **Maffei** 🏠 AC ⇄ VISA ⬤ AE ① ⑤
piazza delle Erbe 38 ✉ *37121 –* ℰ *04 58 01 00 15 – www.ristorantemaffei.it*
– info@ristorantemaffei.it – Fax 04 58 00 51 24 – chiuso domenica escluso da
marzo a ottobre CY**a**
Rist – Carta 35/49 €
♦ Locale storico del centro di Verona, anticipato dalla bella corte dove si svolge il dehors: buona cucina di impronta moderna ed interessante carta dei vini. Sotto il locale dove sono stati rinvenuti dei reperti archeologici romani, si è ricavata la cantina (visitabile) ed un romantico tavolino per due!

✕ L'Oste Scuro   AK ⅏ VISA ⓪ AE ① ❺

vicolo San Silvestro 10 ⊠ 37122 – ☏ 045 59 26 50
– www.ristoranteostescurosrl.com – ostescurosrl@yahoo.it – Fax 04 58 04 66 35
– chiuso dal 25 dicembre al 7 gennaio, dal 9 al 25 agosto, domenica e lunedì a
mezzogiorno   BZ**c**
Rist – Carta 51/78 €
♦ Un'insegna in ferro battuto segnala questo locale alla moda dalla simpatica atmosfera familiare. Lo chef punta sulla freschezza del protagonista di ogni piatto elaborato: il pesce.

✕ Trattoria al Pompiere   AK ⅏ VISA ⓪ AE ❺

vicolo Regina d'Ungheria 5 ⊠ 37121 – ☏ 04 58 03 05 37
– www.alpompiere.com – alpompiere@yahoo.it – Fax 04 58 03 05 37
– chiuso dal 25 dicembre all'8 gennaio, dal 15 al 30 giugno, domenica e lunedì a
mezzogiorno   CY**r**
Rist – (consigliata la prenotazione) Carta 33/45 € 🍴
♦ In un vicolo del centro, una delle storiche trattorie di Verona: alle pareti boiserie e svariate foto d'epoca; in cucina una linea gastronomica fedele al territorio e un'ottima selezione di salumi e formaggi.

✕ Trattoria al Calmiere   🌳 ⅇ AK ⅏ VISA ⓪ AE ① ❺

piazza San Zeno 10 ⊠ 37123 – ☏ 04 58 03 07 65 – www.calmiere.com
– info@calmiere.com – Fax 04 58 03 19 00
– chiuso dal 26 dicembre al 6 gennaio, domenica sera e lunedì   AY**d**
Rist – Carta 32/39 € (+10 %)
♦ Tipica trattoria orgogliosamente situata nella bella piazza dedicata al patrono cittadino. Tradizionale cucina veronese e un'interessante selezione di vini della provincia.

✕ San Basilio alla Pergola   🌳 AK ⅏ VISA ⓪ ❺

via Pisano 9, 2 km per ② ⊠ 37131 – ☏ 045 52 04 75
– www.trattoriasanbasilio.com – trattoriasanbasilio@tele2.it – Fax 045 52 04 75
– chiuso domenica
Rist – Carta 23/30 €
♦ Caratteristico l'ambiente in stile campagnolo nelle due sale, con pavimenti in legno e mobili rustici, e semplice, ma curata cucina; piacevole dehors estivo con pergolato.

✕ Al Bersagliere   🌳 AK ⅏ VISA ⓪ AE ❺

via Dietro Pallone 1 ⊠ 37121 – ☏ 04 58 00 48 24
– www.trattoriaalbersagliere.it – info@trattoriaalbersaglere.it
– Fax 04 58 00 49 32 – chiuso 15 giorni a gennaio, 10 giorni ad agosto, domenica
ed i giorni festivi   CZ**a**
Rist – Carta 25/32 € 🍴
♦ Classico e perfetto nell'esecuzione, sarà un motivo valido se il baccalà alla vicentina proposto in questa trattoria dalla gestione appassionata è sempre molto apprezzato! Buona cantina e gradevole dehors estivo.

✕ Il Glicine   🌳 ⅏ ⅇ P VISA ⓪ AE ① ❺

corso Milano 26 ⊠ 37138 – ☏ 045 56 51 56 – www.hotelportasanzeno.it
– info@hotelportasanzeno.it – Fax 045 57 32 33
– chiuso dal 1° al 15 gennaio   AY**c**
Rist – Carta 45/79 €
♦ Rami di glicine fanno da cornice al servizio all'aperto, mentre le pareti della sala interna sono arredate con quadri e sculture moderne. Unica la predilezione della cucina: solo piatti di pesce.

a San Massimo all'Adige (per via San Marco) : 2 km – ⊠ **37139**

✕ Trattoria dal Gal   🚗 🌳 AK ⅏ P VISA ⓪ ① ❺

via Don Segala 39/b – ☏ 04 58 90 30 97 – www.trattoriadelgal.com – ldef5781@
aliceposte.it – Fax 04 58 90 09 66 – chiuso dal 30 luglio al 20 agosto, domenica
sera e lunedì
Rist – Carta 24/34 €
♦ Madre ai fornelli e figli in sala in questa semplice trattoria in una frazione di Verona; accoglienza cordiale e fiori freschi sui tavoli, cucina classica ma soprattutto del territorio. Rinomati i primi.

sulla strada statale 11 via Bresciana AY

🏠 **Park Hotel Elefante**   🚗 ⛊ cam, 🗛 ⚒ 🛜 **P** 🚗 ⚿ 🆎 ⓘ ⚐

strada Bresciana 27, Ovest : 3,5 km ✉ *37139 Verona* – ✆ *04 58 90 37 00*
– www.hotelelefante.it – info@hotelelefante.it – Fax 04 58 90 39 00
11 cam ⛌ – †65/95 € ††85/110 € – ½ P 75 €
Rist – *(chiuso dal 20 dicembre al 6 gennaio e dal 3 al 23 agosto) (chiuso a mezzogiorno)* Carta 27/35 €
♦ Sulla statale per il lago di Garda, una villetta di campagna trasformata in un piccolo albergo familiare, con atmosfera da casa privata; piacevole il giardino sul retro. Cucina regionale nella semplice sala ristorante dall'arredo ligneo, ricca di suppellettili.

a San Michele Extra per ② : 4 km – ✉ 37132

🏨 **Holiday Inn Verona**   🏮 🛗 🗛 ↯ 🛜 🕍 **P** 🚗 ⚿ 🆎 ⓘ ⚐

via Unità d'Italia 346 – ✆ *04 58 95 25 01* – *www.alliancealberghi.com*
– holidayinn.verona@alliancealberghi.com – Fax 045 97 26 77
112 cam ⛌ – †95/260 € ††107/320 € **Rist** – Carta 29/35 €
♦ Nella prima periferia cittadina, confort adeguati agli standard della catena cui appartiene in questa struttura funzionale, ideale per clientela d'affari e di passaggio. Gradevole dehors per servizio ristorante estivo.

🏨 **Gardenia**   🛗 ⛊ 🗛 ↯ ⚒ 🛜 **P** 🚗 🚙 🚗 ⚿ 🆎 ⓘ ⚐

via Unità d'Italia 350 – ✆ *045 97 21 22* – *www.hotelristorantegardenia.it* – *info@ hotelristorantegardenia.it* – *Fax 04 58 92 01 57* – *chiuso 24-25 dicembre*
56 cam ⛌ – †60/107 € ††85/118 €
Rist – *(chiuso dal 24 dicembre al 7 gennaio, sabato a mezzogiorno e domenica)* Carta 23/46 €
♦ Moderna essenzialità, lineare e funzionale, negli interni di una risorsa in comoda posizione vicino al casello autostradale; confortevoli camere ben accessoriate. Raffinata cura della tavola nelle due sale da pranzo.

VERRAYES – Aosta (AO) – 561E4 – 1 294 ab. – alt. 1 026 m – ✉ 11020   34 B2
▶ Roma 707 – Aosta 26 – Moncalieri 108 – Torino 97

a Grandzon Sud : 6 km – ✉ 11020 – Verrayes

⛰ **Agriturismo La Vrille** ⚘   ≤ 🚗 ⛊ ↯ ⚒ **P**

hameau du Grandzon 1 – ✆ *01 66 54 30 18* – *www.lavrille-agritourisme.com*
– lavrille@gmail.com
6 cam ⛌ – †55/80 € ††78/90 € – ½ P 55/65 €
Rist – *(chiuso a mezzogiorno) (consigliata la prenotazione)* Menu 28/35 €
♦ Circondata da cime e vigneti, in posizione elevata e panoramica a qualche chilometro dal paese, una caratteristica baita di montagna offre belle camere con mobili d'epoca. Atmosfera familiare e amichevole anche al ristorante, dove gustare la tradizione valdostana comodamente seduti ai tavoli di legno.

a Champagne Sud : 8 km – ✉ 11020

🍴 **Antica Trattoria Champagne**   🗛 ⚒ 🚗 ⚿ 🆎 ⓘ ⚐

– ✆ *01 66 54 62 88 – Fax 01 66 54 62 88 – chiuso dal 23 novembre al 6 dicembre, dal 23 al 30 giugno le sere di domenica e lunedì*
Rist – Carta 23/36 €
♦ Da oltre un secolo stazione di posta ma anche sala da ballo e negozio di alimentari, con l'attuale gestione la cucina ha preso il sopravvento. Valdostana d'adozione ma piemontese d'origine, la cuoca propone i due filoni regionali in piatti seplici e sapidi.

VERUCCHIO – Rimini (RN) – 562K19 – 9 237 ab. – alt. 333 m – ✉ 47826   9 D2
▶ Roma 316 – Rimini 19 – Forlì 60 – Ravenna 61
ℹ piazza Malatesta 21 ✆ 0541 670222, iat.verucchio@iper.net, Fax 0541673226
🅸 Rimini, ✆ 0541 67 81 22

VERUCCHIO

a Villa Verucchio Nord-Est : 3 km – ✉ **47827**

⌂ **Agriturismo Le Case Rosse** senza rist ⚐   🚗 **P** _VISA_ ⓒⓞ **AE** ⓞ ⛟
🏠 _via Tenuta Amalia 141, Nord-Ovest : 2 km – 𝒞 05 41 67 81 23_
– www.tenutaamalia.com – info@tenutaamalia.com – Fax 05 41 67 88 76
– marzo-settembre; solo nei week end da ottobre a febbraio
7 cam ⌖ – †65 € ††85 €
♦ Adiacente ad un campo di golf e con possibilità di gite a cavallo, un'antica casa padronale che conserva le sue caratteristiche originarie; mobili d'epoca negli interni.

VERUNO – Novara (NO) – 1 722 ab. – alt. 357 m – ✉ 28010   **24 A3**
▶ Roma 650 – Stresa 23 – Domodossola 57 – Milano 78

✕✕ **L'Olimpia** con cam   🏠 _AC_ 🕪 _VISA_ ⓒⓞ **AE** ⓞ ⛟
via Martiri 3 – 𝒞 03 22 83 01 38 – www.olimpiatrattoria.it – info@
olimpiatrattoria.it – Fax 03 22 83 01 38 – chiuso lunedì
6 cam – †50 € ††85 €, ⌖ 5 €   **Rist** – Carta 28/46 €
♦ Importanti lavori di ristrutturazione hanno conferito un nuovo look al locale: riservato ed elegante vanta anche un ampio cortile interno per il servizio estivo. La cucina rimane fedele al mare.

VESUVIO – Napoli – 564E25 ▯ Italia

VETRIOLO TERME – Trento – Vedere Levico Terme

VEZZA D'ALBA – Cuneo (CN) – 561H5 – **2 100 ab. – alt. 353 m**   **25 C2**
– ✉ **12040**
▶ Roma 641 – Torino 54 – Asti 30 – Cuneo 68

⌂ **Di Vin Roero**   🏠 _VISA_ ⓒⓞ **AE** ⓞ ⛟
⊛ _piazza San Martino 5 – 𝒞 017 36 51 14 – divin_roero@virgilio.it_
– Fax 01 73 65 81 11 – chiuso lunedì
4 cam ⌖ – †45 € ††55 € – ½ P 40 €
Rist – _(chiuso a mezzogiorno escluso sabato e domenica)_ Carta 16/20 €
♦ Belle camere, pulite e luminose, all'interno di una risorsa ubicata nella parte alta della località. Gestione cordiale ed affidabile. Per chi cerca calma e relax. Informale atmosfera al ristorante, dove gustare una cucina genuina.

VEZZANO = **VEZZAN** – Bolzano – Vedere Silandro

VIADANA – Mantova (MN) – 561H13 – **17 380 ab. – alt. 26 m** – ✉ **46019**   **17 C3**
▶ Roma 458 – Parma 27 – Cremona 52 – Mantova 39

🏠 **Europa**   🏠 _AC_ ⚘ **P** _VISA_ ⓒⓞ **AE** ⓞ ⛟
vicolo Ginnasio 9 – 𝒞 03 75 78 04 04 – www.hotelristeuropa.it – info@
hotelristeuropa.it – Fax 03 75 78 04 04 – chiuso dal 24 dicembre al 6 gennaio ed
agosto
17 cam ⌖ – †54/66 € ††81/95 € – ½ P 55/71 €
Rist Simonazzi – _(chiuso sabato a mezzogiorno, domenica sera e lunedì)_
Carta 25/43 € 🏵
♦ Nel centro della località, piccolo albergo a carattere familiare, che offre spazi comuni limitati, ma un confortevole settore notte rinnovato di recente negli arredi. Ampio e luminoso ristorante, condotto con passione direttamente dai proprietari.

a Cicognara Nord-Ovest : 3 km – ✉ **46015**

 La Vela   🏠 📶 _AC_ ⚘ rist, 🕪 _VISA_ ⓒⓞ **AE** ⓞ ⛟
piazza Don Mazzolari 1 – 𝒞 03 75 79 01 22 – www.albergolavela.com
– hotelavela@libero.it – Fax 03 75 79 02 32 – chiuso dal 21 dicembre al 7 gennaio
19 cam ⌖ – †42/49 € ††75/80 € – ½ P 60 €
Rist – _(chiuso domenica sera)_ Carta 30/66 €
♦ Hotel a gestione diretta, completamente ristrutturato in anni recenti, ospitato all'interno di una gradevole palazzina. Confort adeguato alla categoria nelle camere. Il ristorante è il fiore all'occhiello dell'attività: sala elegante e bel dehors.

VIANO – Reggio Emilia (RE) – 562I13 – **3 227 ab.** - **alt. 275 m** – ⊠ 42030   8 **B2**
> ▶ Roma 435 – Parma 59 – Milano 171 – Modena 35

✗   **La Capannina**   ᕦ **P** 𝖵𝖨𝖲𝖠 ⓸ ⚡
via Provinciale 16 – ℰ 05 22 98 85 26 – www.capannina.net – info@capannina.net
– chiuso dal 24 dicembre al 6 gennaio, dal 17 luglio al 23 agosto, domenica e
lunedì
Rist – Carta 25/31 €
♦ Da più di trent'anni la stessa famiglia gestisce questo locale, mantenendosi fedele ad una linea gastronomica che punta sulla tipicità delle tradizioni locali.

VIAREGGIO – Lucca (LU) – 563K12 – **63 290 ab.** – ⊠ 55049 ▌ Toscana   28 **B1**
> ▶ Roma 371 – La Spezia 65 – Pisa 21 – Bologna 180

i viale Carducci 10 ℰ 0584 962233, info@aptversilia.it, Fax 0584 47336
   - Stazione ferroviaria (Pasqua-settembre) ℰ 0584 46382, Fax 0584 430821

🏨🏨   **Grand Hotel Principe di Piemonte**   🛋 🏊 🛋 🖇 ᕦ 🕍 𝖠𝖢 𝒮
piazza Puccini 1 – ℰ 05 84 40 11   📞 🕍 **P** 🚗 𝖵𝖨𝖲𝖠 ⓸ 𝖠𝖤 ⓸ ⚡
– www.principedipiemonte.com – info@principedipiemonte.com
– Fax 05 84 40 18 03   Y**d**
87 cam � – ♦164/635 € ♦♦179/650 € – **19 suites**
Rist Piccolo Principe – vedere selezione ristoranti
Rist – *(chiuso a mezzogiorno)* Carta 55/91 €
♦ La camere presentano stili diversi - impero, coloniale, moderno, classico - ma un comune denominatore: il confort. Uno dei migliori alberghi della Versilia.

🏨🏨   **Plaza e de Russie**   🖇 𝖠𝖢 𝒮 ⁽ⁱ⁾ 🕍 𝖵𝖨𝖲𝖠 ⓸ 𝖠𝖤 ⓸ ⚡
piazza d'Azeglio 1 – ℰ 058 44 44 49 – www.plazaederussie.com
– info@plazaederussie.com – Fax 058 44 40 31   Z**t**
51 cam ⊆ – ♦102/117 € ♦♦158/286 € – ½ P 112/176 €
Rist *La Terrazza* – *(chiuso 2 settimane de novembre)* Carta 36/56 €
♦ Il primo albergo di Viareggio nel 1871 rimane ancora il luogo privilegiato di chi cerca fascino ed eleganza d'epoca uniti a moderni confort: per un soggiorno esclusivo. Grandi vetrate da cui contemplare il panorama nel raffinato roof-restaurant.

🏨🏨   **Grand Hotel Royal**   🚗 🏡 🛋 🖇 ᕦ 𝖠𝖢 ⁽ⁱ⁾ 🕍 𝖵𝖨𝖲𝖠 ⓸ 𝖠𝖤 ⓸ ⚡
viale Carducci 44 – ℰ 058 44 51 51 – www.hotelroyalviareggio.it
– info@hotelroyalviareggio.it – Fax 058 43 14 38 – febbraio-novembre
111 cam ⊆ – ♦90/200 € ♦♦120/350 € – 3 suites – ½ P 90/210 €   Z**g**
Rist – *(chiuso a mezzogiorno)* Menu 30/35 €
♦ E' stata ristrutturata negli ultimi anni questa maestosa costruzione con torrette, tipica degli anni '20, che dispone di ampi spazi comuni e di giardino con piscina. Elegante sala ristorante con suggestivi richiami allo stile Liberty.

🏨🏨   **President**   ⟨ 🖇 𝖠𝖢 𝒮 ⁽ⁱ⁾ 𝖵𝖨𝖲𝖠 ⓸ 𝖠𝖤 ⓸ ⚡
viale Carducci 5 – ℰ 05 84 96 27 12 – www.hotelpresident.it – info@
hotelpresident.it – Fax 05 84 96 36 58   Z**a**
50 cam ⊆ – ♦♦320 € – ½ P 190 €
Rist – *(aprile-ottobre) (chiuso a mezzogiorno) (solo per alloggiati)*
♦ Raffinata risorsa di tono realizzata in un importante edificio sul lungomare, recentemente interessata da interventi di ristrutturazione, propone camere confortevoli e sobrie.

🏨🏨   **Astor**   𝒮 rist, ⁽ⁱ⁾ 𝖵𝖨𝖲𝖠 ⓸ 𝖠𝖤 ⓸ ⚡
viale Carducci 54 – 058 45 03 01 – www.astorviareggio.com
– reservationsvi@sinahotels.it – Fax 058 45 51 81   Y**h**
77 cam ⊆ – ♦165/253 € ♦♦253/407 €   **Rist** – Carta 56/65 €
♦ Un edificio anni '70 fronte mare ospita un hotel signorile con attrezzature di buon livello e un ottimo settore notte: ampie camere, sobrie e curate, e bagni rinnovati. Il ristorante offre una spaziosa, sala ben tenuta e una piacevole terrazza con vista mare.

🎱 **London** senza rist 　🖹 🕭 AC ⁽ᵖ⁾ VISA ᴹᶜ AE ① 🌣

viale Manin 16 – ℰ *058 44 98 41 – www.hotellondon.it – info@hotellondon.it
– Fax 058 44 75 22*　**33 cam** � – †70/95 € ††110/160 €　　　　Zs

♦ In una palazzina stile *liberty*, hotel familiare nel tono dell'accoglienza e del servizio, ma curato e ben dotato nel confort delle camere e delle ampie zone comuni. Interni ovattati e soffitti altissimi assicurano un'apprezzabile insonorizzazione delle camere.

🎱 **Villa Tina** senza rist 　🖹 AC ⁒ VISA ᴹᶜ AE ① 🌣

via Aurelio Saffi 2 – ℰ *058 44 44 50 – www.villatinahotel.it – info@villatinahotel.it
– Fax 058 44 44 50 – febbraio-marzo e 15 aprile-15 ottobre*　　　　Ya
14 cam ⊆ – †70/140 € ††90/220 €

♦ Edificio liberty del 1929, le vetrate e gli stucchi delle zone comuni nonché gli arredi delle camere al primo piano ne ripropongono i fastosi eccessi; sempre in stile ma più sobrie quelle al secondo.

Eden senza rist   📶 AC 🛇 ⁽ᵗ⁾ VISA ⓐⓞ AE ⓞ ♿

viale Manin 27 – 𝒞 058 43 09 02 – www.hoteleden-viareggio.it
– info@hoteleden-viareggio.it – Fax 05 84 96 38 07   **Zp**
42 cam ☲ – ♦65/110 € ♦♦100/155 €
♦ Una struttura di taglio moderno e buona funzionalità, costantemente aggiornata, adatta a clientela sia turistica che di lavoro; mobili di legno chiaro nelle stanze.

Dei Cantieri senza rist   🚘 AC 🛇 P̄ VISA ⓐⓞ AE ⓞ ♿

via Indipendenza 72 – 𝒞 05 84 38 81 12 – Fax 05 84 38 85 61   **Zd**
7 cam ☲ – ♦♦100/120 €
♦ Di fronte alla pineta, due villette d'epoca ristrutturate e in mezzo un giardino, dove d'estate si fa colazione; camere di ottimo livello, superiori alla categoria.

Arcangelo   🚘 AC 🛇 rist. ⁽ᵗ⁾ VISA ⓐⓞ AE ⓞ ♿

via Carrara 23 – 𝒞 058 44 71 23 – www.hotelarcangelo.com
– hotelarcangelo@interfree.it – Fax 058 44 73 14 – febbraio-settembre
19 cam – ♦70/80 € ♦♦70/90 €, ☲ 8 € – ½ P 80 €   **Yx**
Rist – *(chiuso sino a maggio) (solo per alloggiati)* Menu 20/26 €
♦ Ospitalità familiare e intima ambientazione da casa privata in una palazzina d'epoca in posizione tranquilla; piacevole spazio relax all'aperto e camere accoglienti.

Lupori senza rist   📶 AC ⁽ᵗ⁾ 🚗 VISA ⓐⓞ AE ⓞ ♿

via Galvani 9 – 𝒞 05 84 96 22 66 – www.luporihotel.it – info@luporihotel.it
– Fax 05 84 96 22 67 – chiusi dal 22 al 27 dicembre   **Zw**
19 cam – ♦55/70 € ♦♦75/110 €, ☲ 8 €
♦ Gestita da più di 40 anni dalla stessa famiglia, una risorsa con spazi comuni ridotti, ma grandi camere accoglienti: quelle del terzo piano dispongono di un bel terrazzo (d'estate, piacevolmente attrezzato).

Piccolo Principe   🏠 ♿ AC 🛇 P̄ VISA ⓐⓞ AE ⓞ ♿

piazza Puccini 1 – 𝒞 05 84 40 11 – www.principedipiemonte.com
– risso@principedipiemonte.com – Fax 05 84 40 18 03   **Yd**
Rist – *(chiuso dal 3 al 17 novembre e lunedì) (chiuso a mezzogiorno)*
Carta 58/80 €
Spec. Scaloppa di foie gras con gamberi in pasta croccante, mela candita e rapa bianca. Calamarata (pasta) di Gragnano cotta sotto vetro con frutti di mare e asparagi verdi. Controfiletto d'agnello in crosta di pane con carciofi spinosi al lardo.
♦ Al quinto piano del *Grand Hotel Principe di Piemonte*, roof garden panoramico per una cucina creativa e sofisticata. Buona tecnica ed ottime presentazioni.

L'Oca Bianca   ⟨ AC 🛇 VISA ⓐⓞ AE ⓞ ♿

via Coppino 409 – 𝒞 05 84 38 84 77 – www.oca-bianca.it
– info@oca-bianca.it – Fax 05 84 39 75 68 – chiuso martedì   **Zr**
Rist – Carta 54/84 € 🕮
♦ La suggestiva vista sul porto attraverso le ampie vetrate di questo locale elegante farà da indovinata cornice alla vostra degustazione di un'appetitosa cucina di pesce.

Romano (Franca Checchi)   AC VISA ⓐⓞ AE ⓞ ♿

via Mazzini 120 – 𝒞 058 43 13 82 – www.romanoristorante.it
– info@romanoristorante.it – Fax 05 84 42 64 48
– chiuso gennaio e lunedì, anche martedì a mezzogiorno in luglio-settembre
Rist – Menu 85 € – Carta 51/88 € 🕮   **Zm**
Spec. Passatina di pomodoro, fagiolini verdi e scampi (estate). Fusilloni con triglia, gallinella e scorfano. Trancio di pesce nero con patate e funghi porcini della Garfagnana.
♦ Faro della ristorazione versiliana, la tradizionale gestione familiare non ha impedito al locale di rinnovarsi in forme moderne ed eleganti; il pesce più fresco e qualche piatto di carne.

Pino   🏠 AC VISA ⓐⓞ AE ⓞ ♿

via Matteotti 18 – 𝒞 05 84 96 13 56 – ristorantepino@hotmail.it
– Fax 05 84 43 54 42 – chiuso dal 7 gennaio al 7 febbraio, mercoledì e giovedì a mezzogiorno; in luglio-agosto aperto solo la sera   **Zb**
Rist – Carta 46/88 €
♦ E' sardo il titolare di questo locale tradizionale da poco ristrutturato con eleganza, la cui linea gastronomica è quella marinaresca, con predilezione per i crostacei.

XX **Da Remo** 🅰🅒 ⇄ 🆅🆂🅰 ⓪⓪ 🅰🅴 ⓪ ⚫

via Paolina Bonaparte 47 – ✆ 058 44 84 40 – Fax 058 44 84 40
– chiuso dal 5 al 25 ottobre e lunedì   Z**x**
Rist – Carta 35/57 €
♦ Conduzione familiare e impostazione classica in un curato ristorante del centro, che
propone tradizionali preparazioni di cucina ittica, con prodotti di qualità.

X **L'Imbuto** 🍴 🆅🆂🅰 ⓪⓪ 🅰🅴 ⓪ ⚫

via Fratti 308 – ✆ 058 44 89 06 – www.ristorantelimbuto.com
– Fax 058 44 89 06 – chiuso lunedì e martedì a mezzogiorno   Z**e**
Rist – (consigliata la prenotazione) Carta 47/60 €
♦ Ricavato all'interno di un' ex falegnameria, l'audacia della collocazione è pari ai piatti,
arditi e creativi. Una scossa per la cucina tradizionale versiliana!

X **Cabreo** 🅰🅒 🆅🆂🅰 ⓪⓪ 🅰🅴 ⚫

via Firenze 14 – ✆ 058 45 46 43 – chiuso novembre e lunedì   Y**e**
Rist – Carta 37/59 €
♦ Impostazione classica nelle due luminose sale di questo ristorante, a gestione familiare,
che propone i suoi piatti secondo la disponibilità del pescato giornaliero.

X **Da Giorgio** 🅰🅒 🍴 ⇄ 🆅🆂🅰 ⓪⓪ 🅰🅴 ⚫

via Zanardelli 71 – ✆ 058 44 44 93
– chiuso dal 24 dicembre al 5 gennaio e dal 10 al 20 ottobre   Z**v**
Rist – Carta 50/70 €
♦ Da oltre 60 anni la stessa famiglia gestisce con passione e professionalità questa tipica
trattoria viareggina. Il segreto del successo? Simpatia, savoir-faire ed una gustosa cucina
marinara.

X **Il Puntodivino** 🅰🅒 ⇄ 🆅🆂🅰 ⓪⓪ 🅰🅴 ⓪ ⚫

via Mazzini 229 – ✆ 058 43 10 46 – www.ilpuntodivino.com – stefanoniccoli2007@
libero.it – Fax 058 43 10 46 – chiuso lunedì da settembre a giugno   Z**c**
Rist – (chiuso a mezzogiorno in luglio e agosto) Carta 28/45 €
♦ Giovane gestione in un ristorante con enoteca: a pranzo piatti del giorno proposti su
una lavagna, la sera l'offerta è più ampia e c'è anche il menù degustazione.

VIAROLO – Parma (PR) – 562H12 – **alt. 41 m** – ⊠ **43010**   8 **A3**
▶ Roma 465 – Parma 11 – Bologna 108 – Milano 127

X **Gelmino** 🍴 🆇 🅿 🆅🆂🅰 ⓪⓪ 🅰🅴 ⓪ ⚫

via Cremonese 161 – ✆ 05 21 60 51 23 – rist.gelmino@libero.it – Fax 05 21 39 24 91
– chiuso dal 16 al 23 luglio, dal 16 agosto al 3 settembre, domenica sera e lunedì
Rist – Menu 25/40 € – Carta 24/39 €
♦ Ambiente familiare e cucina del territorio per questo rustico locale dove il sevizio sempre attento si accompagna, in estate, al piacere di mangiare all'aperto.

VIBO VALENTIA 🅿 (VV) – 564K30 – **33 782 ab.** – **alt. 476 m** – ⊠ **89900**   5 **A2**
▶ Roma 613 – Reggio di Calabria 94 – Catanzaro 69 – Cosenza 98

🄸 via Forgiari 8 ✆ 0963 42008, aptvv@tiscali.it, Fax 0963 44318

🏨 **501 Hotel** ≼ 🔟 🕴 🔥 🅰🅒 🆇 rist, 🕙 🔐 🅿 🆅🆂🅰 ⓪⓪ 🅰🅴 ⓪ ⚫

viale Bucciarelli, Nord : 1 km – ✆ 096 34 39 51 – www.501hotel.it – info@
501hotel.it – Fax 096 34 34 00
118 cam ⊐ – ♦100/120 € ♦♦136/160 € – 3 suites – ½ P 90/100 €
Rist – Carta 28/46 €
♦ Panoramico, con vista sul golfo di S.Eufemia, un albergo di recente rinnovato, con zone
comuni ben distribuite e di confort superiore; tonalità marine nelle belle camere. Rilassanti
tinte pastello e ambientazione moderna nella signorile sala ristorante.

🏠 **Vecchia Vibo** 🍴 🕴 🔥 🅰🅒 🕙 🔐 🅿 🆅🆂🅰 ⓪⓪ 🅰🅴 ⓪ ⚫

via Murat-Srimbia – ✆ 096 34 30 46 – www.hotelvecchiavibo.com – info@
hotelvecchiavibo.com – Fax 09 63 54 12 27
20 cam ⊐ – ♦70 € ♦♦100 € – ½ P 68 €
Rist – (chiuso lunedì sera) Carta 18/38 €
♦ Nella parte antica di Vibo, a poche centinaia di metri dal castello, recente risorsa ricavata da una vecchia casa padronale: sale e camere arredate con gusto e funzionalità.
Ristorante e pizzeria nelle ex scuderie.

XXX **La Locanda Daffinà-Palazzo d'Alcontres** con cam   🆎 ॐ 🕼
via Murat 2 – ℰ 09 63 47 26 69   🆅🅸🆂🅰 ◎◎ 🆎 ① 🅧
– www.lalocandadaffina.it – info@lalocandadaffina.it – Fax 09 63 54 10 25
– chiuso Natale e Ferragosto
9 cam ⌨ – †75/98 € ††130/150 € – ½ P 100/110 €
Rist – *(chiuso domenica sera)* Carta 38/64 €
♦ All'interno di un palazzo nobiliare del '700, questo locale rimane un punto di riferimento nel panorama della ristorazione cittadina. Veranda affacciata sul centro.

a Vibo Valentia Marina Nord : 10 km – ✉ 89811

🏨 **Cala del Porto**   🖼 🛗 🆎 ॐ 🕼 🏋 🆅🅸🆂🅰 ◎◎ 🆎 ① 🅧
I Traversa via Roma – ℰ 09 63 57 77 62
– www.caladelporto.com – info@caladelporto.com
– Fax 09 63 57 77 63
30 cam ⌨ – †95 € ††130 € – 3 suites
Rist L'Approdo – vedere selezione ristoranti
♦ Signorile struttura di recente realizzazione, che dispone di grandi spazi comuni e di un settore notte moderno e dotato di tutti i confort; attrezzature per congressi.

XXX **L'Approdo** – Hotel Cala del Porto   🍴 🛗 🆎 ॐ ↩ 🆅🅸🆂🅰 ◎◎ 🆎 ① 🅧
via Roma 22 – ℰ 09 63 57 26 40 – www.lapprodo.com – info@lapprodo.com
– Fax 09 63 57 77 63
Rist – Menu 60/110 € – Carta 55/85 €
♦ Indiscutibile la qualità del pesce per una cucina di alto livello, classica e fantasiosa, da gustare in un ambiente di sobria e curata eleganza moderna; dehors estivo.

VICCHIO – Firenze (FI) – 563K16 – **7 516 ab. – alt. 203 m** – ✉ 50039   29 **C1**
🏴 Toscana
   ▶ Roma 301 – Firenze 32 – Bologna 96

XX **L'Antica Porta di Levante**   🍴 ↩ 🆅🅸🆂🅰 ◎◎ 🆎 🅧
piazza Vittorio Veneto 5 – ℰ 055 84 40 50 – www.anticaportadilevante.it
– info@anticaportadilevante.it – Fax 055 84 40 50
– chiuso lunedì
Rist – *(chiuso a mezzogiorno escluso sabato e domenica da maggio a settembre)*
Carta 27/34 € ॐ
♦ Storica locanda di posta, nel centro della località, dotata di una caratteristica saletta in pietra, di una sala molto luminosa e di una gradevole veranda estiva con pergolato.

X **La Casa di Caccia**   🍴 🅿 🆅🅸🆂🅰 ◎◎ 🆎 ① 🅧
🄯 *località Roti Molezzano, Nord : 8,5 km – ℰ 05 58 40 76 29*
– www.ristorantelacasadicaccia.com – info@ristorantelacasadicaccia.com
– Fax 05 58 40 76 29 – chiuso martedì escluso dal 15 maggio al 15 settembre
Rist – Carta 31/39 €
♦ Si percorre in macchina qualche chilometro di strada sterrata per arrivare a questa bella trattoria familiare con una sala tutta a vetrate: una splendida terrazza panoramica e la cucina della tradizione.

a Campestri Sud : 5 km – ✉ 50039 – Vicchio

🏨 **Villa Campestri** ॐ   🎇 🍴 ☄ ॐ rist, 🕼 🅿 🆅🅸🆂🅰 ◎◎ 🆎 ① 🅧
via di Campestri 19/22 – ℰ 05 58 49 01 07 – www.villacampestri.com
– villa.campestri@villacampestri.it – Fax 05 58 49 01 08 – 15 marzo-15 novembre
18 cam ⌨ – †90/120 € ††120/190 € – 2 suites
Rist – *(chiuso a mezzogiorno)* Menu 52 €
♦ La natura e la storia della Toscana ben si amalgamano in questa villa trecentesca, su un colle in un parco con piscina e maneggio; suggestivi, raffinati interni d'epoca. Elegante ambientazione anche nelle sale del ristorante. Ricca oleoteca.

VICENO – Verbania – 561D6 – Vedere Crodo

VICENZA [P] (VI) – 562F16 – **111 409 ab.** – **alt. 40 m** – ✉ **36100** Italia 37 **A1**

Roma 523 – Padova 37 – Milano 204 – Verona 51

[i] piazza Matteotti 12 ☎ 0444 320854, iat.vicenza1@provincia.vicenza.it, Fax 0444 327072 - piazza dei Signori 8 ☎ 0444 544122, iat.vicenza2@provincia.vicenza.it, Fax 0444 325001

Colli Berici, ☎ 0444 60 17 80

, ☎ 044 34 04 48

Manifestazioni locali

14.01. - 21.01. : vicenzaoro 1 (mostra internazionale oreficeria ecc.)

12.05. - 16.05. : vicenzaoro 2 (mostra internazionale oreficeria ecc.)

Teatro Olimpico★★ BY **A** : scena★★★ – Piazza dei Signori★★ BYZ **34** : Basilica★★ BZ **B** Torre Bissara★ BZ **C**, Loggia del Capitanio★ BZ **D** – Museo Civico★ BY **M** : Crocifissione★★ di Memling – Battesimo di Cristo★★ del Bellini, Adorazione dei Magi★★ del Veronese, soffitto★ nella chiesa della Santa Corona BY **E** – Corso Andrea Palladio★ ABYZ – Polittico★ nel Duomo AZ **F** – Villa Valmarana "ai Nani"★★ : affreschi del Tiepolo★★★ per ④ : 2 km – La Rotonda★ del Palladio per ④ : 2 km – Basilica di Monte Berico★ : ✻★★ 2 km BZ

Pianta pagina a lato

NH Vicenza

rist,

viale S. Lazzaro 110, 2 km per ⑤ – ☎ 04 44 95 40 11 – www.nh-hotels.it – jhvicenzatiepolo@nh-hotels.com – Fax 04 44 96 61 11

115 cam – †65/230 € ††85/260 €

Rist *Le Muse* – *(chiuso dal 23 dicembre al 7 gennaio ed agosto)* Carta 33/52 €

♦ Inaugurata nel 2000, risorsa moderna di sobria eleganza, che coniuga funzionalità e confort ad alto livello; spazi comuni articolati e camere ottimamente insonorizzate. Una luminosa sala di signorile ambientazione moderna per il ristorante.

Da Porto

viale del Sole 142, 1 km per ⑥ – ☎ 04 44 96 48 48 – www.hoteldaporto.com – info@hoteldaporto.com – Fax 04 44 96 48 52

72 cam – †70/205 € ††80/235 €

Rist Giardinetto – vedere selezione ristoranti

♦ Edificati in una zona verde in una audace architettura, i due moderni edifici ospitano spazi confortevoli con corridoi in marmo ed arredi su misura nelle accoglienti camere. A disposizione anche appartamenti ad uso residence.

Giardini senza rist

viale Giuriolo 10 – ☎ 04 44 32 64 58 – www.hotelgiardini.com – info@hotelgiardini.com – Fax 04 44 32 64 58 – chiuso dal 23 dicembre al 2 gennaio, dal 6 al 22 agosto BY**a**

17 cam – †83/130 € ††114/150 €

♦ Piccolo albergo, al limitare del centro storico, propone soluzioni moderne di buon confort sia nelle zone comuni, ridotte ma ben articolate, sia nelle lineari camere.

🍴🍴🍴 Da Biasio

viale 10 Giugno 172 – ☎ 04 44 32 33 63 – www.ristorantedabiasio.it – info@ristorantedabiasio.it – Fax 04 44 32 68 39 – chiuso dal 26 dicembre al 2 gennaio, dal 12 al 18 agosto, dal 27 ottobre al 9 novembre, sabato a mezzogiorno e lunedì BZ**a**

Rist – Menu 35/80 € – Carta 45/72 €

♦ Gestione competente e appassionata per un locale elegantemente ristrutturato, con camino per l'inverno e terrazza panoramica - dalla quale si gode una splendida vista su città e dintorni - per la bella stagione. Cucina ispirata alle tradizioni locali e piatti che profumano di mare. Cosa pretendere di più!

🍴🍴 Antico Ristorante Agli Schioppi

contrà piazza del Castello 26 – ☎ 04 44 54 37 01 – www.ristoranteaglischioppi.com – info@ristoranteaglischioppi.com – Fax 04 44 54 37 01 – chiuso dal 1° al 6 gennaio, dal 25 luglio al 20 agosto, sabato sera e domenica AZ**c**

Rist – Carta 27/36 €

♦ Mobili di arte povera nell'ambiente caldo e accogliente di uno storico locale della città, rustico, ma con tocchi di eleganza; la cucina segue le tradizioni venete: immancabile il baccalà.

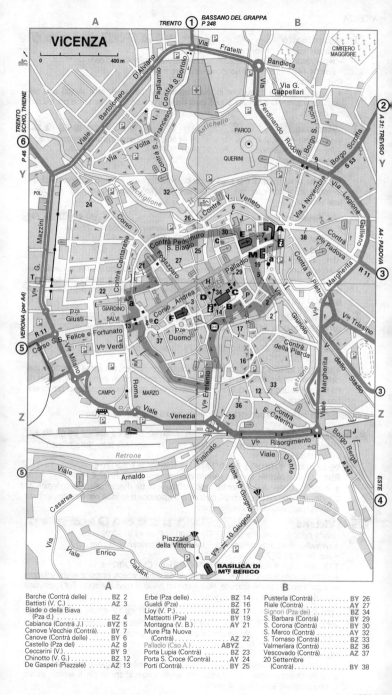

VICENZA

TRENTO ①

BASSANO DEL GRAPPA
P 248

×× Giardinetto   🏠 & AC ❄ ⇔ P VISA ⚫ AE ① ⑤

viale del Sole 142, 1 km per ⑥ – 𝒞 04 44 96 61 33
– *www.ristorantegiardinetto.com – info@ristorantegiardinetto.com*
– *Fax 04 44 28 18 62 – chiuso domenica sera e lunedì*
Rist – Carta 30/54 €
♦ Eleganza, calore e discrezione in sala, d'estate ci si sposta nei tavoli allestiti sulla terrazza. Cucina veneta e classica, buona carta dei vini, nonché tanta attenzione per più piccoli dettagli.

×× Storione   🏠 & AC ❄ ⇔ P VISA ⚫ AE ① ⑤

via Pasubio 62/64, 2 km per ⑥ – 𝒞 04 44 56 65 06 – www.ristorantestorione.it
– *info@ristorantestoriane.it – Fax 04 44 57 16 44*
– *chiuso domenica*
Rist – Carta 35/58 €
♦ Il nome fa intuire qual è la linea di cucina: solo di pesce, secondo la disponibilità dei mercati ittici. Il contesto: due luminose sale di taglio classico-signorile ed una piacevole veranda.

× Al Pestello   🏠 VISA ⚫ AE ① ⑤

contrà Santo Stefano 3 – 𝒞 04 44 32 37 21 – www.ristorantealpestello.it
– *info@ristorantealpestello.it – Fax 04 44 32 37 21*
– *chiuso dal 15 al 30 maggio e dal 1° al 15 ottobre*   **BYc**
Rist – Carta 22/37 €
♦ Accomodandovi al tavolo, vi sarà presentato un menu in dialetto in sintonia con le proposte gastronomiche vicentine, e più genericamente, venete di questo bel locale nel cuore del centro storico di Vicenza. Sazi e satolli vi aspetta, poi, la visita della *Basilica Palladiana* (a 100 m dal ristorante).

× Ponte delle Bele   AC ⇔ VISA ⚫ AE ① ⑤

contrà Ponte delle Bele 5 – 𝒞 04 44 32 06 47 – www.pontedellebele.it
– *pontedellebele@alice.it – Fax 04 44 32 06 47*
– *chiuso dal 21 al 28 giugno, dal 9 al 23 agosto e domenica*   **AZa**
Rist – Carta 24/35 €
♦ Una tipica trattoria specializzata in piatti trentini e sudtirolesi, ma anche in gustose specialità vicentine. Ambientazione d'impronta rustica, con arredi in legno, a pochi passi da *Porta Castello*: uno degli antichi ingressi (attraverso le mura duecentesche) al centro storico di Vicenza.

in prossimità casello autostrada A 4-Vicenza Est per ③ : *7 km* :

🏠 Viest Hotel   🏠 ⌨ 🛏 & AC ⇄ ❄ rist, 📶 🛁 P 🚗 VISA ⚫ AE ① ⑤

strada Pelosa 241 ✉ 36100 – 𝒞 04 44 58 26 77 – www.viest.it – info@viest.it
– *Fax 04 44 58 24 34*
96 cam ⌨ – ♦70/190 € ♦♦90/250 € – 2 suites – ½ P 80/170 €
Rist – *(chiuso Natale, agosto, sabato e domenica)* Carta 29/47 €
♦ In zona commerciale, le camere sono distribuite in tre diverse palazzine collegate da corridoi, secondo criteri di confort crescente. Il ristorante si segnala per l'ottimo rapporto qualità/prezzo, cucina tradizionale e pizza.

🏠 Victoria   🚗 🍴 ⌨ 🏠 AC 📶 🛁 P VISA ⚫ AE ① ⑤

strada padana verso Padova 52 ✉ 36100 – 𝒞 04 44 91 22 99
– *www.hotelvictoriavicenza.com – info@hotelvictoriavicenza.com*
– *Fax 04 44 91 25 70*
123 cam ⌨ – ♦60/137 € ♦♦79/179 €   **Rist** – Carta 20/29 €
♦ Hotel di taglio moderno, non molto lontano dal centro storico, propone anche soluzioni in appartamenti; camere spaziose, alcune con un livello di confort elevato. Per i pasti, una sala sobria e moderna con grandi vetrate.

×× Da Remo   🚗 🏠 AC ❄ ⇔ P VISA ⚫ ① ⑤

via Caimpenta 14 ✉ 36100 – 𝒞 04 44 91 10 07 – ristorantedaremo@hotmail.com
– *Fax 04 44 91 18 56 – chiuso dal 25 dicembre al 7 gennaio, agosto, domenica sera e lunedì; in luglio anche domenica a mezzogiorno*
Rist – Carta 30/45 € 🕸
♦ Soffitti con travi a vista nelle sale, di cui una con camino, in questo ristorante rustico-signorile situato in una casa colonica con ampio spazio all'aperto per il servizio estivo. Cucina regionale e specialità di pesce.

VICO EQUENSE – Napoli (NA) – 564F25 – **20 402 ab.** – ⊠ 80069 Italia 6 **B2**
▶ Roma 248 – Napoli 40 – Castellammare di Stabia 10 – Salerno 41

🔢 via San Ciro 16 ☎ 081 8015752, acst.vicoequense@libero.it, Fax 081 8799351
🔼 Monte Faito ★★ : ☀ ★★★ dal belvedere dei Capi e ☀ ★★★ dalla cappella di
San Michele Est : 14 km

🏨 **Grand Hotel Angiolieri** ⊗ ← 🛋 🍴 🖥 AC 🌿 ☎ 🚗
via Santa Maria Vecchia 2, località Seiano, Sud-Est 2 VISA 🐲 AE ➀ 🕉
km – ☎ 08 18 02 91 61 – www.grandhotelangiolieri.it – info@
grandhotelangiolieri.it – Fax 08 18 02 85 58 – chiuso dal 7 gennaio al 28 febbraio
36 cam ⊇ – ♥99/159 € ♥♥109/289 € – 2 suites – ½ P 175/210 €
Rist – Carta 59/90 €
♦ All'ombra del Vesuvio, un'antica villa è stata trasformata in un prestigioso albergo
dotato di camere arredate con sobria eleganza. Dalla piscina è possibile ammirare un suggestivo scorcio del golfo di Napoli. Al ristorante, sapori di mare e di terra per un'interpretazione creativa dei piatti della tradizione campana.

XX **Antica Osteria Nonna Rosa** (Giuseppe Guida) AC 🌿
ಟ್ವ via privata Bonea 4, località Pietrapiano, Est : 2 km VISA 🐲 AE ➀ 🕉
– ☎ 08 18 79 90 55 – www.osterianonnarosa.it – info@osterianonnarosa.it
– Fax 08 18 79 90 55 – chiuso agosto e domenica sera
Rist – (chiuso a mezzogiorno escluso sabato-domenica) (consigliata la prenotazione) Carta 49/69 € 🍃
Spec. Tagliatelle di seppie, puré di piselli e gocce di torrone salato (primavera). Spaghettoni alle acciughe sott'olio, peperoncino dolce e pecorino.
Pizza (dolce).
♦ Autentica e caratteristica trattoria che ha raffinato nel tempo la sua cucina: piatti storici e campani con i tipici ingredienti, ma anche ricette creative e presentazioni coreografiche.

---

a Marina Equa Sud : 2,5 km – ⊠ 80069 – Vico Equense

🏠 **Eden Bleu** 🌊 🖥 🏊 AC 🌿 cam, **P** VISA 🐲 AE ➀ 🕉
via Murrano 17 – ☎ 08 18 02 85 50 – www.edenbleuhotel.com
– edenbleuhotel@libero.it – Fax 08 18 02 85 74 – Pasqua-2 novembre
24 cam ⊇ – ♥80/120 € ♥♥100/175 € – ½ P 70/100 €
Rist – Carta 26/36 €
♦ Piccola, ma graziosa risorsa, a gestione familiare, situata a pochi metri dal mare, dispone
di stanze funzionali e pulite e di appartamenti per soggiorni settimanali. Ambientazione di
stile moderno nell'accogliente sala da pranzo.

XXX **Torre del Saracino** (Gennaro Esposito) 🍴 🌿 **P** VISA 🐲 AE ➀ 🕉
ಟ್ವ ಟ್ವ via Torretta 9 – ☎ 08 18 02 85 55 – www.torredelsaracino.it
– info@torredelsaracino.it – Fax 08 18 02 85 55
– chiuso dal 20 gennaio al 12 febbraio, domenica sera e lunedì
Rist – (consigliata la prenotazione) Carta 59/83 € 🍃
Spec. Centrifugato d'asparagi e borragine con ostriche e ricci di mare. Risotto al
nero di seppia mantecato con conserva di pomodoro e zafferano, salsa di
fegato di seppia e cedro candito. Tortino di ricotta con zuppetta speziata di
ciliege.
♦ Sotto l'omonima torre, un locale dal design moderno contemporaneo, dove un giovane
cuoco gigianteggia personalizzando una straordinaria cucina di pesce.

---

sulla strada statale 145 Sorrentina

🏨 **Capo la Gala** ⊗ ← 🛋 🏊 🍴 🖥 🏊 AC 🌿 ☎ **P** VISA 🐲 AE ➀ 🕉
strada Statale Sorrentina 145 km 14,500 – ☎ 08 18 01 57 58
– www.hotelcapolagala.com – info@hotelcapolagala.com – Fax 08 18 79 87 47
– marzo-novembre
22 cam ⊇ – ♥♥200/550 € – ½ P 155/280 €
Rist Maxi – vedere selezione ristoranti
♦ Ben "mimetizzato" tra le rocce e la vegetazione, panoramico albergo sulla scogliera
- recentemente ristrutturato - con ampi spazi esterni per godersi sole e mare. Mobili in
stile mediterraneo nelle camere.

🏠 **Mega Mare** ⚜ ≤ 🎇 🍴 ♨ 📶 AK ⚙ rist, **P** VISA ⬤ AE ⓞ ⛟
località Punta Scutolo, Ovest : 4,5 km ✉ 80069 – ℰ 08 18 02 84 94
– *www.hotelmegamare.com* – *info@hotelmegamare.com* – Fax 08 18 02 87 77
29 cam ♨ – ♦100 € ♦♦160 € – ½ P 100 €
Rist *Belmare* – ℰ 08 18 02 80 37 *(aprile-ottobre; chiuso martedì)* Carta 23/48 €
♦ Hotel realizzato negli anni '90 in eccezionale posizione panoramica a picco sul mare; mobili artigianali e piastrelle di Vietri nelle camere, tutte con balcone e vista. Per i pasti, un'elegante sala affacciata sul golfo di Sorrento ed ampi spazi per cerimonie, meeting e congressi.

🍴🍴🍴 **Maxi** ≤ 🚗 🎇 ♨ AK ⚙ **P** VISA ⬤ AE ⓞ ⛟
strada Statale Sorrentina 145 km 14,500 – ℰ 08 18 01 57 58
– *www.hotelcapolagala.com* – *info@hotelcapolagala.com* – Fax 08 18 79 87 47
– *aprile-novembre*
Rist – Carta 65/85 € ᠅
♦ Sala ristorante dalle rustiche pareti con pietre a vista e veduta del paesaggio marino. Squisita cucina contemporanea.

a Moiano Sud-Est : 8 km – ✉ **80060**

🏠 **Agriturismo La Ginestra** ⚜ ≤ 🚗 🎇 ♣🕴 ⚙ rist, **P.**
località Santa Maria del Castello, Sud : 2,5 km VISA ⬤ ⓞ ⛟
– ℰ 08 18 02 32 11 – *www.laginestra.org* – *info@laginestra.org*
– Fax 08 18 02 32 11
7 cam ♨ – ♦45 € ♦♦80 € – ½ P 45 €
Rist – *(chiuso lunedì)* (consigliata la prenotazione) Menu 23 €
♦ Un po' di pazienza per raggiungere, sotto le alte cime del Monte Faito, una casa colonica del '700 restaurata con camere semplici e spaziose. Sentieri per passeggiate. Comodi sulle verdi seggiole per gustare la cucina tipica locale, alla scoperta della cultura contadina.

VICOMERO – Parma – Vedere Torrile

VIDICIATICO – Bologna – 563J14 – Vedere Lizzano in Belvedere

VIESTE – Foggia (FG) – 564B30 – **13 566 ab.** – ✉ **71019**⬛ Italia   26 **B1**

🚹 Roma 420 – Foggia 92 – Bari 179 – San Severo 101
ℹ️ piazza Kennedy ℰ 0884 708806, vieste@pugliaturismo.com, Fax 0884
704511
◉ ≤★ sulla cala di San Felice dalla Testa del Gargano Sud : 8 km
◉ Strada panoramica★★ per Mattinata Sud-Ovest

🏨 **Degli Aranci** ♨ ♣🕴 AK ⚙ rist, 📶 ♨ **P** VISA ⬤ AE ⓞ ⛟
piazza Santa Maria delle Grazie 10 – ℰ 08 84 70 85 57 – *www.hotelaranci.it*
– *info@hotelaranci.it* – Fax 08 84 70 73 26 – *marzo-ottobre*
121 cam ♨ – ♦60/164 € ♦♦95/240 € – ½ P 111/125 €
Rist – *(aprile-ottobre)* Menu 27/37 €
♦ Poco distante dal mare, un hotel dalla calorosa accoglienza che dispone di ariosi e freschi spazi comuni e funzionali camere caratterizzate da differenti tipologie di arredo. Una ampia sala ristorante di tono classico propone piatti lievemente rivisitati ed è particolarmente adatta per allestire anche banchetti.

🏨 **Seggio** ⚜ ≤ ♨ ♨ 🎇 ♣🕴 AK ⚙ 🚗 VISA ⬤ ⛟
via Veste 7 – ℰ 08 84 70 81 23 – *www.hotelseggio.it* – *info@hotelseggio.it*
– Fax 08 84 70 87 27 – *aprile-ottobre*
30 cam ♨ – ♦50/70 € ♦♦95/140 € – ½ P 65/90 €
Rist – *(chiuso a mezzogiorno)* Carta 23/33 €
♦ Sito sul costone di roccia ma contemporaneamente in pieno centro storico, l'hotel è stato realizzato tra le mura di vecchie case e propone camere dagli arredi lineari. Nella piccola sala ristorante, i piatti della tradizione italiana.

🏠 **Bikini** 📶 AK ⚙ 📶 **P** VISA ⬤ ⛟
via Massimo d'Azeglio 13/a – ℰ 08 84 70 15 45 – *www.bikinihotelvieste.it* – info@
bikinihotelvieste.it – Fax 08 84 70 15 45 – *Pasqua-15 ottobre*
32 cam ♨ – ♦55/115 € ♦♦70/140 € – ½ P 50/100 € **Rist** – *(solo per alloggiati)*
♦ Contemporaneamente vicino alla spiaggia, al faraglione di Pizzomunno e al centro della città, una risorsa moderna di sobrie dimensioni con camere funzionali e luminose.

🏠 **Svevo** 🦐 ⟵ ⊐ 🅰🅲 ⅍ 🅿 🆅🅸🆂🅰 ⓌⒷ ⛎

via Fratelli Bandiera 10 – ℰ 08 84 70 88 30 – www.hotelsvevo.com – hotelsvevo@
tiscali.it – Fax 08 84 70 88 30 – 30 maggio-15 ottobre
30 cam ⊑ – ♦52/98 € ♦♦80/145 € – ½ P 55/90 €
Rist – *(giugno-settembre) (chiuso a mezzogiorno) (solo per alloggiati)*
♦ In posizione tranquilla in prossimità dell'antica dimora di Federico II di Svevia, l'hotel dispone di camere semplici e funzionali e di un'ampia terrazza-solarium con piscina.

🏠 **Punta San Francesco** senza rist 🦐 🅰🅲 🆅🅸🆂🅰 ⓌⒷ ⛎

via San Francesco 2 – ℰ 08 84 70 14 22 – www.hotelpuntasanfrancesco.it
– scalanim@tiscalinet.it – Fax 08 84 70 14 24 – chiuso dal 10 gennaio al 20 febbraio
14 cam ⊑ – ♦40/75 € ♦♦60/120 €
♦ Sito sulla punta del promontorio, è stato ricavato da vecchi mulini ed offre spazi confortevoli arredati in modo classico e arte povera. Terrazza solarium con vista mare.

✂✂ **Al Dragone** 🅰🅲 ⅍ ⇔ 🆅🅸🆂🅰 ⓌⒷ 🅰🅴 Ⓞ ⛎

via Duomo 8 – ℰ 08 84 70 12 12 – www.aldragone.it – troianopa@aliceposta.it
– Fax 08 84 70 12 12 – aprile-21 ottobre; chiuso martedì in aprile-maggio e ottobre
Rist – Carta 31/49 €
♦ Un ambiente caratteristico ricavato all'interno di una grotta naturale; sulla tavola i sapori tipici regionali tra piatti di carne o di pesce ed una buona scelta di vini.

✂ **Vecchia Vieste** 🅰🅲 🆅🅸🆂🅰 ⓌⒷ 🅰🅴 Ⓞ ⛎

via Mafrolla 32 ⊠ 71019 Vieste – ℰ 08 84 70 70 83
– www.ristorantevecchiavieste.it – chiuso da dicembre a febbraio
Rist – Carta 30/40 €
♦ Sito nel centro storico, un piacevole locale ricavato negli spazi dove sorgevano vecchie cantine, delle quali conserva muri e volte in pietra, dove gustare piatti di pesce.

a Lido di Portonuovo Sud-Est : 5 km – ⊠ **71019** – **Vieste**

🏨 **Portonuovo** 🦐 🚇 ⊐ ✕ 🛏 ⅃⅃ 🅰🅲 ⅍ 🅿 🆅🅸🆂🅰 ⓌⒷ 🅰🅴 Ⓞ ⛎
⥀ *litoranea Sud: 4 km ⊠ 71019 Lido di Portonuovo – ℰ 08 84 70 65 20*
– www.hotelportonuovo.it – info@hotelportonuovo.it – Fax 08 84 70 56 16
– 15 maggio-15 settembre
56 cam ⊑ – ♦85/130 € ♦♦95/180 € – ½ P 65/120 €
Rist – *(solo per alloggiati)* Menu 20/35 €
♦ Abbracciato da una piacevole pineta, l'hotel si trova a pochi passi dal mare e propone spazi comuni ampi e discretamente eleganti, camere confortevoli dall'arredo ligneo.

🏨 **Gargano** ⟵ 🚇 ⊐ ✕ 🛏 ⅃⅃ 🅰🅲 ⅍ rist. 🅿 🆅🅸🆂🅰 ⓌⒷ 🅰🅴 Ⓞ ⛎
litoranea Sud: 4 km – ℰ 08 84 70 09 11 – www.hotelgargano.it – info@
hotelgargano.it – Fax 08 84 70 09 12 – aprile-settembre
79 cam ⊑ – ♦55/100 € ♦♦80/160 € – ½ P 50/110 € **Rist** – *(solo per alloggiati)*
♦ Incorniciato dalla fresca pineta e situato sulla baia di Portonuovo, un hotel con luminosi ambienti in stile mediterraneo, lineari e semplici negli arredi.

VIGANÒ – Lecco (LC) – 561E9 – **1 784 ab.** – **alt. 395 m** – ⊠ **23897** 18 B1
▶ Roma 607 – Como 30 – Bergamo 33 – Lecco 20

✂✂✂ **Pierino Penati** (Theo Penati) 🚇 🅰🅲 ⅍ ⇔ 🅿 🆅🅸🆂🅰 ⓌⒷ 🅰🅴 Ⓞ ⛎
✿ *via XXIV Maggio 36 – ℰ 039 95 60 20 – www.pierinopenati.it – ristorante@*
pierinopenati.it – Fax 03 99 21 72 18 – chiuso dal 27 al 30 dicembre, domenica
sera, lunedì e a mezzogiorno in agosto
Rist – Menu 70/80 € – Carta 80/103 € 🍷
Spec. Terrina di coniglio e gallina ripiena. Risotto alla parmigiana con sugo d'arrosto. Manzo cotto a lungo all'olio extravergine.
♦ Villa alle porte del paese con grazioso giardino, la cura prosegue all'interno nell'elegante sala con veranda. Piatti della tradizione e qualche proposta di pesce.

VIGANO – Milano – 561F9 – **Vedere Gaggiano**

VIGARANO MAINARDA – Ferrara (FE) – 562H16 – **6 621 ab.** – **alt. 11 m** 9 C1
– ⊠ **44049**
▶ Roma 424 – Bologna 52 – Ferrara 13 – Modena 65

VIGARANO MAINARDA

🏠 **Antico Casale** senza rist ॐ 🔲 ♿ 🆔 **P** 𝖵𝖨𝖲𝖠 ⚫ AE ① 👍
via Rondona 11/1 – ℰ 05 32 73 70 26 – www.hotelanticocasale.it – info@
hotelanticocasale.it – Fax 05 32 73 70 26 – chiuso quindici giorni in agosto
17 cam ⌁ – ♦55/85 € ♦♦85/125 €
♦ Tranquillità, ambienti rustici ed accoglienti, romantiche camere con mobili in legno naturale e letti in ferro battuto decorati a mano: ecco i segreti di questo antico casale dell'800.

VIGASIO – Verona (VR) – 562G14 – 7 052 ab. – ✉ 37068   35 **A3**

▶ Roma 500 – Venezia 131 – Verona 17 – Mantova 27

🏠 **Montemezzi** 🔲 ♿ 🆔 ↔ 📞 🎿 **P** 🚗 𝖵𝖨𝖲𝖠 ⚫ AE ① 👍
via Verona 92 – ℰ 04 57 36 35 66 – www.hotelmontemezzi.it – info@
hotelmontemezzi.it – Fax 04 57 36 48 88 – chiuso dal 23 dicembre al 7 gennaio
97 cam ⌁ – ♦59/200 € ♦♦69/250 €
Rist – (chiuso a mezzogiorno) Menu 16/25 €
♦ Lontana dai rumori e dal traffico del centro di Verona, struttura commerciale di recente apertura, dispone di ambienti arredati seguendo i dettami del moderno design. Nella moderna ed elegante sala ristorante la cucina mediterranea e anche piatti per celiaci.

VIGEVANO – Pavia (PV) – 561G8 – 59 561 ab. – alt. 116 m – ✉ 27029   16 **A3**
📗 Italia

▶ Roma 601 – Alessandria 69 – Milano 35 – Novara 27
🈂 c/o Municipio - Corso Vittorio Emanuele 29 ℰ0381 299282,
prolocovigevano@virgilio.it
🈁, ℰ 0381 34 66 28
◉ Piazza Ducale★★

🍴🍴🍴 **I Castagni** (Enrico Gerli) 🍷 🆔 ⇔ **P** 𝖵𝖨𝖲𝖠 ⚫ AE 👍
via Ottobiano 8/20, Sud : 2 km – ℰ 038 14 28 60 – www.ristoranteicastagni.com
– info@ristoranteicastagni.com – Fax 03 81 34 62 32 – chiuso una settimana in gennaio, una settimana in giugno, dal 16 al 31 agosto, domenica sera e lunedì
Rist – Menu 48/52 € – Carta 45/67 € ⌘
Spec. Gamberi avvolti nelle zucchine e cappesante nel fiore, riso Venere con prosciutto cotto e curry, vellutata di piselli (estate). Cannellone di pasta al nero di seppia ripieno di baccalà mantecato, puré di zucca e porri, sugo d'astice (inverno). Petto di piccione rosato, cosce ed ali arrostite, farro con mais e shitake.
♦ Ricavato da una casa di campagna con portico, gradevole ambiente con quadri e mobili in stile. Fantasia nei piatti sorretti da ottimi prodotti e coreografiche presentazioni.

🍴🍴 **Da Maiuccia** ♿ 🆔 ⇔ 𝖵𝖨𝖲𝖠 ⚫ AE ① 👍
via Sacchetti 10 – ℰ 038 18 34 69 – www.damaiuccia.it – info@damaiuccia.it
– Fax 038 18 34 69 – chiuso dal 24 al 30 dicembre, agosto, domenica sera e lunedì
Rist – Carta 30/62 €
♦ Il pesce fresco in esposizione all'ingresso è una presentazione invitante per questo frequentato ristorante signorile. Rapporto qualità/prezzo ottimale.

VIGGIANELLO – Potenza (PZ) – 564H30 – 3 415 ab. – alt. 500 m   4 **C3**
– ✉ 85040

▶ Roma 423 – Cosenza 130 – Lagonegro 45 – Potenza 135

🏠 **La Locanda di San Francesco** ॐ ♣♣ 🍴 rist, 📶 𝖵𝖨𝖲𝖠 ⚫ AE ① 👍
via San Francesco 47 – ℰ 09 73 66 43 84 – www.locandasanfrancesco.com
– info@locandadisanfrancesco.com – Fax 09 73 66 43 85
19 cam ⌁ – ♦35/45 € ♦♦70/80 € – ½ P 50/60 €   **Rist** – Carta 17/31 €
♦ Nel cuore storico del paese, una locanda ricavata da un palazzo ottocentesco sapientemente ristrutturato. Camere di discrete dimensioni, semplici e accoglienti. In cucina si possono assaggiare i piatti tipici del territorio.

VIGNOLA – Modena (MO) – 562I15 – 22 094 ab. – alt. 125 m – ⊠ 41058   9 **C2**

▶ Roma 398 – Bologna 43 – Milano 192 – Modena 22

✗   **La Bolognese**   AE VISA ⦿⦿ ⑤
🞸   *via Muratori 1 – ℰ 059 77 12 07 – chiuso agosto e sabato*
Rist – *(chiuso la sera)* (consigliata la prenotazione) Carta 20/27 €
♦ In pieno centro storico, all'ombra delle mura del castello, la trattoria è articolata su tre accoglienti salette arredate con gusto rustico; paste fresche e carni arrosto le specialità.

VIGO DI CADORE – Belluno (BL) – 562C19 – 1 643 ab. – alt. 951 m   36 **C1**
– ⊠ 32040

▶ Roma 658 – Cortina d'Ampezzo 46 – Belluno 57 – Milano 400

🏠   **Sporting** ⑤   ← 🚗 🛋 ⌛ 🗔 ⁒⁒ **P**
via Fabbro 32, a Pelos – ℰ 043 57 71 03 – www.sportinghotelclub.it
– spotinghclub@yahoo.it – Fax 043 57 71 03 – 15 giugno-15 settembre
20 cam – 🛆50/80 € 🛆🛆60/90 €, ⌛ 10 € – ½ P 45/75 €   **Rist** – Carta 23/42 €
♦ Apre solo d'estate questo raccolto albergo a gestione familiare. All'esterno un curato e piacevole giardino in cui si trovano due piscine riscaldate, di cui una coperta. Piatti mediterranei nella sala da pranzo in stile montano, con pareti di perlinato chiaro e caminetto.

VIGO DI FASSA – Trento (TN) – 562C17 – 1 076 ab. – alt. 1 342 m   31 **C2**
– **Sport invernali : 1 393/2 000 m** ✦ 1 ⚡4 **(Comprensorio Dolomiti superski Val di Fassa)** ⚡ – ⊠ 38039 Italia

▶ Roma 676 – Bolzano 36 – Canazei 13 – Passo di Costalunga 9
🅳 strada Rezia 10 ℰ 0462 609700, infovigo@fassa.com, Fax 0462 764877

🏨   **Alpen Hotel Corona**   ← 🚗 🗔 ⓘ 🞉 🛋 ⁒ ⚡ 🎿 🛋 ⁒ ⁒ ⓒ **P**
strada Roma 4 – ℰ 04 62 76 42 11   🚗 VISA ⦿⦿ ⑤
– www.alpenhotelcorona.com – info@alpenhotelcorona.com – Fax 04 62 76 47 77
– 15 dicembre-15 aprile e 13 giugno-4 ottobre
58 cam ⌛ – 🛆102/156 € 🛆🛆156/290 € – 11 suites – ½ P 89/165 €
Rist – *(solo per alloggiati)* Carta 28/57 €
♦ E' un'istituzione locale questo elegante hotel inaugurato nel 1806; tradizione, confort all'altezza della categoria e un centro sport e salute di notevole ampiezza.

🏨   **Olympic**   ← 🚗 🞉 🛋 ⓘ 🞸 ⚡ **P** VISA ⦿⦿ ⑤
strada Dolomites 4, località San Giovanni, Est : 1 km – ℰ 04 62 76 42 25
– www.hotelolympic.info – info@hotelolympic.info – Fax 04 62 76 46 36
– 3 dicembre-aprile e luglio-15 ottobre
26 cam ⌛ – 🛆55/79 € 🛆🛆90/150 € – ½ P 57/88 €   **Rist** – Carta 25/39 €
♦ Lungo la statale che corre ai piedi della località, accoglienza simpatica e cortese in una comoda risorsa, con spazi comuni ben distribuiti, centro relax e giardino. Calda e piacevole sala da pranzo con stube in stile ladino.

🏠   **Catinaccio**   ← 🞉 ⓘ 🞸 **P** 🚗 VISA ⦿⦿ ⑤
🞸   *piazza J.B.Massar 12 – ℰ 04 62 76 42 09 – www.albergocatinaccio.com – info@
albergocatinaccio.com – Fax 04 62 76 09 49 – dicembre-aprile e giugno-settembre*
22 cam ⌛ – 🛆60/90 € 🛆🛆110/150 € – ½ P 65/92 €
Rist – *(chiuso a mezzogiorno in inverno)* Carta 19/25 €
♦ In panoramica posizione centrale, albergo accogliente, a gestione familiare, dove il grazioso stile tirolese vivacizza sia le zone comuni, sia le camere. Confortevole sala ristorante con piatti classici e specialità ladine. Ogni giorno ampia scelta di dolci appena sfornati.

🏠   **Millennium**   ⓘ 🞸 cam, **P** VISA ⑤
🞸   *strada Dolomites 6, località San Giovanni, Est : 1 km – ℰ 04 62 76 41 55*
– www.starmillenio.com – hotel.millennium@tiscalinet.it – Fax 04 62 76 20 91
– dicembre-marzo e maggio-ottobre
10 cam ⌛ – 🛆30/50 € 🛆🛆60/100 € – ½ P 40/65 €   **Rist** – Carta 20/25 €
♦ Sembra quasi una casetta delle fate questo grazioso hotel, nato nel 1998, con begli interni confortevoli, dove domina il legno antichizzato in tipico stile montano. Il ristorante offre piatti nazionali e locali in una sala rifinita in legno.

a Vallonga Sud-Ovest : 2,5 km – ✉ 38039 – Vigo di Fassa

🏠 **Millefiori** ≼ 🍴 🎿 rist. **P** 🚗 VISA ㏄ ① ⅾ

🐕 *strada De la Vila 16 – ☎ 04 62 76 90 00 – www.hotelmillefiori.com – info@*
hotelmillefiori.com – Fax 04 62 76 90 00 – chiuso dal 4 novembre al 4 dicembre
12 cam ⌔ – ♦40 € ♦♦80 € – ½ P 60 € **Rist** – Carta 18/24 €

♦ La vista dei monti, la quiete e il sole certo non vi mancheranno in questa piccola risorsa in posizione dominante. Accoglienti camere con arredi di abete in stile montano. Sala da pranzo rustica; servizio estivo in terrazza con gazebo e panche in legno.

a Tamion Sud-Ovest : 3,5 km – ✉ 38039 – Vigo di Fassa

🏠 **Gran Mugon** 🦌 ≼ 🍸 ♣🏌 🎿 rist. "¶" **P** VISA ㏄ ① ⅾ

strada de Tamion 3 – ☎ 04 62 76 91 08 – www.hotelgranmugon.com – info@
hotelgranmugon.com – Fax 04 62 76 91 08 – 5 dicembre-11 aprile e 15 giugno-
settembre
21 cam ⌔ – ♦45/65 € ♦♦80/120 € – ½ P 45/100 €
Rist – *(chiuso a mezzogiorno) (solo per alloggiati)* Carta 25/48 €

♦ La tranquillità dell'ubicazione è il punto di forza di questo piacevole albergo familiare, per una vacanza tutta a contatto con la natura; arredi in legno nelle stanze.

VILLA – Brescia – Vedere Gargnano

VILLA ADRIANA – Roma – 563Q20 – Vedere Tivoli

VILLA BANALE – Trento – Vedere Stenico

VILLA BARTOLOMEA – Verona (VR) – 562G16 – **5 422 ab.** – **alt. 14 m** 35 **B3**
– ✉ 37049

▶ Roma 466 – Verona 50 – Bologna 95 – Mantova 52

🏡 **Agriturismo Tenuta la Pila** senza rist 🦌 🛋 🍸 ♿ 🛏 **P**

via Pila 42, località Spinimbecco – ☎ 04 42 65 92 89 VISA ㏄ AE ① ⅾ
– www.tenutalapila.it – post@tenutalapila.it – Fax 04 42 65 87 07
7 cam ⌔ – ♦44/55 € ♦♦64/80 € – 2 suites – ½ P 52/60 €

♦ Agriturismo realizzato in un mulino dei primi del '700, la cui pila è ancora visibile in una delle sale comuni. Eleganti, spaziose e accoglienti, le camere si distinguono grazie al nome del frutto cui ciascuna è dedicata.

VILLABASSA (NIEDERDORF) – Bolzano (BZ) – 562B18 – **1 363 ab.** 31 **D1**
– **alt. 1 158 m** – **Sport invernali** : Vedere Dobbiaco (Comprensorio Dolomiti superski
Alta Pusteria) – ✉ 39039

▶ Roma 738 – Cortina d'Ampezzo 36 – Bolzano 100 – Brunico 23

🛈 piazza Von Kurz 5 (Palazzo del Comune) ☎ 0474 745136, info@villabassa.it,
Fax 0474 745283

🏨 **Aquila-Adler** 🍴 🗎 🍸 🎣 🍷 🛁 rist. "¶" 🎿 **P** VISA ㏄ AE ① ⅾ

piazza Von Kurz 3 – ☎ 04 74 74 51 28 – www.hoteladler.com
– info@hoteladler.com – Fax 04 74 74 52 78
– chiuso da novembre al 6 dicembre e dal 1° aprile al 5 maggio
36 cam ⌔ – ♦66/106 € ♦♦112/190 € – ½ P 70/110 € **Rist** – Carta 32/50 €

♦ Residenza nobiliare e locanda già nel '600, nella piazza principale, con interni di raffinata ambientazione d'epoca; ottime le camere più recenti di stile rustico-moderno. Piccole sale tipo stube per gustare una cucina locale e stagionale.

VILLA D'ADDA – Bergamo (BG) – 561E10 – **4 349 ab.** – **alt. 286 m** 19 **C1**
– ✉ 24030

▶ Roma 617 – Bergamo 24 – Como 40 – Lecco 22

✗✗ **La Corte del Noce** 🍴 ⇆ **P** VISA ㏄ AE ① ⅾ

via Biffi 8 – ☎ 035 79 22 77 – www.lacortedelnoce.com – info@lacortedelnoce.com
– Fax 035 79 15 83 – chiuso dal 1° all'8 gennaio, dal 20 agosto al 5 settembre e lunedì
Rist – Carta 45/65 €

♦ In un complesso rurale settecentesco trova posto una curata sala con caminetto; fuori, il maestoso noce che ha segnato la storia del locale oggi non c'è più, ma all'ombra del suo ricordo si svolge il servizio estivo.

VILLA D'ALMÈ – Bergamo (BG) – 561E10 – **6 760 ab.** – **alt. 289 m**   19 **C1**
– ✉ 24018

> ▶ Roma 601 – Bergamo 14 – Lecco 31 – Milano 58

✕✕ **Osteria della Brughiera** (Stefano Arrigoni)   ⌨ ⌂ ✖ ⟲ **P**
✿ *via Brughiera 49* – ☎ *035 63 80 08*   **VISA ⑳ AE ⑤**
– *www.labrughiera.com* – *s.arrigoni@labrughiera.com*
– *chiuso dal 10 al 31 agosto, lunedì e martedì a mezzogiorno*
Rist – Carta 48/89 €
Spec. Spaghetti al cipollotto fresco e peperoncino verde dolce. Anatra alle spezie, melanzana affumicata, patata farcita. Ravioli d'ananas e pera, mirtillo, cacao e gelato allo yogurt.
♦ Un caldo mix di colori ed elegante rusticità accoglie i clienti, ma non c'è il tempo per abituarsi: lo stupore continua con la cucina tra piatti creativi e scenografici.

VILLA DI CHIAVENNA – Sondrio (SO) – 561C10 – **1 118 ab.**   16 **B1**
– **alt. 625 m** – ✉ 23029

> ▶ Roma 692 – Sondrio 69 – Chiavenna 8 – Milano 131

✕✕ **Lanterna Verde** (Andrea Tonola)   ⌂ ✖ **P VISA ⑳ AE ⑤**
✿ *frazione San Barnaba 7, Sud-Est : 2 km* – ☎ *034 33 85 88*
– *www.lanternaverde.com* – *ristorante@lanternaverde.com* – *Fax 034 34 07 49*
– *chiuso dieci giorni in giugno, venti giorni in novembre, mercoledì e martedì sera, solo mercoledì in luglio-agosto*
Rist – Menu 40/70 € – Carta 43/66 € ⌘
Spec. Foie gras d'oca farcito di frutta secca con pan brioche e confettura di cipolle. Ravioli di trota al timo con caponata di melanzane. Capretto di Villa cotto nel lavècc con carciofi e patate a spicchio (primavera).
♦ Nel verde di una tranquilla vallata, le sale ripropongono il tipico stile di montagna in legno. Cucina giovane e creativa, il pesce d'acqua dolce tra i motivi di richiamo. Gradevole servizio estivo.

VILLAFRANCA DI VERONA – Verona (VR) – 562F14 – **30 363 ab.**   35 **A3**
– **alt. 54 m** – ✉ 37069

> ▶ Roma 483 – Verona 19 – Brescia 61 – Mantova 22
> ⌂₁₈ , ☎ 045 630 33 41

a Dossobuono Nord-Est : 7 km – ✉ 37062

✕✕ **Cavour**   ⌂ ⌨ ✖ ⟲ **P VISA ⑳ AE ⑩ ⑤**
via Cavour 40 – ☎ *045 51 30 38* – *Fax 04 58 60 05 95* – *chiuso dal 1° al 7 gennaio, dal 10 al 24 agosto, domenica sera e mercoledì da settembre a maggio, sabato a mezzogiorno e domenica negli altri mesi*
Rist – Carta 35/45 €
♦ E' un'insegna in ferro battuto ad indicare l'edificio storico. Varcata la soglia ci si accomoda in un'ampia sala per gustare le tipiche proposte del territorio, tra le quali non manca mai il carrello dei bolliti.

VILLAFRANCA IN LUNIGIANA – Massa Carrara (MS) – 563J11   28 **A1**
– **4 613 ab.** – **alt. 131 m** – ✉ 54028

> ▶ Roma 420 – La Spezia 31 – Parma 88

a Mocrone Nord-Est : 4 km – ✉ 54028 – Villafranca in Lunigiana

✕✕ **Gavarini** con cam ✎   ⌨ ⌂ ⌨ rist, ✖ rist, ⌥ **P VISA ⑳ AE ⑤**
via Benedicenti 50 – ☎ *01 87 49 55 04* – *www.locandagavarini.it*
– *info@locandagavarini.it* – *Fax 01 87 49 57 90*
– *chiuso dal 7 al 30 novembre*   **8 cam** ⌂ – ♦50/60 € ♦♦70/80 € – ½ P 60 €
Rist – *(chiuso mercoledì escluso agosto)* Carta 23/38 € ⌘
♦ In un giardino fiorito, una vecchia osteria di tradizione, rinnovata con impronta classica, per gustare piatti tipici della Lunigiana; camere nuove e confortevoli.

VILLANDRO (VILLANDERS) – Bolzano (BZ) – 562C16 – **1 836 ab.**   31 **C2**
– **alt. 880 m** – ✉ 39040

> ▶ Roma 679 – Bolzano 29 – Bassano del Grappa 177 – Belluno 132
> 🛈 Santo Stefano 120 ☎ 0472 843121, tourismsver.villanders@dnet.it, Fax 0472 843347

🍴🍴 **Ansitz Zum Steinbock** con cam ⬅ 🏠 **P** 𝘝𝘐𝘚𝘈 ⚫❸ ⚡

*Vicolo F.V.Defregger 14 – ☎ 04 72 84 31 11 – www.zumsteinbock.com – info@
zumsteinbock.com – Fax 04 72 84 34 68 – chiuso dal 13 gennaio al 13 febbraio*
18 cam ⬜ – 🛏42/67 € 🛏🛏80/110 € – 1 suite – ½ P 77/80 €
Rist – *(chiuso lunedì)* Carta 46/58 €
♦ E' romantica e particolare l'atmosfera nelle stube d'epoca e nelle graziose stanze di questo edificio del XVIII sec., con servizio estivo all'aperto; cucina locale e toscana.

VILLANOVA – Bologna – 563I16 – **Vedere Bologna**

VILLANOVAFORRU – Medio Campidano (106) – 566I8 – **Vedere Sardegna alla**
fine dell'elenco alfabetico

VILLA ROSA – Teramo – 563N23 – **Vedere Martinsicuro**

VILLA SAN GIOVANNI – Reggio di Calabria (RC) – 564M28 – **13 390 ab.**   5 A3
– alt. 21 m – ✉ 89018▯ Italia
> ▶ Roma 653 – Reggio di Calabria 14
> ▦ per Messina – Società Caronte, ☎ 0965 793131, call center 800 627
>   414Ferrovie Stato, piazza Stazione ☎ 0965 758241
> ◪ Costa Viola★ a Nord per la strada S 18

🏠 **Grand Hotel De la Ville** 🏠 🕏 📶 **AK** ⇄ 🎾 rist, ⴷ 🔔 **P**

via Umberto Zanotti Bianco 9 – ☎ 09 65 79 56 00 𝘝𝘐𝘚𝘈 ⚫❸ **AE** ⓪ ⚡
*– www.viapervia.it/hoteldelaville – delaville.rc@bestwestern.it
– Fax 09 65 79 56 40*
60 cam – 🛏98/140 € 🛏🛏110/140 €, ⬜ 15 € – 8 suites – ½ P 75/90 €
Rist – Carta 25/61 €
♦ In posizione strategica - comodo per l'autostrada, la stazione e il porto d'imbarco - hotel
di taglio moderno che offre servizi e confort all'altezza della sua categoria. Eleganti spazi
comuni e camere accessoriate. Ambiente signorile nel ristorante d'impostazione classica.
Bella terrazza per il servizio estivo.

🍴 **Al Vecchio Porto** 🏠 **AK** 🎾 𝘝𝘐𝘚𝘈 ⚫❸ **AE** ⚡

*lungomare Cenide 55 – ☎ 09 65 70 05 02 – www.ristorantevecchioporto.it
– info@ristorantevecchioporto.it – Fax 09 65 70 05 02
– chiuso dal 1° al 15 ottobre e mercoledì*
Rist – Menu 50/60 € – Carta 32/48 €
♦ Sul lungomare della località, un semplice e gradevole locale apre le proprie porte per
invitarvi a gustare del pesce freschissimo e ricette che esaltano le materie prime del territorio.

a Santa Trada di Cannitello Nord-Est : 5 km – ✉ 89018 – **Villa San Giovanni**

🏠 **Altafiumara** 🎈 ⬅ 🚗 🏊 📶 🕏 🛁 🐾 ♨ **AK** ⇄ 🎾 ⴷ 🔔 **P**

– ☎ 09 65 75 98 04 – www.altafiumarahotel.it 𝘝𝘐𝘚𝘈 ⚫❸ **AE** ⓪ ⚡
– info.altafiumara@montesanohotels.it – Fax 09 65 75 95 66
49 cam ⬜ – 🛏245/260 € 🛏🛏310/370 € – 41 suites – 🛏🛏320/510 €
– ½ P 195/225 €
Rist *I Due Mari* – Carta 38/48 €
Rist *L'Accademia del Vino* – Carta 33/43 € 🎋
♦ Grande proprietà, a picco sul mare, in cui domina la fortezza borbonica di fine Settecento. Eleganti camere divise in diverse strutture e circondate da ameni giardini. Ristorante elegante e wine bar nella ex santa Barbara della fortezza.

VILLA SANTINA – Udine (UD) – 562C20 – **2 212 ab.** – alt. 363 m   10 B1
– ✉ 33029
> ▶ Roma 692 – Udine 55 – Cortina D'Ampezzo 93 – Villach 99

🍴 **Vecchia Osteria Cimenti** con cam 🏠 🕏 **P** 𝘝𝘐𝘚𝘈 ⚫❸ **AE** ⓪ ⚡
😊 *via Cesare Battisti 1 – ☎ 04 33 75 04 91 – vecchiaosteria@libero.it
– Fax 04 33 75 08 07*
8 cam ⬜ – 🛏65/80 € 🛏🛏85/110 € – ½ P 80/105 €
Rist – *(chiuso lunedì)* Carta 28/49 €
♦ Nel cuore della località, una semplice "osteria" dal tono caldo e accogliente; nella saletta
più intima, un tipico caminetto e le specialità della cucina friulana. Dispone anche di
ampie camere con angolo cottura.

VILLASIMIUS – Cagliari – 566J10 – Vedere Sardegna alla fine dell'elenco alfabetico

---

VILLASTRADA – Mantova (MN) – 561H13 – alt. 22 m – ✉ 46030   17 **C3**
> ▶ Roma 461 – Parma 40 – Verona 74 – Mantova 33

X   **Nizzoli**   P VISA ⓜ AE ① Ġ
via Garibaldi 18 – ℰ 03 75 83 80 66 – www.nizzoliris.interfree.it – nizzoli@ spiderlink.it – Fax 03 75 89 99 91 – chiuso dal 24 al 29 dicembre e mercoledì
Rist – Carta 28/37 €
♦ Sale tappezzate di ritratti di celebrità e atmosfera conviviale in un ristorante tipico di cucina padana; tra i prodotti locali, rane e lumache la fanno da padrone.

VILLA VERUCCHIO – Rimini – 562J19 – Vedere Verucchio

VILLA VICENTINA – Udine (UD) – 562D21 – **1 383 ab.** – **alt. 11 m**   11 **C3**
– ✉ 33059
> ▶ Roma 619 – Udine 40 – Gorizia 28 – Trieste 45

X   **Ai Cjastinars** con cam   🏠 AC «ᵖ» ⅍ P VISA ⓜ AE ① Ġ
    borgo Pacco 1, strada statale 14, Sud : 1 km – ℰ 04 31 97 02 82
– www.hotelcjastinars.it – info@hotelcjastinars.it – Fax 04 31 96 90 37 – chiuso dal 10 al 30 novembre
15 cam ⌷ – †44/58 € ††74/96 € – ½ P 48/79 €
Rist – *(chiuso venerdì)* Carta 19/42 €
♦ Particolarmente apprezzato per le sue specialità alla brace, il locale nasce come trattoria di famiglia lungo una delle vie principali della località. Dehors sotto il porticato. Dalle confortevoli camere potrete ammirare la basilica di Aquileia.

VILLETTA BARREA – L'Aquila (AQ) – 563Q23 – **608 ab.** – **alt. 990 m**   1 **B3**
– ✉ 67030
> ▶ Roma 179 – Frosinone 72 – L'Aquila 151 – Isernia 50

🏠   **Il Pescatore**   🍴 ⅏ ☆☆ ⅍ P VISA ⓜ AE ① Ġ
    via Roma – ℰ 086 48 93 47 – www.albergoristorantepescatore.com – geampesc@ virgilio.it – Fax 086 48 94 39
34 cam ⌷ – †30 € ††50/70 € – ½ P 50/60 €   **Rist** – Carta 18/25 €
♦ Moderno e simpatico hotel alla periferia del paese. Perfetto per chi predilige la comodità e intende esplorare la tranquillità del Parco Nazionale. L'ampia sala ristorante propone la cucina del territorio.

🏠   **Il Vecchio Pescatore**   🚗 ☆☆ ⅏ «⌂» VISA ⓜ AE ① Ġ
    via Benedetto Virgilio – ℰ 086 48 92 74 – www.ilvecchiopescatore.net
– info@ilvecchiopescatore.net – Fax 086 48 92 55
16 cam ⌷ – †30/40 € ††55/78 € – ½ P 45/68 €
Rist – *(chiuso martedì in bassa stagione)* Carta 25/35 €
♦ Albergo ospitato in un edificio d'epoca sulla strada principale del paese. Gestione familiare, camere semplici, gradevole giardino-solarium estivo. Al ristorante, i piatti della gastronomia regionale.

VILLNOSS = Funes

VILLORBA – Treviso (TV) – 562E18 – **17 335 ab.** – **alt. 38 m** – ✉ 31020   35 **A1**
> ▶ Roma 554 – Venezia 49 – Belluno 71 – Trento 134

a Fontane Sud : 6 km – ✉ 31020

XX   **Da Dino**   🏠 AC ⅏ P VISA ⓜ AE ① Ġ
    via Doberdò 3 – ℰ 04 22 30 07 92 – www.dadino.tk – ristorantedadino@libero.it – Fax 04 22 42 05 64 – chiuso dal 10 al 25 agosto e domenica
Rist – Menu 25/30 € – Carta 27/35 €
♦ Frequentazione di affezionati habitué e di personaggi famosi in un locale con arredamento rustico-moderno e tante piante verdi; la cucina si rifà alla tradizione veneta.

VILMINORE DI SCALVE – Bergamo (BG) – 561DE12 – **1 546 ab.**   16 **B1**
– **alt. 1 019 m** – ✉ 24020
> ▶ Roma 617 – Brescia 69 – Bergamo 65 – Edolo 50

✕✕ **Brescia** con cam   ⟨ 🕭 ⅏ 🅿 🚗 VISA ⓒ ⑤
piazza della Giustizia 6 – ℰ 034 65 10 19 – *www.vallescalve.it* – *albergo.brescia@*
toninellig.it – Fax 034 65 15 55
19 cam ⬚ – ✝55 € ✝✝95 € – ½ P 50 €   **Rist** – *(chiuso lunedì)* Carta 24/42 €
♦ Risorsa di tradizione, dai primi del '900, gestita dalla stessa famiglia da oltre 50 anni, rinnovata con cura e sobrietà sia nella luminosa sala che nelle comode camere.

VILPIAN = Vilpiano

VILPIANO = **VILPIAN** – Bolzano – 562C15 – Vedere Terlano

VIMERCATE – Milano (MI) – 561F10 – 25 739 ab. – alt. 194 m – ✉ 20059   18 B2
▶ Roma 582 – Milano 24 – Bergamo 36 – Como 45

🏚 **Cosmo**   🛏 🕥 🎔 🕭 🕭 cam, 🅰🄲 ↵ ⅏ rist, 📞 🕭 🅿 🚗
via Torri Bianche 4, Centro Direzionale – ℰ 03 96 99 61   VISA ⓒ 🄰🄴 ⓞ ⑤
– *www.hotelcosmo.com* – *milano@hotelcosmo.com* – Fax 03 96 99 67 77
– *chiuso dal 20 dicembre al 2 gennaio e dal 2 al 17 agosto*
127 cam ⬚ – ✝89/239 € ✝✝99/329 €
Rist San Valentino – ℰ 03 96 99 67 06 *(chiuso i mezzogiorno di sabato e*
domenica) Carta 38/53 €
♦ Belle *suite* a tema e camere esclusivamente doppie in questa moderna struttura a vocazione commerciale. Confort e funzionalità alle porte di Milano. Negli eleganti ambienti del
ristorante, cucina classica nazionale e stagionale.

VIMODRONE – Milano (MI) – 561F9 – 13 760 ab. – alt. 128 m – ✉ 20090   18 B2
▶ Roma 582 – Milano 15 – Bellinzona 115 – Lecco 50

✕✕ **Il Sorriso** con cam   🅰🄲 ⅏ cam, 🕭 🅿 VISA ⓒ 🄰🄴 ⓞ ⑤
via Piave 15 – ℰ 022 50 36 53 – *www.ilsorrisoristorante.it* – *ilsorrisoristorante@*
gmail.com – Fax 022 50 54 83 – *chiuso dal 1° al 10 gennaio e dal 9 al 31 agosto*
11 cam ⬚ – ✝75/90 € ✝✝90/120 €
Rist – *(chiuso sabato a mezzogiorno e lunedì)* Carta 40/57 €
♦ Ristorante moderno, discretamente elegante, molto ben attrezzato con proposte quasi
esclusivamente di mare. Una dozzina di camere, molte delle quali con angolo cottura.

VINCI – Firenze (FI) – 563K14 – 14 126 ab. – alt. 98 m – ✉ 50059   28 B1
Toscana
▶ Roma 304 – Firenze 40 – Lucca 54 – Livorno 72
🛈 via della Torre 11 ℰ 0571 568012, terredelrinascimento@comune.vinci.fi.it,
Fax 0571 567930

🏨 **Alexandra**   🛏 🅰🄲 ⅏ 📞 🕭 VISA ⓒ 🄰🄴 ⓞ ⑤
via Dei Martiri 82 – ℰ 057 15 62 24 – *www.hotelalexandravinci.it* – *alexandra@*
estranet.it – Fax 05 71 56 79 72
47 cam ⬚ – ✝55/95 € ✝✝69/120 €
Rist La Limonaia – ℰ 05 71 56 80 10 *(chiuso dal 5 al 20 agosto)* Carta 23/38 €
♦ L'affidabile e pluriennale gestione di questo hotel situato nella parte bassa della città
natale di Leonardo propone belle camere ben accessoriate. Ristorante con sale di tono
moderno, accogliente dehors sotto un bel pergolato e qualche piatto regionale.

VIOLE – Perugia – 563M20 – Vedere Assisi

VIPITENO (STERZING) – Bolzano (BZ) – 562B16 – 5 870 ab. – alt. 948 m   30 B1
– Sport invernali : 948/2 200 m ⛷ 1 ⅘3, ⛷, – ✉ 39049 Italia
▶ Roma 708 – Bolzano 66 – Brennero 13 – Bressanone 30
🛈 piazza Città 3 ℰ 0472 765325, info@infovipiteno.com, Fax 0472 765441
◉ Via Città Nuova★

Aquila Nera-Schwarzer Adler 🏢 ⬛ 🕸 🎭 🕻 🐕 ♨ P

piazza Città 1 – ℰ *04 72 76 40 64 – www.schwarzeradler.it* ⬛ ⬛ AE ♨
– aquilanera@rolmail.net – Fax 04 72 76 65 22 – chiuso maggio e novembre
25 cam ⇆ – ♦78/100 € ♦♦118/135 € – 8 suites – ½ P 83/100 €
Rist – *(chiuso domenica escluso agosto e dicembre) (chiuso a mezzogiorno)*
Menu 34/40 €
♦ Grande tradizione insieme a calda eleganza e confort in un albergo costituito da un edificio antico e da un altro più moderno, dove si trova anche il bel centro relax. Rustica ambientazione di stile montano, ma di tono raffinato, nel piacevole ristorante.

Lilie 🏢 🕸 🎭 🕻 P ⬛ ⬛ AE ⓪ ♨

Città Nuova 49 – ℰ *04 72 76 00 63 – www.hotellilie.it – info@hotellilie.it*
– Fax 04 72 76 27 49 – chiuso dal 15 giugno al 16 luglio
15 cam ⇆ – ♦63/80 € ♦♦100/128 € – ½ P 80/86 €
Rist – *(chiuso lunedì)* Carta 31/52 €
♦ Nel centro storico un bell'edificio tardo medioevale convive felicemente con l'hotel che, dopo la recente ristrutturazione, offre ambienti moderni e nobili tracce del passato. Al primo piano la sobria ed elegante sala ristorante.

Kleine Flamme 🕸 ⬛ ♨

via Cittanuova 31 – ℰ *04 72 76 60 65 – restaurant.kleineflamme@dnet.it*
– Fax 04 72 76 60 65 – chiuso domenica sera e lunedì
Rist – *(prenotazione obbligatoria)* Menu 42/62 € – Carta 46/64 €
♦ Come una "piccola fiamma" brilla questo bel ristorantino nascosto tra i portici del centro storico, dove gustare piatti moderno-creativi su base regionale e tradizionale. Originale, la cucina a vista!

in Val di Vizze (Pfitsch :)

Wiesnerhof 🌳 🕸 🛏 ⬛ 🕸 🎭 🕻 ⬥ 🕸 📶 P ⬛ ⬛ ♨

via Val di Vizze 98, località Prati, Est : 3 km ✉ *39049 Vizze –* ℰ *04 72 76 52 22*
– www.wiesnerhof.it – info@wiesnerhof.it – Fax 04 72 76 57 03
– chiuso dal 19 aprile al 10 maggio e dal 1° novembre al 8 dicembre
36 cam ⇆ – ♦65/75 € ♦♦120/160 € – ½ P 80/110 €
Rist – *(chiuso lunedì)* Carta 32/41 €
♦ In posizione panoramica all'ingresso della valle, una struttura, completa di ogni confort, ideale per vacanze sia estive che invernali; giardino e bella piscina coperta. Grandi finestre affacciate sul verde rendono luminosa la sala ristorante.

Rose 🕸 ⬛ 🕸 🛏 ⬛ 🕸 rist, 📶 P 🚗 ⬛ ⬛ ♨

via Val di Vizze 119, località Prati, Est : 3 km ✉ *39040 Vizze –* ℰ *04 72 76 43 00*
– www.hotelrose.it – info@hotelrose.it – Fax 04 72 76 46 39 – Natale-Pasqua e giugno-ottobre
23 cam ⇆ – ♦35/80 € ♦♦70/160 € – ½ P 60/85 €
Rist – *(chiuso a mezzogiorno) (solo per alloggiati)* Menu 20/30 €
♦ Un ex della "valanga azzurra" è il titolare di questo simpatico hotel, dove l'ospitalità è familiare e premurosa e non mancano proposte per lo sport e il relax.

Kranebitt 🕸 ⬥ 🌳 🕸 🎭 🕻 ⬥ 🕸 rist, P 🚗 ⬛ ⬛ ⓪ ♨

località Caminata alt. 1441, Est : 16 km ✉ *39040 Vizze –* ℰ *04 72 64 60 19*
– www.kranebitt.com – info@kranebitt.com – Fax 04 72 64 60 88 – 26 dicembre-Pasqua e 22 maggio-29 ottobre
28 cam ⇆ – ♦41/60 € ♦♦80/100 € – ½ P 55/58 €   **Rist** – Carta 26/32 €
♦ Tranquillità, natura incontaminata, splendida vista dei monti e della vallata: godrete di tutto ciò soggiornando nell'ambiente familiare di questa comoda risorsa. Accogliente e calda atmosfera al ristorante.

Pretzhof ⬥ 🕸 ⬥ AC P ⬛ ⬛ ♨

località Tulve alt. 1280, Est : 8 km ✉ *39040 Vizze –* ℰ *04 72 76 44 55*
– www.pretzhof.com – info@pretzhof.com – Fax 04 72 76 44 55 – chiuso lunedì e martedì, escluso festivi
Rist – Carta 25/48 € 🍴
♦ L'esposizione in sala di qualche strumento di vita contadina ammicca alla passione della famiglia di valorizzare la tipicità sudtirolese. Lo stesso interesse influenza la cucina: regionale e caratteristica.

VISERBA – Rimini – 563 J19 – **Vedere Rimini**

VISERBELLA – Rimini – 563 J19 – **Vedere Rimini**

VISNADELLO – Treviso (TV) – 562E18 – alt. 46 m – ✉ 31027 35 A1

▶ Roma 555 – Venezia 41 – Belluno 67 – Treviso 11

XX **Da Nano** 🈐 AC 🔄 P VISA ⓓ AE ⓞ ⑤

via Gritti 145 – ✆ 04 22 92 89 11 – www.danano.it
– info@danano.it – Fax 04 22 62 90 63
– chiuso dal 1° al 7 gennaio, agosto, domenica sera e lunedì
Rist – Carta 39/54 €

♦ Il pesce fresco in bella vista all'ingresso chiarisce subito la scelta culinaria di questo locale in prossimità della strada statale; sale classiche, rivestite di legno.

VITERBO ℗ (VT) – 563O18 – 59 860 ab. – alt. 327 m – ✉ 01100 ▌ Italia 12 B1

▶ Roma 104 – Chianciano Terme 100 – Civitavecchia 58 – Grosseto 123

🖪 via Romiti (stazione di Porta Romana) ✆ 0761 304795, webmaster@ apt.viterbo.it, Fax 761 220957

👁 Piazza San Lorenzo★★ Z – Palazzo dei Papi★★ Z – Quartiere San Pellegrino★★ Z

🄶 Villa Lante★★ a Bagnaia per ① : 5 km – Teatro romano★ di Ferento 9 km a Nord per viale Baracca Y

Pianta pagina a lato

🏨 **Grand Hotel Salus e delle Terme** 🚗 🈐 ⩫ 🖵 ⑩ 🕎 ⛡ ♨ ⑭

strada Tuscanese 26/28, ⚹ ⩫ AC ⅍ rist, ⅏ ⛳ P VISA ⓓ AE ⓞ ⑤
3 km per via Faul – ✆ 07 61 35 81 – www.grandhoteltermesalus.com
– info@grandhoteltermesalus.com – Fax 07 61 35 42 62 YZ
100 cam ⬩ †100 € ††140 €, ⌷ 20 € – ½ P 120 €
Rist – Carta 31/42 €

♦ Moderna e articolata risorsa, dotata di un attrezzato centro termale, con grotta naturale, così come di strutture per congressi; camere spaziose, arredate con gusto classico. Modernità ed eleganza continuano al ristorante, dove la tradizione gastronomica regionale si incontra con proposte dietetiche.

🏨 **Niccolò V-Terme dei Papi** ⦚ 🚗 ⅍ ♨ ⛳ ♨ 🈐 AC ⅍ ⛳ ⛡ P

strada Bagni 12, 3 km per via Faul – ✆ 07 61 35 05 55 VISA ⓓ AE ⓞ ⑤
– www.termedeipapi.it – info@termedeipapi.it – Fax 07 61 35 02 73 YZ
20 cam – 3 suites – solo ½ P 140/160 €
Rist – Carta 30/45 €

♦ Se dopo una giornata alla scoperta della città medievale cercate un ambiente raffinato ed accogliente dove pernottare, annotatevi questo indirizzo: camere confortevoli e ben insonorizzante vi garantiranno sonni tranquilli.

🏨 **Mini Palace Hotel** 🈐 ⚹ cam, AC ⅍ rist, ⅏ ⛳ 🚗 VISA ⓓ AE ⓞ ⑤

via Santa Maria della Grotticella 2 – ✆ 07 61 30 97 42 – www.minipalacehotel.com
– info@minipalacehotel.com – Fax 07 61 34 47 15 Zn
40 cam ⌷ †66/95 € ††90/110 €
Rist – (chiuso a mezzogiorno, sabato e domenica) (solo per alloggiati)
Carta 23/28 €

♦ Spaziosa e raffinata la hall, in un piacevole stile minimalista le camere al primo piano: recentemente rinnovato, è un albergo all'insegna del confort e dell'eleganza.

🏨 **Viterbo** senza rist 🈐 ⚹ ⩫ AC ⅍ ⅏ P VISA ⓓ AE ⓞ ⑤

via San Camillo de Lellis 6, 1 km per ④ ✉ 01100 Viterbo – ✆ 07 61 27 01 00
– www.hotelviterbo.com – info@hotelviterbo.com – Fax 07 61 27 57 17
54 cam ⌷ †65/120 € ††80/150 €

♦ Ultimo nato in città, è pensato soprattutto per chi si muove per affari, alla quale garantisce ambienti dalle linee classiche e sobrie nei quali si incontrano tecnologie d'avanguardia.

🏨 **Nibbio** senza rist 🈐 AC ⅍ ⅏ ⛳ P VISA ⓓ AE ⓞ ⑤

piazzale Gramsci 31 – ✆ 07 61 32 65 14 – www.hotelnibbio.it – hotelnibbio@ libero.it – Fax 07 61 32 18 08 Ya
24 cam ⌷ †80/90 € ††120/180 € – 3 suites

♦ L'ottocentesca villa nei pressi di Porta Fiorentina custodisce ambienti sobri e confortevoli ottimamente insonorizzati; parquet in tutte le camere.

VITERBO

Circolazione regolamentata nel centro città

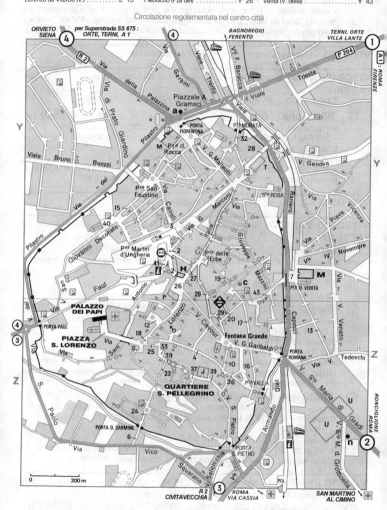

Enoteca La Torre
*via della Torre 5 – ℰ 07 61 22 64 67 – www.enotecalatorrevt.com – info@
enotecalatorrevt.com – chiuso dal 20 luglio al 20 agosto, mercoledì a mezzogiorno
e martedì*

Yc

Rist – (consigliata la prenotazione) Carta 41/57 €

◆ All'interno della cinta muraria medievale della città e a poca distanza da piazza delle
erbe, l'elegante ristorante propone una cucina creativa che reinterpreta antiche ricette.

a San Martino al Cimino Sud : 6,5 km Z – **alt. 561 m** – ⊠ **01030**

Balletti Park Hotel ⟨ ⟨ ⟨ ⟨ ⟨ ⟨ ⟨ ⟨ ⟨ ⟨ ⟨ ⟨ P
via Umbria 2/2-a – ℰ *07 61 37 71* – *www.balletti.com* VISA ◑◐ AE ① ☓
– *info@balletti.com* – *Fax 07 61 37 94 96*
134 cam � – ♦90/98 € ♦♦106/134 € – ½ P 71/85 €
Rist *La Tavernetta* – Carta 22/36 €
♦ Hotel dedicato a chi non vuole rinunciare allo sport, dispone di villini disseminati nel verde, tra campi da tennis, piste di pattinaggio, piscina e un laghetto artificiale. La rustica Tavernetta vi attende per farvi gustare i piatti del territorio. Anche pizzeria con forno a legna.

VITICCIO – Livorno – Vedere Elba (Isola d') : Portoferraio

VITORCHIANO – Viterbo (VT) – 563O18 – **3 439 ab.** – **alt. 285 m**   12 **B1**
– ⊠ **01030**

▶ Roma 113 – Viterbo 11 – Orvieto 45 – Terni 55

Al Pallone con cam   AE P VISA ◑◐ AE ① ☓
via Sorianese 1, Sud : 3 km – ℰ *07 61 37 03 44* – *info@hotelcanestro.com*
– *Fax 07 61 37 04 64* – *chiuso dall'8 al 29 gennaio e dal 2 al 16 luglio*
8 cam ⊐ – ♦60 € ♦♦80 € – 4 suites – ♦♦100 €
Rist – *(chiuso domenica sera e mercoledì)* Carta 30/56 €
♦ Una piccola frazione, la salda e calorosa gestione familiare, l'ambiente accogliente e proposte di mare, di terra e di cacciagione. Impossibile pretendere di più!

VITTORIA – Ragusa – 565Q25 – Vedere Sicilia

VITTORIO VENETO – Treviso (TV) – 562E18 – **29 174 ab.** – **alt. 136 m**   36 **C2**
– ⊠ **31029**

▶ Roma 581 – Belluno 37 – Cortina d'Ampezzo 92 – Milano 320
ℹ viale della Vittoria 110 ℰ 0438 57243, iat.vittoriovento@provincia.treviso.it, Fax 0438 53629
🌲 Cansiglio, ℰ 0438 58 53 98
◎ Affreschi ★ nella chiesa di San Giovanni

Terme   AE P AE ☓ ☎ ☓ ➔ VISA ◑◐ AE ☓
via delle Terme 4 – ℰ *04 38 55 43 45* – *www.hotelterme.tv* – *info@hotelterme.tv*
– *Fax 04 38 55 43 47*
39 cam ⊐ – ♦70/80 € ♦♦95 € – ½ P 78 €
Rist – *(chiuso domenica sera e lunedì)* Carta 32/41 €
♦ Un tranquillo giardino sul retro ed accoglienti camere, recentemente rinnovate, per questo albergo situato nel centro della località. Ideale per una clientela commerciale. Impostazione classica per la sala ristorante, con vetrate che si affacciano sul giardino.

Agriturismo Alice-Relais nelle Vigne senza rist   ⟨ AE ☓ ☓
via Gaetano Giardino 94, località   AE ☓ ☓ P VISA ◑◐ AE ① ☓
Carpesica – ℰ *04 38 56 11 73* – *www.alice-relais.com* – *info@alice-relais.com*
– *Fax 04 38 92 07 54*
10 cam ⊐ – ♦100/130 € ♦♦120/165 €
♦ Nei pressi dell'uscita autostradale sud, ma immersa in un paesaggio da cartolina. Tra colline, vigneti e campanili, una risorsa dotata di ottime camere in legno.

VIVARO – Pordenone (PN) – 562D20 – **1 290 ab.** – **alt. 128 m** – ⊠ **33099**   10 **B2**
▶ Roma 614 – Udine 44 – Pordenone 26 – Venezia 110

Agriturismo Lataria dei Magredi ☓   ☓ AE ☓ rist, P
vicolo Centrico – ℰ *042 79 70 37* – *www.gelindo.it*   VISA ◑◐ ① ☓
– *gelindodeimagredi@tin.it* – *Fax 042 79 75 15*
8 cam ⊐ – ♦60/70 € ♦♦90/100 € – 2 suites – ½ P 70/80 €
Rist – ℰ *33 57 17 08 08 (chiuso da martedì a giovedì escluso i giorni festivi)*
(chiuso a mezzogiorno escluso sabato, domenica e lunedì) Carta 30/40 €
♦ Struttura in pietra in centro paese: si tratta di un vecchio caseificio, ristrutturato per ospitare camere gradevoli e funzionali. Ristoro ideale per gli amanti della natura. Al ristorante, la cucina regionale è proposta in elaborazioni semplici ed originali.

VIVERONE – Biella (BI) – 561F6 – 1 414 ab. – alt. 407 m – ✉ 13886   23 C2

▶ Roma 661 – Torino 58 – Biella 23 – Ivrea 16

Marina � ⟨ 🍴 🔲 ⚛ ✗ 🔲 AC ⚙ ⟨⟨¹⟩⟩ 🛬 P VISA ◉◉ AE ① 🛢
frazione Comuna 10 – ℰ *01 61 98 75 77* – *www.hotelmarinaviverone.it* – *info@hotelmarinaviverone.it* – *Fax 016 19 86 89* – *chiuso dal 20 novembre al 5 febbraio*
60 cam – 🛏72/78 € 🛏🛏98/105 €, ☷ 10 € – ½ P 75/85 €
Rist – *(chiuso venerdì escluso dal 15 maggio al 15 settembre)* Carta 34/48 €
◆ Circondata da un giardino in riva al lago, confortevole struttura di taglio moderno, con piscina, spiaggia e pontile privati: ideale per un soggiorno di completo relax. Estrema modularità negli spazi del ristorante.

VIZZOLA TICINO – Varese (VA) – 561F8 – 421 ab. – alt. 221 m   16 A2
– ✉ 21010

▶ Roma 619 – Stresa 42 – Como 55 – Milano 51

Villa Malpensa 🍴 🔲 ⚑ AC ⚙ rist. ⟨⟨¹⟩⟩ 🛬 P VISA ◉◉ AE ① 🛢
via Sacconago 1 – ℰ *03 31 23 09 44* – *www.hotelvillamalpensa.com*
– *info@hotelvillamalpensa.com* – *Fax 03 31 23 09 50*
65 cam ☷ – 🛏115/160 € 🛏🛏170/230 €   **Rist** – Carta 50/80 € 🌿
◆ Vicino all'aeroporto, dal 1991 una sontuosa residenza patrizia inizio '900 offre una curata ospitalità nei suoi raffinati interni; meno affascinanti ma confortevoli le camere. Signorile sala ristorante e salone con affreschi originali di inizio secolo.

VODO CADORE – Belluno (BL) – 562C18 – 960 ab. – alt. 901 m   36 C1
– ✉ 32040

▶ Roma 654 – Cortina d'Ampezzo 17 – Belluno 49 – Milano 392

Al Capriolo AC P VISA ◉◉ AE ① 🛢
via Nazionale 108 – ℰ *04 35 48 92 07* – *alcapriolo@hotmail.it* – *Fax 04 35 48 91 66*
– *chiuso da maggio al 20 giugno, dal 20 settembre al 25 ottobre, martedì e mercoledì a mezzogiorno da gennaio ad aprile*
Rist – Menu 38/60 € – Carta 51/68 €
◆ Pernici, cervo e capriolo nel piatto, trofei di caccia alle pareti… La stessa insegna lo suggerisce: in questa antica ed elegante casa patrizia del centro è la selvaggina a fare da padrona.

VÖLS AM SCHLERN = Fiè allo Sciliar

VOLASTRA – La Spezia – 561J11 – Vedere Manarola

VOLTA MANTOVANA – Mantova (MN) – 561G13 – 6 797 ab.   17 C2
– alt. 127 m – ✉ 46049

▶ Roma 488 – Verona 39 – Brescia 60 – Mantova 25

Buca di Bacco �🔲 AC ⚙ ⟨⟨¹⟩⟩ 🛬 P VISA ◉◉ AE ① 🛢
via San Martino – ℰ *03 76 80 12 77* – *www.hotelbucadibacco.it*
– *info@hotelbucadibacco.it* – *Fax 03 76 80 16 64*
37 cam ☷ – 🛏🛏80 €   **Rist** – Carta 16/45 €
◆ Un'ampia hall con divani vi accoglie in questa risorsa di taglio moderno, a gestione familiare, per clientela sia turistica che d'affari; arredi essenziali nelle stanze. Varie sale da pranzo, semplici e lineari, adatte soprattutto per banchetti.

VOLTERRA – Pisa (PI) – 563L14 – 11 384 ab. – alt. 531 m – ✉ 56048   28 B2
▌ Toscana

▶ Roma 287 – Firenze 76 – Siena 50 – Livorno 73
🛈 piazza dei Priori 20 ℰ 0588 87257, info@volterra.it, Fax 0588 86099
◉ Piazza dei Priori★★ – Duomo★: Deposizione
lignea★★ – Battistero★ – ≼★★ dal viale dei Ponti – Museo Etrusco
Guarnacci★ – Porta all'Arco★

Pianta pagina 1293

🏠 **Park Hotel Le Fonti** ⚿   ← 🚗 🏠 🛋 🗖 ⬥ cam, 🔼 📞 rist, 🔼 🄿
via di Fontecorrenti – ☎ 058 88 52 19   🟦 ⬤ 🔼 ⬥
– www.parkhotellefonti.com – info@parkhotellefonti.com
– Fax 058 89 27 28 – chiuso dal 2 novembre al 26 dicembre e dal 3 gennaio al 9
aprile   **g**
66 cam �־ – †85/125 € ††110/165 € – ½ P 83/111 €
Rist – Carta 40/60 € 🕸
◆ Su una collina, poco distante dal centro storico, è una grande struttura in stile toscano
con salotti arredati con gusto ed ampie camere, sala meeting e lettura. La cucina s'ispira
alla tradizione e ai sapori toscani, da assaporare nelle sale o, durante la bella stagione, su
una grande terrazza.

🏠 **La Locanda** senza rist   🖥 ⬥ 🔼 📞 🟦 ⬤ 🔼 ⬤ ⬥
via Guarnacci 24/28 – ☎ 058 88 15 47 – www.hotel-lalocanda.com
– staff@hotel-lalocanda.com – Fax 058 88 15 41   **e**
18 cam �־ – †75/97 € ††89/119 € – 1 suite
◆ A pochi passi da Piazza dei Priori, l'hotel è stato ricavato dal restauro di un monastero e
vanta camere spaziose e raffinate e piccoli spazi comuni piacevolmente arredati.

🏠 **Villa Rioddi** senza rist   ← 🚗 🛋 🛋 🔼 📞 📶 🄿 🟦 ⬤ 🔼 ⬤ ⬥
località Rioddi, 2 km per ③ – ☎ 058 88 80 53 – www.hotelvillarioddi.it
– info@hotelvillarioddi.it – Fax 058 88 80 74 – 11 marzo-2 novembre
13 cam �־ – †50/85 € ††70/96 €
◆ Una villa toscana medievale con pietre a vista offre raccolte e caratteristiche sale per il
relax, camere confortevoli con arredi in legno e vista sulla val di Cecina.

🍴 **Enoteca Del Duca**   🏠 ⬥ 📞 🟦 ⬤ 🔼 ⬤ ⬥
via di Castello 2 angolo via Dei Marchesi – ☎ 058 88 15 10
– www.enoteca-delduca-ristorante.it – delduca@sirt.pisa.it – Fax 058 89 29 57
– chiuso dal 23 gennaio al 6 febbraio, dal 13 al 26 novembre e martedì
Rist – Carta 27/45 € 🕸   **d**
◆ Vicino alla piazza principale e al Castello, il locale ospita una piccola enoteca per la
degustazione dei vini ed una sala più elegante dove gustare piatti toscani.

🍴🍴 **Il Sacco Fiorentino**   🏠 🔼 🟦 ⬤ 🔼 ⬤ ⬥
piazza 20 Settembre 18 – ☎ 058 88 85 37
– paolodondoli@virgilio.it – Fax 058 88 85 37
– chiuso dal 10 gennaio al 1° marzo, dal 27 giugno al 5 luglio e mercoledì
Rist – Carta 25/39 €   **c**
◆ In pieno centro, il ristorante è un piacevole e caratteristico locale con due sale che offre
proposte stagionali ed un menù degustazione. Dehors su una pedana in legno.

sulla strada statale 439 per ② : 7,5 km:

🏠 **Agriturismo Villa Montaperti** ⚿   ← 🚗 🎱 🛋 📞 🄿
località Montaperti ✉ 56048 Volterra – ☎ 058 84 20 38 – www.montaperti.com
– info@montaperti.com – Fax 058 84 20 38 – Pasqua-ottobre
11 cam �־ – †80/113 € ††120/176 €
Rist – (solo per alloggiati) Menu 30 € bc
◆ Circondata da un piccolo parco con alcuni sentieri per le passeggiate, la villa padronale
settecentesca in pietra offre ampie camere confortevoli arredate con mobili antichi. Il
ristorante dall'alto soffitto a volte si trova nell'antica stalla: un locale caratteristico dove
assaporare una cucina regionale e casalinga.

VOLTIDO – Cremona (CR) – 561G13 – 439 ab. – alt. 35 m – ✉ 26034   17 **C3**
🅳 Roma 493 – Parma 42 – Brescia 57 – Cremona 30

a Recorfano Sud : 1 km – ✉ 26034 – Voltido

🍴 **Antica Trattoria Gianna**   🏠 🔼 📞 ♻ 🄿 🟦 ⬤ 🔼 ⬤ ⬥
via Maggiore 12 – ☎ 037 59 83 51 – www.anticatrattoriagianna.it – gianna@
anticatrattoriagianna.it – Fax 03 75 38 11 61
– chiuso dal 23 al 30 luglio, lunedì sera e martedì
Rist – Menu 25/30 € – Carta 20/30 €
◆ Salumi nostrani, risotti sempre diversi, i secondi tutti da scoprire: la storica trattoria offre
una cucina semplice e genuina, al pari dell'accoglienza. Nelle belle giornate il servizio si
sposta nel verde del giardino.

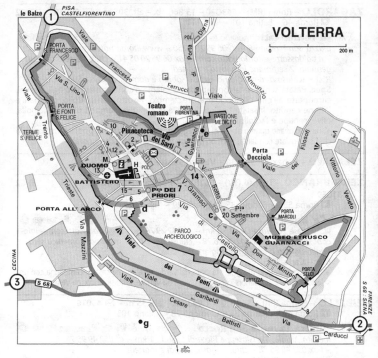

Circolazione regolamentata nel centro città

VOLTRI – Genova – 561I8 – Vedere Genova

VOZE – Savona – Vedere Noli

VULCANO (Isola) – Messina (ME) – 565L26 – Vedere Sicilia (Eolie, isole) alla fine dell'elenco alfabetico

WELSBERG = Monguelfo

WELSCHNOFEN = Nova Levante

WOLKENSTEIN IN GRÖDEN = Selva di Val Gardena

ZADINA PINETA – Forlì-Cesena – Vedere Cesenatico

ZAFFERANA ETNEA – Catania – 565N27 – Vedere Sicilia alla fine dell'elenco alfabetico

ZAGAROLO – Roma (RM) – 563Q20 – **13 866 ab.** – **alt. 305 m** – ✉ **00039**   13 **C2**
▶ Roma 46 – Latina 101 – Rieti 111

XX **Il Tordo Matto** (Adriano Baldassarre)   `AK` `VISA` `OO` `AE` `O` `Ġ`
ξ3 *piazza San Martino 8 – ℰ 06 95 20 00 50 – www.iltordomatto.com*
    – a.baldassarre@iltordomatto.com – Fax 06 95 20 05 41 – chiuso 2 settimane in
    gennaio, 2 settimane in agosto e martedì
    Rist – *(chiuso a mezzogiorno escluso sabato e domenica)* Carta 50/66 € ⅛
    Spec. Patata schiacciata con capitone e salame d'agnello marinato agli agrumi,
    citronnette all'olio di nocciole e prezzemolo. Risotto con midollo, calamari e
    limone candito. Insalata tiepida di spalla di coniglio, gamberi di fiume, cipolla,
    olive, senape e fagiolini.
    ♦ Tanto giovane quanto abile nel destreggiarsi dai classici laziali ai piatti internazionali, lo
    chef sa regalare con fantasia sapori rari, curiose sintesi e tecniche innovative.

ZELARINO – Venezia – 562F18 – **Vedere Mestre**

ZERO BRANCO – Treviso (TV) – 562F18 – **8 846 ab.** – **alt. 18 m**   36 **C2**
– ✉ **31059**
▶ Roma 538 – Padova 35 – Venezia 29 – Milano 271

XXX **Ca' Busatti**   `🚗` `🏠` `ᵳ` `AK` `⬚` `P` `VISA` `OO` `Ġ`
     via Gallese 26, Nord-Ovest : 3 km – ℰ 042 29 76 29 – www.cabusatti.com – info@
     cabusatti.com – Fax 042 29 76 29 – chiuso dal 2 al 31 gennaio, domenica sera
     (luglio-agosto anche a mezzogiorno) e lunedì
     Rist – Carta 35/52 €
     ♦ Un piccolo angolo di signorilità cinto dal verde: un'elegante casa di campagna con una
     saletta interna e un dehors coperto e chiuso da vetrate; fantasiosa cucina veneta.

ZIBELLO – Parma (PR) – 562G12 – **1 993 ab.** – **alt. 35 m** – ✉ **43010**   8 **B1**
▶ Roma 493 – Parma 36 – Cremona 28 – Milano 103

XX **Antica Taverna San Rocco**   `🏠` `ᵳ` `AK` `⬚` `P` `VISA` `OO` `AE` `O` `Ġ`
    località Ardola, via Giuseppe Riccardi 8, Sud : 1 km – ℰ 052 49 95 78
    – Fax 052 49 95 78 – chiuso agosto, lunedì e martedì
    Rist – Carta 32/47 €
    ♦ Proposte di specialità di mare, nel cuore della terra padana, in un locale di tono ele-
    gante, dove ben si inseriscono alcuni elementi rustici (volte in pietra a vista).

X **Trattoria la Buca**   `🏠` `⬚` `P`
   via Ghizzi 6 – ℰ 052 49 92 14 – www.trattorialabuca.com – info@
   trattorialabuca.com – Fax 052 49 97 20 – chiuso martedì
   Rist – Carta 33/45 €
   ♦ Squisita cucina casalinga in un locale rustico: linea gastronomica tipica del luogo e produzione propria di culatello e salumi. Servizio estivo all'aperto.

ZINZULUSA (Grotta) – Lecce – 564G37 – **Vedere Castro Marina**

ZOAGLI – Genova (GE) – 561J9 – **2 543 ab.** – ✉ **16030**   15 **C2**
▶ Roma 448 – Genova 34 – La Spezia 72 – Massa 87

XX **L'Arenella**   `🏠` `VISA` `OO` `AE` `O` `Ġ`
    lungomare dei Naviganti – ℰ 01 85 25 93 93 – www.ristorantearenella.it
    – Fax 01 85 25 93 93 – chiuso febbraio e martedì
    Rist – Carta 42/55 €
    ♦ A cinque minuti a piedi dal centro della località, locale incastonato fra gli scogli a
    ridosso del mare. La cucina offre piatti di mare preparati con prodotti di qualità.

ZOGNO – Bergamo (BG) – 561E10 – **9 057 ab.** – **alt. 334 m** – ✉ **24019**   19 **C1**
▶ Roma 619 – Bergamo 18 – Brescia 70 – Como 64

XX **Tavernetta**   `AK` `VISA` `OO` `AE`
    via Tiragallo 1 – ℰ 034 59 13 72 – www.tavernettazogno.it – tavernettazogno@
    libero.it – Fax 034 59 13 72 – chiuso 1 settimana in gennaio, 3 settimane in agosto,
    martedì sera e mercoledì
    Rist – Menu 35/55 € – Carta 37/49 €
    ♦ Originale connubio tra l'ambiente rustico e le proposte di piatti di mare in un ristorante
    dove troverete però anche una linea gastronomica tradizionale.

ad Ambria Nord-Est : 2 km – ⊠ **24019** – **Zogno**

✗ **Da Gianni** con cam 🏠 P 🚗 VISA ☺☺ AE ⑤
via Tiolo 37 – 𝒞 034 59 10 93 – www.albergodagianni.com – info@
albergodagianni.com – Fax 034 59 36 75 – chiuso dal 1° al 12 settembre
9 cam ⊑ – †50 € †{65 € – ½ P 45 €
Rist – (chiuso lunedì escluso agosto) Carta 20/29 €
♦ Una sala classica e una più raffinata con pitture murali, nonché una brasserie-pizzeria sulla riva del fiume. La cucina è casereccia, con selvaggina in inverno e funghi in stagione. Camere semplici e confortevoli per momenti di relax.

ZOLA PREDOSA – Bologna (BO) – 562 I15 – **16 475 ab.** – alt. 82 m 9 **C3**
– ⊠ **40069**

▶ Roma 378 – Bologna 12 – Milano 209 – Modena 33
🛈 via Masini 11 (Villa Garagnani) 𝒞 051 752472, info@iatzola.it, Fax 051
752472

🏠 **Zolahotel** senza rist 🏢 AC ⅍ ⁽ᵗ⁾ ⅃ P VISA ☺☺ AE ⑩ ⑤
via Risorgimento 186 – 𝒞 051 75 11 01 – www.hotelzola.it – info@hotelzola.it
– Fax 051 75 11 01 – chiuso dal 8 al 24 agosto
108 cam ⊑ – †85/215 € ††115/215 €
♦ Imponente edificio di non molte attrattive, che si rivela all'interno un albergo ben organizzato, con spaziosa hall e camere funzionali; ideale per chi viaggia per affari.

🏠 **Admiral Park Hotel** 🚗 🏢 ⅄ AC ⅍ rist. ⁽ᵗ⁾ ⅃ VISA ☺☺ AE ⑩ ⑤
Via Fontanella 3 – 𝒞 051 75 57 68 – www.admiralparkhotel.com – info@
admiralparkhotel.com – Fax 05 16 16 71 92
89 cam ⊑ – †50/242 € ††70/297 € – ½ P 60/174 € **Rist** – Carta 27/45 €
♦ In posizione defilata - sulla sommità di una collinetta - nuova struttura a vocazione commerciale e congressuale. Camere di diversa tipologia, in stile minimalista e design.

✗ **Masetti** 🏠 ⅄ ⅍ ⇔ P VISA ☺☺ AE ⑩ ⑤
via Gesso 70, località Gesso, Sud : 1 km – 𝒞 051 75 51 31
– www.ristorantemasetti.it – Fax 051 75 51 31 – chiuso dal 15 al 29 febbraio,
dal 1° al 29 agosto, giovedì e venerdì a mezzogiorno
Rist – Carta 24/36 €
♦ Caseggiato nel verde sulle prime colline del bolognese: all'interno un'ampia e sobria sala con grande brace per le carni alla griglia; cucina del territorio.

ZOLDO ALTO – Belluno (BL) – 562 C18 – **1 228 ab.** – alt. 1 177 m – Sport 36 **C1**
invernali : 1 388/2 100 m ⚡ 2 ⅘23 (Comprensorio Dolomiti superski Civetta) 🎿
– ⊠ **32010**

▶ Roma 646 – Cortina d'Ampezzo 48 – Belluno 40 – Milano 388
🛈 località Mareson 𝒞 0437 789145, zoldoalto@infodolomiti.it, Fax 0437788878

🏠 **Bosco Verde** ⑳ 🏠 ℔ ⅍ P VISA ☺☺ AE ⑩ ⑤
via bosco verde 5 località' Pecol, alt. 1 375 – 𝒞 04 37 78 91 51
– www.hotelboscoverde.it – info@hotelboscoverde.it – Fax 04 37 78 87 57
– dicembre-aprile e giugno-settembre
22 cam ⊑ – †55/75 € ††85/130 € – ½ P 80 € **Rist** – Carta 20/32 €
♦ Immersa in una tranquilla zona verdeggiante, questa baita di montagna vanta ambienti curati e spaziosi, arredati nel claasico stile montano, ed una piccola ma piacevole zona benessere. Recentemente ristrutturato nel tipico stile montano, il ristorante offre la cucina casalinga.

ZORZINO – Bergamo – Vedere Riva di Solto

ZWISCHENWASSER = Longega

Isola di Spagi Cala Corsada

SARDEGNA

AGGIUS – Olbia-Tempio (OT) – 566E9 – 1 652 ab. – alt. 514 m   38 **B1**
– ✉ 07020

▶ Cagliari 260 – Nuoro 135 – Olbia 53 – Sassari 72

⚑ **Agriturismo Il Muto di Gallura** ⟶   ≤ 🚗 🏠 AC cam, 🍴 P
località Fraiga, Sud : 1 km – 𝒞 079 62 05 59   VISA ⓪ AE 🇸
– *www.mutodigallura.com* – *info@mutodigallura.com* – *Fax 079 62 05 59*
18 cam � – 🛏42/48 € 🛏🛏84/96 € – ½ P 72/89 €   **Rist** – Menu 20/50 €
♦ Il nome di un bandito romantico per uno "stazzu" (fattoria) tra querce da sughero: per chi non cerca confort alberghieri; gite a cavallo in paesaggi di rara suggestione. In sala da pranzo, tanto legno ed i prodotti tipici del territorio, dal cinghiale alla zuppa gallurese.

AGLIENTU – Olbia-Tempio (OT) – 566D9 – 1 114 ab. – ✉ 07020   38 **B1**
▶ Cagliari 253 – Olbia 70 – Sassari 88

⚑ **Santa Maria**   ≤ 🚗 🏊 AC 🍴 P VISA ⓪ AE ① 🇸
località Larinzeddu – 𝒞 079 60 30 21 – *www.santamariahotel.info* – *info@*
santamariahotel.info – *Fax 079 60 30 19* – *aprile-15 ottobre*
9 cam ⊑ – 🛏🛏75/115 € – ½ P 63/83 €
Rist – *(chiuso a mezzogiorno)* (prenotazione obbligatoria) Menu 20 €
♦ Atmosfera informale in un ex edificio rurale, riconvertito in agriturismo, con camere dagli arredi in ferro battuto e legno. La tranquillità regna sovrana: la risorsa si trova, infatti, fuori dal centro abitato, lungo una stradina di campagna, in posizione leggermente sopraelevata e panoramica.

AGNATA – Olbia-Tempio (104) – 566E09 – **Vedere Tempio Pausania**

ALGHERO – Sassari (SS) – 566F6 – 39 985 ab. – ✉ 07041 🏠 Italia   38 **A2**
▶ Cagliari 227 – Nuoro 136 – Olbia 137 – Porto Torres 35
✈ di Fertilia Nord-Ovest : 11 km 𝒞 079 935282
�🛈 piazza Portaterra 9 𝒞 079 979054, servizituristici@comune.alghero.ss.it, Fax
079 974881
◙ Città vecchia ★
▣ Grotta di Nettuno★★★ Nord-Ovest : 26,5 km – Strada per Capo Caccia
≤★★ – Nuraghe Palmavera★ Nord-Ovest : 10 km

🏠 **Villa Las Tronas** ⟶   ≤ 🚗 🏊 🌀 🏍 ⅃ᵌ 🛗 AC 🍴 rist, 🎧 P
lungomare Valencia 1 – 𝒞 079 98 18 18   VISA ⓪ AE ① 🇸
– *www.hvlt.com* – *info@hvlt.com* – *Fax 079 98 10 44*
22 cam ⊑ – 🛏125/242 € 🛏🛏178/418 € – 3 suites   **Rist** – Carta 55/65 €
♦ Invidiabile posizione panoramica su un piccolo promontorio, giardino e interni d'epoca per questa residenza patrizia d'inizio '900. Piscina e solarium sulla scogliera. Atmosfera d'altri tempi e arredamento di sobria classicità nella sala da pranzo.

🏠 **Florida**   ≤ ⅃ ⅃ᵌ 🛗 🛗 rist, AC 🍴 P VISA ⓪ AE ① 🇸
via Lido 15 – 𝒞 079 95 05 35 – *info@hotelfloridaalghero.it* – *Fax 079 98 54 24*
– *marzo-ottobre*
73 cam ⊑ – 🛏101/113 € 🛏🛏160/176 € – ½ P 100/108 €
Rist – *(aprile-ottobre) (chiuso a mezzogiorno) (solo per alloggiati)*
♦ Curiosa struttura a cubi accostati per una grande, confortevole risorsa degli anni '70, a conduzione familiare, ben ubicata sul lungomare, a ridosso della spiaggia.

✗✗ **Andreini**   🏠 AC VISA ⓪ AE ① 🇸
via Ardoino 45 – 𝒞 079 98 20 98 – *www.ristoranteandreini.it* – *mail@*
ristoranteandreini.it – *Fax 079 98 20 98* – *chiuso lunedì escluso da aprile a ottobre*
Rist – *(consigliata la prenotazione)* Menu 48/60 € – Carta 37/50 € 🍷
♦ Tra le spesse mura in pietra di un vecchio deposito per l'olio, un'ambientazione spigliata e vivace e un'intera famiglia al lavoro per deliziare con una creativa cucina basata sulla tradizione.

XX **Il Pavone** ⌂ AK ⅊ VISA ⦾ AE ① ⚓

piazza Sulis 3/4 – ℰ 079 97 95 84 – Fax 079 97 95 84

– chiuso dal 1° al 10 novembre, domenica a mezzogiorno da giugno a ottobre, anche domenica sera negli altri mesi

Rist – Carta 40/63 €

♦ Un ambiente intimo e familiare che dispone di un piacevole dehors estivo, propone menù regionali esclusivamente di mare.

XX **Al Tuguri** AK ⅊ ⇄ VISA ⦾ ⚓

via Maiorca 113/115 – ℰ 079 97 67 72 – www.altuguri.it – staff@altuguri.it – Fax 079 97 67 72 – chiuso da dicembre a febbraio e domenica

Rist – Carta 37/50 €

♦ Bell'ambiente caratteristico, con tavoli piccoli e serrati, in un'antica casa del centro, a due passi dai Bastioni; griglia a vista per cuocere soprattutto pesce.

XX **Rafel** ≤ AK ⅊ VISA ⦾ AE ① ⚓

via Lido 20 – ℰ 079 95 03 85 – www.ristoranterafel.com – smeraldo_alghero@tiscali.it – Fax 079 98 88 00 – chiuso dal 23 dicembre al 31 gennaio e giovedì in bassa stagione

Rist – Carta 28/40 €

♦ Dalle finestre che scorrono lungo tre pareti della sala-veranda o nei casalinghi piatti proposti, il mare "entra" comunque in questo simpatico locale sulla spiaggia.

a Porto Conte Nord-Ovest : 13 km – 566F6 – ✉ 07041 – Alghero

🏛 **El Faro** ⚘ ≤ ⌂ ⵕ ⵖ ※ ⅃ 📶 AK ⅊ ⵗ P VISA ⦾ AE ① ⚓

– ℰ 079 94 20 10 – www.elfarohotel.it – ask@elfarohotel.it – Fax 079 94 20 30 – aprile-ottobre

83 cam ⌕ – ♦146/260 € ♦♦212/420 € – 5 suites – ½ P 250/300 €

Rist – Carta 53/75 €

♦ Circondato da un parco di palme nane, aloe ed agavi, l'hotel dispone di camere arredate con marmo locale, due piscine con acqua di mare e opportunità di praticare attività sportive. Il ristorante affacciato sul mare propone una cucina dai sapori esclusivamente regionali e mediterranei.

ARZACHENA – Olbia-Tempio (OT) – 566D10 – 11 521 ab. – alt. 83 m   38 B1
– ✉ 07021 ▌ Italia

▶ Cagliari 311 – Olbia 26 – Palau 14 – Porto Torres 147

🛈 (giugno-settembre) piazza Risorgimento ℰ 0789 849300 (Comune)

⛳ Pevero, ℰ 0789 958 00 00

◩ Costa Smeralda★★

sulla strada provinciale Arzachena-Bassacutena Est: 5 km

🏨 **Tenuta Pilastru** ⚘ ⛟ ⌂ AK cam, ⅊ rist, P VISA ⦾ AE ① ⚓

località Pilastru ✉ 07021 Arzachena – ℰ 078 98 29 36 – www.tenutapilastru.it – info@tenutapilastru.it – Fax 078 98 26 84

28 cam ⌕ – ♦♦72/172 € – ½ P 80/100 €

Rist – *(chiuso a mezzogiorno escluso la domenica da ottobre a maggio)*
Menu 32 €

♦ Abbracciato dal verde e dalla tranquillità della campagna gallurese, un cascinale ottocentesco ristrutturato ed ampliato offre ai turisti graziose camere in stile country. Leggermente isolato, circondato dalle caratteristiche conche di granito, il ristorante propone una vasta selezione di piatti tipici locali.

sulla strada provinciale Arzachena-Porto Cervo Est : 6,5 km :

X **Lu Stazzu** ≤ ⌂ ⅃ ⅊ P VISA ⦾ AE ① ⚓

al bivio per Baia Sardinia ✉ 07021 Arzachena – ℰ 078 98 27 11 – www.lustazzu.com – lustazzu@lustazzu.com – Fax 078 98 35 37 – Pasqua-settembre

Rist – Carta 28/38 €

♦ In un bosco di ulivi e ginepri, un piacevole ristorante a gestione familiare dagli interni recentemente ristrutturati, dispone di una terrazza dove gustare la cucina locale.

a Cannigione Nord Est : 8 km – ⊠ 07020

🏨 Cala di Falco   ← 🐴 🛋 🛋 ⅃ ⅙ ⅙ ✕ 🚶 AC ⅙ 🖑 P VISA ⚈ AE ① 🍴
– ℰ 07 89 89 92 00 – www.delphina.it – falco@delphina.it – Fax 07 89 89 92 02
– 15 maggio-5 ottobre
88 cam ⊑ – 🛏240/300 € – 34 suites – 🛏300/600 € – ½ P 150/190 €
Rist – *(15 maggio-15 ottobre)* Menu 40/60 €
♦ Direttamente sul mare e immerso nel verde, un complesso di notevoli dimensioni che dispone di ambienti curati nei dettagli, sale convegni, campi da gioco e teatro all'aperto. Nelle capienti e eleganti sale ristorante, piatti dai sapori semplici e prelibati.

COSTA SMERALDA (OT)

a Porto Cervo – ⊠ 07020

🏨 Cervo   ← 🐴 ⅃ 🛋 ⚇ 🌀 ⅙ ✕ 🚶 AC ⅙ (») 🖑 P VISA ⚈ AE ① 🍴
piazzetta Cervo – ℰ 07 89 93 11 11 – www.sheraton.com/cervo – cervo@
sheraton.com – Fax 07 89 93 16 13 – aprile-ottobre
94 cam ⊑ – 🛏890 € 🛏🛏1460 € – 4 suites – ½ P 920 €
Rist – Carta 70/95 €
Rist Grill – ℰ 07 89 93 16 21 – Carta 85/115 €
♦ Affacciata sulla piazzetta del paese, un'elegante struttura ideale per una clientela commerciale, ospita camere luminose dall'arredo particolare e una capiente sala congressi. Il ristorante di impostazione classica dispone di un servizio estivo in terrazza. In sala, sapori intensi e spettacolari paesaggi dalle vetrate.

XXX Gianni Pedrinelli   🛋 P VISA ⚈ AE ① 🍴
strada provinciale bivio Pevero, Sud : 1,5 km – ℰ 078 99 24 36
– www.giannipedrinelli.it – giannipedrinelli@tiscalinet.it – Fax 078 99 26 16
– marzo-ottobre
Rist – *(chiuso a mezzogiorno dal 15 giugno al 15 settembre)* Carta 56/101 €
♦ Lungo la costa, un locale elegante recentemente ristrutturato in alcune parti che dispone di capienti sale dove assaporare una cucina regionale con tocchi di creatività.

a Poltu Quatu – ⊠ 07021 – Porto Cervo

🏨 Jaspe Hotel   🛋 ⅃ 🌀 ⅙ 🍴 ⅙ AC ✕ (») 🖑 🐴 VISA ⚈ AE ① 🍴
strada Provinciale Baja Sardinia Liscia di Vacca – ℰ 07 89 95 62 00
– www.poltu-quatu.com – reservation@poltu-quatu.com – Fax 07 89 95 62 01
– 10 aprile - ottobre
147 cam ⊑ – 🛏110/755 € 🛏🛏130/755 €   **Rist** – Carta 76/94 €
♦ Una struttura elegante con grandi spazi comuni disponibili per congressi e manifestazioni, sita nel cuore di questa località turistica che ospita molte residenze estive. Nella sala ristorante dai colori del Mediterraneo, la cucina locale è interpretata in chiave creativa.

a Pitrizza – ⊠ 07021 – Porto Cervo

🏨 Pitrizza ≫   ← 🐴 🛋 ⅃ 🌀 ⅙ 🚶 AC ⅙ (») 🖑 P VISA ⚈ AE ① 🍴
– ℰ 07 89 93 01 11 – www.luxurycollection.com/hotelpitrizza – pitrizza@
luxurycollection.com – Fax 07 89 93 06 11 – 3 maggio-27 settembre
40 cam ⊑ – 🛏670/1885 € 🛏🛏820/2350 € – 16 suites – ½ P 1272 €
Rist – Carta 120/165 €
♦ Tra i colori e i profumi del paesaggio sardo, l'hotel cela negli ambienti interni lusso e ricercatezza. Le camere racchiudono i dettagli della bellezza e cultura locale: dalla testata del letto a forma di sole alle piastrelle italiane del bagno, dai mobili preziosamente intarsiati ai patii privati.

a Romazzino – ⊠ 07021 – Porto Cervo

🏨 Romazzino ≫   ← 🐴 🛋 ⅃ 🌀 ⅙ ✕ 🖼8 🍴 ⅙ rist, 🚶 AC ⅙ ⅙ (») 🖑 P VISA ⚈ AE ① 🍴
località Romazzino – ℰ 07 89 97 71 11
– www.luxurycollection.com/romazzino – romazzino@luxurycollection.com
– Fax 07 89 97 76 18 – maggio-ottobre
87 cam – 7 suites – solo ½ P 803/1551 €   **Rist** – Menu 105/146 €
♦ Un'architettura bianca incorniciata dal colore e dal profumo dei fiori ospita un'accoglienza calorosa, eleganti camere dai chiari arredi e un'invitante piscina d'acqua salata. Insolito connubio tra rustico e chic nella sala ristorante con vista, dove assaporare una cucina classica e creatività.

a Cala di Volpe – ⊠ 07020 – Porto Cervo

🏨🏨🏨🏨 Cala di Volpe ⌂ ⟨ 🚗 🏡 ⌇ ⌲ 🍴 🍽 🛗 🚶 🎾 🏊 ⛱ 🏋 🅿
– ℰ 07 89 97 61 11 – www.luxurycollection.com   🆅🆂🅰 ⓪ 🅰🅴 ⓪ 💲
/caladivolpe – caladivolpe@luxurycollection.com – Fax 07 89 97 66 17 – aprile-
ottobre
123 cam – 1 suite – solo ½ P 450/1650 €   **Rist** – Menu 120/165 €
♦ Dietro la facciata policroma un'oasi di quiete nello smeraldo della costa, meeting point
di feste e manifestazioni con ambienti arredati in ferro battuto e artigianato locale.

🏨🏨 Nibaru senza rist ⌂   🍴 🅰🅲 🏊 🅿 🆅🆂🅰 ⓪ 🅰🅴 ⓪ 💲
– ℰ 078 99 60 38 – www.hotelnibaru.it – hotelnibaru@tiscali.it – Fax 078 99 64 74
– maggio-15 ottobre
55 cam ⊡ – †80/160 € ††110/250 €
♦ Immerso nel verde e nella tranquillità, una struttura orizzontale dai caldi colori con
camere luminose e confortevoli, grandi arcate che si aprono sulla piscina.

a Baia Sardinia – ⊠ 07020 – BAIA SARDINIA

🏨🏨🏨 Club Hotel ⌂ ⟨ 🛗 🅰🅲 🏊 rist 🅿 🆅🆂🅰 ⓪ 🅰🅴 ⓪ 💲
– ℰ 078 99 90 06 – www.clubhotelbajasardinia.it – info@clubhotelbajasardinia.it
– Fax 078 99 92 86 – Pasqua-ottobre
114 cam ⊡ – †168/296 € ††224/394 € – ½ P 112/197 €
Rist Terrazza Casablanca – vedere selezione ristoranti
Rist – (solo per alloggiati) Menu 90/120 €
♦ Nel cuore del centro storico, direttamente sulla spiaggia, un'elegante struttura di note-
voli dimensioni offre camere spaziose e signorili arredate nei colori del Mediterraneo.

🏨🏨🏨 Mon Repos ⌂ ⟨ 🚗 🏊 🍴 🅰🅲 🏊 rist 🏋 🅿 🆅🆂🅰 ⓪ 💲
via Tre Monti ⊠ 07021 – ℰ 078 99 90 11 – www.hotelmonrepos.it – monrepos@
tin.it – Fax 078 99 90 50 – maggio-ottobre
59 cam ⊡ – †50/230 € ††90/240 € – 1 suite – ½ P 140/165 €
Rist Corbezzolo – vedere selezione ristoranti
♦ Domina la baia questa struttura alberghiera dall'ospitale gestione familiare dispone di
camere moderne, semplici nella loro eleganza ed una terrazza panoramica con piscina.

🏨🏨🏨 La Bisaccia ⌂ ⟨ 🏡 🏊 🛗 🅰🅲 🏊 🍴 🏋 🅿 🆅🆂🅰 ⓪ 🅰🅴 ⓪ 💲
– ℰ 078 99 90 02 – www.hotellabisaccia.it – info@hotellabisaccia.it
– Fax 078 99 91 62 – 20 maggio-15 ottobre
109 cam ⊡ – ††310/450 € – ½ P 182/250 €
Rist – (solo per alloggiati) Menu 70/90 €
♦ In una zona tranquilla, circondata da prati che declinano verso il mare, la struttura è
ideale per una vacanza all'insegna del riposo ed ospita camere semplici e luminose.
Nelle raffinate sale del ristorante, la vista sull'arcipelago e i sapori della cucina sarda.

🏨🏨 Pulicinu ⌂ ⟨ 🚗 🏊 🅰🅲 🏊 rist 🏋 🅿 🆅🆂🅰 ⓪ 💲
località Pulicinu, Sud : 3 km – ℰ 07 89 93 30 01 – www.hotelpulicinu.com – info@
hotelpulicinu.com – Fax 07 89 93 30 90 – 15 Maggio-30 settembre
43 cam ⊡ – †206/370 € ††274/420 € – ½ P 295/390 €
Rist Antonella – Carta 27/50 €
♦ Avvolto dalla quiete della folta macchia mediterranea e poco distante dalle più note
mete vacanziere, l'hotel ospita una piscina rigenerante e camere piccole ma confortevoli.
Dalla cucina, i saporiti piatti della cucina regionale da gustare nell'elegante e luminosa sala.

🏨 Olimpia senza rist ⌂ ⟨ 🏊 🅿 🆅🆂🅰 ⓪ 🅰🅴 💲
via dei Pini 1 – ℰ 078 99 91 76 – www.hotelmeubleolimpia.it – babi.and@tiscali.it
– Fax 078 99 91 91 – 10 maggio-settembre
17 cam ⊡ – †50/100 € ††80/200 €
♦ Affacciato sulla baia di Battistoni, la risorsa è ideale per divertenti vacanze all'insegna
del relax nei suoi ambienti spaziosi e presso la piscina panoramica con solarium.

XXX Terrazza Casablanca – Club Hotel   🏡 🆅🆂🅰 ⓪ 🅰🅴 💲
– ℰ 078 99 95 02 – www.bajahotels.it – m.gaggioli@clubhotelbajasardinia.it
– Fax 078 99 92 86 – 20 maggio-20 settembre
Rist – (chiuso a mezzogiorno) Carta 52/106 €
♦ Sito all'ultimo piano dell'edificio, un locale di grande suggestione dalle proposte regio-
nali rivisitate nel rispetto della moderna creatività.

✗✗ **Corbezzolo** – Hotel Mon Repos   🛜 AC ⇔ VISA ⊕ ⚡
piazzetta della Fontana – ☎ 078 99 98 93 – www.ristorantecorbezzolo.it – info@
ristorantecorbezzolo.it – Fax 078 99 98 93 – Maggio-15 ottobre
Rist – Carta 28/59 €

♦ Cortesia e terrazza con vista panoramica sono i punti forti del *Corbezzolo:* carta divisa
equamente tra prodotti del mare e sapori di terra.

BAIA SARDINIA – Olbia-Tempio (OT) – 566D10 – **Vedere Arzachena : Costa
Smeralda**

BOSA – Nuoro (NU) – 566G7 – **7 970 ab.** – **alt. 10 m** – ☒ 08013   38 **A2**
▸ Alghero 64 – Cagliari 172 – Nuoro 86 – Olbia 151

a Bosa Marina Sud-Ovest : 2,5 km – ☒ 08013

🏠 **Al Gabbiano**   🛜 📠 AC 🏊 cam, 📞 P VISA ⊕ AE ① ⚡
viale Mediterraneo 5 – ☎ 07 85 37 41 23 – www.hotelgabbiano.it
– *gabbianohotel@tiscali.it* – Fax 07 85 37 41 09
30 cam – †46/67 € ††66/92 €, ⊆ 7 € – ½ P 51/84 €
Rist – (Pasqua-ottobre) Carta 23/33 €

♦ Frontemare, un hotel di piccole dimensioni a gestione familiare ricavato all'interno di
una villa, dispone di interni dagli arredi lignei e camere semplici ed accoglienti. Dalla
cucina, proposte casalinghe dai sapori regionali da gustare in una sobria sala ristorante.

CAGLIARI P (CA) – 566J9 – **162 560 ab.** – ☒ 09100 ▮ Italia   38 **B3**
▸ Nuoro 182 – Porto Torres 229 – Sassari 211
✈ di Elmas per ② : 6 km ☎ 070 211211
⛴ per Civitavecchia, Genova, Napoli, Palermo e Trapani – Tirrenia Navigazione,
call center 892 123
🖈 piazza Matteotti ☒ 09123 ☎ 070 669255, Fax 070 663207
piazza Defennu 9 ☒ 09125 ☎ 070 604241, infoturismo@provincia.cagliari.it,
Fax 070/663207
👁 Museo Nazionale Archeologico★ : bronzetti★★★ Y – ⩘★★ dalla terrazza
Umberto I Z – Pulpiti★★ nella Cattedrale Y – Torre di San Pancrazio★ Y
– Torre dell'Elefante★ Y
🖃 Strada★★★ per Muravera per ①

Pianta pagina 1302

🏨 **Jolly Hotel Cagliari**   📠 AC 📶 🏊 P 🚗 VISA ⊕ AE ① ⚡
circonvallazione Nuova Pirri 626, 4 km per via Dante ☒ 09134 Pirri
– ☎ 070 52 90 60 – www.alliancealberghi.com – jolly.cagliari@
alliancealberghi.com – Fax 070 50 22 22   Y**b**
129 cam ⊆ – †103/155 € ††123/175 €   **Rist** – Carta 24/38 €

♦ Varcate l'ingresso e non potrete restare indifferenti all'eleganza delle forme e dei materiali, dalla spaziosa e luminosa hall alle camere, raffinate e confortevoli. Comodo da raggiungere. Ambiente piacevole e informale nella sala da pranzo.

🏨 **T Hotel**   📺 🏊 🛁 📠 🍽 AC 🏊 📶 🏊 P VISA ⊕ AE ① ⚡
via dei Giudicati 66, per via Dante ☒ 09131 – ☎ 07 04 74 00 – www.Thotel.it
– *reservation@thotel.it* – Fax 070 47 40 16
200 cam ⊆ – †99/175 € ††119/205 € – 7 suites   **Rist** – Carta 41/64 €

♦ Tecnologia e design: una torre in vetro rivoluziona il paesaggio cagliaritano senza
dimenticare le tradizioni isolane grazie alle frequenti esposizioni allestite nella hall, dedicate all'artigianato locale. Cucina veloce a pranzo, in una sala aperta sulla corte; piatti
sardi e internazionali più elaborati la sera.

🏨 **Caesar's**   📠 🛁 AC 🍽 📶 🏊 🚐 VISA ⊕ AE ① ⚡
via Darwin 2/4, per viale Armando Diaz ☒ 09126 – ☎ 070 34 07 50
– *www.caesarshotel.it* – info@caesarshotel.it – Fax 070 34 07 55   Z**a**
48 cam ⊆ – †89/150 € ††109/200 € – ½ P 125 €
Rist Cesare – ☎ 070 30 47 68 (chiuso dal 9 al 28 agosto e domenica sera)
(chiuso a mezzogiorno escluso sabato e domenica) Carta 25/46 €

♦ Nella cornice di un quartiere moderno, tra eleganti condomini, solo varcato l'ingresso
si svela la caratteristica: la struttura si sviluppa curiosamente intorno ad una corte interna.
Raffinato e accogliente il ristorante, dove gustare piatti tipici della cucina isolana accanto
ai classici nazionali.

CAGLIARI

0   300 m

Regina Margherita senza rist

🛏 AK ⚡ 🛜 👪 🚗 VISA 🟠 AE ① ⚓

viale Regina Margherita 44 ⊠ 09124 – ☎ 070 67 03 42
– www.hotelreginamargherita.com – booking@hotelreginamargherita.com
– Fax 070 66 83 25   Zg
100 cam ☲ – ♦124/170 € ♦♦164/270 €
◆ Poco distante dal lungomare, grande albergo recentemente rinnovato secondo l'attuale gusto dei design hotel, niente colori, solo sfumature dal bianco al nero e forme geometriche.

Sardegna

🛏 ⚓ AK ⚡ rist, 📶 👪 P VISA 🟠 AE ① ⚓

via Lunigiana 50, 2,5 km per ② ⊠ 09122 – ☎ 070 28 62 45
– www.sardegnahotelcagliari.it – info@sardegnahotelcagliari.it – Fax 070 29 04 69
78 cam ☲ – ♦74/110 € ♦♦86/152 € – 6 suites – ½ P 94/130 €
Rist – Carta 24/36 €
◆ Ad un paio di chilometri dal centro, l'hotel vanta un settore notte nuovissimo, moderno e confortevole. Perfetto punto d'appoggio per la clientela d'affari.

XXX **Dal Corsaro** 🔲 ⅏ VISA ⓒ AE ⓞ ✶

viale Regina Margherita 28 ⊠ *09124 –* ℰ *070 66 43 18*
– www.dalcorsaro.com – dalcorsaro@tiscali.it – Fax 070 65 34 39
– chiuso dal 1° al 15 gennaio **Ze**
Rist – *(consigliata la prenotazione)* Carta 43/65 €
♦ Archi, quadri, specchi e stampe alle pareti, un angolo di sobria eleganza in centro città eppure a pochi passi dal lungomare; in cucina il figlio rivede la tradizione sarda con fantasia e gusto.

XX **Antica Hostaria** 🔲 ⅏ VISA ⓒ AE ⓞ ✶

via Cavour 60 ⊠ *09124 –* ℰ *070 66 58 70 – Fax 070 66 58 78 – chiuso domenica*
Rist – Carta 30/63 € (+12 %) **Zx**
♦ Lasciate il lungomare alle spalle, addentratevi nel centro storico: l'esterno dell'edificio sembrerà annunciare un'osteria ma all'interno troverete una sorprendente quanto inaspettata eleganza.

XX **Al Porto** 🔲 ⇔ VISA ⓒ AE ⓞ ✶

via Sardegna 44 ⊠ *09124 –* ℰ *070 66 31 31 – Fax 070 66 31 31*
– chiuso 2 settimane a gennaio, 2 settimane in luglio e lunedì **Zr**
Rist – *(consigliata la prenotazione)* Carta 28/39 € (+10 %)
♦ Tra le vie del centro storico, di fronte al porto, ristorante con piatti classici di mare. All'ingresso, in bella vista, la barca con il pesce e gli antipasti introducono ad una sala in stile elegante marinaro.

X **La Stella Marina di Montecristo** 🔲 ⅏ ⇔ VISA ⓒ AE ⓞ ✶

via Sardegna 140 ⊠ *09124 –* ℰ *070 66 66 92 – www.ilmontecristo.com*
– chiuso dal 10 al 20 agosto e domenica **Zc**
Rist – Carta 23/32 €
♦ L'andamento e l'aspetto sono quelli di una semplice osteria di mare, mentre la gestione gioca il jolly della cortesia e dell'accoglienza. Cucina di pesce con espositore e cacciagione.

X **Lisboa** 🍴 🔲 VISA ⓒ AE ✶

via Tuveri 2 ⊠ *09129 –* ℰ *07 04 37 07 – lisboaristorante@gmail.com*
– Fax 07 04 37 07 **Zd**
Rist – *(chiuso lunedì a mezzogiorno e domenica)* (consigliata la prenotazione)
Menu 26/38 €
♦ Lampadari che ricordano enormi palle di neve, tavolini neri a crudo e servizio informale: la cucina invece è nelle mani di uno chef isolano, fantasioso e competente. Per i vini potrete sbizzarrirvi, la carta è solo una traccia!

al bivio per Capoterra per ② : *12 km :*

XX **Sa Cardiga e Su Schironi** 🔲 ⅏ ⇔ 🅿 VISA ⓒ AE ⓞ ✶

strada statale 195 bivio per Capoterra ⊠ *09012 Capoterra –* ℰ *07 07 16 52*
– www.sacardigaesuschironi.it – murgia@sacardigaesuschironi.it
– Fax 07 07 16 13 – chiuso gennaio e lunedì (escluso agosto), anche domenica sera da ottobre a giugno
Rist – Menu 25/45 € – Carta 30/67 € ಹ
♦ Diverse sale avvolte nel legno, colori e un ampio espositore di pesce all'ingresso. Si può scegliere già qui il pesce, poi proposto in semplici elaborazioni perlopiù alla griglia.

CALA DI VOLPE – Olbia-Tempio – 566D10 – **Vedere Arzachena : Costa Smeralda**

CALA GONONE – Nuoro – 566G10 – **Vedere Dorgali**

CALANGIANUS – Olbia-Tempio (OT) – 566E9 – **4 605 ab.** – alt. 518 m – ⊠ 07023   38 **B1**
▶ Cagliari 255 – Nuoro 144 – Olbia 37 – Sassari 79

verso Priatu Est : *14 km :*

X **Li Licci** con cam ⚘ 🚗 🍴 🅿 VISA ⓒ AE ✶

località Valentino – ℰ *079 66 51 14 – www.lilicci.com – info@lilicci.com*
– Fax 079 66 50 29 – chiuso dal 7 gennaio a Pasqua
4 cam ⚏ – †85 € ††100 € – ½ P 75 €
Rist – *(chiuso a mezzogiorno escluso domenica in luglio-agosto)* Menu 30/38 €
– Carta 22/43 €
♦ Una coppia anglo-sarda gestisce questo simpatico locale con servizio estivo in terrazza tra i lecci: specialità galluresi in un menu fisso o *à la carte*. Camere semplici e accoglienti.

CALASETTA – Carbonia-Iglesias (CI) – 566J7 – 2 798 ab. – ✉ 09011   38 A3

▶ Cagliari 105 – Oristano 145

📧 per l'Isola di San Pietro-Carloforte – Saremar, call center 892 123

🏨 Luci del Faro ❦   ≼ 🚗 🏠 ⫯ ✖ 👌 cam, 🅰🅲 🕸 rist, "🁢" 🅿

località Mangiabarche Sud : 5 km – 𝒞 07 81 81 00 89   𝚅𝙸𝚂𝙰 ⑩⑩ 🅰🅴 ● 🕹
– www.hotelucidelfaro.com – info@hotelucidelfaro.com – Fax 07 81 81 00 91
– aprile-ottobre
38 cam ⌿ – †62/212 € ††92/334 € – ½ P 118/131 €
Rist – (solo per alloggiati) Menu 25/35 €
◆ Di fronte ad una costa rocciosa, è un borgo mediterraneo raccolto attorno ad una grande piscina; all'interno ampie camere dai moderni arredi ed aree giochi per i più piccoli.

CANNIGIONE – Olbia-Tempio (104) – 566D10 – Vedere Arzachena

CARBONIA – Carbonia-Iglesias (CI) – 566J7 – 30 625 ab. – alt. 100 m   38 A3
– ✉ 09013

▶ Cagliari 71 – Oristano 121

✖ Bovo-da Tonino   🏠 🅰🅲 🕸 🅿 𝚅𝙸𝚂𝙰 ⑩⑩ 🅰🅴 ● 🕹

via Costituente 18 – 𝒞 078 16 22 17 – ristorante.bovo@tiscali.it – Fax 078 16 22 17
– chiuso 25-26 dicembre, Pasqua, Ferragosto e domenica
Rist – Carta 23/41 €
◆ La calorosa e familiare ospitalità sarda qui non ha alcun dubbio: dedizione e attenzione si dirigono esclusivamente verso la qualità del pesce che d'estate si gusta all'aperto.

CARLOFORTE – Carbonia-Iglesias – 566J6 – Vedere San Pietro (Isola di)

CASTELSARDO – Sassari (SS) – 566E8 – 5 546 ab. – ✉ 07031   38 A1

▶ Cagliari 243 – Nuoro 152 – Olbia 100 – Porto Torres 34

🏨 Baga Baga ❦   ≼ 🚗 🏠 🅰🅲 🕸 rist, 🅿 𝚅𝙸𝚂𝙰 ⑩⑩ 🅰🅴 ● 🕹

località Terra Bianca Est : 2 km – 𝒞 079 47 00 75 – www.bagabaga.it
– info@bagabaga.it – Fax 079 47 11 22
10 cam ⌿ – †55/90 € ††80/150 € – ½ P 55/95 €   **Rist** – Carta 32/47 €
◆ Immerso nella macchia mediterranea in zona panoramica dalla quale si ha una bella vista sul mare e sul paese, un'oasi di relax con camere solari dagli arredi tipici sardi. Cucina sarda e di mare nel panoramico ristorante dal quale si ammireranno suggestivi tramonti.

🏨 Riviera da Fofò   ≼ 🏠 🛗 🅰🅲 cam, "🁢" 🛁 🅿 𝚅𝙸𝚂𝙰 ⑩⑩ 🅰🅴 ● 🕹

via lungomare Anglona 1 – 𝒞 079 47 01 43 – www.hotelriviera.net – fofo@fofo.it
– Fax 079 47 13 12
34 cam ⌿ – †50/145 € ††78/195 €
Rist – (chiuso mercoledì da ottobre ad aprile) Carta 29/59 €
◆ Colorata struttura all'ingresso del paese, propone camere semplici e di buon gusto, particolari quelle fronte mare dalle quali è possibile ammirare la notturna Castelsardo. Ristorante sulla breccia da decenni: ampia sala e terrazza estiva con vista mare.

✖✖ Il Cormorano   🏠 🅰🅲 ♻ 𝚅𝙸𝚂𝙰 ⑩⑩ 🅰🅴 ● 🕹

via Colombo 5 – 𝒞 079 47 06 28 – www.ristoranteilcormorano.com – info@
ristoranteilcormorano.net – Fax 079 47 06 28 – chiuso martedì in bassa stagione
Rist – Menu 40/55 € – Carta 43/55 €
◆ Defilato su una curva ai margini del centro storico di uno dei rari borghi medievali della Sardegna, eleganza e signorilità e una cucina di pesce che si affida a talento e fantasia.

✖ Da Ugo   ≼ 🅰🅲 🕸 𝚅𝙸𝚂𝙰 ⑩⑩ 🅰🅴 ● 🕹

corso Italia 7/c, località Lu Bagnu, Sud-Ovest : 4 km – 𝒞 079 47 41 24
– ristorantedaugo@tiscali.it – Fax 079 47 41 24 – chiuso febbraio e giovedì in bassa stagione
Rist – Carta 40/54 €
◆ Lungo la strada costiera; è da anni un indirizzo ben noto in zona per la freschezza e la fragranza dell'offerta ittica; la carne, "porceddu" compreso, è da prenotare.

X **Sa Ferula**   ⪦ 🏠 𝔸ℂ 🅿️ 𝚟𝚒𝚜𝚊 ⓒⓔ 𝔸𝔼 ⓞ ⚹

corso Italia 1, località Lu Bagnu, Sud-Ovest : 4 km – ⚬ *079 47 40 49*
– Fax 079 47 40 49 – chiuso dal 5 novembre al 5 dicembre e giovedì in bassa stagione
Rist – Carta 31/50 €

♦ Sorta di bambù indigeno, la "ferula" riveste in parte le pareti di un semplice locale in una frazione sulla litoranea. Cucina della tradizione, di terra e di mare.

COSTA SMERALDA – Sassari – 566D10 – Vedere Arzachena

DORGALI – Nuoro (NU) – 566G10 – **8 253 ab. – alt. 387 m** – ✉ 08022   38 **B2**
▌ Italia

▶ Cagliari 213 – Nuoro 32 – Olbia 114 – Porto Torres 170
▣ Grotta di Ispinigoli★★ Nord : 8 km – Strada★★ per Cala Gonone Est : 10 km
  – Nuraghi di Serra Orios★ Nord-Ovest : 10 km – Strada★★★ per Arbatax Sud

X **Colibrì**   𝔸ℂ 🅿️ 𝚟𝚒𝚜𝚊 ⓒⓔ ⚹

via Gramsci ang. via Floris – ⚬ *078 49 60 54 – colibri.mereu@tiscali.it*
– chiuso da novembre a gennaio e domenica (escluso luglio-agosto)
Rist – Carta 24/37 €

♦ Cucina casalinga fedele ai sapori e alle tradizioni della gastronomia dorgolese: affettati, paste, formaggi e carni accompagnati dalla cordiale ospitalità dei gestori.

a Cala Gonone Est : 9 km – ✉ 08020

🏠 **Costa Dorada**   ⪦ 🏠 𝔸ℂ 𝒮 rist, 𝚟𝚒𝚜𝚊 ⓒⓔ 𝔸𝔼 ⚹

lungomare Palmasera 45 – ⚬ *078 49 33 32 – www.hotelcostadorada.it*
– info@hotelcostadorada.it – Fax 078 49 34 45 – 25 marzo-ottobre
27 cam – ♛90/135 € ♛♛140/210 €, � 15 € – 1 suite – ½ P 113/133 €
Rist – Carta 27/69 €

♦ Ubicato direttamente sul lungomare, l'hotel ospita camere raccolte aredate in stile sardo-spagnolo, un solarium ed ampie terrazze ombreggiate con vista sul golfo. Ogni giorno, piatti di carne e di pesce e proposte regionali nella romantica sala da pranzo.

🏠 **Miramare**   ⪦ 🏠 ⧮ 𝔸ℂ 𝚟𝚒𝚜𝚊 ⓒⓔ 𝔸𝔼 ⓞ ⚹

piazza Giardini 12 – ⚬ *078 49 31 40 – www.htlmiramare.it*
– miramare@tiscalinet.it – Fax 078 49 34 69 – 24 marzo-5 novembre
35 cam ⊑ – ♛40/80 € ♛♛60/150 €
Rist – *(maggio-settembre)* Carta 22/52 €

♦ A pochi metri dalla spiaggia, un piccolo hotel a conduzione familiare con ampi spazi comuni, una bella terrazza panoramica, camere semplici e piacevoli. Nel giardino-ristorante ombreggiato dalle palme vengono serviti piatti della tradizione gastronomica regionale e soprattutto specialità di mare.

X **Il Pescatore**   ⪦ 🏠 𝔸ℂ 𝚅𝙸𝚂𝙰 ⓒⓔ ⚹

via Acqua Dolce 7 – ⚬ *078 49 31 74 – romanopatrizia@tiscali.it*
– Fax 078 49 31 74 – Pasqua-ottobre
Rist – Carta 32/60 €

♦ Fronte mare, il locale ricorda l'antico villaggio di pescatori, annovera un dehors e una semplice sala interna più informale dove gustare la cucina regionale e piatti di pesce.

alla Grotta di Ispinigoli Nord : 12 km :

X **Ispinigoli** con cam ⚃   ⪦ 🏠 𝔸ℂ 𝒮 ⚒ 🅿️ 𝚟𝚒𝚜𝚊 ⓒⓔ 𝔸𝔼 ⚹

strada statale 125 al km 210 ✉ *08022 Dorgali –* ⚬ *078 49 52 68*
– www.hotelispinigoli.com – rist.ispinigoli@tiscali.it – Fax 07 84 92 92 33
– marzo-novembre
26 cam ⊑ – ♛60/90 € ♛♛80/120 € – ½ P 70/80 €
Rist – Carta 25/47 € ⚘

♦ Valido punto d'appoggio per chi desidera visitare le omonime grotte, celebri perchè conservano la più alta stalagmite d'Europa, e per assaporare una buona cucina regionale. Dalle camere, semplici e confortevoli con arredi in legno, si può contemplare la tranquillità della campagna circostante.

a Monteviore Sud : 9 km – ⊠ **08022 – Dorgali**

⌂ **Monteviore** ◎ ⪕ 🏠 ⅍ rist. **P.** 𝗩𝗜𝗦𝗔 ⓪ ⓘ ♿
☎ *strada statale 125 al km 196, località Monteviore –* ℰ *078 49 62 93*
– monteviore1@tiscali.it – Fax 078 49 62 93 – aprile-ottobre
19 cam ⌓ – ♦45/55 € ♦♦75/100 €   **Rist** – Carta 21/34 €
♦ Una risorsa particolare all'interno della costa orientale, ideale punto di partenza per muoversi alla scoperta dell'isola, dispone di camere semplici e confortevoli. Sulla terrazza panoramica e nella sala dall'arredamento rustico, proposte gastronomiche dai sapori regionali.

GAVOI – **Nuoro (NU)** – 566G9 – **2 943 ab.** – **alt. 777 m** – ⊠ 08020   38 **B2**
▶ Cagliari 179 – Nuoro 35 – Olbia 140 – Porto Torres 141

⌂ **Gusana** ◎ ⪕ 🚲 ⍑ 🍴 ✆ 🐾 **P** 𝗩𝗜𝗦𝗔 ⓪ 𝗔𝗘 ⓘ ♿
☎ *località lago di Gusana –* ℰ *078 45 30 00 – www.albergogusana.it*
– hotelgusana@tiscalinet.it – Fax 078 45 21 78 – chiuso novembre
35 cam ⌓ – ♦35/55 € ♦♦65/70 € – ½ P 55/60 €
Rist – *(chiuso lunedì da dicembre a giugno)* Carta 21/30 €
♦ Nel verde delle tranquille sponde dell'omonimo lago, di cui si ha la splendida vista, una piccola struttura con buoni spazi comuni e camere semplici, ordinate e confortevoli. Atmosfera familiare e sapori regionali, particolarmente a base di pesce nella rustica sala ristorante.

GOLFO ARANCI – **Olbia-Tempio (OT)** – 566E10 – **1 957 ab.** – ⊠ 07020   38 **B1**
▶ Cagliari 304 – Olbia 19 – PortoTorres 140 – Sassari 122
🛳 per Civitavecchia e Livorno – Sardinia Ferries, call center 199 400 500

⌂⌂ **Villa Margherita** ⪕ 🚲 ⍑ 🏖 🍴 ⛷ 🐾 **P** 𝗩𝗜𝗦𝗔 ⓪ 𝗔𝗘 ⓘ ♿
via Libertà 91 – ℰ *078 94 69 12 – www.margheritahotel.net – info@margheritahotel.net – Fax 078 94 68 51 – aprile-ottobre*
26 cam ⌓ – ♦110/215 € ♦♦130/280 € – ½ P 95/170 €
Rist – *(maggio-ottobre)* Carta 31/46 €
♦ Si vede il mare da tutte le stanze di questa tranquilla struttura, in centro, non lontano dal porto; piacevole il porticato intorno alla piscina nel giardino fiorito. Un ambiente ricercato dai caldi colori, al ristorante gusterete la cucina locale, sapori forti e semplici in cui si incontrano terra e mare.

⌂⌂ **Gabbiano Azzurro** ◎ ⪕ 🚲 ⍑ 🍴 ⛷ 𝗔𝗖 ⅍ 🛁 🚗
via dei Gabbiani – ℰ *078 94 69 29* 𝗩𝗜𝗦𝗔 ⓪ 𝗔𝗘 ⓘ ♿
– www.hotelgabbianoazzurro.com – info@hotelgabbianoazzurro.com
– Fax 07 89 61 50 56 – aprile-ottobre
80 cam ⌓ – ♦110/230 € ♦♦138/380 € – ½ P 178/245 €   **Rist** – Carta 57/78 €
♦ Nuove camere confortevoli in un hotel su una delle più celebri spiagge della località, ideale per i bambini e in posizione strategica per ammirare il panorama del golfo. Anche dalla sala ristorante bella vista dell'isola di Tavolara.

GUSPINI – **Medio Campidano (VS)** – **12 670 ab.** – ⊠ 09036   38 **A3**
▶ Roma 541 – Cagliari 70 – Sanluri 26 – Oristano 45

⌂⌂⌂ **Tarthesh** ◎ 🚲 ⍑ 🍴 ⅗ ⛷ 𝗔𝗖 ⅍ **P.** 𝗩𝗜𝗦𝗔 ⓪ 𝗔𝗘 ♿
via Parigi sn – ℰ *07 09 72 90 00 – www.tartheshotel.com*
– info@tartheshotel.com – Fax 07 09 76 40 03 – aprile-dicembre
38 cam ⌓ – ♦133/184 € ♦♦205/298 € – ½ P 138/184 €
Rist – *(chiuso a mezzogiorno)* Carta 35/60 €
♦ Suggestioni etniche, influenze arabe e artigianato sardo in ambienti moderni e ricchi di fascino. Splendida piscina.

ISOLA ROSSA – **Olbia-Tempio** – 566E8 – **Vedere Trinità d'Agultu**

LA CALETTA – **Nuoro** – 566F11 – **Vedere Siniscola**

LOTZORAI – Ogliastra (OG) – 2 168 ab. – alt. 16 m – ✉ 08040   38 **B2**
▶ Cagliari 136 – Nuoro 93

✗ **L'Isolotto**   ⌂ ⁂ 🆅🆂🅰 ⓩ 🅰🅴 ⓞ ⓖ
☜ *via Dante – ℰ 07 82 66 94 31 – ristisolotto@libero.it*
– giugno-settembre; chiuso lunedì
Rist – Carta 18/35 € (+5 %)
◆ Ambiente semplice ed informale dove gustare tipiche ricette legate al pescato della
giornata: dall'aragosta alla catalana alla profumata zuppa di cozze.

MADDALENA (Arcipelago della)★★ – Olbia-Tempio (OT)   38 **B1**
– 566D10 ▯ Italia

◉ Isola della Maddalena★★ – Isola di Caprera★ : casa-museo★ di Garibaldi

LA MADDALENA – Olbia-Tempio (OT) – 566D10 – 11 512 ab. – ✉ 07024

🚢 per Palau – Saremar, call center 892 123
🛈 a Cala Gavetta ℰ 0789 736321, uff.turismolmd@libero.it, Fax 0789 736655

🏠 **Garibaldi** senza rist   🛗 🅰🅲 ⁂ 🆅🆂🅰 ⓩ 🅰🅴 ⓞ ⓖ
via Lamarmora – ℰ 07 89 73 73 14 – www.hotelgaribaldi.info
– htlgaribaldi@tiscali.it – Fax 07 89 73 73 68 – aprile-ottobre
19 cam ☲ – ♦75/85 € ♦♦110/145 €
◆ Sito in posizione tranquilla nella parte alta della località, un ambiente familiare con
camere ben arredate: un buon punto d'appoggio per muoversi alla scoperta dell'isola.

MARINA DI ARBUS – Medio Campidano (VS) – 566I7 – ✉ 09031 – Arbus   38 **A3**
▶ Cagliari 88 – Iglesias 78 – Nuoro 160 – Olbia 240

🏰 **Le Dune** ☜   ⇐ ⌂ 🅰🅲 ⁂ 🅿 🆅🆂🅰 ⓖ
località Piscinas Sud : 8 km – ℰ 070 97 71 30 – www.leduneingurtosu.it – info@
leduneingurtosu.it – Fax 070 97 72 30 – aprile-ottobre
26 cam ☲ – ♦187/250 € ♦♦280/430 € – ½ P 165/240 €   **Rist** – Carta 37/53 €
◆ Sullo sfondo azzurro del Mare Nostrum, un caseggiato in pietra gelosamente custodito
tra dune di sabbia: camere spaziose arredate con gusto e signorilità. Al ristorante: specialità isolane... praticamente sulla spiaggia!

a Torre dei Corsari Nord : 18 km – ✉ 09031 – Arbus

🏰 **La Caletta** ☜   ⇐ ⊐ ⁂ 🅰🅲 ⁂ 🕌 🅿 🆅🆂🅰 ⓩ 🅰🅴 ⓞ ⓖ
Via Vespucci – ℰ 070 97 70 33 – www.lacaletta.it – info@lacaletta.it
– Fax 070 97 71 73 – Pasqua-settembre
32 cam ☲ – ♦80/114 € ♦♦110/168 € – ½ P 60/120 €   **Rist** – Carta 24/86 €
◆ Imponente struttura in un panorama di rara bellezza, la caletta è l'insenatura su cui l'albergo si
affaccia. Una luminosa sala con vetrate che guardano il mare è il punto di ritrovo per la colazione. Al secondo piano la sala ristorante, cinta da un'unica vetrata a parete aperta sul blu.

🏠 **Villaggio Sabbie d'Oro** ☜   ⇐ ⁂ rist, 🅿 🆅🆂🅰 ⓩ 🅰🅴 ⓞ ⓖ
☜ *località Sabbie d'Oro Nord : 2 km – ℰ 070 97 70 74 – www.villaggiosabbiedoro.com*
– sabbiedoro@tiscalinet.it – Fax 070 97 70 74 – chiuso dicembre e gennaio
9 cam ☲ – ♦50/95 € ♦♦60/150 € – ½ P 71/95 €   **Rist** – Carta 16/39 €
◆ Lungo una costa selvaggia, un'immensa, silenziosa baia, camere in bungalow sulle dune
di sabbia, una sala con camino o una veranda con incantevole vista sul paesaggio marino.

MARINA TORRE GRANDE – Oristano – 566H7 – Vedere Oristano

MONASTIR – Cagliari (CA) – 566I9 – 4 518 ab. – alt. 83 m – ✉ 09023   38 **B3**
▶ Cagliari 22

🏰 **Palladium** senza rist   🛗 ⅍ 🅰🅲 🛜 🔊 🆅🆂🅰 ⓩ 🅰🅴 ⓞ ⓖ
viale Europa – ℰ 07 09 16 80 40 – www.hotelpalladiumweb.com – info@
hotelpalladiumweb.com – Fax 07 09 16 80 13
25 cam ☲ – ♦55/65 € ♦♦78/90 €
◆ Moderne e recenti negli arredi, le camere di questo elegante edificio sono tutte simili
tra loro. In comoda posizione non lontano dalla statale per Oristano.

MONTEVIORE – Nuoro – Vedere Dorgali

NETTUNO (Grotta di)★★★ – Sassari – 566F6 ▯ Italia

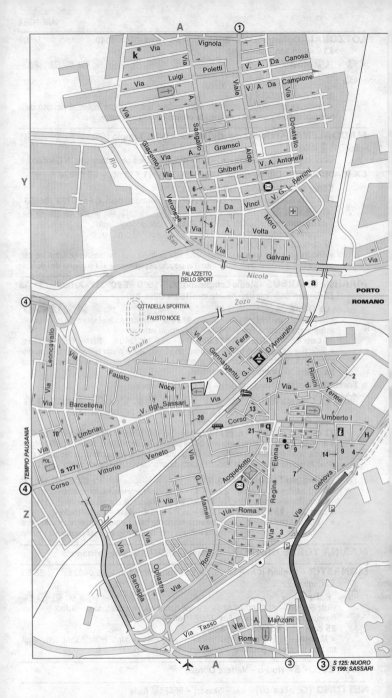

A

① Vignola

Via

k

Via Luigi Poletti

V. A. Da Canosa

Viale V. A. Da Campione

A. Via

Via San Gallo

Donatello

Via A. Gramsci

Giacomo Aldo

Via L. Ghiberti

Via V. A. Antonelli

6 V. G. L. Bernini

Via L. Da Vinci

Moro

Veronese

San

5 Via A.

Via Volta

Via L. Galvani

Via

Nicola

PALAZZETTO DELLO SPORT

a

Zozo

PORTO ROMANO

④ CITTADELLA SPORTIVA FAUSTO NOCE

Canale

Via Leoncavallo

Via V. S. Fera

Via Gennagentu G. D'Annunzio

Via Fausto

2

V. Rimini

Via Noce

15 Via d. Termini

Via Barcellona

V. Bgt. Sassari

Umberto I

20 Corso

13

Via

10 Via Umbria

21 q

c 9

14 9 4

H

Via

Corso Veneto

Acquedotto

Regina Elena

7 Via Genova

POL S 127 Vittorio

④ Corso

G. Mameli

Z 18

Via Roma

Via Regina Via

P

Via Roma

Via 3

P

Via Roma

Via Ogliastra

Via Barbadia

TEMPIO PAUSANIA

Via Tasso A. Manzoni

Via Via Roma

Via

A ③ ③ S 125: NUORO S 199: SASSARI

1308

OLBIA

OLBIA – Olbia-Tempio (OT) – 566E10 – **47 266 ab.** – ✉ 07026   38 B1

▶ Cagliari 268 – Nuoro 102 – Sassari 103

▲ della Costa Smeralda Sud-Ovest : 4 km ✆ 0789 563444

🚢 da Golfo Aranci per Livorno – Sardinia Ferries, call center 199 400 500 – per Civitavecchia e Genova – Tirrenia Navigazione, call center 892 123

🛈 via Nanni 17 ✆ 0789 21453, assturismolbiatempio@email.it Fax 0789 22221

Piante pagine 1308-1309

🏨   **Martini** senza rist   📶 ⅏ 🅰🄲 ⌘ 🔒 🅿 🆅🆂🅰 ⓪ 🄰🄴 ① ⭐

via D'Annunzio, 22 – ✆ 078 92 60 66 – www.hotelmartiniolbia.com – info@ hotelmartiniolbia.com – Fax 078 92 64 18   AY**a**

66 cam 🖵 – †81/91 € ††130/150 €

♦ Cenni di insospettabile eleganza e cortesia all'interno di un grande complesso commerciale affacciato sul porto romano. Chiedete le camere che danno sul retro, le più tranquille.

🏨   **Stella 2000**   📶 ⅏ 🅰🄲 ⌘ rist, 🔒 🅿 🆅🆂🅰 ⓪ 🄰🄴 ① ⭐
☕☕
   viale Aldo Moro 70 – ✆ 078 95 14 56 – www.hotelstella2000.com
   – hotelstella2000@tiscali.it – Fax 078 95 14 62   AY**a**

32 cam 🖵 – †50/130 € ††70/140 € – ½ P 70/85 €

Rist – (solo per alloggiati) Menu 20/30 €

♦ Scelta soprattutto da una clientela commerciale, è una piccola accogliente risorsa di buon gusto e dagli interni raffinati caratterizzati da piacevoli tonalità di colore.

🏨   **Cavour** senza rist   📶 ⅏ 🅰🄲 🅿 🆅🆂🅰 ⓪ 🄰🄴 ① ⭐

via Cavour 22 – ✆ 07 89 20 40 33 – www.cavourhotel.it – hotelcavour@ tiscalinet.it – Fax 07 89 20 10 96   AZ**c**

21 cam 🖵 – †50/65 € ††75/90 €

♦ Dall'elegante ristrutturazione di un edificio d'epoca del centro storico è nato un hotel dai sobri interni rilassanti, arredati con gusto.

🍴🍴   **Gallura** (Rita Denza) con cam   🅰🄲 ⌘ rist, 🆅🆂🅰 ⓪ 🄰🄴 ① ⭐
❀
   corso Umberto 145 – ✆ 078 92 46 48 – Fax 078 92 46 29
   – chiuso dal 20 dicembre al 6 gennaio e dal 1° al 15 ottobre   AZ**q**

16 cam 🖵 – †65 € ††85 €   **Rist** – (chiuso lunedì) Carta 62/82 €

Spec. Antipasti di mare. Aragosta alla catalana. Spigola al sale.

♦ A 70 anni si può ancora migliorare: un'effervescente cuoca reinventa la cucina sarda caricandola di colori, aromi, spezie ed uno straordinario carosello di antipasti e zuppe.

---

sulla strada Panoramica Olbia-Golfo Aranci   per ②

🏨   **Melià Olbia**   🚗 🏠 🏊 🖵 � ⌘ 📶 ⅏ 🏃 🅰🄲 ⇆ ⌘ 📡 🔒 🅿 🚗

Geovillage – ✆ 07 89 55 40 00 – www.solmelia.com   🆅🆂🅰 ⓪ 🄰🄴 ① ⭐
– melia.olbia@solmelia.com – Fax 078 95 77 00

219 cam 🖵 – †60/145 € ††80/167 € – ½ P 72/112 €

Rist – Carta 44/71 €

♦ Una struttura imponente circondata dal mare, realizzata in stile moderno e funzionale, dispone di ampie camere eleganti e di un'originale e ombreggiata piscina con pool bar. Al ristorante vengono proposti interessanti percorsi gastronomici nei quali la tradizione isolana incontra la cucina internazionale.

🏨   **Pozzo Sacro**   ← 🏠 🏊 📶 ⅏ cam, 🅰🄲 ⌘ 📡 🅿 🆅🆂🅰 ⓪ 🄰🄴 ① ⭐

strada panoramica Olbia-Golfo Aranci ✉ 07026 – ✆ 078 95 78 55
– www.hotelpozzosacro.com – pozzosacro@tiscali.it – Fax 078 95 78 61

50 cam 🖵 – †132/240 € ††164/240 € – ½ P 112/150 €

Rist – Carta 33/65 €

♦ In posizione leggermente rialzata sulla costa, l'albergo brilla per i generosi spazi delle camere, tutte tinteggiate in colori pastello e con vista sul golfo di Olbia.

Pellicano d'Oro
località Pittulongu, via Mar Adriatico 34, Nord-Est : 7 km – ℰ 078 93 90 94
– www.hotelphilosophy.net – pellicanodoro@mobygest.it – Fax 07 89 39 81 49
– maggio-ottobre
68 cam ☑ – ♦100/340 € ♦♦140/470 € – ½ P 200/230 €   **Rist** – Menu 30/40 €
♦ Il verde del giardino e il turchese del mare circondano questa bella struttura ideale per un soggiorno all'insegna del relax. In comoda posizione, a poca distanza da Olbia. Al ristorante oltre al menu degustazione, la carta offre specialità locali e di mare.

Stefania
località Pittulongu, Nord-Est : 6 km ✉ 07026 – ℰ 078 93 90 27
– www.stefaniahotel.it – info@stefaniahotel.it – Fax 078 93 91 86 – aprile-novembre
39 cam ☑ – ♦83/203 € ♦♦106/316 € – ½ P 143/173 €
Rist *Nino's* – *(aprile-ottobre)* Carta 44/91 €
♦ In una grande baia di fronte all'isola di Tavolara, non lontano dal mare, confortevole struttura di taglio moderno, con giardino e piscina panoramica; camere funzionali. Suggestioni marinare e ambiente molto mediterraneo nel ristorante "Da Nino's".

sulla strada statale 125 Sud-Est : 10 km

Ollastu
località Costa Corallina – ℰ 078 93 67 44 – www.ollastu.it – ollastu@ollastu.it
– Fax 078 93 67 60 – marzo-novembre
60 cam ☑ – ♦90/230 € ♦♦120/320 € – ½ P 90/210 €   **Rist** – Carta 34/98 €
♦ In posizione panoramica sovrastante il promontorio, una costruzione in stile mediterraneo ospita ampi ambienti di moderna eleganza, piscina, campi da tennis e da calcetto. Nelle caratteristiche sale ristorante, un menù alla carta per gustare i sapori della tradizione regionale.

a Porto Rotondo per ① : 15,5 km – ✉ 07020

Sporting
via Clelia Donà dalle Rose 16 – ℰ 078 93 40 05 – www.sportingportorotondo.it
– info@sportingportorotondo.com – Fax 078 93 43 83 – maggio-settembre
46 cam ☑ – ♦880/968 € ♦♦1100/1188 € – 1 suite – ½ P 594/638 €
Rist – Carta 74/111 €
♦ Cuore della mondanità, un elegante villaggio mediterraneo con camere simili a villette affiancate, affacciate sul giardino o splendidamente proiettate sulla spiaggetta privata. In sala e soprattutto in veranda, la tradizione regionale a base di pesce rivisitata con creatività.

S'Astore
via Monte Ladu 36, Sud : 2 km – ℰ 078 93 00 00 – www.hotelsastore.it – info@hotelsastore.it – Fax 07 89 30 90 41 – marzo-ottobre
18 cam ☑ – ♦75/100 € ♦♦90/230 € – ½ P 72/150 €   **Rist** – Carta 21/50 €
♦ Ubicato nel verde e nella tranquillità, un caratteristico hotel, piccolo e confortevole, con camere accoglienti arredate con pezzi di artigianato locale, veranda e piscina. Cucina nazionale e locale da assaporare nella calda e particolare sala ristorante.

Simposium
via Riccaro Belli 17 – ℰ 07 89 38 11 07 – www.ristorantesimposium.it – donyx75@virgilio.it – Fax 07 89 38 11 07 – aprile-ottobre
Rist – Carta 49/67 €
♦ Dalla terraferma alla Sardegna, due fratelli campani propongono con successo una cucina di mare legata ai sapori della loro tradizione gastronomica.

OLIENA – Nuoro (NU) – 566G10 – 7 586 ab. – alt. 378 m – ✉ 08025   38 **B2**
🛈 Italia
▶ Cagliari 193 – Nuoro 12 – Olbia 116 – Porto Torres 150
🔎 Sorgente Su Gologone★ Nord-Est : 8 km

Sa Corte con cam
via Nuoro 143 – ℰ 078 41 87 61 31 – www.sacorte.it – sa.corte@tiscali.it
– Fax 078 41 87 61 31 – chiuso dal 10 gennaio al 15 febbraio
7 cam ☑ – ♦35/40 € ♦♦60/70 €   **Rist** – Carta 27/39 €
♦ La tradizione gastronomica nuorese è presentata al meglio in questo locale rustico che propone squisite paste, ottime carni e profumati - quanto alcolici - vini sardi!

X **Enis** con cam ⌂ ≤ 🏠 **P** **VISA** ⬤ ⓢ

località Monte Maccione, Est : 4 km – 𝒞 07 84 28 83 63 – www.coopenis.it
– coopenis@tiscalinet.it – Fax 07 84 28 84 73
16 cam ⌂ – †38/47 € ††64/78 € – ½ P 52/59 €
Rist – Carta 21/34 €
♦ Ideale per gli amanti delle escursioni in montagna, circondato dal verde e dalla tranquillità, ristorante-pizzeria con proposte di cucina regionale. Camere semplici ma confortevoli, dalle quali si gode una bella vista sulle cime.

alla sorgente Su Gologone Nord-Est : 8 km :

🏠 **Su Gologone** ⌂ ≤ 🚗 🏠 ⌂ 🛏 ✕ 🛁 🅰 🚹 **P**

✉ 08025 – 𝒞 07 84 28 75 12 – www.sugologone.it **VISA** ⬤ **AE** ⓪ ⓢ
– gologone@tin.it – Fax 07 84 28 76 68
– 18 dicembre-10 gennaio e 15 marzo-10 novembre
64 cam ⌂ – ††140/220 € – 4 suites – ½ P 160/170 €
Rist – Carta 35/50 € ♨
♦ Signorile relais avvolto dal profumo di vigneti, olivi e rosmarino, è una sintesi dell'arte ceramica, figurativa e scultorea dell'isola e soprattutto dell'accoglienza locale. Dalla cucina i piatti della tradizione; dalle cantine un'ampia selezione di vini italiani ed esteri. Sontuoso camino per la brace in sala.

ORISTANO **P** (OR) – 566H7 – 32 238 ab. – ✉ 09170 Italia 38 **A2**

🚗 Alghero 137 – Cagliari 95 – Iglesias 107 – Nuoro 92
🛈 piazza Eleonora 19 𝒞 0783 3683210, enturismo.oristano@tiscali.it
◉ Opere d'arte★ nella chiesa di San Francesco
🅖 Basilica di Santa Giusta★ Sud : 3 km

🏠 **Mistral 2** 🛏 🎏 🛗 rist, 🅰 🌿 🛁 🚗 **VISA** ⬤ **AE** ⓪ ⓢ

via XX Settembre 34 – 𝒞 07 83 21 03 89 – www.hotel-mistral.it – info@
hotel-mistral.it – Fax 07 83 21 10 00
132 cam ⌂ – †70/86 € ††105 € – ½ P 67 €
Rist – Carta 28/40 €
♦ Una spaziosa hall con poltrone introduce in questo albergo dall'alta struttura moderna, con comode stanze funzionali; tra i servizi offerti: attrezzature congressuali. Al ristorante ampi spazi adatti anche per banchetti.

🏠 **Mistral** 🎏 🅰 🌐 ⁽ᵗ⁾ 🛁 **P** **VISA** ⬤ **AE** ⓪ ⓢ

via Martiri di Belfiore 2 – 𝒞 07 83 21 03 89 – www.hotel-mistral.it – info1@
hotel-mistral.it – Fax 07 83 21 00 58 – aprile-settembre
48 cam ⌂ – †58 € ††79 € – ½ P 55 €
Rist – (solo per alloggiati) Menu 14/18 €
♦ In un moderno condominio, una struttura semplice e pulita, adatta ad ogni tipo di clientela; essenziali arredi recenti nelle lineari camere, abbastanza spaziose.

XX **Il Faro** 🎏 🅰 🌿 **VISA** ⬤ ⓢ

via Bellini 25 – 𝒞 078 37 00 02 – www.ristoranteilfaro.net – www@il-faro.eu
– Fax 07 83 30 08 61 – chiuso dal 23 dicembre al 20 gennaio e domenica
Rist – Carta 37/50 € (+15 %)
♦ Ambiente moderno ed elegante, dove gustare proposte della tradizione locale di carne o di pesce, a seconda dell'offerta del mercato. Cantina ben fornita con grande scelta di vini regionali.

a Marina Torre Grande Nord-Ovest : 8,5 km – ✉ 09170

X **Da Giovanni** 🅰 🌿 **VISA** ⬤ ⓢ

via Colombo 8 – 𝒞 078 32 20 51 – www.ristorantedagiovanni.com – info@
ristorantedagiovanni.com – Fax 078 32 20 51 – chiuso novembre e dicembre e
lunedì
Rist – Carta 24/45 €
♦ Gestione di lunga esperienza in un accogliente ristorante, che si farà ricordare per le tante proposte di pesce (proveniente sia dal mare aperto, sia dal caratteristico stagno di Cabras).

OROSEI – Nuoro (NU) – 566F11 – 6 052 ab. – alt. 19 m – ⊠ 08028   38 **B2**
> ▶ Dorgali 18 – Nuoro 40 – Olbia 93

✗✗   **Su Barchile** con cam   ☐ 🖹 📵 📶 🝔 🅿 ꭟꭟ ꭟꭟ 🅰🅴 🅾 ⚅

via Mannu 5 – ☎ 078 49 88 79 – www.subarchile.it – info@subarchile.it
– Fax 07 84 99 81 13
12 cam ☐ – †60/80 € ††90/150 € – ½ P 65/105 €   **Rist** – Carta 24/64 €
♦ Nella cornice della costa sarda, il ristorante annovera due sale arredate in un piacevole stile rustico, dove gustare specialità gastronomiche regionali di carne e di pesce. Dispone anche di alcune camere semplici con mobilio di gusto moderno.

ORTACESUS – Cagliari (CA) – 566I9 – 989 ab. – ⊠ 09040   38 **B3**
> ▶ Roma 589 – Cagliari 44 – Quartu Sant' Elena 47 – Selargius 45
> 🖪 via Giovanni XXIII, ☎ 070 9804200

✗✗   **Da Severino "Il Vecchio"** con cam   ☐ 🖹 ♿ 📶 ✑ rist, 🅿
via Kennedy 1 – ☎ 07 09 80 41 97   ꭟꭟ ꭟꭟ 🅰🅴 🅾 ⚅
– www.daseverinoilvecchio.com – daseverinoilvecchio@tiscali.it
– Fax 07 09 81 91 84 – chiuso lunedì
30 cam ☐ – †35/60 € ††55/65 € – ½ P 55/65 €   **Rist** – Carta 25/52 €
♦ Un'intera famiglia ruota intorno al successo di questo ristorante all'ingresso del paese; diversi piatti di carne ma la brillante nomea è stata costruita intorno al pesce. Avvolte dalla medesima familiare atmosfera, confortevoli e semplici camere ben arredate.

PALAU – Olbia-Tempio (OT) – 566D10 – 3 747 ab. – ⊠ 07020   38 **B1**
> ▶ Cagliari 325 – Nuoro 144 – Olbia 40 – Porto Torres 127
> 🚢 per La Maddalena – Saremar, call center 892 123
> 🖪 piazza Fresi ☎ 0789 707025, turismo@palau.it, Fax 0789 706268
> 🇬 Arcipelago della Maddalena★★ – Costa Smeralda★★

🏨   **La Vecchia Fonte** senza rist   🖹 ♿ ⚟ 📶 🝔 ➾ ꭟꭟ ꭟꭟ 🅰🅴 🅾 ⚅
via Fonte Vecchia 48 – ☎ 07 89 70 97 50 – www.lavecchiafontehotel.it – info@
lavecchiafontehotel.it – Fax 07 89 70 72 95 – chiuso novembre
34 cam ☐ – †80/195 € ††100/250 € – 2 suites
♦ In pieno centro storico, frontestante il porto turistico, un elegante hotel di recente costruzione con camere signorili ben arredate nelle sobrie tinte del rosa e del giallo.

🏠   **La Roccia** senza rist   📶 ✑ 🅿 ꭟꭟ ꭟꭟ 🅰🅴 ⚅
via dei Mille 15 – ☎ 07 89 70 95 28 – www.hotellaroccia.com – info@
hotellaroccia.com – Fax 07 89 70 71 55 – aprile-ottobre
22 cam ☐ – †48/84 € ††78/130 €
♦ Un ambiente familiare sito nel cuore della località offre camere semplici ed ordinate e deve il suo nome all'imponente masso di granito che domina sia il giardino che la hall.

✗✗✗   **La Gritta**   ≤ ⚟ ☐ ✑ 🅿 ꭟꭟ ꭟꭟ 🅰🅴 🅾 ⚅
località Porto Faro – ☎ 07 89 70 80 45 – www.ristorantelagritta.it – lagritta@
tiscali.it – Fax 07 89 70 80 45 – Pasqua-15 ottobre; chiuso mercoledì escluso
dal 15 giugno-15 settembre
Rist – Carta 62/83 €
♦ Un indirizzo ideale per chi desidera deliziare insieme vista, spirito e palato: lo sguardo si perderà tra i colori dell'arcipelago di fronte ad una sapiente cucina di pesce.

✗✗✗   **Da Franco**   📶 ✑ ꭟꭟ ꭟꭟ 🅰🅴 🅾 ⚅
via Capo d'Orso 1 – ☎ 07 89 70 95 58 – info@ristorantedafranco.it
– Fax 07 89 70 93 10 – chiuso dal 22 dicembre al 15 gennaio e lunedì (escluso da
giugno a settembre)
Rist – Carta 50/79 € (+15 %)
♦ Recentemente rinovato, un locale dalla solida gestione familiare con ambienti eleganti e signorili dove assaporare una sfiziosa carta a base di prodotti di mare.

PITRIZZA – Olbia-Tempio – 566D10 – **Vedere Arzachena : Costa Smeralda**

POLTU QUATU – Olbia-Tempio – 566D10 – **Vedere Arzachena : Costa Smeralda**

PORTO CERVO – Olbia-Tempio – 566D10 – **Vedere Arzachena : Costa Smeralda**

PORTO CONTE – Sassari – 566F6 – Vedere Alghero

PORTO ROTONDO – Olbia-Tempio – 566D10 – Vedere Olbia

PORTOSCUSO – Carbonia-Iglesias (CI) – 566J7 – 5 368 ab. – ⊠ 09010   38 A3
▶ Cagliari 77 – Oristano 119

🚢 da Portovesme per l'Isola di San Pietro-Carloforte – Saremar, call center 892 123

XXX   **La Ghinghetta** (Gianluca Vacca) con cam 🐾   ⩤ AC 🛜 (ᵗⁱ)
🍴   *via Cavour 26 – 𝒞 07 81 50 81 43*   VISA ⬤⬤ AE ⓪ 👌
– www.la.ghinghettatiscalinet.it – la.ghinghetta@tiscali.it – Fax 07 81 50 81 44
– aprile-ottobre
8 cam � – †135/140 € ††145/150 € – ½ P 135 €
Rist – *(chiuso domenica)* Carta 65/90 €
Spec. Fantasia di antipasti con tonno di corsa, bottarga e musciame. Trofiette del rais con ragù di mare e bottarga. Cartoccio di tonno con mantello di branzino agli aromi mediterranei.
♦ Vicino alla torre spagnola, una piccola bomboniera di cinque tavoli in un'atmosfera piacevolmente démodé. I piatti creativi si associano alla tradizionale grigliata.

PORTO TORRES – Sassari (SS) – 566E7 – 21 660 ab. – ⊠ 07046 ▮ Italia   38 A1
▶ Alghero 35 – Sassari 19

🚢 per Genova – Tirrenia Navigazione, call center 892 123 – Grimaldi-Grandi Navi Veloci, call center 899 199 069

◎ Chiesa di San Gavino★

sulla strada statale 131 Sud-Est : 3 km :

X   **Li Lioni**   🚗 🏠 AC ⇔ P VISA ⬤⬤
regione Li Lioni ⊠ 07046 – 𝒞 079 50 22 86 – www.lilioni.it – info@lilioni.it
– Fax 079 50 22 86 – marzo-ottobre; chiuso mercoledì
Rist – Carta 29/38 €
♦ Ristorante a gestione familiare dove gustare una buona e fragrante cucina casalinga realizzata a vista, piatti alla brace e specialità regionali. Servizio estivo all'aperto.

PULA – Cagliari (CA) – 566J9 – 6 801 ab. – ⊠ 09010   38 B3
▶ Cagliari 29 – Nuoro 210 – Olbia 314 – Oristano 122

🏌 Is Moslas, 𝒞 070 924 10 13

🏨🏨🏨   **Baia di Nora** 🐾   🛋 🏠 ⏚ ♨ ℀ AC ℀ 🏋 P VISA ⬤⬤ AE ⓪ 👌
località Su Guventeddu – 𝒞 07 09 24 55 51 – www.hotelbaiadinora.com
– htlbn@hotelbaiadinora.com – Fax 07 09 24 56 00 – 11 aprile- ottobre
121 cam � – †130/260 € ††180/400 € – ½ P 215 €   **Rist** – Menu 50 €
♦ Vicino al sito archeologico di Nora, immersa in un rigoglioso giardino mediterraneo con piscina in riva al mare, struttura di grandi dimensioni dove scegliere i propri ritmi e i propri spazi. Camere moderne e funzionali. Al ristorante ampi, luminosi spazi di impostazione classica e un invitante dehors estivo.

🏨🏨🏨   **Lantana Hotel e Residence** 🐾   🚗 ♨ 🚹 cam, 🚻 AC ℀ rist, (ᵗⁱ)
viale Nora s/n – 𝒞 070 92 44 11   P VISA ⬤⬤ AE 👌
– www.lantanahotel.com – lantanahotel@lantanahotel.com – Fax 07 09 24 60 75
– aprile-ottobre
19 cam � – †140/230 € ††170/370 € – ½ P 170/200 €
Rist – *(28 aprile-31 ottobre) (chiuso a mezzogiorno)* Carta 34/44 €
♦ Gradevole struttura disposta attorno ad un grande giardino con palme, piscina e piccola fontana dal disegno arabo. Camere tutte identiche e tutte recenti negli arredi d'impeccabile tenuta: si impone la sobrietà nei colori pastello e ferro battuto nelle spalliere dei letti.

🏨🏨🏨   **Nora Club Hotel** senza rist 🐾   🚗 ♨ AC (ᵗⁱ) P VISA ⬤⬤ AE ⓪ 👌
strada per Nora – 𝒞 070 92 44 22 – www.noraclubhotel.com – info@noraclubhotel.it
– Fax 070 92 44 22 57
25 cam � – †95/140 € ††130/170 €
♦ Paradisiaca enclave di quiete. Superato il caseggiato principale vi accoglie un seducente giardino di piante mediterranee e tropicali; distribuite a forma d'anello le semplici camere in stile sardo.

Villa Alberta senza rist   🚗 🕭 🖩 🕾 🖭 🌇 ⚙️ 🍴

*viale Segni 56 – ℰ 07 09 24 54 47 – www.villa-alberta.com – prenotazioni@
villa-alberta.com – Fax 07 09 24 54 47*

5 cam ⌂ – ♦40/60 € ♦♦60/100 €

♦ All'insegna della semplicità, l'intera famiglia accoglie gli ospiti con il consueto calore
genuino che caratterizza l'ospitalità sarda in questa candida villetta dei primi anni Settanta.

sulla strada statale 195 Sud-Ovest : 9 km :

🏨 **Is Morus Relais** 🐾   ≼ 🌴 🍴 🗞 🎖 🕭 🕴 🖩 🎿 🏋️ 🅿️   🖭 🌇 🆎 🏧 🍴

*Sud-Ovest : 9 km ⌧ 09010 Santa Margherita di Pula
– ℰ 070 92 11 71 – www.ismorus.com – info@ismorus.it – Fax 070 92 15 96
– 25 aprile-11 ottobre*

81 cam ⌂ – ♦94/232 € ♦♦188/454 € – 8 suites – ½ P 109/247 €
Rist – Carta 39/84 €

♦ Immerso nella pineta, solo un giardino lo separa dal mare. Varie soluzioni di alloggio,
camere classiche e romantiche ville, e nessun tipo di animazione: ideale per chi desidera
silenzio e tranquillità.

sulla strada statale 195 Sud-Ovest : 11 km :

Forte Village Resort : Immersa in un giardino di 25 ettari una struttura con
sette alberghi, quattordici ristoranti, un ottimo centro benessere
- talassoterapia e strutture sportive di ogni tipo. Per i pasti ogni tipo di
ristorante e un'infinita scelta di menù.

🏨 **Villa del Parco e Rist. Belvedere** – Forte Village 🐾   🚗 🌴 🗞
   🎿 🌐 🍴 ⚡ 🍴 🎖 🕴 🏋️ 🕭 🎿 🍴 🅿️ 🖭 🌇 🆎 🏧 🍴

*⌧ 09010 Santa Margherita di Pula – ℰ 07 09 21 71
– www.fortevillageresort.com – forte.village@fortevillage.com – Fax 070 92 12 46
– maggio-ottobre*

47 cam – solo ½ P 760/1390 €   **Rist** – *(chiuso a mezzogiorno)* Menu 111 €

♦ Incominciata dal verde, la struttura dalla facciata lilla propone spaziose camere dagli
arredi fioriti all'inglese ed eleganti bungalow. Il tutto vicino alle piscine di talassoterapia.

🏨 **Castello e Rist. Cavalieri** – Forte Village 🐾   ≼ 🚗 🌴 🗞 🍴 🌐
   ⌧ 09010 Santa   🍴 ⚡ 🎖 🍴 🕴 🏋️ 🕭 🎿 🍴 🅿️ 🖭 🌇 🆎 🏧 🍴
*Margherita di Pula – ℰ 07 09 21 71 – www.fortevillageresort.com – forte.village@
fortevillage.com – Fax 070 92 12 46 – maggio-ottobre*

176 cam – 5 suites – solo ½ P 460/1900 €
Rist – *(chiuso a mezzogiorno)* Menu 96 €

♦ A un passo dal mare e per vivere un soggiorno da fiaba, è la struttura di punta del
complesso con camere elegantemente arredate in un dettagliato e caratteristico stile
locale.

🏨 **Le Dune** – Forte Village 🐾   ≼ 🚗 🌴 🗞 🍴 🌐 🍴 ⚡ 🎖 🍴 🏋️ 🕭
   ⌧ 09010 Santa Margherita di Pula   🎿 🕾 🎿 🅿️ 🖭 🌇 🆎 🏧 🍴
*– ℰ 07 09 21 71 – www.fortevillageresort.com – forte.village@fortevillage.com
– Fax 070 92 12 46 – maggio-settembre*

42 cam – 13 suites – solo ½ P 940/2400 €
Rist – *(chiuso a mezzogiorno)* *(solo per alloggiati)* Menu 111 €

♦ Esclusiva e informale, una risorsa ideale per lasciarsi cullare dalla brezza del mare, invitanti piscine, camere e bungalow in stile sardo per un soggiorno più indipendente.

🏨 **Il Borgo e Rist. Bellavista** – Forte Village 🐾   ≼ 🚗 🌴 🗞 🍴 🌐
   ⌧ 09010 Santa   🍴 ⚡ 🎖 🍴 🏋️ 🕭 🎿 🍴 🕾 🅿️ 🖭 🌇 🆎 🏧 🍴
*Margherita di Pula – ℰ 07 09 21 71 – www.fortevillageresort.com – forte.village@
fortevillage.com – Fax 070 92 12 46 – maggio-settembre*

56 cam – solo ½ P 460/800 €
Rist – *(chiuso a mezzogiorno)* *(solo per alloggiati)* Menu 93 €

♦ Ideale per chi ama l'atmosfera raccolta d'un antico villaggio medioevale, offre camere
dagli arredi e dai colori ispirati all'artigianato tipico sardo. Adatto per le famiglie.

Le Palme e Rist. Bellavista – Forte Village ⚜   🚗 🔥 🍴 ⚓ 🌐

✉ 09010 Santa   🐎 🔥 ♨ 🍴 🔟 Ⓐ 🛜 🔒 **P** 🏧 🆗 🅰🅴 ⓪ ⛴

Margherita di Pula – ☎ 07 09 21 71 – www.fortevillageresort.com – forte.village@

fortevillage.com – Fax 070 92 12 46 – maggio-settembre

140 cam – solo ½ P 430/740 €   **Rist** – (chiuso a mezzogiorno) Menu 93 €

♦ Particolarmente adatto per famiglie numerose, dispone di camere ampie e altre addirittura comunicanti oltre ad un piacevole profumato giardino di fiori e alberi tropicali. Tra mare e shopping.

Il Villaggio – Forte Village ⚜   🚗 🔥 🍴 ⚓ 🌐 🐎 🔥 ♨ 🍴 🔟 Ⓐ

✉ 09010 Santa Margherita di Pula   ♨ 🛜 🔒 **P** 🏧 🆗 🅰🅴 ⓪ ⛴

– ☎ 07 09 21 71 – www.fortevillageresort.com – forte.village@fortevillage.com

– Fax 070 92 12 46 – maggio-settembre

171 cam – solo ½ P 400/770 €   **Rist** – (chiuso a mezzogiorno) Menu 85 €

♦ Immerso in un giardino tropicale, il villaggio propone accoglienti bungalow, molti comunicanti, tutti con patio o giardino privato. Prima colazione presso la piscina Oasis.

La Pineta e Rist. Bellavista – Forte Village ⚜   🚗 🔥 🍴 ⚓ 🌐

✉ 09010 Santa   🐎 🔥 ♨ 🍴 🔟 Ⓐ 🛜 🔒 **P** 🏧 🆗 🅰🅴 ⓪ ⛴

Margherita di Pula – ☎ 07 09 21 71 – www.fortevillageresort.com – forte.village@

fortevillage.com – Fax 070 92 12 46 – 15 aprile-15 ottobre

102 cam – solo ½ P 450/1030 €   **Rist** – (chiuso a mezzogiorno) Menu 93 €

♦ Adagiata nel parco all'ombra di alberi secolari, la struttura offre ampie camere arredate in caldi colori: una proposta ideale per una vacanza di tranquillità, riposo e mare. Numerose attività di animazione per i piccoli ospiti.

PUNTALDIA – Olbia-Tempio – Vedere San Teodoro

QUARTU SANT'ELENA – Cagliari (CA) – 566J9 – 69 159 ab.   38 **B3**
– ✉ 09045

▶ Cagliari 7 – Nuoro 184 – Olbia 288 – Porto Torres 232

Italia senza rist   🎬 🔥 Ⓐ ♨ 🛜 🔒 **P** 🚗 🏧 🆗 🅰🅴 ⓪ ⛴

via Panzini 67 ang. viale Colombo – ☎ 070 82 70 70 – hitalia.quartu@tiscali.it

– Fax 070 82 70 71 – chiuso dal 1° all'11 gennaio

83 cam 🛏 – †66/85 € ††90/112 €

♦ A poco più di un km dalla spiaggia del Poetto, moderna struttura di sette piani frequentata anche da una clientela d'affari. Le camere sono spaziose e funzionali, dotate di angolo cottura.

🍴🍴   **Hibiscus**   🍴 Ⓐ 🏧 🆗 🅰🅴 ⓪ ⛴

via Dante 81 – ☎ 070 88 13 73 – www.antoniofigus.it – figus.hibiscus@tiscali.it

– Fax 07 08 80 50 84 – chiuso sabato a mezzogiorno, domenica

Rist – Carta 26/60 €

♦ Nelle sale della dimora liberty o nella suggestione della fresca corte mediterranea, potrete scegliere tra una creativa cucina di pesce o una "bistecchería" su griglia a carboni.

ROMAZZINO – Olbia-Tempio – 566D10 – Vedere Arzachena : Costa Smeralda

---

SAN PANTALEO – Olbia-Tempio (OT) – 566D10 – alt. 169 m   38 **B1**
– ✉ 07020

▶ Cagliari 306 – Olbia 21 – Sassari 124

Rocce Sarde ⚜   < 🚗 🍴 🔥 🍴 ⚓ 🔟 Ⓐ ♨ 🛜 **P** 🏧 🆗 🅰🅴 ⓪ ⛴

località Milmeggiu, Sud-Est : 3 km – ☎ 078 96 52 65 – www.roccesarde.com

– roccesarde@roccesarde.com – Fax 078 96 52 68 – maggio-ottobre

80 cam ☑ – †119/206 € ††150/302 € – 10 suites – ½ P 90/166 €

Rist – Menu 35/45 €

♦ Una grande struttura ubicata tra i graniti di San Pantaleo, lontano dal caos e dalla mondanità, offre camere confortevoli, un'invitante piscina e la vista sul golfo di Cugnana. Cene a lume di candela nel ristorante con terrazza panoramica, dove assaggiare prelibate proposte gastronomiche fedeli alla tradizione.

XX **Giagoni** con cam   ☒ 🔤 cam, 📶 🅿 💳 ⬤ 🔤 ⓞ ⚡
via Zara 36/44 – 𝒞 078 96 52 98 – www.giagonigroup.com – giagoni@
giagonigroup.com – Fax 078 96 52 98 – aprile-ottobre
14 cam ☑ – †67/106 € ††110/180 € – ½ P 120/130 €
Rist – *(aprile-settembre)* Carta 63/106 €
♦ In centro paese, la risorsa ospita spaziose salette di tono rustico e ben arredate dove
farsi servire i piatti tipici della tradizione culinaria sarda. Dispone anche di accoglienti
camere per una sosta più prolungata.

SAN PIETRO (isola di) – Carbonia-Iglesias (CI) – 566J6 – 6 692 ab.   38 A3

CARLOFORTE (CI) – 566J6 – ✉ 09014

🚢 per Portovesme di Portoscuso e Calasetta – Saremar, call center 892 123
🛈 corso Tagliafico 2𝒞 0781 854009, info@prolococarloforte.it, Fax 0781
854009

🏨 **Riviera** senza rist   ≤ 🕪 🔤 💳 ⬤ 🔤 ⓞ ⚡
corso Battelieri 26 – 𝒞 07 81 85 41 01 – www.hotelriviera-carloforte.com – info@
hotelriviera-carloforte.com – Fax 07 81 85 60 52 – chiuso gennaio
42 cam ☑ – †75/120 € ††120/190 €
♦ Lungomare, un design inaspettatamente moderno accoglie i clienti; forme sobrie e
lineari si ripetono nelle camere dai colori pastello; suggestiva la terrazza panoramica che
abbraccia paese e mare.

🏨 **Hieracon**   ≤ 🚗 🏠 🕪 🔤 📶 💳 ⬤ ⚡
corso Cavour 62 – 𝒞 07 81 85 40 28 – www.hotelhieracon.com – hotelhieracon@
libero.it – Fax 07 81 85 48 93
22 cam ☑ – †70/140 € ††90/160 € – 2 suites – ½ P 100/140 €
Rist – Carta 25/60 €
♦ Elegante edificio liberty di fine Ottocento affacciato sul lungomare arredato con elementi d'antiquariato e materiali raffinati; tutto intorno il giardino con una chiesetta del
Settecento. Ristorante classico che dispone anche di un piacevole dehors estivo dove
gustare un'ottima cucina di mare.

🏨 **Nichotel** senza rist   🕪 ⚡ 🔤 📶 📞 💳 ⬤ 🔤 ⓞ ⚡
via Garibaldi 7 – 𝒞 07 81 85 56 74 – www.nichotel.it – info@nichotel.it
– Fax 08 71 85 56 30 – marzo-ottobre
17 cam ☑ – †75/120 € ††100/200 €
♦ Inaugurato nel 2007, piacevole hotel in un vicolo del centro con spazi comuni un po'
limitati, ma in grado di offrire camere di grande charme: caratteristici pavimenti con
inserti provenienti dalle vecchie case carlofortine.

XX **Al Tonno di Corsa**   🏠 🔤 ⬆ 💳 ⬤ 🔤 ⓞ ⚡
via Marconi 47 – 𝒞 07 81 85 51 06 – Fax 07 81 85 51 06 – chiuso dal 15 gennaio
al 28 febbraio e lunedì (escluso luglio-agosto)
Rist – Carta 38/55 €
♦ Un locale vivace e colorato, due incantevoli terrazze affacciate sui tetti del paese dove
gustare uno sfizioso menu dedicato al tonno e un modellino di tonnara che illustra tutte
le fasi della pesca.

XX **Da Nicolo**   🏠 💳 ⬤ 🔤 ⓞ ⚡
corso Cavour 32 – 𝒞 07 81 85 40 48 – www.danicolo.com – danicolo@
carloforte.net – Fax 07 81 85 74 38 – Pasqua-11 novembre
Rist – Carta 37/73 €
♦ Strategica posizione sulla passeggiata, dove si svolge il servizio estivo, ma il locale è
frequentato per la qualità della cucina, di pesce con specialità carlofortine.

SANTA MARGHERITA – Cagliari – 566K8 – Vedere Pula

SANT' ANTIOCO – Carbonia-Iglesias (CI) – 566J7 – 11 753 ab.   38 A3
– ✉ 09017▯ Italia

▶ Cagliari 92 – Calasetta 9 – Nuoro 224 – Olbia 328
◉ Vestigia di Sulcis★ : tophet★, collezione di stele★ nel museo

XX **Moderno-da Achille** con cam   AC cam, ❀ °¶° *VISA* ⊛ AE ① ⚓
via Nazionale 82 – ℰ *078 18 31 05 – www.albergoristorantemoderno.com*
– albergomoderno@yahoo.it – Fax 07 81 84 02 52
13 cam ⊊ – ♦54/60 € ♦♦92/100 € – ½ P 82/87 €
Rist *– (aprile-settembre)* Carta 35/57 €
♦ Dietro la hall del piccolo hotel si cela un ristorante originale, affidato alle mani di un abile chef, che saprà deliziarvi con piatti tradizionali e specialità sarde.

SANTA REPARATA – Olbia-Tempio (OT) – 566D9 – Vedere Santa Teresa Gallura

SANTA TERESA GALLURA – Olbia-Tempio (OT) – 566D9 – **4 508 ab.**   38 **B1**
– ✉ 07028

▶ Olbia 61 – Porto Torres 105 – Sassari 103
🛈 piazza Vittorio Emanuele 24 ℰ 0789 754127, turismo@
comunesantateresagallura.it, Fax 0789 754185
🄶 Arcipelago della Maddalena★★

🗝 **Corallaro** ⤸   ⪡ 🚗 ⅂ 🖂 🕸 🎝 🍴 🛉 👤 cam, AC ❀ rist, °¶° 🛀 P
⤸ *spiaggia Rena Bianca –* ℰ *07 89 75 54 75*   *VISA* ⊛ ⚓
– www.hotelcorallaro.it – info@hotelcorallaro.it – Fax 07 89 75 54 31
– maggio-10 ottobre
85 cam ⊊ – ♦80/150 € ♦♦100/220 € – ½ P 100/140 €
Rist *– (solo per alloggiati)* Menu 20/30 €
♦ Immerso nella rigogliosa macchia mediterranea con vista sulle Bocche di Bonifacio, un hotel moderno dalle camere confortevoli e ben arredate ed una nuova piscina solarium.

🏠 **Marinaro** senza rist   🛉 AC *VISA* ⊛ AE
via Angioy 48 – ℰ *07 89 75 41 12 – www.hotelmarinaro.it – info@hotelmarinaro.it*
– Fax 07 89 75 58 17 – marzo-novembre
27 cam ⊊ – ♦50/120 € ♦♦75/150 €
♦ Sito nel centro ma non distante dalla spiaggia, un'edificio dal tipico disegno architettonico locale con ambienti arredati nelle rilassanti tinte del blu e del giallo.

🏠 **Da Cecco** senza rist   🛉 AC ❀ P *VISA* ⊛ AE ① ⚓
via Po 3 – ℰ *07 89 75 42 20 – www.hoteldacecco.com – hoteldacecco@tiscali.it*
– Fax 07 89 75 56 34 – aprile-ottobre
30 cam ⊊ – ♦49/72 € ♦♦66/107 €
♦ A ridosso della spiaggia, un piccolo ma piacevole meublé a gestione familiare dai semplici ma accoglienti spazi, una terrazza-solarium con vista sulle Bocche di Bonifacio.

a Santa Reparata Ovest : 3 km – ✉ 07028 – **Santa Teresa Gallura**

XX **S'Andira**   🚗 🏡 P *VISA* ⊛ AE ⚓
via Orsa Minore 1 – ℰ *07 89 75 42 73 – www.sandira.it – sandira@tiscali.it*
– Fax 07 89 75 42 73 – maggio-settembre
Rist – Carta 45/60 €
♦ Un indirizzo di solida gestione e simpatica cortesia, dispone di belle sale e di un piacevole dehors sotto il pergolato in giardino, dove gustare una buona cucina marinara.

SAN TEODORO – Olbia-Tempio (OT) – 566E11 – **3 384 ab.** – ✉ 08020   38 **B1**
▶ Cagliari 258 – Nuoro 77 – Olbia 29 – Porto Torres 146
🛈 via del Tirreno 1, ℰ 0784 865767 (Comune)
🄶 Puntaldia, ℰ 0784 86 44 77

a Puntaldia Nord : 6 km – ✉ 08020 – **San Teodoro**

🗝 **Due Lune Resort & Golf** ⤸   ⪡ 🚗 ⅂ 🕸 🎝 🍴 🖼 🛖 AC
– ℰ *07 84 86 40 75 – www.duelune.com*   ❀ rist, 🛀 P *VISA* ⊛ AE ① ⚓
– info@duelune.com – Fax 07 84 86 40 17 – 10 maggio-5 ottobre
64 cam – 2 suites – solo ½ P 270/305 €   **Rist** – Menu 50/70 €
♦ In riva al mare, vicina al campo da golf e circondata da un giardino con prato all'inglese, una struttura dal confort esclusivo e raffinato dotata di Beauty farm e zona relax. In un'elegante sala ristorante interna è possibile farsi servire proposte gastronomiche classiche dai sapori regionali.

SASSARI Ⓟ (SS) – 566E7 – 121 849 ab. – alt. 225 m – ⊠ 07100▯ Italia   38 **A1**

▶ Cagliari 211

🛧 di Alghero-Fertilia, Sud-Ovest : 30 km ℰ 079 935033

🇮 via Roma 62 ℰ 079 231777, aastss@tiscalinet.it, Fax 079 231777
piazza Italia 31 ℰ 079 2069000, Fax 079 2069558

🏛 Museo Nazionale Sanna★ Z **M** – Facciata★ del Duomo Y

🅖 Chiesa della Santissima Trinità di Saccargia★★ per ③ : 15 km

🏨 **Grazia Deledda**   🛗 🕹 rist, 🆎 🛇 rist, 🕪 🛋 Ⓟ 🚗 VISA ◎◎ 🇦🇪 ① 🌣
viale Dante 47 – ℰ 079 27 12 35 – www.hotelgraziadeledda.it
– info@hotelgraziadeledda.it – Fax 079 28 08 84   Z**a**
127 cam 🖙 – †68/80 € ††88/104 € – ½ P 70/95 €
Rist – *(chiuso domenica) (chiuso a mezzogiorno)* Carta 27/44 €

♦ Centralissimo, hotel di dimensioni importanti che assicura confort omogeneo nei vari settori; rosa e grigio i colori nelle funzionali camere; servizi congressuali. Ristorante di tono moderno.

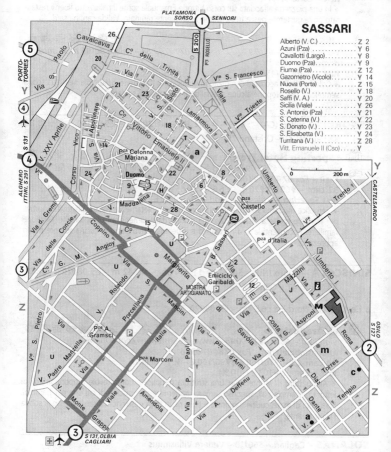

SASSARI

Leonardo da Vinci senza rist 🛗 AC ⚡ (¶) 🧖 🚗 VISA 🐽 AE ① 👌

via Roma 79 – 🕿 079 28 07 44 – www.leonardodavincihotel.it
– info@leonardodavincihotel.it – Fax 07 92 85 72 33   Zc
116 cam ⚡ – ♦54/81 € ♦♦74/103 €
♦ Marmi e divani nell'elegante, spaziosa hall che introduce in un centrale albergo di moderna funzionalità, comodo per clientela sia d'affari e congressuale sia turistica.

Carlo Felice 🛗 ⚟ cam, AC ⚡ rist, (¶) 🧖 P VISA 🐽 AE ① 👌

via Carlo Felice 43, per via Roma – 🕿 079 27 14 40 – www.hotelcarlofelice.it
– carlofelice@tiscali.it – Fax 079 27 14 42   Z
60 cam – ♦50/130 € ♦♦70/150 € – ½ P 55/90 €   **Rist** – Menu 18/35 €
♦ Ubicata in zona periferica, una risorsa recentemente ristrutturata, ideale per la clientela di passaggio offre spazi comuni limitati, ma camere dalle eleganti rifiniture. Ampia, curata sala da pranzo.

Liberty 🕋 AC ⚡ ⇦ VISA 🐽 AE ① 👌

piazza Nazario Sauro 3 – 🕿 079 23 63 61 – www.ristoranteliberty.com
– rliberty@tiscali.it – Fax 079 23 63 61
– chiuso dal 24 dicembre al 6 gennaio, dal 16 al 22 agosto e domenica
Rist – Carta 39/57 €   Ya
♦ In una piazzetta affacciata sul corso Vittorio Emanuele sorge il palazzetto liberty restaurato dove gusterete pesce freschissimo in ambiente raffinato. Valida cantina sarda.

Il Senato AC ⚡ VISA 🐽 AE ① 👌

via Alghero 36 – 🕿 079 27 77 88 – Fax 079 27 77 88 – chiuso dal 15 al 31 agosto e domenica   Zm
Rist – Carta 28/45 €
♦ Colori pastello accostati con gusto in un locale di tradizione, gradevole nella sua sobria semplicità, che propone alcune specialità di terra tipiche sassaresi.

SENORBÌ – Cagliari (CA) – 566I9 – 4 382 ab. – alt. 204 m – ⊠ 09040   38 B3
🚘 Cagliari 41 – Oristano 75

Sporting Hotel Trexenta 🔽 🎿 ⚿ 🛗 AC ⚡ rist, P

via Piemonte – 🕿 07 09 80 93 83 – www.sht.it – info@
sht.it – Fax 07 09 80 93 86   VISA 🐽 AE ① 👌
32 cam – ♦60 € ♦♦70 €, ⚡ 6 € – ½ P 65 €
Rist Severino – (chiuso martedì) Carta 20/40 €
♦ Semplice moderna struttura in centro paese, completamente vocata all'attività sportiva per la quale mette a disposizione una piscina dalle dimensioni olimpioniche. Gestione familiare. Accoglienti la sala da pranzo e il dehors estivo per una cucina sempre molto apprezzata.

SINISCOLA – Nuoro (NU) – 566F11 – 11 034 ab. – alt. 42 m – ⊠ 08029   38 B1
🚘 Nuoro 47 – Olbia 57

a La Caletta Nord-Est : 6,5 km – ⊠ 08020

L'Aragosta 🌿 🚙 🕋 🔽 AC ⚡ cam, 🧖 P VISA 🐽 AE ① 👌

via Ciusa – 🕿 07 84 81 00 46 – www.laragostahotel.com – info@
laragostahotel.com – Fax 07 84 81 05 76
24 cam ⚡ – ♦70/150 € ♦♦90/160 € – ½ P 70/110 €
Rist – Carta 24/103 € (+10 %)
♦ Alle pendici di Montelongu, una struttura semplice e confortevole propone angoli di lettura nell'ampia hall, spaziose camere moderne e due piscine di cui una per bambini. Specialità di mare, cucina nazionale e tipici piatti della gastronomia sarda presso la sobria sala ristorante.

SOLANAS – Cagliari – 566J10 – **Vedere Villasimius**

SORGONO – Nuoro (NU) – 566G9 – **1 937 ab.** – alt. **688 m** – ✉ **08038**   38 **B2**
▶ Cagliari 124 – Nuoro 70 – Olbia 174 – Porto Torres 155

✂ **Da Nino** con cam   ❖ P VISA ◎◎ AE ♦
corso IV Novembre 24/26 – ✆ 078 46 01 27 – Fax 078 46 01 27 – chiuso
dicembre e gennaio
17 cam ☲ – †45/50 € ††60/70 € – ½ P 60/70 €   **Rist** – Carta 20/35 €
♦ Una semplice insegna ed un cortile anticipano questo locale, dove gustare una squisita
cucina casalinga, che predilige la carne e qualche piatto di selvaggina. Semplici negli
arredi e confortevoli le camere ai piani.

STINTINO – Sassari (SS) – 566E6 – ✉ **07040**   38 **A1**
▶ Alghero 54 – Porto Torres 30 – Sassari 49
🖼, ✆ 03683 10 43 03

⌂ **Agriturismo Depalmas Pietro** ⛵   🚗 ❖ rist, P
località Preddu Nieddu, Ovest : 2 km – ✆ 079 52 31 29
– www.agriturismodepalmas.com – agriturismo.depalmas@tiscali.it
6 cam – †20/35 € ††40/70 €, ☲ 5 € – ½ P 50/60 €
Rist – (prenotazione obbligatoria) Menu 26 € /60 €
♦ Una famiglia cordiale vi accoglie in questa risorsa agrituristica nel mezzo della penisola
di Stintino, in zona molto tranquilla; arredi essenziali, maneggio nelle vicinanze.

SU GOLOGONE – Nuoro – 566G10 – **Vedere Oliena**

TEMPIO PAUSANIA – Olbia-Tempio (OT) – 566E9 – **13 996 ab.**   38 **B1**
– alt. **566 m** – ✉ **07029**
▶ Cagliari 253 – Nuoro 135 – Olbia 45 – Palau 48
🅸 piazza Mercato 1, ✆ 079 6390080 (Comune)

🏨 **Pausania Inn**   ⬅ 🛋 ⤓ ❖ 🛏 & ♿ AC ❖ rist, 🛎 P
strada statale 133, Nord : 1 km – ✆ 079 63 40 37   VISA ◎◎ AE ① ♦
– www.hotelpausaniainn.com – pausania.inn@tiscalinet.it – Fax 079 63 40 72
63 cam ☲ – †34/75 € ††70/140 € – ½ P 55/85 €
Rist – (febbraio-ottobre) (chiuso a mezzogiorno) Carta 20/36 €
♦ L'ariosa ampiezza degli interni caratterizza una struttura di recente realizzazione, alla
periferia nord, valida per visitare la Gallura. Bel dehors e giardino con piscina. Tutta gio-
cata sul bianco e sul legno chiaro la sala ristorante.

🏨 **Petit Hotel**   🛋 & cam, AC ❖ 🛎 VISA ◎◎ AE ① ♦
piazza De Gasperi 9/11 – ✆ 079 63 11 34 – www.petit-hotel.it – petithotel@
tiscali.it – Fax 079 63 17 60
58 cam ☲ – †60/70 € ††89/120 € – ½ P 61/120 €   **Rist** – Menu 18/30 €
♦ In centro, non lontano dalle terme di Rinaggiu, esiste dagli anni '60, ma è stato totalmente ristrutturato di recente questo albergo dai confort moderni; camere spaziose.
Ampia sala da pranzo da cui si gode una discreta vista sui monti galluresi.

TORRE DEI CORSARI – Medio Campidano – 566H7 – **Vedere Marina di Arbus**

TORTOLÌ – Ogliastra (OG) – 566H10 – **10 130 ab.** – alt. **15 m** – ✉ **08048**   38 **B2**
▶ Cagliari 140 – Muravera 76 – Nuoro 96 – Olbia 177
🛳 da Arbatax per: Civitavecchia, Fiumicino e Genova – Tirrenia Navigazione,
    call center 892 123
🖼 Strada per Dorgali★★★ Nord

🏨 **La Bitta**   ⬅ 🛋 ⤓ 🛋 & cam, AC ❖ ⟨ꭗ⟩ P VISA ◎◎ AE ♦
via Porto Frailis, località Porto Frailis ✉ 08041 Arbatax – ✆ 07 82 66 70 80
– www.arbataxhotels.com – labitta@arbataxhotels.com – Fax 07 82 66 72 28
63 cam ☲ – †68/199 € ††240/500 € – ½ P 157/320 €
Rist – (chiuso novembre) Carta 36/48 €
♦ Direttamente sul mare, una villa signorile con spaziose aree comuni, belle camere
diverse negli arredi e nei tessuti, piscina, solarium ed un'oasi relax appartata nel verde.
Piatti di pesce e prodotti tipici locali da gustare nella panoramica sala ristorante oppure
all'aperto.

Arbatasar Hotel 🗟 ⛱ 🍽 ⛶ AC 🛁 📶 ⚙ P VISA ⬤ AE ① 🍴

via Porto Frailis 11 ✉ *08041 Arbatax* – ℰ *07 82 65 18 00* – *www.arbatasar.it*
– *hotel@arbatasar.it* – *Fax 07 82 65 18 00*
43 cam ⚏ – †90/150 € ††120/240 € – ½ P 75/135 €
Rist – *(chiuso gennaio, febbraio e novembre)* Carta 33/59 € (+10 %)
♦ Il nome riporta alle origini arabe della località, una villa dai colori caldi e sobri con ampie aree, camere spaziose ed eleganti, una piscina invitante incorniciata da palme. Nell'elegante e raffinata sala da pranzo, proposte di cucina internazionale e regionale realizzate con prodotti locali e pesce del Mare Nostrum.

Il Vecchio Mulino senza rist 🍽 ⛶ 🧖 AC 🛁 📶 P 🚗

via Parigi, località Porto Frailis ✉ *08041 Arbatax*   VISA ⬤ AE ① 🍴
– ℰ *07 82 66 40 41* – *www.hotelilvecchiomulino.it* – *h.vecchiomulino@tiscali.it*
– *Fax 07 82 66 43 80*
20 cam ⚏ – †45/90 € ††70/140 €
♦ Una struttura dal sapore antico, ospita ambienti signorili arredati in calde tonalità, camere con travi a vista e bagni in marmo ed organizza escursioni in veliero nel Golfo.

Victoria ⛱ 🍽 ⛶ cam, AC 🛁 rist, 📶 P VISA ⬤ AE 🍴

⭐⭐ *via Monsignor Virgilio 72* – ℰ *07 82 62 34 57* – *www.hotel-victoria.it* – *info@
hotel-victoria.it* – *Fax 07 82 62 41 16*
60 cam ⚏ – †69/85 € ††90/130 € – ½ P 90 €
Rist – *(chiuso dal 20 dicembre al 10 gennaio e domenica escluso da maggio a settembre)* Carta 17/47 € (+15 %)
♦ In prossimità del porto di Arbatax, una risorsa particolarmente idonea ad una clientela d'affari con interni moderni arredati nelle tinte del viola ed un centro congressi. Nella caratteristica sala ristorante proposte di cucina regionale e nazionale.

La Perla senza rist 🚲 AC 🛁 P VISA ⬤ 🍴

viale Europa, località Porto Frailis ✉ *08041 Arbatax* – ℰ *07 82 66 78 00*
– *www.hotel-laperla.com* – *laperlahotel@hotmail.com* – *Fax 07 82 66 78 10*
– *chiuso dal 20 dicembre al 10 gennaio*
10 cam ⚏ – †38/105 € ††60/120 €
♦ Poco distante dal mare, piccolo familiare e piacevole, l'albergo è circondato da un ampio giardino e dispone di camere moderne e funzionali.

TRINITÀ D'AGULTU – Olbia-Tempio (OT) – 566E8 – 2 037 ab.   38 A1
– alt. 365 m – ✉ 07038

▶ Cagliari 259 – Nuoro 146 – Olbia 75 – Porto Torres 59

ad Isola Rossa Nord-Ovest : 6 km – ✉ 07038 – Trinità d'Agultu

Marinedda 🐚 ⬅ 🚲 🏠 ⛱ 🌐 🏔 🛁 ✗ ⛶ 🧖 AC 🛁 📶 P

località Marinedda – ℰ *079 69 41 85* – *www.delphina.it*   VISA ⬤ AE 🍴
– *info@delphina.it* – *Fax 079 69 40 26* – *aprile-ottobre*
205 cam – solo ½ P 188/408 €   **Rist** – Menu 40/70 €
♦ Tipica struttura sarda in sasso e tufo a pochi metri dalla spiaggia, consta di interni ben arredati, piscine panoramiche, un centro benessere, campi da tennis e da calcetto.

Torreruja ⬅ 🏠 ⛱ 🌐 🏔 🛁 🍽 ⛶ ✗ AC 🛁 📶 P VISA ⬤ AE ① 🍴

via Paduledda 1/3 – ℰ *079 69 41 55* – *www.delphina.it* – *info@delphina.it*
– *Fax 079 69 41 55* – *16 maggio-25 settembre*
124 cam ⚏ – solo ½ P 156/346 €   **Rist** – *(solo per alloggiati)*
♦ In prossimità di incantevoli calette di roccia rossa, un villaggio-hotel di recente costruzione con camere in stile mediterraneo e servizi idonei per una vacanza di relax.

Corallo 🏠 ⛱ 🍽 AC 🛁 rist, 📶 VISA ⬤ AE ① 🍴

via Lungomare 60 – ℰ *079 69 40 55* – *www.hotelcorallosardegna.it*
– *albergo.corallo@tiscali.it* – *Fax 079 69 41 11* – *maggio-4 ottobre*
34 cam ⚏ – ††90/200 € – ½ P 85/160 €
Rist – *(solo per alloggiati)* Menu 35/40 €
♦ In comoda posizione vicino al piccolo porto turistico, un piacevole hotel a gestione familiare con camere dal sobrio arredo moderno e vista sul mare o sulla torre aragonese. Nell'elegante sala da pranzo affacciata sul mediterraneo giungono i sapori e le prelibatezze della tradizionale cucina sarda.

VILLANOVAFORRU – Medio Campidano (VS) – 566I8 – **698 ab.**   38 **A3**
– alt. 324 m – ⊠ 09020

▶ Cagliari 62 – Iglesias 71 – Nuoro 142 – Olbia 246

🏠🏠🏠   **I Lecci** ⬦ |≋| 👌 🅰🅲 🗘 rist, 📞 🎿 **P** 🆅🆂🅰 ⓪ 🅰🅴 ⓪ 👍
⇔
viale del Rosmarino, località Funtana Jannus Nord-Ovest : 1 km ⊠ *09020*
– ☎ 07 09 33 10 22 – www.hotelilecci.com – info@hotelilecci.com
– Fax 07 09 33 10 21 – chiuso 24-25 dicembre
40 cam – †65 € ††95 €, ⌓ 5 € – ½ P 75 €   **Rist** – Carta 19/28 €
◆ Isolato e raccolto tra le colline, al limitare di un viale di rosmarini, all'interno custodisce ambienti semplici e spaziosi. Ideale per la clientela turistica come per chi viaggia per lavoro. Un'unica grande sala per il ristorante per una cucina di carne e di pesce, piatti sardi e nazionali.

🏠   **Le Colline** senza rist ⬦   🅰🅲 **P** 🆅🆂🅰 ⓪ 🅰🅴 ⓪ 👍
viale del Rosmarino Nord-Ovest : 1 km, località Funtana Jannus
– ☎ 07 09 30 01 23 – Fax 07 09 30 01 34 – chiuso dal 3 al 17 gennaio
20 cam – †50 € ††70 €, ⌓ 5 €
◆ Immerso in un riposante paesaggio collinare e poco distante dai siti archeologici di epoca nuragica, dispone di camere semplici e confortevoli. Chiedete quelle con vista sulla vallata.

VILLASIMIUS – Cagliari (CA) – 566J10 – **3 029 ab.** – alt. 44 m   38 **B3**
– ⊠ 09049

▶ Cagliari 49 – Muravera 43 – Nuoro 225 – Olbia 296

🏠🏠🏠   **Simius Playa**   ⪕ 🚗 🏊 🌊 👌 cam, 🎿 🅰🅲 🗘 rist, 📶 **P**
via del Mare – ☎ 07 07 93 11 – www.simiusplaya.com   🆅🆂🅰 ⓪ 🅰🅴 ⓪ 👍
– info@simiusplaya.com – Fax 070 79 15 71 – 23 aprile-ottobre
49 cam ⌓ – †110/210 € ††140/290 € – 2 suites – ½ P 210 €
Rist – *(25 aprile-25 ottobre)* Carta 37/86 € (+10 %)
◆ Cinta da un fresco giardino di fiori, al termine di una strada che conduce al mare, la nivea costruzione conserva nei suoi ambienti un'atmosfera che concilia gusto sardo e moresco. La carta propone piatti eleborati e fantasiosi, fuori dal solito cliché alberghiero. D'estate si cena in terrazza.

🏠🏠🏠   **Cala Caterina** ⬦   🍸 🚗 🏊 |≋| 🅰🅲 🗘 **P** 🆅🆂🅰 ⓪ 🅰🅴 👍
via Lago Maggiore 32, Sud : 4 km – ☎ 070 79 74 10 – www.hotelphilosophy.net
– calacaterina@mobygest.it – Fax 070 79 74 73 – 16 maggio-27 settembre
48 cam – solo ½ P 122/320 €   **Rist** – Carta 43/65 €
◆ Perfetta per una vacanza di silenzio e relax, nella semplice eleganza dell'isola, una bella bella costruzione ad arco in colori pastello che si ripeteranno anche all'interno. Rivolta verso il giardino, la raffinata sala ristorante.

a Solanas Ovest : 11 km – ⊠ 09048 – Villasimius

🍴🍴   **Da Barbara**   🅰🅲 🗘 🔄 **P** 🆅🆂🅰 ⓪ 🅰🅴 ⓪ 👍
strada provinciale per Villasimius – ☎ 070 75 06 30 – Fax 070 75 06 30
– 15 marzo-settembre; chiuso mercoledì escluso da luglio a settembre
Rist – (consigliata la prenotazione la sera) Carta 26/43 €
◆ Tutto ruota intorno a tre elementi: la freschezza del pesce, testimoniata dall'espositore dove ci si ferma a scegliere, la griglia a legna e la passione per la ristorazione di un'intera famiglia.

Taormina Teatro greco

SICILIA

ACI CASTELLO – Catania (CT) – 565O27 – **17 972 ab.** – ⊠ 95021 ▯ Sicilia   40 **D2**

▸ Catania 9 – Enna 92 – Messina 95 – Palermo 217

◉ Castello ★

🛏 President Park Hotel ⚜   ≤ ⛲ 𝄞 ⦿ 🆔 ☕ rist, 🎵 ⚙ **P**.

via Vampolieri 49, Ovest : 1 km – 𝒞 *09 57 11 61 11*   𝗩𝗜𝗦𝗔 ⓪ 🆔 ⓪ ☉
– www.presidentparkhotel.com – info@presidentparkhotel.com – Fax 095 27 75 69
96 cam � – 🛏67/134 € – 🛏🛏94/188 € – ½ P 94 €   **Rist** – Carta 27/49 €

♦ Nel cuore della riviera dei Ciclopi, sorge questo complesso di struttura semicircolare con bella piscina al centro. Le camere all'ultimo piano godono di una splendida vista sulla distesa di mare blu. Sala da pranzo di impostazione moderna.

ad Aci Trezza Nord-Est : 2 km – ⊠ 95026

🍴 La Cambusa del Capitano   🏠 ⦿ 𝗩𝗜𝗦𝗔 ⓪ 🆔 ⓪ ☉

via Marina 65 – 𝒞 *095 27 62 98 – Fax 095 27 62 98 – chiuso novembre e mercoledì*
Rist – Carta 34/44 €

♦ L'atmosfera di Aci Trezza, antico borgo di pescatori con barchette attraccate e i celebri faraglioni, pervade tutto il locale. Un'intera famiglia è felicemente impegnata "davanti" o "dietro" le quinte, nella conduzione di questa simpatica trattoria: ovviamente, in tavola viene servito il mare!

ACIREALE – Catania (CT) – 565O27 – **51 532 ab.** – **alt. 161 m** – ⊠ 95024 ▯ Sicilia   40 **D2**

▸ Catania 17 – Enna 100 – Messina 86 – Palermo 225

🅱 via Scionti 15 𝒞 095 891999, info@acirealeturismo.it, Fax 095 893134

◉ Piazza del Duomo ★ – Facciata ★ della chiesa di San Sebastiano

🛏 Grande Albergo Maugeri   🏠 ⦿ 🆔 ☕ 🎵 ⚙ **P**. ☉
♾
piazza Garibaldi 27 – 𝒞 *095 60 86 66*   𝗩𝗜𝗦𝗔 ⓪ 🆔 ⓪ ☉
– www.hotel-maugeri.it – info@hotel-maugeri.it – Fax 095 60 87 28
59 cam ⊑ – 🛏60/130 € – 🛏🛏90/200 € – ½ P 70/120 €
Rist *Opera Prima* – Menu 21/40 €

♦ Comodo per chi vuole dedicarsi allo shopping così come alla visita del centro storico, è un albergo di tradizione recentemente ristrutturato che offre camere moderne accuratamente arredate. La cucina tipica dell'isola presso il ristorante.

a Santa Tecla Nord : 3 km – ⊠ 95024

🛏 Santa Tecla Palace ⚜   ≤ ⛲ 🍴 ⦿ 🆔 ☕ 🎵 ⚙ **P**
via Balestrate 100 – 𝒞 *09 57 63 40 15*   𝗩𝗜𝗦𝗔 ⓪ 🆔 ⓪ ☉
– www.hotelsantatecla.it – info@hotelsantatecla.it – Fax 095 60 77 05 – 10 aprile-ottobre
187 cam ⊑ – 🛏110/170 € – 🛏🛏160/240 € – 12 suites – ½ P 116/146 €
Rist – Carta 42/60 €

♦ In corso di ammodernamento, è una bella ed importante struttura situata lungo la Riviera dei limoni ed ospita spaziosi ambienti arredati con gusto in calde tonalità. Dalle cucine, i sapori e i profumi classici della tradizione gastronomica siciliana.

ACI TREZZA – Catania – 565O27 – **Vedere Aci Castello**

AGRIGENTO **P** (AG) – 565P22 – **58 853 ab.** – **alt. 326 m** – ⊠ 92100 ▯ Sicilia   39 **B2**

▸ Caltanissetta 58 – Palermo 128 – Siracusa 212 – Trapani 175

🅱 viale della Vittoria 255 𝒞 0922 401352, info@apt.agrigento.it, Fax 0922 20246

◉ Valle dei Templi ★★★ Y : Tempio della Concordia ★★★ **A**, Tempio di Hera Lacinia ★★ **B**, Tempio d'Eracle ★★ **C**, Tempio di Zeus Olimpio ★★ **D**, Tempio dei Dioscuri ★★ **E** – Museo Archeologico Regionale ★★ Y **M1** – Quartiere ellenistico-romano ★ Y **G** – Sarcofago romano ★ e ≤ ★ dalla chiesa di San Nicola Y **N** – Città moderna ★ : altorilievi ★ nella chiesa di Santo Spirito ★ Z interno ★ e soffitto ligneo ★ della Cattedrale

Pianta pagina 1326

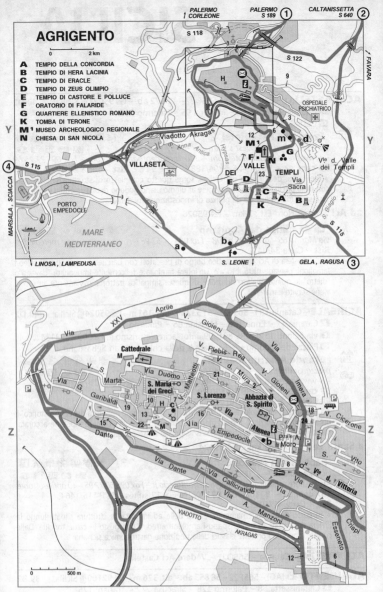

AGRIGENTO

0   2 km

A TEMPIO DELLA CONCORDIA
B TEMPIO DI HERA LACINIA
C TEMPIO DI ERACLE
D TEMPIO DI ZEUS OLIMPIO
E TEMPIO DI CASTORE E POLLUCE
F ORATORIO DI FALARIDE
G QUARTIERE ELLENISTICO ROMANO
K TOMBA DI TERONE
M¹ MUSEO ARCHEOLOGICO REGIONALE
N CHIESA DI SAN NICOLA

Circolazione regolamentata nel centro città

Colleverde Park Hotel 🚗 🛖 🗐 🕭 cam, AC ⚞ rist, 🛠 🏖 🅿

via dei Templi – ℰ *092 22 95 55*   VISA ⓪ AE ⓪ 🖢
– www.colleverdehotel.it – mail@colleverdehotel.it – Fax 092 22 90 12
53 cam ⭸ *–* ♦60/145 € ♦♦70/170 € *– ½ P 112 €*   Y**m**
Rist *– (chiuso a mezzogiorno) Menu 27 €*
◆ In posizione invidiabile, tra la zona archeologica e la città, abbellito da una terrazza-giardino con vista eccezionale sulla Valle dei Templi. Camere comode e moderne. Il piacere di cenare in un ambiente in cui l'eleganza ha un sapore sobrio e antico.

🏠 Antica Foresteria Catalana senza rist   AC 🕻 VISA ⓪ AE 🖢

piazza Lena 5 – ℰ *092 22 04 35*   Z**c**
9 cam *–* ♦48 € ♦♦85 €, ⭸ 3 €
◆ In pieno centro storico, poco lontano dal Duomo e dal teatro Pirandello. Albergo che si presenta con particolare personalità e fascino, ma anche con una certa eleganza.

✗✗ Trattoria dei Templi 🛖 AC ⟷ VISA ⓪ AE ⓪ 🖢

via Panoramica dei Templi 15 – ℰ *09 22 40 31 10 – www.trattoriadeitempli.com*
– trattoriadeitempli@virgilio.it – Fax 09 22 40 31 10 – chiuso dal 30 giugno
al 10 luglio, domenica in luglio-agosto e venerdì negli altri mesi   Y**d**
Rist *– Carta 25/38 €*
◆ Nient'altro che specialità di mare, fresco e di preparazione classica. Altrettanto valida la gestione che vanta una lunga esperienza nel campo della ristorazione.

✗ Spizzulio 🛖 AC VISA ⓪ 🖢

via Panoramica dei Templi 23 – ℰ *33 88 34 66 41 – www.spizzulio.it – info@*
spizzulio.it – chiuso dal 5 al 20 novembre   Y**d**
Rist *– (prenotazione obbligatoria) Menu 20/30 € – Carta 28/35 €* ⅋
◆ Enoteca *wine bar* con uso di cucina e preparazioni saporite di fattura casalinga. Ambiente informale ideale per uno spuntino e per pasti gustosi e allegri. Un *sommelier* professionista vi consiglierà sui vini proposti, mai consueti o banali.

sulla strada statale 115

🏠 Domus Aurea ⌂ ⟵ 🚗 🗐 AC 🅿 VISA ⓪ AE ⓪ 🖢

contrada Maddalusa - Strada statale 640 - Km 4.150, Valle dei Templi ✉ *92100*
– ℰ *09 22 51 15 00 – www.hoteldomusaurea.it – info@hoteldomusaurea.it*
– Fax 09 22 51 24 18   Y**f**
20 cam ⭸ *–* ♦80/220 € ♦♦160/250 € *– ½ P 115/160 €*
Rist *– (15 aprile-ottobre) (chiuso a mezzogiorno) Carta 34/51 € (+8 %)*
◆ E' sorta nel Settecento e, ristrutturata secondo eleganza, riconquista il suo antico prestigio di nobile residenza di campagna. Camere confortevoli si affacciano sul giardino. Ambiente di classe anche al ristorante, dove gustare piatti di terra e di mare proposti in ricette classiche e rivisitate.

🏠 Baglio della Luna ⌂ ⟵ 🚗 🛖 AC ⚞ rist, 🅿 VISA ⓪ AE ⓪ 🖢

contrada Maddalusa - strada statale 640 km. 4.150,Valle Dei Templi ✉ *92100*
– ℰ *09 22 51 10 61 – www.bagliodellaluna.com – info@bagliodellaluna.com*
– Fax 09 22 59 88 02   Y**b**
24 cam ⭸ *–* ♦152/360 € ♦♦190/400 € *– 1 suite – ½ P 135/240 €*
Rist *Il Dehors –* ℰ *09 22 51 13 35 (chiuso lunedì a mezzogiorno) Menu 50 €*
– Carta 37/56 € (+12 %)
◆ Un'originaria torre di avvistamento del XIII secolo ampliata nel '700 intorno ad un baglio: splendido giardino mediterraneo con ulivi secolari e prato-solarium sui templi. Ottimi prodotti del territorio come ingredienti per una cucina tradizionale.

al Villaggio Mosè per ③ : 3 km :

🏠 Grand Hotel Mosè ⛲ 🗐 🕭 AC ⚞ 🏖 🅿 VISA ⓪ AE ⓪ 🖢

viale Leonardo Sciascia ✉ *92100 –* ℰ *09 22 60 83 88 – www.iashotels.com*
– grandhotelmose@iashotels.com – Fax 09 22 60 83 77
96 cam ⭸ *–* ♦66/88 € ♦♦100/140 € *– ½ P 85 €*
Rist *– (marzo-ottobre) Carta 18/41 €*
◆ Hotel di recente costruzione che colpisce per l'originalità degli spazi e dello stile, ricco di richiami alla presenza normanna sull'isola. Non privo di una certa eleganza.

a San Leone Sud : 7 km Y – ⊠ **92100 – Agrigento**

🏨 **Dioscuri Bay Palace**   ≼ 🏠 ⍾ |𝄞|& 🗚 ⁇ rist. ⁇⁉ 🛁 **P**
lungomare Falcone-Borsellino 1 – ℰ *09 22 40 61 11*   🆅🅸🆂🅰 ⓪ 🅰🅴 ⓪ ⓢ
– www.dioscurihotel.it – info@dioscurihotel.it – Fax 09 22 41 12 97 – marzo-ottobre
102 cam ⌷ – ♦135/160 € ♦♦180/220 € – ½ P 205/245 €   **Rist** – Carta 37/56 €
♦ Hotel ricavato da una ex colonia estiva degli anni Cinquanta, risulta oggi una risorsa
funzionale e moderna. E in più si trova sul lungomare, con panorama sui templi. Sala da
pranzo fresca e ariosa.

🏠 **Maredentro** *senza rist*   ≼ 🗚 ⁇⁉
Ⓨ *via Pesaro 6* – ℰ *09 22 41 39 05 – www.maredentro.com – info@maredentro.com*
– Fax 09 22 41 39 05 – chiuso dal 9 al 31 gennaio e dal 16 novembre al 19
dicembre
5 cam ⌷ – ♦30/70 € ♦♦50/80 €
♦ Di fronte al porticciolo turistico, struttura allegra e piacevole dotata di camere nuove e
variopinte. Terrazza per le colazioni all'aperto e, sul tetto, grazioso solarium con vista sul-
l'intera baia: da Porto Emedocle a Punta Bianca.

🍴🍴 **Leon d'Oro**   🏠 & 🗚 ⁇ 🆅🅸🆂🅰 ⓪ 🅰🅴 ⓪ ⓢ
via Emporium 102 – ℰ *09 22 41 44 00 – vittorio.collura@tin.it – Fax 09 22 41 44 00*
– chiuso lunedì
Rist – Carta 23/50 €
♦ All'ingresso della località, si sceglie il pesce da un carrello espositore: sala classica o nel
verde di un gazebo l'estate.

AUGUSTA – Siracusa (SR) – 565P27 – **33 827 ab.** – ⊠ **96011** ▮ Sicilia   40 **D2**
▶ Catania 42 – Messina 139 – Palermo 250 – Ragusa 103

a Brucoli Nord-Ovest : 7,5 km – ⊠ **96010**

🏨 **NH Venus Sea Garden Resort** ⌂   ≼ 🚳 🏠 ⍾ 🍴 |𝄞|& 🏃 🗚
contrada Monte Amara, Est : 3,5 km   ⁇ rist. 🛁 **P** 🆅🅸🆂🅰 ⓪ 🅰🅴 ⓢ
– ℰ 09 31 99 89 46 – www.nh-hotels.com – nhvenusseagardenresort@
nh-hotels.com – Fax 09 31 99 89 50 – marzo-ottobre
59 cam ⌷ – ♦♦130/220 € – ½ P 100/145 €
Rist *La Conchiglia* – Carta 34/58 €
♦ Partire dallo stile delle architetture degli edifici, passando per la bella posizione fronte
mare, per giungere all'apprezzabile tranquillità. Un soggiorno stupendo. Servizio ristorante estivo sulla bella terrazza panoramica.

AVOLA – Siracusa (SR) – 565Q27 – **31 661 ab.** – alt. 40 m – ⊠ **96012**   40 **D3**
▶ Roma 879 – Palermo 279 – Siracusa 28 – Ragusa 64

🏠 **Agriturismo Masseria sul Mare** ⌂   & 🗚 ⁇ rist. **P**
contrada Gallina, Nord-Est : 5 km – ℰ *09 31 56 01 01*   🆅🅸🆂🅰 ⓪ 🅰🅴 ⓢ
– www.masseriasulmare.it – info@masseriasulmare.it – Fax 09 31 56 01 01
– aprile-15 ottobre
22 cam ⌷ – ♦45/80 € ♦♦80/180 € – ½ P 100/115 €
Rist – *(chiuso a mezzogiorno)* (prenotazione obbligatoria) Menu 30/40 €
♦ 50 ettari di coltivazioni, frumento e ortaggi, circondano la masseria dagli ambienti
curati e accoglienti; poco distante l'incantevole spiaggia ad accesso privato, con sabbia
fine e scogli. Puntando sull'agricoltura e sull'allevamento locali, la cucina propone le tradizioni siciliane.

🏠 **Agriturismo Avola Antica** ⌂   ≼ 🚳 🏠 ⍾ 🗚 ⁇ **P**
♾ *contrada Avola antica, Nord : 9 Km* – ℰ *09 31 81 10 08 – www.avolaantica.it*
– info@turismoruraleavolaantica.it – Fax 09 31 81 10 08
9 cam ⌷ – ♦50/65 € ♦♦76/116 € – ½ P 55/72 €   **Rist** – Carta 20/30 €
♦ Armatevi di pazienza e partite in salita fino ad uno spettacolare panorama di scenografiche rocce, muretti a secco e riserve naturali: la piacevolezza della struttura vi ricompen-
serà! Al ristorante, prodotti dell'azienda agricola in piatti siciliani.

BORGO MOLARA – Palermo – Vedere Palermo

BRUCOLI – Siracusa – 565P27 – Vedere Augusta

CALTAGIRONE – Catania (CT) – 565P25 – **39 166 ab. – alt. 608 m**   40 **C2**
– ✉ 95041 Sicilia

▶ Agrigento 153 – Catania 64 – Enna 75 – Ragusa 71

ℹ via Volta Libertini 4 ✆ 0933 53809, aastcaltagirone@virgilio.it, Fax 0933 54610

👁 Villa Comunale★ – Scala di Santa Maria del Monte★

NH Villa San Mauro   ⌗ 🛗 & ♣ 🄰🄲 ✂ rist, ⁿ 🛎 🄿 📼 ⚛ 🄰🄴 ⏵
via Portosalvo 14 – ✆ *093 32 65 00 – www.nh-hotels.it – nhvillasanmauro@
nh-hotels.com – Fax 093 33 16 61*
91 cam ⊊ – ♦81/125 € ♦♦110/165 € – ½ P 90/118 €
Rist – *(chiuso a mezzogiorno)* Menu 25/70 €
♦ In zona periferica vicino all'ospedale, albergo elegante e ben tenuto con arredi di pregio, raffinati tessuti e le celebri ceramiche di Caltagirone a decorazione. Al ristorante, grandi vetrate e tessuti per una cucina che affianca ai classici nazionali qualche proposta siciliana.

Carneade senza rist e senza ⊊   🄰🄲 ✂ 📼 ⚛ 🄰🄴 ⓪ ⏵
corso Vittorio Emanuele 96 – ✆ *09 33 35 23 94 – carneade.rooms@tiscali.it*
6 cam – ♦39 € ♦♦60 €
♦ In pieno centro, a pochi passi dal Duomo, una risorsa semplice e ordinata distribuita all'interno di un edificio di tre piani. Camere spartane ma molto spaziose.

sulla strada statale 124 Nord : 5 km:

Villa Tasca – turismo rurale ❧   ✳ ⟳ ⌗ & ✂ rist, 🄿 📼 ⚛ ⓪ ⏵
contrada Fontana Pietra S.P. 37/II ✉ *95041 –* ✆ *093 32 27 60 – www.villatasca.it
– info@villatasca.it – Fax 09 33 35 12 69 – chiuso dal 10 gennaio al 10 febbraio e
dal 5 al 30 novembre*
10 cam ⊊ – ♦50/80 € ♦♦90/150 €
Rist – *(prenotazione obbligatoria)* Menu 25/35 €
♦ In posizione defilata e tranquilla, nobile villa Settecentesca nel cuore di un spettacolare paesaggio: piscina con panoramico solarium per estraniarsi dal mondo. Nella variopinta sala ristorante, saporite specialità isolane.

CALTANISSETTA 🄿 (CL) – 565O24 – **60 776 ab. – alt. 588 m**   40 **C2**
– ✉ 93100 Sicilia

▶ Catania 109 – Palermo 127

ℹ viale Conte Testasecca 20 ✆ 0934 530440, sedecentrale@aapit.cl.it

San Michele   ⟨ ⌗ 🛗 & cam, 🄰🄲 ✂ rist, ⁿ 🛎 🄿 📼 ⚛ 🄰🄴 ⓪ ⏵
via Fasci Siciliani – ✆ *09 34 55 37 50 – www.hotelsanmichelesicilia.it
– hotelsanmichele@tin.it – Fax 09 34 59 87 91*
136 cam ⊊ – ♦85/105 € ♦♦117/130 € – ½ P 89 €
Rist – *(chiuso 15 giorni in agosto, sabato, domenica e i giorni festivi) (chiuso a
mezzogiorno) (solo per alloggiati)* Carta 24/32 €
♦ Di recente costruzione, hotel elegante, con dotazioni ed accessori completi. Molto grandi le stanze, alcune con bella vista sulle colline. Ottimo rapporto qualità/prezzo.

CANICATTÌ – Agrigento (AG) – 565O23 – **31 665 ab. – alt. 470 m**   40 **C2**
– ✉ 92024

▶ Agrigento 39 – Caltanissetta 28 – Catania 137 – Ragusa 133

Belvedere   & 🄰🄲 ✂ 🄿 📼 ⚛ 🄰🄴 ⏵
via Resistenza 20/22 – ✆ *09 22 85 18 60 – www.hotel-belvedere.org – direzione@
hotel-belvedere.org – Fax 09 22 85 18 60*
35 cam ⊊ – ♦40/55 € ♦♦60/80 € – ½ P 45/50 €
Rist – *(chiuso dal 1° al 15 agosto)* Carta 18/28 €
♦ Sito nella parte alta della località, a pochi passi dalla stazione centrale, un albergo semplice e familiare che offre un'accoglienza rilassante e spazi raccolti e moderni. Nella sobria sala ristorante, prelibati piatti di cucina mediterranea e sarda.

CANNIZZARO – Catania (CT) – 565O27 – ⊠ 95020   40 D2

▶ Catania 7 – Enna 90 – Messina 97 – Palermo 215

Sheraton Catania Hotel ← ↗ 🐎 *fö* 🛎 👪 🖐 cam, 🅰️🅲 ⚓ rist, 📶
via Antonello da Messina 45 – ⌀ 09 57 11 41 11 👪 🚗 𝓥𝓲𝓼𝓪 ⓿ 🅞 ⛟
– *www.sheratoncatania.com* – *info@sheratoncatania.com* – *Fax 095 27 13 80*
163 cam ⌼ – ♦115/173 € ♦♦159/250 € – 7 suites – ½ P 112/158 €
Rist *Il Timo* – ⌀ 09 57 11 47 64 – Carta 35/55 €
♦ Fronte mare, struttura moderna a sviluppo orizzonatale, dispone di camere moderne
spesso "generose" nella metratura. Suggestiva hall e bella piscina. Nelle luminose sale
del ristorante, piatti per ogni palato: siciliani, nazionali e internazionali.

CAPO D'ORLANDO – Messina (ME) – 565M26 – 12 871 ab. – ⊠ 98071   40 C1

▌ Sicilia

▶ Catania 135 – Enna 143 – Messina 88 – Palermo 149
🛈 *viale Sandro Volta, angolo via Amendola* ⌀ 0941 912784, astcapo@
enterprisenet.it, Fax 0941 912517

La Tartaruga ← 🏠 ↗ *fö* 🛎 🚣 🅰️🅲 ⚓ 📞 👪 🅿 𝓥𝓲𝓼𝓪 ⓿ 🅐🅔 🅞 ⛟
Lido San Gregorio 41 – ⌀ 09 41 95 50 12 – *www.hoteltartaruga.it* – *info@
hoteltartaruga.it* – *Fax 09 41 95 50 56* – *chiuso novembre*
48 cam – ♦65/80 € ♦♦100/130 €, ⌼ 5 € – ½ P 85/100 €
Rist – *(chiuso lunedì escluso da giugno ad agosto)* Carta 34/47 €
♦ Ubicato nel vero fulcro turistico della località, questa risorsa, affacciata sulla spiaggia,
offre una buona ospitalità grazie a camere confortevoli e alla gestione attenta. Valido e
rinomato ristorante gestito da una famiglia di pescatori.

✕ **Trattoria La Tettoia** 🏠 ⚓ 🅿 𝓥𝓲𝓼𝓪 ⓿ ⛟
contrada Certari 80 verso Naso, Sud : 2,5 km – ⌀ 09 41 90 21 46 – *latettoiarp@
libero.it* – *chiuso lunedì (escluso da luglio a settembre)*
Rist – Carta 21/27 €
♦ La cucina continua a svelare i segreti delle gustose specialità del territorio, in sala l'accoglienza familiare di chi è del mestiere, la terrazza uno spettacolo *dal vivo* con vista
emozionante sul mare e sulla costa.

✕ **L'altra Risacca** 🏠 🅰️🅲 ⓿ 🅐🅔 🅞 ⛟
lungomare Andrea Doria 52 – ⌀ 09 41 91 10 27 – *chiuso novembre*
Rist – *(chiuso lunedì)* Carta 28/41 €
♦ Fronte mare, una sala semplice e sobria: tutti gli sforzi prendono la direzione di una
cucina fragrante, sorretta da un ottimo pesce locale.

CAPRI LEONE – Messina (ME) – 565M26 – 4 133 ab. – alt. 400 m   40 C2
– ⊠ 98070

▶ Catania 184 – Messina 93 – Palermo 144

✕✕ **Antica Filanda** con cam 🦢 ← 🚗 ↗ 🅰️🅲 ⚓ 📶 𝓥𝓲𝓼𝓪 ⓿ 🅐🅔 🅞 ⛟
contrada Raviola strada statale 157 – ⌀ 09 41 91 97 04 – *www.anticafilanda.it*
– *info@anticafilanda.it* – *Fax 09 41 91 95 39*
16 cam ⌼ – ♦70/80 € ♦♦105/125 € – ½ P 90/105 €
Rist – *(chiuso dal 15 gennaio al 28 febbraio e lunedì)* Carta 29/40 € 🌿
♦ Nuova sede per un ristorante nato nel 1990 a Galati Mamertino. Grande e luminosa
sala da pranzo, cucina della tradizione, ottima cantina e possibilità d'alloggio.

CARLENTINI – Siracusa (SR) – 565P27 – 17 064 ab. – alt. 205 m   40 D2
– ⊠ 96013

▶ Catania 33 – Messina 130 – Ragusa 77 – Siracusa 44

verso Villasmundo Sud-Est : 4 km

⬆ **Agriturismo Tenuta di Roccadia** 🦢 🚗 ↗ 🅰️🅲 ⚓ rist, 📶 🅿
contrada Roccadia ⊠ *96013 Carlentini* – ⌀ 095 99 03 62 𝓥𝓲𝓼𝓪 ⓿ 🅞 ⛟
– *www.roccadia.com* – *info@roccadia.com* – *Fax 095 99 03 62*
20 cam ⌼ – ♦50/65 € ♦♦76/116 € – ½ P 55/72 €
Rist – Menu 21/45 € – Carta 20/30 €
♦ All'interno di una tenuta con origini databili attorno al 1070, un agriturismo che,
lasciando inalterato lo spirito rurale, è anche in grado di offrire discreti confort. Al ristorante è possibile gustare i genuini prodotti del siracusano.

CASTELBUONO – Palermo (PA) – 565N24 – 9 518 ab. – alt. 423 m   40 **C2**
– ⊠ 90013 ▌ Sicilia

▶ Agrigento 155 – Cefalù 22 – Palermo 90
◉ Cappella palatina : stucchi ★

☓ Nangalarruni   🏠 🅰️🅒 🆅🅸🆂🅰 ⓪ 🅰🅔 ⓪ 🕏
㊭ *via Delle Confraternite 5 – ℰ 09 21 67 14 28 – www.hostariananangalarruni.it*
– nangalaruni@libero.it – Fax 09 21 67 74 49 – chiuso mercoledì
Rist – Menu 25/32 € – Carta 27/37 € ⅋
♦ Pareti con mattoni a vista, grandi e antiche travi in legno sul soffitto ed esposizione di
bottiglie, nella sala di origini ottocentesche; piatti tipici del territorio.

CASTELLAMMARE DEL GOLFO – Trapani (TP) – 565M20   39 **B2**
– 14 647 ab. – ⊠ 91014 ▌ Sicilia

▶ Agrigento 144 – Catania 269 – Messina 295 – Palermo 61
◉ Rovine di Segesta ★★★ Sud : 16 km

🏨 Al Madarig   ⪡ 🏠 🖃 🅰🅒 🆚 🕪 🛁 🆅🅸🆂🅰 ⓪ 🅰🅔 ⓪ 🕏
piazza Petrolo 7 – ℰ 092 43 35 33 – www.almadarig.com – almadarig@tin.it
– Fax 092 43 37 90
33 cam – ♦52/82 € ♦♦80/124 €, � 8 € – ½ P 68/82 €   **Rist** – Carta 22/30 €
♦ Ricorda nel nome l'antico appellativo arabo della località questo hotel ricavato da
alcuni vecchi magazzini del porto. Camere semplici e spaziose e una simpatica gestione.
La cucina propone i piatti caratteristici della tradizione siciliana.

🏨 Punta Nord Est *senza rist*   ⪡ 🛋 🖃 🅖 🅰🅒 🆚 🕪 🛁 🅿
viale Leonardo Da Vinci 67 – ℰ 092 43 05 11   🆅🅸🆂🅰 ⓪ 🅰🅔 ⓪ 🕏
– www.puntanordest.com – puntanordest@tiscali.it – Fax 092 43 07 13 – marzo-
ottobre
56 cam ⊑ – ♦78/88 € ♦♦112/122 € – 1 suite
♦ Sul lungomare, l'accesso diretto alla spiaggia libera, ideale tanto per trascorrere una
vacanza quanto per la clientela d'affari, dispone di camere confortevoli e graziose.

🏠 Cala Marina *senza rist*   ⪡ 🕭 🚶 🅰🅒 🕪 🚗 🆅🅸🆂🅰 ⓪ 🅰🅔 ⓪ 🕏
via Don L. Zangara 1 – ℰ 09 24 53 18 41 – www.hotelcalamarina.it – info@
hotelcalamarina.it – Fax 09 24 53 15 51
14 cam – ♦35/60 € ♦♦50/120 €, ⊑ 3 €
♦ Squisita gestione familiare per questa accogliente struttura a pochi metri dal mare,
incorniciata dal borgo marinaro. D'estate, anche un servizio di animazione per i più piccoli.

> La guida vive con voi: parlateci delle vostre esperienze.
> Comunicateci le vostre scoperte più piacevoli e le vostre delusioni.
> Buone o cattive sorprese? Scriveteci!

CASTELMOLA – Messina – 565N27 – Vedere Taormina

CASTROREALE TERME – Messina (ME) – 565M27 – 6 682 ab.   40 **D1**
– alt. 394 m – ⊠ 98050

▶ Catania 142 – Messina 51 – Palermo 203

⌂ Country Hotel Green Manors 🌼   🖛 🛋 🅰🅒 🅿
borgo Porticato 70, Sud-Ovest : 2 km   🆅🅸🆂🅰 ⓪ 🅰🅔 ⓪ 🕏
– ℰ 09 09 74 65 15 – www.greenmanors.it – info@greenmanors.it
– Fax 09 09 64 65 07
8 cam ⊑ – ♦70/100 € ♦♦100/130 € – 1 suite – ½ P 100 €
Rist – *(chiuso a mezzogiorno)* Carta 25/50 €
♦ Una solida costruzione in pietra in una zona tranquilla. Camere curate e differenziate
l'una dall'altra, eleganti aree comuni di soggiorno; giardino e piscina godibilissimi. Sala
da pranzo dominata da un imponente camino.

CATANIA P **(CT)** – 565027 – **307 774 ab.** – ⊠ 95100 Sicilia   40 **D2**

▶ Messina 97 – Siracusa 59

✈ di Fontanarossa Sud : 4 km BV ✆ 095 340505

🛈 via Cimarosa 10 ⊠ 95124 ✆ 095 7306233, apt@apt.catania.it, Fax 0957306233 - Stazione Centrale FS ⊠ 95129 ✆ 095 7306255
Aeroporto Civile Fontanarossa ⊠ 95100 ✆ 095 7306266

◉ Palazzo Biscari★ : decorazione★★ EZ – Piazza del Duomo★ : Duomo★ DZ _ Badia di Sant'Agata★ **B** – Via Crociferi★ DYZ – Via Etnea★: villa Bellini★ DXY – Complesso Monumentale di San Nicolò l'Arena : Monastero★ DYZ **S8**

◑ Etna★★★ Nord per Nicolosi BU

Piante pagina a lato

🏨 Excelsior Grand Hotel

piazza Verga 39 ⊠ 95129 – ✆ 09 57 47 61 11 – www.thi.it – excelsior-catania@ thi.it – Fax 09 57 47 67 47   EX**a**
163 cam ⊒ – ♦150/220 € ♦♦220/260 € – 13 suites – ½ P 140/170 €
Rist – Carta 33/58 €
♦ In un edificio anni '50, anonimo nella facciata ma con ripresa di motivo art déco nella galleria, la hall si sviluppa ampia in uno stile sobrio, creando un magico equilibrio tra classico e contemporaneo. Una suggestiva vista sul Golfo di Catania vi terrà compagnia durante gli allenamenti al *Fitness Centre*.

🏨 UNA Hotel Palace

via Etnea 218 ⊠ 95131 – ✆ 09 52 50 51 11 – www.unahotels.it – una.palace@ unahotels.it – Fax 09 52 50 51 12   DY**b**
87 cam ⊒ – ♦121/203 € ♦♦121/238 € – 7 suites   **Rist** – Carta 33/68 €
♦ Imponente ed austero palazzo, i cui caratteri di raffinata sobrietà sono riproposti all'interno in ambienti di straordinario ed equilibrato buon gusto. Ristorante panoramico al roofgarden.

🏨 Romano Palace

viale Kennedy 28, per ③ ⊠ 95121 – ✆ 09 55 96 71 11
– www.romanopalace.it – info@romanopalace.it – Fax 09 55 96 73 33
104 cam ⊒ – ♦220/270 € ♦♦300/350 € – ½ P 190/215 €   **Rist** – Carta 37/74 €
♦ All'inizio della zona balneare detta *plaia*, l'albergo è dedicato all'idea della Sicilia come crocevia di culture diverse: suggestioni arabe ed arredi etnici. Tra il Barocco della città e il mare, un'oasi di incanto dominata dalla magica imponenza dell'Etna. Piatti mediterranei nel ristorante fusion.

🏨 Katane Palace

via Finocchiaro Aprile 110 ⊠ 95129 – ✆ 09 57 47 07 02 – www.katanepalace.it
– info@katanepalace.it – Fax 09 57 47 01 72   EX**b**
58 cam ⊒ – ♦110/173 € ♦♦140/205 € – ½ P 105/138 €
Rist Il Cuciniere – vedere selezione ristoranti
♦ Costruito ex novo e suddiviso in due distinti edifici, gli eleganti interni di questo palazzo degli inizi del Novecento vantano sobri arredi accostati ad antichità di pregio.

🏨 Villa del Bosco & VdB Next

via del Bosco 62 ⊠ 95125 – ✆ 09 57 33 51 00
– www.hotelvillavdbnext.it – info@hotelvilladelbosco.it – Fax 09 57 33 51 03
52 cam ⊒ – ♦110/170 € ♦♦165/240 € – ½ P 112/150 €   BU**a**
Rist Il Canile – Menu 30/35 € – Carta 28/45 €
♦ Sulle prime colline sovrastanti Catania, villa d'epoca con camere classiche e antichi arredi siciliani nel corpo principale; stucchi metallici, pitture viniliche e lamiere microforate nella *dépendance*. Se, infine, non paghi di tanto benessere volete concedervi un ulteriore lusso, optate per la *Glitter Suite*.

🏨 Liberty senza rist

via San Vito 40 ⊠ 95124 – ✆ 095 31 16 51 – www.libertyhotel.it – info@ libertyhotel.it – Fax 09 57 15 81 99   DY**a**
18 cam ⊒ – ♦90/110 € ♦♦130/150 €
♦ Gli amanti del liberty indugeranno nel piacere di soggiornare in questo piccolo ed elegante albergo, ricavato in un palazzo dei primi del '900. Lampadari, tessuti, stucchi, dipinti: tutto è all'insegna di curve e ghirigori, fino ai bagni guarniti con mosaici. Affascinante il giardino d'inverno per la prima colazione.

CATANIA

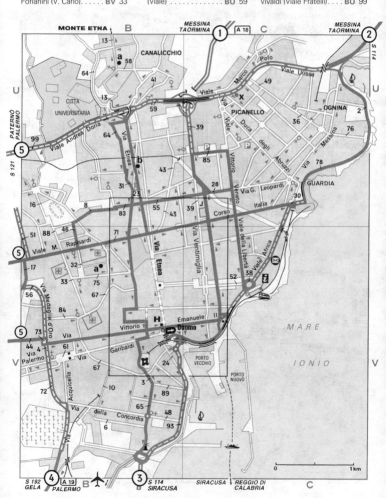

CATANIA

🏨 **Il Principe** senza rist   🐾 🎐 ⅃ 🆔 🛜 🕍 VISA ⓂⓄ AE ① 👟
via Alessi 24 ⊠ 95124 – 𝒞 09 52 50 03 45 – www.ilprincipehotel.com – info@
ilprincipehotel.com – Fax 095 32 57 99   DYZc
26 cam ⊑ – 🛏89/143 € 🛏🛏119/169 €
♦ Sorto dalle ceneri di un palazzo nobiliare ottocentesco, ne conserva ancora diversi elementi originali, intelligentemente coniugati con arredi moderni e lineari

🏨 **Residence Hotel La Ville** senza rist   🎐 ⅃ 🆔 ⚡ 🛜 🕍
via Monteverdi 15 ⊠ 95131 – 𝒞 09 57 46 52 30   VISA ⓂⓄ AE ① 👟
– www.rhlaville.it – info@rhlaville.it – Fax 09 57 46 51 89   EYb
14 cam ⊑ – 🛏85/95 € 🛏🛏110/120 €
♦ Risorsa nel centro, all'interno di un edificio dei primi del '900, a seguito di un'impeccabile ristrutturazione presenta una bella hall e una graziosa sala colazioni. Camere accoglienti con decorazioni e pavimenti in autentico cotto siciliano. Una piccola bomboniera!

🏨 **Mediterraneo** senza rist   ⅃ ↵ 🛜 🕍 🕋 VISA ⓂⓄ AE ① 👟
via Dottor Consoli 27 ⊠ 95124 – 𝒞 095 32 53 30 – www.hotelmediterraneoct.com
– info@hotelmediterraneoct.com – Fax 09 57 15 18 18   BVa
63 cam ⊑ – 🛏92/130 € 🛏🛏115/165 €
♦ In una zona residenziale, a due passi dal centro storico, la struttura si caratterizza per i piacevoli ambienti rallegrati da un arcobaleno di colori. Cortesia e calorosa accoglienza vi daranno il benvenuto, varcando la soglia.

🏨 **Savona** senza rist   🆔 ⚡ VISA ⓂⓄ AE ① 👟
via Vittorio Emanuele 210 ⊠ 95124 – 𝒞 095 32 69 82 – www.hotelsavona.it
– hotelsavona@tiscali.it – Fax 095 32 69 82   DZb
30 cam ⊑ – 🛏50/100 € 🛏🛏70/140 €
♦ Albergo storico nella struttura ma anche in una gestione familiare plurigenerazionale che trasmette all'albergo l'ospitalità di una casa privata.

🏠 **La Vecchia Palma** senza rist   ⅃ 🆔 ⚡ VISA ⓂⓄ AE ① 👟
via Etnea 668 ⊠ 95128 – 𝒞 095 43 20 25 – www.lavecchiapalma.com – info@
lavecchiapalma.com – Fax 095 43 11 07   BUb
11 cam ⊑ – 🛏60/75 € 🛏🛏80/100 €
♦ Un'affascinante villa liberty in pieno centro, che una valida gestione familiare ha riconvertito in un'accogliente struttura alberghiera, con tanto di camere affrescate.

🍴🍴🍴 **Il Cuciniere** – Hotel Katane Palace   🕋 ⅃ cam, 🆔 ⚡ 🔄 🕋
via Finocchiaro Aprile 110 ⊠ 95129   VISA ⓂⓄ AE ① 👟
– 𝒞 09 57 47 07 02 – www.katanepalace.it – info@katanepalace.it
– Fax 09 57 47 01 72   EXYb
Rist – (chiuso a mezzogiorno) (consigliata la prenotazione) Carta 37/47 €
♦ Nelle raffinate sale interne o nella romantica e suggestiva corte per le cene estive, una cucina che rivisita con estro gli ingredienti siciliani, non disdegnando gli accostamenti più estrosi e "avventurosi".

🍴🍴 **La Siciliana**   🕋 🆔 VISA ⓂⓄ AE ① 👟
viale Marco Polo 52/a ⊠ 95126 – 𝒞 095 37 64 00 – www.lasiciliana.it
– lasiciliana@tiscalinet.it – Fax 09 57 22 13 00 – chiuso domenica sera, lunedì e le
sere dei giorni festivi   CUx
Rist – Carta 31/42 € (+15 %)
♦ Tra perlinato e decorazioni, l'ambiente è quello di una trattoria cittadina; l'offerta si base sul pesce preceduto dai classici antipasti siciliani di verdure varie (a buffet).

CEFALÙ – Palermo (PA) – 565M24 – **13 757 ab.** – ⊠ 90015 📶 Sicilia   40 **C2**
▶ Agrigento 140 – Caltanissetta 101 – Catania 182 – Enna 107
🛈 corso Ruggiero 77 𝒞 0921 421050, info@cefalù-tour.pa.it, Fax 0921 422386
◎ Posizione pittoresca★★ – Duomo★★ – Osterio Magno★ – Museo
Mandralisca : ritratto d'ignoto★ di Antonello da Messina

🏨 **Riva del Sole**   ⟨ 🕋 🎐 🆔 ⚡ 🛜 🕍 🅿 🕋 VISA ⓂⓄ AE ① 👟
lungomare Colombo 25 – 𝒞 09 21 42 12 30 – www.rivadelsole.com – lidia@
rivadelsole.com – Fax 09 21 42 19 84 – chiuso novembre
28 cam ⊑ – 🛏90/100 € 🛏🛏120/140 € – ½ P 100 €
Rist – Carta 28/59 € (+10 %)
♦ Una struttura relativamente recente che fin dall'esterno appare per quello che è: sobria, funzionale, moderna e luminosa. La gestione è molto valida. Assai ampia la sala da pranzo affacciata sul lungomare adatta anche per piccoli banchetti.

X **La Brace**　　　　　　　　　　　ⒶⒸ ⅏ 𝗩𝗜𝗦𝗔 ⓌⓉ ᴬᴱ ⓄⒹ ⊹

via 25 Novembre 10 – ℰ 09 21 42 35 70 – www.ristorantelabrace.com
– ristorantelabrace@libero.it – Fax 09 21 42 35 70
– chiuso dal 15 dicembre al 15 gennaio, lunedì, martedì a mezzogiorno
Rist – Carta 16/33 €
◆ Nel centro storico, un angolo di *bistrot* alla francese: sfizioso e simpatico. Piatti in prevalenza di carne, la specialità è ovviamente la brace!

X **Ostaria del Duomo**　　　　　　　⌂ⓘ ⒶⒸ 𝗩𝗜𝗦𝗔 ⓌⓉ ᴬᴱ ⓄⒹ ⊹

via Seminario 5 – ℰ 09 21 42 18 38 – www.ostariadelduomo.com – infotiscali@
ostariadelduomo.com – Fax 09 21 42 18 38 – marzo-10 novembre
Rist – Carta 25/36 €
◆ Semplice il locale ma strepitosa la posizione, a venti metri dal Duomo arabo-normanno, sulla quale gioca gran parte del successo. Mare e terra in carta. La sera, piano bar.

X **La Botte**　　　　　　　　　　　⌂ⓘ ⒶⒸ 𝗩𝗜𝗦𝗔 ⓌⓉ ᴬᴱ ⓄⒹ ⊹

via Veterani 20 – ℰ 09 21 42 43 15 – labotte87@libero.it – Fax 09 21 42 43 15
– chiuso gennaio e lunedì
Rist – (chiuso a mezzogiorno dal 15 luglio al 30 agosto) Carta 24/52 €
◆ Un "cantuccio" familiare dove sarete conquistati dall'ambiente semplice, ma accogliente e dalla genuinità e freschezza di profumi piatti siciliani a base di pescato.

CHIARAMONTE GULFI – Ragusa (RG) – 565P26 – **8 096 ab.**　　　　40 **D3**
– alt. 668 m – ✉ 97012 ▯ Sicilia

▶ Agrigento 133 – Catania 88 – Messina 185 – Palermo 257

X **Majore**　　　　　　　　　　　　ⒶⒸ 𝗩𝗜𝗦𝗔 ⓌⓉ ᴬᴱ ⓄⒹ ⊹

via Martiri Ungheresi 12 – ℰ 09 32 92 80 19 – www.majore.it – info@majore.it
– Fax 09 32 92 86 49 – chiuso luglio e lunedì
Rist – Carta 14/21 € 糸
◆ Nel centro storico di un caratteristico paese in cima ad un monte, l'insegna del locale recita: "Qui si celebra il porco". Dagli antipasti ai secondi è un susseguirsi di proposte a base di maiale, dai salumi alle costolette farcite, passando per i ravioli con relativo ragù. Ottima cantina visitabile.

COMISO – Ragusa (RG) – 565Q25 – **29 325 ab.** – ✉ 97013　　　40 **C3**

⋔ **Agriturismo Tenuta Margitello** ⌘　　⇐ ⊞ ⅃ ⒶⒸ ⅏ rist, 🅿
strada statale 115 km 310,700, Est : 3,5 km – ℰ 09 32 72 25 09　　𝗩𝗜𝗦𝗔 ⊹
– www.tenutamargitello.com – info@tenutamargitello.com – Fax 09 32 72 25 09
21 cam ⌂ – ♦30/42 € ♦♦60/84 € – ½ P 45/57 €
Rist – (chiuso a mezzogiorno) Menu 10/22 €
◆ Sulle pendici dei monti Iblei, avvolto dalla macchia mediterranea, una risorsa che gode di una vista spettacolare. Camere confortevoli e bel giardino con piscina. Il menu presenta un'appetitosa cucina del territorio, a prezzi competitivi.

EGADI (Isole) – Trapani (TP) – 565N18 – **4 621 ab.** ▯ Sicilia　　39 **A2**
▣ Favignana★ : Cala Rossa★ – Levanzo★ : Grotta del
Genovese★ – Marettimo★ : giro dell'isola in barca★★

FAVIGNANA (TP) – 565N18 – ✉ 91023

⛴ per Trapani – a Favignana, Siremar, call center 892 123

▯▯ **Aegusa**　　　　　　　　　　⊞ ⌂ⓘ ⒶⒸ ⅏ 𝗩𝗜𝗦𝗔 ⓌⓉ ᴬᴱ ⊹
via Garibaldi 11/17 – ℰ 09 23 92 24 30 – www.aegusahotel.it – info@
aegusahotel.it – Fax 09 23 92 24 40 – chiuso sino al 20 marzo
28 cam ⌂ – ♦69/105 € ♦♦108/180 € – ½ P 74/110 €
Rist – (Pasqua-settembre) Carta 28/52 €
◆ Proprio nel centro del paese, hotel aperto non molti or sono, ricavato in un signorile palazzo. Arredi semplici e freschi che ingentiliscono le già graziose camere. Per i pasti ci si accomoda nel giardinetto esterno.

Egadi   AC 🛇 VISA ⬤ AE ① ⚹

via Colombo 17/19 – 𝒞 09 23 92 12 32 – www.albergoegadi.it – info@ albergoegadi.it – Fax 09 23 92 12 36 – aprile-ottobre

12 cam ⌑ – ♦65/115 € ♦♦100/200 € – ½ P 140 €

Rist – *(chiuso a mezzogiorno)* Menu 40/50 €

♦ Un'accogliente risorsa a gestione familiare nel cuore della località con colorate e funzionali camere in tinte pastello, piscina e una vista panoramica sul mare e sulla costa. Nella raffinata ed intima sala ristorante, piatti tipici a base di pesce interpretati con creatività.

ENNA 🄿 (EN) – 565O24 – 28 625 ab. – alt. 942 m – ✉ 94100 ▮ Sicilia   40 C2

▶ Agrigento 92 – Caltanissetta 34 – Catania 83 – Messina 180

🄸 via Roma 413 𝒞 0935 528228, aziendaprovturismoenna@tin.it, Fax 0935 528229

👁 Posizione pittoresca★★ – Castello★ : ✵★★★ – ≼★★ dal belvedere – Duomo : interno★ e soffitto★ – Torre di Federico★

Sicilia senza rist   ⬆ AC ⑼ 🛆 VISA ⬤ AE ① ⚹

piazza Colajanni 7 – 𝒞 09 35 50 08 50 – www.hotelsiciliaenna.it – info@ hotelsiciliaenna.it – Fax 09 35 50 04 88

76 cam – ♦67/77 € ♦♦91/111 €, ⌑ 10 €

♦ Una struttura versatile e quindi consigliabile sia alla clientela turistica che a quella d'affari. In posizione centrale, ha subito di recente un "salutare" rinnovo.

Centrale   🗇 ✯ AC VISA ⬤ AE ① ⚹

piazza 6 Dicembre 9 – 𝒞 09 35 50 09 63 – www.ristorantecentrale.net – centrale@ ristorantecentrale.net – Fax 09 35 50 09 63 – chiuso sabato escluso da giugno a settembre

Rist – Carta 26/36 €

♦ Da oltre un secolo trattoria nel centro del paese: un inno alla Sicilia il buffet di antipasti, le paste fresche dai ricchi condimenti e i secondi di carne

---

EOLIE (Isole) – Messina (ME) – 565L26 – 12 945 ab. ▮ Sicilia   40 D1

🚢 per Milazzo e Napoli - a Lipari, Siremar, call center 892 123

👁 Vulcano★★★ : gran cratere★★★ (2 h a piedi AR) – Stromboli★★★ : ascesa al cratere★★★ (5 h a piedi AR), escursione notturna in barca★★★ – Lipari★ : Museo Archeologico Eoliano★★, ✵★★★ dal belvedere di Quattrocchi, giro dell'isola in barca★★ – Salina★ – Panarea★ – Filicudi★ – Alicudi★

LIPARI (ME) – 565L26 – 10 654 ab. – ✉ 98055

🄸 corso Vittorio Emanuele 202 𝒞 090 9880095, aasteolie@netnet.it, Fax090 9811190

Villa Meligunis   ≼ 🗇 ⛆ ⬆ AC 🛇 cam, ⑼ 🛆 VISA ⬤ AE ① ⚹

via Marte 7 – 𝒞 09 09 81 24 26 – www.villameligunis.it – info@villameligunis.it – Fax 09 09 88 01 49

32 cam ⌑ – ♦100/245 € ♦♦150/300 € – ½ P 107/182 €

Rist – *(Pasqua-ottobre)* Carta 34/56 € (+15 %)

♦ Un edificio storico, la fontana all'ingresso, quadri di arte contemporanea vivacizzano gli spazi comuni: nel caratteristico quartiere di pescatori, una struttura confortevole e di una certa eleganza. Fantastica la vista panoramica dalla sala da pranzo.

Tritone   🗇 ⛆ 🕉 ⬆ ✯ AC 🛇 ⑼ 🛆 🄿 🚗 VISA ⬤ AE ① ⚹

via Mendolita – 𝒞 09 09 81 15 95 – www.bernardigroup.it – hoteltritone@ bernardigroup.it – Fax 09 09 81 15 95

38 cam ⌑ – ♦85/150 € ♦♦120/270 € – 1 suite – ½ P 90/175 €

Rist – *(marzo-ottobre)(chiuso a mezzogiorno)* Carta 32/44 €

♦ Nella parte interna dell'isola, in posizione rialzata, dispone di moderne camere con vista sul mare e di un ottimo centro benessere con un'ampia scelta di trattamenti estetici e massaggi. Un'unica enorme sala è destinata alla ristorazone, ma d'estate ci si sposta a bordo piscina per il pranzo a buffet.

Aktea 🏠🏡 🛖 🎐 ⛱ 🅰️🄲 ⚙️ 📞 ♨️ 🅿️ VISA ⊗ AE ① 🍴

via Falcone e Borsellino – ☎ *09 09 81 42 34 – www.hotelaktea.it*
– info@hotelaktea.it – Fax 09 09 81 42 61
40 cam ⌁ – ♦100/240 € ♦♦100/260 € – 3 suites – ½ P 80/160 €
Rist – Carta 20/35 €

• Recente struttura moderna e di prestigio accolta in due edifici, con molti spazi a disposizione degli ospiti arredati con mobili d'epoca. Alcuni dettagli richiamano lo stile della casa eoliana.

A' Pinnata senza rist ≤ 🛶 🄰🄲 ⚙️ 📞 🅿️ VISA ⊗ AE ① 🍴

baia Pignataro – ☎ *09 09 81 16 97 – www.bernardigroup.it – pinnata@pinnata.it*
– Fax 09 09 81 47 82 – marzo-ottobre
12 cam ⌁ – ♦115/150 € ♦♦150/260 €

• Perfetto per chi vi approda con un'imbarcazione, la vecchia piccola pizzeria d'un tempo è oggi un hotel dagli spazi arredati con belle ceramiche. Impagabile la vista dalla terrazza.

Rocce Azzurre 🌊 ≤ 🏠 🎐 🄰🄲 cam, ⚙️ 📞 VISA ⊗ 🍴

via Maddalena 69 – ☎ *09 09 81 32 48 – www.hotelrocceazzurre.it*
– hotelrocceazzurre@aruba.it – Fax 09 09 81 32 47 – aprile-ottobre
33 cam ⌁ – ♦95/155 € ♦♦110/170 € – ½ P 70/120 € **Rist** – Menu 30 €

• Piattaforma-solarium sul mare e piccola spiaggetta per questa struttura non lontano dal centro, ma in posizione tranquilla. Camere in stile classico, marina o con ceramiche di Caltagirone.

Villa Augustus senza rist 🚗 🏠 🛁 🄰🄲 ⚙️ VISA ⊗ AE ① 🍴

vico Ausonia 16 – ☎ *09 09 81 12 32 – www.villaaugustus.it – info@villaaugustus.it*
– Fax 09 09 81 22 33 – marzo-ottobre
34 cam ⌁ – ♦50/90 € ♦♦90/180 €

• L'antica villa di famiglia celata tra i vicoli del centro ospita ora anche una piccola graziosa zona benessere dai bei colori pastello e dall'atmosfera orientaleggiante. Gestione affidabile.

Poseidon senza rist 🄰🄲 VISA ⊗ AE ① 🍴

via Ausonia 7 – ☎ *09 09 81 28 76 – www.hotelposeidonlipari.com*
– info@hotelposeidonlipari.com – Fax 09 09 88 02 52 – marzo-ottobre
18 cam ⌁ – ♦40/100 € ♦♦65/150 €

• Semplici graziose camere con letti in ferro battuto dalle sfumature cerulee, premura e cortesia di un servizio familiare sempre presente e attento. In un vicolo del centro.

Oriente senza rist 🚗 🄰🄲 ⚙️ 🅿️ VISA ⊗ AE ① 🍴

via Marconi 35 – ☎ *09 09 81 14 93 – www.hotelorientelipari.com*
– info@hotelorientelipari.com – Fax 09 09 88 01 98 – Pasqua-ottobre
32 cam ⌁ – ♦40/90 € ♦♦60/150 €

• Piccolo e semplice, raccoglie negli spazi comuni un'originale collezione di oggetti di interesse etnografico, vera passione del titolare. Comodo il servizio navetta gratuito dal porto.

✕✕ Filippino 🏠 🄰🄲 ⚙️ ⇆ VISA ⊗ AE ① 🍴

piazza Municipio – ☎ *09 09 81 10 02 – www.bernardigroup.it*
– filippino@filippino.it – Fax 09 09 81 28 78
– chiuso dal 16 novembre al 15 dicembre e lunedì (escluso da aprile a settembre)
Rist – Carta 30/44 € ⅋ (+12 %)

• Piacevole e fresco il pergolato esterno di questo storico locale al traguardo dei 100 anni, dove vi verrà proposta una gustosa e ampia gamma di pescato locale elaborato in preparazioni tipiche.

✕✕ E Pulera 🚗 🏠 ⚙️ VISA ⊗ AE ① 🍴

via Isabella Conti Vainicher – ☎ *09 09 81 11 58 – www.bernardigroup.it*
– pulera@pulera.it – Fax 09 09 81 28 78 – maggio-ottobre
Rist – *(chiuso a mezzogiorno)* Carta 27/39 € ⅋ (+12 %)

• Elegante locale a gestione familiare dove riscoprire una pregevole e curata cucina del territorio. Si mangia sotto un fresco pergolato su tavoli impreziositi da colorate ceramiche.

XX **Kasbah Café**   🛋 AC VISA 🐾 ① &

via Maurolico 25 – 𝒞 09 09 81 10 75 – kasbahcafe@virgilio.it – Fax 09 09 81 34 31
– aprile-ottobre; chiuso mercoledì escluso giugno-settembre
Rist *– (chiuso a mezzogiorno)* Carta 27/38 €
♦ In un vecchio magazzino, una piccola sala e un grazioso dehors con sedie in ferro e
illuminazione orientaleggiante immerso in un limoneto. Semplice e autentica cucina di
pesce.

X **La Ginestra**   🛋 AC P VISA 🐾 ① &

località Pianoconte Nord-Ovest : 5 km – 𝒞 09 09 82 22 85 – Fax 09 09 82 22 85
– chiuso lunedì escluso giugno-settembre
Rist – Carta 31/46 €
♦ All'interno dell'isola, un locale semplice e alla mano che propone una cucina basata
sulla genuinità dei prodotti, sulla tipicità delle preparazioni; prezzi interessanti.

X **Nenzyna**   🛋 AC VISA 🐾 AE ① &

via Roma 4 – 𝒞 09 09 81 16 60 – www.ristorantenenzyna.it – info@
ristorantenenzyna.it – 21 marzo-novembre
Rist – Carta 22/38 €
♦ Curiosa risorsa articolata in due accoglienti salette, l'una di fronte all'altra, divise tra di
loro dal vicolo della Marina Corta. Nessuna ricercatezza invece in cucina, il pesce è una
garanzia.

X **La Cambusa**   🛋 AC VISA

via Garibaldi 72 – 𝒞 34 94 76 60 61 – info@lacambusalipari.it – 20 marzo-ottobre
Rist – Menu 20 € – Carta 21/30 €
♦ Gestita con passione e cortesia, la piccola trattoria del centro da poco rinnovata pro-
pone una cucina basata sulla disponibilità giornaliera del mercato. Imperdibili i cannoli.

PANAREA (ME) – 565L27 – ✉ 98055

🏨 **Cincotta** 🏖   ≼ ⊼ AC 🎿 VISA 🐾 AE ① &

via San Pietro – 𝒞 090 98 30 14 – www.hotelcincotta.it – info@hotelcincotta.itt
– Fax 090 98 32 11 – 20 aprile-20 ottobre
29 cam ☁ – �$60/290 € �$�$120/350 € – ½ P 110/240 €   **Rist** – Carta 50/65 €
♦ Terrazza con piscina d'acqua di mare, una zona comune davvero confortevole e
camere in classico stile mediterraneo, gradevoli anche per l'ubicazione con vista mare.
Terrazza con piscina d'acqua di mare, una zona comune davvero confortevole e camere
in classico stile mediterraneo, gradevoli anche per l'ubicazione con vista mare.

🏨 **Quartara** 🏖   ≼ 🛋 AC 🎿 rist, ⁽¹⁾ VISA 🐾 AE ① &

via San Pietro 15 – 𝒞 090 98 30 27 – www.quartarahotel.com – info@
quartarahotel.com – Fax 090 98 36 21 – aprile-ottobre
13 cam ☁ – �$120/250 € �$�$180/420 €
Rist *Broccia* – *(giugno-settembre)* Carta 38/78 €
♦ La terrazza panoramica offre una vista notevole, considerata la posizione arretrata
rispetto al porto. Arredi nuovi e di qualità che offrono eleganza e personalizzazioni. Il
ristorante offre una grande atmosfera.

🏨 **Lisca Bianca** senza rist   ≼ AC VISA 🐾 AE ① &

via Lani 1 – 𝒞 090 98 30 04 – www.liscabianca.it – liscabianca@liscabianca.it
– Fax 090 98 32 91 – Pasqua-ottobre
28 cam ☁ – �$�$100/370 €
♦ Graziose e gradevoli le stanze, forse un po' ridotti gli spazi comuni. Hotel a gestione
familiare ubicato di fronte al porticciolo dell'isola, con vista sullo Stromboli.

SALINA (ME) – 565L26 – **2 381 ab.**

🏨 **Signum** 🏖   ≼ 🏖 🛋 ⊼ AC 🎿 VISA 🐾 AE ① &

via Scalo 15, località Malfa ✉ 98050 Malfa – 𝒞 09 09 84 42 22
– www.hotelsignum.it – salina@hotelsignum.it – Fax 09 09 84 41 02 – marzo-
novembre
30 cam ☁ – �$�$130/350 €   **Rist** – Carta 30/59 € 🍽
♦ Circondato dai vigneti, hotel dalle camere di differenti tipologie, distribuite in vari corpi,
tutti edificati secondo la caratteristica architettura dell'arcipelago. In terrazza o in veranda,
i piatti della tradizione isolana fedeli ai profumi mediterranei.

⌂ **Punta Scario**   ← 🚗 🏕 ⚒ rist, 𝗩𝗜𝗦𝗔 ⬤⬤ 𝗔𝗘 ⬤ ⑂
via Scalo 8, località Malfa ✉ *98050 Malfa* – 🎧 *09 09 84 41 39*
– *www.hotelpuntascario.it* – *info@hotelpuntascario.it* – *Fax 09 09 84 40 77*
– *aprile-ottobre*
17 cam ⛱ – ♥♥110/190 € – ½ P 85/130 €
Rist – *(chiuso a mezzogiorno) (solo per alloggiati)* Menu 35 €
♦ Albergo di sobria eleganza, ricavato in uno dei luoghi più suggestivi dell'isola, a strapiombo sulla scogliera, accanto ad una delle poche spiagge del litorale.

✗ **Da Franco**   ← 🏕 𝖠𝖢 ⚒ 𝗩𝗜𝗦𝗔 ⬤⬤ 𝗔𝗘 ⬤ ⑂
via Belvedere 8, località Santa Marina di Salina ✉ *98050 Santa Marina Di Salina*
– 🎧 *09 09 84 32 87* – *www.ristorantedafranco.com* – *info@ristorantedafranco.com*
– *Fax 09 09 84 36 84* – *chiuso dal 1° al 20 dicembre*
Rist – *(chiuso a mezzogiorno)* Carta 34/50 €
♦ Locale semplice e caratteristico, in pratica una grande veranda, con notevole vista, che
propone la più tipica cucina eoliana con largo uso di verdure ed erbe.

✗ **Nni Lausta**   🏕 ⚒ 𝗩𝗜𝗦𝗔 ⬤⬤ ⑂
via Risorgimento 188, località Santa Marina Salina ✉ *98050 Santa Marina di*
Salina – 🎧 *09 09 84 34 86* – *nnilausta@hotmail.com* – *Fax 09 09 84 36 28* – *aprile-*
5 novembre
Rist – Carta 36/48 €
♦ E' il pesce il protagonista della tavola, la tradizione genuina e gustosa della cucina
eoliana viene interpretata con abilità, fantasia e innovazione. Gestione dinamica.

FILICUDI (ME) – 565L25 – ✉ **98055**

⌂ **La Canna** ⌀   ← 🏕 🏊 𝖠𝖢 🅿 𝗩𝗜𝗦𝗔 ⬤⬤ 𝗔𝗘 ⑂
contrada Rosa – 🎧 *09 09 88 99 56* – *www.lacannahotel.it* – *info@lacannahotel.it*
– *Fax 09 09 88 99 66* – *chiuso novembre*
14 cam – ♥40/110 € ♥♥70/146 €, ⛱ 10 €   **Rist** – Carta 25/30 €
♦ Ubicato nella parte alta e panoramica dell'isola, a picco sul porticciolo, risorsa a
gestione familiare, con ampie terrazze, dotata anche di una godibile psicina-solarium.

✗ **La Sirena** con cam ⌀   ← 🏕 𝖠𝖢 cam, 𝗩𝗜𝗦𝗔 ⬤⬤ 𝗔𝗘 ⬤ ⑂
località Pecorini Mare – 🎧 *09 09 88 99 97* – *www.pensionelasirena.it* – *info@*
pensionelasirena.it – *Fax 09 09 88 92 07* – *marzo-ottobre*
10 cam ⛱ – ♥35/60 € ♥♥70/120 € – ½ P 70/110 €   **Rist** – Carta 23/53 €
♦ Immaginarsi a cena su di una terrazza, affacciata sul piccolo porticciolo di un'incantevole isoletta del Mediterraneo. Il servizio estivo consente di vivere questo sogno.

STROMBOLI (ME) – 565K27 – ✉ **98055**

🏨 **La Sirenetta Park Hotel** ⌀   ← 🚗 🏕 🏊 📺 ✗ ⚒ 𝖠𝖢 ⚒ 📶
via Marina 33, località Ficogrande – 🎧 *090 98 60 25*   𝗩𝗜𝗦𝗔 ⬤⬤ 𝗔𝗘 ⬤ ⑂
– *www.lasirenetta.it* – *info@lasirenettahotel.it* – *Fax 090 98 61 24* – *aprile-ottobre*
55 cam ⛱ – ♥95/150 € ♥♥160/310 € – ½ P 100/190 €   **Rist** – Carta 32/60 €
♦ Il bianco degli edifici che assecondano la caratteristica architettura eoliana, il verde
della vegetazione, la nera sabbia vulcanica e il blu del mare: dotazioni complete! Si può
gustare il proprio pasto quasi in riva al mare, ai piedi del vulcano.

⌂ **La Locanda del Barbablu**   𝖠𝖢 rist, ✗ 𝗩𝗜𝗦𝗔 ⬤⬤ 𝗔𝗘 ⬤ ⑂
via Vittorio Emanuele 17-19 – 🎧 *090 98 61 18* – *www.barbablu.it* – *info@*
barbablu.it – *Fax 090 98 63 23* – *15 febbraio-ottobre*
6 cam ⛱ – ♥78/136 € ♥♥120/210 €
Rist – *(chiuso a mezzogiorno)* Menu 50/55 €
♦ Si potrebbe definire una semplice locanda, ma la cura e le personalizzazioni degli
arredi, rendono le poche stanze di questa risorsa un piacevole e accogliente rifugio. La
signora Neva propone, ovviamente, la tradizionale cucina di pesce.

✗✗ **Punta Lena**   🏕 𝗩𝗜𝗦𝗔 ⬤⬤ 𝗔𝗘 ⬤ ⑂
via Marina, località Ficogrande – 🎧 *090 98 62 04* – *puntalena@libero.it*
– *Fax 090 98 62 04* – *aprile-ottobre*
Rist – Carta 35/49 €
♦ Il servizio sotto un pergolato con eccezionale vista sul mare e sullo Strombolicchio, è la
compagnia migliore per qualsiasi tipo di occasione. In cucina tanto pesce.

VULCANO (ME) – 565L26 – ✉ **98055**

🖼 (luglio-settembre) Porto di Levante 𝒞 090 9852028

🏨 **Therasia Resort** ◎ ≤ 🏠 ⌂ 🎋 🛗 🏬 🚭 rist. 🅿 𝗩𝗜𝗦𝗔 ⓜ 𝗔𝗘 𝗌
*località Vulcanello – 𝒞 09 09 85 25 55 – www.therasiaresort.it – info@
therasiaresort.it – Fax 09 09 85 21 54 – aprile-ottobre*
93 cam ⌂ – ♦180/310 € ♦♦230/720 € – 2 suites – ½ P 165/410 €
Rist – Carta 50/65 €
♦ Circondata da un giardino con piante esotiche e palme, la struttura in stile mediterraneo privilegia gli spazi e la luminosità: qualche inserzione di elementi d'epoca, ma fondamentalmente ambienti moderni ed essenziali. A strapiombo sul mare, è l'unico punto dell'arcipelago da cui si vedono tutte le isole eoliane.

🏠 **Conti** ◎ ≤ 🏠 & cam, 🏬 🚭 rist. 🅿 𝗩𝗜𝗦𝗔 ⓜ 𝗔𝗘 𝗌
☕ *località Porto Ponente – 𝒞 09 09 85 20 12 – www.contivulcano.it – info@
contivulcano.it – Fax 09 09 85 20 64 – maggio-20 ottobre*
67 cam ⌂ – ♦50/127 € ♦♦84/170 € – ½ P 57/100 € **Rist** – Menu 18/20 €
♦ Struttura in fresco stile eoliano che si sviluppa in vari corpi distinti. La celebre spiaggia nera è a pochi passi, è questa la risorsa ideale per godersela appieno. Cucina eclettica, con piatti che attingono a tradizioni regionali differenti.

ERICE – Trapani (TP) – 565M19 – **29 367 ab.** – alt. 751 m – ✉ **91016**   39 **A2**
▌ Sicilia

▶ Catania 304 – Marsala 45 – Messina 330 – Palermo 96
🖼 via Agostino Pepoli 11 𝒞 0923 869388, aast.erice@libero.it, Fax 0923869544
◉ Posizione pittoresca★★★ – ≤★★★ dal castello di Venere – Chiesa
Matrice★ – Mura Elimo-Puniche★

🏛 **Torri Pepoli** ≤ 🏠 🏬 ↯ 🚭 rist. 🕻 🏖 𝗩𝗜𝗦𝗔 ⓜ 𝗔𝗘 ① 𝗌
*viale Conte Pepoli – 𝒞 09 23 86 01 17 – www.torripepoli.it – prenotazioni@
torripepoli.it – Fax 09 23 52 20 91 – chiuso due settimane in gennaio*
5 cam ⌂ – ♦100/240 € ♦♦150/350 € – 2 suites – ½ P 145/190 €
Rist – Carta 26/53 €
♦ Antiche torri di avvistamento si sono trasformate in un albergo di charme, protetto da mura merlate; poche camere eleganti e personalizzate. Splendida la posizione. Splendido il soffitto della sala da pranzo, decorato coi colori e le fantasie tipiche siculo-arabe. Terra e mare in carta.

🏠 **Moderno** 🛗 🏃 🏬 🚭 rist. 🕻 🏖 𝗩𝗜𝗦𝗔 ⓜ 𝗔𝗘 ① 𝗌
*via Vittorio Emanuele 63 – 𝒞 09 23 86 93 00 – www.hotelmodernoerice.it – info@
hotelmodernoerice.it – Fax 09 23 86 91 39*
40 cam ⌂ – ♦70/90 € ♦♦95/120 € – ½ P 70/90 €
Rist – (chiuso lunedì da settembre a marzo) Carta 23/40 € (+5 %)
♦ Centrale e familiare, una piccola dependance di fronte. Si può scegliere tra due tipologie di camere, moderne oppure arredate con mobili antichi, tutte confortevoli. Specialità del ristorante, molto noto in zona, indubbiamente il cous cous di pesce.

✗ **Monte San Giuliano** ≤ 🏠 ⌂ 🏬 🚭 𝗩𝗜𝗦𝗔 ⓜ 𝗔𝗘 ① 𝗌
*vicolo San Rocco 7 – 𝒞 09 23 86 95 95 – www.montesangiuliano.it
– ristorante@montesangiuliano.it – Fax 09 23 86 98 35
– chiuso dal 7 al 25 gennaio, dal 5 al 23 novembre e lunedì*
Rist – Carta 25/39 €
♦ Passando per la piccola corte interna, corredata da un pozzo, si arriva nella singolare terrazza-giardino, perfetta cornice in cui gustare i piatti della tradizione siciliana.

a Erice Mare Ovest : 10 km – ✉ **91016** – **Casa Santa-Erice Mare**

🏛 **Baia dei Mulini** ≤ 🏠 ⌂ 🚭 🛗 🏃 🏬 🚭 rist. 🕻 🏖 🅿
☕ *lungomare Dante Alighieri – 𝒞 09 23 58 41 11*   𝗩𝗜𝗦𝗔 ⓜ 𝗔𝗘 ① 𝗌
– www.baiadeimulini.it – info@baiadeimulini.it – Fax 09 23 56 74 22
94 cam ⌂ – ♦85/120 € ♦♦110/180 € – ½ P 110 € **Rist** – Carta 21/48 €
♦ La splendida posizione sul mare lo rende perfetto per una clientela estiva che vuole dedicarsi solamente a bagni e relax. Dalla piscina si accede direttamente alla spiaggia. Ampi spazi dedicati alla ristorazione, cucina nazionale con alcune specialità locali.

FAVIGNANA (Isola) – Trapani – 565N18 – **Vedere Egadi (Isole)**

FILICUDI (Isola) – Messina – 565L25 – **Vedere Eolie (Isole)**

FONTANASALSA – Trapani – Vedere Trapani

FORZA D'AGRÒ – Messina (ME) – 565N27 – 870 ab. – alt. 429 m   40 D2
– ✉ 98030

▶ Catania 61 – Messina 41 – Palermo 271 – Taormina 15

🏨🏨 **Baia Taormina** ◈   ⬅ ⛵ 𝄢 ⧉ & 𝔸𝕮 ﷼ rist, 🛁 🅿
statale dello Jonio 39, Est : 5 km – ℰ 09 42 75 62 92   𝐕𝐈𝐒𝐀 ⓸ 𝔸𝔼 ⓪ 𝔰
– www.baiataormina.com – info@baiataormina.com – Fax 09 42 75 66 03
– aprile-novembre e Capodanno
122 cam ⊑ – ♥130/288 € ♥♥180/436 € – ½ P 123/251 €   **Rist** – Carta 48/64 €
♦ Sita sullo scoglio panoramico che si affaccia all'omonima baia, un suggestivo ed elegante hotel con spiaggia privata e, in terrazza, due piscine raggiungibili con l'ascensore.

GALLODORO – Messina (ME) – 565N27 – 406 ab. – alt. 388 m   40 D2
– ✉ 98030

▶ Catania 57 – Messina 52 – Palermo 267 – Taormina 11

✗ **Noemi**   ⬅ ⛱ 𝔸𝕮 𝐕𝐈𝐒𝐀 ⓸ 𝔸𝔼 𝔰
☺ *via Manzoni 8* – ℰ 094 23 71 62 – *Fax 094 23 73 38*
– chiuso dal 25 giugno al 15 luglio e martedì
Rist – Menu 28 €
♦ Il fascino della vista sul mare è pari a quello dei monti, ma la cucina sceglie questi ultimi: un grande carosello di antipasti apre le danze di piatti di terra, funghi, salumi e carne (secondo la stagionalità).

GANZIRRI – Messina – 565M28 – Vedere Messina

GELA – Caltanissetta (CL) – 565P24 – 76 998 ab. – alt. 45 m – ✉ 93012   40 C3
▌ Sicilia

▶ Caltanissetta 68 – Catania 107 – Palermo 187 – Siracusa 157
🅸 via Filippo Morello 31 ℰ 0933 911509, Fax 0933 911488
◉ Fortificazioni greche★★ a Capo Soprano – Museo Archeologico Regionale★

✗✗ **Casanova**   𝔸𝕮 𝒮% 𝐕𝐈𝐒𝐀 ⓸ 𝔸𝔼 ⓪ 𝔰
via Venezia 89-91 – ℰ 09 33 91 85 80 – *paolo.grimaldi-y27@poste.it*
– Fax 09 33 91 85 80 – chiuso domenica, anche a mezzogiorno in agosto
Rist – Carta 29/42 €
♦ Locale raccolto e confortevole, ubicato alle porte della località. Cucina che affonda le radici nella tradizione, ma che offre anche indovinate e fantasiose elaborazioni.

strada statale 117 bis Nord-Ovest : 1,5 km:

🏨🏨 **Villa Peretti**   🚗 ⧉ & cam, 𝔸𝕮 𝒮% ⓦ 🛁 🅿 𝐕𝐈𝐒𝐀 ⓸ 𝔸𝔼 ⓪ 𝔰
✉ *93012* – ℰ 09 33 92 43 11 – *www.hotelvillaperetti.com – direzione@*
hotelvillaperetti.com – Fax 09 33 90 12 06
79 cam ⊑ – ♥110 € ♥♥135 € – 1 suite – ½ P 80 €   **Rist** – Carta 30/45 €
♦ All'ingresso di Gela, lungo la strada proveniente da Catania, una nuova risorsa sviluppata orizzontalmente, con ampio parcheggio. Belle camere spaziose, varie sale riunioni. Eleganti spazi riservati alla zona ristorante, adatta anche per ricevimenti.

GIARDINI-NAXOS – Messina (ME) – 565N27 – 9 301 ab. – ✉ 98035   40 D2
▌ Sicilia

▶ Catania 47 – Messina 54 – Palermo 257 – Taormina 5
🅸 via lungomare 20 ✉ 98030 ℰ 0942 51010, aast@naxos.it, Fax 0942 52848

🏨🏨 **Hellenia Yachting Hotel**   ⬅ 🚗 ⛵ ⧉ 𝔸𝕮 𝒮% 🛁 🅿
via Jannuzzo 41 – ℰ 094 25 17 37   𝐕𝐈𝐒𝐀 ⓸ 𝔸𝔼 ⓪ 𝔰
– www.hotel-hellenia.it – booking@hotel-hellenia.it – Fax 094 25 43 10
110 cam ⊑ – ♥120/180 € ♥♥147/230 € – 2 suites – ½ P 100/141 €
Rist – *(marzo-ottobre)* Carta 30/49 €
♦ Sulla spiaggia sabbiosa dei Giardini Naxos, hotel recente, con interni connotati da una certa opulenza, ideale tanto per i soggiorni di lavoro, che per il turismo balneare. Sale ristorante ampie, dominano l'eleganza, la luminosità e la cura dei particolari.

🏠 **La Riva** senza rist   ⟨ 📶 🚗 🆚 ⑩ 🆎 ① 🔥
via lungomareTysandros 52 – ℰ 094 25 13 29 – www.hotellariva.com
– hotellariva@hotellariva.com – Fax 094 25 13 20 – chiuso novembre e dicembre
40 cam – ♦50/65 € ♦♦81/86 €, 🖵 12 €
♦ La spaziosa hall introduce ad un settore notte in cui tanti sono gli arredi e le decorazioni riferibili alla tradizione e all'artigianato siciliani. Ristorante panoramico.

🏠 **Palladio**   ⟨ 🍴 🛗 🅰🅲 ❄ rist, "⑨" 🆚 ⑩ 🆎 ① 🔥
via Umberto 470 – ℰ 094 25 22 67 – www.hotelpalladiogiardini.com – palladio@
tao.it – Fax 094 25 22 67
20 cam 🖵 – ♦60/100 € ♦♦85/150 € – ½ P 63/100 €
Rist – (aprile-ottobre) (solo per alloggiati) Carta 27/39 €
♦ In prima fila sul lungomare con incantevole vista sul golfo, camere rinnovate, arredi in stile, buoni spazi comuni con una piacevole sala colazioni in terrazza.

✗✗ **Sea Sound**   🍴 🆚 ⑩ 🆎 ① 🔥
via Jannuzzo 37 – ℰ 094 25 43 30 – Fax 094 25 43 30 – aprile-ottobre
Rist – Carta 28/49 €
♦ Locale estivo con servizio su una bella terrazza a mare dove, immersi nel verde, è possibile gustare ottimo pesce, in preparazioni semplici e decisamente sostanziose.

ISOLA DELLE FEMMINE – Palermo (PA) – 565M21 – **6 622 ab.**   39 **B2**
– alt. 12 m – ✉ 90040

▶ Palermo 19 – Trapani 91

🏨 **Sirenetta**   ☐ 🍴 🕭 cam, 🅰🅲 ❄ "⑨" 🄿 🆚 ⑩ 🆎 ① 🔥
viale Dei Saraceni 81, Sud-Ovest : 1,5 km – ℰ 09 18 67 15 38 – www.sirenetta.it
– informazioni@sirenetta.it – Fax 09 18 69 83 74
29 cam 🖵 – ♦110/140 € ♦♦130/160 € – ½ P 110/120 €
Rist – (solo per alloggiati) Carta 19/44 €
♦ Possiede anche un proprio stabilimento balneare riservato agli alloggiati questa caratteristica e colorata struttura che sviluppa attorno ad una bella scalinata in ferro con scalini in legno.

LAMPEDUSA (Isola di) – Agrigento (AG) – 565U19 – **6 025 ab.** - alt. m
🗓 Sicilia

LAMPEDUSA – Agrigento (AG) – 565U19 – ✉ 92010

🔀 ℰ 0922 970006
⊙ Baia dell'Isola dei Conigli★★★ – Giro dell'isola in barca★
🄶 Linosa★ : giro dell'isola in barca★★

🏨 **Cupola Bianca**   ⟨ 🏡 ☐ 🅰🅲 ❄ rist, 🄿 🆚 ⑩ 🆎 ① 🔥
via Madonna 57 – ℰ 09 22 97 12 74 – www.hotelcupolabianca.it
– hotelcupolabianca@interfree.it – Fax 09 22 97 12 74 – maggio-ottobre
20 cam 🖵 – ♦130/180 € ♦♦230/310 € – 1 suite – ½ P 130/140 €
Rist – Carta 21/45 €
♦ Una piccola oasi, in posizione un po' discosta rispetto al centro della località, che consente di rilassarsi godendo anche di un ampio giardino. Camere confortevoli.

🏨 **Martello**   ⟨ 🍴 🅰🅲 ❄ 🆚 ⑩ 🆎 ① 🔥
piazza Medusa 1 – ℰ 09 22 97 00 25 – www.hotelmartello.it – hotelmartello@
hotelmartello.it – Fax 09 22 97 16 96
25 cam – solo ½ P 70/140 €   **Rist** – Menu 20/40 €
♦ Palazzina di due piani tinteggiata di chiaro, come tutte le abitazioni dell'isola, per un soggiorno confortevole grazie alle buone dotazioni. Attrezzato diving center. Ristorante semplice, fresco, schietto e sicuramente curato con passione.

🏠 **Cavalluccio Marino** ⬡   ⟨ 🚗 🏡 🅰🅲 ❄ rist, 🄿 🆚 ⑩ 🆎 ① 🔥
contrada Cala Croce 3 – ℰ 09 22 97 00 53 – www.hotelcavallucciomarino.com
– info@hotelcavallucciomarino.com – Fax 09 22 97 06 72 – aprile-ottobre
10 cam – solo ½ P 90/132 €   **Rist** – Carta 33/47 €
♦ Piccolo graziosissimo albergo nei pressi di una delle calette più belle dell'isola. Gestione familiare molto premurosa che sa mettere a completo agio i propri ospiti. Sentirsi a casa, ma con piaceri riscoperti: eccovi al ristorante!

XX **Gemelli** 🏠 AK VISA ∞ AE ① ⑤
via Cala Pisana 2 – ℰ 09 22 97 06 99 – milano@ristorantegemelli.it
– Fax 09 22 97 06 99 – aprile-ottobre
Rist *– (chiuso a mezzogiorno)* Carta 34/61 €
♦ Ristorante a poca distanza dall'aeroporto, dove è possibile gustare al meglio i prodotti ittici locali. Il servizio estivo viene effettuato sotto ad un fresco pergolato.

XX **Lipadusa** 🏠 AK VISA ∞ ① ⑤
via Bonfiglio 12 – ℰ 09 22 97 02 67 – maggio-ottobre
Rist *– (chiuso a mezzogiorno)* Carta 31/45 €
♦ Nel centro del paese, un locale impostato in modo classico per quel che riguarda l'ambiente, molto sobrio, familiare nella gestione e tipico nelle proposte gastronomiche.

LEONFORTE – Enna (EN) – 14 117 ab. – ⊠ 94013   40 **C2**
🔼 Roma 879 – Palermo 153 – Enna 23 – Caltanissetta 55

🏩 **Villa Gussio-Nicoletti** 🐾 🔔 🏠 🔧 🏰 🔟 🕹 AK 🎾 🕷 🍸 🅿
strada statale 121, km 94,750 – ℰ 09 35 90 32 68   VISA ∞ AE ① ⑤
– www.villagussio.it – info@villagussio.it – Fax 09 35 90 57 31
49 cam ⊐ – ♦100/140 € ♦♦140/220 € – ½ P 100/150 €   **Rist** – Carta 31/65 €
♦ Una seducente villa del '700 ospita raffinate sale affrescate con immagini campestri e un'ampia invitante piscina. Ideale per un romantico soggiorno alla ricerca dell'armonia. Sulla terrazza panoramica o nelle sale da pranzo riccamente decorate si alternano le ricette della gastronomia tipica locale.

LICATA – Agrigento (AG) – 565P23 – 39 108 ab. – ⊠ 92027   40 **C3**
🔼 Agrigento 45 – Caltanissetta 52 – Palermo 189 – Ragusa 88

XX **La Madia** (Pino Cuttaia) 🕹 AK 🎾 VISA ∞ AE ⑤
🌼 *corso Filippo Re Capriata 22 – ℰ 09 22 77 14 43 – info@ristorantelamadia.it*
– chiuso martedì e domenica sera, in agosto domenica a mezzogiorno
Rist – Carta 48/70 €
Spec. Merluzzo in leggera affumicatura alla pigna, patata schiacciata e condimento alla pizzaiola. Gnocco di seppia, crema di finocchio bianco e carbone nero. Raviolo di calamaro ripieno di "tenneruma di cucuzza" (foglie di zucchina), salsa di acciughe e crostaceo.
♦ E' una scommessa vinta: un ristorante d'eccellenza in un lembo poco mondano dell'isola; sapori siciliani in eleganti rivisitazioni.

LIDO DI NOTO – Siracusa – 565Q27 – **Vedere Noto**

LIDO DI SPISONE – Messina – **Vedere Taormina**

LINGUAGLOSSA – Catania (CT) – 5 427 ab. – ⊠ 95015   40 **D2**
🏨 **Il Nido dell'Etna** ⬅ 🚲 🏠 🔲 🕹 AK ↔ 🎾 🍸 🅿 ☎ 🚗 VISA ∞ AE ⑤
via Matteotti – ℰ 095 64 34 04 – www.ilnidodelletna.it – info@ilnidodelletna.it
– Fax 095 64 32 42 – chiuso novembre
18 cam – ♦80/90 € ♦♦120/140 € – ½ P 80/95 €
Rist *– (chiuso lunedì) (chiuso a mezzogiorno escluso festivi)* Carta 26/41 €
♦ In una cornice naturalistica impareggiabile, struttura di recente apertura, sintesi di eleganza ed ospitalità, nonchè punto di riferimento per chi fa dell'Etna una meta d'escursione.

LIPARI (Isola) – Messina – 565L26 – **Vedere Eolie (Isole)**

MARINELLA – Trapani – 565O20 – **Vedere Selinunte**

MARSALA – Trapani (TP) – 565N19 – 79 719 ab. – ⊠ 91025 Sicilia   39 **A2**
🔼 Agrigento 134 – Catania 301 – Messina 358 – Palermo 124
🛫 di Birgi Nord : 15 km ℰ 0923 842502
ℹ via 11 Maggio 100 ℰ 0923 714097, Fax 0923 714097
◉ Relitto di una nave da guerra punica★ al Museo Archeologico
◎ Mozia★ Nord : 10 km – Saline dello Stagnone★

Delfino Beach Hotel senza rist ⑤ 🚗 ☒ 🍴 ≡ & 🏃 🅰 🖾 rist,
via lungomare 672, Sud : 4 km
– 🕐 09 23 75 10 72 – www.delfinobeach.com – delfinobeach@delfinobeach.com
– Fax 09 23 75 16 47 – chiuso dal 15 novembre al 29 dicembre e dal 7 al
28 gennaio
90 cam – ☗45/75 € ☗☗80/130 €, ☐ 5 € – ½ P 46/90 € Carta 20/36 €
♦ Complesso di recente realizzazione, ideato in modo tale da proporre diverse formule di
soggiorno. Sontuosi ambienti comuni sia interni che esterni, con tanta personalità.

☓☓ **Bacco's** 🅰 ⇔ 🖾 ⑩ 🅰 ⑩ 🖢
via Trieste 5, contrada Santa Venera – 🕐 09 23 73 72 62 – www.ristorantebaccos.it
– info@baccos.it – Fax 09 23 73 72 62 – chiuso mercoledì nel periodo invernale
Rist – (chiuso a mezzogiorno escluso i giorni festivi) Carta 33/45 € ♨
♦ Appena usciti dal centro, in direzione Trapani, ristorante-pizzeria di taglio classico ricavato in una villa ottocentesca. Veranda luminosa e sale rallegrate da colori vivaci.

MAZARA DEL VALLO – Trapani (TP) – 565O19 – 51 164 ab. 39 **A2**
– ✉ 91026 Sicilia

▶ Agrigento 116 – Catania 283 – Marsala 22 – Messina 361
🅸 piazza Santa Veneranda 2 🕐 0923 941727, Fax 0923 941727
◉ Cattedrale : interno ★

🏨🏨 **Kempinski Giardino di Costanza** 🕐 ☒ 🔲 🔊 ≡ & 🏃 🅰
via Salemi km 7,100 – 🕐 09 23 67 50 00 🖾 rist, 🖲 🚣 🅿 🖾 ⑩ 🅰 ⑩ 🖢
– www.kempinski-sicily.com – info.mazara@kempinski.com – Fax 09 23 67 58 76
91 cam ☐ – ☗387/463 € ☗☗447/523 € – ½ P 284/422 €
Rist – (chiuso a mezzogiorno escluso sabato e domenica) Menu 58/150 €
♦ Abbracciato da un immenso parco, un maestoso complesso con ambienti spaziosi e
confortevoli in cui dominano l'eleganza, la ricercatezza, la tranquillità e la professionalità.
Nella raffinata sala da pranzo arredata con tavoli rotondi impreziositi da floreali centrotavola una fragrante cucina regionale rivisitata.

MAZZARÒ – Messina – 565N27 – Vedere Taormina

MENFI – Agrigento (AG) – 565O20 – 12 904 ab. – alt. 119 m – ✉ 92013 39 **B2**
▶ Agrigento 79 – Palermo 122 – Trapani 100

in prossimità del bivio per Porto Palo Sud-Ovest : 4 km :

☓ **Il Vigneto** 🏠 🅿 🖾 ⑩ 🅰 🖢
⊕ contrada Gurra ✉ 92013 – 🕐 092 57 17 32 – www.ristoranteilvigneto.com
– Fax 092 57 17 32 – chiuso lunedì, anche la sera (escluso venerdì-sabato) dal 15
settembre al 15 giugno
Rist – Carta 29/38 € (+10 %)
♦ Nell'ampia sala di questo grazioso edificio rustico in aperta campagna oppure all'a-
perto, sotto un pergolato in legno, una saporita e abbondante cucina che si ispira soprattutto al mare.

MESSINA 🅿 (ME) – 565M28 – 248 616 ab. – ✉ 98100 Sicilia 40 **D1**
▶ Catania 97 – Palermo 235
🚢 Villa San Giovanni – Stazione Ferrovie Stato, piazza Repubblica 1 ✉ 98122
🕐 090 671700 – e Società Caronte, 🕐 090 37183214, call center 800 627 414
🅸 via Calabria, isolato 301 bis ✉ 98122 🕐 090 640221, aptmeinfoturismo@
virgilio.it, Fax 090 6411047
◉ Museo Regionale ★ BY – Portale ★ del Duomo e orologio astronomico ★ sul
campanile BY

Pianta pagina 1346

☓☓ **Piero** & 🅰 🖾 ⇔ 🖾 ⑩ 🅰 ⑩ 🖢
via Ghibellina 119 ✉ 98123 – 🕐 09 06 40 93 54 – Fax 09 06 40 93 54 – chiuso
agosto e domenica AZ**s**
Rist – Carta 30/46 €
♦ Dal 1962 l'omonimo titolare gestisce questo ristorante classico ed elegante, recentemente rinnovato; specialità marinare, ma non mancano insalatone e piatti di carne.

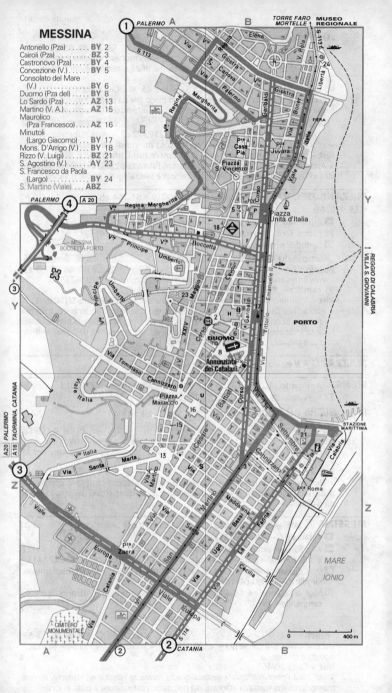

MESSINA

✂ **Le 2 Sorelle** 🛏 AC 🍽 VISA ◉ 💳
piazza del Municipio 4 ✉ *98122 – ☎ 09 04 47 20 – chiuso agosto e domenica*
Rist – Carta 29/49 € 🍴
 ◆ Affacciata sulla piazza del municipio, una vecchia osteria rimodernata, ma sempre dall'ambiente sobrio; sala raccolta, tavoli in legno e cantina di tutto rispetto.

a Ganzirri per viale della Libertà N : 9 km *BY* – ✉ **98165**

🏠 **Villa Morgana** 🚗 🏊 📶 AC 📶 ♨ P VISA ◉ AE 💳
*via C. Pompea 1965 – ☎ 090 32 55 75 – www.villamorgana.it – info@
villamorgana.it – Fax 090 32 55 75*
15 cam ☕ – 🛏55/75 € 🛏🛏80/100 € – ½ P 55/65 €   **Rist** – Carta 26/42 €
 ◆ Una villa privata circondata da un curato giardino, trasformata in una struttura di dimensioni ridotte, ma con camere davvero ampie. Arredi standard e servizio alla mano. Piccola sala ristorante.

Cosa si nasconde dietro questo simbolo rosso 🦢 ?
Un albergo tranquillo, per svegliarsi al canto degli uccelli.

MILAZZO – Messina (ME) – 565M27 – **32 327 ab.** – ✉ **98057** Sicilia   40 **D1**
 ▶ Catania 130 – Enna 193 – Messina 41 – Palermo 209
 🚢 per le Isole Eolie – Siremar, call center 892 123
 🛈 piazza Caio Duilio 20 ☎ 090 9222865, info@aastmilazzo.it, Fax 090 9222790
 ◉ Cittadella e Castello★ – Chiesa del Carmine : facciata★
 ◉ Roccavaldina : Farmacia★ Sud-Est : 15 km – Isole Eolie★★★ per motonave o aliscafo

🏨 **La Chicca Palace Hotel** senza rist 📶 ♿ AC 🍽 📶 VISA ◉ AE ⓪ 💳
*via Tenente La Rosa 1 – ☎ 09 09 24 01 51 – www.lachiccahotel.com – info@
lachiccahotel.com – Fax 09 09 22 76 91*
21 cam ☕ – 🛏75/105 € 🛏🛏120/175 €
 ◆ In pieno centro ad un passo sia dal porto che dal lungomare, una nuova struttura raccolta e accogliente. Modernità ed essenzialità caratterizzano ogni settore con omogeneità.

🏨 **Cassisi** senza rist 📶 AC 🍽 📶 VISA ◉ AE ⓪ 💳
via Cassisi 5 – ☎ 09 09 22 90 99 – info@cassisihotel.com – Fax 09 09 24 21 02
14 cam ☕ – 🛏70/120 € 🛏🛏95/180 €
 ◆ Di fronte agli imbarchi per le isole, un albergo *design* dagli arredi sobri ed essenziali: linee geometriche e moderne.

🏠 **La Bussola** 📶 AC 📶 🚗 VISA ◉ AE ⓪ 💳
*via Nino Bixio 11/12 – ☎ 09 09 22 12 44 – www.hotelabussola.it – info@
hotelabussola.it – Fax 09 09 28 29 55*
26 cam ☕ – 🛏70/100 € 🛏🛏80/160 € – ½ P 70/100 €   **Rist** – Carta 30/60 €
 ◆ Agile punto di riferimento per quanti, dopo una buona e abbondante colazione desiderano riprendere il viaggio alla volta delle Eolie, piccola risorsa gestita da una simpatica famiglia. Al ristorante, cucina semplice e sapori di mare come ostriche, astici e crudi vari.

🏠 **Petit Hotel** 🛏 AC 🍽 rist, 📶 🚗 VISA ◉ AE ⓪ 💳
*via dei Mille 37 – ☎ 09 09 28 67 84 – www.petithotel.it – info@petithotel.it
– Fax 09 09 28 50 42*
9 cam ☕ – 🛏75/95 € 🛏🛏120/175 € – ½ P 108/112 €   **Rist** – Carta 23/32 €
 ◆ Al porto, un hotel completamente ristrutturato secondo criteri di confort attuali ed ecologici. La gestione è affidata a una giovane coppia, disponibile e intraprendente. Piatti casalinghi nella sala ristorante di sobrio tono moderno, impreziosita da quadri ed acquari.

✕✕✕ **Piccolo Casale** 🛏 AC 🍽 VISA ◉ AE ⓪ 💳
*via Riccardo d'Amico 12 – ☎ 09 09 22 44 79 – www.piccolocasale.it – info@
piccolocasale.it – Fax 09 09 24 10 42*
Rist – *(chiuso a mezzogiorno in agosto e nei lunedì non festivi)* Carta 40/68 € 🍴
 ◆ Praticamente invisibile dall'esterno, nella residenza di un generale garibaldino, ristorante curato ed elegante nelle sale interne così come sulla graziosa terrazza fiorita.

MODICA – Ragusa (RG) – 565Q26 – **53 070 ab.** – **alt. 450 m** – ⊠ **97015**   40 **D3**
   ▶ Agrigento 147 – Caltanissetta 139 – Catania 116 – Ragusa 14

🏨 **Palazzo Failla**   🛗 ♿ AC ⚄ (¹) � 🚗 VISA ➌ AE ① 🛆
   via Blandini 5 – ℎ 09 32 94 10 59 – www.palazzofailla.it – info@palazzofailla.it
   – Fax 09 32 94 10 59
   10 cam 🔲 – ♦90/100 € ♦♦125/175 € – ½ P 82/105 €
   Rist La Gazza Ladra – vedere selezione ristoranti
   ♦ ...Quando la calorosa ospitalità si unisce al fascino di un'elegante ed aristocratica
   dimora del XIX secolo, avvolta dal profumo lieve delle mura di pietra e dei pavimenti di
   pece. Al primo piano, le camere con arredi d'epoca e soffitti a volte decorati.

🏨 **De Mohàc** senza rist   AC (⁰) VISA ➌ AE ① 🛆
   via Campailla 15 – ℎ 09 32 75 41 30 – www.hoteldemohac.it
   – info@hoteldemohac.it – Fax 09 32 94 73 31
   10 cam 🔲 – ♦60/85 € ♦♦90/120 €
   ♦ In un dedalo di vicoli, alle spalle del centrale corso Umberto, albergo ricco di fascino e
   testimonianze d'epoca con camere curate nei dettagli, ognuna delle quali è simpaticamente "dedicata" ad un importante scrittore (di cui l'ospite troverà un libro).

🏠 **Relais Modica** senza rist   ≤ AC ⚄ (⁰) VISA ➌ 🛆
   via Campailla 99 – ℎ 09 32 75 44 51 – www.hotelrelaismodica.it
   – info@hotelrelaismodica.it – Fax 09 32 75 44 51
   10 cam 🔲 – ♦85/95 € ♦♦85/105 €
   ♦ A pochi metri dal centrale corso Umberto, ma già in posizione rialzata per ammirare la
   città illuminata di sera, un antico palazzo nobiliare apre i propri battenti per accogliervi
   nel fascino discreto di un'elegante casa. Prenotare le spaziose camere con vista.

🏠 **Bristol** senza rist   🛗 ♿ AC ⚄ (⁰) � P VISA ➌ AE ① 🛆
   via Risorgimento 8/b – ℎ 09 32 76 28 90 – www.hotelbristol.it
   – hotelbristolmodica@virgilio.it – Fax 09 32 76 33 30
   – chiuso dal 23 dicembre al 3 gennaio
   27 cam 🔲 – ♦50/70 € ♦♦80/100 €
   ♦ Gestione familiare per questa buona struttura, vivamente consigliabile ad una clientela
   d'affari. A qualche chilometro dal centro storico di Modica, patrimonio mondiale dell'uma-
   nità (tutelato dall'*Unesco*).

🏡 **Casa Talia** senza rist   ≤ 🚗 AC ⚄ (¹) VISA ➌ ① 🛆
   via Exaudinos 1/9 – ℎ 09 32 75 20 75 – www.casatalia.it – info@casatalia.it
   – Fax 09 32 75 20 75
   7 cam – ♦100/110 € ♦♦130/150 €
   ♦ Camere ispirate ai paesi mediterranei in un contesto di straordinario fascino storico,
   giardino pensile e vista indimenticabile...

🍴🍴🍴 **La Gazza Ladra** – Palazzo Failla   🍽 AC ⚄ (¹) VISA ➌ ① 🛆
   🌼 *via Blandini 11 – ℎ 09 32 75 56 55 – www.ristorantelagazzaladra.it*
   – info@ristorantelagazzaladra.it – Fax 09 32 94 10 59
   – chiuso domenica sera e lunedì
   Rist – Carta 45/67 €
   Spec. Passeggiata in Val di Noto (crema di ceci con ricotta, carne marinata e
   verdure). Spaghetti con spremuta siciliana. Sorbetto di pistacchio e basilico
   con grano cotto, miele di fiori d'arancio e albicocca.
   ♦ La fantasiosa personalità del cuoco incontra i prodotti siciliani: il risultato è un reciproco
   esaltarsi in piatti estrosi ed isolani allo stesso tempo.

🍴🍴 **Fattoria delle Torri**   🍽 ⇄ VISA ➌ AE ① 🛆
   vico Napolitano 14 – ℎ 09 32 75 12 86 – www.fattoriadelletorri.it
   – peppebarone1960@libero.it – Fax 09 32 75 12 86 – chiuso lunedì
   Rist – Carta 27/54 € 🍽
   ♦ Al termine di un vicolo dietro la centrale piazza Matteotti, un edificio dalle nobili origini con affascinanti ed austere sale, intenzionalmente lasciate nella loro antica
   sobrietà. La cucina si affida alla tradizione nazionale, con qualche simpatico spunto
   creativo.

XX **Torre D'Oriente** 🛜 ᴰ AC ⇄ VISA ⫽ AE ① ᴰ
via Posterla 29 – ℰ 09 32 94 81 60 – www.torredoriente.com – info@
torredoriente.com – chiuso una settimana in febbraio, due settimane in novembre
e lunedì
Rist – Carta 30/44 €
♦ Locale di design e alla moda, nato dal restauro di uno storico edificio accanto alla casa museo di Quasimodo: per arrivarci, una piacevole passeggiata a piedi tra i vicoli della cittadina.

X **Hosteria San Benedetto** AC VISA ⫽ AE ᴰ
via Nativo 30, Modica Alta – ℰ 09 32 75 48 04 – www.hosteriasanbenedetto.it
– info@HosteriaSanbenedetto.it – Fax 09 32 75 48 04 – chiuso martedì
Rist – Carta 22/30 €
♦ Nel centro storico di Modica alta, due semplici sale in cui si celebrano, accanto agli usuali piatti "popolari", altri di stampo "baronale": più elaborati e di derivazione aristocratica.

MONDELLO – Palermo (PA) – 565M21 – ✉ **90151**▮ Sicilia   39 **B2**
▶ Catania 219 – Marsala 117 – Messina 245 – Palermo 11

Pianta di Palermo : pianta d'insieme

XXX **Charleston le Terrazze** ≤ 🛜 AC ᴰ ⇄ VISA ⫽ AE ① ᴰ
viale Regina Elena ✉ 90151 – ℰ 091 45 01 71 – leterrazze@email.it
– Fax 091 45 06 06 – chiuso dal 7 gennaio al 5 febbraio e mercoledì escluso da
aprile ad ottobre   EU**a**
Rist – Carta 45/70 €
♦ All'interno di uno stabilimento balneare in stile liberty, è indubbiamente la grande e bella terrazza sul mare a contribuire negli anni al successo del locale. Emozionante.

XX **Bye Bye Blues** AC ᴰ VISA ⫽ AE ① ᴰ
via del Garofalo 23 ✉ 90149 – ℰ 09 16 84 14 15 – www.byebyeblues.it – info@
byebyeblues.it – Fax 09 16 84 46 23 – chiuso novembre   EU**d**
Rist – *(chiuso a mezzogiorno escluso i giorni festivi)* Carta 34/58 € ⫽
♦ Un televisore piatto in sala mostra in diretta i gustosi e curati piatti elaborati in cucina, dove Patrizia riscopre la tradizione regionale. Molti i vini al bicchiere.

MONREALE – Palermo (PA) – 565M21 – **33 879 ab.** – **alt. 301 m**   39 **B2**
– ✉ **90046**▮ Sicilia
▶ Agrigento 136 – Catania 216 – Marsala 108 – Messina 242
◉ Località★★★ – Duomo★★★ – Chiostro★★★ – ≤★★ dalle terrazze

X **Taverna del Pavone** 🛜 AC VISA ⫽ AE ① ᴰ
☺ *vicolo Pensato 18 – ℰ 09 16 40 62 09 – www.tavernadelpavone.eu – info@*
tavernadelpavone.it – Fax 09 16 40 64 14 – chiuso dal 15 al 30 giugno e lunedì
Rist – Carta 25/32 € (+10 %)
♦ A pochi passi dal celebre Duomo, tipiche specialità siciliane in un locale rustico, familiare ed accogliente.

NICOLOSI – Catania (CT) – 565O27 – **6 477 ab.** – **alt. 698 m** – ✉ **95030**   40 **D2**
▮ Sicilia
▶ Catania 16 – Enna 96 – Messina 89 – Siracusa 79
🛈 via Garibaldi 63 ℰ 095 911505, Fax 095 7914575

a Piazza Cantoniera Etna Sud Nord : 18 km – **alt. 1 881 m**

🏠 **Corsaro** ◈ ≤ ᴰ ⫽ ᴰ **P** VISA ⫽ AE ᴰ
– ℰ 095 91 41 22 – www.hotelcorsaro.it – info@hotelcorsaro.it
– Fax 09 57 80 10 24 – chiuso dal 15 novembre al 24 dicembre
17 cam ⇆ – ♦50/75 € ♦♦90/100 € – ½ P 65/70 €   **Rist** – Carta 22/41 €
♦ La giovane e volenterosa gestione riesce a districarsi a meraviglia tra i tanti turisti che durante l'anno affollano questa risorsa, per godersi le bellezze dell'Etna. Ristorante "preso d'assalto" da gitanti ed escursionisti affamati, cucina sostanziosa.

NICOSIA – Enna (EN) – 565N25 – **14 762 ab.** – **alt. 714 m** – ✉ 94014   40 **C2**

▶ Agrigento 120 – Caltanissetta 55 – Catania 97 – Enna 48

Baglio San Pietro ⬤   ≤ 🚗 ⛱ ⤵ ♿ cam, ⚒ 🛎 **P**

contrada San Pietro – ✆ *09 35 64 05 29*   **VISA ◉ AE ① 💲**
– www.bagliosanpietro.com – info@bagliosanpietro.com – Fax 09 35 64 06 51
– aprile-ottobre
9 cam ⟷ – **♦**40 € **♦♦**80 € – ½ P 60 €   **Rist** – Carta 17/23 €
◆ Un ex edifico agricolo, che grazie ad una rispettosa ristrutturazione, si presta ad accogliere gli ospiti con sobria finezza. Giardino e piscina addolciscono il soggiorno. Negli spazi dell'antico fienile, oppure all'aperto, per gustare tipici sapori, quasi dimenticati.

NOTO – Siracusa (SR) – 565Q27 – **23 225 ab.** – **alt. 159 m** – ✉ 96017   40 **D3**

▌ Sicilia

▶ Catania 88 – Ragusa 54 – Siracusa 32

ℹ piazza XVI Maggio ✆ 0931 573779, informazio9ni-noto@apt-siracusa.it, Fax 0931 836744

◉ Corso Vittorio Emanuele★★ – Via Corrado Nicolaci★

◖ Cava Grande★★ Nord : 19 km

La Fontanella senza rist   AC ⚒ 📞 VISA ◉ AE ① 💲

via Rosolino Pilo 3 – ✆ *09 31 89 47 35 – www.albergolafontanella.it*
– info@albergolafontanella.it – Fax 09 31 89 47 24
12 cam ⟷ – **♦**45/60 € **♦♦**60/80 €
◆ Piccolo albergo ai margini del centro storico che offre camere in stile rustico, alcune mansardate e con balconcino ed una gestione curata e cordiale.

a Lido di Noto Sud-Est : 7,5 km – ✉ 96017 – Noto

La Corte del Sole ⬤   ≤ 🚗 ⛱ ⤵ AC ⚒ **P** VISA ◉ 💲

contrada Bucachemi, località Eloro-Pizzuta – ✆ *09 31 82 02 10*
– www.lacortedelsole.it – info@lacortedelsole.it – Fax 09 31 81 29 13
– chiuso dal 15 gennaio al 15 febbraio
34 cam ⟷ – **♦**58/88 € **♦♦**84/145 € – ½ P 115/125 €
Rist – *(chiuso a mezzogiorno escluso la domenica e agosto)* Carta 26/38 €
◆ Casa padronale ottocentesca ristrutturata, in una zona isolata immersa nella quiete della natura. Camere spaziose, spazi comuni soprattutto all'aperto. Il caratteristico ristorante è stato ricavato all'interno del vecchio frantoio.

Villa Mediterranea senza rist   🚗 AC ⚒ **P** VISA ◉ AE 💲

viale Lido – ✆ *09 31 81 23 30 – www.villamediterranea.it*
– info@villamediterranea.it – Fax 09 31 82 00 29 – aprile-ottobre
15 cam ⟷ – **♦**60/130 € **♦♦**80/150 €
◆ Struttura che di recente ha pressoché raddoppiato la propria capacità ricettiva, mantenendo però intatto lo spirito d'accoglienza familiare. Accesso diretto alla spiaggia.

PACECO – Trapani – 565N19 – Vedere Trapani

PACHINO – Siracusa (SR) – 565Q27 – **21 443 ab.** – ✉ 96018   40 **D3**

a Marzamemi Nord-Est: 3 km – ✉ 96010

La Cialoma   ⛱ AC VISA ◉ AE ① 💲

piazza Regina Margherita – ✆ *09 31 84 17 72*
– chiuso dal 5 al 30 novembre
Rist – Carta 35/60 €
◆ Nella scenografica piazza di un borgo-tonnara del '700, un'incantevole trattoria di mare con tovaglie ricamate e il pesce più fresco: l'eccellenza nella semplicità!

PALERMO 🅿 **(PA)** – 565M22 – **679 730 ab.** – ✉ **90100** 📶 Italia   39 **B2**

▶ Messina 235

✈ Falcone-Borsellino per ④ : 30 km 🖉 091 7020111

🚢 per Genova e Livorno – Grimaldi-Grandi Navi Veloci, calL center 010
   2094591 – per Napoli, Genova e Cagliari – Tirrenia Navigazione, call center 892 123

🛈 piazza Castelnuovo 34 ✉ 90141 🖉 091 6058351, info@palermotourism.com,
   Fax 091 586338

Aeroporto Falcone Borsellino ✉ 90100 🖉 091 591698

piazza Giulio Cesare (Stazione Centrale) ✉ 90127 🖉 091 6165914, Fax 091
6165914 - salita Belmonte 1 (Villa Igea) ✉ 90142 🖉 091 6398011, info@
palermotourism.com, Fax 091 6375400

👁 Palazzo dei Normanni★★ : Cappella Palatina★★★, mosaici★★★, Antichi
   Appartamenti Reali★★ AZ – Oratorio del Rosario di San Domenico★★★ BY
   N2 – Oratorio del Rosario di Santa Cita★★★ BY **N1** – Chiesa di San Giovanni
   degli Eremiti★★ : chiostro★ AZ – Piazza Pretoria★★ BY – Piazza Bellini★
   BY : Martorana★★, San Cataldo★★ – Palazzo Abatellis★ : Galleria Regionale
   di Sicilia★★ CY **G** – Ficus magnolioides★★ nel giardino Garibaldi CY
   – Museo Internazionale delle Marionette★★ CY **M3** – Museo
   Archeologico★ : metope dei Templi di Selinunte★★, ariete★★ BY **M1**
   – Villa Malfitano★★ – Orto Botanico★★ : ficus magnolioides★★ CDZ
   – Catacombe dei Cappuccini★★ EV – Villa Bonanno★ AZ – Cattedrale★
   AYZ – Quattro Canti★ BY – Gancia : interno★ CY – Magione : facciata★
   CZ – SanFrancesco d'Assisi★ CY – Palazzo Mirto★ CY – Palazzo
   Chiaramonte★ CY – Santa Maria alla Catena★ CY **S3** – Galleria d'Arte
   Moderna E. Restivo★ AX – Villino Florio★ EV **W** – San Giovanni dei
   Lebbrosi★ FV **Q** – La Zisa★ EV – Cuba★ EV

🌄 Monreale★★★ EV per ③ : 8 km – Grotte dell'Addaura★ EF

Piante pagine 1352-1355

🏨🏨🏨 **Villa Igiea Hilton**   ⩽ 🚗 🏊 🗗 ✂ 🕪 🏧 🕸 🗼 🗗 🅿
salita Belmonte 43 ✉ 90142 – 🖉 09 16 31 21 11   🆅🆂🅰 ⑳ 🅰🅴 ⓪ 💲
– www.hilton.com – res.villaigieapalermo@hilton.com – Fax 091 54 76 54
120 cam – 👫👫185/445 €, ⊑ 20 € – 6 suites   FV**e**
Rist – Carta 59/88 €
   ◆ Imponente villa *liberty* di fine '800, strategicamente posizionata sul golfo di Palermo e
da sempre esclusivo ritiro per principi e regnanti. Nel ristorante *Donna Franca Florio* troneggia l'omonimo dipinto di Boldini.

🏨🏨🏨 **Centrale Palace Hotel**   🏮 🕙 🗗 🕪 🖧 cam, 🏧 ✂ 🕸 🕪 🗼 🚗
corso Vittorio Emanuele 327 ✉ 90134
   – 🖉 091 33 66 66 – www.centralepalacehotel.it – centrale@angalahotels.it
   – Fax 091 33 48 81   BY**b**
101 cam ⊑ – 👫140/219 € 👫👫200/273 € – 3 suites – ½ P 137/174 €
Rist – *(chiuso domenica)* Carta 41/103 €
   ◆ Si respira un fascino d'epoca in questa nobile dimora settecentesca, ma dietro a questa
cortina c'è un hotel che offre tecnologia moderna in ogni ambiente. Nuova palestra con
piccola sauna. Piccola sala all'ultimo piano e terrazza panoramica per l'estate; la cucina,
rivisitata, è a base di soli prodotti locali.

🏨 **Grand Hotel Wagner** *senza rist*   🕙 🗗 🕪 🏧 ✂ 🕸 🗼
via Wagner 2 ✉ 90139 – 🖉 091 33 65 72   🆅🆂🅰 ⑳ 🅰🅴 ⓪ 💲
– www.grandhotelwagner.it – info@grandhotelwagner.it – Fax 091 33 56 27
58 cam – 👫190/275 € 👫👫235/333 € – 3 suites   BX**f**
   ◆ Il recente restauro ha ridato splendore ad affreschi, marmi e tappeti pregiati, mentre
nelle camere è stata ricreata l'atmosfera d'un tempo, in equilibrio con i moderni confort.

🏨 **Grand Hotel Federico II**   🕙 🗗 🕪 🖧 🏧 ✂ 🕸 🗼
via Principe di Granatelli 60 ✉ 90139   🆅🆂🅰 ⑳ 🅰🅴 ⓪ 💲
– 🖉 09 17 49 50 52 – www.grandhotelfedericoii.it – info@grandhotelfedericoii.it
– Fax 09 16 09 25 00   AX**f**
63 cam ⊑ – 👫200 € 👫👫350 € – 1 suite
Rist – *(solo per alloggiati)* Menu 35/70 €
   ◆ Tratti di sobria eleganza, boiserie e mobili in stile impero contraddistinguono gli
ambienti di questo albergo del centro, nato dalla ristrutturazione di un antico palazzo.
Ristorante all'ultimo piano con una bella terrazza, carta classica oppure menu tipico.

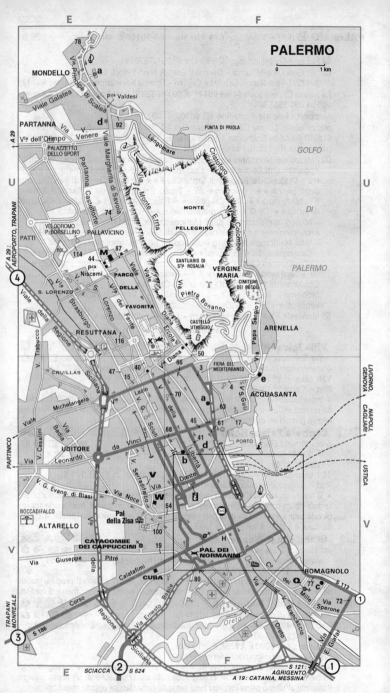

PALERMO

0   1 km

MONDELLO

a

PARTANNA

d

92

P.ta Valdesi

Via Principe di Scalea

Viale Galatea

Vle dell'Olimpo

PALAZZETTO
DELLO SPORT

A 29

Via Venere

Partanna
Castellotte

Viale Margherita di Savoia

Lungomare

Via Cristoforo Colombo

PUNTA DI PRIOLA

GOLFO

DI

PALERMO

MONTE
Via Monte Ercta

MONTE
PELLEGRINO

VEVELODROMO
P. BORSELLINO

PALLAVICINO

74

M

87

44

Via Niscemi

114

PARCO
DELLA
FAVORITA

S. LORENZO

Via S. Lorenzo

Viale del Fante

SANTUARIO DI
S.ta ROSALIA

VERGINE
MARIA

CIMITERO
DEI ROTOLI

Via Pietre Bonanno

AEROPORTO, TRAPANI

PATTI

A 29

S. LORENZO

Viale della Regione

Via Trabucco

CRUILLAS

Via Siciliana

Michelangelo

Viale

Via Badia

V. Casalini

RESUTTANA

116

Via Diana

Via Ercole

CASTELLO
UTVEGGIO

ARENELLA

Via Papa Sergio I

47

15

40

Via Diana

66

50

3

FIERA DEL
MEDITERRANEO

e

ACQUASANTA

LIVORNO
GENOVA

NAPOLI
CAGLIARI

USTICA

UDITORE

PARTINICO

Viale

Viale

Via Leonardo da Vinci

Via Lazio

Via G.

Via della

Via Scuti

70

88

45

41

a

4

V.S Guli

63

61

17

PORTO

d

V. G. Evang. di Blasi

Via Noce

Via Serradifalco

V

W

54

Via Liberta

Via Dante

b

i

BOCCADIFALCO

ALTARELLO

Pal
della Zisa

100

CATACOMBE
DEI CAPPUCCINI

19

Via Giuseppe

Pitré

della

Via

H

PAL. DEI
NORMANNI

Co

ROMAGNOLO

S 113

Q

77

c

CUBA

80

Calatafimi

Corso

Via Ernesto Basile

Regione

Siciliana

Via dei Mille

Via Sperone

72

1

Via Brancaccio

Via E. Giafar

TRAPANI
MONVREALE

S 186

3

E

SCIACCA

2

S 624

Oreto

Oreto

F

S 121:
AGRIGENTO
A 19: CATANIA, MESSINA

1

INDICE DELLE STRADE DI PALERMO

 Principe di Villafranca 🛏 🍴 📺 ♨ ✂ 🛎 🛁 🚗

via G. Turrisi Colonna 4 ✉ 90141 – ✆ 09 16 11 85 23   VISA ◯◯ AE ◯ 🅂

– www.principedivillafranca.it – info@principedivillafranca.it – Fax 091 58 87 05

34 cam � – †88/160 € ††127/230 € – ½ P 147 €   AX**d**

Rist – *(chiuso due settimane in agosto e domenica)* Carta 34/62 €

♦ Elegante e di tono, con arredi di inizio secolo, nasce sulle ceneri di un vecchio hotel e annovera una piacevole sala lettura ed un confortevole piccolo salotto con camino. Una nuova raffinata classicità caratterizza la sala ristorante.

 Astoria Palace Hotel 🛏 🍴 📺 ♨ ✂ 🛎 🛁 🅿 VISA ◯◯ AE ◯ 🅂

via Montepellegrino 62 ✉ 90142 – ✆ 09 16 28 11 11 – www.ghshotels.it

– astoria@ghshotels.it – Fax 09 16 37 12 27   FV**a**

326 cam � – †127/150 € ††184 € – 2 suites – ½ P 125 €

Rist – Carta 24/42 €

♦ Imponente struttura a pochi chilometri di distanza dal giardino inglese e dal centro, il personale sempre cordiale e sorridente, dispone di un centro congressi all'avanguardia. Ambiente di stile moderno e di tono elegante al ristorante.

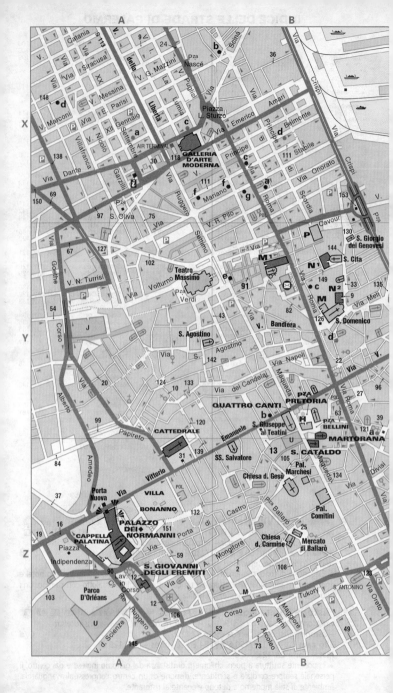

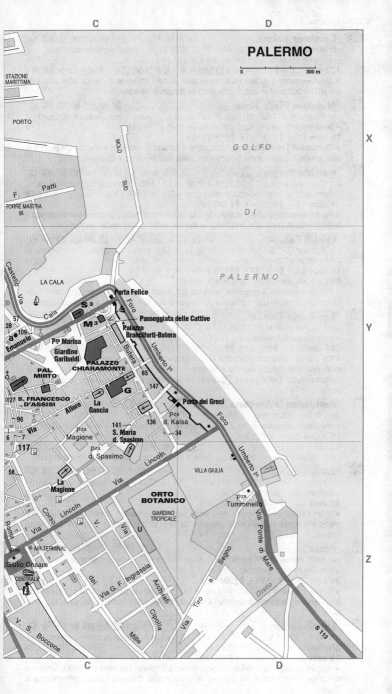

PALERMO

0   300 m

STAZIONE
MARITTIMA

PORTO

X

GOLFO

F. Patti

TORRE MASTRA

DI

Y

LA CALA

PALERMO

Castello Via

Cala

57

28

109

Emanuele

Pza Marina

**Giardino
Garibaldi**

**PAL.
MIRTO**

127 **S. FRANCESCO
D'ASSISI**

96

6 7

117 P

58

**PALAZZO
CHIARAMONTE**

G

**La
Gancia**

Alloro

Via

Pza
Magione

Pza
d. Spasimo

**La
Magione**

P

Corso Lincoln

Via

Porta Felice

Passeggiata delle Cattive

**Palazzo
Branciforti-Butera**

Foro

Butera

85

147

Umberto I°

Porta dei Greci

Foro

141

**S. Maria
d. Spasimo**

136 34

Pza
d. Kalsa

Lincoln

VILLA GIULIA

Umberto I°

Via

**ORTO
BOTANICO**

GIARDINO
TROPICALE

Pza
Tumminello

Via Ponte di Mare

Z

Roma

Via

Lincoln

P

V.

Via

U

Via G. F. Ingrassia

dei

Via

Archirafi

Cipolla

Mille

a

Tiro

a

Segno

Oreto

S 113

Pza
Giulio Cesare

AIR TERMINAL

CENTRALE

i

V. S. Boccone

C   **D**

🏠 Excelsior Palace   🔥 📶 📺 ↔ ℀ rist, ⁽ᵀ⁾ ℁ 𝗩𝗜𝗦𝗔 ⓸ 🅰🅴 ⓪ ⑤

via Marchese Ugo 3 ✉ *90141 –* 𝒞 *09 16 25 61 76 – www.excelsiorpalermo.it*
– booking-excelsior@amthotels.it – Fax 091 34 21 39   FV**b**
122 cam ☲ – 🛏115/145 € 🛏🛏136/246 € – ½ P 110/165 €   **Rist** – Carta 44/58 €
♦ In un elegante quartiere tra lussureggianti giardini ed eleganti negozi, albergo aperto nel 1891 e tutt'oggi ai vertici della migliore hôtellerie cittadina.

🏠 Massimo Plaza Hotel *senza rist*   📺 ⁽ᵀ⁾ 𝗩𝗜𝗦𝗔 ⓸ 🅰🅴 ⓪ ⑤

via Maqueda 437 ✉ *90133 –* 𝒞 *091 32 56 57 – www.massimoplazahotel.com*
– booking@massimoplazahotel.com – Fax 091 32 57 11   BY**e**
15 cam ☲ – 🛏100/135 € 🛏🛏150/210 €
♦ Di fronte al Teatro Massimo, l'attenzione è protesa a creare un ambiente elegante e in stile, armonioso nei colori e ricercato nei particolari. Moderno e di classe.

🏠 Vecchio Borgo *senza rist*   📶 ⅙ 📺 ↔ ℀ ⁽ᵀ⁾ 𝗩𝗜𝗦𝗔 ⓸ 🅰🅴 ⓪ ⑤

via Quintino Sella 1/7 ✉ *90139 –* 𝒞 *09 16 11 14 46 – www.classicahotels.com*
– hotelvecchioborgo@classicahotels.com – Fax 09 16 09 33 18   BX**b**
34 cam ☲ – 🛏80/134 € 🛏🛏100/180 €
♦ Particolarmente graziosa la signorile sala colaizone di questo piccolo hotel concepito e arredato con discreto gusto; raffinate le camere, molto curate anche nei particolari.

🏠 Cristal Palace   🏤 🔥 📶 ⅙ cam, 📺 ℀ ⁽ᵀ⁾ ℁ 𝗩𝗜𝗦𝗔 ⓸ 🅰🅴 ⓪ ⑤

via Roma 477/d ✉ *90139 –* 𝒞 *09 16 11 25 80 – www.shr.it/cristal – cristal@shr.it*
– Fax 09 16 11 25 89   BX**c**
86 cam ☲ – 🛏80/125 € 🛏🛏120/200 € – ½ P 90/110 €
Rist – *(solo per alloggiati)* Carta 13/24 €
♦ Piccola e graziosa la reception, moderna con banco in forma di design, così come il bar dalle luci soffuse. Al piano interrato si trovano le due sale adibite alla prima colazione.

🏠 San Paolo Palace   ⅙ 🏊 📶 ⅙ 📺 ℀ ⁽ᵀ⁾ ℁ 🅿 𝗩𝗜𝗦𝗔 ⓸ 🅰🅴 ⓪ ⑤

via Messina Marine 91 ✉ *90123 –* 𝒞 *09 16 21 11 12 – www.sanpaolopalace.it*
– hotel@sanpaolopalace.it – Fax 09 16 21 53 00   FV**c**
284 cam ☲ – 🛏85/160 € 🛏🛏120/190 € – ½ P 85/120 €   **Rist** – Carta 22/53 €
♦ Un ascensore panoramico porta al roof garden sul quale si trovano la piscina e il solarium. Ambienti comuni spaziosi e camere moderne, comodo parcheggio e pratico servizio bus-navetta. Il roof garden Š usato in estate anche per l'ameno servizio ristorante all'aperto.

🏠 Residenza D'Aragona *senza rist*   📶 ⅙ ℀ ⁽ᵀ⁾ 𝗩𝗜𝗦𝗔 ⓸ 🅰🅴 ⓪ ⑤

via Ottavio D'Aragona 25 ✉ *90139 –* 𝒞 *09 16 62 22 22*
– www.residenzadaragona.it – info@residenzadaragona.it – Fax 09 16 62 22 73
20 suites ☲ – 🛏🛏52/300 €   BX**a**
♦ In un edificio del centro completamente ristrutturato, piccolo albergo e residence dalla calda atmosfera con camere piacevolmente arredate, tutte provviste di angolo cottura.

🏠 Tonic *senza rist*   📶 ⅙ 📺 ⁽ᵀ⁾ 𝗩𝗜𝗦𝗔 ⓸ 🅰🅴 ⓪ ⑤

via Mariano Stabile 126 ✉ *90139 –* 𝒞 *091 58 17 54 – www.hoteltonic.it – info@hoteltonic.it – Fax 091 58 55 60*   BX**g**
40 cam ☲ – 🛏72/90 € 🛏🛏88/110 €
♦ In un edificio del XIX secolo, in comoda posizione nel centro storico della località, una gestione cortese ed efficiente propone camere molto spaziose e confortevoli spazi comuni.

🏠 Posta *senza rist*   📶 🛗 📺 ⁽ᵀ⁾ 𝗩𝗜𝗦𝗔 ⓸ 🅰🅴 ⓪ ⑤

via Antonio Gagini 77 ✉ *90133 –* 𝒞 *091 58 73 38 – www.hotelpostapalermo.it*
– info@hotelpostapalermo.it – Fax 091 58 73 47   BY**c**
30 cam ☲ – 🛏70/95 € 🛏🛏80/120 €
♦ Gestito da oltre ottant'anni dalla stessa famiglia, sono ora dei ragazzi ad occuparsi dell'hotel, spesso frequentato da attori che recitano nel vicino teatro. Graziosa la sala colazioni.

🏠 Letizia *senza rist*   📺 ⁽ᵀ⁾ 𝗩𝗜𝗦𝗔 ⓸ 🅰🅴 ⓪ ⑤

via Bottai 30 ✉ *90133 –* 𝒞 *091 58 91 10 – www.hotelletizia.com – booking@hotelletizia.it – Fax 091 58 91 10*   CY**a**
13 cam ☲ – 🛏63/100 € 🛏🛏85/135 €
♦ Piccolo accogliente hotel dalla calda gestione familiare. L'esterno è piuttosto anonimo ma al suo interno nasconde graziose camere alle quali si accede per una breve rampa di scale.

XXX La Scuderia 🏡 AC 🛱 ⇔ P VISA ⑩ AE ⓪ 🍴

viale del Fante 9 ⊠ 90146 – 𝒞 091 52 03 23 – la.scuderia@alice.it
– Fax 091 52 04 67 – chiuso dal 13 al 24 agosto e domenica EU**x**
Rist – Carta 31/52 € 🍴

♦ Storico ristorante nel cuore del Parco della Favorita, una spaziosa sala idealmente divisa da più colonne e servizio all'aperto accessibile da giugno. Piatti della tradizione.

XX Lo Scudiero ⛵ AC 🛱 VISA ⑩ AE ⓪ 🍴

via Turati 7 ⊠ 90139 – 𝒞 091 58 16 28 – Fax 091 58 16 28 – chiuso 2 settimane in agosto e domenica AX**c**
Rist – Carta 27/48 €

♦ A fianco del Politeama, locale classico ed elegante con proposte prevalentemente a base di pesce, preparate secondo ricette nazionali e regionali.

XX Bellotero AC 🛱 VISA ⑩ AE 🍴

via Giorgio Castriota 3 ⊠ 90139 – 𝒞 091 58 21 58 – Fax 091 58 21 58 – chiuso dal 1° al 20 agosto e lunedì FV**d**
Rist – Carta 28/37 €

♦ Al piano interrato di un palazzo, alle pareti un'esposizione di opere d'arte contemporanea, dalla cucina le maggiori ricette siciliane, di mare così come di terra. Classico ed elegante.

XX Santandrea 🏡 AC ⇔ P VISA ⑩ AE 🍴

piazza Sant'Andrea 4 ⊠ 90133 – 𝒞 091 33 49 99 – www.ristorantesantandrea.eu
– info@ristorantesantandrea.eu – Fax 09 16 12 56 48
– chiuso dal 14 al 27 gennaio e domenica BY**d**
Rist – *(chiuso a mezzogiorno)* (consigliata la prenotazione) Carta 27/38 €

♦ La zona è quella del popolare mercato della Vucciria, ma la cucina di pesce si fa più creativa nel rielaborare i classici isolani, in piatti dai molteplici ingredienti.

XX Sapori Perduti 🏡 AC 🛱 VISA ⑩ 🍴

via Principe di Belmonte 32 ⊠ 90139 – 𝒞 091 32 73 87 – saporiperduti@libero.it
– Fax 091 32 73 87 – chiuso lunedì
Rist – Carta 40/52 €

♦ Ovunque, in sala, un pizzico di design moderno; qualche licenza di fantasia anche in cucina dove, accanto ai piatti della tradizione si trovano creazioni originali semplici ma gustose.

XX Osteria dei Vespri 🏡 AC 🛱 VISA ⑩ AE ⓪ 🍴

piazza Croce dei Vespri 6 ⊠ 90133 – 𝒞 09 16 17 16 31 – www.osteriadeivespri.it
– osteriadeivespri@libero.it – Fax 09 16 16 08 12 – chiuso 1 settimana in febbraio e domenica BY**a**
Rist – Menu 50 € – Carta 52/72 € 🍴

♦ Uno dei saloni è stato immortalato in una storica pellicola cinematografica; anche la cucina è immutata, sempre al passo coi tempi, con proposte moderne a partire da prodotti locali.

X Trattoria Biondo AC 🛱 VISA ⑩ AE 🍴

via Carducci 15 ⊠ 90141 – 𝒞 091 58 36 62 – trattoriabiondo.pa@virgilio.it
– Fax 09 16 09 15 83 – chiuso dal 10 agosto al 10 settembre e mercoledì
Rist – Carta 31/40 € (+10 %) AX**a**

♦ Semplice e accogliente trattoria nei pressi del teatro Politeama. La cucina parla siciliano, con poca fantasia e, ovviamente, molto pesce. In stagione, piatti a base di funghi.

a Borgo Molara per ③ : 8 km – ⊠ 90100 – Palermo

🏠 Baglio Conca d'Oro 🏡 📶 ⛵ cam, AC ⇄ 🛱 ⁽⁰⁾ 🦶 P VISA ⑩ AE ⓪ 🍴

via Aquino 19 c/d – 𝒞 09 16 40 62 86
– www.baglioconcadoro.com – hotelbaglio@libero.it – Fax 09 16 40 87 42
27 cam 🍴 – †115/140 € ††170/195 € – ½ P 117/130 €
Rist – *(chiuso a mezzogiorno)* (consigliata la prenotazione) Carta 32/43 €

♦ La grande antica corte accentra intorno a sé il passato e la memoria di questo hotel di classe e di eleganza, sorto sulle ceneri di una cartiera settecentesca. Arredi d'epoca nelle camere. Ristorante di austera raffinatezza d'altri tempi, in armonia con la struttura che lo ospita.

a Sferracavallo Nord-Ovest : 12 km – ⊠ **90148 – SFERRACAVALLO**

X **Il Delfino**　　　　　　　　　　　　　AC 🍴 VISA ◉◉ AE ᕽ
(😊)　*via Torretta 80* – 🕾 *091 53 02 82* – *ildelfino@trattoriaildeldelfino.191.it*
　– *Fax 09 16 91 42 56* – *chiuso lunedì*
Rist – Menu 25 € bc
　♦ In un villaggio di pescatori, la tavola presenta il prodotto di cui più va fiera! Una fragrante sequenza di assaggi di solo pesce e la briosa dinamicità di un locale sempre affollato.

PANAREA (Isola) – Messina – 565L27 – **Vedere Eolie (Isole)**

PANTELLERIA (Isola di)★★ – Trapani (TP) – 565Q18 – **7 442 ab.**　　　39 **A3**
📗 Italia

　🔺 Sud-Est : 4 km 🕾 0923 911398
　⛴ per Trapani – Siremar, call center 892 123
　◉ Entroterra★★ – Montagna Grande★★ Sud-Est : 13 km
　🄶 Giro dell'isola in macchina★★ e in barca★★

PANTELLERIA – Trapani (TP) – 565Q17 – ⊠ **91017**

X **La Nicchia**　　　　　　　　　　　　🇭🇳 VISA ◉◉ AE ᕽ
　a Scauri Basso – 🕾 *09 23 91 63 42* – *www.lanicchia.it* – *lanicchia@pantelleria.it*
　– *10 aprile-ottobre*
Rist – *(chiuso a mezzogiorno)* Carta 27/56 €
　♦ Un locale semplice, ma ben tenuto dove provare specialità marinare tipiche, nelle sale interne con arredi essenziali o all'esterno, sotto un delizioso pergolato.

PETRALIA SOTTANA – Palermo (PA) – 565N24 – **3 272 ab.** – ⊠ **90027**　　40 **C2**
　▶ Agrigento 118 – Caltanissetta 64 – Catania 132 – Palermo 107

in prossimità svincolo A 19 Sud : 6,5 km

⯅ **Agriturismo Monaco di Mezzo** 🍃　　🇭🇳 🍴 & AC 🍴 rist, 🌐 P
　contrada Monaco di Mezzo – 🕾 *09 34 67 39 49*　　　VISA ◉◉ AE ⓪ ᕽ
　– *www.monacodimezzo.com* – *info@monacodimezzo.com* – *Fax 09 34 67 61 14*
　9 cam ⊡ – ♦68/73 € ♦♦90/100 € – ½ P 68/73 €
Rist – *(prenotazione obbligatoria)* Menu 25 € bc/30 € bc
　♦ Un'antica masseria ristrutturata offre diversi appartamenti con cucina dall'aspetto curato. Il paesaggio si può ammirare comodamente anche dal bordo della piscina. Nel ristorante vengono proposti piatti della tradizione.

PETTINEO – Messina (ME) – 432N24 – **1 504 ab.** – alt. 553 m – ⊠ **98070**　　40 **C2**
　▶ Caltanissetta 134 – Catania 140 – Messina 140 – Palermo 100

⯅ **Casa Migliaca** 🍃　　　　　　　⇐ 🚲 🍴 P VISA ◉◉ AE ᕽ
　contrada Migliaca – 🕾 *09 21 33 67 22* – *www.casamigliaca.com* – *info@*
　casamigliaca.com – *Fax 09 21 39 11 07*
　8 cam ⊡ – ♦♦120 € – ½ P 75 €
Rist – *(chiuso a mezzogiorno) (solo per alloggiati)*
　♦ Un ex frantoio del '600, appena fuori dal paese, interamente contornato da ulivi. Una tranquillità assoluta e una vista impagabile attraverso la vallata e fino al mare.

PIANA DEGLI ALBANESI – Palermo (PA) – 565M21 – **6 180 ab.**　　　39 **B2**
– ⊠ **90037**
　▶ Caltanissetta 149 – Marsala 110 – Palermo 24 – Trapani 94

⯅ **Agriturismo Masseria Rossella** 🍃　　　⇐ 🚲 🍴 & 🄰 P
　contrada Rossella, Sud-Est :12 km – 🕾 *09 18 46 00 12*　　VISA ◉◉ AE ⓪ ᕽ
　– *www.masseria-rossella.com* – *info@masseria-rossella.com* – *Fax 09 18 46 00 12*
　– *chiuso dal 6 gennaio a febbraio*
　11 cam ⊡ – ♦75/85 € ♦♦100/140 € – ½ P 85/105 €　**Rist** – Menu 25/40 €
　♦ Tranquilla, isolata nel mezzo della campagna così come un tempo, due enormi gelsi dominano la grande corte sulla quale si affacciano le porte delle camere, semplici, con letti in ferro battuto. Il ristorante è stato realizzato negli spazi originariamente destinati ai magazzini. Cucina tradizionale casalinga.

PIAZZA ARMERINA – Enna (EN) – 565O25 – 20 760 ab. – alt. 697 m   40 C2
– ✉ 94015▯ Sicilia

▶ Caltanissetta 49 – Catania 84 – Enna 34 – Messina 181

ℹ️ via Cavour 15 ✆ 0935 680201, Fax 0935 684565

👁 Centro Storico★

🏛 Villa romana del Casale★★★ Sud-Ovest : 6 km

Gangi senza rist   📶 🅰🅒 📶 VISA 🌐 AE ① ♿
Via Gen. Ciancio 68 – ✆ 09 35 68 27 37 – www.hotelgangi.it – info@hotelgangi.it
– Fax 09 35 68 75 63
18 cam ⌑ – ♦60/80 € ♦♦80/100 €
♦ Ai piedi del centro storico, il celebre Duomo raggiungibile a piedi, la struttura è stata oggetto d'importanti lavori di ristrutturazione, che hanno ulteriormente aumentato il già buon livello di confort.

Mosaici-da Battiato   ♿ cam, 🍴 🅿 VISA 🌐
contrada Paratore Casale 11, Ovest : 3,5 km – ✆ 09 35 68 54 53
– www.hotelmosaici.com – info@hotelmosaici.com – Fax 09 35 68 54 53
23 cam – ♦40/45 € ♦♦50 €, ⌑ 5 € – ½ P 43 €   **Rist** – Carta 18/25 €
♦ In posizione strategica per chi voglia visitare i mosaici della villa romana del Casale, così come le altre bellezze della cittadina. Hotel sobrio, ordinato e funzionale. Ristorante che si è conquistato una buona fama in zona.

Al Fogher   🍴 🅿 VISA 🌐 AE ♿
strada statale 117 bis, Nord : 3 km – ✆ 09 35 68 41 23 – www.alfogher.net
– alfogher@tin.it – Fax 09 35 68 67 05 – chiuso 1 settimana in gennaio, 20 giorni in luglio, domenica sera e lunedì
Rist – Menu 60 € – Carta 39/62 € 🍴
♦ Sala piacevolmente rustica con camino che si apre a culture di ogni tipo: è la cucina del Fogher, proposte di selvaggina ma anche specialità di pesce per diventare, infine, internazionale con prodotti che arrivano da tutto il mondo in questo angolo di montagna...in Trinacria.

Trattoria la Ruota   🍴 🅿 VISA 🌐 AE ♿
contrada Casale, Ovest : 3,5 km – ✆ 09 35 68 05 42 – www.trattorialaruota.it
– info@trattorialaruota.it – Fax 09 35 68 05 42
Rist – (chiuso la sera) Carta 22/29 €
♦ A pochi metri dai resti archeologici della villa romana, un piacevole edificio con rustico porticato dove godersi una sana e genuina cucina siciliana.

PORTICELLO – Palermo – 565M22 – Vedere Santa Flavia

PORTOPALO DI CAPO PASSERO – Siracusa (SR) – 565Q27   40 D3
– 3 604 ab. – alt. 20 m – ✉ 96010▯ Sicilia

▶ Catania 121 – Palermo 325 – Ragusa 56 – Siracusa 58

Maurì 1987   🍴 🅰🅒 🍴 VISA 🌐 AE ① ♿
via Tagliamento 22 – ✆ 09 31 84 26 44 – www.mauri.1987.virgilio.it – mauri.1987@virgilio.it – Fax 09 31 84 26 44 – chiuso dal 30 ottobre al 20 novembre e martedì
Rist – Carta 31/50 €
♦ Dove il mar Ionio incontra il Tirreno, non lontano dalle limpide acque, si trova il ristorante: allegro, solare e colorato, nella gestione familiare di sempre. Piacevole sosta ittica con pizzeria serale.

RAGUSA 🅿 (RG) – 565Q26 – 71 222 ab. – alt. 498 m – ✉ 97100▯ Sicilia   40 D3
▶ Agrigento 138 – Caltanissetta 143 – Catania 104 – Palermo 267

ℹ️ via Capitano Bocchieri 33 (Ibla-Palazzo La Rocca) ✆ 0932 621421, info@ragusaturismo.com, Fax 0932 623476

👁 ≼★★ sulla città vecchia dalla strada per Siracusa – Posizione pittoresca★ – Ragusa Ibla★★ : chiesa di San Giorgio★★ – Palazzo Cosentini : balconi★ – Palazzo Nicastro★★

🏛 Modica★ : San Giorgio★★, Museo delle Arti e Tradizioni Popolari★, Facciata★ di San Pietro Sud : 15 km – Castello di Donnafugata★ Ovest : 18 km

🏠 Villa Carlotta 🍷 🍺 ♿ 🅰🅲 📶 🅿 🆅🅸🆂🅰 🆘 🅰🅴 ⓪ 🍴

*via Gandhi 3 – 𝒞 09 32 60 41 40 – www.villacarlottahotel.com – info@
villacarlottahotel.com – Fax 09 32 25 11 71*
26 cam ☐ – 👤118 € 👥158 € **Rist** *La Fenice* – Menu 40/65 € – Carta 38/52 €
♦ In una cornice di macchia mediterranea, tra carrubi e olivi secolari, l'albergo è frutto del
restauro di una fattoria dell''800: tipicità dell'architettura rurale ragusana si coniugano a
soluzioni d'arredo moderne per dar vita a camere essenziali e ben equipaggiate. A *La
Fenice*, cucina creativa ed elaborata.

✗✗ Baglio la Pergola 🍴 ♿ 🅰🅲 🍽 🔄 🅿 🆅🅸🆂🅰 🆘 🅰🅴 ⓪ 🍴

*contrada Selvaggio, zona stadio – 𝒞 09 32 68 64 30 – www.baglio.it – info@
baglio.it – Fax 09 32 66 80 39 – chiuso dal 7 al 21 gennaio e martedì*
Rist – *(chiuso a mezzogiorno in agosto)* Carta 25/47 € 🏵
♦ Un antico baglio che è stato trasformato in un locale di sobria e contenuta eleganza.
Tavoli estivi sotto l'ampio porticato, ampia carta dei vini, servizio pizzeria serale.

verso Marina di Ragusa Sud-Ovest : 14 km :

🏠 Eremo della Giubiliana 🍷 🚗 🍴 🍺 ♿ 🅰🅲 🕻 🅿

contrada Giubiliana ✉ 97100 Ragusa 🆅🅸🆂🅰 🆘 🅰🅴 ⓪ 🍴
*– 𝒞 09 32 66 91 19 – www.eremodellagiubiliana.com – info@
eremodellagiubiliana.com – Fax 09 32 66 91 29 – chiuso dal 12 gennaio all'8
febbraio*
18 cam ☐ – 👤163/217 € 👥275/385 € – 6 suites – ½ P 207/263 €
Rist – *(chiuso a mezzogiorno)* Carta 39/63 €
♦ Antico monastero, dove la sobria e misurata eleganza ne rispetta le antiche funzioni;
ricercati arredi d'epoca, fontana araba e lussureggiante giardino si alleano per riproporre
l'atmosfera incantata de *Le Mille e una Notte*. Al ristorante, raffinata cucina dell'aristocrazia
terriera dell'altipiano ragusano.

IBLA

🏠 Il Barocco senza rist 🍷 🛗 ♿ 🅰🅲 🕻 🆅🅸🆂🅰 🆘 🅰🅴 ⓪ 🍴

*via S. Maria La Nuova 1 – 𝒞 09 32 66 31 05 – www.ilbarocco.it – info@ilbarocco.it
– Fax 09 32 22 89 13*
14 cam ☐ – 👤50/75 € 👥80/100 €
♦ Verso i giardini Iblei, gestione familiare per questa *ex* falegnameria riconvertita in
albergo. Dipinti dei tesori artistici locali alle pareti e camere classiche, in ottimo stato, che
si snodano attorno ad una piccola corte con lucernaio.

🏠 Palazzo degli Archi ◁ 🅰🅲 🍽 rist. 🆅🅸🆂🅰 🆘 🅰🅴 🍴

*corso Don Minzoni 6 – 𝒞 09 32 68 60 21 – www.hotelpalazzodegliarchi.it
– info@hotelpalazzodegliarchi.it – Fax 09 32 68 56 02*
10 cam ☐ – 👤55/70 € 👥80/100 € – ½ P 60/75 €
Rist *Palazzo degli Archi* – Carta 26/38 €
♦ Nella parte bassa di Ibla, la struttura beneficia di una posizione panoramica, lungo la
curva che costeggia come un'ansa il centro storico. Palazzo d'epoca, sgargiante nel color
porpora, dispone di belle camere impreziosite da pavimenti d'inizio '900.

🏠 Locanda Don Serafino 🅰🅲 🍽 🕻 🆅🅸🆂🅰 🆘 🅰🅴 ⓪ 🍴

*via XI Febbraio 15 – 𝒞 09 32 22 00 65 – www.locandadonserafino.it – info@
locandadonserafino.it – Fax 09 32 66 31 86*
10 cam ☐ – 👤90/165 € 👥148/205 €
Rist Locanda Don Serafino – vedere selezione ristoranti
♦ Piccola bomboniera all'ingresso di Ibla, ambienti scavati nella pietra ma dotati di
moderni confort. Fascino e particolarità suppliscono agli spazi comuni un po' limitati.

🏠 Caelum Hyblae senza rist 🍷 ◁ 🍽

*Salita Specula 11 – 𝒞 09 32 22 04 02 – www.bbcaelumhyblae.it – info@
bbcaelumhyblae.it – chiuso novembre*
5 cam ☐ – 👤80/95 € 👥100/115 €
♦ La struttura, splendidamente affacciata sulla cupola del Duomo e monti Iblei,
vanta interni che declinano testimonianze e materiali d'epoca con moderni accessori.
Curiosità: in passato, fu abitata da un astronomo che ispirò *T. di Lampedusa* nel delineare
il personaggio di *Salina* (e la sua passione per le stelle).

⌂ **Palazzo Castro al Duomo** senza rist   ← 🛗 📶 🆅🅸🆂🅰 ⓶ 🅰🅴 ⓪ ♿
p.zza Duomo 2 – ☎ 09 32 62 18 87 – www.palazzocastro.it – palazzocastro@
virgilio.it
5 cam 🍴 – †60/70 € ††95/110 €
♦ In un antico palazzo dalla facciata austera ed aristocratica, la struttura coniuga l'atmosfera signorile dell'edificio ad una gestione calorosamente familiare. Diversi arredi d'epoca
punteggiano saloni e camere. Bellissime, le terrazze-giardino con vista sul Duomo e monti
Iblei.

🍴🍴🍴 **Duomo** (Ciccio Sultano)   🆔 ✦ 🆅🅸🆂🅰 ⓶ 🅰🅴 ⓪ ♿
🌸🌸 via Cap. Bocchieri 31 – ☎ 09 32 65 12 65 – www.ristoranteduomo.it – info@
ristoranteduomo.it – Fax 09 32 65 12 65 – chiuso 10 giorni in gennaio, 10 giorni in
luglio, dal 19 al 29 novembre, domenica e lunedì a mezzogiorno da maggio a
settembre (in agosto chiuso solo i mezzogiorno di lunedì, giovedì e domenica),
domenica sera e lunedì negli altri mesi.
Rist – Carta 75/101 € 🍽
Spec. Spaghetti neri impastati con sugo di seppia, molluschi e crostacei. Triglia
maggiore su finta pizza, una doppia bufala! Gelo al caffè e cioccolato con
panna montata e gelato al cardamomo.
♦ Nel 1693 un terremoto sconvolge Ragusa: nasce il barocco. Oggi un sisma, di natura
gastronomica, dà vita ad una cucina che mette al bando semplicità e minimalismi per
creare piatti compositi e seducenti: barocchi per l'appunto! Scrigno di raffinatezza, tra
carta da parati stile inglese e arredi d'epoca siciliani.

🍴🍴 **Locanda Don Serafino** (Vincenzo Candiano)   🏠 🆔 ✦
🌸 via Orfanatrofio 39 – ☎ 09 32 24 87 78   🆅🅸🆂🅰 ⓶ 🅰🅴 ⓪ ♿
– www.locandadonserafino.it – info@locandadonserafino.it – Fax 09 32 24 87 78
– chiuso 2 settimane in novembre, 2 settimane in gennaio e martedì
Rist – Menu 80 € – Carta 55/75 € 🍽
Spec. Coniglio alla stimpirata. Spaghetti freschi al nero con ricci, ricotta e seppie. Assaggiando la carruba: da un frutto quattro dolci.
♦ Sotto archi e pietre a vista, le salette sono tre, di cui una in cantina tra le mille etichette
di vini. La cucina è quella di un giovane talentuoso chef che reinterpreta i sapori della tradizione isolana.

🍴 **U' Saracinu**   🏠 🍽 🆅🅸🆂🅰 ⓶ 🅰🅴 ⓪ ♿
🍴 via del Convento 9 – ☎ 09 32 24 69 76 – Fax 09 32 24 69 76 – chiuso domenica
Rist – Carta 21/30 €
♦ Nel centro storico della località, la trattoria mantiene inalterato il sapore dell'autentica e
calorosa accoglienza isolana. Specialità ragusane e pesce.

RAGUSA (Marina di) – Ragusa (RG) – 565Q25 – ✉ 97010   **40 C3**
  ◧ Agrigento 156 – Caltanissetta 140 – Catania 126 – Ragusa 24

🍴 **Da Serafino**   ← 🏠 🆅🅸🆂🅰 ⓶ 🅰🅴 ⓪ ♿
lungomare Doria – ☎ 09 32 23 95 22 – www.locandadonserafino.it – info@
locandadonserafino.it – Fax 09 32 23 95 22 – aprile-15 ottobre
Rist – Carta 31/49 €
♦ La classica trattoria di mare, semplice ma estremamente corretta nella preparazione di
una salda cucina del territorio. Oltre al servizio ristorante c'è anche la pizzeria.

RANDAZZO – Catania (CT) – 565N26 – **11 302 ab.** – **alt. 754 m**   **40 D2**
– ✉ 95036 Sicilia
  ◧ Catania 69 – Caltanissetta 133 – Messina 88 – Taormina 45
  ◉ Centro Storico★

⌂ **Scrivano**   🛗 ♿ 🆔 🕻 🅿 🆅🅸🆂🅰 ⓶ 🅰🅴 ⓪ ♿
via Bonaventura – ☎ 095 92 14 33 – www.hotelscrivano.com – info@
hotelscrivano.com – Fax 095 92 11 26
30 cam 🍴 – †40/50 € ††75/85 € – ½ P 50/60 €   **Rist** – Carta 18/36 €
♦ All'ingresso del paese, piccola struttura dalla valida conduzione familiare, cresciuta nel
tempo. Camere semplici e ristorazione all'insegna dell'entroterra catanese.

⌂ **Agriturismo L'Antica Vigna** ⚘   ≤ 🚗 🏡 ⅃ ✕ ❀ **P**
località la Monteguardia, Est : 3 km – ℰ *34 94 02 29 02* – *www.anticavigna.it*
– *info@anticavigna.it* – *Fax 095 92 33 24* – *chiuso dal 10 gennaio al 10 febbraio*
10 cam ⌂ – †40/50 € ††70/100 € – ½ P 55/65 €   **Rist** – Menu 25/30 €
♦ Nell'incantevole contesto del parco naturale dell'Etna, una risorsa che consente di
vivere appieno una rustica e familiare atmosfera bucolica, tra vigneti e ulivi. Tra cotto,
paglia e legno, la cucina tipica siciliana.

✕✕ **Veneziano**   🚗 🏡 ⅃ 🅰️🅲 ❀ 𝖵𝖨𝖲𝖠 ⓪ 🅰🅴 ⓪ 🖐
🍝 *contrada Arena, strada statale 120 km 187, Est: 2 km* – ℰ *09 57 99 13 53*
– *www.ristoranteveneziano.it* – *info@ristoranteveneziano.it* – *Fax 09 57 99 13 53*
– *chiuso lunedì*
Rist – Carta 19/28 €
♦ Sono i funghi i padroni assoluti della cucina, che qui, alle pendici dell'Etna, si trovano
con facilità. Piatti della tradizione, quindi, e un servizio familiare serio ed efficiente.

ROSOLINI – Siracusa (SR) – 565Q26 – **20 834 ab.** – ✉ 96019   40 D3

✕✕ **Locanda del Borgo**   🅰️🅲 𝖵𝖨𝖲𝖠 ⓪ 🅰🅴 ⓪ 🖐
via Controscieri 11 – ℰ *09 31 85 05 14* – *www.locandadelborgo.net*
– *giovanni.alfa@locandadelborgo.net* – *Fax 09 31 85 71 55*
Rist – *(chiuso domenica sera e lunedì)* Menu 30/50 € – Carta 39/45 €
♦ All'interno di una sala, un tempo parte di un palazzo principesco del XVIII sec., un giovane ed abile cuoco rielabora con spunti creativi i migliori prodotti e le più antiche ricette
isolane.

SALINA (Isola) – Messina – 565L26 – **Vedere Eolie (Isole)**

SAN GIOVANNI LA PUNTA – Catania (CT) – 565O27 – **20 263 ab.**   40 D2
– alt. 355 m – ✉ 95037
🚗 Catania 10 – Enna 92 – Messina 95 – Siracusa 75

🏨 **Villa Paradiso dell'Etna**   🛋 🏡 ⅃ 🐾 🏋️|🧖|🛗 🅰️🅲 ⇋ ❀ 🌐 ⅍ **P**
via per Viagrande 37 – ℰ *09 57 51 24 09*   𝖵𝖨𝖲𝖠 ⓪ 🅰🅴 ⓪ 🖐
– *www.paradisoetna.it* – *hotelvilla@paradisoetna.it* – *Fax 09 57 41 38 61*
30 cam ⌂ – †144/180 € ††216/270 € – 4 suites – ½ P 141/168 €
Rist *La Pigna* – Carta 36/50 €
♦ Le mura ne avrebbero di storie da raccontare… durante la II guerra mondiale l'edificio
fu requisito da Rommel, che lo scelse come centro operativo dell'esercito tedesco e poi
come ospedale militare. Oggi, i più moderni standard di confort si intrecciano con gli
aspetti un po' retrò di un'elegante villa d'epoca.

🏨 **Garden** ⚘   🚗 🏡 ⅃ 🍴 🅰️🅲 ❀ 🌐 ⅍ 🏋️ **P** 𝖵𝖨𝖲𝖠 ⓪ 🅰🅴 ⓪ 🖐
via Madonna delle Lacrime 12/b, località Trappeto, Sud : 1 km ✉ 95030 Trappeto
– ℰ *09 57 17 77 67* – *www.gardenhotel.ct.it* – *info@gardenhotel.ct.it*
– *Fax 09 57 17 79 91*
95 cam ⌂ – †63/112 € ††82/147 € – ½ P 83/129 €
Rist *La Vecchia Quercia* – Carta 32/46 €
♦ Circondato da una folta vegetazione tropicale, che conferisce originalità alla struttura,
l'hotel propone spazi ampi e camere confortevoli. La raffinatezza della struttura si esprime
anche nei pregiatissimi pezzi di antiquariato che arredano sale e corridoi.

✕✕ **Giardino di Bacco**   🚗 🏡 ⅍ 🅰️🅲 ❀ ⇋ 𝖵𝖨𝖲𝖠 ⓪ 🅰🅴 🖐
via Piave 3 – ℰ *09 57 51 27 27* – *giafrdinodibacco@alice.it* – *Fax 09 57 51 27 27*
– *chiuso lunedì*
Rist – *(chiuso a mezzogiorno escluso giorni festivi)* Carta 33/53 €
♦ Una volta la dimora del custode di una sontuosa villa, oggi un locale che unisce eleganza e tipicità tanto nell'ambiente, quanto nelle proposte. Servizio estivo in giardino.

SAN LEONE – Agrigento – 565P22 – **Vedere Agrigento**

SAN MICHELE DI GANZARIA – Catania (CT) – 565P25 – **4 457 ab.**   40 C2
– alt. 450 m – ✉ 95040
🚗 Agrigento 120 – Catania 88 – Caltagirone 15 – Ragusa 78

Pomara � ⊲ ⏋ ▣ ⚎ ▥ 𝄢 Ⓟ VISA ⚙ AE ① ♿

via Vittorio Veneto 84 – ✆ 09 33 97 69 76 – www.hotelpomara.com – info@
hotelpomara.com – Fax 09 33 97 70 90
40 cam ☒ – †60/70 € – ††90/100 € – ½ P 60/70 €
Rist Pomara – ✆ 09 33 97 80 32 – Carta 18/26 €
♦ In paese, albergo moderno a vocazione commerciale con camere accoglienti e funzionali: optare per quelle con vista. Piatti che profumano di "Sicilia" vi aspettano al Pomara.

sulla strada statale 117 Bis km 60 Ovest: 4 km :

Agriturismo Gigliotto ⚘ ⚹ 𝄢 ⏋ ▥ 𝄢 rist, ▤ Ⓟ

contrada Gigliotto ⊠ 94015 Piazza Armerina VISA ⚙ ♿
– ✆ 09 33 97 08 98 – www.gigliotto.com – gigliotto@gigliotto.com
– Fax 09 33 97 92 34
14 cam ☒ – †70/80 € ††80/100 € – ½ P 70/80 €
Rist – Carta 20/30 €
♦ In origine monastero, per secoli masseria con suggestivo baglio, in favolosa posizione
collinare tra gli immancabili fichi d'india e grandi cactus. Camere sobrie, arredate in arte
povera. E' la cucina siciliana a trionfare, sotto un'impressionante successione di archi,
nella sala ristorante.

SANTA FLAVIA – Palermo (PA) – 565M22 – **9 995 ab.** – ⊠ 90017   39 **B2**
▶ Agrigento 130 – Caltanissetta 116 – Catania 197 – Messina 223
◉ Rovine di Solunto★ : ⋖★★ dalla cima del colle Nord-Ovest : 2,5 km
– Sculture★ di Villa Palagonia a Bagheria Sud-Ovest : 2,5 km

zona archeologica di Solunto Nord-Ovest : 1 km :

⚒ **La Grotta** ⋖ 𝄢 ▥ 𝄢 Ⓟ VISA ⚙ AE ♿

⊠ 90017 – ✆ 091 90 32 13 – www.solunto.com – f.llibalistreri@solunto.it
– Fax 091 90 54 26 – chiuso dall'8 al 31 gennaio, mercoledì e a mezzogiorno
(escluso i giorni festivi)
Rist – Carta 31/49 €
♦ Lungo la breve salita che porta ai rinomati scavi archeologici, spettacolare la terrazza
panoramica affacciata sul golfo. La cucina propone specialità di mare e pizze.

a Porticello Nord-Est : 1 km – ⊠ 90010

⚒⚒ **Al Faro Verde da Benito** 𝄢 𝄢 VISA ⚙ AE ① ♿

largo San Nicolicchia 14 – ✆ 091 95 79 77 – www.faroverde.it
– balistreri.maurizio@alice.it – Fax 091 94 73 42 – chiuso novembre e martedì
Rist – Carta 34/48 € ⅜ (+10 %)
♦ Ovviamente pesce, preparato in maniera davvero semplice eppure gustosa, da accom-
pagnarsi con eccellenti vini locali. Servizio estivo all'aperto, le onde del mare lì accanto.

a Sant'Elia Nord-Est : 2 km – ⊠ 90017

Kafara ⚘ ⋖ 𝄢 𝄢 ⏋ ⚎ ▥ 𝄢 rist, 𝄢 ▤ Ⓟ VISA ⚙ AE ① ♿

litoranea Mongerbano 18 – ✆ 091 95 73 71 – www.kafarahotel.it – kafara@
kafarahotel.it – Fax 091 95 70 21
66 cam ☒ – †86/115 € ††140/190 € – ½ P 100/121 €
Rist – (aprile-ottobre) Carta 36/66 € (+10 %)
♦ Hotel dai grandi spazi esterni che scendono verso il mare, tra questi le due piscine: la
prima, suggestiva, con acqua di mare, l'altra, panoramica, tra terrazze fiorite. Cucina d'albergo non della tradizione siciliana, ma che risente degli influssi più vari. Diversi spazi
all'aperto, con vista.

SANTA TECLA – Catania – 565O27 – **Vedere Acireale**

SANT'ELIA – Palermo – 565N25 – **Vedere Santa Flavia**

SAN VITO LO CAPO – Trapani (TP) – 565M20 – **3 973 ab.** – ⊠ 91010   39 **A2**
▌ Sicilia
▶ Palermo 108 – Trapani 38
🄸 via Savoia 57 ✆ 0923 972464

🏠 Capo San Vito ← 🖼 🕅 🗐 ⛁ rist, 🗚 (🕪) 𝘝𝘐𝘚𝘈 ⓸ 🦶

via San Vito 1 – ℰ 09 23 97 21 22 – www.caposanvito.it – hotel@caposanvito.it
– Fax 09 23 97 25 59 – marzo-dicembre
35 cam ⊑ – 📱126/240 € 📱📱140/270 € – ½ P 100/165 €
Rist *Jacaranda* – *(chiuso dal 1° al 15 marzo)* Carta 37/57 €

♦ Direttamente sulla spiaggia, dispone anche di uno spazio in cui si effettuano trattamenti benessere e massaggi. Eleganti le camere, molte delle quali con vista sul mare.
Nella suggestione notturna della luce del faro sullo sfondo, prendete posto in sala oppure
fuori, a bordo spiaggia.

🏠 Mediterraneo ⛁ cam, 🗚 ⅀ rist, (🕪) 🚗 𝘝𝘐𝘚𝘈 ⓸ 🆀 ⓪ 🦶

via Generale Arimondi 61 – ℰ 09 23 62 10 62 – www.hotelmediterraneoTP.com
– medimare@libero.it – Fax 09 23 62 10 61 – chiuso novembre
16 cam ⊑ – 📱50/130 € 📱📱70/160 € – ½ P 55/100 €
Rist – *(solo per alloggiati)* Menu 20 €

♦ A un centinaio di metri dal mare, elegante risorsa dalla gestione familiare dagli
ambienti arredati con gusto vagamente nord africano, pavimenti in marmo e mobili d'antiquariato.

🏠 Ghibli 🖼 🗐 ⛁ rist, 🗚 ⅀ (🕪) 🅿 𝘝𝘐𝘚𝘈 ⓸ 🆀 🦶

via Regina Margherita 80 – ℰ 09 23 97 41 55 – www.ghiblihotel.it – info@
ghiblihotel.it – Fax 09 23 62 15 66
17 cam ⊑ – 📱35/115 € 📱📱70/200 € – ½ P 55/130 €
Rist *I Profumi del Cous Cous* – *(aprile-ottobre)* Carta 28/58 €

♦ Grande attenzione è stata conferita alla scelta dell'arredo delle camere che presentano
mobili d'epoca in stile liberty, tutti siciliani. Fresca corte interna e gestione professionale.
Elegante il ristorante, piacevole il dehors. Soffermatevi a gustare le specialità regionali, un
occhio di riguardo per il cous cous!

🏠 Vento del Sud senza rist 🗚 ⅀ (🕪) 𝘝𝘐𝘚𝘈 ⓸ 🆀 ⓪ 🦶

via Duca Degli Abruzzi 183 – ℰ 09 23 62 14 50 – www.hotelventodelsud.it
– hotelventodelsud@libero.it – Fax 09 23 97 44 78
9 cam ⊑ – 📱40/90 € 📱📱65/125 €

♦ Albergo recente a conduzione familiare, ricco di influenze orientaleggianti tanto nello
stile degli arredi quanto nelle decorazioni. Piccolo e semplice gioiello di charme.

🏠 Halimeda senza rist ⛁ 🗚 ⅀ 𝘝𝘐𝘚𝘈 ⓸ 🆀 ⓪ 🦶

via Generale Arimondi 100 – ℰ 09 23 97 23 99 – www.hotelhalimeda.com – info@
hotelhalimeda.com – Fax 09 23 62 17 57
9 cam – 📱35/52 € 📱📱50/105 €, ⊑ 8 €

♦ Accogliente e originale, a pochi metri dal mare, ad ogni camera è stato attribuito un
nome che ha ispirato lo stile dell'arredamento: un viaggio tra i cinque continenti.

🏠 Egitarso ← 🖼 ⛁ cam, 🗚 ⅀ rist, (🕪) 🚗 𝘝𝘐𝘚𝘈 ⓸ 🆀 ⓪ 🦶

via lungomare 54 – ℰ 09 23 97 21 11 – www.hotelegitarso.it – info@
hotelegitarso.it – Fax 09 23 97 20 62
42 cam ⊑ – 📱40/100 € 📱📱70/160 € – ½ P 55/105 €
Rist – Carta 17/30 € (+15 %)

♦ Solo spiaggia, mare e una rilassata atmosfera familiare per il vostro soggiorno?
Sobrio, con belle camere all'insegna della funzionalità, l'hotel dispone anche di una una
dependance poco distante. Fresca ed accogliente la sala da pranzo, dove gustare una
cucina regionale.

🏠 Mira Spiaggia ← 🖼 🗐 🚶 🗚 cam, (🕪) 🚗 𝘝𝘐𝘚𝘈 ⓸ 🆀 ⓪ 🦶

via lungomare 6 – ℰ 09 23 97 23 55 – www.miraspiaggia.it – hotel@
miraspiaggia.it – Fax 09 23 97 22 63 – marzo-novembre
37 cam ⊑ – 📱70/150 € 📱📱90/200 € – ½ P 100/130 €
Rist – Carta 24/41 € (+10 %)

♦ E' sufficiente attraversare la strada (in estate a traffico limitato) e il mare è subito lì,
pronto ad accogliere chi desidera risvegliarsi al placido fragore delle onde. Simpatica
gestione familiare. Ristorante con cucina d'albergo semplice e appetitosa.

🏠 L'Agave senza rist ⛁ 🗚 ⅀ (🕪) 𝘝𝘐𝘚𝘈 ⓸ 🦶

via Nino Bixio 35 – ℰ 09 23 62 10 88 – www.lagave.net – lagavevito@libero.it
– Fax 09 23 62 15 38 – chiuso novembre
12 cam ⊑ – 📱35/115 € 📱📱56/130 €

♦ Recente affittacamere gestito con formula alberghiera, dispone di camere semplici e
nuove, molte familiari; al piano superiore la terrazza per le colazioni. Accanto, il piccolo
centro estetico.

✕✕ **Tha'am** con cam   🛋 AC ✕ VISA ⬤ ① ⚡

via Duca degli Abruzzi 32 – ℰ 09 23 97 28 36 – althaam@libero.it
– Fax 09 23 97 28 36 – chiuso gennaio
4 cam ⚏ – ♦50/120 € ♦♦60/130 €
Rist *– (chiuso da novembre a marzo e mercoledì escluso da giugno a settembre)*
Carta 35/45 €
♦ Ceramiche colorate, lampade e illuminazioni di gusto orientaleggiante: la Sicilia incontra le tendenze arabe per culminare in una cucina mediterranea dalle specialità tunisine. Curate e ricche di dettagli, le camere sono tutte graziose e della stessa atmosfera arabeggiante.

✕ **Da Alfredo**   ← 🛋 🛋 P VISA ⬤ AE ① ⚡

contrada Valanga 3, Sud : 1 km – ℰ 09 23 97 23 66 – Fax 09 23 62 17 08 – chiuso dal 20 ottobre al 20 novembre e lunedì, anche a mezzogiorno in luglio
Rist – Carta 25/42 €
♦ La gestione è familiare e molto simpatica, a partire proprio da Alfredo che si occupa della cucina: saporita e siciliana, da provare le paste fatte in casa. Servizio estivo sotto il pergolato.

✕ **Gna' Sara**   🛋 AC ✕ VISA ⬤ AE ① ⚡

via Duca degli Abruzzi 6 – ℰ 09 23 97 21 00 – www.gnasara.com
– trattoriagnasara@tin.it – Fax 09 23 97 21 00 – chiuso dicembre e gennaio
Rist – Carta 28/43 €
♦ Lungo la strada parallela al corso principale, un locale sobrio e affollato per riscoprire i piatti della tradizione locale, tra cui le busiate fatte a mano, e pizze.

SCIACCA – Agrigento (AG) – 565O21 – 40 758 ab. – alt. 60 m – ⊠ 92019   39 **B2**
▌Sicilia

▶ Agrigento 63 – Catania 230 – Marsala 71 – Messina 327
🄸 via Vittorio Emanuele 84 ℰ 0925 84121, info@aziendaturismosciacca.it, Fax 0925 84121
◉ Palazzo Scaglione★

🏠 **Villa Palocla** ⌇   🛋 🛋 🗻 ⅄ AC ✕ ⌇ P VISA ⬤ AE ① ⚡

contrada Raganella, Ovest : 4 km – ℰ 09 25 90 28 12 – www.villapalocla.it
– info@villapalocla.it – Fax 09 25 90 28 12 – chiuso dal 1° al 15 novembre
8 cam ⚏ – ♦70/90 € ♦♦115/150 € – ½ P 80/121 €
Rist – Carta 35/45 € (+10 %)
♦ All'interno di un edificio in stile tardo barocco le cui origini risalgono al 1750, caratteristico hotel avvolto da un giardino-agrumeto in cui trova posto anche la piscina. Al ristorante per gustare una saporita cucina di mare.

🏠 **Locanda del Moro**   AC ⠶⠶ VISA ⬤ AE ① ⚡

via Liguori 44 – ℰ 092 58 67 56 – www.almoro.com – almorosciacca@libero.it
– Fax 092 58 67 56
10 cam ⚏ – ♦55/65 € ♦♦75/95 €
Rist Hostaria del Vicolo – vedere selezione ristoranti
♦ In pieno centro storico, dopo alcuni anni di lavoro, ha visto finalmente la luce questo piacevole bed and breakfast dotato di una decina di camere graziose e confortevoli.

✕✕ **Hostaria del Vicolo**   AC VISA ⬤ AE ① ⚡

vicolo Sammaritano 10 – ℰ 092 52 30 71 – www.hostariadelvicolo.com
– ninobentivegna@hostariadelvicolo.com – Fax 092 52 30 71
– chiuso dal 10 al 26 novembre e lunedì
Rist – Menu 45 € – Carta 32/47 € ⅋
♦ Siamo in pieno centro storico e questo è un locale raccolto, accogliente e personalizzato. In cucina ci si ispira alla tradizione, rielaborata però con seducente fantasia.

SCICLI – Ragusa (RG) – 565Q26 – 25 669 ab. – ⊠ 97018   40 **D3**
▶ Palermo 271 – Ragusa 32 – Catania 137 – Siracusa 83

🏠 **Novecento** senza rist   AC ✕ ⠶⠶ VISA ⬤ AE ① ⚡

via Dupré 11 – ℰ 09 32 84 38 17 – www.hotel900.it – info@hotel900.it
– Fax 09 32 93 28 18
7 cam – ♦75/100 € ♦♦110/150 €
♦ Nel cuore del centro storico barocco, un palazzo d'epoca con diversi soffitti affrescati, ma dagli interni inaspettatamente moderni e piacevoli.

SCOPELLO – Trapani (TP) – 565M20 – **alt. 106 m** – ✉ **91014**   39 **B2**
> ▶ Marsala 63 – Palermo 71 – Trapani 36

⌂ **Tranchina** ॐ   ⚡ 🌐 📶 VISA ⬢ AE 🔑
via A. Diaz 7 – ℰ *09 24 54 10 99* – *www.pensionetranchina.com*
– *pensione.tranchina@gmail.com* – *Fax 09 24 54 12 32*
10 cam ⊐ – ♦55/70 € ♦♦76/100 € – ½ P 57/73 €
Rist – *(chiuso a mezzogiorno) (solo per alloggiati)* Menu 19/25 €
♦ Graziosa pensione dagli ambienti estremamente sobri e dall'accoglienza cordiale nel cuore del piccolo caratteristico paese. Lei, cinese, si occupa soprattutto delle camere. Il patron, siciliano, è l'anima e l'estro della buona tavola.

⌂ **Agriturismo Tenute Plaia**   🏡 🔑 cam, AC cam, ⚡ 📶 P
contrada Scopello 3 – ℰ *09 24 54 14 76*   VISA ⬢ AE 🔑
– *www.plaiavini.com* – *info@plaiavini.com* – *Fax 09 24 54 14 76* – *7 dicembre-7 gennaio e 14 marzo-7 novembre*
10 cam ⊐ – ♦79/84 € ♦♦120/130 € – ½ P 80/85 €
Rist – *(chiuso a mezzogiorno escluso agosto)* (consigliata la prenotazione) Menu 22/32 €
♦ Costruita attorno ad una piccola corte interna, la struttura è gestita da una famiglia di imprenditori vinicoli. Semplici e accoglienti le camere con letti in ferro battuto e decorazioni floreali. Cucina tipica siciliana preparata con i prodotti dell'azienda agricola stessa e una particolare attenzione per il vino.

SEGESTA – Trapani – 565N20 – **alt. 318 m** 📗 Sicilia
> 📷 Rovine★★★ – Tempio★★★ – ≤★★ dalla strada per il Teatro – Teatro★

SELINUNTE – Trapani (TP) – 565O20 📗 Sicilia   39 **B2**
> ▶ Agrigento 102 – Catania 269 – Messina 344 – Palermo 114
> 🛈 ingresso Parco Archeologico ℰ 0924 46251, aptselinunte@micso.net
> 📷 Rovine★★
> 🄶 Cave di Cusa★

a Marinella Sud : 1 km – ✉ **91022**

🏨 **Admeto**   🛗 AC 📶 🚗 VISA ⬢ AE ⓪ 🔑
via Palinuro 3 – ℰ *092 44 67 96* – *www.hoteladmeto.it* – *info@hoteladmeto.it*
– *Fax 09 24 94 10 55*
56 cam ⊐ – ♦68/95 € ♦♦98/200 € – ½ P 67/120 €
Rist – *(chiuso lunedì) (chiuso a mezzogiorno da novembre a febbraio)*
Carta 20/51 € (+10 %)
♦ Fronte mare, un candido edificio ospita camere moderne ed essenziali con panoramica sala colazione sul celebre tempio greco.

⌂ **Sicilia Cuore Mio** senza rist   🚗 ⚡ P VISA ⬢ AE ⓪ 🔑
via della Cittadella 44 – ℰ *092 44 60 77* – *www.siciliacuoremio.it* – *aldopera@yahoo.it* – *Fax 092 44 60 77* – *marzo-novembre*
6 cam ⊐ – ♦40/65 € ♦♦65/95 €
♦ Ubicato nella zona residenziale di Marinella, un villino circondato da un grazioso giardino e dotato di camere in stile tipicamente mediterraneo. Un'ottima prima colazione.

SFERRACAVALLO – Palermo – 565M21 – **Vedere Palermo**

SICULIANA – Agrigento (AG) – 565O22 – **4 700 ab.** – **alt. 85 m**   39 **B2**
– ✉ **92010**
> ▶ Agrigento 19 – Palermo 124 – Sciacca 43

🏨 **Villa Sikania**   🚗 🏊 🛗 🔑 cam, AC ♨ ⚡ rist, 📞 🧖 P
strada statale 115 – ℰ *09 22 81 78 18*   VISA ⬢ AE ⓪ 🔑
– *www.villasikania.com* – *info@villasikania.com* – *Fax 09 22 81 57 51*
42 cam ⊐ – ♦♦140 € – ½ P 85 €
Rist – *(chiuso a mezzogiorno escluso i giorni festivi da luglio ad ottobre)*
Carta 19/29 €
♦ Ubicato in comoda posizione per i turisti, lungo la strada statale, hotel di recente costruzione, che offre un confort ideale soprattutto per la clientela d'affari. Valido riferimento per ritemprarsi con un buon pasto.

✗ **La Scogliera** 🛋 🅰️🄲 ❄️ 🆅🅸🆂🅰 ⓧ 🄰🄴 ⓞ ⅏

via San Pietro 54, a Siciliana Marina – ✆ 09 22 81 75 32
– www.ristorantelascogliera.com – chiuso dal 14 dicembre al 13 febbraio,
domenica sera e lunedì (escluso da maggio a ottobre)
Rist – Carta 26/46 €
♦ Al termine di una frazione, su una splendida spiaggia, un bel locale che propone una
squisita cucina di mare.

SINAGRA – Messina (ME) – 565M26 – **2 944 ab.** – alt. 300 m – ✉ 98069   40 **D2**
▶ Catania 107 – Messina 89 – Palermo 165 – Taormina 85

✗ **Trattoria da Angelo** ⋖ 🛋 🄰🄲 ❄️ 🅿️ 🆅🅸🆂🅰 ⓧ 🄰🄴 ⓞ ⅏
😊😊
strada principale 139 per Ucria, Sud : 2 km – ✆ 09 41 59 44 33
😊 *– www.angeloborrello.com – borrello.Ang87@virgilio.it – Fax 09 41 59 44 33*
– chiuso dal 7 al 14 gennaio e lunedì
Rist – Carta 20/25 €
♦ Distensivo e indimenticabile il pranzo in veranda: intorno a voi l'intera vallata, al suo
centro un antico torchio per le olive, sul vostro piatto le specialità della Sicilia.

SIRACUSA 🅿 (SR) – 565P27 – **123 022 ab.** – ✉ 96100 🏳️ Sicilia   40 **D3**
▶ Catania 59
🅸 via Maestranza 33 ✆ 0931 464256, informazioni@aatsr.it, Fax 0931 60204
◉ Zona archeologica★★★ AY : Teatro Greco★★★, Latomia del Paradiso★★★
L (Orecchio diDionisio★★★ **B**, grotta dei Cordari★★ **G**), Anfiteatro
Romano★ AY – Museo Archeologico Regionale★★ BY – Catacombe di San
Giovanni★★ BY – Latomia dei Cappuccini★★ CY – Ortigia★★ CZ :
Duomo★ **D**, Fonte Aretusa★ – Galleria Regionale di palazzo Bellomo★ CZ
– Palazzo Mergulese-Montalto★ CZ **R4**, Via della Maestranza★ CZ **18**
🄶 Passeggiata in barca sul fiume Ciane★★ Sud-Ovest : 4 h di barca (a
richiesta) o 8 km

Piante pagine 1368-1369

🏨 **Des Etrangers et Miramare** 🛋 🛋 ⅾ 🄰🄲 ❄️ 🛰️ 🅂🄰
passeggio Adorno 10/12 – ✆ 09 31 31 91 00 🆅🅸🆂🅰 ⓧ 🄰🄴 ⓞ ⅏
– www.desetrangers.it – desetrangers@amthotels.it – Fax 09 31 31 90 00
76 cam ⊑ – †80/280 € ††90/340 € – ½ P 70/250 €   CZ**h**
Rist – Carta 45/99 €
♦ Palazzo di fine '800 di gusto neoclassico con interni fastosi, mosaici e papiri. Alcune
camere "privilegiate" si affacciano sui giardini arricchiti di rarità botaniche, altre incantano
il cliente con la vista mare. Lussuose suite con arredi *liberty* e spalliere decorate in madre-
perla. Panoramico ristorante *roof-garden*.

🏨 **Grand Hotel Ortigia** 🛋 ⅾ cam, 🄰🄲 ❄️ 🛰️ 🅂🄰 🅿️ 🆅🅸🆂🅰 ⓧ 🄰🄴 ⓞ ⅏
viale Mazzini 12 – ✆ 09 31 46 46 00 – www.grandhotelsr.it – info@grandhotelsr.it
– Fax 09 31 46 46 11   CZ**c**
58 cam ⊑ – †110/200 € ††150/280 € – ½ P 130/170 €
Rist *La Terrazza sul Mare* – (chiuso dal 1° al 20 novembre, dal 1° al 20 gennaio,
martedì, in luglio e agosto anche domenica e a mezzogiorno) Carta 28/53 €
♦ All'interno dell'isola di Ortigia, dalla quale trae il nome, l'edificio in stile Liberty custodisce al suo interno autentici pezzi di storia: le mura spagnole ed altri reperti archeologici. Le camere fondono mirabilmente design e tradizione. Il blu cobalto del ristorante
roof-garden rivaleggia con l'azzurro del mare.

🏨 **Grand Hotel Villa Politi** ⋖ 🍃 🛋 ⅾ 🄰🄲 ❄️ 🛰️ 🅂🄰 🅿
via Politi Laudien 2 – ✆ 09 31 41 21 21 🆅🅸🆂🅰 ⓧ 🄰🄴 ⓞ ⅏
– www.villapoliti.com – info@villapoliti.com – Fax 093 13 60 61   CY**a**
98 cam ⊑ – †145/160 € ††180/210 € – 2 suites – ½ P 118/133 €
Rist – Carta 30/38 €
♦ Nello spettacolare contesto del parco delle Latomie dei Cappuccini, una villa liberty che
ospita ambienti comuni sontuosi, stanze ampie, eleganti e (molte) panoramiche. Sun-
tuosa sala ristorante tra colonne, soffitti a cassettoni e scenografici lampadari.

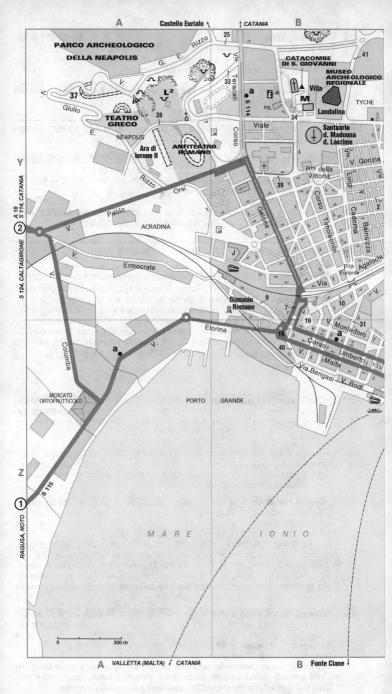

PARCO ARCHEOLOGICO
DELLA NEAPOLIS

CATACOMBE
DI S. GIOVANNI

MUSEO
ARCHEOLOGICO
REGIONALE

37

L²

TEATRO
GRECO

28

Villa
Landolina

M

TYCHE

NEAPOLIS

Ara di
Ierone II

ANFITEATRO
ROMANO

Santuario
d. Madonna
d. Lacrime

Pza della
Vittoria

39

ACRADINA

J

Pza
Euripide

Ginnasio
Romano

9

7

10

31

19

16

40

MERCATO
ORTOFRUTTICOLO

PORTO   GRANDE

S 115

MARE   IONIO

SIRACUSA

Mercure Siracusa Promoteo   🍴 📶 ♿ 🅰🅲 🍽 rist, 📞 🧖 🅿 🚗

viale Teracati 20 – 𝒞 *09 31 46 46 46*   🆅🅸🆂🅰 🍴 🅰🅴 ① 💲
– www.mercure.com – info@hotelmercuresiracusa.it – Fax 09 31 46 16 16
93 cam ☁ – ♦100/190 € ♦♦110/220 € – ½ P 85/150 €   BYa
Rist *– (chiuso sabato e i giorni festivi) (chiuso a mezzogiorno) (solo per alloggiati)*
Carta 25/67 €
♦ Situato in una posizione invidiabile, nell'incantevole cornice del Parco Archeologico e a due passi dal centro storico dell'isola di Ortigia, complesso moderno e solare dispone di ottime camere e di un panoramico *roof garden* con piccola piscina.

Caol Ishka   🚗 🏡 🍴 🅰🅲 🍽 📶 🅿 🆅🅸🆂🅰 🍴 🅰🅴 ① 💲

via Elorina 154 – 𝒞 *093 16 90 57 – www.caolishka.com – info@caolishka.com*
– Fax 093 16 85 61 – chiuso dal 12 gennaio al 12 febbraio   AZa
10 cam ☁ – ♦150/170 € ♦♦190/280 € – ½ P 125/180 €
Rist *Zafferano Bistrot* – *(chiuso lunedì da ottobre ad aprile)* Menu 30/60 €
– Carta 34/63 €
♦ Alle porte di Siracusa, masseria di fine '800 dall'aspetto esterno semplice e squadrato, ma con ambienti interni dal design contemporaneo. Forme geometriche e modernità si ritrovano nei bagni, spaziosi e particolareggiati. Piatti regionali discretamente alleggeriti allo *Zafferano Bistrot*.

Roma   📶 🏡 🍴 ♿ 🅰🅲 🍽 📶 🧖 🆅🅸🆂🅰 🍴 🅰🅴 ① 💲

via Roma 66 – 𝒞 *09 31 46 56 26 – www.hotelroma.sr.it – info@hotelroma.sr.it*
– Fax 09 31 46 55 35   CZf
44 cam ☁ – ♦90/136 € ♦♦120/200 € – ½ P 88/128 €
Rist *Vittorini* – Carta 31/66 €
♦ Albergo situato nel cuore di Ortigia, proprio alle spalle del Duomo, dentro un palazzo storico di cui rimane qualche vestigia all'interno: colonne e pietre a vista. Fondamentalmente la struttura è moderna con arredi classici e qualche richiamo *liberty* nei corridoi. Piatti siciliani sulla tavola del *Vittorini*.

Relax 🌿   🚗 🏡 🍴 📶 🏡 🍴 ♿ 🅰🅲 🍽 rist, 📶 🧖 🅿 🆅🅸🆂🅰 🍴 🅰🅴 ① 💲

🕸 *viale Epipoli 159, per viale Teracati* – 𝒞 *09 31 74 01 22 – www.hotelrelax.it – info@*
hotelrelax.it – Fax 09 31 74 09 33   BYc
55 cam ☁ – ♦58/70 € ♦♦89/108 € – 2 suites – ½ P 55/69 €
Rist – Carta 18/26 €
♦ A 5 km dal centro, la struttura gode di una privilegiata posizione tranquilla; per le camere all'ultimo piano non solo silenzio ma anche una vista panoramica fino all'Ortigia. Arredi classici e buon rapporto qualità/prezzo. Al ristorante, cucina eterogenea: regionale e nazionale.

Gran Bretagna senza rist   🅰🅲 📶 🆅🅸🆂🅰 🍴 🅰🅴 ① 💲

via Savoia 21 – 𝒞 *093 16 87 65 – www.hotelgranbretagna.it – info@*
hotelgranbretagna.it – Fax 09 31 44 90 78   CZm
16 cam ☁ – ♦90/100 € ♦♦115/130 €
♦ Palazzo d'epoca completamente ristrutturato, costruito su antiche mura di contenimento ancora visibili. Alcune camere con soffitti affrescati. Terrazza solarium.

Domus Mariae senza rist   ◀ 🅰🅲 🆅🅸🆂🅰 🍴 🅰🅴 ① 💲

via Vittorio Veneto 76 – 𝒞 *093 12 48 54 – www.domusmariae.eu – info@*
domusmariae.eu – Fax 093 12 48 58   CZd
12 cam ☁ – ♦125/135 € ♦♦150/165 €
♦ Come già preannuncia il nome, la gestione è religiosa: in mano a *Suore Orsoline* che con fermezza e competenza gestiscono, senza indugio ed in maniera ineccepibile, questa semplice struttura caratterizzata da camere ampie e ben tenute. Optare per quelle con vista mare.

Gutkowski senza rist   ◀ 🍴 🅰🅲 🆅🅸🆂🅰 🍴 🅰🅴 ① 💲

lungomare Vittorini 26 – 𝒞 *09 31 46 58 61 – www.guthotel.it – info@guthotel.it*
– Fax 09 31 48 05 05   CZx
25 cam ☁ – ♦60/85 € ♦♦85/110 €
♦ Tanto minuto quanto ricco di personalità, le camere fondono in modo caratteristico arredi di arte povera ed elementi più moderni stile design. Purezza di linee che ricordano il rigore monastico.

↑↑ **Diana** senza rist   AC ⌖
piazza Archimede 2 – ℰ 09 31 72 11 35 – www.bbdolcecasa.it
– diana@bbdolcecasa.it – Fax 09 31 72 11 35   CZ**p**
4 cam ⌂ – †50/60 € ††60/85 €

♦ In piazza Archimede, "salotto buono" della città, la struttura si apre al primo piano di un palazzo d'epoca. Quattro incantevoli camere, da quella romantica a quella rustica, ma tutte personalizzate negli arredi e ricercate fin nei minimi particolari; così come i bagni: recenti, con qualche piccola decorazione.

↑↑ **Giuggiulena** senza rist ⌖   ← ⌘ AC (ⁱⁿ) VISA ⓿ AE ① ⑤
via Pitagora da Reggio 35 – ℰ 09 31 46 81 42 – www.giuggiulena.it
– info@giuggiulena.it – Fax 09 31 20 00 76
– chiuso da dicembre a febbraio   CY**b**
7 cam ⌂ – †80/95 € ††100/115 €

♦ Una villa mediterranea a strapiombo sullo Ionio (che si vede da ogni camera): una casa con ampi spazi comuni, gestita in modo simpatico e caloroso. Discesa diretta a mare, per un tuffo dagli scogli.

✗✗ **Don Camillo**   AC VISA ⓿ AE ① ⑤
via Maestranza 96 – ℰ 093 16 71 33 – www.ristorantedoncamillosiracusa.it
– ristorantedoncamillo@tin.it – Fax 093 16 71 33
– chiuso Natale, domenica e festivi   CZ**a**
Rist – Carta 38/56 € 🕸

♦ Sotto un soffitto a volte e suggestivi ambienti carichi di storia con esposizione di bottiglie, poi riassunte in una bella e dettagliata carta dei vini, la cucina di pesce si fa semplice, tesa a valorizzare i miglior sapori locali.

✗✗ **Minosse**   AC VISA ⓿ AE ① ⑤
via Mirabella 6 – ℰ 093 16 63 66 – www.ristoranteminosse.it
– ilristorante.minosse@tin.it – Fax 093 16 63 66
– chiuso dal 20 al 30 luglio e lunedì   CZ**e**
Rist – Carta 28/57 €

♦ Nel cuore della pittoresca isola, un ristorante con una linea gastronomica radicata nella tradizione culinaria di mare. L'ambiente è classico, il servizio puntuale.

✗✗ **Porta Marina**   AC ⌖ VISA ⓿ AE ① ⑤
via dei Candelai 35 – ℰ 093 12 25 53 – www.ristoranteportamarina.135.it
– portamarina.sr@libero.it – Fax 09 31 44 61 58
– chiuso dal 25 ottobre al 5 novembre   CZ**q**
Rist – *(chiuso lunedì)* (consigliata la prenotazione) Carta 33/41 €

♦ In un edificio del 1400 lasciato volutamente spoglio, in modo da evidenziare le pietre a vista e il soffitto a volte a crociera, il locale si è imposto come uno degli indirizzi più eleganti di Siracusa. Cucina promettente con alcune preparazioni, che si sbilanciano verso elaborazioni e personalismi ben riusciti.

✗ **Al Mazarì**   AC ⌖ VISA ⓿ AE ⑤
via Torres 7/9 – ℰ 09 31 48 36 90 – www.almazari.com – info@almazari.com
– Fax 09 31 48 36 90   CZ**n**
Rist – *(chiuso domenica escluso agosto e settembre)* Carta 26/50 € (+10 %)

♦ Parentesi gastronomica trapanese nel cuore di Siracusa: tra *cous cous* e pasta con le sarde, due sale semplici ed informali, che di sera si accendono dell'intrigante magia delle candele. Menu scherzosamente in dialetto siciliano (ma con traduzioni), per non prendersi troppo sul serio.

✗ **Oinos**   ⌗ AC VISA ⓿ AE ① ⑤
via della Giudecca 69/75 – ℰ 09 31 46 49 00 – www.ristoranteoinos.com
– oinosristorante@virgilio.it – Fax 09 31 44 93 86
– chiuso dal 15 al 28 febbraio e domenica   CZ**b**
Rist – Carta 40/59 €

♦ Nel cuore dell'ex quartiere ebraico dell'*Ortigia*, locale giovane e di tendenza nel design moderno, celebra la perfetta unione tra i migliori prodotti piemontesi e quelli siciliani, in piatti d'ispirazione creativa.

❌ **Darsena da Ianuzzo** ⇐ 🅰🄲 🎖 📷 VISA ⓜ⓪ 🄰🄴 ⓞ 🔥
*riva Garibaldi 6 – 𝒞 093 16 15 22 – www.ristorantedarsena.it – direzione@
ristorantedarsena.it – Fax 093 16 61 04 – chiuso 15 giorni in luglio, 1 settimana
in novembre e mercoledì* CZ**g**
Rist – Carta 31/47 €
♦ Lungo il canale che separa la città vecchia da quella nuova, il menu rende omaggio al
pesce in tutte le sue possibili, gustose, declinazioni: dal buffet di antipasti al carrello alle
specialità tradizionali siciliane, con qualche classico nazionale.

verso Lido Arenella

⬆ **Dolce Casa** senza rist 🌿 🚗 🅰🄲 🎖 🕻 🄿
📥 *via Lido Sacramento 4, 4 km per ① ✉ 96100 Siracusa – 𝒞 09 31 72 11 35
– www.bbdolcecasa.it – contact@bbdolcecasa.it – Fax 09 31 72 11 35*
8 cam 🖙 – ✝50/60 € ✝✝60/85 €
♦ Immersa in un profumato giardino mediterraneo, villa moderna per un soggiorno in
completa libertà, attorniati da un'affettuosa ospitalità familiare.

sulla strada provinciale 14 Mare Monti

🏨 **Lady Lusya** 🌿 🚗 🏊 ⅃ 🅴 cam, 🅰🄲 🎖 rist, 🕪 🄿 VISA ⓜ⓪ 🄰🄴 ⓞ 🔥
*località Spinagallo, Sud-Ovest : 14 km – 𝒞 09 31 71 02 77 – www.ladylusya.it
– info@ladylusya.it – Fax 09 31 71 02 74 – chiuso dal 15 gennaio al 28 febbraio*
19 cam 🖙 – ✝75/100 € ✝✝112/160 € – ½ P 96/110 € **Rist** – Menu 30/35 €
♦ Casale settecentesco minuziosamente restaurato immerso nei limoneti e non lontano
dal mare: un'aristocratica casa di campagna, resa originale da un moltiplicarsi di scale ed
archi, quasi a disegnare non circoscrivibili labirinti.. Sala ristorante piacevolmente rustica.

⬆ **Agriturismo La Perciata** 🌿 🚗 🚆 ⅃ 🎖 🅰🄲 🎖 rist, 🄿
via Spinagallo 77, Sud-Ovest : 10 km ✉ 96100 Siracusa VISA ⓜ⓪ 🄰🄴 🔥
– 𝒞 09 31 71 73 66 – www.perciata.it – perciata@perciata.it – Fax 09 31 71 74 12
13 cam 🖙 – ✝60/85 € ✝✝75/99 € – ½ P 61/73 €
Rist – *(giugno-settembre) (chiuso a mezzogiorno)* Carta 23/31 €
♦ All'inizio di una riserva naturale, la collocazione nel verde - ai piedi di piccoli rilievi in
pietra - è sicuramente uno degli aspetti più piacevoli della struttura. Stile rustico e tanto
legno per un soggiorno all'insegna della semplicità, in un ambiente tranquillo e rilassante.

⬆ **Agriturismo Limoneto** 🌿 🚗 🅴 cam, 🎖 🄿
🔗 *via del Platano 3, Sud-Ovest : 9,5 km – 𝒞 09 31 71 73 52 – www.limoneto.it
– limoneto@tin.it – Fax 09 31 71 77 28 – chiuso novembre*
10 cam 🖙 – ✝60/80 € ✝✝80/120 € – ½ P 60/80 €
Rist – *(chiuso a mezzogiorno escluso domenica da dicembre a giugno)*
Menu 20/30 €
♦ Attorniata da un rigoglioso giardino agrumeto, immersa in un paesaggio spettacolare
tra mare e monti, la struttura permette di apprezzare la campagna siciliana e i tesori
architettonici nonché culturali di Siracusa (che dista 11 km). Camere confortevoli, dove la
riservatezza è garantita dall'accesso indipendente.

STROMBOLI (Isola) – Messina – 565K27 – **Vedere Eolie (Isole)**

TAORMINA – Messina (ME) – 565N27 – **10 858 ab.** – **alt. 250 m** 40 **D2**
– ✉ **98039** 🏛 Sicilia

🅳 Catania 52 – Enna 135 – Messina 52 – Palermo 255
🆈 piazza Santa Caterina (Palazzo Corvaja) 𝒞 0942 23243, info@
gate2taormina.com, Fax 0942 24941
🔟 Il Picciolo via Picciolo 1, 𝒞 0942 98 62 52
◎ Località★★★ – Teatro Greco★★★ : ⇐★★★ BZ – Giardino pubblico★★ BZ
– ❊★★ dalla piazza 9 Aprile AZ – Corso Umberto★ ABZ – Castello : ⇐★★
AZ
🅶 Etna★★★ Sud-Ovest per Linguaglossa – Castel Mola★ Nord-Ovest : 5 km
– Gole dell'Alcantara★

Piante pagine 1374-1375

Grand Hotel Timeo ⟨symbols⟩ rist, ⟨symbols⟩

via Teatro Greco 59 – ⟨phone⟩ 094 22 38 01

– *www.framonhotels.com* – *reservation.tim@framon-hotels.it* – *Fax 09 42 62 85 01*

75 cam – †190/495 € ††210/564 € – 8 suites – ½ P 170/347 € BZ**x**

Rist *Il Dito e La Luna* – Carta 62/256 €

♦ Gli ultimi rinnovi sono stati destinati tutti al benessere, bagno turco e stanza per massaggi e trattamenti estetici. Eleganti gli interni tra suggestioni d'epoca e modernità. Stupefacente il panorama dalla sala da pranzo!

San Domenico Palace ⟨symbols⟩ cam, ⟨symbols⟩

piazza San Domenico 5 – ⟨phone⟩ 09 42 61 31 11 ⟨symbols⟩

– *www.sandomenico.thi.it* – *san-domenico@thi.it* – *Fax 09 42 62 55 06*

105 cam – †210/310 € ††290/740 € – 8 suites – ½ P 210/435 € AZ**m**

Rist – Carta 74/106 €

Rist *Principe Cerami* – *(aprile-ottobre; chiuso lunedì) (chiuso a mezzogiorno)* (prenotazione obbligatoria) Carta 91/123 €

Spec. Pescato della baia in crescendo agrodolce con bicchierino di granita alle erbe e limone candito. Spaghetti con tocchetti d'astice, polpa di ricci di mare e latte di mandorla. Merluzzo di lenza scottato con pizzaiola siciliana, torretta di patate bianche al rosmarino.

♦ Eleganti ambienti ricchi di antichi ricordi in questo hotel di lusso ricavato tra le mura di un convento medievale. Suggestive vedute dal giardino e dalle terrazze. A tavola, i classici italiani e piatti locali. Dedicato al nobile siciliano il ristorante gourmet, alcova di antichi profumi e delicati sapori siciliani.

Grand Hotel San Pietro ⟨symbols⟩

via Pirandello 50 ✉ *98031* – ⟨phone⟩ 09 42 62 07 11 ⟨symbols⟩

– *www.grandhotelsanpietro.net* – *pietrosicily@relaischateaux.com*

– *Fax 09 42 62 07 70* CZ**f**

63 cam – †236/340 € ††280/480 € – 5 suites – ½ P 210/310 €

Rist – Carta 50/105 €

♦ In splendida posizione panoramica ed abbracciata da un giardino con piscina, un'elegante struttura con spazi accoglienti, una sala da the ed una biblioteca. Navetta gratuita per la spiaggia privata. Nella raffinata ed intima sala da pranzo, i genuini sapori della gastronomia siciliana.

Villa Diodoro ⟨symbols⟩ cam, ⟨symbols⟩

via Bagnoli Croci 75 – ⟨phone⟩ 094 22 33 12 – *www.gaishotels.com* – *diodoro@gaishotels.com* – *Fax 094 22 33 91* BZ**q**

102 cam – †130/200 € ††180/290 € – ½ P 125/180 € **Rist** – Carta 33/60 €

♦ Dispone ora anche di una attrezzata palestra e di una saletta per massaggi e trattamenti estetici questo storico esercizio dai generosi spazi all'aperto. Incastonata su una terrazza panoramica la piscina. In sala da pranzo primeggiano i sapori dell'isola.

Villa Carlotta ⟨symbols⟩

via Pirandello 81 – ⟨phone⟩ 09 42 62 60 58 – *www.villacarlotta.net* – *info@villacarlotta.net* – *Fax 094 22 37 32* – *chiuso dal 15 gennaio al 15 febbraio*

23 cam – †100/300 € ††150/320 € CZ**a**

Rist – *(solo per alloggiati)* Carta 35/55 €

♦ Abbracciata da una folta vegetazione, la villa riprende il suo nome originario ed offre ai suoi ospiti ambienti caratteristici ed una suggestiva vista sullo Ionio e sull'Etna.

Villa Ducale senza rist ⟨symbols⟩

via Leonardo da Vinci 60 – ⟨phone⟩ 094 22 81 53 – *www.villaducale.com* – *info@villaducale.com* – *Fax 094 22 87 10* – *chiuso dal 10 gennaio al 20 febbraio*

17 cam – †100/200 € ††130/270 € AZ**p**

♦ Villa di famiglia, in posizione incantevole, trasformata in un albergo ricco di charme, atmosfera e personalizzazioni. Gestito da una intraprendente coppia di giovani.

Villa Sirina senza rist ⟨symbols⟩

via Crocifisso 30, 2 km per via Crocifisso – ⟨phone⟩ 094 25 17 76 – *www.villasirina.com* – *info@villasirina.com* – *Fax 094 25 16 71* – *aprile-9 novembre* AZ**g**

16 cam – †100/150 € ††120/198 €

♦ Artigiani locali hanno contribuito con le loro creazioni ad arredare ad hoc le semplici camere della villa, già di famiglia dagli anni Settanta. Nel giardino, la piccola piscina.

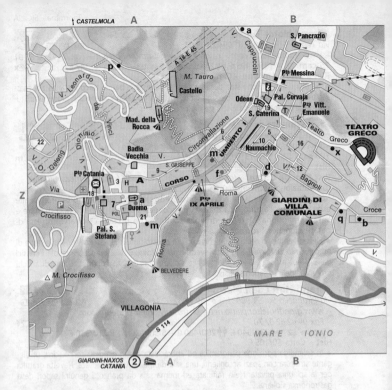

A 18-E 45

M. Tauro
Castello

S. Pancrazio

P.za Messina

Pal. Corvaja

P.za Vitt.
Emanuele

Odeon

S. Caterina

**TEATRO
GRECO**

Greco

Mad. della
Rocca

Circonvallazione

Naumachie

Badia
Vecchia

S. GIUSEPPE

P.ta Catania

CORSO

Roma

P.za
IX APRILE

**GIARDINI DI
VILLA
COMUNALE**

Via

Crocifisso

Duomo

Croce

Pal. S.
Stefano

Roma

M. Crocifisso

BELVEDERE

VILLAGONIA

S 114

MARE   IONIO

🏨🏨 **Villa Belvedere** ← 🐕 🏖 🛥 |♿| AC ※ rist ʷ P VISA ⚫⚫ ♿

*via Bagnoli Croci 79 – ℰ 094 22 37 91 – www.villabelvedere.it – info@
villabelvedere.it – Fax 09 42 62 58 30 – 10 marzo-26 novembre* BZ**b**
49 cam ⊇ – †85/145 € ††110/228 €

Rist – *(aprile-ottobre) (chiuso la sera) (solo per alloggiati)* Carta 23/31 €

♦ Una vista mozzafiato sul bel parco con palme e piscina tanto dagli ambienti comuni
quanto dalla maggior parte delle camere. Storica struttura da sempre a gestione familiare.

🏨🏨 **Villa Schuler** senza rist ← 🚗 |♿| 🚶 AC ※ ʷ 🚗 VISA ⚫⚫ AE ♿

*piazzetta Bastione – ℰ 094 22 34 81 – www.hotelvillaschuler.com
– info@hotelvillaschuler@tao.it – Fax 094 22 35 22 – 7 marzo-19 novembre*
27 cam ⊇ – †96/120 € ††107/206 € BZ**d**

♦ Storica risorsa vicina al centro storico, sorta nei primi anni del Novecento e da sempre
gestito dalla stessa famiglia, incorniciata tra giardini mediterranei ottimi per immergersi
nel relax.

🏨 **Andromaco** senza rist 🕏 ← 🛥 AC P VISA ⚫⚫ AE ① ♿

*via Fontana Vecchia, per via Cappuccini – ℰ 094 22 38 34 – www.andromaco.it
– info@andromaco.it – Fax 094 22 49 85* BZ
24 cam ⊇ – †50/105 € ††75/150 €

♦ Alberghetto familiare ubicato in zona residenziale, tranquilla e panoramica. Ottima
distribuzione degli spazi, buon numero di dotazioni, gestione simpatica ed efficiente.

🏨 **Condor** senza rist ← AC ※ VISA ⚫⚫ AE ① ♿

*via Dietro Cappuccini 25 – ℰ 094 22 31 24 – www.condorhotel.com – condor@
tao.it – Fax 09 42 62 57 26 – marzo-15 novembre* BZ**a**
12 cam ⊇ – †60/80 € ††80/118 €

♦ Una dozzina di stanze, una palazzina in posizione panoramica e una gestione di lunga
esperienza. Per chi non ricerca l'eleganza, ma si accontenta della semplicità.

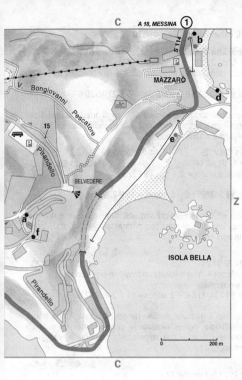

MAZZARÒ

Circolazione regolamentata nel
centro città da giugno a settembre

TAORMINA

BELVEDERE

ISOLA BELLA

0   200 m

𝕏𝕏𝕏𝕏 **La Giara**   ⇐ 🛏 AC 🍴 VISA ⬤ AE ① 🅖

vico la Floresta 1 – ℰ 094 22 33 60 – www.lagiara-taormina.com – info@
lagiara-taormina.com – Fax 094 22 32 33 – aprile-ottobre   **BZf**
Rist – *(chiuso a mezzogiorno)* Carta 60/91 €

♦ Splendida la terrazza con dehors panoramico che incornicia la costa e il vulcano; in sala
dominano volutamente le tinte del bianco e dell'avorio, sulle quali spicca la millenaria
giara.

𝕏𝕏𝕏 **Casa Grugno** (Andreas Zangerl)   🛏 AC VISA ⬤ AE ① 🅖

☸ via Santa Maria De' Greci – ℰ 094 22 12 08 – www.casagrugno.it – info@
casagrugno.it – chiuso domenica (escluso agosto)   **AZa**
Rist – *(chiuso a mezzogiorno)* (prenotazione obbligatoria) Menu 80 €
– Carta 73/105 € 🏵

Spec. Sformatino di pesce azzurro e patate con insalata di mele e barbabietole.
Pasta con le sarde presentata in raviolo. Palermitana di spatola ripiena di verdure su latte di mandorle amare.

♦ La facciata gotico-catalana è quella di un palazzo appartenuto ad una famiglia spagnola. A fare oggi gli onori di casa è la cucina che propone sapori mediterranei rivisitati
con abilità.

Gran lusso o stile informale?
I 𝕏 e i 🏠 indicano il livello di confort.

1375

a Mazzarò Est 5,5 km o 5 mn di cabinovia *CZ* – ✉ **98030**

Grand Hotel Mazzarò Sea Palace
via Nazionale 147 – ✆ *09 42 61 21 11*
– *www.mazzaroseapalace.it* – *info@mazzaroseapalace.it* – *Fax 09 42 62 62 37*
– *marzo-15 novembre*   *CZ***b**
79 cam ⊡ – ♥218/437 € ♥♥332/523 € – 9 suites – ½ P 219/320 €
Rist – Carta 50/70 €
♦ Insieme armonioso, con un piano soggiorno elegante e ricco di arredi lussuosi. E poi tante terrazze di cui la più bella è un solarium con piscina sulla splendida baietta. Sala raffinata e spazi all'aperto dove cenare a lume di candela.

Grand Hotel Atlantis Bay ❧
via Nazionale 161 – ✆ *09 42 61 80 11*
– *www.atlantisbay.it* – *info@atlantisbay.it* – *Fax 094 22 31 94*
– *marzo-15 novembre*
83 cam ⊡ – ♥300/470 € ♥♥362/555 € – 8 suites – ½ P 239/331 €
Rist – Menu 54 €
♦ Una realtà recente, raffinata ed elegante. Interni sontuosi, camere ampie e ricche di ogni confort, tutte vista mare. Splendida terrazza con piscina, spiaggia privata. Meravigliosa sala ristorante curata in ogni dettaglio.

Villa Sant'Andrea
via Nazionale 137 – ✆ *094 22 31 25*
– *www.villasantandreahotel.com* – *hotelvillasantandrea@nh-hotels.com*
– *Fax 094 22 48 38* – *aprile-novembre*   *CZ***d**
76 cam ⊡ – ♥165/382 € ♥♥234/476 € – 2 suites – ½ P 245/292 €
Rist – Carta 51/90 €
♦ Realizzata nel primo Ottocento, il grazioso giardino panoramico resta l'unica traccia della commissione di un gentiluomo inglese. Graziose le camere, tutte con vista sul mare. Elegante la sala ristorante che offre una stupefacente scenografia, suggestiva ambientazione del servizio estivo.

Da Giovanni
via Nazionale – ✆ *094 22 35 31* – *Fax 094 22 35 31*
– *chiuso dal 7 gennaio al 10 febbraio e lunedì*   *CZ***e**
Rist – Carta 31/48 €
♦ Qualche difficoltà nel trovare il posteggio ma una breve passeggiata non potrà che farvi meglio apprezzare la semplice cucina di mare della tradizione. Dehors panoramico sul mare.

Il Delfino-da Angelo
via Nazionale – ✆ *094 22 30 04* – *Fax 094 22 30 04* – *15 marzo-ottobre*
Rist – Carta 22/39 €   *CZ***b**
♦ La scalinata che conduce al ristorante arriva praticamente sul mare, vera location del locale! Un indirizzo perfetto per assaporare il pesce in presentazioni molto semplici.

a Lido di Spisone Nord-Est: 1,5 km – ✉ **98030** – **Mazzarò**

Caparena
via Nazionale 189 – ✆ *09 42 65 20 33*
– *www.gaishotels.com* – *caparena@gaishotels.com* – *Fax 094 23 69 13* – *aprile-ottobre*
88 cam ⊡ – ♥140/200 € ♥♥180/300 € – ½ P 125/185 €   **Rist** – Carta 33/60 €
♦ Bellezza e confort, palme e acqua limpida, tranqllità e relax e una beauty farm davvero interessante con bagno turco e un'ampia gamma di trattamenti e massaggi. Spiaggia e bar. D'estate la sala da pranzo si apre all'esterno, completamente immersa nel verde; a pranzo carta leggera.

Baia delle Sirene
via Nazionale 163 – ✆ *09 42 62 88 43* – *www.hotelbaiadellesirene.it* – *baia.sirene@ tiscalinet.it* – *Fax 09 42 62 88 43* – *marzo-ottobre*
24 cam ⊡ – ♥83/95 € ♥♥132/154 € – ½ P 99 €
Rist – *(aprile-ottobre)* Carta 22/43 €
♦ Avvolto da un piacevole giardino, un breve sentiero conduce direttamente alla piattaforma-solarium e alla scaletta d'accesso al mare. Per un soggiorno, in assoluto relax.

XX **La Capinera** (Pietro D'Agostino)   🛜 AC 🗲 VISA ⓒⓄ AE ⓞ ⚓
😋 *via Nazionale 177* ⊠ *98039 Taormina –* 𝒞 *09 42 62 62 47 – lacapinera2003@*
yahoo.it – Fax 09 42 62 62 47 – chiuso febbraio e lunedì escluso agosto
Rist *– (chiuso a mezzogiorno dal 15 giugno al 7 settembre)* Carta 45/63 € 🏶
Spec. Degustazione di crudo di mare. Pasta con le sarde. Cuore di tonno rosso
con cipolla rossa, centrifuga di carote e sedano.
♦ Locale accogliente dalla giovane ed appassionata gestione che propone una cucina
innovativa su base regionale ed un servizio estivo in terrazza. È consigliabile prenotare.

a Castelmola Nord-Ovest : 5 km *AZ* – **alt. 550 m** – ⊠ 98030

🏠 **Villa Sonia** 🌿   ⪕ 🛋 🛜 🌲 🏠 🕍 & cam, ⸙ AC 🗲 rist, 📞 🎱 🅿
via Porta Mola 9 – 𝒞 *094 22 80 82*   VISA ⓒⓄ AE ⓞ
– www.hotelvillasonia.com – booking@hotelvillasonia.com – Fax 094 22 80 83
– chiuso dal 6 gennaio al 1° marzo
42 cam – 🛇105/130 € 🛇🛇130/195 €, � 15 € – 2 suites – ½ P 100/133 €
Rist *Parco Reale* – Carta 32/45 €
♦ Caratteristico e tranquillo il borgo che accoglie questa antica villa arredata con una raccolta di preziosi oggetti d'antiquariato e d'artigianato siciliano. Suggestiva vista da
molte camere. Sobriamente elegante la sala da pranzo arredata qua e là con numerose
rare suppellettili. D'estate si pranza a bordo piscina.

TERME VIGLIATORE – Messina (ME) – 565 M27 – **6 299 ab.** – ⊠ 98050   **40 D1**
█ Sicilia

🔼 Catania 123 – Enna 174 – Messina 50 – Palermo 184

👁 Villa Romana★

🏠 **Il Gabbiano**   ⪕ 🌲 🕍 ⸙ AC 🗲 rist, 🅿 VISA ⓒⓄ AE ⓞ ⚓
😋 *via Marchesana 4, località Lido Marchesana –* 𝒞 *09 09 78 23 43*
– www.gabbianohotel.com – info@gabbianohotel.com – Fax 09 09 78 13 85
– maggio-ottobre
40 cam ⊒ – 🛇45/105 € 🛇🛇70/140 € – ½ P 75/85 €   **Rist** – Carta 20/50 €
♦ Nel suggestivo golfo di Tindari, a poca distanza da numerose attrattive turistiche, una
struttura moderna e panoramica che sfrutta appieno la posizione sulla spiaggia. Le sale
del ristorante danno sulla terrazza a mare con piscina.

TERMINI IMERESE – Palermo (PA) – 565 N23 – **26 760 ab.** – **alt. 113 m**   **39 B2**
– ⊠ **90018** █ Sicilia

🔼 Agrigento 150 – Messina 202 – Palermo 36

🏠 **Grand Hotel delle Terme**   🛋 🌲 🏵 🏠 🏋 ♨ 🕍 AC 🗲 📞 🎱
piazza Terme 2 – 𝒞 *09 18 11 35 57*   VISA ⓒⓄ AE ⓞ ⚓
– www.grandhoteldelleterme.it – direzione@grandhoteldelletreme.it
– Fax 09 18 11 31 07
59 cam ⊒ – 🛇105/130 € 🛇🛇160/200 € – 11 suites – ½ P 120 €
Rist – Carta 31/57 €
♦ Un giardino fiorito con piscina e vista panoramica all'esterno, mentre nei suggestivi sotterranei sgorgano acque termali sfruttate dal centro benessere dell'hotel. In un edificio
storico di fine '800. La sala degli specchi al primo piano ospita l'elegant ristorante a la
carte.

🏠 **Il Gabbiano**   AC 🗲 ⁽📶⁾ 🅿 VISA ⓒⓄ AE ⚓
via Libertà 221 – 𝒞 *09 18 11 32 62 – www.hotelgabbiano.it – hotelgabbiano@*
hotelgabbiano.it – Fax 09 18 11 42 25 – chiuso dal 20 al 31 dicembre
24 cam ⊒ – 🛇62/78 € 🛇🛇88/98 € – ½ P 60/70 €
Rist *Il Gabbiano* – Carta 26/40 €
♦ Fuori dal caotico centro della località, una risorsa semplice e moderna particolarmente
apprezzata da una clientela d'affari, ma non solo. Ristorante in stile contemporaneo con
ingresso indipendente.

TERRASINI – Palermo (PA) – 565 M21 – **10 708 ab.** – **alt. 35 m**   **39 B2**
– ⊠ **90049** █ Sicilia

🔼 Palermo 29 – Trapani 71

👁 Museo Civico : carretti siciliani★

🅖 Carini : decorazione a stucchi★★ nell'Oratorio del SS. Sacramento Est :
16 km

%% **Primafila** 🏠 AC VISA ⓶ AE ① ♿

via B. Saputo 8 – ℰ 09 18 68 44 22 – Fax 09 18 68 69 97
– chiuso dal 1° al 25 novembre e lunedì
Rist – Carta 39/58 €

♦ In fondo al paese, fronte mare, si parcheggia nei posti pubblici. Al primo piano la sala principale arredata con un pizzico di eleganza. Piatti di pesce e della tradizione.

TORREGROTTA – Messina (ME) – 565M28 – **6 747 ab.** – **alt. 48 m**   **40 D1**
– ✉ **98040**

▶ Catania 141 – Messina 29 – Palermo 215

🏠 **Thomas** AC ♿ 🎧 **P** VISA ⓶ AE ① ♿

via Sfameni 98, località Scala – ℰ 09 09 98 19 47 – hotel.thomas@yahoo.it
– Fax 09 09 98 22 73 – chiuso dicembre
18 cam – †35/38 € ††50/53 €, ☷ 5 € – ½ P 48 €
Rist – *(chiuso lunedì)* Carta 23/34 €

♦ Sulla strada che porta al mare, tra le numerose case di villeggiatura della zona, una struttura il cui tratto saliente è rappresentato dall'ottimo rapporto qualità/prezzo. Classico ristorante di mare, ambiente semplice e familiare.

TRAPANI

Alighieri (Lungomare Dante)	**BZ**
Bassi (V. L.)	**BZ**
Botteghelle (V.)	**AZ** 4
Carolina (V.)	**AZ** 6
Cassaretto (V.)	**AZ** 7
Catulo Lutazio (V.)	**AZ**
Colombo (V. C.)	**AZ** 9
Crispi (V.)	**BZ** 10
Custonaci (V.)	**AZ** 12
Duca d'Aosta (Viale)	**AZ**
Fardella (V. G. B.)	**BZ**
Garibaldi (Pza)	**BZ**
Garibaldi (V.)	**BZ**
Ilio (V.)	**BZ**
Italia (Cso)	**BZ** 15
Jolanda (Pza)	**AZ**
Libertà (V.)	**BZ** 16
Malta (Pza)	**BZ**
Marino Torre (V.)	**BZ** 21
Matteotti (Pza)	**BZ** 24
Mazzini (V.)	**BZ**
Mercato del Pesce (Pza)	**BZ** 25
Mura di Tramontana (V.)	**BZ** 28
Nasi (V. N.)	**AZ** 30
Nausicaa (V.)	**BZ** 31
Ninfe (Largo d.)	**AZ** 33
Orfane (V.)	**BZ** 34

A

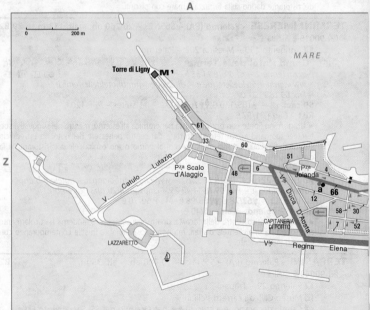

TRAPANI 🅿 (TP) – 565M19 – **68 335 ab.** – ⊠ **91100** Sicilia   39 **A2**

▶ Palermo 104

✈ di Birgi Sud : 15 km per ① ℰ 0923 842502

🚢 per Cagliari – Tirrenia Navigazione, call center 892 123 – per le Isole Egadi e Pantelleria – Siremar, call center 892 123

🛈 piazza Scarlatti ℰ 0923 29000, apttp@apt.trapani.it, Fax 0923 24004

◉ Museo Pepoli★ – Santuario dell'Annunziata★ – Centro Storico★

🄶 Isola di Pantelleria★★ Sud per motonave BZ – Isole Egadi★ Ovest per motonave o aliscafo BZ

Piante pagina a lato

🏠 **Vittoria** senza rist   🛄 🆔 🛜 🧖 VISA 🆎 AE ① 💲

via Crispi 4 – ℰ 09 23 87 30 44 – www.hotelvittoriatrapani.it – info@hotelvittoriatrapani.it – Fax 092 32 98 70   BZ**s**

65 cam ☑ – †40/70 € ††50/120 €

♦ Il centro, la spiaggia e i giardini pubblici distano solo una breve passeggiata dall'hotel. Molto apprezzato da una clientela d'affari, dispone di un ampio posteggio pubblico di fronte.

B

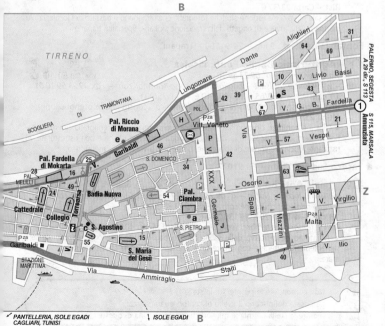

🏠 **Erice Hotel** senza rist   🈁 ♿ AC 🛜 🚗 VISA 🔟 AE ① ♨

via Madonna di Fatima 191, per via Nausicaa – ℰ 09 23 56 83 22
– *www.ericehotel.it* – *info@ericehotel.it* – *Fax 09 23 56 34 11*   **BZa**
32 cam ⌂ – †40/65 € ††60/100 €

♦ Al mattino una golosa colazione ricca di tipici dolci locali, mentre l'ampia hall, arredata con ampi e comodi divani, è ideale per ospitare i vostri momenti di relax.

🏠 **Maccotta** senza rist   🈁 AC 📞 VISA 🔟 AE ① ♨

via degli Argentieri 4 – ℰ 092 32 84 18 – *www.albergomaccotta.it*
– *albergomaccotta@virgilio.it* – *Fax 09 22 84 18*   **BZc**
20 cam – †35/40 € ††60/70 €, ⌂ 7 €

♦ Sorge attorno ad un caratteristico baglio questa struttura che occupa gli spazi di uno storico edificio in un vicolo del centro storico. Confort, tranquillità e prima colazione al bar adiacente.

↟ **Ai Lumi**   AC ♨ 🛜 VISA 🔟 AE ① ♨

corso Vittorio Emanuele 71 – ℰ 09 23 87 24 18 – *www.ailumi.it* – *info@ailumi.it*
– *Fax 09 23 54 77 20* – *chiuso novembre*   **AZa**
13 cam ⌂ – †50/70 € ††80/100 €
Rist Ai Lumi Tavernetta – vedere selezione ristoranti

♦ Il settecentesco palazzo Berardo Ferro, nel centro storico-pedonale della località, accoglie camere in stile ricche di fascino e di storia, affacciate sulla bella corte interna.

XX **Taverna Paradiso**   🈴 AC ⇄ VISA 🔟 AE ① ♨

lungomare Dante Alighieri 22 – ℰ 092 32 23 03 – *www.tavernaparadiso.com*
– *info@tavernaparadiso.com* – *Fax 092 32 23 03* – *chiuso venti giorni in novembre*
e domenica   **BZe**
Rist – Carta 37/94 €

♦ Affacciato sul lungomare, ristorante dai caldi interni con pietra a vista: servizio veloce e cortese per una classica ristorazione di pesce. Immancabile, il *cous cous*.

X **Cantina Siciliana**   AC VISA 🔟 AE ① ♨

via Giudecca 36 – ℰ 092 32 86 73 – *www.cantinasiciliana.it* – *cantinasiciliana@*
libero.it – *Fax 09 23 88 27 35*   **BZa**
Rist – Carta 23/37 €

♦ La sala più piccola espone storiche fotografie che ritraggono il passato del locale; la più grande pullula invece di oggetti della tradizione siciliana. Specialità trapanesi.

a Fontanasalsa Sud : 9 km – ✉ **91100** – **Trapani**

↟ **Agriturismo Baglio Fontanasalsa** 🌳   🚗 🈴 ⅃ AC ♨ rist. P

via Cusenza 78 – ℰ 09 23 59 10 01   VISA 🔟 AE ① ♨
– *www.fontanasalsa.it* – *bagliofontanasalsa@hotmail.com* – *Fax 09 23 59 10 01*
10 cam ⌂ – †60/65 € ††100/110 € – ½ P 75/90 €
Rist – *(chiuso a mezzogiorno escluso domenica)* (consigliata la prenotazione)
Menu 25/40 €

♦ Oliveti e agrumeti cingono la caratteristica risorsa, quasi una scenografia cinematografica western, dove riscoprire la vita di campagna. Camere rustiche e ben ristrutturate. Al ristorante, cucina regionale di sola carne, presentata a voce e con menù fisso.

a Paceco Sud-Est: 12 km – ✉ **91027**

🏘 **Relais Antiche Saline** 🌳   ≪ 🚗 ⅃ ♿ AC 📞 P VISA 🔟 AE ♨

via Verdi, località Nubia – ℰ 09 23 86 80 29 – *www.relaisantichesaline.com*
– *info@relaisantichesaline.com* – *Fax 09 23 86 80 47*
18 cam – †100/120 € ††130/140 €
Rist – *(giugno-settembre) (solo per alloggiati)* Menu 40/50 €

♦ All'interno della riserva delle saline l'antico baglio custodisce oggi eleganti camere sapientemente arredate con chiare tinte che confondono le sfumature del cielo e del mare.

Non confondete le posate X e le stelle ❀ !
Le posate definiscono il livello di confort e raffinatezza,
mentre la stella premia le migliori cucine, in ognuna di queste categorie

TRECASTAGNI – Catania (CT) – 565O27 – 8 609 ab. – alt. 586 m — 40 D2
– ⊠ 95039 Sicilia

▶ Catania 17 – Enna 99 – Messina 85 – Siracusa 82

Villa Taverna 🕮 **P.** _VISA_ 𝕮𝕆 🄰🄴 ① ⅙
corso Colombo 42 – 𝒞 09 57 80 64 58 – www.ristorantevillataverna.com – info@
ristorantevillataverna.com – Fax 09 57 80 64 58
Rist – Carta 30/35 €
♦ Originale ricostruzione di un quartiere popolare della vecchia Catania, quasi un set cinematografico, dove potrete gustare i piatti della tradizione regionale. Trionfo di verdure, paste varie e carne negli sfiziosi antipasti.

VALDERICE – Trapani (TP) – 565M19 – 11 494 ab. – alt. 250 m — 39 A2
– ⊠ 91019

▶ Agrigento 99 – Palermo 184 – Trapani 9

Baglio Santacroce ≪ ⅀ 🐾 cam, 🄰🄲 rist, 🕉 📶 🕹 **P.**
sulla statale 187 km 12,300, Est : 2 km — _VISA_ 𝕮𝕆 🄰🄴 ① ⅙
– 𝒞 09 23 89 11 11 – www.bagliosantacroce.it – hotel@bagliosantacroce.it
– Fax 09 23 89 11 92
67 cam �4 – †64/80 € ††108/130 € – ½ P 70/82 € **Rist** – Carta 18/29 €
♦ Negli anni '80 il baglio è stato restaurato e convertito in hotel; vent'anni più tardi una nuova struttura ospita nuove camere, anch'esse arredate con letti in ferro battuto. Al piano interrato si trova il ristorante, una veranda luminosa e con vista dove gustare specialità tipiche.

Ericevalle senza rist 🕹 🄰🄲 🕉 **P.** _VISA_ 𝕮𝕆 🄰🄴 ① ⅙
via del Cipresso 1 – 𝒞 09 23 89 11 33 – www.bagliosantacroce.it – ericevalle@
tiscali.it – Fax 09 23 83 31 78
26 cam �4 – †45/60 € ††70/90 €
♦ Moderno e particolare nell'architettura, alterna alle semplici camere alcuni spazi aperti ingentiliti e rinfrescati da numerose piante. Cordiale e discreta la gestione.

VITTORIA – Ragusa (RG) – 565Q25 – 59 828 ab. – alt. 169 m – ⊠ 97019 — 40 C3
Sicilia

▶ Agrigento 107 – Catania 96 – Ragusa 26 – Siracusa 104

Grand Hotel senza rist 🔄 🄰🄲 📞 🚗 _VISA_ 𝕮𝕆 🄰🄴 ① ⅙
vico II Carlo Pisacane 53/B – 𝒞 09 32 86 38 88 – www.grandhotelvittoria.it
– grandhotelvittoria@tin.it – Fax 09 32 86 38 88
27 cam ⊄ – †40/50 € ††50/70 €
♦ Ottima risorsa per la clientela d'affari: poche concessioni a fronzoli e personalizzazioni di carattere estetico, ma buon confort e gestione professionale e affidabile.

VULCANO (Isola) – Messina – 565L26 – Vedere Eolie (Isole)

ZAFFERANA ETNEA – Catania (CT) – 565N27 – 8 554 ab. – alt. 600 m — 40 D2
– ⊠ 95019

▶ Catania 24 – Enna 104 – Messina 79 – Palermo 231

Airone ≪ 🚣 ⅀ 🐾 🕼 🛗 🕹 🄰🄲 🕉 rist, 📶 🕹 **P.** _VISA_ 𝕮𝕆 🄰🄴 ① ⅙
via Cassone 67, Ovest : 2 km – 𝒞 09 57 08 18 19 – www.hotel-airone.it – info@
hotel-airone.it – Fax 09 57 08 21 42
62 cam ⊄ – †80/120 € ††120/160 € – ½ P 80/100 € **Rist** – Menu 25/30 €
♦ E' stato recentemente ristrutturato questo raffinato hotel dal sapore rustico situato nella parte alta e panoramica della località. Tutt'intorno, un parco di alberi secolari. Il menù presenta un'ampia scelta di proposte della cucina tipica siciliana.

San Marino

SAN MARINO

SAN MARINO (SMR) – 4 432 ab. – alt. 749 m – ⊠ 47890 ▮ Italia

🔰 piazza della Libertà ℰ 0549 882914, info@visitsanmarino.com, Fax 0549 882915

◉ Posizione pittoresca★★★ - ≤★★★ sugli Appennini e il mare dalle Rocche

Pianta pagina 1384

Grand Hotel San Marino   ≤ 𝔐 ℒ₆ |☰| ⇸ AC 🦲 rist. "¶" 🔄 🚗

viale Antonio Onofri 31 – ℰ 05 49 99 24 00   VISA ⓸ AE ① 🔄
– info@grandhotel.sm – Fax 05 49 99 29 51 – chiuso dal 24 al 26 dicembre
62 cam � – †60/130 € ††90/200 € – ½ P 70/120 €   Za
Rist L' Arengo – Menu 18/28 € – Carta 34/52 €
♦ Il grande "classico" dell'hotellerie locale è ideale per un soggiorno dedicato al benessere e al relax. Particolare il "giardino del silenzio", una terrazza con vasca idromassaggio e piante aromatiche per una mezz'ora di meditazione. Omaggia un'antica istituzione il ristorante, cinto da vetrate che garantiscono la luce.

Cesare   ≤ 🦚 |☰| & AC VISA ⓸ AE ① 🔄
salita alla Rocca 7 – ℰ 05 49 99 23 55 – info@hotelcesare.com
– Fax 05 49 99 26 30 – chiuso 3 settimane in novembre   Yb
18 cam ⊇ – †60/130 € ††90/200 € – ½ P 63/125 €   **Rist** – Carta 27/56 €
♦ Il fascino di un antico edificio coniugato con i vantaggi delle moderne tecnologie in un nuovo, raffinato albergo. Alcune camere hanno il privilegio di essere invase dalla luce naturale, grazie alle grandi finestre. Nuovo look di elegante design contemporaneo nel ristorante.

Titano   🦚 |☰| ⇸ AC 🦲 rist. "¶" 🚬 VISA ⓸ AE ① 🔄
contrada del Collegio 31 – ℰ 05 49 99 10 06 – info@hoteltitano.com
– Fax 05 49 99 13 75 – 15 marzo-15 novembre   Yu
48 cam ⊇ – †65/120 € ††95/190 € – ½ P 73/120 €
Rist La Terrazza –   ℰ 05 49 99 10 07 – Carta 31/50 €
♦ Realizzato negli ambienti di una casa d'epoca, è un'istituzione locale questa struttura di tradizione nel centro della Repubblica; ospitalità familiare e curata nei signorili interni in stile. Bella vista di valli e Appennini dalla terrazza del ristorante.

Joli San Marino   🦚 |☰| AC 🦲 rist. "¶" ⓸ AE ① 🔄
viale Federico d'Urbino 36/b – ℰ 05 49 99 10 09 – hoteljoli@omniway.sm
– Fax 05 49 91 40 02   Zb
24 cam ⊇ – †40/87 € ††56/115 € – ½ P 48/73 €
Rist Vecchia Stazione – Carta 20/53 €
♦ Appena fuori dalle mura che delimitano il centro storico, propone camere recentemente rinnovate, alcune delle quali con vista sulla catena degli Appennini. In comoda posizione stradale. Ristorante pizzeria dall'ambiente semplice di tono rustico.

Villa Giardi senza rist   🦲 "¶" **P** 🚬 VISA ⓸ AE ① 🔄
via Ferri 22, 1 km per via d. Voltone – ℰ 05 49 99 10 74 – giardif@omniway.sm
– Fax 05 49 99 22 85   Za
8 cam ⊇ – †50/84 € ††72/110 €
♦ Poche camere accoglienti e graziose nella loro linearità in questa simpatica casa dall'ambiente familiare, alle porte della località, vicino ad un parco naturale.

XXX **Righi la Taverna**   AC 🦲 VISA ⓸ AE ① 🔄
🏵 piazza della Libertà 10 – ℰ 05 49 99 11 96 – lataverna@omniway.sm
– Fax 05 49 99 05 97 – chiuso dal 6 al 19 novembre e domenica sera escluso
giugno-settembre   Yn
Rist – (chiuso 2 settimone du agosto) (consigliata la prenotazione)
Menu 38/42 € – Carta 25/50 €
Spec. Insalata di seppia, taccole, datterini e finocchio selvatico. Lasagnetta con rag— antico e fonduta di pecorino. Zuppa di pesce e bruschette.
♦ Adiacente al Palazzo del Governo, un ristorante dall'arredamento caratteristico. Un bistrot per pasti veloci al pianterreno, più raffinate le proposte nella sala al primo piano.

Basilicius (V.) . . . . Y 2
Capannacia (V. della) . . . . . Z 3
Collegio (Contrada del) . . . Y 5
Domus Plebis (Piazzale) . . . Y 6
Donna Felicissima (V.) . . . . Y 7
Fratta (V. della) . . . . Y 8
Libertà (Pza della) . . . . Y 9
Maccioni (V. Francesco). . . . Z 12
Mura (Contrada delle) . . . . Y 13
Omerelli (Contrada) . . . . . . Y 15
Salita alla Rocca (V.) . . . . . Y 16
Santa Croce (Contrada) . . . Y 19

a Domagnano per ① : 4 km – ✉ 47895

🄗🄗   Rossi   ⩽ 🛗 AC cam, 🕸 ⅍ P VISA ⬤⬤ AE ① ⑤
♋   *via XXV Marzo 13 – ✆ 05 49 90 22 63 – mrossi@omniway.sm*
   – Fax 05 49 90 66 42
   31 cam ⌸ – ✝55/80 € ✝✝80/115 € – ½ P 55/70 € –
   Rist – *(chiuso dal 20 dicembre al 6 gennaio sabato e domenica in bassa stagione)* Carta 21/29 €
   ◆ Distante dal fascino turistico del centro storico, nel cuore delle attività commerciali,
   l'hotel dispone di camere funzionali arredate con gusto moderno. Nella bella sala ristorante panoramica, una cucina di lunga tadizione.

a Dogana per ①: 13 km - ✉ 47891

🄗🄗🄗   Ixo Hotel   🕸 🛗 AC 🕸 📶 P VISA ⬤⬤ AE ⑤
♋   *World trade center - palazzina A – ✆ 05 49 97 82 11 – info@ixohotel.com*
   – Fax 05 49 97 82 08 – chiuso Natale
   30 cam ⌸ – ✝75/110 € ✝✝105/170 € –
   Rist – *(chiuso 20 giorni in agosto)* Carta 21/36 €
   ◆ Modernità, confort e eleganza per questo recente hotel a vocazione commerciale
   inserito nel complesso del Word Trade Center. Le camere sono al quinto e al sesto piano
   della torre, arredate secondo il gusto contemporaneo. La caratteristica pianta detta la
   disposizione dei tavoli al ristorante, affacciato sulla corte.

Prefissi Telefonici Internazionali

Importante: per le comunicazioni internazionali, non bisogna comporre lo zero (0) iniziale del prefisso interurbano (escluse le chiamate per l'Italia)

Indicatifs téléphoniques internationaux

Important : pour les communications internationales, le zéro (0) initial de l'indicatif interurbainn'est pas à composer (excepté pour les appels vers l'Italie).

da	A	B	CH	CZ	D	DK	E	FIN	F	GB	GR
A Austria		0032	0041	00420	0049	0045	0034	00358	0033	0044	0030
B Belgio	0043		0041	00420	0049	0045	0034	00358	0033	0044	0030
CH Svizzera	0043	0032		00420	0049	0045	0034	00358	0033	0044	0030
CZ Rep. Ceca	0043	0032	0041		0049	0045	0034	00358	0033	0044	0030
D Germania	0043	0032	0041	00420		0045	0034	00358	0033	0044	0030
DK Danimarca	0043	0032	0041	00420	0049		0034	00358	0033	0044	0030
E Spagna	0043	0032	0041	00420	0049	0045		00358	0033	0044	0030
FIN Finlandia	0043	0032	0041	00420	0049	0045	0034		0033	0044	0030
F Francia	0043	0032	0041	00420	0049	0045	0034	00358		0044	0030
GB Gran Bretagna	0043	0032	0041	00420	0049	0045	0034	00358	0033		0030
GR Grecia	0043	0032	0041	00420	0049	0045	0034	00358	0033	0044	
H Ungheria	0043	0032	0041	00420	0049	0045	0034	00358	0033	0044	0030
I Italia	0043	0032	0041	00420	0049	0045	0034	00358	0033	0044	0030
IRL Irlanda	0043	0032	0041	00420	0049	0045	0034	00358	0033	0044	0030
J Giappone	00143	00132	00141	001420	00149	00145	00134	001358	00133	00144	00130
L Lussemburgo	0043	0032	0041	00420	0049	0045	0034	00358	0033	0044	0030
N Norvegia	0043	0032	0041	00420	0049	0045	0034	00358	0033	0044	0030
NL Olanda	0043	0032	0041	00420	0049	0045	0034	00358	0033	0044	0030
PL Polonia	0043	0032	0041	00420	0049	0045	0034	00358	0033	0044	0030
P Portogallo	0043	0032	0041	00420	0049	0045	0034	00358	0033	0044	0030
RUS Russia	81043	81032	810420	6420	81049	81045	*	810358	81033	81044	*
S Svezia	0043	00932	00941	009420	0049	00945	00934	009358	00933	00944	00930
USA	01143	01132	01141	001420	01149	01145	01134	01358	01133	01144	01130

Selezione automatica impossibile   *Automatische Vorwahl nicht möglich*

Internationale Telefon-Vorwahlnummern

Wichtig: bei Auslandgesprächen darf die Null (0) der Ortsnetzkennzabl nicht gewäblt werden (ausser bei Gesprächen nach Italien).

International Dialling Codes

Note: When making an international call, do not dial the first (0) of the city codes (except for calls to Italy).

(H)	(I)	(IRL)	(J)	(L)	(N)	(NL)	(PL)	(P)	(RUS)	(S)	(USA)	
0036	0039	00353	0081	00352	0047	0031	0048	00351	007	0046	001	**A Autria**
0036	0039	00353	0081	00352	0047	0031	0048	00351	007	0046	001	**B Belgio**
0036	0039	00353	0081	00352	0047	0031	0048	00351	007	0046	001	**CH Svizzera**
0036	0039	00353	0081	00352	0047	0031	0048	00351	007	0046	001	**CZ Rep. Ceca**
0036	0039	00353	0081	00352	0047	0031	0048	00351	007	0046	001	**D Germania**
0036	0039	00353	0081	00352	0047	0031	0048	00351	007	0046	001	**DK Danimarca**
0036	0039	00353	0081	00352	0047	0031	0048	00351	007	0046	001	**E Spagna**
0036	0039	00353	0081	00352	0047	0031	0048	00351	007	0046	001	**FIN Finlandia**
0036	0039	00353	0081	00352	0047	0031	0048	00351	007	0046	001	**F Francia**
0036	0039	00353	0081	00352	0047	0031	0048	00351	007	0046	001	**GB Gran Bretagna**
0036	0039	00353	0081	00352	0047	0031	0048	00351	007	0046	001	**GR Grecia**
	0039	00353	0081	00352	0047	0031	0048	00351	007	0046	001	**H Ungheria**
0036		00353	0081	00352	0047	0031	0048	00351	*	0046	001	**I Italia**
0036	0039		0081	00352	0047	0031	0048	00351	007	0046	001	**IRL Irlanda**
00136	00139	001353		001352	00147	00131	00148	001351	*	01146	0011	**J Giappone**
0036	0039	00353	0081		0047	0031	0048	00351	007	0046	001	**L Lussemburgo**
0036	0039	00353	0081	00352		0031	0048	00351	007	0046	001	**N Norvegia**
0036	0039	00353	0081	00352	0047		0048	00351	007	0046	001	**NL Olanda**
0036	0039	00353	0081	00352	0047	0031		00351	007	0046	001	**PL Polonia**
0036	0039	00353	0081	00352	0047	0031	0048		007	0046	001	**P Portogallo**
81036	*	*	*	*	*	81031	81048	*		*	*	**RUS Russia**
00936	00939	009353	00981	009352	00947	00931	00948	00935	0097		0091	**S Svezia**
01136	01139	011353	01181	011352	01147	01131	01148	011351	*	011146		**USA**

Pas de sélection automatique   *Direct dialing not possible*

La Guida MICHELIN
Una collana da gustare!

Belgique & Luxembourg
Deutschland
España & Portugal
France
Great Britain & Ireland
Italia
Nederland
Österreich
Portugal
Suisse-Schweiz-Svizzera
Main Cities of Europe

Ed anche:

Hong Kong - Macau
Las Vegas
London
Los Angeles
New York City
Paris
San Francisco
Tokyo

Carta

Cartes

Regionalkarten

Maps

Distanze

QUALCHE CHIARIMENTO

Nel testo di ciascuna località troverete la distanza dalle città limitrofe
e da Roma. Le distanze fra le città della tabella accanto completano
quelle indicate nel testo di ciascuna località.

La distanza da una località ad un'altra non è sempre ripetuta
in senso inverso: guardate al testo dell'una o dell'altra.
Utilizzate anche le distanze riportate a margine delle piante.

Le distanze sono calcolate a partire dal centro delle città e seguendo
la strada più pratica, ossia quella che offre le migliori condizioni di viaggio
ma che non è necessariamente la più breve.

Distances

QUELQUES PRÉCISIONS

Au texte de chaque localité vous trouverez la distance des villes
environnantes et celle de Rome. Les distances intervilles du tableau ci-contre
complètent ainsi celles données au texte de chaque localité.

La distance d'une localité à une autre n'est pas toujours répétée
en sens inverse : voyez au texte de l'une ou de l'autre.
Utilisez aussi les distances portées en bordure des plans.

Les distances sont calculées à partir du centre-ville
et par la route la plus pratique,
c'est-à-dire celle qui offre les meilleures conditions de roulage,
mais qui n'est pas nécessairement la plus courte.

Entfernungen

EINIGE ERKLÄRUNGEN

In jedem Ortstext finden Sie Entfernungen zu größeren Städten
in der Umgebung und nach Rom. Die Kilometerangaben dieser
Tabelle ergänzen somit die Angaben des Ortstextes.

Da die Entfernung von einer Stadt zu einer anderen nicht immer
unter beiden Städten zugleich aufgeführt ist, sehen Sie bitte unter beiden
entsprechenden Ortstexten nach. Eine weitere Hilfe sind die am Rande
der Stadtpläne erwähnten Kilometerangaben.

Die Entfernungen gelten ab Stadtmitte unter Berücksichtigung der günstigsten
(nicht immer kürzesten) Strecke.

Distances

COMMENTARY

The text on each town includes its distance from its immediate neighbours
and from Rome. The kilometrage in the table completes
that given under individual town headings for calculating total distances.

A town's distance from another is not necessarily repeated in the text
under both town names, you may have to look, therefore,
under one or the other to find it. Note also that some distances appear
in the margins of the towns plans.

Distances are calculated from City-centre and along the best roads
from a motoring point of view not necessarily the shortest.

Tabella delle distanze chilometriche

Boxed note: **336 km** — **Bergamo - Livorno**

Column/diagonal city labels (mainland), in order:
Ancona, Bari, Bergamo, Bologna, Bolzano, Brescia, Brindisi, Catanzaro, Como, Cosenza, Ferrara, Firenze, Foggia, Genova, L'Aquila, La Spezia, Livorno, Milano, Modena, Napoli, Padova, Parma, Perugia, Pescara, Potenza, Ravenna, Reggio di Calabria, Roma, Salerno, S. Marino, Taranto, Torino, Trieste, Udine, Venezia, Verona

SARDEGNA: Cagliari, Nuoro, Olbia, Oristano, Sassari

SICILIA: Agrigento, Caltanissetta, Catania, Messina, Palermo, Siracusa, Trapani

Lower-triangular distance matrix (each row lists distances from that city to the cities named before it, in the order Ancona, Bari, Bergamo, Bologna, Bolzano, Brescia, Brindisi, Catanzaro, Como, Cosenza, …):

Città	Ancona	Bari	Bergamo	Bologna	Bolzano	Brescia	Brindisi	Catanzaro	Como	Cosenza
Bari	465									
Bergamo	455	908								
Bologna	221	674	239							
Bolzano	496	949	236	280						
Brescia	412	865	53	196	192					
Brindisi	576	114	967	785	1062	977				
Catanzaro	831	361	1232	1044	1147	1214	925			
Como	480	933	89	264	319	136	99	1123		
Cosenza	739	268	874	1139	1054	1049	269	99	1191	
Ferrara	264	717	261	55	235	217	828	1011	190	1010
Firenze	322	706	327	103	283	283	817	925	351	663
Foggia	343	135	787	552	828	744	246	481	812	274
Genova	428	851	260	213	397	217	962	1010	190	918
L'Aquila	517	766	944	465	292	877	1055	925	833	
La Spezia	195	885	280	97	216	280	996	1166	50	1074
Livorno	419	725	205	56	161	120	836	1049	97	914
Milano	432	801	50	246	280	89	879	1083	78	991
Modena	271	783	197	44	235	153	894	957	281	
Napoli	394	262	842	618	758	373	426	247	407	315
Padova	330	801	121	99	191	99	758	939	153	826
Parma	315	783	191	63	284	120	930	679	347	
Perugia	139	568	479	244	520	436	764	764	504	672
Pescara	173	313	617	382	658	574	425	681	642	589
Potenza	453	453	941	718	982	898	225	335	939	247
Ravenna	165	619	323	88	364	279	730	947	279	847
Reggio di Calabria	925	454	1284	1061	1325	1241	455	164	1309	110
Roma	306	433	618	420	498	464	544	526	521	430
Salerno	434	241	842	619	883	799	370	106	551	355
S. Marino	125	578	375	140	416	331	689	854	399	867
Taranto	545	95	946	755	1031	946	76	293	1014	181
Torino	549	1003	180	334	411	227	1114	1261	165	1169
Trieste	427	980	390	318	346	387	1091	1280	474	1188
Udine	475	928	337	265	294	294	1039	1228	422	1136
Venezia	364	818	237	155	229	184	929	1118	312	1026
Verona	360	813	119	144	154	75	924	1094	203	1002

SICILIA internal distances:
	Agrigento	Caltanissetta	Catania	Messina	Palermo	Siracusa
Caltanissetta	58					
Catania	164	110				
Messina	261	208	116			
Palermo	127	129	211	227		
Siracusa	213	160	66	164	259	
Trapani	177	236	318	334	116	368

SARDEGNA internal distances:
	Cagliari	Nuoro	Olbia	Oristano
Nuoro	184			
Olbia	276	104		
Oristano	98	89	182	
Sassari	218	121	103	123

Selected long-distance values (Sicilia/Verona region): 1084, 567, 96, 132, 233, 122, 512, 1008, 898, 770, 284, 296, …

Indice delle località

Index des Localités

Ortsverzeichnis

Index of towns

Località per regione, che possiede come minimo un albergo e /o un ristorante
Localités par région, possédant au moins un hébergement et/ou un restaurant
Ort mit anch region, mindestens einem hotel und/oder restaurant
Places with at least a hotel and/or a restaurant

Abruzzo Molise

Basilicata

Pozzuoli (NA)	6 A2
Praiano (SA)	6 B2
Procida (NA)	6 A2
Puglianello (BN)	6 B1
Ravello (SA)	6 B2
Ruviano (CE)	6 B1
Salerno (SA)	6 B2
San Cipriano Picentino (SA)	7 C2
San Marco (SA)	7 C3
San Mauro la Bruca (SA)	7 D3
Sant' Agata de' Goti (BN)	6 B1
Sant' Agata sui Due Golfi (NA)	6 B2
Sant' Agnello (NA)	6 B2
Sant'Angelo (NA)	6 A2
Santa Maria Annunziata (NA)	6 B2
Santa Maria di Castellabate (SA)	7 C3
Sapri (SA)	7 D3
Serino (AV)	7 C2
Sieti (SA)	7 C2
Solofra (AV)	7 C2
Sorbo Serpico (AV)	7 C2
Sorrento (NA)	6 B2
Spaggia di Citara (NA)	6 A2
Termini (NA)	6 B2
Torre Annunziata (NA)	6 B2
Torre del Greco (NA)	6 B2
Vairano Patenora (CE)	6 A1
Vallesaccarda (AV)	7 C1
Vallo della Lucania (SA)	7 C3
Vico Equense (NA)	6 B2

Emilia-Romagna

Agazzano (PC)	8 A2
Albinea (RE)	8 B3
Alfonsine (RA)	9 D2
Alseno (PC)	8 A2
Alteto (BO)	9 D3
Anzola dell'Emilia (BO)	9 C3
Argelato (BO)	9 C3
Argenta (FE)	9 C2
Bagnara di Romagna (RA)	9 C2
Bagni di Tabiano (PR)	8 A2
Bagno di Romagna (FO)	9 D3
Bagnolo in Piano (RE)	8 B3
Bazzano (BO)	9 C3
Bellaria Igea Marina (RN)	9 D2
Bentivoglio (BO)	9 C3
Berceto (PR)	8 A2
Bersano (PC)	8 A1
Bertinoro (FO)	9 D2
Besenzone (PC)	8 A1
Bettola (PC)	8 A2
Bobbio (PC)	8 A2
Bologna (BO)	9 C3
Bondeno (FE)	9 C1
Borgo Val di Taro (PR)	8 A2
Borgonovo Val Tidone (PC)	8 A1
Brescello (RE)	8 B2
Brisighella (RA)	9 C2
Budrio (BO)	9 C2
Busseto (PR)	8 A1
Cadeo (PC)	8 A1
Calderara di Reno (BO)	9 C3
Calderino (PR)	8 B2
Calestano (PR)	8 B2

Campegine (RE)	8 B3
Campogalliano (MO)	8 B2
Cangelásio (PR)	8 A2
Carpaneto Piacentino (PC)	8 A2
Carpi (MO)	8 B2
Carpineti (RE)	8 B2
Casale (PR)	8 A3
Casalfiumanese (BO)	9 C2
Casola Valsenio (RA)	9 C2
Castel Guelfo di Bologna (BO)	9 C2
Castel Maggiore (BO)	9 C3
Castel San Pietro Terme (BO)	9 C2
Castel d'Aiano (BO)	9 C2
Castelfranco Emilia (MO)	9 C3
Castell'Arquato (PC)	8 A2
Castelnovo di Baganzola (PR)	8 A3
Castelnovo di Sotto (RE)	8 B3
Castelnovo ne' Monti (RE)	8 B2
Castelvetro di Modena (MO)	8 B2
Castiglione dei Pepoli (BO)	9 C2
Castrocaro Terme (FO)	9 C2
Cattolica (RN)	9 D2
Cavriago (RE)	8 B3
Cento (FE)	9 C2
Cervia (RA)	9 D2
Cesena (FO)	9 D2
Cesenatico (FO)	9 D2
Codigoro (FE)	9 D1
Collecchio (PR)	8 A3
Coloreto (PR)	8 A3
Colorno (PR)	8 B1
Comacchio (FE)	9 D2
Concordia sulla Secchia (MO)	8 B1
Corniolo (FO)	9 C3
Correggio (RE)	8 B2
Dozza (BO)	9 C2
Fabbrico (RE)	8 B2
Faenza (RA)	9 C2
Felino (PR)	8 A3
Ferrara (FE)	9 C1
Finale Emilia (MO)	9 C2
Fiorano Modenese (MO)	8 B2
Fiorenzuola d'Arda (PC)	8 A2
Fiumalbo (MO)	8 B2
Forlì (FO)	9 D2
Formigine (MO)	8 B2
Fornovo di Taro (PR)	8 B2
Gaggio Montano (BO)	8 B2
Gaibana (FE)	9 C2
Gaibanella (FE)	9 C2
Gatteo a Mare (FO)	9 D2
Gazzola (PC)	8 A2
Gorino Veneto (FE)	9 D1
Imola (BO)	9 C2
Lama Mocogno (MO)	8 B2
Langhirano (PR)	8 B2
Lido di Classe (RA)	9 D2
Lido di Savio (RA)	9 D2
Lizzano in Belvedere (BO)	8 B2
Loiano (BO)	9 C2
Longiano (FO)	9 D2
Lugo (RA)	9 C2
Malalbergo (BO)	9 C2
Maranello (MO)	8 B2
Marina di Ravenna (RA)	9 D2
Medesano (PR)	8 B2
Meldola (FO)	9 D2
Milano Marittima (RA)	9 D2

Friuli - Venezia Giulia

Liguria / Lombardia index

Place			Page
Spinaceto (RM)	🏠	✕	12 B2
Sutri (VT)	🏠	✕	12 B1
Tarquinia (VT)	🏠	✕	12 A2
Terracina (LT)	🏠	✕	13 C3
Tivoli (RM)	🏠	✕	13 C2
Torvaianica (RM)	🏠	✕	12 B2
Trevignano Romano (RM)		✕	12 B2
Trevinano (VT)	🏠	✕	12 A1
Tuscania (VT)	🏠	✕	12 A1
Vallerano (VT)		✕	12 B1
Velletri (RM)	🏠	✕	13 C2
Veroli (FR)	🏠	✕	13 C2
Viterbo (VT)	🏠	✕	12 B1
Vitorchiano (VT)	🏠	✕	12 B1
Zagarolo (RM)		✕	13 C2

Liguria

Place			Page
Alassio (SV)	🏠	✕	14 B2
Albenga (SV)	🏠	✕	14 B2
Albissola Marina (SV)	🏠	✕	14 B2
Altare (SV)	🏠	✕	14 B2
Ameglia (SP)	🏠	✕	15 D2
Andora (SV)	🏠	✕	14 B2
Apricale (IM)	🏠	✕	14 A3
Arenzano (GE)	🏠	✕	14 B2
Arma di Taggia (IM)	🏠	✕	14 A3
Bergeggi (SV)	🏠	✕	14 B2
Bocca di Magra (SP)	🏠	✕	15 D2
Bogliasco (GE)		✕	15 C2
Bonassola (SP)	🏠	✕	15 D2
Bordighera (IM)	🏠	✕	14 A3
Borghetto d'Arroscia (IM)		✕	14 A2
Borgio Verezzi (SV)		✕	14 B2
Busalla (GE)	🏠	✕	15 C1
Calizzano (SV)	🏠	✕	14 A2
Camogli (GE)	🏠	✕	15 C2
Campiglia (SP)		✕	15 D2
Camporosso (IM)		✕	14 A3
Carasco (GE)		✕	15 C2
Carro (SP)		✕	15 D2
Casarza Ligure (GE)		✕	15 C2
Castelbianco (SV)	🏠	✕	14 A2
Castelnuovo Magra (SP)	🏠	✕	15 D2
Celle Ligure (SV)	🏠	✕	14 B2
Cenova (IM)	🏠	✕	14 A2
Cervo (IM)	🏠	✕	14 B3
Chiavari (GE)	🏠	✕	15 C2
Cipressa (IM)		✕	14 A3
Cogoleto (GE)		✕	14 B2
Deiva Marina (SP)	🏠	✕	15 D2
Diano Marina (IM)	🏠	✕	14 A3
Dolceacqua (IM)	🏠	✕	14 A3
Finale Ligure (SV)	🏠	✕	14 B2
Garlenda (SV)	🏠	✕	14 A2
Genova (GE)	🏠	✕	15 C2
Imperia (IM)	🏠	✕	14 A3
La Spezia (SP)	🏠	✕	15 D2
Laigueglia (SV)	🏠	✕	14 B2
Lavagna (GE)	🏠	✕	15 C2
Lerici (SP)	🏠	✕	15 D2
Levanto (SP)	🏠	✕	15 D2
Loano (SV)	🏠	✕	14 B2
Lumarzo (GE)		✕	15 C2
Manarola (SP)	🏠	✕	15 D2
Mesco (SP)			15 D2
Millesimo (SV)		✕	14 B2
Moneglia (GE)	🏠	✕	15 C2
Montemarcello (SP)	🏠	✕	15 D2
Monterosso al Mare (SP)	🏠	✕	15 D2
Montoggio (GE)		✕	15 C1
Nava (Colle di) (IM)	🏠	✕	14 A2
Ne (GE)		✕	15 C2
Nervi (GE)	🏠	✕	15 C2
Noli (SV)	🏠	✕	14 B2
Oneglia (IM)		✕	14 A3
Ospedaletti (IM)		✕	14 A3
Pavareto (SP)	🏠	✕	15 D2
Pietra Ligure (SV)	🏠	✕	14 B2
Pigna (IM)	🏠	✕	14 A3
Portofino (GE)	🏠	✕	15 C2
Portovenere (SP)	🏠	✕	15 D2
Ranzo (IM)		✕	14 A2
Rapallo (GE)	🏠	✕	15 C2
Recco (GE)	🏠	✕	15 C2
Riomaggiore (SP)	🏠	✕	15 D2
Salea (SV)	🏠		14 B2
San Bartolomeo al Mare (IM)	🏠	✕	14 A3
San Cipriano (GE)		✕	15 C1
San Fruttuoso (GE)		✕	15 C2
San Remo (IM)	🏠	✕	14 A3
Sant'Ermete (SV)		✕	14 B2
Santa Margherita Ligure (GE)	🏠	✕	15 C2
Santo Stefano al Mare (IM)		✕	14 A3
Sarzana (SP)	🏠	✕	15 D2
Sassello (SV)	🏠	✕	14 B2
Savignone (GE)	🏠	✕	15 C1
Savona (SV)	🏠	✕	14 B2
Sestri Levante (GE)	🏠	✕	15 C2
Sori (GE)		✕	15 C2
Spotorno (SV)	🏠	✕	14 B2
Toirano (SV)	🏠	✕	14 B2
Triora (IM)	🏠	✕	14 A2
Vado Ligure (SV)			14 B2
Vallecrosia (IM)		✕	14 A3
Varazze (SV)	🏠	✕	14 B2
Varese Ligure (SP)	🏠	✕	15 D2
Varigotti (SV)	🏠	✕	14 B2
Ventimiglia (IM)	🏠	✕	14 A3
Voltri (GE)		✕	14 B2
Zoagli (GE)		✕	15 C2

Lombardia

Place			Page
Abbadia Lariana (LC)	🏠		16 B2
Abbiategrasso (MI)		✕	18 A2
Adro (BS)		✕	19 D1
Agrate Brianza (MI)	🏠	✕	19 C1
Albavilla (CO)		✕	18 B1
Albino (BG)		✕	19 C1
Almenno San Bartolomeo (BG)	🏠	✕	19 C1
Almenno San Salvatore (BG)		✕	19 C1
Almè (BG)		✕	19 C1
Alzano Lombardo (BG)		✕	19 C1
Ambivere (BG)		✕	19 C1
Ambria (BG)	🏠	✕	19 C1
Angera (VA)	🏠	✕	16 A2
Appiano Gentile (CO)		✕	18 A1
Aprica (SO)	🏠	✕	17 C1
Arcore (MI)	🏠	✕	18 B2
Arese (MI)		✕	18 B2
Argegno (CO)	🏠	✕	16 A2

Località	Rif.		Località	Rif.
Galliate Lombardo (VA)	18 A1		Monza (MI)	18 B2
Gambara (BS)	17 C3		Monzambano (MN)	17 D1
Gambolò (PV)	16 A3		Morazzone (VA)	18 A1
Garbagnate Milanese (MI)	18 B2		Morbegno (SO)	16 B1
Gardone Riviera (BS)	17 C2		Morimondo (MI)	18 A3
Gargnano (BS)	17 C2		Mornago (VA)	18 A1
Gavirate (VA)	16 A2		Mortara (PV)	16 A3
Gerenzano (VA)	18 A2		Mozzo (BG)	19 C1
Gerola Alta (SO)	16 B1		Nerviano (MI)	18 A2
Ghedi (BS)	17 C2		Nobiallo (CO)	16 A1
Goito (MN)	17 C2		Olgiate Olona (VA)	18 A2
Gravedona (CO)	16 A1		Ome (BS)	19 D1
Grazie (MN)	17 C3		Opera (MI)	18 B2
Grosio (SO)	17 C1		Origgio (VA)	18 A2
Grosotto (SO)	17 C1		Ornago (MI)	18 B2
Grumello del Monte (BG)	19 D1		Ospitaletto (BS)	19 D2
Guardamiglio (LO)	16 B3		Padenghe sul Garda (BS)	17 D1
Idro (BS)	17 C2		Paderno Franciacorta (BS)	19 D2
Induno Olona (VA)	18 A1		Palazzago (BG)	19 C1
Inverno-Monteleone (PV)	16 B3		Palazzolo sull'Oglio (BS)	19 D2
Iseo (BS)	19 D1		Pandino (CR)	19 C2
Ispra (VA)	16 A2		Parabiago (MI)	18 A2
Laglio (CO)	18 B1		Paratico (BS)	19 D1
Lainate (MI)	18 A2		Pavia (PV)	16 A3
Lanzo d'Intelvi (CO)	16 A2		Pedenosso (SO)	17 C1
Laveno Monmbello (VA)	16 A2		Pellio Intelvi (CO)	16 A2
Lecco (LC)	18 B1		Peschiera Borromeo (MI)	18 B2
Legnano (MI)	18 A2		Piadena (CR)	17 C3
Lenno (CO)	16 A2		Pian delle Betulle (LC)	16 B2
Lentate sul Seveso (MI)	18 B1		Pieve Vecchia (BS)	17 D1
Lierna (LC)	16 B2		Pinarolo Po (PV)	16 B3
Limone sul Garda (BS)	17 C2		Pioltello (MI)	18 B2
Livigno (SO)	16 B1		Pizzighettone (CR)	16 B3
Lodi (LO)	16 B3		Pogliano Milanese (MI)	18 A2
Lonato (BS)	17 D1		Ponte di Legno (BS)	17 C1
Lovere (BG)	19 D1		Ponte in Valtellina (SO)	16 B1
Lugana (BS)	17 D1		Ponti sul Mincio (MN)	17 D1
Luino (VA)	16 A2		Pontida (BG)	19 C1
Madesimo (SO)	16 B1		Porlezza (CO)	16 A2
Magenta (MI)	18 A2		Portalbera (PV)	16 B3
Maleo (LO)	16 B3		Portese (BS)	17 D1
Malgrate (LC)	18 B1		Porto Ceresio (VA)	16 A2
Malnate (VA)	18 A1		Pozzolengo (BS)	17 D1
Mandello del Lario (LC)	16 B2		Pralboino (BS)	17 C3
Manerba del Garda (BS)	17 D1		Quistello (MN)	17 D3
Mantova (MN)	17 C3		Rancio Valcuvia (VA)	16 A2
Margno (LC)	16 B2		Ranco (VA)	16 A2
Mariano Comense (CO)	18 B1		Recorfano (CR)	17 C3
Melegnano (MI)	18 B2		Revere (MN)	17 D3
Melzo (MI)	19 C2		Rezzato (BS)	17 C1
Menaggio (CO)	16 A2		Rho (MI)	18 A2
Merate (LC)	18 B1		Ripalta Cremasca (CR)	19 C2
Merone (CO)	18 B1		Riva di Solto (BG)	19 D1
Mese (SO)	16 B1		Rivanazzano (PV)	16 A3
Milano (MI)	18 B2		Rivarolo Mantovano (MN)	17 C3
Moia di Albosaggia (SO)	16 B1		Rivolta d'Adda (CR)	19 C2
Moltrasio (CO)	18 B1		Robecco sul Naviglio (MI)	18 A2
Monasterolo del Castello (BG)	19 D1		Rota d'Imagna (BG)	19 C1
Moniga del Garda (BS)	17 D1		Rovato (BS)	19 D2
Montecalvo Versiggia (PV)	16 B3		Runate (MN)	17 C3
Monteleone (PV)	16 B3		Sala Comacina (CO)	16 A2
Montescano (PV)	16 B3		Sale Marasino (BS)	19 D1
Montespluga (SO)	16 B1		Salice Terme (PV)	16 A3
Montevecchia (LC)	18 B1		Salò (BS)	17 D1
Monticelli Brusati (BS)	19 D1		San Benedetto Po (MN)	17 D3
Montichiari (BS)	17 D1		San Donato Milanese (MI)	18 B2
Montorfano (CO)	18 B1		San Felice del Benaco (BS)	17 D1
Montù Beccaria (PV)	16 B3		San Genesio ed Uniti (PV)	16 B3

Marche

1401

1403

Trentino - Alto Adige

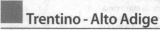

Place	⌂	X	Map
Alta Badia (BZ)			31 **C1**
Andalo (TN)	⌂	X	30 **B2**
Appiano sulla Strada del Vino (BZ)	⌂	X	30 **B2**
Arco (TN)	⌂	X	30 **B3**
Auer / Ora (BZ)	⌂	X	31 **D3**
Avelengo (BZ)	⌂	X	30 **B2**
Baselga di Pinè (TN)	⌂	X	30 **B3**
Bolzano (BZ)	⌂	X	31 **D3**
Braies (BZ)	⌂	X	31 **D1**
Brentonico (TN)	⌂	X	30 **B3**
Bressanone (BZ)	⌂	X	31 **C1**
Brunico (BZ)	⌂	X	31 **C1**
Bulla (BZ)	⌂	X	31 **C2**
Burgstall / Postal (BZ)	⌂	X	30 **B2**
Calavino (TN)		X	30 **B3**
Caldaro sulla Strada del Vino (BZ)	⌂	X	31 **D3**
Caldonazzo (TN)	⌂	X	30 **B3**
Calliano (TN)	⌂	X	30 **B3**
Campitello di Fassa (TN)	⌂	X	31 **C2**
Campo Carlo Magno (TN)	⌂	X	30 **B2**
Campo Tures (BZ)	⌂	X	31 **C1**
Campo di Trens (BZ)	⌂	X	31 **C1**
Canazei (TN)	⌂	X	31 **C2**
Carano (TN)	⌂		31 **D3**
Castel Toblino (TN)		X	30 **B3**
Castelbello Ciardes (BZ)	⌂	X	30 **B2**
Castello Molina di Fiemme (TN)	⌂	X	31 **D3**
Castelrotto (BZ)	⌂	X	31 **C2**
Cavalese (TN)	⌂	X	31 **D3**
Cembra (TN)	⌂	X	30 **B2**
Chiusa (BZ)	⌂	X	31 **C1**
Cimego (TN)	⌂	X	30 **A3**
Cleran (BZ)	⌂	X	31 **C1**
Cles (TN)	⌂	X	30 **B2**
Cogolo (TN)	⌂	X	30 **A2**
Colfosco (BZ)	⌂	X	31 **C2**
Collalbo (BZ)	⌂	X	31 **D3**
Collepietra (BZ)	⌂	X	31 **D3**
Comano Terme (TN)	⌂	X	30 **B3**
Commezzadura (TN)	⌂	X	30 **B2**
Condino (TN)	⌂	X	30 **A3**
Cornaiano (BZ)	⌂	X	31 **D3**
Cortaccia sulla strada del vino / Kurtatsch an der Weinstrasse (BZ)	⌂	X	31 **D3**
Corvara in Badia (BZ)	⌂	X	31 **C2**
Costalovara (BZ)	⌂	X	31 **D3**
Deutschnofen / Nova Ponente (BZ)	⌂	X	31 **D3**
Dimaro (TN)	⌂	X	30 **B2**
Dobbiaco (BZ)	⌂	X	31 **D1**
Dro (TN)	⌂		30 **B3**
Egna (BZ)	⌂	X	31 **D3**
Fai della Paganella (TN)	⌂	X	30 **B2**
Falzes (BZ)	⌂	X	31 **C1**
Fiera di Primiero (TN)	⌂	X	31 **C2**
Fiè allo Sciliar (BZ)	⌂	X	31 **D3**
Foiana (BZ)	⌂	X	30 **B2**
Folgaria (TN)	⌂	X	30 **B3**
Folgarida (TN)	⌂	X	30 **B2**
Fondo (TN)	⌂	X	30 **B2**
Fontanefredde (BZ)	⌂	X	31 **D3**
Freiberg (BZ)	⌂	X	30 **B2**
Funes (BZ)	⌂	X	31 **C1**
Giovo (TN)	⌂	X	30 **B2**
Glorenza (BZ)	⌂	X	30 **A2**
Gudon (BZ)	⌂	X	31 **C1**
Isera (TN)		X	30 **B3**
La Villa (BZ)	⌂	X	31 **C2**
Laces (BZ)	⌂	X	30 **B2**
Lana (BZ)	⌂	X	30 **B2**
Lavarone (TN)	⌂	X	30 **B3**
Lavis (TN)			30 **B3**
Levico Terme (TN)	⌂	X	30 **B3**
Madonna di Campiglio (TN)	⌂	X	30 **B2**
Malles Venosta (BZ)	⌂	X	30 **A2**
Malosco (TN)	⌂	X	30 **B2**
Malé (TN)	⌂	X	30 **B2**
Maranza (BZ)	⌂	X	31 **C1**
Marlengo (BZ)	⌂	X	30 **B2**
Merano (BZ)	⌂	X	30 **B2**
Mezzana (TN)	⌂	X	30 **B2**
Mezzocorona (TN)		X	30 **B2**
Mezzolombardo (TN)		X	30 **B2**
Missiano (BZ)	⌂	X	31 **D3**
Moena (TN)	⌂	X	31 **C2**
Molini (BZ)		X	31 **C1**
Molveno (TN)	⌂	X	30 **B3**
Monguelfo (BZ)	⌂	X	31 **D1**
Montagna / Montan (BZ)	⌂	X	29 **D1**
Monte (BZ)	⌂	X	31 **D3**
Monte Bondone (TN)	⌂	X	30 **B3**
Monte Rota / Radsberg (BZ)	⌂	X	31 **D1**
Moso (BZ)	⌂	X	31 **D1**
Mules (BZ)	⌂	X	31 **C1**
Naturno (BZ)	⌂	X	30 **B2**
Niederdorf / Villabassa (BZ)	⌂	X	31 **D1**
Nova Levante (BZ)	⌂	X	31 **D3**
Novacella (BZ)	⌂	X	31 **C1**
Ortisei (BZ)	⌂	X	31 **C2**
Ossana (TN)	⌂	X	30 **B2**
Palù (TN)	⌂	X	30 **B2**
Panchià (TN)	⌂	X	31 **D3**
Parcines (BZ)	⌂	X	30 **B2**
Passo di Costalunga (BZ)	⌂	X	31 **C2**
Passo di Sella (TN)	⌂	X	31 **C2**
Pedraces (BZ)	⌂	X	31 **C2**
Peio (TN)			30 **A2**
Pergine Valsugana (TN)	⌂	X	30 **B3**
Pfitsch (BZ)	⌂	X	31 **C1**
Pigeno (BZ)	⌂	X	31 **D3**
Pinzolo (TN)	⌂	X	30 **B3**
Ponte Arche (TN)	⌂	X	30 **B3**
Pozza di Fassa (TN)	⌂	X	31 **C2**
Predazzo (TN)	⌂	X	31 **C2**
Rablà (BZ)	⌂	X	30 **B2**
Racines (BZ)	⌂	X	30 **B1**
Rasun Anterselva (BZ)	⌂	X	31 **C1**
Redagno (BZ)	⌂	X	31 **D3**
Renon (BZ)	⌂	X	31 **C2**
Resia (BZ)	⌂	X	30 **A1**
Rio di Pusteria / Mühlbach (BZ)	⌂	X	31 **C1**
Riscone (BZ)	⌂	X	31 **C1**
Riva del Garda (TN)	⌂	X	30 **B3**
Romeno (TN)		X	30 **B2**
Roncegno (TN)	⌂	X	30 **C3**
Ronzone (TN)		X	30 **B2**
Rovereto (TN)	⌂	X	30 **B3**
San Candido (BZ)	⌂	X	31 **D1**
San Cassiano (BZ)	⌂	X	31 **C2**
San Floriano (BZ)	⌂	X	31 **D3**
San Genesio (BZ)	⌂	X	31 **C1**
San Leonardo in Passiria (BZ)	⌂	X	30 **B1**
San Martino di Castrozza (TN)	⌂	X	31 **C2**

Umbria

Valle d'Aosta

Veneto

La località possiede come minimo

- un albergo o un ristorante
- ✿ una delle migliori tavole dell'anno
- 😊 un ristorante « Bib Gourmand »
- 🍴🏠 un albergo « Bib Hotel »
- 𝒳 un ristorante molto piacevole
- 🏠 un albergo molto piacevole
- ᗌ un esercizio molto tranquillo

Localité possédant au moins

- un hôtel ou un restaurant
- ✿ une table étoilée
- 😊 un restaurant « Bib Gourmand »
- 🍴🏠 un hôtel « Bib Hôtel »
- 𝒳 un restaurant agréable
- 🏠 un hôtel agréable
- ᗌ un hôtel très tranquille

Ort mit mindestens

- einem Hotel oder Restaurant
- ✿ einem der besten Restaurants des Jahres
- 😊 einem Restaurant « Bib Gourmand »
- 🍴🏠 einem Hotel « Bib Hôtel »
- 𝒳 einem sehr angenehmen Restaurant
- 🏠 einem sehr angenehmen Hotel
- ᗌ einem sehr ruhigen Haus

Place with at least

- a hotel or a restaurant
- ✿ a starred establishment
- 😊 a restaurant « Bib Gourmand »
- 🍴🏠 a hotel « Bib Hôtel »
- 𝒳 a particularly pleasant restaurant
- 🏠 a particularly pleasant hotel
- ᗌ a particularly quiet hotel

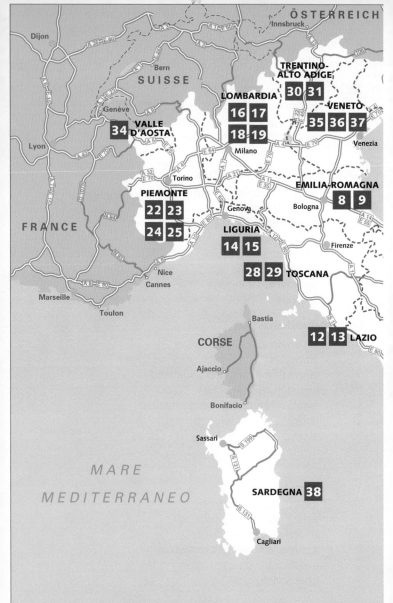

L'Italia in 40 carte

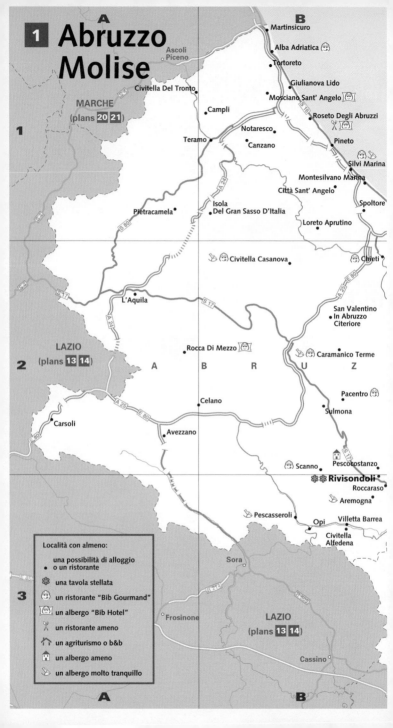

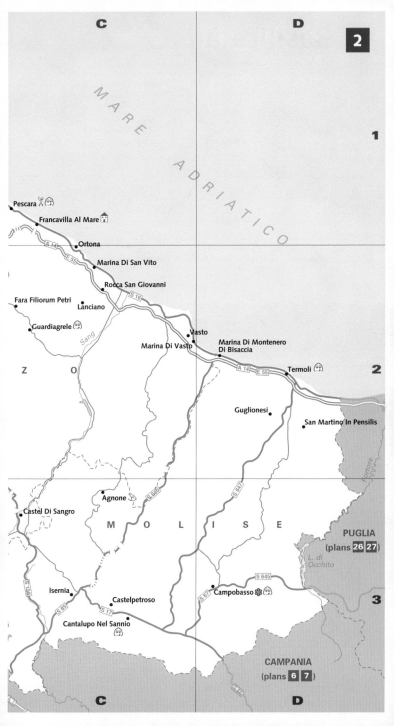

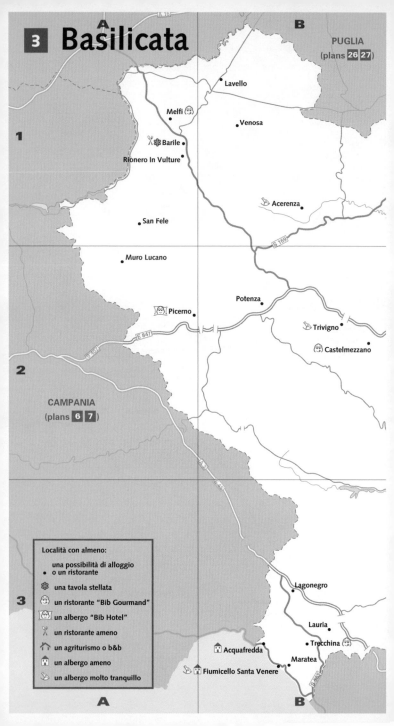

3 Basilicata

PUGLIA (plans 26 27)

CAMPANIA (plans 6 7)

Lavello

Melfi

Venosa

Barile

Rionero In Vulture

Acerenza

San Fele

Muro Lucano

Potenza

Picerno

Trivigno

Castelmezzano

Lagonegro

Lauria

Trecchina

Acquafredda

Maratea

Fiumicello Santa Venere

Località con almeno:

- una possibilità di alloggio o un ristorante
- 🏵 una tavola stellata
- 😊 un ristorante "Bib Gourmand"
- 🖼 un albergo "Bib Hotel"
- 🗙 un ristorante ameno
- 🛖 un agriturismo o b&b
- 🏠 un albergo ameno
- 🌿 un albergo molto tranquillo

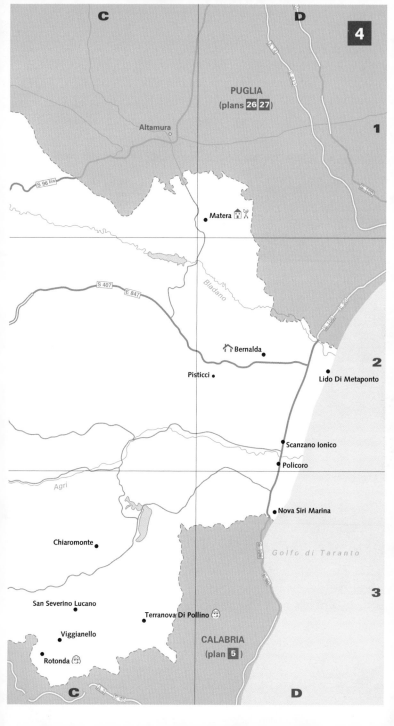

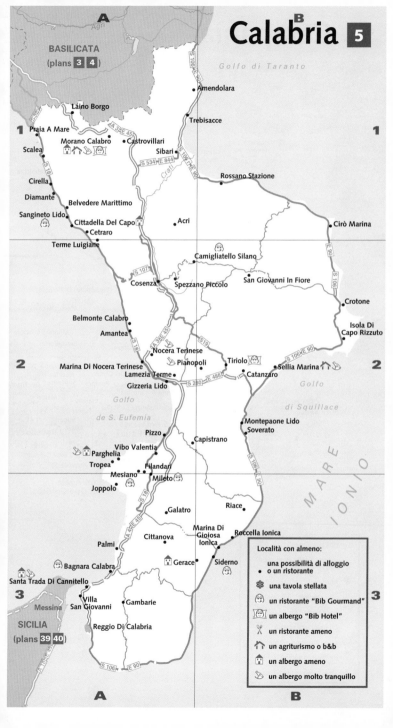

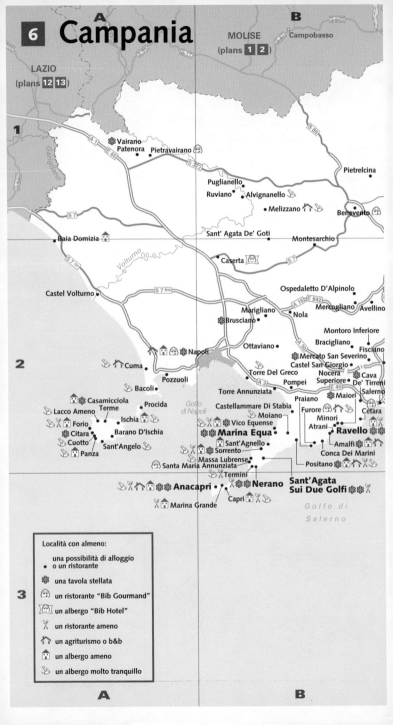

6 Campania

A **B**

MOLISE
(plans **1** **2**)

○ Campobasso

LAZIO
(plans **12** **13**)

1

🌸 Vairano
Patenora
● Pietravairano 🏠

● Puglianello
Ruviano ● ● Alvignanello 🦋
● Melizzano 🏠🦋

Pietrelcina ●

Sant' Agata De' Goti

Benevento 🏠

● Baia Domizia 🏠

Montesarchio ●

Caserta 👨‍👩‍👧

Castel Volturno ●

Volturno

S 7 bis

Ospedaletto D'Alpinolo ●
Mercogliano ●
Avellino ●

Marigliano ●
🌸 Brusciano
Nola ●

Montoro Inferiore ●
Bracigliano ●
Fisciano ●

● Ottaviano
Mercato San Severino 🌸
Castel San Giorgio ●
Nocera
Superiore ●
Cava
De' Tirreni 🌸
Salerno ●

🏠👨‍👩‍👧🌸 Napoli

🦋🏠 Cuma

Torre Del Greco ●

Pompei ●

2

🦋 Bacoli ●

● Pozzuoli

Golfo
di Napoli

Torre Annunziata ●

Castellammare Di Stabia ●

🦋 Praiano 🏠🌸 Maiori 👨‍👩
Furore 🏠🦋
Minori
Cetara 🌸
Ravello 🌸🌸🦋

🏠🌸 Casamicciola
Terme
🦋 Lacco Ameno
🦋🗡️🏠 Forio
🦋 Citara
🦋 Cuotto
🦋🏠 Panza

Procida ●

Moiano ●
🦋🏠🏠🌸 Vico Equense

Ischia 🏠🦋

Barano D'Ischia ●

Sant'Angelo 🦋

🌸🌸🌸 Marina Equa ●

🗡️🏠 Sant'Agnello

Atrani ●
Amalfi 🏠🏠
Conca Dei Marini ●

Sant'Agata De' Goti

🦋🗡️🏠🏠 Sorrento 🦋
🦋🏠 Massa Lubrense
👨‍👩 Santa Maria Annunziata
🦋 Termini ●

Positano 🌸🏠🏠🦋🦋

🦋🗡️🏠🏠🌸🌸 **Anacapri**
🦋🗡️🌸🌸 **Nerano**

**Sant'Agata
Sui Due Golfi** 🌸🌸🗡️

🗡️🏠 Marina Grande

Capri 🏠🗡️🦋

Golfo di
Salerno

3

Località con almeno:

● una possibilità di alloggio
o un ristorante

🌸 una tavola stellata

👨‍👩 un ristorante "Bib Gourmand"

👨‍👩‍👧 un albergo "Bib Hotel"

🗡️ un ristorante ameno

🏠 un agriturismo o b&b

🏠 un albergo ameno

🦋 un albergo molto tranquillo

A **B**

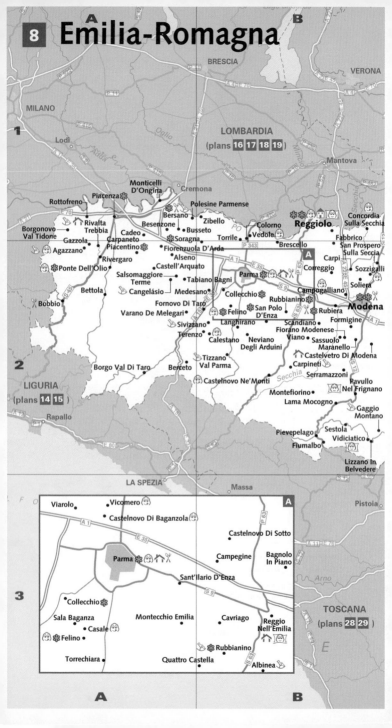

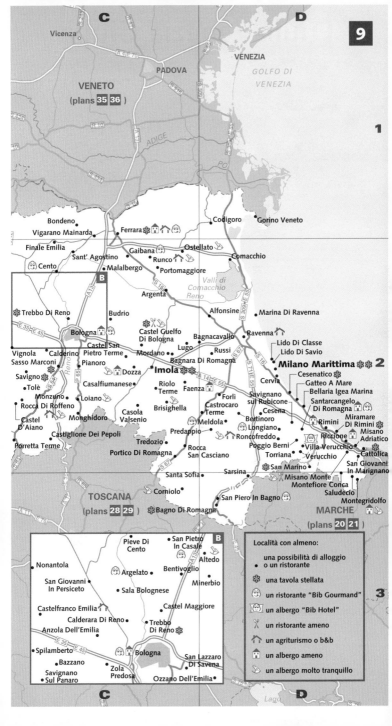

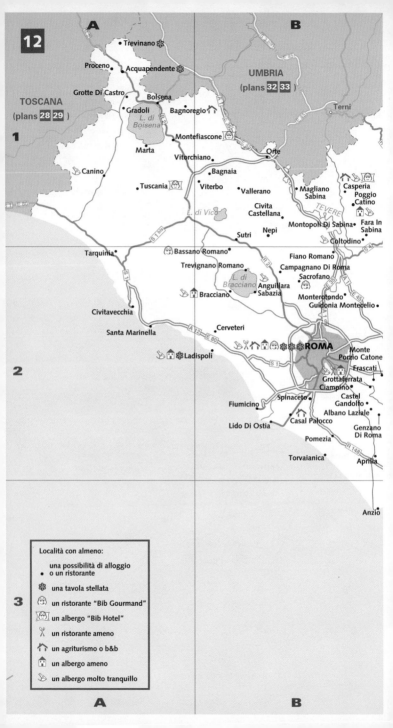

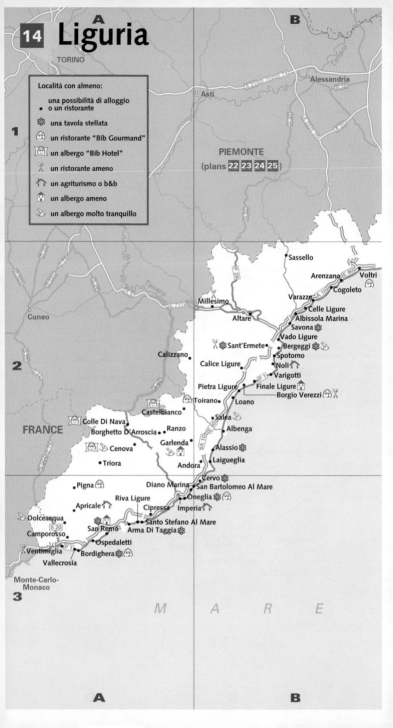

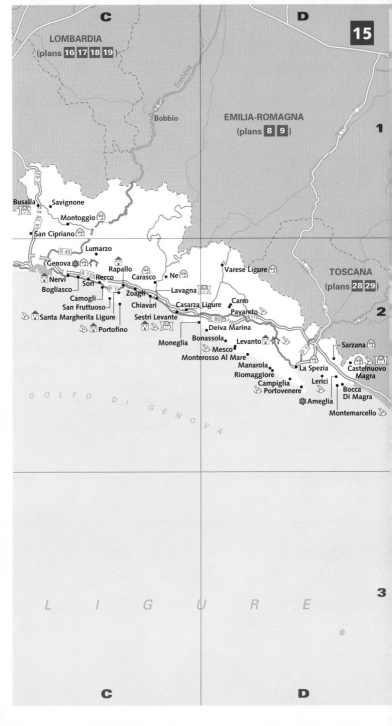

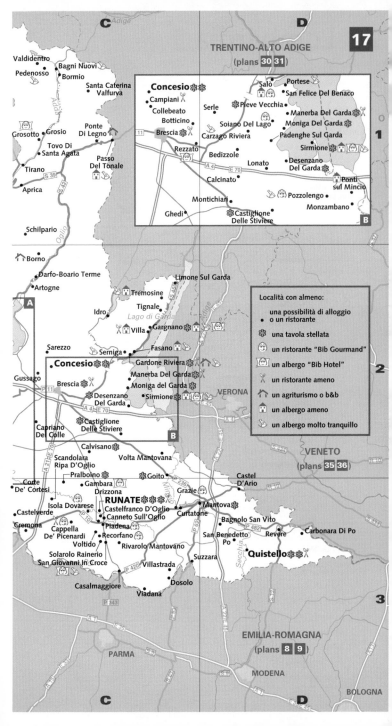

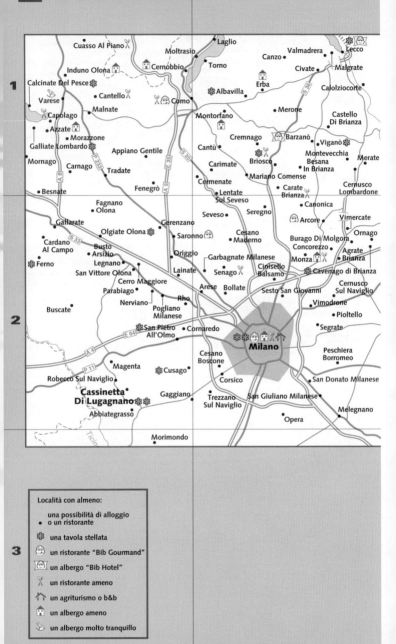

18 Lombardia

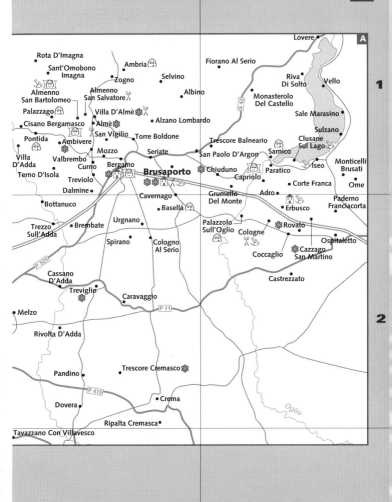

A

Lovere

Rota D'Imagna
Sant'Omobono
Imagna
Ambria
Zogno
Selvino
Fiorano Al Serio
Riva
Di Solto
Vello
Almenno
San Bartolomeo
Almenno
San Salvatore
Villa D'Almè
Albino
Monasterolo
Del Castello
Sale Marasino
Palazzago
Cisano Bergamasco
Almè
Alzano Lombardo
Sulzano
Clusane
Sul Lago
Pontida
San Vigilio
Ambivere
Torre Boldone
Trescore Balneario
Sarnico
Iseo
Villa
D'Adda
Mozzo
Valbrembo
Seriate
San Paolo D'Argon
Paratico
Monticelli
Brusati
Terno D'Isola
Curno
Bergamo
Brusaporto
Chiuduno
Capriolo
Corte Franca
Ome
Treviolo
Dalmine
Cavernago
Grumello
Del Monte
Adro
Erbusco
Paderno
Franciacorta
Bottanuco
Basella
Trezzo
Sull'Adda
Brembate
Urgnano
Palazzolo
Sull'Oglio
Cologne
Rovato
Ospitaletto
Spirano
Cologno
Al Serio
Coccaglio
Cazzago
San Martino
Cassano
D'Adda
Treviglio
Caravaggio
Castrezzato
Melzo
Rivolta D'Adda
Pandino
Trescore Cremasco
Dovera
Crema
Ripalta Cremasca
Tavazzano Con Villavesco

S.42
P.525
P.11
P.415
Oglio

C
D
1
2
3

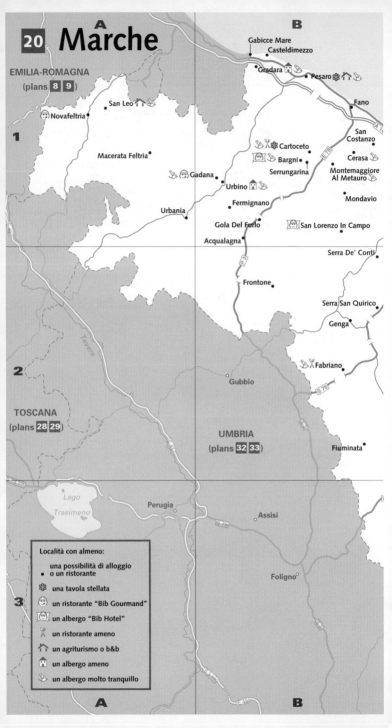

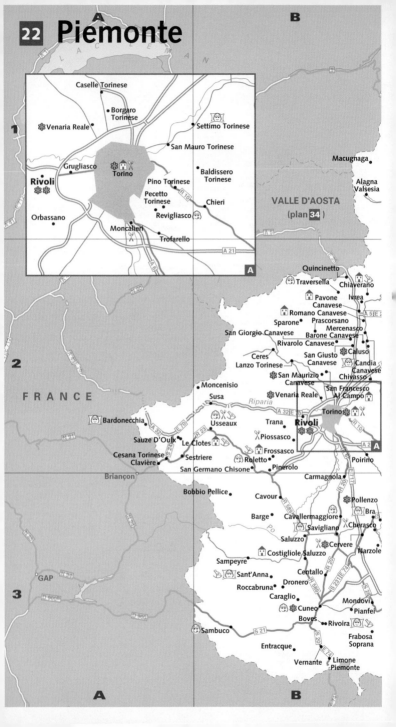

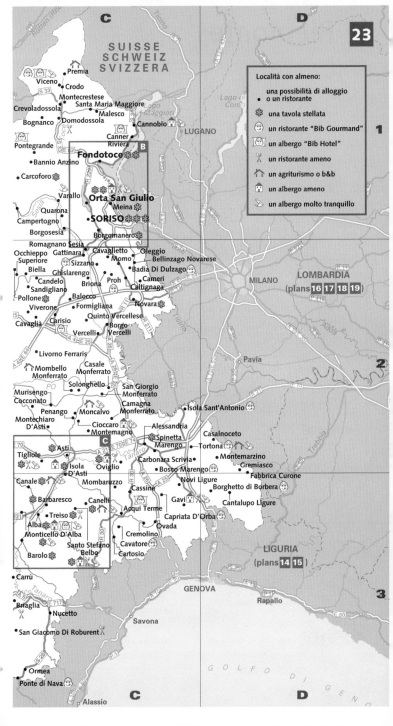

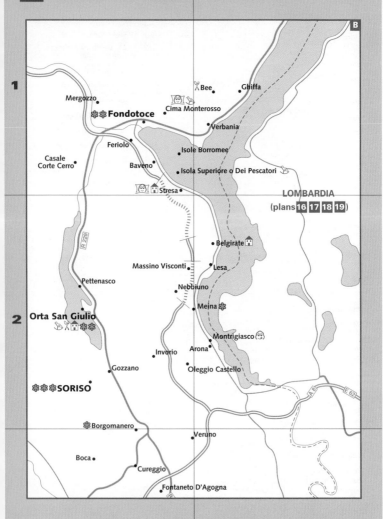

24 Piemonte

A **B**

B

1

Mergozzo

✿✿ **Fondotoce**

🏚🐚 Cima Monterosso

☆ Bee ● Ghiffa

● Verbania

Feriolo

● Isole Borromee

Casale
Corte Cerro ●

Baveno ●

● Isola Superiore o Dei Pescatori 🐚

🏚🏠 Stresa ●

LOMBARDIA
(plans 16 17 18 19)

● Belgirate 🏠

Massino Visconti ● ● Lesa

Pettenasco ●

Nebbiuno ●

Orta San Giulio
🐚☆🏠🏠✿✿

● Meina ✿

2

Montrigiasco 😊

Invorio ● ● Arona

Gozzano ●

● Oleggio Castello

✿✿✿ **SORISO**

✿ Borgomanero

● Veruno

Boca ●

Cureggio ●

● Fontaneto D'Agogna

3

Località con almeno:

● una possibilità di alloggio
o un ristorante

✿ una tavola stellata

😊 un ristorante "Bib Gourmand"

🏚 un albergo "Bib Hotel"

☆ un ristorante ameno

🏠 un agriturismo o b&b

🏠 un albergo ameno

🐚 un albergo molto tranquillo

A **B**

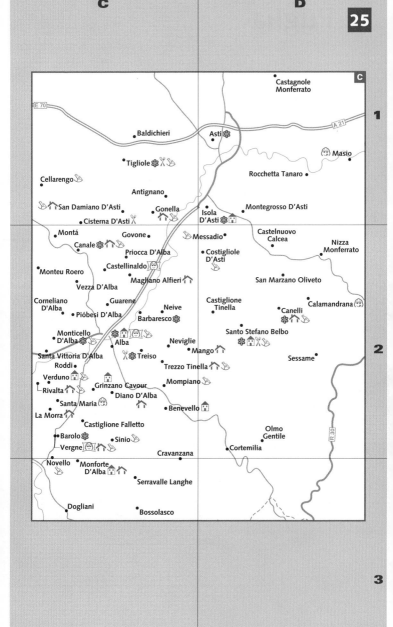

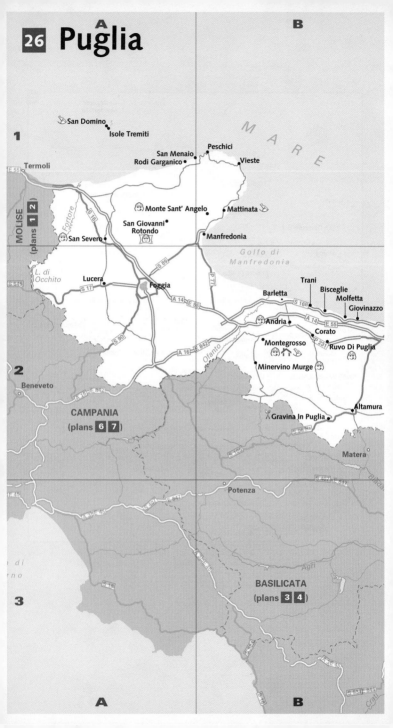

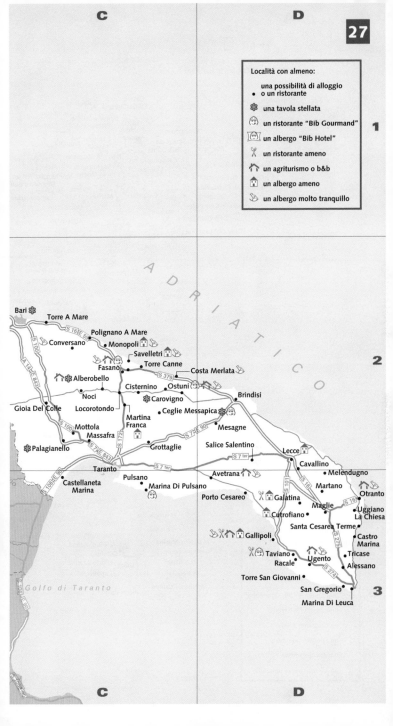

27

C

D

Località con almeno:

- una possibilità di alloggio
  o un ristorante
- 🏵 una tavola stellata
- 😊 un ristorante "Bib Gourmand"
- 😊 un albergo "Bib Hotel"
- ✗ un ristorante ameno
- 🏠 un agriturismo o b&b
- 🏠 un albergo ameno
- 🌦 un albergo molto tranquillo

1

ADRIATICO

Bari 🏵

Torre A Mare

Polignano A Mare

Conversano   Monopoli 🏠

Savelletri 🏠🌦

Fasano   Torre Canne

Costa Merlata 🌦

🏠🏵 Alberobello   Cisternino   Ostuni

Noci   Carovigno   Brindisi

Locorotondo   Ceglie Messapica 🏵😊

Gioia Del Colle   Martina Franca   Mesagne

Mottola   Grottaglie   Salice Salentino   Lecce 🏠

Massafra   Cavallino

🏵 Palagianello

Taranto   Avetrana 🏠🌦   Melendugno

Castellaneta Marina   Pulsano   Martano   Otranto 🏠🌦

Marina Di Pulsano   Porto Cesareo   Galatina   Maglie   Uggiano La Chiesa

Cutrofiano   Santa Cesarea Terme   Castro Marina

🌦✗🏠🏠 Gallipoli   Taviano 😊   Ugento   Tricase

Racale   Alessano

Torre San Giovanni

San Gregorio

Marina Di Leuca

Golfo di Taranto

2

3

C

D

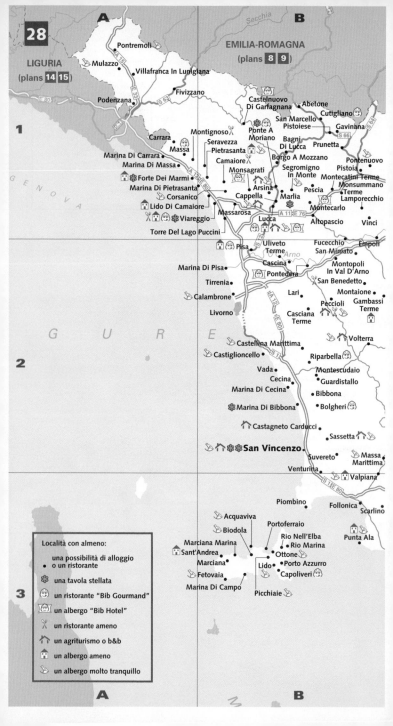

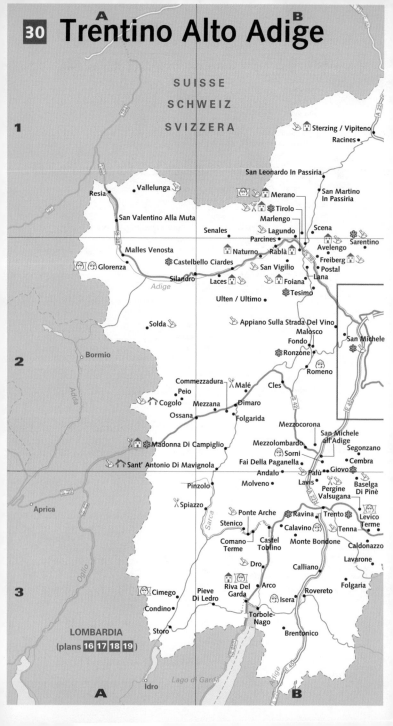

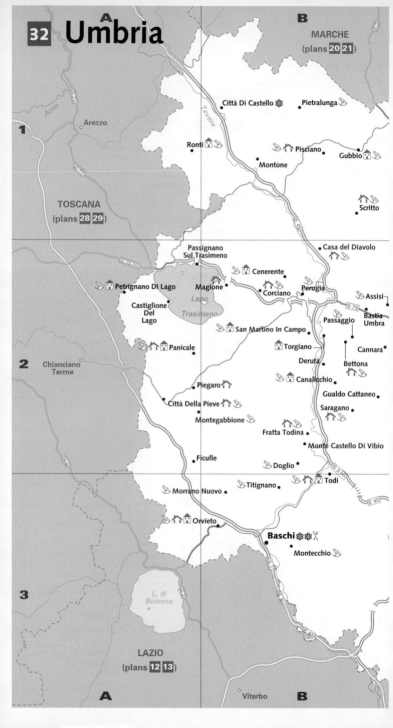

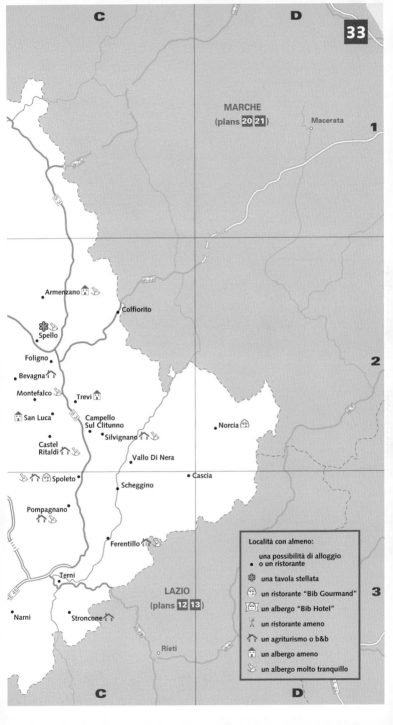

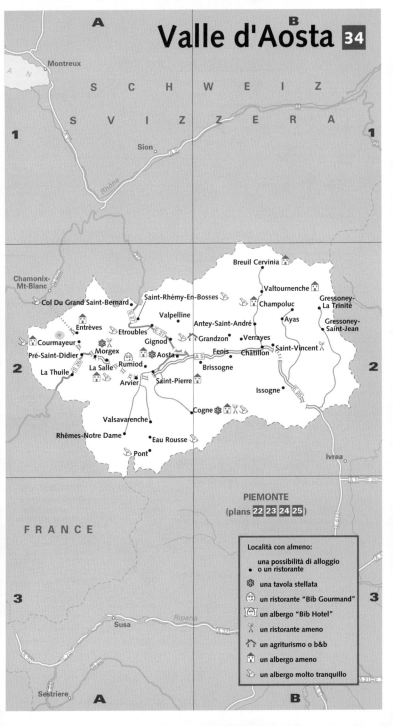

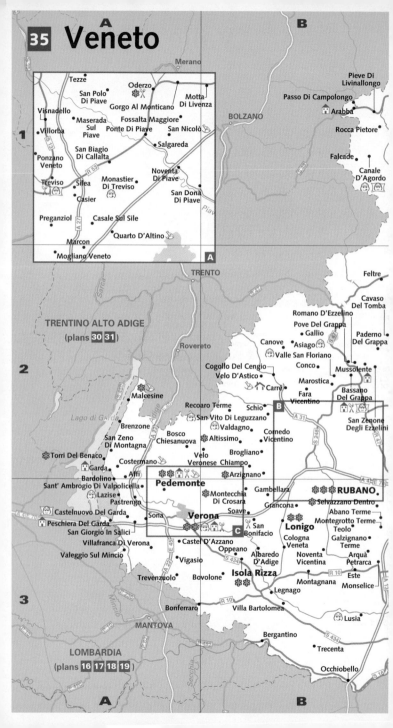

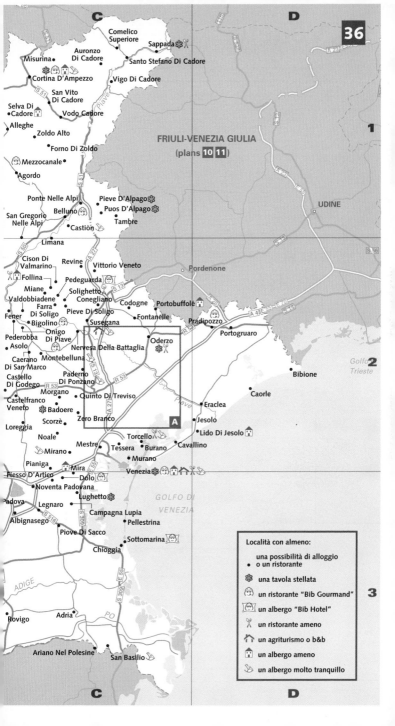

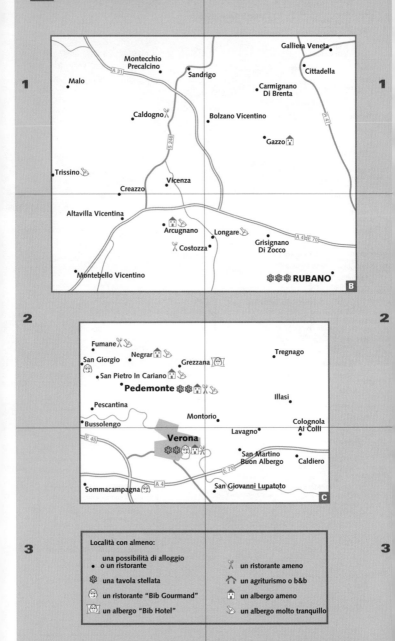

37 Veneto

Galliera Veneta
Cittadella
Montecchio Precalcino
Sandrigo
Malo
Carmignano Di Brenta
Caldogno
Bolzano Vicentino
Gazzo
Trissino
Vicenza
Creazzo
Altavilla Vicentina
Arcugnano
Longare
Costozza
Grisignano Di Zocco
Montebello Vicentino
❀❀❀ RUBANO

Fumane
Tregnago
San Giorgio
Negrar
Grezzana
San Pietro In Cariano
Pedemonte ❀❀
Illasi
Pescantina
Montorio
Bussolengo
Colognola Ai Colli
Verona ❀❀
Lavagno
San Martino Buon Albergo
Caldiero
Sommacampagna
San Giovanni Lupatoto

Località con almeno:

- una possibilità di alloggio o un ristorante
- ❀ una tavola stellata
- un ristorante "Bib Gourmand"
- un albergo "Bib Hotel"

- ✕ un ristorante ameno
- un agriturismo o b&b
- un albergo ameno
- un albergo molto tranquillo

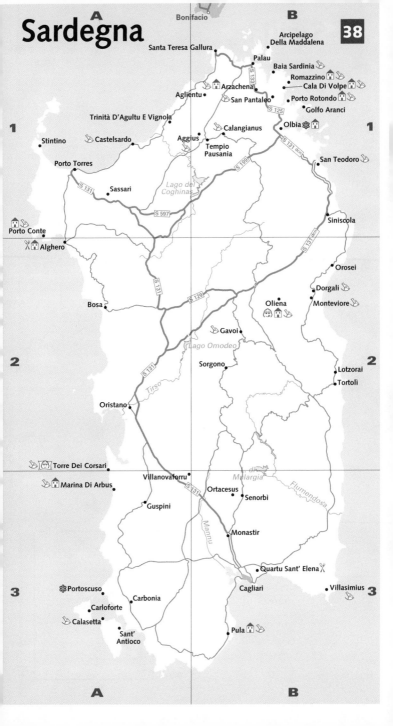

A
B

1

M A R E

2

Sferracavallo
Mondello
Isola Delle Femmine
Palermo
Terrasini
A 29 E 90
Santa Flavia
San Vito Lo Capo
Monreale
Termini
Imerese
A 19
Scopello
Piana Degli
Albanesi
Erice
Castellammare
Del Golfo
Trapani
Valderice
Favignana
Fontanasalsa
S 121
A 29 dir
E 933
S 115
Marsala
S 189
Mazara Del Vallo
A 29 E 90
Menfi
Platani
Selinunte
Sciacca
S 115
Agrigento
E 931
Siculiana
San Leone

M A R E

Località con almeno:

- una possibilità di alloggio o un ristorante
- ❀ una tavola stellata
- 😊 un ristorante "Bib Gourmand"
- 🏠 un albergo "Bib Hotel"
- ✕ un ristorante ameno
- 🏡 un agriturismo o b&b
- 🏠 un albergo ameno
- 🌊 un albergo molto tranquillo

3

Pantelleria

A
B